LAROUSSE

DICCIONARIO

SCHOOL

**ESPAÑOL
INGLÉS**

**ENGLISH
SPANISH**

LAROUSSE

Aribau 197-199 3ª planta
08021 Barcelona

Dinamarca 81
México 06600, D.F.

Valentín Gómez 3530
1191 Buenos Aires

21 Rue du Montparnasse
75298 Paris Cedex 06

Realizado por

LAROUSSE

Dirección Editorial

CATHERINE E. LOVE

Redacción

MONTSERRAT ALBERTE MONTSERRAT   JOAQUÍN BLASCO
CALLUM BRINES   WENDY LEE   SALUT LLONCH SOLER
HELEN NEWSTEAD   CRISTINA RODRÍGUEZ PARADA   EDUARDO VALLEJO

Ilustraciones

CHARLES SIMPSON

© Larousse-Bordas

"D. R." © MCMXCVIII, por Ediciones Larousse, S. A. de C. V.
                    Dinamarca núm. 81, México 06600, D. F.

*Esta obra no puede ser reproducida, total o
parcialmente, sin autorización escrita del editor.*

PRIMERA EDICIÓN — 14ª reimpresión

ISBN 970-607-914-9

**Larousse y el Logotipo Larousse son
marcas registradas de Larousse, S. A.**

Impreso en México — Printed in Mexico

A Nuestros Lectores

El DICCIONARIO SCHOOL es la herramienta de trabajo ideal para cualquier alumno de inglés de los grados de secundaria.

Es una obra práctica, pensada para facilitar soluciones rápidas y claras a los diversos problemas que plantea el estudio del inglés actual. Más de 55,000 palabras y expresiones y más de 80,000 traducciones —incluyendo siglas, abreviaturas y nombres propios de uso frecuente— permiten al estudiante la comprensión y disfrute de una amplia gama de textos. El capítulo titulado "Cómo se usa este diccionario" le enseñará a aprovecharlo al máximo.

Con el uso continuo del DICCIONARIO SCHOOL podrá lograrse soltura al escribir en inglés, gracias a su tratamiento claro y detallado del vocabulario básico y a sus indicadores de sentido, que llevan al lector a escoger la traducción más adecuada.

Les invitamos a mandarnos cualquier duda u observación sobre el contenido de este diccionario. ¡Entre todos podemos hacer del DICCIONARIO SCHOOL una obra aún mejor!

EL EDITOR

CÓMO SE USA ESTE DICCIONARIO

¿Cómo encontrar la palabra o expresión que buscamos en nuestro diccionario Larousse? Empecemos por preguntarnos lo siguiente:

- ¿Es una palabra única, una palabra con guión o una abreviatura?
- ¿Es un sustantivo compuesto?
- ¿Es una frase?
- ¿Es una locución verbal ("phrasal verb")?
- ¿Es un verbo pronominal?
- ¿Podría ser una forma verbal irregular inglesa?

Palabras únicas, palabras con guión y abreviaturas

● Lo normal es que encontremos la palabra que buscamos en su lugar correspondiente dentro de la lista alfabética de la A a la Z. Si queremos traducir una palabra del español al inglés usaremos el lado Español-Inglés del diccionario y si desconocemos el significado de un término inglés, el lado Inglés-Español. La palabra en **letra negrita** al comienzo de cada artículo se llama "entrada". Las entradas que empiezan con mayúscula van después de las que se escriben igual pero con minúscula:

china ['tʃaɪnə] *n* porcelana *f,* loza *f.*
China ['tʃaɪnə] *n* la China.

● Las palabras con guión, punto o apóstrofo van después de las que, aunque se escriban igual, no llevan esos signos:

am [æm] → **be.**
a.m. (*abbr of* **ante meridiem**): **at 3 ~** a las tres de la mañana.

● Las entradas en español que tienen acento escrito van después de las que se escriben igual pero sin acento:

donde ◇ *adv* where; **el bolso está ~ lo dejaste** the bag is where you left it ...
dónde *adv* (*interrogativo*) where; **¿~ está el niño?** where's the child? ...

● Hay ocasiones en que la entrada va seguida de un numerito arriba. Esto indica que justo antes o después hay, también con un numerito, otra entrada que se escribe igual, pero que posee un significado o una pronunciación en inglés radicalmente distintos. ¡Asegurémonos de haber hallado la entrada que buscamos!

V

mi¹ *m* MÚS E; [en solfeo] mi.
mi² (*pl* **mis**) *adj poses* my; ~ **casa** my house; ~**s libros** my books.

● En el lado Español-Inglés del diccionario hay algunas palabras, llamadas
"subentradas", que aparecen precedidas de un rombo negro (◆). Esto
nos indica que la entrada principal posee forma masculina y femenina; la
subentrada, en cambio, sólo tiene una de esas dos formas:

inglés, -esa ◇ *adj* English. ◇ *m y f* [persona] Englishman (*f*
Englishwoman); **los ingleses** the English. ◆ **inglés** *m* [lengua] English.

● Si buscamos un sustantivo que en plural posee un significado especial
distinto del que tiene en singular (como el del español **pucheros** o el del
inglés **glasses**) iremos primero a la forma singular: **puchero, glass**. Allí
encontraremos el uso especial en plural indicado por el símbolo ◆:

glass [glɑːs] ◇ *n* **-1**. [material] vidrio *m*, cristal *m*. **-2**. [drinking vessel,
glassful] vaso *m*; [with stem] copa *f*. ◇ *comp* de vidrio, de cristal.
◆ **glasses** *npl* [spectacles] gafas *fpl*.

● Existen sustantivos plurales que aparecen directamente como entradas
en el orden alfabético, bien porque no existen en singular o porque es poco
común utilizar esa forma (como el del inglés **sneakers** o el del español
gafas).

● Los plurales irregulares tienen entrada propia y además aparecen con su
singular correspondiente:

man [mæn] (*pl* **men**) ◇ *n* hombre *m*...
men [men] *pl* → **man**.

Sustantivos compuestos

● Un sustantivo compuesto es una expresión con significado único que
consta de más de una palabra, p.ej. **ciencia ficción, café con leche**.
Los compuestos del español que se escriben separados hemos de bus-
carlos bajo su primer elemento. Así, **ciencia ficción** estará en **ciencia, café
con leche** en **café**, etc.:

café (*pl* **cafés**) *m* **-1**. [gen] coffee; ~ **solo/con leche** black/white coffee;
~ **instantáneo** o **soluble** instant coffee. **-2**. [establecimiento] cafe.

● Los compuestos del inglés (como **kiss of life, virtual reality, West indies**)
aparecen en su lugar alfabético correspondiente como una entrada más de
la lista, vayan o no separados por espacios o guiones:

blood group *n* grupo *m* sanguíneo.
bloodhound ['blʌdhaʊnd] *n* sabueso *m*.
blood poisoning *n* septicemia *f*.

Frases

● En el lado Español-Inglés buscaremos las frases bajo el primer sustantivo que tengan. Si no hay sustantivo buscaremos en el adjetivo y, si no, en el verbo. Para encontrar una frase en inglés procuraremos escoger la primera palabra más importante. Por ejemplo, en las expresiones **to fancy doing sthg, to take a fancy to** a **fancy that!**, la palabra principal es **fancy**. Las frases aparecen dentro de cada artículo en negrita. El símbolo ~ se usa para reemplazar a la entrada:

fancy ['fænsı] ◇ *vt* **-1.** *inf* [feel like]: **I ~ a cup of tea/going to the cinema** me apetece una taza de té/ir al cine. **-2.** *inf* [desire]: **do you ~ her?** ¿Le gusta? **-3.** [imagine]: **~ that!** ¡imagínate!... ◇ *n* [desire, liking] capricho *m*; **to take a ~ to** encapricharse con...

● Algunas expresiones muy fijas en español, como **a menudo, de repente** o **de vez en cuando** y **that is to say, in spite of** o **at home** en inglés, van seguidas de ◆ bajo el primer elemento importante que contengan. Con esto se realiza la diferencia de significado entre una frase y su entrada (por ejemplo, poco tiene que ver **a menudo** con "pequeño"). También las expresiones con más de un significado o categoría gramatical llevan ◆:

top [tɒp] ... ◇ *vt* **-1.** [be first in] estar a la cabeza de. **-2.** [better] superar. **-3.** [exceed] exceder. ◆ **on to** of *prep* **-1.** [in space] encima de. **-2.** [in addition to] además de.

Locuciones verbales ("phrasal verbs")

● Los "phrasal verbs" ingleses consisten en un verbo seguido de un adverbio o preposición (o a veces de más de uno), cuyo conjunto posee un significado especial, p.ej. **to fork out** o **to put off**. Los "phrasal verbs" aparecen como subentradas del verbo:

fork [fɔːk] ◇ *n* **-1.** [for food] tenedor *m.* **-2.** [for gardening] horca *f.* **-3.** [in road etc] bifurcación *f.* ◇ *vi* bifurcarse. ◆ **fork out** *vi inf*: **to ~ out for sthg** aflojar dinero para algo.

Verbos pronominales del español

● Los verbos pronominales van debajo del verbo principal con el símbolo ◆:

acordar *vt*: **~ algo/hacer algo** to agree on sthg/to do sthg. ◆ **acordarse** *vpr*: **~se (de algo/de hacer algo)** to remember (sthg/to do sthg).

Formas verbales del inglés

● Si desconocemos a qué infinitivo corresponde una forma verbal, ésta podría ser irregular. Las tablas de verbos (páginas X-XII) nos ayudarán a identificarlo y en todo caso, si buscamos dicha forma en el diccionario, también encontraremos su infinitivo:

knew [nju:] *pt* → **know.**

Cómo encontrar la traducción completa

Una vez localizada la palabra o frase que queremos, veremos que quizá existen varias traducciones posibles. ¡No hay que asustarse! Nuestro diccionario nos dará las pistas para emplear la correcta.

Paso 1 Imaginemos que queremos saber cómo se dice en inglés **viva** para traducir **Nueva York es una ciudad muy viva**. Primero buscamos la forma masculina **vivo** en el lado Español-Inglés del diccionario:

> **vivo, -va** *adj* **-1.** [existente - ser, lengua etc] living; **estar ~** [persona, costumbre, recuerdo] to be alive. **-2.** [dolor, deseo, olor] intense; [luz, color, tono] bright. **-3.** [gestos, ojos, descripción] lively, vivid. **-4.** [activo - ingenio, niño] quick, sharp; [- ciudad] lively. **-5.** [genio] quick, hot. ◆ **vivos** *mpl*: **los ~s** the living. ◆ **en vivo** *loc adv* [en directo] live.

Paso 2 Leemos con atención la entrada hasta encontrar el sentido que buscamos. Las entradas con textos largos pueden tener más de una categoría gramatical; cada una de esas categorías lleva un rombo blanco (◇). Recordemos que algunos sustantivos tienen categorías separadas para el masculino y el femenino:

> **frente** ◇ *f* forehead; **~ a ~** face to face. ◇ *m* front; **estar al ~ (de)** to be at the head (of); **hacer ~ a** to face up to; **~ frío** cold front...

Paso 3 Buscamos entre las opciones que nos da el sentido número 4 de **vivo** (activo) hasta ver la palabra empleada para describir una ciudad; la traducción que buscamos es **lively**. Pero ¡cuidado! la primera palabra que uno se encuentra podría no ser la más apropiada. Este diccionario siempre presenta las frases bajo su categoría gramatical correspondiente: por ejemplo, todas las frases en que aparezca el sustantivo **move** van bajo ◇ *n*; aquellas en que **move** es verbo bajo ◇ *vt* o ◇ *vi*, etcétera. Así que antes de elegir debemos comprobar bien toda la categoría.

Paso 4 Ahora ponemos la palabra en la oración: **New York is a very lively city.**

Abbreviations

Abreviaturas

abbreviation	*abbr/abrev*	abreviatura
adjective	*adj*	adjetivo
adjective only used in feminine form	*adj f*	adjetivo femenino
adverb	*adv*	adverbio
aeronautics, aviation	AERON	aeronáutica, aviación
agriculture, farming	AGR	agricultura
American English	*Am*	inglés americano
Latin American Spanish	*Amer*	español latinoamericano
anatomy	ANAT	anatomía
Andean Spanish	*Andes*	español andino
– Bolivia, Chile, Colombia, Ecuador, Peru		– Bolivia, Chile, Colombia, Ecuador, Perú
before noun	*antes de sust*	antes de sustantivo
– indicates that the translation is always used directly before the noun which it modifies		– indica que la traducción siempre se utiliza en inglés antepuesta al sustantivo al que modifica
architecture	ARCHIT	arquitectura
Argentinian Spanish	*Arg*	español de Argentina
architecture	ARQUIT	arquitectura
article	*art*	artículo
astronomy	ASTRON	astronomía
automobile, cars	AUT(OM)	automovilismo, coches
biology	BIOL	biología
botany	BOT	botánica
British English	*Br*	inglés británico
Central American Spanish	*CAm*	español centroamericano
Canadian English	*Can*	inglés canadiense
Caribbean Spanish	*Carib*	español caribeño
– Cuba, Puerto Rico, Dominican Republic, Venezuela		– Cuba, Puerto Rico, República Dominicana, Venezuela
chemistry	CHEM	química
Chilean Spanish	*Chile*	español de Chile
cinema, film-making	CIN(EMA)	cine
Colombian Spanish	*Col*	español de Colombia
commerce, business	COM(M)	comercio, negocios
compound	*comp*	sustantivo antepuesto a otro
comparative	*compar*	comparativo
computers, computer science	COMPUT	informática
conjunction	*conj*	conjunción
construction, building	CONSTR	construcción
continuous	*cont*	continuo

Cono Sur Spanish	CSur	español del Cono Sur
– Argentina, Paraguay, Uruguay; not including Chilean Spanish		– Argentina, Paraguay, Uruguay; Chile se trata aparte
Cuban Spanish	Cuba	español de Cuba
culinary, cooking	CULIN	cocina
definite	def	determinado
demonstrative	demos	demostrativo
sport	DEP	deporte
juridical, legal	DER	derecho, jurídico
pejorative	despec	despectivo, peyorativo
dated	desus	desusado
economics	ECON	economía
school, education	EDUC	educación
electricity	ELEC(TR)	electricidad
electronics	ELECTRON/ELECTRÓN	electrónica
especially	esp	especialmente
Peninsular Spanish	Esp	español de España
exclamation	excl	interjección
feminine noun	f	sustantivo femenino
informal	fam	familiar
railways	FERROC	ferrocarril
figurative	fig	figurado
finance, financial	FIN	finanzas
physics	FÍS	física
formal	fml	formal, culto
photography	FOT	fotografía
soccer	FTBL	fútbol
inseparable	fus	inseparable
– shows that a phrasal verb is "fused", i.e. inseparable, e.g. **look after** where the object cannot come between the verb and the particle, e.g. *I looked after him* but not **I looked him after*		– indica que una locución verbal o "phrasal verb" (verbo + preposición o adverbio) es inseparable y el objeto no puede aparecer entre el verbo en sí y la partícula, p. ej. en **look after** se dice *I looked after him* no **I looked him after*
generally, in most cases	gen	generalmente, en general
geography, geographical	GEOGR	geografía
geology, geological	GEOL	geología
geometry	GEOM	geometría
grammar	GRAM(M)	gramática
history	HIST	historia
humorous	hum	humorístico
indefinite	indef	indeterminado
informal	inf	familiar
infinitive	infin	infinitivo
computers	INFORM	informática

exclamation	*interj*	interjección
invariable	*inv*	invariable
ironic	*iro/irón*	irónico
juridical, legal	JUR	derecho, jurídico
linguistics	LING	lingüística
literal	*lit*	literal
literature	LITER	literatura
phrase(s)	*loc*	locución, locuciones
adjectival phrase	*loc adj*	locución adjetiva
adverbial phrase	*loc adv*	locución adverbial
conjunctival phrase	*loc conj*	locución conjuntiva
prepositional phrase	*loc prep*	locución preposicional
– adjectives, adverbs etc consisting of more than one word, e.g. **a pesar de, a horcajadas**		– construcciones fijas de más de una palabra con función adjetiva, adverbial, etc; p.ej. **a pesar de, a horcajadas**
masculine noun	*m*	sustantivo masculino
mathematics	MAT(H)	matemáticas
mechanical engineering	MEC	mecánica
medicine	MED	medicina
weather, meteorology	METEOR	meteorología
Mexican Spanish	*Méx*	español de México
very informal	*mfam*	muy familiar
military	MIL	militar
mining	MIN	minería
music	MUS/MÚS	música
noun	*n*	sustantivo
nautical, maritime	NAUT/NÁUT	náutica, marítimo
numeral	*num/núm*	número
oneself	*o.s.*	
pejorative	*pej*	peyorativo, despectivo
personal	*pers*	personal
Peruvian Spanish	*Perú*	español de Perú
photography	PHOT	fotografía
phrase(s)	*phr*	locución, locuciones
physics	PHYS	física
plural	*pl*	plural
politics	POL(ÍT)	política
possessive	*poss/poses*	posesivo
past participle	*pp*	participio pasado
preposition	*prep*	preposición
pronoun	*pron*	pronombre
past tense	*pt*	pasado, pretérito
chemistry	QUÍM	química
registered trademark	®	marca registrada
railways	RAIL	ferrocarril
relative	*relat*	relativo
religion	RELIG	religión
someone, somebody	*sb*	

school, education	SCH	educación
Scottish English	*Scot*	inglés escocés
separable	*sep*	separable
– shows that a phrasal verb is separable, e.g. **let in**, where the object can come between the verb and the particle, e.g. *I let her in*		– indica que una locución verbal o "phrasal verb" (verbo + preposición o adverbio) es separable y el objeto puede aparecer entre el verbo en sí y la partícula, p. ej. en **let in**, se dice *I let her in*
singular	*sg*	singular
slang	*sl*	argot
something	*sthg*	
subject	*subj/suj*	sujeto
superlative	*superl*	superlativo
bullfighting	TAUROM	tauromaquia
technology, technical	TECH/TECN	tecnología, técnico
telecommunications	TELEC(OM)	telecomunicaciones
television	TV	televisión
printing, typography	TYPO	imprenta
uncountable noun	*U*	sustantivo "incontable"
university	UNIV	universidad
usually	*usu*	normalmente
auxiliary verb	*vaux*	verbo auxiliar
verb	*vb/v*	verbo
Venezuelan Spanish	*Ven*	español de Venezuela
intransitive verb	*vi*	verbo intransitivo
impersonal verb	*v impers*	verbo impersonal
very informal	*v inf*	muy familiar
pronominal verb	*vpr*	verbo pronominal
transitive verb	*vt*	verbo transitivo
vulgar	*vulg*	vulgar
zoology	ZOOL	zoología
cultural equivalent	≃	equivalente cultural

Marcas Registradas

El símbolo ® indica que la palabra en cuestión se considera marca registrada. Hay que tener en cuenta, sin embargo, que ni la presencia ni la ausencia de dicho símbolo afectan a la situación legal de ninguna marca.

Phonetic Transcription   Transcripción Fonética

English vowels

[ɪ] pit, big, rid
[e] pet, tend
[æ] pat, bag, mad
[ʌ] putt, cut
[ɒ] pot, log
[ʊ] put, full
[ə] mother, suppose
[iː] bean, weed
[ɑː] barn, car, laugh
[ɔː] born, lawn
[uː] loop, loose
[ɜː] burn, learn, bird

Vocales españolas

[i] piso, imagen
[e] tela, eso
[a] pata, amigo
[o] bola, otro
[u] luz, una

English diphthongs

[eɪ] bay, late, great
[aɪ] buy, light, aisle
[ɔɪ] boy, foil
[əʊ] no, road, blow
[aʊ] now, shout, town
[ɪə] peer, fierce, idea
[eə] pair, bear, share
[ʊə] poor, sure, tour

Diptongos españoles

[ei] ley, peine
[ai] aire, caiga
[oi] soy, boina
[au] causa, aura
[eu] Europa, feudo

Semi-vowels

you, spaniel   [j]
wet, why, twin   [w]

Semivocales

hierba, miedo
agua, hueso

Consonants

pop, people   [p]
bottle, bib   [b]
                        [β]
train, tip   [t]
dog, did   [d]
come, kitchen   [k]
gag, great   [g]
                        [ɣ]
chain, wretched   [tʃ]
jig, fridge   [dʒ]
fib, physical   [f]

Consonantes

papá, campo
vaca, bomba
curvo, caballo
toro, pato
donde, caldo
que, cosa
grande, guerra
aguijón, bulldog
ocho, chusma

fui, afable

vine, livid	[v]	
think, fifth	[θ]	cera, paz
this, with	[ð]	cada, pardo
seal, peace	[s]	solo, paso
zip, his	[z]	
sheep, machine	[ʃ]	
usual, measure	[3]	
	[x]	gema, jamón
how, perhaps	[h]	
metal, comb	[m]	madre, cama
night, dinner	[n]	no, pena
sung, parking	[ŋ]	banca, ángulo
	[ɲ]	caña
little, help	[l]	ala, luz
right, carry	[r]	atar, paro
	[rr]	perro, rosa
	[ʎ]	llave, collar

Los símbolos ['] y [ˌ] indican que la sílaba siguiente lleva un acento primario o secundario respectivamente.

El símbolo [ʳ] en fonética inglesa indica que la "r" al final de palabra se pronuncia sólo cuando precede a una palabra que comienza por vocal. Adviértase que casi siempre se pronuncia en inglés americano.

Las palabras españolas no llevan transcripción fonética en este diccionario; sólo algunos préstamos lingüísticos procedentes de otras lenguas y de difícil pronunciación aparecen transcritos. Todas las entradas inglesas que constan de una palabra llevan transcripción fonética. En el caso de los compuestos ingleses (ya sea cuando lleven guiones o cuando no) se proporciona la transcripción fonética de todo aquel elemento que no aparezca en alguna otra parte del diccionario como entrada en sí misma.

La ordenación alfabética en español
En este diccionario se ha seguido la ordenación alfabética internacional; por lo tanto, las consonantes ch y ll *no* se consideran letras aparte. Esto significa que las entradas con ch aparecerán después de cg y no al final de c; del mismo modo las entradas con ll vendrán después de lk y no al final de l. Adviértase, sin embargo, que la letra ñ *sí* se considera letra aparte y sigue a la n en orden alfabético.

Los compuestos en inglés
En inglés se llama compuesto a una locución sustantiva de significado único pero formada por más de una palabra; p.ej. **point of view, kiss of life, virtual reality** o **West Indies**. Uno de los rasgos distintivos de este diccionario es la inclusión de estos compuestos con entrada propia y en riguroso orden alfabético. De esta forma **blood poisoning** vendrá después de **bloodhound**, el cual sigue a **blood group**.

Verbos Ingleses

Los verbos ingleses pueden dividirse en tres tipos básicos.

Primer tipo

El pasado simple y el participio pasado son iguales. He aquí algunos de los más comunes:

Infinitivo		Pasado simple/ Participio pasado	Infinitivo		Pasado simple/ Participio pasado
bend	→	bent	bind	→	bound
bleed	→	bled	breed	→	bred
bring	→	brought	build	→	built
burn[1]	→	burnt	buy	→	bought
catch	→	caught	cling	→	clung
creep	→	crept	deal	→	dealt
dig	→	dug	dream[1]	→	dreamt
dwell[1]	→	dwelt	feed	→	fed
feel	→	felt	fight	→	fought
find	→	found	flee	→	fled
fling	→	flung	foretell	→	foretold
grind	→	ground	have	→	had
hear	→	heard	hold	→	held
keep	→	kept	kneel[1]	→	knelt
lay	→	laid	lead	→	led
lean[1]	→	leant	leap[1]	→	leapt
learn[1]	→	learnt	leave	→	left
lend	→	lent	light[1]	→	lit
lose	→	lost	make	→	made
mean	→	meant	meet	→	met
pay	→	paid	read	→	read
say	→	said	seek	→	sought
sell	→	sold	send	→	sent
shoot	→	shot	sit	→	sat
sleep	→	slept	slide	→	slid
sling	→	slung	smell[1]	→	smelt
speed	→	sped	spell[1]	→	spelt
spend[1]	→	spent	spill[1]	→	spilt
spit	→	spat	spoil[1]	→	spoilt
stand	→	stood	stick	→	stuck
sting	→	stung	strike	→	struck
sweep	→	swept	swing	→	swung
teach	→	taught	tell	→	told
think	→	thought	understand	→	understood
weep	→	wept	win	→	won
wind	→	wound	withhold	→	withheld
wring	→	wrung			

1 En inglés americano estos verbos también poseen un pasado y un participio regulares acabados en **-ed** (**burned, spoiled** ...).

Segundo tipo

En estos verbos, pasado simple y participio pasado poseen formas distintas. He aquí los más comunes:

Infinitivo	Pasado simple	Participio pasado	Infinitivo	Pasado simple	Participio pasado
be	was	been	bear	bore	borne
beat	beat	beaten	become	became	become
begin	began	begun	bite	bit	bitten
blow	blew	blown	break	broke	broken
choose	chose	chosen	come	came	come
do	did	done	draw	drew	drawn
drink	drank	drunk	drive	drove	driven
eat	ate	eaten	fall	fell	fallen
fly	flew	flown	forbid	forbade	forbidden
foresee	foresaw	foreseen	forget	forgot	forgotten
forgive	forgave	forgiven	freeze	froze	frozen
get	got	got/gotten[1]	give	gave	given
go	went	gone	grow	grew	grown
hang[2]	hung	hung	hide	hid	hidden
know	knew	known	lie	lay	lain
mistake	mistook	mistaken	mow[2]	mowed	mown
ride	rode	ridden	ring	rang	rung
rise	rose	risen	run	ran	run
see	saw	seen	shake	shook	shaken
shine[2]	shone	shone	show[2]	showed	shown
shrink	shrank/shrunk	shrunk	sing	sang	sung
sink	sank	sunk	speak	spoke	spoken
spin	span/spun	spun	spring	sprang	sprung
steal	stole	stolen	stink	stank/stunk	stunk
stride	strode	stridden	swear	swore	sworn
swell[2]	swelled	swollen	swim	swam	swum
take	took	taken	tear	tore	torn
throw	threw	thrown	wake[2]	woke	woken
wear	wore	worn	weave	wove	woven
withdraw	withdrew	withdrawn	write	wrote	written

> 1 En inglés británico el único participio pasado de **get** es **got**.
> 2 Algunos sentidos de estos verbos utilizan formas regulares (**show, showed, showed**).

Tercer tipo

Estos verbos constan sólo de una sílaba. Además, todos acaban en "-d" o "-t". Sus formas de infinitivo, pasado simple y participio pasado son todas ellas idénticas. He aquí una lista de los más comunes:

bet	hit	set
bid	hurt	shut
burst	let	split
cast (*también* forecast)	put	spread
cost	quit	
cut	rid	

a¹ (*pl* aes), **A** (*pl* Aes) *f* (*letra*) a, A.

a² *prep* (*a + el* = **al**) **1.** (*periodo de tiempo*): **a las pocas semanas** a few weeks later; **al día siguiente** the following day. **2.** (*momento preciso*) at; **a las siete** at seven o'clock; **a los 11 años** at the age of 11; **al oír la noticia se desmayó** on hearing the news, she fainted. **3.** (*frecuencia*) per, every; **40 horas a la semana** 40 hours per o a week; **tres veces al día** three times a day. **4.** (*dirección*) to; **voy a Sevilla** I'm going to Seville; **me voy al extranjero** I'm going abroad; **llegó a Barcelona/la fiesta** he arrived in Barcelona/at the party. **5.** (*posición*): **a la puerta** at the door; **está a la derecha/izquierda** it's on the right/left. **6.** (*distancia*): **está a más de cien kilómetros** it's more than a hundred kilometres away. **7.** (*con complemento indirecto*) to; **dáselo a Juan** give it to Juan; **dile a Juan que venga** tell Juan to come. **8.** (*con complemento directo*): **quiere a sus hijos/su gato** she loves her children/her cat. **9.** (*cantidad, medida, precio*): **a cientos/miles** by the hundred/thousand; **a ... kilómetros por hora** at ... kilometres per hour; **¿a cuánto están las peras?** how much are the pears?; **ganaron tres a cero** they won three nil. **10.** (*modo*): **lo hace a la antigua** he does it the old way; **a lo Mozart** in Mozart's style; **a escondidas** secretly. **11.** (*instrumento*): **escribir a máquina** to use a typewriter; **a lápiz** in pencil; **a mano** by hand. **12.** (*después de verbo y antes de infin*) (*finalidad*) to; **entró a pagar** he came in to pay; **aprender a nadar** to learn to swim. **13.** (*después de sust y antes de infin*) (*complemento de nombre*): **temas a tratar** matters to be discussed. **14.** (*en oraciones imperativas*): **¡a la cama!** go to bed!; **¡a bailar!** let's dance!

abad, -desa *m y f* abbot (*f* abbess).

abadía *f* abbey.

abajo ◇ *adv* **1.** (*posición - gen*) below; (*- en edificio*) downstairs; **vive (en el piso de) ~** she lives downstairs; **está aquí/allí ~** it's down here/there; **más ~** further down. **2.** (*dirección - en edificio*) go downstairs; **hacia/para ~** down, downwards; **calle ~** down the street; **río ~** downstream. **3.** (*en un texto*) below. ◇ *interj*: **¡~ la dictadura!** down with the dictatorship! ◆ **de abajo** *loc adj* bottom.

abalanzarse *vpr*: **~ sobre** to fall upon; **~ hacia** to rush towards.

abanderado *m lit & fig* standard-bearer.

abandonado, -da *adj* **1.** (*desierto*) deserted. **2.** (*desamparado*) abandoned. **3.** (*descuidado - jardín, casa*) neglected.

abandonar *vt* **1.** (*gen*) to abandon; (*lugar, profesión, cónyuge*) to leave. **2.** (*desatender - obligaciones, estudios*) to neglect. ◆ **abandonarse** *vpr* (*a una emoción*): **~se a** (*desesperación, dolor*) to succumb to; (*vicio*) to give o.s. over to.

abandono *m* **1.** (*acción - gen*) abandonment; (*- de lugar, profesión, cónyuge*) leaving; (*- de obligaciones, estudios*) neglect. **2.** (*estado*) state of abandon. **3.** (DEP): **ganar por ~** to win by default.

abanicar *vt* to fan.

abanico *m* (*para dar aire*) fan.

abarcar *vt* (*incluir*) to embrace, to cover.

abarrotado, -da *adj*: **~ (de)** (*teatro, autobús*) packed (with); (*desván, baúl*) crammed (with).

abarrotar *vt*: **~ algo (de o con)** (*teatro, autobús*) to pack sthg (with); (*desván, baúl*) to cram sthg full (of).

abarrotes *mpl* Amer groceries.

abastecer *vt*: **~ algo/a alguien (de)** to

supply sthg/sb (with).

abastecimiento *m* supply, supplying.

abasto *m*: **no dar ~ (a algo/para hacer algo)** to be unable to cope (with sthg/ with doing sthg).

abatido, -da *adj* dejected.

abatir *vt* 1. *(derribar - muro)* to knock down; *(- avión)* to shoot down. 2. *(desanimar)* to depress. ◆ **abatirse** *vpr*: **~se (sobre)** to swoop (down on).

abdicación *f* abdication.

abdicar *vi* to abdicate.

abdomen *m* abdomen.

abdominal *adj* abdominal.

abecé *m lit & fig* ABC.

abecedario *m (alfabeto)* alphabet.

abedul *m* birch (tree).

abeja *f* bee.

abejorro *m* bumblebee.

abertura *f* opening.

abeto *m* fir.

abierto, -ta ◇ *pp* → **abrir**. ◇ *adj (gen)* open; **dejar el grifo ~** to leave the tap on; **bien** o **muy ~** wide open.

abigarrado, -da *adj* multi-coloured; *fig* motley.

abismal *adj* vast, colossal.

abismo *m (profundidad)* abyss.

ablandar *vt (material)* to soften. ◆ **ablandarse** *vpr (material)* to soften.

abnegación *f* abnegation, self-denial.

abochornar *vt* to embarrass. ◆ **abochornarse** *vpr* to get embarrassed.

abofetear *vt* to slap.

abogacía *f* legal profession.

abogado, -da *m y f* (DER) lawyer; **~ defensor** counsel for the defence; **~ del estado** public prosecutor.

abogar *vi fig (defender)*: **~ por algo** to advocate sthg; **~ por alguien** to stand up for sb.

abolición *f* abolition.

abolir *vt* to abolish.

abolladura *f* dent.

abollar *vt* to dent.

abominable *adj* abominable.

abonado, -da *m y f (a telefónica, revista)* subscriber; *(al fútbol, teatro)* season-ticket holder.

abonar *vt* 1. *(pagar - factura etc)* to pay; **~ algo en la cuenta de alguien** to credit sb's account with sthg. 2. *(tierra)* to fertilize. ◆ **abonarse** *vpr*: **~se (a)** *(revista)* to subscribe (to); *(fútbol, teatro)* to buy a season ticket (for).

abono *m* 1. *(pase)* season ticket. 2. *(fertilizante)* fertilizer. 3. *(pago)* payment. 4. *Méx (plazo)* instalment.

abordar *vt* 1. *(embarcación)* to board. 2. *fig (tema, tarea)* to tackle.

aborigen *adj (indígena)* indigenous; *(de Australia)* aboriginal.

aborrecer *vt* to abhor, to loathe.

abortar *vi* (MED - *espontáneamente)* to have a miscarriage; *(- intencionadamente)* to have an abortion.

aborto *m* (MED - *espontáneo)* miscarriage; *(- intencionado)* abortion.

abotonar *vt* to button up. ◆ **abotonarse** *vpr* to do one's buttons up; *(abrigo, camisa)* to button up.

abovedado, -da *adj* arched, vaulted.

abrasar *vt* 1. *(quemar - casa, bosque)* to burn down; *(- persona, mano, garganta)* to burn. 2. *(desecar - suj: sol, calor, lejía)* to scorch; *(- suj: sed)* to parch.

abrazadera *f* (TECN) brace, bracket; *(en carpintería)* clamp.

abrazar *vt (con los brazos)* to hug, to embrace. ◆ **abrazarse** *vpr* to hug o embrace (each other).

abrazo *m* embrace, hug; **un (fuerte) ~** *(en cartas)* best wishes.

abrebotellas *m inv* bottle opener.

abrecartas *m inv* paper knife.

abrelatas *m inv* can opener *Am*, tin opener *Br*.

abreviar *vt (gen)* to shorten; *(texto)* to abridge; *(palabra)* to abbreviate; *(viaje, estancia)* to cut short.

abreviatura *f* abbreviation.

abridor *m* 1. *(abrebotellas)* (bottle) opener. 2. *(abrelatas)* (can) opener *Am*, (tin) opener *Br*.

abrigar *vt (arropar - suj: persona)* to wrap up; *(- suj: ropa)* to keep warm. ◆ **abrigarse** *vpr (arroparse)* to wrap up.

abrigo *m* 1. *(prenda)* coat, overcoat. 2. *(refugio)* shelter.

abril *m* April; *ver también* **septiembre**.

abrillantar *vt* to polish.

abrir ◇ *vt* 1. *(gen)* to open; *(alas)* to spread; *(melón)* to cut open. 2. *(cerradura)* to unlock, to open; *(pestillo)* to pull back; *(grifo)* to turn on; *(cremallera)* to undo. 3. *(túnel)* to dig; *(canal, camino)* to build; *(agujero, surco)* to make. ◇ *vi (establecimiento)* to open. ◆ **abrirse** *vpr* 1. *(sincerarse)*: **~se a alguien** to open up to sb. 2. *(cielo)* to clear.

abrochar *vt* to do up; *(cinturón)* to fasten. ◆ **abrocharse** *vpr* to do up; *(cinturón)* to fasten.

abrumar *vt (agobiar)* to overwhelm.

abrupto, -ta *adj (escarpado)* sheer; *(accidentado)* rugged.

absceso m abscess.

absentismo m (de terrateniente) absentee landownership.

ábside m apse.

absolución f 1. (DER) acquittal. 2. (RELIG) absolution.

absoluto, -ta adj (gen) absolute; (silencio, obediencia) total. ◆ **en absoluto** loc adv (en negativas) at all; (tras pregunta) not at all; **nada en ~** nothing at all.

absolver vt: **~ a alguien (de algo)** (DER) to acquit sb (of sthg); (RELIG) to absolve sb (of sthg).

absorbente adj 1. (que empapa) absorbent. 2. (actividad) absorbing.

absorber vt 1. (gen) to absorb. 2. (consumir, gastar) to soak up.

absorción f absorption.

absorto, -ta adj: **~ (en)** absorbed o engrossed (in).

abstemio, -mia adj teetotal.

abstención f abstention.

abstenerse vpr: **~ (de algo/de hacer algo)** to abstain (from sthg/from doing sthg).

abstinencia f abstinence.

abstracción f (gen) abstraction.

abstracto, -ta adj abstract.

abstraer vt to consider separately.

abstraído, -da adj lost in thought.

absuelto, -ta pp → **absolver**.

absurdo, -da adj absurd. ◆ **absurdo** m: **decir/hacer un ~** to say/do something ridiculous.

abuchear vt to boo.

abuelo, -la m y f (familiar) grandfather (f grandmother). ◆ **abuelos** mpl grandparents.

abulia f apathy, lethargy.

abúlico, -ca adj apathetic, lethargic.

abultado, -da adj (paquete) bulky; (labios) thick.

abultar vi (ser difícil de manejar) to be bulky.

abundancia f 1. (gran cantidad) abundance; **en ~** in abundance. 2. (riqueza) plenty, prosperity.

abundante adj abundant.

abundar vi (ser abundante) to abound.

aburrido, -da ◇ adj 1. (harto, fastidiado) bored; **estar ~ de hacer algo** to be fed up with doing sthg. 2. (que aburre) boring. ◇ m y f bore.

aburrimiento m boredom.

aburrir vt to bore. ◆ **aburrirse** vpr to get bored; (estar aburrido) to be bored.

abusado, -da adj Méx astute.

abusar vi 1. (excederse) to go too far; **~ de algo** to abuse sthg; **~ de alguien** to take advantage of sb. 2. (forzar sexualmente): **~ de alguien** to sexually abuse sb.

abusivo, -va adj (trato) very bad, appalling; (precio) extortionate.

abuso m (uso excesivo): **~ (de)** abuse (of); **~ de confianza** breach of confidence; **~s deshonestos** sexual abuse (U).

abyecto, -ta adj culto vile, wretched.

a/c abrev de **a cuenta**.

a. C. (abrev de **antes de Cristo**) BC.

acá adv 1. (lugar) here; **de ~ para allá** back and forth. 2. (tiempo): **de una semana ~** during the last week.

acabado, -da adj 1. (completo) perfect, consummate. 2. (fracasado) finished. ◆ **acabado** m (de producto) finish; (de piso) décor.

acabar ◇ vt 1. (concluir) to finish. 2. (consumir - provisiones, dinero) to use up; (- comida) to finish. ◇ vi 1. (gen) to finish, to end; **~ de hacer algo** to finish doing sthg. 2. (haber hecho recientemente): **~ de hacer algo** to have just done sthg; **acabo de llegar** I've just arrived. 3. (terminar por - persona): **~ por hacer algo, ~ haciendo algo** to end up doing sthg. 4. (destruir): **~ con** (gen) to destroy; (salud) to ruin; (paciencia) to exhaust; (violencia, crimen) to put an end to. ◆ **acabarse** vpr 1. (agotarse) to be used up; **se nos ha acabado el petróleo** we're out of petrol; **se ha acabado la comida** there's no more food left, all the food has gone. 2. (concluir) to finish. 3. loc: **¡se acabó!** (¡basta ya!) that's enough!; (se terminó) that's it, then!

acabóse m fam: **¡es el ~!** it really is the limit!

academia f 1. (colegio) school, academy. 2. (sociedad) academy. ◆ **Real Academia de la Lengua Española** f institution that sets lexical and syntactical standards for Spanish.

académico, -ca adj academic.

acallar vt to silence.

acalorado, -da adj 1. (por calor) hot. 2. (apasionado - debate) heated.

acalorar vt (excitar): **~ a alguien** to make sb hot under the collar. ◆ **acalorarse** vpr (excitarse) to get aroused o excited.

acampanado, -da adj flared.

acampar vi to camp.

acanalado, -da adj (columna) fluted; (tejido) ribbed; (hierro, uralita) corrugated.

acantilado m cliff.

acaparar vt 1. (monopolizar) to monopolize; (mercado) to corner. 2. (guardarse) to hoard.

acápite m Amer paragraph.

acaramelado, -da adj fig (afectado) sickly sweet.

acariciar vt (persona) to caress; (animal) to stroke.

acarrear vt (transportar) to carry; (carbón) to haul.

acaso adv perhaps; ¿~ no lo sabías? are you trying to tell me you didn't know?; **por si** ~ (just) in case. ♦ **si acaso** ◊ loc adv (en todo caso) if anything. ◊ loc conj (en caso de que) if.

acatar vt to respect, to comply with.

acatarrarse vpr to catch a cold.

acaudalado, -da adj well-to-do.

acaudillar vt to lead.

acceder vi 1. (consentir): ~ (a algo/hacer algo) to agree (to sthg/to do sthg). 2. (tener acceso): ~ a to enter. 3. (alcanzar): ~ a (trono) to accede to; (poder) to come to; (grado) to obtain.

accesible adj (gen) accessible.

acceso m 1. (entrada): ~ (a) entrance (to). 2. (paso): ~ (a) access (to). 3. (carretera) access road. 4. fig (ataque) fit; (de fiebre, gripe) bout.

accidentado, -da ◊ adj 1. (vida) turbulent. 2. (viaje - en coche, tren, avión) bumpy. 3. (terreno, camino) rough, rugged. ◊ m y f injured person, victim.

accidental adj (imprevisto) accidental; (encuentro) chance.

accidentarse vpr to be involved in o have an accident.

accidente m 1. (desgracia) accident; ~ de avión/coche plane/car crash; ~ de tráfico road accident. 2. (gen pl) (del terreno) unevenness (U).

acción f 1. (gen) action. 2. (hecho) deed, act. 3. (FIN) share; ~ ordinaria/preferente ordinary/preference share.

accionar vt to activate.

accionista m y f shareholder.

acechar vt 1. (vigilar) to keep under surveillance; (suj: cazador) to stalk. 2. (amenazar) to be lying in wait for.

acecho m: estar al ~ de to lie in wait for; fig to be on the lookout for.

aceite m oil; ~ de colza/girasol/oliva rapeseed/sunflower/olive oil.

aceiteras fpl cruet (sg).

aceitoso, -sa adj oily.

aceituna f olive.

aceleración f acceleration.

acelerador, -ra adj accelerating.

♦ **acelerador** m accelerator.

acelerar ◊ vt (avivar) to speed up; (TECN) to accelerate. ◊ vi to accelerate.

♦ **acelerarse** vpr to hurry up.

acelga f chard.

acento m 1. (gen) accent. 2. (intensidad) stress, accent.

acentuación f accentuation.

acentuar vt 1. (palabra, letra - al escribir) to put an accent on; (- al hablar) to stress. 2. fig (realzar) to accentuate. ♦ **acentuarse** vpr (intensificarse) to deepen, to increase.

acepción f meaning, sense.

aceptable adj acceptable.

aceptación f 1. (aprobación) acceptance. 2. (éxito) success, popularity.

aceptar vt to accept.

acequia f irrigation channel.

acera f (para peatones) sidewalk Am, pavement Br.

acerca ♦ **acerca de** loc adv about.

acercar vt to bring nearer o closer; ¡acércame el pan! could you pass me the bread? ♦ **acercarse** vpr (arrimarse - viniendo) to come closer; (- yendo) to go over.

acero m steel; ~ inoxidable stainless steel.

acérrimo, -ma adj (defensor) diehard (antes de sust); (enemigo) bitter.

acertado, -da adj 1. (con acierto - respuesta) correct; (- comentario) appropriate. 2. (oportuno) good, clever.

acertar ◊ vt 1. (adivinar) to guess (correctly). 2. (el blanco) to hit. 3. (elegir bien) to choose well. ◊ vi 1. (atinar): ~ (al hacer algo) to be right (to do sthg). 2. (conseguir): ~ a hacer algo to manage to do sthg. 3. (hallar): ~ con to find.

acertijo m riddle.

achacar vt: ~ algo a alguien/algo to attribute sthg to sb/sthg.

achantar vt fam to put the wind up.

achaparrado, -da adj squat.

achaque m ailment.

achatado, -da adj flattened.

achicar vt 1. (tamaño) to make smaller. 2. (agua - de barco) to bale out. 3. fig (acobardar) to intimidate.

achicharrar vt (chamuscar) to burn. ♦ **achicharrarse** vpr 1. fig (de calor) to fry. 2. (chamuscarse) to burn.

achicoria f chicory.

achuchado, -da adj fam hard, tough.

achuchar vt fam (abrazar) to hug.

acicalar vt (arreglar) to do up. ♦ **acicalarse** vpr to do o.s. up.

acicate *m fig (estímulo)* incentive.

acidez *f* 1. *(cualidad)* acidity. 2. (MED): ~ **(de estómago)** heartburn.

ácido, -da *adj* 1. (QUÍM) acidic. 2. *(bebida, sabor, carácter)* acid, sour. ◆ **ácido** *m* (QUÍM) acid.

acierto *m* 1. *(a pregunta)* correct answer. 2. *(habilidad, tino)* good o sound judgment. 3. *(éxito)* success.

aclamación *f (ovación)* acclamation, acclaim; **por** ~ unanimously.

aclamar *vt* to acclaim.

aclaración *f* explanation.

aclarar *vt* 1. *(ropa)* to rinse. 2. *(explicar)* to clarify, to explain. 3. ~ **la voz** *(carraspeando)* to clear one's throat. ◆ **aclararse** *vpr* 1. *(entender)* to understand. 2. *(explicarse)* to explain o.s.

aclaratorio, -ria *adj* explanatory.

aclimatación *f* acclimatization.

aclimatar *vt* 1. *(al clima)*: ~ **algo/a alguien (a)** to acclimatize sthg/sb (to). 2. *(a ambiente)*: ~ **algo/a alguien a algo** to get sthg/sb used to sthg. ◆ **aclimatarse** *vpr* 1. *(al clima)*: **~se (a algo)** to acclimatize (to sthg). 2. *(a ambiente)* to settle in; **~se a algo** to get used to sthg.

acné *m* acne.

acobardar *vt* to frighten, to scare. ◆ **acobardarse** *vpr* to get frightened o scared; **~se ante** to shrink back from.

acodarse *vpr*: **~se (en)** to lean (on).

acogedor, -ra *adj (país, persona)* welcoming; *(casa, ambiente)* cosy.

acoger *vt* 1. *(recibir)* to welcome. 2. *(dar refugio)* to take in. ◆ **acogerse a** *vpr (inmunidad parlamentaria etc)* to take refuge in; *(ley)* to have recourse to.

acogida *f* 1. *(de persona)* welcome. 2. *(de idea, película etc)* reception.

acolchar *vt* to pad.

acometer ◇ *vt* 1. *(atacar)* to attack. 2. *(emprender)* to undertake. ◇ *vi (embestir)*: ~ **contra** to hurtle into.

acometida *f* 1. *(ataque)* attack. 2. *(de luz, gas etc)* (mains) connection.

acomodado, -da *adj (rico)* well-off.

acomodador, -ra *m y f* usher (*f* usherette).

acomodar *vt* 1. *(instalar - persona)* to seat, to instal; *(- cosa)* to place. 2. *(adaptar)* to fit. ◆ **acomodarse** *vpr (instalarse)* to make o.s. comfortable; **~se en** to settle down in.

acompañamiento *m* (CULIN & MÚS) accompaniment.

acompañante *m y f* companion.

acompañar *vt* 1. *(ir con)*: ~ **a alguien** *(gen)* to go with o accompany sb; *(a la puerta)* to show sb out; *(a casa)* to walk sb home. 2. *(estar con)*: ~ **a alguien** to keep sb company. 3. *(adjuntar)* to enclose. 4. (MÚS) to accompany.

acompasar *vt*: ~ **algo (a)** to synchronize sthg with.

acomplejarse *vpr* to develop a complex.

acondicionado, -da *adj* equipped.

acondicionador *m* (air) conditioner.

acondicionar *vt* 1. *(reformar)* to convert, to upgrade. 2. *(preparar)* to prepare, to get ready.

acongojar *vt* to distress.

aconsejar *vt (dar consejos)*: ~ **a alguien (que haga algo)** to advise sb (to do sthg).

acontecer *v impers* to take place, to happen.

acontecimiento *m* event; **adelantarse** o **anticiparse a los ~s** to jump the gun; *(prevenir)* to take preemptive measures.

acopio *m* stock, store.

acoplar *vt* 1. *(encajar)* to attach, to fit together. 2. *fig (adaptar)* to adapt, to fit.

acorazado, -da *adj* armour-plated. ◆ **acorazado** *m* battleship.

acordar *vt*: ~ **algo/hacer algo** to agree on sthg/to do sthg. ◆ **acordarse** *vpr*: **~se (de algo/de hacer algo)** to remember (sthg/to do sthg).

acorde ◇ *adj (en consonancia)*: ~ **con** in keeping with. ◇ *m* (MÚS) chord.

acordeón *m* accordion.

acordonar *vt (cercar)* to cordon off.

acorralar *vt lit & fig* to corner.

acortar *vt* 1. *(falda, pantalón etc)* to take up; *(cable)* to shorten. 2. *(tiempo)* to cut short. 3. *(extensión)* to shorten. ◆ **acortarse** *vpr (días)* to get shorter; *(reunión)* to end early.

acosar *vt* 1. *(hostigar)* to harass. 2. *(perseguir)* to pursue relentlessly.

acoso *m (hostigamiento)* harassment; ~ **sexual** sexual harassment.

acostar *vt (en la cama)* to put to bed. ◆ **acostarse** *vpr* 1. *(irse a la cama)* to go to bed. 2. *(tumbarse)* to lie down. 3. *fam (tener relaciones sexuales)*: **~se con alguien** to sleep with sb.

acostumbrado, -da *adj* 1. *(habitual)* usual. 2. *(habituado)*: **estar ~ a** to be used to.

acostumbrar ◇ *vt (habituar)*: ~ **a alguien a algo/a hacer algo** to get sb used to sthg/to doing sthg. ◇ *vi (soler)*: ~ **a hacer algo** to be in the habit of doing sthg. ◆ **acostumbrarse** *vpr (habituar-*

se): **~se a algo/a hacer algo** to get used to sthg/to doing sthg.

acotación *f (nota)* note in the margin.

acotar *vt* 1. *(terreno, campo)* to enclose; *fig (tema etc)* to delimit. 2. *(texto)* to write notes in the margin of.

acrecentar *vt* to increase.

acreditado, -da *adj* 1. *(médico, abogado etc)* distinguished; *(marca)* reputable. 2. *(embajador, representante)* accredited.

acreditar *vt* 1. *(certificar)* to certify; *(autorizar)* to authorize. 2. *(confirmar)* to confirm. 3. *(embajador)* to accredit. 4. *(FIN)* to credit.

acreedor, -ra ◇ *adj:* **hacerse ~ de algo** to earn sthg, to show o.s. to be worthy of sthg. ◇ *m y f* creditor.

acribillar *vt (herir):* **~ (a)** to pepper o riddle (with).

acrílico, -ca *adj* acrylic.

acritud, acrimonia *f* 1. *(de olor)* acridity, pungency; *(de sabor)* bitterness. 2. *fig (mordacidad)* venom.

acrobacia *f (en circo)* acrobatics *(pl)*.

acróbata *m y f* acrobat.

acta *f (el)* 1. *(de junta, reunión)* minutes *(pl)*; **levantar ~** to take the minutes. 2. *(de defunción etc)* certificate; **~ notarial** affidavit. ◆ **actas** *fpl* minutes.

actitud *f (disposición)* attitude.

activar *vt* 1. *(gen)* to activate. 2. *(explosivo)* to detonate.

actividad *f* activity.

activo, -va *adj* 1. *(gen & GRAM)* active. 2. *(trabajador)* hard-working. ◆ **activo** *m (FIN)* assets *(pl)*.

acto *m* 1. *(acción)* act; **hacer ~ de presencia** to show one's face; **~ de solidaridad** show of solidarity. 2. *(ceremonia)* ceremony. 3. *(TEATRO)* act. ◆ **en el acto** *loc adv* on the spot.

actor, -triz *m y f* actor *(f* actress).

actuación *f* 1. *(conducta, proceder)* conduct, behaviour. 2. *(interpretación)* performance.

actual *adj* 1. *(existente)* present, current. 2. *(de moda)* modern, present-day. 3. *(de actualidad)* topical.

No confundir la palabra "actual" del español con el vocablo inglés *actual*, que significa 'real, verdadero, mismo'. Por ejemplo, si decimos "el precio actual es de 200 dólares" la equivalencia en inglés sería: *the current price is $200*. Si en lugar de esta frase dijéramos *the actual price is $200*, estaríamos expresando que "el precio <u>real</u> es de 200 dólares".

actualidad *f* 1. *(momento presente)* current situation; **de ~** *(moderno)* in fashion; *(de interés actual)* topical; **en la ~** at the present time, these days. 2. *(noticia)* news *(U)*; **ser ~** to be making the news.

actualizar *vt* to update; *(tecnología, industria)* to modernize.

actualmente *adv (hoy día)* these days, nowadays; *(en este momento)* at the (present) moment.

Algo parecido al caso del adjetivo "actual" del español sucede con el adverbio "actualmente", el cual nunca debe ser traducido como *actually*, puesto que esta voz inglesa significa 'en realidad'. Así, la frase inglesa *it is actually quite dangerous* quiere decir "<u>en realidad</u> es bastante peligroso" y no que sea "actualmente peligroso".

actuar *vi (gen)* to act; **~ de** to act as.

acuarela *f* watercolour.

acuario *m* aquarium. ◆ **Acuario** ◇ *m (zodiaco)* Aquarius. ◇ *m y f (persona)* Aquarius.

acuartelar *vt* 1. *(alojar)* to quarter. 2. *(retener)* to confine to barracks.

acuático, -ca *adj* aquatic.

acuchillar *vt* 1. *(apuñalar)* to stab. 2. *(mueble, parquet)* to grind down.

acuclillarse *vpr* to squat (down).

acudir *vi* 1. *(ir)* to go; *(venir)* to come. 2. *(recurrir):* **~ a** to go o turn to. 3. *(presentarse):* **~ (a)** *(escuela, iglesia)* to attend; *(cita, examen)* to turn up (for); *fig (memoria, mente)* to come (to).

acueducto *m* aqueduct.

acuerdo *m* agreement; **de ~** all right, O.K.; **de ~ con** *(conforme a)* in accordance with; **estar de ~ (con** *(con alguien/en hacer algo)* to agree (with sb/to do sthg); **llegar a un ~, ponerse de ~** to reach agreement.

acumular *vt* to accumulate.

acunar *vt* to rock.

acuñar *vt* 1. *(moneda)* to mint. 2. *(palabra)* to coin.

acuoso, -sa *adj (gen)* watery.

acupuntura *f* acupuncture.

acurrucarse *vpr* to crouch down; *(por frío)* to huddle up; *(por miedo)* to cower; *(en sitio agradable)* to curl up.

acusación *f (inculpación)* charge.

acusado, -da ◇ *adj (marcado)* marked. ◇ *m y f (procesado)* accused, defendant.

acusar *vt* 1. *(culpar)* to accuse; *(DER)* to charge; **~ a alguien de algo** *(gen)* to accuse sb of sthg; (DER) to charge sb with sthg. **2.** *(mostrar)* to show.

acusativo *m* accusative.

acuse ◆ acuse de recibo *m* acknowledgement of receipt.

a.D. *(abrev de anno Domini)* AD.

adaptación *f* **1.** *(aclimatación):* ~ (a) adjustment (to). **2.** *(modificación)* adaptation.

adaptar *vt* **1.** *(acomodar, ajustar)* to adjust. **2.** *(modificar)* to adapt. **◆ adaptarse** *vpr:* ~se (a) to adjust (to).

adecentar *vt* to tidy up.

adecuado, -da *adj* appropriate, suitable.

adecuar *vt* to adapt. **◆ adecuarse a** *vpr* **1.** *(ser adecuado)* to be appropriate for. **2.** *(adaptarse)* to adjust to.

adefesio *m fam (persona fea)* fright.

a. de JC., a.JC. *(abrev de antes de Jesucristo)* BC.

adelantado, -da *adj* advanced; **llevo el reloj** ~ my watch is fast; **por** ~ in advance.

adelantamiento *m* (AUTOM) overtaking.

adelantar ◇ *vt* **1.** *(dejar atrás)* to overtake. **2.** *(mover hacia adelante)* to move forward; *(pie, reloj)* to put forward. **3.** *(en el tiempo - trabajo, viaje)* to bring forward; *(- dinero)* to pay in advance. ◇ *vi* **1.** *(progresar)* to make progress. **2.** *(reloj)* to be fast. **◆ adelantarse** *vpr* **1.** *(en el tiempo)* to be early; *(frío, verano)* to arrive early; *(reloj)* to gain; ~se a alguien to beat sb to it. **2.** *(en el espacio)* to go on ahead.

adelante ◇ *adv* forward, ahead; **(de ahora) en** ~ from now on, in future; **más** ~ *(en el tiempo)* later (on); *(en el espacio)* further on. ◇ *interj:* ¡~! *(¡siga!)* go ahead!; *(¡pase!)* come in!

adelanto *m* advance; ~ **de dinero** advance.

adelgazar *vi* to lose weight.

ademán *m* *(gesto - con manos etc)* gesture; *(- con cara)* face, expression; **en** ~ **de** as if to.

además *adv* moreover, besides; *(también)* also; ~ **de** as well as, in addition to.

adentro *adv* inside; **tierra** ~ inland; **mar** ~ out to sea.

adepto, -ta *m y f:* ~ (a) follower (of).

aderezar *vt (sazonar - ensalada)* to dress; *(- comida)* to season.

aderezo *m (aliño - de ensalada)* dressing; *(- de comida)* seasoning.

adeudar *vt* **1.** *(deber)* to owe. **2.** (COM) to debit. **◆ adeudarse** *vpr* to get into debt.

adherir *vt* to stick. **◆ adherirse** *vpr* **1.** *(pegarse)* to stick. **2.** *(mostrarse de acuerdo):* ~se a to adhere to.

adhesión *f (apoyo)* support.

adhesivo, -va *adj* adhesive. **◆ adhesivo** *m (pegatina)* sticker.

adicción *f:* ~ (a) addiction (to).

adición *f* addition.

adicional *adj* additional.

adicto, -ta ◇ *adj:* ~ (a) addicted (to). ◇ *m y f:* ~ (a) addict (of).

adiestrar *vt* to train; ~ **a alguien en algo/para hacer algo** to train sb in sthg/ to do sthg.

adinerado, -da *adj* wealthy.

adiós ◇ *m* goodbye. ◇ *interj:* ¡~! goodbye!; *(al cruzarse con alguien)* hello!

adiposo, -sa *adj* fatty, adipose.

aditivo *m* additive.

adivinanza *f* riddle.

adivinar *vt* **1.** *(predecir)* to foretell; *(el futuro)* to tell. **2.** *(acertar)* to guess (correctly).

adivino, -na *m y f* fortune-teller.

adjetivo *m* adjective.

adjudicación *f* awarding.

adjudicar *vt (asignar)* to award. **◆ adjudicarse** *vpr (apropiarse)* to take for o.s.

adjuntar *vt* to enclose.

adjunto, -ta ◇ *adj (incluido)* enclosed; ~ **le remito ...** please find enclosed ... ◇ *m y f (auxiliar)* assistant.

administración *f* **1.** *(suministro)* supply; *(de medicamento, justicia)* administering. **2.** *(gestión)* administration. **3.** *(gerentes)* management; *(oficina)* manager's office. **◆ Administración** *f (gobierno)* administration; **Administración local** local government; **Administración pública** civil service.

administrador, -ra *m y f* **1.** *(de empresa)* manager. **2.** *(de bienes ajenos)* administrator.

administrar *vt* **1.** *(gestionar)* to run. **2.** *(país)* to run the affairs of. **3.** *(suministrar)* to administer.

administrativo, -va *adj* administrative.

admirable *adj* admirable.

admiración *f* **1.** *(sentimiento)* admiration. **2.** *(signo ortográfico)* exclamation mark.

admirar *vt* **1.** *(gen)* to admire. **2.** *(sorprender)* to amaze. **◆ admirarse** *vpr:* ~se (de) to be amazed (by).

admisible *adj* acceptable.

admisión *f* 1. *(de persona)* admission. 2. *(de solicitudes etc)* acceptance.

admitir *vt* 1. *(acoger, reconocer)* to admit; **~ a alguien en** to admit sb to. 2. *(aceptar)* to accept.

ADN *(abrev de ácido desoxirribonucleico) m* DNA.

adobar *vt* to marinate.

adobe *m* adobe.

adobo *m (salsa)* marinade.

adoctrinar *vt* to instruct.

adolescencia *f* adolescence.

adolescente *adj, m y f* adolescent.

adonde *adv* where; **la ciudad ~ vamos** the city we are going to, the city where we are going.

adónde *adv* where.

adopción *f (de hijo, propuesta)* adoption; *(de ley)* passing.

adoptar *vt (hijo, propuesta)* to adopt; *(ley)* to pass.

adoptivo, -va *adj (hijo, país)* adopted; *(padre)* adoptive.

adoquín *(pl* **adoquines)** *m* cobblestone.

adorable *adj (persona)* adorable; *(ambiente, película)* wonderful.

adoración *f* adoration; **sentir ~ por alguien** to worship sb.

adorar *vt* 1. *(reverenciar)* to worship. 2. *(pirrarse por)* to adore.

adormilarse *vpr* to doze.

adornar *vt* to decorate.

adorno *m* decoration.

adosado, -da *adj (casa)* semidetached.

adquirir *vt* 1. *(comprar)* to acquire, to purchase. 2. *(conseguir - conocimientos, hábito, cultura)* to acquire; *(- éxito, popularidad)* to achieve; *(- enfermedad)* to catch, to get.

adquisición *f* 1. *(compra, cosa comprada)* purchase. 2. *(obtención)* acquisition.

adrede *adv* on purpose, deliberately.

adrenalina *f* adrenalin.

adscribir *vt* 1. *(asignar)* to assign. 2. *(destinar)* to appoint O assign to. ◆ **adscribirse** *vpr:* **~se (a)** *(grupo, partido)* to become a member (of); *(ideología)* to subscribe to.

adscrito, -ta *pp* → **adscribir**. ◇ *adj* assigned.

aduana *f (administración)* customs *(pl).*

aducir *vt* to adduce.

adueñarse ◆ **adueñarse de** *vpr* 1. *(apoderarse)* to take over. 2. *(dominar)* to take hold of.

adulación *f* flattery.

adulador, -ra *adj* flattering.

adular *vt* to flatter.

adulterar *vt (alimento)* to adulterate.

adulterio *m* adultery.

adúltero, -ra ◇ *adj* adulterous. ◇ *m y f* adulterer *(f* adulteress).

adulto, -ta *adj, m y f* adult.

adusto, -ta *adj* dour.

advenimiento *m* advent; *(al trono)* accession.

adverbio *m* adverb.

adversario, -ria *m y f* adversary.

adversidad *f* adversity.

adverso, -sa *adj* adverse; *(destino)* unkind; *(suerte)* bad; *(viento)* unfavourable.

advertencia *f* warning; **servir de ~** to serve as a warning.

advertir *vt* 1. *(notar)* to notice. 2. *(prevenir, avisar)* to warn; **te advierto que no deberías hacerlo** I'd advise against you doing it; **te advierto que no me sorprende** mind you, it doesn't surprise me.

adviento *m* Advent.

adyacente *adj* adjacent.

aéreo, -a *adj* 1. *(del aire)* aerial. 2. (AERON) air *(antes de sust).*

aerobic [ae'roβik] *m* aerobics *(U).*

aeroclub *(pl* **aeroclubs)** *m* flying club.

aerodeslizador *m* hovercraft.

aerodinámico, -ca *adj* 1. (FÍS) aerodynamic. 2. *(forma, línea)* streamlined.

aeródromo *m* airfield, aerodrome.

aeroespacial *adj* aerospace *(antes de sust).*

aerógrafo *m* airbrush.

aerolínea *f* airline.

aeromozo, -za *m y f Amer* air steward *(f* air hostess).

aeronauta *m y f* aeronaut.

aeronaval *adj* air and sea *(antes de sust).*

aeronave *f (gen)* aircraft; *(dirigible)* airship.

aeroplano *m* aeroplane.

aeropuerto *m* airport.

aerosol *m* aerosol.

aerospacial = **aeroespacial**.

aerostático, -ca *adj* aerostatic.

aeróstato *m* hot-air balloon.

aerotaxi *m* light aircraft *(for hire).*

afabilidad *f* affability.

afable *adj* affable.

afamado, -da *adj* famous.

afán *m* 1. *(esfuerzo)* hard work *(U).* 2. *(anhelo)* urge.

afanador, -ra *m y f Méx* cleaner.

A

afanar vt fam (robar) to pinch. ◆ **afanarse** vpr (esforzarse): ~**se (por hacer algo)** to do everything one can (to do sthg).

afanoso, -sa adj 1. (trabajoso, penoso) demanding. 2. (que se afana) eager.

afear vt to make ugly, to scar.

afección f (MED) complaint, disease.

afectación f affectation.

afectado, -da adj 1. (gen) affected. 2. (afligido) upset, badly affected.

afectar vt 1. (gen) to affect. 2. (afligir) to upset, to affect badly.

afectísimo, -ma adj (en cartas): **suyo** ~ yours faithfully.

afectivo, -va adj 1. (emocional) emotional. 2. (cariñoso) affectionate.

afecto m affection, fondness; **sentir** ~ **por alguien, tenerle** ~ **a alguien** to be fond of sb.

afectuoso, -sa adj affectionate.

afeitar vt (pelo) to shave. ◆ **afeitarse** vpr to shave.

afeminado, -da adj effeminate.

aferrarse vpr: ~ **a** lit & fig to cling to.

Afganistán Afghanistan.

afianzamiento m (en cargo, liderazgo) consolidation.

afianzar vt (objeto) to secure. ◆ **afianzarse** vpr to steady o.s.; ~**se en algo** (opinión etc) to become sure O convinced of sthg; (cargo, liderazgo) to consolidate sthg.

afiche m Amer poster.

afición f 1. (inclinación) fondness; **por** ~ as a hobby; **tener** ~ **a algo** to be keen on sthg. 2. (aficionados) fans (pl).

aficionado, -da ◇ adj 1. (interesado) keen; **ser** ~ **a algo** to be keen on sthg. 2. (amateur) amateur. ◇ m y f 1. (interesado) fan; ~ **al cine** film fan. 2. (amateur) amateur.

aficionar vt: ~ **a alguien a algo** to make sb keen on sthg. ◆ **aficionarse** vpr: ~**se a algo** to become keen on sthg.

afilado, -da adj (fino) sharp; (dedos) pointed.

afilar vt to sharpen.

afiliado, -da m y f: ~ **(a)** member (of).

afiliarse vpr: ~ **a** to join, to become a member of.

afín adj (semejante) similar, like.

afinar vt 1. (MÚS) (instrumento) to tune; ~ **la voz** to sing in tune. 2. (perfeccionar, mejorar) to fine-tune. 3. (pulir) to refine.

afinidad f (gen & QUÍM) affinity.

afirmación f statement, assertion.

afirmar vt 1. (confirmar) to confirm. 2. (decir) to say, to declare. 3. (consoli-

dar) to reaffirm.

afirmativo, -va adj affirmative.

aflicción f suffering, sorrow.

afligir vt to afflict; (causar pena) to distress.

aflojar ◇ vt (destensar) to loosen; (cuerda) to slacken. ◇ vi 1. (disminuir) to abate, to die down. 2. fig (ceder) to ease off. ◆ **aflojarse** vpr (gen) to come loose; (cuerda) to slacken.

aflorar vi fig (surgir) to (come to the) surface, to show.

afluencia f stream, volume.

afluente m tributary.

afluir ◆ **afluir a** vi 1. (gente) to flock to. 2. (sangre, fluido) to flow to.

afónico, -ca adj: **quedarse** ~ to lose one's voice.

aforo m (cabida) seating capacity.

afortunadamente adv fortunately.

afortunado, -da adj 1. (agraciado) lucky, fortunate. 2. (feliz, oportuno) happy, felicitous.

afrenta f (ofensa, agravio) affront.

África Africa.

africano, -na adj, m y f African.

afrontar vt (hacer frente a) to face.

afuera adv outside; **por (la parte de)** ~ on the outside. ◆ **afueras** fpl: **las** ~**s** the outskirts.

agachar vt to lower; (la cabeza) to bow. ◆ **agacharse** vpr (acuclillarse) to crouch down; (inclinar la cabeza) to stoop.

agalla f (ZOOL) gill. ◆ **agallas** fpl fig guts.

agarradero m 1. (asa) hold. 2. fam fig (pretexto) pretext, excuse.

agarrado, -da adj 1. (asido): ~ **(de)** gripped (by); ~**s del brazo** arm in arm; ~**s de la mano** hand in hand. 2. fam (tacaño) tight, stingy.

agarrar vt 1. (asir) to grab. 2. (pillar - ladrón, enfermedad) to catch. ◆ **agarrarse** vpr (sujetarse) to hold on.

agarrón m (tirón) pull, tug.

agarrotar vt (parte del cuerpo) to cut off the circulation in; (mente) to numb. ◆ **agarrotarse** vpr 1. (parte del cuerpo) to go numb. 2. (mecanismo) to seize up.

agasajar vt to lavish attention on.

ágata f (el) agate.

agazaparse vpr 1. (para esconderse) to crouch. 2. (agacharse) to bend down.

agencia f 1. (empresa) agency; ~ **matrimonial** marriage bureau; ~ **de viajes** travel agency. 2. (sucursal) branch.

agenda f 1. (de notas, fechas) diary; (de teléfonos, direcciones) book. 2. (de trabajo) agenda.

agente ◇ *m y f (persona)* agent; ~ **de policía** ○ **de la autoridad** policeman (*f* policewoman); ~ **de aduanas** customs officer; ~ **de cambio (y bolsa)** stockbroker; ~ **secreto** secret agent. ◇ *m (causa activa)* agent.

ágil *adj (movimiento, persona)* agile.

agilidad *f* agility.

agilizar *vt* to speed up.

agitación *f* 1. *(intranquilidad)* restlessness. 2. *(jaleo)* racket, commotion. 3. *(conflicto)* unrest.

agitar *vt* 1. *(mover - botella etc)* to shake; *(- líquido)* to stir; *(- brazos)* to wave. 2. *(inquietar)* to worry. 3. *(alterar, perturbar)* to stir up. ♦ **agitarse** *vpr (inquietarse)* to get worried.

aglomeración *f* build-up; *(de gente)* crowd.

aglomerar *vt* to bring together. ♦ **aglomerarse** *vpr* to amass.

agnóstico, -ca *adj, m y f* agnostic.

agobiado, -da *adj*: ~ **(de)** *(trabajo)* snowed under (with); *(problemas)* weighed down (with).

agobiar *vt* to overwhelm. ♦ **agobiarse** *vpr* to feel overwhelmed, to let things get one down.

agobio *m* 1. *(físico)* choking, suffocation. 2. *(psíquico)* pressure.

agolparse *vpr (gente)* to crowd round; *(sangre)* to rush.

agonía *f* 1. *(pena)* agony. 2. *(del moribundo)* death throes *(pl)*.

agonizante *adj* dying.

agonizar *vi (expirar)* to be dying.

agosto *m* 1. *(mes)* August; *ver también* **septiembre**. 2. *loc*: **hacer su** ~ to line one's pockets.

agotado, -da *adj* 1. *(cansado)*: ~ **(de)** exhausted (from). 2. *(producto)* out of stock, sold out. 3. *(pila, batería)* flat.

agotador, -ra *adj* exhausting.

agotamiento *m (cansancio)* exhaustion.

agotar *vt (gen)* to exhaust; *(producto)* to sell out of; *(agua)* to drain. ♦ **agotarse** *vpr* 1. *(cansarse)* to tire o.s. out. 2. *(acabarse)* to run out; *(libro, entradas)* to be sold out; *(pila, batería)* to go flat.

agraciado, -da *adj* 1. *(atractivo)* attractive, fetching. 2. *(afortunado)*: ~ **con algo** lucky enough to win sthg.

agradable *adj* pleasant.

agradar *vt* to please.

agradecer *vt (suj: persona)*: ~ **algo a alguien** *(dar las gracias)* to thank sb for sthg; *(estar agradecido)* to be grateful to sb for sthg.

agradecido, -da *adj* grateful.

agradecimiento *m* gratitude.

agrado *m (gusto)* pleasure; **ésto no es de mi** ~ this is not to my liking.

agrandar *vt* to make bigger.

agrario, -ria *adj (reforma)* agrarian; *(producto, política)* agricultural.

agravante ◇ *adj* aggravating. ◇ *m o f* 1. *(problema)* additional problem. 2. *(DER)* aggravating circumstance.

agravar *vt* to aggravate; *(impuestos etc)* to increase (the burden of). ♦ **agravarse** *vpr* to get worse.

agraviar *vt* to offend.

agravio *m* 1. *(ofensa)* offence, insult. 2. *(perjuicio)* wrong.

agredir *vt* to attack.

agregado, -da *m y f* 1. *(EDUC)* assistant teacher. 2. *(de embajada)* attaché; ~ **cultural** cultural attaché.

agregar *vt*: ~ **(algo a algo)** to add (sthg to sthg).

agresión *f (ataque)* act of aggression, attack.

agresividad *f* aggression.

agresivo, -va *adj lit & fig* aggressive.

agresor, -ra *m y f* attacker, assailant.

agreste *adj (abrupto, rocoso)* rugged.

agriar *vt (vino, leche)* to (turn) sour.

agrícola *adj* agricultural; *(pueblo)* farming *(antes de sust)*.

agricultor, -ra *m y f* farmer.

agricultura *f* agriculture.

agridulce *adj* bittersweet; *(CULIN)* sweet and sour.

agrietar *vt* 1. *(muro, tierra)* to crack. 2. *(labios, manos)* to chap. ♦ **agrietarse** *vpr (la piel)* to chap.

agrio, agria *adj* 1. *(ácido)* sour. 2. *fig (áspero)* acerbic, bitter.

agronomía *f* agronomy.

agropecuario, -ria *adj* farming and livestock *(antes de sust)*.

agrupación *f (asociación)* group.

agrupamiento *m (concentración)* grouping.

agrupar *vt* to group (together). ♦ **agruparse** *vpr* 1. *(congregarse)* to gather (round). 2. *(unirse)* to form a group.

agua *f (el)* water; ~ **mineral sin gas/con gas** still/sparkling mineral water; **venir como** ~ **de mayo** to be a godsend. ♦ **aguas** *fpl* 1. *(manantial)* waters, spring *(sg)*. 2. *(de río, mar)* waters; ~**s territoriales o jurisdiccionales** territorial waters. 3. *(de diamantes, telas)* water *(U)*. ♦ **agua de colonia** *f* eau de cologne. ◆ **agua oxigenada** *f* hydrogen peroxide. ◆ **aguas residuales** *fpl* sewage (U).

aguacate *m* (*fruto*) avocado (pear).

aguacero *m* shower.

aguado, -da *adj* (*con demasiada agua*) watery; (*diluido a propósito*) watered-down.

aguafiestas *m y f inv* spoilsport.

aguafuerte *m* etching.

aguamarina *f* aquamarine.

aguanieve *f* sleet.

aguantar *vt* 1. (*sostener*) to hold. 2. (*resistir - peso*) to bear. 3. (*tolerar, soportar*) to bear, to stand; **no sé cómo la aguantas** I don't know how you put up with her. 4. (*contener - risa*) to contain; (*- respiración*) to hold. ◆ **aguantarse** *vpr* 1. (*contenerse*) to restrain o.s. 2. (*resignarse*): **no quiere ~se** he refuses to put up with it.

aguante *m* 1. (*paciencia*) self-restraint. 2. (*resistencia*) strength; (*de persona*) stamina.

aguar *vt* 1. (*mezclar con agua*) to water down. 2. *fig* (*estropear*) to spoil.

aguardar *vt* to wait for, to await.

aguardiente *m* spirit, liquor.

aguarrás *m* turpentine.

agudeza *f* (*gen*) sharpness.

agudizar *vt fig* (*acentuar*) to exacerbate. ◆ **agudizarse** *vpr* (*crisis*) to get worse.

agudo, -da *adj* 1. (*gen*) sharp; (*crisis, problema, enfermedad*) serious, acute. 2. *fig* (*perspicaz*) keen, sharp. 3. *fig* (*ingenioso*) witty. 4. (MÚS) (*nota, voz*) high, high-pitched.

agüero *m*: **de buen/mal ~** that bodes well/ill.

aguijón *m* (*de insecto*) sting.

aguijonear *vt* (*espolear*): **~ a alguien para que haga algo** to goad sb into doing sthg.

águila *f* (*el*) 1. (*ave*) eagle. 2. *fig* (*vivo, listo*) sharp o perceptive person.

aguileño, -ña *adj* aquiline.

aguilucho *m* eaglet.

aguinaldo *m* Christmas box.

aguja *f* 1. (*de coser, jeringuilla*) needle; (*de hacer punto*) knitting needle. 2. (*de reloj*) hand; (*de brújula*) pointer; (*de iglesia*) spire. 3. (FERROC) point. 4. (*de tocadiscos*) stylus, needle. ◆ **agujas** *fpl* (*de res*) ribs.

agujerear *vt* to make a hole o holes in.

agujero *m* hole.

agujeta *f Méx* (*de zapato*) shoelace.

aguzar *vt* 1. (*afilar*) to sharpen. 2. *fig* (*apetito*) to whet; (*ingenio*) to sharpen.

ah *interj*: **¡~!** (*admiración*) oooh!; (*sorpresa*) oh!; (*pena*) ah!

ahí *adv* there; **vino por ~** he came that way; **la solución está ~** that's where the solution lies; **¡~ tienes!** here you are!, there you go!; **de ~ que** (*por eso*) and consequently, so; **está por ~** (*en lugar indefinido*) he/she is around (somewhere); (*en la calle*) he/she is out; **por ~, por ~** *fig* something like that; **por ~ va la cosa** you're not too far wrong.

ahijado, -da *m y f* (*de padrinos*) godson (*f* goddaughter).

ahínco *m* enthusiasm, devotion.

ahogar *vt* 1. (*asfixiar - en el agua*) to drown; (*- cubriendo la boca y nariz*) to smother, to suffocate. 2. (*estrangular*) to strangle. 3. (*extinguir*) to extinguish, to put out. 4. *fig* (*dominar - levantamiento*) to quell; (*- pena*) to hold back. ◆ **ahogarse** *vpr* 1. (*en el agua*) to drown. 2. (*asfixiarse*) to suffocate.

ahogo *m* 1. (*asfixia*) breathlessness. 2. *fig* (*económico*) financial difficulty.

ahondar *vi* (*profundizar*) to go into detail; **~ en** (*penetrar*) to penetrate deep into; (*profundizar*) to study in depth.

ahora ◇ *adv* 1. (*en el presente*) now; **~ mismo** right now; **por ~** for the time being. 2. (*pronto*) in a second o moment. ◇ *conj* (*pero*) but, however; **~ que** but, though; **~ bien** but, however.

ahorcar *vt* to hang. ◆ **ahorcarse** *vpr* to hang o.s.

ahorita, ahoritita *adv Amer fam* right now.

ahorrador, -ra ◇ *adj* thrifty, careful with money. ◇ *m y f* thrifty person.

ahorrar *vt* to save. ◆ **ahorrarse** *vpr*: **~se algo** to save o spare o.s. sthg.

ahorro *m* 1. (*gen*) saving. 2. (*gen pl*) (*cantidad ahorrada*) savings (*pl*).

ahuecar *vt* (*poner hueco - manos*) to cup.

ahuevado, -da *adj Amer fam* (*tonto*) daft.

ahumado, -da *adj* smoked.

ahumar *vt* 1. (*alimento*) to smoke. 2. (*habitación etc*) to fill with smoke.

ahuyentar *vt* (*espantar, asustar*) to scare away.

airado, -da *adj* angry.

airar *vt* to anger, to make angry. ◆ **airarse** *vpr* to get angry.

aire *m* 1. (*fluido*) air; **al ~** exposed; **al ~ libre** in the open air; **estar en el ~** to be in the air; **tomar el ~** to go for a breath of fresh air. **2.** *(viento)* wind; *(corriente)* draught; **hoy hace (mucho)** ~ it's (very) windy today. **3.** *fig (aspecto)* air, appearance. ◆ **aires** *mpl (vanidad)* airs (and graces). ◆ **aire (acondicionado)** *m* air-conditioning.

airear *vt fig (contar)* to air (publicly). ◆ **airearse** *vpr* to get some fresh air.

airoso, -sa *adj* **1.** *(garboso)* graceful. **2.** *(triunfante):* **salir** ~ **de algo** to come out of sthg with flying colours.

aislado, -da *adj* **1.** *(gen)* isolated. **2.** (TECN) insulated.

aislar *vt* **1.** *(gen)* to isolate. **2.** (TECN) to insulate.

ajá *interj* **¡**~**!** *(sorpresa)* aha!; *fam (aprobación)* great!

ajardinado, -da *adj* landscaped.

a.JC. = **a. de JC.**

ajedrez *m inv* chess.

ajeno, -na *adj* **1.** *(de otro)* of others; **jugar en campo** ~ to play away from home. **2.** *(extraño):* ~ **a** having nothing to do with; ~ **a nuestra voluntad** beyond our control.

ajetreo *m* **1.** *(tarea)* running around, hard work. **2.** *(animación)* (hustle and) bustle.

ají *(pl* **ajíes)** *m* **1.** *(chile)* chilli (pepper). **2.** *CSur (pimiento)* pepper.

ajiaco *m Amer (estofado) stew made with chilli sauce.*

ajillo ◆ **al ajillo** *loc adj* (CULIN) *in a sauce made with oil, garlic and chilli.*

ajo *m* garlic; **andar** O **estar en el** ~ *fig* to be in on it.

ajustado, -da *adj (ceñido - ropa)* tight-fitting; *(- tuerca, pieza)* tight; *(- resultado, final)* close.

ajustar *vt* **1.** *(arreglar)* to adjust. **2.** *(apretar)* to tighten. **3.** *(encajar - piezas de motor)* to fit; *(- puerta, ventana)* to push to. **4.** *(pactar - matrimonio)* to arrange; *(- pleito)* to settle; *(- paz)* to negotiate; *(- precio)* to fix, to agree.

ajuste *m (de pieza)* fitting; *(de mecanismo)* adjustment; *(de salario)* agreement; ~ **de cuentas** *fig* settling of scores.

al → **a.**

ala *f* (el) **1.** (POLÍT & ZOOL) wing. **2.** *(parte lateral - de tejado)* eaves *(pl)*; *(- de sombrero)* brim. **3.** (DEP) winger, wing. ◆ **ala delta** *f (aparato)* hang glider.

alabanza *f* praise.

alabar *vt* to praise.

alabastro *m* alabaster.

alacena *f* recess for storing food.

alacrán *m (animal)* scorpion.

alado, -da *adj (con alas)* winged.

alambique *m* still.

alambre *m* wire; ~ **de espino** O **púas** barbed wire.

alameda *f* **1.** *(sitio con álamos)* poplar grove. **2.** *(paseo)* tree-lined avenue.

álamo *m* poplar.

alano *m (perro)* mastiff.

alarde *m*: ~ **(de)** show O display (of); **hacer** ~ **de algo** to show sthg off.

alardear *vi*: ~ **de** to show off about.

alargador *m* extension lead.

alargar *vt* **1.** *(ropa etc)* to lengthen. **2.** *(viaje, visita, plazo)* to extend; *(conversación)* to spin out. ◆ **alargarse** *vpr (hacerse más largo - días)* to get longer; *(- reunión)* to be prolonged.

alarido *m* shriek, howl.

alarma *f (gen)* alarm; **dar la** ~ to raise the alarm.

alarmante *adj* alarming.

alarmar *vt* **1.** *(avisar)* to alert. **2.** *fig (asustar)* to alarm. ◆ **alarmarse** *vpr (inquietarse)* to be alarmed.

alarmista *m y f* alarmist.

alazán, -ana *adj* chestnut.

alba *f* (el) *(amanecer)* dawn.

albacea *m y f* executor *(f* executrix).

albahaca *f* basil.

Albania Albania.

albañil *m* bricklayer.

albañilería *f (obra)* brickwork.

albarán *m* delivery note.

albaricoque *m* apricot.

albedrío *m (antojo, elección)* fancy, whim; **a su** ~ as takes his/her fancy; **libre** ~ free will.

alberca *f* **1.** *(depósito)* water tank. **2.** *Méx (piscina)* swimming pool.

albergar *vt* **1.** *(personas)* to accommodate, to put up. **2.** *(odio)* to harbour; *(esperanzas)* to cherish. ◆ **albergarse** *vpr* to stay.

albergue *m* accommodation *(U)*, lodgings *(pl)*; *(de montaña)* shelter, refuge; ~ **de juventud** O **juvenil** youth hostel.

albino, -na *adj, m y f* albino.

albis ◆ **in albis** *loc adv*: **estar in** ~ to be in the dark.

albóndiga *f* meatball.

alborada *f (amanecer)* dawn.

alborear *v impers*: **empezaba a** ~ dawn was breaking.

albornoz *m* bathrobe.

alborotar ◇ *vi* to be noisy O rowdy. ◇ *vt (amotinar)* to stir up, to rouse.

♦ **alborotarse** *vpr (perturbarse)* to get worked up.

alboroto *m* **1.** *(ruido)* din. **2.** *(jaleo)* fuss, to-do.

alborozar *vt* to delight.

alborozo *m* delight, joy.

albufera *f* lagoon.

álbum (*pl* **álbumes**) *m* album.

alcachofa *f* (BOT) artichoke.

alcalde, -desa *m y f* mayor (*f* mayoress).

alcaldía *f* (*cargo*) mayoralty.

alcance *m* **1.** *(de arma, emisora)* range; **de corto/largo ~** short-/long-range. **2.** *(de persona)*: **a mi/a tu** *etc* **~** within my/your *etc* reach; **al ~ de la vista** within sight; **fuera del ~** beyond the reach of. **3.** *(de reformas etc)* scope.

alcanfor *m* camphor.

alcantarilla *f* sewer; *(boca)* drain.

alcantarillado *m* sewers (*pl*).

alcanzar ◊ *vt* **1.** *(llegar a)* to reach. **2.** *(igualarse con)* to catch up with. **3.** *(entregar)* to pass. **4.** *(suj: bala etc)* to hit. **5.** *(autobús, tren)* to manage to catch. ◊ *vi* **1.** *(ser suficiente)*: **~ para algo/hacer algo** to be enough for sthg/to do sthg. **2.** *(poder)*: **~ a hacer algo** to be able to do sthg.

alcaparra *f* caper.

alcayata *f* hook.

alcázar *m* fortress.

alce *m* elk, moose.

alcoba *f* bedroom.

alcohol *m* alcohol.

alcohólico, -ca *adj, m y f* alcoholic.

alcoholímetro *m (para la sangre)* drunkometer *Am* , Breathalyzer® *Br*.

alcoholismo *m* alcoholism.

alcohotest (*pl* **alcohotests**) *m* drunkometer *Am*, Breathalyzer® *Br*.

alcornoque *m (árbol)* cork oak.

aldaba *f (llamador)* doorknocker.

aldea *f* small village.

aldeano, -na *m y f* villager.

aleación *f (producto)* alloy.

aleatorio, -ria *adj (número)* random; *(suceso)* chance *(antes de sust)*.

aleccionar *vt* to instruct, to teach.

alegación *f* allegation.

alegar ◊ *vt (motivos, pruebas)* to put forward; **~ que** to claim (that). ◊ *vi* *Amer (discutir)* to argue.

alegato *m* **1.** (DER & *fig*) plea. **2.** *(ataque)* diatribe.

alegoría *f* allegory.

alegórico, -ca *adj* allegorical.

alegrar *vt (persona)* to cheer up, to make happy; *(fiesta)* to liven up. ♦ **alegrarse** *vpr (sentir alegría)*: **~se (de algo/ por alguien)** to be pleased (about sthg/ for sb).

alegre *adj* **1.** *(contento)* happy. **2.** *(que da alegría)* cheerful, bright. **3.** *fam (borracho)* tipsy.

alegría *f* **1.** *(gozo)* happiness, joy. **2.** *(motivo de gozo)* joy.

alegrón *m fam* pleasant surprise.

alejamiento *m* **1.** *(lejanía)* remoteness. **2.** *(distancia)* distance. **3.** *(separación - de objetos etc)* separation; *(- entre personas)* estrangement.

alejar *vt* **1.** *(poner más lejos)* to move away. **2.** *fig (ahuyentar)* to drive out. ♦ **alejarse** *vpr*: **~se (de)** *(ponerse más lejos)* to go O move away (from); *(retirarse)* to leave.

aleluya *interj*: ¡~! Hallelujah!

alemán, -ana *adj, m y f* German. ♦ **alemán** *m (lengua)* German.

Alemania Germany.

alentador, -ra *adj* encouraging.

alentar *vt* to encourage.

alergia *f* lit & *fig* allergy; **tener ~ a algo** to be allergic to sthg.

alérgico, -ca *adj*: **~ (a)** allergic (to).

alero *m* **1.** *(del tejado)* eaves (*pl*). **2.** (DEP) winger, wing.

alerta ◊ *adj, m y f & adv* alert. ◊ *f* alert.

alertar *vt* to alert.

aleta *f* **1.** *(de pez)* fin. **2.** *(de buzo, foca)* flipper. **3.** *(de coche)* wing.

aletargarse *vpr* to become drowsy O sleepy.

aletear *vi* to flap O flutter its wings.

alfabetizar *vt* **1.** *(personas)* to teach to read and write. **2.** *(palabras, letras)* to put into alphabetical order.

alfabeto *m* alphabet.

alfalfa *f* alfalfa, lucerne.

alfarería *f (técnica)* pottery.

alféizar *m* window-sill.

alférez *m* = second lieutenant.

alfil *m* bishop.

alfiler *m* **1.** *(aguja)* pin; **~ de gancho** *CSur* safety pin. **2.** *(joya)* brooch, pin.

alfombra *f* carpet; *(alfombrilla)* rug.

alfombrar *vt* to carpet.

alfombrilla *f* **1.** *(alfombra pequeña)* rug. **2.** *(felpudo)* doormat. **3.** *(del baño)* bathmat.

alforja *f* (*gen pl*) *(de caballo)* saddlebag.

alga *f* (el) *(de mar)* seaweed (U); *(de río)* algae (*pl*).

algarroba *f (fruto)* carob O locust bean.

álgebra f (el) algebra.

álgido, -da adj (culminante) critical.

algo ◇ pron 1. (alguna cosa) something; (en interrogativas) anything; **¿te pasa ~?** is anything the matter?; **~ es ~** something is better than nothing; **por ~ lo habrá dicho** he must have said it for a reason. 2. (cantidad pequeña) a bit, a little; **~ de** some, a little. 3. fig (cosa importante) something; **se cree que es ~** he thinks he's something (special). ◇ adv (un poco) rather, somewhat.

> • Something sólo se usa en frases afirmativas (there's <u>something</u> missing, "falta <u>algo</u>"); en las negativas se emplea nothing (<u>nothing</u> happened, "<u>no</u> pasó <u>nada</u>"). Si el verbo principal es negativo se usa anything (I <u>don't</u> know if <u>anything</u> exciting happened, "<u>no</u> sé si pasó <u>algo</u> emocionante").
> • En frases interrogativas se usa something si esperamos una respuesta afirmativa (did you have <u>something</u> hot for dinner?, "¿cenaron <u>algo</u> caliente?"). Si no, usaremos anything (did she tell you <u>anything</u> about her new job?).

algodón m cotton; **~ (hidrófilo)** absorbent cotton Am, cotton wool Br.

algoritmo m (INFORM) algorithm.

alguacil m (del juzgado) bailiff.

alguien pron 1. (alguna persona) someone, somebody; (en interrogativas) anyone, anybody; **¿hay ~ ahí?** is anyone there? 2. fig (persona de importancia) somebody; **se cree ~** she thinks she's somebody (special).

> • Someone y somebody sólo se usan en frases afirmativas (there's <u>someone/somebody</u> at the door, "llaman a la puerta"). En las negativas se emplea no one o nobody (there's <u>no one/nobody</u> there, "ahí <u>no</u> hay <u>nadie</u>"). Si el verbo principal de la oración es negativo usaremos anyone o anybody (I <u>don't</u> know if <u>anyone/anybody</u> will come to my party, "<u>no</u> sé si vendrá <u>alguien</u> a mi fiesta").
> • En las frases interrogativas se usa someone o somebody si esperamos una respuesta afirmativa (are you going to the dance with <u>someone/somebody</u> nice?, "¿vas a ir al baile con <u>alguien</u> agradable?"). Si no, usaremos anyone (is <u>anyone/anybody</u> there?).

alguno, -na ◇ adj (antes de sust masculino **algún**) 1. (indeterminado) some; (en interrogativas) any; **¿tienes algún libro?** do you have any books?; **algún día** some o one day; **ha surgido algún (que otro) problema** the odd problem has come up. 2. (después de sust) (ninguno) any; **no tengo interés ~** I have no interest, I haven't any interest. ◇ pron 1. (persona) someone, somebody; (pl) some people; (en interrogativas) anyone, anybody; **¿conocieron a ~s?** did you get to know any?; **~s de, ~s (de) entre** some o a few of. 2. (cosa) the odd one, (pl) some, (pl) a few; (en interrogativas) any; **me salió mal ~** I got the odd one wrong; **~ de** some o a few of.

alhaja f (joya) jewel.

aliado, -da adj allied.

alianza f 1. (pacto, parentesco) alliance. 2. (anillo) wedding ring.

aliar vt (naciones) to ally. ◆ **aliarse** vpr to form an alliance.

alias ◇ adv alias. ◇ m inv alias; (entre amigos) nickname.

alicaído, -da adj (triste) depressed.

alicates mpl pliers.

aliciente m 1. (incentivo) incentive. 2. (atractivo) attraction.

alienación f 1. (gen) alienation. 2. (trastorno psíquico) derangement.

aliento m (respiración) breath; **cobrar ~** to catch one's breath; **sin ~** breathless.

aligerar vt 1. (peso) to lighten. 2. (ritmo) to speed up; (el paso) to quicken.

alijo m contraband (U).

alimaña f pest (fox, weasel etc).

alimentación f 1. (acción) feeding. 2. (comida) food. 3. (régimen) diet.

alimentar vt (gen) to feed; (motor, coche) to fuel. ◆ **alimentarse** vpr (comer): **~se de** to live on.

alimenticio, -cia adj nourishing; **productos ~s** foodstuffs.

alimento m (gen) food; (valor nutritivo) nourishment.

alineación f 1. (en el espacio) alignment. 2. (DEP) line-up.

alinear vt 1. (en el espacio) to line up. 2. (DEP) to select. ◆ **alinearse** vpr (POLÍT) to align.

aliñar vt (ensalada) to dress; (carne) to season.

aliño m (para ensalada) dressing; (para carne) seasoning.

alioli m garlic mayonnaise.

alisar vt to smooth (down).

alistarse vpr to enlist.

aliviar vt 1. (atenuar) to soothe. 2. (ali-

gerar - persona) to relieve; *(- carga)* to lighten.

alivio *m* relief.

aljibe *m (de agua)* cistern.

allá *adv* **1.** *(espacio)* over there; **~ abajo/ arriba** down/up there; **más ~** further on; **más ~ de** beyond. **2.** *(tiempo):* **~ por los años cincuenta** back in the 50s; **~ para el mes de agosto** around August some time. **3.** *loc:* **~ él/ella** *etc* that's his/ her *etc* problem.

allanamiento *m* forceful entry; **~ de morada** breaking and entering.

allanar *vt* **1.** *(terreno)* to flatten, to level. **2.** *(irrumpir en)* to break into.

allegado, -da *m y f* **1.** *(familiar)* relative. **2.** *(amigo)* close friend.

allí *adv* there; **~ abajo/arriba** down/up there; **~ mismo** right there; **está por ~** it's around there somewhere.

alma *f (el)* **1.** *(gen)* soul. **2.** *(de bastón, ovillo)* core.

almacén *m* **1.** *(depósito)* warehouse. **2.** *Amer (tienda)* grocery store. ◆ **(grandes) almacenes** *mpl* department store *(sg).*

almacenar *vt* **1.** *(gen & INFORM)* to store. **2.** *(reunir)* to collect.

almendra *f* almond.

almendro *m* almond (tree).

almíbar *m* syrup.

almidón *m* starch.

almidonar *vt* to starch.

almirante *m* admiral.

almirez *m* mortar.

almizcle *m* musk.

almohada *f* pillow.

almohadilla *f (gen, TECN & ZOOL)* pad; *(cojín)* small cushion.

almorrana *f (gen pl)* piles *(pl).*

almorzar ◊ *vt (al mediodía)* to have for lunch. ◊ *vi (al mediodía)* to have lunch.

almuerzo *m (al mediodía)* lunch.

aló *interj Amer (al teléfono)* hello.

alocado, -da *m y f* crazy person.

alojamiento *m* accommodation.

alojar *vt* to put up. ◆ **alojarse** *vpr* **1.** *(hospedarse)* to stay. **2.** *(introducirse)* to lodge.

alondra *f* lark.

alpargata *f (gen pl)* espadrille.

Alpes *mpl:* **los ~** the Alps.

alpinismo *m* mountaineering.

alpinista *m y f* mountaineer.

alpiste *m (semilla)* birdseed.

alquilar *vt (casa, TV, oficina)* to rent; *(coche)* to hire. ◆ **alquilarse** *vpr (casa, TV, oficina)* to be for rent; *(coche)* to be

for hire; **'se alquila'** 'to let'.

alquiler *m* **1.** *(acción - de casa, TV, oficina)* renting; *(- de coche)* hiring; **de ~** *(casa)* rented; *(coche)* hire *(antes de sust);* **tenemos pisos de ~** we have apartments to rent *Am*, we have flats to let *Br.* **2.** *(precio - de casa, oficina)* rent; *(- de televisión)* rental; *(- de coche)* hire charge.

alquimia *f* alchemy.

alquitrán *m* tar.

alrededor *adv* **1.** *(en torno)* around; **mira a tu ~** look around you; **de ~** surrounding. **2.** *(aproximadamente):* **~ de** around, about. ◆ **alrededores** *mpl* surrounding area *(sg).* ◆ **alrededor de** *loc prep* around.

alta → alto.

altanero, -ra *adj* haughty.

altar *m* altar.

altavoz *m (para anuncios)* loud-speaker; *(de tocadiscos)* speaker.

alteración *f* **1.** *(cambio)* alteration. **2.** *(excitación)* agitation. **3.** *(alboroto)* disturbance; **~ del orden público** breach of the peace.

alterar *vt* **1.** *(cambiar)* to alter. **2.** *(perturbar - persona)* to agitate, to fluster; *(- orden público)* to disrupt. ◆ **alterarse** *vpr (perturbarse)* to get agitated O flustered.

altercado *m* argument, row.

alternar ◊ *vt* to alternate. ◊ *vi* **1.** *(relacionarse):* **~ (con)** to mix (with), to socialize (with). **2.** *(sucederse):* **~ con** to alternate with. ◆ **alternarse** *vpr* **1.** *(en el tiempo)* to take turns. **2.** *(en el espacio)* to alternate.

alternativa → alternativo.

alternativamente *adv (moverse)* alternately.

alternativo, -va *adj* **1.** *(movimiento)* alternating. **2.** *(posibilidad)* alternative. ◆ **alternativa** *f (opción)* alternative.

alterno, -na *adj* alternate; *(ELECTR)* alternating.

alteza *f fig (de sentimientos)* loftiness. ◆ **Alteza** *f (tratamiento)* Highness; **Su Alteza Real** His Royal Highness *(f* Her Royal Highness).

altibajos *mpl fig (de vida etc)* ups and downs.

altiplano *m* high plateau.

altisonante *adj* high-sounding.

altitud *f* altitude.

altivez *f* haughtiness.

altivo, -va *adj* haughty.

alto, -ta *adj* **1.** *(gen)* high; *(persona, árbol, edificio)* tall; *(piso)* top, upper. **2.** *(ruidoso)* loud. **3.** *(avanzado)* late; **a**

altas horas de la noche late at night, in the small hours. ◆ **alto** ◊ *m* **1.** (*altura*) height; **mide dos metros de ~** (*cosa*) it's two metres high; (*persona*) he's two metres tall. **2.** (*interrupción*) stop. **3.** (*lugar elevado*) height; **en lo ~ de** at the top of. **4.** (MÚS) alto. **5.** *loc:* **pasar por ~ algo** to pass over sthg. ◊ *adv* **1.** (*arriba*) high (up). **2.** (*hablar etc*) loud. ◊ *interj:* **¡~!** halt!, stop! ◆ **alta** *f* (el) (*del hospital*) discharge; **dar de alta** o **el alta a alguien** to discharge sb (from hospital).

altoparlante *m Amer* loudspeaker.

altramuz *m* lupin.

altruismo *m* altruism.

altura *f* **1.** (*gen*) height; (*en el mar*) depth; **tiene dos metros de ~** (*gen*) it's two metres high; (*persona*) he's two metres tall. **2.** (*nivel*) level; **está a la ~ del ayuntamiento** it's next to the town hall. **3.** (*latitud*) latitude. ◆ **alturas** *fpl* (*el cielo*) Heaven (*sg*); **a estas ~s** *fig* this far on, this late.

alubia *f* bean.

alucinación *f* hallucination.

alucinado, -da *adj* **1.** (MED) hallucinating. **2.** *fam* (*sorprendido*) gobsmacked.

alucinante *adj* **1.** (MED) hallucinatory. **2.** *fam* (*extraordinario*) amazing.

alucinar *vi* (MED) to hallucinate.

alud *m lit & fig* avalanche.

aludido, -da *m y f:* **el ~** the aforesaid; **darse por ~** (*ofenderse*) to take it personally; (*reaccionar*) to take the hint.

aludir *vi:* **~ a** (*sin mencionar*) to allude to; (*mencionando*) to refer to.

alumbrado *m* lighting.

alumbramiento *m* (*parto*) delivery.

alumbrar *vt* **1.** (*iluminar*) to light up. **2.** (*instruir*) to enlighten. **3.** (*dar a luz*) to give birth to.

aluminio *m* aluminium.

alumnado *m* (*de escuela*) pupils (*pl*); (*de universidad*) students (*pl*).

alumno, -na *m y f* (*de escuela*) pupil; (*de universidad*) student.

alunizar *vi* to land on the moon.

alusión *f* (*sin mencionar*) allusion; (*mencionando*) reference.

alusivo, -va *adj* allusive.

aluvión *m* **1.** (*gen*) flood. **2.** (GEOL) alluvium.

alza *f* (el) rise; **en ~** (FIN) rising; *fig* gaining in popularity.

alzamiento *m* uprising, revolt.

alzar *vt* **1.** (*levantar*) to lift, to raise; (*voz*) to raise; (*vela*) to hoist; (*cuello de abrigo*) to turn up; (*mangas*) to pull up. **2.** (*aumentar*) to raise. ◆ **alzarse** *vpr* **1.** (*levantarse*) to rise. **2.** (*sublevarse*) to rise up, to revolt.

a.m. (*abrev de* ante meridiem) a.m.

ama → **amo.**

amabilidad *f* kindness; **¿tendría la ~ de ...?** would you be so kind as to ...?

amable *adj* kind; **¿sería tan ~ de ...?** would you be so kind as to ...?

amaestrado, -da *adj* (*gen*) trained; (*en circo*) performing.

amaestrar *vt* to train.

amago *m* **1.** (*indicio*) sign, hint. **2.** (*amenaza*) threat.

amainar *vi lit & fig* to abate.

amalgamar *vt* (QUÍM & *fig*) to amalgamate.

amamantar *vt* (*animal*) to suckle; (*bebé*) to breastfeed.

amanecer ◊ *m* dawn. ◊ *v impers:* **amaneció a las siete** dawn broke at seven.

amanerado, -da *adj* (*afectado*) mannered, affected.

amansar *vt* **1.** (*animal*) to tame. **2.** *fig* (*persona*) to calm down.

amante *m y f* **1.** (*querido*) lover. **2.** *fig* (*aficionado*): **ser ~ de algo/hacer algo** to be keen on sthg/doing sthg; **los ~s del arte** art lovers.

amañar *vt* (*falsear*) to fix; (*elecciones, resultado*) to rig; (*documento*) to doctor.

amaño *m* (*gen pl*) (*treta*) ruse, trick.

amapola *f* poppy.

amar *vt* to love.

amarar *vi* (*hidroavión*) to land at sea.

amargado, -da *adj* (*resentido*) bitter.

amargar *vt* to make bitter; *fig* to spoil.

amargo, -ga *adj lit & fig* bitter.

amargoso, -sa *adj Amer* bitter.

amargura *f* (*sentimiento*) sorrow.

amarillo, -lla *adj* (*color*) yellow. ◆ **amarillo** *m* (*color*) yellow.

amarra *f* mooring rope o line.

amarrar *vt* **1.** (NÁUT) to moor. **2.** (*atar*) to tie (up); **~ algo/a alguien a algo** to tie sthg/sb to sthg.

amarre *m* mooring.

amarrete *adj Amer* mean, tight.

amasar *vt* **1.** (*masa*) to knead; (*yeso*) to mix. **2.** *fam* (*riquezas*) to amass.

amasijo *m fam fig* (*mezcla*) hotchpotch.

amateur [ama'ter] (*pl* **amateurs**) *adj, m y f* amateur.

amatista *f* amethyst.

amazona *f fig* (*jinete*) horsewoman.

Amazonas *m:* **el ~** the Amazon.

A

ambages *mpl*: sin ~ without beating about the bush, in plain English.

ámbar *m* amber.

ambición *f* ambition.

ambicionar *vt* to have as one's ambition.

ambicioso, -sa *adj* ambitious.

ambidextro, -tra ◊ *adj* ambidextrous. ◊ *m y f* ambidextrous person.

ambientación *f* **1.** (CIN, LITER & TEATRO) setting. **2.** (RADIO) sound effects *(pl)*.

ambientador *m* air freshener.

ambiental *adj* **1.** *(físico, atmosférico)* ambient. **2.** (ECOLOGÍA) environmental.

ambiente *m* **1.** *(aire)* air, atmosphere. **2.** *(circunstancias)* environment. **3.** *(ámbito)* world, circles *(pl)*. **4.** *(animación)* life, atmosphere. **5.** *CSur (habitación)* room.

ambigüedad *f* ambiguity.

ambiguo, -gua *adj (gen)* ambiguous.

ámbito *m* **1.** *(espacio, límites)* confines *(pl)*; **una ley de ~ provincial** an act which is provincial in its scope. **2.** *(ambiente)* world, circles *(pl)*.

ambivalente *adj* ambivalent.

ambos, -bas ◊ *adj pl* both. ◊ *pron pl* both (of them).

ambulancia *f* ambulance.

ambulante *adj* travelling; *(biblioteca)* mobile.

ambulatorio *m* state-run clinic.

ameba *f* amoeba.

amedrentar *vt* to scare, to frighten.

amén *adv (en plegaria)* amen. ◆ **amén de** *loc prep* **1.** *(además de)* in addition to. **2.** *(excepto)* except for, apart from.

amenaza *f* threat; **~ de bomba** bomb scare; **~ de muerte** death threat.

amenazar *vt* to threaten; **~ a alguien con hacerle algo** to threaten to do sthg to sb; **~ a alguien con hacer algo** to threaten sb with doing sthg; **amenaza lluvia** it's threatening to rain.

amenidad *f (entretenimiento)* entertaining qualities *(pl)*.

Para expresar en inglés "me gustan los documentales por su amenidad" lo diríamos así: *I like documentaries because they are very entertaining*. En inglés existe también el sustantivo plural *amenities*, pero no debemos dejarnos engañar por el parecido, ya que significa 'facilidades, servicios', como los que ofrecen un hotel o una ciudad.

ameno, -na *adj (entretenido)* entertaining.

América America; **~ del Sur** South America.

americana → americano.

americano, -na *adj, m y f* American. ◆ **americana** *f (chaqueta)* jacket.

ameritar *vt Amer* to deserve.

amerizar *vi (hidroavión)* to land at sea.

ametralladora *f* machine gun.

ametrallar *vt (con ametralladora)* to machinegun.

amianto *m* asbestos.

amígdala *f* tonsil.

amigdalitis *f inv* tonsillitis.

amigo, -ga ◊ *adj* **1.** *(gen)* friendly. **2.** *(aficionado)*: **~ de algo/hacer algo** keen on sthg/doing sthg. ◊ *m y f* **1.** *(persona)* friend; **hacerse ~ de** to make friends with; **hacerse ~s** to become friends. **2.** *fam (compañero, novio)* partner.

amigote, amiguete *m fam* pal.

amiguismo *m*: **hay mucho ~** there are always jobs for the boys.

aminoácido *m* amino acid.

aminorar *vt* to reduce.

amistad *f* friendship; **hacer** ○ **trabar ~ (con)** to make friends (with). ◆ **amistades** *fpl* friends.

amistoso, -sa *adj* friendly.

amnesia *f* amnesia.

amnistía *f* amnesty.

amo, ama *m y f* **1.** *(gen)* owner. **2.** *(de criado, situación etc)* master *(f* mistress). ◆ **ama de casa** *f* housewife. ◆ **ama de llaves** *f* housekeeper.

amodorrarse *vpr* to get drowsy.

amoldar *vt (adaptar)*: **~ (a)** to adapt (to). ◆ **amoldarse** *vpr (adaptarse)*: **~se (a)** to adapt (to).

amonestación *f* **1.** *(reprimenda)* reprimand. **2.** (DEP) warning.

amonestar *vt* **1.** *(reprender)* to reprimand. **2.** (DEP) to warn.

amoníaco, amoniaco *m (gas)* ammonia.

amontonar *vt* **1.** *(apilar)* to pile up. **2.** *(reunir)* to accumulate. ◆ **amontonarse** *vpr* **1.** *(personas)* to form a crowd. **2.** *(problemas, trabajo)* to pile up; *(ideas, solicitudes)* to come thick and fast.

amor *m* love; **hacer el ~** to make love; **por ~ al arte** for the love of it. ◆ **amor propio** *m* pride.

amoral *adj* amoral.

amoratado, -da *adj (de frío)* blue; *(por golpes)* black and blue.

amordazar *vt (persona)* to gag;

(perro) to muzzle.

amorío *m fam (romance)* fling.

amoroso, -sa *adj (gen)* loving; *(carta, relación)* love *(antes de sust)*.

amortiguador, -ra *adj (de ruido)* muffling; *(de golpe)* softening, cushioning. ◆ **amortiguador** *m* (AUTOM) shock absorber.

amortiguar *vt (ruido)* to muffle; *(golpe)* to soften, to cushion.

amortizar *vt* 1. *(sacar provecho)* to get one's money's worth out of. 2. *(ECON - deuda, préstamo)* to pay off; *(- inversión, capital)* to recoup; *(- bonos, acciones)* to redeem.

amotinar *vt* 1. *(proteger)* to incite to riot; *(a marineros)* to incite to mutiny. ◆ **amotinarse** *vpr* to riot; *(marineros)* to mutiny.

amparar *vt* 1. *(proteger)* to protect. 2. *(dar cobijo a)* to give shelter to. ◆ **ampararse** *vpr* 1. *fig (apoyarse)*: **~se en** *(ley)* to have recourse to; *(excusas)* to draw on. 2. *(cobijarse)*: **~se a** o **contra** to (take) shelter from.

amparo *m (protección)* protection; **al ~ de** *(persona, caridad)* with the help of; *(ley)* under the protection of.

amperio *m* amp, ampere.

ampliación *f* 1. *(aumento)* expansion; *(de edificio, plazo)* extension. 2. (FOT) enlargement.

ampliar *vt* 1. *(gen)* to expand; *(local)* to add an extension to; *(plazo)* to extend. 2. (FOT) to enlarge, to blow up.

amplificación *f* amplification.

amplificador *m* (ELECTRÓN) amplifier.

amplificar *vt* to amplify.

amplio, -plia *adj* 1. *(sala etc)* roomy, spacious; *(avenida, gama)* wide. 2. *(ropa)* loose. 3. *(explicación etc)* comprehensive; **en el sentido más ~ de la palabra** in the broadest sense of the word.

amplitud *f* 1. *(espaciosidad)* roominess, spaciousness; *(de avenida)* wideness. 2. *(de ropa)* looseness. 3. *fig (extensión)* extent, comprehensiveness.

ampolla *f* 1. *(en piel)* blister. 2. *(para inyecciones)* ampoule. 3. *(frasco)* phial.

ampuloso, -sa *adj* pompous.

amputar *vt* to amputate.

Amsterdam Amsterdam.

amueblar *vt* to furnish.

amurallar *vt* to build a wall around.

anacronismo *m* anachronism.

anagrama *m* anagram.

anal *adj* (ANAT) anal.

anales *mpl lit & fig* annals.

analfabetismo *m* illiteracy.

analfabeto, -ta *adj, m y f* illiterate.

analgésico *m* painkiller.

análisis *m inv* analysis; **~ de sangre** blood test.

analizar *vt* to analyse.

analogía *f* similarity; **por ~** by analogy.

analógico, -ca *adj* (INFORM & TECN) analogue, analog.

análogo, -ga *adj*: **~ (a)** analogous o similar (to).

ananá, ananás *m CSur* pineapple.

anaquel *m* shelf.

anarquía *f* 1. *(falta de gobierno)* anarchy. 2. *(doctrina política)* anarchism.

anárquico, -ca *adj* anarchic.

anarquista *adj, m y f* anarchist.

anatema *m (maldición)* curse.

anatomía *f* anatomy.

anca *f (el)* haunch; **~s de rana** frogs' legs.

ancestral *adj* ancestral; *(costumbre)* age-old.

ancho, -cha *adj (gen)* wide; *(prenda)* loose-fitting; **te va o está ~** it's too big for you; **a mis/tus etc anchas** *fig* at ease; **quedarse tan ~** not to care less. ◆ **ancho** *m* width; **a lo ~** crosswise; **cinco metros de ~** five metres wide; **a lo ~ de** across (the width of); **~ de vía** gauge.

anchoa *f* anchovy *(salted)*.

anchura *f* 1. *(medida)* width. 2. *(de ropa)* bagginess.

anciano, -na ◇ *adj* old. ◇ *m y f* old person, old man *(f* old woman). ◆ **anciano** *m (de tribu)* elder.

ancla *f (el)* anchor.

anclar *vi* to anchor.

andadas *fpl*: **volver a las ~** *fam fig* to return to one's evil ways.

andadura *f* walking.

ándale, ándele *interj CAm & Méx fam*: **¡~!** come on!

Andalucía Andalusia.

andaluz, -za *adj, m y f* Andalusian.

andamio *m* scaffold.

andanada *f* (MIL & fig) broadside.

andando *interj*: **¡~!** come on!

andante *adj (que anda)* walking.

andanza *f (gen pl) (aventura)* adventure.

andar ◇ *vi* 1. *(caminar)* to walk; *(moverse)* to move. 2. *(funcionar)* to work, to go; **las cosas andan mal** things are going badly. 3. *(estar)* to be; **~ preo-**

cupado to be worried; **~ tras algo/ alguien** fig to be after sthg/sb. **4.** (antes de gerundio): **~ haciendo algo** to be doing sthg; **anda echando broncas a todos** he's going round telling everybody off. **5.** (ocuparse): **~ en** (asuntos, líos) to be involved in; (papeleos, negocios) to be busy with. **6.** (hurgar): **~ en** to rummage around in. **7.** (alcanzar, rondar): **anda por los 60** he's about sixty. ◇ vt **1.** (recorrer) to go, to travel. **2.** Amer (llevar puesto) to wear. ◇ m gait, walk. ◆ **andarse** vpr (obrar): **~se con cuidado/misterios** to be careful/secretive. ◆ **andares** mpl (de persona) gait (sg). ◆ **¡anda!** interj: **¡anda!** (sorpresa, desilusión) oh!; (¡vamos!) come on!; (¡por favor!) go on!; **¡anda ya!** (incredulidad) come off it!

ándele = ándale.

andén m **1.** (FERROC) platform. **2.** CAm (acera) sidewalk Am, pavement Br.

Andes mpl: **los ~** the Andes.

andinismo m Amer mountaineering.

andinista m y f Amer mountaineer.

Andorra Andorra.

andorrano, -na adj, m y f Andorran.

andrajo m (harapo) rag.

andrajoso, -sa adj ragged.

andrógino, -na adj androgynous.

androide m (autómata) android.

anduviera etc → andar.

anécdota f anecdote.

anecdótico, -ca adj **1.** (con historietas) anecdotal. **2.** (no esencial) incidental.

anegar vt (inundar) to flood. ◆ **anegarse** vpr **1.** (inundarse) to flood; **sus ojos se anegaron de lágrimas** tears welled up in his eyes. **2.** (ahogarse) to drown.

anejo, -ja adj: **~ (a)** (edificio) connected (to); (documento) attached (to). ◆ **anejo** m annexe.

anemia f anaemia.

anémona f anemone.

anestesia f anaesthesia.

anestésico, -ca adj anaesthetic. ◆ **anestésico** m anaesthetic.

anexar vt (documento) to attach.

anexión f annexation.

anexionar vt to annex.

anexo, -xa adj (edificio) connected; (documento) attached. ◆ **anexo** m annexe.

anfetamina f amphetamine.

anfibio, -bia adj lit & fig amphibious.

anfiteatro m **1.** (CIN & TEATRO) circle. **2.** (edificio) amphitheatre.

anfitrión, -ona m y f host (f hostess).

ángel m lit & fig angel; **~ custodio** o **de la guarda** guardian angel; **tener ~** to have something special.

angelical adj angelic.

angina f (gen pl) (amigdalitis) sore throat; **tener ~s** to have a sore throat. ◆ **angina de pecho** f angina (pectoris).

anglicano, -na adj, m y f Anglican.

anglosajón, -ona adj, m y f Anglo-Saxon.

Angola Angola.

angora f (de conejo) angora; (de cabra) mohair.

angosto, -ta adj culto narrow.

angostura f (extracto) angostura.

anguila f eel.

angula f elver.

angular adj angular. ◆ **gran angular** m (FOT) wide-angle lens.

ángulo m **1.** (gen) angle. **2.** (rincón) corner.

anguloso, -sa adj angular.

angustia f (aflicción) anxiety.

angustiar vt to distress. ◆ **angustiarse** vpr (agobiarse): **~se (por)** to get worried (about).

angustioso, -sa adj (espera, momentos) anxious; (noticia) distressing.

anhelante adj: **~ (por algo/hacer algo)** longing (for sthg/to do sthg), desperate (for sthg/to do sthg).

anhelar vt to long o wish for; **~ hacer algo** to long to do sthg.

anhelo m longing.

anhídrido m anhydride; **~ carbónico** carbon dioxide.

anidar vi (pájaro) to nest.

anilla f ring.

anillo m (gen & ASTRON) ring; **~ de boda** wedding ring.

ánima f (el) soul.

animación f **1.** (alegría) liveliness. **2.** (bullicio) hustle and bustle, activity. **3.** (CIN) animation.

animado, -da adj **1.** (con buen ánimo) cheerful. **2.** (divertido) lively. **3.** (CIN) animated.

animador, -ra m y f **1.** (en espectáculo) compere. **2.** (en fiesta de niños) children's entertainer. **3.** (en béisbol etc) cheerleader.

animadversión f animosity.

animal ◇ adj **1.** (reino, funciones) animal (antes de sust). **2.** fam (persona - basto) rough; (- ignorante) ignorant. ◇ m y f fam fig (persona) animal, brute.

◇ *m* animal; **~ doméstico** *(de granja etc)* domestic animal; *(de compañía)* pet.

animar *vt* **1.** *(estimular)* to encourage. **2.** *(alegrar - persona)* to cheer up. **3.** *(avivar - fuego, diálogo, fiesta)* to liven up; *(comercio)* to stimulate. ◆ **animarse** *vpr* **1.** *(alegrarse - persona)* to cheer up; *(- fiesta etc)* to liven up. **2.** *(decidir)*: **~se (a hacer algo)** to finally decide (to do sthg).

ánimo ◇ *m* **1.** *(valor)* courage. **2.** *(aliento)* encouragement; **dar ~s a alguien** to encourage sb. **3.** *(humor)* disposition. ◇ *interj (para alentar):* **¡~!** come on!

animoso, -sa *adj (valiente)* courageous; *(decidido)* undaunted.

aniñado, -da *adj (comportamiento)* childish; *(voz, rostro)* childlike.

aniquilar *vt* to annihilate, to wipe out.

anís *(pl* **anises)** *m* **1.** *(grano)* aniseed. **2.** *(licor)* anisette.

aniversario *m (gen)* anniversary; *(cumpleaños)* birthday.

ano *m* anus.

anoche *adv* last night, yesterday evening; **antes de ~** the night before last.

anochecer ◇ *m* dusk, nightfall; **al ~** at dusk. ◇ *v impers* to get dark.

anodino, -na *adj (sin gracia)* dull, insipid.

anomalía *f* anomaly.

anómalo, -la *adj* anomalous.

anonadado, -da *adj (sorprendido)* astonished, bewildered.

anonimato *m* anonymity; **permanecer en el ~** to remain nameless.

anónimo, -ma *adj* anonymous. ◆ **anónimo** *m* anonymous letter.

anorak *(pl* **anoraks)** *m* anorak.

anorexia *f* anorexia.

anormal *adj (anómalo)* abnormal.

anotación *f (gen)* note; *(en registro)* entry.

anotar *vt* **1.** *(apuntar)* to note down. **2.** *(tantear)* to notch up.

ansia *f (el)* **1.** *(afán):* **~ de** longing o yearning for. **2.** *(ansiedad)* anxiousness; *(angustia)* anguish.

ansiar *vt:* **~ hacer algo** to long o be desperate to do sthg.

ansiedad *f (inquietud)* anxiety; **con ~** anxiously.

ansioso, -sa *adj (impaciente)* impatient; **estar ~ por** o **de hacer algo** to be impatient to do sthg.

antagónico, -ca *adj* antagonistic.

antagonista *m y f* opponent.

antaño *adv* in days gone by.

antártico, -ca *adj* Antarctic. ◆ **Antártico** *m:* **el Antártico** the Antarctic; **el océano Glacial Antártico** the Antarctic Ocean.

Antártida *f:* **la ~** the Antarctic.

ante¹ *m* **1.** *(piel)* suede. **2.** *(animal)* elk.

ante² *prep* **1.** *(delante de, en presencia de)* before. **2.** *(frente a - hecho, circunstancia)* in the face of. ◆ **ante todo** *loc adv* **1.** *(sobre todo)* above all. **2.** *(en primer lugar)* first of all.

anteanoche *adv* the night before last.

anteayer *adv* the day before yesterday.

antebrazo *m* forearm.

antecedente ◇ *adj* preceding, previous. ◇ *m (precedente)* precedent. ◆ **antecedentes** *mpl (de persona)* record *(sg)*; *(de asunto)* background *(sg)*; **poner a alguien en ~s de** *(informar)* to fill sb in on.

anteceder *vt* to precede.

antecesor, -ra *m y f (predecesor)* predecessor.

antedicho, -cha *adj* aforementioned.

antelación *f:* **con ~** in advance, beforehand; **con dos horas de ~** two hours in advance.

antemano ◆ **de antemano** *loc adv* beforehand, in advance.

antena *f* **1.** (RADIO & TV) aerial, antenna; **~ parabólica** satellite dish. **2.** (ZOOL) antenna.

anteojos *mpl esp Amer (gafas)* glasses.

antepasado, -da *m y f* ancestor.

antepenúltimo, -ma *adj, m y f* last but two.

anteponer *vt:* **~ algo a algo** to put sthg before sthg.

anterior *adj* **1.** *(previo):* **~ (a)** previous (to). **2.** *(delantero)* front *(antes de sust)*.

anterioridad *f:* **con ~** beforehand; **con ~ a** before, prior to.

anteriormente *adv* previously.

antes *adv* **1.** *(gen)* before; **no importa si venís ~** it doesn't matter if you come earlier; **ya no nado como ~** I can't swim as I used to; **lo ~ posible** as soon as possible. **2.** *(primero)* first; **esta señora está ~** this lady is first. **3.** *(expresa preferencia):* **~ ... que** rather ... than; **prefiero la sierra ~ que el mar** I like the mountains better than the sea; **iría a la cárcel ~ que mentir** I'd rather go to prison than lie. ◆ **antes de** *loc prep* before; **~ de hacer algo** before doing sthg. ◆ **antes (de) que** *loc conj* before; **~ (de) que llegaran** before you arrived.

antesala *f* anteroom; **estar en la ~ de fig** to be on the verge of.

antiadherente *adj* nonstick.

antiaéreo, -a *adj* anti-aircraft.

antibala, **antibalas** *adj inv* bullet-proof.

antibiótico, -ca *adj* antibiotic. ♦ **antibiótico** *m* antibiotic.

anticiclón *m* anticyclone.

anticipación *f* earliness; **con ~** in advance; **con un mes de ~** a month in advance; **con ~ a** prior to.

anticipado, -da *adj* (*elecciones*) early; (*pago*) advance; **por ~** in advance.

anticipar *vt* 1. (*prever*) to anticipate. 2. (*adelantar*) to bring forward. 3. (*pago*) to pay in advance. ♦ **anticiparse** *vpr* 1. (*suceder antes*) to arrive early; **se anticipó a su tiempo** he was ahead of his time. 2. (*adelantarse*): **~se a alguien** to beat sb to it.

anticipo *m* (*de dinero*) advance.

anticonceptivo, -va *adj* contraceptive. ♦ **anticonceptivo** *m* contraceptive.

anticongelante *adj, m y f & m* antifreeze.

anticonstitucional *adj* unconstitutional.

anticorrosivo, -va *adj* anticorrosive.

anticuado, -da *adj* old-fashioned.

anticuario, -ria *m y f* (*comerciante*) antique dealer; (*experto*) antiquarian.

anticuerpo *m* antibody.

antidepresivo, -va *adj* antidepressant. ♦ **antidepresivo** *m* antidepressant (drug).

antidisturbios *mpl* (*policía*) riot police.

antidopaje *m* doping tests (*pl*).

antidoping [anti'ðopin] *adj* doping (*antes de sust*).

antídoto *m* antidote.

antier *adv Amer fam* the day before yesterday.

antiestético, -ca *adj* unsightly.

antifaz *m* mask.

antigás *adj inv* gas (*antes de sust*).

antigualla *f despec* (*cosa*) museum piece; (*persona*) old fogey, old fossil.

antiguamente *adv* (*hace mucho*) long ago; (*previamente*) formerly.

antigüedad *f* 1. (*gen*) antiquity. 2. (*veteranía*) seniority. ♦ **antigüedades** *fpl* (*objetos*) antiques.

antiguo, -gua *adj* 1. (*viejo*) old; (*inmemorial*) ancient. 2. (*anterior, previo*) former.

antihéroe *m* antihero.

antihigiénico, -ca *adj* unhygienic.

antihistamínico *m* antihistamine.

antiinflamatorio *m* anti-inflammatory drug.

antílope *m* antelope.

antinatural *adj* unnatural.

antiniebla *adj inv* → **faro**.

antioxidante *m* rustproofing agent.

antipatía *f* dislike; **tener ~ a alguien** to dislike sb.

antipático, -ca *adj* unpleasant.

antípodas *fpl*: **las ~** the Antipodes.

antiquísimo, -ma *adj* ancient.

antirrobo *m* (*en coche*) antitheft device; (*en edificio*) burglar alarm.

antisemita *adj* anti-Semitic.

antiséptico, -ca *adj* antiseptic. ♦ **antiséptico** *m* antiseptic.

antiterrorista *adj* anti-terrorist.

antítesis *f inv* antithesis.

antitetánico, -ca *adj* anti-tetanus (*antes de sust*).

antivirus *m inv* (INFORM) antivirus system.

antojarse *vpr* 1. (*capricho*): **se le antojaron esos zapatos** he fancied those shoes; **se le ha antojado ir al cine** he felt like going to the cinema; **cuando se me antoje** when I feel like it. 2. (*posibilidad*): **se me antoja que ...** I have a feeling that ...

antojitos *mpl Méx* snacks, tapas.

antojo *m* 1. (*capricho*) whim; (*de embarazada*) craving; **a mi/tu etc ~** my/your etc (own) way. 2. (*lunar*) birthmark.

antología *f* anthology.

antónimo *m* antonym.

antonomasia *f*: **por ~** par excellence.

antorcha *f* torch.

antracita *f* anthracite.

antro *m despec* dive, dump.

antropófago, -ga *m y f* cannibal.

antropología *f* anthropology.

anual *adj* annual.

anualidad *f* annuity, yearly payment.

anuario *m* yearbook.

anudar *vt* to knot, to tie in a knot.

anulación *f* (*cancelación*) cancellation; (*de ley*) repeal; (*de matrimonio, contrato*) annulment.

anular¹ *m* → **dedo**.

anular² *vt* 1. (*cancelar - gen*) to cancel; (*- ley*) to repeal; (*- matrimonio, contrato*) to annul. 2. (DEP *- gol*) to disallow; (*- resultado*) to declare void.

anunciación f announcement.
♦ **Anunciación** f (RELIG) Annunciation.
anunciante m y f advertiser.
anunciar vt **1.** (notificar) to announce.
2. (hacer publicidad de) to advertise.
3. (presagiar) to herald. ♦ **anunciarse**
vpr: ~**se en** to advertise in, to put an
advert in.
anuncio m **1.** (notificación) announcement; (cartel, aviso) notice; (póster)
poster. **2.** ~ **(publicitario)** advertisement, advert; ~**s por palabras** classified
adverts. **3.** (presagio) sign, herald.
anverso m (de moneda) head, obverse;
(de hoja) front.
anzuelo m (para pescar) (fish) hook.
añadido, -da adj: ~ **(a)** added (to).
añadidura f: **por** ~ in addition.
añadir vt to add.
añejo, -ja adj **1.** (vino, licor) mature;
(tocino) cured. **2.** (costumbre) age-old.
añicos mpl: **hacer** o **hacerse** ~ to shatter.
añil adj, m y f & m (color) indigo.
año m year; **en el** ~ **1939** in 1939; **los**
~**s 30** the thirties; ~ **académico/escolar/
fiscal** academic/school/tax year; ~
bisiesto/solar leap/solar year; ~ **nuevo**
New Year; **¡Feliz Año Nuevo!** Happy
New Year! ♦ **años** mpl (edad) age (sg);
¿cuántos ~**s tienes? - tengo 17** ~**s** how
old are you? – I'm 17 (years old); **cumplir** ~**s** to have one's birthday; **cumplo**
~**s el 25** it's my birthday on the 25th.
añoranza f: ~ **(de)** (gen) nostalgia
(for); (hogar, patria) homesickness (for).
añorar vt to miss.
apabullar vt to overwhelm.
apacentar vt to graze.
apacible adj (gen) mild, gentle; (lugar,
ambiente) pleasant.
apaciguar vt **1.** (tranquilizar) to calm
down. **2.** (aplacar - dolor etc) to soothe.
♦ **apaciguarse** vpr **1.** (tranquilizarse) to
calm down. **2.** (aplacarse - dolor etc) to
abate.
apadrinar vt **1.** (niño) to act as a god-
parent to. **2.** (artista) to sponsor.
apagado, -da adj **1.** (luz, fuego) out;
(aparato) off. **2.** (color, persona) subdued.
3. (sonido) muffled; (voz) quiet.
apagar vt **1.** (extinguir - fuego) to put
out; (- luz) to put off; (- vela) to extinguish. **2.** (desconectar) to turn o switch
off. **3.** (aplacar - sed) to quench.
4. (rebajar - sonido) to muffle. ♦ **apagarse** vpr (extinguirse - fuego, vela, luz)
to go out; (- dolor, ilusión, rencor) to die
down; (- sonido) to die away.

apagón m power cut.
apaisado, -da adj oblong.
apalancar vt (para abrir) to lever
open; (para mover) to lever.
apalear vt to beat up.
apañado, -da adj fam (hábil, mañoso)
clever, resourceful.
apañar vt fam **1.** (reparar) to mend.
2. (amañar) to fix, to arrange.
♦ **apañarse** vpr fam to cope, to manage; **apañárselas (para hacer algo)** to
manage (to do sthg).
apaño m fam **1.** (reparación) patch.
2. (chanchullo) fix, shady deal. **3.** (acuerdo) compromise.
aparador m (mueble) sideboard.
aparato m **1.** (máquina) machine; (de
laboratorio) apparatus (U); (electrodoméstico) appliance. **2.** (dispositivo) device.
3. (teléfono): **¿quién está al** ~? who's
speaking? **4.** (MED - prótesis) aid; (- para
dientes) brace. **5.** (ANAT) system.
6. (POLÍT) machinery. **7.** (ostentación)
pomp, ostentation.
aparatoso, -sa adj **1.** (ostentoso)
ostentatious. **2.** (espectacular) spectacular.
aparcamiento m Esp **1.** (acción) parking. **2.** (parking) parking lot Am, car
park Br; (hueco) parking place.
aparcar Esp ◇ vt (estacionar) to park.
◇ vi (estacionar) to park.
aparcero, -ra m y f sharecropper.
aparear vt (animales) to mate.
♦ **aparearse** vpr (animales) to mate.
aparecer vi **1.** (gen) to appear. **2.**
(acudir): ~ **por (un lugar)** to turn up at (a
place). **3.** (ser encontrado) to turn up.
aparejado, -da adj: **llevar** ~ (acarrear)
to entail.
aparejador, -ra m y f quantity surveyor.
aparentar ◇ vt **1.** (fingir) to feign.
2. (edad) to look. ◇ vi (presumir) to
show off.
aparente adj (supuesto) apparent.
aparición f **1.** (gen) appearance. **2.** (de
ser sobrenatural) apparition.
apariencia f (aspecto) appearance;
guardar las ~**s** to keep up appearances;
las ~**s engañan** appearances can be
deceptive.
apartado, -da adj **1.** (separado): ~ **de**
away from. **2.** (alejado) remote.
♦ **apartado** m (párrafo) paragraph;
(sección) section. ♦ **apartado de
correos** m PO Box.
apartamento m apartment.
apartar vt **1.** (alejar) to move away;

(quitar) to remove. **2.** *(separar)* to separate. **3.** *(escoger)* to take, to select.
♦ **apartarse** *vpr* **1.** *(hacerse a un lado)* to move to one side. **2.** *(separarse)* to separate; **~se de** *(gen)* to move away from; *(tema)* to get away from; *(mundo, sociedad)* to cut o.s. off from.

aparte ◊ *adv* **1.** *(en otro lugar, a un lado)* aside, to one side; **bromas ~** joking apart. **2.** *(además)* besides; **~ de fea** ... besides being ugly ... **3.** *(por separado)* separately. ◊ *m* **1.** *(párrafo)* new paragraph. **2.** (TEATRO) aside. ♦ **aparte de** *loc prep (excepto)* apart from, except from.

apasionado, -da ◊ *adj* passionate. ◊ *m y f* lover, enthusiast.

apasionante *adj* fascinating.

apasionar *vt* to fascinate; **le apasiona la música** he's mad about music. ♦ **apasionarse** *vpr* to get excited.

apatía *f* apathy.

apático, -ca *adj* apathetic.

apátrida *adj* stateless.

apdo. *abrev de* **apartado**.

apeadero *m (de tren)* halt.

apear *vt (bajar)* to take down. ♦ **apearse** *vpr (bajarse):* **~se (de)** *(tren)* to alight (from), to get off; *(coche)* to get out (of); *(caballo)* to dismount (from).

apechugar *vi:* **~ con** to put up with, to live with.

apedrear *vt (persona)* to stone; *(cosa)* to throw stones at.

apegarse *vpr:* **~ a** to become fond of o attached to.

apego *m* fondness, attachment; **tener/ tomar ~ a** to be/become fond of.

apelación *f* appeal.

apelar *vi* **1.** (DER) to (lodge an) appeal; **~ ante/contra** to appeal to/against. **2.** *(recurrir):* **~ a** *(persona)* to go to; *(sentido común, bondad)* to appeal to; *(violencia)* to resort to.

apelativo *m* name.

apellidarse *vpr:* **se apellida Suárez** her surname is Suárez.

apellido *m* surname.

apelotonar *vt* to bundle up. ♦ **apelotonarse** *vpr (gente)* to crowd together.

apenado, -da *adj* CAm & Méx ashamed.

apenar *vt* to sadden.

apenas *adv* **1.** *(casi no)* scarcely, hardly; **~ me puedo mover** I can hardly move. **2.** *(tan sólo)* only; **~ hace dos minutos** only two minutes ago. **3.** *(tan pronto como)* as soon as; **~ llegó, sonó el**

teléfono no sooner had he arrived than the phone rang.

apéndice *m* appendix.

apendicitis *f inv* appendicitis.

apercibir *vt (amonestar)* to reprimand. ♦ **apercibirse de** *vpr* to notice.

aperitivo *m (bebida)* aperitif; *(comida)* appetizer.

apero *m (gen pl)* tool; **~s de labranza** farming implements.

apertura *f (gen)* opening; *(de año académico, temporada)* start.

aperturista *adj, m y f* progressive.

apesadumbrar *vt* to weigh down. ♦ **apesadumbrarse** *vpr* to be weighed down.

apestar *vi:* **~ (a)** to stink (of).

apetecer *vi:* **¿te apetece un café?** do you fancy a coffee?; **me apetece salir** I feel like going out.

apetecible *adj (comida)* appetizing, tempting; *(vacaciones etc)* desirable.

apetito *m* appetite; **abrir el ~** to whet one's appetite; **perder el ~** to lose one's appetite; **tener ~** to be hungry.

apetitoso, -sa *adj (comida)* appetizing.

apiadar *vt* to earn the pity of. ♦ **apiadarse** *vpr* to show compassion; **~se de** to take pity on.

ápice *m* **1.** *(pizca)* iota; **no ceder un ~** not to budge an inch. **2.** *(punto culminante)* peak, height.

apicultura *f* beekeeping.

apilar *vt* to pile up. ♦ **apilarse** *vpr* to pile up.

apiñar *vt* to pack o cram together. ♦ **apiñarse** *vpr* to crowd together; *(para protegerse, por miedo)* to huddle together.

apio *m* celery.

apisonadora *f* steamroller.

aplacar *vt* to placate; *(hambre)* to satisfy; *(sed)* to quench. ♦ **aplacarse** *vpr* to calm down; *(dolor)* to abate.

aplanar *vt* to level.

aplastante *adj fig (apabullante)* overwhelming, devastating.

aplastar *vt* **1.** *(por el peso)* to flatten. **2.** *(derrotar)* to crush.

aplatanar *vt fam* to make listless.

aplaudir *vt & vi* to applaud.

aplauso *m* **1.** *(ovación)* round of applause; **~s** applause *(U)*. **2.** *fig (alabanza)* applause.

aplazamiento *m* postponement.

aplazar *vt* to postpone.

aplicación *f (gen &* INFORM*)* application.

aplicado, -da *adj (estudioso)* diligent.
aplicar *vt (gen)* to apply; *(nombre, calificativo)* to give. ♦ **aplicarse** *vpr (esmerarse):* ~se **(en algo)** to apply o.s. (to sthg).
aplique *m* wall lamp.
aplomo *m* composure; **perder el** ~ to lose one's composure.
apocado, -da *adj* timid.
apocalipsis *m o f inv* calamity.
♦ **Apocalipsis** *m o f* Apocalypse.
apocarse *vpr (intimidarse)* to be frightened O scared; *(humillarse)* to humble o.s.
apodar *vt* to nickname.
apoderado, -da *m y f* **1.** *(representante)* (official) representative. **2.** (TAUROM) agent, manager.
apoderar *vt (gen)* to authorize; (DER) to grant power of attorney to. ♦ **apoderarse de** *vpr* **1.** *(adueñarse de)* to seize. **2.** *fig (dominar)* to take hold of, to grip.
apodo *m* nickname.
apogeo *m fig* height, apogee; **estar en (pleno)** ~ to be at its height.
apolillar *vt* to eat holes in. ♦ **apolillarse** *vpr* to get moth-eaten.
apolítico, -ca *adj* apolitical.
apología *f* apology, eulogy.
apoltronarse *vpr* **1.** *(apalancarse):* ~ **(en)** to become lazy O idle (in). **2.** *(acomodarse):* ~ **en** to lounge in.
apoplejía *f* apoplexy.
apoquinar *vt & vi fam* to fork out.
aporrear *vt* to bang.
aportación *f (contribución)* contribution.
aportar *vt (contribuir con)* to contribute.
aposentar *vt* to put up, to lodge.
♦ **aposentarse** *vpr* to take up lodgings.
aposento *m* **1.** *(habitación)* room. **2.** *(alojamiento)* lodgings *(pl)*.
apósito *m* dressing.
aposta, apostas *adv* on purpose.
apostar ◇ *vt* **1.** *(jugarse)* to bet. **2.** *(emplazar)* to post. ◇ *vi:* ~ **(por)** to bet (on). ♦ **apostarse** *vpr (jugarse)* to bet; ~se **algo con alguien** to bet sb sthg.
apostas = **aposta**.
apostilla *f* note.
apóstol *m lit & fig* apostle.
apóstrofo *m* (GRAM) apostrophe.
apoteósico, -ca *adj* tremendous.
apoyar *vt* **1.** *(inclinar)* to lean, to rest. **2.** *fig (basar, respaldar)* to support.

♦ **apoyarse** *vpr* **1.** *(sostenerse):* ~se **en** to lean on. **2.** *fig (basarse):* ~se **en** *(suj: tesis, ideas)* to be based on; *(suj: persona)* to base one's arguments on. **3.** *(respaldarse)* to support one another.
apoyo *m lit & fig* support.
apreciable *adj* **1.** *(perceptible)* appreciable. **2.** *fig (estimable)* worthy.
apreciación *f (consideración)* appreciation; *(estimación)* evaluation.
apreciar *vt* **1.** *(valorar)* to appreciate; *(sopesar)* to appraise, to evaluate. **2.** *(sentir afecto por)* to think highly of. **3.** *(percibir)* to tell, to make out.
aprecio *m* esteem.
aprehender *vt (coger - persona)* to apprehend; *(- alijo, mercancía)* to seize.
aprehensión *f (de persona)* arrest, capture; *(de alijo, mercancía)* seizure.
apremiante *adj* pressing, urgent.
apremiar *vt (meter prisa):* ~ **a alguien para que haga algo** to urge sb to do sthg. ◇ *vi (ser urgente)* to be pressing.
apremio *m (urgencia)* urgency.
aprender ◇ *vt* **1.** *(estudiar)* to learn. **2.** *(memorizar)* to memorize. ◇ *vi:* ~ **(a hacer algo)** to learn (to do sthg).
aprendiz, -za *m y f* **1.** *(ayudante)* apprentice, trainee. **2.** *(novato)* beginner.
aprendizaje *m* **1.** *(acción)* learning. **2.** *(tiempo, situación)* apprenticeship.
aprensión *f:* ~ **(por)** *(miedo)* apprehension (about); *(escrúpulo)* squeamishness (about).
aprensivo, -va *adj (miedoso)* apprehensive.
apresar *vt (suj: animal)* to catch; *(suj: persona)* to capture.
aprestar *vt* **1.** *(preparar)* to prepare, to get ready. **2.** *(tela)* to size. ♦ **aprestarse a** *vpr:* ~se **a hacer algo** to get ready to do sthg.
apresto *m* size.
apresurado, -da *adj* hasty, hurried.
apresurar *vt* to hurry along, to speed up; ~ **a alguien para que haga algo** to make sb do sthg more quickly. ♦ **apresurarse** *vpr* to hurry.
apretado, -da *adj* **1.** *(gen)* tight; *(triunfo)* narrow; *(esprint)* close; *(caligrafía)* cramped. **2.** *(apiñado)* packed.
apretar ◇ *vt* **1.** *(oprimir - botón, tecla)* to press; *(- gatillo)* to pull; *(- nudo, tuerca, cinturón)* to tighten; **el zapato me aprieta** my shoe is pinching. **2.** *(estrechar)* to squeeze; *(abrazar)* to hug. **3.** *(comprimir - ropa, objetos)* to pack tight. **4.** *(juntar - dientes)* to grit; *(- labios)* to press together. ◇ *vi (calor, lluvia)* to intensify. ♦ **apretarse** *vpr (agolparse)* to crowd together; *(acercarse)* to squeeze up.

apretón m (estrechamiento) squeeze; ~ de manos handshake.

apretujar vt 1. (gen) to squash. 2. (hacer una bola con) to screw up. ◆ **apretujarse** vpr (en banco, autobús) to squeeze together; (por frío) to huddle up.

apretujón m fam (abrazo) bearhug.

aprieto m fig fix, difficult situation; **poner en un ~ a alguien** to put sb in a difficult position; **verse** o **estar en un ~** to be in a fix.

aprisa adv quickly.

aprisionar vt 1. (encarcelar) to imprison. 2. (inmovilizar - atando, con camisa de fuerza) to strap down; (- suj: viga etc) to trap.

aprobación f approval.

aprobado, -da adj (aceptado) approved. ◆ **aprobado** m (EDUC) pass.

aprobar vt 1. (proyecto, moción, medida) to approve; (ley) to pass. 2. (comportamiento etc) to approve of. 3. (examen, asignatura) to pass.

apropiación f (robo) theft.

apropiado, -da adj suitable, appropriate.

apropiar vt: ~ (a) to adapt (to). ◆ **apropiarse de** vpr lit & fig to steal.

aprovechable adj usable.

aprovechado, -da adj 1. (caradura): **es muy ~** he's always sponging off other people. 2. (bien empleado - tiempo) well-spent; (- espacio) well-planned.

aprovechamiento m (utilización) use.

aprovechar ◇ vt 1. (gen) to make the most of; (oferta, ocasión) to take advantage of; (conocimientos, experiencia) to use, to make use of. 2. (lo inservible) to put to good use. ◇ vi (ser provechoso) to be beneficial; **¡que aproveche!** enjoy your meal! ◆ **aprovecharse** vpr: **~se (de)** to take advantage (of).

aprovisionamiento m supplying.

aproximación f 1. (acercamiento) approach. 2. (en cálculo) approximation.

aproximadamente adv approximately.

aproximado, -da adj approximate.

aproximar vt to move closer. ◆ **aproximarse** vpr to come closer.

aptitud f ability, aptitude; **tener ~ para algo** to have an aptitude for sthg.

apto, -ta adj 1. (adecuado): ~ **(para)** suitable (for). 2. (capacitado - intelectualmente) capable, able; (- físicamente) fit. 3. (CIN): **~/no ~ para menores** suitable/unsuitable for children.

apuesta f bet.

apuesto, -ta adj dashing.

apuntador, -ra m y f prompter.

apuntalar vt lit & fig to underpin.

apuntar vt 1. (anotar) to note down; **~ a alguien** (en lista) to put sb down. 2. (dirigir - dedo) to aim; (- arma) to aim; **~ alguien** (con el dedo) to point at sb; (con un arma) to aim at sb. 3. (TEATRO) to prompt. 4. fig (indicar) to point out. ◆ **apuntarse** vpr 1. (en lista) to put one's name down; (en curso) to enrol. 2. (participar): **~se (a hacer algo)** to join in (doing sthg).

apunte m (nota) note. ◆ **apuntes** mpl (EDUC) notes.

apuñalar vt to stab.

apurado, -da adj 1. (necesitado) in need; **~ de** short of. 2. (avergonzado) embarrassed. 3. (difícil) awkward.

apurar vt 1. (agotar) to finish off; (existencias, la paciencia) to exhaust. 2. (meter prisa) to hurry. 3. (preocupar) to trouble. 4. (avergonzar) to embarrass. ◆ **apurarse** vpr 1. (preocuparse): **~se (por)** to worry (about). 2. (darse prisa) to hurry.

apuro m 1. (dificultad) fix; **estar en ~s** to be in a tight spot. 2. (penuria) hardship (U). 3. (vergüenza) embarrassment; **me da ~ (decírselo)** I'm embarrassed (to tell her).

aquejado, -da adj: **~ de** suffering from.

aquejar vt to afflict.

aquel, aquella (mpl **aquellos**, fpl **aquellas**) adj demos that, (pl) those.

aquél, aquélla (mpl **aquéllos**, fpl **aquéllas**) pron demos 1. (ése) that (one), (pl) those (ones); **este cuadro me gusta pero ~ del fondo no** I like this picture, but I don't like that one at the back; **~ fue mi último día en Londres** that was my last day in London. 2. (nombrado antes) the former. 3. (con oraciones relativas) whoever, anyone who; **~ que quiera hablar que levante la mano** whoever wishes o anyone wishing to speak should raise their hand; **aquéllos que ...** those who ...

aquella → aquel.

aquélla → aquél.

aquello pron demos (neutro) that; **~ de su mujer es una mentira** all that about his wife is a lie.

aquellos, aquellas → aquel.

aquéllos, aquéllas → aquél.

aquí adv 1. (gen) here; **~ abajo/arriba** down/up here; **~ dentro/fuera** in/out here; **~ mismo** right here; **por ~** over here. 2. (ahora) now; **de ~ a mañana**

ara

between now and tomorrow; **de ~ a poco** shortly, soon; **de ~ a un mes** a month from now, in a month.

• Las expresiones *here is* y *here are* sirven para anunciar una llegada, una aparición o un hallazgo (*here's Charlie!*, "¡aquí esta [o viene] Charlie!"; *here are the answers*, "éstas son las respuestas"). El sujeto (*Charlie*; *answers*) va al final de la oración, salvo que sea un pronombre personal como *I, you, he*, etc. (*here's Charlie! — here he is*; *here are the answers — here they are*).

---

ara *f (el) culto (altar)* altar. ◆ **en aras de** *loc prep culto* for the sake of.

árabe ◇ *adj* Arab, Arabian. ◇ *m y f (persona)* Arab. ◇ *m (lengua)* Arabic.

Arabia Saudí, Arabia Saudita Saudi Arabia.

arado *m* plough.

arancel *m* tariff.

arándano *m* bilberry.

arandela *f (TECN)* washer.

araña *f* 1. *(animal)* spider. 2. *(lámpara)* chandelier.

arañar *vt (gen)* to scratch.

arañazo *m* scratch.

arar *vt* to plough.

arbitraje *m* 1. *(DEP - en fútbol etc)* refereeing; *(- en tenis, críquet)* umpiring. 2. *(DER)* arbitration.

arbitrar ◇ *vt* 1. *(DEP - en fútbol etc)* to referee; *(- en tenis, críquet)* to umpire. 2. *(DER)* to arbitrate. ◇ *vi* 1. *(DEP - en fútbol etc)* to referee; *(- en tenis, críquet)* to umpire. 2. *(DER)* to arbitrate.

arbitrario, -ria *adj* arbitrary.

arbitrio *m (decisión)* judgment.

árbitro *m* 1. *(DEP - en fútbol etc)* referee; *(- en tenis, críquet)* umpire. 2. *(DER)* arbitrator.

árbol *m* 1. *(BOT)* tree. 2. *(TECN)* shaft; **~ de levas** camshaft. 3. *(NÁUT)* mast. ◆ **árbol genealógico** *m* family tree.

arboleda *f* wood.

arbusto *m* bush, shrub.

arca *f (el) (arcón)* chest. ◆ **arcas** *fpl* coffers; **~s públicas** Treasury *(sg)*.

arcada *f* 1. *(gen pl) (de estómago)* retching *(U)*; **me dieron ~s** I retched. 2. *(ARQUIT - arcos)* arcade; *(- de puente)* arch.

arcaico, -ca *adj* archaic.

arce *m* maple.

arcén *m (de autopista)* hard shoulder; *(de carretera)* verge.

archipiélago *m* archipelago.

archivador, -ra *m y f* archivist. ◆ **archivador** *m* filing cabinet.

archivar *vt (guardar - documento, fichero etc)* to file.

archivo *m* 1. *(lugar)* archive; *(documentos)* archives *(pl)*; **imágenes de ~** *(TV)* library pictures. 2. *(informe, ficha)* file. 3. *(INFORM)* file.

arcilla *f* clay.

arco *m* 1. *(GEOM)* arc. 2. *(ARQUIT)* arch; **~ de herradura** horseshoe arch; **~ triunfal** o **de triunfo** triumphal arch. 3. *(DEP, MIL & MÚS)* bow. ◆ **arco iris** *m* rainbow.

arcón *m* large chest.

arder *vi* to burn; *(sin llama)* to smoulder; **~ de** *fig* to burn with; **está que arde** *(persona)* he's fuming; *(reunión)* it's getting pretty heated.

ardid *m* ruse, trick.

ardiente *adj (gen)* burning; *(líquido)* scalding; *(admirador, defensor)* ardent.

ardilla *f* squirrel.

ardor *m* 1. *(quemazón)* burning *(sensation)*; **~ de estómago** heartburn. 2. *fig (entusiasmo)* fervour.

arduo, -dua *adj* arduous.

área *f (el)* 1. *(gen)* area; **~ metropolitana/de servicio** metropolitan/service area. 2. *(DEP)*: **~ (de castigo** o **penalti)** (penalty) area.

arena *f* 1. *(de playa etc)* sand; **~s movedizas** quicksand *(U)*. 2. *(para luchar)* arena. 3. *(TAUROM)* bullring.

arenal *m* sandy ground *(U)*.

arenga *f* harangue.

arenilla *f (polvo)* dust.

arenoso, -sa *adj* sandy.

arenque *m* herring.

argamasa *f* mortar.

Argel Algiers.

Argelia Algeria.

Argentina: (la) ~ Argentina.

argentino, -na *adj, m y f* Argentinian.

argolla *f* 1. *(aro)* (large) ring. 2. *Amer (alianza)* wedding ring.

argot *m* 1. *(popular)* slang. 2. *(técnico)* jargon.

argucia *f* sophism.

argüir ◇ *vt culto* 1. *(argumentar)* to argue. 2. *(demostrar)* to prove. ◇ *vi (argumentar)* to argue.

argumentación *f* line of argument.

argumentar *vt* 1. *(teoría, opinión)* to argue. 2. *(razones, excusas)* to allege.

argumento *m* 1. *(razonamiento)* argument. 2. *(trama)* plot.

aria f (MÚS) aria.

aridez f (gen) dryness; (de zona, clima) aridity.

árido, -da adj (gen) dry; (zona, clima) arid. ◆ **áridos** mpl dry goods.

Aries m (zodiaco) Aries. ◊ m y f (persona) Aries.

ariete m (HIST & MIL) battering ram.

ario, -ria adj, m y f Aryan.

arisco, -ca adj surly.

arista f edge.

aristocracia f aristocracy.

aristócrata m y f aristocrat.

aritmético, -ca adj arithmetic. ◆ **aritmética** f arithmetic.

arma f (el) 1. (instrumento) arm, weapon; ~ **blanca** blade, weapon with a sharp blade; ~ **de fuego** firearm; ~ **homicida** murder weapon. 2. fig (medio) weapon.

armada → armado.

armadillo m armadillo.

armado, -da adj 1. (con armas) armed. 2. (con armazón) reinforced. ◆ **armada** f (marina) navy; (escuadra) fleet.

armador, -ra m y f shipowner.

armadura f 1. (de barco, tejado) framework; (de gafas) frame. 2. (de guerrero) armour.

armamentista, armamentístico, -ca adj arms (antes de sust).

armamento m (armas) arms (pl).

armar vt 1. (montar - mueble etc) to assemble; (- tienda) to pitch. 2. (ejército, personas) to arm. 3. fam fig (provocar) to cause; ~**la** fam to cause trouble. ◆ **armarse** vpr 1. (con armas) to arm o.s. 2. (prepararse): ~**se de** (valor, paciencia) to summon up. 3. loc: se armó la gorda o la de San Quintín o la de Dios es Cristo fam all hell broke loose.

armario m (para objetos) cupboard; (para ropa) wardrobe; ~ **empotrado** fitted cupboard/wardrobe.

armatoste m (mueble, objeto) unwieldy object; (máquina) contraption.

armazón f (gen) framework, frame; (de avión, coche) chassis; (de edificio) skeleton.

armería f 1. (museo) military o war museum. 2. (depósito) armoury. 3. (tienda) gunsmith's (shop).

armiño m (piel) ermine; (animal) stoat.

armisticio m armistice.

armonía f harmony.

armónico, -ca adj harmonic.

◆ **armónica** f harmonica.

armonioso, -sa adj harmonious.

armonizar ◊ vt 1. (concordar) to match. 2. (MÚS) to harmonize. ◊ vi (concordar): ~ **con** to match.

arnés m armour. ◆ **arneses** mpl (de animales) harness (U).

aro m 1. (círculo) hoop; (TECN) ring; **los** ~**s olímpicos** the Olympic rings. 2. Amer (pendiente) earring.

aroma m aroma; (de vino) bouquet; (CULIN) flavouring.

aromático, -ca adj aromatic.

arpa f (el) harp.

arpía f fig (mujer) old hag.

arpillera f sackcloth, hessian.

arpón m harpoon.

arquear vt (gen) to bend; (cejas, espalda) to arch. ◆ **arquearse** vpr to bend.

arqueología f archeology.

arqueólogo, -ga m y f archeologist.

arquero m (DEP & MIL) archer.

arquetipo m archetype.

arquitecto, -ta m y f architect.

arquitectura f lit & fig architecture.

arrabal m (barrio pobre) slum (on city outskirts); (barrio periférico) outlying district.

arrabalero, -ra adj 1. (periférico) outlying. 2. (barriobajero) rough, coarse.

arracimarse vpr to cluster together.

arraigado, -da adj (costumbre, idea) deeply rooted; (persona) established.

arraigar vi lit & fig to take root. ◆ **arraigarse** vpr (establecerse) to settle down.

arraigo m roots (pl); **tener mucho** ~ to be deeply rooted.

arrancar ◊ vt 1. (desarraigar - árbol) to uproot; (- malas hierbas, flor) to pull up. 2. (quitar, separar) to tear o rip off; (cable, página, pelo) to tear out; (cartel, cortinas) to tear down; (muela) to pull out. 3. (arrebatar): ~ **algo a alguien** to grab o snatch sthg from sb. 4. (AUTOM & TECN) to start; (INFORM) to start up. 5. fig (obtener): ~ **algo a alguien** (confesión, secreto) to extract sthg from sb; (sonrisa, dinero, ovación) to get sthg out of sb; (suspiro, carcajada) to bring sthg from sb. ◊ vi 1. (partir) to set off. 2. (suj: máquina, coche) to start. 3. (provenir): ~ **de** to stem from.

arranque m 1. (comienzo) start. 2. (AUTOM) starter motor. 3. fig (arrebato) fit.

arrasar vt to destroy, to devastate.

arrastrar ◊ vt 1. (gen) to drag o pull

along; *(pies)* to drag; *(carro, vagón)* to pull; *(suj: corriente, aire)* to carry away. **2.** *fig (convencer)* to win over; **~ a alguien a algo/a hacer algo** to lead sb into sthg/to do sthg; **dejarse ~ por algo/alguien** to allow o.s. to be swayed by sthg/sb. **3.** *fig (producir)* to bring. ◇ *vi (rozar el suelo)* to drag along the ground. ◆ **arrastrarse** *vpr* to crawl; *fig* to grovel.

arrastre *m* **1.** *(acarreo)* dragging. **2.** *(pesca)* trawling. **3.** *loc:* **estar para el ~** to have had it, to be done for.

arre *interj* ¡~! gee up!

arrear *vt fam (propinar)* to give.

arrebatado, -da *adj* **1.** *(impetuoso)* impulsive, impetuous. **2.** *(ruborizado)* flushed. **3.** *(iracundo)* enraged.

arrebatar *vt* **1.** *(arrancar)*: **~ algo a alguien** to snatch sthg from sb. **2.** *fig (cautivar)* to captivate. ◆ **arrebatarse** *vpr (enfurecerse)* to get furious.

arrebato *m (arranque)* fit, outburst.

arreciar *vi* **1.** *(temporal etc)* to get worse. **2.** *fig (críticas etc)* to intensify.

arrecife *m* reef.

arreglado, -da *adj* **1.** *(reparado)* fixed; *(ropa)* mended. **2.** *(ordenado)* tidy. **3.** *(bien vestido)* smart. **4.** *(solucionado)* sorted out. **5.** *fig (precio)* reasonable.

arreglar *vt* **1.** *(reparar)* to fix, to repair; *(ropa)* to mend. **2.** *(ordenar)* to tidy (up). **3.** *(solucionar)* to sort out. **4.** (MÚS) to arrange. **5.** *(acicalar)* to smarten up; *(cabello)* to do. ◆ **arreglarse** *vpr* **1.** *(apañarse)*: **~se (con algo)** to make do (with sthg); **arreglárselas (para hacer algo)** to manage (to do sthg). **2.** *(acicalarse)* to smarten up.

arreglo *m* **1.** *(reparación)* mending, repair; *(de ropa)* mending. **2.** *(solución)* settlement. **3.** (MÚS) *(musical)* arrangement. **4.** *(acuerdo)* agreement; **llegar a un ~** to reach agreement.

arrellanarse *vpr* to settle back.

arremangar, remangar *vt* to roll up. ◆ **arremangarse** *vpr* to roll up one's sleeves.

arremeter ◆ **arremeter contra** *vi* to attack.

arremetida *f* attack.

arrendamiento, arriendo *m* **1.** *(acción)* renting, leasing. **2.** *(precio)* rent, lease.

arrendar *vt* **1.** *(dar en arriendo)* to let, to lease. **2.** *(tomar en arriendo)* to rent, to lease.

arrendatario, -ria *m y f* leaseholder, tenant.

arreos *mpl* harness (U).

arrepentido, -da ◇ *adj* repentant. ◇ *m y f* (POLÍT) person who renounces terrorist activities.

arrepentimiento *m* regret, repentance.

arrepentirse *vpr* to repent; **~ de algo/de haber hecho algo** to regret sthg/having done sthg.

arrestar *vt* to arrest.

arresto *m (detención)* arrest.

arriar *vt* to lower.

arriba ◇ *adv* **1.** *(posición - gen)* above; *(- en edificio)* upstairs; **vive (en el piso de) ~** she lives upstairs; **está aquí/allí ~** it's up here/there; **~ del todo** right at the top; **más ~** further up. **2.** *(dirección)* up; **ve ~** *(en edificio)* go upstairs; **hacia/para ~** up, upwards; **calle ~** up the street; **río ~** upstream. **3.** *(en un texto)* above; **el ~ mencionado** ... the above-mentioned ... **4.** *loc:* **de ~ abajo** *(cosa)* from top to bottom; *(persona)* from head to toe o foot; **mirar a alguien de ~ abajo** *(con desdén)* to look sb up and down. ◇ *prep:* **~ (de)** *Amer (encima de)* on top of. ◇ *interj:* ¡~ **los mineros!** up (with) the miners!; ¡~ **las manos!** hands up! ◆ **arriba de** *loc prep* more than. ◆ **de arriba** *loc adj* top; **el estante de ~** the top shelf.

arribista *adj, m y f* arriviste.

arriendo → **arrendamiento**.

arriesgado, -da *adj (peligroso)* risky.

arriesgar *vt* to risk; *(hipótesis)* to venture, to suggest. ◆ **arriesgarse** *vpr* to take risks/a risk.

arrimar *vt (acercar)* to move o bring closer; **~ algo a** *(pared, mesa)* to move sthg up against. ◆ **arrimarse** *vpr (acercarse)* to come closer o nearer; **~se a algo** *(acercándose)* to move closer to sthg; *(apoyándose)* to lean on sthg.

arrinconar *vt* **1.** *(apartar)* to put in a corner. **2.** *(abandonar)* to discard, to put away. **3.** *fig (persona - dar de lado)* to cold-shoulder; *(- acorralar)* to corner.

arrodillarse *vpr* to kneel down; *fig* to go down on one's knees, to grovel.

arrogancia *f* arrogance.

arrogante *adj* arrogant.

arrojar *vt* **1.** *(lanzar)* to throw; *(con violencia)* to hurl, to fling. **2.** *(despedir - humo)* to send out; *(- olor)* to give off; *(- lava)* to spew out. **3.** *(echar)*: **~ a alguien de** to throw sb out of. **4.** *(resultado)* to produce, to yield. **5.** *(vomitar)* to throw up. ◆ **arrojarse** *vpr* to hurl o.s.

arrojo *m* courage, fearlessness.

arrollador, -ra *adj* overwhelming

(*belleza, personalidad*) dazzling.

arrollar *vt* **1.** (*atropellar*) to run over. **2.** (*tirar - suj: agua, viento*) to sweep away. **3.** (*vencer*) to crush.

arropar *vt* (*con ropa*) to wrap up; (*en cama*) to tuck up. ◆ **arroparse** *vpr* to wrap o.s. up.

arroyo *m* **1.** (*riachuelo*) stream. **2.** (*de la calle*) gutter.

arroz *m* rice; ~ **blanco** boiled rice; ~ **con leche** rice pudding.

arruga *f* **1.** (*en ropa, papel*) crease. **2.** (*en piel*) wrinkle, line.

arrugar *vt* **1.** (*ropa, papel*) to crease, to crumple. **2.** (*piel*) to wrinkle. ◆ **arrugarse** *vpr* **1.** (*ropa*) to get creased. **2.** (*piel*) to get wrinkled.

arruinar *vt lit & fig* to ruin. ◆ **arruinarse** *vpr* to go bankrupt, to be ruined.

arrullar *vt* to lull to sleep. ◆ **arrullarse** *vpr* (*animales*) to coo.

arrumar *vt* to pile up.

arsenal *m* **1.** (*de barcos*) shipyard. **2.** (*de armas*) arsenal. **3.** (*de cosas*) array.

arsénico *m* arsenic.

art. (*abrev de* **artículo**) art.

arte *m o f* (*en sg gen m; en pl f*) **1.** (*gen*) art; ~ **dramático** drama. **2.** (*habilidad*) artistry. **3.** (*astucia*) artfulness, cunning; **malas** ~**s** trickery (U). ◆ **artes** *fpl* arts; **bellas** ~**s** fine arts.

artefacto *m* (*aparato*) device; (*máquina*) machine.

arteria *f lit & fig* artery.

artesa *f* trough.

artesanal *adj* (*hecho a mano*) hand-made.

artesanía *f* craftsmanship; **de** ~ (*producto*) handmade.

artesano, -na *m y f* craftsman (*f* craftswoman).

ártico, -ca *adj* arctic. ◆ **Ártico** *m*: **el Ártico** the Arctic; **el océano Glacial Ártico** the Arctic Ocean.

articulación *f* **1.** (ANAT & TECN) joint. **2.** (LING) articulation.

articulado, -da *adj* articulated.

artículo *m* (*gen*) article; ~ **de fondo** editorial, leader; ~ **de primera necesidad** basic commodity.

artífice *m y f fig* architect.

artificial *adj* artificial.

artificio *m fig* (*falsedad*) artifice; (*artimaña*) trick.

artillería *f* artillery.

artillero *m* artilleryman.

artimaña *f* (*gen pl*) trick, ruse.

artista *m y f* **1.** (*gen*) artist. **2.** (*de*

espectáculos) artiste.

artístico, -ca *adj* artistic.

artritis *f inv* arthritis.

arzobispo *m* archbishop.

as *m* **1.** (*carta, dado*) ace. **2.** (*campeón*): **un** ~ **del volante** an ace driver.

asa *f* (*el*) handle.

asado *m* roast.

asador *m* **1.** (*aparato*) roaster. **2.** (*varilla*) spit.

asaduras *fpl* offal (U); (*de pollo, pavo*) giblets.

asalariado, -da *m y f* wage earner.

asalmonado, -da *adj* salmon (pink).

asaltante *m y f* (*agresor*) attacker; (*atracador*) robber.

asaltar *vt* **1.** (*atacar*) to attack; (*castillo, ciudad etc*) to storm. **2.** (*robar*) to rob. **3.** *fig* (*suj: dudas etc*) to assail.

asalto *m* **1.** (*ataque*) attack; (*de castillo, ciudad*) storming. **2.** (*robo*) robbery. **3.** (DEP) round.

asamblea *f* assembly; (POLÍT) mass meeting.

asar *vt* (*alimentos - al horno*) to roast; (*- a la parrilla*) to grill.

ascendencia *f* **1.** (*linaje*) descent. **2.** (*extracción social*) extraction. **3.** *fig* (*influencia*) ascendancy.

ascender ◇ *vi* **1.** (*subir*) to go up, to climb. **2.** (*aumentar, elevarse*) to rise, to go up. **3.** (*en empleo, deportes*): ~ **(a)** to be promoted (to). **4.** (*totalizar - precio etc*): ~ **a** to come o amount to. ◇ *vt*: ~ **a alguien (a)** to promote sb (to).

ascendiente *m y f* (*antepasado*) ancestor.

ascensión *f* ascent. ◆ **Ascensión** *f* (RELIG) Ascension.

ascenso *m* **1.** (*en empleo, deportes*) promotion. **2.** (*ascensión*) ascent.

ascensor *m* elevator *Am*, lift *Br*.

ascético, -ca *adj* ascetic.

asco *m* (*sensación*) revulsion; **siento** ~ I feel sick; **¡qué** ~ **de tiempo!** what foul weather!; **me da** ~ I find it disgusting; **¡qué** ~**!** how disgusting o revolting!; **hacer** ~**s a** to turn one's nose up at; **estar hecho un** ~ *fam* (*cosa*) to be filthy; (*persona*) to be a real sight.

ascua *f* (*el*) ember.

aseado, -da *adj* (*limpio*) clean; (*arreglado*) smart.

asear *vt* to clean. ◆ **asearse** *vpr* to get washed and dressed.

asediar *vt* to lay siege to; *fig* to pester.

asedio *m* siege; *fig* pestering.

asegurado, -da *m y f* policy-holder.

asegurar vt 1. (fijar) to secure. 2. (garantizar) to assure; **te lo aseguro** I assure you; ~ **a alguien que ...** to assure sb that ... 3. (COM): ~ **(contra)** to insure (against); ~ **algo en** (cantidad) to insure sthg for. ◆ **asegurarse** vpr (cerciorarse): ~**se de que ...** to make sure that ...

asemejar ◆ **asemejarse** vpr to be similar o alike; ~**se a** to be similar to, to be like.

asentar vt 1. (instalar - empresa, campamento) to set up; (- comunidad, pueblo) to settle. 2. (asegurar) to secure; (cimientos) to lay. ◆ **asentarse** vpr 1. (instalarse) to settle down. 2. (sedimentarse) to settle.

asentir vi 1. (estar conforme): ~ **(a)** to agree (to). 2. (afirmar con la cabeza) to nod.

aseo m (limpieza - acción) cleaning; (- cualidad) cleanliness. ◆ **aseos** mpl restroom (sg) Am, toilets Br.

aséptico, -ca adj (MED) aseptic.

asequible adj 1. (accesible, comprensible) accessible. 2. (razonable - precio, producto) affordable.

aserradero m sawmill.

aserrar vt to saw.

asesinar vt to murder; (rey, jefe de estado) to assassinate.

asesinato m murder; (de rey, jefe de estado) assassination.

asesino, -na m y f murderer (f murderess); (de rey, jefe de estado) assassin.

asesor, -ra m y f adviser; (FIN) consultant; ~ **fiscal** tax consultant.

asesorar vt to advise; (FIN) to provide with consultancy services. ◆ **asesorarse** vpr to seek advice; ~**se de** to consult.

asesoría f (oficina) consultant's office.

asestar vt (golpe) to deal; (tiro) to fire.

aseveración f assertion.

asfaltado m (acción) asphalting, surfacing; (asfalto) asphalt, (road) surface.

asfalto m asphalt.

asfixia f asphyxiation, suffocation.

asfixiar vt (ahogar) to asphyxiate, to suffocate. ◆ **asfixiarse** vpr (ahogarse) to asphyxiate, to suffocate.

así ◇ adv (de este modo) in this way, like this; (de ese modo) in that way, like that; **era ~ de largo** it was this/that long; ~ **es/era/fue como ...** that is how ...; ~ ~ (no muy bien) so so; **algo ~** (algo parecido) something like that; ~ **es** (para asentir) that is correct; **y ~ todos los días** and the same thing happens day after day; ~ **como** (también) as

well as, and also; (tal como) just as, exactly as. ◇ conj 1. (de modo que): ~ **(es) que** so. 2. (aunque) although. 3. (tan pronto como): ~ **que** as soon as. 4. Amer (aun si) even if. ◇ adj inv (como éste) like this; (como ése) like that. ◆ **así y todo, aun así** loc adv even so.

Asia Asia.

asiático, -ca adj, m y f Asian, Asiatic.

asidero m (agarradero) handle.

asiduidad f frequency.

asiduo, -dua adj, m y f regular.

asiento m (mueble, localidad) seat; **tomar ~** to sit down.

asignación f 1. (atribución) allocation. 2. (sueldo) salary.

asignar vt 1. (atribuir): ~ **algo a alguien** to assign o allocate sthg to sb. 2. (destinar): ~ **a alguien a** to send sb to.

asignatura f (EDUC) subject.

asilado, -da m y f person living in an old people's home, convalescent home etc.

asilo m 1. (hospicio) home; ~ **de ancianos** old people's home. 2. fig (amparo) asylum; ~ **político** political asylum. 3. (hospedaje) accommodation.

asimilar vt (gen) to assimilate.

asimismo adv (también) also, as well; (a principio de frase) likewise.

asir vt to grasp, to take hold of.

asistencia f 1. (presencia - acción) attendance; (- hecho) presence. 2. (ayuda) assistance; ~ **médica** medical attention; ~ **sanitaria** health care; ~ **técnica** technical assistance. 3. (afluencia) audience.

asistenta f cleaning lady.

asistente m y f 1. (ayudante) assistant, helper; ~ **social** social worker. 2. (presente) person present; **los ~s** the audience (sg).

asistir ◇ vt (ayudar) to attend to. ◇ vi: ~ **a** to attend, to go to.

asma f (el) asthma.

asno m lit & fig ass.

asociación f association; ~ **de vecinos** residents' association.

asociado, -da m y f (miembro) associate, partner.

asociar vt (relacionar) to associate. ◆ **asociarse** vpr to form a partnership.

asolar vt to devastate.

asomar ◇ vi (gen) to peep up; (del interior de algo) to peep out. ◇ vt to stick; **la cabeza por la ventana** to stick one's head out of the window. ◆ **asomarse a** vpr (ventana) to stick one's head out of; (balcón) to come/go out onto.

asombrar vt (causar admiración) to

amaze; *(causar sorpresa)* to surprise.
♦ **asombrarse** *vpr*: **~se (de)** *(sentir admiración)* to be amazed (at); *(sentir sorpresa)* to be surprised (at).

asombro *m (admiración)* amazement; *(sorpresa)* surprise.

asombroso, -sa *adj (sensacional)* amazing; *(sorprendente)* surprising.

asomo *m (indicio)* trace, hint; *(de esperanza)* glimmer.

aspa *f (el)* X-shaped cross; *(de molino)* arms *(pl)*.

aspaviento *m (gen pl)* furious gesticulations *(pl)*.

aspecto *m* 1. *(apariencia)* appearance; **tener buen/mal ~** *(persona)* to look well/awful; *(cosa)* to look nice/horrible. 2. *(faceta)* aspect; **en todos los ~s** in every respect.

aspereza *f* roughness; *fig* sourness.

áspero, -ra *adj* 1. *(rugoso)* rough. 2. *fig (desagradable)* sharp, sour.

aspersión *f (de jardín)* sprinkling; *(de cultivos)* spraying.

aspersor *m (para jardín)* sprinkler; *(para cultivos)* sprayer.

aspirador *m*, **aspiradora** *f* vacuum cleaner.

aspirante *m y f*: **~ (a)** candidate (for); *(en deportes, concursos)* contender (for).

aspirar ◇ *vt (aire - suj: persona)* to breathe in, to inhale. ◇ *vi*: **~ a algo** *(ansiar)* to aspire to sthg.

aspirina® *f* aspirin.

asquear *vt* to disgust, to make sick.

asqueroso, -sa *adj* disgusting, revolting.

asta *f (el)* 1. *(de bandera)* flagpole, mast. 2. *(de lanza)* shaft; *(de brocha)* handle. 3. *(de toro)* horn.

asterisco *m* asterisk.

astigmatismo *m* astigmatism.

astilla *f* splinter.

astillero *m* shipyard.

astringente *adj* astringent.

astro *m (ASTRON)* heavenly body; *fig* star.

astrofísica *f* astrophysics *(U)*.

astrología *f* astrology.

astrólogo, -ga *m y f* astrologer.

astronauta *m y f* astronaut.

astronomía *f* astronomy.

astrónomo, -ma *m y f* astronomer.

astroso, -sa *adj (andrajoso)* shabby.

astucia *f* 1. *(picardía)* cunning, astuteness. 2. *(gen pl) (treta)* cunning trick.

astuto, -ta *adj (ladino, tramposo)* cunning; *(sagaz, listo)* astute.

asueto *m* break, rest; **unos días de ~** a few days off.

asumir *vt* 1. *(gen)* to assume. 2. *(aceptar)* to accept.

asunción *f* assumption. ♦ **Asunción** *f*: **la Asunción** *(RELIG)* the Assumption.

Asunción *(GEOGR)* Asunción.

asunto *m* 1. *(tema - general)* subject; *(- específico)* matter; *(- de obra, libro)* theme; **~s a tratar** agenda *(sg)*. 2. *(cuestión, problema)* issue. 3. *(negocio)* affair, business *(U)*; **no es ~ tuyo** it's none of your business. ♦ **asuntos** *mpl* *(POLÍT)* affairs; **~s exteriores** foreign affairs.

asustado, -da *adj* frightened, scared.

asustar *vt* to frighten, to scare. ♦ **asustarse** *vpr*: **~se (de)** to be frightened O scared (of).

atacar *vt (gen)* to attack.

atadura *f* lit & *fig* tie.

atajar *vi (acortar)*: **~ (por)** to take a short cut (through).

atajo *m* 1. *(camino corto, medio rápido)* short cut; **coger O tomar un ~** to take a short cut. 2. *despec (panda)* bunch.

atalaya *f* 1. *(torre)* watchtower. 2. *(altura)* vantage point.

atañer *vi* 1. *(concernir)*: **~ a** to concern. 2. *(corresponder)*: **~ a** to be the responsibility of.

ataque *m* 1. *(gen & DEP)* attack. 2. *fig (acceso)* fit, bout; **~ cardíaco** O **al corazón** heart attack.

atar *vt* 1. *(unir)* to tie (up). 2. *fig (constreñir)* to tie down.

atardecer ◇ *m* dusk. ◇ *v impers* to get dark.

atareado, -da *adj* busy.

atascar *vt* to block (up). ♦ **atascarse** *vpr* 1. *(obstruirse)* to get blocked up. 2. *fig (detenerse)* to get stuck; *(al hablar)* to dry up.

atasco *m* 1. *(obstrucción)* blockage. 2. *(AUTOM)* traffic jam.

ataúd *m* coffin.

ataviar *vt (cosa)* to deck out; *(persona)* to dress up. ♦ **ataviarse** *vpr* to dress up.

atavío *m (indumentaria)* attire *(U)*.

atemorizar *vt* to frighten. ♦ **atemorizarse** *vpr* to get frightened.

Atenas Athens.

atenazar *vt* 1. *(sujetar)* to clench. 2. *fig (suj: dudas)* to torment, to rack; *(suj: miedo, nervios)* to grip.

atención ◇ *f* 1. *(interés)* attention; **llamar la ~** *(atraer)* to attract attention; **poner** O **prestar ~** to pay attention.

2. *(cortesía)* attentiveness *(U).* ◇ *interj*: ¡~! *(en aeropuerto, conferencia)* your attention please! ◆ **atenciones** *fpl* attentions.

atender ◇ *vt* **1.** *(satisfacer - petición, ruego)* to attend to; *(- consejo, instrucciones)* to heed; *(- propuesta)* to agree to. **2.** *(cuidar de - necesitados, invitados)* to look after; *(- enfermo)* to care for; *(- cliente)* to serve; ¿**le atienden?** are you being served? ◇ *vi (estar atento):* ~ **(a)** to pay attention to.

atenerse ◆ **atenerse a** *vpr* **1.** *(promesa, orden)* to stick to; *(ley, normas)* to abide by. **2.** *(consecuencias)* to bear in mind.

atentado *m*: ~ **contra alguien** attempt on sb's life; ~ **contra algo** crime against sthg.

atentamente *adv (en cartas)* Yours sincerely o faithfully.

atentar *vi*: ~ **contra (la vida de) alguien** to make an attempt on sb's life; ~ **contra algo** *(principio etc)* to be a crime against sthg.

atento, -ta *adj* **1.** *(pendiente)* attentive; **estar ~ a** *(explicación, programa, lección)* to pay attention to; *(ruido, sonido)* to listen out for; *(acontecimientos, cambios, avances)* to keep up with. **2.** *(cortés)* considerate, thoughtful.

atenuante *m* (DER) extenuating circumstance.

atenuar *vt (gen)* to diminish; *(dolor)* to ease; *(luz)* to filter.

ateo, -a *m y f* atheist.

aterciopelado, -da *adj* velvety.

aterrador, -ra *adj* terrifying.

aterrar *vt* to terrify.

aterrizaje *m* landing.

aterrizar *vi (avión)* to land.

aterrorizar *vt* to terrify; *(suj: agresor)* to terrorize.

atesorar *vt (riquezas)* to amass.

atestado *m* official report.

atestar *vt* **1.** *(llenar)* to pack, to cram. **2.** (DER) to testify to.

atestiguar *vt* to testify to.

atiborrar *vt* to stuff full. ◆ **atiborrarse** *vpr fam fig:* ~**se (de)** to stuff one's face (with).

ático *m* penthouse.

atinar *vi (adivinar)* to guess correctly; *(dar en el blanco)* to hit the target; ~ **a hacer algo** to succeed in doing sthg; ~ **con** to hit upon.

atingencia *f Amer (relación)* connection.

atípico, -ca *adj* atypical.

atisbar *vt* **1.** *(divisar, prever)* to make out. **2.** *(acechar)* to observe, to spy on.

atisbo *m (gen pl)* trace, hint; *(de esperanza)* glimmer.

atizar *vt* **1.** *(fuego)* to poke, to stir. **2.** *fam (puñetazo, patada)* to land, to deal.

atlántico, -ca *adj* Atlantic. ◆ **Atlántico** *m*: **el (océano) Atlántico** the Atlantic (Ocean).

atlas *m inv* atlas.

atleta *m y f* athlete.

atlético, -ca *adj* athletic.

atletismo *m* athletics *(U).*

atmósfera *f lit & fig* atmosphere.

atolondrado, -da *adj* **1.** *(precipitado)* hasty, disorganized. **2.** *(aturdido)* bewildered.

atómico, -ca *adj* atomic; *(central, armas)* nuclear.

atomizador *m* atomizer, spray.

átomo *m lit & fig* atom.

atónito, -ta *adj* astonished, astounded.

atontado, -da *adj* **1.** *(aturdido)* dazed. **2.** *(tonto)* stupid.

atontar *vt (aturdir)* to daze.

atormentar *vt* to torture; *fig* to torment.

atornillar *vt* to screw.

atorrante *adj CSur* lazy.

atracador, -ra *m y f (de banco)* armed robber; *(en la calle)* mugger.

atracar ◇ *vi* (NÁUT): ~ **(en)** to dock (at). ◇ *vt (banco)* to rob; *(persona)* to mug. ◆ **atracarse** *vpr*: ~**se de** to eat one's fill of.

atracción *f* **1.** *(gen)* attraction. **2.** *(espectáculo)* act. **3.** *fig (centro de atención)* centre of attention. **4.** *(gen pl) (diversión infantil)* fairground attraction.

atraco *m* robbery.

atracón *m fam* feast; **darse un ~** to stuff one's face.

atractivo, -va *adj* attractive. ◆ **atractivo** *m (de persona)* attractiveness, charm; *(de cosa)* attraction.

atraer *vt (gen)* to attract.

atragantarse *vpr*: ~ **(con)** to choke (on).

atrancar *vt* **1.** *(cerrar)* to bar. **2.** *(obturar)* to block. ◆ **atrancarse** *vpr* **1.** *(atascarse)* to get blocked. **2.** *fig (al hablar, escribir)* to dry up.

atrapar *vt (agarrar, alcanzar)* to catch.

atrás *adv* **1.** *(detrás - posición)* behind, at the back; *(- movimiento)* backwards; **quedarse ~** *fig* to fall behind. **2.** *(antes)* earlier, before. ◆ **atrás de** *loc prep Amer (detrás de)* behind.

atrasado, -da *adj* **1.** *(en el tiempo)* delayed; *(reloj)* slow; *(pago)* overdue, late; *(número, copia)* back *(antes de sust)*. **2.** *(en evolución, capacidad)* backward.

atrasar ◇ *vt* to put back. ◇ *vi* to be slow. ◆ **atrasarse** *vpr* **1.** *(demorarse)* to be late. **2.** *(quedarse atrás)* to fall behind.

atraso *m* *(de evolución)* backwardness. ◆ **atrasos** *mpl fam* arrears.

atravesar *vt* **1.** *(interponer)* to put across. **2.** *(cruzar)* to cross. **3.** *(traspasar)* to penetrate. ◆ **atravesarse** *vpr* *(interponerse)* to be in the way.

atrayente *adj* attractive.

atreverse *vpr*: ~ **(a hacer algo)** to dare (to do sthg).

atrevido, -da *adj* *(osado)* daring; *(caradura)* cheeky.

atrevimiento *m* **1.** *(osadía)* daring. **2.** *(insolencia)* cheek.

atribución *f* **1.** *(imputación)* attribution. **2.** *(competencia)* responsibility.

atribuir *vt* *(imputar)*: ~ **algo a** to attribute sthg to. ◆ **atribuirse** *vpr* *(méritos)* to claim for o.s.; *(poderes)* to assume.

atributo *m* attribute.

atril *m* *(para libros)* lectern; (MÚS) music stand.

atrocidad *f* *(crueldad)* atrocity.

atropellado, -da *adj* hasty.

atropellar *vt* **1.** *(suj: vehículo)* to run over. **2.** *fig (suj: persona)* to trample on. ◆ **atropellarse** *vpr* *(al hablar)* to trip over one's words.

atropello *m* **1.** *(por vehículo)* running over. **2.** *fig (moral)* abuse.

atroz *adj* atrocious; *(dolor)* awful.

ATS *(abrev de* **ayudante técnico sanitario)** *m y f* qualified nurse.

atte. *abrev de* **atentamente.**

atuendo *m* attire.

atún *m* tuna.

aturdido, -da *adj* dazed.

aturdir *vt (gen)* to stun; *(suj: alcohol)* to fuddle; *(suj: ruido, luz)* to bewilder.

audacia *f (intrepidez)* daring.

audaz *adj (intrépido)* daring.

audición *f* **1.** *(gen)* hearing. **2.** (MÚS & TEATRO) audition.

audiencia *f* **1.** *(público, recepción)* audience. **2.** (DER - *juicio)* hearing; *(- tribunal, edificio)* court.

audífono *m* hearing aid.

audiovisual *adj* audiovisual.

auditivo, -va *adj* ear *(antes de sust)*.

auditor, -ra *m y f* (FIN) auditor.

auditorio *m* **1.** *(público)* audience. **2.** *(lugar)* auditorium.

auge *m* *(gen & ECON)* boom.

augurio *m* omen, sign.

aula *f* *(el)* *(de escuela)* classroom; *(de universidad)* lecture room.

aullar *vi* to howl.

aullido *m* howl.

aumentar ◇ *vt* **1.** *(gen)* to increase; *(peso)* to put on. **2.** *(en óptica)* to magnify. **3.** *(sonido)* to amplify. ◇ *vi* to increase; *(precios)* to rise.

aumento *m* *(incremento)* increase; *(de sueldo, precios)* rise; **ir en** ~ to be on the increase.

aun ◇ *adv* even. ◇ *conj*: ~ **estando cansado, lo hizo** even though he was tired, he did it; **ni** ~ **puesta de puntillas logra ver** she can't see, even on tiptoe; ~ **cuando** even though.

aún *adv (todavía)* still; *(en negativas)* yet, still; **no ha llegado** ~ he hasn't arrived yet, he still hasn't arrived.

aunar *vt* to join, to pool. ◆ **aunarse** *vpr (aliarse)* to unite.

aunque *conj* **1.** *(a pesar de que)* even though, although; *(incluso si)* even if. **2.** *(pero)* although.

aúpa *interj*: ¡~! *(¡levántate!)* get up!

aupar *vt* to help up; *fig (animar)* to cheer on. ◆ **auparse** *vpr* to climb up.

aureola *f* **1.** (ASTRON & RELIG) halo. **2.** *fig (fama)* aura.

auricular *m* *(de teléfono)* receiver. ◆ **auriculares** *mpl (cascos)* headphones.

aurora *f* first light of dawn.

auscultar *vt* to sound with a stethoscope.

ausencia *f* absence; **brillar por su** ~ to be conspicuous by one's/its absence.

ausentarse *vpr* to go away.

ausente ◇ *adj* **1.** *(no presente)* absent; **estará** ~ **todo el día** he'll be away all day. **2.** *(distraído)* absent-minded. ◇ *m y f* **1.** *(no presente)*: **criticó a los** ~s he criticized the people who weren't there. **2.** (DER) missing person.

auspicio *m* *(protección)* protection; **bajo los** ~s de under the auspices of.

austeridad *f* austerity.

austero, -ra *adj (gen)* austere.

Australia Australia.

australiano, -na *adj, m y f* Australian.

Austria Austria.

austríaco, -ca *adj, m y f* Austrian.

autarquía *f* **1.** (POLÍT) autarchy. **2.** (ECON) autarky.

auténtico, -ca adj (gen) genuine; (piel, joyas) genuine, real; **un ~ imbécil** a real idiot.

auto m 1. fam (coche) car. 2. (DER) judicial decree.

autoadhesivo, -va adj self-adhesive.

autobiografía f autobiography.

autobús m bus.

autocar m coach.

autocontrol m self-control.

autóctono, -na adj indigenous.

autodefensa f self-defence.

autodeterminación f self-determination.

autodidacta adj self-taught.

autoescuela f driving school.

autoestop, autostop m hitch-hiking; **hacer ~** to hitch-hike.

autoestopista, autostopista m y f hitch-hiker.

autógrafo m autograph.

autómata m lit & fig automaton.

automático, -ca adj automatic. ◆ **automático** m (botón) press-stud.

automatización f automation.

automóvil m automobile Am, car Br.

automovilismo m motoring; (DEP) motor racing.

automovilista m y f motorist, driver.

automovilístico, -ca adj motor (antes de sust); (DEP) motor-racing (antes de sust).

autonomía f (POLÍT - facultad) autonomy; (- territorio) autonomous region.

autonómico, -ca adj autonomous.

autónomo, -ma ◇ adj 1. (POLÍT) autonomous. 2. (trabajador) self-employed; (traductor, periodista) free-lance. ◇ m y f self-employed person; (traductor, periodista) freelance.

autopista f freeway Am, motorway Br.

autopsia f autopsy, post-mortem.

autor, -ra m y f 1. (LITER) author. 2. (de crimen) perpetrator.

autoridad f 1. (gen) authority. 2. (ley): **la ~** the authorities (pl).

autoritario, -ria adj, m y f authoritarian.

autorización f authorization.

autorizado, -da adj 1. (permitido) authorized. 2. (digno de crédito) authoritative.

autorizar vt 1. (dar permiso) to allow; (en situaciones oficiales) to authorize. 2. (capacitar) to allow, to entitle.

autorretrato m self-portrait.

autoservicio m 1. (tienda) self-service shop. 2. (restaurante) self-service restaurant.

autostop = autoestop.

autostopista = autoestopista.

autosuficiencia f self-sufficiency.

autovía f state highway Am, dual carriageway Br.

auxiliar ◇ adj (gen & GRAM) auxiliary. ◇ m y f assistant; **~ administrativo** office clerk. ◇ vt to assist, to help.

auxilio m assistance, help; **primeros ~s** first aid (U).

av., avda. (abrev de avenida) Ave.

aval m 1. (persona) guarantor. 2. (documento) guarantee, reference.

avalancha f lit & fig avalanche.

avalar vt to endorse, to guarantee.

avance m 1. (gen) advance. 2. (FIN) (anticipo) advance payment. 3. (RADIO & TV - meteorológico etc) summary; (- de futura programación) preview; **~ informativo** news (U) in brief.

avanzar ◇ vi to advance. ◇ vt 1. (adelantar) to move forward. 2. (anticipar) to tell in advance.

avaricia f greed, avarice.

avaricioso, -sa adj avaricious.

avaro, -ra adj miserly, mean.

avasallar vt (arrollar) to overwhelm.

avatar m (gen pl) vagary.

avda. = av.

ave f (el) (gen) bird; **~ rapaz** o **de rapiña** bird of prey.

avecinarse vpr to be on the way.

avellana f hazelnut.

avemaría f (el) (oración) Hail Mary.

avena f (grano) oats (pl).

avenencia f (acuerdo) compromise.

avenida f avenue.

avenido, -da adj: **bien/mal ~s** on good/bad terms.

avenirse vpr (ponerse de acuerdo) to come to an agreement; **~ a algo/a hacer algo** to agree on sthg/to do sthg.

aventajar vt (rebasar) to overtake; (estar por delante de) to be ahead of; **~ a alguien en algo** to surpass sb in sthg.

aventura f 1. (gen) adventure. 2. (relación amorosa) affair.

aventurado, -da adj risky.

aventurero, -ra ◇ adj adventurous. ◇ m y f adventurer (f adventuress).

avergonzar vt 1. (deshonrar) to shame. 2. (abochornar) to embarrass. ◆ **avergonzarse** vpr: **~se (de)** (por remordimiento) to be ashamed (of); (por timidez) to be embarrassed (about).

avería f (de máquina) fault; (AUTOM) breakdown.

averiado, -da *adj (máquina)* out of order; *(coche)* broken down.

averiar *vt* to damage. ♦ **averiarse** *vpr (máquina)* to be out of order; (AUTOM) to break down.

averiguación *f* investigation.

averiguar *vt* to find out.

aversión *f* aversion.

avestruz *m* ostrich.

aviación *f* 1. *(navegación)* aviation. 2. *(ejército)* airforce.

aviador, -ra *m y f* aviator.

aviar *vt (comida)* to prepare.

avicultura *f* poultry farming.

avidez *f* eagerness.

ávido, -da *adj*: ~ **de** eager for.

avío *m* 1. *(preparativo)* preparation. 2. *(víveres)* provisions *(pl)*. ♦ **avíos** *mpl fam (equipo)* things, kit *(U)*.

avión *m* plane; **en ~** by plane; **por ~** *(en un sobre)* airmail; **~ a reacción** jet.

avioneta *f* light aircraft.

avisar *vt* 1. *(informar)*: ~ **a alguien** to let sb know, to tell sb. 2. *(advertir)*: ~ **(de)** to warn (of). 3. *(llamar)* to call, to send for.

aviso *m* 1. *(advertencia)* warning. 2. *(notificación)* notice; *(en teatros, aeropuertos)* call; **hasta nuevo ~** until further notice; **sin previo ~** without notice.

avispa *f* wasp.

avispero *m (nido)* wasp's nest.

avivar *vt* 1. *(sentimiento)* to rekindle. 2. *(color)* to brighten. 3. *(fuego)* to stoke up.

axila *f* armpit.

axioma *m* axiom.

ay *(pl* ayes*) interj*: ¡~! *(dolor físico)* ouch!; *(sorpresa, pena)* oh!; ¡~ **de tí si te cojo!** Heaven help you if I catch you!

aya → **ayo**.

ayer ◊ *adv* yesterday; *fig* in the past; ~ **(por la) noche** last night; ~ **por la mañana** yesterday morning. ◊ *m fig* yesteryear.

ayo, aya *m y f (tutor)* tutor *(f* governess*)*.

ayuda *f* help, assistance; (ECON y POLÍT) aid; ~ **en carretera** breakdown service.

ayudante *adj, m y f* assistant.

ayudar *vt* to help; ~ **a alguien a hacer algo** to help sb (to) do sthg; **¿en qué puedo ~le?** how can I help you? ♦ **ayudarse** *vpr*: ~**se de** to make use of.

ayunar *vi* to fast.

ayunas *fpl*: **en ~** *(sin comer)* without having eaten; *fig (sin enterarse)* in the dark.

ayuno *m* fast; **hacer ~** to fast.

ayuntamiento *m* 1. *(corporación)* = town council. 2. *(edificio)* town hall.

azabache *m* jet; **negro como el ~** jet-black.

azada *f* hoe.

azafata *f*: ~ **(de vuelo)** air hostess *Br*, air stewardess.

azafate *m Amer (bandeja)* tray.

azafrán *m* saffron.

azahar *m (del naranjo)* orange blossom; *(del limonero)* lemon blossom.

azalea *f* azalea.

azar *m* chance, fate; **al ~** at random; **por (puro) ~** by (pure) chance.

azorar *vt* to embarrass. ♦ **azorarse** *vpr* to be embarrassed.

azotar *vt (suj: persona)* to beat; *(en el trasero)* to smack; *(con látigo)* to whip.

azote *m* 1. *(golpe)* blow; *(en el trasero)* smack; *(latigazo)* lash. 2. *fig (calamidad)* scourge.

azotea *f (de edificio)* terraced roof.

azteca *adj, m y f* Aztec.

azúcar *m o f* sugar; ~ **blanquilla/moreno** refined/brown sugar.

azucarado, -da *adj* sweet, sugary.

azucarero, -ra *adj* sugar *(antes de sust)*. ♦ **azucarero** *m* sugar bowl.

azucena *f* white lily.

azufre *m* sulphur.

azul *adj, m y f & m* blue.

azulejo *m (glazed)* tile.

azuzar *vt (animal)* to set on.

B

b, B *f (letra)* b, B.

baba *f (saliva - de niño)* dribble; *(- de adulto)* saliva; *(- de animal)* foam.

babear *vi (niño)* to dribble; *(adulto, animal)* to slobber; *fig* to drool.

babero *m* bib.

babi *m* child's overall.

babor *m* port; **a ~** to port.

baboso, -sa *adj Amer fam (tonto)* daft, stupid. ♦ **babosa** *f* (ZOOL) slug.

babucha *f* slipper.

baca *f* roof o luggage rack.

bacalao *m (fresco)* cod; *(salado)* dried

salted cod; **partir** ○ **cortar el ~** *fam fig* to be the boss.

bacanal *f* orgy.

bache *m* **1.** *(en carretera)* pothole. **2.** *fig (dificultades)* bad patch. **3.** *(en un vuelo)* air pocket.

bachiller *m y f* person who has passed the 'bachillerato'.

bachillerato *m (former) Spanish course of secondary studies for academically orientated 14-16-year-olds.*

bacinica *f Amer* chamber pot.

bacon ['beikon] *m inv* bacon.

bacteria *f* germ; **~s** bacteria.

badén *m (de carretera)* ditch.

bádminton *m inv* badminton.

bafle *(pl* **bafles**)**, baffle** *(pl* **baffles**)** *m* loudspeaker.

bagaje *m fig* background; **~ cultural** cultural baggage.

bagatela *f* trifle.

Bahamas *fpl*: **las ~** the Bahamas.

bahía *f* bay.

bailaor, -ra *m y f* flamenco dancer.

bailar ○ *vt* to dance. ○ *vi (danzar)* to dance.

bailarín, -ina *m y f* dancer; *(de ballet)* ballet dancer.

baile *m* **1.** *(gen)* dance; **~ clásico** ballet. **2.** *(fiesta)* ball.

baja → **bajo**.

bajada *f* **1.** *(descenso)* descent; **~ de bandera** *(de taxi)* minimum fare. **2.** *(pendiente)* (downward) slope. **3.** *(disminución)* decrease, drop.

bajamar *f* low tide.

bajar ○ *vt* **1.** *(poner abajo - libro, cuadro etc)* to take/bring down; *(- telón, ventanilla, mano)* to lower. **2.** *(descender - montaña, escaleras)* to go/come down. **3.** *(precios, inflación, hinchazón)* to reduce; *(música, volumen, radio)* to turn down; *(fiebre)* to bring down. **4.** *(ojos, cabeza, voz)* to lower. ○ *vi* **1.** *(descender)* to go/come down; **~ por algo** to go/come down sthg; **~ corriendo** to run down. **2.** *(disminuir)* to fall, to drop; *(fiebre, hinchazón)* to go/come down; *(Bolsa)* to suffer a fall. ◆ **bajarse** *vpr*: **~se (de)** *(coche)* to get out (of); *(moto, tren, avión)* to get off; *(árbol, escalera)* to get/come down (from).

bajeza *f* **1.** *(cualidad)* baseness. **2.** *(acción)* nasty deed.

bajial *m Perú* lowland.

bajo, -ja *adj* **1.** *(gen)* low; *(persona, estatura)* short; *(piso)* ground floor *(antes de sust)*; *(planta)* ground *(antes de sust)*;

(sonido) soft, faint. **2.** *(territorio, época)* lower; **el ~ Amazonas** the lower Amazon. **3.** *(pobre)* lower-class. **4.** *(vil)* base. ◆ **bajo** ○ *m* **1.** *(gen pl) (dobladillo)* hem. **2.** *(piso)* ground floor flat. **3.** (MÚS - *instrumento, cantante)* bass; *(- instrumentista)* bassist. ○ *adv* **1.** *(gen)* low. **2.** *(hablar)* quietly. ○ *prep* **1.** *(gen)* under. **2.** *(con temperaturas)* below. ◆ **baja** *f* **1.** *(descenso)* drop, fall. **2.** *(cese)*: **dar de baja a alguien** *(en una empresa)* to lay sb off; *(en un club, sindicato)* to expel sb; **darse de baja (de)** *(dimitir)* to resign (from); *(salirse)* to drop out (of). **3.** *(por enfermedad - permiso)* sick leave *(U)*; *(- documento)* sick note; **estar/darse de baja** to be on/to take sick leave. **4.** (MIL) loss, casualty.

bajón *m* slump; **dar un ~** to slump.

bajura → **pesca**.

bala *f* **1.** *(proyectil)* bullet. **2.** *(fardo)* bale.

balacear *vt Amer (tirotear)* to shoot.

balada *f* ballad.

balance *m* **1.** (COM - *operación)* balance; *(- documento)* balance sheet. **2.** *(resultado)* outcome; **hacer ~ (de)** to take stock (of).

balancear *vt (cuna)* to rock; *(columpio)* to swing. ◆ **balancearse** *vpr (en cuna, mecedora)* to rock; *(en columpio)* to swing; *(barco)* to roll.

balanceo *m* **1.** *(gen)* swinging; *(de cuna, mecedora)* rocking; *(de barco)* roll. **2.** *Amer* (AUTOM) wheel balance.

balancín *m* **1.** *(mecedora)* rocking chair; *(en el jardín)* swing hammock. **2.** *(columpio)* seesaw.

balanza *f* **1.** *(báscula)* scales *(pl)*. **2.** (COM): **~ comercial/de pagos** balance of trade/payments.

balar *vi* to bleat.

balaustrada *f* balustrade; *(de escalera)* banister.

balazo *m (disparo)* shot; *(herida)* bullet wound.

balbucear, balbucir *vi & vt* to babble.

balbuceo *m* babbling.

balbucir = **balbucear.**

Balcanes *mpl*: **los ~** the Balkans.

balcón *m (terraza)* balcony.

balde *m* pail, bucket. ◆ **en balde** *loc adv* in vain.

baldosa *f (en casa, edificio)* floor tile; *(en la acera)* paving stone.

baldosín *m* tile.

balear *vt Amer* to shoot.

Baleares *fpl*: **las (islas) ~** the Balearic Islands.

balido *m* bleat, bleating *(U)*.

balín *m* pellet.

balístico, -ca *adj* ballistic.

baliza *f* (NÁUT) marker buoy; (AERON) beacon.

ballena *f (animal)* whale.

ballet [ba'le] *(pl* **ballets***) m* ballet.

balneario *m (con baños termales)* spa; *Amer (con piscinas, etc)* = lido.

balompié *m* football.

balón *m (pelota)* ball.

baloncesto *m* basketball.

balonmano *m* handball.

balonvolea *m* volleyball.

balsa *f* 1. *(embarcación)* raft. 2. *(estanque)* pond, pool.

Báltico *m*: **el (mar) ~** the Baltic (Sea).

baluarte *m* 1. *(fortificación)* bulwark. 2. *fig (bastión)* bastion, stronghold.

bambolear *vi* to shake. ◆ **bambolearse** *vpr (gen)* to sway; *(mesa, silla)* to wobble.

bambú *(pl* **bambúes** O **bambús***) m* bamboo.

banal *adj* banal.

banana *f Amer* banana.

banca *f* 1. *(actividad)* banking. 2. *(institución):* **la ~** the banks *(pl)*.

bancario, -ria *adj* banking *(antes de sust)*.

bancarrota *f* bankruptcy; **en ~** bankrupt.

banco *m* 1. *(asiento)* bench; *(de iglesia)* pew. 2. (FIN) bank. 3. *(de peces)* shoal. 4. *(de ojos, semen etc)* bank. 5. *(de carpintero, artesano etc)* workbench. ◆ **banco de arena** *m* sandbank. ◆ **Banco Mundial** *m*: **el Banco Mundial** the World Bank.

banda *f* 1. *(cuadrilla)* gang; **~ armada** terrorist organization. 2. (MÚS) band. 3. *(faja)* sash. 4. *(cinta)* ribbon. 5. *(franja)* stripe. 6. (RADIO) waveband. 7. *(margen)* side; *(en billar)* cushion; *(en fútbol)* touchline. ◆ **banda magnética** *f* magnetic strip. ◆ **banda sonora** *f* soundtrack.

bandada *f (de aves)* flock; *(de peces)* shoal.

bandear *vt* to buffet.

bandeja *f* tray; **servir** O **dar algo a alguien en ~** *fig* to hand sthg to sb on a plate.

bandera *f* flag; **jurar ~** to swear allegiance (to the flag).

banderilla *f* (TAUROM) banderilla, *barbed dart thrust into bull's back.*

banderín *m (bandera)* pennant.

bandido, -da *m y f* 1. *(delincuente)* bandit. 2. *(granuja)* rascal.

bando *m* 1. *(facción)* side; **pasarse al otro ~** to change sides. 2. *(edicto - de alcalde)* edict.

bandolero, -ra *m y f* bandit. ◆ **bandolera** *f (correa)* bandoleer; **en bandolera** slung across one's chest.

bandurria *f small 12-stringed guitar.*

banjo ['banjo] *m* banjo.

banquero, -ra *m y f* banker.

banqueta *f* 1. *(asiento)* stool. 2. *Méx (acera)* sidewalk *Am*, pavement *Br*.

banquete *m (comida)* banquet.

banquillo *m* 1. *(asiento)* low stool. 2. (DEP) bench.

bañadera *f Amer (bañera)* bath.

bañador *m Esp (for women)* swimsuit; *(for men)* swimming trunks *(pl)*.

bañar *vt* 1. *(asear)* to bath; (MED) to bathe. 2. *(sumergir)* to soak, to submerge. 3. *(revestir)* to coat. ◆ **bañarse** *vpr* 1. *(en el baño)* to have O take a bath. 2. *(en playa, piscina)* to go for a swim.

bañera *f* bathtub, bath.

bañista *m y f* bather.

baño *m* 1. *(acción - en bañera)* bath; *(en playa, piscina)* swim; **darse un ~** *(en bañera)* to have O take a bath; *(en playa, piscina)* to go for a swim. 2. *(bañera)* bathtub, bath. 3. *(cuarto de aseo)* bathroom. 4. *(capa)* coat.

baqueta *f* (MÚS) drumstick.

bar *m* bar.

barahúnda *f* racket, din.

baraja *f* pack (of cards).

barajar *vt* 1. *(cartas)* to shuffle. 2. *(considerar - nombres, posibilidades)* to consider; *(- datos, cifras)* to marshal, to draw on.

baranda, barandilla *f* handrail.

baratija *f* trinket, knick-knack.

baratillo *m (tienda)* junkshop; *(mercadillo)* flea market.

barato, -ta *adj* cheap. ◆ **barato** *adv* cheap, cheaply.

barba *f* beard; **~ incipiente** stubble; **por ~** *(cada uno)* per head.

barbacoa *f* barbecue.

barbaridad *f* 1. *(cualidad)* cruelty; **¡qué ~!** how terrible! 2. *(disparate)* nonsense *(U)*. 3. *(montón):* **una ~ (de)** tons (of); **se gastó una ~** she spent a fortune.

barbarismo *m* 1. *(extranjerismo)* foreign word. 2. *(incorrección)* substandard usage.

bárbaro, -ra ◇ *adj* 1. (HIST) barbarian. 2. *(cruel)* barbaric, cruel. 3. *(bruto)*

uncouth, coarse. **4.** *fam (extraordinario)* brilliant, great. ◇ *m y f* (HIST) barbarian.
◆ **bárbaro** *adv fam (magníficamente)*: **pasarlo ~** to have a wild time.

barbecho *m* fallow (land); *(retirada de tierras)* land set aside.

barbería *f* barber's (shop).

barbero, -ra *m y f* barber.

barbilampiño, -ña *adj* beardless.

barbilla *f* chin.

barbo *m* barbel; **~ de mar** red mullet.

barbotar *vi & vt* to mutter.

barbudo, -da *adj* bearded.

barca *f* dinghy, small boat.

barcaza *f* lighter.

barco *m (gen)* boat; *(de gran tamaño)* ship; **en ~** by boat; **~ cisterna** tanker; **~ de guerra** warship; **~ mercante** cargo ship; **~ de vapor** steamer, steamboat; **~ de vela** sailing ship.

baremo *m (escala)* scale.

bario *m* barium.

barítono *m* baritone.

barman (*pl* **barmans**) *m* barman.

barniz *m (para madera)* varnish; *(para loza, cerámica)* glaze.

barnizar *vt (madera)* to varnish; *(loza, cerámica)* to glaze.

barómetro *m* barometer.

barón, -onesa *m y f* baron (*f* baroness).

barquillo *m* (CULIN) cornet, cone.

barra *f* **1.** *(gen)* bar; *(de hielo)* block; *(para cortinas)* rod; *(en bicicleta)* crossbar; **la ~** *(de tribunal)* the bar; **~ de labios** lipstick; **~ de pan** baguette, French stick. **2.** *(de bar, café)* bar *(counter)*; **~ libre** *unlimited drink for a fixed price.* **3.** *(signo gráfico)* slash, oblique stroke.

barrabasada *f fam* mischief *(U)*.

barraca *f* **1.** *(chabola)* shack. **2.** *(caseta de feria)* stall. **3.** *(en Valencia y Murcia)* thatched farmhouse.

barranco *m* **1.** *(precipicio)* precipice. **2.** *(cauce)* ravine.

barraquismo *m* shanty towns *(pl)*.

barrena *f* drill.

barrenar *vt (taladrar)* to drill.

barrendero, -ra *m y f* street sweeper.

barreno *m* **1.** *(instrumento)* large drill. **2.** *(agujero - para explosiones)* blast hole.

barreño *m* washing-up bowl.

barrer *vt* **1.** *(con escoba, reflectores)* to sweep. **2.** *(suj: viento, olas)* to sweep away.

barrera *f* **1.** *(gen)* barrier; (FERROC)

crossing gate; *(de campo, casa)* fence; **~s arancelarias** tariff barriers. **2.** (DEP) wall.

barriada *f* **1.** *(barrio)* neighbourhood, area. **2.** *Amer (barrio bajo)* shantytown.

barricada *f* barricade.

barriga *f* belly.

barrigón, -ona *adj* paunchy.

barril *m* barrel; **de ~** *(bebida)* draught.

barrio *m (vecindario)* area, neighborhood *Am.*

barriobajero, -ra *despec adj* low-life *(antes de sust).*

barrizal *m* mire.

barro *m* **1.** *(fango)* mud. **2.** *(arcilla)* clay. **3.** *(grano)* blackhead.

barroco, -ca *adj* (ARTE) baroque.
◆ **barroco** *m* (ARTE) baroque.

barrote *m* bar.

bártulos *mpl* things, bits and pieces.

barullo *m fam* **1.** *(ruido)* racket; **armar ~** to raise hell. **2.** *(desorden)* mess.

basar *vt (fundamentar)* to base.
◆ **basarse en** *vpr (suj: teoría, obra etc)* to be based on; *(suj: persona)* to base one's argument on.

basca *f (náusea)* nausea.

báscula *f* scales *(pl)*.

bascular *vi* to tilt.

base *f* **1.** *(gen,* MAT *& MIL)* base; *(de edificio)* foundations *(pl)*. **2.** *(fundamento)* basis; **sentar las ~s para** to lay the foundations of. **3.** *(de partido, sindicato)*: **las ~s** the grass roots *(pl)*, the rank and file. **4.** *loc*: **a ~ de** by (means of); **me alimento a ~ de verduras** I live on vegetables; **a ~ de bien** extremely well.
◆ **base de datos** *f* (INFORM) database.

básico, -ca *adj* basic; **lo ~ de** the basics of.

basílica *f* basilica.

basta *interj* **¡~!** that's enough!; **¡~ de chistes/tonterías!** that's enough jokes/of this nonsense!

bastante ◇ *adv* **1.** *(suficientemente)* enough; **es lo ~ lista para ...** she's smart enough to ... **2.** *(considerablemente - antes de adj o adv)* quite, pretty; *(- después de verbo)* quite a lot; **me gustó ~** I quite enjoyed it, I enjoyed it quite a lot. ◇ *adj* **1.** *(suficiente)* enough; **no tengo dinero ~** I haven't enough money. **2.** *(mucho)*: **éramos ~s** there were quite a few of us; **tengo ~ frío** I'm quite cold.

bastar *vi* to be enough; **basta con que se lo digas** it's enough for you to tell her; **con ocho basta** eight will be enough. ◆ **bastarse** *vpr* to be self-sufficient.

bastardilla → letra.

bastardo, -da adj (hijo etc) bastard (antes de sust).

bastidor m (armazón) frame. ◆ **bastidores** mpl (TEATRO) wings; **entre ~es** fig behind the scenes.

basto, -ta adj coarse. ◆ **bastos** mpl (naipes) = clubs.

bastón m 1. (para andar) walking stick. 2. (de mando) baton. 3. (para esquiar) ski stick.

basura f lit & fig garbage Am, rubbish Br; **tirar algo a la ~** to throw sthg away.

basurero m 1. (persona) garbage man Am, dustman Br. 2. (vertedero) rubbish dump.

bata f 1. (de casa) housecoat; (para baño, al levantarse) dressing gown. 2. (de trabajo) overall; (de médico) white coat; (de laboratorio) lab coat.

batacazo m bump, bang.

batalla f battle; **de ~** (de uso diario) everyday.

batallar vi (con armas) to fight.

batallón m (MIL) batallion.

batata f sweet potato.

bate m (DEP) bat.

batear ◇ vt to hit. ◇ vi to bat.

batería f 1. (ELECTR & MIL) battery. 2. (MÚS) drums (pl). 3. (conjunto) set; (de preguntas) barrage; **~ de cocina** pots (pl) and pans.

batido, -da adj 1. (nata) whipped; (claras) whisked. 2. (senda, camino) well-trodden. ◆ **batido** m (bebida) milkshake. ◆ **batida** f 1. (de caza) beat. 2. (de policía) combing, search.

batidora f (eléctrica) mixer.

batín m short dressing gown.

batir vt 1. (gen) to beat; (nata) to whip; (récord) to break. 2. (suj: olas, lluvia, viento) to beat against. 3. (derribar) to knock down. 4. (explorar - suj: policía etc) to comb, to search. ◆ **batirse** vpr (luchar) to fight.

batuta f baton; **llevar la ~** fig to call the tune.

baúl m 1. (cofre) trunk. 2. CSur (maletero) trunk Am, boot Br.

bautismo m baptism.

bautista m y f (RELIG) Baptist.

bautizar vt 1. (RELIG) to baptize, to christen. 2. fam fig (aguar) to dilute.

bautizo m (RELIG) baptism, christening.

baya f berry.

bayeta f 1. (tejido) flannel. 2. (para fregar) cloth.

bayo, -ya adj bay.

bayoneta f bayonet.

baza f 1. (en naipes) trick. 2. loc: **meter ~ en algo** to butt in on sthg; **no pude meter ~ (en la conversación)** I couldn't get a word in edgeways.

bazar m bazaar.

bazo m (ANAT) spleen.

bazofia f 1. (comida) pigswill (U). 2. fig (libro, película etc) rubbish (U).

bazuca, bazooka m bazooka.

beatificar vt to beatify.

beato, -ta adj 1. (beatificado) blessed. 2. (piadoso) devout. 3. fig (santurrón) sanctimonious.

bebe m CSur fam baby.

bebé m baby; **~ probeta** test-tube baby.

bebedero m (de jaula) water dish.

bebedor, -ra m y f (borrachín) heavy drinker.

beber ◇ vt (líquido) to drink. ◇ vi (tomar líquido) to drink.

bebida f drink.

bebido, -da adj drunk.

beca f (del gobierno) grant; (de organización privada) scholarship.

becar vt (suj: gobierno) to award a grant to; (suj: organización privada) to award a scholarship to.

becerro, -rra m y f calf.

béchamel [betʃa'mel], **besamel** f béchamel sauce.

bedel m janitor.

befa f jeer; **hacer ~ de** to jeer at.

begonia f begonia.

beige [beis] adj inv & m inv beige.

béisbol m baseball.

belén m (de Navidad) crib, Nativity scene.

belfo, -fa adj thick-lipped.

belga adj, m y f Belgian.

Bélgica Belgium.

Belgrado Belgrade.

Belice Belize.

bélico, -ca adj (gen) war (antes de sust); (actitud) bellicose, warlike.

beligerante adj, m y f belligerent.

bellaco, -ca m y f villain, scoundrel.

belleza f beauty.

bello, -lla adj beautiful.

bellota f acorn.

bemol ◇ adj flat. ◇ m (MÚS) flat; **tener (muchos) ~es** (ser difícil) to be tricky; (tener valor) to have guts; (ser un abuso) to be a bit rich O much.

bencina f 1. (QUÍM) benzine. 2. Andes (gasolina) gasoline Am, petrol Br.

bendecir vt to bless.

bendición f blessing.

bendito, -ta adj 1. (santo) holy; (alma) blessed; ¡~ sea Dios! fam fig thank goodness! 2. (dichoso) lucky. 3. (para enfatizar) damned.

benefactor, -ra m y f benefactor (f benefactress).

beneficencia f charity.

beneficiar vt to benefit. ◆ **beneficiarse** vpr to benefit; ~se de algo to do well out of sthg.

beneficiario, -ria m y f beneficiary; (de cheque) payee.

beneficio m 1. (bien) benefit; a ~ de (gala, concierto) in aid of; en ~ de for the good of; en ~ de todos in everyone's interest; en ~ propio for one's own good. 2. (ganancia) profit.

beneficioso, -sa adj: ~ (para) beneficial (to).

benéfico, -ca adj 1. (favorable) beneficial. 2. (rifa, función) charity (antes de sust); (organización) charitable.

Benelux (abrev de België-Nederland-Luxembourg) m: el ~ Benelux.

beneplácito m consent.

benevolencia f benevolence.

benevolente, benévolo, -la adj benevolent.

bengala f 1. (para pedir ayuda, iluminar etc) flare. 2. (para fiestas etc) sparkler.

benigno, -na adj 1. (gen) benign. 2. (clima, temperatura) mild.

benjamín, -ina m y f youngest child.

berberecho m cockle.

berenjena f eggplant Am, aubergine Br.

Berlín Berlin.

bermejo, -ja adj reddish.

bermellón adj inv & m vermilion.

bermudas fpl Bermuda shorts.

Berna Berne.

berrear vi 1. (animal) to bellow. 2. (persona) to howl.

berrido m 1. (del becerro) bellow, bellowing (U). 2. (de persona) howl, howling (U).

berrinche m fam tantrum; coger o agarrarse un ~ to throw a tantrum.

berro m watercress.

berza f cabbage.

besamel = bechamel.

besar vt to kiss. ◆ **besarse** vpr to kiss.

beso m kiss.

bestia ◇ adj 1. (ignorante) thick, stupid. 2. (torpe) clumsy. 3. (maleducado) rude. ◇ m y f (ignorante, torpe) brute. ◇ f (animal) beast; ~ de carga beast of burden.

bestial adj 1. (brutal) animal, brutal; (apetito) tremendous. 2. fam (formidable) terrific.

bestialidad f 1. (brutalidad) brutality. 2. fam (tontería) rubbish (U), nonsense (U). 3. fam (montón): una ~ de tons (pl) o stacks (pl) of.

best-seller [bes'seler] (pl best-sellers) m best-seller.

besucón, -ona fam adj kissy.

besugo m 1. (animal) sea bream. 2. fam (persona) idiot.

besuquear fam vt to smother with kisses. ◆ **besuquearse** vpr fam to smooch.

betún m 1. (para calzado) shoe polish. 2. (QUÍM) bitumen.

bianual adj 1. (dos veces al año) twice-yearly. 2. (cada dos años) biennial.

biberón m (baby's) bottle; dar el ~ a to bottle-feed.

Biblia f Bible.

bibliografía f bibliography.

biblioteca f 1. (gen) library. 2. (mueble) bookcase.

bibliotecario, -ria m y f librarian.

bicarbonato m bicarbonate of soda.

bicentenario m bicentenary.

bíceps m inv biceps.

bicho m 1. (animal) beast, animal; (insecto) bug. 2. (pillo) little terror.

bici f fam bike.

bicicleta f bicycle.

bicolor adj two-coloured.

bidé m bidet.

bidimensional adj two-dimensional.

bidón m drum (for oil etc); (lata) can, canister; (de plástico) (large) bottle.

biela f connecting rod.

bien ◇ adv 1. (como es debido, adecuado) well; has hecho ~ you did the right thing; habla inglés ~ she speaks English well; cierra ~ la puerta shut the door properly; hiciste ~ en decírmelo you were right to tell me. 2. (expresa opinión favorable): estar ~ (de aspecto) to be nice; (de salud) to feel well; (de calidad) to be good; (de comodidad) to be comfortable; está ~ que te vayas, pero antes despídete it's all right for you to go, but say goodbye first; oler ~ to smell nice; pasarlo ~ to have a good time; sentar ~ a alguien (ropa) to suit sb;

(comida) to agree with sb; *(comentario)* to please sb. **3.** *(muy, bastante)* very; **hoy me he levantado ~ temprano** I got up nice and early today; **quiero un vaso de agua ~ fría** I'd like a nice cold glass of water. **4.** *(vale, de acuerdo)* all right, OK; **¿nos vamos? - ~** shall we go? – all right o OK. **5.** *(de buena gana, fácilmente)* quite happily; **ella ~ que lo haría, pero no la dejan** she'd be happy to do it, but they won't let her. **6.** *loc:* **¡está ~!** *(bueno, vale)* all right then!; *(es suficiente)* that's enough; **¡ya está ~!** that's enough!; **¡muy ~!** very good!, excellent! ◇ *adj inv (adinerado)* well-to-do. ◇ *conj:* **~ ... ~** either ... or; **dáselo ~ a mi hermano, ~ a mi padre** either give it to my brother or my father. ◇ *m* good; **el ~ y el mal** good and evil; **por el ~ de** for the sake of; **lo hice por tu ~** I did it for your own good. ♦ **bienes** *mpl* **1.** *(patrimonio)* property *(U)*; **~es inmuebles** o **raíces** real estate *(U)*; **~es gananciales** shared possessions; **~es muebles** personal property *(U)*. **2.** *(productos)* goods; **~es de consumo** consumer goods. ♦ **más bien** *loc adv* rather; **no estoy contento, más ~ estupefacto** I'm not so much happy as stunned. ♦ **no bien** *loc adv* no sooner, as soon as; **no ~ me había marchado cuando empezaron a ...** no sooner had I gone than they started ... ♦ **si bien** *loc conj* although, even though.

bienal *f* biennial exhibition.

bienestar *m* wellbeing.

bienhechor, -ra *m y f* benefactor *(f* benefactress).

bienio *m (periodo)* two years *(pl)*.

bienvenido, -da ◇ *adj* welcome. ◇ *interj:* **¡~!** welcome! ♦ **bienvenida** *f* welcome; **dar la bienvenida a alguien** to welcome sb.

bife *m CSur* steak.

biftec = **bistec**.

bifurcación *f* fork; (TECN) bifurcation.

bifurcarse *vpr* to fork.

bigamia *f* bigamy.

bígamo, -ma *m y f* bigamist.

bigote *m* moustache.

bigotudo, -da *adj* with a big moustache.

bikini = **biquini**.

bilateral *adj* bilateral.

bilingüe *adj* bilingual.

bilis *f inv lit & fig* bile.

billar *m* **1.** *(juego)* billiards *(U)*. **2.** *(sala)* billiard hall.

billete *m* **1.** *(dinero)* bill *Am*, note *Br*. **2.** *(de rifa, transporte etc)* ticket; **~ de ida y vuelta** round-trip (ticket) *Am*, return (ticket) *Br*; **~ sencillo** one-way (ticket) *Am*, single (ticket) *Br*. **3.** *(de lotería)* lottery ticket.

billetera *f*, **billetero** *m* wallet.

billón *núm* trillion *Am*, billion *Br*; *ver también* **seis**.

bingo *m* **1.** *(juego)* bingo. **2.** *(sala)* bingo hall. **3.** *(premio)* (full) house.

binóculo *m* pince-nez.

biodegradable *adj* biodegradable.

biografía *f* biography.

biográfico, -ca *adj* biographical.

biógrafo, -fa *m y f (persona)* biographer.

biología *f* biology.

biológico, -ca *adj* biological.

biólogo, -ga *m y f* biologist.

biombo *m* (folding) screen.

biopsia *f* biopsy.

bioquímico, -ca ◇ *adj* biochemical. ◇ *m y f (persona)* biochemist. ♦ **bioquímica** *f (ciencia)* biochemistry.

bipartidismo *m* two-party system.

bipartito, -ta *adj* bipartite.

biplaza *m* two-seater.

biquini, bikini *m (bañador)* bikini.

birlar *vt fam* to pinch, to nick.

Birmania Burma.

birra *f mfam* beer.

bis *(pl* **bises**) ◇ *adj inv:* **viven en el 150 ~** they live at 150a. ◇ *m* encore.

bisabuelo, -la *m y f* great-grandfather *(f* great-grandmother); **~s** great-grandparents.

bisagra *f* hinge.

bisección *f* bisection.

bisectriz *f* bisector.

biselar *vt* to bevel.

bisexual *adj, m y f* bisexual.

bisiesto → **año**.

bisnieto, -ta *m y f* great-grandchild, great-grandson *(f* great-granddaughter).

bisonte *m* bison.

bisoño, -ña *m y f* novice.

bistec, biftec *m* steak.

bisturí *(pl* **bisturíes**) *m* scalpel.

bisutería *f* imitation jewellery.

bit [bit] *(pl* **bits**) *m* (INFORM) bit.

bíter, bitter *m* bitters *(U)*.

bizco, -ca *adj* cross-eyed.

bizcocho *m (de repostería)* sponge.

bizquear *vi* to squint.

blanco, -ca ◇ *adj* white. ◇ *m y f (persona)* white (person). ♦ **blanco** *m*

1. (color) white. **2.** (diana) target; **dar en el ~** (DEP & MIL) to hit the target; fig to hit the nail on the head. **3.** fig (objetivo) target; (de miradas) object. **4.** (espacio vacío) blank (space). ◆ **blanca** f (MÚS) minim; **estar** o **quedarse sin blanca** fig to be flat broke. ◆ **blanco del ojo** m white of the eye. ◆ **en blanco** loc adv **1.** (gen) blank; **se quedó con la mente en ~** his mind went blank. **2.** (sin dormir): **una noche·en ~** a sleepless night.

blancura f whiteness.

blandir vt to brandish.

blando, -da adj **1.** (gen) soft; (carne) tender. **2.** fig (persona - débil) weak; (- indulgente) lenient.

El adjetivo español "blando" no debe confundirse con la voz inglesa bland, que significa 'soso, insulso, insípido'. La diferencia es muy grande, como se puede observar en el siguiente ejemplo: "esta carne está muy blanda" debe traducirse como this meat is very tender; si por el contrario decimos this stew is very bland el significado cambia radicalmente a "este guiso está muy soso". Lo mismo ocurre al referirnos a personas y a lo que éstas hacen: "un profesor blando" es a lenient teacher, mientras que a bland teacher sería "un profesor soso o insulso".

blandura f **1.** (gen) softness; (de carne) tenderness. **2.** fig (debilidad) weakness; (indulgencia) leniency.

blanquear vt **1.** (ropa) to whiten; (con lejía) to bleach. **2.** (con cal) to whitewash. **3.** fig (dinero) to launder.

blanquecino, -na adj off-white.

blanqueo m **1.** (de ropa) whitening; (con lejía) bleaching. **2.** (encalado) whitewashing. **3.** fig (de dinero) laundering.

blanquillo m CAm & Méx egg.

blasfemar vi (RELIG): **~ (contra)** to blaspheme (against).

blasfemia f (RELIG) blasphemy.

blasfemo, -ma adj blasphemous.

bledo m: **me importa un ~** (lo que diga) fam I don't give a damn (about what he says).

blindado, -da adj armour-plated; (coche) armoured.

bloc [blok] (pl blocs) m pad; **~ de dibujo** sketchpad.

bloque m **1.** (gen & INFORM) block. **2.** (POLÍT) bloc. **3.** (MEC) cylinder block.

bloquear vt **1.** (gen & DEP) to block.

2. (aislar - suj: ejército, barcos) to blockade; (- suj: nieve, inundación) to cut off.

bloqueo m **1.** (gen & DEP) blocking; **~ mental** mental block. **2.** (ECON & MIL) blockade. **3.** (FIN) freeze, freezing (U).

blues [blus] m inv (MÚS) blues.

blusa f blouse.

blusón m smock.

bluyín m, **bluyínes** mpl Amer jeans (pl).

boa f (ZOOL) boa.

bobada f fam: **decir ~s** to talk nonsense.

bobina f **1.** (gen) reel; (en máquina de coser) bobbin. **2.** (ELECTR) coil.

bobo, -ba ◇ adj **1.** (tonto) stupid, daft. **2.** (ingenuo) naïve. ◇ m y f **1.** (tonto) idiot. **2.** (ingenuo) simpleton.

boca f **1.** (gen) mouth; **~ arriba/abajo** face up/down; **abrir** o **hacer ~** to whet one's appetite; **se me hace la ~ agua** it makes my mouth water. **2.** (entrada) opening; (de cañón) muzzle; **~ de metro** subway entrance Am, tube o underground entrance Br. ◆ **boca a boca** m mouth-to-mouth resuscitation.

bocacalle f (entrada) entrance (to a street); (calle) side street; **gire en la tercera ~** take the third turning.

bocadillo m Esp (CULIN) sandwich.

bocado m **1.** (comida) mouthful. **2.** (mordisco) bite.

bocajarro ◆ **a bocajarro** loc adv point-blank; **se lo dije a ~** I told him to his face.

bocata m fam sarnie.

bocazas m y f inv fam despec big mouth, blabbermouth.

boceto m sketch, rough outline.

bocha f (bolo) bowl. ◆ **bochas** fpl (juego) bowls (U).

bochorno m **1.** (calor) stifling o muggy heat. **2.** (vergüenza) embarrassment.

bochornoso, -sa adj **1.** (tiempo) muggy. **2.** (vergonzoso) embarrassing.

bocina f **1.** (AUTOM & MÚS) horn. **2.** (megáfono) megaphone, loudhailer.

boda f wedding.

bodega f **1.** (cava) wine cellar. **2.** (tienda) wine shop; (bar) bar. **3.** (en buque, avión) hold.

bodegón m (ARTE) still life.

bodrio m fam despec (gen) rubbish (U); (comida) pigswill (U); **¡qué ~!** what a load of rubbish!

body ['boði] (pl bodies) m body (garment).

BOE (*abrev de Boletín Oficial del Estado*) *m official Spanish gazette.*

bofetada *f* slap (in the face).

bofetón *m* hard slap (in the face).

bofia *f fam*: **la ~** the cops *(pl).*

boga *f*: **estar en ~** to be in vogue.

bogavante *m* lobster.

Bogotá Bogotá.

bohemio, -mia *adj* **1.** (*vida etc*) bohemian. **2.** (*de Bohemia*) Bohemian.

boicot (*pl* boicots), **boycot** (*pl* boycots) *m* boycott.

boicotear, boycotear *vt* to boycott.

boina *f* beret.

boîte [bwat] (*pl* **boîtes**) *f* nightclub.

boj (*pl* bojes) *m* (*árbol*) box.

bol (*pl* boles) *m* bowl.

bola *f* **1.** (*gen*) ball; (*canica*) marble; **~s de naftalina** mothballs. **2.** *fam* (*mentira*) fib.

bolada *f CSur fam* opportunity.

bolea *f* (DEP) volley.

bolear *vt Méx* to shine, to polish.

bolera *f* bowling alley.

boletería *f Amer* box office.

boletero, -ra *m y f Amer* box office attendant.

boletín *m* journal, periodical; **~ de noticias** o **informativo** news bulletin; **~ meteorológico** weather forecast; **~ de prensa** press release.

boleto *m* **1.** *Amer* (*billete*) ticket. **2.** (*de lotería, rifa*) ticket; (*de quinielas*) coupon.

boli *m fam* Biro®.

boliche *m* **1.** (*en la petanca*) jack. **2.** (*bolos*) ten-pin bowling. **3.** (*bolera*) bowling alley. **4.** *CSur* (*tienda*) small grocery store. **5.** *CSur* (*bar*) bar.

bólido *m* racing car.

bolígrafo *m* ballpoint pen, Biro®.

bolívar *m* bolívar.

Bolivia Bolivia.

boliviano, -na *adj, m y f* Bolivian.

bollo *m* **1.** (*para comer - de pan*) (bread) roll; (*- dulce*) bun. **2.** (*abolladura*) dent; (*abultamiento*) bump.

bolo *m* **1.** (DEP) (*pieza*) skittle. **2.** (*actuación*) show. **3.** *CAm* (*borracho*) drunk. ◆ **bolos** *mpl* (*deporte*) skittles.

bolsa *f* **1.** (*gen*) bag; **~ de aire** air pocket; **~ de basura** bin liner; **~ de deportes** holdall, sports bag; **~ de plástico** (*en tiendas*) carrier o plastic bag; **~ de viaje** travel bag. **2.** (FIN): **~ (de valores)** stock exchange, stock market; **la ~ ha subido/bajado** share prices have gone up/down; **jugar a la ~** to speculate on the stock market. **3.** (MIN)

pocket. **4.** (ANAT) sac. **5.** *CSur* (*saco de dormir*): **~ (de dormir)** sleeping bag.

bolsillo *m* pocket; **de ~** pocket (*antes de sust*); **lo pagué de mi ~** I paid for it out of my own pocket.

bolso *m* bag; *Esp* (*de mujer*) handbag.

boludo, -da *m y f CSur mfam* jerk *Am*, prat *Br.*

bomba ◇ *f* **1.** (*explosivo*) bomb; **~ atómica** atom o nuclear bomb; **~ de mano** (hand) grenade. **2.** (*máquina*) pump. **3.** *fig* (*acontecimiento*) bombshell. **4.** *Amer* (*gasolinera*) gas station *Am*, petrol station *Br*. **5.** *loc*: **pasarlo ~** *fam* to have a great time. ◇ *adj inv fam* astounding.

bombachas *fpl CSur* knickers.

bombachos *mpl* baggy trousers.

bombardear *vt lit & fig* to bombard.

bombardeo *m* bombardment.

bombardero *m* (*avión*) bomber.

bombazo *m fig* (*noticia*) bombshell.

bombear *vt* (*gen & DEP*) to pump.

bombero, -ra *m y f* **1.** (*de incendios*) fireman (*f* firewoman). **2.** *Col* (*de gasolinera*) gas-pump *Am* o petrol-pump *Br* attendant.

bombilla *f* light bulb.

bombillo *m CAm* light bulb.

bombín *m* bowler (hat).

bombo *m* **1.** (MÚS) bass drum. **2.** *fam fig* (*elogio*) hype; **a ~ y platillo** with a lot of hype. **3.** (MEC) drum.

bombón *m* (*golosina*) chocolate.

bombona *f* cylinder; **~ de butano** (butane) gas cylinder.

bonachón, -ona *fam adj* kindly.

bonanza *f* **1.** (*de tiempo*) fair weather; (*de mar*) calm at sea. **2.** *fig* (*prosperidad*) prosperity.

bondad *f* (*cualidad*) goodness; (*inclinación*) kindness; **tener la ~ de hacer algo** to be kind enough to do sthg.

bondadoso, -sa *adj* kind, good-natured.

boniato *m* sweet potato.

bonificar *vt* **1.** (*descontar*) to give a discount of. **2.** (*mejorar*) to improve.

bonito, -ta *adj* pretty; (*bueno*) nice. ◆ **bonito** *m* bonito (tuna).

bono *m* **1.** (*vale*) voucher. **2.** (COM) bond.

bonobús *m* multiple-journey ticket.

bonoloto *m Spanish state-run lottery.*

boñiga *f* cowpat.

boquerón *m* (fresh) anchovy.

boquete *m* hole.

boquiabierto, -ta *adj* open-mouthed; *fig* astounded, speechless.

boquilla *f* 1. *(para fumar)* cigarette holder. 2. *(de pipa, flauta)* mouthpiece. 3. *(de tubo, aparato)* nozzle.

borbotear, borbotar *vi* to bubble.

borbotón *m*: **salir a borbotones** to gush out.

borda *f* (NÁUT) gunwale.

bordado, -da *adj* embroidered. ✦ **bordado** *m* embroidery.

bordar *vt (coser)* to embroider.

borde *m (gen)* edge; *(de carretera)* side; *(del mar)* shore, seaside; *(de río)* bank; *(de vaso, botella)* rim; **al ~ de** *fig* on the verge o brink of.

bordear *vt (estar alrededor de)* to border; *(moverse alrededor de)* to skirt (round).

bordillo *m* kerb.

bordo *m* (NÁUT) board, side. ✦ **a bordo** *loc adv* on board.

borla *f* tassel; *(pompón)* pompom.

borrachera *f* 1. *(embriaguez)* drunkenness *(U).* 2. *fig (emoción)* intoxication.

borracho, -cha ◇ *adj (ebrio)* drunk. ◇ *m y f (persona)* drunk. ✦ **borracho** *m (bizcocho)* = rum baba.

borrador *m* 1. *(escrito)* rough draft. 2. *(goma de borrar)* eraser *Am*, rubber *Br*.

borrar *vt* 1. *(hacer desaparecer - con goma)* to erase *Am*, to rub out *Br*; *(- en ordenador)* to delete; *(- en casete)* to erase. 2. *(tachar)* to cross out; *fig (de lista etc)* to take off. 3. *fig (olvidar)* to erase.

borrasca *f* thunderstorm.

borrego, -ga *m y f (animal)* lamb.

borrón *m* blot; *fig* blemish; **hacer ~ y cuenta nueva** to wipe the slate clean.

borroso, -sa *adj (foto, visión)* blurred; *(escritura, texto)* smudgy.

Bosnia Bosnia.

Bosnia Herzegovina Bosnia Herzegovina.

bosnio, -nia *adj, m y f* Bosnian.

bosque *m (pequeño)* wood; *(grande)* forest.

bosquejar *vt (esbozar)* to sketch (out).

bosquejo *m (esbozo)* sketch.

bostezar *vi* to yawn.

bostezo *m* yawn.

bota *f* 1. *(calzado)* boot; **~s de agua** o **de lluvia** wellingtons. 2. *(de vino)* small leather container in which wine is kept.

botana *f Méx* snack, tapa.

botánico, -ca ◇ *adj* botanical. ◇ *m y f (persona)* botanist. ✦ **botánica** *f (ciencia)* botany.

botar ◇ *vt* 1. (NÁUT) to launch. 2. *fam*

(despedir) to throw o kick out. 3. *(pelota)* to bounce. 4. *Amer (tirar)* to throw away. ◇ *vi* 1. *(saltar)* to jump. 2. *(pelota)* to bounce.

bote *m* 1. *(tarro)* jar. 2. *(lata)* can. 3. *(botella de plástico)* bottle. 4. *(barca)* boat; **~ salvavidas** lifeboat. 5. *(salto)* jump; **dar ~s** *(gen)* to jump up and down; *(en tren, coche)* to bump up and down. 6. *(de pelota)* bounce; **dar ~s** to bounce.

botella *f* bottle.

botellín *m* small bottle.

botijo *m* earthenware jug.

botín *m* 1. *(de guerra, atraco)* plunder, loot. 2. *(calzado)* ankle boot.

botiquín *m (caja)* first-aid kit; *(mueble)* first-aid cupboard.

botón *m* button. ✦ **botones** *m inv (de hotel)* bellboy, bellhop *Am*; *(de oficinas etc)* errand boy.

boutique [bu'tik] *f* boutique.

bóveda *f* (ARQUIT) vault.

box *(pl* **boxes)** *m (de coches)* pit; **entrar en ~es** to make a pit stop.

boxeador, -ra *m y f* boxer.

boxear *vi* to box.

boxeo *m* boxing.

bóxer *(pl* **bóxers)** *m* boxer.

boya *f* 1. *(en el mar)* buoy. 2. *(de una red)* float.

boyante *adj* 1. *(feliz)* happy. 2. *(próspero - empresa, negocio)* prosperous; *(- economía, comercio)* buoyant.

boycot *etc* = **boicot.**

bozal *m (gen)* muzzle.

bracear *vi (nadar)* to swim.

braga *f Esp (gen pl)* knickers *(pl).*

bragueta *f* zipper *Am*, flies *(pl) Br.*

braille ['braile] *m* Braille.

bramar *vi* 1. *(animal)* to bellow. 2. *(persona - de dolor)* to groan; *(- de ira)* to roar.

brandy, brandi *m* brandy.

branquia *f (gen pl)* gill.

brasa *f* ember; **a la ~** (CULIN) barbecued.

brasero *m* brazier.

brasier, brassier *m Amer* bra.

Brasil: **(el) ~** Brazil.

brasileño, -ña *adj, m y f* Brazilian.

brasilero, -ra *adj, m y f Amer* Brazilian.

brassier = **brasier.**

bravata *f (gen pl)* 1. *(amenaza)* threat. 2. *(fanfarronería)* bravado *(U).*

braveza *f* bravery.

bravío, -a *adj* (*salvaje*) wild; (*feroz*) fierce.

bravo, -va *adj* 1. (*valiente*) brave. 2. (*animal*) wild. 3. (*mar*) rough. ◆ **bravo** ◇ *m* (*aplauso*) cheer. ◇ *interj*: ¡~! bravo!

bravura *f* 1. (*de persona*) bravery. 2. (*de animal*) ferocity.

braza *f* 1. (DEP) breaststroke; **nadar a ~** to swim breaststroke. 2. (*medida*) fathom.

brazada *f* stroke.

brazalete *m* 1. (*en la muñeca*) bracelet. 2. (*en el brazo*) armband.

brazo *m* 1. (*gen & ANAT*) arm; (*de animal*) cogidos del ~ arm in arm; **en ~s** in one's arms; **luchar a ~ partido** (*con empeño*) to fight tooth and nail; **quedarse** ○ **estarse con los ~s cruzados** *fig* to sit around doing nothing; **ser el ~ derecho de alguien** to be sb's right-hand man (*f* woman). 2. (*de árbol, río, candelabro*) branch; (*de grúa*) boom, jib. ◆ **brazo de gitano** *m* = swiss roll.

brea *f* 1. (*sustancia*) tar. 2. (*para barco*) pitch.

brebaje *m* concoction, foul drink.

brecha *f* 1. (*abertura*) hole, opening. 2. (MIL) breach. 3. *fig* (*impresión*) impression.

breña *f* scrub.

breve ◇ *adj* brief; **en ~** (*pronto*) shortly; (*en pocas palabras*) in short. ◇ *f* (MÚS) breve.

brevedad *f* shortness; **a** ○ **con la mayor ~** as soon as possible.

brezo *m* heather.

bricolaje, bricolage *m* D.I.Y., do-it-yourself.

brida *f* (*de caballo*) bridle.

bridge *m* bridge.

brigada ◇ *m* (MIL) = warrant officer. ◇ *f* 1. (MIL) brigade. 2. (*equipo*) squad, team; **~ antidisturbios/antidroga** riot/drug squad.

brillante ◇ *adj* 1. (*reluciente - luz, astro*) shining; (*- metal, zapatos, pelo*) shiny; (*- ojos, sonrisa, diamante*) sparkling. 2. (*magnífico*) brilliant. ◇ *m* diamond.

brillantina *f* brilliantine, Brylcreem®.

brillar *vi lit & fig* to shine.

brillo *m* 1. (*resplandor - de luz*) brilliance; (*- de estrellas*) shining; (*- de zapatos*) shine. 2. (*lucimiento*) splendour.

brilloso, -sa *adj Amer* shining.

brincar *vi* (*saltar*) to skip (about); **~ de alegría** to jump for joy.

brinco *m* jump.

brindar ◇ *vi* to drink a toast; **~ por algo/alguien** to drink to sthg/sb. ◇ *vt* to offer. ◆ **brindarse** *vpr*: **~se a hacer algo** to offer to do sthg.

brindis *m inv* toast.

brío *m* (*energía, decisión*) spirit, verve.

brisa *f* breeze.

británico, -ca ◇ *adj* British. ◇ *m y f* British person; **los ~s** the British.

brizna *f* 1. (*filamento - de hierba*) blade; (*- de tabaco*) strand. 2. *fig* (*un poco*) trace, bit.

broca *f* (drill) bit.

brocha *f* brush; **~ de afeitar** shaving brush.

brochazo *m* brushstroke.

broche *m* 1. (*cierre*) clasp, fastener. 2. (*joya*) brooch.

broma *f* (*ocurrencia, chiste*) joke; (*jugarreta*) prank, practical joke; **en ~** as a joke; **gastar una ~ a alguien** to play a joke ○ prank on sb; **ni en ~** *fig* no way, not on your life.

bromear *vi* to joke.

bromista *m y f* joker.

bronca → **bronco**.

bronce *m* (*aleación*) bronze.

bronceado, -da *adj* tanned. ◆ **bronceado** *m* tan.

bronceador *m* (*loción*) suntan lotion; (*leche*) suntan cream.

broncear *vt* to tan. ◆ **broncearse** *vpr* to get a tan.

bronco, -ca *adj* 1. (*grave - voz*) harsh; (*- tos*) throaty. 2. *fig* (*brusco*) gruff. ◆ **bronca** *f* 1. (*jaleo*) row. 2. (*regañina*) scolding; **echar una bronca a alguien** to give sb a row, to tell sb off.

bronquio *m* bronchial tube.

bronquitis *f inv* bronchitis.

brotar *vi* 1. (*planta*) to sprout, to bud. 2. (*agua, sangre etc*): **~ de** to well up out of. 3. *fig* (*esperanza, sospechas, pasiones*) to stir. 4. (*en la piel*): **le brotó un sarpullido** he broke out in a rash.

brote *m* 1. (*de planta*) bud, shoot. 2. *fig* (*inicios*) sign, hint.

broza *f* (*maleza*) brush, scrub.

bruces ◆ de bruces *loc adv* face down; **se cayó de ~** he fell headlong, he fell flat on his face.

bruja → **brujo**.

brujería *f* witchcraft, sorcery.

brujo, -ja *adj* (*hechicero*) enchanting. ◆ **brujo** *m* wizard, sorcerer. ◆ **bruja** ◇ *f* 1. (*hechicera*) witch, sorceress. 2. (*mujer fea*) hag. 3. (*mujer mala*) (old) witch. ◇ *adj inv Carib & Méx fam* (*sin*

dinero) broke, skint.
brújula *f* compass.
bruma *f (niebla)* mist; *(en el mar)* sea mist.
bruñido *m* polishing.
brusco, -ca *adj* 1. *(repentino, imprevisto)* sudden. 2. *(tosco, grosero)* brusque.
Bruselas Brussels.
brusquedad *f* 1. *(imprevisión)* suddenness. 2. *(grosería)* brusqueness.
brutal *adj (violento)* brutal.
brutalidad *f (cualidad)* brutality.
bruto, -ta ◇ *adj* 1. *(torpe)* clumsy; *(ignorante)* thick, stupid; *(maleducado)* rude. 2. *(sin tratar):* **en ~** *(diamante)* uncut; *(petróleo)* crude. 3. *(sueldo, peso etc)* gross. ◇ *m y f* brute.
Bta. *abrev de* beata.
Bto. *abrev de* beato.
bubónica → peste.
bucal *adj* oral.
Bucarest Bucharest.
bucear *vi (en agua)* to dive.
buceo *m* (underwater) diving.
bucle *m (rizo)* curl, ringlet.
Budapest Budapest.
budismo *m* Buddhism.
buen → bueno.
buenas → bueno.
buenaventura *f (adivinación)* fortune; **leer la ~ a alguien** to tell sb's fortune.
bueno, -na *(compar* **mejor,** *superl* **el mejor,** *superl f* **la mejor)* *adj (antes de sust masculino:* **buen)** 1. *(gen)* good. 2. *(bondadoso)* kind, good; **ser ~ con alguien** to be good to sb. 3. *(curado, sano)* well, all right. 4. *(apacible - tiempo, clima)* nice, fine. 5. *(aprovechable)* all right; *(comida)* fresh. 6. *(uso enfático):* **ese buen hombre** that good man; **un buen día** one fine day. 7. *loc:* **de buen ver** good-looking; **de buenas a primeras** *(de repente)* all of a sudden; *(a simple vista)* at first sight; **estar ~** *fam (persona)* to be a bit of all right, to be tasty; **estar de buenas** to be in a good mood; **lo ~ es que ...** the best thing about it is that ... ◆ **bueno** ◇ *m* (CIN) the goody. ◇ *adv* 1. *(vale, de acuerdo)* all right, O.K. 2. *(pues)* well. ◇ *interj Méx (al teléfono):* **¡~!** hello.
◆ **buenas** *interj:* **¡buenas!** hello!
Buenos Aires Buenos Aires.
buey *(pl* **bueyes)** *m* ox.
búfalo *m* buffalo.
bufanda *f* scarf.
bufar *vi (toro, caballo)* to snort.
bufé *(pl* **bufés),** **buffet** *(pl* **buffets)** *m (en restaurante)* buffet.

bufete *m* lawyer's practice.
buffet = bufé.
bufido *m (de toro, caballo)* snort.
bufón *m* buffoon, jester.
buhardilla *f (habitación)* attic.
búho *m* owl.
buitre *m lit & fig* vulture.
bujía *f* (AUTOM) spark plug.
bulbo *m* (ANAT & BOT) bulb.
buldozer *(pl* **buldozers),** **bulldozer** *(pl* **bulldozers)** [bul'doθer] *m* bulldozer.
bulevar *(pl* **bulevares)** *m* boulevard.
Bulgaria Bulgaria.
búlgaro, -ra *adj, m y f* Bulgarian.
◆ **búlgaro** *m (lengua)* Bulgarian.
bulla *f* racket, uproar; **armar ~** to kick up a racket.
bulldozer = buldozer.
bullicio *m (de ciudad, mercado)* hustle and bustle; *(de multitud)* hubbub.
bullicioso, -sa *adj* 1. *(agitado - reunión, multitud)* noisy; *(- calle, mercado)* busy, bustling. 2. *(inquieto)* rowdy.
bullir *vi* 1. *(hervir)* to boil; *(burbujear)* to bubble. 2. *fig (multitud)* to bustle; *(ratas, hormigas etc)* to swarm; *(mar)* to boil; **~ de** to seethe with.
bulto *m* 1. *(volumen)* bulk, size; **escurrir el ~** *(trabajo)* to shirk; *(cuestión)* to evade the issue. 2. *(abombamiento - en rodilla, superficie etc)* bump; *(- en maleta, bolsillo etc)* bulge. 3. *(forma imprecisa)* blurred shape. 4. *(paquete)* package; *(maleta)* item of luggage; *(fardo)* bundle; **~ de mano** piece o item of hand luggage.
bumerán *(pl* **bumeráns),** **bumerang** *(pl* **bumerangs)** *m* boomerang.
bungalow [buŋga'lo] *(pl* **bungalows)** *m* bungalow.
búnquer *(pl* **búnquers),** **bunker** *(pl* **bunkers)** *m (refugio)* bunker.
buñuelo *m (*CULIN - *dulce)* ≃ doughnut; *(- de bacalao etc)* ≃ dumpling.
buque *m* ship; **~ nodriza** supply ship.
burbuja *f* bubble; **hacer ~s** to bubble.
burbujear *vi* to bubble.
burdel *m* brothel.
burdo, -da *adj (gen)* crude; *(tela)* coarse.
burgués, -esa *adj* middle-class, bourgeois.
burguesía *f* middle class; (HIST & POLÍT) bourgeoisie.
burla *f* 1. *(mofa)* taunt; **hacer ~ de** to mock. 2. *(broma)* joke. 3. *(engaño)* trick.
burlar *vt (esquivar)* to evade; *(ley)* to flout. ◆ **burlarse de** *vpr* to make fun of.

burlón, -ona *adj (sarcástico)* mocking.

burocracia *f* bureaucracy.

burócrata *m y f* bureaucrat.

burrada *f (acción, dicho):* **hacer ~s** to act stupidly; **decir ~s** to talk nonsense.

burro, -rra *m y f* **1.** *(animal)* donkey; **no ver tres en un ~** *fam* to be as blind as a bat. **2.** *fam (necio)* dimwit.

bus *(pl buses) m* (AUTOM & INFORM) bus.

busca ◊ *f* search; **en ~ de** in search of; **la ~ de** the search for. ◊ *m* → **busca-personas**.

buscapersonas, busca *m inv* bleeper.

buscar ◊ *vt* **1.** *(gen)* to look for; *(provecho, beneficio propio)* to seek; **voy a ~ el periódico** I'm going to get the paper; **ir a ~ a alguien** to pick sb up. **2.** *(en diccionario, índice, horario)* to look up. **3.** (INFORM) to search for. ◊ *vi* to look. ◆ **buscarse** *vpr (personal, aprendiz etc):* **'se busca camarero'** 'waiter wanted'.

buscón, -ona *m y f (estafador)* swindler.

búsqueda *f* search.

busto *m* **1.** *(pecho)* chest; *(de mujer)* bust. **2.** *(escultura)* bust.

butaca *f* **1.** *(mueble)* armchair. **2.** *(localidad)* seat.

butano *m* butane (gas).

buzo *m* **1.** *(persona)* diver. **2.** *CSur (chandal)* tracksuit.

buzón *m* letter box; **echar algo al ~** to post sthg.

byte [bait] *(pl bytes) m* (INFORM) byte.

C

c, C *f (letra)* c, C.

c., c/ *(abrev de calle)* St.

c/ 1. *(abrev de cuenta)* a/c. **2. = c.**

cabal *adj* **1.** *(honrado)* honest. **2.** *(exacto)* exact; *(completo)* complete. ◆ **cabales** *mpl:* **no estar en sus ~es** not to be in one's right mind.

cábala *f (gen pl) (conjeturas)* guess.

cabalgar *vi* to ride.

cabalgata *f* cavalcade, procession.

caballa *f* mackerel.

caballería *f* **1.** *(animal)* mount, horse. **2.** *(cuerpo militar)* cavalry.

caballeriza *f* stable.

caballero ◊ *adj (cortés)* gentlemanly. ◊ *m* **1.** *(gen)* gentleman; *(al dirigir la palabra)* sir; **ser todo un ~** to be a real gentleman; **'caballeros'** *(en aseos)* 'gents'; *(en grandes almacenes)* 'menswear'. **2.** *(miembro de una orden)* knight.

caballete *m* **1.** *(de lienzo)* easel. **2.** *(de mesa)* trestle. **3.** *(de nariz)* bridge.

caballitos *mpl (de feria)* merry-go-round *(sg).*

caballo *m* **1.** *(animal)* horse; **montar a ~** to ride. **2.** *(pieza de ajedrez)* knight. **3.** *(naipe)* ≃ queen. **4.** (MEC): **~ (de fuerza** o **de vapor)** horsepower.

cabaña *f* **1.** *(choza)* hut, cabin. **2.** *(ganado)* livestock *(U).*

cabaret *(pl cabarets) m* cabaret.

cabecear *vi* **1.** *(persona - negando)* to shake one's head; *(- afirmando)* to nod one's head. **2.** *(caballo)* to toss its head. **3.** *(dormir)* to nod (off).

cabecera *f* **1.** *(gen)* head; *(de cama)* headboard. **2.** *(de texto)* heading; *(de periódico)* headline. **3.** *(de río)* headwaters *(pl).*

cabecilla *m y f* ringleader.

cabellera *f* long hair *(U).*

cabello *m* hair *(U).*

caber *vi* **1.** *(gen)* to fit; **no cabe nadie más** there's no room for anyone else; **no me cabe en el dedo** it won't fit my finger. **2.** (MAT): **nueve entre tres caben a tres** three into nine goes three (times). **3.** *(ser posible)* to be possible; **cabe destacar que ...** it's worth pointing out that ...

cabestrillo ◆ **en cabestrillo** *loc adj* in a sling.

cabeza *f* **1.** *(gen)* head; **por ~** per head; **obrar con ~** to use one's head; **tirarse de ~ (a)** to dive (into); **venir a la ~** to come to mind; **~ (lectora)** *(gen)* head; *(de tocadiscos)* pickup. **2.** *(pelo)* hair. **3.** *(posición)* front, head; **a la** o **en ~** *(en competición etc)* in front; *(en lista)* at the top o head. **4.** *loc:* **andar** o **estar mal de la ~** to be funny in the head; **se le ha metido en la ~ que ...** he has got it into his head that ...; **sentar la ~** to settle down. ◆ **cabeza de ajo** *f* head of garlic. ◆ **cabeza de turco** *f* scapegoat.

cabezada *f* **1.** *(de sueño)* nod, nodding *(U);* **dar ~s** to nod off. **2.** *(golpe)* butt.

cabezal *m* *(de aparato)* head.

cabezón, -ona *adj (terco)* pigheaded, stubborn.

cabida f capacity.

cabina f 1. (locutorio) booth, cabin; ~ telefónica phone booth, phone box Br. 2. (de avión) cockpit; (de camión) cab. 3. (vestuario - en playa) bathing hut; (- en piscina) changing cubicle.

cabinera f Col air hostess.

cabizbajo, -ja adj crestfallen.

cable m cable.

cabo m 1. (GEOGR) cape. 2. (NÁUT) cable, rope. 3. (MIL) corporal. 4. (trozo) bit, piece; (trozo final) stub, stump; (de cuerda) end. 5. loc: **llevar algo a ~** to carry sthg out. ◆ **cabo suelto** m loose end. ◆ **al cabo de** loc prep after.

cabra f (animal) goat; **estar como una ~** fam to be off one's head.

cabré → caber.

cabría → caber.

cabriola f prance; **hacer ~s** to prance about.

cabritas fpl Chile popcorn.

cabrito m (animal) kid (goat).

cabro, -bra m y f Andes fam kid.

cabrón, -ona vulg ◇ adj: **¡qué ~ eres!** you bastard! ◇ m y f bastard (f bitch).

cabuya f CAm rope.

caca f fam 1. (excremento) pooh. 2. (cosa sucia) nasty ○ dirty thing.

cacahuate m Méx peanut.

cacahuete m Esp peanut.

cacao m 1. (bebida) cocoa. 2. (árbol) cacao.

cacarear vi (gallo) to cluck, to cackle.

cacatúa f (ave) cockatoo.

cacería f hunt.

cacerola f pot, pan.

cachalote m sperm whale.

cacharro m 1. (recipiente) pot; **fregar los ~s** to do the dishes. 2. fam (trasto) junk (U). 3. (coche) banger.

cachear vt to frisk.

cachemir m, **cachemira** f cashmere.

cacheo m frisk, frisking (U).

cachet [ka'tʃe] m 1. (distinción) cachet. 2. (cotización de artista) fee.

cachetada f Amer fam smack.

cachete m 1. (moflete) chubby cheek. 2. (bofetada) slap.

cachivache m fam knick-knack.

cacho m 1. fam (pedazo) piece, bit. 2. Amer (asta) horn.

cachondearse vpr fam: **~ (de)** to take the mickey (out of).

cachondeo m fam 1. (diversión) lark. 2. despec (cosa poco seria) joke.

cachondo, -da fam adj 1. (divertido) funny. 2. (salido) randy.

cachorro, -rra m y f (de perro) puppy; (de gato) kitten; (de león, lobo, oso) cub.

cacique m 1. (persona influyente) cacique, local political boss. 2. (jefe indio) chief.

caco m fam thief.

cacto, cactus (pl cactus) m cactus.

cada adj inv 1. (gen) each; (con números, tiempo) every; ~ **dos meses** every two months; ~ **cosa a su tiempo** one thing at a time; ~ **cual** each one, everyone; ~ **uno de** each of. 2. (valor progresivo): ~ **vez más** more and more; ~ **vez más largo** longer and longer; ~ **día más** more and more each day. 3. (valor enfático) such; **¡se pone ~ sombrero!** she wears such hats!

• "Cada" se traduce como every o each. Se usa every cuando hablamos de la totalidad de un grupo (the company gave every worker a bonus, "la empresa dio a cada empleado [o a todos los empleados] una gratificación"). Se usa each cuando nos referimos a todos los elementos de un grupo, pero considerados individualmente (the managers gave each of the workers a diferent task, "los jefes asignaron una tarea distinta a cada trabajador").

• Tanto each como every se usan con sustantivos contables en singular y el verbo también en singular. Each puede funcionar como pronombre (their aunt gave them 10 dollars each, "su tía les dio 10 dólares a cada uno"), pero every no.

---

cadalso m scaffold.

cadáver m corpse, (dead) body.

cadena f 1. (gen) chain; **en ~** (accidente) multiple. 2. (TV) channel. 3. (RADIO - - emisora) station; (- red de emisoras) network. 4. (de proceso industrial) line; ~ **montaje** assembly line. 5. (de música) sound system. 6. (GEOGR) range. ◆ **cadena perpetua** f life imprisonment.

cadencia f (ritmo) rhythm, cadence.

cadera f hip.

cadete m cadet.

caducar vi 1. (carnet, ley, pasaporte etc) to expire. 2. (medicamento) to pass its use-by date; (alimento) to pass its sell-by date.

caducidad f expiry.

caduco, -ca adj 1. (viejo) decrepit;

(idea) outmoded. **2.** *(desfasado)* no longer valid.

caer *vi* **1.** *(gen)* to fall; *(diente, pelo)* to fall out; **dejar ~ algo** to drop sthg; **~ bajo** to sink (very) low; **estar al ~** to be about to arrive. **2.** *(al perder equilibrio)* to fall over o down; **~ de un tejado/caballo** to fall from a roof/horse. **3.** *fig (sentar)*: **~ bien/mal (a alguien)** *(comentario, noticia etc)* to go down well/badly (with sb). **4.** *fig (mostrarse)*: **me cae bien/mal** I like/don't like him. **5.** *fig (estar situado)*: **cae cerca de aquí** it's not far from here. **6.** *fig (recordar)*: **~ (en algo)** to be able to remember (sthg). ◆ **caer en** *vi* **1.** *(entender)* to get, to understand; *(solución)* to hit upon. **2.** *(coincidir - fecha)* to fall on; **cae en domingo** it falls on a Sunday. **3.** *(incurrir)* to fall into. ◆ **caerse** *vpr* **1.** *(persona)* to fall over o down. **2.** *(objetos)* to drop, to fall. **3.** *(desprenderse - diente, pelo etc)* to fall out; *(- botón)* to fall off; *(- cuadro)* to fall down.

café *(pl* **cafés)** *m* **1.** *(gen)* coffee; **~ solo/con leche** black/white coffee; **~ instantáneo** o **soluble** instant coffee. **2.** *(establecimiento)* cafe.

cafeína *f* caffeine.

cafetera → cafetero.

cafetería *f* cafe.

cafetero, -ra *m y f* **1.** *(cultivador)* coffee grower. **2.** *(comerciante)* coffee merchant. ◆ **cafetera** *f* **1.** *(para café)* coffee pot. **2.** *(en bares)* expresso machine; *(eléctrica)* percolator, coffee machine.

cafiche *m Amer fam* pimp.

cagar *vulg vi (defecar)* to shit. ◆ **cagarse** *vpr vulg lit & fig* to shit o.s.

caído, -da *adj (árbol, hoja)* fallen. ◆ **caída** *f* **1.** *(gen)* fall, falling *(U)*; *(de diente, pelo)* loss. **2.** *(de paro, precios, terreno)*: **caída (de)** drop (in). **3.** *(de falda, vestido etc)* drape. ◆ **caídos** *mpl*: **los ~s** the fallen.

caiga *etc* → caer.

caimán *m* alligator, cayman.

caja *f* **1.** *(gen)* box; *(para transporte, embalaje)* crate; **~ torácica** thorax. **2.** *(de reloj)* case; *(de engranajes etc)* housing; **~ de cambios** gearbox. **3.** *(ataúd)* coffin. **4.** *(de dinero)* cash box; **~ fuerte** o **de caudales** safe, strongbox. **5.** *(en tienda, supermercado)* till; *(en banco)* cashier's desk. **6.** *(banco)*: **~ (de ahorros)** savings bank. **7.** *(hueco - de chimenea, ascensor)* shaft. **8.** (IMPRENTA) case. **9.** *(de instrumento musical)* body. ◆ **caja negra** *f* black box. ◆ **caja registradora** *f* cash register.

cajero, -ra *m y f (en tienda)* cashier; *(en banco)* teller. ◆ **cajero** *m*: **~ (automático)** cash machine, cash dispenser.

cajetilla *f* **1.** *(de cigarrillos)* packet. **2.** *(de cerillas)* box.

cajón *m* **1.** *(de mueble)* drawer. **2.** *(recipiente)* crate, case. ◆ **cajón de sastre** *m* muddle, jumble.

cajuela *f Méx* trunk *Am*, boot *Br*.

cal *f* lime.

cala *f* **1.** *(bahía pequeña)* cove. **2.** *(del barco)* hold.

calabacín *m* zucchini *Am*, courgette *Br*.

calabacita *m Méx* zucchini *Am*, courgette *Br*.

calabaza *f* pumpkin, gourd.

calabozo *m* cell.

calada → calado.

calado, -da *adj* soaked. ◆ **calado** *m* (NÁUT) draught. ◆ **calada** *f (de cigarrillo)* drag.

calamar *m* squid.

calambre *m* **1.** *(descarga eléctrica)* (electric) shock. **2.** *(contracción muscular)* cramp *(U)*.

calamidad *f* calamity; **ser una ~** *fig* to be a dead loss.

calaña *f despec*: **de esa ~** of that ilk.

calar ◇ *vt* **1.** *(empapar)* to soak. **2.** *fig (persona)* to see through. **3.** *(gorro, sombrero)* to jam on. **4.** *(fruta)* to cut a sample of. **5.** *(perforar)* to pierce. ◇ *vi* **1.** (NÁUT) to draw. **2.** *fig (penetrar)*: **~ en** to have an impact on. ◆ **calarse** *vpr* **1.** *(empaparse)* to get soaked. **2.** *(motor)* to stall.

calavera *f (cráneo)* skull. ◆ **calaveras** *fpl Méx* (AUTOM) rear lights.

calcar *vt* **1.** *(dibujo)* to trace. **2.** *(imitar)* to copy.

calce *m (cuña)* wedge.

calceta *f* stocking; **hacer ~** to knit.

calcetín *m* sock.

calcificarse *vpr* to calcify.

calcinar *vt (quemar)* to char.

calcio *m* calcium.

calco *m* **1.** *(reproducción)* tracing. **2.** *fig (imitación)* carbon copy.

calcomanía *f* transfer.

calculador, -ra *adj lit & fig* calculating. ◆ **calculadora** *f* calculator.

calcular *vt* **1.** *(cantidades)* to calculate. **2.** *(suponer)* to reckon.

cálculo *m* **1.** *(operación)* calculation. **2.** *(ciencia)* calculus. **3.** *(evaluación)* estimate. **4.** (MED) stone, calculus.

caldear *vt* **1.** *(calentar)* to heat (up). **2.**

fig (excitar) to warm up, to liven up.

caldera f 1. *(recipiente)* cauldron. 2. *(máquina)* boiler.

calderilla f small change.

caldo m 1. *(sopa)* broth. 2. *(caldillo)* stock. 3. *(vino)* wine.

calefacción f heating; ~ **central** central heating.

calefactor m heater.

calendario m calendar; ~ **escolar/laboral** school/working year.

calentador m *(aparato)* heater.

calentar ◊ vt *(subir la temperatura de)* to heat (up), to warm (up). ◊ vi *(entrenarse)* to warm up. ◆ **calentarse** vpr *(por calor - suj: persona)* to warm o.s., to get warm; *(- suj: cosa)* to heat up.

calentura f 1. *(fiebre)* fever, temperature. 2. *(herida)* cold sore.

calesita f CSur merry-go-round.

calibrar vt 1. *(medir)* to calibrate, to gauge. 2. *(dar calibre a - arma)* to bore. 3. *fig (juzgar)* to gauge.

calibre m 1. *(diámetro - de pistola)* calibre; *(- de alambre)* gauge; *(- de tubo)* bore. 2. *(instrumento)* gauge. 3. *fig (tamaño)* size.

calidad f 1. *(gen)* quality; **de ~ quality** *(antes de sust)*; **~ de vida** quality of life. 2. *(clase)* class. 3. *(condición)*: **en ~ de** in one's capacity as.

cálido, -da adj warm.

caliente adj 1. *(gen)* hot; *(templado)* warm; **en ~** *fig* in the heat of the moment. 2. *fig (acalorado)* heated.

calificación f 1. *(atributo)* quality. 2. (EDUC) mark.

calificar vt 1. *(denominar)*: ~ **a alguien de algo** to call sb sthg, to describe sb as sthg. 2. (EDUC) to mark. 3. (GRAM) to qualify.

caligrafía f *(arte)* calligraphy.

cáliz m (RELIG) chalice.

caliza f limestone.

callado, -da adj quiet, silent.

callar ◊ vi 1. *(no hablar)* to keep quiet, to be silent. 2. *(dejar de hablar)* to be quiet, to stop talking. ◊ vt 1. *(ocultar)* to keep quiet about; *(secreto)* to keep. 2. *(acallar)* to silence. ◆ **callarse** vpr 1. *(no hablar)* to keep quiet, to be silent. 2. *(dejar de hablar)* to be quiet, to stop talking; **¡cállate!** shut up! 3. *(ocultar)* to keep quiet about; *(secreto)* to keep.

calle f 1. *(vía de circulación)* street, road; ~ **arriba/abajo** up/down the street; ~ **de dirección única** one-way street; ~ **peatonal** pedestrian precinct. 2. (DEP) lane. 3. *loc*: **dejar a alguien en la ~** to put

sb out of a job; **echar a alguien a la ~** *(de un trabajo)* to sack sb; *(de un lugar público)* to kick o throw sb out.

callejero, -ra adj *(gen)* street *(antes de sust)*; *(perro)* stray. ◆ **callejero** m *(guía)* street map.

callejón m alley; ~ **sin salida** cul-de-sac; *fig* blind alley, impasse.

callejuela f backstreet, side street.

callo m *(dureza)* callus; *(en el pie)* corn. ◆ **callos** mpl (CULIN) tripe (U).

calma f 1. *(sin ruido o movimiento)* calm; **en ~** calm. 2. *(sosiego)* tranquility; **tómatelo con ~** take it easy. 3. *(apatía)* sluggishness, indifference.

calmante ◊ adj soothing. ◊ m 1. *(analgésico)* painkiller. 2. *(sedativo)* sedative.

calmar vt 1. *(mitigar)* to relieve. 2. *(tranquilizar)* to calm, to soothe. ◆ **calmarse** vpr to calm down; *(dolor, tempestad)* to abate.

calor m *(gen)* heat; *(tibieza)* warmth; **entrar en ~** *(gen)* to get warm; *(público, deportista)* to warm up; **hacer ~** to be warm o hot; **tener ~** to be warm o hot.

caloría f calorie.

calumnia f *(oral)* slander; *(escrita)* libel.

calumniar vt *(oralmente)* to slander; *(por escrito)* to libel.

calumnioso, -sa adj *(de palabra)* slanderous; *(por escrito)* libellous.

caluroso, -sa adj 1. *(gen)* hot; *(templado)* warm. 2. *fig (afectuoso)* warm.

calva → **calvo**.

calvario m *fig (sufrimiento)* ordeal.

calvicie f baldness.

calvo, -va adj bald. ◆ **calva** f *(en la cabeza)* bald patch.

calza f *(cuña)* wedge, block.

calzado, -da adj *(con zapatos)* shod. ◆ **calzado** m footwear. ◆ **calzada** f road (surface).

calzar vt 1. *(poner calzado)* to put on. 2. *(llevar un calzado)* to wear; **¿qué número calza?** what size do you take? 3. *(poner cuña a)* to wedge. ◆ **calzarse** vpr to put on.

calzo m *(cuña)* wedge.

calzón m *(gen pl)* desus *(pantalón)* trousers *(pl)*. ◆ **calzones** mpl Amer *(bragas)* knickers *(pl)*.

calzoncillo m *(gen pl)* underpants *(pl)*.

cama f bed; **estar en** o **guardar ~** to be confined to bed; **hacer la ~** to make the bed; ~ **individual/de matrimonio** single/double bed.

camada f litter.

camafeo m cameo.

camaleón m lit & fig chameleon.

cámara ◇ f 1. (gen & TECN) chamber; ~ **alta/baja** upper/lower house; ~ **de aire/gas** air/gas chamber. 2. (CIN, FOT & TV) camera; **a ~ lenta** lit & fig in slow motion. 3. (de balón, neumático) inner tube. 4. (habitáculo) cabin. ◇ m y f (persona) cameraman (f camerawoman).

camarada m y f (POLÍT) comrade.

camarero, -ra m y f (de restaurante) waiter (f waitress); (de hotel) steward (f chambermaid).

camarilla f clique; (POLÍT) lobby.

camarón m shrimp.

camarote m cabin.

cambiante adj changeable.

cambiar ◇ vt 1. (gen) to change; ~ **libras por pesetas** to change pounds into pesetas. 2. (canjear): ~ **algo (por)** to exchange sthg (for). ◇ vi 1. (gen) to change; ~ **de** (gen) to change; (casa) to move; ~ **de trabajo** to change jobs. 2. (AUTOM) (de marchas) to change gear. ♦ **cambiarse** vpr: ~**se (de)** (ropa) to change; (casa) to move; ~**se de vestido** to change one's dress.

cambio m 1. (gen) change. 2. (trueque) exchange; **a ~ (de)** in exchange o return (for). 3. (FIN - de acciones) price; (- de divisas) exchange rate; **'cambio'** 'bureau de change' 4. (AUTOM): ~ **de marchas** o **velocidades** gear change; ~ **de sentido** U-turn. ♦ **libre cambio** m 1. (ECON) (librecambismo) free trade. 2. (FIN) (de divisas) floating exchange rates (pl). ♦ **en cambio** loc adv 1. (por otra parte) on the other hand, however. 2. (en su lugar) instead.

camelar vt fam (seducir, engañar) to butter up, to win over.

camelia f camellia.

camello, -lla m y f (animal) camel. ♦ **camello** m fam (traficante) drug pusher o dealer.

camellón m Méx central reservation.

camerino m dressing room.

camilla ◇ f (gen) stretcher; (de psiquiatra, dentista) couch. ◇ adj → **mesa**.

caminante m y f walker.

caminar ◇ vi 1. (a pie) to walk. 2. fig (ir): ~ **(hacia)** to head (for). ◇ vt (una distancia) to travel, to cover.

caminata f long walk.

camino m 1. (sendero) path, track; (carretera) road; **abrir** ~ **a** to clear the way for; **abrirse** ~ to get on o ahead. 2. (ruta) way; **a medio** ~ halfway; **estar**

a medio ~ to be halfway there; **quedarse a medio** ~ to stop halfway through; ~ **de** on the way to; **en el** o **de** ~ on the way. 3. (viaje) journey; **ponerse en** ~ to set off. 4. fig (medio) way.

camión m 1. (de mercancías) truck Am, lorry Br; ~ **cisterna** tanker; ~ **de la mudanza** removal van. 2. CAm & Méx (autobús) bus.

camionero, -ra m y f trucker Am, lorry driver Br.

camioneta f van.

camisa f 1. (prenda) shirt. 2. loc: **meterse en** ~ **de once varas** to complicate matters unnecessarily; **mudar** o **cambiar de** ~ to change sides. ♦ **camisa de fuerza** f straitjacket.

camisería f (tienda) outfitter's.

camiseta f 1. (ropa interior) vest. 2. (de verano) T-shirt. 3. (DEP - de tirantes) vest; (- de mangas) shirt.

camisola f 1. (prenda interior) camisole. 2. Amer (DEP) sports shirt.

camisón m nightdress.

camorra f trouble; **buscar** ~ to look for trouble.

camote m Amer sweet potato.

campamento m camp.

campana f bell; ~ **extractora de humos** extractor hood.

campanada f 1. (de campana) peal. 2. (de reloj) stroke.

campanario m belfry, bell tower.

campanilla f 1. (de la puerta) (small) bell; (con mango) handbell. 2. (flor) campanula, bellflower.

campanilleo m tinkling (U).

campante adj fam: **estar** o **quedarse tan** ~ to remain quite unruffled.

campaña f (gen) campaign; **de** ~ (MIL) field (antes de sust).

campechano, -na adj fam genial, good-natured.

campeón, -ona m y f champion.

campeonato m championship; **de** ~ fig terrific, great.

campero, -ra adj country (antes de sust); (al aire libre) open-air. ♦ **campera** f 1. (bota) = cowboy boot. 2. CSur (chaqueta) jacket.

campesino, -na m y f farmer; (muy pobre) peasant.

campestre adj country (antes de sust).

camping ['kampin] (pl campings) m 1. (actividad) camping; **ir de** ~ to go camping. 2. (terreno) campsite.

campo m 1. (gen & INFORM) field; ~ **de aviación** airfield; ~ **de batalla** battlefield;

~ **de tiro** firing range; **dejar el ~ libre** *fig* to leave the field open. **2.** *(campiña)* country, countryside; **a ~ traviesa** cross country. **3.** (DEP - *de fútbol*) pitch; *(- de tenis)* court; *(- de golf)* course.

camuflaje *m* camouflage.

cana → **cano.**

Canadá: (el) ~ Canada.

canadiense *adj, m y f* Canadian.

canal *m* **1.** *(cauce artificial)* canal. **2.** (GEOGR) *(estrecho)* channel, strait. **3.** (RADIO & TV) channel. **4.** (ANAT) canal, duct. **5.** *(de agua, gas)* conduit, pipe. **6.** *fig (medio, vía)* channel.

canalizar *vt* **1.** *(territorio)* to canalize; *(agua)* to channel. **2.** *fig (orientar)* to channel.

canalla *m y f* swine, dog.

canalón *m (de tejado)* gutter; *(en la pared)* drainpipe.

canapé *m* **1.** (CULIN) canapé. **2.** *(sofá)* sofa, couch.

Canarias *fpl*: **las (islas) ~** the Canary Islands, the Canaries.

canario, -ria ◇ *adj* of the Canary Islands. ◇ *m y f (persona)* Canary Islander. ♦ **canario** *m (pájaro)* canary.

canasta *f (gen & DEP)* basket.

canastilla *f* **1.** *(cesto pequeño)* basket. **2.** *(de bebé)* layette.

canasto *m* large basket.

cancela *f* wrought-iron gate.

cancelación *f* cancellation.

cancelar *vt* **1.** *(anular)* to cancel. **2.** *(deuda)* to pay, to settle.

cáncer *m* (MED & *fig*) cancer. ♦ **Cáncer** ◇ *m (zodiaco)* Cancer. ◇ *m y f (persona)* Cancer.

cancerígeno, -na *adj* carcinogenic.

canciller *m* **1.** *(de gobierno, embajada)* chancellor. **2.** *(de asuntos exteriores)* foreign minister.

canción *f* song; ~ **de cuna** lullaby.

cancionero *m* songbook.

candado *m* padlock.

candela *f* **1.** *(vela)* candle. **2.** *(fuego)* fire.

candelabro *m* candelabra.

candelero *m* candlestick; **estar en el ~** *fig* to be in the limelight.

candidato, -ta *m y f* candidate.

candidatura *f (para un cargo)* candidacy.

candidez *f* ingenuousness.

cándido, -da *adj* ingenuous, simple.

candil *m* **1.** *(lámpara)* oil lamp. **2.** *Méx (araña)* chandelier.

candilejas *fpl* footlights.

canela *f* cinnamon.

canelón *m (gen pl)* (CULIN) cannelloni *(pl)*.

cangrejo *m* crab.

canguro ◇ *m (animal)* kangaroo. ◇ *m y f fam (persona)* babysitter; **hacer de ~** to babysit.

caníbal *m y f* cannibal.

canica *f (pieza)* marble. ♦ **canicas** *fpl (juego)* marbles.

caniche *m* poodle.

canijo, -ja *adj* sickly.

canilla *f* **1.** *(espinilla)* shinbone. **2.** *CSur (grifo)* tap.

canillita *m Amer* newspaper seller.

canino *m (diente)* canine (tooth).

canjear *vt* to exchange.

cano, -na *adj* grey. ♦ **cana** *f* grey hair.

canoa *f* canoe.

canódromo *m* greyhound track.

canon *m* **1.** *(norma)* canon. **2.** *(modelo)* ideal. **3.** *(impuesto)* tax. **4.** (MÚS) canon.

canónigo *m* canon.

canonizar *vt* to canonize.

canoso, -sa *adj* grey; *(persona)* grey-haired.

cansado, -da *adj* **1.** *(gen)* tired; ~ **de algo/de hacer algo** tired of sthg/of doing sthg. **2.** *(pesado, cargante)* tiring.

cansador, -ra *adj CSur* boring.

cansancio *m* tiredness.

cansar ◇ *vt* to tire (out). ◇ *vi* to be tiring. ♦ **cansarse** *vpr*: ~**se (de)** *lit & fig* to get tired (of).

Cantábrica → **cordillera.**

Cantábrico *m*: **el (mar) ~** the Cantabrian Sea.

cantaleta *f Amer* nagging.

cantante ◇ *adj* singing. ◇ *m y f* singer.

cantaor, -ra *m y f* flamenco singer.

cantar ◇ *vt* **1.** *(canción)* to sing. **2.** *(bingo, línea, el gordo)* to call (out). ◇ *vi* **1.** *(persona, ave)* to sing; *(gallo)* to crow; *(insecto)* to chirp. **2.** *fam fig (confesar)* to talk.

cántaro *m* large pitcher; **llover a ~s** to rain cats and dogs.

cante *m*: ~ **(jondo** ○ **hondo)** flamenco singing.

cantera *f (de piedra)* quarry.

cantero *m Amer* flowerbed.

cantidad *f* **1.** *(medida)* quantity. **2.** *(abundancia)* abundance, large number; **en ~** in abundance; ~ **de** lots of. **3.** *(número)* number. **4.** *(suma de dinero)* sum (of money).

cantimplora *f* water bottle.

cantina f (de soldados) mess; (en fábrica) canteen; (en estación de tren) buffet.

canto m 1. (acción, arte) singing. 2. (canción) song. 3. (lado, borde) edge; **de ~** edgeways. 4. (de cuchillo) blunt edge. 5. (guijarro) pebble; **~ rodado** (pequeño) pebble; (grande) boulder.

cantor, -ra m y f singer.

canturrear vt & vi fam to sing softly.

canuto m 1. (tubo) tube. 2. fam (porro) joint.

caña f 1. (BOT) cane; **~ de azúcar** sugar-cane. 2. (de cerveza) small glass of beer.
♦ **caña de pescar** f fishing rod.

cañabrava f Amer kind of cane.

cáñamo m hemp.

cañería f pipe.

caño m (de fuente) jet.

cañón m 1. (arma) gun; (HIST) cannon. 2. (de fusil) barrel; (de chimenea) flue; (de órgano) pipe. 3. (GEOGR) canyon.

caoba f mahogany.

caos m inv chaos.

caótico, -ca adj chaotic.

cap. (abrev de capítulo) ch.

capa f 1. (manto) cloak, cape; **andar de ~ caída** to be in a bad way; **de ~ y espada** cloak and dagger. 2. (baño - de barniz, pintura) coat; (- de chocolate etc) coating. 3. (estrato) layer; (GEOL) stratum; **~ de ozono** ozone layer. 4. (grupo social) stratum, class. 5. (TAUROM) cape.

capacidad f 1. (gen) capacity; **con ~ para 500 personas** with a capacity of 500. 2. (aptitud) ability; **no tener ~ para algo/para hacer algo** to be no good at sthg/at doing sthg.

capacitar vt: **~ a alguien para algo** (habilitar) to qualify sb for sthg; (formar) to train sb for sthg.

capar vt to castrate.

caparazón m lit & fig shell.

capataz m y f foreman (f forewoman).

capaz adj 1. (gen) capable; **~ de algo/de hacer algo** capable of sthg/of doing sthg. 2. (espacioso): **muy/poco ~** with a large/small capacity.

capazo m large wicker basket.

capellán m chaplain.

caperuza f (gorro) hood.

capicúa adj inv reversible.

capilla f chapel; **~ ardiente** funeral chapel.

cápita ♦ **per cápita** loc adj per capita.

capital ◇ adj 1. (importante) supreme. 2. (principal) main. ◇ m (ECON) capital.

◇ f (ciudad) capital.

capitalismo m capitalism.

capitalista adj, m y f capitalist.

capitán, -ana m y f captain.

capitanear vt (DEP & MIL) to captain.

capitel m capital.

capitular vi to capitulate, to surrender.

capítulo m 1. (sección, división) chapter. 2. fig (tema) subject.

capó, capot [ka'po] m hood Am, bonnet Br.

caporal m (MIL) = corporal.

capot = **capó**.

capota f top Am, hood Br.

capote m 1. (capa) cape with sleeves; (militar) greatcoat. 2. (TAUROM) cape.

capricho m whim, caprice; **darse un ~** to treat o.s.

caprichoso, -sa adj capricious.

Capricornio ◇ m (zodiaco) Capricorn. ◇ m y f (persona) Capricorn.

cápsula f 1. (gen & ANAT) capsule. 2. (tapón) cap.

captar vt 1. (atraer - simpatía) to win; (- interés) to gain, to capture. 2. (entender) to grasp. 3. (sintonizar) to pick up, to receive.

captura f capture.

capturar vt to capture.

capucha f hood.

capuchón m cap, top.

capullo m 1. (de flor) bud. 2. (de gusano) cocoon.

caqui, kaki adj inv (color) khaki.

cara f 1. (rostro, aspecto) face; **~ a ~** face to face; **de ~** (sol, viento) in one's face. 2. (lado) side; (GEOM) face. 3. (de moneda) heads (U); **~ o cruz** heads or tails; **echar algo a ~ o cruz** to toss (a coin) for sthg. 4. fam (osadía) cheek; **tener (mucha) ~, tener la ~ muy dura** to have a cheek. 5. loc: **de ~ a** with a view to; **echar en ~ algo a alguien** to reproach sb for sthg; **romper o partir la ~ a alguien** to smash sb's face in; **verse las ~s** (pelearse) to have it out; (enfrentarse) to fight it out.

carabina f 1. (arma) carbine, rifle. 2. fam fig (persona) chaperone.

Caracas Caracas.

caracol m 1. (animal) snail. 2. (concha) shell. 3. (rizo) curl.

caracola f conch.

carácter (pl caracteres) m character; **tener buen/mal ~** to be good-natured/bad-tempered; **una reunión de ~ privado/oficial** a private/official meeting; **ca-**

racteres de imprenta typeface (*sg*).

característico, -ca *adj* characteristic. ◆ **característica** *f* characteristic.

caracterizar *vt* 1. (*definir*) to characterize. 2. (*representar*) to portray. 3. (*maquillar*) to make up. ◆ **caracterizarse por** *vpr* to be characterized by.

caradura *fam adj* cheeky.

carajillo *m* coffee with a dash of liqueur.

caramba *interj*: ¡~! (*sorpresa*) good heavens!; (*enfado*) for heaven's sake!

carambola *f* cannon (*in billiards*). ◆ **¡carambolas!** *interj Amer*: ¡~s! good heavens!

caramelo *m* 1. (*golosina*) sweet. 2. (*azúcar fundido*) caramel.

cárate = kárate.

carátula *f* 1. (*de libro*) front cover; (*de disco*) sleeve. 2. (*máscara*) mask.

caravana *f* 1. (*gen*) caravan. 2. (*de coches*) tailback. ◆ **caravanas** *fpl CSur* (*pendientes*) earrings.

caray *interj*: ¡~! (*sorpresa*) good heavens!; (*enfado*) damn it!

carbón *m* (*para quemar*) coal.

carboncillo *m* charcoal.

carbonilla *f* (*ceniza*) cinder.

carbonizar *vt* to char, to carbonize.

carbono *m* carbon.

carburador *m* carburettor.

carburante *m* fuel.

carcajada *f* guffaw; **reír a ~s** to roar with laughter.

cárcel *f* prison.

carcelero, -ra *m y f* warder, jailer.

carcoma *f* 1. (*insecto*) woodworm. 2. (*polvo*) wood dust.

carcomer *vt lit & fig* to eat away at.

carcomido, -da *adj* (*madera*) wormeaten.

cardenal *m* 1. (RELIG) cardinal. 2. (*hematoma*) bruise.

cardiaco, -ca, **cardíaco, -ca** *adj* cardiac, heart (*antes de sust*).

cárdigan, cardigán *m* cardigan.

cardinal *adj* cardinal.

cardiólogo, -ga *m y f* cardiologist.

cardo *m* (*planta*) thistle.

carecer *vi*: ~ **de algo** to lack sthg.

carencia *f* (*ausencia*) lack; (*defecto*) deficiency.

carente *adj*: ~ **de** lacking (in).

carestía *f* (*escasez*) scarcity, shortage.

careta *f* 1. (*máscara*) mask; ~ **antigás** gas mask. 2. *fig* (*engaño*) front.

carey *m* (*material*) tortoiseshell.

carga *f* 1. (*acción*) loading. 2. (*cargamento - de avión, barco*) cargo; (*- de tren*) freight. 3. (*peso*) load. 4. *fig* (*sufrimiento*) burden. 5. (*ataque, explosivo*) charge; **volver a la ~** *fig* to persist. 6. (*de batería, condensador*) charge. 7. (*para mechero, bolígrafo*) refill. 8. (*impuesto*) tax.

cargado, -da *adj* 1. (*abarrotado*): ~ **(de)** loaded (with). 2. (*arma*) loaded. 3. (*bebida*) strong. 4. (*bochornoso - habitación*) stuffy; (*- tiempo*) sultry, close; (*- cielo*) overcast.

cargador *m* (*de arma*) chamber.

cargamento *m* cargo.

cargante *adj fam* fig annoying.

cargar ◇ *vt* 1. (*gen*) to load; (*pluma, mechero*) to refill. 2. (*peso encima*) to throw over one's shoulder. 3. (ELECTR) to charge. 4. *fig* (*responsabilidad, tarea*) to give, to lay upon. 5. (*producir pesadez - suj: humo*) to make stuffy; (*- suj: comida*) to bloat. 6. (*gravar*): ~ **un impuesto a algo/alguien** to tax sthg/sb. 7. (*importe, factura, deuda*): ~ **algo (a)** to charge sthg (to). ◇ *vi* (*atacar*): ~ **(contra)** to charge. ◆ **cargar con** *vi* 1. (*paquete etc*) to carry away. 2. *fig* (*coste, responsabilidad*) to bear; (*consecuencias*) to accept; (*culpa*) to get. ◆ **cargarse** *vpr* 1. *fam* (*romper*) to break. 2. *fam* (*matar - persona*) to bump off; (*- animal*) to kill. 3. (*por el humo*) to get stuffy.

cargo *m* 1. (*gen*, ECON & DER) charge; **correr a ~ de** to be borne by; **hacerse ~ de** (*asumir el control de*) to take charge of; (*ocuparse de*) to take care of; (*comprender*) to understand. 2. (*empleo*) post.

cargosear *vt CSur & Chile* to annoy, to pester.

Caribe *m*: **el (mar)** ~ the Caribbean (Sea).

caribeño, -ña *adj* Caribbean.

caricatura *f* caricature.

caricia *f* caress; (*a perro, gato*) stroke.

caridad *f* charity.

caries *f inv* tooth decay.

cariño *m* 1. (*afecto*) affection; **tomar ~ a** to grow fond of. 2. (*cuidado*) loving care. 3. (*apelativo*) love.

cariñoso, -sa *adj* affectionate.

carisma *m* charisma.

carismático, -ca *adj* charismatic.

Cáritas *f charitable organization run by the Catholic Church.*

caritativo, -va *adj* charitable.

cariz *m* look, appearance; **tomar mal/ buen ~** to take a turn for the worse/ better.

carmín ◊ *adj* *(color)* carmine. ◊ *m* 1. *(color)* carmine. 2. *(lápiz de labios)* lipstick.

carnada *f lit & fig* bait.

carnal *adj* 1. *(de la carne)* carnal. 2. *(parientes)* first *(antes de sust)*.

carnaval *m* carnival.

carne *f* 1. *(de persona, fruta)* flesh; **en ~ viva** raw; **ser de ~ y hueso** *fig* to be human. 2. *(alimento)* meat; **~ de cerdo** pork; **~ de cordero** lamb; **~ picada** mince; **~ de ternera** veal; **~ de vaca** beef. ◆ **carne de gallina** *f* gooseflesh.

carné *(pl* carnés*)*, **carnet** *(pl* carnets*)* *m (documento)* card; **~ de conducir** driver's license *Am*, driving licence *Br*; **~ de identidad** identity card.

carnicería *f* 1. *(tienda)* butcher's. 2. *fig (masacre)* carnage *(U)*.

carnicero, -ra *m y f lit & fig (persona)* butcher.

carnívoro, -ra *adj* carnivorous. ◆ **carnívoro** *m* carnivore.

caro, -ra *adj (precio)* expensive. ◆ **caro** *adv*: **costar ~** to be expensive; **vender ~ algo** to sell sthg at a high price; *fig* not to give sthg up easily; **pagar ~ algo** *fig* to pay dearly for sthg.

carozo *m Amer* stone *(of fruit)*.

carpa *f* 1. *(pez)* carp. 2. *(de circo)* big top; *(para fiestas etc)* marquee; *Amer (para acampar)* tent.

carpeta *f* file, folder.

carpintería *f* 1. *(arte)* carpentry; *(de puertas y ventanas)* joinery. 2. *(taller)* carpenter's/joiner's shop.

carpintero, -ra *m y f* carpenter; *(de puertas y ventanas)* joiner.

carraca *f (instrumento)* rattle.

carraspear *vi (toser)* to clear one's throat.

carraspera *f* hoarseness.

carrera *f* 1. *(acción de correr)* run, running *(U)*. 2. *(DEP & fig)* race; **~ armamentística** ○ **de armamentos** arms race; **~ de coches** motor race; **~ de obstáculos** steeplechase. 3. *(trayecto)* route. 4. *(de taxi)* ride. 5. *(estudios)* university course; **hacer la ~ de derecho** to study law (at university). 6. *(profesión)* career. 7. *(en medias)* ladder.

carreta *f* cart.

carrete *m* 1. *(de hilo)* bobbin, reel; *(de alambre)* coil. 2. *(FOT)* roll *(of film)*. 3. *(para pescar)* reel. 4. *(de máquina de escribir)* spool.

carretera *f* road; **~ de circunvalación** ring road; **~ comarcal** secondary road,

= B road *Br*; **~ de cuota** *Amer* toll road; **~ nacional** = state highway *Am*, A road *Br*.

carretilla *f* wheelbarrow.

carril *m* 1. *(de carretera)* lane; **~ bus** bus lane. 2. *(de vía de tren)* rail.

carrillo *m* cheek; **comer a dos ~s** *fig* to cram one's face with food.

carrito *m* trolley.

carro *m* 1. *(carreta)* cart; **~ de combate** (MIL) tank. 2. *Amer (coche)* car; **~ comedor** dining car. 3. *(de máquina de escribir)* carriage.

carrocería *f* body, bodywork *Br*.

carromato *m (carro)* wagon.

carroña *f* carrion.

carroza *f (coche)* carriage.

carruaje *m* carriage.

carrusel *m (tiovivo)* carousel.

carta *f* 1. *(escrito)* letter; **echar una ~** to post a letter; **~ de recomendación** reference (letter). 2. *(naipe)* playing card; **echar las ~s a alguien** to tell sb's fortune *(with cards)*. 4. *(mapa)* map; (NÁUT) chart. 5. *(documento)* charter; **~ verde** green card. 6. *loc*: **jugarse todo a una ~** to put all one's eggs in one basket. ◆ **carta blanca** *f* carte blanche. ◆ **carta de ajuste** *f* test card.

cartabón *m* set square.

cartapacio *m (carpeta)* folder.

cartearse *vpr* to correspond.

cartel *m (anuncio)* poster; **'prohibido fijar ~es'** 'billposters will be prosecuted'.

cártel *m* cartel.

cartelera *f* 1. *(tablón)* hoarding, billboard. 2. (PRENSA) entertainments page; **estar en ~** to be showing; **lleva un año en ~** it's been running for a year.

cárter *m* (AUTOM) housing.

cartera *f* 1. *(para dinero)* wallet. 2. *(para documentos)* briefcase; *(sin asa)* portfolio; *(de colegial)* satchel; *Amer (bolsa de mujer)* purse *Am*, handbag *Br*. 3. (COM, FIN & POLÍT) portfolio; *(pedidos atrasados)* backlog.

carterista *m y f* pickpocket.

cartero, -ra *m y f* postman *(f* postwoman*)*.

cartílago *m* cartilage.

cartilla *f* 1. *(documento)* book; **~ (de ahorros)** savings book. 2. *(para aprender a leer)* primer.

cartón *m* 1. *(material)* cardboard; **~ piedra** papier mâché. 2. *(de cigarrillos)* carton.

cartucho *m (de arma)* cartridge.

cartulina *f* card.

casa 56

casa f 1. (edificio) house; ~ adosada semi-detached house; ~ de campo country house; ~ unifamiliar house (usually detached) on an estate; echar ○ tirar la ~ por la ventana to spare no expense; ser de andar por ~ (sencillo) to be simple ○ basic. 2. (hogar) home; en ~ at home; ir a ~ to go home; pásate por mi ~ come round to my place. 3. (empresa) company; ~ de huéspedes guesthouse. 4. (organismo): ~ Consistorial town hall; ~ de socorro first-aid post.

casaca f frock coat.

casado, -da adj: ~ (con) married (to).

casamiento m wedding, marriage.

casar ◇ vt 1. (en matrimonio) to marry. 2. (unir) to fit together. ◇ vi to match. ◆ **casarse** vpr: ~se (con) to get married (to).

cascabel m (small) bell.

cascada f (de agua) waterfall.

cascado, -da adj 1. fam (estropeado) bust; (persona, ropa) worn-out. 2. (ronco) rasping.

cascanueces m inv nutcracker.

cascar vt 1. (romper) to crack. 2. fam (pegar) to thump. ◆ **cascarse** vpr (romperse) to crack.

cáscara f 1. (de almendra, huevo etc) shell. 2. (de limón, naranja) skin, peel.

cascarilla f husk.

cascarón m eggshell.

cascarrabias m y f inv grouch.

casco m 1. (para la cabeza) helmet; (de motorista) crash helmet. 2. (de barco) hull. 3. (de ciudad): ~ antiguo old (part of) town; ~ urbano city centre. 4. (de caballo) hoof. 5. (envase) empty bottle.

caserío m (casa de campo) country house.

casero, -ra ◇ adj 1. (de casa - comida) home-made; (- trabajos) domestic; (- reunión, velada) at home; (de la familia) family (antes de sust). 2. (hogareño) home-loving. ◇ m y f (propietario) landlord (f landlady).

caseta f 1. (casa pequeña) hut. 2. (en la playa) bathing hut. 3. (de feria) stall, booth. 4. (para perro) kennel.

casete, cassette [ka'sete] ◇ f (cinta) cassette. ◇ m (magnetófono) cassette recorder.

casi adv almost; ~ me muero I almost ○ nearly died; ~ no dormí I hardly slept at all; ~, ~ almost, just about; ~ nunca hardly ever.

casilla f 1. (de caja, armario) compartment; (para cartas) pigeonhole. 2. (en un impreso) box. 3. (de tablero) square.

◆ **casilla postal** f Amer PO Box.

casillero m 1. (mueble) set of pigeon-holes. 2. (casilla) pigeonhole.

casino m (para jugar) casino.

caso m 1. (gen, DER & GRAM) case; el ~ es que the fact is (that); en el mejor/peor de los ~s at best/worst. 2. (ocasión) occasion; en ~ de in the event of; en ~ de que if; (en) ~ de que venga should she come; en cualquier ○ todo ~ in any event ○ case. 3. loc: hacer ~ a to pay attention to; no hacer ○ venir al ~ to be irrelevant.

caspa f dandruff.

casquete m (gorro) skullcap.

casquillo m 1. (de bala) case. 2. (de lámpara) socket, lampholder.

cassette = casete.

casta f 1. (linaje) lineage. 2. (especie, calidad) breed. 3. (en la India) caste.

castaña → castaño.

castañetear vi (dientes) to chatter.

castaño, -ña adj (color) chestnut. ◆ **castaño** m 1. (color) chestnut. 2. (árbol) chestnut (tree). ◆ **castaña** f (fruto) chestnut.

castañuela f castanet.

castellano, -na adj, m y f Castilian. ◆ **castellano** m (lengua) (Castilian) Spanish.

castidad f chastity.

castigar vt 1. (imponer castigo) to punish. 2. (DEP) to penalize. 3. (maltratar) to damage.

castigo m 1. (sanción) punishment. 2. (sufrimiento) suffering (U); (daño) damage (U). 3. (DEP) penalty.

castillo m (edificio) castle.

castizo, -za adj pure; (autor) purist.

casto, -ta adj chaste.

castor m beaver.

castrar vt (animal, persona) to castrate; (gato, perro) to neuter.

castrense adj military.

casual adj chance, accidental.

casualidad f coincidence; dio la ~ de que ... it so happened that ...; por ~ by chance; ¡qué ~! what a coincidence!

casualmente adv by chance.

cataclismo m cataclysm.

catacumbas fpl catacombs.

catalán, -ana adj, m y f Catalan, Catalonian. ◆ **catalán** m (lengua) Catalan.

catalejo m telescope.

catalizador m 1. (QUÍM & fig) catalyst. 2. (AUTOM) catalytic converter.

catalogar vt 1. (en catálogo) to catalogue. **2.** *(clasificar)*: ~ **a alguien (de)** to class sb (as).

catálogo *m* catalogue.

Cataluña Catalonia.

catamarán *m* catamaran.

catapulta *f* catapult.

catar *vt* to taste.

catarata *f* **1.** *(de agua)* waterfall. **2.** *(gen pl)* (MED) cataract.

catarro *m* cold.

catastro *m* land registry.

catástrofe *f* catastrophe; *(accidente de avión, tren etc)* disaster.

catastrófico, -ca *adj* catastrophic.

catch [katʃ] *m* (DEP) all-in wrestling.

catchup ['ketʃup], **ketchup** *m inv* ketchup.

catear *vt fam* to fail.

catecismo *m* catechism.

cátedra *f* **1.** *(cargo - en universidad)* chair; *(- en instituto)* post of head of department. **2.** *(departamento)* department.

catedral *f* cathedral.

catedrático, -ca *m y f (de universidad)* professor; *(de instituto)* head of department.

categoría *f* **1.** *(gen)* category. **2.** *(posición social)* standing; **de** ~ important. **3.** *(calidad)* quality; **de (primera)** ~ first-class.

categórico, -ca *adj* categorical.

catequesis *f inv* catechesis.

cateto, -ta *despec m y f* country bumpkin.

catolicismo *m* Catholicism.

católico, -ca ◇ *adj* Catholic. ◇ *m y f* Catholic.

catorce *núm* fourteen; *ver también* **seis**.

catorceavo, -va, **catorzavo, -va** *núm* fourteenth.

catre *m (cama)* camp bed.

cauce *m* **1.** (AGR & *fig)* channel. **2.** *(de río)* river-bed.

caucho *m (sustancia)* rubber.

caudaloso, -sa *adj* **1.** *(río)* with a large flow. **2.** *(persona)* wealthy, rich.

caudillo *m (en la guerra)* leader, head.

causa *f* **1.** *(origen, ideal)* cause. **2.** *(razón)* reason; **a** ~ **de** because of. **3.** (DER) case.

causalidad *f* causality.

causante *adj*: **la razón** ~ the cause.

causar *vt (gen)* to cause; *(impresión)* to make; *(placer)* to give.

cáustico, -ca *adj lit & fig* caustic.

cautela *f*: **con** ~ cautiously.

cauteloso, -sa *adj* cautious, careful.

cautivador, -ra *adj* captivating.

cautivar *vt* **1.** *(apresar)* to capture. **2.** *(seducir)* to captivate, to enchant.

cautivo, -va *adj, m y f* captive.

cauto, -ta *adj* cautious, careful.

cava ◇ *m (bebida)* Spanish champagne-type wine. ◇ *f (bodega)* wine cellar.

cavar *vt & vi (gen)* to dig; *(con azada)* to hoe.

caverna *f* cave; *(más grande)* cavern.

cavernícola *m y f* caveman (*f* cave-woman).

caviar *(pl* **caviares)** *m* caviar.

cavidad *f* cavity; *(formada con las manos)* cup.

cavilar *vi* to think deeply, to ponder.

cayera *etc* → **caer**.

caza ◇ *f* **1.** *(acción de cazar)* hunting; **salir** ○ **ir de** ~ to go hunting. **2.** *(animales, carne)* game. ◇ *m* fighter (plane).

cazabombardero *m* fighter-bomber.

cazador, -ra *m y f (persona)* hunter. ◆ **cazadora** *f (prenda)* bomber jacket.

cazar *vt* **1.** *(animales etc)* to hunt. **2.** *fig (pillar, atrapar)* to catch; *(en matrimonio)* to trap.

cazo *m* saucepan.

cazoleta *f* **1.** *(recipiente)* pot. **2.** *(de pipa)* bowl.

cazuela *f* **1.** *(recipiente)* pot; *(de barro)* earthenware pot; *(para el horno)* casserole *(dish)*. **2.** *(guiso)* casserole, stew; **a la** ~ casseroled.

cazurro, -rra *adj (bruto)* stupid.

c/c *(abrev de* **cuenta corriente)** a/c.

CC OO *(abrev de* **Comisiones Obreras)** *fpl* Spanish communist-inspired trade union.

CD *m* **1.** *(abrev de* **club deportivo)** sports club; *(en fútbol)* FC. **2.** *(abrev de* **compact disc)** CD.

CE *f (abrev de* **Comunidad Europea)** EC.

cebada *f* barley.

cebar *vt* **1.** *(sobrealimentar)* to fatten (up). **2.** *(máquina, arma)* to prime. **3.** *(anzuelo)* to bait. ◆ **cebarse en** *vpr* to take it out on.

cebo *m* **1.** *(para cazar)* bait. **2.** *fig (para atraer)* incentive.

cebolla *f* onion.

cebolleta *f* **1.** (BOT) spring onion. **2.** *(en vinagre)* pickled onion; *(muy pequeña)* silverskin onion.

cebollino *m* **1.** (BOT) chive; *(cebolleta)* spring onion. **2.** *fam (necio)* idiot.

cebra *f* zebra.

cecear *vi* to lisp.

ceceo *m* lisp.

cecina *f* dried, salted meat.

cedazo *m* sieve.

ceder ◇ *vt* **1.** *(traspasar, transferir)* to hand over. **2.** *(conceder)* to give up. ◇ *vi* **1.** *(venirse abajo)* to give way. **2.** *(destensarse)* to give, to become loose. **3.** *(disminuir)* to abate. **4.** *(rendirse)* to give up; ~ **a** to give in to; ~ **en** to give up on.

cedro *m* cedar.

cédula *f* document; ~ **(de identidad)** *CSur* identity card.

CEE *(abrev de* **Comunidad Económica Europea)** *f* EEC.

cegar *vt* **1.** *(gen)* to blind. **2.** *(tapar - ventana)* to block off; *(- tubo)* to block up. ◆ **cegarse** *vpr lit & fig* to be blinded.

cegato, -ta *fam adj* short-sighted.

ceguera *m lit & fig* blindness.

CEI *(abrev de* **Confederación de Estados Independientes)** *f* CIS.

ceja *f* (ANAT) eyebrow; **se le metió entre ~ y ~** *fam* he got it into his head.

cejar *vi*: ~ **en** to give up on.

celda *f* cell.

celebración *f* **1.** *(festejo)* celebration. **2.** *(realización)* holding.

celebrar *vt* **1.** *(festejar)* to celebrate. **2.** *(llevar a cabo)* to hold; *(oficio religioso)* to celebrate. **3.** *(alegrarse de)* to be delighted with. **4.** *(alabar)* to praise. ◆ **celebrarse** *vpr* **1.** *(festejarse)* to be celebrated; **esa fiesta se celebra el 24 de julio** that festivity falls on 24th July. **2.** *(llevarse a cabo)* to take place.

célebre *adj* famous, celebrated.

celebridad *f* **1.** *(fama)* fame. **2.** *(persona famosa)* celebrity.

celeste *adj (del cielo)* of the sky.

celestial *adj* celestial, heavenly.

celestina *f* lovers' go-between.

celibato *m* celibacy.

célibe *adj, m y f* celibate.

celo *m* **1.** *(esmero)* zeal, keenness. **2.** *(devoción)* devotion. **3.** *(de animal)* heat; **en ~** on heat, in season. **4.** *Esp (cinta adhesiva)* Scotch® (tape) *Am*, Sellotape® *Br*. ◆ **celos** *mpl* jealousy (U); **dar ~s a alguien** to make sb jealous; **tener ~s de alguien** to be jealous of sb.

celofán *m* cellophane.

celosía *f* lattice window, jalousie.

celoso, -sa *adj* **1.** *(con celos)* jealous. **2.** *(cumplidor)* keen, eager.

celta ◇ *adj* Celtic. ◇ *m y f (persona)* Celt. ◇ *m (lengua)* Celtic.

céltico, -ca *adj* Celtic.

célula *f* cell.

celulitis *f inv* cellulitis.

celulosa *f* cellulose.

cementerio *m* **1.** *(de muertos)* cemetery, graveyard. **2.** *(de cosas inutilizables)* dump; ~ **de automóviles** ○ **coches** scrapyard.

cemento *m (gen)* cement; *(hormigón)* concrete; ~ **armado** reinforced concrete.

cena *f* dinner, evening meal; **dar una ~** to give a dinner party.

cenagal *m* bog, marsh.

cenar ◇ *vt* to have for dinner. ◇ *vi* to have dinner.

cencerro *m* cowbell; **estar como un ~** *fam fig* to be as mad as a hatter.

cenefa *f* border.

cenicero *m* ashtray.

ceniza *f* ash. ◆ **cenizas** *fpl (de cadáver)* ashes.

cenit = **zenit**.

censar *vt* to take a census of.

censo *m* **1.** *(padrón)* census; ~ **electoral** electoral roll. **2.** *(tributo)* tax.

censor, -ra *m y f (funcionario)* censor.

censura *f* **1.** *(prohibición)* censorship. **2.** *(organismo)* censors *(pl)*. **3.** *(reprobación)* censure, severe criticism.

censurar *vt* **1.** *(prohibir)* to censor. **2.** *(reprobar)* to censure.

centavo, -va *núm* hundredth; **la centava parte** a hundredth.

centella *f* **1.** *(rayo)* flash. **2.** *(chispa)* spark.

centellear *vi* to sparkle; *(estrella)* to twinkle.

centena *f* hundred; **una ~ de** a hundred.

centenar *m* hundred; **un ~ de** a hundred.

centenario, -ria *adj (persona)* in one's hundreds; *(cifra)* three-figure *(antes de sust)*. ◆ **centenario** *m* centenary; **quinto ~** five hundredth anniversary.

centeno *m* rye.

centésimo, -ma *núm* hundredth.

centígrado, -da *adj* Centigrade.

centilitro *m* centilitre.

centímetro *m* **1.** *(medida)* centimetre. **2.** *(cinta)* measuring tape.

céntimo *m (moneda)* cent.

centinela *m* sentry.

centollo *m* spider crab.

centrado, -da *adj* **1.** *(basado)*: ~ **en** based on. **2.** *(equilibrado)* stable, steady.

3. *(rueda, cuadro etc)* centred.
central ◇ *adj* central. ◇ *f* **1.** *(oficina)* headquarters, head office; *(de correos, comunicaciones)* main office; **~ telefónica** telephone exchange. **2.** *(de energía)* power station; **~ nuclear** nuclear power station.
centralista *adj, m y f* centralist.
centralita *f* switchboard.
centralización *f* centralization.
centralizar *vt* to centralize.
centrar *vt* **1.** *(gen & DEP)* to centre. **2.** *(arma)* to aim. **3.** *(persona)* to steady. **4.** *(atención, interés)* to be the centre of. ◆ **centrarse** *vpr* **1.** *(concentrarse)*: **~se en** to concentrate O focus on. **2.** *(equilibrarse)* to find one's feet.
céntrico, -ca *adj* central.
centrifugadora *f (para secar ropa)* spin-dryer.
centrifugar *vt (ropa)* to spin-dry.
centro *m* **1.** *(gen)* centre; **ser de ~** (POLÍT) to be at the centre of the political spectrum; **~ de cálculo** computer centre; **~ de planificación familiar** family planning clinic; **~ social** community centre. **2.** *(de ciudad)* town centre; **me voy al ~** I'm going to town. ◆ **centro comercial** *m* shopping centre. ◆ **centro de mesa** *m* centrepiece.
centrocampista *m y f* (DEP) midfielder.
ceñir *vt* **1.** *(apretar)* to be tight on. **2.** *(abrazar)* to embrace. ◆ **ceñirse** *vpr* **1.** *(apretarse)* to tighten. **2.** *(limitarse)*: **~se a** to keep O stick to.
ceño *m* frown, scowl; **fruncir el ~** to frown, to knit one's brow.
CEOE *(abrev de* **Confederación Española de Organizaciones Empresariales)** *f Spanish employers' organization,* ≃ CBI *Br.*
cepa *f* lit & fig stock.
cepillar *vt* **1.** *(gen)* to brush. **2.** *(madera)* to plane.
cepillo *m* **1.** *(para limpiar)* brush; **~ de dientes** toothbrush. **2.** *(de carpintero)* plane.
cepo *m* **1.** *(para cazar)* trap. **2.** *(para vehículos)* wheel clamp. **3.** *(para sujetar)* clamp.
cera *f (gen)* wax; *(de abeja)* beeswax; **~ depilatoria** hair-removing wax.
cerámica *f* **1.** *(arte)* ceramics (U), pottery. **2.** *(objeto)* piece of pottery.
ceramista *m y f* potter.
cerca ◇ *f (valla)* fence. ◇ *adv* near, close; **por aquí ~** nearby; **de ~** *(examinar etc)* closely; *(afectar, vivir)* deeply.

◆ **cerca de** *loc prep* **1.** *(en el espacio)* near, close to. **2.** *(aproximadamente)* nearly, about.
cercado *m* **1.** *(valla)* fence. **2.** *(lugar)* enclosure.
cercanía *f (cualidad)* nearness. ◆ **cercanías** *fpl (lugar)* outskirts, suburbs.
cercano, -na *adj* **1.** *(pueblo, lugar)* nearby. **2.** *(tiempo)* near. **3.** *(pariente, fuente de información)*: **~ (a)** close (to).
cercar *vt* **1.** *(vallar)* to fence (off). **2.** *(rodear, acorralar)* to surround.
cerciorar *vt* to assure; **~se (de)** to make sure (of).
cerco *m* **1.** *(gen)* circle, ring. **2.** *(de puerta, ventana)* frame. **3.** *(asedio)* siege.
cerdo, -da *m y f* **1.** *(animal)* pig (f sow). **2.** *fam fig (persona)* pig, swine. ◆ **cerda** *f (pelo - de cerdo, jabalí)* bristle; *(- de caballo)* horsehair.
cereal *m* cereal; **~es** (breakfast) cereal (U).
cerebro *m* **1.** *(gen)* brain. **2.** *fig (cabecilla)* brains *(sg)*. **3.** *fig (inteligencia)* brains *(pl)*.
ceremonia *f* ceremony.
ceremonial *adj & m* ceremonial.
ceremonioso, -sa *adj* ceremonious.
cereza *f* cherry.
cerezo *m (árbol)* cherry tree.
cerilla *f* match.
cerillo *m Méx* match.
cerner, cernir *vt (cribar)* to sieve. ◆ **cernerse** *vpr* **1.** *(ave, avión)* to hover. **2.** *fig (amenaza, peligro)* to loom.
cernícalo *m (ave)* kestrel.
cernir = **cerner**.
cero ◇ *adj inv* zero. ◇ *m* **1.** *(signo)* nought, zero; *(en fútbol)* nil; *(en tenis)* love. **2.** *(cantidad)* nothing. **3.** (FÍS & METEOR) zero; **sobre/bajo ~** above/below zero. **4.** *loc*: **ser un ~ a la izquierda** *fam (un inútil)* to be useless; *(un don nadie)* to be a nobody; **partir de ~** to start from scratch; *ver también* **seis**.
cerrado, -da *adj* **1.** *(al exterior)* closed, shut; *(con llave, pestillo etc)* locked. **2.** *(tiempo, cielo)* overcast; *(noche)* dark. **3.** *(rodeado)* surrounded; *(por montañas)* walled in. **4.** *(circuito)* closed. **5.** *(curva)* sharp, tight. **6.** *(vocal)* close. **7.** *(acento, deje)* broad, thick.
cerradura *f* lock.
cerrajero, -ra *m y f* locksmith.
cerrar ◇ *vt* **1.** *(gen)* to close; *(puerta, cajón, boca)* to shut, to close; *(puños)* to clench; *(con llave, pestillo etc)* to lock. **2.** *(tienda, negocio - definitivamente)* to close down. **3.** *(apagar)* to turn off.

4. *(bloquear - suj: accidente, inundación etc)* to block; *(- suj: policía etc)* to close off. 5. *(tapar - agujero, hueco)* to fill, to block (up); *(- bote)* to put the lid o top on. 6. *(cercar)* to fence (off). 7. *(cicatrizar)* to heal. 8. *(ir último en)* to bring up the rear of. ◇ *vi* to close, to shut; *(con llave, pestillo etc)* to lock up. ◆ **cerrarse** *vpr* 1. *(al exterior)* to close, to shut. 2. *(incomunicarse)* to clam up; **~se a** to close one's mind to. 3. *(herida)* to heal, to close up. 4. *(acto, debate, discusión etc)* to (come to a) close.

cerro *m* hill.

cerrojo *m* bolt; **echar el ~** to bolt the door.

certamen *m* competition, contest.

certero, -ra *adj* 1. *(tiro)* accurate. 2. *(opinión, respuesta etc)* correct.

certeza *f* certainty.

certidumbre *f* certainty.

certificado, -da *adj (gen)* certified; *(carta, paquete)* registered. ◆ **certificado** *m* certificate; **~ médico** medical certificate.

certificar *vt* 1. *(constatar)* to certify. 2. *(en correos)* to register.

cerumen *m* earwax.

cervato *m* fawn.

cervecería *f* 1. *(fábrica)* brewery. 2. *(bar)* bar.

cerveza *f* beer; **~ de barril** draught beer; **~ negra** stout; **~ rubia** lager.

cesante *adj* 1. *(destituido)* sacked; *(ministro)* removed from office. 2. *Chile (parado)* unemployed.

cesantear *vt Chile* to make redundant.

cesar ◇ *vt (destituir)* to sack; *(ministro)* to remove from office. ◇ *vi (parar):* **~ (de hacer algo)** to stop o cease (doing sthg); **sin ~** non-stop, incessantly.

cesárea *f* caesarean (section).

cese *m* 1. *(detención, paro)* stopping, ceasing. 2. *(destitución)* sacking; *(de ministro)* removal from office.

cesión *f* cession, transfer.

césped *m (hierba)* lawn, grass *(U)*.

cesta *f* basket. ◆ **cesta de la compra** *f fig* cost of living.

cesto *m (cesta)* (large) basket.

cetro *m* 1. *(vara)* sceptre. 2. *fig (reinado)* reign.

cf., cfr. *(abrev de* **confróntese)** cf.

cg *(abrev de* **centigramo)** cg.

ch, Ch *f* ch, Ch.

ch/ *abrev de* **cheque.**

chabacano, -na *adj* vulgar. ◆ **chabacano** *m Méx* apricot.

chabola *f Esp* shack; **barrios de ~s** shanty town *(sg)*.

chacal *m* jackal.

chacarero, -ra *m y f Andes & CSur* farmer.

chacha *f* maid.

chachachá *m* cha-cha.

cháchara *f fam* chatter, nattering; **estar de ~** to have a natter.

chachi *adj inv Esp fam* cool, neat *Am*.

chacra *f Amer* farm.

chafar *vt* 1. *(aplastar)* to flatten. 2. *fig (estropear)* to spoil, to ruin. ◆ **chafarse** *vpr (estropearse)* to be ruined.

chaflán *m (de edificio)* corner.

chal *m* shawl.

chalado, -da *fam adj* crazy, mad.

chalar *vt* to drive round the bend.

chalé *(pl* chalés**), chalet** *(pl* chalets**)** *m (gen)* detached house (with garden); *(en el campo)* cottage; *(de alta montaña)* chalet.

chaleco *m* waistcoat, vest *Am*; *(de punto)* tank-top; **~ salvavidas** life jacket.

chalet = **chalé.**

chamaco, -ca *m y f Méx fam* nipper, lad *(f* lass).

chamarra *f* sheepskin jacket.

chamiza *f (hierba)* thatch.

chamizo *m* 1. *(leña)* half-burnt wood *(U)*. 2. *(casa)* thatched hut.

champán, champaña *m* champagne.

champiñón *m* mushroom.

champú *(pl* champús o **champúes)** *m* shampoo.

chamuscar *vt* to scorch; *(cabello, barba, tela)* to singe. ◆ **chamuscarse** *vpr (cabello, barba, tela)* to get singed.

chamusquina *f* scorch, scorching *(U)*; **me huele a ~** *fam fig* it smells a bit fishy to me.

chance *f Amer* opportunity.

chanchada *f Amer* dirty trick.

chancho *m Amer* pig.

chanchullo *m fam* fiddle, racket.

chancla *f (chancleta)* low sandal; *(para la playa)* flip-flop.

chancleta *f* low sandal; *(para la playa)* flip-flop.

chándal *(pl* chandals**), chandal** *(pl* chandals**)** *m* tracksuit.

changarro *m Méx* small shop.

chango *m Méx* monkey.

chanquete *m* tiny transparent fish eaten in Málaga.

chantaje *m* blackmail; **hacer ~ a** to blackmail.

chantajear *vt* to blackmail.

chanza *f* joke.

chao *interj fam*: ¡~! bye!, see you!

chapa *f* 1. (*lámina - de metal*) sheet; (*- de madera*) board; **de tres ~s** three-ply. 2. (*tapón*) top, cap. 3. (*insignia*) badge. 4. (*ficha de guardarropa*) metal token o disc. 5. *Amer* (*cerradura*) lock. ◆ **chapas** *fpl* (*juego*) *children's game played with bottle tops.*

chapado, -da *adj* (*con metal*) plated; (*con madera*) veneered; **~ a la antigua** *fig* stuck in the past, old-fashioned.

chaparrón *m* downpour; *fam fig* (*gran cantidad*) torrent.

chapopote *m Carib & Méx* bitumen, pitch.

chapotear *vi* to splash about.

chapucear *vt* to botch (up).

chapucero, -ra ◇ *adj* (*trabajo*) shoddy; (*persona*) bungling. ◇ *m y f* bungler.

chapulín *m CAm & Méx* grasshopper.

chapurrear, chapurrar *vt* to speak badly.

chapuza *f* 1. (*trabajo mal hecho*) botch (job). 2. (*trabajo ocasional*) odd job.

chapuzón *m* dip; **darse un ~** to go for a dip.

chaqué (*pl* **chaqués**) *m* morning coat.

chaqueta *f* jacket; (*de punto*) cardigan.

chaquetón *m* long jacket.

charanga *f* (*banda*) brass band.

charca *f* pool, pond.

charco *m* puddle.

charcutería *f* 1. (*tienda*) shop selling cold cooked meats and cheeses, ≃ delicatessen. 2. (*productos*) cold cuts (*pl*) and cheese.

charla *f* 1. (*conversación*) chat. 2. (*conferencia*) talk.

charlar *vi* to chat.

charlatán, -ana ◇ *adj* talkative. ◇ *m y f* 1. (*hablador*) chatterbox. 2. (*mentiroso*) trickster, charlatan.

charlotear *vi* to chat.

charnego, -ga *m y f pejorative term referring to immigrant to Catalonia from another part of Spain.*

charol *m* (*piel*) patent leather.

charola *f Andes* tray.

chárter *adj inv* charter (*antes de sust*).

chasca *f Andes* mop of hair.

chascar ◇ *vt* 1. (*lengua*) to click. 2. (*dedos*) to snap. ◇ *vi* 1. (*madera*) to crack. 2. (*lengua*) to click.

chasco *m* (*decepción*) disappointment;

llevarse un ~ to be disappointed.

chasis *m inv* (AUTOM) chassis.

chasquear ◇ *vt* 1. (*látigo*) to crack. 2. (*la lengua*) to click. ◇ *vi* (*madera*) to crack.

chasquido *m* (*de látigo, madera, hueso*) crack; (*de lengua, arma*) click; (*de dedos*) snap.

chatarra *f* 1. (*metal*) scrap (metal). 2. (*objetos, piezas*) junk.

chateo *m Esp* pub crawl; **ir de ~** to go out drinking.

chato, -ta ◇ *adj* 1. (*nariz*) snub; (*persona*) snub-nosed. 2. (*aplanado*) flat. ◇ *m y f fam* (*apelativo*) love. ◆ **chato** *m* (*de vino*) small glass of wine.

chau, chaucito *interj Andes & CSur fam*: ¡~! see you later!

chaucha *f CSur* green o French bean.

chauvinista = **chovinista**.

chaval, -la *m y f Esp fam* kid, lad (*f* lass).

chavo, -va *m y f Méx fam* guy (*f* girl). ◆ **chavo** *m fam* (*dinero*): **no tener un ~** to be penniless.

checo, -ca *adj, m y f* Czech. ◆ **checo** *m* (*lengua*) Czech.

che, ché *interj*: ¡~! hey!

chef [ʃef] (*pl* **chefs**) *m* chef.

chelín, schilling [ˈʃilin] *m* shilling.

cheque *m* check *Am*, cheque *Br*; **extender un ~** to make out a check; **~ cruzado** o **barrado** crossed check; **~ (de) gasolina** petrol voucher; **~ nominativo** check in favour of a specific person; **~ al portador** check payable to the bearer; **~ de viaje** traveler's check.

chequear *vt* 1. (MED): **~ a alguien** to examine sb, to give sb a checkup. 2. (*comprobar*) to check.

chequeo *m* 1. (MED) checkup. 2. (*comprobación*) check, checking (*U*).

chequera *f* checkbook *Am*, chequebook *Br*.

chévere *adj Andes & Carib fam* great, fantastic.

chic *adj inv* chic.

chica *f* 1. (*joven*) girl. 2. (*tratamiento*) darling. 3. (*criada*) maid.

chicano, -na *adj, m y f* Chicano, Mexican-American. ◆ **chicano** *m* (*lengua*) Chicano.

chicarrón, -ona *m y f* strapping lad (*f* strapping lass).

chícharo *m CAm & Méx* pea.

chicharra *f* (ZOOL) cicada.

chicharro *m* (*pez*) horse mackerel.

chicharrón *m* (*frito*) pork crackling.

♦ **chicharrones** *mpl (embutido) cold processed meat made from pork.*

chichón *m* bump.

chicle *m* chewing gum.

chiclé, chicler *m* (AUTOM) jet.

chico, -ca *adj (pequeño)* small. ♦ **chico** *m* 1. *(joven)* boy. 2. *(tratamiento)* sonny, mate. 3. *(recadero)* messenger, office-boy.

chicote *m Amer* whip.

chifla *f (silbido)* whistle.

chiflado, -da *fam adj* crazy, mad.

chiflar ◇ *vt fam (encantar):* **me chiflan las papas fritas** I'm mad about chips. ◇ *vi (silbar)* to whistle.

chiflido *m Amer* whistling.

chile *m* chilli.

Chile Chile.

chileno, -na *adj, m y f* Chilean.

chillar ◇ *vi* 1. *(gritar - personas)* to scream, to yell; *(- aves, monos)* to screech; *(- cerdo)* to squeal; *(- ratón)* to squeak. 2. *(chirriar)* to screech; *(puerta, madera)* to creak; *(bisagras)* to squeak. ◇ *vt fam (reñir)* to yell at.

chillido *m (de persona)* scream, yell; *(de ave, mono)* screech; *(de cerdo)* squeal; *(de ratón)* squeak.

chillón, -ona *adj* 1. *(voz)* piercing. 2. *(persona)* noisy. 3. *(color)* gaudy.

chilpayate, -ta *m y f Méx* kid.

chimenea *f* 1. *(hogar)* fireplace. 2. *(tubo)* chimney.

chimpancé *m* chimpanzee.

china → **chino**.

China: (la) ~ China.

chinchar *vt fam* to pester, to bug. ♦ **chincharse** *vpr fam:* **ahora te chinchas** now you can lump it.

chinche ◇ *adj fam fig* annoying. ◇ *f* 1. *(insecto)* bedbug. 2. *Amer (tachuela)* thumbtack *Am*, drawing pin *Br*.

chincheta *f Esp* thumbtack *Am*, drawing pin *Br*.

chinchín *m (brindis)* toast; ¡~! cheers!

chinchón *m strong aniseed liquor.*

chingar ◇ *vt* 1. *fam (molestar)* to cheese off. 2. *mfam (estropear)* to bugger up. 3. *mfam vulg (fornicar con)* to fuck. ◇ *vi vulg (fornicar)* to screw. ♦ **chingarse** *vpr mfam (beberse)* to knock back.

chino, -na *adj, m y f* Chinese. ♦ **chino** *m (lengua)* Chinese. ♦ **china** *f (piedra)* pebble.

chip *(pl chips) m* (INFORM) chip.

chipirón *m* baby squid.

Chipre Cyprus.

chiquillo, -lla *m y f* kid.

chiquito, -ta *adj* tiny. ♦ **chiquito** *m (de vino)* small glass of wine.

chiribita *f (chispa)* spark.

chirimoya *f* custard apple.

chiringuito *m fam (bar)* refreshment stall.

chiripa *f fam fig* fluke; **de** ○ **por ~** by luck.

chirivía *f* (BOT) parsnip.

chirla *f* small clam.

chirriar *vi (gen)* to screech; *(puerta, madera)* to creak; *(bisagra, muelles)* to squeak.

chirrido *m (gen)* screech; *(de puerta, madera)* creak; *(de bisagra, muelles)* squeak.

chis = **chist**.

chisme *m* 1. *(cotilleo)* rumour, piece of gossip. 2. *fam (cosa)* thingamajig.

chismorrear *vi* to spread rumours, to gossip.

chismoso, -sa ◇ *adj* gossipy. ◇ *m y f* gossip, scandalmonger.

chispa *f* 1. *(de fuego, electricidad)* spark; **echar ~s** *fam* to be hopping mad. 2. *(de lluvia)* spot (of rain). 3. *fig (pizca)* bit. 4. *fig (agudeza)* sparkle.

chispear ◇ *vi* 1. *(chisporrotear)* to spark. 2. *(relucir)* to sparkle. ◇ *v impers (llover)* to spit (with rain).

chisporrotear *vi (fuego, leña)* to crackle; *(aceite)* to splutter; *(comida)* to sizzle.

chist, chis *interj:* ¡~! ssh!

chistar *vi:* **me fui sin ~** I left without a word.

chiste *m* joke; **contar ~s** to tell jokes; **~ verde** dirty joke.

chistera *f (sombrero)* top hat.

chistorra *f type of cured pork sausage typical of Aragon and Navarre.*

chistoso, -sa *adj* funny.

chitón *interj:* ¡~! quiet!

chivar *vt Esp fam* to tell secretly. ♦ **chivarse** *vpr Esp fam:* **~se (de/a)** *(niños)* to split (on/to); *(delincuentes)* to grass (on/to).

chivato, -ta *m y f fam (delator)* grass, informer; *(acusica)* telltale.

chivo, -va *m y f* kid, young goat; **ser el ~ expiatorio** *fig* to be the scapegoat.

choc *(pl* **chocs**), **choque, shock** [tʃok] *m* shock.

chocante *adj* startling.

chocar ◇ *vi* 1. *(colisionar):* **~ (contra)** to crash (into), to collide (with). 2. *fig (enfrentarse)* to clash. ◇ *vt fig (sorprender)* to startle.

chochear *vi (viejo)* to be senile.

chocho, -cha *adj* 1. *(viejo)* senile. 2. *fam fig (encariñado)* soft, doting.

choclo *m Andes & CSur* corn *Am*, maize *Br*.

chocolate *m (para comer, beber)* chocolate; ~ **(a la taza)** thick drinking chocolate; ~ **blanco** white chocolate; ~ **con leche** milk chocolate.

chocolatina *f* chocolate bar.

chófer *(pl chóferes) m y f* chauffeur.

chollo *m fam (producto, compra)* bargain; *(trabajo, situación)* cushy number.

chomba, chompa *f Andes & CSur* jumper.

chongo *m Méx (moño)* bun.

chopo *m* poplar.

choque *m* 1. *(impacto)* impact; *(de coche, avión etc)* crash. 2. *fig (enfrentamiento)* clash. 3. = **choc**.

chorizar *vt fam* to nick, to pinch.

chorizo *m* 1. *(embutido)* highly seasoned pork sausage. 2. *fam (ladrón)* thief.

choro *m Chile* mussel.

chorrada *f mfam* rubbish (U); **decir ~s** to talk rubbish.

chorrear *vi* 1. *(gotear - gota a gota)* to drip; *(- en un hilo)* to trickle. 2. *(brotar)* to spurt (out), to gush (out).

chorro *m* 1. *(de líquido - borbotón)* jet, spurt; *(- hilo)* trickle; **salir a ~s** to spurt o gush out. 2. *fig (de luz, gente etc)* stream; **tiene un ~ de dinero** she has loads of money.

choteo *m fam* joking, kidding; **tomar algo a ~** to take sth as a joke.

choto, -ta *m y f* 1. *(cabrito)* kid, young goat. 2. *(ternero)* calf.

chovinista, chauvinista [tʃoβi'nista] ◇ *adj* chauvinistic. ◇ *m y f* chauvinist.

choza *f* hut.

christmas = **crismas**.

chubasco *m* shower.

chubasquero *m* raincoat, mac.

chúcaro, -ra *adj Amer fam* wild.

chuchería *f* 1. *(golosina)* sweet. 2. *(objeto)* trinket.

chucho *m fam* mutt, dog.

chufa *f (tubérculo)* tiger nut.

chulear *fam vi (fanfarronear)*: ~ **(de)** to be cocky (about).

chuleta *f* 1. *(de carne)* chop. 2. *(en exámenes)* crib note.

chulo, -la ◇ *adj* 1. *(descarado)* cocky; **ponerse ~** to get cocky. 2. *fam (bonito)* lovely. ◇ *m y f (descarado)* cocky person. ◆ **chulo** *m Esp (proxeneta)* pimp.

chumbera *f* prickly pear.

chumbo → **higo**.

chupa *f fam* coat.

chupachup® *(pl chupachups) m* lollipop.

chupado, -da *adj* 1. *(delgado)* skinny. 2. *fam (fácil)*: **estar ~** to be dead easy o a piece of cake. ◆ **chupada** *f (gen)* suck; *(fumando)* puff, drag.

chupar *vt* 1. *(succionar)* to suck; *(fumando)* to puff at. 2. *(absorber)* to soak up. 3. *(quitar)*: ~**le algo a alguien** to milk sb for sth.

chupe *m Andes* stew.

chupete *m* pacifier *Am*, dummy *Br*.

chupón, -ona *m y f fam (gorrón)* sponger, cadger. ◆ **chupón** *m Méx (chupete)* pacifier *Am*, dummy *Br*.

churrería *f* shop selling 'churros'.

churro *m (para comer)* dough formed into sticks or rings and fried in oil.

churumbel *m Esp fam* kid.

chusco, -ca *adj* funny. ◆ **chusco** *m fam* crust of stale bread.

chusma *f* rabble, mob.

chut *(pl chuts) m* kick.

chutar *vi (lanzar)* to shoot. ◆ **chutarse** *vpr mfam* to shoot up.

chute *m mfam* fix.

CIA *(abrev de* **Central Intelligence Agency)** *f* CIA.

cía., Cía. *(abrev de* compañía*)* Co.

cianuro *m* cyanide.

ciática *f* sciatica.

cibercafé *m* cybercafe.

ciberespacio *m* cyberspace.

cicatero, -ra *adj* stingy, mean.

cicatriz *f lit & fig* scar.

cicatrizar ◇ *vi* to heal (up). ◇ *vt fig* to heal.

cicerone *m y f* guide.

cíclico, -ca *adj* cyclical.

ciclismo *m* cycling.

ciclista *m y f* cyclist.

ciclo *m* 1. *(gen)* cycle. 2. *(de conferencias, actos)* series.

ciclocrós *m* cyclo-cross.

ciclomotor *m* moped.

ciclón *m* cyclone.

ciego, -ga ◇ *adj* 1. *(gen)* blind; **a ciegas** *lit & fig* blindly. 2. *fig (enloquecido)*: ~ **(de)** blinded (by). 3. *(pozo, tubería)* blocked (up). ◇ *m y f (invidente)* blind person; **los ~s** the blind.

cielo *m* 1. *(gen)* sky. 2. (RELIG) heaven. 3. *(nombre cariñoso)* my love, my dear. 4. *loc*: **como llovido del ~** *(inesperadamente)* out of the blue; *(oportunamente)* at just the right moment; **ser un ~** to be an angel. ◆ **¡cielos!** *interj*: **¡~s!** good heavens!

ciempiés *m inv* centipede.

cien = **ciento**.

ciénaga *f* marsh, bog.

ciencia *f* (*gen*) science. ◆ **ciencias** *fpl* (EDUC) science (U). ◆ **ciencia ficción** *f* science fiction. ◆ **a ciencia cierta** *loc adv* for certain.

cieno *m* mud, sludge.

científico, -ca ◇ *adj* scientific. ◇ *m y f* scientist.

ciento, cien *núm* a ○ one hundred; **~ cincuenta** a ○ one hundred and fifty; **cien mil** a ○ one hundred thousand; **~s de** hundreds of; **por ~** per cent; **~ por ~, cien por cien** a hundred per cent.

cierne ◆ **en ciernes** *loc adv*: **estar en ~s** to be in its infancy.

cierre *m* 1. (*gen*) closing, shutting; (*de fábrica*) shutdown; (RADIO & TV) close-down; **~ patronal** lockout. 2. (*mecanismo*) fastener; **~ metálico** (*de tienda etc*) metal shutter; **~ (relámpago)** *Amer* zipper *Am*, zip *Br*.

cierto, -ta *adj* 1. (*verdadero*) true; **estar en lo ~** to be right; **lo ~ es que ...** the fact is that ... 2. (*seguro*) certain, definite. 3. (*algún*) certain; **~ hombre** a certain man; **en cierta ocasión** once, on one occasion. ◆ **cierto** *adv* right, certainly. ◆ **por cierto** *loc adv* by the way.

ciervo, -va *m y f* deer, stag (*f* hind).

CIF (*abrev de* **código de identificación fiscal**) *m* tax code.

cifra *f* (*gen*) figure.

cifrar *vt* 1. (*codificar*) to code. 2. *fig* (*centrar*) to concentrate, to centre. ◆ **cifrarse en** *vpr* to amount to.

cigala *f* Dublin Bay prawn.

cigarra *f* cicada.

cigarrillo *m* cigarette.

cigarro *m* 1. (*habano*) cigar. 2. (*cigarrillo*) cigarette.

cigüeña *f* stork.

cilindrada *f* cylinder capacity.

cilíndrico, -ca *adj* cylindrical.

cilindro *m* (*gen*) cylinder; (*de imprenta*) roller.

cima *f* 1. (*punta - de montaña*) peak, summit; (*- de árbol*) top. 2. *fig* (*apogeo*) peak, high point.

cimentar *vt* 1. (*edificio*) to lay the foundations of; (*ciudad*) to found, to build. 2. *fig* (*idea, paz, fama*) to cement.

cimiento *m* (*gen pl*) (CONSTR) foundation; **echar los ~s** *lit & fig* to lay the foundations.

cinc, zinc *m* zinc.

cincel *m* chisel.

cincelar *vt* to chisel.

cincha *f* girth.

cinco *núm* five; **¡choca esos ~!** *fig* put it there!; *ver también* **seis**.

cincuenta *núm* fifty; **los (años) ~** the fifties; *ver también* **seis**.

cine *m* cinema; **hacer ~** to make films.

cineasta *m y f* film maker ○ director.

cineclub *m* 1. (*asociación*) film society. 2. (*sala*) club cinema.

cinéfilo, -la *m y f* film buff.

cinematografía *f* cinematography.

cinematográfico, -ca *adj* film (*antes de sust*).

cinematógrafo *m* (*local*) cinema.

cínico, -ca ◇ *adj* cynical. ◇ *m y f* cynic.

cinismo *m* cynicism.

cinta *f* 1. (*tira - de plástico, papel*) strip, band; (*- de tela*) ribbon; **~ adhesiva** ○ **autoadhesiva** adhesive ○ sticky tape; **~ métrica** tape measure. 2. (*de imagen, sonido, ordenador*) tape; **~ magnetofónica** recording tape; **~ de vídeo** videotape. 3. (*mecanismo*) belt; **~ transportadora** conveyor belt. 4. (*película*) film.

cintura *f* waist.

cinturilla *f* waistband.

cinturón *m* 1. (*cinto*) belt. 2. (AUTOM) ring road. 3. (*cordón*) cordon. ◆ **cinturón de seguridad** *m* seat ○ safety belt.

ciprés *m* cypress.

circo *m* (*gen*) circus.

circuito *m* 1. (DEP & ELECTRÓN) circuit. 2. (*viaje*) tour.

circulación *f* 1. (*gen*) circulation. 2. (*tráfico*) traffic.

circular ◇ *adj* & *f* circular. ◇ *vi* 1. (*pasar*): **~ (por)** (*líquido*) to flow ○ circulate (through); (*persona*) to move ○ walk (around); (*vehículos*) to drive (along); (*de mano en mano*) to circulate; (*moneda*) to be in circulation. 3. (*difundirse*) to go round.

círculo *m* *lit* & *fig* circle. ◆ **círculos** *mpl* (*medios*) circles. ◆ **círculo polar** *m* polar circle; **el ~ polar ártico/antártico** the Arctic/Antarctic Circle. ◆ **círculo vicioso** *m* vicious circle.

circuncisión *f* circumcision.

circundar *vt* to surround.

circunferencia *f* circumference.

circunloquio *m* circumlocution.

circunscribir *vt* 1. (*limitar*) to restrict,

to confine. **2.** (GEOM) to circumscribe. ◆ **circunscribirse a** *vpr* to confine o.s. to.

circunscripción *f* (*distrito*) district; (MIL) division; (POLÍT) constituency.

circunscrito, -ta ◇ *pp* → **circunscribir.** ◇ *adj* restricted, limited.

circunstancia *f* circumstance; **en estas ~s** under the circumstances; **~ atenuante/agravante/eximente** (DER) extenuating/aggravating/exonerating circumstance.

circunstancial *adj* (*accidental*) chance (*antes de sust*).

circunvalar *vt* to go round.

cirio *m* (wax) candle; **montar un ~** to make a row.

cirrosis *f inv* cirrhosis.

ciruela *f* plum; **~ pasa** prune.

cirugía *f* surgery; **~ estética** O **plástica** cosmetic O plastic surgery.

cirujano, -na *m y f* surgeon.

cisma *m* **1.** (*separación*) schism. **2.** (*discordia*) split.

cisne *m* swan.

cisterna *f* (*de retrete*) cistern.

cistitis *f inv* cystitis.

cita *f* **1.** (*entrevista*) appointment; (*de novios*) date; **darse ~** to meet; **tener una ~** to have an appointment. **2.** (*referencia*) quotation.

citación *f* (DER) summons (*sg*).

citar *vt* **1.** (*convocar*) to make an appointment with. **2.** (*aludir*) to mention; (*textualmente*) to quote. **3.** (DER) to summons. ◆ **citarse** *vpr*: **~se (con alguien)** to arrange to meet (sb).

citología *f* **1.** (*análisis ginecológico*) smear test. **2.** (BIOL) cytology.

cítrico, -ca *adj* citric. ◆ **cítricos** *mpl* citrus fruits.

CiU (*abrev de* **Convergència i Unió**) *f* Catalan coalition party to the centre-right of the political spectrum.

ciudad *f* (*localidad*) city; (*pequeña*) town.

ciudadanía *f* **1.** (*nacionalidad*) citizenship. **2.** (*población*) citizens (*pl*).

ciudadano, -na *m y f* citizen.

Ciudad de México Mexico City.

cívico, -ca *adj* civic; (*conducta*) public-spirited.

civil ◇ *adj lit & fig* civil. ◇ *m* (*no militar*) civilian.

civilización *f* civilization.

civilizado, -da *adj* civilized.

civilizar *vt* to civilize.

civismo *m* **1.** (*urbanidad*) community spirit. **2.** (*cortesía*) civility, politeness.

cl (*abrev de* **centilitro**) cl.

clamar ◇ *vt* **1.** (*expresar*) to exclaim. **2.** (*exigir*) to cry out for. ◇ *vi* **1.** (*implorar*) to appeal. **2.** (*protestar*) to cry out.

clamor *m* clamour.

clamoroso, -sa *adj* **1.** (*rotundo*) resounding. **2.** (*vociferante*) loud, clamorous.

clan *m* **1.** (*tribu, familia*) clan. **2.** (*banda*) faction.

clandestino, -na *adj* clandestine; (POLÍT) underground.

claqué *m* tap dancing.

claqueta *f* clapperboard.

clara → **claro.**

claraboya *f* skylight.

clarear *v impers* **1.** (*amanecer*): **empezaba a ~** dawn was breaking. **2.** (*despejarse*) to clear up. ◆ **clarearse** *vpr* (*transparentarse*) to be see-through.

claridad *f* **1.** (*transparencia*) clearness, clarity. **2.** (*luz*) light. **3.** (*franqueza*) candidness. **4.** (*lucidez*) clarity.

clarificar *vt* **1.** (*gen*) to clarify; (*misterio*) to clear up. **2.** (*purificar*) to refine.

clarín *m* (*instrumento*) bugle.

clarinete *m* (*instrumento*) clarinet.

clarividencia *f* farsightedness.

claro, -ra *adj* **1.** (*gen*) clear; **~ está que … of course …; dejar algo ~** to make sthg clear; **a las claras** clearly; **pasar una noche en ~** to spend a sleepless night; **poner algo en ~** to get sthg clear, to clear sthg up; **sacar algo en ~ (de)** to make sthg out (from). **2.** (*luminoso*) bright. **3.** (*color*) light. **4.** (*diluido - té, café*) weak. ◆ **claro** ◇ *m* **1.** (*en bosque*) clearing; (*en multitud*) space, gap. **2.** (METEOR) bright spell. ◇ *adv* clearly. ◇ *interj*: **¡~!** of course! ◆ **clara** *f* (*de huevo*) white.

clase *f* **1.** (*gen*) class; **~ alta/media** upper/middle class; **~ obrera** O **trabajadora** working class; **~ preferente/turista** club/tourist class; **primera ~** first class. **2.** (*tipo*) sort, kind; **toda ~ de** all sorts O kinds of. **3.** (EDUC - *asignatura, alumnos*) class; (- *aula*) classroom; **dar ~s** (*en un colegio*) to teach; (*en una universidad*) to lecture; **~s particulares** private classes O lessons.

clásico, -ca ◇ *adj* **1.** (*de la Antigüedad*) classical. **2.** (*ejemplar, prototípico*) classic. **3.** (*peinado, estilo, música etc*) classical. **4.** (*habitual*) customary. **5.** (*peculiar*): **~ de** typical of. ◇ *m y f* (*persona*) classic.

clasificación *f* classification; (DEP) (league) table.

clasificar *vt* to classify. ♦ **clasificarse** *vpr* (*ganar acceso*): ~se (para) to qualify (for); (DEP) to get through (to).

clasista *adj* class-conscious; *despec* snobbish.

claudicar *vi* (*ceder*) to give in.

claustro *m* 1. (ARQUIT & RELIG) cloister. 2. (*de universidad*) senate.

claustrofobia *f* claustrophobia.

cláusula *f* clause.

clausura *f* 1. (*acto solemne*) closing ceremony. 2. (*cierre*) closing down.

clausurar *vt* 1. (*acto*) to close, to conclude. 2. (*local*) to close down.

clavadista *m y f Amer* diver.

clavado, -da *adj* 1. (*en punto - hora*) on the dot. 2. (*parecido*) almost identical; **ser ~ a alguien** to be the spitting image of sb.

clavar *vt* 1. (*clavo, estaca etc*) to drive; (*cuchillo*) to thrust; (*chincheta, alfiler*) to stick. 2. (*cartel, placa etc*) to nail, to fix. 3. *fig* (*mirada, atención*) to fix, to rivet.

clave ◇ *adj inv* key. ◇ *m* (MÚS) harpsichord. ◇ *f* 1. (*código*) code; **en ~** in code. 2. *fig* (*solución*) key. 3. (MÚS) clef. 4. (INFORM) key.

clavel *m* carnation.

clavicémbalo *m* harpsichord.

clavicordio *m* clavichord.

clavícula *f* collar bone.

clavija *f* 1. (ELECTR & TECN) pin; (*de auriculares, teléfono*) jack. 2. (MÚS) peg.

clavo *m* 1. (*pieza metálica*) nail; **agarrarse a un ~ ardiendo** to clutch at straws; **dar en el ~** to hit the nail on the head. 2. (BOT & CULIN) clove. 3. (MED) (*para huesos*) pin.

claxon (*pl* **cláxones**) *m* horn; **tocar el ~** to sound the horn.

clemente *adj* (*persona*) merciful.

clerical *adj* clerical.

clérigo *m* (*católico*) priest; (*anglicano*) clergyman.

clero *m* clergy.

cliché, clisé *m* 1. (FOT) negative. 2. (IMPRENTA) plate. 3. *fig* (*tópico*) cliché.

cliente, -ta *m y f* (*de tienda, garaje, bar*) customer; (*de banco, abogado etc*) client; (*de hotel*) guest.

clientela *f* (*de tienda, garaje*) customers (*pl*); (*de banco, abogado etc*) clients (*pl*); (*de hotel*) guests (*pl*); (*de bar, restaurante*) clientele.

clima *m lit & fig* climate.

climatizado, -da *adj* air-conditioned.

climatizar *vt* to air-condition.

climatología *f* 1. (*tiempo*) weather. 2. (*ciencia*) climatology.

clímax *m inv* climax.

clínico, -ca *adj* clinical. ♦ **clínica** *f* clinic.

clip *m* (*para papel*) paper clip.

clisé = cliché.

clítoris *m inv* clitoris.

cloaca *f* sewer.

cloquear *vi* to cluck.

cloro *m* chlorine.

clown *m* clown.

club (*pl* **clubs** o **clubes**) *m* club; **~ de fans** fan club; **~ náutico** yacht club.

cm (*abrev de* **centímetro**) cm.

CNT (*abrev de* **Confederación Nacional del Trabajo**) *f Spanish anarchist trade union federation created in 1911.*

Co. (*abrev de* **compañía**) Co.

coacción *f* coercion.

coaccionar *vt* to coerce.

coagular *vt* (*gen*) to coagulate; (*sangre*) to clot; (*leche*) to curdle. ♦ **coagularse** *vpr* (*gen*) to coagulate; (*sangre*) to clot; (*leche*) to curdle.

coágulo *m* clot.

coalición *f* coalition.

coartada *f* alibi.

coartar *vt* to limit, to restrict.

coba *f fam* (*halago*) flattery; **dar ~ a alguien** (*hacer la pelota*) to suck up o crawl to sb; (*aplacar*) to soft-soap sb.

cobarde ◇ *adj* cowardly. ◇ *m y f* coward.

cobardía *f* cowardice.

cobertizo *m* 1. (*tejado adosado*) lean-to. 2. (*barracón*) shed.

cobertura *f* 1. (*gen*) cover. 2. (*de un edificio*) covering. 3. (PRENSA): **~ informativa** news coverage.

cobija *f Amer* blanket.

cobijar *vt* 1. (*albergar*) to house. 2. (*proteger*) to shelter. ♦ **cobijarse** *vpr* to take shelter.

cobijo *m* shelter; **dar ~ a alguien** to give shelter to sb, to take sb in.

cobra *f* cobra.

cobrador, -ra *m y f* (*del autobús*) conductor (*f* conductress); (*de deudas, recibos*) collector.

cobrar ◇ *vt* 1. (COM - *dinero*) to charge; (- *cheque*) to cash; (- *deuda*) to collect; **cantidades por ~** amounts due; **¿me cobra, por favor?** how much do I owe you? 2. (*en el trabajo*) to earn. 3. (*adquirir - importancia*) to get, to acquire; **~ fama** to become famous.

4. *(sentir - cariño, afecto)* to start to feel. ◇ *vi (en el trabajo)* to get paid.

cobre *m* copper; **no tener un ~** *Amer* to be flat broke.

cobro *m (de talón)* cashing; *(de pago)* collection; **~ revertido** reverse charge.

coca *f* **1.** *(planta)* coca. **2.** *fam (cocaína)* coke.

Coca-Cola® *f* Coca-Cola®, Coke®.

cocaína *f* cocaine.

cocción *f (gen)* cooking; *(en agua)* boiling; *(en horno)* baking.

cóccix, coxis *m inv* coccyx.

cocear *vi* to kick.

cocer *vt* **1.** *(gen)* to cook; *(hervir)* to boil; *(en horno)* to bake. **2.** *(cerámica, ladrillos)* to fire. ◆ **cocerse** *vpr fig (plan)* to be afoot.

coche *m* **1.** *(automóvil)* car, automobile *Am;* **~ de bomberos** fire engine; **~ de carreras** racing car; **~ celular** police van; **~ familiar** estate car. **2.** *(de tren)* coach, carriage; **~ cama** sleeping car, sleeper; **~ restaurante** restaurant o dining car. **3.** *(de caballos)* carriage. ◆ **coche bomba** *m* car bomb.

cochera *f (para coches)* garage; *(de autobuses, tranvías)* depot.

cochinillo *m* sucking pig.

cochino, -na ◇ *adj* **1.** *(persona)* filthy. **2.** *(tiempo, dinero)* lousy. ◇ *m y f (animal - macho)* pig; *(- hembra)* sow.

cocido *m* stew.

cociente *m* quotient.

cocina *f* **1.** *(habitación)* kitchen. **2.** *(electrodoméstico)* cooker, stove; **~ eléctrica/de gas** electric/gas cooker. **3.** *(arte)* cooking; **~ española** Spanish cuisine o cooking; **libro/clase de ~** cookery book/class.

cocinar *vt & vi* to cook.

cocinero, -ra *m y f* cook.

cocker *m* cocker spaniel.

coco *m (árbol)* coconut palm; *(fruto)* coconut.

cocodrilo *m* crocodile.

cocotero *m* coconut palm.

cóctel, coctel *m* **1.** *(bebida, comida)* cocktail. **2.** *(reunión)* cocktail party. ◆ **cóctel molotov** *m* Molotov cocktail.

coctelera *f* cocktail shaker.

codazo *m* nudge, jab *(with one's elbow);* **abrirse paso a ~s** to elbow one's way through.

codearse *vpr:* **~se (con)** to rub shoulders (with).

codera *f* elbow patch.

codicia *f (de riqueza)* greed.

codiciar *vt* to covet.

codificar *vt* **1.** *(ley)* to codify. **2.** *(un mensaje)* to encode. **3.** (INFORM) to code.

código *m (gen & INFORM)* code; **~ postal/territorial** post/area code; **~ de barras/de señales** bar/signal code; **~ de circulación** highway code; **~ civil/penal** civil/penal code; **~ máquina** machine code.

codillo *m (de jamón)* shoulder.

codo *m (en brazo, tubería)* elbow; **estaba de ~s sobre la mesa** she was leaning (with her elbows) on the table.

codorniz *f* quail.

coeficiente *m* **1.** *(gen)* coefficient. **2.** *(índice)* rate.

coercer *vt* to restrict, to constrain.

coetáneo, -a *adj, m y f* contemporary.

coexistir *vi* to coexist.

cofia *f (de enfermera, camarera)* cap; *(de monja)* coif.

cofradía *f* **1.** *(religiosa)* brotherhood *(f* sisterhood). **2.** *(no religiosa)* guild.

cofre *m* **1.** *(arca)* chest, trunk. **2.** *(para joyas)* jewel box.

coger ◇ *vt* **1.** *(asir, agarrar)* to take. **2.** *(atrapar - ladrón, pez, pájaro)* to catch. **3.** *(alcanzar - persona, vehículo)* to catch up with. **4.** *(recoger - frutos, flores)* to pick. **5.** *(quedarse con - propina, empleo, piso)* to take. **6.** *(quitar):* **~ algo (a alguien)** to take sthg (from sb). **7.** *(tren, autobús)* to take, to catch. **8.** *(contraer - gripe, resfriado)* to catch, to get. **9.** *(sentir - manía, odio, afecto)* to start to feel; **~ cariño/miedo a** to become fond/scared of. **10.** *(oír)* to catch; *(entender)* to get. **11.** *(sorprender, encontrar):* **~ a alguien haciendo algo** to catch sb doing sthg. **12.** *(sintonizar - canal, emisora)* to get, to receive. **13.** *Amer vulg (fornicar)* to screw. ◇ *vi (dirigirse):* **~ a la derecha/la izquierda** to turn right/left. ◆ **cogerse** *vpr* **1.** *(agarrarse):* **~se de** o **a algo** to cling to o clutch sthg. **2.** *(pillarse):* **~se los dedos/la falda en la puerta** to catch one's fingers/skirt in the door.

cogida *f (de torero)* goring.

cognac = **coñá.**

cogollo *m* **1.** *(de lechuga)* heart. **2.** *(brote - de árbol, planta)* shoot.

cogote *m* nape, back of the neck.

cohabitar *vi* to live together.

cohecho *m* bribery.

coherencia *f* coherence.

coherente *adj* coherent.

cohesión f cohesion.

cohete m rocket.

cohibido, -da adj inhibited.

cohibir vt to inhibit. ◆ **cohibirse** vpr to become inhibited.

COI (abrev de **Comité Olímpico Internacional**) m IOC.

coima f Andes & CSur fam bribe.

coincidencia f coincidence.

coincidir vi **1.** (superficies, versiones, gustos) to coincide. **2.** (personas - encontrarse) to meet; (- estar de acuerdo) to agree.

coito m (sexual) intercourse.

coja → coger.

cojear vi **1.** (persona) to limp. **2.** (mueble) to wobble.

cojera f (acción) limp; (estado) lameness.

cojín m cushion.

cojo, -ja v → coger. ◇ adj **1.** (persona) lame. **2.** (mueble) wobbly. ◇ m y f cripple.

col f cabbage; **~ de Bruselas** Brussels sprout.

cola f **1.** (de animal, avión) tail. **2.** (fila) line Am, queue Br; **hacer ~** to stand in line Am, to queue (up) Br. **3.** (pegamento) glue. **4.** (de clase, lista) bottom; (de desfile) end. **5.** (peinado): **~ (de caballo)** pony tail.

colaboración f **1.** (gen) collaboration. **2.** (de prensa) contribution, article.

colaborador, -ra m y f **1.** (gen) collaborator. **2.** (de prensa) contributor.

colaborar vi **1.** (ayudar) to collaborate. **2.** (en prensa): **~ en** O **con** to write for. **3.** (contribuir) to contribute.

colación f loc: **sacar** O **traer algo a ~** (tema) to bring sthg up.

colado, -da adj **1.** (líquido) strained. **2.** (enamorado): **estar ~ por alguien** fam to have a crush on sb. ◆ **colada** f (ropa) laundry; **hacer la ~** to do the washing.

colador m (para líquidos) strainer, sieve; (para verdura) colander.

colapsar ◇ vt to bring to a halt, to stop. ◇ vi to come O grind to a halt.

colapso m **1.** (MED) collapse, breakdown. **2.** (de actividad) stoppage; (de tráfico) traffic jam, hold-up.

colar ◇ vt (verdura, té) to strain; (café) to filter. ◇ vi (pasar por bueno): **esto no colará** this won't wash. ◆ **colarse** vpr **1.** (líquido): **~se por** to seep through. **2.** (persona) to slip, to sneak; (en una cola) to jump the line Am O queue Br; **~se en una fiesta** to gatecrash a party.

colcha f bedspread.

colchón m (de cama) mattress; **~ inflable** air bed.

colchoneta f (para playa) beach mat; (en gimnasio) mat.

cole m fam school.

colear vi (animal) to wag its tail.

colección f lit & fig collection.

coleccionable ◇ adj collectable. ◇ m special supplement in serialized form.

coleccionar vt to collect.

coleccionista m y f collector.

colecta f collection.

colectividad f community.

colectivo, -va adj collective. ◆ **colectivo** m **1.** (grupo) group. **2.** Amer (taxi) taxi; Arg (autobús) bus.

colector, -ra m y f (persona) collector. ◆ **colector** m **1.** (sumidero) sewer; **~ de basuras** chute. **2.** (MEC) (de motor) manifold.

colega m y f **1.** (compañero profesional) colleague. **2.** (homólogo) counterpart, opposite number. **3.** fam (amigo) mate.

colegiado, -da adj who belongs to a professional association. ◆ **colegiado** m (DEP) referee.

colegial, -la m y f schoolboy (f schoolgirl).

colegio m **1.** (escuela) school. **2.** (de profesionales): **~ (profesional)** professional association. ◆ **colegio electoral** m (lugar) polling station; (votantes) ward. ◆ **colegio mayor** m hall of residence.

cólera ◇ m (MED) cholera. ◇ f (ira) anger, rage; **montar en ~** to get angry.

colérico, -ca adj (carácter) bad-tempered.

colesterol m cholesterol.

coleta f pigtail.

coletilla f postscript.

colgado, -da adj **1.** (cuadro, jamón etc): **~ (de)** hanging (from). **2.** (teléfono) on the hook.

colgador m hanger, coathanger.

colgante ◇ adj hanging. ◇ m pendant.

colgar ◇ vt **1.** (suspender, ahorcar) to hang; **~ el teléfono** to hang up. **2.** (imputar): **~ algo a alguien** to blame sthg on sb. ◇ vi **1.** (pender): **~ (de)** to hang (from). **2.** (hablando por teléfono) to hang up.

colibrí m hummingbird.

cólico m stomachache.

coliflor f cauliflower.

colilla f (cigarette) butt O stub.

colimba f Arg fam military service.

colina f hill.

colisión f (de automóviles) collision, crash; (de ideas, intereses) clash.

colisionar vi (coche): ~ (contra) to collide (with), to crash (into).

collar m 1. (de personas) necklace. 2. (para animales) collar.

collarín m surgical collar.

colmado, -da adj: ~ (de) full to the brim (with). ◆ **colmado** m grocer's (shop).

colmar vt 1. (recipiente) to fill (to the brim). 2. fig (aspiración, deseo) to fulfil.

colmena f beehive.

colmillo m 1. (de persona) eye-tooth. 2. (de perro) fang; (de elefante) tusk.

colmo m height; **para ~ de desgracias** to crown it all; **es el ~ de la locura** it's sheer madness; **¡eso es el ~!** fam that's the last straw!

colocación f 1. (acción) placing, positioning; (situación) place, position. 2. (empleo) position, job.

colocado, -da adj 1. (gen) placed; **estar muy bien ~** to have a very good job. 2. fam (borracho) legless; (drogado) high, stoned.

colocar vt 1. (en su sitio) to place, to put. 2. (en un empleo) to find a job for. 3. (invertir) to place, to invest. ◆ **colocarse** vpr 1. (en un trabajo) to get a job. 2. fam (emborracharse) to get legless; (drogarse) to get high O stoned.

colofón m (remate, fin) climax.

Colombia Colombia.

colombiano, -na adj, m y f Colombian.

colon m colon.

colonia f 1. (gen) colony. 2. (perfume) eau de cologne. 3. Méx (barrio) district; ~ **proletaria** shanty town.

colonial adj colonial.

colonización f colonization.

colonizador, -ra m y f colonist.

colonizar vt to colonize.

colono m settler, colonist.

coloquial adj colloquial.

coloquio m 1. (conversación) conversation. 2. (debate) discussion, debate.

color m (gen) colour; ~ **rojo** red; ~ **azul** blue; **¿de qué ~?** what colour?; **de ~** (persona) coloured; **en ~** (foto, televisor) colour.

colorado, -da adj (color) red; **ponerse ~** to blush, to go red.

colorante m colouring.

colorear vt to colour (in).

colorete m rouge, blusher.

colorido m colours (pl).

colosal adj 1. (estatura, tamaño) colossal. 2. (extraordinario) great, enormous.

coloso m 1. (estatua) colossus. 2. fig (cosa, persona) giant.

columna f 1. (gen) column. 2. fig (pilar) pillar. ◆ **columna vertebral** f spinal column.

columnista m y f columnist.

columpiar vt to swing. ◆ **columpiarse** vpr to swing.

columpio m swing.

colza f (BOT) rape.

coma ◇ m (MED) coma; **en ~** in a coma. ◇ f 1. (GRAM) comma. 2. (MAT) = decimal point.

comadreja f weasel.

comadrona f midwife.

comandante m (MIL - rango) major; (- de un puesto) commander, commandant.

comandar vt (MIL) to command.

comando m (MIL) commando.

comarca f region, area.

comba f 1. (juego) skipping; **jugar a la ~** to skip. 2. (cuerda) skipping rope.

combate m (gen) fight; (batalla) battle.

combatiente m y f combatant.

combatir ◇ vi: ~ (contra) to fight (against). ◇ vt to combat, to fight.

combativo, -va adj combative.

combi m (frigorífico) fridge-freezer.

combinación f 1. (gen) combination. 2. (de bebidas) cocktail. 3. (prenda) slip. 4. (de medios de transporte) connections (pl).

combinado m 1. (bebida) cocktail. 2. (DEP) combined team.

combinar vt 1. (gen) to combine. 2. (bebidas) to mix. 3. (colores) to match.

combustible ◇ adj combustible. ◇ m fuel.

combustión f combustion.

comecocos m inv Esp fam (para convencer): **este panfleto es un ~** this pamphlet is designed to brainwash you.

comedia f comedy; fig (engaño) farce.

comediante, -ta m y f actor (f actress); fig (farsante) fraud.

comedido, -da adj moderate.

comedirse vpr to be restrained.

comedor m (habitación - de casa) dining room; (- de fábrica) canteen.

comensal m y f fellow diner.

comentar vt (opinar sobre) to comment on; (hablar de) to discuss.

comentario m 1. (observación) com-

ment, remark. **2.** *(crítica)* commentary.
♦ **comentarios** *mpl (murmuraciones)* gossip (U).

comentarista *m y f* commentator.

comenzar ◇ *vt* to start, to begin; **~ a hacer algo** to start doing ○ to do sthg; **~ diciendo que ...** to start ○ begin by saying that ... ◇ *vi* to start, to begin.

comer ◇ *vi (ingerir alimentos - gen)* to eat; *(- al mediodía)* to have lunch. ◇ *vt* **1.** *(alimentos)* to eat. **2.** *(en juegos de tablero)* to take, to capture. **3.** *fig (consumir)* to eat up. ♦ **comerse** *vpr* **1.** *(alimentos)* to eat. **2.** *(desgastar - recursos)* to eat up; *(- metal)* to corrode. **3.** *(en los juegos de tablero)* to take, to capture. **4.** *Amer vulg (fornicar)*: **~se a** to fuck.

comercial *adj* commercial.

comercializar *vt* to market.

comerciante *m y f* tradesman (f tradeswoman); *(tendero)* shopkeeper.

comerciar *vi* to trade, to do business.

comercio *m* **1.** *(de productos)* trade; **~ exterior/interior** foreign/domestic trade; **~ justo** fair trade; **libre ~** free trade. **2.** *(actividad)* business, commerce. **3.** *(tienda)* shop.

comestible *adj* edible, eatable.
♦ **comestibles** *mpl (gen)* food (U); *(en una tienda)* groceries.

cometa ◇ *m* (ASTRON) comet. ◇ *f* kite.

cometer *vt (crimen)* to commit; *(error)* to make.

cometido *m* **1.** *(objetivo)* mission, task. **2.** *(deber)* duty.

comezón *f (picor)* itch, itching (U).

cómic (*pl* cómics), **comic** (*pl* comics) *m* (adult) comic.

comicios *mpl* elections.

cómico, -ca ◇ *adj* **1.** *(de la comedia)* comedy *(antes de sust)*, comic. **2.** *(gracioso)* comic, comical. ◇ *m y f (actor de teatro)* actor (f actress); *(humorista)* comedian (f comedienne), comic.

comida *f* **1.** *(alimento)* food (U). **2.** *(almuerzo, cena etc)* meal. **3.** *(al mediodía)* lunch.

comidilla *f fam*: **ser/convertirse en la ~ del pueblo** to be/to become the talk of the town.

comienzo *m* start, beginning; **a ~s de los años 50** in the early 1950s; **dar ~ to** start, to begin.

comillas *fpl* inverted commas, quotation marks; **entre ~** in inverted commas.

comilona *f fam (festín)* blow-out.

comino *m (planta)* cumin, cummin; **me importa un ~** I don't give a damn.

comisaría *f* police station, precinct *Am*.

comisario, -ria *m y f* **1.** **~ (de policía)** police superintendent. **2.** *(delegado)* commissioner.

comisión *f* **1.** *(de un delito)* perpetration. **2.** (COM) commission; **(trabajar) a ~** (to work) on a commission basis. **3.** *(delegación)* commission, committee; **~ investigadora** committee of inquiry.

comisura *f* corner *(of mouth, eyes)*.

comité *m* committee.

comitiva *f* retinue.

como ◇ *adv* **1.** *(comparativo)*: **tan ... ~ ...** as ... as ...; **es (tan) negro ~ el carbón** it's as black as coal; **ser ~ algo** to be like sthg; **vive ~ un rey** he lives like a king; **lo que dijo fue ~ para ruborizarse** his words were enough to make you blush. **2.** *(de la manera que)* as; **lo he hecho ~ es debido** I did it as ○ the way it should be done; **me encanta ~ bailas** I love the way you dance. **3.** *(según)* as; **~ te decía ayer ...** as I was telling you yesterday ... **4.** *(en calidad de)* as; **trabaja ~ bombero** he works as a fireman; **dieron el dinero ~ anticipo** they gave the money as an advance. **5.** *(aproximadamente)* about; **me quedan ~ mil pesetas** I've got about a thousand pesetas left; **tiene un sabor ~ a naranja** it tastes a bit like an orange. ◇ *conj* **1.** *(ya que)* as, since; **~ no llegabas, nos fuimos** as ○ since you didn't arrive, we left. **2.** *(si)* if; **~ no me hagas caso, lo pasarás mal** if you don't listen to me, there will be trouble. ♦ **como que** *loc conj* **1.** *(que)* that; **le pareció ~ que lloraban** it seemed to him (that) they were crying. **2.** *(expresa causa)*: **pareces cansado – ~ que he trabajado toda la noche** you seem tired – well, I've been up all night working. ♦ **como quiera** *loc adv (de cualquier modo)* anyway, anyhow. ♦ **como quiera que** *loc conj* **1.** *(de cualquier modo que)* whichever way, however; **~ quiera que sea** whatever the case may be. **2.** *(dado que)* since, given that. ♦ **como si** *loc conj* as if.

cómo ◇ *adv* **1.** *(de qué modo, por qué motivo)* how; **¿~ lo has hecho?** how did you do it?; **¿~ son?** what are they like?; **no sé ~ has podido decir eso** I don't know how you could say that; **¿~ que no la has visto nunca?** what do you mean you've never seen her?; **¡a ~ están los tomates?** how much are the tomatoes?; **¿~?** *fam (¿qué dices?)* sorry?, what? **2.** *(exclamativo)* how; **¡~ pasan**

los años! how time flies!; **¡~ no!** of course!; **está lloviendo, ¡y ~!** it isn't half raining!

• La traducción de "cómo" cuando se usa como adverbio en oraciones interrogativas varía según el verbo que le siga ("ser" o "estar"). Comparemos "¿cómo está? Está bien" (*how is he? He's fine*) con "¿cómo es? Es alto y guapo" (*what's he like? He's tall and good-looking*).

---

cómoda *f* chest of drawers.

comodidad *f* comfort, convenience (U); **para su ~** for your convenience.

comodín *m* (*naipe*) joker.

cómodo, -da *adj* 1. (*gen*) comfortable. 2. (*útil*) convenient. 3. (*oportuno, fácil*) easy.

comoquiera *adv*: **~ que** (*de cualquier manera que*) whichever way, however; (*dado que*) since, seeing as.

compa *m y f Amer fam* mate, buddy.

compact *m* compact disc player.

compactar *vt* to compress.

compact disk, compact disc *m* compact disc.

compacto, -ta *adj* compact.

compadecer *vt* to pity, to feel sorry for. ◆ **compadecerse de** *vpr* to pity, to feel sorry for.

compadre *m fam* (*amigo*) friend, mate.

compadrear *vi Amer* to brag, to boast.

compaginar *vt* (*combinar*) to reconcile. ◆ **compaginarse** *vpr*: **~se con** to square with, to go together with.

compañerismo *m* comradeship.

compañero, -ra *m y f* 1. (*pareja, acompañante*) companion. 2. (*colega*) colleague; **~ de clase** classmate; **~ de piso** flatmate.

compañía *f* company; **en ~ de** accompanied by, in the company of; **hacer ~ a alguien** to keep sb company.

comparación *f* comparison; **en ~ con** in comparison with, compared to.

comparar *vt*: **~ algo (con)** to compare sthg (to).

comparativo, -va *adj* comparative.

comparecer *vi* to appear.

comparsa ◇ *f* (TEATRO) extras (*pl*). ◇ *m y f* (TEATRO) extra.

compartimento, compartimiento *m* compartment.

compartir *vt* 1. (*ganancias*) to share (out). 2. (*piso, ideas*) to share.

compás *m* 1. (*instrumento*) pair of compasses. 2. (MÚS - *periodo*) bar; (*- ritmo*) rhythm, beat; **al ~ (de la música)** in time (with the music); **llevar el ~** to keep time; **perder el ~** to lose the beat.

compasión *f* compassion, pity.

compasivo, -va *adj* compassionate.

compatibilizar *vt* to make compatible.

compatible *adj* (*gen & INFORM*) compatible.

compendiar *vt* (*cualidades, características*) to summarize; (*libro, historia*) to abridge.

compenetrarse *vpr* to understand each other.

compensación *f* (*gen*) compensation; **en ~ (por)** in return (for).

compensar *vt* 1. (*valer la pena*) to make up for; **no me compensa (perder tanto tiempo)** it's not worth my while (wasting all that time). 2. (*indemnizar*): **~ a alguien (de O por)** to compensate sb (for).

competencia *f* 1. (*entre personas, empresas*) competition. 2. (*incumbencia*) field, province. 3. (*aptitud, atribuciones*) competence.

competente *adj* competent; **~ en materia de** responsible for.

competer ◆ **competer a** *vi* (*gen*) to be up to, to be the responsibility of; (*una autoridad*) to come under the jurisdiction of.

competición *f* competition.

competidor, -ra *m y f* competitor.

competir *vi*: **~ (con/por)** to compete (with/for).

competitividad *f* competitiveness.

competitivo, -va *adj* competitive.

compilar *vt* (*gen & INFORM*) to compile.

compinche *m y f fam* crony.

complacencia *f* pleasure, satisfaction.

complacer *vt* to please.

complaciente *adj* 1. (*amable*) obliging, helpful. 2. (*indulgente*) indulgent.

complejo, -ja *adj* complex. ◆ **complejo** *m* complex; **~ industrial** industrial park.

complementar *vt* to complement. ◆ **complementarse** *vpr* to complement each other.

complementario, -ria *adj* complementary.

complemento *m* 1. (*añadido*) complement. 2. (GRAM) object, complement.

completamente *adv* completely, totally.

completar vt to complete.

completo, -ta adj 1. (entero, perfecto) complete; **por ~** completely; **un deportista muy ~** an all-round sportsman. 2. (lleno) full.

complexión f build.

El sustantivo español "complexión" y el sustantivo inglés *complexion,* aparte de su acentuación, se escriben y pronuncian prácticamente igual. Pero es necesario no confundirlos, pues *complexion* significa 'tez, cutis' y la "complexión" de una persona o animal es su constitución física (fuerte, esbelto, etc.). *Complexion* es un término muy utilizado al hablar de belleza o cosméticos: *to keep your complexion looking fresh and young, use...* debe traducirse como "para mantener su cutis terso y joven, use...".

complicación f 1. (gen) complication. 2. (complejidad) complexity.

complicado, -da adj 1. (difícil) complicated. 2. (implicado): **~ (en)** involved (in).

complicar vt (dificultar) to complicate.

cómplice m y f accomplice.

complicidad f complicity.

complot, complió m plot.

componente m 1. (gen & ELECTR) component. 2. (persona) member.

componer vt 1. (formar un todo, ser parte de) to make up. 2. (música, versos) to compose. 3. (arreglar - algo roto) to repair. ◆ **componerse** vpr (estar formado): **~se de** to be made up of.

comportamiento m behaviour.

comportar vt to involve, to entail. ◆ **comportarse** vpr to behave.

composición f composition.

compositor, -ra m y f composer.

compostura f 1. (reparación) repair. 2. (de persona, rostro) composure. 3. (en comportamiento) restraint.

compota f (CULIN) stewed fruit (U).

compra f purchase; **ir de ~s** to go shopping; **ir a o hacer la ~** to do the shopping; **~ a plazos** hire purchase.

comprador, -ra m y f (gen) buyer; (en una tienda) shopper, customer.

comprar vt 1. (adquirir) to buy, to purchase. 2. (sobornar) to buy (off).

comprender vt 1. (incluir) to include, to comprise. 2. (entender) to understand. ◆ **comprenderse** vpr (personas) to understand each other.

comprensión f understanding.

comprensivo, -va adj understanding.

compresa f (para menstruación) sani-

tary napkin Am, sanitary towel Br.

comprimido, -da adj compressed. ◆ **comprimido** m pill, tablet.

comprimir vt to compress.

comprobante m (documento) supporting document, proof; (recibo) receipt.

comprobar vt (averiguar) to check; (demostrar) to prove.

comprometer vt 1. (poner en peligro - éxito etc) to jeopardize; (- persona) to compromise. 2. (avergonzar) to embarrass. ◆ **comprometerse** vpr 1. (hacerse responsable): **~se (a hacer algo)** to commit o.s. (to doing sthg). 2. (ideológicamente, moralmente): **~se (en algo)** to become involved (in sthg).

comprometido, -da adj 1. (con una idea) committed. 2. (difícil) compromising, awkward.

compromiso m 1. (obligación) commitment; (acuerdo) agreement. 2. (cita) engagement; **~ matrimonial** engagement. 3. (dificultad) compromising o difficult situation.

compuerta f sluice, floodgate.

compuesto, -ta ◇ pp ➙ componer. ◇ adj (formado): **~ de** composed of. ◆ **compuesto** m (GRAM & QUÍM) compound.

computador m, **computadora** f computer.

computar vt (calcular) to calculate.

cómputo m calculation.

comulgar vi (RELIG) to take communion.

común adj 1. (gen) common; **por lo ~** generally; **poco ~** unusual. 2. (compartido - amigo, interés) mutual; (- bienes, pastos) communal. 3. (ordinario - vino etc) ordinary, average.

comuna f commune.

comunicación f 1. (gen) communication; **ponerse en ~ con alguien** to get in touch with sb. 2. (escrito oficial) communiqué; (informe) report. ◆ **comunicaciones** fpl communications.

comunicado, -da adj: **bien ~** (lugar) well-served, with good connections. ◆ **comunicado** m announcement, statement; **~ a la prensa** press release.

comunicar ◇ vt 1. (transmitir - sentimientos, ideas) to convey; (- movimiento, virus) to transmit. 2. (información): **~ algo a alguien** to inform sb of sthg, to tell sb sthg. ◇ vi 1. (hablar - gen) to communicate; (- al teléfono) to get through; (escribir) to get in touch. 2. (dos lugares): **~ con algo** to connect

73

concreto

with sthg, to join sthg. **3.** *(el teléfono)* to be busy *Am*, to be engaged *Br*; **está comunicando** the line's engaged. ◆ **comunicarse** *vpr* **1.** *(hablarse)* to communicate (with each other). **2.** *(dos lugares)* to be connected.

comunicativo, -va *adj* communicative.

comunidad *f (gen)* community; **~ autónoma** autonomous region; **Comunidad Europea** European Community.

comunión *f lit & fig* communion.

comunismo *m* communism.

comunista *adj, m y f* communist.

comunitario, -ria *adj (de la comunidad)* community *(antes de sust)*.

con *prep* **1.** *(gen)* with; **¿~ quién vas?** who are you going with?; **lo ha conseguido ~ su esfuerzo** he has achieved it through his own efforts; **una cartera ~ varios documentos** a briefcase containing several documents. **2.** *(a pesar de)* in spite of; **~ todo** despite everything; **~ lo estudioso que es, le suspendieron** for all his hard work, they still failed him. **3.** *(hacia)* **para ~** towards; **es amable para ~ todos** she is friendly towards o with everyone. **4.** *(+ infin) (para introducir una condición)* by *(+ gerund)*; **~ hacerlo así** by doing it this way; **~ salir a las diez es suficiente** if we leave at ten, we'll have plenty of time. **5.** *(a condición de que)* **~ (tal) que** *(+ subjuntivo)* as long as; **~ que llegue a tiempo me conformo** I don't mind as long as he arrives on time.

conato *m* attempt; **~ de robo** attempted robbery; **un ~ de incendio** the beginnings of a fire.

concavidad *f (lugar)* hollow.

cóncavo, -va *adj* concave.

concebir ◇ *vt (plan, hijo)* to conceive; *(imaginar)* to imagine. ◇ *vi* to conceive.

conceder *vt* **1.** *(dar)* to grant; *(premio)* to award. **2.** *(asentir)* to admit, to concede.

concejal, -la *m y f* (town) councillor.

concentración *f* **1.** *(gen)* concentration. **2.** *(de gente)* gathering.

concentrado *m* concentrate.

concentrar *vt* **1.** *(gen)* to concentrate. **2.** *(reunir - gente)* to bring together; *(- tropas)* to assemble. ◆ **concentrarse** *vpr* to concentrate.

concéntrico, -ca *adj* concentric.

concepción *f* conception.

concepto *m* **1.** *(idea)* concept. **2.** *(opinión)* opinion. **3.** *(motivo)* **bajo**

ningún ~ under no circumstances; **en ~ de** by way of, as.

concernir *v impers* to concern; **en lo que concierne a** as regards; **por lo que a mí me concierne** as far as I'm concerned.

concertar ◇ *vt (precio)* to agree on; *(cita)* to arrange; *(pacto)* to reach. ◇ *vi (concordar):* **~ (con)** to tally (with), to fit in (with).

concertina *f* concertina.

concesión *f* **1.** *(de préstamo etc)* granting; *(de premio)* awarding. **2.** (COM & *fig*) concession.

concesionario, -ria *m y f (persona con derecho exclusivo de venta)* licensed dealer; *(titular de una concesión)* concessionaire, licensee.

concha *f* **1.** *(de los animales)* shell. **2.** *(material)* tortoiseshell.

conchabarse *vpr fam:* **~ (contra)** to gang up (on).

conciencia, consciencia *f* **1.** *(conocimiento)* consciousness, awareness; **tener/tomar ~ de** to be/become aware of. **2.** *(moral, integridad)* conscience; **a ~** conscientiously; **me remuerde la ~** I have a guilty conscience.

concienciar *vt* to make aware. ◆ **concienciarse** *vpr* to become aware.

concienzudo, -da *adj* conscientious.

concierto *m* **1.** *(actuación)* concert. **2.** *(composición)* concerto.

conciliar *vt* to reconcile; **~ el sueño** to get to sleep.

concilio *m* council.

concisión *f* conciseness.

conciso, -sa *adj* concise.

conciudadano, -na *m y f* fellow citizen.

cónclave, conclave *m* conclave.

concluir ◇ *vt* to conclude; **~ haciendo o por hacer algo** to end up doing sthg. ◇ *vi* (come to an) end.

conclusión *f* conclusion; **llegar a una ~** to come to o to reach a conclusion; **en ~** in conclusion.

concordancia *f* (gen & GRAM) agreement.

concordar ◇ *vt* to reconcile. ◇ *vi* **1.** *(estar de acuerdo):* **~ (con)** to agree o tally (with). **2.** (GRAM): **~ (con)** to agree (with).

concordia *f* harmony.

concretar *vt (precisar)* to specify, to state exactly. ◆ **concretarse** *vpr (materializarse)* to take shape.

concreto, -ta *adj* specific, particular;

en ~ *(en resumen)* in short; *(específicamente)* specifically; **nada en** ~ nothing definite. ♦ **concreto** *m* *Amer* concrete.

concurrencia *f* 1. *(asistencia)* attendance; *(espectadores)* crowd, audience. 2. *(de sucesos)* concurrence.

concurrido, -da *adj* *(bar, calle)* crowded; *(espectáculo)* well-attended.

concurrir *vi* 1. *(reunirse)*: ~ **a algo** to go to sthg, to attend sthg. 2. *(participar)*: ~ **a** *(concurso)* to take part in, to compete in; *(examen)* to take, to sit *Br*.

concursante *m y f* *(en concurso)* contestant; *(en oposiciones)* candidate.

concursar *vi* *(competir)* to compete; *(en oposiciones)* to be a candidate.

concurso *m* 1. *(prueba - literaria, deportiva)* competition; *(- de televisión)* game show. 2. *(para una obra)* tender; **salir a** ~ to be put out to tender. 3. *(ayuda)* cooperation.

condado *m* *(territorio)* county.

conde, -desa *m y f* count *(f* countess*)*.

condecoración *f* *(insignia)* medal.

condecorar *vt* to decorate.

condena *f* sentence.

condenado, -da *adj* 1. *(a una pena)* convicted, sentenced; *(a un sufrimiento)* condemned. 2. *fam* *(maldito)* damned.

condenar *vt* 1. *(declarar culpable)* to convict. 2. *(castigar)*: ~ **a alguien a algo** to sentence sb to sthg. 3. *(recriminar)* to condemn.

condensar *vt* *lit & fig* to condense.

condescender *vi*: ~ **a** *(con amabilidad)* to consent to, to accede to; *(con desprecio)* to deign to, to condescend to.

condescendiente *adj* obliging.

condición *f* 1. *(gen)* condition; **condiciones de un contrato** terms of a contract; **con una sola** ~ on one condition. 2. *(naturaleza)* nature. 3. *(clase social)* social class. ♦ **condiciones** *fpl* 1. *(aptitud)* talent *(U)*, ability *(U)*. 2. *(circunstancias)* conditions; **condiciones atmosféricas/de vida** weather/living conditions. 3. *(estado)* condition *(U)*; **estar en condiciones de** o **para hacer algo** *(físicamente)* to be in a fit state to do sthg; *(por la situación)* to be in a position to do sthg; **no estar en condiciones** *(carne, pescado)* to be off.

condicional *adj & m* conditional.

condicionar *vt*: ~ **algo a algo** to make sthg dependent on algo.

condimento *m* seasoning *(U)*.

condolencia *f* condolence.

condolerse *vpr*: ~ **(de)** to feel pity (for).

condón *m* condom.

cóndor *m* condor.

conducción *f* *(de vehículo)* driving.

conducir ◇ *vt* 1. *(vehículo)* to drive. 2. *(dirigir - empresa)* to manage, to run; *(- ejército)* to lead; *(- asunto)* to handle. 3. *(a una persona a un lugar)* to lead. ◇ *vi* 1. *(en vehículo)* to drive. 2. *(a sitio, situación)*: ~ **a** to lead to.

conducta *f* behaviour, conduct.

conducto *m* 1. *(de fluido)* pipe. 2. *fig* *(vía)* channel. 3. (ANAT) duct.

conductor, -ra *m y f* 1. *(de vehículo)* driver. 2. (FÍS) conductor.

conectar *vt*: ~ **algo (a** o **con)** to connect sthg (to o up to).

conejillo ♦ **conejillo de Indias** *m* guinea pig.

conejo, -ja *m y f* rabbit *(f* doe*)*.

conexión *f* 1. *(gen)* connection. 2. (RADIO & TV) link-up; ~ **vía satélite** satellite link.

confabular ♦ **confabularse** *vpr*: ~**se (para)** to plot o conspire (to).

confección *f* 1. *(de ropa)* tailoring, dressmaking. 2. *(de comida)* preparation, making; *(de lista)* drawing up.

confeccionar *vt* 1. *(ropa)* to make (up); *(lista)* to draw up. 2. *(plato)* to prepare; *(bebida)* to mix.

confederación *f* confederation.

conferencia *f* 1. *(charla)* lecture; **dar una** ~ to give a talk o lecture. 2. *(reunión)* conference. 3. *(por teléfono)* (long-distance) call.

conferir *vt* 1. ~ **algo a alguien** *(honor, dignidad)* to confer o bestow sthg upon sb; *(responsabilidades)* to give sthg to sb. 2. *(cualidad)* to give.

confesar *vt* *(gen)* to confess; *(debilidad)* to admit. ♦ **confesarse** *vpr* (RELIG): ~**se (de algo)** to confess (sthg).

confesión *f* 1. *(gen)* confession. 2. *(credo)* religion, (religious) persuasion.

confesionario *m* confessional.

confeti *mpl* confetti *(U)*.

confiado, -da *adj* *(seguro)* confident; *(crédulo)* trusting.

confianza *f* 1. *(seguridad)*: ~ **(en)** confidence (in); ~ **en uno mismo** self-confidence. 2. *(fe)* trust; **de** ~ trustworthy. 3. *(familiaridad)* familiarity; **en** ~ in confidence.

confiar *vt* 1. *(secreto)* to confide. 2. *(responsabilidad, persona, asunto)*: ~ **algo a alguien** to entrust sthg to sb. ♦ **confiar en** *vi* 1. *(tener fe)* to trust in. 2. *(suponer)*: ~ **en que** to be confident that. ♦ **confiarse** *vpr* *(despreocuparse)*

conjunto

to be too sure (of o.s.).
confidencia f confidence, secret.
confidencial adj confidential.
confidente m y f **1.** (amigo) confidant (f confidante). **2.** (soplón) informer.
configurar vt (formar) to shape.
confín m (gen pl) **1.** (límite) border, boundary. **2.** (extremo - del reino, universo) outer reaches (pl); **en los confines de** on the very edge of.
confinar vt **1.** (detener): ~ **(en)** to confine (to). **2.** (desterrar): ~ **(en)** to banish (to).
confirmación f (gen & RELIG) confirmation.
confirmar vt to confirm.
confiscar vt to confiscate.
confitado, -da adj candied; **frutas confitadas** crystallized fruit.
confite m candy Am, sweet Br.
confitería f **1.** (tienda) sweetshop, confectioner's. **2.** CSur (café) cafe.
confitura f preserve, jam.
conflagración f conflict, war.
conflictivo, -va adj (asunto) controversial; (situación) troubled; (trabajador) difficult.
conflicto m (gen) conflict; (de intereses, opiniones) clash; ~ **laboral** industrial dispute.
confluir vi **1.** (corriente, cauce): ~ **(en)** to converge o meet (at). **2.** (personas): ~ **(en)** to come together o to gather (in).
conformar vt (configurar) to shape. ◆ **conformarse con** vpr (suerte, destino) to resign o.s. to; (apañárselas con) to make do with; (contentarse con) to settle for.
conforme ◇ adj **1.** (acorde): ~ **a** in accordance with. **2.** (de acuerdo): ~ **(con)** in agreement (with). **3.** (contento): ~ **(con)** happy (with). ◇ adv (gen) as; ~ **envejecía** as he got older.
conformidad f (aprobación): ~ **(con)** approval (of).
conformista adj, m y f conformist.
confort (pl **conforts**) m comfort; **'todo ~'** 'all mod cons'.
confortable adj comfortable.
confortar vt to console, to comfort.
confrontar vt **1.** (enfrentar) to confront. **2.** (comparar) to compare.
confundir vt **1.** (trastocar): ~ **una cosa con otra** to mistake one thing for another; ~ **dos cosas** to get two things mixed up. **2.** (liar) to confuse. **3.** (mezclar) to mix up. ◆ **confundirse** vpr

1. (equivocarse) to make a mistake; ~**se de piso** to get the wrong flat. **2.** (liarse) to get confused. **3.** (mezclarse - colores, siluetas): ~**se (en)** to merge (into); (- personas): ~**se entre la gente** to lose o.s. in the crowd.
confusión f **1.** (gen) confusion. **2.** (error) mix-up.
confuso, -sa adj **1.** (incomprensible - estilo, explicación) obscure. **2.** (poco claro - rumor) muffled; (- clamor, griterío) confused; (- contorno, forma) blurred. **3.** (turbado) confused, bewildered.
congelación f **1.** (de alimentos) freezing. **2.** (ECON) (de precios, salarios) freeze.
congelador m freezer.
congelados mpl frozen foods.
congelar vt (gen & ECON) to freeze. ◆ **congelarse** vpr to freeze.
congeniar vi: ~ **(con)** to get on (with).
congénito, -ta adj (enfermedad) congenital; (talento) innate.
congestión f congestion.
congestionar vt to block. ◆ **congestionarse** vpr **1.** (AUTOM & MED) to become congested. **2.** (cara - de rabia etc) to flush, to turn purple.
congratular vt: ~ **a alguien (por)** to congratulate sb (on).
congregación f congregation.
congregar vt to assemble.
congresista m y f **1.** (en un congreso) delegate. **2.** (político) congressman (f congresswoman).
congreso m **1.** (de una especialidad) congress. **2.** (asamblea nacional) Parliament; ~ **de diputados** (en España) lower house of Spanish Parliament, ≈ House of Representatives Am, ≈ House of Commons Br; **el Congreso** (en Estados Unidos) Congress.
congrio m conger eel.
congruente adj consistent.
conjetura f conjecture; **hacer ~s, hacerse una ~** to conjecture.
conjugación f (GRAM) conjugation.
conjugar vt **1.** (GRAM) to conjugate. **2.** (opiniones) to bring together, to combine; (esfuerzos, ideas) to pool.
conjunción f (ASTRON & GRAM) conjunction.
conjunto, -ta adj (gen) joint; (hechos, acontecimientos) combined. ◆ **conjunto** m **1.** (gen) set, collection; **un ~ de circunstancias** a number of reasons. **2.** (de ropa) outfit. **3.** (MÚS - de rock) group, band; (- de música clásica) ensemble.

4. *(totalidad)* whole; **en ~** overall, as a whole. **5.** (MAT) set.

conjuro *m* spell, incantation.

conllevar *vt (implicar)* to entail.

conmemoración *f* commemoration.

conmemorar *vt* to commemorate.

conmigo *pron pers* with me; **~ mismo/ misma** with myself.

conmoción *f* **1.** *(física o psíquica)* shock; **~ cerebral** concussion. **2.** *fig (trastorno, disturbio)* upheaval.

conmocionar *vt* **1.** *(psíquicamente)* to shock. **2.** *(físicamente)* to concuss.

conmovedor, -ra *adj* moving, touching.

conmover *vt* **1.** *(emocionar)* to move, to touch. **2.** *(sacudir)* to shake.

conmutador *m* **1.** (ELECTR) switch. **2.** *Amer (centralita)* switchboard.

connotación *f* connotation; **una ~ irónica** a hint of irony.

cono *m* cone. ◆ **Cono Sur** *m* Southern Cone, *region comprising Argentina, Chile, Paraguay and Uruguay.*

conocedor, -ra *m y f*: **~ (de)** *(gen)* expert (on); *(de vinos)* connoisseur (of).

conocer *vt* **1.** *(gen)* to know; **darse a ~** to make o.s. known; **~ bien un tema** to know a lot about a subject; **~ alguien de vista** to know sb by sight; **~ a alguien de oídas** to have heard of sb. **2.** *(descubrir - lugar, país)* to get to know. **3.** *(a una persona - por primera vez)* to meet. **4.** *(reconocer)*: **~ a alguien (por algo)** to recognize sb (by sthg). ◆ **conocerse** *vpr* **1.** *(a uno mismo)* to know o.s. **2.** *(dos o más personas - por primera vez)* to meet, to get to know each other; *(- desde hace tiempo)* to know each other.

conocido, -da ◇ *adj* well-known. ◇ *m y f* acquaintance.

conocimiento *m* **1.** *(gen)* knowledge. **2.** (MED) *(sentido)* consciousness. ◆ **conocimientos** *mpl* knowledge (U); **tener muchos ~s** to be very knowledgeable.

conozca *etc* → conocer.

conque *conj* so; **¿~ te has cansado?** so you're tired, are you?

conquista *f (de tierras, persona)* conquest.

conquistador, -ra *m y f* **1.** *(de tierras)* conqueror. **2.** (HIST) conquistador.

conquistar *vt (tierras)* to conquer.

consabido, -da *adj (conocido)* well-known; *(habitual)* usual.

consagrar *vt* **1.** (RELIG) to consecrate. **2.** *(dedicar)*: **~ algo a algo/alguien** *(tiempo, espacio)* to devote sthg to sthg/sb;

(monumento, lápida) to dedicate sthg to sthg/sb. **3.** *(acreditar, confirmar)* to confirm, to establish.

consciencia = conciencia.

consciente *adj* conscious; **ser ~ de** to be aware of; **estar ~** *(físicamente)* to be conscious.

consecuencia *f (resultado)* consequence; **a o como ~ de** as a consequence o result of.

consecuente *adj (coherente)* consistent.

consecutivo, -va *adj* consecutive.

conseguir *vt (gen)* to obtain, to get; *(un objetivo)* to achieve; **~ hacer algo** to manage to do sthg.

consejero, -ra *m y f* **1.** *(en asuntos personales)* counsellor; *(en asuntos técnicos)* adviser, consultant. **2.** *(de un consejo de administración)* member; (POLÍT) councillor.

consejo *m* **1.** *(advertencia)* advice (U); **dar un ~** to give some advice. **2.** *(organismo)* council; **~ de administración** board of directors. **3.** *(reunión)* meeting. ◆ **consejo de guerra** *m* court martial. ◆ **consejo de ministros** *m* cabinet.

consenso *m (acuerdo)* consensus; *(consentimiento)* consent.

consentimiento *m* consent.

consentir ◇ *vt* **1.** *(tolerar)* to allow. **2.** *(mimar)* to spoil. ◇ *vi*: **~ en algo/en hacer algo** to agree to sthg/to do sthg.

conserje *m y f (portero)* porter; *(encargado)* caretaker.

conserjería *f* **1.** *(de un hotel)* reception desk. **2.** *(de un edificio público o privado)* porter's lodge.

conserva *f*: **~ de carne** tinned meat; **en ~** tinned, canned.

conservación *f (gen)* conservation; *(de alimentos)* preservation.

conservador, -ra ◇ *adj (gen)* conservative; *(del partido conservador)* Conservative. ◇ *m y f* **1.** *(gen)* conservative; *(miembro del partido conservador)* Conservative. **2.** *(de museo)* curator.

conservante *m y f* preservative.

conservar *vt* **1.** *(gen & CULIN)* to preserve; *(amistad)* to keep up; *(salud)* to look after; *(calor)* to retain. **2.** *(guardar - libros, cartas, secreto)* to keep. ◆ **conservarse** *vpr* to keep; **se conserva bien** he's keeping well.

conservatorio *m* conservatoire.

considerable *adj (gen)* considerable; *(importante, eminente)* notable.

consideración f 1. (valoración) consideration. 2. (respeto) respect; **tratar a alguien con** ~ to be nice to sb; **en** ~ **a algo** in recognition of sthg. 3. (importancia): **de** ~ serious.

considerado, -da adj (atento) considerate, thoughtful; (respetado) respected.

considerar vt 1. (valorar) to consider. 2. (juzgar, estimar) to think.

consigna f 1. (órdenes) instructions (pl). 2. (depósito) left-luggage office.

consignar vt 1. (poner por escrito) to record, to write down. 2. (enviar - mercancía) to dispatch. 3. (equipaje) to deposit in the left-luggage office.

consigo pron pers with him/her, (pl) with them; (con usted) with you; (con uno mismo) with o.s.; ~ **mismo/misma** with himself/herself; **hablar** ~ **mismo** to talk to o.s.

consiguiente adj consequent; **por** ~ consequently, therefore.

consistencia f lit & fig consistency.

consistente adj 1. (sólido - material) solid. 2. (coherente - argumento) sound. 3. (compuesto): ~ **en** consisting of.

consistir ◆ consistir en vi 1. (gen) to consist of. 2. (deberse a) to lie in, to be based on.

consola f 1. (mesa) console table. 2. (INFORM & TECN) console; ~ **de videojuegos** video console.

consolación f consolation.

consolar vt to console.

consolidar vt to consolidate.

consomé m consommé.

consonante f consonant.

consorcio m consortium.

conspiración f plot, conspiracy.

conspirador, -ra m y f conspirator.

conspirar vi to conspire, to plot.

constancia f 1. (perseverancia - en una empresa) perseverance; (- en las ideas, opiniones) steadfastness. 2. (testimonio) record; **dejar** ~ **de algo** (registrar) to put sthg on record; (probar) to demonstrate sthg.

constante ◇ adj 1. (persona - en una empresa) persistent. 2. (acción) constant. ◇ f constant.

constar vi 1. (una información): ~ **(en)** to appear (in), to figure (in); ~**le a alguien** to be clear to sb; **me consta que** I am quite sure that; **que conste que ...** let it be clearly understood that ..., let there be no doubt that ...; **hacer** ~ to put on record. 2. (estar constituido por): ~ **de** to consist of.

constatar vt (observar) to confirm;

(comprobar) to check.

constelación f constellation.

consternar vt to dismay.

constipado, -da adj: **estar** ~ to have a cold. ◆ **constipado** m cold.

> En inglés hay un adjetivo que se parece a "constipado" en español. También se refiere a un malestar físico, pero muy diferente. Dicha palabra es *constiped*, que significa estreñido. No hace falta mencionar que confundir ambas palabras puede dar lugar a ciertos problemas y malentendidos.

constiparse vpr to catch a cold.

constitución f constitution.

constitucional adj constitutional.

constituir vt 1. (componer) to make up. 2. (ser) to be. 3. (crear) to set up.

constituyente adj & m constituent.

constreñir vt (oprimir, limitar) to restrict.

construcción f 1. (gen) construction; **en** ~ under construction. 2. (edificio) building.

constructivo, -va adj constructive.

constructor, -ra adj building (antes de sust), construction (antes de sust). ◆ **constructor** m (de edificios) builder.

construir vt (edificio, barco) to build; (aviones, coches) to manufacture; (frase, teoría) to construct.

> El verbo del español "construir" en una de sus formas en inglés equivale a *to construct*, pero no debemos confundirlo con otro verbo, *to construe*, que significa 'interpretar' y que no se utiliza con tanta frecuencia como la mencionada palabra del español.

consuelo m consolation, solace.

cónsul, consulesa m y f consul.

consulado m (oficina) consulate; (cargo) consulship.

consulta f 1. (sobre un problema) consultation; **hacer una** ~ **a alguien** to seek sb's advice. 2. (despacho de médico) consulting room; **horas de** ~ surgery hours.

consultar ◇ vt (dato, fecha) to look up; (libro, persona) to consult. ◇ vi: ~ **con** to consult, to seek advice from.

consultor, -ra m y f consultant.

consultorio m 1. (de un médico) consulting room. 2. (en periódico) problem page; (en radio) programme answering listeners' questions. 3. (asesoría) advice bureau.

consumar vt (gen) to complete; (un crimen) to perpetrate; (el matrimonio) to consummate.

consumición f 1. (acción) consumption. 2. (bebida) drink; (comida) food.

consumidor, -ra m y f (gen) consumer; (en un bar, restaurante) patron.

consumir ◇ vt 1. (gen) to consume. 2. (destruir - suj: fuego) to destroy. ◇ vi to consume. ♦ **consumirse** vpr 1. (persona) to waste away. 2. (fuego) to burn out.

consumismo m consumerism.

consumo m consumption; **bienes/ sociedad de ~** consumer goods/society.

contabilidad f 1. (oficio) accountancy. 2. (de persona, empresa) bookkeeping, accounting; **llevar la ~** to do the accounts.

contable m y f accountant.

contacto m 1. (gen) contact; **perder el ~** to lose touch. 2. (AUTOM) ignition.

contado, -da adj (raro) rare, infrequent; **contadas veces** very rarely. ♦ **al contado** loc adv: **pagar al ~** to pay (in) cash.

contador, -ra m y f Amer (persona) accountant. ♦ **contador** m (aparato) meter.

contagiar vt (persona) to infect; (enfermedad) to transmit. ♦ **contagiarse** vpr (enfermedad, risa) to be contagious; (persona) to become infected.

contagio m infection, contagion.

contagioso, -sa adj (enfermedad) contagious, infectious; (risa etc) infectious.

container = contenedor.

contaminación f (gen) contamination; (del medio ambiente) pollution.

contaminar vt (gen) to contaminate; (el medio ambiente) to pollute.

contar ◇ vt 1. (enumerar, incluir) to count. 2. (narrar) to tell. ◇ vi to count. ♦ **contar con** vi 1. (confiar en) to count on. 2. (tener, poseer) to have. 3. (tener en cuenta) to take into account; **con esto no contaba** I hadn't reckoned with that.

contemplación f contemplation.

contemplar vt (mirar, considerar) to contemplate.

contemporáneo, -a adj, m y f contemporary.

contenedor, -ra adj containing. ♦ **contenedor, container** m (gen) container; (para escombros) skip; **~ de basura** large rubbish bin for collecting rubbish from blocks of flats etc.

contener vt 1. (encerrar) to contain. 2. (detener, reprimir) to restrain. ♦ **contenerse** vpr to restrain o.s.

contenido m (gen) contents (pl); (de discurso, redacción) content.

contentar vt to please, to keep happy. ♦ **contentarse** vpr: **~se con** to make do with.

contento, -ta adj (alegre) happy; (satisfecho) pleased.

contestación f answer.

contestador ♦ **contestador (automático)** m answering machine.

contestar vt to answer.

contexto m context.

contienda f (competición, combate) contest; (guerra) conflict, war.

contigo pron pers with you; **~ mismo/ misma** with yourself.

contiguo, -gua adj adjacent.

continencia f self-restraint.

continental adj continental.

continente m (GEOGR) continent.

contingente ◇ adj unforeseeable. ◇ m 1. (grupo) contingent. 2. (COM) quota.

continuación f continuation; **a ~** next, then.

continuar ◇ vt to continue, to carry on with. ◇ vi to continue, to go on; **~ haciendo algo** to continue doing o to do sthg; **continúa lloviendo** it's still raining.

continuidad f (en una sucesión) continuity; (permanencia) continuation.

continuo, -nua adj 1. (ininterrumpido) continuous. 2. (constante, perseverante) continual.

contorno m 1. (GEOGR) contour; (línea) outline. 2. (gen pl) (vecindad) neighbourhood; (de una ciudad) outskirts (pl).

contorsionarse vpr (gen) to do contortions; (de dolor) to writhe.

contra ◇ prep against; **un jarabe ~ la tos** a cough syrup; **en ~** against; **estar en ~ de algo** to be opposed to sthg; **en ~ de** (a diferencia de) contrary to. ◇ m: **los pros y los ~s** the pros and cons.

contraataque m counterattack.

contrabajo m 1. (instrumento) doublebass. 2. (voz, cantante) low bass.

contrabandista m y f smuggler.

contrabando m (acto) smuggling; (mercancías) contraband; **pasar algo de ~** to smuggle sthg in; **~ de armas** gunrunning.

contracción f contraction.

contrachapado m plywood.

contradecir vt to contradict.

contradicción f contradiction; **estar en ~ con** to be in (direct) contradiction to.

contradicho, -cha pp → contradecir.

convento

contradictorio, -ria adj contradictory.

contraer vt 1. (gen) to contract. 2. (costumbre, acento etc) to acquire. 3. (enfermedad) to catch. ◆ **contraerse** vpr to contract.

contrafuerte m (ARQUIT) buttress.

contraindicación f: 'contraindicaciones: ...' 'not to be taken with ...'

contralor m Chile & Méx inspector of public spending.

contralto m (voz) contralto.

contraluz m back lighting; **a ~** against the light.

contrapartida f compensation; **como ~** to make up for it.

contrapelo ◆ **a contrapelo** loc adv 1. (acariciar) the wrong way. 2. (vivir, actuar) against the grain.

contrapesar vt (físicamente) to counterbalance.

contrapeso m 1. (en ascensores, poleas) counterweight. 2. fig (fuerza que iguala) counterbalance.

contraponer vt (oponer): **~ (a)** to set up (against). ◆ **contraponerse** vpr to oppose.

contraportada f (de periódico, revista) back page; (de libro, disco) back cover.

contraproducente adj counterproductive.

contrariar vt 1. (contradecir) to go against. 2. (disgustar) to upset.

contrariedad f 1. (dificultad) setback. 2. (disgusto) annoyance.

contrario, -ria adj 1. (opuesto - dirección, sentido) opposite; (- parte) opposing; (- opinión) contrary; **ser ~ a algo** to be opposed to sthg. 2. (perjudicial): **~ a** contrary to. ◆ **contrario** m 1. (rival) opponent. 2. (opuesto) opposite; **al ~**, **por el ~** ~ on the contrary; **de lo ~** otherwise; **todo lo ~** quite the contrary.

contrarreloj adj inv: **etapa ~** time trial.

contrarrestar vt (neutralizar) to counteract.

contrasentido m nonsense (U); **es un ~ hacer eso** it doesn't make sense to do that.

contraseña f password.

contrastar ◇ vi to contrast. ◇ vt 1. (probar - hechos) to check, to verify. 2. (resistir) to resist.

contraste m contrast.

contratar vt 1. (obreros, personal, detective) to hire; (deportista) to sign. 2. (servicio, obra, mercancía): **~ algo a alguien** to contract for sthg with sb.

contratiempo m (accidente) mishap; (dificultad) setback.

contratista m y f contractor.

contrato m contract.

contraventana f shutter.

contribución f 1. (gen) contribution. 2. (impuesto) tax.

contribuir vi 1. (gen): **~ (a)** to contribute (to); **~ con algo para** to contribute sthg towards. 2. (pagar impuestos) to pay taxes.

contribuyente m y f taxpayer.

contrincante m y f rival, opponent.

control m 1. (gen) control; **bajo ~** under control; **perder el ~** to lose one's temper. 2. (verificación) examination, inspection; **(bajo) ~ médico** (under) medical supervision; **~ antidoping** dope test. 3. (puesto policial) checkpoint.

controlador, -ra m y f (gen & INFORM) controller; **~ aéreo** air traffic controller. ◆ **controlador** m: **~ de disco** disk contoller.

controlar vt 1. (gen) to control; (cuentas) to audit. 2. (comprobar) to check.

controversia f controversy.

contusión f bruise.

convalecencia f convalescence.

convaleciente adj convalescent.

convalidar vt (estudios) to recognize; (asignaturas) to validate.

convencer vt to convince; **~ a alguien de algo** to convince sb of sthg. ◆ **convencerse** vpr: **~se de** to become convinced of.

convencimiento m (certeza) conviction; (acción) convincing.

convención f convention.

convencional adj conventional.

conveniencia f 1. (utilidad) usefulness; (oportunidad) suitability. 2. (interés) convenience; **sólo mira su ~** he only looks after his own interests.

conveniente adj (útil) useful; (oportuno) suitable, appropriate; (lugar, hora) convenient; (aconsejable) advisable; **sería ~ asistir** it would be a good idea to go.

convenio m agreement.

convenir vi 1. (venir bien) to be suitable; **conviene analizar la situación** it would be a good idea to analyse the situation; **no te conviene hacerlo** you shouldn't do it. 2. (acordar): **~ en** to agree on.

convento m (de monjas) convent; (de monjes) monastery.

converger vi to converge.

conversación f conversation. ◆ **conversaciones** fpl (negociaciones) talks.

conversada f Amer chat.

conversar vi to talk, to converse.

conversión f conversion.

convertir vt 1. (RELIG) to convert. 2. (transformar): ~ algo/a alguien en to convert sthg/sb into, to turn sthg/sb into. ◆ **convertirse** vpr 1. (RELIG): ~se (a) to convert (to). 2. (transformarse): ~se en to become, to turn into.

convexo, -xa adj convex.

convicción f conviction; **tener la ~ de que** to be convinced that.

convicto, -ta adj convicted.

convidar vt (invitar) to invite.

convincente adj convincing.

convite m 1. (invitación) invitation. 2. (fiesta) banquet.

convivencia f living together.

convivir vi to live together; ~ con to live with.

convocar vt (reunión) to convene; (huelga, elecciones) to call.

convocatoria f 1. (anuncio, escrito) notice. 2. (de examen) diet.

convulsión f 1. (de músculos) convulsion. 2. (política, social) upheaval (U).

conyugal adj conjugal; **vida ~** married life.

cónyuge m y f spouse; **los ~s** husband and wife.

coñá, coñac (pl coñacs), **cognac** (pl cognacs) m brandy, cognac.

cooperación f cooperation.

cooperar vi: ~ (con alguien en algo) to cooperate (with sb in sthg).

cooperativo, -va adj cooperative. ◆ **cooperativa** f cooperative.

coordinador, -ra ◇ adj coordinating. ◇ m y f coordinator.

coordinar vt 1. (movimientos, gestos) to coordinate. 2. (esfuerzos, medios) to combine, to pool.

copa f 1. (vaso) glass; **ir de ~s** to go out drinking; **¿quieres (tomar) una ~?** would you like (to have) a drink? 2. (de árbol) top. 3. (en deporte) cup. ◆ **copas** fpl (naipes) suit with pictures of goblets in Spanish playing cards.

Copenhague Copenhagen.

copete m (de ave) crest.

copia f (reproducción) copy; ~ **de seguridad** (INFORM) backup.

copiar ◇ vt (gen) to copy; (al dictado) to take down. ◇ vi (en examen) to cheat, to copy.

copiloto m y f copilot.

copión, -ona m y f (imitador) copycat; (en examen) cheat.

copioso, -sa adj copious.

copla f 1. (canción) folksong, popular song. 2. (estrofa) verse, stanza.

copo m (de nieve, cereales) flake; **~s de avena** rolled oats.

copropietario, -ria m y f co-owner.

copular vi to copulate.

coquetear vi to flirt.

coqueto, -ta adj (que flirtea) flirtatious, coquettish.

coraje m 1. (valor) courage. 2. (rabia) anger; **me da mucho ~** it makes me furious.

coral ◇ adj choral. ◇ m coral. ◇ f 1. (coro) choir. 2. (composición) chorale.

Corán m: **el ~** the Koran.

coraza f 1. (de soldado) cuirasse, armour. 2. (de tortuga) shell.

corazón m 1. (gen) heart; **de buen ~** kindhearted. 2. (de frutas) core. 3. → **dedo**.

corazonada f 1. (presentimiento) hunch. 2. (impulso) sudden impulse.

corbata f tie.

corchea f quaver.

corchete m 1. (broche) hook and eye. 2. (signo ortográfico) square bracket.

corcho m cork.

corcholata f Amer metal bottle top.

cordel m cord.

cordero, -ra m y f lit & fig lamb.

cordial adj cordial.

cordialidad f cordiality.

cordillera f mountain range; **la ~ de los Andes** the Andes.

cordón m 1. (gen & ANAT) cord; (de zapato) lace; ~ **umbilical** umbilical cord. 2. (cable eléctrico) flex. 3. fig (para protección, vigilancia) cordon; ~ **sanitario** cordon sanitaire. 4. CSur & Chile (de la acera) kerb.

cordura f (juicio) sanity; (sensatez) sense.

Corea: ~ **del Norte/Sur** North/South Korea.

corear vt to chorus.

coreógrafo, -fa m y f choreographer.

corista m y f (en coro) chorus singer.

cornada f goring.

cornamenta f (de toro) horns (pl); (de ciervo) antlers (pl).

córner m corner (kick).

corneta f (instrumento) bugle.

cornisa f (ARQUIT) cornice.

cortado

coro *m* **1.** *(gen)* choir; **contestar a ~** to answer all at once. **2.** *(de obra musical)* chorus.

corona *f* **1.** *(gen)* crown. **2.** *(de flores)* garland; **~ fúnebre/de laurel** funeral/laurel wreath. **3.** *(de santos)* halo.

coronación *f* *(de monarca)* coronation.

coronar *vt* **1.** *(persona)* to crown. **2.** *fig (terminar)* to complete; *(culminar)* to crown, to cap.

coronel *m* colonel.

coronilla *f* crown (of the head); **estar hasta la ~ (de)** to be sick and tired (of).

corpiño *m* *(prenda de vestir)* bodice; *CSur (sostén)* bra.

corporación *f* corporation.

corporal *adj* corporal.

corporativo, -va *adj* corporate.

corpulento, -ta *adj* corpulent.

corral *m* *(gen)* yard; *(para cerdos, ovejas)* pen.

correa *f* **1.** *(de bolso, reloj)* strap; *(de pantalón)* belt; *(de perro)* lead, leash. **2.** (TECN) belt; **~ del ventilador** fan belt.

corrección *f* **1.** *(de errores)* correction; **~ de pruebas** proofreading. **2.** *(de exámenes)* marking. **3.** *(de texto)* revision. **4.** *(de comportamiento)* correctness.

correctivo, -va *adj* corrective. ♦ **correctivo** *m* punishment.

correcto, -ta *adj* **1.** *(resultado, texto, respuesta)* correct. **2.** *(persona)* polite; *(conducta)* proper.

corredor, -ra *m y f* **1.** *(deportista)* runner. **2.** *(intermediario)*: **~ de bolsa** stockbroker; **~ de comercio** (COM) registered broker; **~ de fincas** land agent. ♦ **corredor** *m* *(pasillo)* corridor.

corregir *vt* *(gen)* to correct; *(exámenes)* to mark. ♦ **corregirse** *vpr* to change for the better.

correlación *f* correlation.

correo *m* post, mail; **echar al ~** to post; **a vuelta de ~** by return (of post); **~ aéreo** air mail; **~ certificado** registered post o mail; **~ electrónico** electronic mail; **~ urgente** special delivery; **~ de voz** voice mail. ♦ **Correos** *m* *(organismo)* the post office.

correr *vi* **1.** *(andar de prisa)* to run; **a todo ~** at full speed o pelt; **(ella) corre que se las pela** she runs like the wind. **2.** *(conducir de prisa)* to drive fast. **3.** *(pasar por - río)* to flow; *(- camino, agua del grifo)* to run. **4.** *(el tiempo, las horas)* to pass, to go by. **5.** *(propagarse - noticia etc)* to spread. ◇ *vt* **1.** *(recorrer - una distancia)* to cover; **corrió los 100 metros** he ran the 100

metres. **2.** *(deslizar - mesa, silla)* to move o pull up. **3.** *(cortinas)* to draw; **~ el pestillo** to bolt the door. **4.** *(experimentar - aventuras, vicisitudes)* to have; *(- riesgo)* to run. ♦ **correrse** *vpr* **1.** *(desplazarse - persona)* to move over; *(- cosa)* to slide. **2.** *(pintura, colores)* to run.

correspondencia *f* **1.** *(gen)* correspondence. **2.** *(de metro, tren)* connection.

corresponder *vi* **1.** *(compensar)*: **~ (con algo) a alguien/algo** to repay sb/sthg (with sthg). **2.** *(pertenecer)* to belong. **3.** *(coincidir)*: **~ (a/con)** to correspond (to/with). **4.** *(tocar)*: **~le a alguien hacer algo** to be sb's responsibility to do sthg. **5.** *(a un sentimiento)* to reciprocate. ♦ **corresponderse** *vpr* **1.** *(escribirse)* to correspond. **2.** *(amarse)* to love each other.

correspondiente *adj* **1.** *(gen)*: **~ (a)** corresponding (to). **2.** *(respectivo)* respective.

corresponsal *m y f* (PRENSA) correspondent.

corretear *vi* *(correr)* to run about.

corrido, -da *adj* *(avergonzado)* embarrassed. ♦ **corrida** *f* **1.** (TAUROM) bull fight. **2.** *(acción de correr)* run. ♦ **de corrido** *loc prep* by heart; **recitar algo de ~** to recite sthg parrot-fashion.

corriente ◇ *adj* **1.** *(normal)* ordinary, normal. **2.** *(agua)* running. **3.** *(mes, año, cuenta)* current. ◇ *f* **1.** *(de río, electricidad)* current; **~ alterna/continua** alternating/direct current. **2.** *(de aire)* draught. **3.** *fig (tendencia)* trend, current; *(de opinión)* tide. **4.** *loc*: **ir contra ~** to go against the tide. ◇ *m*: **estar al ~ de** to be up to date with.

corro *m* *(círculo)* circle, ring; **en ~** in a circle; **hacer ~** to form a circle.

corroborar *vt* to corroborate.

corroer *vt* *(gen)* to corrode; (GEOL) to erode.

corromper *vt* **1.** *(pudrir - madera)* to rot; *(- alimentos)* to turn bad, to spoil. **2.** *(pervertir)* to corrupt.

corrosivo, -va *adj lit & fig* corrosive.

corrupción *f* **1.** *(gen)* corruption. **2.** *(de una substancia)* decay.

corsé *m* corset.

cortacésped *(pl* **cortacéspedes***) m* lawnmower.

cortado, -da *adj* **1.** *(labios, manos)* chapped. ♦ **corrida** *f* **2.** *(leche)* sour, off; *(salsa)* curdled. **3.** *fam fig (tímido)* inhibited; **quedarse ~** to be left speechless.

◆ **cortado** m (café) small coffee with just a little milk.

cortante adj 1. (afilado) sharp. 2. fig (tajante - frase, estilo) cutting; (- viento) biting; (- frío) bitter.

cortar ◇ vt 1. (seccionar - pelo, uñas) to cut; (- papel) to cut up; (- ramas) to cut off; (- árbol) to cut down. 2. (amputar) to amputate, to cut off. 3. (tela, figura de papel) to cut out. 4. (interrumpir - retirada, luz, teléfono) to cut off; (- carretera) to block (off); (- hemorragia) to stop, to staunch; (- discurso, conversación) to interrupt. 5. (labios, piel) to chap. ◇ vi 1. (producir un corte) to cut. 2. (cesar una relación) to break o split up. ◆ **cortarse** vpr 1. (herirse) to cut o.s.; ~se el pelo to have a haircut. 2. (alimento) to curdle. 3. (turbarse) to become tongue-tied.

cortaúñas m inv nail clippers (pl).

corte ◇ m 1. (raja) cut; (en pantalones, camisa etc) tear; ~ y confección (para mujeres) dressmaking; (para hombres) tailoring. 2. (interrupción): ~ de luz power cut. 3. (sección) section. 4. (concepción, estilo) style. 5. fam (vergüenza) embarrassment; dar ~ a alguien to embarrass sb. ◇ f (palacio) court. ◆ **Cortes** fpl (POLÍT) the Spanish parliament.

cortejar vt to court.

cortejo m retinue; ~ fúnebre funeral cortège o procession.

cortés adj polite, courteous.

cortesía f courtesy; de ~ courtesy.

corteza f 1. (del árbol) bark. 2. (de pan) crust; (de queso, tocino, limón) rind; (de naranja etc) peel. 3. (terrestre) crust.

cortina f (de tela) curtain; fig: ~ de agua sheet of water; ~ de humo smoke screen.

corto, -ta adj 1. (gen) short. 2. (escaso - raciones) meagre; (- disparo) short of the target; ~ de vista short-sighted. 3. fig (bobo) dim, simple. 4. loc: quedarse ~ (al calcular) to underestimate; decir que es bueno es quedarse ~ it's an understatement to call it good.

cortocircuito m short circuit.

cortometraje m short (film).

cosa f 1. (gen) thing; ¿queréis alguna ~? is there anything you want?; no es gran ~ it's not important, it's no big deal; poca ~ nothing much. 2. (asunto) matter. 3. (ocurrencia): ¡qué ~s tienes! you do say some funny things! 4. loc: hacer algo como quien no quiere la ~ (disimuladamente) to do sthg as if one wasn't

intending to; (sin querer) to do sthg almost without realizing it; como si tal ~ as if nothing had happened; eso es ~ mía that's my affair o business. ◆ **cosa de** loc adv about.

coscorrón m bump on the head.

cosecha f 1. (gen) harvest; ser de la (propia) ~ de alguien to be made up o invented by sb. 2. (del vino) vintage.

cosechar ◇ vt 1. (cultivar) to grow. 2. (recolectar) to harvest. ◇ vi to (bring in the) harvest.

coser ◇ vt (con hilo) to sew; ~ un botón to sew on a button. ◇ vi to sew; ser cosa de ~ y cantar to be child's play o a piece of cake.

cosido m stitching.

cosmético, -ca adj cosmetic (antes de sust). ◆ **cosmético** m cosmetic. ◆ **cosmética** f cosmetics (U).

cosmopolita adj, m y f cosmopolitan.

cosmos m cosmos.

cosquillas fpl: hacer ~ to tickle; tener ~ to be ticklish.

costa f (GEOGR) coast. ◆ **a costa de** loc prep at the expense of; lo hizo a ~ de grandes esfuerzos he did it by dint of much effort. ◆ **a toda costa** loc prep at all costs.

costado m side.

costal m sack.

costanera f CSur & Chile seaside promenade.

costar ◇ vt 1. (dinero) to cost; ¿cuánto cuesta? how much is it? 2. (tiempo) to take. ◇ vi (ser difícil): ~le a alguien hacer algo to be difficult for sb to do sthg.

Costa Rica Costa Rica.

costarricense, costarriqueño, -ña adj, m y f Costa Rican.

coste m (de producción) cost; (de un objeto) price; ~ de la vida cost of living.

costilla f 1. (de persona, barco) rib. 2. (de animal) cutlet.

costo m (de una mercancía) price; (de un producto, de la vida) cost.

costoso, -sa adj (operación, maquinaria) expensive.

costra f (de herida) scab.

costumbre f habit, custom; coger/ perder la ~ de hacer algo to get into/out of the habit of doing sthg; como de ~ as usual.

costura f 1. (labor) sewing, needlework. 2. (puntadas) seam. 3. (oficio) dressmaking; alta ~ haute couture.

costurero m (caja) sewing box.

cota f 1. (altura) altitude, height above

sea level. **2.** *fig (nivel)* level, height.
cotejar *vt* to compare.
cotejo *m* comparison.
cotidiano, -na *adj* daily.
cotilla *m y f fam* gossip, busybody.
cotillear *vi fam* to gossip.
cotilleo *m fam* gossip, tittle-tattle.
cotillón *m* New Year's Eve party.
cotización *f* **1.** *(valor)* price. **2.** *(en Bolsa)* quotation, price.
cotizar *vt* **1.** *(valorar)* to quote, to price. **2.** *(pagar)* to pay. ♦ **cotizarse** *vpr* **1.** *(estimarse - persona)* to be valued o prized. **2.** ~**se** *a (producto)* to sell for, to fetch; *(bonos, valores)* to be quoted at.
coto *m* preserve; ~ **de caza** game preserve; **poner** ~ **a** to put a stop to.
cotorra *f (ave)* parrot.
coxis = **cóccix**.
coyote *m* coyote.
coyuntura *f* **1.** *(situación)* moment; **la** ~ **económica** the economic situation. **2.** (ANAT) joint.
coz *f* kick.
crac *(pl* **cracs**), **crack** *(pl* **cracks**) *m* (FIN) crash.
crack *(pl* **cracks**) *m* **1.** (FIN) → **crac**. **2.** *(droga)* crack.
cráneo *m* cranium, skull.
cráter *m* crater.
creación *f* creation.
creador, -ra ◊ *adj* creative. ◊ *m y f* creator.
crear *vt* **1.** *(gen)* to create. **2.** *(fundar - una academia)* to found.
creatividad *f* creativity.
creativo, -va *adj* creative.
crecer *vi* **1.** *(persona, planta)* to grow. **2.** *(días, noches)* to grow longer. **3.** *(río, marea)* to rise. **4.** *(aumentar - animosidad etc)* to grow, to increase; *(- rumores)* to spread. ♦ **crecerse** *vpr* to become more self-confident.
creces ♦ **con creces** *adv* with interest.
crecido, -da *adj (cantidad)* large; *(hijo)* grown-up. ♦ **crecida** *f* spate, flood.
creciente *adj (gen)* growing; *(luna)* crescent.
crecimiento *m (gen)* growth; *(de precios)* rise.
credibilidad *f* credibility.
crédito *m* **1.** *(préstamo)* loan; **a** ~ **on** credit; ~ **al consumo** (ECON) consumer credit. **2.** *(plazo de préstamo)* credit. **3.** *(confianza)* trust, belief; **digno de** ~ trustworthy; **dar** ~ **a algo** to believe sthg. **4.** *(en universidad)* credit.
credo *m (religioso)* creed.

crédulo, -la *adj* credulous.
creencia *f* belief.
creer *vt* **1.** *(gen)* to believe. **2.** *(suponer)* to think. ♦ **creer en** *vi* to believe in. ♦ **creerse** *vpr (considerarse)* to believe o.s. to be.
creíble *adj* credible, believable.
creído, -da *adj (presumido)* conceited.
crema *f* **1.** *(gen)* cream. **2.** *(betún)* shoe polish. **3.** *(licor)* crème. **4.** *(dulce, postre)* custard.
cremallera *f (para cerrar)* zipper *Am*, zip (fastener) *Br*.
crematorio, -ria *adj*: **horno** ~ cremator. ♦ **crematorio** *m* crematorium.
cremoso, -sa *adj* creamy.
crepe [krep] *f* crepe.
crepitar *vi* to crackle.
crepúsculo *m (al amanecer)* first light; *(al anochecer)* twilight, dusk.
crespo, -pa *adj* tightly curled, frizzy.
cresta *f* **1.** *(gen)* crest. **2.** *(del gallo)* comb.
cretino, -na *m y f* cretin.
creyente *m y f* believer.
cría → **crío**.
criadero *m (de animales)* farm *(breeding place)*; *(de árboles, plantas)* nursery.
criado, -da *m y f* servant *(f* maid).
criador, -ra *m y f (de animales)* breeder; *(de vinos)* grower.
crianza *f* **1.** *(de animales)* breeding. **2.** *(del vino)* vintage. **3.** *(educación)* breeding.
criar *vt* **1.** *(amamantar - suj: mujer)* to breastfeed; *(- suj: animal)* to suckle. **2.** *(animales)* to breed, to rear; *(flores, árboles)* to grow. **3.** *(vino)* to mature, to make. **4.** *(educar)* to bring up. ♦ **criarse** *vpr (crecer)* to grow up.
criatura *f* **1.** *(niño)* child; *(bebé)* baby. **2.** *(ser vivo)* creature.
criba *f (tamiz)* sieve.
cricket = **criquet**.
crimen *m* crime.
criminal *adj, m y f* criminal.
crin *f* mane.
crío, -cría *m y f (niño)* kid. ♦ **cría** *f* **1.** *(hijo del animal)* young. **2.** *(crianza - de animales)* breeding.
criollo, -lla *m y f* Latin American of European extraction.
cripta *f* crypt.
criquet, cricket ['kriket] *m* cricket.
crisantemo *m* chrysanthemum.
crisis *f inv (gen)* crisis; ~ **económica** recession; ~ **nerviosa** nervous breakdown.

crisma *f fam* bonce, nut.

crismas, christmas *m inv* Christmas card.

crispar *vt (los nervios)* to set on edge; *(los músculos)* to tense; *(las manos)* to clench.

cristal *m* 1. *(material)* glass (U); *(vidrio fino)* crystal. 2. *(en la ventana)* (window) pane. 3. (MIN) crystal.

cristalera *f (puerta)* French window; *(techo)* glass roof; *(armario)* glass-fronted cabinet.

cristalino, -na *adj* crystalline. ◆ **cristalino** *m* crystalline lens.

cristalizar *vt* 1. *(una sustancia)* to crystallize. 2. *fig (un asunto)* to bring to a head. ◆ **cristalizarse** *vpr* to crystallize. ◆ **cristalizarse en** *vpr fig* to develop into.

cristiandad *f* Christianity.

cristianismo *m* Christianity.

cristiano, -na *adj, m y f* Christian.

cristo *m* crucifix. ◆ **Cristo** *m* Christ.

criterio *m* 1. *(norma)* criterion. 2. *(juicio)* taste. 3. *(opinión)* opinion.

crítica → **crítico**.

criticar *vt* 1. *(enjuiciar - literatura, arte)* to review. 2. *(censurar)* to criticize.

crítico, -ca ◇ *adj* critical. ◇ *m y f (persona)* critic. ◆ **crítica** *f* 1. *(juicio - sobre arte, literatura)* review. 2. *(conjunto de críticos)*: **la ~** the critics *(pl)*. 3. *(ataque)* criticism.

Croacia Croatia.

croar *vi* to croak.

croata ◇ *adj* Croatian. ◇ *m y f* Croat.

croissant [krwa'san] *(pl croissants)* *m* croissant.

crol *m* (DEP) crawl.

cromo *m* 1. *(metal)* chrome. 2. *(estampa)* transfer.

crónico, -ca *adj* chronic. ◆ **crónica** *f* 1. *(de la historia)* chronicle. 2. *(de un periódico)* column; *(de la televisión)* feature, programme.

cronista *m y f (historiador)* chronicler; *(periodista)* columnist.

cronología *f* chronology.

cronometrar *vt* to time.

cronómetro *m* (DEP) stopwatch; (TECN) chronometer.

croqueta *f* croquette.

croquis *m inv* sketch.

cross *m inv (carrera)* cross-country race; *(deporte)* cross-country (running).

cruce *m* 1. *(de líneas)* crossing, intersection; *(de carreteras)* crossroads. 2. *(de animales)* cross.

crucero *m* 1. *(viaje)* cruise. 2. *(barco)* cruiser. 3. *(de iglesias)* transept.

crucial *adj* crucial.

crucificar *vt (en una cruz)* to crucify.

crucifijo *m* crucifix.

crucifixión *f* crucifixion.

crucigrama *m* crossword (puzzle).

crudeza *f* 1. *(gen)* harshness. 2. *(de descripción, imágenes)* brutality.

crudo, -da *adj* 1. *(natural)* raw; *(petróleo)* crude. 2. *(sin cocer completamente)* undercooked. 3. *(realidad, clima, tiempo)* harsh; *(novela)* harshly realistic, hard-hitting. 4. *(cruel)* cruel. ◆ **crudo** *m* crude (oil).

cruel *adj (gen)* cruel.

crueldad *f* 1. *(gen)* cruelty. 2. *(acción cruel)* act of cruelty.

cruento, -ta *adj* bloody.

crujido *m (de madera)* creak, creaking (U); *(de hojas secas)* crackle, crackling (U).

crujiente *adj (madera)* creaky; *(hojas secas)* rustling; *(patatas fritas)* crunchy.

crujir *vi (madera)* to creak; *(patatas fritas, nieve)* to crunch; *(hojas secas)* to crackle; *(dientes)* to grind.

cruz *f* 1. *(gen)* cross; **~ gamada** swastika. 2. *(de una moneda)* tails (U). 3. *fig (aflicción)* burden. ◆ **Cruz Roja** *f* Red Cross.

cruza *f Amer* cross, crossbreed.

cruzado, -da *adj* 1. *(cheque, piernas, brazos)* crossed. 2. *(un animal)* crossbred. 3. *(abrigo, chaqueta)* double-breasted. ◆ **cruzada** *f lit & fig* crusade.

cruzar *vt* 1. *(gen)* to cross. 2. *(unas palabras)* to exchange. ◆ **cruzarse** *vpr* 1. *(gen)* to cross; **~se de brazos** to fold one's arms. 2. *(personas)*: **~se con alguien** to pass sb.

cta. *(abrev de cuenta)* a/c.

cte. *(abrev de corriente)* inst.

cuaderno *m (gen)* notebook; *(en el colegio)* exercise book.

cuadra *f* 1. *(de caballos)* stable. 2. *Amer (manzana)* block.

cuadrado, -da *adj (gen & MAT)* square. ◆ **cuadrado** *m* square.

cuadragésimo, -ma *núm* fortieth.

cuadrar ◇ *vi* 1. *(información, hechos)*: **~ (con)** to square o agree (with). 2. *(números, cuentas)* to tally, to add up. ◇ *vt (gen)* to square. ◆ **cuadrarse** *vpr* (MIL) to stand to attention.

cuadrícula *f* grid.

cuadrilátero *m* 1. (GEOM) quadrilateral. 2. (DEP) ring.

cuadrilla *f (de amigos, trabajadores)* group; *(de maleantes)* gang.

cuadro *m* 1. *(pintura)* painting, picture. 2. *(escena)* scene, spectacle. 3. *(descripción)* portrait. 4. *(cuadrado)* square; *(de flores)* bed; **a ~s** check *(antes de sust)*. 5. *(equipo)* team. 6. *(gráfico)* chart, diagram. 7. *(de la bicicleta)* frame. 8. (TEATRO) scene.

cuádruple *m* quadruple.

cuajar ◇ *vt* 1. *(solidificar - leche)* to curdle; *(- huevo)* to set; *(- sangre)* to clot, to coagulate. 2. **~ de** *(llenar)* to fill with; *(cubrir)* to cover with. ◇ *vi* 1. *(lograrse - acuerdo)* to be settled; *(- negocio)* to take off, to get going. 2. *(ser aceptado - persona)* to fit in; *(- moda)* to catch on. 3. *(nieve)* to settle. ◆ **cuajarse** *vpr* 1. *(leche)* to curdle; *(sangre)* to clot, to coagulate. 2. *(llenarse)* **~se de** to fill (up) with.

cuajo *m* rennet. ◆ **de cuajo** *loc adv*: **arrancar de ~** *(árbol)* to uproot; *(brazo etc)* to tear right off.

cual *pron relat*: **el/la ~** *etc (de persona)* *(sujeto)* who; *(complemento)* whom; *(de cosa)* which; **lo ~** which; **conoció a una española, la ~ vivía en Buenos Aires** he met a Spanish girl who lived in Buenos Aires; **está muy enfadada, lo ~ es comprensible** she's very angry, which is understandable; **todo lo ~** all of which; **sea ~ sea** ○ **fuere su decisión** whatever his decision (may be).

cuál *pron (interrogativo)* what; *(en concreto, especificando)* which one; **¿~ es tu nombre?** what is your name?; **¿~ es la diferencia?** what's the difference?; **no sé ~es son mejores** I don't know which are best; **¿~ prefieres?** which one do you prefer?

cualesquiera *pl* → cualquiera.

cualidad *f* quality.

cualificado, -da *adj* skilled.

cualitativo, -va *adj* qualitative.

cualquiera *(pl* **cualesquiera)** ◇ *adj (antes de sust:* **cualquier)** any; **cualquier día vendré a visitarte** I'll drop by one of these days; **en cualquier momento** at any time; **en cualquier lugar** anywhere. ◇ *pron* anyone; **~ te lo dirá** anyone will tell you; **~ que** *(persona)* anyone who; *(cosa)* whatever; **~ que sea la razón** whatever the reason (may be). ◇ *m y f (don nadie)* nobody.

cuan *adv (todo lo que)*: **se desplomó ~ largo era** he fell flat on the ground.

cuán *adv* how.

cuando ◇ *adv* when; **de ~ en ~, de vez en ~** from time to time, now and again. ◇ *conj* 1. *(de tiempo)* when; **~ llegue el verano iremos de viaje** when summer comes we'll go travelling. 2. *(si)* if; **~ tú lo dices será verdad** it must be true if you say so. 3. *(después de 'aun')* (aunque): **no mentiría aun ~ le fuera en ello la vida** she wouldn't lie even if her life depended on it. ◆ **cuando más** *loc adv* at the most. ◆ **cuando menos** *loc adv* at least. ◆ **cuando quiera que** *loc conj* whenever.

cuándo *adv* when; **¿~ vas a venir?** when are you coming?; **quisiera saber ~ sale el tren** I'd like to know when ○ at what time the train leaves.

cuantía *f (suma)* quantity; *(alcance)* extent.

cuantificar *vt* to quantify.

cuantioso, -sa *adj* large, substantial.

cuantitativo, -va *adj* quantitative.

cuanto, -ta ◇ *adj* 1. *(todo)*: **despilfarra ~ dinero gana** he squanders all the money he earns; **soporté todas cuantas críticas me hizo** I put up with every single criticism he made of me. 2. *(antes de adv) (compara cantidades)*: **cuantas más mentiras digas, menos te creerán** the more you lie, the less people will believe you. ◇ *pron relat (gen pl) (de personas)* everyone who; *(de cosas)* everything (that); **~s fueron alabaron el espectáculo** everyone who went said the show was excellent; **dio las gracias a todos ~s le ayudaron** he thanked everyone who helped him. ◆ **cuanto** ◇ *pron relat (neutro)* 1. *(todo lo que)* everything, as much as; **come ~ quieras** eat as much as you like; **comprendo ~ dice** I understand everything he says; **todo ~** everything. 2. *(compara cantidades)*: **~ más se tiene, más se quiere** the more you have, the more you want. ◇ *adv (compara cantidades)*: **~ más come, más gordo está** the more he eats, the fatter he gets. ◆ **cuanto antes** *loc adv* as soon as possible. ◆ **en cuanto** ◇ *loc conj (tan pronto como)* as soon as; **en ~ acabe** as soon as I've finished. ◇ *loc prep (en calidad de)* as; **en ~ cabeza de familia** as head of the family. ◆ **en cuanto a** *loc prep* as regards.

cuánto, -ta ◇ *adj* 1. *(interrogativo)* how much, *(pl)* how many; **¿cuántas manzanas tienes?** how many apples do you have?; **¿~ pan quieres?** how much bread do you want?; **no sé ~s hombres había** I don't know how many men were there. **2.** (*exclamativo*) what a lot of; **¡cuánta gente (había)!** what a lot of people (were there)! ◊ *pron* (*gen pl*) **1.** (*interrogativo*) how much, (*pl*) how many; **¿~s han venido?** how many came?; **dime cuántas quieres** tell me how many you want. **2.** (*exclamativo*): **¡~s quisieran conocerte!** there are so many people who would like to meet you! ◆ **cuánto** *pron* (*neutro*) **1.** (*interrogativo*) how much; **¿~ quieres?** how much do you want?; **me gustaría saber ~ te costarán** I'd like to know how much they'll cost you. **2.** (*exclamativo*): **¡~ han cambiado las cosas!** how things have changed!

cuarenta *núm* forty; **los (años) ~** the forties.

cuarentena *f* (*por epidemia*) quarantine.

cuaresma *f* Lent.

cuartear *vt* to cut o chop up.

cuartel *m* (MIL) barracks (*pl*); **~ general** headquarters (*pl*).

cuartelazo *m* military uprising.

cuarteto *m* quartet.

cuarto, -ta *núm* fourth; **la cuarta parte** a quarter. ◆ **cuarto** *m* **1.** (*parte*) quarter; **un ~ de hora** a quarter of an hour; **son las dos y/menos ~** it's a quarter past/to two. **2.** (*habitación*) room; **~ de baño** bathroom; **~ de estar** living room. ◆ **cuarta** *f* (*palmo*) span.

cuarzo *m* quartz.

cuate *m y f inv* CAm & Méx (*amigo*) friend.

cuatro *núm* four; *ver también* **seis**.

cuatrocientos, -tas *núm* four hundred; *ver también* **seis**.

cuba *f* barrel, cask; **estar como una ~** to be legless o blind drunk.

Cuba Cuba.

cubalibre *m* rum and coke.

cubano, -na *adj, m y f* Cuban.

cubertería *f* cutlery (U).

cúbico, -ca *adj* cubic.

cubierto, -ta ◊ *pp* → **cubrir**. ◊ *adj* **1.** (*gen*): **~ (de)** covered (with); **estar a ~** (*protegido*) to be under cover; (*con saldo acreedor*) to be in the black; **ponerse a ~** to take cover. **2.** (*cielo*) overcast. ◆ **cubierto** *m* **1.** (*pieza de cubertería*) piece of cutlery. **2.** (*para cada persona*) place setting. ◆ **cubierta** *f* **1.** (*gen*) cover. **2.** (*de neumático*) tyre. **3.** (*de barco*) deck.

cubilete *m* (*en juegos*) cup.

cubito *m* (*de hielo*) ice cube.

cubo *m* **1.** (*recipiente*) bucket; **~ de la basura** rubbish bin. **2.** (GEOM & MAT) cube; **elevar al ~** to cube.

cubrecama *m* bedspread.

cubrir *vt* **1.** (*gen*) to cover. **2.** (*proteger*) to protect. **3.** (*disimular*) to cover up, to hide. **4.** (*puesto, vacante*) to fill. ◆ **cubrir de** *vt*: **~ de algo a alguien** to heap sthg on sb. ◆ **cubrirse** *vpr* **1.** (*taparse*): **~se (de)** to become covered (with). **2.** (*protegerse*): **~se (de)** to shelter (from). **3.** (*con sombrero*) to put one's hat on. **4.** (*con ropa*): **~se (con)** to cover o.s. (with). **5.** (*cielo*) to cloud over.

cucaracha *f* cockroach.

cuchara *f* (*para comer*) spoon.

cucharada *f* spoonful.

cucharilla *f* teaspoon.

cucharón *m* ladle.

cuchichear *vi* to whisper.

cuchilla *f* blade; **~ de afeitar** razor blade.

cuchillo *m* knife.

cuclillas ◆ **en cuclillas** *loc adv* squatting; **ponerse en ~** to squat (down).

cuclillo *m* cuckoo.

cuco *m* cuckoo.

cucurucho *m* **1.** (*de papel*) paper cone. **2.** (*para helado*) cornet, cone.

cuello *m* **1.** (*gen*) neck; **~ de botella** bottleneck. **2.** (*de prendas*) collar.

cuenca *f* **1.** (*de río*) basin. **2.** (*del ojo*) (eye) socket. **3.** (*región minera*) coalfield.

cuenco *m* earthenware bowl.

cuenta *f* **1.** (*acción de contar*) count; **echar ~s** to reckon up; **llevar/perder la ~ de** to keep/lose count of; **~ atrás** countdown. **2.** (*cálculo*) sum. **3.** (BANCA & COM) account; **abonar algo en ~ a alguien** to credit sthg to sb's account; **~ de gastos** expenditure account; **pagar mil pesetas a ~** to pay a thousand pesetas down; **~ de ahorros** savings account; **~ corriente** current account; **~ de crédito** current account with an overdraft facility; **~ deudora** overdrawn account; **~ a plazo fijo** deposit account. **4.** (*factura*) bill; **pasar la ~** to send the bill; **~ por cobrar/pagar** account receivable/payable. **5.** (*bolita - de collar, rosario*) bead. **6.** *loc*: **a fin de ~s** in the end; **ajustarle a alguien las ~s** to settle an account o a score with sb; **caer en la ~ de algo** to realize sthg; **darse ~ de algo** to realize sthg; **más de la ~** too much; **por mi/tu** *etc* **~** on my/your *etc* own; **tener en ~ algo** to bear sthg in mind.

cuentagotas *m inv* dropper; **a** o **con ~** in dribs and drabs.

cuentakilómetros *m inv* (*de distancia recorrida*) = milometer; (*de velocidad*) speedometer.

cuento *m* 1. (*fábula*) tale; **~ de hadas** fairy tale. 2. (*narración*) short story. 3. (*mentira, exageración*) story, lie; **~ chino** tall story. 4. *loc*: **tener ~** to put it on.

cuerda *f* 1. (*para atar - fina*) string; (*- más gruesa*) rope; **~ floja** tightrope. 2. (*de instrumento*) string. 3. (*de reloj*) spring; **dar ~ a** (*reloj*) to wind up. 4. (GEOM) chord. ♦ **cuerdas vocales** *fpl* vocal cords.

cuerdo, -da *adj* 1. (*sano de juicio*) sane. 2. (*sensato*) sensible.

cuerno *m* (*gen*) horn; (*de ciervo*) antler.

cuero *m* 1. (*piel de animal*) skin; (*piel curtida*) hide; **~ cabelludo** scalp; **en ~s, en ~s vivos** stark naked. 2. (*material*) leather.

cuerpo *m* 1. (*gen*) body; **a ~** without a coat on; **luchar ~ a ~** to fight hand-to-hand; **tomar ~** to take shape; **en ~ y alma** body and soul. 2. (*tronco*) trunk. 3. (*corporación consular, militar etc*) corps; **~ de bomberos** fire brigade; **~ diplomático** diplomatic corps.

cuervo *m* crow.

cuesta *f* slope; **~ arriba** uphill; **~ abajo** downhill; **a ~s** on one's back, over one's shoulders.

cuestión *f* 1. (*pregunta*) question. 2. (*problema*) problem. 3. (*asunto*) matter, issue.

cuestionar *vt* to question.

cuestionario *m* questionnaire.

cueva *f* cave.

cuicos *mpl Méx fam* cops.

cuidado ◇ *m* care; **tener ~ con** to be careful with; **~s intensivos** intensive care (U); **eso me tiene** o **trae sin ~** I couldn't care less about that. ◇ *interj*: **¡~!** careful!, look out!

cuidadoso, -sa *adj* careful.

cuidar *vt* (*gen*) to look after; (*estilo etc*) to take care over; (*detalles*) to pay attention to. ♦ **cuidar de** *vi* to look after; **cuida de que no lo haga** make sure she doesn't do it. ♦ **cuidarse** *vpr* to take care of o to look after o.s.; **~se de** to worry about.

culata *f* 1. (*de arma*) butt. 2. (*de motor*) cylinder head.

culebra *f* snake.

culebrón *m* (TV) soap opera.

culinario, -ria *adj* culinary.

culminar ◇ *vt*: **~ (con)** to crown (with). ◇ *vi* to finish, to culminate.

culo *m fam* 1. (*de personas*) backside, bum *Br*. 2. (*de objetos*) bottom.

culpa *f* (*responsabilidad*) fault; **tener la ~ de algo** to be to blame for sthg; **echar la ~ a alguien (de)** to blame sb (for); **por ~ de** because of.

culpabilidad *f* guilt.

culpable ◇ *adj*: **~ (de)** guilty (of); **declararse ~** to plead guilty. ◇ *m y f* (DER) guilty party; **tú eres el ~** you're to blame.

culpar *vt*: **~ a alguien (de)** (*atribuir la culpa*) to blame sb (for); (*acusar*) to accuse sb (of).

cultivar *vt* (*tierra*) to farm, to cultivate; (*plantas*) to grow. ♦ **cultivarse** *vpr* (*persona*) to improve o.s.

cultivo *m* 1. (*de tierra*) farming; (*de plantas*) growing. 2. (*plantación*) crop.

culto, -ta *adj* (*persona*) cultured, educated; (*estilo*) refined; (*palabra*) literary. ♦ **culto** *m* 1. (*devoción*) worship. 2. (*religión*) cult.

cultura *f* 1. (*de sociedad*) culture. 2. (*sabiduría*) learning, knowledge.

cultural *adj* cultural.

culturismo *m* body-building.

cumbre *f* 1. (*de montaña*) summit. 2. *fig* (*punto culminante*) peak. 3. (POLÍT) summit (conference).

cumpleaños *m inv* birthday.

cumplido, -da *adj* 1. (*completo, lleno*) full, complete. 2. (*cortés*) courteous. ♦ **cumplido** *m* compliment.

cumplidor, -ra *adj* reliable.

cumplimentar *vt* 1. (*felicitar*) to congratulate. 2. (*cumplir - orden*) to carry out; (*- contrato*) to fulfil.

cumplimiento *m* (*de un deber*) performance; (*de contrato, promesa*) fulfilment; (*de la ley*) observance; (*de órdenes*) carrying out; (*de condena*) completion; (*de plazo*) expiry.

cumplir ◇ *vt* 1. (*orden*) to carry out; (*promesa*) to keep; (*ley*) to observe; (*contrato*) to fulfil. 2. (*años*) to reach; **mañana cumplo los 20** I'm 20 o it's my 20th birthday tomorrow. 3. (*condena*) to serve; (*servicio militar*) to do. ◇ *vi* 1. (*plazo, garantía*) to expire. 2. (*realizar el deber*) to do one's duty; **~ con el deber** to do one's duty; **~ con la palabra** to keep one's word.

cúmulo *m* 1. (*de objetos*) pile. 2. *fig* (*de asuntos, acontecimientos*) series.

cuna *f* (*para dormir*) cot, cradle.

cundir *vi* 1. (*propagarse*) to spread.

2. (dar de sí - comida, reservas, tiempo) to go a long way.

cuneta f (de una carretera) ditch; (de una calle) gutter.

cuña f 1. (pieza) wedge. 2. (de publicidad) commercial break.

cuñado, -da m y f brother-in-law (f sister-in-law).

cuño m 1. (troquel) die. 2. (sello, impresión) stamp.

cuota f 1. (contribución - a entidad, club) membership fee, subscription. 2. (cupo) quota.

cupiera etc → caber.

cuplé m popular song.

cupo ◊ v → caber. ◊ m 1. (cantidad máxima) quota. 2. (cantidad proporcional) share; (de algo racionado) ration.

cupón m (gen) coupon; (de lotería, rifa) ticket.

cúpula f (ARQUIT) dome, cupola.

cura ◊ m priest. ◊ f 1. (curación) recovery. 2. (tratamiento) treatment, cure.

curado, -da adj (alimento) cured; (pieles) tanned; ~ **de espanto** unshockable.

curandero, -ra m y f quack.

curar ◊ vt 1. (gen) to cure. 2. (herida) to dress. 3. (pieles) to tan. ◊ vi (enfermo) to recover; (herida) to heal up. ♦ **curarse** vpr 1. (sanar): ~**se (de)** to recover (from). 2. (alimento) to cure.

curiosear ◊ vi (fisgonear) to nose around; (por una tienda) to browse round. ◊ vt (libros, revistas) to browse through.

curiosidad f (gen) curiosity.

curioso, -sa ◊ adj 1. (por saber, averiguar) curious, inquisitive. 2. (raro) odd, strange. ◊ m y f onlooker.

curita f Amer Band-Aid® Am, (sticking) plaster Br.

currante adj fam hard-working.

currar, currelar vi fam to work.

currículum (vitae) [ku'rrikulum (-'bite)] (pl **currícula (vitae)** o **currículums**), **currículo** (pl **currículos**) m curriculum vitae.

cursar vt 1. (estudiar) to study. 2. (enviar) to send. 3. (dar - órdenes etc) to give, to issue. 4. (tramitar) to submit.

cursi adj fam (vestido, canción etc) naff, tacky; (modales, persona) affected.

cursillo m (curso) short course.

cursiva → letra.

curso m 1. (año académico) year. 2. (asignatura) course; ~ **intensivo** crash course. 3. (dirección - de río, acontecimientos) course; (- de la economía) trend; **seguir su** ~ to go on, to continue; **en** ~ (mes, año) current; (trabajo) in progress.

cursor m (INFORM) cursor.

curtir vt (piel) to tan.

curva → curvo.

curvatura f curvature.

curvo, -va adj (gen) curved; (doblado) bent. ♦ **curva** f (gen) curve; (en carretera) bend; ~ **de nivel** contour line.

cúspide f 1. (de montaña) summit, top. 2. fig (apogeo) peak. 3. (GEOM) apex.

custodia f 1. (de cosas) safekeeping. 2. (de personas) custody.

custodiar vt 1. (vigilar) to guard. 2. (proteger) to look after.

custodio m guard.

cutáneo, -a adj skin (antes de sust).

cutícula f cuticle.

cutis m inv skin, complexion.

cutre adj Esp fam 1. (de bajo precio, calidad) cheap and nasty. 2. (sórdido) shabby.

cutter (pl cutters) m (artist's) scalpel (with retractable blade).

cuyo, -ya adj (posesión - por parte de personas) whose; (- por parte de cosas) of which, whose; **ésos son los amigos en cuya casa nos hospedamos** those are the friends in whose house we spent the night; **ese señor, ~ hijo conociste ayer** that man, whose son you met yesterday; **un equipo cuya principal estrella ...** a team, the star player of which o whose star player ...; **en** ~ **caso** in which case.

CV (abrev de **curriculum vitae**) m CV.

D

d, D f (letra) d, D.

D. abrev de **don**.

dactilar → huella.

dado, -da adj given; **en un momento** ~ at a certain point; **ser** ~ **a** to be fond of. ♦ **dado** m dice, die. ♦ **dado que** loc conj since, seeing as.

daga f dagger.

dalia f dahlia.

dálmata adj, m y f (perro) Dalmatian.

89

de

daltónico, -ca *adj* colour-blind.

dama *f* **1.** *(mujer)* lady. **2.** *(en damas)* king; *(en ajedrez, naipes)* queen. ♦ **damas** *fpl (juego)* draughts *(U)*.

damisela *f desus* damsel.

damnificar *vt (cosa)* to damage; *(persona)* to harm, to injure.

danés, -esa ◇ *adj* Danish. ◇ *m y f (persona)* Dane. ♦ **danés** *m (lengua)* Danish.

danza *f (gen)* dancing; *(baile)* dance.

danzar *vi* **1.** *(bailar)* to dance. **2.** *fig (ir de un sitio a otro)* to run about.

dañar *vt (vista, cosecha)* to harm, to damage; *(persona)* to hurt; *(pieza, objeto)* to damage. ♦ **dañarse** *vpr (persona)* to hurt o.s.; *(cosa)* to become damaged.

dañino, -na *adj* harmful.

daño *m* **1.** *(dolor)* pain, hurt; **hacer ~ a alguien** to hurt sb; **hacerse ~** to hurt o.s. **2.** *(perjuicio - a algo)* damage; *(- a persona)* harm; **~s y perjuicios** damages.

dar ◇ *vt* **1.** *(gen)* to give; *(baile, fiesta)* to hold, to give; *(naipes)* to deal; **~ algo a alguien** to give sthg to sb, to give sb sthg. **2.** *(producir - gen)* to give, to produce; *(- frutos, flores)* to bear; *(- beneficios, intereses)* to yield. **3.** *(suj: reloj)* to strike; **el reloj ha dado las doce** the clock struck twelve. **4.** *(suministrar luz etc - por primera vez)* to connect; *(- tras un corte)* to turn back on; *(encender)* to turn O switch on. **5.** *(CIN, TEATRO & TV)* to show; *(concierto, interpretación)* to give. **6.** *(mostrar - señales etc)* to show. **7.** *(untar con)* to apply; **~ barniz a una silla** to varnish a chair. **8.** *(provocar - gusto, escalofríos etc)* to give; **me da vergüenza/pena** it makes me ashamed/sad; **me da risa** it makes me laugh; **me da miedo** it frightens me. **9.** *(expresa acción)*: **~le un grito** to give a cry; **~le un golpe/una puñalada a alguien** to hit/stab sb; **voy a ~ un paseo** I'm going (to go) for a walk. **10.** *(considerar)*: **~ algo por** to consider sthg as; **eso lo doy por hecho** I take that for granted; **~ a alguien por muerto** to give sb up for dead. ◇ *vi* **1.** *(repartir - en naipes)* to deal. **2.** *(horas)* to strike; **han dado las tres en el reloj** three o'clock struck. **3.** *(golpear)*: **le dieron en la cabeza** they hit him on the head; **la piedra dio contra el cristal** the stone hit the window. **4.** *(accionar)*: **~ a** *(llave de paso)* to turn; *(botón, timbre)* to press. **5.** *(estar orientado)*: **~ a** *(suj: ventana, balcón)* to look out onto, to overlook; *(suj: pasillo, puerta)* to lead to; *(suj: casa, fachada)* to face. **6.** *(encontrar)*: **~**

con algo/alguien to find sthg/sb; **he dado con la solución** I've hit upon the solution. **7.** *(proporcionar)*: **~ de beber a alguien** to give sb sthg to drink; **le da de mamar a su hijo** she breast-feeds her son. **8.** *loc*: **~ de sí** *(ropa, calzado)* to give, to stretch. ♦ **darse** *vpr* **1.** *(suceder)* to occur, to happen; **se da pocas veces** it rarely happens. **2.** *(entregarse)*: **~se a** *(droga etc)* to take to. **3.** *(golpearse)*: **~se contra** to bump into. **4.** *(tener aptitud)*: **se me da bien/mal el latín** I'm good/bad at Latin. **5.** *(considerarse)*: **~se por** to consider o.s. (to be); **~se por vencido** to give in. **6.** *loc*: **dársela a alguien** *(engañar)* to take sb in; **se las da de listo** he makes out (that) he is clever.

dardo *m* dart.

datar *vt* to date. ♦ **datar de** *vi* to date from.

dátil *m* (BOT & CULIN) date.

dato *m (gen)* piece of information, fact; **~s** information; (INFORM) data; **~s personales** personal details.

dcha. *(abrev de derecha)* rt.

d. de JC., d.JC. *(abrev de después de Jesucristo)* AD.

de *prep* (de + el = del) **1.** *(posesión, pertenencia)* of; **el coche ~ mi padre/mis padres** my father's/parents' car; **es ~ ella** it's hers; **la pata ~ la mesa** the table leg. **2.** *(materia)* (made) of; **un vaso ~ plástico** a plastic cup; **un reloj ~ oro** a gold watch. **3.** *(en descripciones)*: **un vaso ~ agua** a glass of water; **~ fácil manejo** user-friendly; **la señora ~ verde** the lady in green; **el chico ~ la coleta** the boy with the ponytail; **he comprado las peras ~ 100 ptas el kilo** I bought the pears that were O at 100 pesetas a kilo; **un sello ~ 50 ptas** a 50 peseta stamp. **4.** *(asunto)* about; **hablábamos ~ ti** we were talking about you; **libros ~ historia** history books. **5.** *(uso)*: **una bici ~ carreras** a racer; **ropa ~ deporte** sportswear. **6.** *(en calidad de)* as; **trabaja ~ bombero** he works as a fireman. **7.** *(tiempo - desde)* from; *(- durante)* in; **trabaja ~ nueve a cinco** she works from nine to five; **~ madrugada** early in the morning; **a las cuatro ~ la tarde** at four in the afternoon; **trabaja ~ noche y duerme ~ día** he works at night and sleeps during the day. **8.** *(procedencia, distancia)* from; **salir ~ casa** to leave home; **soy ~ México** I'm from Mexico. **9.** *(causa, modo)* with; **morirse ~ ham-**

bre to die of hunger; **llorar ~ alegría** to cry with joy; **~ una patada** with a kick; **~ una sola vez** in one go. **10.** *(con superlativos)*: **el mejor ~ todos** the best of all; **el más importante del mundo** the most important in the world. **11.** *(en comparaciones)*: **más/menos ~ ...** more/less than ... **12.** *(antes de infin)* *(condición)* if; **~ querer ayudarme, lo haría** if she wanted to help me, she'd do it; **~ no ser por ti, me hubiese hundido** if it hadn't been for you, I wouldn't have made it. **13.** *(después de adj y antes de sust)* *(enfatiza cualidad)*: **el idiota ~ tu hermano** your stupid brother. **14.** *(después de adj y antes de infin)*: **es difícil ~ creer** it's hard to believe.

• Para indicar posesión o pertenencia, a veces se puede usar –'s dándole el mismo significado que tendría una frase con *of* (*the company's profits = the profits of the company,* "los beneficios de la compañía"). En el caso de nombres de persona sólo la forma *-s* es correcta (*Bill's clothes,* "la ropa de Bill").

• *Of* es más común para referirse a objetos (*the front of the house; the corner of the room*). También resulta más natural con frases largas y complicadas (*I know the son of the woman who teaches you English,* y no *I know the woman who teaches you English's son,* "conozco al hijo de la mujer quien te enseña inglés").

• Hay que distinguir las dos formas posesivas: -'s para singular y -s' para plural. Comparemos *my sister's friends* (una sola hermana) con *my sisters' friends* (más de una hermana).

---

dé → dar.

debajo *adv* underneath; **~ de** underneath, under; **por ~ de lo normal** below normal.

debate *m* debate.

debatir *vt* to debate.

debe *m* debit (side).

deber ◇ *vt (adeudar)* to owe; **~ algo a alguien** to owe sb sthg, to owe sthg to sb. ◇ *vi (antes de infin) (expresa obligación)*: **debo hacerlo** I have to do it, I must do it; **deberían abolir esa ley** they ought to ○ should abolish that law; **debes dominar tus impulsos** you must ○ should control your impulses. **2.** *(expresa posibilidad)*: **~ de:** **el tren**

debe de llegar alrededor de las diez the train should arrive at about ten; **deben de ser las diez** it must be ten o'clock; **no debe de ser muy mayor** she can't be very old. ◇ *m* duty. ◆ **deberse a** *vpr* **1.** *(ser consecuencia de)* to be due to. **2.** *(dedicarse a)* to have a responsibility towards. ◆ **deberes** *mpl (trabajo escolar)* homework (U).

debidamente *adv* properly.

debido, -da *adj (justo, conveniente)* due, proper; **como es ~** properly. ◆ **debido a** *loc conj (a principio de frase)* owing to; *(en mitad de frase)* due to.

débil *adj* **1.** *(persona - sin fuerzas)* weak. **2.** *(voz, sonido)* faint; *(luz)* dim.

debilidad *f (gen)* weakness; **tener ~ por** to have a soft spot for.

debilitar *vt* to weaken. ◆ **debilitarse** *vpr* to become ○ grow weak.

debutar *vi* to make one's debut.

década *f* decade.

decadencia *f (gen)* decadence.

decadente *adj* decadent.

decaer *vi (gen)* to decline; *(enfermo)* to get weaker; *(salud)* to fail; *(entusiasmo)* to flag; *(restaurante etc)* to go downhill.

decaído, -da *adj (desalentado)* gloomy, downhearted; *(débil)* frail.

decano, -na *m y f (de corporación, facultad)* dean.

decapitar *vt* to decapitate, to behead.

decena *f* ten; **una ~ de veces** about ten times.

decencia *f* **1.** *(gen)* decency; *(en el vestir)* modesty. **2.** *(dignidad)* dignity.

decenio *m* decade.

decente *adj* **1.** *(gen)* decent. **2.** *(en el comportamiento)* proper; *(en el vestir)* modest. **3.** *(limpio)* clean.

decepción *f* disappointment.

decepcionar *vt* to disappoint.

decibelio *m* decibel.

decidido, -da *adj* determined.

decidir ◇ *vt* **1.** *(gen)* to decide; **~ hacer algo** to decide to do sthg. **2.** *(determinar)* to determine. ◇ *vi* to decide. ◆ **decidirse** *vpr* to decide, to make up one's mind; **~se a hacer algo** to decide to do sthg; **~se por** to decide on, to choose.

décima → décimo.

decimal *adj (sistema)* decimal.

décimo, -ma *núm* tenth; **la décima parte** a tenth. ◆ **décimo** *m* **1.** *(fracción)* tenth. **2.** *(en lotería)* tenth part of a lottery ticket. ◆ **décima** *f (en medidas)* tenth; **una décima de segundo** a tenth of a second.

decir *vt* **1.** *(gen)* to say; **~ que sí/no** to

say yes/no; **¿cómo se dice 'estación' en inglés?** how do you say 'estación' in English?; **¡diga?, ¡dígame?** *Esp (al teléfono)* hello? **2.** *(contar, ordenar)* to tell; **~ a alguien que haga algo** to tell sb to do sthg; **se dice que** they O people say (that); **~ la verdad** to tell the truth. **3.** *fig (revelar)* to tell, to show; **eso lo dice todo** that says it all. **4.** *loc:* **~ para sí** to say to o.s.; **es ~** that is, that's to say; **(o) mejor dicho** or rather; **querer ~** to mean; **¿qué quieres ~ con eso?** what do you mean by that?

decisión *f* **1.** *(dictamen, resolución)* decision; **tomar una ~** to make O take a decision. **2.** *(empeño, tesón)* determination; *(seguridad, resolución)* decisiveness.

decisivo, -va *adj* decisive.

declamar *vt & vi* to declaim, to recite.

declaración *f (gen)* statement; *(de amor, impuestos, guerra)* declaration; **prestar ~** to give evidence; **~ del impuesto sobre la renta** income tax return.

declarar ◇ *vt (gen)* to declare; *(afirmar)* to state, to say; **~ culpable/inocente a alguien** to find sb guilty/not guilty. ◇ *vi* (DER) to testify, to give evidence. ♦ **declararse** *vpr* **1.** *(incendio, epidemia)* to break out. **2.** *(confesar el amor)* to declare one's feelings O love. **3.** *(dar una opinión):* **~se a favor de algo** to say that one supports sthg; **~se en contra de algo** to say one is opposed to sthg; **~se culpable/inocente** to plead guilty/not guilty.

declinar ◇ *vt (gen & GRAM)* to decline; *(responsabilidad)* to disclaim. ◇ *vi (día, tarde)* to draw to a close; *(fiebre)* to subside; *(economía)* to decline.

declive *m* **1.** *(decadencia)* decline, fall; **en ~** in decline. **2.** *(pendiente)* slope.

decodificador = **descodificador**.

decoración *f (acción)* decoration; *(efecto)* décor.

decorado *m* (CIN & TEATRO) set.

decorar *vt* to decorate.

decorativo, -va *adj* decorative.

decoro *m (pudor)* decency.

decoroso, -sa *adj (decente)* decent; *(correcto)* seemly, proper.

decrecer *vi (gen)* to decrease, to decline; *(caudal del río)* to go down.

decretar *vt* to decree.

decreto *m* decree; **~ ley** decree, ≃ order in council *Br*.

dedal *m* thimble.

dedicación *f* dedication.

dedicar *vt* **1.** *(tiempo, dinero, energía)* to devote. **2.** *(libro, monumento)* to dedi-

cate. ♦ **dedicarse a** *vpr* **1.** *(a una profesión):* **¿a qué se dedica usted?** what do you do for a living?; **se dedica a la enseñanza** she works as a teacher. **2.** *(a una actividad, persona)* to spend time on; **los domingos me dedico al estudio** I spend Sundays studying.

dedicatoria *f* dedication.

dedo *m* **1.** *(de la mano)* finger; **dos ~s de whisky** two fingers of whisky; **~ anular/corazón** ring/middle finger; **~ gordo** O **pulgar** thumb; **~ índice/meñique** index/little finger. **2.** *(del pie)* toe. **3.** *loc:* **hacer ~** *fam* to hitchhike; **nombrar a alguien a ~** to handpick sb; **pillarse** O **cogerse los ~s** *fig* to get one's fingers burnt; **poner el ~ en la llaga** to put one's finger on it.

deducción *f* deduction.

deducir *vt* **1.** *(inferir)* to guess, to deduce. **2.** *(descontar)* to deduct.

defecar *vi* to defecate.

defecto *m (físico)* defect; *(moral)* fault; **~ de pronunciación** speech defect. ♦ **por defecto** *loc adv* by default.

defectuoso, -sa *adj (mercancía)* defective, faulty; *(trabajo)* inaccurate.

defender *vt (gen)* to defend; *(amigo etc)* to stand up for. ♦ **defenderse** *vpr (protegerse):* **~se (de)** to defend o.s. (against).

defensa ◇ *f* defence. ◇ *m y f* (DEP) defender; **~ central** centre-back.

defensivo, -va *adj* defensive. ♦ **defensiva** *f:* **ponerse/estar a la defensiva** to go/be on the defensive.

defensor, -ra ◇ *adj* → **abogado.** ◇ *m y f (gen)* defender; *(abogado)* counsel for the defence; *(adalid)* champion; **~ del pueblo** ≈ ombudsman.

deficiencia *f (defecto)* deficiency, shortcoming; *(insuficiencia)* lack.

deficiente *adj (defectuoso - gen)* deficient; **~ en** lacking O deficient in; *(- audición, vista)* defective. ♦ **deficiente (mental)** *m y f* mentally handicapped person.

déficit *(pl* **déficits)** *m* (ECON) deficit.

deficitario, -ria *adj (empresa, operación)* loss-making; *(balance)* negative.

definición *f* **1.** *(gen)* definition. **2.** *(en televisión)* resolution.

definir *vt (gen)* to define. ♦ **definirse** *vpr* to take a clear stance.

definitivamente *adv* **1.** *(sin duda)* definitely. **2.** *(para siempre)* for good.

definitivo, -va *adj (texto etc)* definitive; *(respuesta)* definite; **en definitiva** in short, anyway.

deformación f (de huesos, objetos etc) deformation; (de la verdad etc) distortion; **~ física** (physical) deformity; **tener ~ profesional** to be always acting as if one were still at work.

deformar vt 1. (huesos, objetos etc) to deform. 2. fig (la verdad etc) to distort. ◆ **deformarse** vpr to go out of shape.

deforme adj (cuerpo) deformed; (imagen) distorted; (objeto) misshapen.

defraudar vt 1. (decepcionar) to disappoint. 2. (estafar) to defraud; **~ a Hacienda** to practise tax evasion.

defunción f decease, death.

degeneración f degeneration.

degenerado, -da adj, m y f degenerate.

degenerar vi: **~ (en)** to degenerate (into).

degollar vt (cortar la garganta) to cut o slit the throat of; (decapitar) to behead.

degradar vt 1. (moralmente) to degrade. 2. (de un cargo) to demote. ◆ **degradarse** vpr to degrade o lower o.s.

degustación f tasting (of wines etc).

dehesa f meadow.

dejadez f neglect; (en aspecto) slovenliness.

dejado, -da adj careless; (aspecto) slovenly.

dejar ◇ vt 1. (gen) to leave; **deja esa pera en el plato** put that pear on the plate; **deja el abrigo en la percha** leave your coat on the hanger; **~ a alguien en algún sitio** (con el coche) to drop sb off somewhere; **deja algo de café para mí** leave some coffee for me; **~ algo/a alguien a alguien** (encomendar) to leave sthg/sb with sb. 2. (prestar): **~ algo a alguien** to lend sb sthg, to lend sthg to sb. 3. (abandonar - casa, trabajo, país) to leave; (- tabaco, estudios) to give up; (- familia) to abandon; **~ algo por imposible** to give sthg up as a lost cause; **~ a alguien atrás** to leave sb behind. 4. (permitir): **~ a alguien hacer algo** to let sb do sthg, to allow sb to do sthg; **sus gritos no me dejaron dormir** his cries prevented me from sleeping; **deja que tu hijo venga con nosotros** let your son come with us; **~ correr algo** fig to let sthg be. 5. (omitir) to leave out; **~ algo por o sin hacer** to fail to do sthg; **dejó lo más importante por resolver** he left the most important question unsolved. 6. (esperar): **~ que** to wait until; **dejó que acabara de llover para salir** he waited until it had stopped raining before

going out. ◇ vi 1. (parar): **~ de hacer algo** to stop doing sthg; **no deja de venir ni un solo día** he never fails to come. 2. (expresando promesa): **no ~ de** to be sure to; ¡**no dejes de escribirme!** be sure to write to me! ◆ **dejarse** vpr 1. (olvidar): **~se algo en algún sitio** to leave sthg somewhere. 2. (permitir): **~se engañar** to allow o.s. to be taken in.

deje m (acento) accent.

dejo m (acento) accent.

del → de.

delantal m apron.

delante adv 1. (en primer lugar, en la parte delantera) in front; **el de ~** the one in front; **el asiento de ~** the seat in front. 2. (enfrente) opposite. 3. (presente) present. ◆ **delante de** loc prep in front of.

delantero, -ra ◇ adj front. ◇ m y f (DEP) forward; **~ centro** centre forward. ◆ **delantera** f 1. (DEP) forwards (pl), attack. 2. loc: **coger o tomar la delantera** to take the lead; **coger o tomar la delantera a alguien** to beat sb to it; **llevar la delantera** to be in the lead.

delatar vt to denounce; fig (suj: sonrisa, ojos etc) to betray. ◆ **delatarse** vpr to give o.s. away.

delator, -ra m y f informer.

delegación f 1. (autorización, embajada) delegation; **~ de poderes** devolution (of power). 2. (oficina pública) local office. 3. Méx (comisaría) police station. 4. Esp (sucursal) branch.

delegado, -da m y f 1. (gen) delegate; **~ de curso** form monitor. 2. (COM) representative.

delegar vt: **~ algo (en o a)** to delegate sthg (to).

deleite m delight.

deletrear vt to spell (out).

delfín m (animal) dolphin.

delgado, -da adj (gen) thin; (esbelto) slim.

deliberar vi to deliberate.

delicadeza f 1. (miramiento - con cosas) care; (- con personas) kindness, attentiveness. 2. (finura - de perfume, rostro) delicacy; (- de persona) sensitivity. 3. (de un asunto, situación) delicacy.

delicado, -da adj 1. (gen) delicate; (perfume, gusto) subtle; (paladar) refined. 2. (persona - sensible) sensitive; (- muy exigente) fussy; (- educado) polite; **estar ~ de salud** to be very weak.

delicia f delight.

delicioso, -sa adj (comida) delicious; (persona) lovely, delightful.

delimitar *vt (finca etc)* to set out the boundaries of; *(funciones etc)* to define.

delincuencia *f* crime; **~ juvenil** juvenile delinquency.

delincuente *m y f* criminal.

delineante *m y f* draughtsman (*f* draughtswoman).

delinquir *vi* to commit a crime.

delirante *adj (gen)* delirious.

delirar *vi (un enfermo)* to be delirious; *(desbarrar)* to talk nonsense.

delirio *m (por la fiebre)* delirium; *(de un enfermo mental)* ravings *(pl)*; **~s de grandeza** delusions of grandeur.

delito *m* crime, offence.

delta ◊ *m* delta. ◊ *f* delta.

demacrado, -da *adj* gaunt.

demagogo, -ga *m y f* demagogue.

demanda *f* **1.** *(petición)* request; *(reivindicación)* demand; **~ salarial** wage claim; **en ~ de** asking for. **2.** (ECON) demand. **3.** (DER) lawsuit; *(por daños y perjuicios)* claim; **presentar una ~ contra** to take legal action against.

demandante *m y f* plaintiff.

demandar *vt* **1.** (DER): **~ a alguien (por)** to sue sb (for). **2.** *(pedir)* to ask for.

demarcación *f* **1.** *(señalización)* demarcation. **2.** *(territorio demarcado)* area; *(jurisdicción)* district.

demás ◊ *adj* other; **los ~ invitados** the other o remaining guests. ◊ *pron*: **lo ~** the rest; **todo lo ~** everything else; **los/ las ~** the others, the rest; **por lo ~** apart from that, otherwise; **y ~** and so on.

demasiado, -da ◊ *adj* too much; *(pl)* too many; **demasiada comida** too much food; **~s niños** too many children. ◊ *adv (gen)* too much; *(antes de adj o adv)* too; **habla ~** she talks too much; **iba ~ rápido** he was going too fast.

demencia *f* madness, insanity.

demente *adj* mad.

democracia *f* democracy.

demócrata ◊ *adj* democratic. ◊ *m y f* democrat.

democrático, -ca *adj* democratic.

demoler *vt (edificio)* to demolish, to pull down; *fig* to destroy.

demolición *f* demolition.

demonio *m* **1.** *lit & fig* devil. **2.** *(para enfatizar)*: **¿qué/dónde ~s ...?** what/ where the hell ...? ◆ **demonios** *interj*: **¡~s!** damn (it)!

demora *f* delay.

demorar *vt* to delay. ◆ **demorarse** *vpr* **1.** *(retrasarse)* to be delayed.

2. *(detenerse)* to stop (somewhere).

demostración *f* **1.** *(gen)* demonstration. **2.** *(de un teorema)* proof. **3.** *(exhibición)* display; *(señal)* sign; *(prueba)* proof.

demostrar *vt* **1.** *(hipótesis, teoría, verdad)* to prove. **2.** *(alegría, impaciencia, dolor)* to show. **3.** *(funcionamiento, procedimiento)* to demonstrate, to show.

denegar *vt* to turn down, to reject.

denigrante *adj (humillante)* degrading; *(insultante)* insulting.

denominación *f* naming; **'~ de origen'** 'appellation d'origine'.

denominador *m* denominator.

denotar *vt* to indicate, to show.

densidad *f (gen & INFORM)* density; **~ de población** population density; **alta/ doble ~** (INFORM) high/double density.

denso, -sa *adj (gen)* dense; *(líquido)* thick.

dentadura *f* teeth *(pl)*; **~ postiza** false teeth *(pl)*, dentures *(pl)*.

dentífrico *m* toothpaste.

dentista *m y f* dentist.

dentro *adv* inside; **está ahí ~** it's in there; **hacia/para ~** inwards; **por ~** (on the) inside; *fig* inside, deep down. ◆ **dentro de** *loc prep* in; **~ del coche** in o inside the car; **~ de poco/un año** in a while/a year; **~ de lo posible** as far as possible.

denuedo *m (valor)* courage; *(esfuerzo)* resolve.

denuncia *f (acusación)* accusation; *(condena)* denunciation; *(a la policía)* complaint; **presentar una ~ contra** to file a complaint against.

denunciar *vt* to denounce; *(delito)* to report.

departamento *m* **1.** *(gen)* department. **2.** *(división territorial)* administrative district; *(en Francia)* department. **3.** *(de maleta, cajón, tren)* compartment. **4.** *Amer (apartamento)* apartment, flat *Br*.

dependencia *f* **1.** *(de una persona)* dependence; *(de país, drogas, alcohol)* dependency. **2.** *(departamento)* section; *(sucursal)* branch. ◆ **dependencias** *fpl (habitaciones)* rooms; *(edificios)* outbuildings.

depender *vi* to depend; **depende ... it** depends ... ◆ **depender de** *vi*: **~ de algo** to depend on sthg; **~ de alguien** to be dependent on sb; **depende de ti** it's up to you.

dependienta *f* shop assistant, saleswoman.

dependiente ◊ *adj* dependent. ◊ *m*

D

shop assistant, salesman.

depilar vt (gen) to remove the hair from; (cejas) to pluck; (con cera) to wax.

depilatorio, -ria adj hair-removing. ◆ **depilatorio** m hair-remover.

deplorable adj (suceso, comportamiento) deplorable; (aspecto) sorry, pitiful.

deponer vt 1. (abandonar - actitud) to drop, to set aside; (las armas) to lay down. 2. (destituir - ministro, secretario) to remove from office; (- líder, rey) to depose.

deportar vt to deport.

deporte m sport; **hacer** ~ to do o practise sports; **practicar un** ~ to do a sport.

deportista m y f sportsman (f sportswoman).

deportivo, -va adj 1. (revista, evento) sports (antes de sust). 2. (conducta, espíritu) sportsmanlike. ◆ **deportivo** m sports car.

depositar vt 1. (gen) to place; ~ **algo en alguien** (confianza, ilusiones) to place sthg in sb. 2. (en el banco etc) to deposit. ◆ **depositarse** vpr (asentarse) to settle.

depositario, -ria m y f 1. (de dinero) trustee. 2. (de confianza etc) repository. 3. (de mercancías etc) depositary.

depósito m 1. (almacén - de mercancías) store, warehouse; (- de armas) dump; ~ **de cadáveres** morgue, mortuary. 2. (recipiente) tank. 3. (de dinero) deposit.

depravado, -da adj depraved.

depreciar vt to (cause to) depreciate. ◆ **depreciarse** vpr to depreciate.

depredador, -ra ◇ adj predatory. ◇ m y f predator.

depresión f (gen) depression; ~ **nerviosa** nervous breakdown.

depresivo, -va ◇ adj depressive. ◇ m y f depressive.

deprimente adj depressing.

deprimido, -da adj depressed.

deprimir vt to depress. ◆ **deprimirse** vpr to get depressed.

deprisa, de prisa adv fast, quickly; **¡~!** quick!

depurar vt (sustancia) to purify.

derecha → derecho.

derecho, -cha ◇ adj 1. (diestro) right. 2. (vertical) upright. 3. (recto) straight. ◇ adv 1. (en posición vertical) upright. 2. (directamente) straight. ◆ **derecho** m 1. (leyes, estudio) law; ~ **civil/penal** civil/criminal law. 2. (prerrogativa) right; **el** ~ **al voto** the right to vote; **¡no hay** ~! it's not fair!; **reservado el** ~ **de**

admisión the management reserves the right of admission; ~s **civiles/humanos** civil/human rights. 3. (de una tela, prenda) right side; **del** ~ right side out. ◇ adv (recto) straight on o ahead. ◆ **derecha** f 1. (contrario de izquierda) right, right-hand side; **a la derecha** to the right; **girar a la derecha** to turn right. 2. (POLÍT) right (wing); **ser de derechas** to be right-wing. ◆ **derechos** mpl (tasas) duties; (profesionales) fees; ~s **de aduana** customs duty (U); ~s **de inscripción** membership fee (sg); ~s **de autor** (potestad) copyright (U); (dinero) royalties.

deriva f drift; **a la** ~ adrift; **ir a la** ~ to drift.

derivado, -da adj (GRAM) derived. ◆ **derivado** m 1. (producto) by-product. 2. (QUÍM) derivative.

derivar ◇ vt 1. (desviar) to divert. 2. (MAT) to derive. ◇ vi (desviarse) to change direction, to drift. ◆ **derivar de** vi 1. (proceder) to derive from. 2. (GRAM) to be derived from.

derramamiento m spilling; ~ **de sangre** bloodshed.

derramar vt (por accidente) to spill; (verter) to pour; ~ **lágrimas/sangre** to shed tears/blood.

derrame m 1. (MED) discharge. 2. (de líquido) spilling; (de sangre) shedding.

derrapar vi to skid.

derretir vt (gen) to melt; (nieve) to thaw. ◆ **derretirse** vpr (metal, mantequilla) to melt; (hielo, nieve) to thaw.

derribar vt 1. (construcción) to knock down, to demolish. 2. (hacer caer - árbol) to fell; (- avión) to bring down. 3. (gobierno, gobernante) to overthrow.

derribo m (material) rubble.

derrocar vt (gobierno) to bring down, to overthrow; (ministro) to oust.

derrochar vt (malgastar) to squander.

derroche m (malgaste) waste, squandering.

derrota f (fracaso) defeat.

derrotar vt to defeat.

derrotero m (camino) direction; **tomar diferentes** ~s to follow a different course.

derrotista adj, m y f defeatist.

derruir vt to demolish.

derrumbamiento m 1. (de puente, edificio - por accidente) collapse; (- intencionado) demolition. 2. fig (de imperio) fall; (de empresa etc) collapse.

derrumbar vt (puente, edificio) to demolish. ◆ **derrumbarse** vpr (puen-

te, edificio) to collapse; *(techo)* to fall o cave in.

desabotonar *vt* to unbutton. ◆ **desabotonarse** *vpr (suj: persona)* to undo one's buttons; *(suj: ropa)* to come undone.

desabrochar *vt* to undo. ◆ **desabrocharse** *vpr (suj: persona)* to undo one's buttons; *(suj: ropa)* to come undone.

desacierto *m (error)* error.

desaconsejar *vt*: ~ **algo (a alguien)** to advise (sb) against sthg; ~ **a alguien que haga algo** to advise sb not to do sthg.

desacreditar *vt* to discredit.

desactivar *vt* to defuse.

desacuerdo *m* disagreement.

desafiante *adj* defiant.

desafiar *vt* 1. *(persona)* to challenge; ~ **a alguien a algo/a que haga algo** to challenge sb to sthg/to do sthg. 2. *(peligro)* to defy.

desafinar *vi* (MÚS) to be out of tune.

desafío *m* challenge.

desaforado, -da *adj* 1. *(excesivo - apetito)* uncontrolled. 2. *(furioso - grito)* furious, wild.

desafortunadamente *adv* unfortunately.

desafortunado, -da *adj* 1. *(gen)* unfortunate. 2. *(sin suerte)* unlucky.

desagradable *adj* unpleasant.

desagradar *vi* to displease; **me desagrada su actitud** I don't like her attitude.

desagradecido, -da *m y f* ungrateful person.

desagrado *m* displeasure; **con ~** reluctantly.

desagraviar *vt*: ~ **a alguien por algo** *(por una ofensa)* to make amends to sb for sthg; *(por un perjuicio)* to compensate sb for sthg.

desagüe *m (vaciado)* drain; *(cañería)* drainpipe.

desaguisado *m (destrozo)* damage (U).

desahogado, -da *adj* 1. *(de espacio)* spacious. 2. *(de dinero)* well-off.

desahogar *vt (ira)* to vent; *(pena)* to relieve, to ease. ◆ **desahogarse** *vpr* 1. *(contar penas)*: ~**se con alguien** to pour out one's woes o to tell one's troubles to sb. 2. *(desfogarse)* to let off steam.

desahogo *m* 1. *(moral)* relief. 2. *(de espacio)* space, room. 3. *(económico)* ease.

desahuciar *vt* 1. *(inquilino)* to evict. 2. *(enfermo)*: ~ **a alguien** to give up all hope of saving sb.

desahucio *m* eviction.

desaire *m* snub, slight; **hacer un ~ a alguien** to snub sb.

desajuste *m* 1. *(de piezas)* misalignment; *(de máquina)* breakdown. 2. *(de declaraciones)* inconsistency; *(económico etc)* imbalance.

desalentar *vt* to discourage.

desaliento *m* dismay, dejection.

desaliñado, -da *adj (aspecto)* scruffy· *(pelo)* dishevelled.

desaliño *m (del aspecto)* scruffiness; *(del pelo)* dishevelment.

desalmado, -da *adj* heartless.

desalojar *vt* 1. *(por una emergencia - edificio, personas)* to evacuate. 2. *(por la fuerza - suj: policía, ejército)* to clear; *(- inquilinos etc)* to evict. 3. *(por propia voluntad)* to abandon, to move out of.

desamparado, -da *adj (niño)* helpless; *(lugar)* desolate, forsaken.

desamparar *vt* to abandon.

desamparo *m (abandono)* abandonment; *(aflicción)* helplessness.

desangrar *vt* 1. *(animal, persona)* to bleed. 2. *fig (económicamente)* to bleed dry. ◆ **desangrarse** *vpr* to lose a lot of blood.

desanimado, -da *adj (persona)* downhearted.

desanimar *vt* to discourage. ◆ **desanimarse** *vpr* to get downhearted o discouraged.

desánimo *m (gen)* dejection; *(depresión)* depression.

desapacible *adj* unpleasant.

desaparecer *vi* 1. *(gen)* to disappear. 2. *(en guerra, accidente)* to go missing.

desaparecido, -da *m y f* missing person.

desaparición *f* disappearance.

desapego *m* indifference.

desapercibido, -da *adj*: **pasar ~** to go unnoticed.

desaprensivo, -va *m y f* unscrupulous person.

desaprobar *vt (gen)* to disapprove of; *(un plan etc)* to reject.

desaprovechar *vt* to waste.

desarmador *m Méx* screwdriver.

desarmar *vt* 1. *(gen)* to disarm. 2. *(desmontar)* to take apart, to dismantle.

desarme *m* (MIL & POLÍT) disarmament.

desarraigar *vt* 1. *(vicio, costumbre)* to root out. 2. *(persona, pueblo)* to banish, to drive (out).

desarraigo m (de árbol) uprooting; (de vicio, costumbre) rooting out; (de persona, pueblo) banishment.

desarreglar vt (armario, pelo) to mess up; (planes, horario) to upset.

desarreglo m (de cuarto, persona) untidiness; (de vida) disorder.

desarrollado, -da adj developed.

desarrollar vt 1. (mejorar - crecimiento, país) to develop. 2. (exponer - teoría, tema, fórmula) to expound. 3. (realizar - actividad, trabajo) to carry out. ◆ **desarrollarse** vpr 1. (crecer, mejorar) to develop. 2. (suceder - reunión) to take place; (- película) to be set.

desarrollo m 1. (mejora) development. 2. (crecimiento) growth.

desarticular vt 1. (huesos) to dislocate. 2. fig (organización, banda) to break up; (plan) to foil.

desasosiego m 1. (mal presentimiento) unease. 2. (nerviosismo) restlessness.

desastrado, -da adj (desaseado) scruffy; (sucio) dirty.

desastre m disaster; su madre es un ~ her mother is hopeless.

desastroso, -sa adj disastrous.

desatar vt 1. (nudo, lazo) to untie; (paquete) to undo; (animal) to unleash. 2. fig (tormenta, iras, pasión) to unleash; (entusiasmo) to arouse; (lengua) to loosen. ◆ **desatarse** vpr 1. (nudo, lazo) to come undone. 2. fig (desencadenarse - tormenta) to break; (- ira, cólera) to erupt.

desatascar vt to unblock.

desatender vt 1. (obligación, persona) to neglect. 2. (ruegos, consejos) to ignore.

desatino m 1. (locura) foolishness. 2. (desacierto) foolish act.

desautorizar vt 1. (desmentir - noticia) to deny. 2. (prohibir - manifestación, huelga) to ban. 3. (desacreditar) to discredit.

desavenencia f (desacuerdo) friction, tension; (riña) quarrel.

desavenirse vpr to fall out.

desayunar ◇ vi to have breakfast. ◇ vt to have for breakfast.

desayuno m breakfast.

desazón f unease, anxiety.

desazonar vt to worry.

desbancar vt fig (ocupar el puesto de) to oust, to replace.

desbandada f breaking up, scattering; **a la** ~ in great disorder.

desbarajuste m disorder, confusion.

desbaratar vt to ruin, to wreck.

desbocado, -da adj (caballo) runaway.

desbocarse vpr (caballo) to bolt.

desbordar vt 1. (cauce, ribera) to overflow, to burst. 2. (límites, previsiones) to exceed; (paciencia) to push beyond the limit. ◆ **desbordarse** vpr 1. (líquido): ~se (de) to overflow (from). 2. (río) to overflow. 3. fig (sentimiento) to erupt.

descabalgar vi to dismount.

descabellado, -da adj crazy.

descafeinado, -da adj (sin cafeína) decaffeinated. ◆ **descafeinado** m decaffeinated coffee.

descalabro m setback, damage (U).

descalificar vt 1. (en una competición) to disqualify. 2. (desprestigiar) to discredit.

descalzarse vpr to take off one's shoes.

descalzo, -za adj barefoot.

descaminado, -da adj fig (equivocado): **andar** o **ir** ~ to be on the wrong track.

descampado m open country.

descansar vi 1. (reposar) to rest. 2. (dormir) to sleep; ¡**que descanses!** sleep well!

descansillo m landing.

descanso m 1. (reposo) rest; **tomarse un** ~ to take a rest; **día de** ~ day off. 2. (pausa) break; (CIN & TEATRO) interval; (DEP) half-time. 3. fig (alivio) relief.

descapotable adj & m convertible.

descarado, -da adj 1. (desvergonzado - persona) cheeky, impertinent. 2. (flagrante - intento etc) barefaced.

descarga f 1. (de mercancías) unloading. 2. (de electricidad) shock. 3. (disparo) firing, shots (pl).

descargar vt 1. (vaciar - mercancías, pistola) to unload. 2. (disparar - munición, arma, ráfaga): ~ (sobre) to fire (at). 3. (ELECTR) to run down. ◆ **descargarse** vpr 1. (desahogarse): ~se con alguien to take it out on sb. 2. (ELECTR) to go flat.

descargo m 1. (excusa): ~ **a** argument against. 2. (DER) defence. 3. (COM - de deuda) discharge; (- recibo) receipt.

descaro m cheek, impertinence.

descarriarse vpr 1. (ovejas, ganado) to stray. 2. fig (pervertirse) to go astray.

descarrilamiento m derailment.

descarrilar vi to be derailed.

descartar vt (ayuda) to refuse, to

reject; *(posibilidad)* to rule out.
descendencia *f* 1. *(hijos)* offspring.
2. *(linaje)* lineage, descent.
descender *vi* 1. *(en estimación)* to go down; ~ **a segunda** to be relegated to the second division. 2. *(cantidad, valor, temperatura, nivel)* to fall, to drop. ◆ **descender de** *vi* 1. *(avión)* to get off. 2. *(linaje)* to be descended from.
descenso *m* 1. *(en el espacio)* descent. 2. *(de cantidad, temperatura, nivel)* drop.
descentralizar *vt* to decentralize.
descentrar *vt* 1. *(sacar del centro)* to knock off-centre. 2. *fig (desconcentrar)* to distract.
descifrar *vt* 1. *(clave, mensaje)* to decipher. 2. *(motivos, intenciones)* to work out; *(misterio)* to solve; *(problemas)* to puzzle out.
descodificador, decodificador *m* decoder.
descolgar *vt* 1. *(una cosa colgada)* to take down. 2. *(teléfono)* to pick up. ◆ **descolgarse** *vpr (bajar):* ~**se (por algo)** to let oneself down o to slide down (sthg).
descolorido, -da *adj* faded.
descompasado, -da *adj* excessive, uncontrollable.
descomponer *vt* 1. *(pudrir - fruta)* to rot; *(- cadáver)* to decompose. 2. *(dividir)* to break down; ~ **algo en** to break sthg down into. 3. *(desordenar)* to mess up. 4. *(estropear)* to damage. ◆ **descomponerse** *vpr* 1. *(pudrirse - fruta)* to rot; *(- cadáver)* to decompose. 2. *Méx (averiarse)* to break down.
descomposición *f* 1. *(de elementos)* decomposition. 2. *(putrefacción - de fruta)* rotting; *(- de cadáver)* decomposition. 3. *(alteración)* distortion. 4. *(diarrea)* diarrhoea.
descompostura *f* 1. *(falta de mesura)* lack of respect, rudeness. 2. *Méx (avería)* breakdown.
descompuesto, -ta ◇ *pp* → descomponer. ◇ *adj* 1. *(putrefacto - fruta)* rotten; *(- cadáver)* decomposed. 2. *(alterado - rostro)* distorted, twisted.
descomunal *adj* enormous.
desconcentrar *vt* to distract.
desconcertante *adj* disconcerting.
desconcertar *vt* to disconcert, to throw. ◆ **desconcertarse** *vpr* to be thrown o bewildered.
desconcierto *m (desorden)* disorder; *(desorientación, confusión)* confusion.
desconectar *vt (aparato)* to switch off; *(línea)* to disconnect;

(desenchufar) to unplug.
desconfianza *f* distrust.
desconfiar ◆ **desconfiar de** *vi* 1. *(sospechar de)* to distrust. 2. *(no confiar en)* to have no faith in.
descongelar *vt* 1. *(producto)* to thaw; *(nevera)* to defrost. 2. *fig (precios)* to free; *(créditos, salarios)* to unfreeze.
descongestionar *vt* 1. *(MED)* to clear. 2. *fig (calle, centro de ciudad)* to make less congested; ~ **el tráfico** to reduce congestion.
desconocer *vt (ignorar)* not to know.
desconocido, -da ◇ *adj (no conocido)* unknown. ◇ *m y f* stranger.
desconocimiento *m* ignorance.
desconsiderado, -da *adj* thoughtless, inconsiderate.
desconsolar *vt* to distress.
desconsuelo *m* distress, grief.
descontado, -da *adj* discounted. ◆ **por descontado** *loc adv* obviously; **dar algo por** ~ to take sthg for granted.
descontar *vt* 1. *(una cantidad)* to deduct. 2. *(COM)* to discount.
descontentar *vt* to upset.
descontento, -ta *adj* unhappy, dissatisfied. ◆ **descontento** *m* dissatisfaction.
desconvocar *vt* to cancel, to call off.
descorchar *vt* to uncork.
descorrer *vt* 1. *(cortinas)* to draw back. 2. *(cerrojo, pestillo)* to draw back.
descortés *adj* rude.
descoser *vt* to unstitch. ◆ **descoserse** *vpr* to come unstitched.
descosido, -da *adj* unstitched.
descrédito *m* discredit; **ir en** ~ **de algo/alguien** to count against sthg/sb.
descreído, -da *m y f* non-believer.
descremado, -da *adj* skimmed.
describir *vt* to describe.
descripción *f* description.
descrito, -ta *pp* → describir.
descuartizar *vt (persona)* to quarter; *(res)* to carve up.
descubierto, -ta ◇ *pp* → descubrir. ◇ *adj* 1. *(gen)* uncovered; *(coche)* open. 2. *(cielo)* clear. 3. *(sin sombrero)* bareheaded. ◆ **descubierto** *m* (FIN *- de empresa)* deficit; *(- de cuenta bancaria)* overdraft. ◆ **al descubierto** *loc adv* 1. *(al raso)* in the open. 2. *(BANCA)* overdrawn.
descubrimiento *m* 1. *(de continentes, invenciones)* discovery. 2. *(de placa, busto)* unveiling. 3. *(de complots)* uncovering; *(de asesinos)* detection.

descubrir vt 1. (gen) to discover; (petróleo) to strike; (complot) to uncover. 2. (destapar - estatua, placa) to unveil. 3. (vislumbrar) to spot, to spy. 4. (delatar) to give away. ◆ **descubrirse** vpr (quitarse el sombrero) to take one's hat off; **~se ante algo** fig to take one's hat off to sthg.

descuento m discount; **hacer ~** to give a discount; **con ~** at a discount; **un ~ del 10%** 10% off.

descuidado, -da adj 1. (desaseado - persona, aspecto) untidy; (- jardín) neglected. 2. (negligente) careless. 3. (distraído) off one's guard.

descuidar ◇ vt (desatender) to neglect. ◇ vi (no preocuparse) not to worry; **descuida, que yo me encargo** don't worry, I'll take care of it. ◆ **descuidarse** vpr 1. (abandonarse) to neglect one's appearance. 2. (despistarse) not to be careful.

descuido m 1. (falta de aseo) carelessness. 2. (olvido) oversight; (error) slip.

desde prep 1. (tiempo) since; **no lo veo ~ el mes pasado/~ ayer** I haven't seen him since last month/yesterday; **~ ahora** from now on; **~ hace mucho/un mes** for ages/a month; **~ ... hasta ...** from ... until ...; **~ el lunes hasta el viernes** from Monday till Friday; **~ entonces** since then; **~ que** since; **~ que murió mi madre** since my mother died. 2. (espacio) from; **~ ... hasta ...** from ... to ...; **~ aquí hasta el centro** from here to the centre. ◆ **desde luego** loc adv 1. (por supuesto) of course. 2. (en tono de reproche) for goodness' sake!

desdén m disdain, scorn.

desdeñar vt to scorn.

desdeñoso, -sa adj disdainful.

desdibujarse vpr to become blurred.

desdicha f (desgracia - situación) misery; (- suceso) misfortune.

desdichado, -da adj (decisión, situación) unfortunate; (persona - sin suerte) unlucky; (- sin felicidad) unhappy.

desdicho, -cha pp → desdecir.

desdoblar vt (servilleta, carta) to unfold; (alambre) to straighten out.

desear vt 1. (querer) to want; (anhelar) to wish; **¿qué desea?** (en tienda) what can I do for you?; **desearía estar allí** I wish I was there. 2. (sexualmente) to desire.

desecar vt to dry out. ◆ **desecarse** vpr to dry out.

desechable adj disposable.

desechar vt 1. (tirar - ropa, piezas) to throw out. 2. (rechazar - ayuda, oferta) to refuse, to turn down. 3. (desestimar - idea) to reject; (- plan, proyecto) to drop.

desecho m (objeto usado) unwanted object; (ropa) castoff; **material de ~** (gen) waste products (pl); (metal) scrap. ◆ **desechos** mpl (basura) rubbish (U); (residuos) waste products.

desembalar vt to unpack.

desembarazar vt to clear. ◆ **desembarazarse** vpr: **~se de** to get rid of.

desembarcar ◇ vt (pasajeros) to disembark; (mercancías) to unload. ◇ vi 1. (de barco, avión) to disembark. 2. Amer (de autobús, tren) to get off. ◆ **desembarcarse** vpr Amer to get off.

desembarco m 1. (de pasajeros) disembarkation. 2. (MIL) landing.

desembarque m (de mercancías) unloading.

desembocadura f (de río) mouth; (de calle) opening.

desembocar ◆ **desembocar en** vi 1. (río) to flow into. 2. (asunto) to result in.

desembolso m payment; **~ inicial** down payment.

desempaquetar vt (paquete) to unwrap; (caja) to unpack.

desempatar vi to decide the contest; **jugar para ~** to have a play-off.

desempate m final result; **partido de ~** decider.

desempeñar vt 1. (función, misión) to carry out; (cargo, puesto) to hold. 2. (papel) to play. 3. (joyas) to redeem.

desempeño m 1. (de función) carrying out. 2. (de papel) performance. 3. (de objeto) redemption.

desempleado, -da adj unemployed.

desempleo m unemployment.

desencadenar vt 1. (preso, perro) to unchain. 2. fig (suceso, polémica) to give rise to; (pasión, furia) to unleash. ◆ **desencadenarse** vpr 1. (pasiones, odios, conflicto) to erupt; (guerra) to break out. 2. (viento) to blow up; (tormenta) to burst; (terremoto) to strike.

desencajar vt 1. (mecanismo, piezas - sin querer) to knock out of place; (- intencionadamente) to take apart. 2. (hueso) to dislocate. ◆ **desencajarse** vpr 1. (piezas) to come apart. 2. (rostro) to distort, to become distorted.

desencanto m disappointment.

desenchufar vt (quitar el enchufe) to unplug; (apagar) to switch off.

desenfadado, -da *adj (persona, conducta)* relaxed, easy-going; *(comedia, programa de TV)* light-hearted; *(estilo)* light; *(en el vestir)* casual.

desenfado *m (seguridad en sí mismo)* self-assurance; *(desenvoltura)* ease; *(desparpajo)* uninhibited nature.

desenfocado, -da *adj (imagen)* out of focus; *(visión)* blurred.

desenfrenado, -da *adj (ritmo, baile)* frantic, frenzied; *(comportamiento)* uncontrolled; *(apetito)* insatiable.

desenganchar *vt* 1. *(vagón)* to uncouple. 2. *(caballo)* to unhitch. 3. *(pelo, jersey)* to free.

desengañar *vt* 1. *(a una persona equivocada)*: ~ **a alguien** to reveal the truth to sb. 2. *(a una persona esperanzada)* to disillusion.

desengaño *m* disappointment; **llevarse un ~ con alguien** to be disappointed in sb.

desenlace *m* denouement, ending.

desenmarañar *vt* 1. *(ovillo, pelo)* to untangle. 2. *fig (asunto)* to sort out; *(problema)* to resolve.

desenmascarar *vt (descubrir)* to unmask.

desenredar *vt* 1. *(hilos, pelo)* to untangle. 2. *fig (asunto)* to sort out; *(problema)* to resolve. ♦ **desenredarse** *vpr*: ~**se (de algo)** to extricate oneself (from sthg).

desenrollar *vt (hilo, cinta)* to unwind; *(persiana)* to roll down; *(pergamino, papel)* to unroll.

desenroscar *vt* to unscrew.

desentenderse *vpr* to pretend not to hear/know *etc.*

desenterrar *vt (cadáver)* to disinter; *(tesoro, escultura)* to dig up.

desentonar *vi* 1. (MÚS - *cantante)* to sing out of tune; *(- instrumento)* to be out of tune. 2. *(color, cortinas, edificio)*: ~ **(con)** to clash (with).

desentumecer *vt* to stretch. ♦ **desentumecerse** *vpr* to loosen up.

desenvoltura *f (al moverse, comportarse)* ease; *(al hablar)* fluency.

desenvolver *vt* to unwrap. ♦ **desenvolverse** *vpr* 1. *(asunto, proceso)* to progress; *(trama)* to unfold; *(entrevista)* to pass off. 2. *(persona)* to cope, to manage.

desenvuelto, -ta ◊ *pp* → desenvolver. ◊ *adj (al moverse, comportarse)* natural; *(al hablar)* fluent.

deseo *m* 1. *(pasión)* desire. 2. *(anhelo)* wish; **buenos ~s** good intentions.

deseoso, -sa *adj*: **estar ~ de algo/ hacer algo** to long for sthg/to do sthg.

desequilibrado, -da *adj* 1. *(persona)* unbalanced. 2. *(balanza, eje)* off-centre.

desequilibrio *m (mecánico)* lack of balance; *(mental)* mental instability.

desertar *vi* to desert.

desértico, -ca *adj (del desierto)* desert *(antes de sust)*; *(despoblado)* deserted.

desertor, -ra *m y f* deserter.

desesperación *f (falta de esperanza)* despair, desperation; **con ~** in despair.

desesperado, -da *adj (persona, intento)* desperate; *(estado, situación)* hopeless; *(esfuerzo)* furious.

desesperante *adj* infuriating.

desesperar *vt* 1. *(quitar la esperanza)* to drive to despair. 2. *(irritar, enojar)* to exasperate, to drive mad. ♦ **desesperarse** *vpr* 1. *(perder la esperanza)* to be driven to despair. 2. *(irritarse, enojarse)* to get mad O exasperated.

desestabilizar *vt* to destabilize.

desestimar *vt (rechazar)* to turn down.

desfachatez *f fam* cheek.

desfalco *m* embezzlement.

desfallecer *vi* 1. *(debilitarse)* to be exhausted; ~ **de** to feel faint from. 2. *(desmayarse)* to faint.

desfasado, -da *adj (persona)* out of touch; *(libro, moda)* out of date.

desfase *m (diferencia)* gap.

desfavorable *adj* unfavourable.

desfigurar *vt* 1. *(rostro, cuerpo)* to disfigure. 2. *fig (la verdad)* to distort.

desfiladero *m* narrow mountain pass.

desfilar *vi* (MIL) to parade.

desfile *m* (MIL) parade; *(de carrozas)* procession.

desfogarse *vpr* to let off steam.

desgajar *vt (página)* to tear out; *(rama)* to break off; *(libro, periódico)* to rip up; *(naranja)* to split into segments. ♦ **desgajarse** *vpr (rama)* to break off; *(hoja)* to fall.

desgana *f* 1. *(falta de hambre)* lack of appetite. 2. *(falta de ánimo)* lack of enthusiasm; **con ~** unwillingly, reluctantly.

desganado, -da *adj (sin apetito)*: **estar ~** to be off one's food.

desgarbado, -da *adj* clumsy, ungainly.

desgarrador, -ra *adj* harrowing.

desgarrar *vt* to rip; ~ **el corazón** to break one's heart.

desgastar *vt* to wear out. ✦ **desgastarse** *vpr* to wear o.s. out.

desgaste *m* **1.** *(de tela, muebles etc)* wear and tear; *(de roca)* erosion; *(de pilas)* running down; *(de cuerdas)* fraying; *(de metal)* corrosion. **2.** *(de persona)* wear and tear; *(de dirigentes)* losing of one's touch.

desgracia *f* **1.** *(mala suerte)* misfortune; **por ~** unfortunately. **2.** *(catástrofe)* disaster; **~s personales** casualties; **es una ~ que ...** it's a terrible shame that ... **3.** *loc:* **caer en ~** to fall into disgrace.

desgraciado, -da *adj* **1.** *(gen)* unfortunate. **2.** *(sin suerte)* unlucky. **3.** *(infeliz)* unhappy.

desgreñado, -da *adj* dishevelled.

desguace *m* *(de coches)* scrapping; *(de buques)* breaking.

deshabitado, -da *adj* uninhabited.

deshabituar *vt:* **~ a alguien (de)** to get sb out of the habit (of).

deshacer *vt* **1.** *(costura, nudo, paquete)* to undo; *(maleta)* to unpack; *(tarta, castillo de arena)* to destroy. **2.** *(disolver - helado, mantequilla)* to melt; *(- pastilla, terrón de azúcar)* to dissolve. **3.** *(poner fin a - contrato, negocio)* to cancel; *(- pacto, tratado)* to break; *(- plan, intriga)* to foil; *(- organización)* to dissolve. **4.** *(destruir - enemigo)* to rout; *(- matrimonio)* to ruin. ✦ **deshacerse** *vpr* **1.** *(desvanecerse)* to disappear. **2.** *fig (librarse):* **~se de** to get rid of. **3.** *fig:* **~se en algo (con ○ hacia alguien)** *(cumplidos)* to lavish sthg (on sb); *(insultos)* to heap sthg (on sb).

deshecho, -cha ◇ *pp* → deshacer. ◇ *adj* **1.** *(costura, nudo, paquete)* undone; *(cama)* unmade; *(maleta)* unpacked. **2.** *(enemigo)* destroyed; *(tarta, matrimonio)* ruined. **3.** *(derretido - pastilla, terrón de azúcar)* dissolved; *(- helado, mantequilla)* melted. **4.** *(afligido)* devastated. **5.** *(cansado)* tired out.

desheredar *vt* to disinherit.

deshidratar *vt* to dehydrate.

deshielo *m* thaw.

deshinchar *vt* **1.** *(globo, rueda)* to let down, to deflate. **2.** *(hinchazón)* to reduce the swelling in. ✦ **deshincharse** *vpr* *(globo, hinchazón)* to go down; *(neumático)* to go flat.

deshojar *vt* *(árbol)* to strip the leaves off; *(flor)* to pull the petals off; *(libro)* to pull the pages out of. ✦ **deshojarse** *vpr* *(árbol)* to shed its leaves; *(flor)* to

drop its petals.

deshonesto, -ta *adj* *(sin honradez)* dishonest; *(sin pudor)* indecent.

deshonor *m*, **deshonra** *f* dishonour.

deshonrar *vt* to dishonour.

deshuesar *vt* *(carne)* to bone; *(fruto)* to stone.

desierto, -ta *adj* **1.** *(gen)* deserted. **2.** *(vacante - premio)* deferred. ✦ **desierto** *m* desert.

designar *vt* **1.** *(nombrar)* to appoint. **2.** *(fijar, determinar)* to name, to fix.

desigual *adj* **1.** *(diferente)* different; *(terreno)* uneven. **2.** *(tiempo, persona, humor)* changeable; *(alumno, actuación)* inconsistent; *(lucha)* unevenly matched, unequal; *(tratamiento)* unfair, unequal.

desilusión *f* disappointment, disillusionment *(U)*; **llevarse una ~** to be disappointed.

desilusionar *vt* *(desengañar)* to reveal the truth to; *(decepcionar)* to disappoint, to disillusion. ✦ **desilusionarse** *vpr* *(decepcionarse)* to be disappointed ○ disillusioned; *(desengañarse)* to realize the truth.

desinfección *f* disinfection.

desinfectar *vt* to disinfect.

desinflar *vt* *(quitar aire)* to deflate. ✦ **desinflarse** *vpr* *(perder aire - gen)* to go down; *(- neumático)* to go flat.

desintegración *f* **1.** *(de objetos)* disintegration. **2.** *(de grupos, organizaciones)* breaking up.

desintegrar *vt* **1.** *(objetos)* to disintegrate; *(átomo)* to split. **2.** *(grupos, organizaciones)* to break up.

desinterés *m* **1.** *(indiferencia)* disinterest. **2.** *(generosidad)* unselfishness.

desinteresado, -da *adj* unselfish.

desinteresarse *vpr:* **~ de ○ por algo** to lose interest in sthg.

desistir *vi:* **~ (de hacer algo)** to give up ○ to stop (doing sthg).

desleal *adj:* **~ (con)** disloyal (to); *(competencia)* unfair.

deslealtad *f* disloyalty.

desligar *vt* **1.** *(desatar)* to untie. **2.** *fig (separar):* **~ algo (de)** to separate sthg (from). ✦ **desligarse** *vpr* **1.** *(desatarse)* to untie oneself. **2.** *fig (separarse):* **~se de** to become separated from; **~se de un grupo** to distance o.s. from a group.

deslindar *vt* **1.** *(limitar)* to mark out (the boundaries of). **2.** *fig (separar)* to define.

desliz *m* slip, error; **tener ○ cometer un ~** to slip up.

deslizar *vt* *(mano, objeto):* **~ algo en** to

slip sthg into; ~ **algo por algo** to slide sthg along sthg. ◆ **deslizarse** *vpr (resbalar)*: ~**se por** to slide along.

deslomar *vt (a golpes)* to thrash.

deslucido, -da *adj* 1. *(sin brillo)* faded; *(plata)* tarnished. 2. *(sin gracia - acto, ceremonia)* dull; *(- actuación)* lacklustre.

deslumbrar *vt lit & fig* to dazzle.

desmadrarse *vpr fam* to go wild.

desmadre *m fam* chaos.

desmán *m* 1. *(con la bebida, comida etc)* excess. 2. *(abuso de poder)* abuse (of power).

desmandarse *vpr* 1. *(desobedecer)* to be disobedient. 2. *(insubordinarse)* to get out of hand.

desmantelar *vt (casa, fábrica)* to clear out, to strip; *(organización)* to disband; *(arsenal, andamio)* to dismantle; *(barco)* to unrig.

desmaquillador *m* make-up remover.

desmayar *vi* to lose heart. ◆ **desmayarse** *vpr* to faint.

desmayo *m (físico)* fainting fit; **sufrir** ~ to have fainting fits.

desmedido, -da *adj* excessive, disproportionate.

desmelenado, -da *adj* 1. *(persona)* reckless, wild. 2. *(cabello)* tousled.

desmentir *vt* 1. *(negar)* to deny. 2. *(no corresponder)* to belie.

desmenuzar *vt* 1. *(trocear - pan, pastel, roca)* to crumble; *(- carne)* to chop up; *(- papel)* to tear up into little pieces. 2. *fig (examinar, analizar)* to scrutinize.

desmerecer ◇ *vt* to be unworthy of. ◇ *vi* to lose value; ~ **(en algo) de alguien** to be inferior to sb (in sthg).

desmesurado, -da *adj (excesivo)* excessive, disproportionate; *(enorme)* enormous.

desmontar *vt* 1. *(desarmar - máquina)* to take apart o to pieces; *(- motor)* to strip down; *(- piezas)* to dismantle; *(- rueda)* to remove, to take off; *(- tienda de campaña)* to take down; *(- arma)* to uncock. 2. *(jinete - suj: caballo)* to unseat; *(- suj: persona)* to help down.

desmoralizar *vt* to demoralize.

desmoronar *vt (edificios, rocas)* to cause to crumble. ◆ **desmoronarse** *vpr (edificio, roca, ideales)* to crumble.

desnatado, -da *adj* skimmed.

desnivel *m (del terreno)* irregularity, unevenness (U).

desnivelar *vt* to make uneven; *(balanza)* to tip.

desnucar *vt* to break the neck of.

desnudar *vt* 1. *(persona)* to undress. 2. *fig (cosa)* to strip. ◆ **desnudarse** *vpr* to get undressed.

desnudez *f (de persona)* nakedness, nudity; *(de cosa)* bareness.

desnudo, -da *adj* 1. *(persona, cuerpo)* naked. 2. *fig (salón, hombro, árbol)* bare; *(verdad)* plain; *(paisaje)* barren. ◆ **desnudo** *m* nude.

desnutrición *f* malnutrition.

desobedecer *vt* to disobey.

desobediencia *f* disobedience.

desobediente *adj* disobedient.

desocupado, -da *adj* 1. *(persona - ocioso)* free, unoccupied; *(- sin empleo)* unemployed. 2. *(lugar)* vacant.

desocupar *vt (edificio)* to vacate; *(habitación, mesa)* to leave.

desodorante *m* deodorant.

desolación *f* 1. *(destrucción)* desolation. 2. *(desconsuelo)* distress, grief.

desolar *vt* 1. *(destruir)* to devastate, to lay waste. 2. *(afligir)* to cause anguish to.

desorbitado, -da *adj (gen)* disproportionate; *(precio)* exorbitant.

desorden *m* 1. *(confusión)* disorder, chaos; *(falta de orden)* mess. 2. *(disturbio)* disturbance.

desordenado, -da *adj (habitación, persona)* untidy, messy; *(documentos, fichas)* jumbled (up).

desorganización *f* disorganization.

desorganizar *vt* to disrupt, to disorganize.

desorientar *vt* 1. *(en el espacio)* to disorientate, to mislead. 2. *fig (en la mente)* to confuse. ◆ **desorientarse** *vpr* to lose one's way o bearings.

despabilado, -da *adj* 1. *(despierto)* wide-awake. 2. *(listo)* smart, quick.

despabilar *vt* 1. *(despertar)* to wake up. 2. *(hacer más avispado)* to make streetwise. ◆ **despabilarse** *vpr* 1. *(despertarse)* to wake up. 2. *(darse prisa)* to hurry up.

despachar ◇ *vt* 1. *(mercancía)* to dispatch. 2. *(en tienda - cliente)* to serve; *(- entradas, bebidas etc)* to sell. 3. *fam fig (terminar - trabajo, discurso)* to finish off. 4. *(asunto, negocio)* to settle. 5. *Amer (facturar)* to check in. ◇ *vi (en una tienda)* to serve.

despacho *m* 1. *(oficina)* office; *(en casa)* study. 2. *(comunicación oficial)* dispatch. 3. *(venta)* sale; *(lugar de venta)*: ~ **de billetes/localidades** ticket/box office.

despacio *adv* slowly.

desparramar vt (líquido) to spill; (objetos) to spread, to scatter.

despecho m (rencor, venganza) spite; (desengaño) bitterness; **(hacer algo) por ~** (to do sthg) out of spite.

despectivo, -va adj 1. (despreciativo) contemptuous. 2. (GRAM) pejorative.

despedida f (adiós) farewell.

despedir vt 1. (decir adiós) to say goodbye to; **fuimos a ~le a la estación** we went to see him off at the station. 2. (echar - de un empleo) to dismiss, to sack; (- de un club) to throw out. 3. (lanzar, arrojar) to fling; **salir despedido de/por/hacia algo** to fly out of/through/towards sthg. 4. fig (difundir, desprender) to give off. ◆ **despedirse** vpr: **~se (de)** to say goodbye (to).

despegar ◇ vt to unstick. ◇ vi (avión) to take off. ◆ **despegarse** vpr (etiqueta, pegatina, sello) to come unstuck.

despegue m takeoff.

despeinar vt (pelo) to ruffle; **~ a alguien** to mess up sb's hair. ◆ **despeinarse** vpr to mess up one's hair.

despejado, -da adj 1. (tiempo, día) clear. 2. fig (persona, mente) alert. 3. (espacio - ancho) spacious; (- sin estorbos) clear, uncluttered.

despejar vt (gen) to clear. ◆ **despejarse** vpr 1. (persona - espabilarse) to clear one's head; (- despertarse) to wake o.s. up. 2. (tiempo) to clear up; (cielo) to clear.

despeje m (DEP) clearance.

despensa f larder, pantry.

despeñadero m precipice.

despeñar vt to throw over a cliff. ◆ **despeñarse** vpr to fall over a cliff.

desperdiciar vt (tiempo, comida) to waste; (dinero) to squander; (ocasión) to throw away.

desperdicio m 1. (acción) waste. 2. (residuo): **~s** scraps.

desperdigar vt to scatter, to disperse.

desperezarse vpr to stretch.

despertador m alarm clock.

despertar ◇ vt 1. (persona, animal) to wake (up). 2. fig (reacción) to arouse. 3. fig (recuerdo) to revive, to awaken. ◇ vi to wake up. ◇ m awakening. ◆ **despertarse** vpr to wake up.

despiadado, -da adj pitiless, merciless.

despido m dismissal, sacking.

despierto, -ta adj 1. (sin dormir) awake. 2. fig (espabilado, listo) sharp.

despilfarrar vt (dinero) to squander;

(electricidad, agua etc) to waste.

despilfarro m (de dinero) squandering; (de energía, agua etc) waste.

despistado, -da adj absent-minded.

despistar vt 1. (dar esquinazo) to throw off the scent. 2. fig (confundir) to mislead. ◆ **despistarse** vpr 1. (perderse) to lose one's way, to get lost. 2. fig (distraerse) to get confused.

despiste m (distracción) absent-mindedness; (error) mistake, slip.

desplante m rude remark.

desplazamiento m 1. (viaje) journey; (traslado) move. 2. (NÁUT) displacement.

desplazar vt 1. (trasladar) to move. 2. fig (desbancar) to take the place of; **~ a alguien/algo de** to remove sb/sthg from. ◆ **desplazarse** vpr (viajar) to travel.

desplegar vt 1. (tela, periódico, mapa) to unfold; (alas) to spread, to open; (bandera) to unfurl. 2. (cualidad) to display. 3. (MIL) to deploy.

despliegue m 1. (de cualidad) display. 2. (MIL) deployment.

desplomarse vpr (gen) to collapse; (techo) to fall in.

despoblado, -da adj unpopulated, deserted.

despojar vt: **~ a alguien de algo** to strip sb of sthg. ◆ **despojarse** vpr: **~se de algo** (bienes, alimentos) to give sthg up; (abrigo, chandal) to take sthg off.

despojo m (acción) plundering. ◆ **despojos** mpl 1. (sobras, residuos) leftovers. 2. (de animales) offal (U).

desposar vt to marry. ◆ **desposarse** vpr to get married.

desposeer vt: **~ a alguien de** to dispossess sb of.

déspota m y f despot.

despreciar vt 1. (desdeñar) to scorn. 2. (rechazar) to spurn.

desprecio m scorn, contempt.

desprender vt 1. (lo que estaba fijo) to remove, to detach. 2. (olor, luz) to give off. ◆ **desprenderse** vpr 1. (caerse, soltarse) to come o fall off. 2. fig (deducirse): **de sus palabras se desprende que ...** from his words it is clear o it can be seen that ... 3. (librarse): **~se de** to get rid of.

desprendimiento m (separación) detachment; **~ de tierras** landslide.

despreocupado, -da adj (libre de preocupaciones) unworried, unconcerned; (en el vestir) casual.

despreocuparse ◆ **despreocu-**

parse de vpr (asunto) to stop worrying about.

desprestigiar vt to discredit.

desprevenido, -da adj unprepared; **coger** O **pillar ~ a alguien** to catch sb unawares, to take sb by surprise.

desproporcionado, -da adj disproportionate.

despropósito m stupid remark.

desprovisto, -ta adj: **~ de** lacking in, devoid of.

después adv 1. (en el tiempo - más tarde) afterwards, later; (- entonces) then; (- justo lo siguiente) next; **poco ~** soon after; **años ~** years later; **ellos llegaron ~** they arrived later; **llamé primero y entré** I knocked first and then I went in; **yo voy ~** it's my turn next. 2. (en el espacio) next, after; **¿qué viene ~?** what comes next O after?; **hay una farmacia y ~ está mi casa** there's a chemist's and then there's my house. 3. (en una lista) further down. ◆ **después de** loc prep after; **llegó ~ de ti** she arrived after you; **~ de él, nadie lo ha conseguido** since he did it, no one else has; **~ de hacer algo** after doing sth. ◆ **después de todo** loc adv after all.

despuntar ◇ vt (romper) to break the point off; (desgastar) to blunt. ◇ vi 1. fig (persona) to excel. 2. (alba) to break; (día) to dawn.

desquite m revenge.

destacamento m detachment.

destacar ◇ vt 1. (poner de relieve) to emphasize, to highlight; **cabe ~ que ...** it is important to point out that ... 2. (MIL) to detach, to detail. ◇ vi (sobresalir) to stand out. ◆ **destacarse** vpr: **~se (de/por)** to stand out (from/because of).

destajo m piecework; **trabajar a ~** (por trabajo hecho) to do piecework; fig (afanosamente) to work flat out.

destapar vt 1. (abrir - caja, botella) to open; (olla) to take the lid off; (descorchar) to uncork. 2. (descubrir) to uncover. ◆ **destaparse** vpr (desabrigarse) to lose the covers.

destello m 1. (de luz, brillo) sparkle; (de estrella) twinkle. 2. fig (manifestación momentánea) glimmer.

destemplado, -da adj 1. (persona) out of sorts. 2. (tiempo, clima) unpleasant. 3. (carácter, actitud) irritable.

desteñir ◇ vt to fade, to bleach. ◇ vi to run, not to be colour fast.

desternillarse vpr: **~ de risa** to split one's sides laughing O with laughter.

desterrar vt (persona) to exile.

destiempo ◆ **a destiempo** loc adv at the wrong time.

destierro m exile; **en el ~** in exile.

destilar vt (agua, petróleo) to distil.

destilería f distillery.

destinar vt 1. **~ algo a** O **para** (cantidad, edificio) to set sthg aside for; (empleo, cargo) to assign sthg to; (carta) to address sthg to; (medidas, programa, publicación) to aim sthg at. 2. **~ a alguien a** (cargo, empleo) to appoint sb to; (plaza, lugar) to post sb to.

destinatario, -ria m y f addressee.

destino m 1. (sino) destiny, fate. 2. (rumbo) destination; **(ir) con ~ a** (to be) bound for O going to; **un vuelo con ~ a ...** a flight to ... 3. (empleo, plaza) position, post. 4. (finalidad) function.

destitución f dismissal.

destituir vt to dismiss.

destornillador m screwdriver.

destornillar vt to unscrew.

destreza f skill, dexterity.

destrozar vt 1. (físicamente - romper) to smash; (- estropear) to ruin. 2. (moralmente - persona) to shatter, to devastate; (- vida) to ruin.

destrozo m damage (U); **ocasionar grandes ~s** to cause a lot of damage.

destrucción f destruction.

destruir vt 1. (gen) to destroy; (casa, argumento) to demolish. 2. (proyecto) to ruin, to wreck; (ilusión) to dash.

desuso m disuse; **caer en ~** to become obsolete, to fall into disuse.

desvalido, -da adj needy, destitute.

desvalijar vt (casa) to burgle; (persona) to rob.

desván m attic, loft.

desvanecer vt 1. (humo, nubes) to dissipate. 2. (sospechas, temores) to dispel. ◆ **desvanecerse** vpr 1. (desmayarse) to faint. 2. (disiparse - humo, nubes) to clear, to disappear; (- sonido, sospechas, temores) to fade away.

desvanecimiento m (desmayo) fainting fit.

desvariar vi (delirar) to be delirious; (decir locuras) to talk nonsense, to rave.

desvarío m 1. (dicho) raving; (hecho) act of madness. 2. (delirio) delirium.

desvelar vt 1. (quitar el sueño) to keep awake. 2. (noticia, secreto etc) to reveal. ◆ **desvelarse por** vpr: **~se por hacer algo** to make every effort to do sthg.

desvelo m (esfuerzo) effort.

desventaja f disadvantage; **en ~**

at a disadvantage.

desventura *f* misfortune.

desvergonzado, -da *adj* shameless.

desvergüenza *f* (atrevimiento, frescura) shamelessness.

desvestir *vt* to undress. ♦ **desvestirse** *vpr* to undress (o.s.).

desviación *f* 1. (de dirección, cauce, norma) deviation. 2. (en la carretera) diversion, detour.

desviar *vt* (río, carretera, tráfico) to divert; (dirección) to change; (golpe) to parry; (pelota, disparo) to deflect; (pregunta) to evade; (conversación) to change the direction of; (mirada, ojos) to avert. ♦ **desviarse** *vpr* (cambiar de dirección - conductor) to take a detour; (- avión, barco) to go off course; **~se de** to turn off.

desvío *m* diversion, detour.

desvivirse *vpr* (desvelarse): **~ (por alguien/algo)** to do everything one can (for sb/sthg); **~ por hacer algo** to bend over backwards to do sthg.

detallado, -da *adj* detailed, thorough.

detallar *vt* (historia, hechos) to detail, to give a rundown of; (cuenta, gastos) to itemize.

detalle *m* 1. (gen) detail; **con ~** in detail; **entrar en ~s** to go into detail. 2. (atención) kind gesture O thought; **tener un ~ con alguien** to be thoughtful O considerate to sb. ♦ **al detalle** *loc adv* (COM) retail.

detallista *m y f* (COM) retailer.

detectar *vt* to detect.

detective *m y f* detective.

detener *vt* 1. (arrestar) to arrest. 2. (parar) to stop; (retrasar) to hold up. ♦ **detenerse** *vpr* 1. (pararse) to stop. 2. (demorarse) to linger.

detenidamente *adv* carefully, thoroughly.

detenido, -da ◇ *adj* 1. (detallado) thorough. 2. (arrestado): **(estar) ~ (to be) under arrest.** ◇ *m y f* prisoner.

detenimiento ♦ **con detenimiento** *loc adv* carefully, thoroughly.

detergente *m* detergent.

deteriorar *vt* to damage, to spoil. ♦ **deteriorarse** *vpr* fig (empeorar) to deteriorate, to get worse.

deterioro *m* (daño) damage; (empeoramiento) deterioration.

determinación *f* 1. (fijación - de precio etc) settling, fixing. 2. (resolución) determination, resolution. 3. (decisión): **tomar una ~** to take a decision.

determinado, -da *adj* 1. (concreto) specific; (en particular) particular. 2. (resuelto) determined. 3. (GRAM) definite.

determinar *vt* 1. (fijar - fecha, precio) to settle, to fix. 2. (averiguar) to determine. 3. (motivar) to cause, to bring about. 4. (decidir) to decide; **~ hacer algo** to decide to do sthg. ♦ **determinarse** *vpr*: **~se a hacer algo** to make up one's mind to do sthg.

detestar *vt* to detest.

detonante *m* (explosivo) explosive.

detrás *adv* 1. (en el espacio) behind; **tus amigos vienen ~** your friends are coming on behind; **el interruptor está ~** the switch is at the back. 2. (en el orden) then, afterwards; **Portugal y ~ Puerto Rico** Portugal and then Puerto Rico. ♦ **detrás de** *loc prep* (gen) behind. ♦ **por detrás** *loc adv* at the back; **hablar de alguien por ~** to talk about sb behind his/her back.

detrimento *m* damage; **en ~ de** to the detriment of.

detrito *m* (BIOL) detritus. ♦ **detritos** *mpl* (residuos) waste (U).

deuda *f* debt; **~ pública** (ECON) public debt *Am*, national debt *Br*.

deudor, -ra *m y f* debtor.

devaluación *f* devaluation.

devaluar *vt* to devalue.

devanar *vt* to wind.

devaneos *mpl* (amoríos) affairs; (coqueteos) flirting (U).

devastar *vt* to devastate.

devoción *f*: **~ (por)** devotion (to).

devolución *f* (gen) return; (de dinero) refund.

devolver ◇ *vt* 1. (restituir): **~ algo (a)** (coche, dinero etc) to give sthg back (to); (producto defectuoso, carta) to return sthg (to). 2. (restablecer, colocar en su sitio): **~ algo a** to return sthg to. 3. (favor, agravio) to pay back for; (visita) to return. 4. (vomitar) to bring O throw up. ◇ *vi* to throw up. ♦ **devolverse** *vpr* Amer to come back.

devorar *vt* lit & fig to devour.

devoto, -ta ◇ *adj* (piadoso) devout; **ser ~ de** to have a devotion for. ◇ *m y f* (admirador) devotee.

devuelto, -ta *pp* → **devolver**.

dg (abrev de decigramo) dg.

di *etc* 1. → dar. 2. → decir.

día *m* 1. (gen) day; **me voy el ~ ocho** I'm going on the eighth; **¿a qué ~ estamos?** what day is it today?; **¿qué tal ~ hace?** what's the weather like today?; **todos**

los ~s every day; ~ **de los difuntos** *Esp* All Souls' Day; ~ **de la Hispanidad** Columbus Day; ~ **de los inocentes** *28th December*, ≃ April Fools' Day; ~ **de los muertos** *Amer* All Souls' Day; ~ **de Todos los Santos** All Saints' Day; ~ **de pago** payday; ~ **festivo** (public) holiday; ~ **hábil** o **laborable** o **de trabajo** working day; **de** ~ **en** ~ from day to day, day by day; **del** ~ fresh; **hoy (en)** ~ nowadays; **todo el (santo)** ~ all day long; **el** ~ **de mañana** in the future; **al** ~ **siguiente** on the following day; **un** ~ **sí y otro no** every other day; **menú del** ~ today's menu. **2.** *(luz)* daytime, day; **es de** ~ it's daytime; **hacer algo de** ~ to do sthg in the daytime o during the day; ~ **y noche** day and night; **en pleno** ~, **a plena luz del** ~ in broad daylight. **3.** *loc:* **estar/ponerse al** ~ **(de)** to be/get up to date (with); **poner algo/a alguien al** ~ to update sthg/sb; **vivir al** ~ to live from hand to mouth. ◆ **buen día** *interj Amer*: **¡buen** ~**!** good morning! ◆ **buenos días** *interj*: **¡buenos** ~**s!** *(gen)* hello!; *(por la mañana)* good morning!

diabético, -ca *adj, m y f* diabetic.

diablo *m lit & fig* devil; **pobre** ~ poor devil.

diablura *f* prank.

diabólico, -ca *adj* **1.** *(del diablo)* diabolic. **2.** *fig (muy malo, difícil)* diabolical.

diadema *f (para el pelo)* hairband.

diafragma *m* diaphragm.

diagnosticar *vt* to diagnose.

diagnóstico *m* diagnosis.

diagonal *adj & f* diagonal.

diagrama *m* diagram.

dial *m* dial.

dialecto *m* dialect.

dialogar *vi*: ~ **(con)** *(hablar)* to have a conversation (with), to talk (to); *(negociar)* to hold a dialogue o talks (with).

diálogo *m (conversación)* conversation; (LITER & POLÍT) dialogue.

diamante *m (piedra)* diamond.

diámetro *m* diameter.

diana *f* **1.** *(en blanco de tiro)* bull's-eye, bull. **2.** *(en cuartel)* reveille.

diapositiva *f* slide, transparency.

diario, -ria *adj* daily; **a** ~ every day; **ropa de** ~ everyday clothes. ◆ **diario** *m* **1.** *(periódico)* newspaper, daily. **2.** *(relación día a día)* diary; ~ **de sesiones** parliamentary report.

diarrea *f* diarrhoea.

dibujante *m y f (gen)* sketcher; *(de dibu-*

jos animados) cartoonist; *(de dibujo técnico)* draughtsman *(f* draughtswoman*)*.

dibujar *vt & vi* to draw, to sketch.

dibujo *m* **1.** *(gen)* drawing; ~**s animados** cartoons; ~ **artístico** art; ~ **lineal** technical drawing. **2.** *(de tela, prenda etc)* pattern.

diccionario *m* dictionary.

dice → **decir**.

dicha *f (alegría)* joy.

dicho, -cha ◇ *pp* → **decir**. ◇ *adj* said, aforementioned; ~**s hombres** the said men, these men; **lo** ~ what I/we *etc* said; **o mejor** ~ or rather; ~ **y hecho** no sooner said than done. ◆ **dicho** *m* saying.

diciembre *m* December; *ver también* **septiembre**.

dictado *m* dictation; **escribir al** ~ to take dictation.

dictador, -ra *m y f* dictator.

dictadura *f* dictatorship.

dictáfono *m* Dictaphone®.

dictamen *m (opinión)* opinion, judgment; *(informe)* report.

dictar *vt* **1.** *(texto)* to dictate. **2.** *(emitir - sentencia, fallo)* to pronounce, to pass; *(- ley)* to enact; *(- decreto)* to issue.

didáctico, -ca *adj* didactic.

diecinueve *núm* nineteen; *ver también* **seis**.

dieciocho *núm* eighteen; *ver también* **seis**.

dieciséis *núm* sixteen; *ver también* **seis**.

diecisiete *núm* seventeen; *ver también* **seis**.

diente *m* tooth; ~ **de leche** milk tooth; **armado hasta los** ~**s** armed to the teeth; **hablar entre** ~**s** to mumble, to mutter. ◆ **diente de ajo** *m* clove of garlic.

diera → **dar**.

diéresis *f inv* diaeresis.

dieron *etc* → **dar**.

diesel, diésel *adj* diesel.

diestro, -tra *adj (hábil)*: ~ **(en)** skilful (at); **a** ~ **y siniestro** *fig* left, right and centre, all over the place.

dieta *f* (MED) diet. ◆ **dietas** *fpl* (COM) expenses.

dietético, -ca *adj* dietetic, dietary. ◆ **dietética** *f* dietetics *(U)*.

diez ◇ *núm* ten; *ver también* **seis**. ◇ *m (en la escuela)* A, top marks *(pl)*.

difamar *vt (verbalmente)* to slander; *(por escrito)* to libel.

diferencia *f* difference.

diferenciar ◇ *vt*: ~ **(de)** to distin-

guish (from). ◊ *vi:* ~ **(entre)** to distinguish ○ differentiate (between).
♦ **diferenciarse** *vpr (diferir):* ~**se (de/en)** to differ (from/in), to be different (from/in).
diferente ◊ *adj:* ~ **(de** ○ **a)** different (from ○ to). ◊ *adv* differently.
diferido ♦ **en diferido** *loc adv* (TV) recorded.
diferir *vi (diferenciarse)* to differ.
difícil *adj* difficult; ~ **de hacer** difficult to do; **es** ~ **que ganen** they are unlikely to win.
dificultad *f* 1. *(calidad de difícil)* difficulty. 2. *(obstáculo)* problem.
dificultar *vt (estorbar)* to hinder; *(obstruir)* to obstruct.
difuminar *vt* to blur.
difundir *vt* 1. *(noticia, doctrina, epidemia)* to spread. 2. *(luz, calor)* to diffuse; *(emisión radiofónica)* to broadcast.
♦ **difundirse** *vpr* 1. *(noticia, doctrina, epidemia)* to spread. 2. *(luz, calor)* to be diffused.
difunto, -ta *m y f:* **el** ~ the deceased.
difusión *f* 1. *(de cultura, noticia, doctrina)* dissemination. 2. *(de programa)* broadcasting.
diga → **decir**.
digerir *vt* to digest; *fig (hechos)* to assimilate, to take in.
digestión *f* digestion.
digestivo, -va *adj* digestive.
digital *adj* (INFORM & TECN) digital.
dígito *m* digit.
dignarse *vpr:* ~ **a** to deign to.
dignidad *f (cualidad)* dignity.
digno, -na *adj* 1. *(noble - actitud, respuesta)* dignified; *(- persona)* honourable, noble. 2. *(merecedor):* ~ **de** worthy of; ~ **de elogio** praiseworthy; ~ **de mención/de ver** worth mentioning/seeing. 3. *(adecuado):* ~ **de** appropriate for, fitting for. 4. *(decente - sueldo, actuación etc)* decent.
digo → **decir**.
digresión *f* digression.
dijera *etc* → **decir**.
dilatar *vt* 1. *(extender)* to expand; *(partes del cuerpo)* to dilate. 2. *(prolongar)* to prolong. 3. *(demorar)* to delay.
dilema *m* dilemma.
diligencia *f* 1. *(esmero, cuidado)* diligence. 2. *(trámite, gestión)* business (U). 3. *(vehículo)* stagecoach. ♦ **diligencias** *fpl* (DER) proceedings; **instruir** ~**s** to start proceedings.
diligente *adj* diligent.

diluir *vt* to dilute. ♦ **diluirse** *vpr* to dissolve.
diluvio *m lit & fig* flood.
dimensión *f* dimension; **las dimensiones de la tragedia** the extent of the tragedy.
diminutivo *m* diminutive.
diminuto, -ta *adj* tiny, minute.
dimisión *f* resignation; **presentar la** ~ to hand in one's resignation.
dimitir *vi:* ~ **(de)** to resign (from).
dimos → **dar**.
Dinamarca Denmark.
dinámico, -ca *adj* dynamic.
dinamismo *m* dynamism.
dinamita *f* dynamite.
dinamo, dínamo *f* dynamo.
dinastía *f* dynasty.
dineral *m fam* fortune.
dinero *m* money; **andar bien/mal de** ~ to be well off for/short of money; ~ **en metálico** cash; ~ **negro** ○ **sucio** illegally obtained money.
dinosaurio *m* dinosaur.
dio → **dar**.
diócesis *f* diocese.
dios, -sa *m y f* god (*f* goddess).
♦ **Dios** *m* God; **a la buena de Dios** any old how; **¡Dios mío!** good God!, (oh) my God!; **¡por Dios!** for God's sake!; **¡vaya por Dios!** for Heaven's sake!, honestly!
diploma *m* diploma.
diplomacia *f (gen)* diplomacy.
diplomado, -da *adj* qualified.
diplomático, -ca ◊ *adj lit & fig* diplomatic. ◊ *m y f* diplomat.
diptongo *m* diphthong.
diputación *f (corporación)* committee; ~ **provincial** *governing body of each province of an autonomous region in Spain;* ≃ county council *Br.*
diputado, -da *m y f* representative *Am,* ≃ Member of Parliament, MP *Br.*
dique *m* 1. *(en río)* dike. 2. *(en puerto)* dock.
dirá → **decir**.
dirección *f* 1. *(sentido, rumbo)* direction; **calle de** ~ **única** one-way street; **en** ~ **a** towards, in the direction of. 2. *(domicilio)* address. 3. *(mando - de empresa, hospital)* management; *(- de partido)* leadership; *(- de colegio)* headship; *(- de periódico)* editorship; *(- de una película)* direction; *(- de una obra de teatro)* production; *(- de una orquesta)* conducting. 4. *(junta directiva)* management. 5. *(de un vehículo)* steering;

~ asistida power steering.

directivo, -va ◇ *adj* managerial. ◇ *m y f (jefe)* manager. ◆ **directiva** *f (junta)* board (of directors).

directo, -ta *adj* 1. *(gen)* direct. 2. *(derecho)* straight. ◆ **directo** *adv* straight; **~ a** straight to ◆ **directa** *f* (AUTOM) top gear. ◆ **en directo** *loc adv* live.

director, -ra *m y f* 1. *(de empresa)* director; *(de hotel, hospital)* manager *(f manageress); (de periódico)* editor; *(de cárcel)* governor. 2. *(de obra artística):* **~ de cine** film director; **~ de orquesta** conductor. 3. *(de colegio)* headmaster *(f headmistress)*. 4. *(de tesis, trabajo de investigación)* supervisor; **~ técnico** (DEP) trainer.

directorio *m (gen & INFORM)* directory.

diría → **decir**.

dirigente *m y f (de partido político)* leader; *(de empresa)* manager.

dirigir *vt* 1. *(conducir - coche, barco)* to steer; *(- avión)* to pilot; *fig (- mirada)* to direct. 2. *(llevar - empresa, hotel, hospital)* to manage; *(- colegio, cárcel, periódico)* to run; *(- partido, revuelta)* to lead; *(- expedición)* to head. 3. *(película, obra de teatro)* to direct; *(orquesta)* to conduct. 4. *(carta, paquete)* to address. 5. *(guiar - persona)* to guide. 6. *(dedicar):* **~ algo a** to aim sthg at. ◆ **dirigirse** *vpr* 1. *(encaminarse):* **~se a** o **hacia** to head for. 2. *(hablar):* **~se a** to address, to speak to. 3. *(escribir):* **~se a** to write to.

discar *vt Andes & CSur* to dial.

discernir *vt* to discern, to distinguish.

disciplina *f* discipline.

discípulo, -la *m y f* disciple.

disco *m* 1. (ANAT, ASTRON & GEOM) disc. 2. *(de música)* record; **~ compacto** compact disc; **~ de larga duración** LP, long-playing record. 3. *(semáforo)* (traffic) light. 4. (DEP) discus. 5. (INFORM) disk; **~ duro/flexible** hard/floppy disk.

disconforme *adj* in disagreement; **estar ~ con** to disagree with.

disconformidad *f* disagreement.

discontinuo, -nua *adj (esfuerzo)* intermittent; *(línea)* broken, dotted.

discordia *f* discord.

discoteca *f (local)* disco.

discreción *f* discretion. ◆ **a discreción** *loc adv* as much as one wants, freely.

discrecional *adj (gen)* optional; *(parada)* request *(antes de sust)*.

discrepancia *f (diferencia)* difference, discrepancy; *(desacuerdo)* disagreement.

discrepar *vi:* **~ (de)** *(diferenciarse)* to differ (from); *(disentir)* to disagree (with).

discreto, -ta *adj* 1. *(prudente)* discreet. 2. *(cantidad)* moderate, modest. 3. *(normal - actuación)* fair, reasonable.

discriminación *f* discrimination.

discriminar *vt* 1. *(cosa):* **~ algo de** to discriminate o distinguish sthg from. 2. *(persona, colectividad)* to discriminate against.

disculpa *f (pretexto)* excuse; *(excusa, perdón)* apology; **dar ~s** to make excuses; **pedir ~s a alguien (por)** to apologize to sb (for).

disculpar *vt* to excuse; **~ a alguien (de** o **por algo)** to forgive sb (for sthg). ◆ **disculparse** *vpr:* **~se (de** o **por algo)** to apologize (for sthg).

discurrir *vi* 1. *(pasar - personas)* to wander, to walk; *(- tiempo, vida, sesión)* to go by, to pass; *(- río, tráfico)* to flow. 2. *(pensar)* to think, to reflect.

discurso *m* speech.

discusión *f (conversación)* discussion; *(pelea)* argument.

discutible *adj* debatable.

discutir ◇ *vi* 1. *(hablar)* to discuss. 2. *(pelear):* **~ (de)** to argue (about). ◇ *vt (hablar)* to discuss; *(contradecir)* to dispute.

disecar *vt (cadáver)* to dissect; *(animal)* to stuff; *(planta)* to dry.

diseminar *vt (semillas)* to scatter; *(ideas)* to disseminate.

disentir *vi:* **~ (de/en)** to disagree (with/on).

diseñar *vt* to design.

diseño *m* design; **ropa de ~** designer clothes; **~ asistido por ordenador** (INFORM) computer-aided design; **~ gráfico** graphic design.

disertación *f (oral)* lecture, discourse; *(escrita)* dissertation.

disfraz *m (gen)* disguise; *(para baile, fiesta etc)* fancy dress *(U)*.

disfrazar *vt* to disguise. ◆ **disfrazarse** *vpr* to disguise o.s.; **~se de** to dress up as.

disfrutar ◇ *vi* 1. *(sentir placer)* to enjoy o.s. 2. *(disponer de):* **~ de algo** to enjoy sthg. ◇ *vt* to enjoy.

disgustar *vt (suj: comentario, críticas, noticia)* to upset. ◆ **disgustarse** *vpr:* **~se (con alguien/por algo)** *(sentir enfado)*

to get upset (with sb/about sthg); (enemistarse) to fall out (with sb/over sthg).

No confundir los verbos "disgustar"
y *to disgust;* éste último quiere decir
'dar asco, repugnar, indignar', en tanto que el significado de la palabra en
español equivale a 'molestar, enojar,
contrariar'. Veamos la diferencia con
un ejemplo: "me disgusté mucho al
oír la noticia" se traduce *I was really
upset when I heard the news;* si dijéra-
mos *I was really disgusted when I heard
the news* el significado cambiaría a "<u>me
indigné</u> mucho al oír la noticia". Lo
mismo ocurre con el participio adjetivo del español "disgustado" (*upset*)
y el del inglés *disgusted* ("indignado").

disgusto *m* 1. *(enfado)* annoyance;
(pesadumbre) sorrow; **dar un ~ a alguien**
to upset sb; **llevarse un ~** to be upset.
2. *(pelea)*: **tener un ~ con alguien** to
have a quarrel with sb.

disidente *m y f (político)* dissident;
(religioso) dissenter.

disimular ◇ *vt* to hide, to conceal.
◇ *vi* to pretend.

disimulo *m* pretence, concealment.

disipar *vt* 1. *(dudas, sospechas)* to dispel; *(ilusiones)* to shatter. 2. *(fortuna,
herencia)* to squander, to throw away.
◆ **disiparse** *vpr* 1. *(dudas, sospechas)* to
be dispelled; *(ilusiones)* to be shattered.
2. *(niebla, humo, vapor)* to vanish.

diskette = **disquete.**

dislexia *m* dyslexia.

dislocar *vt* to dislocate. ◆ **dislocarse**
vpr to dislocate.

disminución *f* decrease, drop.

disminuido, -da *adj* handicapped.

disminuir ◇ *vt* to reduce, to decrease.
◇ *vi (gen)* to decrease; *(precios, temperatura)* to drop, to fall; *(vista, memoria)*
to fail; *(días)* to get shorter; *(beneficios)*
to fall off.

disolución *f* 1. *(en un líquido)* dissolv-
ing. 2. *(de matrimonio, sociedad, partido)*
dissolution. 3. *(mezcla)* solution.

disolvente *adj & m* solvent.

disolver *vt* 1. *(gen)* to dissolve.
2. *(reunión, manifestación, familia)* to
break up. ◆ **disolverse** *vpr* 1. *(gen)* to
dissolve. 2. *(reunión, manifestación,
familia)* to break up.

disparar *vt* to shoot; *(pedrada)* to
throw. ◇ *vi* to shoot, to fire.

disparatado, -da *adj* absurd, crazy.

disparate *m (comentario, acción)* silly

thing; *(idea)* crazy idea.

disparidad *f* difference, disparity.

disparo *m* shot.

dispensar *vt* 1. *(disculpar)* to excuse,
to forgive. 2. *(rendir)*: **~ algo (a alguien)**
(honores) to confer sthg (upon sb); *(bienvenida, ayuda)* to give sthg (to sb).
3. *(eximir)*: **~ a alguien de** to excuse o
exempt sb from.

dispersar *vt* 1. *(esparcir - objetos)* to
scatter. 2. *(disolver - gentío)* to disperse;
(- manifestación) to break up. ◆ **dispersarse** *vpr* to scatter.

dispersión *f (de objetos)* scattering.

disperso, -sa *adj* scattered.

disponer ◇ *vt* 1. *(gen)* to arrange.
2. *(cena, comida)* to lay on. 3.
(decidir - suj: persona) to decide; *(suj: ley)*
to stipulate. ◇ *vi* 1. *(poseer)*: **~ de** to
have. 2. *(usar)*: **~ de** to make use of.
◆ **disponerse a** *vpr*: **~se a hacer algo**
to prepare o get ready to do sthg.

disponibilidad *f (gen)* availability.

disponible *adj (gen)* available; *(tiempo)*
free, spare.

disposición *f* 1. *(colocación)* arrangement, layout. 2. *(orden)* order; *(de ley)*
provision. 3. *(uso)*: **a ~ de** at the disposal of.

dispositivo *m* device; **~ intrauterino**
intrauterine device, IUD.

dispuesto, -ta ◇ *pp* → **disponer.**
◇ *adj (preparado)* ready; **estar ~ a hacer
algo** to be prepared to do sthg.

disputa *f* dispute.

disputar *vt* 1. *(cuestión, tema)* to argue
about. 2. *(trofeo, puesto)* to compete for;
(carrera, partido) to compete in.

disquete, diskette [dis'kete] *m*
(INFORM) diskette, floppy disk.

disquetera *f* (INFORM) disk drive.

distancia *f* 1. *(gen)* distance; **a ~** from
a distance; **mantener a ~** to keep at a
distance. 2. *(en el tiempo)* gap, space.

distanciar *vt (gen)* to drive apart;
(rival) to forge ahead of. ◆ **distanciarse** *vpr (alejarse - afectivamente)* to
grow apart; *(- físicamente)* to distance
o.s.

distante *adj* 1. *(en el espacio)*: **~ (de)**
far away (from). 2. *(en el trato)* distant.

diste *etc* → **dar.**

distendido, -da *adj (informal)*
relaxed, informal.

distensión *f* 1. *(entre países)* détente;
(entre personas) easing of tension.
2. (MED) strain.

distinción *f* 1. *(diferencia)* distinction;
a ~ de in contrast to, unlike; **sin ~** alike.

2. *(privilegio)* privilege. **3.** *(modales)* refinement.

distinguido, -da *adj* **1.** *(notable)* distinguished. **2.** *(elegante)* refined.

distinguir *vt* **1.** *(diferenciar)* to distinguish; ~ **algo de algo** to tell sthg from sthg. **2.** *(separar)* to pick out. **3.** *(caracterizar)* to characterize. ◆ **distinguirse** *vpr (destacarse)* to stand out.

distintivo, -va *adj* distinctive; *(señal)* distinguishing. ◆ **distintivo** *m* badge.

distinto, -ta *adj (diferente)* different. ◆ **distintos, -tas** *adj pl (varios)* various.

distorsión *f (de tobillo, rodilla)* sprain; *(de imágenes, sonidos)* distortion.

distracción *f* **1.** *(entretenimiento)* entertainment; *(pasatiempo)* hobby, pastime. **2.** *(despiste)* slip; *(falta de atención)* absent-mindedness.

distraer *vt* **1.** *(divertir)* to amuse, to entertain. **2.** *(despistar)* to distract. ◆ **distraerse** *vpr* **1.** *(divertirse)* to enjoy o.s.; *(pasar el tiempo)* to pass the time. **2.** *(despistarse)* to let one's mind wander.

distraído, -da *adj* **1.** *(entretenido)* amusing, entertaining. **2.** *(despistado)* absent-minded.

distribución *f* **1.** *(gen)* distribution; ~ **de premios** prizegiving. **2.** *(de correo, mercancías)* delivery. **3.** *(de casa, habitaciones)* layout.

distribuidor, -ra ◇ *adj (entidad)* wholesale; *(red)* supply *(antes de sust)*. ◇ *m y f (persona)* deliveryman *(f* deliverywoman). ◆ **distribuidor** *m (aparato)* vending machine.

distribuir *vt* **1.** *(gen)* to distribute; *(carga, trabajo)* to spread; *(pastel, ganancias)* to divide up. **2.** *(correo, mercancías)* to deliver. **3.** *(casa, habitaciones)* to arrange.

distrito *m* district.

disturbio *m* disturbance; *(violento)* riot.

disuadir *vt*: ~ **(de)** to dissuade (from).

disuasión *f* deterrence.

disuasivo, -va *adj* deterrent.

disuelto, -ta *pp* → **disolver**.

DIU *(abrev de* **dispositivo intrauterino)** *m* IUD.

diurno, -na *adj (gen)* daytime *(antes de sust)*; *(planta, animal)* diurnal.

diva → **divo**.

divagar *vi* to digress.

diván *m* divan; *(de psiquiatra)* couch.

divergencia *f* **1.** *(de líneas)* divergence. **2.** *(de opinión)* difference of opinion.

divergir *vi* **1.** *(calles, líneas)* to diverge. **2.** *fig (opiniones)*: ~ **(en)** to differ (on).

diversidad *f* diversity.

diversificar *vt* to diversify.

diversión *f* entertainment, amusement.

diverso, -sa *adj (diferente)* different. ◆ **diversos, -sas** *adj pl (varios)* several, various.

divertido, -da *adj (entretenido - película, libro)* entertaining; *(- fiesta)* enjoyable; *(que hace reír)* funny.

divertir *vt* to entertain, to amuse. ◆ **divertirse** *vpr* to enjoy o.s.

dividendo *m* (FIN & MAT) dividend.

dividir *vt*: ~ **(en)** to divide (into); ~ **entre** *(gen)* to divide between; (MAT) to divide by.

divino, -na *adj lit & fig* divine.

divisa *f* **1.** *(gen pl) (moneda)* foreign currency. **2.** *(distintivo)* emblem.

divisar *vt* to spy, to make out.

división *f (gen)* division; *(partición)* splitting up.

divo, -va *m y f* (MÚS - *mujer)* diva, prima donna; *(- hombre)* opera singer.

divorciado, -da ◇ *adj* divorced. ◇ *m y f* divorcé *(f* divorcée).

divorciar *vt lit & fig* to divorce. ◆ **divorciarse** *vpr* to get divorced.

divorcio *m* (DER) divorce.

divulgar *vt (noticia, secreto)* to reveal; *(rumor)* to spread; *(cultura, ciencia, doctrina)* to popularize.

dizque *adv Amer* apparently.

DNI *(abrev de* **documento nacional de identidad)** *m* ID card.

Dña *abrev de* **doña**.

do *m* (MÚS) C; *(en solfeo)* doh.

dobladillo *m (de traje, vestido)* hem; *(de pantalón)* cuff *Am*, turn-up *Br*.

doblado, -da *adj* **1.** *(papel, camisa)* folded. **2.** *(voz, película)* dubbed.

doblar ◇ *vt* **1.** *(duplicar)* to double. **2.** *(plegar)* to fold. **3.** *(torcer)* to bend. **4.** *(esquina)* to turn, to go round. **5.** *(voz, actor)* to dub. ◇ *vi* **1.** *(girar)* to turn. **2.** *(campanas)* to toll. ◆ **doblarse** *vpr (someterse)*: ~**se a** to give in to.

doble ◇ *adj* double; **tiene ~ número de habitantes** it has double O twice the number of inhabitants; **es ~ de ancho** it's twice as wide; **una frase de ~ sentido** a phrase with a double meaning. ◇ *m y f (gen & CIN)* double. ◇ *m (duplo)*: **el ~** twice as much; **gana el ~ que yo** she earns twice as much as I do, she earns double what I do. ◇ *adv* double; **trabajar ~** to work twice as hard. ◆ **dobles** *mpl* (DEP) doubles.

doblez m (pliegue) fold, crease.

doce núm twelve; ver también **seis**.

doceavo, -va núm twelfth.

docena f dozen; **a ~s** by the dozen.

docente adj teaching.

dócil adj obedient.

doctor, -ra m y f: **~ (en)** doctor (of).

doctrina f doctrine.

documentación f (identificación personal) papers (pl).

documentado, -da adj (informado - película, informe) researched; (- persona) informed.

documental adj & m documentary.

documentar vt 1. (evidenciar) to document. 2. (informar) to brief. ◆ **documentarse** vpr to do research.

documento m 1. (escrito) document; **~ nacional de identidad** identity card. 2. (testimonio) record.

dogma m dogma.

dogmático, -ca adj dogmatic.

dólar m dollar.

doler vi to hurt; **me duele la pierna** my leg hurts; **¿te duele?** does it hurt?; **me duele la garganta/la cabeza** I have a sore throat/a headache. ◆ **dolerse** vpr: **~se de** o **por algo** (quejarse) to complain about sthg; (arrepentirse) to be sorry about sthg.

dolido, -da adj hurt.

dolor m 1. (físico) pain; **siento un ~ en el brazo** I have a pain in my arm; **(tener) ~ de cabeza** (to have a) headache; **~ de estómago** stomachache; **~ de muelas** toothache. 2. (moral) grief, sorrow.

dolorido, -da adj (físicamente) sore; (moralmente) grieving, sorrowing.

doloroso, -sa adj (físicamente) painful; (moralmente) distressing.

domador, -ra m y f (de caballos) breaker; (de leones) tamer.

domar vt (gen) to tame; (caballo) to break in; fig (personas) to control.

domesticar vt lit & fig to tame.

doméstico, -ca adj domestic.

domiciliación f: **~ (bancaria)** standing order, direct debit (U).

domiciliar vt (pago) to pay by direct debit o standing order.

domicilio m 1. (vivienda) residence, home; **servicio a ~** home delivery; **venta a ~** door-to-door selling. 2. (dirección) address; **sin ~ fijo** of no fixed abode; **~ social** head office.

dominante adj 1. (nación, religión, tendencia) dominant; (vientos) prevailing. 2. (persona) domineering.

dominar ◇ vt 1. (controlar - país, territorio) to dominate, to rule (over); (- pasión, nervios, caballo) to control; (- situación) to be in control of; (- incendio) to bring under control; (- rebelión) to put down. 2. (divisar) to overlook. 3. (conocer - técnica, tema) to master; (- lengua) to be fluent in. ◇ vi (predominar) to predominate. ◆ **dominarse** vpr to control o.s.

domingo m Sunday; ver también **sábado**.

dominguero, -ra m y f Sunday tripper/driver etc.

dominical adj Sunday (antes de sust).

dominicano, -na adj, m y f Dominican.

dominio m 1. (dominación, posesión): **~ (sobre)** control (over). 2. (autoridad) authority, power. 3. fig (territorio) domain; (ámbito) realm. 4. (conocimiento - de arte, técnica) mastery; (- de idiomas) command.

dominó m 1. (juego) dominoes (U). 2. (fichas) set of dominoes.

don m 1. (tratamiento): **~ Luis García** (gen) Mr Luis García; (en cartas) Luis García Esquire; **~ Luis** not translated in modern English or translated as 'Mr' + surname, if known. 2. (habilidad) gift; **el ~ de la palabra** the gift of the gab.

donante m y f donor; **~ de sangre** blood donor.

donar vt to donate.

donativo m donation.

donde ◇ adv where; **el bolso está ~ lo dejaste** the bag is where you left it; **puedes marcharte ~ quieras** you can go wherever you want; **hasta ~** as far as, up to where; **por ~** wherever. ◇ pron where; **la casa ~ nací** the house where I was born; **la ciudad de ~ viene** the town (where) she comes from, the town from which she comes. ◆ **de donde** loc adv (de lo cual) from which.

dónde adv (interrogativo) where; **¿~ está el niño?** where's the child?; **no sé ~ se habrá metido** I don't know where she can be; **¿a ~ vas?** where are you going?; **¿de ~ eres?** where are you from?; **¿hacia ~ vas?** where are you heading?; **¿por ~?** whereabouts?; **¿por ~ se va al teatro?** how do you get to the theatre from here?

dondequiera ◆ **dondequiera que** adv wherever.

doña f: **~ Luisa García** Mrs Luisa

García; ~ **Luisa** *not translated in modern English or translated as 'Mrs' + surname, if known.*

dopado, -da *adj* having taken performance-enhancing drugs.

dopar *vt* to dope.

doping ['dopin] *m* doping.

doquier ◆ **por doquier** *loc adv* everywhere.

dorado, -da *adj lit & fig* golden. ◆ **dorada** *f (pez)* gilthead.

dorar *vt* 1. *(cubrir con oro)* to gild. 2. *(alimento)* to brown.

dormilón, -ona *fam m y f (persona)* sleepyhead.

dormir ◇ *vt (niño, animal)* to put to bed; ~ **la siesta** to have an afternoon nap. ◇ *vi* to sleep. ◆ **dormirse** *vpr* 1. *(persona)* to fall asleep. 2. *(brazo, mano)* to go to sleep.

dormitorio *m (de casa)* bedroom; *(de colegio)* dormitory.

dorsal ◇ *adj* dorsal. ◇ *m* number *(on player's back)*.

dorso *m* back; **al ~, en el ~** on the back; **'véase al ~'** 'see overleaf'.

dos *núm* two; **cada ~ por tres** every five minutes; *ver también* **seis**.

doscientos, -tas *núm* two hundred; *ver también* **seis**.

dosificar *vt fig (fuerzas, palabras)* to use sparingly.

dosis *f inv lit & fig* dose.

dossier [do'sjer] *m inv* dossier, file.

dotado, -da *adj* gifted; ~ **de** *(persona)* blessed with; *(edificio, instalación, aparato)* equipped with.

dotar *vt* 1. *(proveer)*: ~ **algo de** to provide sthg with. 2. *fig (suj: la naturaleza)*: ~ **a algo/alguien de** to endow sthg/sb with.

dote *f (en boda)* dowry. ◆ **dotes** *fpl (dones)* qualities.

doy → **dar**.

Dr. *(abrev de* **doctor***)* Dr.

Dra. *(abrev de* **doctora***)* Dr.

dragar *vt* to dredge.

dragón *m* dragon.

drama *m (gen)* drama; *(obra)* play.

dramático, -ca *adj* dramatic.

dramatizar *vt* to dramatize.

dramaturgo, -ga *m y f* playwright, dramatist.

drástico, -ca *adj* drastic.

drenar *vt* to drain.

driblar *vt (DEP)* to dribble.

droga *f* drug; **la ~** drugs *(pl)*.

drogadicto, -ta *m y f* drug addict.

drogar *vt* to drug. ◆ **drogarse** *vpr* to take drugs.

droguería *f shop selling paint, cleaning materials etc.*

dromedario *m* dromedary.

dto. *abrev de* **descuento**.

dual *adj* dual.

Dublín Dublin.

ducha *f* shower; **tomar o darse una ~** to have o take a shower.

duchar *vt* to shower. ◆ **ducharse** *vpr* to have a shower.

duda *f* doubt; **poner algo en ~** to call sthg into question; **salir de ~s** to set one's mind at rest; **sin ~** doubtless; **no cabe ~** there is no doubt about it.

dudar ◇ *vi* 1. *(desconfiar)*: ~ **de algo/alguien** to have one's doubts about sthg/sb. 2. *(no estar seguro)*: ~ **sobre algo** to be unsure about sthg. 3. *(vacilar)* to hesitate; ~ **entre hacer una cosa u otra** to be unsure whether to do one thing or another. ◇ *vt* to doubt; **dudo que venga** I doubt whether he'll come.

dudoso, -sa *adj* 1. *(improbable)*: **ser ~ (que)** to be doubtful (whether), to be unlikely (that). 2. *(vacilante)* hesitant, indecisive. 3. *(sospechoso)* suspect.

duelo *m* 1. *(combate)* duel. 2. *(sentimiento)* grief, sorrow.

duende *m (personaje)* imp, goblin.

dueño, -ña *m y f (gen)* owner; *(de piso etc)* landlord *(f* landlady*)*.

duerma *etc* → **dormir**.

dulce ◇ *adj* 1. *(gen)* sweet. 2. *(agua)* fresh. 3. *(mirada)* tender. ◇ *m (caramelo, postre)* sweet; *(pastel)* cake, pastry.

dulcificar *vt (endulzar)* to sweeten.

dulzura *f (gen)* sweetness.

duna *f* dune.

dúo *m* 1. *(MÚS)* duet. 2. *(pareja)* duo; **a ~** together.

duodécimo, -ma *núm* twelfth.

dúplex, duplex *m inv (piso)* duplex.

duplicado, -da *adj* in duplicate. ◆ **duplicado** *m*: **(por) ~** (in) duplicate.

duplicar *vt* 1. *(cantidad)* to double. 2. *(documento)* to duplicate. ◆ **duplicarse** *vpr* to double.

duque, -sa *m y f* duke *(f* duchess*)*.

duración *f* length.

duradero, -ra *adj (gen)* lasting; *(ropa, zapatos)* hard-wearing.

durante *prep* during; **le escribí ~ las vacaciones** I wrote to him during the holidays; **estuve escribiendo ~ una hora**

I was writing for an hour; ~ **toda la semana** all week.

• For y *during* pueden traducirse por "durante", pero tienen diferente uso. *For* responde a la pregunta *how long?*, "¿cuánto tiempo?" (*I was in Boston for three weeks*, "estuve [durante] tres semanas en Boston"). *During* responde a la pregunta *when?* "¿cuándo?" (*I was in Boston during the holidays*, "estuve en Boston durante las vacaciones").

---

durar *vi* (*gen*) to last; (*permanecer, subsistir*) to remain, to stay; (*ropa*) to wear well; **aún dura la fiesta** the party's still going on.

durazno *m* *Amer* peach.

durex® *m* *Amer* Scotch® (tape) *Am*, Sellotape® *Br*.

dureza *f* **1.** (*de objeto, metal etc*) hardness. **2.** (*de clima, persona*) harshness.

durmiera *etc* → **dormir**.

duro, -ra *adj* **1.** (*gen*) hard; (*carne*) tough. **2.** (*resistente*) tough. **3.** (*palabras, clima*) harsh. ◆ **duro** ◇ *m* (*moneda*) five-peseta piece. ◇ *adv* hard.

d/v (*abrev de* **días vista**): **15 ~** within 15 days.

E

e¹, E *f* (*letra*) e, E.

e² *conj* (*en lugar de 'y' ante palabras que empiecen por 'i' o 'hi'*) and.

ébano *m* ebony.

ebrio, ebria *adj* (*borracho*) drunk.

Ebro *m*: **el ~** the Ebro.

ebullición *f* boiling.

eccema *m* eczema.

echar ◇ *vt* **1.** (*tirar*) to throw; (*red*) to cast. **2.** (*añadir*): **~ algo (a o en algo)** (*vino etc*) to pour sthg (into sthg); (*sal, azúcar etc*) to add sthg (to sthg). **3.** (*carta, postal*) to post. **4.** (*humo, vapor, chispas*) to give off, to emit. **5.** (*hojas, flores*) to shoot. **6.** (*expulsar*): **~ a alguien (de)** to throw sb out (of). **7.** (*despedir*): **~ a alguien (de)** to sack sb (from). **8.** (*accionar*): **~ la llave/el cerrojo** to lock/bolt the door; **~ el freno** to

brake, to put the brakes on. **9.** (*acostar*) to lie (down). **10.** *fam* (*en televisión, cine*) to show; **¿qué echan esta noche en la tele?** what's on telly tonight? **11.** *loc*: **~ abajo** (*edificio*) to pull down, to demolish; (*gobierno*) to bring down; (*proyecto*) to ruin; **~ a perder** (*vestido, alimentos, plan*) to ruin; (*ocasión*) to waste; **~ de menos** to miss. ◇ *vi* (*empezar*): **~ a hacer algo** to begin to do sthg, to start doing sthg; **~ a correr** to break into a run; **~ a llorar** to burst into tears; **~ a reír** to burst out laughing. ◆ **echarse** *vpr* **1.** (*acostarse*) to lie down. **2.** (*apartarse*): **~se (a un lado)** to move (aside); **~se atrás** *fig* to back out. **3.** *loc*: **~se a perder** (*comida*) to go off, to spoil; (*plan*) to fall through.

echarpe *m* shawl.

eclesiástico, -ca *adj* ecclesiastical.

eclipsar *vt* *lit & fig* to eclipse.

eclipse *m* eclipse.

eco *m* (*gen*) echo; **hacerse ~ de** to report; **tener ~ y** to arouse interest.

ecología *f* ecology.

ecológico, -ca *adj* (*gen*) ecological; (*alimentos*) organic.

ecologista ◇ *adj* environmental, ecological. ◇ *m y f* environmentalist.

economía *f* **1.** (*gen*) economy; **~ sumergida** black economy ◇ market. **2.** (*estudio*) economics (*U*); **~ familiar** home economics. **3.** (*ahorro*) saving.

económico, -ca *adj* **1.** (*problema, doctrina etc*) economic. **2.** (*barato*) cheap, low-cost. **3.** (*que gasta poco - motor etc*) economical; (*- persona*) thrifty.

economista *m y f* economist.

economizar *vt* *lit & fig* to save.

ecosistema *m* ecosystem.

ecoturismo *m* ecotourism.

ecu (*abrev de* **unidad de cuenta europea**) *m* ecu.

ecuación *f* equation.

ecuador *m* equator.

Ecuador Ecuador.

ecuatoriano, -na *adj, m y f* Ecuadorian, Ecuadoran.

ecuestre *adj* equestrian.

edad *f* age; **¿qué ~ tienes?** how old are you?; **tiene 25 años de ~** she's 25 (years old); **una persona de ~** an elderly person; **~ escolar** school age; **Edad Media** Middle Ages (*pl*); **~ del pavo** awkward age; **la tercera ~** (*ancianos*) senior citizens (*pl*).

edén *m* (RELIG) Eden; *fig* paradise.

edición *f* **1.** (*acción - IMPRENTA*) publication; (*- INFORM, RADIO & TV*) editing.

2. *(ejemplares)* edition.

edicto *m* edict.

edificante *adj (conducta)* exemplary; *(libro, discurso)* edifying.

edificar *vt (construir)* to build.

edificio *m* building.

edil *m* (town) councillor.

Edimburgo Edinburgh.

editar *vt* **1.** *(libro, periódico)* to publish; *(disco)* to release. **2.** (INFORM, RADIO & TV) to edit.

editor, -ra ◇ *adj* publishing *(antes de sust)*. ◇ *m y f* **1.** *(de libro, periódico)* publisher. **2.** (RADIO & TV) editor.

editorial ◇ *adj* publishing *(antes de sust)*. ◇ *m* editorial, leader. ◇ *f* publisher, publishing house.

edredón *m* duvet, eiderdown.

educación *f* **1.** *(enseñanza)* education. **2.** *(modales)* good manners *(pl)*; **¡qué poca ~!** how rude!; **mala ~** bad manners *(pl)*.

educado, -da *adj* polite, well-mannered; **mal ~** rude, ill-mannered.

educador, -ra *m y f* teacher.

educar *vt* **1.** *(enseñar)* to educate. **2.** *(criar)* to bring up. **3.** *(cuerpo, voz, oído)* to train.

edulcorante *m* sweetener.

EE UU *(abrev de Estados Unidos) mpl* USA.

efectivamente *adv (en respuestas)* precisely, exactly.

efectividad *f* effectiveness.

efectivo, -va *adj* **1.** *(útil)* effective. **2.** *(real)* actual, true; **hacer ~** *(gen)* to carry out; *(promesa)* to keep; *(dinero, crédito)* to pay; *(cheque)* to cash. ◆ **efectivo** *m (dinero)* cash; **en ~** in cash. ◆ **efectivos** *mpl (personal)* forces.

efecto *m* **1.** *(gen)* effect; **~ invernadero** greenhouse effect; **~ óptico** optical illusion; **~s sonoros/visuales** sound/visual effects; **~s especiales** special effects; **~s secundarios** side effects. **2.** *(finalidad)* aim, purpose; **a tal ~** to that end; **a ~s** o **para los ~s de algo** as far as sthg is concerned. **3.** *(impresión)* impression; **producir buen/mal ~** to make a good/ bad impression. **4.** *(de balón, bola)* spin; **dar ~ a** to put spin on. **5.** (COM) *(documento)* bill. ◆ **efectos personales** *mpl* personal possessions o effects. ◆ **en efecto** *loc adv* indeed.

efectuar *vt (gen)* to carry out; *(compra, pago, viaje)* to make. ◆ **efectuarse** *vpr* to take place.

efervescente *adj (bebida)* fizzy.

eficacia *f (eficiencia)* efficiency; *(efec-*

tividad) effectiveness.

eficaz *adj* **1.** *(eficiente)* efficient. **2.** *(efectivo)* effective.

eficiencia *f* efficiency.

eficiente *adj* efficient.

efusión *f (cordialidad)* effusiveness.

efusivo, -va *adj* effusive.

EGB *(abrev de educación general básica) f Spanish primary education system for pupils aged 6-14.*

egipcio, -cia *adj, m y f* Egyptian.

Egipto Egypt.

egocéntrico, -ca *adj* egocentric.

egoísmo *m* selfishness, egoism.

egoísta ◇ *adj* egoistic, selfish. ◇ *m y f* egoist, selfish person.

egresado, -da *m y f Amer* **1.** *(de escuela) student who has completed a course.* **2.** *(de universidad)* graduate.

egresar *vi Amer* **1.** *(de escuela)* to leave school after graduation. **2.** *(de universidad)* to graduate.

egreso *m Amer* **1.** *(de escuela)* completion of course. **2.** *(de universidad)* graduation.

eh *interj* **¡~!** hey!

ej. *abrev de* **ejemplar**.

eje *m* **1.** *(de rueda)* axle; *(de máquina)* shaft. **2.** (GEOM) axis. **3.** *fig (idea central)* central idea, basis.

ejecución *f* **1.** *(realización)* carrying out. **2.** *(de condenado)* execution. **3.** *(de concierto)* performance, rendition.

ejecutar *vt* **1.** *(realizar)* to carry out. **2.** *(condenado)* to execute. **3.** *(concierto)* to perform. **4.** (INFORM) *(programa)* to run.

ejecutivo, -va ◇ *adj* executive. ◇ *m y f (persona)* executive. ◆ **ejecutivo** *m* (POLÍT): **el ~** the government.

ejem *interj* **¡~!** *(expresa duda)* um!; *(expresa ironía)* ahem!

ejemplar ◇ *adj* exemplary. ◇ *m (de libro)* copy; *(de revista)* issue; *(de moneda)* example; *(de especie, raza)* specimen.

ejemplificar *vt* to exemplify.

ejemplo *m* example; **por ~** for example; **predicar con el ~** to practise what one preaches.

ejercer ◇ *vt* **1.** *(profesión)* to practise; *(cargo)* to hold. **2.** *(poder, derecho)* to exercise; *(influencia, dominio)* to exert; **~ presión sobre** to put pressure on. ◇ *vi* to practise (one's profession); **~ de** to practise o work as.

ejercicio *m* **1.** *(gen)* exercise; **hacer ~**

to (do) exercise. **2.** *(de profesión)* practising; *(de cargo, funciones)* carrying out. **3.** *(de poder, derecho)* exercising. **4.** (MIL) drill. **5.** (ECON): **~ económico/fiscal** financial/tax year.

ejercitar *vt (derecho)* to exercise. ◆ **ejercitarse** *vpr:* ~**se (en)** to train (in).

ejército *m* (MIL & *fig*) army.

ejote *m* *CAm & Méx* green o French bean.

el, la *(mpl* **los,** *fpl* **las)** *art* (**el** *antes de sustantivo femenino que empiece por 'a' o 'ha' tónica; a + el = al; de + el = del) art* **1.** *(gen)* the; *(en sentido genérico) no se traduce;* **~ coche** the car; **la casa** the house; **los niños** the children; **~ agua/hacha/águila** the water/axe/eagle; **fui a recoger a los niños** I went to pick up the children; **los niños imitan a los adultos** children copy adults. **2.** *(con sustantivo abstracto) no se traduce;* **~ amor** love; **la vida** life. **3.** *(indica posesión, pertenencia):* **se partió la pierna** he broke his leg; **se quitó los zapatos** she took her shoes off; **tiene ~ pelo oscuro** he has dark hair. **4.** *(con días de la semana):* **vuelven ~ sábado** they're coming back on Saturday. **5.** *(con nombres propios geográficos)* the; **~ Sena** the (River) Seine; **~ Everest** (Mount) Everest; **la España de la postguerra** post-war Spain. **6.** *(con complemento de nombre, especificativo):* **~ de** the one; **he perdido ~ tren, cogeré ~ de las nueve** I've missed the train, I'll get the nine o'clock one; **~ de azul** the one in blue. **7.** *(con complemento de nombre, posesivo):* **mi hermano y ~ de Juan** my brother and Juan's. **8.** *(antes de frase):* **~ que** *(cosa)* the one, whichever; *(persona)* whoever; **coge ~ que quieras** take whichever you like; **~ que más corra** whoever runs fastest. **9.** *(antes de adjetivo):* **prefiero ~ rojo al azul** I prefer the red one to the blue one.

él, ella *pron pers* **1.** *(sujeto, predicado - persona)* he *(f* she*)*; *(- animal, cosa)* it; **mi hermana es ella** she's the one who is my sister. **2.** *(después de prep) (complemento)* him *(f* her*)*; **voy a ir de vacaciones con ella** I'm going on holiday with her; **díselo a ella** tell her it. **3.** *(posesivo):* **de ~** his; **de ella** hers.

elaborar *vt (producto)* to make, to manufacture; *(idea)* to work out; *(plan, informe)* to draw up.

elasticidad *f (gen)* elasticity.

elástico, -ca *adj (gen)* elastic. ◆ **elástico** *m (cinta)* elastic.

elección *f* **1.** *(nombramiento)* election. **2.** *(opción)* choice. ◆ **elecciones** *fpl* (POLÍT) election *(sg).*

electo, -ta *adj* elect; **el presidente ~** the president elect.

elector, -ra *m y f* voter, elector.

electorado *m* electorate.

electoral *adj* electoral.

electricidad *f* electricity.

electricista *m y f* electrician.

eléctrico, -ca *adj* electric.

electrificar *vt* to electrify.

electrizar *vt fig (exaltar)* to electrify.

electrocutar *vt* to electrocute.

electrodoméstico *m (gen pl)* electrical household appliance.

electromagnético, -ca *adj* electromagnetic.

electrónico, -ca *adj (de la electrónica)* electronic. ◆ **electrónica** *f* electronics *(U).*

elefante, -ta *m y f* elephant.

elegancia *f* elegance.

elegante *adj* **1.** *(persona, traje, estilo)* elegant. **2.** *(conducta, actitud, respuesta)* dignified.

elegantoso, -sa *adj Amer* elegant.

elegía *f* elegy.

elegir *vt* **1.** *(escoger)* to choose, to select. **2.** *(por votación)* to elect.

elemental *adj* **1.** *(básico)* basic. **2.** *(obvio)* obvious.

elemento *m* **1.** *(gen)* element. **2.** *(factor)* factor. **3.** *(persona - en equipo, colectivo)* individual.

elenco *m (reparto)* cast.

elepé *m LP (record).*

elevación *f* **1.** *(de pesos, objetos etc)* lifting; *(de nivel, altura, precios)* rise. **2.** *(de terreno)* elevation, rise.

elevado, -da *adj (alto)* high; *fig (sublime)* lofty.

elevador *m* **1.** *(montacargas)* hoist. **2.** *Amer (ascensor)* elevator *Am,* lift *Br.*

elevalunas *m inv* window winder.

elevar *vt* **1.** *(gen & MAT)* to raise; *(peso, objeto)* to lift. **2.** *(ascender):* **~ a alguien (a)** to elevate sb (to). ◆ **elevarse** *vpr (gen)* to rise; *(edificio, montaña)* to rise up; ~**se a** *(altura)* to reach; *(gastos, daños)* to amount o come to.

eliminar *vt (gen)* to eliminate; *(contaminación, enfermedad)* to get rid of.

eliminatorio, -ria *adj* qualifying

(antes de sust). ♦ **eliminatoria** *f (gen)*
qualifying round; *(en atletismo)* heat.
elipse *f* ellipse.
élite, elite *f* elite.
elitista *adj, m y f* elitist.
elixir, elíxir *m*: ~ **bucal** mouthwash.
ella → **él**.
ellas → **ellos**.

ello *pron pers (neutro)* it; **no nos lleva-**
mos bien, pero ~ no nos impide formar
un buen equipo we don't get on very
well, but it o that doesn't stop us making a good team; **no quiero hablar de ~**
I don't want to talk about it; **por ~** for
that reason.

ellos, ellas *pron pers* **1.** *(sujeto, predi-*
cado) they; **los invitados son ~** they are
the guests, it is they who are the
guests. **2.** *(después de prep) (complemen-*
to) them; **me voy al bar con ellas** I'm
going with them to the bar; **díselo a ~**
tell them to. **3.** *(posesivo):* **de ~/ellas**
theirs.
elocuencia *f* eloquence.
elocuente *adj* eloquent; **se hizo un**
silencio ~ the silence said it all.
elogiar *vt* to praise.
elogio *m* praise.
elote *m CAm & Méx (mazorca)* corn-
cob.
El Salvador El Salvador.
elucidar *vt* to elucidate.
eludir *vt (gen)* to avoid; *(perseguidores)*
to escape.
emanar ♦ **emanar de** *vi* to emanate
from.
emancipación *f (de mujeres, esclavos)*
emancipation; *(de menores de edad)*
coming of age; *(de países)* obtaining of
independence.
emancipar *vt (gen)* to emancipate;
(países) to grant independence (to).
♦ **emanciparse** *vpr* to free o.s., to
become independent.
embajada *f (edificio)* embassy.
embajador, -ra *m y f* ambassador.
embalaje *m (acción)* packing.
embalar *vt* to wrap up, to pack.
♦ **embalarse** *vpr (acelerar - corredor)* to
race away; *(- vehículo)* to pick up speed.
embalsamar *vt* to embalm.
embalse *m* reservoir.
embarazada ◇ *adj f* pregnant; **dejar**
~ a alguien to get sb pregnant; **quedarse**
~ to get pregnant. ◇ *f* pregnant
woman.

"Estoy embarazada" se dice *I'm preg-*
nant, pero conviene saber que en inglés hay un adjetivo que se usa con
frecuencia, muy parecido a la palabra
"embarazada": *embarrassed,* que significa 'avergonzado'. Como se ve, son
totalmente diferentes y cuando escucha-
mos la frase *she was very embarrassed*
debemos entender que "ella estaba
muy <u>avergonzada</u>", lo cual nada tiene que ver con estar esperando un
bebé.

embarazar *vt* **1.** *(impedir)* to restrict.
2. *(cohibir)* to inhibit.
embarazo *m* **1.** *(preñez)* pregnancy.
2. *(timidez)* embarrassment. **3.** *(impedi-*
mento) obstacle.
embarazoso, -sa *adj* awkward,
embarrassing.
embarcación *f (barco)* craft, boat.
embarcadero *m* jetty.
embarcar ◇ *vt (personas)* to board;
(mercancías) to ship. ◇ *vi* to board.
♦ **embarcarse** *vpr (para viajar)* to
board.
embargar *vt* **1.** (DER) to seize. **2.** *(suj:*
emoción etc) to overcome.
embargo *m* **1.** (DER) seizure. **2.** (ECON)
embargo. ♦ **sin embargo** *loc adv* however, nevertheless.
embarque *m (de personas)* boarding;
(de mercancías) embarkation.
embarrancar *vi* to run aground.
embarullar *vt fam* to mess up.
♦ **embarullarse** *vpr fam* to get into a
muddle.
embeber *vt* to soak up. ♦ **embe-**
berse *vpr*: **~se (en algo)** *(ensimismarse)*
to become absorbed (in sthg); *fig*
(empaparse) to immerse o.s. (in sthg).
embellecer *vt* to adorn, to embellish.
embestida *f (gen)* attack; *(de toro)*
charge.
embestir *vt (gen)* to attack; *(toro)* to
charge.
emblema *m* **1.** *(divisa, distintivo)*
emblem, badge. **2.** *(símbolo)* symbol.
embocadura *f (de instrumento)*
mouthpiece.
embolia *f* clot, embolism.
embolsarse *vpr (ganar)* to earn.
embonar *vt Méx fam* to suit.
emborrachar *vt* to make drunk.
♦ **emborracharse** *vpr* to get drunk.
emboscada *f lit & fig* ambush.
embotellado, -da *adj* bottled.

embotellamiento m (de tráfico) traffic jam.

embotellar vt (líquido) to bottle.

embozar vt 1. (conducto) to block. 2. (rostro) to cover (up). ♦ **embozarse** vpr 1. (conducto) to get blocked (up). 2. (persona) to cover one's face.

embragar vi to engage the clutch.

embrague m clutch.

embriagar vt 1. (extasiar) to intoxicate. 2. (emborrachar) to make drunk. ♦ **embriagarse** vpr (emborracharse): ~se (con) to get drunk (on).

embriaguez f 1. (borrachera) drunkenness. 2. (éxtasis) intoxication.

embrión m embryo.

embrollo m 1. (de hilos) tangle. 2. fig (lío) mess; (mentira) lie.

embromado, -da adj Amer fam tricky.

embrujar vt lit & fig to bewitch.

embrujo m (maleficio) curse, spell; fig (de ciudad, ojos) charm, magic.

embrutecer vt to brutalize. ♦ **embrutecerse** vpr to become brutalized.

embuchado, -da adj: carne embuchada cured cold meat.

embudo m funnel.

embuste m lie.

embustero, -ra m y f liar.

embutido m (comida) cold cured meat.

embutir vt lit & fig to stuff.

emergencia f 1. (urgencia) emergency; **en caso de** ~ in case of emergency. 2. (brote) emergence.

emerger vi (salir del agua) to emerge; (aparecer) to come into view, to appear.

emigración f (de personas) emigration; (de aves) migration.

emigrante adj, m y f emigrant.

emigrar vi (persona) to emigrate; (ave) to migrate.

eminencia f (persona) leading light. ♦ **Eminencia** f: **Su Eminencia** His Eminence.

eminente adj (distinguido) eminent.

Emiratos Árabes Unidos mpl: los ~ United Arab Emirates.

emisión f 1. (de energía, rayos etc) emission. 2. (de bonos, sellos, monedas) issue. 3. (RADIO & TV - transmisión) broadcasting; (- programa) programme, broadcast.

emisor, -ra adj transmitting (antes de sust). ♦ **emisora** f radio station.

emitir ◇ vt 1. (rayos, calor, sonidos) to emit. 2. (moneda, sellos, bonos) to issue. 3. (expresar - juicio, opinión) to express;

(- fallo) to pronounce. 4. (RADIO & TV) to broadcast. ◇ vi to broadcast.

emoción f 1. (conmoción, sentimiento) emotion. 2. (expectación) excitement; ¡qué ~! how exciting!

emocionante adj 1. (conmovedor) moving, touching. 2. (apasionante) exciting, thrilling.

emocionar vt 1. (conmover) to move. 2. (excitar, apasionar) to thrill, to excite. ♦ **emocionarse** vpr 1. (conmoverse) to be moved. 2. (excitarse, apasionarse) to get excited.

emotivo, -va adj (persona) emotional; (escena, palabras) moving.

empacharse vpr (hartarse) to stuff o.s.; (sufrir indigestión) to get indigestion.

empacho m (indigestión) upset stomach, indigestion.

empadronar vt = to register on the electoral roll. ♦ **empadronarse** vpr = to register on the electoral roll.

empalagoso, -sa adj sickly, cloying.

empalizada f (cerca) fence; (MIL) stockade.

empalmar ◇ vt (tubos, cables) to connect, to join. ◇ vi 1. (autocares, trenes) to connect. 2. (carreteras) to link o join (up).

empalme m 1. (entre cables, tubos) joint, connection. 2. (de líneas férreas, carreteras) junction.

empanada f pasty.

empanadilla f small pasty.

empanar vt (CULIN) to coat in breadcrumbs.

empantanar vt to flood. ♦ **empantanarse** vpr (inundarse) to be flooded o waterlogged.

empañar vt 1. (cristal) to mist o steam up. 2. fig (reputación) to tarnish. ♦ **empañarse** vpr to mist o steam up.

empapar vt 1. (humedecer) to soak. 2. (absorber) to soak up. ♦ **empaparse** vpr (persona, traje) to get soaked.

empapelar vt (pared) to paper.

empaquetar vt to pack, to package.

emparedado m sandwich.

emparedar vt to lock away.

emparejar vt (aparejar - personas) to pair off; (- zapatos etc) to match (up).

empastar vt to fill.

empaste m filling.

empatar vi (DEP) to draw; (en elecciones etc) to tie; ~ **a cero** to draw nil-nil.

empate m (resultado) draw; **un** ~ **a cero/dos** a goalless/two-all draw.

empedernido, -da *adj (bebedor, fumador)* heavy; *(criminal, jugador)* hardened.

empedrado *m* paving.

empedrar *vt* to pave.

empeine *m (de pie, zapato)* instep.

empeñado, -da *adj* 1. *(en préstamo)* in pawn. 2. *(obstinado)* determined; **estar ~ en hacer algo** to be determined to do sthg.

empeñar *vt (joyas etc)* to pawn. ◆ **empeñarse** *vpr* 1. *(obstinarse)* to insist; **~se en hacer algo** *(obstinarse)* to insist on doing sthg; *(persistir)* to persist in doing sthg. 2. *(endeudarse)* to get into debt.

empeño *m* 1. *(de joyas etc)* pawning; **casa de ~s** pawnshop. 2. *(obstinación)* determination; **tener ~ en hacer algo** to be determined to do sthg.

empeorar *vi* to get worse, to deteriorate.

emperador, emperatriz *m y f* emperor *(f* empress*)*. ◆ **emperador** *m (pez)* swordfish.

emperrarse *vpr:* **~ (en hacer algo)** to insist (on doing sthg).

empezar ◇ *vt* to begin, to start. ◇ *vi:* **~ (a hacer algo)** to begin ○ start (to do sthg); **~ (por hacer algo)** to begin ○ start (by doing sthg); **para ~** to begin ○ start with.

empinado, -da *adj* steep.

empinar *vt (levantar)* to raise. ◆ **empinarse** *vpr* 1. *(animal)* to stand up on its hind legs. 2. *(persona)* to stand on tiptoe.

empírico, -ca *adj* empirical.

emplasto *m* poultice.

emplazar *vt* 1. *(situar)* to locate; (MIL) to position. 2. *(citar)* to summon; (DER) to summons.

empleado, -da *m y f (gen)* employee; *(de banco, administración, oficina)* clerk.

emplear *vt* 1. *(usar - objetos, materiales etc)* to use; *(- tiempo)* to spend; **~ algo en hacer algo** to use sthg to do sthg. 2. *(contratar)* to employ. ◆ **emplearse** *vpr* 1. *(colocarse)* to find a job. 2. *(usarse)* to be used.

empleo *m* 1. *(uso)* use. 2. *(trabajo)* employment; *(puesto)* job; **estar sin ~** to be out of work.

emplomadura *f CSur (diente)* filling.

empobrecer *vt* to impoverish. ◆ **empobrecerse** *vpr* to get poorer.

empollar ◇ *vt* 1. *(huevo)* to incubate. 2. *fam (estudiar)* to swot up on. ◇ *vi fam* to swot.

empollón, -ona *m y f Esp fam* swot.

empotrado, -da *adj* fitted, built-in.

emprendedor, -ra *adj* enterprising.

emprender *vt (trabajo)* to start; *(viaje, marcha)* to set off on; **~ vuelo** to fly off.

empresa *f.* 1. *(sociedad)* company; **la pequeña y mediana ~** small and medium-sized businesses. 2. *(acción)* enterprise, undertaking.

empresarial *adj* management *(antes de sust)*. ◆ **empresariales** *fpl* business studies.

empresario, -ria *m y f (patrono)* employer; *(hombre, mujer de negocios)* businessman *(f* businesswoman*)*; *(de teatro)* impresario.

empréstito *m* debenture loan.

empujar *vt* to push; **~ a alguien a que haga algo** to push sb into doing sthg.

empuje *m* 1. *(presión)* pressure. 2. *(energía)* energy, drive.

empujón *m (empellón)* shove, push; **abrirse paso a empujones** to shove ○ push one's way through.

empuñar *vt* to take hold of, to grasp.

emulsión *f* emulsion.

en *prep* 1. *(lugar - en el interior de)* in; *(- sobre la superficie de)* on; *(- en un punto concreto de)* at; **viven ~ la capital** they live in the capital; **tiene el dinero ~ el banco** he keeps his money in the bank; **~ la mesa/el plato** on the table/plate; **~ casa/el trabajo** at home/work. 2. *(dirección)* into; **el avión cayó ~ el mar** the plane fell into the sea; **entraron ~ la habitación** they came into the room. 3. *(tiempo - mes, año etc)* in; *(- día)* on; **nació ~ 1940/mayo** he was born in 1940/May; **~ aquel día** on that day; **~ Nochebuena** on Christmas Eve; **~ Navidades** at Christmas; **~ aquella época** at that time, in those days; **~ un par de días** in a couple of days. 4. *(medio de transporte)* by; **ir ~ tren/coche/avión/barco** to go by train/car/plane/boat. 5. *(modo)* in; **~ voz baja** in a low voice; **lo dijo ~ inglés** she said it in English; **pagar ~ libras** to pay in pounds; **la inflación aumentó ~ un 10%** inflation increased by 10%; **todo se lo gasta ~ ropa** he spends everything on clothes. 6. *(precio)* in; **las ganancias se calculan ~ millones** profits are calculated in millions; **te lo dejo ~ 5.000** I'll let you have it for 5,000. 7. *(tema)*: **es un experto ~ la materia** he's an expert on the subject; **es doctor ~ medicina** he's a doctor of medicine. 8. *(causa)* from; **lo detecté ~ su forma de hablar** I could tell

from the way he was speaking.
9. *(materia)* in, made of; ~ **seda** in silk.
10. *(cualidad)* in terms of; **le supera ~
inteligencia** she is more intelligent than
he is.

enagua *f (gen pl)* petticoat.

enajenación *f*, **enajenamiento** *m*
(locura) insanity; *(éxtasis)* rapture.

enajenar *vt* 1. *(volver loco)* to drive
mad; *(extasiar)* to enrapture. 2.
(propiedad) to alienate.

enaltecer *vt* to praise.

enamoradizo, -za *adj* who falls in
love easily.

enamorado, -da ◊ *adj*: ~ **(de)** in
love (with). ◊ *m y f* lover.

enamorar *vt* to win the heart of.
◆ **enamorarse** *vpr*: ~**se (de)** to fall in
love (with).

enano, -na *adj, m y f* dwarf.

enarbolar *vt (bandera)* to raise, to
hoist; *(pancarta)* to hold up; *(arma)* to
brandish.

enardecer *vt (gen)* to inflame; *(persona, multitud)* to fill with enthusiasm.

encabezamiento *m (de carta, escrito)*
heading; *(de artículo periodístico)* headline; *(preámbulo)* foreword.

encabezar *vt* 1. *(artículo de periódico)*
to headline; *(libro)* to write the foreword for. 2. *(lista, carta)* to head.
3. *(marcha, expedición)* to lead.

encadenar *vt* 1. *(atar)* to chain (up).
2. *(enlazar)* to link (together).

encajar *vt* 1. *(meter ajustando)*: ~
(en) to fit (into). 2. *(meter con fuerza)*: ~
(en) to push (into). 3. *(hueso dislocado)*
to set. 4. *(recibir - golpe, noticia, críticas)*
to take. ◊ *vi* 1. *(piezas, objetos)* to fit.
2. *(hechos, declaraciones, datos)*: ~ **(con)**
to square (with), to match.

encaje *m (tejido)* lace.

encalar *vt* to whitewash.

encallar *vi (barco)* to run aground.

encaminar *vt* 1. *(persona, pasos)* to
direct. 2. *(medidas, leyes, actividades)* to
aim; **encaminado a** aimed at. ◆ **encaminarse** *vpr*: ~**se a/hacia** to set off for/
towards.

encandilar *vt* to dazzle.

encantado, -da *adj* 1. *(contento)*
delighted; ~ **de conocerle** pleased to
meet you. 2. *(hechizado - casa, lugar)*
haunted; *(- persona)* bewitched.

encantador, -ra *adj* delightful,
charming.

encantar *vt* 1. *(gustar)*: ~**le a alguien
algo/hacer algo** to love sthg/doing sthg.
2. *(embrujar)* to cast a spell on.

encanto *m* 1. *(atractivo)* charm; **ser un
~** to be a treasure O a delight.
2. *(hechizo)* spell.

encapotado, -da *adj* overcast.

encapotarse *vpr* to cloud over.

encapricharse *vpr (obstinarse)*: ~ **con
algo/hacer algo** to set one's mind on
sthg/doing sthg.

encapuchado, -da *adj* hooded.

encaramar *vt* to lift up. ◆ **encara-
marse** *vpr*: ~**se (a** O **en)** to climb up
(onto).

encarar *vt (hacer frente a)* to confront,
to face up to. ◆ **encararse** *vpr
(enfrentarse)*: ~**se a** O **con** to stand up to.

encarcelar *vt* to imprison.

encarecer *vt (productos, precios)* to
make more expensive. ◆ **encarecerse**
vpr to become more expensive.

encargado, -da ◊ *adj*: ~ **(de)**
responsible (for), in charge (of). ◊ *m y f
(gen)* person in charge; (COM) manager
(f manageress).

encargar *vt* 1. *(poner al cargo)*: ~ **a
alguien de algo** to put sb in charge of
sthg; ~ **a alguien que haga algo** to tell sb
to do sthg. 2. *(pedir)* to order.
◆ **encargarse** *vpr (ocuparse)*: ~**se de** to
be in charge of; **yo me encargaré de eso**
I'll take care of O see to that.

encargo *m* 1. *(pedido)* order; **por ~** to
order. 2. *(recado)* errand. 3. *(tarea)* task,
assignment.

encariñarse *vpr*: ~ **con** to become
fond of.

encarnación *f (personificación - cosa)*
embodiment; *(- persona)* personification.

encarnado, -da *adj* 1. *(personificado)*
incarnate. 2. *(color)* red.

encarnizado, -da *adj* bloody, bitter.

encarrilar *vt fig (negocio, situación)* to
put on the right track.

encasillar *vt (clasificar)* to pigeonhole;
(TEATRO) to typecast.

encasquillarse *vpr* to get jammed.

encauzar *vt* 1. *(corriente)* to channel.
2. *(orientar)* to direct.

encendedor *m* lighter.

encender *vt* 1. *(vela, cigarro, chimenea)*
to light. 2. *(aparato)* to switch on. 3. *fig
(avivar - entusiasmo, ira)* to arouse;
(- pasión, discusión) to inflame.
◆ **encenderse** *vpr* 1. *(fuego, gas)* to
ignite; *(luz, estufa)* to come on. 2. *fig
(ojos)* to light up; *(persona, rostro)* to go
red, to blush; *(de ira)* to flare up.

encendido, -da *adj (luz, colilla)* burning; **la luz está encendida** the light is on.

E

◆ **encendido** m (AUTOM) ignition.

encerado, -da adj waxed, polished.

◆ **encerado** m (pizarra) blackboard.

encerar vt to wax, to polish.

encerrar vt 1. (recluir - gen) to shut (up o in); (- con llave) to lock (up o in); (- en la cárcel) to lock away o up. 2. (contener) to contain. ◆ **encerrarse** vpr (gen) to shut o.s. away; (con llave) to lock o.s. away.

encestar vt & vi to score (in basketball).

enceste m basket.

encharcar vt to waterlog. ◆ **encharcarse** vpr 1. (terreno) to become waterlogged. 2. (pulmones) to become flooded.

enchilarse vpr Méx fam to get angry.

enchufado, -da adj fam: estar ~ to get where one is through connections.

enchufar vt 1. (aparato) to plug in. 2. fam (a una persona) to pull strings for.

enchufe m 1. (ELECTR - macho) plug; (- hembra) socket. 2. fam (recomendación) connections (pl); **obtener algo por ~** to get sthg by pulling strings o through one's connections.

encía f gum.

enciclopedia f encyclopedia.

encierro m (protesta) sit-in.

encima adv 1. (arriba) on top; **yo vivo ~** I live upstairs; **por ~** (superficialmente) superficially. 2. (además) on top of that. 3. (sobre sí): **lleva un abrigo ~** she has a coat on; **¿llevas dinero ~?** have you got any money on you? ◆ **encima de** loc prep 1. (en lugar superior que) above; **vivo ~ de tu casa** I live upstairs from you. 2. (sobre, en) on (top of); **el pan está ~ de la mesa** the bread is on (top of) the table. 3. (además) on top of. ◆ **por encima de** loc prep 1. (gen) over; **vive por ~ de sus posibilidades** he lives beyond his means. 2. fig (más que) more than; **por ~ de todo** more than anything else.

encina f holm oak.

encinta adj f pregnant.

enclave m enclave.

encoger ◇ vt 1. (ropa) to shrink. 2. (miembro, músculo) to contract. ◇ vi to shrink. ◆ **encogerse** vpr 1. (ropa) to shrink; (músculos etc) to contract; **~se de hombros** to shrug one's shoulders. 2. fig (apocarse) to cringe.

encolar vt (silla etc) to glue; (pared) to size, to paste.

encolerizar vt to infuriate, to enrage. ◆ **encolerizarse** vpr to get angry.

encomienda f 1. (encargo) assignment, mission. 2. Amer (paquete) parcel.

encontrado, -da adj conflicting.

encontrar vt 1. (gen) to find. 2. (dificultades) to encounter. 3. (persona) to meet, to come across. ◆ **encontrarse** vpr 1. (hallarse) to be; **se encuentra en París** she's in Paris. 2. (coincidir): **~se (con alguien)** to meet (sb); **me encontré con Juan** I ran into o met Juan. 3. fig (de ánimo) to feel. 4. (chocar) to collide.

encorvar vt to bend. ◆ **encorvarse** vpr to bend down o over.

encrespar vt 1. (pelo) to curl; (mar) to make choppy o rough. 2. (irritar) to irritate. ◆ **encresparse** vpr 1. (mar) to get rough. 2. (persona) to get irritated.

encrucijada f lit & fig crossroads (sg).

encuadernación f binding.

encuadernador, -ra m y f bookbinder.

encuadernar vt to bind.

encuadrar vt 1. (enmarcar - cuadro, tema) to frame. 2. (encerrar) to contain. 3. (encajar) to fit.

encubierto, -ta ◇ pp → encubrir. ◇ adj (intento) covert; (insulto, significado) hidden.

encubridor, -ra m y f: ~ (de) accessory (to).

encubrir vt (delito) to conceal; (persona) to harbour.

encuentro m 1. (acción) meeting, encounter. 2. (DEP) game, match. 3. (hallazgo) find.

encuesta f 1. (de opinión) survey, opinion poll. 2. (investigación) investigation, inquiry.

encuestador, -ra m y f pollster.

encuestar vt to poll.

endeble adj (persona, argumento) weak, feeble; (objeto) fragile.

endémico, -ca adj (MED & fig) endemic.

endemoniado, -da adj 1. fam fig (molesto - niño) wicked; (- trabajo) very tricky. 2. (desagradable) terrible, foul. 3. (poseído) possessed (of the devil).

endenantes adv Amer fam before.

enderezar vt 1. (poner derecho) to straighten. 2. (poner vertical) to put upright. 3. fig (corregir) to set right. ◆ **enderezarse** vpr (sentado) to sit up straight; (de pie) to stand up straight.

endeudamiento m debt.

endeudarse vpr to get into debt.

endiablado, -da adj (persona) wicked; (tiempo, genio) foul; (problema, *crucigrama*) fiendishly difficult.

endivia, **endibia** *f* endive.

endomingado, -da *adj fam* dolled-up.

endosar *vt* 1. *fig* (*tarea, trabajo*): ~ **algo a alguien** to lumber sb with sthg. 2. (COM) to endorse.

endulzar *vt* (*con azúcar*) to sweeten; *fig* (*con dulzura*) to ease.

endurecer *vt* 1. (*gen*) to harden. 2. (*fortalecer*) to strengthen.

enemigo, -ga ◇ *adj* enemy (*antes de sust*); **ser ~ de algo** to hate sthg. ◇ *m y f* enemy.

enemistad *f* enmity.

enemistar *vt* to make enemies of. ◆ **enemistarse** *vpr*: ~**se (con)** to fall out (with).

energético, -ca *adj* energy (*antes de sust*).

energía *f* 1. (*gen*) energy; ~ **atómica** O **nuclear** nuclear power; ~ **eólica/hidráulica** wind/water power; ~ **solar** solar energy O power. 2. (*fuerza*) strength.

enérgico, -ca *adj* (*gen*) energetic; (*carácter*) forceful; (*gesto, medida*) vigorous; (*decisión, postura*) emphatic.

enero *m* January; *ver también* **septiembre**.

enésimo, -ma *adj* 1. (MAT) nth. 2. *fig* umpteenth; **por enésima vez** for the umpteenth time.

enfadado, -da *adj* angry.

enfadar *vt* to anger. ◆ **enfadarse** *vpr*: ~**se (con)** to get angry (with).

enfado *m* anger.

énfasis *m inv* emphasis; **poner ~ en algo** to emphasize sthg.

enfático, -ca *adj* emphatic.

enfatizar *vt* to emphasize, to stress.

enfermar ◇ *vt* (*causar enfermedad*) to make ill. ◇ *vi* to fall ill; ~ **del pecho** to develop a chest complaint.

enfermedad *f* (*física*) illness; ~ **infecciosa** infectious disease.

enfermera → **enfermero**.

enfermería *f* sick bay.

enfermero, -ra *m y f* nurse.

enfermizo, -za *adj lit & fig* unhealthy.

enfermo, -ma ◇ *adj* ill, sick. ◇ *m y f* (*gen*) invalid, sick person; (*en el hospital*) patient.

enfilar *vt* 1. (*ir por - camino*) to go O head straight along. 2. (*apuntar - arma*) to aim.

enflaquecer *vi* to grow thin.

enfocar *vt* 1. (*imagen, objetivo*) to focus. 2. (*suj: luz, foco*) to shine on. 3. *fig* (*tema, asunto*) to approach, to look at.

enfoque *m* 1. (*de una imagen*) focus. 2. *fig* (*de un asunto*) approach, angle.

enfrentar *vt* 1. (*hacer frente*) to confront, to face. 2. (*poner frente a frente*) to bring face to face. ◆ **enfrentarse** *vpr* 1. (*luchar, encontrarse*) to meet, to clash. 2. (*oponerse*): ~**se con alguien** to confront sb.

enfrente *adv* 1. (*delante*) opposite; **la tienda de ~** the shop across the road; ~ **de** opposite. 2. (*en contra*): **tiene a todos ~** everyone's against her.

enfriamiento *m* 1. (*catarro*) cold. 2. (*acción*) cooling.

enfriar *vt lit & fig* to cool. ◆ **enfriarse** *vpr* 1. (*líquido, pasión, amistad*) to cool down. 2. (*quedarse demasiado frío*) to go cold. 3. (MED) to catch a cold.

enfurecer *vt* to infuriate, to madden. ◆ **enfurecerse** *vpr* (*gen*) to get furious.

enfurruñarse *vpr fam* to sulk.

engalanar *vt* to decorate. ◆ **engalanarse** *vpr* to dress up.

enganchar *vt* 1. (*agarrar - vagones*) to couple; (*- remolque, caballos*) to hitch up; (*- pez*) to hook. 2. (*colgar de un gancho*) to hang up. ◆ **engancharse** *vpr* 1. (*prenderse*): ~**se algo con algo** to catch sthg on sthg. 2. (*alistarse*) to enlist, to join up. 3. (*hacerse adicto*): ~**se (a)** to get hooked (on).

enganche *m* 1. (*de trenes*) coupling. 2. (*gancho*) hook. 3. (*reclutamiento*) enlistment. 4. *Méx* (*depósito*) deposit.

engañar *vt* 1. (*gen*) to deceive; **engaña a su marido** she cheats on her husband. 2. (*estafar*) to cheat, to swindle. ◆ **engañarse** *vpr* 1. (*hacerse ilusiones*) to delude o.s. 2. (*equivocarse*) to be wrong.

engaño *m* (*gen*) deceit; (*estafa*) swindle.

engañoso, -sa *adj* (*persona, palabras*) deceitful; (*aspecto, apariencia*) deceptive.

engarzar *vt* 1. (*encadenar - abalorios*) to thread; (*- perlas*) to string. 2. (*enlazar - palabras*) to string together.

engatusar *vt fam* to get round; ~ **a alguien para que haga algo** to coax O cajole sb into doing sthg.

engendrar *vt* 1. (*procrear*) to give birth to. 2. *fig* (*originar*) to give rise to.

englobar *vt* to bring together.

engomar *vt* (*pegar*) to stick, to glue.

engordar ◇ *vt* 1. to fatten up. 2. *fig*

(aumentar) to swell. ◇ *vi* to put on weight.

engorroso, -sa *adj* bothersome.

engranaje *m* 1. *(piezas - de reloj, piñón)* cogs *(pl)*; (AUTOM) gears *(pl)*. 2. *(aparato - político, burocrático)* machinery.

engrandecer *vt* 1. *fig (enaltecer)* to exalt. 2. *(aumentar)* to increase, to enlarge.

engrasar *vt (gen)* to lubricate; *(bisagra, mecanismo)* to oil; *(eje, bandeja)* to grease.

engreído, -da *adj* conceited, full of one's own importance.

engrosar *vt fig (aumentar)* to swell.

engullir *vt* to gobble up.

enhebrar *vt (gen)* to thread; *(perlas)* to string.

enhorabuena ◇ *f* congratulations *(pl)*. ◇ *adv*: ¡~ (por …)! congratulations (on …)!

enigma *m* enigma.

enigmático, -ca *adj* enigmatic.

enjabonar *vt (con jabón)* to soap.

enjambre *m lit & fig* swarm.

enjaular *vt (en jaula)* to cage; *fam fig (en prisión)* to jail, to lock up.

enjuagar *vt* to rinse.

enjuague *m* rinse.

enjugar *vt* 1. *(secar)* to dry, to wipe away. 2. *fig (pagar - deuda)* to pay off; *(- déficit)* to cancel out.

enjuiciar *vt* 1. (DER) to try. 2. *(opinar)* to judge.

enjuto, -ta *adj (delgado)* lean.

enlace *m* 1. *(acción)* link. 2. *(persona)* go-between; ~ **sindical** shop steward. 3. *(casamiento)*: ~ **(matrimonial)** marriage. 4. *(de trenes)* connection; **estación de** ~ junction; **vía de** ~ crossover.

enlatar *vt* to can, to tin.

enlazar ◇ *vt*: ~ **algo a** *(atar)* to tie sthg up to; *(trabar, relacionar)* to link o connect sthg with. ◇ *vi*: ~ **en** *(trenes)* to connect at.

enloquecer ◇ *vt* 1. *(volver loco)* to drive mad. 2. *fig (gustar mucho)* to drive wild o crazy. ◇ *vi* to go mad.

enlutado, -da *adj* in mourning.

enmarañar *vt* 1. *(enredar)* to tangle (up). 2. *(complicar)* to complicate. ◆ **enmarañarse** *vpr* 1. *(enredarse)* to become tangled. 2. *(complicarse)* to become confused o complicated.

enmarcar *vt* to frame.

enmascarado, -da *adj* masked.

enmascarar *vt (rostro)* to mask; *fig (encubrir)* to disguise.

enmendar *vt (error)* to correct; *(ley, dictamen)* to amend; *(comportamiento)* to mend; *(daño, perjuicio)* to redress. ◆ **enmendarse** *vpr* to mend one's ways.

enmienda *f* 1. *(en un texto)* corrections *(pl)*. 2. (POLÍT) amendment.

enmohecerse *vpr (gen)* to grow mouldy; *(metal, conocimientos)* to go rusty.

enmoquetar *vt* to carpet.

enmudecer ◇ *vt* to silence. ◇ *vi (callarse)* to fall silent, to go quiet; *(perder el habla)* to be struck dumb.

ennegrecer *vt (gen)* to blacken; *(suj: nubes)* to darken. ◆ **ennegrecerse** *vpr (gen)* to become blackened; *(nublarse)* to darken, to grow dark.

enojar *vt (enfadar)* to anger; *(molestar)* to annoy. ◆ **enojarse** *vpr*: ~**se (con)** *(enfadarse)* to get angry (with); *(molestarse)* to get annoyed (with).

enojo *m (enfado)* anger; *(molestia)* annoyance.

enojoso, -sa *adj (molesto)* annoying; *(delicado, espinoso)* awkward.

enorgullecer *vt* to fill with pride. ◆ **enorgullecerse de** *vpr* to be proud of.

enorme *adj (en tamaño)* enormous, huge; *(en gravedad)* monstrous.

enormidad *f (de tamaño)* enormity, hugeness.

enrarecer *vt* 1. *(contaminar)* to pollute. 2. *(rarificar)* to rarefy. ◆ **enrarecerse** *vpr* 1. *(contaminarse)* to become polluted. 2. *(rarificarse)* to become rarefied. 3. *fig (situación)* to become tense.

enredadera *f* creeper.

enredar *vt* 1. *(madeja, pelo)* to tangle up; *(situación, asunto)* to complicate, to confuse. 2. *fig (implicar)*: ~ **a alguien (en)** to embroil sb (in), to involve sb (in). ◆ **enredarse** *vpr (plantas)* to climb; *(madeja, pelo)* to get tangled up; *(situación, asunto)* to become confused.

enredo *m* 1. *(maraña)* tangle, knot. 2. *(lío)* mess, complicated affair; *(asunto ilícito)* shady affair. 3. *(amoroso)* (love) affair.

enrejado *m* 1. *(barrotes - de balcón, verja)* railings *(pl)*; *(- de jaula, celda, ventana)* bars *(pl)*. 2. *(de cañas)* trellis.

enrevesado, -da *adj* complex, complicated.

enriquecer *vt* 1. *(hacer rico)* to make rich. 2. *fig (engrandecer)* to enrich. ◆ **enriquecerse** *vpr* to get rich.

enrojecer ◇ *vt (gen)* to redden; *(rostro,*

mejillas) to cause to blush. ◊ *vi (por calor)* to flush; *(por turbación)* to blush. ♦ **enrojecerse** *vpr (por calor)* to flush; *(por turbación)* to blush.

enrolar *vt* to enlist. ♦ **enrolarse en** *vpr (la marina)* to enlist in; *(un buque)* to sign up for.

enrollar *vt* 1. *(arrollar)* to roll up. 2. *fam (gustar)*: **me enrolla mucho** I love it, I think it's great.

enroscar *vt* 1. *(atornillar)* to screw in. 2. *(enrollar)* to roll up; *(cuerpo, cola)* to curl up.

ensaimada *f cake made of sweet coiled pastry.*

ensalada *f (de lechuga etc)* salad.

ensaladilla *f*: ~ **(rusa)** Russian salad.

ensalzar *vt* to praise.

ensambladura *f*, **ensamblaje** *m (acción)* assembly; *(pieza)* joint.

ensanchar *vt (orificio, calle)* to widen; *(ropa)* to let out; *(ciudad)* to expand.

ensangrentar *vt* to cover with blood.

ensartar *vt* 1. *(perlas)* to string; *(aguja)* to thread. 2. *(atravesar - torero)* to gore; *(puñal)* to plunge, to bury.

ensayar *vt* 1. *(gen)* to test. 2. (TEATRO) to rehearse.

ensayista *m y f* essayist.

ensayo *m* 1. (TEATRO) rehearsal; ~ **general** dress rehearsal. 2. *(prueba)* test. 3. (LITER) essay. 4. *(en rugby)* try.

enseguida *adv (inmediatamente)* immediately, at once; *(pronto)* very soon; **llegará** ~ he'll be here any minute now.

ensenada *f* cove, inlet.

enseñanza *f (gen)* education; *(instrucción)* teaching; ~ **primaria/media** primary/secondary education.

enseñar *vt* 1. *(instruir, aleccionar)* to teach; ~ **a alguien a hacer algo** to teach sb (how) to do sthg. 2. *(mostrar)* to show.

enseres *mpl* 1. *(efectos personales)* belongings. 2. *(utensilios)* equipment *(U).*

ensillar *vt* to saddle up.

ensimismarse *vpr (enfrascarse)* to become absorbed; *(abstraerse)* to be lost in thought.

ensombrecer *vt lit & fig* to cast a shadow over. ♦ **ensombrecerse** *vpr* to darken.

ensoñación *f* daydream.

ensopar *vt Amer* to soak.

ensordecer ◊ *vt (suj: sonido)* to deafen. ◊ *vi* to go deaf.

ensortijar *vt* to curl.

ensuciar *vt* to (make) dirty; *fig (desprestigiar)* to sully, to tarnish. ♦ **ensuciarse** *vpr* to get dirty.

ensueño *m lit & fig* dream; **de** ~ dream *(antes de sust)*, ideal.

entablado *m (armazón)* wooden platform; *(suelo)* floorboards *(pl).*

entablar *vt (iniciar - conversación, amistad)* to strike up.

entallar *vt* 1. *(prenda)* to cut, to tailor. 2. *(madera)* to carve, to sculpt.

entarimado *m (plataforma)* wooden platform; *(suelo)* floorboards *(pl).*

ente *m* 1. *(ser)* being. 2. *(corporación)* body, organization.

entender ◊ *vt* 1. *(gen)* to understand. 2. *(darse cuenta)* to realize. 3. *(oír)* to hear. 4. *(juzgar)* to think; **yo no lo entiendo así** I don't see it that way. ◊ *vi* 1. *(comprender)* to understand. 2. *(saber)*: ~ **de** o **en algo** to be an expert on sthg; ~ **poco/algo de** to know very little/a little about. ◊ *m*: **a mi** ~ ... the way I see it ... ♦ **entenderse** *vpr* 1. *(comprenderse - uno mismo)* to know what one means; *(- dos personas)* to understand each other. 2. *(llevarse bien)* to get on. 3. *(ponerse de acuerdo)* to reach an agreement. 4. *(comunicarse)* to communicate (with each other).

entendido, -da *m y f*: ~ **(en)** expert (on). ♦ **entendido** *interj* ¡~! all right!, okay!

entendimiento *m (comprensión)* understanding; *(juicio)* judgment; *(inteligencia)* mind, intellect.

enterado, -da *adj*: ~ **(en)** well-informed (about); **estar** ~ **de algo** to be aware of sthg; **no darse por** ~ to turn a deaf ear.

enterar *vt*: ~ **a alguien de algo** to inform sb about sthg. ♦ **enterarse** *vpr* 1. *(descubrir)*: ~se **(de)** to find out (about). 2. *fam (comprender)* to get it, to understand. 3. *(darse cuenta)*: ~se **(de algo)** to realize (sthg).

enternecer *vt* to move, to touch. ♦ **enternecerse** *vpr* to be moved.

entero, -ra *adj* 1. *(completo)* whole. 2. *(sereno)* composed. 3. *(honrado)* upright, honest.

enterrador, -ra *m y f* gravedigger.

enterrar *vt (gen)* to bury.

entibiar *vt* 1. *(enfriar)* to cool. 2. *(templar)* to warm. ♦ **entibiarse** *vpr (sentimiento)* to cool.

entidad *f* 1. *(corporación)* body; *(empresa)* firm, company. 2. (FILOSOFÍA) entity. **3.** *(importancia)* importance.

entierro *m (acción)* burial; *(ceremonia)* funeral.

entlo. *abrev de* **entresuelo**.

entoldado *m (toldo)* awning; *(para fiestas, bailes)* marquee.

entomólogo, -ga *m y f* entomologist.

entonación *f* intonation.

entonar ◇ *vt* **1.** *(cantar)* to sing. **2.** *(tonificar)* to pick up. ◇ *vi* **1.** *(al cantar)* to sing in tune. **2.** *(armonizar)*: **(con algo)** to match (sthg).

entonces ◇ *adv* then; **desde ~** since then; **en** O **por aquel ~** at that time. ◇ *interj* **¡~!** well, then!

entornar *vt* to half-close.

entorno *m* environment, surroundings *(pl)*.

entorpecer *vt* **1.** *(debilitar - movimientos)* to hinder; *(- mente)* to cloud. **2.** *(dificultar)* to obstruct, to hinder.

entrada *f* **1.** *(acción)* entry; *(llegada)* arrival; **'prohibida la ~'** 'no entry'. **2.** *(lugar)* entrance; *(puerta)* doorway. **3.** *(TECN)* inlet, intake. **4.** *(en espectáculos - billete)* ticket; *(- recaudación)* receipts *(pl)*, takings *(pl)*; **~ libre** admission free; **sacar una ~** to buy a ticket. **5.** *(público)* audience; (DEP) attendance. **6.** *(pago inicial)* down payment. **7.** *(en contabilidad)* income. **8.** *(plato)* starter. **9.** *(en la frente)*: **tener ~s** to have a receding hairline. **10.** *(en un diccionario)* entry. **11.** *(principio)*: **de ~** right from the beginning O the word go.

entrante ◇ *adj (año, mes)* coming; *(presidente, gobierno)* incoming. ◇ *m* **1.** *(plato)* starter. **2.** *(hueco)* recess.

entraña *f (gen pl)* **1.** *(víscera)* entrails *(pl)*, insides *(pl)*. **2.** *fig (centro, esencia)* heart.

entrañable *adj* intimate.

entrañar *vt* to involve.

entrar ◇ *vi* **1.** *(introducirse - viniendo)* to enter, to come in; *(- yendo)* to enter, to go in; **~ en algo** to enter sthg, to come/go into sthg; **entré por la ventana** I got in through the window. **2.** *(penetrar - clavo etc)* to go in; **~ en algo** to go into sthg. **3.** *(caber)*: **~ (en)** to fit (in); **este anillo no te entra** this ring won't fit you. **4.** *(incorporarse)*: **~ (en algo)** *(colegio, empresa)* to start (at sthg); *(club, partido político)* to join (sthg); **~ de** *(botones etc)* to start off as. **5.** *(estado físico o de ánimo)*: **le entraron ganas de hablar** he suddenly felt like talking; **me está entrando frío** I'm getting cold; **me entró**

mucha pena I was filled with pity. **6.** *(periodo de tiempo)* to start; **~ en** *(edad, vejez)* to reach; *(año nuevo)* to enter. **7.** *(cantidad)*: **¿cuántos entran en un kilo?** how many do you get to the kilo? **8.** *(concepto, asignatura etc)*: **no le entra la geometría** he can't get the hang of geometry. **9.** (AUTOM) to engage. ◇ *vt (introducir)* to bring in.

entre *prep* **1.** *(gen)* between; **~ nosotros** *(en confianza)* between you and me, between ourselves; **~ una cosa y otra** what with one thing and another. **2.** *(en medio de muchos)* among, amongst; **estaba ~ los asistentes** she was among those present; **~ sí** amongst themselves; **discutían ~ sí** they were arguing with each other.

entreabierto, -ta *pp* → **entreabrir**.

entreabrir *vt* to half-open.

entreacto *m* interval.

entrecejo *m* space between the brows; **fruncir el ~** to frown.

entrecortado, -da *adj (voz, habla)* faltering; *(respiración)* laboured; *(señal, sonido)* intermittent.

entrecot, entrecote *m* entrecôte.

entredicho *m*: **estar en ~** to be in doubt; **poner en ~** to question, to call into question.

entrega *f* **1.** *(gen)* handing over; *(de pedido, paquete)* delivery; *(de premios)* presentation; **~ a domicilio** home delivery. **2.** *(dedicación)*: **~ (a)** devotion (to). **3.** *(fascículo)* instalment.

entregar *vt (gen)* to hand over; *(pedido, paquete)* to deliver; *(examen, informe)* to hand in; *(persona)* to turn over. ◆ **entregarse** *vpr (rendirse - soldado, ejército)* to surrender; *(- criminal)* to turn o.s. in. ◆ **entregarse a** *vpr* **1.** *(persona, trabajo)* to devote o.s. to. **2.** *(vicio, pasión)* to give o.s. over to.

entrelazar *vt* to interlace, to interlink.

entremés *m* (CULIN) *(gen pl)* hors d'œuvres.

entremeterse *vpr (inmiscuirse)*: **~se (en)** to meddle (in).

entremezclar *vt* to mix up. ◆ **entremezclarse** *vpr* to mix.

entrenador, -ra *m y f* coach; *(seleccionador)* manager.

entrenamiento *m* training.

entrenar *vt & vi* to train. ◆ **entrenarse** *vpr* to train.

entrepierna *f* crotch.

entresacar *vt* to pick out.

entresuelo *m* mezzanine.

entretanto *adv* meanwhile.

entretener *vt* 1. *(despistar)* to distract. 2. *(retrasar)* to hold up, to keep. 3. *(divertir)* to entertain. ♦ **entretenerse** *vpr* 1. *(despistarse)* to get distracted. 2. *(divertirse)* to amuse o.s. 3. *(retrasarse)* to be held up.

entretenido, -da *adj* entertaining, enjoyable.

entretenimiento *m* 1. *(acción)* entertainment. 2. *(pasatiempo)* pastime.

entrever *vt (vislumbrar)* to barely make out; *(por un instante)* to glimpse.

entrevero *m CSur* tangle, mess.

entrevista *f* interview.

entrevistar *vt* to interview. ♦ **entrevistarse** *vpr*: ~**se (con)** to have a meeting (with).

entrevisto, -ta *pp* → **entrever**.

entristecer *vt* to make sad. ♦ **entristecerse** *vpr* to become sad.

entrometerse *vpr*: ~ **(en)** to interfere (in).

entrometido, -da *m y f* meddler.

entuerto *m* wrong, injustice.

entumecer *vt* to numb. ♦ **entumecerse** *vpr* to become numb.

entumecido, -da *adj* numb.

enturbiar *vt lit & fig* to cloud. ♦ **enturbiarse** *vpr lit & fig* to become cloudy.

entusiasmar *vt* 1. *(animar)* to fill with enthusiasm. 2. *(gustar)*: **lo entusiasma la música** he loves music. ♦ **entusiasmarse** *vpr*: ~**se (con)** to get excited (about).

entusiasmo *m* enthusiasm.

entusiasta ◇ *adj* enthusiastic. ◇ *m y f* enthusiast.

enumerar *vt* to enumerate, to list.

enunciar *vt* to formulate, to enunciate.

envainar *vt* to sheathe.

envalentonar *vt* to urge on, to fill with courage. ♦ **envalentonarse** *vpr* to become daring.

envanecer *vt* to make vain. ♦ **envanecerse** *vpr* to become vain.

envasado *m (en botellas)* bottling; *(en latas)* canning; *(en paquetes)* packing.

envasar *vt (gen)* to pack; *(en latas)* to can; *(en botellas)* to bottle.

envase *m* 1. *(envasado - en botellas)* bottling; *(- en latas)* canning; *(- en paquetes)* packing. 2. *(recipiente)* container; *(botella)* bottle; ~ **desechable** dis-

posable container; ~ **sin retorno** non-returnable bottle.

envejecer ◇ *vi (hacerse viejo)* to grow old; *(parecer viejo)* to age. ◇ *vt* to age.

envejecimiento *m* ageing.

envenenamiento *m* poisoning.

envenenar *vt* to poison.

envergadura *f* 1. *(importancia)* size, extent; *(complejidad)* complexity; **una reforma de gran** ~ a wide-ranging reform. 2. *(anchura)* span.

envés *m* reverse (side), back; *(de tela)* wrong side.

enviado, -da *m y f* (POLÍT) envoy; (PRENSA) correspondent.

enviar *vt* to send.

enviciar *vt* to addict, to get hooked. ♦ **enviciarse** *vpr* to become addicted.

envidia *f* envy; **tener** ~ **de** to envy.

envidiar *vt* to envy.

envidioso, -sa *adj* envious.

envío *m* 1. (COM) dispatch; *(de correo)* delivery; *(de víveres, mercancías)* consignment. 2. *(paquete)* package.

envite *m (en el juego)* raise.

enviudar *vi* to be widowed.

envoltorio *m*, **envoltura** *f* wrapper, wrapping.

envolver *vt* 1. *(embalar)* to wrap (up). 2. *(enrollar)* to wind. 3. *(implicar)*: ~ **a alguien en** to involve sb in.

envuelto, -ta *pp* → **envolver**.

enyesar *vt* 1. (MED) to put in plaster. 2. (CONSTR) to plaster.

enzima *f* enzyme.

e.p.d. *(abrev de* **en paz descanse)** RIP.

épica → **épico**.

épico, -ca *adj* epic. ♦ **épica** *f* epic.

epidemia *f* epidemic.

epígrafe *m* heading.

epilepsia *f* epilepsy.

epílogo *m* epilogue.

episodio *m (gen)* episode.

epístola *f culto (carta)* epistle; (RELIG) Epistle.

epitafio *m* epitaph.

epíteto *m* epithet.

época *f* period; *(estación)* season; **de** ~ period *(antes de sust)*; **en aquella** ~ at that time.

epopeya *f* 1. *(gen)* epic. 2. *fig (hazaña)* feat.

equidistante *adj* equidistant.

equilibrado, -da *adj* 1. *(gen)* balanced. 2. *(sensato)* sensible.

equilibrar *vt* to balance.

equilibrio *m* balance; **mantenerse/**

perder el ~ to keep/lose one's balance; **hacer ~s** *fig* to perform a balancing act.

equilibrista *m y f (trapecista)* trapeze artist; *(funambulista)* tightrope walker.

equino, -na *adj* equine.

equinoccio *m* equinox.

equipaje *m* baggage *Am*, luggage *Br*; **hacer el ~** to pack; **~ de mano** hand baggage.

equipar *vt*: **~ (de)** *(gen)* to equip (with); *(ropa)* to fit out (with).

equiparar *vt* to compare. ♦ **equipararse** *vpr* to be compared.

equipo *m* 1. *(equipamiento)* equipment. 2. *(personas, jugadores)* team; **~ de rescate** rescue team. 3. *(de música)* system.

equis *adj* X; **un número ~ de personas** x number of people.

equitación *f (arte)* equestrianism; *(actividad)* horse riding.

equitativo, -va *adj* fair, even-handed.

equivalente *adj & m* equivalent.

equivaler ♦ **equivaler a** *vi* to be equivalent to; *fig (significar)* to amount to.

equivocación *f* mistake; **por ~** by mistake.

equivocado, -da *adj* mistaken.

equivocar *vt* to choose wrongly; **~ algo con algo** to mistake sthg for sthg. ♦ **equivocarse** *vpr* to be wrong; **~se en** to make a mistake in; **se equivocó de nombre** he got the wrong name.

equívoco, -ca *adj* 1. *(ambiguo)* ambiguous, equivocal. 2. *(sospechoso)* suspicious. ♦ **equívoco** *m* misunderstanding.

era ♦ *v* → **ser**. ♦ *f (periodo)* era.

erario *m* funds *(pl)*.

erección *f* erection.

erecto, -ta *adj* erect.

eres → **ser**.

erguir *vt* to raise. ♦ **erguirse** *vpr* to rise up.

erigir *vt (construir)* to erect, to build.

erizado, -da *adj (de punta)* on end; *(con púas o espinas)* spiky.

erizar *vt* to cause to stand on end. ♦ **erizarse** *vpr (pelo)* to stand on end; *(persona)* to stiffen.

erizo *m* 1. *(mamífero)* hedgehog. 2. *(pez)* globefish; **~ de mar** sea urchin.

ermita *f* hermitage.

erosionar *vt* to erode. ♦ **erosionarse** *vpr* to erode.

erótico, -ca *adj* erotic.

erotismo *m* eroticism.

erradicar *vt* to eradicate.

errante *adj* wandering.

errar ♦ *vt (vocación, camino)* to choose wrongly; *(disparo, golpe)* to miss. ♦ *vi* 1. *(vagar)* to wander. 2. *(equivocarse)* to make a mistake. 3. *(al disparar)* to miss.

errata *f* misprint.

erróneo, -a *adj* mistaken.

error *m* mistake, error; **estar en un ~** to be mistaken; **salvo ~ u omisión** errors and omissions excepted; **~ de imprenta** misprint.

eructar *vi* to belch.

eructo *m* belch.

erudito, -ta *adj* erudite.

erupción *f* 1. (GEOL) eruption; **en ~** erupting. 2. (MED) rash.

es → **ser**.

esa → **ese**[2].

ésa → **ése**.

esbelto, -ta *adj* slender, slim.

esbozar *vt* to sketch, to outline; *(sonrisa)* to give a hint of.

esbozo *m* sketch, outline.

escabechado, -da *adj* (CULIN) marinated.

escabeche *m* (CULIN) marinade.

escabroso, -sa *adj* 1. *(abrupto)* rough. 2. *(obsceno)* risqué. 3. *(espinoso)* awkward, thorny.

escabullirse *vpr (desaparecer)*: **~ (de)** to slip away (from).

escacharrar *vt fam* to knacker.

escafandra *f* diving suit.

escala *f* 1. *(gen)* scale; *(de colores)* range; **a ~** *(gráfica)* to scale; **a ~ mundial** *fig* on a worldwide scale; **a gran ~** on a large scale. 2. *(en un viaje)* stopover; **hacer ~** to stop over.

escalada *f* 1. *(de montaña)* climb. 2. *(de violencia, precios)* escalation, rise.

escalador, -ra *m y f (alpinista)* climber.

escalafón *m* scale, ladder.

escalar *vt* to climb.

escaldar *vt* to scald.

escalera *f* 1. *(gen)* stairs *(pl)*, staircase; *(escala)* ladder; **~ mecánica** O **automática** escalator; **~ de caracol** spiral staircase. 2. *(en naipes)* run.

escalfar *vt* to poach.

escalinata *f* staircase.

escalofriante *adj* spine-chilling.

escalofrío *m (gen pl)* shiver; **dar ~s a alguien** to give sb the shivers.

escalón *m* step; *fig* grade.

E

escalonar *vt* 1. *(gen)* to spread out. 2. *(terreno)* to terrace.

escalope *m* escalope.

escama *f* 1. *(de peces, reptiles)* scale. 2. *(de jabón, en la piel)* flake.

escampar *v impers* to stop raining.

escandalizar *vt* to scandalize, to shock. ◆ **escandalizarse** *vpr* to be shocked.

escándalo *m* 1. *(inmoralidad)* scandal; *(indignación)* outrage. 2. *(alboroto)* uproar; **armar un ~** to kick up a fuss.

escandaloso, -sa *adj* 1. *(inmoral)* outrageous. 2. *(ruidoso)* very noisy.

Escandinavia Scandinavia.

escandinavo, -va *adj, m y f* Scandinavian.

escáner *(pl* **escáners)** *m* (INFORM & MED) scanner.

escaño *m* 1. *(cargo)* seat *(in parliament)*. 2. *(asiento)* bench *(in parliament)*.

escapada *f* 1. *(huida)* escape, flight; (DEP) breakaway. 2. *(viaje)* quick trip.

escapar *vi (huir):* **~ (de)** to get away O escape *(from)*. ◆ **escaparse** *vpr* 1. *(huir):* **~se (de)** to get away O escape *(from)*; **~se de casa** to run away from home. 2. *(salir - gas, agua etc)* to leak.

escaparate *m (shop)* window.

escapatoria *f (fuga)* escape; **no tener ~** to have no way out.

escape *m (de gas etc)* leak; *(de coche)* exhaust; **a ~** in a rush, at high speed.

escarabajo *m* beetle.

escaramuza *f* (MIL & *fig)* skirmish.

escarbar *vt* to scratch, to scrape.

escarcha *f* frost.

escarlata *adj & m* scarlet.

escarlatina *f* scarlet fever.

escarmentar *vi* to learn (one's lesson).

escarmiento *m* lesson; **servir de ~** to serve as a lesson.

escarola *f* endive.

escarpado, -da *adj (inclinado)* steep; *(abrupto)* craggy.

escasear *vi* to be scarce.

escasez *f (insuficiencia)* shortage; *(pobreza)* poverty.

escaso, -sa *adj* 1. *(insuficiente - conocimientos, recursos)* limited, scant; *(- tiempo)* short; *(- cantidad, número)* low; *(- víveres, trabajo)* scarce; *(- visibilidad, luz)* poor; **andar ~ de** to be short of. 2. *(casi completo):* **un metro ~** barely a metre.

escay, skai *m* Leatherette®.

escayola *f* (CONSTR) plaster of Paris; (MED) plaster.

escena *f* 1. *(gen)* scene; **hacer una ~** to make a scene. 2. *(escenario)* stage; **poner en ~** to stage.

escenario *m* 1. *(tablas, escena)* stage; (CIN & TEATRO) *(lugar de la acción)* setting. 2. *fig (de suceso)* scene.

> La palabra "escenario" del español se parece mucho a dos palabras del inglés: *scenario* y *scenery*, pero no conviene confundirlas. Veamos que son distintas porque *scenario* quiere decir 'argumento', por ejemplo el de una película, o más frecuentemente 'situación hipotética en el futuro, panorama', como en la frase *there are two possible scenarios* ("se podrían dar dos situaciones"); en ningún caso se puede ni se debe utilizar "escenario". En cuanto a *scenery*, también tiene dos significados: paisaje y decorado *(de una obra de teatro)*; recordemos que una cosa es el decorado —o escenografía— y otra el escenario.

escenificar *vt (novela)* to dramatize; *(obra de teatro)* to stage.

escenografía *f* set design.

escepticismo *m* scepticism.

escéptico, -ca ◇ *adj (incrédulo)* sceptical. ◇ *m y f* sceptic.

escindir *vt* to split. ◆ **escindirse** *vpr:* **~se (en)** to split (into).

esclarecer *vt* to clear up, to shed light on.

esclava → esclavo.

esclavitud *f lit & fig* slavery.

esclavizar *vt lit & fig* to enslave.

esclavo, -va *m y f lit & fig (persona)* slave.

esclusa *f (de canal)* lock; *(compuerta)* floodgate.

escoba *f* broom.

escocedura *f (sensación)* stinging.

escocer *vi lit & fig* to sting.

escocés, -esa ◇ *adj (gen)* Scottish; *(whisky)* Scotch; *(tejido)* tartan, plaid. ◇ *m y f (persona)* Scot, Scotsman *(f* Scotswoman); **los escoceses** the Scottish, the Scots. ◆ **escocés** *m (lengua)* Scots (U).

Escocia Scotland.

escoger *vt* to choose.

escogido, -da *adj (elegido)* selected, chosen; *(selecto)* choice, select.

escolar ◇ *adj* school *(antes de sust)*. ◇ *m y f* pupil, schoolboy *(f* schoolgirl).

escollo *m* 1. *(en el mar)* reef. 2. *fig* stumbling block.

escolta *f* escort.

escoltar *vt* to escort.

escombros *mpl* rubble (U), debris (U).

esconder *vt* to hide, to conceal. ◆ **esconderse** *vpr*: **~se (de)** to hide (from).

escondido, -da *adj (lugar)* secluded. ◆ **a escondidas** *loc adv* in secret.

escondite *m* 1. *(lugar)* hiding place. 2. *(juego)* hide-and-seek.

escondrijo *m* hiding place.

escopeta *f* shotgun; **~ de aire comprimido** air gun; **~ de cañones recortados** sawn-off shotgun.

Escorpio, Escorpión ◇ *m (zodiaco)* Scorpio. ◇ *m y f (persona)* Scorpio.

escorpión *m* scorpion. ◆ **Escorpión** = **Escorpio**.

escotado, -da *adj* low-cut.

escote *m (de prendas)* neckline; *(de persona)* neck; **pagar a ~** to go Dutch.

escotilla *f* hatch, hatchway.

escozor *m* stinging.

escribiente *m y f* clerk.

escribir *vt & vi* to write. ◆ **escribirse** *vpr* 1. *(personas)* to write to one another. 2. *(palabras)*: **se escribe con 'h'** it is spelt with an 'h'.

escrito, -ta ◇ *pp* → **escribir**. ◇ *adj* written; **por ~** in writing. ◆ **escrito** *m (gen)* text; *(documento)* document; *(obra literaria)* writing, work.

escritor, -ra *m y f* writer.

escritorio *m (mueble)* desk, bureau.

escritura *f* 1. *(arte)* writing. 2. *(sistema de signos)* script. 3. (DER) deed.

escrúpulo *m* 1. *(duda, recelo)* scruple. 2. *(minuciosidad)* scrupulousness, great care. 3. *(aprensión)* qualm; **le da ~** he has qualms about it.

escrupuloso, -sa *adj* 1. *(gen)* scrupulous. 2. *(aprensivo)* particular, fussy.

escrutar *vt (con la mirada)* to scrutinize, to examine; *(votos)* to count.

escrutinio *m* count *(of votes)*.

escuadra *f* 1. (GEOM) square. 2. *(de buques)* squadron. 3. *(de soldados)* squad.

escuadrilla *f* squadron.

escuadrón *m* squadron; **~ de la muerte** death squad.

escuálido, -da *adj culto* emaciated.

escucha *f* listening-in, monitoring; **estar ○ permanecer a la ~** to listen in; **~s telefónicas** telephone tapping (U).

escuchar ◇ *vt* to listen to. ◇ *vi* to listen.

escudería *f* team *(in motor racing)*.

escudo *m* 1. *(arma)* shield. 2. *(moneda)* escudo. 3. *(emblema)* coat of arms.

escudriñar *vt (examinar)* to scrutinize, to examine; *(otear)* to search.

escuela *f* school; **~ normal** teacher training college; **~ privada** private school, public school *Br*; **~ pública** state school; **~ universitaria** university which awards degrees after three years of study.

escueto, -ta *adj (sucinto)* concise; *(sobrio)* plain, unadorned.

escuincle, -cla *m y f Méx* nipper, kid.

esculpir *vt* to sculpt, to carve.

escultor, -ra *m y f* sculptor (*f* sculptress).

escultura *f* sculpture.

escupir ◇ *vi* to spit. ◇ *vt (suj: persona, animal)* to spit out; *(suj: volcán, chimenea etc)* to belch out.

escurreplatos *m inv* dish rack.

escurridizo, -za *adj lit & fig* slippery.

escurridor *m* colander.

escurrir ◇ *vt (gen)* to drain; *(ropa)* to wring out; *(en lavadora)* to spin-dry. ◇ *vi (gotear)* to drip. ◆ **escurrirse** *vpr (resbalarse)* to slip.

ese¹ *f (figura)* zigzag; **hacer ~s** *(en carretera)* to zigzag; *(al andar)* to stagger about.

~~ese²~~ **ese²** *(pl esos)*, **esa** *adj demos* 1. *(gen)* that, *(pl)* those. 2. *(después de sust) fam despectivo* that, *(pl)* those; **el hombre ~ no me inspira confianza** I don't trust that guy.

~~ése~~ **ése** *(pl ésos)*, **ésa** *pron demos* 1. *(gen)* that one, *(pl)* those ones. 2. *(mencionado antes)* the former. 3. *fam despectivo*: **~ fue el que me pegó** that's the guy who hit me. 4. *loc*: **¡a ~!** stop that man!; **ni por ésas** not even then; **no me lo vendió ni por ésas** even then he wouldn't sell me it.

esencia *f* essence.

esencial *adj* essential; **lo ~** the fundamental thing.

esfera *f* 1. *(gen)* sphere. 2. *(de reloj)* face. 3. *(círculo social)* circle.

esférico, -ca *adj* spherical.

esfinge *f* sphinx.

esforzar *vt (voz)* to strain. ◆ **esforzarse** *vpr* to make an effort; **~se en ○ por hacer algo** to try very hard to do sthg, to do one's best to do sthg.

esfuerzo *m* effort; **sin ~** effortlessly.

esfumarse *vpr (esperanzas, posibilidades)* to fade away; *(persona)* to vanish.

esgrima *f* fencing.

esgrimir vt (arma) to brandish, to wield.

esguince m sprain.

eslabón m link.

eslip (pl eslips) m briefs (pl).

eslogan (pl eslóganes) m slogan.

eslora f (NÁUT) length.

Eslovaquia Slovakia.

esmaltar vt to enamel.

esmalte m (sustancia - en dientes, cerámica etc) enamel; (- de uñas) (nail) varnish o polish.

esmerado, -da adj (persona) painstaking, careful; (trabajo) polished.

esmeralda f emerald.

esmerarse vpr: ~se (en algo/hacer algo) (esforzarse) to take great pains (over sthg/doing sthg).

esmero m great care.

esmoquin (pl esmóquines) m tuxedo Am, dinner jacket Br.

esnifar vt fam to sniff (drugs).

esnob (pl esnobs) m y f person who wants to be trendy.

eso pron demos (neutro) that; ~ es la Torre Eiffel that's the Eiffel Tower; ~ es lo que yo pienso that's just what I think; ~ que propones es irrealizable what you're proposing is impossible; ~ de vivir solo no me gusta I don't like the idea of living on my own; ¡~, ~! that's right!, yes!; ¡~ es! that's it; ¿cómo es ~?, ¿y ~? (¿por qué?) how come?; para ~ es mejor no ir if that's all it is, you might as well not go; por ~ vine that's why I came. ♦ **a eso de** loc prep (at) about o around. ♦ **en eso** loc adv at that very moment. ♦ **y eso que** loc conj even though.

esófago m oesophagus.

esos, esas → ese.

ésos, ésas → ése.

espabilar vt 1. (despertar) to wake up. 2. (avispar): ~ a alguien to sharpen sb's wits. ♦ **espabilarse** vpr 1. (despertarse) to wake up, to brighten up. 2. (darse prisa) to get a move on. 3. (avisparse) to sharpen one's wits.

espacial adj space (antes de sust).

espaciar vt to space out.

espacio m 1. (gen) space; **no tengo mucho** ~ I don't have much room; **a doble** ~ double-spaced; **por** ~ **de** over a period of; ~ **aéreo** air space. 2. (RADIO & TV) programme.

espacioso, -sa adj spacious.

espada f (arma) sword; **estar entre la** ~ **y la pared** to be between the devil and the deep blue sea. ♦ **espadas** fpl (naipes) = spades.

> Un rey, un caballero medieval o un torero tendrían un aspecto ridículo si en lugar de llevar espada (sword) llevaran una pala. Así pues, para no caer en dicho error, debemos tener clara la diferencia entre el vocablo español "espada" y el del inglés spade, que quiere decir 'pala', una herramienta que se utiliza para cavar hoyos, no para luchar.

espagueti m spaghetti (U).

espalda f 1. (gen) back; **de** ~**s a alguien** with one's back turned on sb; **tumbarse de** ~**s** to lie on one's back; **cubrirse las** ~**s** to cover o.s.; **hablar de alguien a sus** ~**s** to talk about sb behind their back; **volver la** ~ **a alguien** to turn one's back on sb. 2. (en natación) backstroke.

espantadizo, -za adj nervous, easily frightened.

espantapájaros m inv scarecrow.

espantar vt 1. (ahuyentar) to frighten o scare away. 2. (asustar) to frighten, to scare. ♦ **espantarse** vpr to get frightened o scared.

espanto m fright; ¡**qué** ~! how terrible!

espantoso, -sa adj 1. (terrorífico) horrific. 2. (enorme) terrible. 3. (feísimo) frightful, horrible.

España Spain.

español, -la ◇ adj Spanish. ◇ m y f (persona) Spaniard. ♦ **español** m (lengua) Spanish.

esparadrapo m Band-Aid® Am, (sticking) plaster Br.

esparcido, -da adj scattered.

esparcir vt (gen) to spread; (semillas, papeles, objetos) to scatter. ♦ **esparcirse** vpr to spread (out).

espárrago m asparagus (U).

espasmo m spasm.

espasmódico, -ca adj spasmodic.

espatarrarse vpr fam to sprawl (with one's legs wide open).

espátula f (CULIN & MED) spatula; (ARTE) palette knife; (CONSTR) bricklayer's trowel; (de empapelador) stripping knife.

especia f spice.

especial adj 1. (gen) special; ~ **para** specially for; **en** ~ especially, particularly; ¿**alguno en** ~? any one in particular? 2. (peculiar - carácter, gusto, persona) peculiar, strange.

especialidad f speciality, specialty Am.

especialista m y f 1. (experto): ~ (en)

specialist (in). **2.** (CIN) stuntman (*f* stuntwoman).

especializado, -da *adj*: ~ **en** specialized (in).

especializar *vt* to specialize.

especie *f* **1.** (BIOL) species (*sg*). **2.** (*clase*) kind, sort; **pagar en** ~ o ~**s** to pay in kind.

especificar *vt* to specify.

específico, -ca *adj* specific.

espécimen (*pl* **especímenes**) *m* specimen.

espectacular *adj* spectacular.

espectáculo *m* **1.** (*diversión*) entertainment. **2.** (*función*) show, performance. **3.** (*suceso, escena*) sight.

espectador *m y f* (TV) viewer; (CIN & TEATRO) member of the audience; (DEP) spectator; (*de suceso, discusión*) onlooker.

espectro *m* **1.** (*fantasma*) spectre, ghost. **2.** (FÍS & MED) spectrum.

especulación *f* speculation.

especular *vi*: ~ (**sobre**) to speculate (about); ~ **en** (COM) to speculate on.

espejismo *m* mirage; *fig* illusion.

espejo *m lit & fig* mirror.

espeleología *f* potholing.

espeluznante *adj* hair-raising, lurid.

espera *f* (*acción*) wait; **en** ~ **de, a la** ~ **de** waiting for, awaiting.

esperanza *f* (*deseo, ganas*) hope; (*confianza, expectativas*) expectation; **perder la** ~ to lose hope; **tener** ~ **de hacer algo** to hope to be able to do sthg; ~ **de vida** life expectancy.

esperanzar *vt* to give hope to, to encourage.

esperar ◇ *vt* **1.** (*aguardar*) to wait for. **2.** (*tener esperanza de*): ~ **que** to hope that; **espero que sí** I hope so; ~ **hacer algo** to hope to do sthg. **3.** (*tener confianza en*) to expect; ~ **que** to expect (that); ~ **algo de alguien** to expect sthg from sb, to hope for sthg from sb. ◇ *vi* **1.** (*aguardar*) to wait. **2.** (*ser inevitable*) to await; **como era de** ~ as was to be expected. ♦ **esperarse** *vpr* **1.** (*imaginarse, figurarse*) to expect. **2.** (*aguardar*) to wait.

esperma *m o f* (BIOL) sperm.

espeso, -sa *adj* (*gen*) thick; (*bosque, niebla*) dense; (*nieve*) deep.

espesor *m* **1.** (*grosor*) thickness; **tiene 2 metros de** ~ it's 2 metres thick. **2.** (*densidad - de niebla, bosque*) density; (*- de nieve*) depth.

espesura *f* **1.** (*vegetación*) thicket. **2.** (*grosor*) thickness; (*densidad*) density.

espía *m y f* spy.

espiar *vt* to spy on.

espiga *f* **1.** (*de trigo etc*) ear. **2.** (*en telas*) herringbone. **3.** (*pieza - de madera*) peg; (*- de hierro*) pin.

espigón *m* breakwater.

espina *f* (*de pez*) bone; (*de planta*) thorn; **me da mala** ~ it makes me uneasy, there's something fishy about it; **tener una** ~ **clavada** to bear a great burden. ♦ **espina dorsal** *f* spine.

espinaca *f* (*gen pl*) spinach (U).

espinazo *m* spine, backbone.

espinilla *f* **1.** (*hueso*) shin, shinbone. **2.** (*grano*) blackhead.

espinoso, -sa *adj lit & fig* thorny.

espionaje *m* espionage.

espiral *f lit & fig* spiral; **en** ~ (*escalera, forma*) spiral.

espirar *vi & vt* to exhale, to breathe out.

espiritista *adj* spiritualist.

espíritu *m* (*gen*) spirit; (RELIG) soul. ♦ **Espíritu Santo** *m* Holy Ghost.

espiritual *adj & m* spiritual.

espléndido, -da *adj* **1.** (*magnífico*) splendid, magnificent. **2.** (*generoso*) generous, lavish.

esplendor *m* **1.** (*magnificencia*) splendour. **2.** (*apogeo*) greatness.

espliego *m* lavender.

espoleta *f* (*de proyectil*) fuse.

espolvorear *vt* to dust, to sprinkle.

esponja *f* sponge.

esponjoso, -sa *adj* spongy.

espontaneidad *f* spontaneity.

espontáneo, -a *adj* spontaneous.

esporádico, -ca *adj* sporadic.

esposa → **esposo**.

esposar *vt* to handcuff.

esposo, -sa *m y f* (*persona*) husband (*f* wife). ♦ **esposas** *fpl* (*objeto*) handcuffs.

espray (*pl* **esprays**) *m* spray.

esprint (*pl* **esprints**) *m* sprint.

espuela *f* (*gen*) spur.

espuma *f* **1.** (*gen*) foam; (*de cerveza*) head; (*de jabón*) lather; (*de olas*) surf; (*de un caldo*) scum. **2.** (*para pelo*) (*styling*) mousse.

espumadera *f* skimmer.

espumoso, -sa *adj* (*gen*) foamy, frothy; (*vino*) sparkling; (*jabón*) lathery.

esquela *f* obituary.

esqueleto *m* (*de persona*) skeleton.

esquema *m* (*gráfico*) diagram; (*resumen*) outline.

esquí (*pl* **esquíes** o **esquís**) *m* **1.** (*instru-*

mento) ski. **2.** *(deporte)* skiing; **~ náutico o acuático** water-skiing.

esquiador, -ra *m y f* skier.

esquiar *vi* to ski.

esquilar *vt* to shear.

esquimal *adj, m y f* Eskimo.

esquina *f* corner; **a la vuelta de la ~** just round the corner; **doblar la ~** to turn the corner.

esquinazo *m* corner; **dar (el) ~ a alguien** to give sb the slip.

esquivar *vt (gen)* to avoid; *(golpe)* to dodge.

esquivo, -va *adj* shy.

esquizofrenia *f* schizophrenia.

esta → **este²**.

ésta → **éste**.

estabilidad *f* stability.

estabilizar *vt* to stabilize. ♦ **estabilizarse** *vpr* to stabilize.

estable *adj* **1.** *(firme)* stable. **2.** *(permanente - huésped)* permanent; *(- cliente)* regular.

establecer *vt* **1.** *(gen)* to establish; *(récord)* to set. **2.** *(negocio, campamento)* to set up. **3.** *(inmigrantes etc)* to settle. ♦ **establecerse** *vpr* **1.** *(instalarse)* to settle. **2.** *(poner un negocio)* to set up a business.

establecimiento *m* **1.** *(gen)* establishment; *(de récord)* setting. **2.** *(de negocio, colonia)* setting up.

establo *m* cowshed.

estaca *f* **1.** *(para clavar, delimitar)* stake; *(de tienda de campaña)* peg. **2.** *(garrote)* cudgel.

estación *f* **1.** *(gen & INFORM)* station; **~ de autocares/de tren** coach/railway station; **~ de esquí** ski resort; **~ de gasolina** gas station *Am*, petrol station *Br*; **~ de servicio** service station; **~ de trabajo** workstation; **~ meteorológica** weather station. **2.** *(del año, temporada)* season.

estacionamiento *m* (AUTOM) parking; **~ indebido** parking offence.

estacionar *vt* (AUTOM) to park.

estacionario, -ria *adj (gen)* stationary; (ECON) stagnant.

estadio *m* **1.** (DEP) stadium. **2.** *(fase)* stage.

estadista *m y f* statesman (*f* stateswoman).

estadístico, -ca *adj* statistical. ♦ **estadística** *f* **1.** *(ciencia)* statistics (U). **2.** *(datos)* statistics *(pl)*.

estado *m* state; **su ~ es grave** his condition is serious; **estar en buen/mal ~** *(coche, terreno etc)* to be in good/bad

condition; *(alimento, bebida)* to be fresh/off; **~ de ánimo** state of mind; **~ civil** marital status; **~ de bienestar** welfare state; **~ de excepción o emergencia** state of emergency; **~ de salud** (state of) health; **estar en ~ (de esperanza o buena esperanza)** to be expecting. ♦ **Estado** *m (gobierno)* State; **Estado Mayor** (MIL) general staff. ♦ **Estados Unidos (de América)** United States (of America).

estadounidense ◊ *adj* United States *(antes de sust)*. ◊ *m y f* United States citizen.

estafa *f (gen)* swindle; (COM) fraud.

estafador, -ra *m y f* swindler.

estafar *vt (gen)* to swindle; (COM) to defraud.

estafeta *f* sub-post office.

estallar *vi* **1.** *(reventar - bomba)* to explode; *(- neumático)* to burst. **2.** *fig (guerra, epidemia etc)* to break out.

estallido *m* **1.** *(de bomba)* explosion; *(de trueno)* crash; *(de látigo)* crack. **2.** *fig (de guerra etc)* outbreak.

Estambul Istanbul.

estampa *f* **1.** *(imagen, tarjeta)* print. **2.** *(aspecto)* appearance.

estampado, -da *adj* printed. ♦ **estampado** *m (dibujo)* (cotton) print.

estampar *vt* **1.** *(imprimir - gen)* to print; *(- metal)* to stamp. **2.** *(escribir):* **~ la firma** to sign one's name.

estampida *f* stampede.

estampido *m* report, bang.

estampilla *f* **1.** *(de goma)* rubber stamp. **2.** *Amer (de correos)* stamp.

estancado, -da *adj (agua)* stagnant; *(situación, proyecto)* at a standstill.

estancarse *vpr (líquido)* to stagnate; *(situación)* to come to a standstill.

estancia *f* **1.** *(tiempo)* stay. **2.** *(habitación)* room. **3.** *CSur & Chile (hacienda)* cattle ranch.

estanciero *m CSur & Chile* ranch owner.

estanco, -ca *adj* watertight. ♦ **estanco** *m* tobacconist's.

estándar *(pl* **estándares)** *adj & m* standard.

estandarizar *vt* to standardize.

estandarte *m* standard, banner.

estanque *m (alberca)* pond; *(para riego)* reservoir.

estanquero *m y f* tobacconist.

estante *m* shelf.

estantería *f (gen)* shelves *(pl)*, shelving (U); *(para libros)* bookcase.

estaño *m* tin.

estar ◇ *vi* **1.** *(hallarse)* to be; **¿dónde está la llave?** where is the key?; **¿está María?** is Maria in?; **no está** she's not in. **2.** *(con fechas)*: **¿a qué estamos hoy?** what's the date today?; **hoy estamos a martes/a 15 de julio** today is Tuesday/the 15th of July; **estábamos en octubre** it was October. **3.** *(quedarse)* to stay, to be; **estaré un par de horas y me iré** I'll stay a couple of hours and then I'll go. **4.** *(antes de 'a')* *(expresa valores, grados)*: **estamos a veinte grados** it's twenty degrees here; **el dólar está a 95 pesetas** the dollar is at 95 pesetas; **están a 100 ptas el kilo** they're 100 pesetas a kilo. **5.** *(hallarse listo)* to be ready; **¿aún no está ese trabajo?** is that piece of work still not ready? **6.** *(servir)*: **~ para** to be (there) for; **para eso están los amigos** that's what friends are for. **7.** *(antes de gerundio)* *(expresa duración)* to be; **están golpeando la puerta** they're banging on the door. **8.** *(antes de 'sin' + infin)* *(expresa negación)*: **estoy sin dormir desde ayer** I haven't slept since yesterday; **está sin acabar** it's not finished. **9.** *(faltar)*: **eso está aún por escribir** that has yet to be written. **10.** *(hallarse a punto de)*: **~ por hacer algo** to be on the verge of doing sthg. **11.** *(expresa disposición)*: **para algo** to be in the mood for sthg. ◇ *v copulativo* **1.** *(antes de adj)* *(expresa cualidad, estado)* to be; **los pasteles están ricos** the cakes are delicious; **esta calle está sucia** this street is dirty. **2.** *(antes de 'con' o 'sin' + sust)* *(expresa estado)* to be; **estamos sin agua** we have no water, we're without water. **3.** *(expresa situación, acción)*: **~ de**: **~ de camarero** to work as a waiter, to be a waiter; **~ de vacaciones** to be on holiday; **~ de viaje** to be on a trip; **~ de mudanza** to be (in the process of) moving. **4.** *(expresa permanencia)*: **~ en uso** to be in use; **~ en guardia** to be on guard. **5.** *(expresa apoyo, predilección)*: **~ por** to be in favour of. **6.** *(expresa ocupación)*: **~ como** to be; **está como cajera** she's a checkout girl. **7.** *(consistir)*: **~ en** to lie in; **el problema está en la fecha** the problem is the date. **8.** *(sentar - ropa)*: **este traje te está bien** this suit looks good on you. **9.** *(antes de 'que' + verbo)* *(expresa actitud)*: **está que muerde porque ha suspendido** he's furious because he failed. ♦ **estarse** *vpr* *(permanecer)* to stay; **te puedes ~ con nosotros unos días** you can stay o spend a few days with us.

estárter *(pl* **estárters)** *m* starter.

estatal *adj* state *(antes de sust)*.

estático, -ca *adj (inmóvil)* stock-still.

estatua *f* statue.

estatura *f* height.

estatus *m inv* status.

estatutario, -ria *adj* statutory.

estatuto *m (gen)* statute; *(de empresa)* article (of association); *(de ciudad)* by-law.

este¹ ◇ *adj (posición, parte)* east, eastern; *(dirección, viento)* easterly. ◇ *m* east.

este² *(pl* **estos)**, **esta** *adj demos* **1.** *(gen)* this, *(pl)* these; **esta camisa** this shirt; **~ año** this year. **2.** *fam despectivo* that, *(pl)* those; **no soporto a la niña esta** I can't stand that girl.

éste *(pl* **éstos)**, **ésta** *pron demos* **1.** *(gen)* this one, *(pl)* these (ones); **dame otro boli; ~ no funciona** give me another pen; this one doesn't work; **aquellos cuadros no están mal, aunque éstos me gustan más** those paintings aren't bad, but I like these (ones) better; **ésta ha sido la semana más feliz de mi vida** this has been the happiest week of my life. **2.** *(recién mencionado)* the latter; **entraron Juan y Pedro, ~ con un abrigo verde** Juan and Pedro came in, the latter wearing a green coat. **3.** *fam despectivo*: **~ es el que me pegó** this is the guy who hit me. ♦ **en éstas** *loc adv fam* just then, at that very moment.

estela *f* **1.** *(de barco)* wake; *(de avión, estrella fugaz)* trail. **2.** *fig (rastro)* trail.

estelar *adj* **1.** (ASTRON) stellar. **2.** (CIN & TEATRO) star *(antes de sust)*.

estepa *f* steppe.

estera *f (tejido)* matting; *(alfombrilla)* mat.

estéreo *adj inv & m* stereo.

estereofónico, -ca *adj* stereo.

estereotipo *m* stereotype.

estéril *adj* **1.** *(persona, terreno, imaginación)* sterile. **2.** *fig (inútil)* futile.

esterilizar *vt* to sterilize.

esterlina → **libra**.

esternón *m* breastbone, sternum.

esteroides *mpl* steroids.

estética → **estético**.

esteticista, esthéticienne [esteti-'θjen] *f* beautician.

estético, -ca *adj* aesthetic. ♦ **estética** *f* (FILOSOFÍA) aesthetics *(U)*.

esthéticienne = **esteticista**.

estiércol *m (excrementos)* dung; *(abono)* manure.

E

estilarse *vpr fam* to be in (fashion).

estilo *m* **1.** *(gen)* style; **~ de vida** lifestyle. **2.** *(en natación)* stroke. **3.** (GRAM) speech; **~ directo/indirecto** direct/indirect speech. **4.** *loc:* **algo por el ~** something of the sort.

estilográfica *f* fountain pen.

estima *f* esteem, respect.

estimación *f* **1.** *(aprecio)* esteem, respect. **2.** *(valoración)* valuation. **3.** *(en impuestos)* assessment.

estimado, -da *adj* *(querido)* esteemed, respected; **Estimado señor** Dear Sir.

estimar *vt* **1.** *(valorar - gen)* to value; *(- valor)* to estimate. **2.** *(apreciar)* to think highly of. **3.** *(creer)* to consider.

estimulante ◇ *adj* *(que excita)* stimulating. ◇ *m* stimulant.

estimular *vt* **1.** *(animar)* to encourage. **2.** *(excitar)* to stimulate.

estímulo *m* **1.** *(aliciente)* incentive; *(ánimo)* encouragement. **2.** *(de un órgano)* stimulus.

estipulación *f* **1.** *(acuerdo)* agreement. **2.** (DER) stipulation.

estipular *vt* to stipulate.

estirado, -da *adj* *(persona - altanero)* haughty; *(- adusto)* uptight.

estirar ◇ *vt* **1.** *(alargar - gen)* to stretch; *(- el cuello)* to crane. **2.** *(desarrugar)* to straighten. **3.** *fig (el dinero etc)* to make last; *(discurso, tema)* to spin out. ◇ *vi:* **~ (de)** to pull. ◆ **estirarse** *vpr* **1.** *(desperezarse)* to stretch. **2.** *(tumbarse)* to stretch out.

estirón *m* *(acción)* tug, pull.

estirpe *f* stock, lineage.

esto *pron demos (neutro)* this thing; **~ es tu regalo de cumpleaños** this is your birthday present; **~ que acabas de decir no tiene sentido** what you just said doesn't make sense; **~ de trabajar de noche no me gusta** I don't like this business of working at night; **~ es** that is (to say). ◆ **en esto** *loc adv* just then, at that very moment.

estoc *(pl estocs)* *m* stock.

Estocolmo Stockholm.

estofa *f:* **de baja ~** *(gente)* low-class; *(cosas)* poor-quality.

estofado *m* stew.

estofar *vt* (CULIN) to stew.

estoico, -ca *adj* stoic, stoical.

estomacal *adj* *(dolencia)* stomach *(antes de sust)*; *(bebida)* digestive.

estómago *m* stomach.

Estonia Estonia.

estop = stop.

estorbar ◇ *vt* *(obstaculizar)* to hinder; *(molestar)* to bother. ◇ *vi* *(estar en medio)* to be in the way.

estorbo *m* *(obstáculo)* hindrance; *(molestia)* nuisance.

estornudar *vi* to sneeze.

estos, -tas → este[2].

éstos, -tas → éste.

estoy → estar.

estrabismo *m* squint.

estrado *m* platform.

estrafalario, -ria *adj* eccentric.

estragón *m* tarragon.

estragos *mpl:* **causar** o **hacer ~ en** *(físicos)* to wreak havoc with; *(morales)* to destroy, to ruin.

estrangulador, -ra *m y f* strangler.

estrangular *vt* *(ahogar)* to strangle; (MED) to strangulate.

estraperlo *m* black market; **de ~** black market *(antes de sust)*.

estratagema *f* (MIL) stratagem; *fig (astucia)* artifice, trick.

estrategia *f* strategy.

estratégico, -ca *adj* strategic.

estrato *m* (GEOL & *fig*) stratum.

estrechar *vt* **1.** *(hacer estrecho - gen)* to narrow; *(- ropa)* to take in. **2.** *fig (relaciones)* to make closer. **3.** *(apretar)* to squeeze, to hug; **~ la mano a alguien** to shake sb's hand. ◆ **estrecharse** *vpr* *(hacerse estrecho)* to narrow.

estrecho, -cha *adj* **1.** *(no ancho - gen)* narrow; *(- ropa)* tight; *(- habitación)* cramped; **~ de miras** narrow-minded. **2.** *fig (íntimo)* close. ◆ **estrecho** *m* (GEOGR) strait.

estrella *f* *(gen)* star; *fig (destino)* fate; **~ fugaz** shooting star. ◆ **estrella de mar** *f* starfish.

estrellado, -da *adj* **1.** *(con estrellas)* starry. **2.** *(por la forma)* star-shaped.

estrellar *vt* *(arrojar)* to smash. ◆ **estrellarse** *vpr (chocar)* **-se (contra)** *(gen)* to smash (against); *(avión, coche)* to crash (into).

estrellón *m* Amer crash.

estremecer *vt* to shake. ◆ **estremecerse** *vpr:* **~se (de)** *(horror, miedo)* to tremble o shudder (with); *(frío)* to shiver (with).

estremecimiento *m* *(de miedo)* shudder; *(de frío)* shiver.

estrenar *vt* **1.** *(gen)* to use for the first time; *(ropa)* to wear for the first time; *(piso)* to move into. **2.** (CIN) to release; (TEATRO) to premiere. ◆ **estrenarse**

vpr (persona) to make one's debut, to start.

estreno *m (de espectáculo)* premiere, first night; *(de cosa)* first use; *(en un empleo)* debut.

estreñido, -da *adj* constipated.

estreñimiento *m* constipation.

estrépito *m (ruido)* racket, din; *fig (ostentación)* fanfare.

estrepitoso, -sa *adj* 1. *(gen)* noisy; *(aplausos)* deafening. 2. *(derrota)* resounding; *(fracaso)* spectacular.

estrés *m inv* stress.

estría *f (gen)* groove; *(en la piel)* stretch mark.

estribación *f (gen pl)* foothills *(pl)*.

estribar ♦ estribar en *vi* to be based on, to lie in.

estribillo *m* (MÚS) chorus; (LITER) refrain.

estribo *m* 1. *(de montura)* stirrup. 2. *(de coche, tren)* step. 3. *loc:* **perder los ~s** to fly off the handle.

estribor *m* starboard.

estricto, -ta *adj* strict.

estridente *adj* 1. *(ruido)* strident, shrill. 2. *(color)* garish, loud.

estrofa *f* stanza, verse.

estropajo *m* scourer.

estropear *vt* 1. *(averiar)* to break. 2. *(dañar)* to damage. 3. *(echar a perder)* to ruin, to spoil. ♦ **estropearse** *vpr* 1. *(máquina)* to break down. 2. *(comida)* to go off, to spoil; *(piel)* to get damaged. 3. *(plan)* to fall through.

estropicio *m:* **hacer ○ causar un ~** to wreak havoc.

estructura *f* structure.

estruendo *m* 1. *(estrépito)* din, roar; *(de trueno)* crash. 2. *(alboroto)* uproar, tumult.

estrujar *vt* 1. *(limón)* to squeeze; *(trapo, ropa)* to wring (out); *(papel)* to screw up; *(caja)* to crush. 2. *(abrazar - persona, mano)* to squeeze.

estuario *m* estuary.

estuche *m* 1. *(caja)* case; *(de joyas)* jewellery box. 2. *(utensilios)* set.

estudiante *m y f* student.

estudiantil *adj* student *(antes de sust)*.

estudiar ◇ *vt (gen)* to study. ◇ *vi* to study; **~ para médico** to be studying to be a doctor.

estudio *m* 1. *(gen)* study; **estar en ~** to be under consideration; **~ de mercado** *(técnica)* market research; *(investigación)* market survey. 2. *(oficina)* study; *(de fotógrafo, pintor)* studio.

3. *(apartamento)* studio apartment.
4. *(gen pl)* (CIN, RADIO & TV) studio. ♦ **estudios** *mpl (serie de cursos)* studies; *(educación)* education *(U)*; **~s primarios/secundarios** primary/secondary education.

estudioso, -sa *adj* studious.

estufa *f* heater, fire.

estupefaciente *m* narcotic, drug.

estupefacto, -ta *adj* astonished.

estupendamente *adv* wonderfully; **estoy ~** I feel wonderful.

estupendo, -da *adj* great, fantastic. ♦ **estupendo** *interj:* **¡~!** great!

estupidez *f* stupidity; **decir/hacer una ~** to say/do sthg stupid.

estúpido, -da *adj* stupid.

estupor *m* astonishment.

esturión *m* sturgeon.

estuviera *etc* → **estar**.

ETA *(abrev de Euskadi ta Askatasuna) f* ETA, *terrorist Basque separatist organization.*

etapa *f* stage; **por ~s** in stages.

etc. *(abrev de etcétera)* etc.

etcétera *adv* etcetera.

etéreo, -a *adj fig* ethereal.

eternidad *f* eternity; **hace una ~ que no la veo** *fam* it's ages since I last saw her.

eterno, -na *adj* eternal; *fam (larguísimo)* never-ending, interminable.

ético, -ca *adj* ethical. ♦ **ética** *f (moralidad)* ethics *(pl)*.

etílico, -ca *adj* (QUÍM) ethyl *(antes de sust)*; **intoxicación etílica** alcohol poisoning.

etimología *f* etymology.

Etiopía Ethiopia.

etiqueta *f* 1. *(gen & INFORM)* label. 2. *(ceremonial)* etiquette; **de ~** formal.

etiquetar *vt lit & fig* to label; **~ a alguien de algo** to label sb sthg.

etnia *f* ethnic group.

étnico, -ca *adj* ethnic.

EUA *(abrev de Estados Unidos de América) mpl* USA.

eucalipto *m* eucalyptus.

eucaristía *f:* **la ~** the Eucharist.

eufemismo *m* euphemism.

euforia *f* euphoria, elation.

eufórico, -ca *adj* euphoric, elated.

euro *m (unidad monetaria)* euro.

eurocheque *m* eurocheck *Am,* eurocheque *Br.*

eurócrata *adj, m y f* Eurocrat.

eurodiputado, -da *m y f* Euro-M.P., M.E.P.

Europa Europe.

europarlamentario, -ria *m y f* Euro-M.P., M.E.P.

europeo, -a *adj, m y f* European.

Euskadi the Basque Country.

euskara, **euskera** *m* Basque.

eutanasia *f* euthanasia.

evacuación *f* evacuation.

evacuar *vt* (*gen*) to evacuate; (*vientre*) to empty, to void.

evadir *vt* to evade; (*respuesta, peligro*) to avoid. ◆ **evadirse** *vpr*: ~se (de) to escape (from).

evaluación *f* 1. (*gen*) evaluation. 2. (EDUC - *examen*) assessment.

evaluar *vt* to evaluate, to assess.

evangélico, -ca *adj, m y f* evangelical.

evangelio *m* (RELIG) gospel.

evaporar *vt* to evaporate. ◆ **evaporarse** *vpr* (*líquido etc*) to evaporate.

evasión *f* 1. (*huida*) escape. 2. (*de dinero*): ~ de capitales o divisas capital flight; ~ fiscal tax evasion. 3. *fig* (*entretenimiento*) amusement, recreation; (*escapismo*) escapism.

evasivo, -va *adj* evasive. ◆ **evasiva** *f* evasive answer.

evento *m* event.

eventual *adj* 1. (*no fijo - trabajador*) temporary, casual; (*- gastos*) incidental. 2. (*posible*) possible.

eventualidad *f* 1. (*temporalidad*) temporariness. 2. (*hecho incierto*) eventuality; (*posibilidad*) possibility.

Everest *m*: el ~ (Mount) Everest.

evidencia *f* 1. (*prueba*) evidence, proof. 2. (*claridad*) obviousness; **poner algo en** ~ to demonstrate sthg; **poner a alguien en** ~ to show sb up.

evidenciar *vt* to show, to demonstrate. ◆ **evidenciarse** *vpr* to be obvious o evident.

evidente *adj* evident, obvious.

evitar *vt* (*gen*) to avoid; (*desastre, accidente*) to avert; ~ que alguien haga algo to prevent sb from doing sthg.

evocar *vt* (*recordar*) to evoke.

evolución *f* 1. (*gen*) evolution; (*de enfermedad*) development, progress. 2. (MIL.) manoeuvre.

evolucionar *vi* 1. (*gen*) to evolve; (*enfermedad*) to develop, to progress; (*cambiar*) to change. 2. (MIL) to carry out manoeuvres.

ex *prep* ex; **el** ~ **presidente** the ex-president, the former president.

exacerbar *vt* 1. (*agudizar*) to exacerbate, to aggravate. 2. (*irritar*) to irritate, to infuriate.

exactitud *f* accuracy, precision; (*puntualidad*) punctuality.

exacto, -ta *adj* 1. (*justo - cálculo, medida*) exact; **tres metros** ~s exactly three metres. 2. (*preciso*) accurate, precise; (*correcto*) correct, right. 3. (*idéntico*): ~ **(a)** identical (to), exactly the same (as). ◆ **exacto** *interj*: ¡~! exactly!, precisely!

exageración *f* exaggeration; **este precio es una** ~ this price is over the top.

exagerado, -da *adj* (*gen*) exaggerated; (*persona*) overly dramatic; (*precio*) exorbitant; (*gesto*) flamboyant.

exagerar *vt & vi* to exaggerate.

exaltado, -da *adj* (*jubiloso*) elated; (*acalorado - persona*) worked up; (*- discusión*) heated; (*excitable*) hotheaded.

exaltar *vt* 1. (*elevar*) to promote, to raise. 2. (*glorificar*) to exalt. ◆ **exaltarse** *vpr* to get excited o worked up.

examen *m* 1. (*ejercicio*) exam, examination; **presentarse a un** ~ to sit an exam; ~ **de conducir** driving test; ~ **final/oral** final/oral (exam); ~ **parcial** = end-of-term exam. 2. (*indagación*) consideration, examination.

examinar *vt* to examine. ◆ **examinarse** *vpr* to sit o take an exam.

exasperar *vt* to exasperate. ◆ **exasperarse** *vpr* to get exasperated.

excavación *f* (*lugar*) dig, excavation.

excavar *vt* (*gen*) to dig; (*en arqueología*) to excavate.

excedencia *f* leave (of absence); (EDUC) sabbatical.

excedente ◊ *adj* (*producción etc*) surplus. ◊ *m* (COM) surplus.

exceder *vt* to exceed, to surpass. ◆ **excederse** *vpr* 1. (*pasarse de la raya*): ~se (en) to go too far o overstep the mark (in). 2. (*rebasar el límite*): **se excede en el peso** it's too heavy.

excelencia *f* (*cualidad*) excellence; **por** ~ par excellence. ◆ **Su Excelencia** *m y f* His Excellency (*f* Her Excellency).

excelente *adj* excellent.

excelentísimo, -ma *adj* most excellent.

excentricidad *f* eccentricity.

excéntrico, -ca *adj, m y f* eccentric.

excepción *f* exception; **a** o **con** ~ **de** with the exception of, except for. ◆ **de excepción** *loc adj* exceptional.

excepcional *adj* exceptional.

excepto *adv* except (for).

E

exceptuar vt: ~ **(de)** (excluir) to exclude (from); (eximir) to exempt (from); **exceptuando a ...** excluding ...

excesivo, -va adj excessive.

exceso m (demasía) excess; ~ **de equipaje** excess baggage; ~ **de peso** (obesidad) excess weight.

excitado, -da adj (nervioso) agitated; (por enfado, sexo) aroused.

excitante m stimulant.

excitar vt 1. (inquietar) to upset, to agitate. 2. (estimular - sentidos) to stimulate; (- apetito) to whet; (- pasión, curiosidad, persona) to arouse. ♦ **excitarse** vpr (alterarse) to get worked up O excited.

exclamación f (interjección) exclamation; (grito) cry.

exclamar vt & vi to exclaim, to shout out.

excluir vt to exclude; (hipótesis, opción) to rule out; (hacer imposible) to preclude; ~ **a alguien de algo** to exclude sb from sthg.

exclusión f exclusion.

exclusivo, -va adj exclusive. ♦ **exclusiva** f 1. (PRENSA) exclusive. 2. (COM) exclusive O sole right.

Excma. abrev de **Excelentísima.**

Excmo. abrev de **Excelentísimo.**

excombatiente m y f war veteran Am, ex-serviceman (f ex-servicewoman) Br.

excomulgar vt to excommunicate.

excomunión f excommunication.

excremento m (gen pl) excrement (U).

exculpar vt to exonerate; (DER) to acquit.

excursión f (viaje) excursion, trip; **ir de** ~ to go on an outing O a trip.

excursionista m y f (en la ciudad) sightseer, tripper; (en el campo) rambler; (en la montaña) hiker.

excusa f 1. (gen) excuse. 2. (petición de perdón) apology; **presentar uno sus** ~**s** to apologize, to make one's excuses.

excusar vt (disculpar a) to excuse; (disculparse por) to apologize for. ♦ **excusarse** vpr to apologize.

exento, -ta adj exempt; ~ **de** (sin) free from, without; (eximido de) exempt from.

exhalación f (emanación) exhalation, vapour; (suspiro) breath.

exhalar vt 1. (aire) to exhale, to breathe out; (suspiros) to heave. 2. (olor) to give off. 3. (quejas) to utter.

exhaustivo, -va adj exhaustive.

exhausto, -ta adj exhausted.

exhibición f 1. (demostración) show, display. 2. (deportiva, artística etc) exhibition. 3. (de películas) showing.

exhibir vt 1. (exponer - cuadros, fotografías) to exhibit; (- modelos) to show; (- productos) to display. 2. (lucir - joyas, cualidades etc) to show off. 3. (película) to show, to screen.

exhortación f exhortation.

exhortar vt: ~ **a alguien a** to exhort sb to.

exigencia f 1. (obligación) demand, requirement. 2. (capricho) fussiness (U).

exigente adj demanding.

exigir vt 1. (gen) to demand; ~ **algo de** O **a alguien** to demand sthg from sb. 2. (requerir, necesitar) to require.

exiliado, -da ◊ adj exiled, in exile. ◊ m y f exile.

exiliar vt to exile. ♦ **exiliarse** vpr to go into exile.

exilio m exile.

existencia f existence. ♦ **existencias** fpl (COM) stock (U).

existir vi to exist; **existe mucha pobreza** there is a lot of poverty.

éxito m 1. (gen) success; **con** ~ successfully; **tener** ~ to be successful. 2. (libro) bestseller; (canción) hit.

exitoso, -sa adj successful.

éxodo m exodus.

exorbitante adj exorbitant.

exorcizar vt to exorcize.

exótico, -ca adj exotic.

expandir vt to spread; (FÍS) to expand. ♦ **expandirse** vpr to spread; (FÍS) to expand.

expansión f 1. (FÍS) expansion. 2. (ECON) growth; **en** ~ expanding. 3. (recreo) relaxation, amusement.

expansionarse vpr 1. (desahogarse): ~ **(con)** to open one's heart (to). 2. (divertirse) to relax, to let off steam. 3. (desarrollarse) to expand.

expatriar vt to expatriate; (exiliar) to exile. ♦ **expatriarse** vpr to emigrate; (exiliarse) to go into exile.

expectación f expectancy, anticipation.

expectativa f (espera) expectation; (esperanza) hope; (perspectiva) prospect; **estar a la** ~ to wait and see; **estar a la** ~ **de** (atento) to be on the lookout for; (a la espera) to be hoping for; ~ **de vida** life expectancy.

expedición f (viaje, grupo) expedition.

expediente m 1. (documentación)

documents (pl); (ficha) file. **2.** (historial) record; ~ académico academic record. **3.** (investigación) inquiry; **abrir ~ a alguien** (castigar) to take disciplinary action against sb; (investigar) to start proceedings against sb.

expedir vt (carta, pedido) to send, to dispatch; (pasaporte, decreto) to issue; (contrato, documento) to draw up.

expedito, -ta adj clear, free.

expeler vt (humo - suj: persona) to blow out; (- suj: chimenea, tubo de escape) to emit; (- suj: extractor, volcán) to expel.

expendedor, -ra m y f dealer; (de lotería) seller, vendor.

expensas fpl (gastos) expenses, costs.
♦ **a expensas de** loc prep at the expense of.

experiencia f (gen) experience; **por (propia)** ~ from (one's own) experience.

experimentado, -da adj (persona) experienced; (método) tried and tested.

experimentar vt **1.** (gen) to experience; (derrota, pérdidas) to suffer. **2.** (probar) to test; (hacer experimentos con) to experiment with o on.

experimento m experiment.

experto, -ta adj, m y f expert.

expirar vi to expire.

explanada f (llanura) flat o level ground (U).

explicación f explanation.

explicar vt (gen) to explain; (teoría) to expound; ♦ **explicarse** vpr **1.** (comprender) to understand; **no me lo explico** I can't understand it. **2.** (dar explicaciones) to explain o.s. **3.** (expresarse) to make o.s. understood.

explícito, -ta adj explicit.

exploración f (gen & MED) exploration.

explorador, -ra m y f explorer; (scout) boy scout (f girl guide).

explorar vt **1.** (gen) to explore; (MIL) to scout. **2.** (MED) to examine; (internamente) to explore, to probe.

explosión f lit & fig explosion; **hacer** ~ to explode.

explosivo, -va adj (gen) explosive.
♦ **explosivo** m explosive.

explotación f **1.** (acción) exploitation; (de fábrica etc) running; (de yacimiento minero) mining; (agrícola) farming; (de petróleo) drilling. **2.** (instalaciones): ~ **agrícola** farm.

explotar ◇ vt **1.** (gen) to exploit. **2.** (fábrica) to run, to operate; (terreno)

to farm; (mina) to work. ◇ vi to explode.

exponer vt **1.** (gen) to expose. **2.** (teoría) to expound; (ideas, propuesta) to set out, to explain. **3.** (cuadro, obra) to exhibit; (objetos en vitrinas) to display. **4.** (vida, prestigio) to risk. ♦ **exponerse** vpr (arriesgarse): ~se (a) (gen) to run the risk (of); (a la muerte) to expose o.s. (to).

exportación f **1.** (acción) export. **2.** (mercancías) exports (pl).

exportar vt (COM & INFORM) to export.

exposición f **1.** (gen & FOT) exposure. **2.** (de arte etc) exhibition; (de objetos en vitrina) display; ~ **universal** world fair. **3.** (de teoría) exposition; (de ideas, propuesta) setting out, explanation.

expositor, -ra m y f (de arte) exhibitor; (de teoría) exponent.

exprés ◇ adj **1.** (tren) express. **2.** (café) espresso. ◇ m = expreso.

expresado, -da adj (mencionado) abovementioned.

expresamente adv (a propósito) expressly; (explícitamente) explicitly.

expresar vt to express; (suj: rostro) to show.

expresión f expression.

expresivo, -va adj expressive; (cariñoso) affectionate.

expreso, -sa adj (explícito) specific; (deliberado) express; (claro) clear.
♦ **expreso** ◇ m **1.** (tren) express train. **2.** (café) espresso. ◇ adv on purpose, expressly.

exprimidor m squeezer.

exprimir vt (fruta) to squeeze; (zumo) to squeeze out.

expropiar vt to expropriate.

expuesto, -ta ◇ pp → exponer.
◇ adj **1.** (dicho) stated, expressed. **2.** (desprotegido): ~ **(a)** exposed (to). **3.** (arriesgado) dangerous, risky. **4.** (exhibido) on display.

expulsar vt **1.** (persona - de clase, local, asociación) to throw out; (- de colegio) to expel. **2.** (DEP) to send off. **3.** (humo) to emit, to give off.

expulsión f (gen) expulsion; (de clase, local, asociación) throwing-out; (DEP) sending-off.

exquisitez f (cualidad) exquisiteness.

exquisito, -ta adj exquisite; (comida) delicious, sublime.

éxtasis m inv ecstasy.

extender vt **1.** (desplegar - tela, plano,

alas) to spread (out); (*- brazos, piernas*) to stretch out. **2.** (*esparcir - mantequilla*) to spread; (*- pintura*) to smear; (*- objetos etc*) to spread out. **3.** (*ampliar - castigo, influencia etc*) to extend. **4.** (*documento*) to draw up; (*cheque*) to make out; (*pasaporte, certificado*) to issue. ◆ **extenderse** *vpr* **1.** (*ocupar*): **~se (por)** to stretch o extend across. **2.** (*hablar mucho*): **~se (en)** to enlarge o expand (on). **3.** (*durar*) to extend, to last. **4.** (*difundirse*): **~se (por)** to spread (across). **5.** (*tenderse*) to stretch out.

extensión *f* **1.** (*superficie - de terreno etc*) area, expanse. **2.** (*amplitud - de país etc*) size; (*- de conocimientos*) extent. **3.** (*duración*) duration, length. **4.** (*sentido - de concepto, palabra*) range of meaning; **en toda la ~ de la palabra** in every sense of the word. **5.** (INFORM & TELECOM) extension.

extensivo, -va *adj* extensive.

extenso, -sa *adj* extensive; (*país*) vast; (*libro, película*) long.

extenuar *vt* to exhaust completely.

exterior ◇ *adj* **1.** (*de fuera*) outside; (*capa*) outer, exterior. **2.** (*visible*) outward. **3.** (*extranjero*) foreign. ◇ *m* **1.** (*superficie*) outside; **en el ~** outside. **2.** (*extranjero*) foreign countries (*pl*); **en el ~** abroad. **3.** (*aspecto*) appearance. ◆ **exteriores** *mpl* (CIN) outside shots; **rodar en ~es** to film on location.

exteriorizar *vt* to show, to reveal.

exterminar *vt* (*aniquilar*) to exterminate.

exterminio *m* extermination.

externo, -na *adj* **1.** (*gen*) external; (*parte, capa*) outer; (*influencia*) outside; (*signo, aspecto*) outward. **2.** (*alumno*) day (*antes de sust*).

extinción *f* (*gen*) extinction; (*de esperanzas*) loss.

extinguir *vt* (*incendio*) to put out, to extinguish; (*raza*) to wipe out; (*afecto, entusiasmo*) to put an end to. ◆ **extinguirse** *vpr* (*fuego, luz*) to go out; (*animal, raza*) to become extinct; (*ruido*) to die out; (*afecto*) to die.

extinto, -ta *adj* extinguished; (*animal, volcán*) extinct.

extintor *m* fire extinguisher.

extirpar *vt* (*tumor*) to remove; (*muela*) to extract; *fig* to eradicate.

extorsión *f* **1.** (*molestia*) trouble, bother. **2.** (DER) extortion.

extorsionista *m y f* extortionist.

extra ◇ *adj* **1.** (*adicional*) extra. **2.** (*de gran calidad*) top quality, superior. ◇ *m*

y f (CIN) extra. ◇ *m* (*gasto etc*) extra. ◇ *f* → **paga**.

extracción *f* **1.** (*gen*) extraction. **2.** (*en sorteos*) draw. **3.** (*de carbón*) mining.

extracto *m* **1.** (*resumen*) summary, résumé; **~ de cuentas** statement (of account). **2.** (*concentrado*) extract.

extraditar *vt* to extradite.

extraer *vt*: **~ (de)** (*gen*) to extract (from); (*sangre*) to draw (from); (*carbón*) to mine (from); (*conclusiones*) to come to o draw (from).

extranjero, -ra ◇ *adj* foreign. ◇ *m y f* (*persona*) foreigner. ◆ **extranjero** *m* (*territorio*) foreign countries (*pl*); **estar en el/ir al ~** to be/go abroad.

extrañar *vt* **1.** (*sorprender*) to surprise; **me extraña (que digas esto)** I'm surprised (that you should say that). **2.** (*echar de menos*) to miss. ◆ **extrañarse de** *vpr* (*sorprenderse de*) to be surprised at.

extrañeza *f* (*sorpresa*) surprise.

extraño, -ña ◇ *adj* **1.** (*gen*) strange. **2.** (*ajeno*) detached, uninvolved. **3.** (MED) foreign. ◇ *m y f* stranger.

extraoficial *adj* unofficial.

extraordinario, -ria *adj* **1.** (*gen*) extraordinary. **2.** (*gastos*) additional; (*edición, suplemento*) special. ◆ **extraordinario** *m* **1.** (PRENSA) special edition. **2.** → **paga**.

extrapolar *vt* to generalize about.

extraterrestre *adj, m y f* extraterrestrial.

extravagancia *f* eccentricity.

extravagante *adj* eccentric, outlandish.

extravertido, -da *adj, m y f* = **extrovertido**.

extraviado, -da *adj* (*perdido*) lost; (*animal*) stray.

extraviar *vt* **1.** (*objeto*) to lose, to mislay. **2.** (*excursionista*) to mislead. ◆ **extraviarse** *vpr* **1.** (*persona*) to get lost. **2.** (*objeto*) to go missing.

extravío *m* (*pérdida*) loss, mislaying.

extremado, -da *adj* extreme.

extremar *vt* to go to extremes with. ◆ **extremarse** *vpr* to take great pains o care.

extremidad *f* (*extremo*) end. ◆ **extremidades** *fpl* (ANAT) extremities.

extremista *adj, m y f* extremist.

extremo, -ma *adj* (*gen*) extreme; (*en el espacio*) far, furthest. ◆ **extremo** *m* **1.** (*punta*) end. **2.** (*límite*) extreme; **en último ~** as a last resort. **3.** (DEP): **~ derecho/izquierdo** outside right/left.

extrovertido, -da, extravertido, -da *adj, m y f* extrovert.
exuberante *adj* exuberant.
exudar *vt* to exude, to ooze.
eyacular *vi* to ejaculate.

F

f, F *f (letra)* f, F. ♦ **23 F** *m* 23rd February, day of the failed coup d'état in Spain in 1981.
f. 1. *(abrev de factura)* inv. 2. *(abrev de folio)* f.
fa *m* (MÚS) F; *(en solfeo)* fa.
fabada *f* Asturian stew made of beans, pork sausage and bacon.
fábrica *f (establecimiento)* factory; ~ **de papel** paper mill.

Recordemos que "fábrica" se dice *factory* en inglés. Debemos saber además que nada tiene que ver con la palabra inglesa *fabric*, que significa 'tela, tejido'. Así a *piece of fabric* es "un trozo de tela" y a *beautiful fabric* es "un hermoso tejido", no una bonita fábrica.

fabricación *f* manufacture; **de ~ casera** home-made; **~ en serie** mass production.
fabricante *m y f* manufacturer.
fabricar *vt* 1. *(producir)* to manufacture, to make. 2. *(construir)* to build, to construct. 3. *fig (inventar)* to fabricate, to make up.
fábula *f* (LITER) fable; *(leyenda)* legend.
fabuloso, -sa *adj* 1. *(ficticio)* mythical. 2. *(muy bueno)* fabulous, fantastic.
facción *f* (POLÍT) faction. ♦ **facciones** *fpl (rasgos)* features.
faceta *f* facet.
facha *f* 1. *(aspecto)* appearance, look. 2. *(mamarracho)* mess; **vas hecho una ~** you look a mess.
fachada *f* (ARQUIT) façade.
facial *adj* facial.
fácil *adj* 1. *(gen)* easy; **~ de hacer** easy to do. 2. *(probable)* likely.
facilidad *f* 1. *(simplicidad)* ease, easiness. 2. *(aptitud)* aptitude; **tener ~ para algo** to have a gift for sthg. ♦ **facilidades** *fpl (comodidades)* facilities; **~es**

de pago easy (payment) terms.
facilitar *vt* 1. *(simplificar)* to facilitate, to make easy; *(posibilitar)* to make possible. 2. *(proporcionar)* to provide.
facsímil, facsímile *m* facsimile.
factible *adj* feasible.
fáctico, -ca → **poder**.
factor *m (gen)* factor.
factura *f* 1. *(por mercancías, trabajo realizado)* invoice. 2. *(de gas, teléfono)* bill; *(en tienda, hotel)* bill.
facturación *f* 1. *(ventas)* net revenue *Am*, turnover *Br*. 2. *(de equipaje - en aeropuerto)* checking-in; *(- en estación)* registration; **mostrador de ~** check-in desk.
facturar *vt* 1. *(cobrar)*: **~le a alguien algo** to invoice o bill sb for sthg. 2. *(vender)* to turn over. 3. *(equipaje - en aeropuerto)* to check in; *(- en estación)* to register.
facultad *f* 1. *(gen)* faculty. 2. *(poder)* power, right.
facultativo, -va ◊ *adj* 1. *(voluntario)* optional. 2. *(médico)* medical. ◊ *m y f* doctor.
faena *f (tarea)* task, work *(U)*.
fagot *m (instrumento)* bassoon.
faisán *m* pheasant.
faja *f* 1. *(prenda de mujer, terapéutica)* corset; *(banda)* sash, cummerbund. 2. *(de terreno - pequeña)* strip; *(- grande)* belt.
fajo *m (de billetes, papel)* wad; *(de leña, cañas)* bundle.
falaz *adj* false.
falda *f* 1. *(prenda)* skirt; **~ escocesa** kilt; **~ pantalón** culottes *(pl)*. 2. *(de montaña)* slope, mountainside.
faldón *m (de ropa)* tail; *(de cortina, mesa camilla)* folds *(pl)*.
falla *f (gen & GEOL)* fault. ♦ **fallas** *fpl (fiesta)* celebrations in Valencia during which cardboard figures are burnt.
fallar ◊ *vt* 1. *(sentenciar)* to pass sentence on; *(premio)* to award. 2. *(equivocar - respuesta)* to get wrong; *(- tiro)* to miss. ◊ *vi* 1. *(equivocarse)* to get it wrong; *(no acertar)* to miss. 2. *(fracasar, flaquear)* to fail; *(- plan)* to go wrong. 3. *(decepcionar)*: **~le a alguien** to let sb down. 4. *(sentenciar)*: **~ a favor/en contra** to find in favour of/against.
fallecer *vi* to pass away, to die.
fallecimiento *m* decease, death.
fallo *m* 1. *(error)* mistake; (DEP) miss. 2. *(sentencia - de juez, jurado)* verdict.
fallutería *f* CSur fam hypocrisy.

falo *m* phallus.

falsear *vt (hechos, historia)* to falsify, to distort; *(moneda, firma)* to forge.

falsedad *f* 1. *(falta de verdad, autenticidad)* falseness. 2. *(mentira)* falsehood.

falsete *m* falsetto.

falsificar *vt* to forge.

falso, -sa *adj* 1. *(rumor, excusa etc)* false, untrue. 2. *(dinero, firma, cuadro)* forged; *(joyas)* fake; **jurar en ~** to commit perjury. 3. *(hipócrita)* deceitful.

falta *f* 1. *(carencia)* lack; **hacer ~** to be necessary; **me hace ~ suerte** I need some luck; **por ~ de** for want o lack of. 2. *(escasez)* shortage. 3. *(ausencia)* absence; **echar en ~ algo/a alguien** *(notar la ausencia de)* to notice that sthg/sb is missing; *(echar de menos)* to miss sthg/sb. 4. *(imperfección)* fault; *(error)* mistake; **~ de educación** bad manners *(pl)*; **~ de ortografía** spelling mistake. 5. (DEP) foul; *(en tenis)* fault. 6. (DER) offence. ♦ **a falta de** *loc prep* in the absence of. ♦ **sin falta** *loc adv* without fail.

faltar *vi* 1. *(no haber)* to be lacking, to be needed; **falta aire** there's not enough air; **falta sal** it needs a bit of salt. 2. *(estar ausente)* to be absent o missing; **falta Elena** Elena is missing. 3. *(carecer)*: **le faltan las fuerzas** he lacks o doesn't have the strength. 4. *(hacer falta)* to be necessary; **me falta tiempo** I need time. 5. *(quedar)*: **falta un mes para las vacaciones** there's a month to go till the holidays; **sólo te falta firmar** all you have to do is sign; **¿cuánto falta para Leeds?** how much further is it to Leeds?; **falta mucho por hacer** there is still a lot to be done; **falta poco para que llegue** it won't be long till he arrives. 6. *loc:* **¡no faltaba o faltaría más!** *(asentimiento)* of course!; *(rechazo)* that tops it all!, that's a bit much! ♦ **faltar a** *vi* 1. *(palabra, promesa)* to break, not to keep; *(deber, obligación)* to neglect. 2. *(cita, trabajo)* not to turn up at; **¡no faltes (a la cita)!** don't miss it!, be there! 3. *(no respetar)* to be disrespectful towards; **~ a alguien en algo** to offend sb in sthg.

falto, -ta *adj:* **~ de** lacking in, short of.

fama *f* 1. *(renombre)* fame. 2. *(reputación)* reputation.

familia *f* family; **en ~** in private.

familiar ◇ *adj* 1. *(de familia)* family *(antes de sust)*. 2. *(en el trato - agradable)* friendly; *(- en demasía)* overly familiar. 3. *(lenguaje, estilo)* informal. 4. *(conocido)* familiar. ◇ *m y f* relative, relation.

familiaridad *f* familiarity.

familiarizar *vt:* **~ (con)** to familiarize (with). ♦ **familiarizarse** *vpr:* **~se con** *(estudiar)* to familiarize o.s. with; *(acostumbrarse a)* to get used to.

famoso, -sa *adj* famous.

fanático, -ca ◇ *adj* fanatical. ◇ *m y f (gen)* fanatic; (DEP) fan.

fanatismo *m* fanaticism.

fanfarrón, -ona *adj* boastful.

fango *m* mud.

fantasear *vi* to fantasize.

fantasía *f (imaginación)* imagination; *(cosa imaginada)* fantasy; **de ~** *(ropa)* fancy; *(bisutería)* imitation.

fantasma ◇ *m (espectro)* ghost, phantom. ◇ *m y f fam (fanfarrón)* show-off.

fantástico, -ca *adj* fantastic.

fantoche *m (títere)* puppet.

fardo *m* bundle.

farfullar *vt & vi* to gabble, to splutter.

faringitis *f inv* sore throat.

farmacéutico, -ca ◇ *adj* pharmaceutical. ◇ *m y f* chemist, pharmacist.

farmacia *f (establecimiento)* pharmacy, drugstore *Am*, chemist's (shop) *Br*; **~ de turno o de guardia** duty chemist.

fármaco *m* medicine, drug.

faro *m* 1. *(para barcos)* lighthouse. 2. *(de coche)* headlight, headlamp; **~ antiniebla** foglamp.

farol *m (farola)* street lamp o light; *(linterna)* lantern, lamp.

farola *f (farol)* street lamp o light; *(poste)* lamppost.

farsa *f lit & fig* farce.

farsante *adj* deceitful.

fascículo *m* part, instalment *(of serialization)*.

fascinante *adj* fascinating.

fascinar *vt* to fascinate.

fascismo *m* fascism.

fascista *adj, m y f* fascist.

fase *f* phase.

fastidiado, -da *adj (de salud)* ill; **ando ~ del estómago** I've got a bad stomach.

fastidiar *vt* 1. *(estropear - fiesta etc)* to spoil, to ruin; *(- máquina, objeto etc)* to break. 2. *(molestar)* to annoy, to bother. ♦ **fastidiarse** *vpr* 1. *(estropearse - fiesta etc)* to be ruined; *(- máquina)* to break down. 2. *(aguantarse)* to put up with it.

fastidio *m* 1. *(molestia)* nuisance, bother. 2. *(enfado)* annoyance.

fastidioso, -sa *adj (molesto)* annoying.

fastuoso, -sa *adj* lavish, sumptuous.

fatal ◇ *adj* **1.** *(mortal)* fatal. **2.** *(muy malo)* terrible, awful. **3.** *(inevitable)* inevitable. ◇ *adv* terribly; **sentirse ~** to feel terrible.

fatalidad *f* **1.** *(destino)* fate, destiny. **2.** *(desgracia)* misfortune.

fatalismo *m* fatalism.

fatídico, -ca *adj* fateful, ominous.

fatiga *f* *(cansancio)* tiredness, fatigue. ◆ **fatigas** *fpl* *(penas)* hardships.

fatigar *vt* to tire, to weary. ◆ **fatigarse** *vpr* to get tired.

fatigoso, -sa *adj* tiring, fatiguing.

fatuo, -tua *adj* **1.** *(necio)* fatuous, foolish. **2.** *(engreído)* conceited.

fauna *f* fauna.

favor *m* favour; **a ~ de** in favour of; **hacerle un ~ a alguien** *(ayudar a)* to do sb a favour; *fam fig (acostarse con)* to go to bed with sb; **pedir un ~ a alguien** to ask sb a favour; **tener a** ○ **en su ~ a alguien** to enjoy sb's support. ◆ **por favor** *loc adv* please.

favorable *adj* favourable; **ser ~ a algo** to be in favour of sthg.

favorecer *vt* **1.** *(gen)* to favour; *(ayudar)* to help, to assist. **2.** *(sentar bien)* to suit.

favoritismo *m* favouritism.

favorito, -ta *adj, m y f* favourite.

fax *m inv* **1.** *(aparato)* fax (machine); **mandar algo por ~** to fax sthg. **2.** *(documento)* fax.

fayuquero *m Méx* dealer in contraband.

fe *f* **1.** *(gen)* faith; **hacer algo de buena ~** to do sthg in good faith. **2.** *(documento)* certificate; **~ de erratas** errata *(pl)*. **3.** *loc*: **dar ~ de que** to testify that.

febrero *m* February; *ver también* **septiembre**.

febril *adj* feverish; *fig (actividad)* hectic.

fecha *f* *(gen)* date; *(momento actual)* current date; **hasta la ~** to date, so far; **~ de caducidad** *(de alimentos)* sell-by date; *(de carné, pasaporte)* expiry date; *(de medicamento)* 'use before' date; **~ tope** ○ **límite** deadline.

fechar *vt* to date.

fécula *f* starch *(in food)*.

fecundación *f* fertilization; **~ artificial** artificial insemination; **~ in vitro** in vitro fertilization.

fecundar *vt* **1.** *(fertilizar)* to fertilize. **2.** *(hacer productivo)* to make fertile.

fecundo, -da *adj* *(gen)* fertile; *(artista)* prolific.

federación *f* federation.

federal *adj, m y f* federal.

federar *vt* to federate. ◆ **federarse** *vpr* **1.** *(formar federación)* to become ○ form a federation. **2.** *(ingresar en federación)* to join a federation.

feedback ['fidbak] *(pl* **feedbacks)** *m* feedback.

felicidad *f* happiness. ◆ **felicidades** *interj*: **¡~es!** *(gen)* congratulations!; *(en cumpleaños)* happy birthday!

felicitación *f* **1.** *(acción):* **felicitaciones** congratulations. **2.** *(postal)* greetings card.

felicitar *vt* to congratulate.

feligrés, -esa *m y f* parishioner.

felino, -na *adj* feline.

feliz *adj* **1.** *(gen)* happy. **2.** *(afortunado)* lucky. **3.** *(oportuno)* timely.

felpa *f* *(de seda)* plush; *(de algodón)* towelling.

felpudo *m* doormat.

femenino, -na *adj* *(gen)* feminine; (BOT & ZOOL) female. ◆ **femenino** *m* (GRAM) feminine.

fémina *f* woman, female.

feminismo *m* feminism.

feminista *adj, m y f* feminist.

fémur *(pl* **fémures)** *m* femur, thighbone.

fénix *m inv* *(ave)* phoenix.

fenomenal *adj* *(magnífico)* wonderful.

fenómeno ◇ *m* *(gen)* phenomenon. ◇ *adv fam* brilliantly, fantastically; **pasarlo ~** to have a great time. ◇ *interj*: **¡~!** great!, terrific!

feo, -a *adj* **1.** *(persona)* ugly. **2.** *(aspecto, herida, conducta)* nasty; **es ~ escupir** it's rude to spit.

féretro *m* coffin.

feria *f* **1.** *(gen)* fair; **~ (de muestras)** trade fair. **2.** *(fiesta popular)* festival.

feriado *m Amer* public holiday

fermentación *f* fermentation.

fermentar *vt & vi* to ferment.

ferocidad *f* ferocity, fierceness.

feroz *adj* **1.** *(animal, bestia)* fierce, ferocious. **2.** *fig (criminal, asesino)* cruel, savage. **3.** *fig (dolor, angustia)* fierce.

ferretería *f* hardware store, ironmonger's (shop) *Br*.

ferrocarril *m* *(sistema, medio)* railroad *Am*, railway *Br*; *(tren)* train; **por ~** by train.

ferroviario, -ria *adj* rail *(antes de sust)*, railroad *(antes de sust) Am*, railway *(antes de sust) Br*.

ferry *m* ferry.

fértil *adj lit & fig* fertile.

fertilidad *f lit & fig* fertility.

fertilizante *m* fertilizer.

fertilizar *vt* to fertilize.

ferviente *adj* fervent.

fervor *m* fervour.

festejar *vt (celebrar)* to celebrate.

festejo *m (fiesta)* party. ◆ **festejos** *mpl (fiestas)* public festivities.

festín *m* banquet, feast.

festival *m* festival.

festividad *f* festivity.

festivo, -va *adj* **1.** *(de fiesta)* festive; **día ~** *(public)* holiday. **2.** *(alegre)* cheerful, jolly; *(chistoso)* funny, witty.

fétido, -da *adj* fetid, foul-smelling.

feto *m* foetus.

feudal *adj* feudal.

fiable *adj (máquina)* reliable; *(persona)* trustworthy.

fiador, -ra *m y f* guarantor, surety; **salir ~ por** to vouch for.

fiambre *m (comida)* cold cut *Am*, cold meat *Br*.

fiambrera *f* lunch o sandwich box.

fianza *f* **1.** *(depósito)* deposit. **2.** (DER) bail; **bajo ~** on bail. **3.** *(garantía)* security, bond.

fiar ◇ *vt* (COM) to sell on credit. ◇ *vi* (COM) to sell on credit; **ser de ~** *fig* to be trustworthy. ◆ **fiarse** *vpr*: **¡no te fíes!** don't be too sure (about it)!; **~se de algo/alguien** to trust sthg/sb.

fiasco *m* fiasco.

FIBA *(abrev de Federación Internacional de Baloncesto Amateur) f* FIBA.

fibra *f (gen)* fibre; *(de madera)* grain; **~ de vidrio** fibreglass.

ficción *f (gen)* fiction.

ficha *f* **1.** *(tarjeta)* (index) card; *(con detalles personales)* file, record card. **2.** *(de guardarropa, aparcamiento)* ticket. **3.** *(de teléfono)* token. **4.** *(de juego - gen)* counter; *(en ajedrez)* piece; *(en un casino)* chip. **5.** (INFORM) card.

fichar ◇ *vt* **1.** *(archivar)* to note down on an index card, to file. **2.** *(suj: policía)* to put on police files o records. **3.** (DEP) to sign up. ◇ *vi* **1.** *(suj: trabajador - al entrar)* to clock in; *(- al salir)* to clock out. **2.** (DEP): **~ (por)** to sign up (for).

fichero *m* (INFORM) file.

ficticio, -cia *adj (imaginario)* fictitious.

fidedigno, -na *adj* reliable.

fidelidad *f* **1.** *(lealtad)* loyalty; *(de cónyuge, perro)* faithfulness. **2.** *(precisión)* accuracy; **alta ~** high fidelity.

fideo *m* noodle.

fiebre *f* fever; **tener ~** to have a temperature; **~ del heno** hay fever.

fiel *adj* **1.** *(leal - amigo, seguidor)* loyal; *(- cónyuge, perro)* faithful. **2.** *(preciso)* accurate. ◆ **fieles** *mpl* (RELIG): **los ~es** the faithful.

fieltro *m* felt.

fiero, -ra *adj* savage, ferocious. ◆ **fiera** *f (animal)* wild animal.

fierro *m Amer* **1.** *(hierro)* iron. **2.** *(navaja)* penknife.

fiesta *f* **1.** *(reunión)* party; *(de pueblo etc)* (local) festivities *(pl)*; **~ mayor** *local celebrations for the festival of a town's patron saint.* **2.** *(día)* public holiday; **ser ~** to be a public holiday; **hacer ~** to be on holiday. ◆ **fiestas** *fpl (vacaciones)* holidays.

figura *f* **1.** *(gen)* figure; *(forma)* shape. **2.** *(en naipes)* picture card.

figurado, -da *adj* figurative.

figurar ◇ *vi* **1.** *(aparecer)*: **~ (en)** to appear (in), to figure (in). **2.** *(ser importante)* to be prominent o important. ◇ *vt* **1.** *(representar)* to represent. **2.** *(simular)* to feign, to simulate. ◆ **figurarse** *vpr (imaginarse)* to imagine; **ya me lo figuraba yo** I thought as much.

fijador *m (líquido)* fixative; **~ de pelo** *(crema)* hair gel; *(espray)* hair spray.

fijar *vt* **1.** *(gen)* to fix; *(asegurar)* to fasten; *(cartel)* to stick up; *(sello)* to stick on. **2.** *(significado)* to establish; **~ el domicilio** to take up residence; **~ la mirada/la atención en** to fix one's gaze/attention on. ◆ **fijarse** *vpr* to pay attention; **~se en algo** *(darse cuenta)* to notice sthg; *(prestar atención)* to pay attention to sthg.

fijo, -ja *adj* **1.** *(gen)* fixed; *(sujeto)* secure. **2.** *(cliente)* regular. **3.** *(fecha)* definite. **4.** *(empleado, trabajo)* permanent.

fila *f (hilera - gen)* line; *(- de asientos)* row; **en ~, en ~ india** in line, in single file; **ponerse en ~** to line up. ◆ **filas** *fpl* (MIL) ranks; **cerrar ~s** *fig* to close ranks.

filarmónico, -ca *adj* philharmonic.

filatelia *f* philately.

filete *m* (CULIN - *grueso)* (fillet) steak; *(- delgado)* fillet; *(solomillo)* sirloin.

filiación *f* (POLÍT) affiliation.

filial ◇ *adj* **1.** *(de hijo)* filial. **2.** *(de empresa)* subsidiary. ◇ *f* subsidiary.

filigrana *f (en orfebrería)* filigree.

Filipinas *fpl*: **(las) ~** the Philippines *(sg)*.

film = **filme**.

filmar *vt* to film, to shoot.

filme (*pl* **filmes**), **film** (*pl* **films**) *m* movie *Am*, film *Br*.

filo *m* (cutting) edge; **de doble ~**, **de dos ~s** *lit & fig* double-edged. ◆ **al filo de** *loc prep* just before.

filología *f* 1. (*ciencia*) philology. 2. (*carrera*) language and literature.

filón *m* 1. (*de carbón etc*) seam. 2. *fig* (*mina*) gold mine.

filoso, -sa, **filudo, -da** *adj Amer* sharp.

filosofía *f* (*ciencia*) philosophy.

filósofo, -fa *m y f* philosopher.

filtración *f* 1. (*de agua*) filtration. 2. *fig* (*de noticia etc*) leak.

filtrar *vt* 1. (*tamizar*) to filter. 2. *fig* (*datos, noticia*) to leak. ◆ **filtrarse** *vpr* 1. (*penetrar*): **~se (por)** to filter ○ seep (through). 2. *fig* (*datos, noticia*) to be leaked.

filtro *m* 1. (*gen*) filter; (*de cigarrillo*) filter, filter tip. 2. (*pócima*) philtre.

filudo, -da = filoso.

fin *m* 1. (*final*) end; **dar** ○ **poner ~ a algo** to put an end to sthg; **tocar a su ~** to come to a close; **~ de semana** weekend; **a ~es de** at the end of; **al ○ por ~** at last, finally; **a ~ de cuentas** after all; **al ~ y al cabo** after all. 2. (*objetivo*) aim, goal. ◆ **a fin de** *loc conj* in order to. ◆ **en fin** *loc adv* anyway.

final ◇ *adj* final, end (*antes de sust*). ◇ *m* end; **~ feliz** happy ending; **a ~es de** at the end of; **al ~** (*en conclusión*) in the end. ◇ *f* final.

finalidad *f* aim, purpose.

finalista *m y f* finalist.

finalizar ◇ *vt* to finish, to complete. ◇ *vi*: **~ (con)** to end ○ finish (in).

financiación *f* financing.

financiar *vt* to finance.

financiero, -ra ◇ *adj* financial. ◇ *m y f* (*persona*) financier. ◆ **financiera** *f* (*firma*) finance company.

financista *m y f Amer* financier.

finanzas *fpl* finance (U).

finca *f* (*gen*) property; (*casa de campo*) country residence.

fingir ◇ *vt* to feign. ◇ *vi* to pretend.

finito, -ta *adj* finite.

finlandés, -esa ◇ *adj* Finnish. ◇ *m y f* (*persona*) Finn. ◆ **finlandés** *m* (*lengua*) Finnish.

Finlandia Finland.

fino, -na *adj* 1. (*gen*) fine; (*delgado*) thin; (*cintura*) slim. 2. (*cortés*) refined. 3. (*agudo - oído, olfato*) sharp, keen; (- *gusto, humor, ironía*) refined. ◆ **fino** *m* dry sherry.

firma *f* 1. (*rúbrica*) signature; (*acción*) signing. 2. (*empresa*) firm.

firmamento *m* firmament.

firmar *vt* to sign.

firme *adj* 1. (*gen*) firm; (*mueble, andamio, edificio*) stable. 2. (*argumento, base*) solid. 3. (*carácter, actitud, paso*) resolute.

firmeza *f* 1. (*gen*) firmness; (*de mueble, edificio*) stability. 2. (*de argumento*) solidity. 3. (*de carácter, actitud*) resolution.

fiscal ◇ *adj* tax (*antes de sust*), fiscal. ◇ *m y f* district attorney *Am*, public prosecutor *Br*.

fisco *m* treasury, exchequer.

fisgar, fisgonear *vi* (*gen*) to pry; (*escuchando*) to eavesdrop.

fisgón, -ona *m y f* nosy parker.

fisgonear = fisgar.

físico, -ca ◇ *adj* physical. ◇ *m y f* (*persona*) physicist. ◆ **físico** *m* (*complexión*) physique. ◆ **física** *f* (*ciencia*) physics (U).

fisiológico, -ca *adj* physiological.

fisionomía, fisonomía *f* features (*pl*), appearance.

fisioterapeuta *m y f* physiotherapist.

fisonomía = fisionomía.

fisura *f* (*grieta*) fissure.

flacidez, flaccidez *f* flabbiness.

flácido, -da, fláccido, -da *adj* flaccid, flabby.

flaco, -ca *adj* thin, skinny.

flagrante *adj* flagrant.

flamante *adj* (*vistoso*) resplendent; (*nuevo*) brand-new.

flambear *vt* to flambé.

flamenco, -ca ◇ *adj* 1. (MÚS) flamenco (*antes de sust*). 2. (*de Flandes*) Flemish. ◇ *m y f* (*de Flandes*) Fleming. ◆ **flamenco** *m* 1. (*ave*) flamingo. 2. (*lengua*) Flemish. 3. (MÚS) flamenco.

flan *m* crème caramel; **estar hecho ○ como un ~** to shake like a jelly, to be a bundle of nerves.

> Es preciso no confundir la palabra "flan" del español con la voz inglesa *flan*. Aunque ambas palabras se pronuncian casi igual y las dos se refieren a deliciosos postres, la palabra inglesa *flan* se refiere a una tarta de frutas.

flanco *m* flank.

flaquear *vi* to weaken; *fig* to flag.

flaqueza *f* weakness.

flash [flaʃ] (*pl* **flashes**) *m* 1. (FOT) flash. 2. (*informativo*) newsflash.

flato *m*: **tener ~** to have a stitch.

flauta ◊ *f* flute; **~ dulce** recorder; **de la gran ~** *CSur fig* tremendous. ◊ *interj*: **¡(la gran) ~!** *CSur* good grief!, good heavens!

flecha *f* (*gen*) arrow; (ARQUIT) spire.

flechazo *m fam fig* (*amoroso*): **fue un ~** it was love at first sight.

fleco *m* (*adorno*) fringe.

flema *f* phlegm.

flemón *m* gumboil.

flequillo *m* fringe.

flete *m* 1. (*precio*) freightage. 2. (*carga*) cargo, freight.

flexible *adj* flexible.

flexo *m* adjustable table lamp o light.

flipar *Esp fam vi* 1. (*disfrutar*) to have a wild time. 2. (*asombrarse*) to be gobsmacked. 3. (*con una droga*) to be stoned o high.

flirtear *vi* to flirt.

flojear *vi* (*decaer - piernas, fuerzas etc*) to weaken; (*- memoria*) to be failing; (*- película, libro*) to flag; (*- calor, trabajo*) to ease off; (*- ventas*) to fall off.

flojera *f* lethargy, feeling of weakness.

flojo, -ja *adj* 1. (*suelto*) loose. 2. (*débil - persona, bebida*) weak; (*- sonido*) faint; (*- tela*) thin; (*- salud*) poor; (*- viento*) light. 3. (*inactivo - mercado, negocio*) slack.

flor *f* 1. (BOT) flower; **echar ~es a alguien** to pay sb compliments. 2. (*lo mejor*): **la ~ (y nata)** the crème de la crème, the cream. ◆ **a flor de** *loc adv*: **a ~ de agua/tierra** at water/ground level.

flora *f* flora.

florecer *vi* to flower; *fig* to flourish.

floreciente *adj fig* flourishing.

florero *m* vase.

florido, -da *adj* (*con flores*) flowery; (*estilo, lenguaje*) florid.

florista *m y f* florist.

floristería *f* florist's (shop).

flota *f* fleet.

flotación *f* (*gen & ECON*) flotation.

flotador *m* 1. (*para nadar*) rubber ring. 2. (*de caña de pescar*) float.

flotar *vi* (*gen & ECON*) to float; (*banderas*) to flutter.

flote ◆ **a flote** *loc adv* afloat; **salir a ~** *fig* to get back on one's feet.

flotilla *f* flotilla.

fluctuar *vi* (*variar*) to fluctuate.

fluido, -da *adj* 1. (*gen*) fluid; (*tráfico*) free-flowing. 2. (*relaciones*) smooth. 3. *fig* (*lenguaje*) fluent. ◆ **fluido** *m* fluid; **~ eléctrico** electric current o power.

fluir *vi* to flow.

flujo *m* flow; **~ de caja** cash flow.

flúor *m* fluorine.

fluorescente *m* strip light.

fluvial *adj* river (*antes de sust*).

FM (*abrev de frecuencia modulada*) *f* FM.

FMI (*abrev de Fondo Monetario Internacional*) *m* IMF.

fobia *f* phobia.

foca *f* seal.

foco *m* 1. *fig* (*centro*) centre, focal point. 2. (*lámpara - para un punto*) spotlight; (*- para una zona*) floodlight. 3. (FÍS & GEOM) focus. 4. *Amer* (*bombilla*) light bulb.

fofo, -fa *adj* flabby.

fogata *f* bonfire, fire.

fogón *m* (*para cocinar*) stove.

fogoso, -sa *adj* passionate.

fogueo *m*: **de ~** blank.

foie-gras [fwa'ɣras] *m* (pâté de) foie-gras.

folclore, folclor *m* folklore.

folio *m* (*hoja*) leaf, sheet; (*tamaño*) folio.

follaje *m* foliage.

folletín *m* (*dramón*) melodrama.

folleto *m* (*turístico, publicitario*) brochure; (*explicativo, de instrucciones*) leaflet.

follón *m Esp fam* 1. (*discusión*) row; **se armó ~** there was an almighty row. 2. (*lío*) mess; **¡vaya ~!** what a mess!

fomentar *vt* to encourage, to foster.

fonda *f* boarding house.

fondo *m* 1. (*de recipiente, mar, piscina*) bottom; **tocar ~** (*embarcación*) to scrape along the sea/river bed; *fig* to hit rock bottom; **doble ~** false bottom. 2. (*de habitación etc*) back; **al ~ de** (*calle, pasillo*) at the end of; (*sala*) at the back of. 3. (*dimensión*) depth. 4. (*de tela, cuadro, foto*) background; **al ~** in the background. 5. (*de asunto, tema*) heart, bottom. 6. (ECON) fund; **a ~ perdido** nonreturnable; **~ común** kitty; **~ de amortización/de inversión/de pensiones** (ECON) sinking/investment/pension fund. 7. (*de biblioteca, archivo*) catalogue, collection. 8. (DEP) stamina. 9. *Col & Méx* (*combinación*) petticoat. ◆ **fondos** *mpl* (ECON) (*capital*) funds; **recaudar ~s** to raise funds. ◆ **a fondo** *loc adv* thoroughly. ◊ *loc adj* thorough. ◆ **en el fondo** *loc adv* 1. (*en lo más íntimo*) deep down. 2. (*en lo esencial*) basically.

fonético, -ca *adj* phonetic. ◆ **fonética** *f* (*ciencia*) phonetics (U).

fontanería *f* plumbing.

fontanero, -ra *m y f* plumber.

football = fútbol.

footing ['futin] *m* jogging; **hacer ~** to go jogging.

forastero, -ra *m y f* stranger.

forcejear *vi* to struggle.

fórceps *m inv* forceps.

forense ◇ *adj* forensic. ◇ *m y f* forensic pathologist.

forestal *adj* forest (*antes de sust*).

forja *f* (*fragua*) forge; (*forjadura*) forging.

forjar *vt* 1. (*metal*) to forge. 2. *fig* (*inventarse*) to invent; (*crear*) to build up.
♦ **forjarse** *vpr fig* (*labrarse*) to carve out for o.s.

forma *f* 1. (*gen*) shape, form; **en ~ de** in the shape of; **guardar las ~s** to keep up appearances. 2. (*manera*) way, manner; **de cualquier ~, de todas ~s** anyway, in any case; **de esta ~** in this way; **de ~ que** in such a way that, so that. 3. (ARTE & LITER) form. 4. (*condición física*) fitness; **estar en ~** to be fit. ♦ **formas** *fpl* 1. (*silueta*) figure (*sg*). 2. (*modales*) social conventions.

formación *f* 1. (*gen & MIL*) formation. 2. (*educación*) training; **~ profesional** vocational training. 3. (*conjunto*) grouping.

formal *adj* 1. (*gen*) formal. 2. (*que se porta bien*) well-behaved, good. 3. (*de confianza*) reliable. 4. (*serio*) serious.

formalidad *f* 1. (*gen*) formality. 2. (*educación*) (good) manners (*pl*). 3. (*fiabilidad*) reliability. 4. (*seriedad*) seriousness.

formalizar *vt* to formalize.

formar ◇ *vt* 1. (*gen*) to form. 2. (*educar*) to train, to educate. ◇ *vi* (MIL) to fall in. ♦ **formarse** *vpr* 1. (*gen*) to form. 2. (*educarse*) to be trained o educated.

formatear *vt* (INFORM) to format.

formato *m* (*gen & INFORM*) format.

formidable *adj* (*enorme*) tremendous; (*extraordinario*) amazing, fantastic.

fórmula *f* formula; **~ uno** formula one.

formular *vt* to formulate.

formulario *m* form.

foro *m* 1. (*tribunal*) court (of law). 2. (TEATRO) back of the stage. 3. (*debate*) forum.

forofo, -fa *m y f Esp fam* fan, supporter.

forrar *vt*: **~ (de)** (*libro*) to cover (with); (*ropa*) to line (with); (*asiento*) to upholster (with).

forro *m* (*de libro*) cover; (*de ropa*) lining; (*de asiento*) upholstery.

fortalecer *vt* to strengthen.

fortaleza *f* 1. (*gen*) strength. 2. (*recinto*) fortress.

fortificación *f* fortification.

fortuna *f* 1. (*suerte*) (good) luck; **por ~** fortunately, luckily. 2. (*destino*) fortune, fate. 3. (*riqueza*) fortune.

forúnculo, furúnculo *m* boil.

forzado, -da *adj* forced.

forzar *vt* 1. (*gen*) to force; **~ la vista** to strain one's eyes. 2. (*violar*) to rape.

forzoso, -sa *adj* (*obligatorio*) obligatory, compulsory; (*inevitable*) inevitable; (*necesario*) necessary.

forzudo, -da *adj* strong.

fosa *f* 1. (*sepultura*) grave. 2. (ANAT) cavity; **~s nasales** nostrils. 3. (*hoyo*) pit; **~ marina** ocean trough.

fosforescente *adj* phosphorescent.

fósforo *m* 1. (QUÍM) phosphorus. 2. (*cerilla*) match.

fósil *m* (CIENCIA) fossil.

foso *m* (*hoyo*) ditch; (*de fortaleza*) moat; (*de garaje*) pit; (DEP & TEATRO) pit.

foto *f* photo.

fotocopia *f* (*objeto*) photocopy.

fotocopiadora *f* photocopier.

fotocopiar *vt* to photocopy.

fotogénico, -ca *adj* photogenic.

fotografía *f* 1. (*arte*) photography. 2. (*objeto*) photograph.

fotografiar *vt* to photograph.

fotógrafo, -fa *m y f* photographer.

fotomatón *m* passport photo machine.

fotonovela *f* photo story.

fotosíntesis *f inv* photosynthesis.

FP (*abrev de* **formación profesional**) *f* vocationally orientated secondary education in Spain for pupils aged 14-18.

fra. (*abrev de* **factura**) inv.

frac (*pl* **fracs**) *m* tails (*pl*), dress coat.

fracasar *vi*: **~ (en/como)** to fail (at/as).

fracaso *m* failure; **todo fue un ~** the whole thing was a disaster.

fracción *f* 1. (*gen*) fraction. 2. (POLÍT) faction.

fractura *f* fracture.

fragancia *f* fragrance.

fragata *f* frigate.

frágil *adj* (*objeto*) fragile; (*persona*) frail.

fragilidad *f* (*de objeto*) fragility; (*de persona*) frailty.

fragmentar *vt* (*romper*) to fragment; (*dividir*) to divide.

fragmento m fragment, piece; *(de obra)* excerpt.

fragua f forge.

fraile m friar.

frambuesa f raspberry.

francés, -esa ◊ adj French. ◊ m y f Frenchman (f Frenchwoman); **los franceses** the French. ♦ **francés** m *(lengua)* French.

Francia France.

franco, -ca adj 1. *(sincero)* frank, open; *(directo)* frank. 2. *(sin obstáculos, gastos)* free. ♦ **franco** m *(moneda)* franc.

francotirador, -ra m y f (MIL) sniper.

franela f flannel.

franja f strip; *(en bandera, uniforme)* stripe.

franquear vt 1. *(paso, camino)* to clear. 2. *(río, montaña etc)* to negotiate, to cross. 3. *(correo)* to frank.

franqueo m postage.

franqueza f *(sinceridad)* frankness.

franquicia f exemption.

franquismo m: **el ~** *(régimen)* the Franco regime.

frasco m small bottle.

frase f 1. *(oración)* sentence. 2. *(locución)* expression; **~ hecha** *(modismo)* set phrase; *(tópico)* cliché.

fraternidad, fraternización f brotherhood, fraternity.

fraterno, -na adj brotherly, fraternal.

fraude m fraud; **~ fiscal** tax evasion.

fraudulento, -ta adj fraudulent.

fray m brother.

frazada f Amer blanket; **~ eléctrica** electric blanket.

frecuencia f frequency; **con ~** often; **~ modulada, modulación de ~** frequency modulation.

frecuentar vt *(lugar)* to frequent; *(persona)* to see, to visit.

frecuente adj *(reiterado)* frequent; *(habitual)* common.

fregadero m (kitchen) sink.

fregado, -da adj Amer fam troublesome, annoying.

fregar vt 1. *(limpiar)* to wash; **~ los platos** to do the washing-up. 2. *(frotar)* scrub. 3. Amer fam *(molestar)* to bother, to pester.

fregona f *(utensilio)* mop.

freidora f *(gen)* deep fat fryer; *(para patatas fritas)* chip pan.

freír vt (CULIN) to fry.

frenar ◊ vt 1. (AUTOM) to brake. 2. *(contener)* to check. ◊ vi to stop; (AUTOM) to brake.

frenazo m 1. (AUTOM): **dar un ~** to brake hard. 2. *fig (parón)* sudden stop.

frenesí *(pl* frenesíes*)* m frenzy.

frenético, -ca adj 1. *(colérico)* furious, mad. 2. *(enloquecido)* frenzied, frantic.

freno m 1. (AUTOM) brake. 2. *(de caballerías)* bit. 3. *fig (contención)* check; **poner ~ a** to put a stop to.

frente ◊ f forehead; **~ a ~** face to face. ◊ m front; **estar al ~ (de)** to be at the head (of); **hacer ~ a** to face up to; **~ frío** cold front. ♦ **de frente** loc adv 1. *(hacia delante)* forwards. 2. *(uno contra otro)* head on. ♦ **frente a** loc prep 1. *(enfrente de)* opposite. 2. *(con relación a)* towards.

fresa f *(planta, fruto)* strawberry.

fresco, -ca ◊ adj 1. *(gen)* fresh; *(temperatura)* cool; *(pintura, tinta)* wet. 2. *(caradura)* cheeky. ◊ m y f *(caradura)* cheeky person. ♦ **fresco** m 1. (ARTE) fresco; **al ~** in fresco. 2. *(frescor)* coolness; **hace ~** it's chilly; **tomar el ~** to get a breath of fresh air.

frescor m coolness, freshness.

frescura f 1. *(gen)* freshness. 2. *(descaro)* cheek, nerve.

fresno m ash (tree).

fresón m large strawberry.

frialdad f lit & fig coldness.

fricción f *(gen)* friction; *(friega)* rub, massage.

friega f massage.

frigidez f frigidity.

frigorífico, -ca adj *(camión)* refrigerator *(antes de sust)*; *(cámara)* cold. ♦ **frigorífico** m Esp refrigerator, icebox Am, fridge Br.

frijol, fríjol m Amer bean.

frío, -a adj *(gen)* cold; *(inmutable)* cool; **dejar a alguien ~** to leave sb cold. ♦ **frío** m cold; **hacer un ~ que pela** to be freezing cold; **tener ~** to be cold; **coger a alguien en ~** fig to catch sb on the hop.

friolento, -ta adj Amer sensitive to the cold.

frito, -ta ◊ pp → **freír**. ◊ adj 1. *(alimento)* fried. 2. fam fig *(persona - harta)* fed up (to the back teeth); *(- dormida)* flaked out, asleep. ♦ **frito** m *(gen pl)* fried food *(U)*.

frívolo, -la adj frivolous.

frondoso, -sa adj leafy.

frontal adj frontal.

frontera f border; fig *(límite)* bounds *(pl)*.

fronterizo, -za *adj* border (*antes de sust*).

frontón *m* (*deporte*) pelota; (*cancha*) pelota court.

frotar *vt* to rub. ◆ **frotarse** *vpr*: ~**se las manos** to rub one's hands.

fructífero, -ra *adj* fruitful.

frugal *adj* frugal.

fruncir *vt* 1. (*labios*) to purse; ~ **el ceño** to frown. 2. (*tela*) to gather.

fruslería *f* triviality, trifle.

frustración *f* frustration.

frustrar *vt* (*persona*) to frustrate. ◆ **frustrarse** *vpr* 1. (*persona*) to get frustrated. 2. (*ilusiones*) to be thwarted; (*proyecto*) to fail.

fruta *f* fruit.

frutal *m* fruit tree.

frutería *f* fruit shop.

frutero, -ra *m y f* (*persona*) fruiterer. ◆ **frutero** *m* (*recipiente*) fruit bowl.

frutilla *f CSur* strawberry.

fruto *m* 1. (*naranja, plátano etc*) fruit; (*nuez, avellana etc*) nut; ~**s secos** dried fruit and nuts. 2. (*resultado*) fruit; **dar** ~ to bear fruit; **sacar** ~ **a** ○ **de algo** to profit from sthg.

fucsia *f* (*planta*) fuchsia.

fue 1. → **ir**. 2. → **ser**.

fuego *m* 1. (*gen & MIL*) fire; (*de cocina, fogón*) ring, burner; **a** ~ **lento/vivo** (CULIN) over a low/high heat; **pegar** ~ **a algo** to set sthg on fire, to set fire to sthg; **pedir/dar** ~ to ask for/give a light; **¿tiene** ~**?** have you got a light?; ~**s artificiales** fireworks. 2. (*apasionamiento*) passion, ardour.

fuelle *m* (*gen*) bellows (*pl*).

fuente *f* 1. (*manantial*) spring. 2. (*construcción*) fountain. 3. (*bandeja*) (serving) dish. 4. *fig* (*origen*) source; ~**s oficiales** official sources.

fuera ◇ *v* 1. → **ir**. 2. → **ser**. ◇ *adv* 1. (*en el exterior*) outside; **le echó** ~ she threw him out; **hacia** ~ outwards; **por** ~ (on the) outside. 2. (*en otro lugar*) away; (*en el extranjero*) abroad; **de** ~ (*extranjero*) from abroad. 3. *fig* (*alejado*): ~ **de** (*alcance, peligro*) out of; (*cálculos, competencia*) outside; **estar** ~ **de sí** to be beside o.s. (with rage). 4. (DEP): ~ **de juego** offside. ◇ *interj*: **¡**~**!** (*gen*) (get) out!; (*en el teatro*) (get) off! ◆ **fuera de** *loc prep* (*excepto*) except for, apart from. ◆ **fuera de serie** *adj* exceptional.

fuero *m* 1. (*ley local*) (*gen pl*) ancient regional law still existing in some parts of Spain. 2. (*jurisdicción*) code of laws.

fuerte ◇ *adj* 1. (*gen*) strong. 2. (*carác-*

ter) unpleasant. 3. (*frío, dolor, color*) intense; (*lluvia*) heavy; (*ruido*) loud; (*golpe, pelea*) hard. 4. (*comida, salsa*) rich. 5. (*nudo*) tight. ◇ *adv* 1. (*intensamente - gen*) hard; (- *abrazar, agarrar*) tight. 2. (*abundantemente*) a lot. 3. (*en voz alta*) loudly. ◇ *m* 1. (*fortificación*) fort. 2. (*punto fuerte*) strong point, forte.

fuerza *f* 1. (*gen*) strength; (*violencia*) force; (*de sonido*) loudness; (*de dolor*) intensity; **por** ~ of necessity; **tener** ~**s para** to have the strength to; ~ **mayor** (DER) force majeure; (*en seguros*) act of God; **no llegué por un caso de** ~ **mayor** I didn't make it due to circumstances beyond my control; ~ **de voluntad** willpower; **a** ~ **de** by dint of; **a la** ~ (*contra la voluntad*) by force; (*por necesidad*) of necessity; **por la** ~ by force. 2. (FÍS & MIL) force; ~**s armadas** armed forces; ~**s del orden público** police (*pl*). 3. (ELECTR) power. ◆ **fuerzas** *fpl* (*grupo*) forces.

fuese 1. → **ir**. 2. → **ser**.

fuga *f* 1. (*huida*) escape. 2. (*escape*) leak. 3. (MÚS) fugue.

fugarse *vpr* to escape; ~ **de casa** to run away from home; ~ **con alguien** to run off with sb.

fugaz *adj* fleeting.

fugitivo, -va *m y f* fugitive.

fui → **ir**.

fulano, -na *m y f* what's his/her name, so-and-so.

fulgor *m* shining; (*de disparo*) flash.

fulminante *adj fig* (*despido, muerte*) sudden; (*enfermedad*) devastating; (*mirada*) withering.

fulminar *vt* (*suj: enfermedad*) to strike down; ~ **a alguien con la mirada** to look daggers at sb.

fumador, -ra *m y f* smoker; ~ **pasivo** passive smoker; **no** ~ nonsmoker.

fumar *vt & vi* to smoke.

fumigar *vt* to fumigate.

función *f* 1. (*gen*) function; (*trabajo*) duty; **director en funciones** acting director; **entrar en funciones** to take up one's duties. 2. (CIN & TEATRO) show. ◆ **en función de** *loc prep* depending on.

funcional *adj* functional.

funcionamiento *m* operation, functioning.

funcionar *vi* to work; ~ **con gasolina** to run on petrol; **'no funciona'** 'out of order'.

funcionario, -ria *m y f* civil servant.

funda *f* (*de sofá, máquina de escribir*) cover; (*de almohada*) case; (*de disco*)

sleeve; *(de pistola)* sheath.
fundación *f* foundation.
fundador, -ra *m y f* founder.
fundamental *adj* fundamental.
fundamentar *vt* **1.** *fig (basar)* to base. **2.** (CONSTR) to lay the foundations of. ◆ **fundamentarse en** *vpr fig (basarse)* to be based o founded on.
fundamento *m* **1.** *(base)* foundation, basis. **2.** *(razón)* reason, grounds *(pl)*; **sin ~** unfounded, groundless.
fundar *vt* **1.** *(crear)* to found. **2.** *(basar):* **~ (en)** to base (on). ◆ **fundarse** *vpr (basarse):* **~se (en)** to be based (on).
fundición *f* **1.** *(fusión - de vidrio)* melting; *(- de metal)* smelting. **2.** *(taller)* foundry.
fundir *vt* **1.** *(plomo)* to melt; *(hierro)* to smelt. **2.** (ELECTR) to fuse; *(bombilla, fusible)* to blow. **3.** (COM & *fig)* to merge. ◆ **fundirse** *vpr* **1.** (ELECTR) to blow. **2.** *(derretirse)* to melt. **3.** (COM & *fig)* to merge.
fúnebre *adj* funeral *(antes de sust)*.
funeral *m (gen pl)* funeral.
funerario, -ria *adj* funeral *(antes de sust)*. ◆ **funeraria** *f* mortician's *Am*, undertaker's *Br*.
funesto, -ta *adj* fateful, disastrous.
fungir *vi Amer* to act, to serve.
funicular *m* **1.** *(por tierra)* funicular. **2.** *(por aire)* cable car.
furgón *m* (AUTOM) van; (FERROC) wagon.
furgoneta *f* van.
furia *f* fury.
furioso, -sa *adj* furious.
furor *m* **1.** *(enfado)* fury, rage. **2.** *loc:* **hacer ~** to be all the rage.
furtivo, -va *adj (mirada, sonrisa)* furtive.
furúnculo *m* = forúnculo.
fusible *m* fuse.
fusil *m* rifle.
fusilar *vt (ejecutar)* to execute by firing squad, to shoot.
fusión *f* **1.** *(agrupación)* merging. **2.** *(de empresas, bancos)* merger. **3.** *(derretimiento)* melting. **4.** (FÍS) fusion.
fusta *f* riding crop.
fustán *m Amer* petticoat.
fuste *m* shaft.
fútbol, football ['fudbol] *m* football; **~ sala** indoor five-a-side.
futbolín *m* table football.
futbolista *m y f* footballer.
fútil *adj* trivial.

futilidad *f* triviality.
futón *m* futon.
futuro, -ra *adj* future. ◆ **futuro** *m* (gen & GRAM) future. ◆ **futuros** *mpl* (ECON) futures.

G

g¹, G *f (letra)* g, G.
g² *(abrev de* **gramo***)* g.
gabacho, -cha *fam despec m y f* **1.** *(francés)* Frog, *pejorative term referring to a French person.* **2.** *Méx (norteamericano)* Yank.
gabán *m* overcoat.
gabardina *f (prenda)* raincoat, mac.
gabinete *m* **1.** *(gobierno)* cabinet. **2.** *(despacho)* office. **3.** *(sala)* study.
gacela *f* gazelle.
gaceta *f* gazette.
gachas *fpl* (CULIN) (corn) porridge (U).
gacho, -cha *adj* drooping.
gafas *fpl* glasses; **~ graduales** prescription glasses; **~ de sol** sunglasses.
gaita *f (instrumento)* bagpipes *(pl)*.
gajes *mpl:* **~ del oficio** occupational hazards.
gajo *m (trozo de fruta)* segment.
gala *f* **1.** *(fiesta)* gala; **ropa/uniforme de gala** *(ropa)* full dress/uniform; **cena de gala** black tie dinner, formal dinner. **2.** *(ropa):* **galas** finery (U), best clothes. **3.** *(actuación)* show. **4.** *loc:* **hacer gala de algo** *(preciarse)* to be proud of sthg; *(exhibir)* to demonstrate sthg.
galán *m* (TEATRO) leading man, lead.
galante *adj* gallant.
galantería *f* **1.** *(cualidad)* politeness. **2.** *(acción)* gallantry, compliment.
galápago *m* turtle.
galardón *m* award, prize.
galaxia *f* galaxy.
galera *f* galley.
galería *f* **1.** *(gen)* gallery; *(corredor descubierto)* verandah. **2.** *fig (vulgo)* masses *(pl)*. ◆ **galerías (comerciales)** *fpl* shopping arcade *(sg)*.
Gales: **(el país de) ~** Wales.
galés, -esa ◇ *adj* Welsh. ◇ *m y f* Welshman *m* (*f* Welshwoman); **los**

galeses the Welsh. ◆ **galés** *m* (*lengua*) Welsh.

galgo *m* greyhound.

gallardía *f* 1. (*valentía*) bravery. 2. (*elegancia*) elegance.

gallego, -ga *adj, m y f* Galician. ◆ **gallego** *m* (*lengua*) Galician.

galleta *f* (CULIN) biscuit.

gallina ◇ *f* (*ave*) hen; **la ~ ciega** blind man's buff. ◇ *m y f fam* (*persona*) chicken, coward.

gallinero *m* 1. (*corral*) henhouse. 2. *fam* (TEATRO) gods (*sg*).

gallo *m* 1. (*ave*) cock, cockerel; **en menos que canta un ~** *fam* in no time at all. 2. (*al cantar*) false note; (*al hablar*) squeak. 3. (*pez*) John Dory.

galo, -la ◇ *adj* (HIST) Gallic; (*francés*) French. ◇ *m y f* (*persona*) Gaul.

galón *m* 1. (*adorno*) braid; (MIL) stripe. 2. (*medida*) gallon.

galopar *vi* to gallop.

galope *m* gallop; **al ~** at a gallop; **a ~ tendido** at full gallop.

galpón *m* Amer shed.

gama *f* (*gen*) range; (MÚS) scale.

gamba *f* prawn.

gamberro, -rra ◇ *adj* loutish. ◇ *m y f* vandal; (*en fútbol etc*) hooligan.

gamo *m* fallow deer.

gamonal *m* Andes & CAm village chief.

gamuza *f* 1. (*tejido*) chamois (leather); (*trapo*) duster; *esp Amer* (*ante*) suede. 2. (*animal*) chamois.

gana *f* 1. (*afán*): **~ (de)** desire ○ wish (to); **de buena ~** willingly; **de mala ~** unwillingly; **me da/no me da la ~ hacerlo** I damn well feel like/don't damn well feel like doing it. 2. (*apetito*) appetite. ◆ **ganas** *fpl* (*deseo*): **tener ~s de algo/hacer algo, sentir ~s de algo/hacer algo** to feel like sthg/doing sthg; **quedarse con ~s de hacer algo** not to manage to do sthg; **no tengo ~s de que me pongan una multa** I don't fancy getting a fine; **tenerle ~s a alguien** to have it in for sb.

ganadería *f* 1. (*actividad*) livestock farming. 2. (*ganado*) livestock.

ganado *m* livestock, stock; **~ porcino** pigs (*pl*); **~ vacuno** cattle (*pl*).

ganador, -ra ◇ *adj* winning. ◇ *m y f* winner.

ganancia *f* (*rendimiento*) profit; (*ingreso*) earnings (*pl*); **~s y pérdidas** profit and loss; **~ líquida** net profit.

ganancial → **bien**.

ganar ◇ *vt* 1. (*gen*) to win; (*sueldo,* dinero) to earn; (*peso, tiempo, terreno*) to gain. 2. (*derrotar*) to beat. 3. (*aventajar*): **~ a alguien en algo** to be better than sb as regards sthg. 4. (*cima etc*) to reach. 5. (*ciudad etc*) to take, to capture. ◇ *vi* 1. (*vencer*) to win. 2. (*lograr dinero*) to earn money. 3. (*mejorar*): **~ en algo** to gain in sthg. ◆ **ganarse** *vpr* 1. (*conquistar - simpatía, respeto*) to earn; (*- persona*) to win over. 2. (*merecer*) to deserve.

ganchillo *m* (*aguja*) crochet hook; (*labor*) crochet; **hacer ~** to crochet.

gancho *m* 1. (*gen*) hook; (*de percha*) peg. 2. (*cómplice - de timador*) decoy; (*- de vendedor*) person who attracts buyers. 3. *fam* (*atractivo*) sex appeal.

gandul, -la *fam* ◇ *adj* lazy. ◇ *m y f* lazybones, layabout.

ganga *f fam* snip, bargain.

gangrena *f* gangrene.

gángster (*pl* **gángsters**) *m* gangster.

ganso, -sa *m y f* 1. (*ave - hembra*) goose; (*- macho*) gander. 2. *fam* (*persona*) idiot, fool.

garabato *m* scribble.

garaje *m* garage.

garante *m y f* guarantor; **salir ~** to act as guarantor.

garantía *f* 1. (*gen*) guarantee; **de ~** reliable, dependable; **ser ~ de algo** to guarantee sthg; **~s constitucionales** constitutional rights. 2. (*fianza*) surety.

garantizar *vt* 1. (*gen*) to guarantee; **~ algo a alguien** to assure sb of sthg. 2. (*avalar*) to vouch for.

garbanzo *m* chickpea.

garbo *m* (*de persona*) grace; (*de escritura*) stylishness, style.

garfio *m* hook.

gargajo *m* phlegm.

garganta *f* 1. (ANAT) throat. 2. (*desfiladero*) gorge.

gargantilla *f* choker, necklace.

gárgara *f*: **hacer ~s** to gargle.

gárgola *f* gargoyle.

garita *f* (*gen*) cabin; (*de conserje*) porter's lodge; (MIL) sentry box.

garra *f* (*de animal*) claw; (*de ave de rapiña*) talon; *despec* (*de persona*) paw, hand; **caer en las ~s de alguien** to fall into sb's clutches; **tener ~** (*persona*) to have charisma; (*novela, canción etc*) to be gripping.

garrafa *f* carafe.

garrafal *adj* monumental, enormous.

garrapata *f* tick.

garrote *m* 1. (*palo*) club, stick.

2. *(instrumento)* garotte.

garúa *f Amer* drizzle.

garza *f* heron; ~ **real** grey heron.

gas *m* gas; ~ **ciudad/natural** town/natural gas; ~ **butano** butane (gas); ~ **lacrimógeno** tear gas. ◆ **gases** *mpl (en el estómago)* wind (*U*). ◆ **a todo gas** *loc adv* flat out.

gasa *f* gauze.

gaseoducto *m* gas pipeline.

gaseoso, -sa *adj* gaseous; *(bebida)* fizzy. ◆ **gaseosa** *f* lemonade.

gasóleo *m* diesel oil.

gasolina *f* gas *Am*, petrol *Br*; **poner** ~ to fill up (with gas).

gasolinera *f* gas station *Am*, petrol station *Br*.

gastado, -da *adj (ropa, pieza etc)* worn out; *(frase, tema)* hackneyed; *(persona)* broken, burnt out.

gastar ◇ *vt* **1.** *(consumir - dinero, tiempo)* to spend; *(- gasolina, electricidad)* to use (up); *(- ropa, zapatos)* to wear out. **2.** *fig (usar - gen)* to use; *(- ropa)* to wear; *(- número de zapatos)* to take; ~ **una broma (a alguien)** to play a joke (on sb). **3.** *(malgastar)* to waste. ◇ *vi (despilfarrar)* to spend (money). ◆ **gastarse** *vpr* **1.** *(deteriorarse)* to wear out. **2.** *(terminarse)* to run out.

gasto *m (acción de gastar)* outlay, expenditure; *(cosa que pagar)* expense; *(de energía, gasolina)* consumption; *(despilfarro)* waste; **cubrir** ~**s** to cover costs, to break even; ~ **público** public expenditure; ~**s fijos** (COM) fixed charges O costs; *(en una casa)* overheads; ~**s generales** overheads; ~**s de mantenimiento** maintenance costs; ~**s de representación** entertainment allowance *(sg)*.

gastritis *f inv* gastritis.

gastronomía *f* gastronomy.

gastrónomo, -ma *m y f* gourmet.

gatas ◆ **a gatas** *loc adv* on all fours.

gatear *vi* to crawl.

gatillo *m* trigger.

gato, -ta *m y f* cat; **dar** ~ **por liebre a alguien** to swindle O cheat sb; **buscar tres pies al** ~ to overcomplicate matters; **aquí hay** ~ **encerrado** there's something fishy going on here. ◆ **gato** *m* (AUTOM) jack.

gaucho, -cha *adj* gaucho. ◆ **gaucho** *m* gaucho.

gavilán *m* sparrowhawk.

gavilla *f* sheaf.

gaviota *f* seagull.

gay *adj inv, m y f* gay *(homosexual)*.

gazpacho *m* gazpacho, *Andalusian soup made from tomatoes, peppers, cucumbers and bread, served chilled.*

géiser, géyser *(pl géyseres) m* geyser.

gel *m* gel.

gelatina *f (de carne)* gelatine; *(de fruta)* jelly.

gema *f* gem.

gemelo, -la ◇ *adj* twin *(antes de sust)*. ◇ *m y f (persona)* twin. ◆ **gemelo** *m (músculo)* calf. ◆ **gemelos** *mpl* **1.** *(de camisa)* cufflinks. **2.** *(prismáticos)* binoculars; *(para teatro)* opera glasses.

gemido *m (de persona)* moan, groan; *(de animal)* whine.

Géminis ◇ *m (zodiaco)* Gemini. ◇ *m y f (persona)* Gemini.

gemir *vi* **1.** *(persona)* to moan, to groan; *(animal)* to whine. **2.** *(viento)* to howl.

gene, gen *m* gene.

genealogía *f* genealogy.

generación *f* generation.

generador, -ra *adj* generating. ◆ **generador** *m* generator.

general ◇ *adj* **1.** *(gen)* general; **por lo** ~, **en** ~ in general, generally. **2.** *(usual)* usual. ◇ *m* (MIL) general; ~ **de brigada** brigadier general *Am*, brigadier *Br*; ~ **de división** major general.

generalidad *f* **1.** *(mayoría)* majority. **2.** *(vaguedad)* generalization.

generalizar ◇ *vt* to spread, to make widespread. ◇ *vi* to generalize. ◆ **generalizarse** *vpr* to become widespread.

generalmente *adv* generally.

generar *vt (gen)* to generate; *(engendrar)* to create.

genérico, -ca *adj (común)* generic.

género *m* **1.** *(clase)* kind, type. **2.** (GRAM) gender. **3.** (LITER) genre. **4.** (BIOL) genus; **el ~ humano** the human race. **5.** *(productos)* merchandise, goods *(pl)*. **6.** *(tejido)* cloth, material.

generosidad *f* generosity.

generoso, -sa *adj* generous.

genético, -ca *adj* genetic. ◆ **genética** *f* genetics *(U)*.

genial *adj* **1.** *(autor, compositor etc)* of genius. **2.** *fig (estupendo)* brilliant, great.

genio *m* **1.** *(talento)* genius. **2.** *(carácter)* nature, disposition. **3.** *(mal carácter)* bad temper; **estar de/tener mal** ~ to be in a mood/bad-tempered. **4.** *(ser sobrenatural)* genie.

genital *adj* genital. ◆ **genitales** *mpl* genitals.

genocidio *m* genocide.

gente f 1. *(gen)* people *(pl)*; ~ **bien** well-to-do people; ~ **menuda** kids *(pl)*. 2. *fam (familia)* folks *(pl)*.

gentileza f courtesy, kindness.

gentío m crowd.

gentuza f riffraff.

genuino, -na *adj* genuine.

GEO *(abrev de* **Grupo Especial de Operaciones)** *m specially trained police force,* ≃ SWAT *Am,* ≃ SAS *Br.*

geografía f geography.

geógrafo, -fa m y f geographer.

geología f geology.

geólogo, -ga m y f geologist.

geometría f geometry.

geranio m geranium.

gerencia f *(gen)* management.

gerente m y f manager, director.

geriatría f geriatrics *(U).*

germen m *lit & fig* germ.

germinar vi *lit & fig* to germinate.

gerundio m gerund.

gesticular vi to gesticulate; *(con la cara)* to pull faces.

gestión f 1. *(diligencia)* step, thing that has to be done; **tengo que hacer unas gestiones** I have a few things to do. 2. *(administración)* management.

gestionar vt 1. *(tramitar)* to negotiate. 2. *(administrar)* to manage.

gesto m 1. *(gen)* gesture. 2. *(mueca)* face, grimace; **hacer un ~** to pull a face.

gestor, -ra m y f person who carries out dealings with public bodies on behalf of private customers or companies, combining the role of solicitor and accountant.

géyser = géiser.

ghetto = gueto.

giba f *(de camello)* hump.

Gibraltar Gibraltar.

gibraltareño, -ña *adj, m y f* Gibraltarian.

gigabyte [xiɣaˈβait] m *(INFORM)* gigabyte.

gigante, -ta m y f giant. ♦ **gigante** *adj* gigantic.

gigantesco, -ca *adj* gigantic.

gil, -la m y f CSur fam twit, idiot.

gilipollas, jilipollas Esp fam ◇ *adj inv* daft, dumb Am. ◇ m y f inv prat.

gimnasia f *(deporte)* gymnastics *(U); (ejercicio)* gymnastics *(pl).*

gimnasio m gymnasium.

gimnasta m y f gymnast.

gin [jin] ♦ **gin tonic** m gin and tonic.

ginebra f gin.

Ginebra Geneva.

ginecología f gynaecology.

ginecólogo, -ga m y f gynaecologist.

gira f tour.

girar ◇ vi 1. *(dar vueltas, torcer)* to turn; *(rápidamente)* to spin. 2. *fig (centrarse):* ~ **en torno a** o **alrededor de** to be centred around, to centre on. ◇ vt 1. *(hacer dar vueltas)* to turn; *(rápidamente)* to spin. 2. *(COM)* to draw. 3. *(dinero - por correo, telégrafo)* to transfer, to remit.

girasol m sunflower.

giratorio, -ria *adj* revolving; *(silla)* swivel *(antes de sust).*

giro m 1. *(gen)* turn. 2. *(postal, telegráfico)* money order; ~ **postal** postal order. 3. *(de letras, órdenes de pago)* draft. 4. *(expresión)* turn of phrase.

gis m Méx chalk.

gitano, -na m y f gypsy.

glacial *adj* glacial; *(viento, acogida)* icy.

glaciar ◇ *adj* glacial. ◇ m glacier.

glándula f gland.

glicerina f glycerine.

global *adj* global, overall.

globo m 1. *(Tierra)* globe, earth. 2. *(aeróstato, juguete)* balloon. 3. *(esfera)* sphere.

glóbulo m *(MED)* corpuscle; ~ **blanco/rojo** white/red corpuscle.

gloria f 1. *(gen)* glory. 2. *(placer)* delight.

glorieta f 1. *(de casa, jardín)* arbour. 2. *(plaza - redonda)* circus, traffic circle Am, roundabout Br.

glorificar vt to glorify.

glorioso, -sa *adj (importante)* glorious.

glosa f marginal note.

glosar vt 1. *(anotar)* to annotate. 2. *(comentar)* to comment on.

glosario m glossary.

glotón, -ona ◇ *adj* gluttonous, greedy. ◇ m y f glutton.

glúcido m carbohydrate.

glucosa f glucose.

gnomo, nomo m gnome.

gobernador, -ra m y f governor.

gobernante ◇ *adj* ruling *(antes de sust).* ◇ m y f ruler, leader.

gobernar vt 1. *(gen)* to govern, to rule; *(casa, negocio)* to run, to manage. 2. *(barco)* to steer; *(avión)* to fly.

gobierno m 1. *(gen)* government. 2. *(administración, gestión)* running, management. 3. *(control)* control.

goce m pleasure.

godo, -da ◇ *adj* Gothic. ◇ m y f *(HIST)* Goth.

gol *(pl* **goles)** m goal.

goleador, -ra m y f goalscorer.

golear vt to score a lot of goals against, to thrash.

golf m golf.

golfista m y f golfer.

golfo, -fa m y f (gamberro) lout; (vago) layabout. ◆ **golfo** m (GEOGR) gulf, bay.
◆ **Golfo Pérsico** m: el Golfo Pérsico the Persian Gulf.

golondrina f (ave) swallow.

golosina f (dulce) sweet; (exquisitez) titbit, delicacy.

goloso, -sa adj sweet-toothed.

golpe m 1. (gen) blow; (bofetada) smack; (con puño) punch; (en puerta etc) knock; (en tenis, golf) shot; (entre coches) bump, collision; **a ~s** by force; fig in fits and starts; **un ~ bajo** (DEP & fig) a blow below the belt; **~ de castigo** (en rugby) penalty (kick); **~ franco** free kick. 2. (disgusto) blow. 3. (atraco) raid, job, heist Am. 4. (POLÍT): **~ (de Estado)** coup (d'état). 5. loc: **no dar o pegar ~** not to lift a finger, not to do a stroke of work. ◆ **de golpe** loc adv suddenly. ◆ **de un golpe** loc adv at one fell swoop, all at once. ◆ **golpe de gracia** m coup de grâce. ◆ **golpe de suerte** m stroke of luck. ◆ **golpe de vista** m glance; **al primer ~ de vista** at a glance.

golpear vt & vi (gen) to hit; (puerta) to bang; (con puño) to punch.

golpista m y f person involved in military coup.

golpiza f Amer beating.

goma f 1. (sustancia viscosa, pegajosa) gum; **~ arábiga** gum arabic; **~ de mascar** chewing gum; **~ de pegar** glue, gum. 2. (tira elástica) rubber band, elastic band Br; **~ elástica** elastic. 3. (caucho) rubber; **~ espuma** foam rubber; **~ de borrar** eraser Am, rubber Br. ◆ **Goma 2** f plastic explosive.

gomina f hair gel.

gong m inv gong.

gordo, -da ◇ adj 1. (persona) fat; **me cae ~** I can't stand him. 2. (grueso) thick. 3. (grande) big. 4. (grave) big, serious. ◇ m y f 1. (persona obesa) fat man (f fat woman); **armar la gorda** fig to kick up a row o stink. 2. (querido) sweetheart, darling. ◆ **gordo** m (en lotería) first prize, jackpot; **el ~** first prize in the Spanish national lottery.

gordura f fatness.

gorila m 1. (ZOOL) gorilla. 2. fig (guardaespaldas) bodyguard. 3. fig (en discoteca etc) bouncer.

gorjear vi to chirp, to twitter.

gorra f (peaked) cap; **de ~** for free; **vivir de ~** to scrounge.

gorrión m sparrow.

gorro m (gen) cap; (de niño) bonnet.

gorrón, -ona fam m y f sponger.

gota f 1. (gen) drop; (de sudor) bead; **caer cuatro ~s** to spit (with rain); **ni ~** anything; **no se veía ni ~** you couldn't see a thing; **sudar la ~ gorda** to sweat blood, to work very hard. 2. fig (de aire) breath; (de sensatez etc) ounce. 3. (MED) gout. ◆ **gota a gota** m (MED) intravenous drip. ◆ **gota fría** f (METEOR) cold front that remains in one place for some time, causing continuous heavy rain.

gotear ◇ vi (líquido) to drip; (techo, depósito etc) to leak; fig to trickle through. ◇ v impers (chispear) to spit, to drizzle.

gotera f (filtración) leak.

gótico, -ca adj Gothic.

gourmet = gurmet.

gozar vi to enjoy o.s.; **~ de algo** to enjoy sthg; **~ con** to take delight in.

gozne m hinge.

gozo m joy, pleasure.

gr abrev de grado.

grabación f recording.

grabado m 1. (gen) engraving; (en madera) carving. 2. (en papel - acción) printing; (- lámina) print.

grabar vt 1. (gen) to engrave; (en madera) to carve; (en papel) to print. 2. (sonido, cinta) to record. ◆ **grabarse en** vpr fig: **grabársele a alguien en la memoria** to become engraved on sb's mind.

gracia f 1. (humor, comicidad) humour; **hacer ~ a alguien** to amuse sb; **no me hizo ~** I didn't find it funny; **tener ~** (ser divertido) to be funny; **tiene ~** (es curioso) it's funny; **caer en ~** to be liked. 2. (arte, habilidad) skill, natural ability. 3. (encanto) grace, elegance. 4. (chiste) joke. ◆ **gracias** fpl thank you, thanks; **dar las ~s a alguien (por)** to thank sb (for); **muchas ~s** thank you, thanks very much.

gracioso, -sa ◇ adj 1. (divertido) funny, amusing. 2. (curioso) funny; **es ~ que ...** it's funny how ... ◇ m y f (TEATRO) fool, clown.

grada f 1. (peldaño) step. 2. (TEATRO) row. ◆ **gradas** fpl (DEP) terraces.

gradación f (escalonamiento) scale.

gradería f, **graderío** m (TEATRO) rows (pl); (DEP) terraces (pl).

grado m 1. (gen) degree. 2. (fase) stage, level; (índice, nivel) extent, level;

G

en ~ sumo greatly. **3.** *(rango - gen)* grade; (MIL) rank. **4.** (EDUC) year, class, grade *Am.* **5.** *(voluntad):* **hacer algo de buen/mal ~** to do sthg willingly/unwillingly.

graduación *f* **1.** *(acción)* grading; *(de la vista)* eye-test. **2.** (EDUC) graduation. **3.** *(de bebidas)* strength, ≃ proof. **4.** (MIL) rank.

graduado, -da *m y f (persona)* graduate. ◆ **graduado** *m (título - gen)* certificate; **~ escolar** qualification received on completing primary school.

gradual *adj* gradual.

graduar *vt* **1.** *(medir)* to gauge, to measure; *(regular)* to regulate; *(vista)* to test. **2.** *(escalonar)* to stagger; *(publicación)* to serialize. **3.** (EDUC) to confer a degree on. **4.** (MIL) to commission. ◆ **graduarse** *vpr:* **~se (en)** to graduate (in).

grafía *f* written symbol.

gráfico, -ca *adj* graphic. ◆ **gráfico** *m (gráfica)* graph, chart; *(dibujo)* diagram. ◆ **gráfica** *f* graph, chart.

gragea *f* (MED) pill, tablet.

grajo *m* rook.

gral. *(abrev de* **general)** gen.

gramática → gramático.

gramatical *adj* grammatical.

gramático, -ca *adj* grammatical. ◆ **gramática** *f (disciplina, libro)* grammar.

gramo *m* gram.

gramófono *m* gramophone.

gramola *f* gramophone.

gran = **grande.**

granada *f* **1.** *(fruta)* pomegranate. **2.** *(proyectil)* grenade.

granate ◇ *m* garnet. ◇ *adj inv* garnet-coloured.

Gran Bretaña *f* Great Britain.

grande ◇ *adj (antes de sust:* **gran) 1.** *(de tamaño)* big, large; *(de altura)* tall; *(de intensidad, importancia)* great; **este traje me está ~** this suit is too big for me. **2.** *fig & irón (enojoso)* just great, a bit rich. **3.** *loc:* **pasarlo en ~** *fam* to have a great time. ◇ *m (noble)* grandee. ◆ **grandes** *mpl (adultos)* grown-ups. ◆ **a lo grande** *loc adv* in style.

grandeza *f* **1.** *(de tamaño)* (great) size. **2.** *(de sentimientos)* generosity.

grandioso, -sa *adj* grand, splendid.

granel ◆ **a granel** *loc adv (sin envase - gen)* loose; *(- en gran cantidad)* in bulk.

granero *m* granary.

granito *m* granite.

granizada *f* (METEOR) hailstorm.

granizado *m* iced drink.

granizar *v impers* to hail.

granizo *m* hail.

granja *f* farm.

granjearse *vpr* to gain, to earn.

granjero, -ra *m y f* farmer.

grano *m* **1.** *(semilla - de cereales)* grain; **~ de café** coffee bean; **~ de pimienta** peppercorn. **2.** *(partícula)* grain. **3.** *(en la piel)* spot, pimple. **4.** *loc:* **ir al ~** to get to the point.

granuja *m y f (pillo)* rogue, scoundrel; *(canalla)* trickster, swindler.

granulado, -da *adj* granulated.

grapa *f (para papeles etc)* staple; *(para heridas)* stitch, (wire) suture.

grapadora *f* stapler.

grapar *vt* to staple.

grasa → graso.

grasiento, -ta *adj* greasy.

graso, -sa *adj (gen)* greasy; *(con alto contenido en grasas)* fatty. ◆ **grasa** *f* **1.** *(en comestibles)* fat; *(de cerdo)* lard. **2.** *(lubricante)* grease, oil. **3.** *(suciedad)* grease.

gratén *m* gratin; **al ~** ≃ au gratin.

gratificación *f* **1.** *(moral)* reward. **2.** *(monetaria)* bonus.

gratificante *adj* rewarding.

gratificar *vt (complacer)* to reward; *(retribuir)* to give a bonus to; *(dar propina)* to tip.

gratinado, -da *adj* au gratin.

gratis *adv (sin dinero)* free, for nothing; *(sin esfuerzo)* for nothing.

gratitud *f* gratitude.

grato, -ta *adj* pleasant; **nos es ~ comunicarle que ...** we are pleased to inform you that ...

gratuito, -ta *adj* **1.** *(sin dinero)* free. **2.** *(arbitrario)* gratuitous; *(infundado)* unfair, uncalled for.

grava *f* gravel.

gravamen *m* **1.** *(impuesto)* tax. **2.** *(obligación moral)* burden.

gravar *vt (con impuestos)* to tax.

grave *adj* **1.** *(gen)* serious; *(estilo)* formal; **estar ~** to be seriously ill. **2.** *(sonido, voz)* low, deep.

gravedad *f* **1.** *(cualidad de grave)* seriousness. **2.** (FÍS) gravity.

gravilla *f* gravel.

graznar *vi (cuervo)* to caw; *(ganso)* to honk; *(pato)* to quack; *fig (persona)* to squawk.

Grecia Greece.

gremio *m* *(sindicato)* (trade) union; *(profesión)* profession, trade; (HIST) guild.

greña *f (gen pl)* tangle of hair.

gres *m* stoneware.

gresca *f* row.

griego, -ga *adj, m y f* Greek. ◆ **griego** *m (lengua)* Greek.

grieta *f* crack; *(entre montañas)* crevice; *(que deja pasar luz)* chink.

grifería *f* taps *(pl)*, plumbing.

grifo *m Esp (llave)* faucet *Am*, tap *Br*.

grillete *m* shackle.

grillo *m* cricket.

grima *f (dentera)*: **dar ~** to set one's teeth on edge.

gringo, -ga *adj, m y f* gringo.

gripa *f Col & Méx* flu.

gripe *f* flu.

gris ◇ *adj* grey; *fig (triste)* gloomy, miserable. ◇ *m* grey.

gritar ◇ *vi (hablar alto)* to shout; *(chillar)* to scream, to yell. ◇ *vt*: **~ (algo) a alguien** to shout (sth) at sb.

griterío *m* screaming, shouting.

grito *m (gen)* shout; *(de dolor, miedo)* cry, scream; *(de sorpresa, de animal)* cry; **dar** O **pegar un ~** to shout O scream (out); **a ~ limpio** O **pelado** at the top of one's voice; **pedir algo a ~s** *fig* to be crying out for sthg; **poner el ~ en el cielo** to hit the roof; **ser el último ~** to be the latest fashion O craze, to be the in thing.

Groenlandia Greenland.

grogui *adj lit & fig* groggy.

grosella *f* redcurrant; **~ negra** blackcurrant; **~ silvestre** gooseberry.

grosería *f (cualidad)* rudeness; *(acción)* rude thing; *(palabrota)* swear word.

grosero, -ra *adj* **1.** *(maleducado)* rude, crude. **2.** *(tosco)* coarse, rough.

grosor *m* thickness.

grosso ◆ **a grosso modo** *loc adv* roughly.

grotesco, -ca *adj* grotesque.

grúa *f* **1.** (CONSTR) crane. **2.** (AUTOM) breakdown truck.

grueso, -sa *adj* **1.** *(espeso)* thick. **2.** *(corpulento)* thickset; *(obeso)* fat. **3.** *(grande)* large, big. **4.** *(mar)* stormy. ◆ **grueso** *m (grosor)* thickness.

grulla *f* crane.

grumete *m* cabin boy.

grumo *m (gen)* lump; *(de sangre)* clot.

gruñido *m* **1.** *(gen)* growl; *(del cerdo)* grunt. **2.** *fig (de personas)* grumble.

gruñir *vi* **1.** *(gen)* to growl; *(cerdo)* to

grunt. **2.** *fig (personas)* to grumble.

gruñón, -ona *fam adj* grumpy.

grupa *f* hindquarters.

grupo *m (gen)* group; *(de árboles)* cluster; (TECN) unit, set; **en ~** in a group; **~ electrógeno** generator. ◆ **grupo sanguíneo** *m* blood group.

gruta *f* grotto.

guacal *m CAm & Méx* **1.** *(calabaza)* pumpkin. **2.** *(jaula)* cage.

guachimán *m Amer* night watchman.

guacho, -cha *m y f Andes & CSur fam* illegitimate child.

guadaña *f* scythe.

guagua *f* **1.** *Carib (autobús)* bus. **2.** *Andes (niño)* baby.

guajolote *m Amer* turkey.

guampa *f CSur* horn.

guanajo *m Carib* turkey.

guantazo *m fam* slap.

guante *m* glove; **echarle el ~ a algo** to get hold of sthg, to get one's hands on sthg.

guantera *f* glove compartment.

guapo, -pa *adj (gen)* good-looking; *(hombre)* handsome; *(mujer)* pretty.

guarango, -ga *adj CSur* coarse, vulgar.

guarda ◇ *m y f (vigilante)* guard, keeper; **~ jurado** security guard. ◇ *f* **1.** *(tutela)* guardianship. **2.** *(de libros)* flyleaf.

guardabarros *m inv* fender *Am*, mudguard *Br*.

guardabosque *m y f* forest ranger.

guardacoches *m y f inv* parking attendant.

guardacostas *m inv (barco)* coastguard boat.

guardaespaldas *m y f inv* bodyguard.

guardameta *m y f* goalkeeper.

guardapolvo *m* overalls *(pl)*.

guardar *vt* **1.** *(gen)* to keep; *(en su sitio)* to put away. **2.** *(vigilar)* to keep watch over; *(proteger)* to guard. **3.** *(reservar, ahorrar)*: **~ algo (a** O **para alguien)** to save sthg (for sb). **4.** *(cumplir - ley)* to observe; *(- secreto, promesa)* to keep. ◆ **guardarse de** *vpr*: **~se de hacer algo** *(evitar)* to avoid doing sthg; *(abstenerse de)* to be careful not to do sthg.

guardarropa *m (gen)* wardrobe; *(de cine, discoteca etc)* cloakroom.

guardería *f* nursery; *(en el lugar de trabajo)* crèche.

guardia ◇ *f* **1.** *(gen)* guard; *(vigilancia)* watch, guard; **montar (la) ~** to mount guard; **~ municipal** urban police. **2.** *(turno)* duty; **estar de ~** to be on duty. ◇ *m y f (policía)* policeman (*f* policewoman); ~ **de tráfico** traffic warden. ◆ **Guardia Civil** *f*: **la Guardia Civil** the Civil Guard, *military-style Spanish security force who police rural areas, highways and borders.*

guardián, -ana *m y f (de persona)* guardian; *(de cosa)* watchman, keeper.

guarecer *vt*: ~ **(de)** to protect o shelter (from). ◆ **guarecerse** *vpr*: **~se (de)** to shelter (from).

guarida *f* lair; *fig* hideout.

guarnición *f* **1.** (CULIN) garnish. **2.** (MIL) garrison.

guarro, -rra ◇ *adj* filthy. ◇ *m y f* **1.** *(animal)* pig. **2.** *fam (persona)* filthy o dirty pig.

guarura *m Méx fam* bodyguard.

guasa *f fam (gracia)* humour; *(ironía)* irony; **estar de** ~ to be joking.

Guatemala 1. *(país)* Guatemala. **2.** *(ciudad)* Guatemala City.

guatemalteco, -ca, guatemaltés, -esa *adj, m y f* Guatemalan.

guau *m* woof.

guay *adj Esp fam* cool, neat.

guayín *m Méx fam* van.

guepardo *m* cheetah.

güero, -ra *adj Méx fam* blond (*f* blonde).

guerra *f* war; *(referido al tipo de conflicto)* warfare; *(pugna)* struggle, conflict; *(de intereses, ideas)* conflict; **declarar la** ~ to declare war; **en** ~ at war; ~ **civil/ mundial** civil/world war; ~ **fría** cold war; ~ **de guerrillas** guerrilla warfare; **dar** ~ to be a pain, to be annoying.

guerrear *vi* to (wage) war.

guerrero, -ra ◇ *adj* warlike. ◇ *m y f (luchador)* warrior.

guerrilla *f (grupo)* guerrilla group.

guerrillero, -ra *m y f* guerrilla.

gueto, ghetto ['geto] *m* ghetto.

güevón *m Amer vulg* bloody idiot.

guía ◇ *m y f (persona)* guide; ~ **turístico** tourist guide. ◇ *f* **1.** *(indicación)* guidance. **2.** *(libro)* guide (book); ~ **de ferrocarriles** train timetable; ~ **telefónica** telephone book o directory.

guiar *vt* **1.** *(indicar dirección)* to guide, to lead; *(aconsejar)* to guide, to direct. **2.** (AUTOM) to drive, to steer. ◆ **guiarse** *vpr*: **~se por algo** to be guided by o to follow sthg.

guijarro *m* pebble.

guillotina *f* guillotine.

guinda *f* morello cherry.

guindilla *f* chilli (pepper).

guiño *m* wink.

guiñol *m* puppet theatre.

guión *m* **1.** (CIN & TV) script. **2.** (GRAM) *(signo)* hyphen.

guionista *m y f* scriptwriter.

guirigay *m Esp fam (jaleo)* racket.

guirlache *m brittle sweet made of roasted almonds or hazelnuts and toffee.*

guirnalda *f* garland.

guisa *f* way; **a** ~ **de** by way of.

guisado *m* stew.

guisante *m Esp* pea.

guisar *vt & vi* to cook. ◆ **guisarse** *vpr fig* to be cooking, to be going on.

guiso *m* dish.

güisqui, whisky *m* whisky.

guitarra *f* guitar.

guitarrista *m y f* guitarist.

gula *f* gluttony.

gurí, -isa *m y f CSur fam* kid, child.

gurmet, gourmet [gur'met] *m y f* gourmet.

guru, gurú *m* guru.

gusano *m lit & fig* worm.

gustar ◇ *vi (agradar)*: **me gusta esa chica/ir al cine** I like that girl/going to the cinema; **me gustan las novelas** I like novels; **como guste** as you wish. ◇ *vt* to taste, to try.

gustazo *m fam* great pleasure.

gusto *m* **1.** *(gen)* taste; *(sabor)* taste, flavour; **de buen/mal** ~ in good/bad taste; **tener buen/mal** ~ to have good/ bad taste. **2.** *(placer)* pleasure; **con mucho** ~ gladly, with pleasure; **da** ~ **estar aquí** it's a real pleasure to be here; **mucho** o **tanto** ~ pleased to meet you; **tomar** ~ **a algo** to take a liking to sthg. ◆ **a gusto** *loc adv*: **hacer algo a** ~ *(de buena gana)* to do sthg willingly o gladly; *(cómodamente)* to do sthg comfortably; **estar a** ~ to be comfortable o at ease.

gustoso, -sa *adj* **1.** *(sabroso)* tasty. **2.** *(con placer)*: **hacer algo** ~ to do sthg gladly o willingly.

Guyana *f* Guyana.

Guyana francesa *f*: **la** ~ French Guyana.

H

h¹, **H** *f (letra)* h, H; **por h o por b** *fig* for one reason or another.

h², **h.** *(abrev de hora)* hr, h.

ha ◇ *v* → **haber**. ◇ *(abrev de hectárea)* ha.

haba *f* broad bean.

habano, -na *adj* Havanan. ♦ **habano** *m* Havana cigar.

haber ◇ *v aux* **1.** *(en tiempos compuestos)* to have; **lo he/había hecho** I have/had done it; **los niños ya han comido** the children have already eaten; **en el estreno ha habido mucha gente** there were a lot of people at the premiere. **2.** *(expresa reproche):* ~ **venido antes** you could have come a bit earlier; **¡~lo dicho!** why didn't you say so? **3.** *(expresa obligación):* ~ **de hacer algo** to have to do sthg; **has de estudiar más** you have to study more. ◇ *v impers* **1.** *(existir, estar):* **hay** there is/are; **hay mucha gente en la calle** there are a lot of people in the street; **había/hubo muchos problemas** there were many problems; **habrá dos mil** *(expresa futuro)* there will be two thousand; *(expresa hipótesis)* there must be two thousand. **2.** *(expresa obligación):* ~ **que hacer algo** to have to do sthg; **hay que hacer más ejercicio** one ○ you should do more exercise; **habrá que soportar su mal humor** we'll have to put up with his bad mood. **3.** *loc:* **algo habrá** there must be something in it; **allá se las haya** that's his/her/your *etc* problem; **habérselas con alguien** to face ○ confront sb; **¡hay que ver!** well I never!; **no hay de qué** don't mention it; **¿qué hay?** *fam (saludo)* how are you doing? ◇ *m* **1.** *(bienes)* assets *(pl)*. **2.** *(en cuentas, contabilidad)* credit (side). ♦ **haberes** *mpl (sueldo)* remuneration *(U)*.

habichuela *f* bean.

hábil *adj* **1.** *(diestro)* skilful; *(inteligente)* clever. **2.** *(utilizable - lugar)* suitable, fit. **3.** *(DER):* **días ~es** working days.

habilidad *f (destreza)* skill; *(inteligencia)* cleverness; **tener ~ para algo** to be good at sthg.

habilitar *vt* **1.** *(acondicionar)* to fit out, to equip. **2.** *(autorizar)* to authorize.

habiloso, -sa *adj Chile* shrewd, astute.

habitación *f (gen)* room; *(dormitorio)* bedroom; ~ **doble** *(con cama de matrimonio)* double room; *(con dos camas)* twin room; ~ **individual** ○ **simple** single room.

habitante *m (de ciudad, país)* inhabitant; *(de barrio)* resident.

habitar ◇ *vi* to live. ◇ *vt* to live in, to inhabit.

hábitat *(pl* **hábitats)** *m (gen)* habitat.

hábito *m* habit; **tener el ~ de hacer algo** to be in the habit of doing sthg.

habitual *adj* habitual; *(cliente, lector)* regular.

habituar *vt:* ~ **a alguien a** to accustom sb to. ♦ **habituarse** *vpr:* ~**se a** *(gen)* to get used ○ accustomed to; *(drogas etc)* to become addicted to.

habla *f (el)* **1.** *(idioma)* language; *(dialecto)* dialect; **de ~ española** Spanish-speaking. **2.** *(facultad)* speech; **quedarse sin ~** to be left speechless. **3.** *(LING)* discourse. **4.** *(al teléfono):* **estar al ~ con alguien** to be on the line to sb.

hablador, -ra *adj* talkative.

hablante ◇ *adj* speaking. ◇ *m y f* speaker.

hablar ◇ *vi:* ~ **(con)** to talk (to), to speak (to); ~ **de** to talk about; ~ **bien/mal de** to speak well/badly of; ~ **en voz alta/baja** to speak loudly/softly; **¡ni ~!** no way! ◇ *vt* **1.** *(idioma)* to speak. **2.** *(asunto):* ~ **algo (con)** to discuss sthg (with). ♦ **hablarse** *vpr* to speak (to each other); **no ~se** not to be speaking, not to be on speaking terms; **'se habla inglés'** 'English spoken'.

habrá *etc* → **haber**.

hacer ◇ *vt* **1.** *(elaborar, crear, cocinar)* to make; ~ **un vestido/planes** to make a dress/plans; ~ **un poema/una sinfonía** to write a poem/symphony; **para ~ la carne ...** to cook the meat ... **2.** *(construir)* to build; **han hecho un edificio nuevo** they've put up a new building. **3.** *(generar)* to produce; **el árbol hace sombra** the tree gives shade; **la carretera hace una curva** there's a bend in the road. **4.** *(movimientos, sonidos, gestos)* to make; **le hice señas** I signalled to her; **el reloj hace tic-tac** the clock goes tick-tock; ~ **ruido** to make a noise. **5.** *(obtener - fotocopia)* to make; *(- retrato)* to paint; *(- fotografía)* to take.

6. *(realizar - trabajo, estudios)* to do; *(- viaje)* to make; *(- comunión)* to take; **hoy hace guardia** she's on duty today; **estoy haciendo segundo** I'm in my second year. **7.** *(practicar - gen)* to do; *(- tenis, fútbol)* to play; **debes ~ deporte** you should start doing some sport. **8.** *(arreglar - casa, colada)* to do; *(- cama)* to make. **9.** *(transformar en):* ~ **a alguien feliz** to make sb happy; **la guerra no le hizo un hombre** the war didn't make him (into) a man; **hizo pedazos el papel** he tore the paper to pieces; **~ de algo/alguien algo** to make sthg/sb into sthg; **hizo de ella una buena cantante** he made a good singer of her. **10.** *(comportarse como):* ~ **el tonto** to act the fool; **~ el vándalo** to act like a hooligan. **11.** *(causar):* ~ **daño a alguien** to hurt sb; **me hizo gracia** I thought it was funny. **12.** (CIN & TEATRO) to play; **hace el papel de la hija del rey** she plays (the part of) the king's daughter. **13.** *(ser causa de):* ~ **que alguien haga algo** to make sb do sthg; **me hizo reír** it made me laugh; **has hecho que se enfadara** you've made him angry. **14.** *(mandar):* ~ **que se haga algo** to have sthg done; **voy a ~ teñir este traje** I'm going to have the dress dyed. ◇ *vi* **1.** *(actuar):* ~ **de** (CIN & TEATRO) to play; *(trabajar)* to act as. **2.** *(aparentar):* ~ **como si** to act as if; **haz como que no te importa** act as if you don't care. **3.** *(procurar, intentar):* ~ **por hacer algo** to try to do sthg; **haré por verle esta noche** I'll try to see him tonight. **4.** *loc:* **¡hace!** all right? ◇ *v impers* **1.** *(tiempo meteorológico):* **hace frío/sol/viento** it's cold/sunny/windy; **hace un día precioso** it's a beautiful day. **2.** *(tiempo transcurrido):* **hace diez años** ten years ago; **hace mucho/poco** a long time/not long ago; **hace un mes que llegué** it's a month since I arrived; **no la veo desde hace un año** I haven't seen her for a year. ◆ **hacerse** *vpr* **1.** *(formarse)* to form. **2.** *(desarrollarse, crecer)* to grow. **3.** *(guisarse, cocerse)* to cook. **4.** *(convertirse)* to become; **~se musulmán** to become a Moslem. **5.** *(crearse en la mente):* **~se ilusiones** to get one's hopes up; **~se una idea de algo** to imagine what sthg is like. **6.** *(mostrarse):* **se hace el gracioso/el simpático** he tries to act the comedian/the nice guy; **~se el distraído** to pretend to be miles away.

• El verbo "hacer" se traduce como *make* o *do*, según sea el contexto.

• *Do* se usa cuando se habla de actividades en general (*what are you doing?*, "¿qué haces?"; *she never knows what to do at weekends*, "nunca sabe qué hacer los fines de semana"). También al hablar de tareas domésticas, deportes o trabajo en general (*I hate doing the washing up*, "odio tener que fregar los platos"; *you should do some swimming*, "deberías hacer algo de natación"; *you must do your homework before watching television*, "debes hacer tu tarea antes de ver la televisión").

• *Make* implica la acción concreta de crear o llevar a cabo algo (*I'm making some soup for dinner*, "estoy haciendo sopa para cenar"). También sirve para expresar que se obliga a alguien a hacer algo (*that book made me understand a lot about history*, "ese libro me hizo comprender mucho sobre historia").

hacha *f (el)* axe.
hachís, hash [xaʃ] *m* hashish.
hacia *prep* **1.** *(dirección, tendencia, sentimiento)* towards; **~ aquí/allí** this/that way; **~ abajo** downwards; **~ arriba** upwards; **~ atrás** backwards; **~ adelante** forwards. **2.** *(tiempo)* around, about; **~ las diez** around o about ten o'clock.
hacienda *f* **1.** *(finca)* country estate o property. **2.** *(bienes)* property; **~ pública** public purse. ◆ **Hacienda** *f*: **Ministerio de Hacienda** the Treasury.
hada *f (el)* fairy.
haga *etc* → **hacer**.
Haití Haiti.
hala *interj* **¡~!** *(para dar ánimo, prisa)* come on!; *(para expresar incredulidad)* no!, you're joking!; *(para expresar admiración, sorpresa)* wow!
halagador, -ra *adj* flattering.
halagar *vt* to flatter.
halago *m* flattery.
halcón *m* (ZOOL) falcon, hawk.
hálito *m* *(aliento)* breath.
halitosis *f inv* bad breath.
hall (*pl* **halls**) [xol] *m* foyer.
hallar *vt* *(gen)* to find; *(averiguar)* to

find out. ◆ **hallarse** *vpr* 1. *(en un lugar - persona)* to be, to find o.s.; *(- casa etc)* to be (situated). 2. *(en una situación)* to be; **~se enfermo** to be ill.

hallazgo *m* 1. *(descubrimiento)* discovery. 2. *(objeto)* find.

halo *m (de astros, santos)* halo; *(de objetos, personas)* aura.

halógeno, -na *adj* (QUÍM) halogenous; *(faro)* halogen *(antes de sust)*.

halterofilia *f* weightlifting.

hamaca *f* 1. *(para colgar)* hammock. 2. *(tumbona - silla)* deckchair; *(- canapé)* sunlounger.

hambre *f* 1. *(apetito)* hunger; *(inanición)* starvation; **tener ~** to be hungry; **matar el ~** to satisfy one's hunger. 2. *(epidemia)* famine. 3. *fig (deseo)*: **~ de** hunger o thirst for.

hambriento, -ta *adj* starving.

hamburguesa *f* hamburger.

hámster ['xamster] *(pl* **hámsters***) m* hamster.

hándicap ['xandikap] *(pl* **hándicaps***) m* handicap.

hará *etc* → hacer.

haraganear *vi* to laze about.

harapo *m* rag, tatter.

hardware ['xarwar] *m* (INFORM) hardware.

harén *m* harem.

harina *f* flour.

hartar *vt* 1. *(atiborrar)* to stuff (full). 2. *(fastidiar)*: **~ a alguien** to annoy sb, to get on sb's nerves. ◆ **hartarse** *vpr* 1. *(atiborrarse)* to stuff o gorge o.s. 2. *(cansarse)*: **~se (de)** to get fed up (with). 3. *(no parar)*: **~se de algo** to do sthg non-stop.

hartazgo, hartón *m* fill; **darse un ~ (de)** to have one's fill (of).

harto, -ta *adj* 1. *(de comida)* full. 2. *(cansado)*: **~ (de)** tired (of), fed up (with). ◆ **harto** *adv* somewhat, rather.

hartón = hartazgo.

hash = hachís.

hasta ◇ *prep* 1. *(en el espacio)* as far as, up to; **desde aquí ~ allí** from here to there; **¿~ dónde va este tren?** where does this train go? 2. *(en el tiempo)* until, till; **~ ahora** (up) until now, so far; **~ el final** up until the end; **~ luego** o **pronto** o **la vista** see you (later). 3. *(con cantidades)* up to. ◇ *adv (incluso)* even. ◆ **hasta que** *loc conj* until, till.

hastiar *vt (aburrir)* to bore; *(asquear)* to sicken, to disgust. ◆ **hastiarse de** *vpr* to tire of.

hatillo *m* bundle of clothes.

hay → haber.

> • Tanto *there is* como *there are* se traducen por "hay", pero recordemos que *there is* va con el sustantivo en singular (*there's a large white cat in the window*) y *there are* en plural (*there are only four cookies left*). En los demás tiempos verbales se usa de la misma forma (*there have been a few changes recently*, "últimamente han habido algunos cambios").

haya ◇ *v* → haber. ◇ *f (árbol)* beech (tree); *(madera)* beech (wood).

haz ◇ *v* → hacer. ◇ *m* 1. *(de leña)* bundle; *(de cereales)* sheaf. 2. *(de luz)* beam.

hazaña *f* feat, exploit.

he → haber.

hebilla *f* buckle.

hebra *f (de hilo)* thread; *(de judías, puerros)* string; *(de tabaco)* strand (of tobacco).

hebreo, -a *adj, m y f* Hebrew. ◆ **hebreo** *m (lengua)* Hebrew.

hechicero, -ra *m y f* wizard *(f* witch), sorcerer *(f* sorceress).

hechizar *vt* to cast a spell on; *fig* to bewitch, to captivate.

hechizo *m* 1. *(maleficio)* spell. 2. *fig (encanto)* magic, charm.

hecho, -cha ◇ *pp* → hacer. ◇ *adj* 1. *(acabado - persona)* mature; **estás ~ un artista** you've become quite an artist; **una mujer hecha y derecha** a fully-grown woman. 2. *(carne)* done; **quiero el filete muy/poco ~** I'd like the steak well done/rare. ◆ **hecho** *m* 1. *(obra)* action, deed. 2. *(suceso)* event. 3. *(realidad, dato)* fact. ◆ **de hecho** *loc adv* in fact, actually.

hechura *f* 1. *(de traje)* cut. 2. *(forma)* shape.

hectárea *f* hectare.

hediondo, -da *adj (pestilente)* stinking.

hedor *m* stink, stench.

hegemonía *f (gen)* dominance; (POLÍT) hegemony.

helada → helado.

heladera *f CSur* refrigerator, icebox *Am*, fridge *Br*.

heladería *f (tienda)* ice-cream parlour; *(puesto)* ice-cream stall.

helado, -da *adj* 1. *(hecho hielo - agua)* frozen; *(- lago)* frozen over. 2. *(muy frío - manos, agua)* freezing. ◆ **helado** *m* ice-cream. ◆ **helada** *f* frost.

helar ◇ *vt (líquido)* to freeze. ◇ *v*

impers: **ayer heló** there was a frost last night. ◆ **helarse** *vpr* to freeze; *(plantas)* to be frostbitten.

helecho *m* fern, bracken.

hélice *f* 1. (TECN) propeller. 2. *(espiral)* spiral.

helicóptero *m* helicopter.

helio *m* helium.

hematoma *m* bruise.

hembra *f* 1. (BIOL) female; *(mujer)* woman; *(niña)* girl. 2. *(del enchufe)* socket.

hemisferio *m* hemisphere.

hemofilia *f* haemophilia.

hemorragia *f* haemorrhage; **~ nasal** nosebleed.

hemorroides *fpl* haemorrhoids, piles.

henchir *vt* to fill (up).

hender, hendir *vt (carne, piel)* to carve open, to cleave; *(piedra, madera)* to crack open; *(aire, agua)* to cut ○ slice through.

hendidura *f (en carne, piel)* cut, split; *(en piedra, madera)* crack.

hendir = **hender**.

heno *m* hay.

hepatitis *f inv* hepatitis.

herbicida *m* weedkiller.

herbolario, -ria *m y f (persona)* herbalist.

hercio, hertz ['erθjo] *m* hertz.

heredar *vt*: **~ (de)** to inherit (from).

heredero, -ra *m y f* heir *(f* heiress).

hereditario, -ria *adj* hereditary.

hereje *m y f* heretic.

herejía *f* heresy.

herencia *f (de bienes)* inheritance; *(de características)* legacy; (BIOL) heredity.

herido, -da ◇ *adj (gen)* injured; *(en lucha, atentado)* wounded; *(sentimentalmente)* hurt, wounded. ◇ *m y f (gen)* injured person; *(en lucha, atentado)* wounded person; **no hubo ~s** there were no casualties; **los ~s** the wounded. ◆ **herida** *f (lesión)* injury; *(en lucha, atentado)* wound.

herir *vt* 1. *(físicamente)* to injure; *(en lucha, atentado)* to wound; *(vista)* to hurt; *(oído)* to pierce. 2. *(sentimentalmente)* to hurt.

hermanado, -da *adj (gen)* united, joined; *(ciudades)* twinned.

hermanar *vt (ciudades)* to twin.

hermanastro, -tra *m y f* stepbrother *(f* stepsister).

hermandad *f (asociación)* association; (RELIG - *de hombres)* brotherhood; *(- de mujeres)* sisterhood.

hermano, -na *m y f* brother *(f* sister).

hermético, -ca *adj* 1. *(al aire)* airtight, hermetic; *(al agua)* watertight, hermetic. 2. *fig (persona)* inscrutable.

hermoso, -sa *adj (gen)* beautiful, lovely; *(hombre)* handsome; *(excelente)* wonderful.

hermosura *f (gen)* beauty; *(de hombre)* handsomeness.

hernia *f* hernia, rupture.

héroe *m* hero.

heroico, -ca *adj* heroic.

heroína *f* 1. *(mujer)* heroine. 2. *(droga)* heroin.

heroísmo *m* heroism.

herpes *m inv* herpes (U).

herradura *f* horseshoe.

herramienta *f* tool.

herrería *f (taller)* smithy, forge.

herrero *m* blacksmith, smith.

hertz = **hercio**.

hervir ◇ *vt* to boil. ◇ *vi* 1. *(líquido)* to boil. 2. *fig (lugar)*: **~ de** to swarm with.

hervor *m* boiling; **dar un ~ a algo** to blanch sthg.

heterodoxo, -xa *adj* unorthodox.

heterogéneo, -a *adj* heterogeneous.

heterosexual *adj, m y f* heterosexual.

hexágono *m* hexagon.

hibernar *vi* to hibernate.

híbrido, -da *adj lit & fig* hybrid. ◆ **híbrido** *m (animal, planta)* hybrid.

hice *etc* → **hacer**.

hidalgo, -ga *m y f* nobleman *(f* noblewoman).

hidratante *m* moisturizing cream.

hidratar *vt (piel)* to moisturize; (QUÍM) to hydrate.

hidrato *m*: **~ de carbono** carbohydrate.

hidráulico, -ca *adj* hydraulic.

hidroavión *m* seaplane.

hidroeléctrico, -ca *adj* hydroelectric.

hidrógeno *m* hydrogen.

hidroplano *m (barco)* hydrofoil.

hiedra *f* ivy.

hiel *f* 1. *(bilis)* bile. 2. *fig (mala intención)* spleen, bitterness.

hielo *m* ice; **romper el ~** *fig* to break the ice.

hiena *f* hyena.

hierba, yerba *f* 1. *(planta)* herb; **mala ~** weed. 2. *(césped)* grass. 3. *fam (droga)* grass.

hierbabuena *f* mint.

hierro *m (metal)* iron; **de ~** *(severo)* iron *(antes de sust)*; **~ forjado** wrought iron; ~ **fundido** cast iron.

hígado *m* liver.

higiene *f* hygiene.

higiénico, -ca *adj* hygienic.

higienizar *vt* to sterilize.

higo *m* fig; ~ **chumbo** prickly pear; **de ~s a brevas** once in a blue moon.

higuera *f* fig tree.

hijastro, -tra *m y f* stepson (*f* stepdaughter).

hijo, -ja *m y f* (*descendiente*) son (*f* daughter); ~ **de papá** *fam* daddy's boy; ~ **único** only child. ♦ **hijo** *m* (*hijo o hija*) child. ♦ **hijos** *mpl* children.

hilacha *f* loose thread.

hilada *f* row.

hilar *vt* (*hilo, tela*) to spin; (*ideas, planes*) to think up.

hilatura *f* spinning.

hilera *f* row.

hilo *m* 1. (*fibra, hebra*) thread; **colgar** o **pender de un** ~ to be hanging by a thread; **mover los ~s** to pull some strings. 2. (*tejido*) linen. 3. (*de metal, teléfono*) wire. 4. (*de agua, sangre*) trickle. 5. (MÚS): ~ **musical®** piped music. 6. *fig* (*de pensamiento*) train; (*de discurso, conversación*) thread; **perder el** ~ to lose the thread; **seguir el** ~ to follow (the thread).

hilvanar *vt* (*ropa*) to baste *Am*, to tack *Br*.

Himalaya *m*: **el** ~ the Himalayas (*pl*).

himno *m* hymn; ~ **nacional** national anthem.

hincapié *m*: **hacer** ~ **en** (*insistir*) to insist on; (*subrayar*) to emphasize.

hincar *vt*: ~ **algo en** to stick sthg into. ♦ **hincarse** *vpr*: ~**se de rodillas** to fall to one's knees.

hincha *m y f* (*seguidor*) fan.

hinchado, -da *adj* 1. (*rueda, globo*) inflated; (*cara, tobillo*) swollen. 2. *fig* (*persona*) bigheaded, conceited; (*lenguaje, estilo*) bombastic.

hinchar *vt lit & fig* to blow up. ♦ **hincharse** *vpr* 1. (*pierna, mano*) to swell (up). 2. *fig* (*de comida*): ~**se (a)** to stuff o.s. (with). ♦ **hincharse a** *vpr* (*no parar de*): ~**se a hacer algo** to do sthg a lot.

hinchazón *f* swelling.

hindú (*pl* **hindúes**) *adj, m y f* 1. (*de la India*) Indian. 2. (RELIG) Hindu.

hinduismo *m* Hinduism.

hinojo *m* fennel.

hipar *vi* to hiccup, to have hiccups.

hiper *m fam* hypermarket.

hiperactivo, -va *adj* hyperactive.

hipermercado *m* hypermarket.

hipertensión *f* high blood pressure.

hípico, -ca *adj* (*de las carreras*) horseracing (*antes de sust*); (*de la equitación*) showjumping (*antes de sust*). ♦ **hípica** *f* (*carreras de caballos*) horseracing; (*equitación*) showjumping.

hipnosis *f inv* hypnosis.

hipnótico, -ca *adj* hypnotic.

hipnotismo *m* hypnotism.

hipnotizador, -ra *adj* hypnotic; *fig* spellbinding, mesmerizing.

hipnotizar *vt* to hypnotize; *fig* to mesmerize.

hipo *m* hiccups (*pl*); **tener** ~ to have (the) hiccups; **quitar el** ~ **a uno** *fig* to take one's breath away.

hipocondriaco, -ca *adj, m y f* hypochondriac.

hipocresía *f* hypocrisy.

hipócrita ◊ *adj* hypocritical. ◊ *m y f* hypocrite.

hipódromo *m* racecourse, racetrack.

hipopótamo *m* hippopotamus.

hipoteca *f* mortgage.

hipotecar *vt* (*bienes*) to mortgage.

hipotenusa *f* hypotenuse.

hipótesis *f inv* hypothesis.

hipotético, -ca *adj* hypothetical.

hippy, hippie ['xipi] (*pl* **hippies**) *adj, m y f* hippy.

hispánico, -ca *adj, m y f* Hispanic, Spanish-speaking.

hispanidad *f* (*cultura*) Spanishness; (*pueblos*) Spanish-speaking world.

hispano, -na ◊ *adj* (*español*) Spanish; (*hispanoamericano*) Spanish-American; (*en Estados Unidos*) Hispanic. ◊ *m y f* (*español*) Spaniard; (*estadounidense*) Hispanic.

hispanoamericano, -na ◊ *adj* Spanish-American. ◊ *m y f* Spanish American.

hispanohablante ◊ *adj* Spanish-speaking. ◊ *m y f* Spanish speaker.

histeria *f* (MED & *fig*) hysteria.

histérico, -ca *adj* (MED & *fig*) hysterical; **ponerse** ~ to get hysterical.

histerismo *m* (MED & *fig*) hysteria.

historia *f* 1. (*gen*) history; ~ **del arte** art history; **pasar a la** ~ to go down in history. 2. (*narración, chisme*) story; **dejarse de ~s** to stop beating about the bush.

historiador, -ra *m y f* historian.

historial *m* (*gen*) record; (*profesional*) curriculum vitae, résumé *Am*; ~ **médico** o **clínico** medical o case history.

histórico, -ca adj 1. *(de la historia)* historical. 2. *(verídico)* factual. 3. *(importante)* historic.

historieta f 1. *(chiste)* funny story, anecdote. 2. *(tira cómica)* comic strip.

hito m *lit & fig* milestone.

hizo → hacer.

hmnos. *(abrev de* hermanos) bros.

hobby ['xoβi] *(pl* hobbies) m hobby.

hocico m *(de perro)* muzzle; *(de gato)* nose; *(de cerdo)* snout.

hockey ['xokei] m hockey; ~ **sobre hielo/patines** ice/roller hockey; ~ **sobre hierba** (field) hockey.

hogar m 1. *(de chimenea)* fireplace; *(de horno, cocina)* grate. 2. *(domicilio)* home. 3. *(familia)* family.

hogareño, -ña adj *(gen)* family *(antes de sust)*; *(amante del hogar)* home-loving.

hogaza f large loaf.

hoguera f bonfire; **morir en la ~** to be burned at the stake.

hoja f 1. *(de plantas)* leaf; *(de flor)* petal; *(de hierba)* blade. 2. *(de papel)* sheet (of paper); *(de libro)* page. 3. *(de cuchillo)* blade; ~ **de afeitar** razor blade. 4. *(de puertas, ventanas)* leaf. ◆ **hoja de cálculo** f (INFORM) spreadsheet.

hojalata f tinplate.

hojaldre m puff pastry.

hojear vt to leaf through.

hola interj ¡~! hello!

Holanda Holland.

holandés, -esa ◇ adj Dutch. ◇ m y f *(persona)* Dutchman *(f* Dutchwoman). ◆ **holandés** m *(lengua)* Dutch. ◆ **holandesa** f *(papel)* piece of paper measuring 22 x 28cm.

holding ['xoldin] *(pl* holdings) m holding company.

holgado, -da adj 1. *(ropa)* baggy, loose-fitting; *(habitación, espacio)* roomy. 2. *(victoria, situación económica)* comfortable.

holgar vi *(sobrar)* to be unnecessary; **huelga decir que ...** needless to say ...

holgazán, -ana ◇ adj idle, good-for-nothing. ◇ m y f good-for-nothing.

holgura f 1. *(anchura - de espacio)* room; *(- de ropa)* bagginess, looseness; *(- entre piezas)* play, give. 2. *(bienestar)* comfort, affluence.

hollar vt to tread (on).

hollín m soot.

holocausto m holocaust.

hombre ◇ m man; **el ~ de** *(la humanidad)* man, mankind; **el ~ de la calle** ○ **de a pie** the man in the street; ~ **de las ca-** vernas caveman; ~ **de negocios** businessman; ~ **de palabra** man of his word; **un pobre ~** a nobody; **¡pobre ~!** poor chap *Br* ○ guy!; **de ~ a ~** man to man. ◇ interj **¡~!** ¡qué alegría verte! (hey,) how nice to see you! ◆ **hombre orquesta** *(pl* hombres orquesta) m one-man band. ◆ **hombre rana** *(pl* hombres rana) m frogman.

hombrera f *(de traje, vestido)* shoulder pad; *(de uniforme)* epaulette.

hombro m shoulder; **a ~s** over one's shoulders; **encogerse de ~s** to shrug one's shoulders; **arrimar el ~** fig to lend a hand.

homenaje m *(gen)* tribute; *(al soberano)* homage; **partido (de) ~** testimonial (match); **en ~ de** ○ **a** in honour of, as a tribute to; **rendir ~ a** to pay tribute to.

homenajeado, -da m y f guest of honour.

homenajear vt to pay tribute to.

homeopatía f homeopathy.

homicida ◇ adj *(mirada etc)* murderous; **arma ~** murder weapon. ◇ m y f murderer.

homicidio m homicide, murder.

homilía f homily, sermon.

homogeneizar vt to homogenize.

homogéneo, -a adj homogenous.

homólogo, -ga ◇ adj *(semejante)* equivalent. ◇ m y f counterpart.

homosexual adj, m y f homosexual.

hondo, -da adj 1. *lit & fig (gen)* deep; **lo ~** the depths *(pl)*; **calar ~ en** to strike a chord with; **en lo más ~ de** in the depths of. 2. → cante. ◆ **honda** f sling.

hondonada f hollow.

hondura f depth.

Honduras Honduras.

hondureño, -ña adj, m y f Honduran.

honestidad f *(honradez)* honesty; *(decencia)* modesty, decency; *(justicia)* fairness.

honesto, -ta adj *(honrado)* honest; *(decente)* modest, decent; *(justo)* fair.

hongo m 1. *(planta - comestible)* mushroom; *(- no comestible)* toadstool. 2. *(enfermedad)* fungus.

honor m honour; **hacer ~ a** to live up to; **en ~ a la verdad** to be (quite) honest. ◆ **honores** mpl *(ceremonial)* honours.

honorable adj honourable.

honorar vt to honour.

honorario, -ria adj honorary. ◆ **honorarios** mpl fees.

honorífico, -ca adj honorific.

honra f honour; **¡y a mucha ~!** and proud of it! ♦ **honras fúnebres** fpl funeral (sg).

honradez f honesty.

honrado, -da adj honest.

honrar vt to honour. ♦ **honrarse** vpr: **~se (con algo/de hacer algo)** to be honoured (by sthg/to do sthg).

honroso, -sa adj **1.** (que da honra) honorary. **2.** (respetable) honourable, respectable.

hora f **1.** (del día) hour; **a primera ~** first thing in the morning; **a última ~** (al final del día) at the end of the day; (en el último momento) at the last moment; **dar la ~** to strike the hour; **de última ~** (noticia) latest, up-to-the-minute; (preparativos) last-minute; **'última ~'** 'stop press'; **(pagar) por ~s** (to pay) by the hour; **~s de oficina/trabajo** office/working hours; **~ oficial** official time; **~ punta** rush hour; **~s extraordinarias** overtime (U); **~s de visita** visiting times; **media ~** half an hour. **2.** (momento determinado) time; **¿a qué ~ sale?** what time o when does it leave?; **es ~ de irse** it's time to go; **a la ~** on time; **en su ~** when the time comes, at the appropriate time; **¿qué ~ es?** what time is it? **3.** (cita) appointment; **pedir/dar ~** to ask for/give an appointment; **tener ~ en/con** to have an appointment at/with. **4.** loc: **a altas ~s de la noche** in the small hours; **en mala ~** unluckily; **la ~ de la verdad** the moment of truth; **¡ya era ~!** and about time too!

horadar vt to pierce; (con máquina) to bore through.

horario, -ria adj time (antes de sust). ♦ **horario** m timetable; **~ comercial/laboral** opening/working hours (pl); **~ intensivo** working day without a break for lunch; **~ de visitas** visiting hours (pl).

horca f **1.** (patíbulo) gallows (pl). **2.** (AGR) pitchfork.

horcajadas ♦ **a horcajadas** loc adv astride.

horchata f cold drink made from ground tiger nuts or almonds, milk and sugar.

horizontal adj horizontal.

horizonte m horizon.

horma f (gen) mould, pattern; (para arreglar zapatos) last; (para conservar zapatos) shoe tree; (de sombrero) hat block.

hormiga f ant.

hormigón m concrete; **~ armado** reinforced concrete.

hormigueo m pins and needles (pl).

hormiguero ◊ adj → oso. ◊ m ants' nest.

hormona f hormone.

hornada f lit & fig batch.

hornear vt to bake.

hornillo m (para cocinar) camping o portable stove; (de laboratorio) small furnace.

horno m (CULIN) oven; (TECN) furnace; (de cerámica, ladrillos) kiln; **alto ~** blast furnace; **altos ~s** (factoría) iron and steelworks; **~ eléctrico** electric oven; **~ microondas** microwave (oven).

horóscopo m **1.** (signo zodiacal) star sign. **2.** (predicción) horoscope.

horquilla f (para el pelo) hairpin.

horrendo, -da adj (gen) horrendous; (muy malo) terrible, awful.

horrible adj (gen) horrible; (muy malo) terrible, awful.

horripilante adj (terrorífico) horrifying, spine-chilling.

horripilar vt to terrify.

horror m **1.** (miedo) terror, horror; **¡qué ~!** how awful! **2.** (gen pl) (atrocidad) atrocity.

horrorizado, -da adj terrified, horrified.

horrorizar vt to terrify, to horrify. ♦ **horrorizarse** vpr to be terrified o horrified.

horroroso, -sa adj **1.** (gen) awful. **2.** (muy feo) horrible, hideous.

hortaliza f (garden) vegetable.

hortelano, -na m y f market gardener.

hortera adj Esp fam tasteless, tacky.

horticultura f horticulture.

hospedar vt to put up. ♦ **hospedarse** vpr to stay.

hospicio m (para niños) children's home; (para pobres) poorhouse.

hospital m hospital.

hospitalidad f hospitality.

hospitalizar vt to hospitalize, to take o send to hospital.

hostal m guesthouse.

hostelería f catering.

hostia f **1.** (RELIG) host. **2.** Esp vulg (bofetada) bash, punch. **3.** Esp vulg (accidente) smash-up.

hostigar vt **1.** (acosar) to pester, to bother. **2.** (MIL) to harass.

hostil adj hostile.

hostilidad f (sentimiento) hostility. ♦ **hostilidades** fpl (MIL) hostilities.

hotel m hotel.

hoy adv **1.** (en este día) today; **de ~ en adelante** from now on. **2.** (en la actualidad) nowadays, today; **~ día, ~ en día, ~ por ~** these days, nowadays.

hoyo m (gen) hole, pit; (de golf) hole.

hoyuelo m dimple.

hoz f sickle; **la ~ y el martillo** the hammer and sickle.

huacal m Méx **1.** (jaula) cage. **2.** (cajón) drawer.

hubiera etc → **haber**.

hucha f moneybox.

hueco, -ca adj **1.** (vacío) hollow. **2.** (sonido) resonant, hollow. **3.** (sin ideas) empty. ♦ **hueco** m **1.** (cavidad - gen) hole; (- en pared) recess. **2.** (tiempo libre) spare moment. **3.** (espacio libre) space, gap; (de escalera) well; (de ascensor) shaft.

huela etc → **oler**.

huelga f strike; **estar/declararse en ~** to be/to go on strike; **~ de brazos caídos** o **cruzados** sit-down (strike); **~ de celo** work-to-rule; **~ de hambre** hunger strike; **~ general** general strike; **~ salvaje** wildcat strike.

huelguista m y f striker.

huella f **1.** (de persona) footprint; (de animal, rueda) track; **~ digital** o **dactilar** fingerprint. **2.** fig (vestigio) trace. **3.** fig (impresión profunda) mark; **dejar ~** to leave one's mark.

huérfano, -na adj, m y f orphan.

huerta f (huerto) truck farm Am, market garden Br.

huerto m (de hortalizas) vegetable garden; (de frutales) orchard.

hueso m **1.** (del cuerpo) bone; **ser un ~ duro de roer** to be a hard nut to crack. **2.** (de fruto) pit Am, stone Br. **3.** Méx fam (enchufe) contacts (pl), influence.

huésped, -da m y f guest.

huesudo, -da adj bony.

hueva f roe.

huevada f Arg & Chile vulg bollocks (U), crap.

huevo m **1.** (de animales) egg; **~ escalfado/frito** poached/fried egg; **~ pasado por agua/duro** soft-boiled/hard-boiled egg; **~s revueltos** scrambled eggs; **~ tibio** o **a la copa** Amer boiled egg. **2.** (gen pl) vulg (testículos) balls (pl); **costar un ~** (ser caro) to cost a packet o bomb; (ser difícil) to be bloody hard.

huida f escape, flight.

huidizo, -za adj shy, elusive.

huir vi **1.** (escapar): **~ (de)** (gen) to flee (from); (de cárcel etc) to escape (from); **~ del país** to flee the country. **2.** (evitar): **~**

de algo to avoid sthg, to keep away from sthg.

hule m oilskin.

humanidad f humanity. ♦ **humanidades** fpl (letras) humanities.

humanitario, -ria adj humanitarian.

humanizar vt to humanize.

humano, -na adj **1.** (del hombre) human. **2.** (compasivo) humane. ♦ **humano** m human being; **los ~s** mankind (U).

humareda f cloud of smoke.

humedad f **1.** (gen) dampness; (en pared, techo) damp; (de algo chorreando) wetness; (de piel, ojos etc) moistness. **2.** (de atmósfera etc) humidity.

humedecer vt to moisten. ♦ **humedecerse** vpr to become moist; **~se los labios** to moisten one's lips.

húmedo, -da adj **1.** (gen) damp; (chorreando) wet; (piel, ojos etc) moist. **2.** (aire, clima, atmósfera) humid.

humidificar vt to humidify.

humildad f humility.

humilde adj humble.

humillación f humiliation.

humillado, -da adj humiliated.

humillante adj humiliating.

humillar vt to humiliate. ♦ **humillarse** vpr to humble o.s.

humo m (gen) smoke; (vapor) steam; (de coches etc) fumes (pl). ♦ **humos** mpl fig (aires) airs; **bajarle a alguien los ~s** fig to take sb down a peg or two.

humor m **1.** (estado de ánimo) mood; (carácter) temperament; **estar de buen/mal ~** to be in a good/bad mood. **2.** (gracia) humour; **un programa de ~** a comedy programme; **~ negro** black humour. **3.** (ganas) mood; **no estoy de ~** I'm not in the mood.

humorismo m humour; (TEATRO & TV) comedy.

humorista m y f humorist; (TEATRO & TV) comedian (f comedienne).

humorístico, -ca adj humorous.

hundir vt **1.** (gen) to sink; **~ algo en el agua** to put sthg underwater. **2.** fig (afligir) to devastate, to destroy. **3.** fig (hacer fracasar) to ruin. ♦ **hundirse** vpr **1.** (sumergirse) to sink; (intencionadamente) to dive. **2.** (derrumbarse) to collapse; (techo) to cave in. **3.** fig (fracasar) to be ruined.

húngaro, -ra adj, m y f Hungarian. ♦ **húngaro** m (lengua) Hungarian.

Hungría Hungary.

huracán m hurricane.

hurgar *vi*: ~ **(en)** *(gen)* to rummage around (in); *(con el dedo, un palo)* to poke around (in). ♦ **hurgarse** *vpr*: ~**se la nariz** to pick one's nose; ~**se los bolsillos** to rummage around in one's pockets.

hurón *m* (ZOOL) ferret.

hurra *interj*: ¡~! hurray!

hurtadillas ♦ **a hurtadillas** *loc adv* on the sly, stealthily.

hurtar *vt* to steal.

hurto *m* theft.

husmear ◇ *vt* (olfatear) to sniff out, to scent. ◇ *vi* (curiosear) to nose around.

huy *interj*: ¡~! *(dolor)* ouch!; *(sorpresa)* gosh!

I

i, I *f (letra)* i, I.

iba → **ir.**

ibérico, -ca *adj* Iberian.

iberoamericano, -na *adj, m y f* Latin American.

iceberg *(pl icebergs) m* iceberg.

icono *m* icon.

id → **ir.**

ida *f* outward journey; **(billete de)** ~ **y vuelta** return (ticket).

idea *f* 1. *(gen)* idea; *(propósito)* intention; **con la** ~ **de** with the idea ◇ intention of; ~ **fija** obsession; **no tener ni** ~ **(de)** not to have a clue (about). 2. *(opinión)* impression; **cambiar de** ~ to change one's mind.

ideal *adj & m* ideal.

idealista ◇ *adj* idealistic. ◇ *m y f* idealist.

idealizar *vt* to idealize.

idear *vt* 1. *(planear)* to think up, to devise. 2. *(inventar)* to invent.

ídem *pron* ditto.

idéntico, -ca *adj*: ~ **(a)** identical (to).

identidad *f (gen)* identity.

identificación *f* identification.

identificar *vt* to identify. ♦ **identificarse** *vpr*: ~**se (con)** to identify (with).

ideología *f* ideology.

idílico, -ca *adj* idyllic.

idilio *m* love affair.

idioma *m* language.

idiosincrasia *f* individual character.

idiota ◇ *adj despec (tonto)* stupid. ◇ *m y f* idiot.

idiotez *f (tontería)* stupid thing, stupidity *(U).*

ido, ida *adj* mad, touched.

idolatrar *vt* to worship; *fig* to idolize.

ídolo *m* idol.

idóneo, -a *adj*: ~ **(para)** suitable (for).

iglesia *f* church.

iglú *(pl iglúes) m* igloo.

ignorancia *f* ignorance.

ignorante ◇ *adj* ignorant. ◇ *m y f* ignoramus.

ignorar *vt* 1. *(desconocer)* not to know, to be ignorant of. 2. *(no tener en cuenta)* to ignore.

igual ◇ *adj* 1. *(idéntico)*: ~ **(que)** the same (as); **llevan jerseys** ~**es** they're wearing the same jumper; **son** ~**es** they're the same. 2. *(parecido)*: ~ **(que)** similar (to). 3. *(equivalente)*: ~ **(a)** equal (to). 4. *(liso)* even. 5. *(constante - velocidad)* constant; *(- clima, temperatura)* even. 6. (MAT): **A más B es** ~ **a C** A plus B equals C. ◇ *m y f* equal; **sin** ~ without equal, unrivalled. ◇ *adv* 1. *(de la misma manera)* the same; **yo pienso** ~ I think the same, I think so too; **al** ~ **que** just like; **por** ~ equally. 2. *(posiblemente)* perhaps; ~ **llueve** it could well rain. 3. (DEP): **van** ~**es** the scores are level. 4. *loc*: **dar** ◇ **ser** ~ **a alguien** to be all the same to sb; **es** ◇ **da** ~ it doesn't matter, it doesn't make any difference.

igualado, -da *adj* level.

igualar *vt* 1. *(gen)* to make equal; (DEP) to equalize; ~ **algo a** ◇ **con** to equate sthg with. 2. *(persona)* to be equal to; **nadie le iguala en generosidad** nobody is as generous as he is. 3. *(terreno)* to level; *(superficie)* to smooth. ♦ **igualarse** *vpr* 1. *(gen)* to be equal. 2. *(a otra persona)*: ~**se a** ◇ **con alguien** to treat sb as an equal.

igualdad *f* 1. *(equivalencia)* equality; **en** ~ **de condiciones** on equal terms; ~ **de oportunidades** equal opportunities *(pl).* 2. *(identidad)* sameness.

igualmente *adv* 1. *(también)* also, likewise. 2. *(fórmula de cortesía)* the same to you, likewise.

ilegal *adj* illegal.

ilegible *adj* illegible.

ilegítimo, -ma *adj* illegitimate.

ileso, -sa *adj* unhurt, unharmed; **salir** ◇ **resultar** ~ to escape unharmed.

ilícito, -ta *adj* illicit.

ilimitado, -da *adj* unlimited, limitless.

iluminación f 1. (gen) lighting; (acción) illumination. 2. (RELIG) enlightenment.

iluminar vt (gen) to illuminate, to light up. ◆ **iluminarse** vpr to light up.

ilusión f 1. (esperanza - gen) hope; (- infundada) delusion, illusion; **hacerse o forjarse ilusiones** to build up one's hopes. 2. (emoción) thrill, excitement (U); **¡qué ~!** how exciting!; **me hace mucha ~** I'm really looking forward to it. 3. (espejismo) illusion.

ilusionar vt 1. (esperanzar): ~ **a alguien (con algo)** to build up sb's hopes (about sthg). 2. (emocionar) to excite, to thrill. ◆ **ilusionarse** vpr (emocionarse): ~**se (con)** to get excited (about).

ilusionista m y f conjurer.

iluso, -sa adj gullible.

ilusorio, -ria adj illusory; (promesa) empty.

ilustración f 1. (estampa) illustration. 2. (cultura) learning. ◆ **Ilustración** f (HIST): **la Ilustración** the Enlightenment.

ilustrado, -da adj 1. (publicación) illustrated. 2. (persona) learned. 3. (HIST) enlightened.

ilustrar vt 1. (explicar) to illustrate, to explain. 2. (publicación) to illustrate.

ilustre adj (gen) illustrious, distinguished.

imagen f (gen) image; (TV) picture; **ser la viva ~ de alguien** to be the spitting image of sb.

imaginación f 1. (facultad) imagination; **pasar por la ~ de alguien** to occur to sb, to cross sb's mind. 2. (gen pl) (idea falsa) delusion.

imaginar vt 1. (gen) to imagine. 2. (idear) to think up, to invent. ◆ **imaginarse** vpr to imagine; **¡imagínate!** just think o imagine!; **me imagino que sí** I suppose so.

imaginario, -ria adj imaginary.

imaginativo, -va adj imaginative.

imán m (para atraer) magnet.

imbécil ◇ adj stupid. ◇ m y f idiot.

imborrable adj fig indelible; (recuerdo) unforgettable.

imitación f imitation; (de humorista) impersonation; **a ~ de** in imitation of; **piel de ~** imitation leather.

imitador, -ra m y f imitator; (humorista) impersonator.

imitar vt (gen) to imitate, to copy; (a personajes famosos) to impersonate; (producto, material) to simulate.

impaciencia f impatience.

impacientar vt to make impatient.

◆ **impacientarse** vpr to grow impatient.

impaciente adj impatient; ~ **por hacer algo** impatient o anxious to do sthg.

impactar ◇ vt (suj: noticia) to have an impact on. ◇ vi (bala) to hit.

impacto m 1. (gen) impact; (de bala) hit. 2. (señal) (impact) mark; ~**s de bala** bullethole.

impar adj (MAT) odd.

imparable adj unstoppable.

imparcial adj impartial.

impartir vt to give.

impase, impasse [im'pas] m impasse.

impasible adj impassive.

impávido, -da adj (valeroso) fearless, courageous; (impasible) impassive.

impecable adj impeccable.

impedido, -da adj disabled; **estar ~ de un brazo** to have the use of only one arm.

impedimento m (gen) obstacle; (contra un matrimonio) impediment.

impedir vt 1. (imposibilitar) to prevent; ~ **a alguien hacer algo** to prevent sb from doing sthg. 2. (dificultar) to hinder, to obstruct.

impenetrable adj lit & fig impenetrable.

impensable adj unthinkable.

imperar vi to prevail.

imperativo, -va adj 1. (gen & GRAM) imperative. 2. (autoritario) imperious. ◆ **imperativo** m (gen & GRAM) imperative.

imperceptible adj imperceptible.

imperdible m safety pin.

imperdonable adj unforgivable.

imperfección f 1. (cualidad) imperfection. 2. (defecto) flaw, defect.

imperfecto, -ta adj (gen) imperfect; (defectuoso) faulty, defective. ◆ **imperfecto** m (GRAM) imperfect.

imperial adj imperial.

imperialismo m imperialism.

imperio m 1. (territorio) empire. 2. (dominio) rule.

imperioso, -sa adj 1. (autoritario) imperious. 2. (apremiante) urgent.

impermeable ◇ adj waterproof. ◇ m raincoat, mac Br.

impersonal adj impersonal.

impertinencia f 1. (gen) impertinence. 2. (comentario) impertinent remark.

impertinente adj impertinent.

imperturbable adj imperturbable.

ímpetu m 1. (brusquedad) force.

2. *(energía)* energy. **3.** (FÍS) impetus.

impetuoso, -sa *adj* **1.** *(olas, viento, ataque)* violent. **2.** *fig (persona)* impulsive, impetuous.

implantar *vt* **1.** *(establecer)* to introduce. **2.** (MED) to insert. ◆ **implantarse** *vpr (establecerse)* to be introduced.

implicación *f* **1.** *(participación)* involvement. **2.** *(gen pl) (consecuencia)* implication.

implicar *vt* **1.** *(involucrar):* ~ **(en)** to involve (in); (DER) to implicate (in). **2.** *(significar)* to mean. ◆ **implicarse** *vpr* (DER) to incriminate o.s.; **~se en** to become involved in.

implícito, -ta *adj* implicit.

implorar *vt* to implore.

imponente *adj* **1.** *(impresionante)* imposing, impressive. **2.** *(estupendo)* sensational, terrific.

imponer ◇ *vt* **1.** ~ **algo (a alguien)** *(gen)* to impose sthg (on sb); *(respeto)* to command sthg (from sb). **2.** *(moda)* to set; *(costumbre)* to introduce. ◇ *vi* to be imposing. ◆ **imponerse** *vpr* **1.** *(hacerse respetar)* I don't care, to show authority. **2.** *(prevalecer)* to prevail. **3.** *(ser necesario)* to be necessary. **4.** (DEP) to win, to prevail.

impopular *adj* unpopular.

importación *f (acción)* importing; *(artículo)* import.

importador, -ra *m y f* importer.

importancia *f* importance; **dar ~ a algo** to attach importance to sthg; **quitar ~ a algo** to play sthg down; **darse ~** to give o.s. airs, to show off.

importante *adj* **1.** *(gen)* important; *(lesión)* serious. **2.** *(cantidad)* considerable.

importar ◇ *vt* **1.** *(gen & INFORM)* to import. **2.** *(suj: factura, coste)* to amount to, to come to. ◇ *vi* **1.** *(preocupar)* to matter; **no me importa** I don't care, it doesn't matter to me; **¿y a ti qué te importa?** what's it got to do with you? **2.** *(en preguntas)* to mind; **¿le importa que me siente?** do you mind if I sit down?; **¿te importaría acompañarme?** would you mind coming with me? ◇ *v impers* to matter; **no importa** it doesn't matter.

importe *m (gen)* price, cost; *(de factura)* total.

importunar *vt* to bother, to pester.

imposibilidad *f* impossibility; **su ~ para contestar la pregunta** his inability to answer the question.

imposibilitar *vt:* ~ **a alguien para hacer algo** to make it impossible for sb to do sthg, to prevent sb from doing sthg.

imposible *adj* **1.** *(irrealizable)* impossible. **2.** *(insoportable)* unbearable, impossible.

imposición *f* **1.** *(obligación)* imposition. **2.** *(impuesto)* tax. **3.** (BANCA) deposit.

impostor, -ra *m y f (suplantador)* impostor.

impotencia *f* impotence.

impotente *adj* impotent.

impreciso, -sa *adj* imprecise, vague.

impredecible *adj* unforeseeable; *(variable)* unpredictable.

impregnar *vt:* ~ **(de)** to impregnate (with). ◆ **impregnarse** *vpr:* **~se (de)** to become impregnated (with).

imprenta *f* **1.** *(arte)* printing. **2.** *(máquina)* (printing) press. **3.** *(establecimiento)* printing house.

imprescindible *adj* indispensable, essential.

impresión *f* **1.** *(gen)* impression; *(sensación física)* feeling; **causar (una) buena/mala ~** to make a good/bad impression; **dar la ~ de** to give the impression of; **tener la ~ de que** to have the impression that. **2.** *(huella)* imprint; **~ digital** o **dactilar** fingerprint. **3.** (IMPRENTA - *acción)* printing; *(- edición)* edition.

impresionable *adj* impressionable.

impresionante *adj* impressive; *(error)* enormous.

impresionar ◇ *vt* **1.** *(maravillar)* to impress. **2.** *(conmocionar)* to move. **3.** *(horrorizar)* to shock. **4.** (FOT) to expose. ◇ *vi (maravillar)* to make an impression. ◆ **impresionarse** *vpr* **1.** *(maravillarse)* to be impressed. **2.** *(conmocionarse)* to be moved. **3.** *(horrorizarse)* to be shocked.

impreso, -sa ◇ *pp* → **imprimir.** ◇ *adj* printed. ◆ **impreso** *m* **1.** *(texto)* printed matter *(U).* **2.** *(formulario)* form.

impresor, -ra *m y f (persona)* printer. ◆ **impresora** *f* (INFORM) printer; **impresora láser/térmica** laser/thermal printer; **impresora de matriz** o **de agujas** dot-matrix printer; **impresora de chorro de tinta** ink-jet printer.

imprevisible *adj* unforeseeable; *(variable)* unpredictable.

imprevisto, -ta *adj* unexpected. ◆ **imprevisto** *m (hecho):* **salvo ~s** barring accidents.

imprimir *vt* **1.** *(gen)* to print; *(huella,*

paso) to leave. **2.** *fig (transmitir):* **~ algo a** to impart o bring sthg to.

improbable *adj* improbable, unlikely.

impropio, -pia *adj:* **~ (de)** improper (for), unbecoming (to).

improvisado, -da *adj (gen)* improvised; *(discurso, truco)* impromptu; *(comentario)* ad-lib; *(cama etc)* makeshift.

improvisar ◇ *vt (gen)* to improvise; *(comida)* to rustle up; **~ una cama** to make (up) a makeshift bed. ◇ *vi (gen)* to improvise; *(MÚS)* to extemporize.

improviso ♦ **de improviso** *loc adv* unexpectedly, suddenly; **coger a alguien de ~** to catch sb unawares.

imprudente *adj (en los actos)* careless, rash; *(en los comentarios)* indiscreet.

impúdico, -ca *adj* immodest, indecent.

impuesto, -ta *pp* → **imponer**. ♦ **impuesto** *m* tax; **~ sobre el valor añadido** value-added tax; **~ sobre la renta** = income tax.

impugnar *vt* to contest, to challenge.

impulsar *vt* **1.** *(empujar)* to propel, to drive. **2.** *(incitar):* **~ a alguien (a algo/a hacer algo)** to drive sb (to sthg/to do sthg). **3.** *(promocionar)* to stimulate.

impulsivo, -va *adj* impulsive.

impulso *m* **1.** *(progreso)* stimulus, boost. **2.** *(fuerza)* momentum. **3.** *(motivación)* impulse, urge.

impune *adj* unpunished.

impunidad *f* impunity.

impureza *f (gen pl)* impurity.

impuro, -ra *adj lit & fig* impure.

imputación *f* accusation.

imputar *vt (atribuir):* **~ algo a alguien** *(delito)* to accuse sb of sthg; *(fracaso, error)* to attribute sthg to sb.

in → **fraganti, vitro**.

inabarcable *adj* unmanageable.

inacabable *adj* interminable, endless.

inaccesible *adj* inaccessible.

inaceptable *adj* unacceptable.

inactividad *f* inactivity.

inactivo, -va *adj* inactive.

inadaptado, -da *adj* maladjusted.

inadecuado, -da *adj (inapropiado)* unsuitable, inappropriate.

inadmisible *adj* inadmissible.

inadvertido, -da *adj* unnoticed; **pasar ~** to go unnoticed.

inagotable *adj* inexhaustible.

inaguantable *adj* unbearable.

inalámbrico, -ca *adj* cordless.

inalcanzable *adj* unattainable.

inalterable *adj* **1.** *(gen)* unalterable;

(salud) stable; *(amistad)* undying. **2.** *(color)* fast. **3.** *(rostro, carácter)* impassive. **4.** *(resultado, marcador)* unchanged.

inanimado, -da *adj* inanimate.

inánime *adj* lifeless.

inapreciable *adj* **1.** *(incalculable)* invaluable. **2.** *(insignificante)* imperceptible.

inapropiado, -da *adj* inappropriate.

inaudito, -ta *adj* unheard-of.

inauguración *f* inauguration, opening.

inaugurar *vt* to inaugurate, to open.

inca *adj, m y f* Inca.

incalculable *adj* incalculable.

incandescente *adj* incandescent.

incansable *adj* untiring, tireless.

incapacidad *f* **1.** *(imposibilidad)* inability. **2.** *(ineptitud)* incompetence. **3.** *(DER)* incapacity.

incapacitado, -da *adj (DER - gen)* disqualified; *(- para testar)* incapacitated; *(- para trabajar)* unfit.

incapacitar *vt:* **~ (para)** *(gen)* to disqualify (from); *(para trabajar etc)* to render unfit (for).

incapaz *adj* **1.** *(gen):* **~ de** incapable of. **2.** *(sin talento):* **~ para** incompetent at, no good at. **3.** *(DER)* incompetent.

incautación *f* seizure, confiscation.

incautarse ♦ **incautarse de** *vpr (DER)* to seize, to confiscate.

incauto, -ta *adj* gullible.

incendiar *vt* to set fire to. ♦ **incendiarse** *vpr* to catch fire.

incendiario, -ria ◇ *adj* **1.** *(bomba etc)* incendiary. **2.** *fig (artículo, libro etc)* inflammatory. ◇ *m y f* arsonist.

incendio *m* fire; **~ provocado** arson.

incentivo *m* incentive.

incertidumbre *f* uncertainty.

incesto *m* incest.

incidente *m* incident.

incidir ♦ **incidir en** *vi* **1.** *(incurrir en)* to fall into, to lapse into. **2.** *(insistir en)* to focus on. **3.** *(influir en)* to have an impact on, to affect.

incienso *m* incense.

incierto, -ta *adj* **1.** *(dudoso)* uncertain. **2.** *(falso)* untrue.

incineración *f (de cadáver)* cremation; *(de basura)* incineration.

incinerar *vt (cadáver)* to cremate; *(basura)* to incinerate.

incisión *f* incision.

incitante *adj (instigador)* inciting; *(provocativo)* provocative.

incitar *vt:* **~ a alguien a algo** *(violencia,*

rebelión etc) to incite sb to sthg; **~ a alguien a la fuga/venganza** to urge sb to flee/avenge himself; **~ a alguien a hacer algo** *(rebelarse etc)* to incite sb to do sthg; *(fugarse, vengarse)* to urge sb to do sthg.

inclinación *f* 1. *(desviación)* slant, inclination; *(de terreno)* slope. 2. *fig (afición)*: **~ (a** o **por)** penchant o propensity (for). 3. *(cariño)*: **~ hacia alguien** fondness towards sb. 4. *(saludo)* bow.

inclinar *vt* 1. *(doblar)* to bend; *(ladear)* to tilt. 2. *(cabeza)* to bow. ◆ **inclinarse** *vpr* 1. *(doblarse)* to lean. 2. *(para saludar)*: **~se (ante)** to bow (before). ◆ **inclinarse a** *vi (tender a)* to be o feel inclined to. ◆ **inclinarse por** *vi (preferir)* to favour, to lean towards.

incluir *vt (gen)* to include; *(adjuntar - en cartas)* to enclose.

inclusive *adv* inclusive.

incluso, -sa *adj* enclosed. ◆ **incluso** *adv & prep* even.

incógnito, -ta *adj* unknown. ◆ **incógnita** *f* 1. (MAT) unknown quantity. 2. *(misterio)* mystery. ◆ **de incógnito** *loc adv* incognito.

incoherencia *f* 1. *(cualidad)* incoherence. 2. *(comentario)* nonsensical remark.

incoherente *adj* 1. *(inconexo)* incoherent. 2. *(inconsecuente)* inconsistent.

incoloro, -ra *adj lit & fig* colourless.

incomodar *vt* 1. *(causar molestia)* to bother, to inconvenience. 2. *(enfadar)* to annoy. ◆ **incomodarse** *vpr (enfadarse)*: **~se (por)** to get annoyed (about).

incómodo, -da *adj* 1. *(silla etc)* uncomfortable. 2. *(situación, persona)* awkward, uncomfortable.

incomparable *adj* incomparable.

incompatible *adj*: **~ (con)** incompatible (with).

incompetencia *f* incompetence.

incompetente *adj* incompetent.

incompleto, -ta *adj* 1. *(gen)* incomplete. 2. *(inacabado)* unfinished.

incomprensible *adj* incomprehensible.

incomprensión *f* lack of understanding.

incomprensivo, -va *adj* unsympathetic.

incomunicado, -da *adj* 1. *(gen)* isolated. 2. *(por la nieve etc)* cut off. 3. *(preso)* in solitary confinement.

inconcebible *adj* inconceivable.

inconcluso, -sa *adj* unfinished.

incondicional ◇ *adj* unconditional; *(ayuda)* wholehearted; *(seguidor)* staunch. ◇ *m y f* staunch supporter.

inconformista *adj, m y f* nonconformist.

inconfundible *adj* unmistakable; *(prueba)* irrefutable.

inconsciencia *f* 1. *(gen)* unconsciousness. 2. *fig (falta de juicio)* thoughtlessness.

inconsciente *adj* 1. *(gen)* unconscious. 2. *fig (irreflexivo)* thoughtless.

inconsecuente *adj* inconsistent.

inconsistente *adj (tela, pared etc)* flimsy; *(salsa)* runny; *(argumento, discurso etc)* lacking in substance.

inconstante *adj* 1. *(en el trabajo, la conducta)* unreliable. 2. *(de opinión, ideas)* changeable.

inconstitucional *adj* unconstitutional.

incontable *adj (innumerable)* countless.

incontestable *adj* indisputable.

incontinencia *f* (MED) incontinence.

incontrolable *adj* uncontrollable.

inconveniencia *f* 1. *(inoportunidad)* inappropriateness. 2. *(comentario)* tactless remark; *(acto)* mistake.

inconveniente ◇ *adj* 1. *(inoportuno)* inappropriate. 2. *(descortés)* rude. ◇ *m* 1. *(dificultad)* obstacle, problem. 2. *(desventaja)* drawback.

incorporación *f*: **~ (a)** *(gen)* incorporation (into); *(a un puesto)* induction (into).

incorporar *vt* 1. *(añadir)*: **~ (a)** *(gen)* to incorporate (into); (CULIN) to mix (into). 2. *(levantar)* to sit up. ◆ **incorporarse** *vpr* 1. *(empezar)*: **~se (a)** *(equipo)* to join; *(trabajo)* to start. 2. *(levantarse)* to sit up.

incorrección *f (inexactitud)* incorrectness; *(error gramatical)* mistake.

incorrecto, -ta *adj* 1. *(equivocado)* incorrect, wrong. 2. *(descortés)* rude, impolite.

incorregible *adj* incorrigible.

incrédulo, -la *adj* sceptical, incredulous; (RELIG) unbelieving.

increíble *adj* 1. *(difícil de creer)* unconvincing. 2. *fig (extraordinario)* incredible. 3. *fig (inconcebible)* unbelievable.

incrementar *vt* to increase. ◆ **incrementarse** *vpr* to increase.

incremento *m* increase; *(de temperatura)* rise.

incriminar *vt* to accuse.

incruento, -ta adj bloodless.

incrustar vt 1. (TECN) to inlay; (en joyería) to set. 2. fam fig (empotrar): ~ algo en algo to sink sthg into sthg. ◆ incrustarse vpr (cal etc) to become encrusted.

incubar vt 1. (huevo) to incubate. 2. (enfermedad) to be sickening for.

inculcar vt: ~ algo a alguien to instil sthg into sb.

inculpar vt: ~ a alguien (de) (gen) to accuse sb (of); (DER) to charge sb (with).

inculto, -ta ◇ adj (persona) uneducated. ◇ m y f ignoramus.

incumbir ◆ incumbir a vi: ~ a alguien to be a matter for sb; esto no te incumbe this is none of your business.

incumplimiento m (de deber) failure to fulfil; (de orden, ley) non-compliance; (de promesa) failure to keep; ~ de contrato breach of contract.

incumplir vt (deber) to fail to fulfil, to neglect; (orden, ley) to fail to comply with; (promesa) to break; (contrato) to breach.

incurable adj incurable.

incurrir ◆ incurrir en vi 1. (delito, falta) to commit; (error) to make. 2. (desprecio etc) to incur.

indagar ◇ vt to investigate, to inquire into. ◇ vi to investigate, to inquire.

indecencia f 1. (cualidad) indecency. 2. (acción) outrage, crime.

indecente adj 1. (impúdico) indecent. 2. (indigno) miserable, wretched.

indecible adj (alegría) indescribable; (dolor) unspeakable.

indecisión f indecisiveness.

indeciso, -sa adj 1. (persona - inseguro) indecisive; (- que está dudoso) undecided. 2. (pregunta, respuesta) hesitant; (resultado) undecided.

indefenso, -sa adj defenceless.

indefinido, -da adj 1. (ilimitado) indefinite; (contrato) open-ended. 2. (impreciso) vague. 3. (GRAM) indefinite.

indemne adj unhurt, unharmed.

indemnización f (gen) compensation; (por despido) severance pay.

indemnizar vt: ~ a alguien (por) to compensate sb (for).

independencia f independence; con ~ de independently of.

independiente adj 1. (gen) independent. 2. (aparte) separate.

independizar vt to grant independence to. ◆ independizarse vpr: ~se (de) to become independent (of).

indeterminado, -da adj 1. (sin determinar) indeterminate; por tiempo ~ indefinitely. 2. (impreciso) vague.

indexar vt (INFORM) to index.

India: (la) ~ India.

indiano, -na m y f 1. (indígena) (Latin American) Indian. 2. (emigrante) Spanish emigrant to Latin America who returned to Spain having made his fortune.

indicación f 1. (señal, gesto) sign, signal. 2. (gen pl) (instrucción) instruction; (para llegar a un sitio) directions (pl). 3. (nota, corrección) note.

indicado, -da adj suitable, appropriate.

indicador, -ra adj indicating (antes de sust). ◆ indicador m (gen) indicator; (TECN) gauge, meter.

indicar vt (señalar) to indicate; (suj: aguja etc) to read.

indicativo, -va adj indicative. ◆ indicativo m (GRAM) indicative.

índice m 1. (gen) index; (proporción) level, rate; ~ de natalidad birth rate; ~ de precios al consumo retail price index. 2. (señal) sign, indicator. 3. (catálogo) catalogue. 4. (dedo) index finger.

indicio m sign; (pista) clue; (cantidad pequeña) trace.

índico m: el (océano) ~ the Indian Ocean.

indiferencia f indifference.

indiferente adj indifferent; me es ~ (me da igual) I don't mind, it's all the same to me; (no me interesa) I'm not interested in it.

indígena ◇ adj indigenous, native. ◇ m y f native.

indigente adj destitute.

indigestión f indigestion.

indigesto, -ta adj indigestible; fam fig (pesado) stodgy, heavy.

indignación f indignation. ◆ indignarse vpr: ~se (por) to get angry ο indignant (about).

indigno, -na adj 1. (gen): ~ (de) unworthy (of). 2. (impropio) not fitting, wrong. 3. (vergonzoso) contemptible.

indio, -dia ◇ adj Indian. ◇ m y f Indian; hacer el ~ to play the fool.

indirecto, -ta adj indirect. ◆ indirecta f hint; lanzar una indirecta a alguien to drop a hint to sb.

indisciplina f indiscipline.

indiscreción f 1. (cualidad) indiscretion. 2. (comentario) indiscreet remark.

indiscreto, -ta adj indiscreet.

indiscriminado, -da *adj* indiscriminate.

indiscutible *adj* (gen) indisputable; (poder) undisputed.

indispensable *adj* indispensable.

indisponer *vt* 1. (enfermar) to make ill, to upset. 2. (enemistar) to set at odds.

indisposición *f* (malestar) indisposition.

indispuesto, -ta ◇ *pp* → indisponer. ◇ *adj* indisposed, unwell.

indistinto, -ta *adj* 1. (indiferente): es ~ it doesn't matter, it makes no difference. 2. (cuenta, cartilla) joint. 3. (perfil, figura) indistinct, blurred.

individual *adj* 1. (gen) individual; (habitación, cama) single; (despacho) personal. 2. (prueba, competición) singles (antes de sust). ◆ **individuales** *mpl* (DEP) singles.

individualizar *vi* to single people out.

individuo, -dua *m y f* person; despec individual.

indocumentado, -da *adj* 1. (sin documentación) without identity papers. 2. (ignorante) ignorant.

índole *f* (naturaleza) nature; (tipo) type, kind.

indoloro, -ra *adj* painless.

indómito, -ta *adj* 1. (animal) untameable. 2. (carácter) rebellious; (pueblo) unruly.

Indonesia Indonesia.

inducir *vt* (incitar): ~ a alguien a algo/a hacer algo to lead sb into sthg/into doing sthg; ~ a error to mislead.

inductor, -ra *adj* instigating.

indudable *adj* undoubted; es ~ que ... there is no doubt that ...

indulgencia *f* indulgence.

indultar *vt* to pardon.

indulto *m* pardon.

indumentaria *f* attire.

industria *f* (gen) industry.

industrial ◇ *adj* industrial. ◇ *m y f* industrialist.

industrializar *vt* to industrialize.

inédito, -ta *adj* 1. (no publicado) unpublished. 2. (sorprendente) unprecedented.

inefable *adj* ineffable, inexpressible.

ineficaz *adj* 1. (de bajo rendimiento) inefficient. 2. (de baja efectividad) ineffective.

ineficiente *adj* 1. (de bajo rendimiento) inefficient. 2. (de baja efectividad) ineffective.

inenarrable *adj* spectacular.

ineptitud *f* ineptitude.

inepto, -ta *adj* inept.

inequívoco, -ca *adj* (apoyo, resultado) unequivocal; (señal, voz) unmistakeable.

inercia *f* lit & fig inertia.

inerte *adj* 1. (materia) inert. 2. (cuerpo, cadáver) lifeless.

inesperado, -da *adj* unexpected.

inestable *adj* lit & fig unstable.

inevitable *adj* inevitable.

inexacto, -ta *adj* 1. (impreciso) inaccurate. 2. (erróneo) incorrect, wrong.

inexistente *adj* nonexistent.

inexperiencia *f* inexperience.

inexperto, -ta *adj* 1. (falto de experiencia) inexperienced. 2. (falto de habilidad) unskilful.

inexpresivo, -va *adj* expressionless.

infalible *adj* infallible.

infame *adj* vile, base.

infamia *f* (deshonra) infamy, disgrace.

infancia *f* (periodo) childhood.

infante, -ta *m y f* 1. (niño) infant. 2. (hijo del rey) infante (f infanta), prince (f princess).

infantería *f* infantry.

infantil *adj* 1. (para niños) children's; (de niños) child (antes de sust). 2. fig (inmaduro) infantile, childish.

infarto *m*: ~ (de miocardio) heart attack.

infatigable *adj* indefatigable, tireless.

infección *f* infection.

infeccioso, -sa *adj* infectious.

infectar *vt* to infect. ◆ **infectarse** *vpr* to become infected.

infecundo, -da *adj* (tierra) infertile.

infeliz *adj* 1. (desgraciado) unhappy. 2. fig (ingenuo) gullible.

inferior ◇ *adj*: ~ (a) (en espacio, cantidad) lower (than); (en calidad) inferior (to); una cifra ~ a 100 a figure under o below 100. ◇ *m y f* inferior.

inferioridad *f* inferiority.

inferir *vt* 1. (deducir): ~ (de) to deduce (from), to infer (from). 2. (ocasionar - herida) to inflict; (- mal) to cause.

infernal *adj* lit & fig infernal.

infidelidad *f* (conyugal) infidelity; (a la patria, un amigo) disloyalty.

infiel ◇ *adj* 1. (desleal - cónyuge) unfaithful; (- amigo) disloyal. 2. (inexacto) inaccurate, unfaithful. ◇ *m y f* (RELIG) infidel.

infierno *m lit & fig* hell; **¡vete al ~!** go to hell!

infiltrar *vt (inyectar)* to inject. ◆ **infiltrarse en** *vpr* to infiltrate.

ínfimo, -ma *adj (calidad, categoría)* extremely low; *(precio)* giveaway; *(importancia)* minimal.

infinidad *f*: **una ~ de** an infinite number of; *fig* masses of; **en ~ de ocasiones** on countless occasions.

infinitivo *m* infinitive.

infinito, -ta *adj lit & fig* infinite. ◆ **infinito** *m* infinity.

inflación *f* (ECON) inflation.

inflamable *adj* inflammable.

inflamación *f* (MED) inflammation.

inflamar *vt* (MED *& fig)* to inflame. ◆ **inflamarse** *vpr (hincharse)* to become inflamed.

inflamatorio, -ria *adj* inflammatory.

inflar *vt* 1. *(soplando)* to blow up, to inflate; *(con bomba)* to pump up. 2. *fig (exagerar)* to blow up, to exaggerate. ◆ **inflarse** *vpr*: **~se (de)** *(hartarse)* to stuff o.s. (with).

inflexible *adj lit & fig* inflexible.

inflexión *f* inflection.

infligir *vt* to inflict; *(castigo)* to impose.

influencia *f* influence.

influenciar *vt* to influence.

influir ◇ *vt* to influence. ◇ *vi* to have influence; **~ en** to influence.

influjo *m* influence.

influyente *adj* influential.

información *f* 1. *(conocimiento)* information. 2. (PRENSA *- noticias)* news *(U)*; *(- noticia)* report, piece of news; *(- sección)* section, news *(U)*; **~ meteorológica** weather report o forecast. 3. *(oficina)* information office; *(mostrador)* information desk. 4. (TELECOM) directory assistance *Am*, directory enquiries *(pl) Br*.

informal *adj* 1. *(desenfadado)* informal. 2. *(irresponsable)* unreliable.

informante *m y f* informant.

informar ◇ *vt*: **~ a alguien (de)** to inform o tell sb (about). ◇ *vi* to inform; (PRENSA) to report. ◆ **informarse** *vpr* to find out (details); **~se de** to find out about.

informático, -ca ◇ *adj* computer *(antes de sust)*. ◇ *m y f (persona)* computer expert. ◆ **informática** *f (ciencia)* information technology, computing.

informativo, -va *adj* 1. *(instructivo, esclarecedor)* informative. 2. *(que da noticias)* news *(antes de sust)*; *(que da información)* information *(antes de sust)*.

informativo *m* news (bulletin).

informatizar *vt* to computerize.

informe ◇ *adj* shapeless. ◇ *m* 1. *(gen)* report. 2. (DER) plea. ◆ **informes** *mpl (gen)* information *(U)*; *(sobre comportamiento)* report *(sg)*; *(para un empleo)* references.

infracción *f* infringement; *(de circulación)* offence.

infraestructura *f (de organización)* infrastructure.

infranqueable *adj* impassable; *fig* insurmountable.

infrarrojo, -ja *adj* infrared.

infringir *vt (quebrantar)* to infringe, to break.

infundado, -da *adj* unfounded.

infundir *vt*: **~ algo a alguien** to fill sb with sthg, to inspire sthg in sb; **~ miedo** to inspire fear.

infusión *f* infusion; **~ de manzanilla** camomile tea.

ingeniar *vt* to invent, to devise. ◆ **ingeniarse** *vpr*: **ingeniárselas** to manage, to engineer it; **ingeniárselas para hacer algo** to manage o contrive to do sthg.

ingeniería *f* engineering.

ingeniero, -ra *m y f* engineer; **~ de caminos, canales y puertos** civil engineer.

ingenio *m* 1. *(inteligencia)* ingenuity. 2. *(agudeza)* wit. 3. *(máquina)* device.

ingenioso, -sa *adj (inteligente)* ingenious, clever; *(agudo)* witty.

ingenuidad *f* ingenuousness, naivety.

ingenuo, -nua *adj* ingenuous, naive.

ingerir *vt* to consume, to ingest.

Inglaterra England.

ingle *f* groin.

inglés, -esa ◇ *adj* English. ◇ *m y f (persona)* Englishman *(f* Englishwoman); **los ingleses** the English. ◆ **inglés** *m (lengua)* English.

ingratitud *f* ingratitude.

ingrato, -ta *adj* ungrateful; *(trabajo)* thankless.

ingrediente *m* ingredient.

ingresar ◇ *vt* (BANCA) to deposit, to pay in. ◇ *vi*: **~ (en)** *(asociación, ejército)* to join; *(hospital)* to be admitted (to); *(convento, universidad)* to enter; **~ cadáver** to be dead on arrival.

ingreso *m* 1. *(gen)* entry; *(en asociación, ejército)* joining; *(en hospital, universidad)* admission. 2. (BANCA) deposit. ◆ **ingresos** *mpl* 1. *(sueldo etc)* income *(U)*. 2. *(recaudación)* revenue *(U)*.

inhabilitar *vt* to disqualify.

inhabitable *adj* uninhabitable.

inhabitado, -da *adj* uninhabited.

inhalador *m* inhaler.

inhalar *vt* to inhale.

inherente *adj*: ~ **(a)** inherent (in).

inhibir *vt* to inhibit. ◆ **inhibirse de** *vpr* (gen) to keep out of, to stay away from; (responsabilidades) to shirk.

inhóspito, -ta *adj* inhospitable.

inhumano, -na *adj* (despiadado) inhuman; (desconsiderado) inhumane.

iniciación *f* 1. (gen) initiation. 2. (de suceso, curso) start, beginning.

inicial *adj & f* initial.

inicializar *vt* (INFORM) to initialize.

iniciar *vt* (gen) to start, to initiate; (debate, discusión) to start off.

iniciativa *f* initiative.

inicio *m* start, beginning.

inigualable *adj* unrivalled.

injerir *vt* to introduce, to insert. ◆ **injerirse** *vpr* (entrometerse): ~**se (en)** to interfere (in), to meddle (in).

injertar *vt* to graft.

injerto *m* graft.

injuriar *vt* (insultar) to insult, to abuse; (agraviar) to offend; (DER) to slander.

injurioso, -sa *adj* insulting, abusive; (DER) slanderous.

injusticia *f* injustice.

injustificado, -da *adj* unjustified.

injusto, -ta *adj* unfair, unjust.

inmadurez *f* immaturity.

inmaduro, -ra *adj* (persona) immature.

inmediaciones *fpl* (de localidad) surrounding area (sg); (de lugar, casa) vicinity (sg).

inmediatamente *adv* immediately.

inmediato, -ta *adj* 1. (gen) immediate; **de** ~ immediately. 2. (contiguo) next, adjoining.

inmejorable *adj* unbeatable.

inmensidad *f* (grandeza) immensity.

inmenso, -sa *adj* (gen) immense.

inmersión *f* immersion; (de submarinista) dive.

inmerso, -sa *adj*: ~ **(en)** immersed (in).

inmigración *f* immigration.

inmigrante *m y f* immigrant.

inmigrar *vi* to immigrate.

inminente *adj* imminent, impending.

inmobiliario, -ria *adj* property (antes de sust), real estate *Am* (antes de sust). ◆ **inmobiliaria** *f* (agencia) real estate

agent *Am*, estate agency *Br*.

inmoral *adj* immoral.

inmortal *adj* immortal.

inmortalizar *vt* to immortalize.

inmóvil *adj* motionless, still; (coche, tren) stationary.

inmovilizar *vt* to immobilize.

inmueble ◇ *adj*: **bienes ~s** real estate (U). ◇ *m* (edificio) building.

inmundicia *f* (suciedad) filth, filthiness; (basura) rubbish.

inmundo, -da *adj* filthy, dirty.

inmune *adj* (MED) immune.

inmunidad *f* immunity.

inmunizar *vt* to immunize.

inmutar *vt* to upset, to perturb. ◆ **inmutarse** *vpr* to get upset, to be perturbed; **ni se inmutó** he didn't bat an eyelid.

innato, -ta *adj* innate.

innecesario, -ria *adj* unnecessary.

innoble *adj* ignoble.

innovación *f* innovation.

innovador, -ra ◇ *adj* innovative. ◇ *m y f* innovator.

innovar *vt* (método, técnica) to improve on.

innumerable *adj* countless, innumerable.

inocencia *f* innocence.

inocentada *f* practical joke, trick.

inocente *adj* 1. (gen) innocent. 2. (ingenuo - persona) naive, innocent. 3. (sin maldad - persona) harmless.

inodoro, -ra *adj* odourless. ◆ **inodoro** *m* washroom *Am*, toilet *Br*.

inofensivo, -va *adj* inoffensive, harmless.

inolvidable *adj* unforgettable.

inoportuno, -na *adj* 1. (en mal momento) inopportune, untimely. 2. (molesto) inconvenient. 3. (inadecuado) inappropriate.

inoxidable *adj* rustproof; (acero) stainless.

inquietar *vt* to worry, to trouble. ◆ **inquietarse** *vpr* to worry.

inquieto, -ta *adj* 1. (preocupado): ~ **(por)** worried O anxious (about). 2. (agitado, emprendedor) restless.

inquietud *f* (preocupación) worry, anxiety.

inquilino, -na *m y f* tenant.

inquisición *f* (indagación) inquiry, investigation. ◆ **Inquisición** *f* (tribunal) Inquisition.

inquisidor, -ra *adj* inquisitive. ◆ **inquisidor** *m* inquisitor.

insaciable *adj* insatiable.

insatisfecho, -cha *adj* 1. *(descontento)* dissatisfied. 2. *(no saciado)* not full, unsatisfied.

inscribir *vt* 1. *(grabar)*: ~ **algo (en)** to engrave O inscribe sthg (on). 2. *(apuntar)*: ~ **algo/a alguien (en)** to register sthg/sb (on). ♦ **inscribirse** *vpr*: ~se **(en)** *(gen)* to enrol (on); *(asociación)* to enrol (with); *(concurso)* to enter.

inscripción *f* 1. (EDUC) registration, enrolment; *(en censo, registro)* registration; *(en partido etc)* enrolment; *(en concursos etc)* entry. 2. *(escrito)* inscription.

inscrito, -ta *pp* → inscribir.

insecticida *m* insecticide.

insecto *m* insect.

inseguridad *f* 1. *(falta de confianza)* insecurity. 2. *(duda)* uncertainty. 3. *(peligro)* lack of safety.

inseguro, -ra *adj* 1. *(sin confianza)* insecure. 2. *(dudoso)* uncertain. 3. *(peligroso)* unsafe.

inseminación *f* insemination; ~ **artificial** artificial insemination.

insensatez *f* foolishness; **hacer/decir una** ~ to do/say sthg foolish.

insensato, -ta ◇ *adj* foolish, senseless. ◇ *m y f* fool.

insensibilidad *f* *(emocional)* insensitivity; *(física)* numbness.

insensible *adj* 1. *(indiferente)*: ~ **(a)** insensitive (to). 2. *(entumecido)* numb. 3. *(imperceptible)* imperceptible.

insertar *vt* (gen & COMPUT): ~ **(en)** to insert (into).

inservible *adj* useless, unserviceable.

insidioso, -sa *adj* malicious.

insignia *f* 1. *(distintivo)* badge; (MIL) insignia. 2. *(bandera)* flag, banner.

insignificante *adj* insignificant.

insinuar *vt*: ~ **algo (a)** to hint at O insinuate sthg (to). ♦ **insinuarse** *vpr* 1. *(amorosamente)*: ~se **(a)** to make advances (to). 2. *(asomar)*: ~se **detrás de algo** to peep out from behind sthg.

insípido, -da *adj* lit & fig insipid.

insistencia *f* insistence.

insistir *vi*: ~ **(en)** to insist (on).

insociable *adj* unsociable.

insolación *f* (MED) sunstroke *(U)*.

insolencia *f* insolence; **hacer/decir una** ~ to do/say sthg insolent.

insolente *adj* *(descarado)* insolent; *(orgulloso)* haughty.

insólito, -ta *adj* very unusual.

insoluble *adj* insoluble.

insolvente *adj* insolvent.

insomnio *m* insomnia.

insonorizar *vt* to soundproof.

insoportable *adj* unbearable, intolerable.

inspección *f* inspection; *(policial)* search.

inspeccionar *vt* to inspect; *(suj: policía)* to search.

inspector, -ra *m y f* inspector; ~ **de aduanas** customs official; ~ **de Hacienda** tax inspector.

inspiración *f* 1. *(gen)* inspiration. 2. *(respiración)* inhalation, breath.

inspirar *vt* 1. *(gen)* to inspire. 2. *(respirar)* to inhale, to breathe in. ♦ **inspirarse** *vpr*: ~se **(en)** to be inspired (by).

instalación *f* 1. *(gen)* installation; ~ **eléctrica** wiring. 2. *(de gente)* settling. ♦ **instalaciones** *fpl (deportivas etc)* facilities.

instalar *vt* 1. *(montar - antena etc)* to instal, to fit; *(- local, puesto etc)* to set up. 2. *(situar - objeto)* to place; *(- gente)* to settle. ♦ **instalarse** *vpr (establecerse)*: ~se **en** to settle (down) in; *(nueva casa)* to move into.

instancia *f* 1. *(solicitud)* application (form). 2. *(ruego)* request; **a ~s de** at the request O bidding of; **en última** ~ as a last resort.

instantáneo, -a *adj* 1. *(momentáneo)* momentary. 2. *(rápido)* instantaneous. ♦ **instantánea** *f* snapshot, snap.

instante *m* moment; **a cada** ~ all the time, constantly; **al** ~ instantly, immediately; **en un** ~ in a second.

instar *vt*: ~ **a alguien a que haga algo** to urge O press sb to do sthg.

instaurar *vt* to establish, to set up.

instigar *vt*: ~ **a alguien (a que haga algo)** to instigate sb (to do sthg); ~ **a algo** to incite to sthg.

instintivo, -va *adj* instinctive.

instinto *m* instinct; **por** ~ instinctively.

institución *f* 1. *(gen)* institution; **ser una** ~ *fig* to be an institution. 2. *(de ley, sistema)* introduction; *(de organismo)* establishment; *(de premio)* foundation.

instituir *vt* *(fundar - gobierno)* to establish; *(- premio, sociedad)* to found; *(- sistema, reglas)* to introduce.

instituto *m* 1. *(corporación)* institute. 2. (EDUC): ~ **de Bachillerato** O **Enseñanza Media** state secondary school; ~ **de Formación Profesional** ≈ technical college. ♦ **instituto de belleza** *m* beauty salon.

institutriz *f* governess.

instrucción f 1. (conocimientos) education; (docencia) instruction. 2. (DER - investigación) preliminary investigation; (- curso del proceso) proceedings (pl). ◆ **instrucciones** fpl (de uso) instructions.

instructivo, -va adj (gen) instructive; (juguete, película) educational.

instructor, -ra ◇ adj training. ◇ m y f (gen) instructor, teacher; (DEP) coach.

instruido, -da adj educated.

instruir vt (enseñar) to instruct.

instrumental m instruments (pl).

instrumentista m y f 1. (MÚS) instrumentalist. 2. (MED) surgeon's assistant.

instrumento m 1. (MÚS & fig) instrument. 2. (herramienta) tool, instrument.

insubordinado, -da adj insubordinate.

insubordinar vt to incite to rebellion. ◆ **insubordinarse** vpr to rebel.

insubstancial = **insustancial**.

insuficiencia f 1. (escasez) lack, shortage. 2. (MED) failure.

insuficiente ◇ adj insufficient. ◇ m (nota) fail.

insular adj insular, island (antes de sust).

insulina f insulin.

insulso, -sa adj lit & fig bland, insipid.

insultar vt to insult.

insulto m insult.

insumiso, -sa ◇ adj rebellious. ◇ m y f (gen) rebel; (MIL) person who refuses to do military or community service.

insuperable adj 1. (inmejorable) unsurpassable. 2. (sin solución) insurmountable, insuperable.

insurgente adj insurgent.

insurrección f insurrection, revolt.

insustancial, insubstancial adj insubstantial.

intachable adj irreproachable.

intacto, -ta adj (intocado) untouched; fig intact.

integral adj 1. (total) total, complete. 2. (sin refinar - pan, harina, pasta) wholemeal; (- arroz) brown.

integrante ◇ adj integral, constituent; **estado ~ de la CE** member state of the EC. ◇ m y f member.

integrar vt 1. (gen & MAT) to integrate. 2. (componer) to make up. ◆ **integrarse** vpr to integrate.

integridad f (gen) integrity; (totalidad) wholeness.

íntegro, -gra adj 1. (completo) whole, entire; (versión etc) unabridged. 2. (honrado) honourable.

intelecto m intellect.

intelectual adj, m y f intellectual.

inteligencia f intelligence; **~ artificial** (INFORM) artificial intelligence.

inteligente adj (gen & COMPUT) intelligent.

inteligible adj intelligible.

intemperie f: **a la ~** in the open air.

intención f intention; **tener la ~ de** to intend to; **buena/mala ~** good/bad intentions (pl).

intencionado, -da adj intentional, deliberate; **bien ~** (acción) well-meant; (persona) well-meaning; **mal ~** (acción) ill-meant; (persona) malevolent.

intensidad f (gen) intensity; (de lluvia) heaviness; (de luz, color) brightness; (de amor) passion, strength.

intensificar vt to intensify. ◆ **intensificarse** vpr to intensify.

intensivo, -va adj intensive.

intenso, -sa adj (gen) intense; (lluvia) heavy; (luz, color) bright; (amor) passionate, strong.

intentar vt: **~ (hacer algo)** to try (to do sthg).

intento m (tentativa) attempt; (intención) intention; **~ de golpe/robo** attempted coup/robbery.

interactivo, -va adj (INFORM) interactive.

intercalar vt to insert, to put in.

intercambiable adj interchangeable.

intercambio m exchange; **~ comercial** trade.

interceder vi: **~ (por alguien)** to intercede (on sb's behalf).

interceptar vt 1. (detener) to intercept. 2. (obstruir) to block.

intercesión f intercession.

interés m 1. (gen & FIN) interest; **de ~** interesting; **tener ~ en** O **por** to be interested in; **tengo ~ en que venga pronto** it's in my interest that he should come soon; **intereses creados** vested interests. 2. (egoísmo) self-interest; **por ~** out of selfishness.

interesado, -da ◇ adj 1. (gen): **~ (en** O **por)** interested (in). 2. (egoísta) selfish, self-interested. ◇ m y f (deseoso) interested person; **los ~s** those interested.

interesante adj interesting.

interesar vi to interest; **le interesa el arte** she's interested in art. ◆ **interesarse** vpr: **~se (en** O **por)** to take an interest (in), to be interested (in); **se interesó por tu salud** she asked after your health.

interfaz f (INFORM) interface.
interferencia f interference.
interferir ◇ vt 1. (RADIO, TELECOM & TV) to jam. 2. (interponerse) to interfere with. ◇ vi: ~ (en) to interfere (in).
interfono m intercom.
interino, -na ◇ adj (gen) temporary; (presidente, director etc) acting; (gobierno) interim. ◇ m y f (gen) stand-in; (médico, juez) locum; (profesor) supply teacher. ◆ **interina** f (asistenta) cleaning lady.
interior ◇ adj 1. (gen) inside, inner; (patio, jardín etc) interior, inside; (habitación, vida) inner. 2. (POLÍT) domestic. 3. (GEOGR) inland. ◇ m 1. (parte de dentro) inside, interior. 2. (GEOGR) interior. 3. (de una persona) inner self; **en mi ~** deep down.
interiorismo m interior design.
interiorizar vt to internalize; (sentimientos) to bottle up.
interjección f interjection.
interlocutor, -ra m y f interlocutor, speaker; **su ~** the person she was speaking to.
intermediario, -ria m y f (gen) intermediary; (COM) middleman; (en disputas) mediator.
intermedio, -dia adj 1. (etapa) intermediate, halfway; (calidad) average; (tamaño) medium. 2. (tiempo) intervening; (espacio) in between. ◆ **intermedio** m (gen & TEATRO) interval; (CIN) intermission.
interminable adj endless, interminable.
intermitente ◇ adj intermittent. ◇ m indicator.
internacional adj international.
internado, -da adj (en manicomio) confined; (en colegio) boarding; (POLÍT) interned. ◆ **internado** m (colegio) boarding school.
internar vt: ~ (en) (internado) to send to boarding school (at); (manicomio) to commit (to). ◆ **internarse** vpr: ~se (en) (un lugar) to go O penetrate deep (into); (un tema) to become deeply involved (in).
internauta m y f Internet user.
Internet f: (la) ~ the Internet.
interno, -na ◇ adj 1. (gen) internal; (POLÍT) domestic. 2. (alumno) boarding. ◇ m y f 1. (alumno) boarder. 2. → médico. 3. (preso) prisoner, inmate.
interpolar vt to interpolate, to put in.
interponer vt 1. (gen) to interpose, to put in. 2. (DER) to lodge, to make. ◆ **interponerse** vpr to intervene.

interpretación f 1. (explicación) interpretation. 2. (artística) performance. 3. (traducción) interpreting.
interpretar vt 1. (gen) to interpret. 2. (artísticamente) to perform.
intérprete m y f 1. (traductor & INFORM) interpreter. 2. (artista) performer.
interpuesto, -ta pp → interponer.
interrogación f 1. (acción) questioning. 2. (signo) question mark.
interrogante m o f (incógnita) question mark.
interrogar vt (gen) to question; (con amenazas etc) to interrogate.
interrogatorio m (gen) questioning; (con amenazas) interrogation.
interrumpir vt 1. (gen) to interrupt. 2. (discurso, trabajo) to break off; (viaje, vacaciones) to cut short.
interrupción f 1. (gen) interruption. 2. (de discurso, trabajo) breaking-off; (de viaje, vacaciones) cutting-short.
interruptor m switch.
intersección f intersection.
interurbano, -na adj inter-city; (TELECOM) long-distance.
intervalo m 1. (gen & MÚS) interval; (de espacio) space, gap; **a ~s** at intervals. 2. (duración): **en el ~ de un mes** in the space of a month.
intervención f 1. (gen) intervention. 2. (discurso) speech; (interpelación) contribution. 3. (COM) auditing. 4. (MED) operation. 5. (TELECOM) tapping.
intervenir ◇ vi 1. (participar): ~ (en) (gen) to take part (in); (pelea) to get involved (in); (discusión etc) to make a contribution (to). 2. (dar un discurso) to make a speech. 3. (interferir): ~ (en) to intervene (in). 4. (MED) to operate. ◇ vt 1. (MED) to operate on. 2. (TELECOM) to tap. 3. (incautar) to seize. 4. (COM) to audit.
interventor, -ra m y f (COM) auditor.
interviú (pl interviús) f interview.
intestino m intestine.
intimar vi: ~ (con) to become intimate O very friendly (with).
intimidad f 1. (vida privada) private life; (privacidad) privacy; **en la ~** in private. 2. (amistad) intimacy.
íntimo, -ma ◇ adj 1. (vida, fiesta) private; (ambiente, restaurante) intimate. 2. (relación, amistad) close. 3. (sentimiento etc) innermost. ◇ m y f close friend.
intolerable adj intolerable, unacceptable; (dolor, ruido) unbearable.
intoxicación f poisoning (U); ~ **ali-**

menticia food poisoning.

intoxicar *vt* to poison.

intranquilizar *vt* to worry. ♦ **intranquilizarse** *vpr* to get worried.

intranquilo, -la *adj (preocupado)* worried, uneasy; *(nervioso)* restless.

intransferible *adj* non-transferable.

intransigente *adj* intransigent.

intransitable *adj* impassable.

intrépido, -da *adj* intrepid.

intriga *f* 1. *(curiosidad)* curiosity; **de ~** suspense *(antes de sust)*. 2. *(maquinación)* intrigue. 3. *(trama)* plot.

intrigar *vt & vi* to intrigue.

intrincado, -da *adj (problema etc)* intricate.

intríngulis *m inv fam (dificultad)* snag, catch; *(quid)* crux.

intrínseco, -ca *adj* intrinsic.

introducción *f*: **~ (a)** introduction (to).

introducir *vt* 1. *(meter - llave, carta etc)* to put in, to insert. 2. *(mercancías etc)* to bring in, to introduce. 3. *(dar a conocer)*: **~ a alguien en** to introduce sb to; **~ algo en** to introduce o bring sthg to. ♦ **introducirse** *vpr*: **~se en** to get into.

introductorio, -ria *adj* introductory.

introspectivo, -va *adj* introspective.

introvertido, -da *adj, m y f* introvert.

intruso, -sa *m y f* intruder.

intuición *f* intuition.

intuir *vt* to know by intuition, to sense.

intuitivo, -va *adj* intuitive.

inundación *f* flood, flooding *(U)*.

inundar *vt* to flood; *fig* to inundate. ♦ **inundarse** *vpr* to flood; **~se de** *fig* to be inundated o swamped with.

inútil *adj* 1. *(gen)* useless; *(intento, esfuerzo)* unsuccessful, vain. 2. *(inválido)* disabled.

inutilidad *f (gen)* uselessness; *(falta de sentido)* pointlessness.

inutilizar *vt (gen)* to make unusable; *(máquinas, dispositivos)* to disable.

invadir *vt* to invade; **le invade la tristeza** his overcome by sadness.

invalidez *f* 1. (MED) disability; **~ permanente/temporal** permanent/temporary disability. 2. (DER) invalidity.

inválido, -da ◇ *adj* 1. (MED) disabled. 2. (DER) invalid. ◇ *m y f* invalid, disabled person; **los ~s** the disabled.

invariable *adj* invariable.

invasión *f* invasion.

invasor, -ra ◇ *adj* invading. ◇ *m y f* invader.

invención *f* invention.

inventar *vt (gen)* to invent; *(narración, falsedades)* to make up. ♦ **inventarse** *vpr* to make up.

inventario *m* inventory; **hacer el ~** (COM) to do the stocktaking.

inventiva *f* inventiveness.

invento *m* invention.

inventor, -ra *m y f* inventor.

invernadero, invernáculo *m* greenhouse.

invernar *vi (pasar el invierno)* to (spend the) winter; *(hibernar)* to hibernate.

inverosímil *adj* unlikely, improbable.

inversión *f* 1. *(del orden)* inversion. 2. *(de dinero, tiempo)* investment.

inverso, -sa *adj* opposite, inverse; **a la inversa** the other way round; **en orden ~** in reverse order.

inversor, -ra *m y f* (COM & FIN) investor.

invertebrado, -da *adj* 1. (ZOOL) invertebrate. 2. *fig (incoherente)* disjointed. ♦ **invertebrado** *m* invertebrate.

invertido, -da *adj* 1. *(al revés)* reversed, inverted; *(sentido, dirección)* opposite. 2. *(homosexual)* homosexual.

invertir *vt* 1. *(gen)* to reverse; *(poner boca abajo)* to turn upside down. 2. *(dinero, tiempo, esfuerzo)* to invest. 3. *(tardar - tiempo)* to spend.

investigación *f* 1. *(estudio)* research; **~ y desarrollo** research and development. 2. *(indagación)* investigation, inquiry.

investigador, -ra *m y f* 1. *(estudioso)* researcher. 2. *(detective)* investigator.

investigar ◇ *vt* 1. *(estudiar)* to research. 2. *(indagar)* to investigate. ◇ *vi* 1. *(estudiar)* to do research. 2. *(indagar)* to investigate.

investir *vt*: **~ a alguien con algo** to invest sb with sthg.

inveterado, -da *adj* deep-rooted.

inviable *adj* impractical, unviable.

invidente *m y f* blind o sightless person; **los ~s** the blind.

invierno *m* winter.

invisible *adj* invisible.

invitación *f* invitation.

invitado, -da *m y f* guest.

invitar ◇ *vt* 1. *(convidar)*: **~ a alguien (a algo/a hacer algo)** to invite sb (to sthg/to do sthg). 2. *(pagar)*: **os invito** it's my treat, this one's on me; **te invito a cenar fuera** I'll take you out for dinner. ◊ *vi* to pay; **invita la casa** it's on the house. ◆ **invitar a** *vi fig (incitar):* ~ a **algo** to encourage sthg; **la lluvia invita a quedarse en casa** the rain makes you want to stay at home.

in vitro *loc adv* **1.** *(de probeta)* in vitro. **2.** → **fecundación.**

invocar *vt* to invoke.

involucrar *vt:* ~ **a alguien (en)** to involve sb (in). ◆ **involucrarse** *vpr:* ~**se (en)** to get involved (in).

involuntario, -ria *adj (espontáneo)* involuntary; *(sin querer)* unintentional.

inyección *f* injection.

inyectar *vt* to inject.

iodo = **yodo.**

ion *m* ion.

ir *vi* **1.** *(gen)* to go; ~ **hacia el sur/al cine** to go south/to the cinema; ~ **en autobús/coche** to go by bus/car; ~ **andando** to go on foot, to walk; **¡vamos!** let's go! **2.** *(expresa duración gradual):* ~ **haciendo algo** to be (gradually) doing sthg; **va anocheciendo** it's getting dark; **voy mejorando mi estilo** I'm working on improving my style. **3.** *(expresa intención, opinión):* ~ **a hacer algo** to be going to do sthg; **voy a decírselo a tu padre** I'm going to tell your father. **4.** *(cambiar):* ~ **a mejor/peor** *etc* to get better/worse *etc.* **5.** *(funcionar)* to work; **la manivela va floja** the crank is loose; **la televisión no va** the television isn't working. **6.** *(desenvolverse)* to go; **le va bien en su nuevo trabajo** things are going well for him in his new job; **su negocio va mal** his business is going badly; **¿cómo te va?** how are you doing? **7.** *(vestir):* ~ **en/con** to wear; **iba en camisa y con corbata** he was wearing a shirt and tie; ~ **de azul/de uniforme** to be dressed in blue/in uniform. **8.** *(tener aspecto físico)* to look like; **iba hecho un pordiosero** he looked like a beggar. **9.** *(vacaciones, tratamiento):* ~**le bien a alguien** to do sb good. **10.** *(ropa):* ~**le (bien) a alguien** to suit sb; ~ **con algo** to go with sthg. **11.** *(comentario, indirecta):* ~ **con** o **por alguien** to be meant for sb, to be aimed at sb. **12.** *loc:* **fue y dijo que ...** he went and said that ...; **ni me va ni me viene** *fam* I don't care; **¡qué va!** you must be joking!; **ser el no va más** to be the ultimate. ◆ **ir de** *vi* **1.** *(película, novela)* to be about. **2.** *fig (persona)* to think o.s.; **va de listo** he thinks he's clever. ◆ **ir por** *vi* **1.** *(buscar):* ~ **por algo/alguien** to go and get sthg/sb, to go and fetch sthg/sb. **2.** *(alcanzar):* **va por el cuarto**

vaso de vino he's already on his fourth glass of wine; **vamos por la mitad de la asignatura** we covered about half the subject. ◆ **irse** *vpr* **1.** *(marcharse)* to go, to leave; ~**se a** to go to; **¡vete!** go away! **2.** *(gastarse, desaparecer)* to go. **3.** *loc:* ~**se abajo** *(edificio)* to fall down; *(negocio)* to collapse; *(planes)* to fall through.

> • *Be going to* alude al futuro de modo especial. Por un lado puede indicar intención, en cuyo caso el sujeto es casi siempre una persona que se propone hacer algo (*we're going to have a party,* "vamos a dar una fiesta"). Por otro lado, puede indicar que algo probablemente ocurrirá en un futuro cercano (*you're going to drop those plates!,* "¡se te van a caer los platos!"; *he's going to be angry,* "se va a enojar").
>
> • Ver también **GO** en el lado Inglés-Español del diccionario.

ira *f* anger, rage.

IRA *(abrev de* **Irish Republican Army)** *m* IRA.

iracundo, -da *adj* angry, irate; *(irascible)* irascible.

Irán: **(el)** ~ Iran.

iraní *(pl* **iraníes)** *adj, m y f* Iranian.

Iraq: **(el)** ~ Iraq.

iraquí *(pl* **iraquíes)** *adj, m y f* Iraqi.

irascible *adj* irascible.

iris *m inv* iris.

Irlanda Ireland.

irlandés, -esa ◊ *adj* Irish. ◊ *m y f (persona)* Irishman *(f* Irishwoman); **los irlandeses** the Irish. ◆ **irlandés** *m (lengua)* Irish.

ironía *f* irony.

irónico, -ca *adj* ironic, ironical.

ironizar ◊ *vt* to ridicule. ◊ *vi:* ~ **(sobre)** to be ironical (about).

irracional *adj* irrational.

irradiar *vt lit & fig* to radiate.

irreal *adj* unreal.

irreconciliable *adj* irreconcilable.

irreconocible *adj* unrecognizable.

irrecuperable *adj* irretrievable.

irreflexivo, -va *adj* rash.

irrefutable *adj* irrefutable.

irregular *adj (gen)* irregular; *(terreno, superficie)* uneven.

irrelevante *adj* irrelevant.

irremediable *adj* irremediable.

irreparable *adj* irreparable.

irresistible *adj* irresistible.
irrespetuoso, -sa *adj* disrespectful.
irresponsable *adj* irresponsible.
irreverente *adj* irreverent.
irreversible *adj* irreversible.
irrevocable *adj* irrevocable.
irrigar *vt* to irrigate.
irrisorio, -ria *adj* 1. *(excusa etc)* laughable, derisory. 2. *(precio etc)* ridiculously low.
irritable *adj* irritable.
irritar *vt* to irritate. ♦ **irritarse** *vpr* 1. *(enfadarse)* to get angry o annoyed. 2. *(suj: piel etc)* to become irritated.
irrupción *f* bursting in.
isla *f* island.
islam *m* Islam.
islamismo *m* Islam.
islandés, -esa ◊ *adj* Icelandic. ◊ *m y f (persona)* Icelander. ♦ **islandés** *m (lengua)* Icelandic.
Islandia Iceland.
isleño, -ña ◊ *adj* island *(antes de sust)*. ◊ *m y f* islander.
islote *m* small, rocky island.
Israel Israel.
israelí *(pl* **israelíes)** *adj, m y f* Israeli.
istmo *m* isthmus.
Italia Italy.
italiano, -na *adj, m y f* Italian. ♦ **italiano** *m (lengua)* Italian.
itálico, -ca *adj* → **letra**.
itinerante *adj* itinerant; *(embajador)* roving.
itinerario *m* route, itinerary.
ITV *(abrev de* **inspección técnica de vehículos)** *f annual technical inspection for motor vehicles of ten years or more,* ≃ MOT *Br.*
IVA *(abrev de* **impuesto sobre el valor añadido)** *m* VAT.
izar *vt* to raise, to hoist.
izda *(abrev de* **izquierda)** L, l.
izquierda → **izquierdo**.
izquierdo, -da *adj* left. ♦ **izquierda** *f* 1. *(lado)* left; **a la izquierda (de)** on o to the left (of); **girar a la izquierda** to turn left. 2. *(mano)* left hand. 3. (POLÍT) left (wing); **de izquierdas** left-wing.

J

j, J *f (letra)* j, J.
ja *interj*: ¡~! ha!
jabalí *(pl* **jabalíes)** *m y f* wild boar.
jabalina *f* (DEP) javelin.
jabón *m* soap; ~ **de afeitar/tocador** shaving/toilet soap.
jabonar *vt* to soap.
jabonera *f* soap dish.
jaca *f (caballo pequeño)* pony; *(yegua)* mare.
jacal *m Méx & Ven* hut.
jacinto *m* hyacinth.
jactarse *vpr*: ~ **(de)** to boast (about o of).
jacuzzi® [ja'kusi] *(pl* **jacuzzis)** *m* Jacuzzi®.
jadear *vi* to pant.
jaguar *(pl* **jaguars)** *m* jaguar.
jaiba *f Amer (cangrejo de río)* crayfish.
jalea *f* jelly; ~ **real** royal jelly.
jalear *vt* to cheer on.
jaleo *m* 1. *fam (alboroto)* row, rumpus. 2. *fam (lío)* mess, confusion.
Jamaica Jamaica.
jamás *adv* never; **no le he visto** ~ I've never seen him; **la mejor película que** ~ **se haya hecho** the best film ever made; ~ **de los jamases** never ever.
jamón *m* ham; ~ **(de) York** o **(en) dulce** boiled ham; ~ **serrano** cured ham, ≃ Parma ham.
Japón: **(el)** ~ Japan.
japonés, -esa *adj, m y f* Japanese. ♦ **japonés** *m (lengua)* Japanese.
jaque *m*: ~ **mate** checkmate.
jaqueca *f* migraine.
jarabe *m* syrup; ~ **para la tos** cough mixture o syrup.
jardín *m* garden; ~ **botánico** botanical garden. ♦ **jardín de infancia** *m* kindergarten, nursery school.
jardinera → **jardinero**.
jardinería *f* gardening.
jardinero, -ra *m y f* gardener. ♦ **jardinera** *f* flowerpot stand.
jarra *f* 1. *(para servir)* jug. 2. *(para beber)* tankard. ♦ **en jarras** *loc adv (postura)* hands on hips.
jarro *m* jug.

jarrón *m* vase.

jaula *f* cage.

jauría *f* pack of dogs.

jazmín *m* jasmine.

jazz [jas] *m* jazz.

JC *(abrev de* **Jesucristo)** JC.

je *interj*: ¡~! ha!

jeep [jip] *(pl* **jeeps)** *m* jeep.

jefa → **jefe.**

jefatura *f* 1. *(cargo)* leadership. 2. *(organismo)* headquarters, head office.

jefe, -fa *m y f (gen)* boss; (COM) manager (*f* manageress); *(líder)* leader; *(de tribu, ejército)* chief; *(de departamento etc)* head; **en ~** (MIL) in-chief; **~ de cocina** chef; **~ de estación** stationmaster; **~ de Estado** head of state; **~ de estudios** deputy head; **~ de producción/ventas** production/sales manager; **~ de redacción** editor-in-chief.

jengibre *m* ginger.

jeque *m* sheikh.

jerarquía *f (organización)* hierarchy.

jerárquico, -ca *adj* hierarchical.

jerez *m* sherry.

jerga *f* jargon; *(argot)* slang.

jeringuilla *f* syringe.

jeroglífico, -ca *adj* hieroglyphic. ◆ **jeroglífico** *m* 1. *(inscripción)* hieroglyphic. 2. *(pasatiempo)* rebus.

jerséi *(pl* **jerséis)**, **jersey** *(pl* **jerseys)** *m* jumper, pullover.

Jerusalén Jerusalem.

jesuita *adj & m* Jesuit.

jesús *interj*: ¡~! *(sorpresa)* good heavens!; *(tras estornudo)* bless you!

jet [jet] *(pl* **jets)** ◇ *m* jet. ◇ → **jet-set.**

jeta *mfam f (cara)* mug, face; **tener (mucha) ~** to be a cheeky bugger.

jet-set ['jetset] *f* jet set.

jilguero *m* goldfinch.

jilipollas = **gilipollas.**

jinete *m y f* rider; *(yóquey)* jockey.

jirafa *f* (ZOOL) giraffe.

jirón *m (andrajo)* shred, rag; **hecho jirones** in tatters.

jitomate *m Méx* tomato.

jj ○○ *(abrev de* **juegos olímpicos)** *mpl* Olympic Games.

jockey ['jokei] = **yóquey.**

jocoso, -sa *adj* jocular.

jofaina *f* wash basin.

jolgorio *m* merrymaking.

jondo → **cante.**

jornada *f* 1. *(de trabajo)* working day;

~ intensiva *working day from 8 to 3 with only a short lunch break;* **media ~** half day; **~ partida** *typical Spanish working day from 9 to 1 and 4 to 7.* 2. *(de viaje)* day's journey. 3. (DEP) round of matches, programme. ◆ **jornadas** *fpl (conferencia)* conference *(sg).*

jornal *m* day's wage.

jornalero, -ra *m y f* day labourer.

joroba *f* hump.

jorobado, -da ◇ *adj (con joroba)* hunchbacked. ◇ *m y f* hunchback.

jorongo *m Méx* 1. *(manta)* blanket. 2. *(poncho)* poncho.

jota *f* 1. *(baile)* Aragonese folk song and dance. 2. *(loc)*: **no entender** ○ **saber ni ~** *fam fig* not to understand ○ know a thing.

joto *m y f Méx fam despec* faggot *Am*, queer *Br.*

joven ◇ *adj* young. ◇ *m y f* young man (*f* young woman); **los jóvenes** young people.

jovial *adj* jovial, cheerful.

joya *f* jewel; *fig* gem.

joyería *f* 1. *(tienda)* jeweller's (shop). 2. *(arte, comercio)* jewellery.

joyero, -ra *m y f (persona)* jeweller. ◆ **joyero** *m (estuche)* jewellery box.

Jr. *(abrev de* **junior)** Jr.

juanete *m* bunion.

jubilación *f (retiro)* retirement; **~ anticipada** early retirement.

jubilado, -da ◇ *adj* retired. ◇ *m y f* pensioner *Br*, senior citizen.

jubilar *vt*: **~ a alguien (de)** to pension sb off ○ retire sb (from). ◆ **jubilarse** *vpr* to retire.

jubileo *m* (RELIG) jubilee.

júbilo *m* jubilation, joy.

judía *f Esp* bean; **~ blanca/verde** haricot/green bean.

judicial *adj* judicial.

judío, -a ◇ *adj* Jewish. ◇ *m y f* Jew (*f* Jewess).

judo = **yudo.**

juega → **jugar.**

juego *m* 1. *(gen & DEP)* game; *(acción)* play, playing; *pun;* *(con dinero)* gambling; **estar/poner en ~** to be/put at stake; **~ de azar** game of chance; **~ de manos** conjuring trick; **~ de palabras** play on words; **Juegos Olímpicos** Olympic Games; **~ sucio/limpio** foul/clean play; **descubrirle el ~ a alguien** to see through sb; **estar (en) fuera de ~** (DEP) to be offside; *fig* not to know what's going on. 2. *(conjunto de objetos)* set; **~ de he-**

rramientas tool kit; **~ de té/café** tea/coffee service; **hacer ~ (con)** to match.

juerga f fam rave-up; **irse/estar de ~** to go/be out on the town.

jueves m inv Thursday; **Jueves Santo** Maundy Thursday; ver también **sábado**.

juez m y f **1.** (DER) judge; **~ de paz** Justice of the Peace. **2.** (DEP - gen) judge; (- en atletismo) official; **~ de línea** (fútbol) linesman; (rugby) touch judge; **~ de salida** starter; **~ de silla** umpire.

jugada f **1.** (DEP) period of play; (en tenis, ping-pong) rally; (en fútbol, rugby etc) move; (en ajedrez etc) move; (en billar) shot. **2.** (treta) dirty trick; **hacer una mala ~ a alguien** to play a dirty trick on sb.

jugador, -ra m y f (gen) player; (de juego de azar) gambler.

jugar ◇ vi **1.** (gen) to play; **~ al ajedrez** to play chess; **~ en un equipo** to play for a team; **te toca ~** it's your turn ○ go. **2.** (con dinero): **~ (a)** to gamble (on); **~ (a la Bolsa)** to speculate (on the Stock Exchange). ◇ vt **1.** (gen) to play; (ficha, pieza) to move. **2.** (dinero): **~ algo (a algo)** to gamble sthg (on sthg). ◆ **jugarse** vpr **1.** (apostarse) to bet. **2.** (arriesgar) to risk. **3.** loc: **jugársela a alguien** to play a dirty trick on sb.

jugo m (gen & ANAT) juice; (BOT) sap. **2.** (interés) meat, substance; **sacar ~ a algo/alguien** to get the most out of sthg/sb.

jugoso, -sa adj **1.** (con jugo) juicy. **2.** fig (picante) juicy; (sustancioso) meaty, substantial.

juguete m lit & fig toy; **de ~** toy (antes de sust).

juguetear vi to play (around); **~ con algo** to toy with sthg.

juguetería f toy shop.

juguetón, -ona adj playful.

juicio m **1.** (DER) trial. **2.** (sensatez) (sound) judgement; (cordura) sanity, reason; **estar/no estar en su (sano) ~** to be/not to be in one's right mind; **perder el ~** to lose one's reason. **3.** (opinión) opinion; **a mi ~** in my opinion. ◆ **Juicio Final** m: **el Juicio Final** the Last Judgement.

juicioso, -sa adj sensible, wise.

julio m **1.** (mes) July; ver también **septiembre**. **2.** (FÍS) joule.

junco m **1.** (planta) rush, reed. **2.** (embarcación) junk.

jungla f jungle.

junio m June; ver también **septiembre**.

júnior (pl **juniors**) adj **1.** (DEP) under-21. **2.** (hijo) junior.

junta f **1.** (gen) committee; (de empresa, examinadores) board; **~ directiva** board of directors; **~ militar** military junta. **2.** (reunión) meeting. **3.** (juntura) joint; **~ de culata** gasket.

juntar vt (gen) to put together; (fondos) to raise; (personas) to bring together. ◆ **juntarse** vpr **1.** (reunirse - personas) to get together; (- ríos, caminos) to meet. **2.** (arrimarse) to draw ○ move closer. **3.** (convivir) to live together.

junto, -ta ◇ adj **1.** (gen) together. **2.** (próximo) close together. ◇ adv: **todo ~** (ocurrir etc) all at the same time; (escribirse) as one word. ◆ **junto a** loc prep **1.** (al lado de) next to. **2.** (cerca de) right by, near. ◆ **junto con** loc prep together with.

juntura f joint.

Júpiter m Jupiter.

jurado, -da adj **1.** (declaración etc) sworn. **2.** → **guarda**. ◆ **jurado** m **1.** (tribunal) jury. **2.** (miembro) member of the jury.

juramento m **1.** (promesa) oath. **2.** (blasfemia) oath, curse.

jurar ◇ vt to swear; (constitución etc) to pledge allegiance to; **te lo juro** I promise; **~ por ... que** to swear by ... that. ◇ vi (blasfemar) to swear.

jurel m scad, horse mackerel.

jurídico, -ca adj legal.

jurisdicción f jurisdiction.

jurisdiccional adj jurisdictional; (aguas) territorial.

jurisprudencia f (ciencia) jurisprudence; (casos previos) case law.

jurista m y f jurist.

justa f (HIST) joust.

justamente adv **1.** (con justicia) justly. **2.** (exactamente) exactly.

justicia f **1.** (gen) justice; (equidad) fairness, justice; **hacer ~ a** to do justice; **ser de ~** to be only fair. **2.** (organización): **la ~** the law.

justiciero, -ra adj righteous.

justificación f (gen & IMPRENTA) justification.

justificante m documentary evidence (U).

justificar vt **1.** (gen & IMPRENTA) to justify. **2.** (excusar): **~ a alguien** to make excuses for sb. ◆ **justificarse** vpr (suj: persona) to justify ○ excuse o.s.

justo, -ta adj **1.** (equitativo) fair. **2.** (merecido - recompensa, victoria) deserved; (- castigo) just. **3.** (exacto - medida, hora) exact. **4.** (idóneo) right. **5.** (apretado) tight; **estar** o **venir ~** to be a tight fit. ♦ **justo** adv just; **~ ahora iba a llamarte** I was just about to ring you; **~ en medio** right in the middle.

juvenil adj youthful; (DEP) youth (antes de sust).

juventud f **1.** (edad) youth. **2.** (conjunto) young people (pl).

juzgado m (tribunal) court; **~ de guardia** court open during the night or at other times when ordinary courts are shut.

juzgar vt **1.** (enjuiciar) to judge; (DER) to try; **~ mal a alguien** to misjudge sb; **a ~ por (como)** judging by (how). **2.** (estimar) to consider, to judge.

K

k, K f (letra) k, K.

kaki = caqui.

kárate, cárate m karate.

kart (pl karts) m go-kart.

Kenia Kenya.

ketchup ['ketʃup] m ketchup.

kg (abrev de kilogramo) kg.

kibutz [ki'βuθ] (pl kibutzim) m kibbutz.

kilo, quilo m (peso) kilo.

kilogramo, quilogramo m kilogram.

kilometraje, quilometraje m ≈ mileage, distance in kilometres.

kilométrico, -ca, quilométrico, -ca adj (distancia) kilometric.

kilómetro, quilómetro m kilometre; **~ cuadrado** square kilometre.

kilovatio, quilovatio m kilowatt.

kiosco = quiosco.

kiwi (pl kiwis) m (fruto) kiwi (fruit).

km (abrev de kilómetro) km.

km/h (abrev de kilómetro por hora) km/h.

KO (abrev de knockout) m KO.

Kuwait [ku'βait] Kuwait.

L

l¹, L f (letra) l, L.

l² (abrev de litro) l.

la¹ m (MÚS) A; (en solfeo) lah.

la² ◇ art → el. ◇ pron → lo.

laberinto m lit & fig labyrinth.

labia f fam smooth talk; **tener mucha ~** to have the gift of the gab.

labio m **1.** (ANAT) lip. **2.** (borde) edge.

labor f **1.** (trabajo) work; (tarea) task; **~es domésticas** household chores; **ser de profesión sus ~es** to be a housewife. **2.** (de costura) needlework.

laborable → día.

laboral adj labour; (semana, condiciones) working (antes de sust).

laboratorio m laboratory; **~ de idiomas** o **lenguas** language laboratory.

laborioso, -sa adj (difícil) laborious.

laborista ◇ adj Labour. ◇ m y f Labour Party supporter o member; **los ~s** Labour.

labrador, -ra m y f (agricultor) farmer; (trabajador) farm worker.

labranza f farming.

labrar vt **1.** (campo - cultivar) to cultivate; (- arar) to plough. **2.** (piedra, metal etc) to work. **3.** fig (desgracia etc) to bring about; (porvenir, fortuna) to carve out. ♦ **labrarse** vpr (porvenir etc) to carve out for o.s.

laca f **1.** (gen) lacquer; (para cuadros) lake. **2.** (para el pelo) hairspray.

lacar vt to lacquer.

lacerar vt to lacerate; fig to wound.

lacio, -cia adj **1.** (cabello - liso) straight; (- sin fuerza) lank. **2.** (planta) wilted. **3.** fig (sin fuerza) limp.

lacón m shoulder of pork.

lacra f scourge.

lacrar vt to seal with sealing wax.

lacre m sealing wax.

lacrimógeno, -na adj **1.** (novela etc) weepy, tear-jerking. **2.** → gas.

lacrimoso, -sa adj **1.** (ojos etc) tearful. **2.** (historia etc) weepy, tear-jerking.

lactancia f lactation; **~ materna** breastfeeding.

lactante m y f breast-fed baby.

lácteo, -a adj (gen) milk (antes de sust); (industria, productos) dairy.

ladear *vt* to tilt.

ladera *f* slope, mountainside.

ladino, -na *adj* ◇ crafty. ◇ *m y f CAm & Méx (mestizo)* person of mixed race. ◆ **ladino** *m (dialecto)* Ladino.

lado *m* 1. *(gen)* side; **en el ~ de arriba/abajo** on the top/bottom; **a ambos ~s** on both sides; **estoy de su ~** I'm on her side; **de ~** *(torcido)* crooked; **dormir de ~** to sleep on one's side; **por un ~** on the one hand; **por otro ~** on the other hand. 2. *(lugar)* place; **debe estar en otro ~** it must be somewhere else. 3. *loc:* **dar de ~ a alguien** to cold-shoulder sb; **dejar algo de ~ o a un ~** *(prescindir)* to leave sthg to one side. ◆ **al lado** *loc adv (cerca)* nearby. ◆ **al lado de** *loc prep (junto a)* beside. ◆ **de al lado** *loc adj* next door; **la casa de al ~** the house next door.

ladrar *vi lit & fig* to bark.

ladrido *m lit & fig* bark, barking (U).

ladrillo *m* (CONSTR) brick.

ladrón, -ona *m y f (persona)* thief, robber. ◆ **ladrón** *m (para varios enchufes)* adapter.

lagartija *f (small)* lizard.

lagarto, -ta *m y f* (ZOOL) lizard.

lago *m* lake.

lágrima *f* tear; **llorar a ~ viva** to cry buckets.

lagrimal *m* corner of the eye.

laguna *f* 1. *(lago)* lagoon. 2. *fig (en colección, memoria)* gap; *(en leyes, reglamento)* loophole.

La Habana Havana.

La Haya The Hague.

laico, -ca *adj* lay, secular.

lama *m* lama.

La Meca Mecca.

lamentable *adj* 1. *(triste)* terribly sad. 2. *(malo)* lamentable, deplorable.

lamentar *vt* to regret, to be sorry about; **lo lamento** I'm very sorry.

lamento *m* moan.

lamer *vt* to lick. ◆ **lamerse** *vpr* to lick o.s.

lámina *f* 1. *(plancha)* sheet; *(placa)* plate. 2. *(rodaja)* slice. 3. *(plancha grabada)* engraving. 4. *(dibujo)* plate.

laminar *vt* 1. *(hacer láminas)* to roll. 2. *(cubrir con láminas)* to laminate.

lámpara *f* 1. *(aparato)* lamp; **~ de pie** standard lamp. 2. *(bombilla)* bulb. 3. (TECN) valve.

lampiño, -ña *adj (sin barba)* beardless, hairless.

lamprea *f* lamprey.

lana ◇ *f* wool; **de ~** woollen. ◇ *m Amer fam* dosh, dough.

lance *m* 1. *(en juegos, deportes)* incident; *(acontecimiento)* event. 2. *(riña)* dispute.

lanceta *f Amer* sting.

lancha *f (embarcación - grande)* launch; *(- pequeña)* boat; **~ salvavidas** lifeboat.

lanero, -ra *adj* wool *(antes de sust)*.

langosta *f* 1. *(crustáceo)* lobster. 2. *(insecto)* locust.

langostino *m* king prawn.

languidecer *vi* to languish; *(conversación, entusiasmo)* to flag.

lánguido, -da *adj (débil)* listless; *(falto de ánimo)* disinterested.

lanilla *f* 1. *(pelillo)* nap. 2. *(tejido)* flannel.

lanolina *f* lanolin.

lanza *f (arma - arrojadiza)* spear; *(- en justas, torneos)* lance.

lanzado, -da *adj (atrevido)* forward; *(valeroso)* fearless.

lanzagranadas *m inv* grenade launcher.

lanzamiento *m* 1. *(de objeto)* throwing; *(de cohete)* launching. 2. (DEP - con la mano) throw; *(- con el pie)* kick; *(- en béisbol)* pitch; **~ de peso** shot put. 3. *(de producto, artista)* launch; *(de disco)* release.

lanzamisiles *m inv* rocket launcher.

lanzar *vt* 1. *(gen)* to throw; *(con fuerza)* to hurl, to fling; *(de una patada)* to kick; *(bomba)* to drop; *(flecha, misil)* to fire; *(cohete)* to launch. 2. *(proferir)* to let out; *(acusación, insulto)* to hurl; *(suspiro)* to heave. 3. (COM - producto, artista, periódico) to launch; *(- disco)* to release. ◆ **lanzarse** *vpr* 1. *(tirarse)* to throw o.s. 2. *(abalanzarse)*: **~se (sobre)** to throw o.s. (upon).

lapa *f* (ZOOL) limpet.

La Paz La Paz.

lapicero *m* pencil.

lápida *f* memorial stone; **~ mortuoria** tombstone.

lapidar *vt* to stone.

lapidario, -ria *adj* solemn.

lápiz *(pl lápices)* *m* pencil; **~ de labios** lipstick; **~ de ojos** eyeliner; **~ óptico** (INFORM) light pen.

lapso *m* space, interval.

lapsus *m inv* lapse, slip.

larga → **largo**.

largar *vt* 1. *(aflojar)* to pay out. 2. *fam (dar, decir)* to give; **le largué un bofetón** I gave him a smack.

◆ **largarse** *vpr fam* to clear off.

largavistas *m inv CSur & Méx* binoculars *(pl)*.

largo, -ga *adj* 1. *(en espacio, tiempo)* long. 2. *(alto)* tall. 3. *(sobrado)*: **media hora larga** a good half hour. ◆ **largo** ◇ *m* length; **a lo ~** lengthways; **tiene dos metros de ~** it's two metres long; **pasar de ~** to pass by; **a lo ~ de** *(en el espacio)* along; *(en el tiempo)* throughout; **¡~ de aquí!** go away! ◇ *adv* at length; **~ y tendido** at great length. ◆ **larga** *f*: **a la larga** in the long run; **dar largas a algo** to put sthg off.

largometraje *m* feature film.

larguero *m* 1. (CONSTR) main beam. 2. (DEP) crossbar.

largura *f* length.

laringe *f* larynx.

laringitis *f inv* laryngitis.

larva *f* larva.

las ◇ *art* → **el**. ◇ *pron* → **lo**.

lasaña *f* lasagne, lasagna.

láser ◇ *adj inv* → **rayo**. ◇ *m inv* laser.

lástima *f* 1. *(compasión)* pity. 2. *(pena)* shame, pity; **da ~ ver gente así** it's sad to see people in that state; **¡qué ~!** what a shame o pity!; **quedarse hecho una ~** to be a sorry o pitiful sight.

lastimar *vt* to hurt. ◆ **lastimarse** *vpr* to hurt o.s.

lastre *m* 1. *(peso)* ballast. 2. *fig (estorbo)* burden.

lata *f* 1. *(envase)* can, tin; *(de bebidas)* can; **en ~** tinned, canned. 2. *fam (fastidio)* pain; **¡qué ~!** what a pain!; **dar la ~ a alguien** to pester sb.

latente *adj* latent.

lateral ◇ *adj (del lado - gen)* lateral; *(- puerta, pared)* side. ◇ *m* 1. *(lado)* side. 2. (DEP): **~ derecho/izquierdo** right/left back.

látex *m* latex.

latido *m (del corazón)* beat; *(en dedo etc)* throb, throbbing *(U)*.

latifundio *m* large rural estate.

latigazo *m* 1. *(golpe)* lash. 2. *(chasquido)* crack (of the whip).

látigo *m* whip.

latín *m* Latin; **saber (mucho) ~** *fig* to be sharp, to be on the ball.

latinajo *m fam despec* Latin word used in an attempt to sound academic.

latino, -na *adj, m y f* Latin.

latinoamericano, -na *adj, m y f* Latin American.

latir *vi (suj: corazón)* to beat.

latitud *f* (GEOGR) latitude. ◆ **lati-**

tudes *fpl (parajes)* region *(sg)*, area *(sg)*.

latón *m* brass.

latoso, -sa *fam adj* tiresome.

laúd *m* lute.

laureado, -da *adj* prize-winning.

laurel *m* (BOT) laurel; (CULIN) bay leaf. ◆ **laureles** *mpl (honores)* laurels; **dormirse en los ~es** *fig* to rest on one's laurels.

lava *f* lava.

lavabo *m* 1. *(objeto)* washbasin. 2. *(habitación)* washroom *Am*, lavatory *Br*.

lavadero *m (en casa)* laundry room; *(público)* washing place.

lavado *m* wash, washing *(U)*; **~ de cerebro** brainwashing.

lavadora *f* washing machine.

lavamanos *m inv* washbasin.

lavanda *f* lavender.

lavandería *f* laundry; *(automática)* launderette.

lavaplatos *m inv (aparato)* dishwasher.

lavar *vt (limpiar)* to wash; **~ y marcar** shampoo and set. ◆ **lavarse** *vpr (gen)* to wash o.s.; *(cara, manos, pelo)* to wash; *(dientes)* to clean.

lavavajillas *m inv* dishwasher.

laxante *m* (MED) laxative.

lazada *f* bow.

lazarillo *m* 1. *(persona)* blind person's guide. 2. → **perro**.

lazo *m* 1. *(atadura)* bow. 2. *(trampa)* snare; *(de vaquero)* lasso. 3. *(gen pl) fig (vínculo)* tie, bond.

Lda. *abrev de* **licenciada**.

Ldo. *abrev de* **licenciado**.

le *pron pers* 1. *(complemento indirecto)* *(hombre)* to him; *(mujer)* to her; *(cosa)* to it; *(usted)* to you; **~ expliqué el motivo** I explained the reason to him/her; **~ tengo miedo** I'm afraid of him/her; **ya ~ dije lo que pasaría** *(a usted)* I told you what would happen. 2. *(complemento directo)* him; *(usted)* you. 3. → **se**.

leal *adj*: **~ (a)** loyal (to).

lealtad *f*: **~ (a)** loyalty (to).

leasing ['lisin] *(pl* **leasings***) m* system of leasing whereby the lessee has the option of purchasing the property after a certain time.

lección *f* lesson; **dar a alguien una ~** *(como advertencia)* to teach sb a lesson; *(como ejemplo)* to give sb a lesson.

lechal *m* sucking lamb.

leche *f* 1. *(gen)* milk; **~ condensada/en polvo** condensed/powdered milk; **~ descremada** o **desnatada** skimmed milk;

~ merengada drink made from milk, egg whites, sugar and cinnamon. **2.** mfam (bofetada): **pegar una ~ a alguien** to belt O clobber sb. **3.** mfam (malhumor) bloody awful mood; **estar de mala ~** to be in a bloody awful mood; **tener mala ~** to be a miserable git.

lechera → lechero.

lechería f dairy.

lechero, -ra ◇ adj milk (antes de sust), dairy. ◇ m y f (persona) milkman (f milkwoman). ◆ **lechera** f (para transportar) milk churn; (para beber) milk jug.

lecho m (gen) bed.

lechón m sucking pig.

lechuga f (planta) lettuce.

lechuza f (barn) owl.

lectivo, -va adj school (antes de sust).

lector, -ra m y f **1.** (gen) reader. **2.** (EDUC) language assistant. ◆ **lector** m (de microfilms etc) reader, scanner; **~ óptico** optical scanner.

lectura f **1.** (gen) reading. **2.** (de tesis) viva voce. **3.** (escrito) reading (matter) (U). **4.** (de datos) scanning; **~ óptica** optical scanning.

leer ◇ vt (gen & INFORM) to read. ◇ vi to read; **~ de corrido** to read fluently.

legado m **1.** (herencia) legacy. **2.** (representante - persona) legate.

legajo m file.

legal adj **1.** (gen) legal; (hora) standard. **2.** fam (persona) honest, decent.

legalidad f legality.

legalizar vt (gen) to legalize.

legañas fpl sleep (U) (in the eyes).

legañoso, -sa adj full of sleep.

legar vt **1.** (gen) to bequeath. **2.** (delegar) to delegate.

legendario, -ria adj legendary.

legible adj legible.

legión f lit & fig legion.

legionario, -ria adj legionary. ◆ **legionario** m (HIST) legionary; (MIL) legionnaire.

legislación f (leyes) legislation.

legislar vi to legislate.

legislatura f (periodo) period of office.

legitimar vt **1.** (legalizar) to legitimize. **2.** (certificar) to authenticate.

legítimo, -ma adj (gen) legitimate; (auténtico) real, genuine; (oro) pure.

lego, -ga ◇ adj **1.** (gen) lay. **2.** (ignorante) ignorant. ◇ m y f (gen) layman (f laywoman).

legua f league; **~ marina** marine league.

legumbre f (gen pl) pulse, pod vegetable.

leído, -da adj (persona) well-read. ◆ **leída** f reading.

leitmotiv [leitmo'tif] (pl leitmotivs) m leitmotiv.

lejanía f distance.

lejano, -na adj distant; **no está ~** it's not far (away).

lejía f bleach.

lejos adv **1.** (en el espacio) far (away); **¿está ~?** is it far?; **a lo ~** in the distance; **de O desde ~** from a distance. **2.** (en el pasado) long ago; (en el futuro) far in the future; **eso queda ya ~** that happened a long time ago. ◆ **lejos de** ◇ loc conj far from; **~ de mejorar ...** far from getting better ... ◇ loc prep far (away) from.

lelo, -la ◇ adj stupid. ◇ m y f idiot.

lema m **1.** (norma) motto; (político, publicitario) slogan. **2.** (LING & MAT) lemma.

lencería f **1.** (ropa) linen. **2.** (tienda) draper's.

lengua f **1.** (gen) tongue; **~ de víbora** O **viperina** malicious tongue; **irse de la ~** to let the cat out of the bag; **morderse la ~** to bite one's tongue; **tirar a alguien de la ~** to draw sb out. **2.** (idioma, lenguaje) language; **~ materna** mother tongue.

lenguado m sole.

lenguaje m (gen & INFORM) language; **~ cifrado** code; **~ corporal** body language; **~ gestual** gestures (pl); **~ máquina** machine language; **~ de programación** programming language; **~ de los sordomudos** sign language.

lengüeta f (gen & MÚS) tongue.

lente f lens; **~s de contacto** contact lenses. ◆ **lentes** mpl (gafas) glasses.

lenteja f lentil.

lentejuela f sequin.

lentilla f (gen pl) contact lens.

lentitud f slowness; **con ~** slowly.

lento, -ta adj slow; (veneno) slow-working; (agonía, enfermedad) lingering.

leña f (madera) firewood; **echar ~ al fuego** to add fuel to the flames O fire.

leñador, -ra m y f woodcutter.

leño m (de madera) log; **dormir como un ~** to sleep like a log.

Leo ◇ m inv (zodiaco) Leo. ◇ m y f (persona) Leo.

león, -ona m y f lion (f lioness); fig fierce person; **no es tan fiero el ~ como lo pintan** proverb he/it etc is not as bad as he/it etc is made out to be. ◆ **león marino** m sea lion.

leopardo *m* leopard.

leotardo *m* 1. *(gen pl) (medias)* stockings *(pl)*, thick tights *(pl)*. 2. *(de gimnasta etc)* leotard.

lépero, -ra *adj CAm & Méx fam* coarse, vulgar.

lepra *f* leprosy.

lerdo, -da *adj (idiota)* dim, slow-witted; *(torpe)* useless.

les *pron pers pl* 1. *(complemento indirecto)* (to) them; *(ustedes)* (to) you; ~ **expliqué el motivo** I explained the reason to them; ~ **tengo miedo** I'm afraid of them; **ya** ~ **dije lo que pasaría** *(a ustedes)* I told you what would happen. 2. *(complemento directo)* them; *(ustedes)* you. 3. → **se.**

lesbiano, -na *adj* lesbian. ◆ **lesbiana** *f* lesbian.

lesión *f* 1. *(herida)* injury. 2. (DER): ~ **grave** grievous bodily harm.

lesionado, -da ◇ *adj* injured. ◇ *m y f* injured person.

lesionar *vt* to injure; *fig* to damage, to harm. ◆ **lesionarse** *vpr* to injure o.s.

letal *adj* lethal.

letanía *f (gen pl) lit & fig* litany.

letargo *m* (ZOOL) hibernation.

letra *f* 1. *(signo)* letter. 2. *(caligrafía)* handwriting. 3. *(estilo)* script; (IMPRENTA) typeface; ~ **bastardilla** O **cursiva** O **itálica** italic type, italics *(pl)*; ~ **de imprenta** O **molde** (IMPRENTA) print; *(en formularios etc)* block capitals *(pl)*; ~ **mayúscula/minúscula** capital/small letter; ~ **negrita** O **negrilla** bold (face); **leer la** ~ **pequeña** *fig* to read the small print; **mandar cuatro ~s a alguien** to drop sb a line. 4. *(de una canción)* lyrics *(pl)*. 5. (COM): ~ **(de cambio)** bill of exchange. ◆ **letras** *fpl* (EDUC) arts.

letrado, -da ◇ *adj* learned. ◇ *m y f* lawyer.

letrero *m* sign.

letrina *f* latrine.

leucemia *f* leukaemia.

leva *f* (MIL) levy.

levadura *f* yeast; ~ **de cerveza** brewer's yeast.

levantamiento *m* 1. *(sublevación)* uprising. 2. *(elevación)* raising; ~ **de pesas** (DEP) weightlifting. 3. *(supresión)* lifting, removal.

levantar *vt* 1. *(gen)* to raise; *(peso, capó, trampilla)* to lift; ~ **el ánimo** to cheer up; ~ **la vista** O **mirada** to look up. 2. *(separar - pintura, venda, tapa)* to remove. 3. *(recoger - campamento)* to

strike; *(- tienda de campaña, puesto)* to take down; *(- mesa)* to clear. 4. *(encender - protestas, polémica)* to stir up; ~ **a alguien contra** to stir sb up against. 5. *(suspender - embargo, prohibición)* to lift; *(- pena, castigo)* to suspend; *(- sesión)* to adjourn. 6. *(redactar - acta, atestado)* to draw up. ◆ **levantarse** *vpr* 1. *(ponerse de pie)* to stand up. 2. *(de la cama)* to get up. 3. *(elevarse - avión etc)* to take off; *(- niebla)* to lift. 4. *(sublevarse)* to rise up. 5. *(empezar - viento, oleaje)* to get up; *(- tormenta)* to gather.

levante *m* 1. *(este)* east; *(región)* east coast. 2. *(viento)* east wind.

levar *vt* to weigh.

leve *adj* 1. *(gen)* light; *(olor, sabor, temblor)* slight. 2. *(pecado, falta, herida)* minor. 3. *(enfermedad)* mild, slight.

levitar *vi* to levitate.

léxico, -ca *adj* lexical. ◆ **léxico** *m (vocabulario)* vocabulary.

lexicografía *f* lexicography.

lexicón *m* lexicon.

ley *f* 1. *(gen)* law; *(parlamentaria)* act; ~ **de incompatibilidades** *act regulating which other positions may be held by people holding public office*; **con todas las de la** ~ in due form, properly. 2. *(regla)* rule; ~ **del embudo** one law for o.s. and another for everyone else; ~ **de la oferta y de la demanda** law of supply and demand. 3. *(de un metal)*: **de** ~ *(oro)* pure; *(plata)* sterling. ◆ **leyes** *fpl (derecho)* law *(sg)*.

leyenda *f (narración)* legend.

liar *vt* 1. *(atar)* to tie up. 2. *(envolver - cigarrillo)* to roll; ~ **algo en** *(papel)* to wrap sthg up in; *(toalla etc)* to roll sthg up in. 2. *(involucrar)*: ~ **a alguien (en)** to get sb mixed up (in). 4. *(complicar - asunto etc)* to confuse; **¡ya me has liado!** now you've really got me confused! ◆ **liarse** *vpr* 1. *(enredarse)* to get muddled up. 2. *(empezar)* to begin, to start.

Líbano *m*: **el** ~ the Lebanon.

libélula *f* dragonfly.

liberación *f (gen)* liberation; *(de preso)* release.

liberado, -da *adj (gen)* liberated; *(preso)* freed.

liberal *adj, m y f* liberal.

liberar *vt (gen)* to liberate; *(preso)* to free; ~ **de algo a alguien** to free sb from sthg. ◆ **liberarse** *vpr* to liberate o.s.; **~se de algo** to free O liberate o.s. from sthg.

libertad *f* freedom, liberty; **dejar** O

poner a alguien en ~ to set sb free, to release sb; **tener ~ para hacer algo** to be free to do sthg; **tomarse la ~ de hacer algo** to take the liberty of doing sthg; **~ condicional** probation; **~ de expresión** freedom of speech; **~ de imprenta** o **prensa** freedom of the press.

libertar *vt (gen)* to liberate; *(preso)* to set free.

libertino, -na ◊ *adj* licentious. ◊ *m y f* libertine.

libido *f* libido.

libra *f (peso, moneda)* pound; **~ esterlina** pound sterling. ◆ **Libra** ◊ *m (zodiaco)* Libra. ◊ *m y f (persona)* Libran.

librar ◊ *vt* 1. *(eximir):* **~ a alguien (de algo/de hacer algo)** *(gen)* to free sb (from sthg/from doing sthg); *(pagos, impuestos)* to exempt sb (from sthg/from doing sthg). 2. *(entablar - pelea, lucha)* to engage in; *(- batalla, combate)* to join, to wage. 3. *(COM)* to draw. ◊ *vi (no trabajar)* to be off work. ◆ **librarse** *vpr* 1. *(salvarse):* **~se (de hacer algo)** to escape (from doing sthg); **de buena te libraste** you had a narrow escape. 2. *(deshacerse):* **~se de algo/alguien** to get rid of sthg/sb.

libre *adj* 1. *(gen)* free; *(rato, tiempo)* spare; *(camino, vía)* clear; *(espacio, piso, lavabo)* empty, vacant; **200 metros ~s** 200 metres freestyle; **~ de** *(gen)* free from; *(exento)* exempt from; **~ de franqueo** post-free; **~ de impuestos** tax-free; **ir por ~** to go it alone. 2. *(alumno)* external; **estudiar por ~** to be an external student.

librecambio *m* free trade.

librería *f* 1. *(tienda)* bookshop. 2. *(mueble)* bookcase.

> Debemos tener cuidado con la enorme similitud entre la palabra del español "librería" (*bookshop*) y la del inglés *library* ("biblioteca"). A menudo se confunden, tal vez porque ambas designan lugares llenos de libros. Pero son diferentes: "compré este diccionario en una librería y el atlas lo tomé prestado de la biblioteca", al inglés se traduce como: *I bought this dictionary in a bookshop and I borrowed the atlas from the library.*

librero, -ra ◊ *m y f (persona)* bookseller. ◊ *m Chile & Méx (mueble)* bookshelf.

libreta *f* 1. *(para escribir)* notebook. 2. *(del banco):* **~ (de ahorros)** savings book.

libreto *m* 1. *(MÚS)* libretto. 2. *Amer (CIN)* script.

libro *m (gen & COM)* book; **llevar los ~s** to keep the books; **~ de bolsillo** paperback; **~ de consulta/cuentos** reference/story book; **~ de escolaridad** school report; **~ de familia** *document containing personal details of the members of a family;* **~ de reclamaciones** complaints book; **~ de registro (de entradas)** register; **~ de texto** textbook.

Lic. *abrev de* **licenciado**.

licencia *f* 1. *(documento)* licence, permit; *(autorización)* permission; **~ de armas/caza** gun/hunting licence; **~ de obras** planning permission; **~ poética** poetic licence. 2. *(MIL)* discharge. 3. *(confianza)* licence, freedom.

licenciado, -da *m y f* 1. *(EDUC)* graduate; **~ en económicas** economics graduate. 2. *(MIL)* discharged soldier.

licenciar *vt (MIL)* to discharge. ◆ **licenciarse** *vpr* 1. *(EDUC):* **~se (en)** to graduate (in). 2. *(MIL)* to be discharged.

licenciatura *f* degree.

liceo *m (EDUC)* lycée.

licitador, -ra *m y f* bidder.

lícito, -ta *adj* 1. *(legal)* lawful. 2. *(correcto)* right. 3. *(justo)* fair.

licor *m* liquor.

licuadora *f* liquidizer, blender.

licuar *vt (CULIN)* to liquidize.

líder ◊ *adj* leading. ◊ *m y f* leader.

liderato, liderazgo *m* 1. *(primer puesto)* lead; *(en liga)* first place. 2. *(dirección)* leadership.

lidia *f* 1. *(arte)* bullfighting. 2. *(corrida)* bullfight.

liebre *f (ZOOL)* hare.

Liechtenstein ['litʃenʃtein] Liechtenstein.

lienzo *m* 1. *(para pintar)* canvas. 2. *(cuadro)* painting.

lifting ['liftin] *(pl* **liftings)** *m* facelift.

liga *f* 1. *(gen)* league. 2. *(de medias)* suspender.

ligadura *f* 1. *(MED & MÚS)* ligature. 2. *(atadura)* bond, tie.

ligamento *m (ANAT)* ligament.

ligar ◊ *vt (gen & CULIN)* to bind; *(atar)* to tie (up). ◊ *vi* 1. *(coincidir):* **~ (con)** to tally (with). 2. *fam (conquistar):* **~ (con)** to get off (with).

ligero, -ra *adj* 1. *(gen)* light; *(dolor, rumor, descenso)* slight; *(traje, tela)* thin. 2. *(ágil)* agile, nimble. 3. *(rápido)* quick, swift. 4. *(irreflexivo)* flippant; **a la ligera** lightly; **juzgar a alguien a la ligera** to be quick to judge sb.

light [lait] *adj inv* (*comida*) low-calorie; (*refresco*) diet (*antes de sust*); (*cigarrillos*) light.

ligón, -ona *adj Esp fam:* **es muy ~** he's always getting off with sb or other.

liguero, -ra *adj* (DEP) league (*antes de sust*). ◆ **liguero** *m* garter belt *Am*, suspender belt *Br*.

lija *f* (*papel*) sandpaper.

lila ◇ *f* (*flor*) lilac. ◇ *adj & m* (*color*) lilac.

lima *f* **1.** (*utensilio*) file; **~ de uñas** nail file. **2.** (BOT) lime.

Lima Lima.

limar *vt* **1.** (*pulir*) to file down. **2.** (*perfeccionar*) to polish.

limitación *f* **1.** (*restricción*) limitation, limit. **2.** (*distrito*) boundaries (*pl*).

limitado, -da *adj* **1.** (*gen*) limited. **2.** *fig* (*poco inteligente*) dim-witted.

limitar ◇ *vt* **1.** (*gen*) to limit. **2.** (*terreno*) to mark out. **3.** (*atribuciones, derechos etc*) to set out, to define. ◇ *vi:* **~ (con)** to border (on). ◆ **limitarse a** *vpr* to limit o.s. to.

límite ◇ *adj inv* **1.** (*precio, velocidad, edad*) maximum. **2.** (*situación*) extreme; (*caso*) borderline. ◇ *m* **1.** (*tope*) limit; **dentro de un ~** within limits; **su pasión no tiene ~** her passion knows no bounds; **~ de velocidad** speed limit. **2.** (*confín*) boundary.

limítrofe *adj* (*país, territorio*) bordering; (*terreno, finca*) neighbouring.

limón *m* lemon; *Méx* (*lima*) lime; **~ real** *Méx* lemon.

limonada *f* lemonade.

limonero, -ra *adj* lemon (*antes de sust*). ◆ **limonero** *m* lemon tree.

limosna *f* alms (*pl*); **pedir ~** to beg.

limpiabotas *m y f inv* shoeshine, bootblack *Br*.

limpiacristales *m inv* window-cleaning fluid.

limpiamente *adv* **1.** (*con destreza*) cleanly o.s. **2.** (*honradamente*) honestly.

limpiaparabrisas *m inv* windshield wiper *Am*, windscreen wiper *Br*.

limpiar *vt* **1.** (*gen*) to clean; (*con trapo*) to wipe; (*mancha*) to wipe away; (*zapatos*) to polish. **2.** *fig* (*desembarazar*): **~ algo de algo** to clear sthg of sthg.

limpieza *f* **1.** (*cualidad*) cleanliness. **2.** (*acción*) cleaning; **~ en seco** dry cleaning. **3.** *fig* (*destreza*) skill, cleanness. **4.** *fig* (*honradez*) honesty.

limpio, -pia *adj* **1.** (*gen*) clean; (*pulcro*) neat; (*cielo, imagen*) clear. **2.** (*neto - sueldo etc*) net. **3.** (*honrado*) honest; (*inten-*

ciones) honourable; (*juego*) clean. **4.** (*sin culpa*): **estar ~** to be in the clear. ◆ **limpio** *adv* cleanly, fair; **pasar a o poner en ~** to make a fair copy of; **sacar algo en ~ de** to make sthg out from.

linaje *m* lineage.

linaza *f* linseed.

lince *m* lynx; **ser un ~ para algo** to be very sharp at sthg.

linchar *vt* to lynch.

lindar ◆ **lindar con** *vi* **1.** (*terreno*) to adjoin, to be next to. **2.** (*conceptos, ideas*) to border on.

linde *m o f* boundary.

lindo, -da *adj* pretty, lovely; **de lo ~** a great deal.

línea *f* **1.** (*gen*, DEP & TELECOM) line; **cortar la ~ (telefónica)** to cut off the phone; **~ aérea** airline; **~ de conducta** course of action; **~ continua** (AUTOM) solid white line; **~ de puntos** dotted line. **2.** (*de un coche etc*) lines (*pl*), shape. **3.** (*silueta*) figure; **guardar la ~** to watch one's figure. **4.** (*estilo*) style; **de ~ clásica** classical. **5.** (*categoría*) class, category; **de primera ~** first-rate. **6.** (INFORM): **en ~** on-line; **fuera de ~** off-line. **7.** *loc:* **en ~s generales** in broad terms; **leer entre ~s** to read between the lines.

lingote *m* ingot.

lingüista *m y f* linguist.

lingüístico, -ca *adj* linguistic. ◆ **lingüística** *f* linguistics.

linier [li'njer] (*pl* **liniers**) *m* linesman.

lino *m* **1.** (*planta*) flax. **2.** (*tejido*) linen.

linterna *f* **1.** (*farol*) lantern, lamp. **2.** (*de pilas*) flashlight *Am*, torch *Br*.

lío *m* **1.** (*paquete*) bundle. **2.** *fam* (*enredo*) mess; **hacerse un ~** to get muddled up; **meterse en ~s** to get into trouble. **3.** *fam* (*jaleo*) racket, row. **4.** *fam* (*amorío*) affair.

liposucción *f* liposuction.

liquen *m* lichen.

liquidación *f* **1.** (*pago*) settlement, payment. **2.** (*rebaja*) clearance sale. **3.** (*fin*) liquidation.

liquidar *vt* **1.** (*pagar - deuda*) to pay; (*- cuenta*) to settle. **2.** (*rebajar*) to sell off. **3.** (*malgastar*) to throw away. **4.** (*acabar - asunto*) to settle; (*- negocio, sociedad*) to wind up.

líquido, -da *adj* **1.** (*gen*) liquid. **2.** (ECON) (*neto*) net. ◆ **líquido** *m* **1.** (*gen*) liquid. **2.** (ECON) liquid assets (*pl*). **3.** (MED) fluid.

lira *f* **1.** (MÚS) lyre. **2.** (*moneda*) lira.

lírico, -ca *adj* (LITER) lyrical.

◆ **lírica** f lyric poetry.

lirio m iris.

lirón m (ZOOL) dormouse; **dormir como un ~** fig to sleep like a log.

lis f iris.

Lisboa Lisbon.

liso, -sa adj 1. (llano) flat; (sin asperezas) smooth; (pelo) straight; **los 400 metros ~s** the 400 metres; **lisa y llanamente** quite simply; **hablando lisa y llanamente** to put it plainly. 2. (no estampado) plain.

lisonja f flattering remark.

lisonjear vt to flatter.

lista f 1. (enumeración) list; **pasar ~** to call the register; **~ de boda/de espera/de precios** wedding/waiting/price list. 2. (de tela, madera) strip; (de papel) slip; (de color) stripe. ◆ **lista de correos** f poste restante.

listado, -da adj striped.

listín ◆ **listín (de teléfonos)** m (telephone) directory.

listo, -ta adj 1. (inteligente, hábil) clever, smart; **dárselas de ~** to make o.s. out to be clever; **pasarse de ~** to be too clever by half; **ser más ~ que el hambre** to be nobody's fool. 2. (preparado) ready; **¿estáis ~s?** are you ready?; **estás** o **vas ~ (si crees que ...)** you've got another think coming (if you think that ...).

litera f 1. (cama) bunk (bed); (de barco) berth; (de tren) couchette. 2. (vehículo) litter.

literal adj literal.

literario, -ria adj literary.

literatura f literature.

litigar vi to go to law.

litigio m (DER) litigation (U); fig dispute; **en ~** in dispute.

litografía f 1. (arte) lithography. 2. (grabado) lithograph.

litoral ◇ adj coastal. ◇ m coast.

litro m litre.

Lituania Lithuania.

liturgia f liturgy.

liviano, -na adj 1. (ligero - blusa) thin; (- carga) light. 2. (sin importancia) slight.

lívido, -da adj 1. (pálido) very pale. 2. (amoratado) livid.

ll, Ll f (letra) ll, Ll.

llaga f lit & fig wound.

llagar vt to wound.

llama f 1. (de fuego, pasión) flame; **en ~s** ablaze. 2. (ZOOL) llama.

llamada f 1. (gen) call; (a la puerta) knock; (con timbre) ring. 2. (TELECOM)

telephone call; **hacer una ~** to make a phone call; **~ urbana/interurbana/a cobro revertido** local/long-distance/reverse-charge call.

llamado, -da adj so-called. ◆ **llamado** m Amer (de teléfono) call.

llamamiento m (apelación) appeal, call.

llamar ◇ vt 1. (gen) to call; (con gestos) to beckon. 2. (por teléfono) to phone, to call. 3. (convocar) to summon, to call; **~ (a filas)** (MIL) to call up. 4. (atraer) to attract, to call. ◇ vi 1. (a la puerta etc - con golpes) to knock; (- con timbre) to ring; **están llamando** there's somebody at the door. 2. (por teléfono) to phone. ◆ **llamarse** vpr (tener por nombre) to be called; **¿cómo te llamas?** what's your name?; **me llamo Pepe** my name's Pepe.

llamativo, -va adj (color) bright, gaudy; (ropa) showy.

llamear vi to burn, to blaze.

llano, -na adj 1. (campo, superficie) flat. 2. (trato, persona) natural, straightforward. 3. (pueblo, clase) ordinary. 4. (lenguaje, expresión) simple, plain. ◆ **llano** m (llanura) plain.

llanta f rim.

llanto m tears (pl), crying.

llanura f plain.

llave f 1. (gen) key; **bajo ~** under lock and key; **echar la ~** to lock up; **~ en mano** (vivienda) ready for immediate occupation; **~ de contacto** ignition key; **~ maestra** master key. 2. (del agua, gas) faucet Am, tap Br; (de la electricidad) switch; **cerrar la ~ de paso** to turn the water/gas off at the mains. 3. (herramienta) spanner; **~ inglesa** monkey wrench. 4. (de judo etc) hold, lock. 5. (signo ortográfico) curly bracket.

llavero m keyring.

llavín m latchkey.

llegada f 1. (gen) arrival. 2. (DEP) finish.

llegar vi 1. (a un sitio): **~ (de)** to arrive (from); **~ a un hotel/una ciudad** to arrive at a hotel/in a city; **llegaré pronto** I'll be there early. 2. (un tiempo, la noche etc) to come. 3. (durar): **~ a** o **hasta** to last until. 4. (alcanzar): **~ a** to reach; **no llego al techo** I can't reach the ceiling; **~ hasta** to reach up to. 5. (ser suficiente): **~ (para)** to be enough (for). 6. (lograr): **~ a (ser) algo** to get to be sthg, to become sthg; **si llego a saberlo** if I get to know of it. ◆ **llegarse a** vpr to go round to.

llenar vt 1. (ocupar): **~ algo (de)** (vaso,

hoyo, habitación) to fill sthg (with); *(pared, suelo)* to cover sthg (with). **2.** *(satisfacer)* to satisfy. **3.** *(rellenar - impreso)* to fill in O out. **4.** *(colmar):* ~ **a alguien de** to fill sb with. ◆ **llenarse** *vpr* **1.** *(ocuparse)* to fill up. **2.** *(saciarse)* to be full. **3.** *(cubrirse):* ~**se de** to become covered in.

lleno, -na *adj* **1.** *(gen)* full; *(cubierto)* covered; ~ **de** *(gen)* full of; *(manchas, pósters)* covered in. **2.** *fam (regordete)* chubby. ◆ **de lleno** *loc adv* full in the face; **acertó de** ~ he was bang on target.

llevar ◇ *vt* **1.** *(gen)* to carry. **2.** *(acompañar, coger y depositar)* to take; ~ **algo/ a alguien a** to take sthg/sb to; **me llevó en coche** he drove me there. **3.** *(prenda, objeto personal)* to wear; **llevo gafas** I wear glasses; **no llevo dinero** I haven't got any money on me. **4.** *(caballo, coche etc)* to handle. **5.** *(conducir):* ~ **a alguien a algo** to lead sb to sthg; ~ **a alguien a hacer algo** to lead O cause sb to do sthg. **6.** *(ocuparse de, dirigir)* to be in charge of; *(casa, negocio)* to run; **lleva la contabilidad** she keeps the books. **7.** *(hacer - de alguna manera):* **lleva muy bien sus estudios** he's doing very well in his studies. **8.** *(tener - de alguna manera)* to have; ~ **el pelo largo** to have long hair; **llevas las manos sucias** your hands are dirty. **9.** *(soportar)* to deal O cope with. **10.** *(mantener)* to keep; ~ **el paso** to keep in step. **11.** *(pasarse - tiempo):* **lleva tres semanas sin venir** she hasn't come for three weeks now, it's three weeks since she came last. **12.** *(ocupar - tiempo)* to take; **me llevó un día hacer este guiso** it took me a day to make this dish. **13.** *(sobrepasar en):* **te llevo seis puntos** I'm six points ahead of you; **me lleva dos centímetros** he's two centimetres taller than me. **14.** *loc:* ~ **consigo** *(implicar)* to lead to, to bring about; ~ **las de perder** to be heading for defeat. ◇ *vi* **1.** *(conducir):* ~ **a** to lead to; **esta carretera lleva al norte** this road leads north. **2.** *(antes de participio) (haber):* **llevo leída media novela** I'm halfway through the novel; **llevo dicho esto mismo docenas de veces** I've said the same thing time and again. **3.** *(antes de gerundio) (estar):* ~ **antiguo tiempo haciendo algo** to have been doing sthg for a long time. ◆ **llevarse** *vpr* **1.** *(coger)* to take, to steal. **2.** *(conseguir)* to get; **se ha llevado el premio** she has carried off the prize; **yo me llevo siem-**

pre **las culpas** I always get the blame. **3.** *(recibir - susto, sorpresa etc)* to get, to receive; **me llevé un disgusto** I was upset. **4.** *(entenderse):* ~**se bien/mal (con alguien)** to get on well/badly (with sb). **5.** *(estar de moda)* to be in (fashion); **este año se lleva el verde** green is in this year. **6.** (MAT): **me llevo una** carry (the) one.

llorar *vi (con lágrimas)* to cry.

lloriquear *vi* to whine, to snivel.

lloro *m* crying (U), tears *(pl)*.

llorón, -ona *m y f* crybaby.

lloroso, -sa *adj* tearful.

llover *v impers* to rain; **está lloviendo** it's raining.

llovizna *f* drizzle.

lloviznar *v impers* to drizzle.

lluvia *f* (METEOR) rain; **bajo la** ~ in the rain; ~ **ácida** acid rain; ~ **radiactiva** (nuclear) fallout.

lluvioso, -sa *adj* rainy.

lo, la *(mpl* los, *fpl* las) *pron pers (complemento directo) (cosa)* it; *(pl)* them; *(persona)* him *(f* her); *(pl)* them; *(usted)* you. ◆ **lo** ◇ *pron pers (neutro) (predicado)* it; **su hermana es muy guapa pero él no** ~ **es** his sister is very good-looking, but he isn't; **es muy bueno aunque no** ~ **parezca** it's very good, even if it doesn't look it. ◇ *art det (neutro):* **me gusta más que** ~ **moderno** I like old things better than modern things; ~ **mejor/peor** the best/worst part; **no te imaginas** ~ **grande que era** you can't imagine how big it was. ◆ **lo de** *loc prep:* **¿y** ~ **de la fiesta?** what about the party, then?; **siento** ~ **de ayer** I'm sorry about yesterday. ◆ **lo que** *loc conj* what; **acepté** ~ **que me ofrecieron** I accepted what they offered me.

loar *vt* to praise.

lobato = **lobezno**.

lobby ['loβi] *(pl* lobbies) *m* lobby, pressure group.

lobezno, lobato *m* wolf cub.

lobo, -ba *m y f* wolf. ◆ **lobo de mar** *m (marinero)* sea dog.

lóbulo *m* lobe.

local ◇ *adj* local. ◇ *m* **1.** *(edificio)* premises *(pl)*. **2.** *(sede)* headquarters *(pl)*.

localidad *f* **1.** *(población)* place, town. **2.** *(asiento)* seat. **3.** *(entrada)* ticket; **'no hay ~es'** 'sold out'.

localizar *vt* **1.** *(encontrar)* to locate. **2.** *(circunscribir)* to localize.

loción *f* lotion.

loco, -ca ◇ *adj* **1.** *(gen)* mad; **estar** ~

de/por to be mad with/about; **volverse ~ por** to be mad about; **~ de atar** o **remate** stark raving mad; **a lo ~** *(sin pensar)* hastily; *(temerariamente)* wildly. **2.** *(extraordinario - interés, ilusión)* tremendous; *(- amor, alegría)* wild. ◇ *m y f lit & fig* madman *(f* madwoman*)*, lunatic.

locomoción *f* transport; *(de tren)* locomotion.

locomotor, -ra o **-triz** *adj* locomotive. ◆ **locomotora** *f* engine, locomotive.

locución *f* phrase.

locura *f* **1.** *(demencia)* madness. **2.** *(imprudencia)* folly.

locutor, -ra *m y f (de radio)* announcer; *(de televisión)* presenter.

locutorio *m* **1.** (TELECOM) phone box o booth. **2.** (RADIO) studio.

lodo *m lit & fig* mud.

logaritmo *m* logarithm.

lógico, -ca *adj* logical; **es ~ que se enfade** it stands to reason that he should get angry. ◆ **lógica** *f (ciencia)* logic.

logística *f* logistics *(pl)*.

logopeda *m y f* speech therapist.

logotipo *m* logo.

logrado, -da *adj (bien hecho)* accomplished.

lograr *vt (gen)* to achieve; *(puesto, beca, divorcio)* to get, to obtain; *(resultado)* to obtain, to achieve; *(perfección)* to attain; *(victoria, premio)* to win; *(deseo, aspiración)* to fulfil; **~ hacer algo** to manage to do sthg; **~ que alguien haga algo** to manage to get sb to do sthg.

logro *m* achievement.

loma *f* hillock.

lombriz *f* earthworm, worm.

lomo *m* **1.** *(espalda)* back. **2.** *(carne)* loin. **3.** *(de libro)* spine.

lona *f* canvas.

loncha *f* slice; *(de beicon)* rasher.

londinense ◇ *adj* London *(antes de sust)*. ◇ *m y f* Londoner.

Londres London.

longaniza *f* type of spicy, cold pork sausage.

longitud *f* **1.** *(dimensión)* length; **tiene medio metro de ~** it's half a metre long; **~ de onda** wavelength. **2.** (ASTRON & GEOGR) longitude.

lonja *f* **1.** *(loncha)* slice. **2.** *(edificio)* exchange; **~ de pescado** fish market.

loro *m (animal)* parrot.

los ◇ *art* → **el**. ◇ *pron* → **lo**.

losa *f* paving stone, flagstone; *(de tumba)* tombstone.

loseta *f* floor tile.

lote *m* **1.** *(parte)* share. **2.** *(conjunto)* batch, lot.

lotería *f* **1.** *(gen)* lottery; **jugar a la ~** to play the lottery; **le tocó la ~** she won the lottery; **~ primitiva** twice-weekly state-run lottery. **2.** *(juego de mesa)* lotto.

loza *f* **1.** *(material)* earthenware; *(porcelana)* china. **2.** *(objetos)* crockery.

lozanía *f (de persona)* youthful vigour.

lozano, -na *adj* **1.** *(planta)* lush. **2.** *(persona)* youthfully vigorous.

Ltd., ltda. *(abrev de* **limitada)** Ltd.

lubina *f* sea bass.

lubricante, lubrificante ◇ *adj* lubricating. ◇ *m* lubricant.

lubricar, lubrificar *vt* to lubricate.

lucero *m* bright star.

lucha *f* fight; *fig* struggle; **~ libre** all-in wrestling.

luchar *vi* to fight; *fig* to struggle; **~ contra/por** to fight against/for.

lucidez *f* lucidity, clarity.

lúcido, -da *adj* lucid.

luciérnaga *f* glow-worm.

lucir ◇ *vi* **1.** *(gen)* to shine. **2.** *(llevar puesto)* to wear. **3.** *Amer (parecer)* to seem. ◇ *vt (gen)* to show off; *(ropa)* to sport. ◆ **lucirse** *vpr* **1.** *(destacar)*: **~se (en)** to shine (at). **2.** *fam fig & irón (quedar mal)* to mess things up.

lucrativo, -va *adj* lucrative; **no ~** non profit-making.

lucro *m* profit, gain.

lúdico, -ca *adj (del juego)* game *(antes de sust)*; *(ocioso)* of enjoyment, of pleasure.

luego ◇ *adv* **1.** *(justo después)* then, next; **primero aquí y ~ allí** first here and then there. **2.** *(más tarde)* later; **hazlo ~** do it later. **3.** *Amer (pronto)* soon. ◇ *conj (así que)* so, therefore. ◆ **luego luego** *loc adv Amer* right away.

lugar *m* **1.** *(gen)* place; *(localidad)* place, town; *(del crimen, accidente etc)* scene; *(para acampar, merendar etc)* spot; **en primer ~** in the first place, firstly; **fuera de ~** out of place; **no hay ~ a duda** there's no room for doubt; **tener ~** to take place; **yo en tu ~** if I were you. **2.** *(motivo)* cause, reason; **dar ~ a** to bring about, to cause. **3.** *(puesto)* position. ◆ **en lugar de** *loc prep* instead of. ◆ **lugar común** *m* platitude.

lugareño, -ña *m y f* villager.

lúgubre *adj* gloomy, mournful.

lujo *m* luxury; *fig* profusion; **permitirse el ~ de algo/de hacer algo** to be able to afford sthg/to do sthg.

lujoso, -sa *adj* luxurious.

lujuria *f* lust.

lumbago *m* lumbago.

lumbre *f (fuego)* fire; **dar ~ a alguien** to give sb a light.

lumbrera *f fam* leading light.

luminoso, -sa *adj (gen)* bright; *(fuente, energía)* light *(antes de sust)*.

luna *f* 1. *(astro)* moon; **~ llena/nueva** full/new moon. 2. *(cristal)* window (pane). 3. *loc:* **estar en la ~** to be miles away. ✦ **luna de miel** *f* honeymoon.

lunar *adj* lunar. ◇ *m* 1. *(en la piel)* mole, beauty spot. 2. *(en telas)* spot; **a ~es** spotted.

lunático, -ca *m y f* lunatic.

lunes *m inv* Monday; *ver también* **sábado**.

luneta *f (de coche)* windscreen; **~ térmica** demister.

lupa *f* magnifying glass.

lustrabotas *m inv*, **lustrador** *m Andes & CSur* bootblack.

lustrar *vt* to polish.

lustre *m (brillo)* shine.

lustro *m* five-year period.

lustroso, -sa *adj* shiny.

luto *m* mourning; **de ~** in mourning.

luxación *f* dislocation.

Luxemburgo Luxembourg.

luxemburgués, -esa ◇ *adj* Luxembourg *(antes de sust)*. ◇ *m y f* Luxembourger.

luz *f (gen)* light; *(electricidad)* electricity; *(destello)* flash *(of light)*; **apagar la ~** to switch off the light; **cortar la ~** to cut off the electricity supply; **dar ~** to **encender la ~** to switch on the light; **pagar (el recibo de) la ~** to pay the electricity (bill); **se ha ido la ~** the lights have gone out; **~ solar** sunlight; **a la ~ de** in the light of; **arrojar ~ sobre** to shed light on; **dar a ~ (un niño)** to give birth (to a child); **sacar a la ~** to bring to light. ✦ **luces** *fpl (AUTOM)* lights; **poner las luces de carretera O largas** to put (one's) headlights on full beam; **luces de cruce O cortas** dipped headlights; **luces de posición O situación** sidelights.

lycra® *f* Lycra®.

m¹, M *f (letra)* m, M.

m² *(abrev de* **metro)** m.

macabro, -bra *adj* macabre.

macana *f Carib & CSur fam (disparate)* stupid thing.

macarrón *m (tubo)* sheath *(of cable)*. ✦ **macarrones** *mpl (pasta)* macaroni *(U)*.

macedonia *f* salad; **~ de frutas** fruit salad.

macerar *vt (CULIN)* to soak, to macerate.

maceta *f (tiesto)* flowerpot.

macetero *m* flowerpot holder.

machaca *m y f (currante)* dogsbody.

machacar ◇ *vt* 1. *(triturar)* to crush. 2. *fig (insistir)* to keep going on about. ◇ *vi fig:* **~ (sobre)** to go on (about).

machete *m* machete.

machista *adj, m y f* male chauvinist.

macho ◇ *adj* 1. *(BIOL)* male. 2. *fig (hombre)* macho. ◇ *m* 1. *(BIOL)* male. 2. *fig (hombre)* he-man. 3. *(TECN)* male part; *(de enchufe)* pin. ◇ *interj fam:* **¡oye, ~!** oy, mate!

macizo, -za *adj Esp* solid; **estar ~** *(hombre)* to be hunky; *(mujer)* to be gorgeous. ✦ **macizo** *m* 1. *(GEOGR)* massif. 2. *(BOT):* **~ de flores** flowerbed.

macro *f (INFORM)* macro.

macrobiótico, -ca *adj* macrobiotic.

macuto *m* backpack.

madeja *f* hank, skein.

madera *f* 1. *(gen)* wood; *(CONSTR)* timber; *(tabla)* piece of wood; **de ~** wooden; **~ contrachapada** plywood. 2. *fig (disposición):* **tener ~ de algo** to have the makings of sthg.

madero *m (tabla)* log.

madrastra *f* stepmother.

madrazo *m Méx* hard blow.

madre *f* 1. *(gen)* mother; **~ adoptiva/de alquiler** foster/surrogate mother; **~ política** mother-in-law; **~ soltera** single mother; **~ superiora** mother superior; **me vale ~** *Méx fig* I couldn't care less. 2. *(poso)* dregs *(pl)*. ✦ **madre mía** *interj:* **¡~ mía!** Jesus!, Christ!

Madrid Madrid.

madriguera f (gen & fig) den; (de conejo) burrow.

madrileño, -ña m y f native/inhabitant of Madrid.

madrina f (gen) patroness; (de boda) bridesmaid; (de bautizo) godmother.

madroño m 1. (árbol) strawberry tree. 2. (fruto) strawberry-tree berry.

madrugada f 1. (amanecer) dawn. 2. (noche) early morning; **las tres de la ~** three in the morning.

madrugar vi to get up early; fig to be quick off the mark.

madurar ◇ vt 1. (gen) to mature; (fruta, mies) to ripen. 2. (idea, proyecto etc) to think through. ◇ vi (gen) to mature; (fruta) to ripen.

madurez f 1. (cualidad - gen) maturity; (- de fruta, mies) ripeness. 2. (edad adulta) adulthood.

maduro, -ra adj (gen) mature; (fruta, mies) ripe; **de edad madura** middle-aged.

maestra → **maestro**.

maestría f (habilidad) mastery, skill.

maestro, -tra ◇ adj 1. (perfecto) masterly. 2. (principal) main; (llave) master (antes de sust). ◇ m y f 1. (profesor) teacher. 2. (sabio) master. 3. (MÚS) maestro. 4. (director): **~ de ceremonias** master of ceremonies; **~ de cocina** chef; **~ de obras** foreman; **~ de orquesta** conductor.

mafia f mafia.

mafioso, -sa m y f mafioso.

magdalena f fairy cake.

magia f magic.

mágico, -ca adj 1. (con magia) magic. 2. (atractivo) magical.

magistrado, -da m y f (juez) judge.

magistral adj 1. (de maestro) magisterial. 2. (genial) masterly.

magistratura f 1. (jueces) magistrature. 2. (tribunal) tribunal; **~ de trabajo** industrial tribunal.

magnánimo, -ma adj magnanimous.

magnate m magnate; **~ del petróleo/de la prensa** oil/press baron.

magnesio m magnesium.

magnético, -ca adj lit & fig magnetic.

magnetizar vt to magnetize; fig to mesmerize.

magnetófono m tape recorder.

magnicidio m assassination (of somebody important).

magnificencia f magnificence.

magnífico, -ca adj wonderful, magnificent.

magnitud f magnitude.

magnolia f magnolia.

mago, -ga m y f 1. (prestidigitador) magician. 2. (en cuentos etc) wizard.

magro, -gra adj 1. (sin grasa) lean. 2. (pobre) poor. ◆ **magro** m lean meat.

maguey m agave.

magulladura f bruise.

magullar vt to bruise.

mahometano, -na adj, m y f Muslim.

mahonesa = **mayonesa**.

maicena f cornstarch Am, cornflour Br.

maíz m corn Am, maize Br; **~ dulce** sweetcorn.

maja → **majo**.

majestad f majesty. ◆ **Su Majestad** f His/Her Majesty.

majestuoso, -sa adj majestic.

majo, -ja adj Esp 1. (simpático) nice. 2. (bonito) pretty.

mal ◇ adj → **malo**. ◇ m 1. (perversión): **el ~** evil. 2. (daño) harm, damage. 3. (enfermedad) illness; **~ de montaña** altitude o mountain sickness; **~ de ojo** evil eye. 4. (inconveniente) bad thing; **un ~ necesario** a necessary evil. ◇ adv 1. (incorrectamente) wrong; **esto está ~ hecho** this has been done wrong; **has escrito ~ esta palabra** you've spelt that word wrong. 2. (inadecuadamente) badly; **la fiesta salió ~** the party went off badly; **oigo/veo ~** I can't hear/see very well; **encontrarse ~** (enfermo) to feel ill; (incómodo) to feel uncomfortable; **oler ~** (tener mal olor) to smell bad; fam (tener mal cariz) to smell fishy; **saber ~** (tener mal sabor) to taste bad; **sentar ~ a alguien** (ropa) not to suit sb; (comida) to disagree with sb; (comentario, actitud) to upset sb; **tomar algo a ~** to take sthg the wrong way. 3. (difícilmente) hardly; **~ puede saberlo si no se lo cuentas** he's hardly going to know it if you don't tell him. 4. loc: **estar a ~ con alguien** to have fallen out with sb; **ir de ~ en peor** to go from bad to worse; **no estaría ~ que ...** it would be nice if ... ◆ **mal que** loc conj although, even though. ◆ **mal que bien** loc adv somehow or other.

malabarismo m lit & fig juggling (U).

malabarista m y f juggler.

malacostumbrado, -da *adj* spoiled.

malaria *f* malaria.

Malasia Malaysia.

malcriado, -da *adj* spoiled.

maldad *f* 1. *(cualidad)* evil. 2. *(acción)* evil thing.

maldecir ◇ *vt* to curse. ◇ *vi* to curse.

maldición *f* curse.

maldito, -ta *adj* 1. *(embrujado)* cursed. 2. *fam (para enfatizar)* damned; ¡**maldita sea!** damn it!

maleable *adj* lit & fig malleable.

maleante *m y f* crook.

malecón *m (atracadero)* jetty.

maleducado, -da *adj* rude.

maleficio *m* curse.

malentendido *m* misunderstanding.

malestar *m* 1. *(dolor)* upset, discomfort; **siento un ~ en el estómago** I've got an upset stomach; **sentir ~ general** to feel unwell. 2. *fig (inquietud)* uneasiness, unrest.

maleta *f* suitcase; **hacer** o **preparar la ~** to pack (one's bags).

maletero *m* trunk *Am*, boot *Br*.

maletín *m* briefcase.

malévolo, -la *adj* malevolent, wicked.

malformación *f* malformation.

malgastar *vt (dinero, tiempo)* to waste; *(salud)* to ruin.

malhablado, -da *adj* foul-mouthed.

malhechor, -ra *adj, m y f* criminal.

malhumorado, -da *adj* bad-tempered; *(enfadado)* in a bad mood.

malicia *f (maldad)* wickedness, evil; *(mala intención)* malice.

malicioso, -sa *adj (malo)* wicked, evil; *(malintencionado)* malicious.

maligno, -na *adj* malignant.

malla *f* 1. *(tejido)* mesh; **~ de alambre** wire mesh. 2. *(red)* net. 3. *CSur & Perú (traje de baño)* swimsuit. ◆ **mallas** *fpl* 1. *(de gimnasia)* leotard *(sg)*; *(de ballet)* tights. 2. *(de portería)* net *(sg)*.

Mallorca Majorca.

malo, -la, mal *(compar* **peor,** *superl* **el peor)** *adj (antes de sust masc sg* **mal)** 1. *(gen)* bad; *(calidad)* poor, bad; **lo ~ fue que** ... the problem was (that) ... 2. *(malicioso)* wicked. 3. *(enfermo)* ill, sick; **estar/ponerse ~** to be/fall ill. 4. *(travieso)* naughty. ◆ **malo, -la** *m y f (de película etc)* villain, baddie. ◆ **malas** *fpl*: **estar de malas** to be in a bad mood; **por las malas** by force.

malograr *vt* to waste. ◆ **malograrse** *vpr* 1. *(fracasar)* to fail. 2. *(morir)* to die

before one's time.

malparado, -da *adj*: **salir ~ de algo** to come out of sthg badly.

malpensado, -da *adj* malicious, evil-minded.

malsonante *adj* rude.

malta *m* malt.

Malta Malta.

maltés, -esa *adj, m y f* Maltese.

maltratar *vt* 1. *(pegar, insultar)* to ill-treat. 2. *(estropear)* to damage.

maltrecho, -cha *adj* battered.

malva *f* (BOT) mallow. ◇ *adj inv* mauve. ◇ *m (color)* mauve.

malvado, -da *adj* evil, wicked.

malversación *f*: **~ (de fondos)** embezzlement (of funds).

malversar *vt* to embezzle.

Malvinas *fpl*: **las (islas) ~** the Falkland Islands, the Falklands.

malvivir *vi* to scrape together an existence.

mama *f* 1. *(órgano - de mujer)* breast; (ZOOL) udder. 2. *fam (madre)* mum.

mamá *(pl* **mamás)** *f fam* mum, mummy; **~ grande** *Méx fam* grandma.

mamadera *f Amer (baby's)* bottle.

mamar ◇ *vt* 1. *(suj: bebé)* to suckle. 2. *fig (aprender)*: **lo mamó desde pequeño** he was immersed in it as a child. ◇ *vi* to suckle.

mambo *m* mambo.

mamífero, -ra *adj* mammal. ◆ **mamífero** *m* mammal.

mamografía *f* (MED) 1. *(técnica)* breast scanning, mammography. 2. *(resultado)* breast scan.

mampara *f* screen.

manada *f* (ZOOL - gen) herd; *(- de lobos)* pack; *(- de ovejas)* flock; *(- de leones)* pride.

manager *(pl* **managers)** *m* manager.

Managua Managua.

manantial *m* spring; fig source.

manar *vi* lit & fig: **~ (de)** to flow (from).

mancha *f* 1. *(gen)* stain, spot; *(de tinta)* blot; *(de color)* spot, mark. 2. (ASTRON) spot. 3. *fig (deshonra)* blemish.

manchar *vt* 1. *(ensuciar)*: **~ algo (de** o **con)** *(gen)* to make sthg dirty (with); *(con manchas)* to stain sthg (with); *(emborronar)* to smudge sthg (with). 2. *fig (deshonrar)* to tarnish.

manchego, -ga *adj* of/relating to La Mancha. ◆ **manchego** *m* → **queso.**

mancillar *vt* to tarnish.

manco, -ca *adj (sin una mano)* one-handed; *(sin manos)* handless; *(sin un brazo)* one-armed; *(sin brazos)* armless.

mancomunidad *f* association.

mancorna, mancuerna *f Amer* cufflink.

mandado, -da *m y f (subordinado)* underling. ◆ **mandado** *m (recado)* errand.

mandamiento *m* 1. *(orden - militar)* order, command; *(- judicial)* writ. 2. (RELIG) commandment.

mandar ◇ *vt* 1. *(dar órdenes)* to order; ~ **a alguien hacer algo** to order sb to do sthg; ~ **hacer algo** to have sthg done. 2. *(enviar)* to send. 3. *(dirigir, gobernar)* to lead, to be in charge of; *(país)* to rule. ◇ *vi* 1. *(gen)* to be in charge; *(jefe de estado)* to rule. 2. *despec (dar órdenes)* to order people around. 3. *loc:* ¿**mande?** *fam* eh?, you what?

mandarina *f* mandarin.

mandatario, -ria *m y f* representative, agent.

mandato *m* 1. *(gen)* order, command. 2. *(poderes de representación, disposición)* mandate; ~ **judicial** warrant. 3. (POLÍT) term of office; *(reinado)* period of rule.

mandíbula *f* jaw.

mandil *m (delantal)* apron.

mando *m* 1. *(poder)* command, authority; **al ~ de** in charge of. 2. *(periodo en poder)* term of office. 3. *(gen pl) (autoridades)* leadership *(U)*; (MIL) command *(U)*; ~**s intermedios** middle management *(sg)*. 4. *(dispositivo)* control; ~ **automático/a distancia** automatic/ remote control.

mandolina *f* mandolin.

mandón, -ona ◇ *adj* bossy. ◇ *m y f* bossy-boots.

manecilla *f (del reloj)* hand.

manejable *adj (gen)* manageable; *(herramienta)* easy to use.

manejar *vt* 1. *(conocimientos, datos)* to use, to marshal. 2. *(máquina, mandos)* to operate; *(caballo, bicicleta)* to handle; *(arma)* to wield. 3. *(negocio etc)* to manage, to run; *(gente)* to handle. 4. *Amer (conducir)* to drive. ◆ **manejarse** *vpr* 1. *(moverse)* to move o get about. 2. *(desenvolverse)* to manage.

manejo *m* 1. *(de máquina, mandos)* operation; *(de armas, herramientas)* use; **de fácil** ~ user-friendly. 2. *(de conocimientos, datos)* marshalling; *(de idiomas)* command. 3. *(de caballo, bicicleta)* handling. 4. *(de negocio etc)* man-

agement, running. 5. *(gen pl) fig (intriga)* intrigue.

manera *f* way, manner; **a mi ~ de ver** the way I see it; **de cualquier ~** *(sin cuidado)* any old how; *(de todos modos)* anyway, in any case; **de esta ~** in this way; **de ninguna ~, en ~ alguna** *(refuerza negación)* by no means, under no circumstances; *(respuesta exclamativa)* no way!, certainly not!; **de todas ~s** anyway; **en cierta ~** in a way; ~ **de ser** way of being, nature; **de ~ que** *(para)* so (that); **no hay ~** there is no way, it's impossible. ◆ **maneras** *fpl (modales)* manners.

manga *f* 1. *(de prenda)* sleeve; **en ~s de camisa** in shirt sleeves. 2. *(manguera)* hosepipe. 3. *(de pastelería)* forcing o piping bag. 4. (DEP) stage, round.

mangante *fam m y f* thief.

mango *m* 1. *(asa)* handle. 2. *(árbol)* mango tree; *(fruta)* mango.

mangonear *vi fam* 1. *(entrometerse)* to meddle. 2. *(mandar)* to be bossy. 3. *(manipular)* to fiddle about.

manguera *f* hosepipe; *(de bombero)* fire hose.

maní *(pl -es) m Amer* peanut.

manía *f* 1. *(idea fija)* obsession. 2. *(peculiaridad)* idiosyncracy. 3. *(mala costumbre)* bad habit. 4. *(afición exagerada)* mania, craze. 5. *fam (ojeriza)* dislike. 6. *(en psicología)* mania.

maniaco, -ca, maníaco, -ca ◇ *adj* manic. ◇ *m y f* maniac.

maniatar *vt* to tie the hands of.

maniático, -ca ◇ *adj* fussy. ◇ *m y f* fussy person; **es un ~ del fútbol** he's football-crazy.

manicomio *m* insane asylum *Am*, mental o psychiatric hospital *Br*.

manicuro, -ra *m y f (persona)* manicurist. ◆ **manicura** *f (técnica)* manicure.

manido, -da *adj (tema etc)* hackneyed.

manifestación *f* 1. *(de alegría, dolor etc)* show, display; *(de opinión)* declaration, expression; *(indicio)* sign. 2. *(por la calle)* demonstration.

manifestar *vt* 1. *(alegría, dolor etc)* to show. 2. *(opinión etc)* to express. ◆ **manifestarse** *vpr* 1. *(por la calle)* to demonstrate. 2. *(hacerse evidente)* to become clear o apparent.

manifiesto, -ta *adj* clear, evident; **poner de ~ algo** *(revelar)* to reveal sthg; *(hacer patente)* to make sthg clear. ◆ **manifiesto** *m* manifesto.

manillar *m* handlebars *(pl)*.

M

maniobra f 1. (gen) manoeuvre; **hacer ~s** to manoeuvre. 2. fig (treta) trick.

maniobrar vi to manoeuvre.

manipulación f 1. (gen) handling. 2. (engaño) manipulation.

manipular vt 1. (manejar) to handle. 2. (mangonear - información, resultados) to manipulate; (- negocios, asuntos) to interfere in.

maniquí (pl maniquíes) ◇ m dummy. ◇ m y f (modelo) model.

manirroto, -ta ◇ adj extravagant. ◇ m y f spendthrift.

manitas m y f inv handy person.

manito, mano m Méx fam mate, chum.

manivela f crank.

manjar m delicious food (U).

mano f 1. (gen) hand; **a ~** (cerca) to hand, handy; (sin máquina) by hand; **a ~ armada** armed; **dar** o **estrechar la ~ a alguien** to shake hands with sb; **darse** o **estrecharse la ~** to shake hands; **echar/ tender una ~** to give/offer a hand; **¡~s arriba!, ¡arriba las ~s!** hands up!; **~ de obra** (capacidad de trabajo) labour; (trabajadores) workforce. 2. (ZOOL - gen) forefoot; (- de perro, gato) (front) paw; (- de cerdo) (front) trotter. 3. (lado): **a ~ derecha/izquierda** on the right/left. 4. (de pintura etc) coat. 5. (influencia) influence. 6. (partida de naipes) game. 7. fig (serie, tanda) series. 8. loc: **bajo ~** secretly; **caer en ~s de alguien** to fall into sb's hands; **con las ~s cruzadas, ~ sobre ~** sitting around doing nothing; **coger a alguien con las ~s en la masa** to catch sb red-handed o in the act; **de primera ~** (coche etc) brand new; (noticias etc) first-hand; **de segunda ~** second-hand; **~ a ~** tête-à-tête; **¡~s a la obra!** let's get down to it!; **tener buena ~ para algo** to have a knack for sthg.

manojo m bunch.

manoletina f (zapato) type of open, low-heeled shoe, often with a bow.

manómetro m pressure gauge.

manopla f mitten.

manosear vt 1. (gen) to handle roughly; (papel, tela) to rumple. 2. (persona) to fondle.

manotazo m slap.

mansalva ♦ a mansalva loc adv (en abundancia) in abundance.

mansión f mansion.

manso, -sa adj 1. (apacible) calm, gentle. 2. (domesticado) tame.

manta f (abrigo) blanket; **liarse la ~ a la cabeza** fig to take the plunge.

manteca f fat; (mantequilla) butter; **~ de cacao** cocoa butter; **~ de cerdo** lard.

mantecado m 1. (pastel) shortcake. 2. (helado) ice-cream made of milk, eggs and sugar.

mantel m tablecloth.

mantener vt 1. (sustentar, aguantar) to support. 2. (conservar) to keep; (en buen estado) to maintain, to service. 3. (tener - relaciones, conversación) to have. 4. (defender - opinión) to stick to, to maintain; (- candidatura) to refuse to withdraw. ♦ **mantenerse** vpr 1. (sustentarse) to subsist, to support o.s. 2. (permanecer, continuar) to remain; (edificio) to remain standing; **~se aparte** (en discusión) to stay out of it.

mantenimiento m 1. (sustento) sustenance. 2. (conservación) upkeep, maintenance.

mantequilla f butter.

mantilla f 1. (de mujer) mantilla. 2. (de bebé) shawl.

manto m (gen) cloak.

mantón m shawl.

manual ◇ adj (con las manos) manual. ◇ m manual.

manubrio m crank.

manufacturar vt to manufacture.

manuscrito, -ta adj handwritten. ♦ **manuscrito** m manuscript.

manutención f 1. (sustento) support, maintenance. 2. (alimento) food.

manzana f 1. (fruta) apple. 2. (grupo de casas) block (of houses).

manzanilla f 1. (planta) camomile. 2. (infusión) camomile tea.

manzano m apple tree.

maña f 1. (destreza) skill. 2. (astucia) wits (pl), guile (U).

mañana ◇ f morning; **a las dos de la ~** at two in the morning. ◇ m: **el ~** tomorrow, the future. ◇ adv tomorrow; **¡hasta ~!** see you tomorrow!; **~ por la ~** tomorrow morning; **pasado ~** the day after tomorrow.

mañoso, -sa adj skilful.

mapa m map.

mapamundi m world map.

maqueta f 1. (reproducción a escala) (scale) model. 2. (de libro) dummy.

maquillaje m 1. (producto) make-up. 2. (acción) making-up.

maquillar vt (pintar) to make up. ♦ **maquillarse** vpr to make o.s. up.

máquina f 1. (gen) machine; **a toda ~** at full pelt; **escribir a ~** to type; **hecho a**

~ machine-made; ~ **de coser** sewing machine; ~ **de escribir** typewriter; ~ **fotográfica** camera; ~ **tragaperras, traganíqueles** *Amer* slot machine, fruit machine. **2.** *(locomotora)* engine; ~ **de vapor** steam engine. **3.** *(mecanismo)* mechanism. **4.** *fig (de estado, partido etc)* machinery *(U)*.

maquinar *vt* to machinate, to plot.

maquinaria *f* **1.** *(gen)* machinery. **2.** *(de reloj etc)* mechanism.

maquinilla *f*: ~ **de afeitar** razor; ~ **eléctrica** electric razor.

maquinista *m y f (de tren)* engineer *Am*, engine driver *Br; (de barco)* engineer.

mar *m o f lit & fig* sea; **alta** ~ high seas *(pl);* **el** ~ **del Norte** the North Sea; **llover a** ~**es** to rain buckets; **la** ~ **de** really, very.

maraca *f* maraca.

maraña *f* **1.** *(maleza)* thicket. **2.** *fig (enredo)* tangle.

maratón *m lit & fig* marathon.

maravilla *f* **1.** *(gen)* marvel, wonder; **es una** ~ it's wonderful; **hacer** ~**s** to do o work wonders; **a las mil** ~**s, de** ~ wonderfully; **venir de** ~ to be just the thing o ticket. **2.** *(BOT)* marigold.

maravillar *vt* to amaze. ◆ **maravillarse** *vpr:* ~**se (con)** to be amazed (by).

maravilloso, -sa *adj* marvellous, wonderful.

marca *f* **1.** *(señal)* mark; *(de rueda, animal)* track; *(en ganado)* brand; *(en papel)* watermark. **2.** *(COM - de tabaco, café etc)* brand; *(- de coche, ordenador etc)* make; **de** ~ designer *(antes de sust);* ~ **de fábrica** trademark; ~ **registrada** registered trademark. **3.** *(etiqueta)* label. **4.** *(DEP - gen)* performance; *(- en carreras)* time; *(- plusmarca)* record.

marcado, -da *adj (gen)* marked. ◆ **marcado** *m* **1.** *(señalado)* marking. **2.** *(peinado)* set.

marcador, -ra *adj* marking. ◆ **marcador** *m* **1.** *(tablero)* scoreboard. **2.** *(DEP - defensor)* marker; *(- goleador)* scorer.

marcapasos *m inv* pacemaker.

marcar ◇ *vt* **1.** *(gen)* to mark. **2.** *(poner precio a)* to price. **3.** *(indicar)* to indicate. **4.** *(resaltar)* to emphasise. **5.** *(número de teléfono)* to dial. **6.** *(suj: termómetro, contador etc)* to read; *(suj: reloj)* to say. **7.** *(DEP - tanto)* to score; *(- a un jugador)* to mark. **8.** *(cabello)* to set. ◇ *vi* **1.** *(dejar secuelas)* to leave a mark. **2.** *(DEP) (anotar un tanto)* to score.

marcha *f* **1.** *(partida)* departure. **2.** *(ritmo)* speed; **en** ~ *(motor)* running; *(plan)* underway; **poner en** ~ *(gen)* to start; *(dispositivo, alarma)* to activate; **hacer algo sobre la** ~ to do sthg as one goes along. **3.** *(AUTOM)* gear; ~ **atrás** reverse; **dar** ~ **atrás** *(AUTOM)* to reverse; *fig* to back out. **4.** *(MIL & POLÍT)* march. **5.** *(MÚS)* march. **6.** *(transcurso)* course; *(progreso)* progress. **7.** *(DEP)* walk. **8.** *fam (animación)* liveliness, life; **hay mucha** ~ there's a great atmosphere.

marchar *vi* **1.** *(andar)* to walk. **2.** *(partir)* to leave, to go. **3.** *(funcionar)* to work. **4.** *(desarrollarse)* to progress; **el negocio marcha** business is going well. ◆ **marcharse** *vpr* to leave, to go.

marchitar *vt lit & fig* to wither. ◆ **marchitarse** *vpr* **1.** *(planta)* to fade, to wither. **2.** *fig (persona)* to languish.

marcial *adj* martial.

marco *m* **1.** *(cerco)* frame. **2.** *fig (ambiente, paisaje)* setting. **3.** *(ámbito)* framework. **4.** *(moneda)* mark. **5.** *(portería)* goalmouth.

marea *f (del mar)* tide; ~ **alta/baja** high/low tide; ~ **negra** oil slick.

marear *vt* **1.** *(provocar náuseas)* to make sick; *(en coche, avión etc)* to make travelsick. **2.** *(aturdir)* to make dizzy. **3.** *fam fig (fastidiar)* to annoy. ◆ **marearse** *vpr* **1.** *(tener náuseas)* to feel sick; *(en coche, avión etc)* to feel travelsick. **2.** *(estar aturdido)* to get dizzy. **3.** *(emborracharse)* to get drunk.

marejada *f (mar rizada)* heavy sea.

maremoto *m* tidal wave.

mareo *m* **1.** *(náuseas)* sickness; *(en coches, aviones etc)* travelsickness. **2.** *(aturdimiento)* dizziness. **3.** *fam fig (fastidio)* drag, pain.

marfil *m* ivory.

margarina *f* margarine.

margarita *f* **1.** *(BOT)* daisy. **2.** *(IMPRENTA)* daisy wheel.

margen *m o f* **1.** *(gen f) (de río)* bank; *(de camino)* side. **2.** *(gen m) (de página)* margin. **3.** *(gen m) (COM)* margin. **4.** *(gen m) (límites)* leeway; **dejar al** ~ to exclude; **estar al** ~ **de** to have nothing to do with; **mantenerse al** ~ **de** to keep out of; ~ **de error** margin of error. **5.** *(gen m) (ocasión)*: **dar** ~ **a alguien para hacer algo** to give sb the chance to do sthg.

marginación *f* exclusion.

marginado, -da ◇ *adj* excluded. ◇ *m y f* outcast.

marica *m mfam despec* queer, poof.

Maricastaña → **tiempo**.

marido *m* husband.

marihuana *f* marijuana.

marina → marino.

marinero, -ra *adj (gen)* sea *(antes de sust)*; *(buque)* seaworthy; *(pueblo)* seafaring. ◆ **marinero** *m* sailor.

marino, -na *adj* sea *(antes de sust)*, marine. ◆ **marino** *m* sailor. ◆ **marina** *f* (MIL): ~ **(de guerra)** navy.

marioneta *f (muñeco)* marionette, puppet. ◆ **marionetas** *fpl (teatro)* puppet show *(sg)*.

mariposa *f* 1. *(insecto)* butterfly. 2. *(en natación)* butterfly.

mariquita *f (insecto)* ladybug *Am*, ladybird *Br*.

marisco *m* seafood *(U)*, shellfish *(U)*.

marisma *f* salt marsh.

marisquería *f* seafood restaurant.

marítimo, -ma *adj (del mar)* maritime; *(cercano al mar)* seaside *(antes de sust)*.

marketing [ˈmarketin] *m* marketing.

mármol *m* marble.

marmota *f* marmot.

mar Muerto *m*: el ~ the Dead Sea.

mar Negro *m*: el ~ the Black Sea.

marqués, -esa *m* marquis *(f* marchioness).

marquesina *f* glass canopy; *(parada de autobús)* bus-shelter.

marrano, -na *m y f* 1. *(animal)* pig. 2. *fam fig (sucio)* filthy pig.

mar Rojo *m*: el ~ the Red Sea.

marrón *adj & m* brown.

marroquí *(pl* **marroquíes)** *adj, m y f* Moroccan.

Marruecos Morocco.

Marte *m* Mars.

martes *m inv* Tuesday; ~ **de Carnaval** Shrove Tuesday; ~ **y trece** ≃ Friday 13th; *ver también* **sábado**.

martillear, martillar *vt* to hammer.

martillo *m* hammer.

mártir *m y f* lit & fig martyr.

martirizar *vt* 1. *(torturar)* to martyr. 2. *fig (hacer sufrir)* to torment.

marxismo *m* Marxism.

marxista *adj, m y f* Marxist.

marzo *m* March; *ver también* **septiembre**.

mas *conj* but.

más ◇ *adv* 1. *(comparativo)* more; Pepe es ~ **alto/ambicioso** Pepe is taller/more ambitious; **tener** ~ **hambre** to be hungrier o more hungry; ~ **de/que** more than; ~ ... **que** ... more ... than ...; Juan es ~ **alto que tú** Juan is taller than you; **de** ~ *(de sobra)* left over; **hay 100 ptas de** ~ there are 100 pesetas left over; **eso está de** ~ that's not necessary. 2. *(superlativo)*: **el/la/lo** ~ the most; **el** ~ **listo/ambicioso** the cleverest/most ambitious. 3. *(en frases negativas)* any more; **no necesito** ~ **(trabajo)** I don't need any more (work). 4. *(con pron interrogativos e indefinidos)* else; **¿qué/quién** ~? what/who else?; **nadie** ~ **vino** nobody else came. 5. *(indica suma)* plus; **dos** ~ **dos igual a cuatro** two plus two is four. 6. *(indica intensidad)*: **no le aguanto, ¡es** ~ **tonto!** I can't stand him, he's so stupid!; **¡qué día** ~ **bonito!** what a lovely day! 7. *(indica preferencia)*: ~ **vale que nos vayamos a casa** it would be better for us to go home. 8. *loc*: **el que** ~ **y el que menos** everyone; **es** ~ indeed, what is more; ~ **bien** rather; ~ **o menos** more or less; **¿qué** ~ **da?** what difference does it make?; **sin** ~ **(ni** ~) just like that. ◇ *m inv* (MAT) plus (sign); **tiene sus** ~ **y sus menos** it has its good points and its bad points. ◆ **por más que** *loc conj* however much; **por** ~ **que lo intente** o hard she **lo conseguirá** however much o hard she tries, she'll never manage it.

masa *f* 1. *(gen)* mass. 2. (CULIN) dough. 3. *CSur (pastelillo)* small cake. ◆ **masas** *fpl*: **las** ~s the masses.

masacre *f* massacre.

masaje *m* massage.

masajista *m* masseur *(f* masseuse).

mascar *vt & vi* to chew.

máscara *f (gen)* mask; ~ **antigás** gas mask.

mascarilla *f* 1. (MED) mask. 2. *(cosmética)* face pack.

mascota *f* mascot.

masculino, -na *adj* 1. (BIOL) male. 2. *(varonil)* manly. 3. (GRAM) masculine.

masificación *f* overcrowding.

masilla *f* putty.

masivo, -va *adj* mass *(antes de sust)*.

masón, -ona ◇ *adj* masonic. ◇ *m y f* mason, freemason.

masoquista *m y f* masochist.

máster *(pl* **masters)** *m* Master's (degree).

masticar *vt (mascar)* to chew.

mástil *m* 1. (NÁUT) mast. 2. *(palo)* pole. 3. (MÚS) neck.

mastín *m* mastiff.

masturbarse *vpr* to masturbate.

mata *f (arbusto)* bush, shrub; *(matojo)*

tuft; ~s scrub. ♦ **mata de pelo** *f* mop of hair.

matadero *m* abattoir, slaughter-house.

matador, -ra *fam adj (cansado)* killing, exhausting. ♦ **matador** *m* matador.

matambre *m CSur* cold cooked meat.

matamoscas *m inv (pala)* flyswat; *(esprai)* flyspray.

matanza *f (masacre)* slaughter.

matar *vt* 1. *(gen)* to kill; ~**las callando** to be up to sthg on the quiet. 2. *(apagar - sed)* to quench; *(- hambre)* to stay. ♦ **matarse** *vpr* 1. *(morir)* to die. 2. *(suicidarse, esforzarse)* to kill o.s.

matasellos *m y f inv* postmark.

mate ◇ *adj* matt. ◇ *m* 1. *(en ajedrez)* mate, checkmate. 2. *(en baloncesto)* dunk; *(en tenis)* smash. 3. (BOT) *(bebida)* maté.

matemático, -ca ◇ *adj* mathematical. ◇ *m y f (científico)* mathematician. ♦ **matemáticas** *fpl (ciencia)* mathematics *(U)*.

materia *f* 1. *(sustancia, asunto)* matter. 2. *(material)* material; ~ **prima, primera** ~ raw material. 3. *(asignatura)* subject; **en ~ de** on the subject of, concerning.

material ◇ *adj* 1. *(gen)* physical; *(daños, consecuencias)* material. 2. *(real)* real, actual. ◇ *m* 1. *(gen)* material. 2. *(instrumentos)* equipment.

materialista ◇ *adj* materialistic. ◇ *m y f* materialist.

materializar *vt* 1. *(idea, proyecto)* to realize. 2. *(hacer tangible)* to produce. ♦ **materializarse** *vpr* to materialize.

maternal *adj* motherly, maternal.

maternidad *f* 1. *(cualidad)* motherhood. 2. *(hospital)* maternity hospital.

materno, -na *adj* maternal; *(lengua)* mother *(antes de sust)*.

matinal *adj* morning *(antes de sust)*.

matiz *m* 1. *(variedad - de color, opinión)* shade; *(- de sentido)* nuance, shade of meaning. 2. *(atisbo)* trace, hint.

matizar *vt* 1. *(teñir)*: ~ **(de)** to tinge (with). 2. *fig (distinguir - rasgos, aspectos)* to distinguish; *(- tema)* to explain in detail. 3. *fig (dar tono especial)* to tinge. 4. (ARTE) to blend.

matojo *m (mata)* tuft; *(arbusto)* bush, shrub.

matón, -ona *m y f fam* bully.

matorral *m* thicket.

matraca *f (instrumento)* rattle.

matrícula *f* 1. *(inscripción)* registration. 2. *(documento)* registration docu-

ment. 3. (AUTOM) number plate. ♦ **matrícula de honor** *f* top marks *(pl)*.

matricular *vt* to register. ♦ **matricularse** *vpr* to register.

matrimonial *adj* marital; *(vida)* married.

matrimonio *m* 1. *(gen)* marriage. 2. *(pareja)* married couple.

matriz ◇ *f* 1. (ANAT) womb. 2. *(de talonario)* (cheque) stub. 3. *(molde)* mould. 4. (MAT) matrix. ◇ *adj (empresa)* parent *(antes de sust)*; *(casa)* head *(antes de sust)*; *(iglesia)* mother *(antes de sust)*.

matrona *f* 1. *(madre)* matron. 2. *(comadrona)* midwife.

matutino, -na *adj* morning *(antes de sust)*.

maullar *vi* to miaow.

maxilar *m* jaw.

máxima → **máximo**.

máxime *adv* especially.

máximo, -ma ◇ *superl* → **grande**. ◇ *adj* maximum; *(galardón, puntuación)* highest. ♦ **máximo** *m* maximum; **al** ~ to the utmost; **llegar al** ~ to reach the limit; **como** ~ *(a más tardar)* at the latest; *(como mucho)* at the most. ♦ **máxima** *f* 1. *(sentencia, principio)* maxim. 2. *(temperatura)* high, highest temperature.

mayo *m* May; *ver también* **septiembre**.

mayonesa, mahonesa *f* mayonnaise.

mayor ◇ *adj* 1. *(comparativo)*: ~ **(que)** *(de tamaño)* bigger (than); *(de importancia etc)* greater (than); *(de edad)* older (than); *(de número)* higher (than). 2. *(superlativo)*: **el/la** ~ ... *(de tamaño)* the biggest ...; *(de importancia etc)* the greatest ...; *(de edad)* the oldest ...; *(de número)* the highest ... 3. *(adulto)* grown-up. 4. *(anciano)* elderly. 5. (MÚS): **en do** ~ in C major. 6. *loc:* **al por** ~ (COM) wholesale. ◇ *m y f:* **el/la** ~ *(hijo, hermano)* the eldest. ◇ *m* (MIL) major. ♦ **mayores** *mpl* 1. *(adultos)* grown-ups. 2. *(antepasados)* ancestors.

mayoral *m (capataz)* foreman.

mayordomo *m* butler.

mayoreo *m Amer* wholesale.

mayoría *f* majority; **la** ~ **de** most of; **la** ~ **de los españoles** most Spaniards; **en su** ~ in the main. ♦ **mayoría de edad** *f:* **llegar a la** ~ **de edad** to come of age.

mayorista *m y f* wholesaler.

mayoritario, -ria *adj* majority *(antes de sust)*.

M

mayúscula → **letra**.

maza f mace; (del bombo) drumstick.

mazapán m marzipan.

mazmorra f dungeon.

mazo m 1. (martillo) mallet. 2. (de mortero) pestle. 3. (conjunto - de naipes) balance (of the deck).

me pron pers 1. (complemento directo) me; **le gustaría verme** she'd like to see me. 2. (complemento indirecto) (to) me; **~ lo dio** he gave it to me; **~ tiene miedo** he's afraid of me. 3. (reflexivo) myself.

mear vi vulg to piss.

mecachis interj Esp fam eufemismo: ¡~! shoot! Am, sugar! Br.

mecánico, -ca ◇ adj mechanical. ◇ m y f (persona) mechanic. ◆ **mecánica** f 1. (ciencia) mechanics (U). 2. (funcionamiento) mechanics (pl).

mecanismo m (estructura) mechanism.

mecanografía f typing.

mecanógrafo, -fa m y f typist.

mecapal m CAm & Méx porter's leather harness.

mecedora f rocking chair.

mecer vt to rock. ◆ **mecerse** vpr to rock back and forth; (en columpio) to swing.

mecha f 1. (de vela) wick. 2. (de explosivos) fuse. 3. (de pelo) streak.

mechero m (cigarette) lighter.

mechón m (de pelo) lock; (de lana) tuft.

medalla f medal.

medallón m 1. (joya) medallion. 2. (rodaja) médaillon; **~ de pescado** (empanado) fishcake.

media → **medio**.

mediación f mediation; **por ~ de** through.

mediado, -da adj (medio lleno) half-full; **mediada la película** halfway through the film. ◆ **a mediados de** loc prep in the middle of, halfway through.

mediana → **mediano**.

mediano, -na adj 1. (intermedio - de tamaño) medium; (- de calidad) average. 2. (mediocre) average, ordinary. ◆ **mediana** f 1. (GEOM) median. 2. (de carretera) central reservation.

medianoche (pl **medianoches**) f (hora) midnight; **a ~** at midnight.

mediante prep by means of.

mediar vi 1. (llegar a la mitad) to be halfway through; **mediaba julio** it was mid-July. 2. (estar en medio - tiempo, distancia, espacio): **~ entre** to be between;

media un jardín/un kilómetro entre las dos casas there is a garden/one kilometre between the two houses; **medió una semana** a week passed by. 3. (intervenir): **~ (en/entre)** to mediate (in/between). 4. (interceder): **~ (en favor de** o **por)** to intercede (on behalf of o for).

medicamento m medicine.

medicar vt to give medicine to. ◆ **medicarse** vpr to take medicine.

medicina f medicine.

medicinal adj medicinal.

medición f measurement.

médico, -ca ◇ adj medical. ◇ m y f doctor; **~ de cabecera** o **familia** family doctor, general practitioner; **~ de guardia** duty doctor; **~ interno** intern Am, house officer Br.

medida f 1. (gen) measure; (medición) measurement; **a (la) ~** (gen) custom-built; (ropa) made-to-measure. 2. (disposición) measure, step; **tomar ~s** to take measures o steps. 3. (moderación) moderation. 4. (grado) extent, degree; **en cierta/gran ~** to some/a large extent; **en la ~ de lo posible** as far as possible; **a ~ que entraban** as they were coming in. ◆ **medidas** fpl (del cuerpo) measurements.

medieval adj medieval.

medievo, medioevo m Middle Ages (pl).

medio, -dia adj 1. (gen) half; **a ~ camino** (en viaje) halfway there; (en trabajo etc) halfway through; **media docena/hora** half a dozen/an hour; **~ pueblo estaba allí** half the town was there; **a media luz** in the half-light; **hacer algo a medias** to half-do sthg; **pagar a medias** to go halves, to share the cost; **un kilo y ~** one and a half kilos; **son (las dos) y media** it's half past (two). 2. (intermedio - estatura, tamaño) medium; (- posición, punto) middle. 3. (de promedio - temperatura, velocidad) average. ◆ **medio** ◇ adv half; **~ borracho** half drunk; **a ~ hacer** half done. ◇ m 1. (mitad) half. 2. (centro) middle, centre; **en ~ (de)** in the middle (of); **estar por (en) ~** to be in the way; **quitar de en ~ a alguien** to get rid of sb, to get sb out of the way. 3. (sistema, manera) means, method; **por ~ de** by means of, through. 4. (elemento físico) environment; **~ ambiente** environment. 5. (ambiente social) circle; **en ~s bien informados** in well-informed circles. 6. (DEP) midfielder. ◆ **medios** mpl (recursos) means, resources; **los ~ de comunicación** o **información** the media. ◆ **media** f 1. (promedio) average. **2.** *(hora)*: **al dar la media** on the half-hour. **3.** *(gen pl)* *(pantis)* tights *(pl)*; *(hasta el muslo)* stocking; *(calcetín)* sock. **4.** (DEP) midfielders *(pl)*.

medioambiental *adj* environmental.

mediocre *adj* mediocre, average.

mediodía *(pl* **mediodías***) m (hora)* midday, noon; **al ~** at noon O midday.

medioevo *m* = **medievo**.

mediofondo *m* middle-distance running.

medir *vt* **1.** *(gen)* to measure; **¿cuánto mides?** how tall are you?; **mido 1,80** = I'm 6 foot (tall); **mide diez metros** it's ten metres long. **2.** *(pros, contras etc)* to weigh up. **3.** *(palabras)* to weigh carefully.

meditar ◇ *vi:* **~ (sobre)** to meditate (on). ◇ *vt* **1.** *(gen)* to meditate, to ponder. **2.** *(planear)* to plan, to think through.

mediterráneo, -a *adj* Mediterranean. ◆ **Mediterráneo** *m*: **el (mar) Mediterráneo** the Mediterranean (Sea).

médium *m y f inv* medium.

médula *f* **1.** (ANAT) (bone) marrow; **~ espinal** spinal cord. **2.** *(esencia)* core.

medusa *f* jellyfish.

megafonía *f* public-address system.

megáfono *m* megaphone.

mejicano, -na = **mexicano**.

Méjico = **México**.

mejilla *f* cheek.

mejillón *m* mussel.

mejor ◇ *adj* **1.** *(comparativo)*: **~ (que)** better (than). **2.** *(superlativo)*: **el/la ~ ...** the best ... ◇ *m y f*: **el/la ~ (de)** the best (in); **el ~ de todos** the best of all; **lo ~ fue que ...** the best thing was that ... ◇ *adv* **1.** *(comparativo)*: **~ (que)** better (than); **ahora veo ~** I can see better now; **es ~ que no vengas** it would be better if you didn't come; **estar ~** *(no tan malo)* to feel better; *(recuperado)* to be better. **2.** *(superlativo)* best; **el que la conoce ~** the one who knows her best. ◆ **a lo mejor** *loc adv* maybe, perhaps. ◆ **mejor dicho** *loc adv* (or) rather.

mejora *f (progreso)* improvement.

mejorar ◇ *vt (gen)* to improve; *(enfermo)* to make better. ◇ *vi* to improve, to get better. ◆ **mejorarse** *vpr* to improve, to get better; **¡qué te mejores!** get well soon!

mejoría *f* improvement.

melancólico, -ca *adj* melancholic.

melaza *f* molasses *(pl)*.

melena *f* **1.** *(de persona)* long hair *(U)*. **2.** *(de león)* mane.

mellizo, -za *adj, m y f* twin.

melocotón *m esp Esp* peach.

melodía *f* melody, tune.

melódico, -ca *adj* melodic.

melodioso, -sa *adj* melodious.

melodrama *m* melodrama.

melómano, -na *m y f* music lover.

melón *m (fruta)* melon.

meloso, -sa *adj* **1.** *(como la miel)* honey; *fig* sweet. **2.** *(empalagoso)* sickly.

membrana *f* membrane.

membrete *m* letterhead.

membrillo *m* **1.** *(fruto)* quince. **2.** *(dulce)* quince jelly.

memorable *adj* memorable.

memorándum *(pl* **memorándums** O **memorandos***) m* **1.** *(cuaderno)* notebook. **2.** *(nota diplomática)* memorandum.

memoria *f* **1.** *(gen &* INFORM*)* memory; **de ~** by heart; **hacer ~** to try to remember; **traer a la ~** to call to mind. **2.** *(recuerdo)* remembrance. **3.** *(disertación)* (academic) paper. **4.** *(informe)*: **~ (anual)** (annual) report. ◆ **memorias** *fpl (biografía)* memoirs.

memorizar *vt* to memorize.

menaje *m* household goods and furnishings *(pl)*; **~ de cocina** kitchenware.

mención *f* mention.

mencionar *vt* to mention.

mendigar ◇ *vt* to beg for. ◇ *vi* to beg.

mendigo, -ga *m y f* beggar.

mendrugo *m* crust (of bread).

menear *vt (mover - gen)* to move; *(- la cabeza)* to shake; *(- la cola)* to wag; *(- las caderas)* to wiggle. ◆ **menearse** *vpr* **1.** *(moverse)* to move (about); *(agitarse)* to shake; *(oscilar)* to sway. **2.** *(darse prisa, espabilarse)* to get a move on.

menester *m* necessity. ◆ **menesteres** *mpl (asuntos)* business *(U)*, matters *(pl)*.

menestra *f* vegetable stew.

menguante *adj (luna)* waning.

menguar ◇ *vi (disminuir)* to decrease, to diminish; *(luna)* to wane. ◇ *vt (disminuir)* to lessen, to diminish.

menopausia *f* menopause.

menor ◇ *adj* **1.** *(comparativo)*: **~ (que)** *(de tamaño)* smaller (than); *(de edad)* younger (than); *(de importancia etc)* less O lesser (than); *(de número)* lower (than). **2.** *(superlativo)*: **el/la ~ ...** *(de tamaño)* the smallest ...; *(de edad)* the youngest ...; *(de importancia)* the slightest ...; *(de número)* the lowest ... 3. *(de poca importancia)* minor; **un problema ~** a minor problem. 4. *(joven):* **ser ~ de edad** *(para votar, conducir etc)* to be under age; (DER) to be a minor. 5. (MÚS): **en do ~** in C minor. 6. *loc:* **al por ~** (COM) retail. ◇ *m y f* 1. *(superlativo):* **el/ la ~** *(hijo, hermano)* the youngest. 2. (DER) minor.

Menorca Minorca.

menos ◇ *adj inv* 1. *(comparativo) (cantidad)* less; *(número)* fewer; **~ aire** less air; **~ manzanas** fewer apples; **~ ... que** ... less/fewer ... than ...; **tiene ~ experiencia que tú** she has less experience than you; **hace ~ calor que ayer** it's not as hot as it was yesterday. 2. *(superlativo) (cantidad)* the least; *(número)* the fewest; **el que compró ~ acciones** the one who bought the fewest shares; **lo que ~ tiempo llevó** the thing that took the least time. 3. *fam (peor):* **éste es ~ coche que el mío** that car isn't as good as mine. ◇ *adv* 1. *(comparativo)* less; **~ de/que** less than; **estás ~ gordo** you're not as fat. 2. *(superlativo):* **el/la/lo ~** the least; **él es el ~ indicado para criticar** he's the last person who should be criticizing; **ella es la ~ adecuada para el cargo** she's the least suitable person for the job; **es lo ~ que puedo hacer** it's the least I can do. 3. *(expresa resta)* minus; **tres ~ dos igual a uno** three minus two is one. 4. *(con las horas)* to; **son (las dos) ~ diez** it's ten to (two). 5. *loc:* **es lo ~ de ~** that's the least of it; **hacer de ~ a alguien** to snub sb; **¡~ mal!** just as well!, thank God!; **no es para ~** not without (good) reason; **venir a ~** to go down in the world. ◇ *m inv* (MAT) minus (sign). ◇ *prep (excepto)* except (for); **todo ~ eso** anything but that. ◆ **al menos, por lo menos** *loc adv* at least. ◆ **a menos que** *loc conj* unless; **no iré a ~ que me acompañes** I won't go unless you come with me. ◆ **de menos** *loc adj (que falta)* missing; **hay 100 ptas de ~** there's 100 pesetas missing.

menospreciar *vt (despreciar)* to scorn, to despise; *(infravalorar)* to undervalue.

mensaje *m (gen & INFORM)* message.

mensajero, -ra *m y f (gen)* messenger; *(de mensajería)* courier.

menstruación *f* menstruation.

menstruar *vi* to menstruate, to have a period.

mensual *adj* monthly; **5.000 ptas ~es** 5,000 pesetas a month.

mensualidad *f* 1. *(sueldo)* monthly salary. 2. *(pago)* monthly payment o instalment.

menta *f* mint.

mental *adj* mental.

mentalidad *f* mentality.

mentalizar *vt* to put into a frame of mind. ◆ **mentalizarse** *vpr* to get into a frame of mind.

mentar *vt* to mention.

mente *f (gen)* mind; **traer a la ~** to bring to mind.

mentecato, -ta *m y f* idiot.

mentir *vi* to lie.

mentira *f* lie; *(acción)* lying; **aunque parezca ~** strange as it may seem; **de ~** pretend, false; **parece ~ (que ...)** it hardly seems possible (that ...).

mentiroso, -sa ◇ *adj* lying; *(engañoso)* deceptive. ◇ *m y f* liar.

mentón *m* chin.

menú *(pl* menús) *m* 1. *(lista)* menu; *(comida)* food; **~ del día** set meal. 2. (INFORM) menu.

menudeo *m Méx* retailing.

menudillos *mpl* giblets.

menudo, -da *adj* 1. *(pequeño)* small. 2. *(insignificante)* trifling, insignificant. 3. *(antes de sust) (para enfatizar)* what!; **¡~ lío/gol!** what a mess/goal! ◆ **a menudo** *loc adv* often.

meñique → dedo.

meollo *m* core, heart.

mercader *m y f* trader.

mercadería *f* merchandise, goods *(pl)*.

mercadillo *m* flea market.

mercado *m* market; **~ común** Common Market.

mercancía *f* merchandise *(U)*, goods *(pl)*. ◆ **mercancías** *m inv* (FERROC) goods train, freight train *Am*.

mercante *adj* merchant.

mercenario, -ria *adj, m y f* mercenary.

mercería *f (tienda)* notions store *Am*, haberdasher's (shop) *Br*.

MERCOSUR *(abrev de* **Mercado Común del Sur)** *m* South American economic community comprising Argentina, Brazil, Paraguay and Uruguay.

mercurio *m* mercury.

Mercurio *m* Mercury.

merecedor, -ra *adj:* **~ de** worthy of.

merecer ◇ *vt* to deserve, to be worthy of; **la isla merece una visita** the island is worth a visit; **no merece la**

pena it's not worth it. ◇ *vi* to be worthy.

merecido *m*: **recibir su ~** to get one's just deserts.

merendar ◇ *vi* to have tea *(as a light afternoon meal)*. ◇ *vt* to have for tea.

merendero *m* open-air café or bar *(in the country or on the beach)*.

merengue *m* 1. (CULIN) meringue. 2. *(baile)* merengue.

meridiano, -na *adj* 1. *(hora etc)* midday. 2. *fig (claro)* crystal-clear. ◆ **meridiano** *m* meridian.

merienda *f* tea *(as a light afternoon meal)*; *(en el campo)* picnic.

mérito *m* 1. *(cualidad)* merit. 2. *(valor)* value, worth; **tiene mucho ~** it's no mean achievement; **de ~** worthy.

merluza *f (pez, pescado)* hake.

mermar ◇ *vi* to diminish, to lessen. ◇ *vt* to reduce, to diminish.

mermelada *f* jam; **~ de naranja** marmalade.

mero, -ra *adj (antes de sust)* mere. ◆ **mero** *m* grouper.

mes *m* 1. *(del año)* month. 2. *(salario)* monthly salary.

mesa *f* 1. *(gen)* table; *(de oficina, despacho)* desk; **bendecir la ~** to say grace; **poner/quitar la ~** to set/clear the table; **~ camilla** *small round table under which a heater is placed*; **~ de mezclas** mixing desk; **~ plegable** folding table. 2. *(comité)* board, committee; *(en un debate etc)* panel; **~ directiva** executive board ο committee. ◆ **mesa redonda** *f (coloquio)* round table.

mesero, -ra *m y f Amer* waiter *m (f* waitress)*.

meseta *f* plateau, tableland.

mesías *m fig* Messiah.

mesilla *f* small table; **~ de noche** bedside table.

mesón *m (bar-restaurante)* old, countrystyle restaurant and bar.

mestizo, -za ◇ *adj (persona)* of mixed race; *(planta)* hybrid; *(animal)* cross-bred. ◇ *m y f* person of mixed race.

mesura *f* 1. *(moderación)* moderation, restraint; **con ~** *(moderadamente)* in moderation. 2. *(cortesía)* courtesy.

meta *f* 1. *(DEP - llegada)* finishing line; *(- portería)* goal. 2. *fig (objetivo)* aim, goal.

metabolismo *m* metabolism.

metáfora *f* metaphor.

metal *m* 1. *(material)* metal. 2. (MÚS) brass.

metálico, -ca ◇ *adj (sonido, color)* metallic; *(objeto)* metal. ◇ *m*: **pagar en ~** to pay (in) cash.

metalurgia *f* metallurgy.

metamorfosis *f inv lit & fig* metamorphosis.

metedura ◆ **metedura de pata** *f* clanger.

meteorito *m* meteorite.

meteoro *m* meteor.

meteorología *f* meteorology.

meteorológico, -ca *adj* meteorological.

meteorólogo, -ga *m y f* meteorologist; (RADIO & TV) weatherman *(f* weatherwoman)*.

meter *vt* 1. *(gen)* to put in; **~ algo/a alguien en algo** to put sthg/sb in sthg; **~ la llave en la cerradura** to get the key into the lock; **le metieron en la cárcel** they put him in prison; **~ dinero en el banco** to put money in the bank. 2. *(hacer participar)*: **~ a alguien en algo** to get sb into sthg. 3. *(obligar a)*: **~ a alguien a hacer algo** to make sb start doing sthg. 4. *(causar)*: **~ prisa/miedo a alguien** to rush/scare sb; **~ ruido** to make a noise. 5. *fam (asestar)* to give; **le metió un puñetazo** he gave him a punch. 6. *(estrechar - prenda)* to take in; **~ el bajo de una falda** to take up a skirt. ◆ **meterse** *vpr* 1. *(entrar)* to get in; **~se en** to get into. 2. *(en frase interrogativa) (estar)* to get to; **¿dónde se ha metido ese chico?** where has that boy got to? 3. *(dedicarse)*: **~se a** to become; **~se a torero** to become a bullfighter. 4. *(involucrarse)*: **~se (en)** to get involved (in). 5. *(entrometerse)* to meddle; **se mete en todo** he never minds his own business; **~se por medio** to interfere. 6. *(empezar)*: **~se a hacer algo** to get started on doing sthg. ◆ **meterse con** *vpr* 1. *(incordiar)* to hassle. 2. *(atacar)* to go for.

meterete, metete *adj CSur fam* meddling, meddlesome.

meticuloso, -sa *adj* meticulous.

metido, -da *adj* 1. *(envuelto)*: **andar** ο **estar ~ en** to be involved in. 2. *(abundante)*: **~ en años** elderly; **~ en carnes** plump.

metódico, -ca *adj* methodical.

método *m* 1. *(sistema)* method. 2. (EDUC) course.

metodología *f* methodology.

metralla *f* shrapnel.

metralleta *f* submachine gun.

M

métrico, -ca adj (del metro) metric.

metro m 1. (gen) metre. 2. (transporte) subway Am, underground Br, tube Br. 3. (cinta métrica) tape measure.

metrópoli f, **metrópolis** f inv (ciudad) metropolis.

metropolitano, -na adj metropolitan.

mexicanismo, mejicanismo m Mexicanism.

mexicano, -na, mejicano, -na adj, m y f Mexican.

México, Méjico 1. (país) Mexico. 2. (ciudad) Mexico City.

mezcla f 1. (gen) mixture; (tejido) blend; (de una grabación) mix. 2. (acción) mixing.

mezclar vt 1. (gen) to mix; (combinar, armonizar) to blend. 2. (confundir, desordenar) to mix up. 3. fig (implicar): ~ a alguien en to get sb mixed up in. ◆ **mezclarse** vpr 1. (gen): ~se (con) to mix (with). 2. (esfumarse): ~se entre to disappear o blend into. 3. fig (implicarse): ~se en to get mixed up in.

mezquino, -na adj mean.

mezquita f mosque.

mg (abrev de **miligramo**) mg.

mi¹ m (MÚS) E; (en solfeo) mi.

mi² (pl **mis**) adj poses my; ~ casa my house; ~s libros my books.

mí pron pers (después de prep) 1. (gen) me; este trabajo no es para ~ this job isn't for me; no se fía de ~ he doesn't trust me. 2. (reflexivo) myself. 3. loc: ¡a ~ qué! so what?, why should I care?; para ~ (yo creo) as far as I'm concerned, in my opinion; por ~ as far as I'm concerned; por ~, no hay inconveniente it's fine by me.

mía → **mío**.

miaja f crumb; fig tiny bit.

miau m miaow.

michelines mpl fam spare tyre (sg).

mico m fam (persona) ugly devil.

micro m 1. fam (abrev de **micrófono**) mike. 2. Amer (microbús) minibus; Arg (autobús) bus.

microbio m germ, microbe.

microbús m minibus.

microfilm (pl **microfilms**), **microfilme** m microfilm.

micrófono m microphone.

microondas m inv microwave (oven).

microordenador m (INFORM) microcomputer.

microprocesador m (INFORM) microprocessor.

microscópico, -ca adj microscopic.

microscopio m microscope; ~ electrónico electron microscope.

miedo m fear; dar ~ to be frightening; me da ~ conducir I'm afraid o frightened of driving; temblar de ~ to tremble with fear; tener ~ a o de (hacer algo) to be afraid of (doing sthg); de ~ fam fig (estupendo) smashing.

miedoso, -sa adj fearful.

miel f honey.

miembro m 1. (gen) member. 2. (extremidad) limb, member.

mientras ◇ conj 1. (al tiempo que) while; leía ~ comía she was reading while eating; ~ más ando más sudo the more I walk, the more I sweat. 2. (hasta que): ~ no se pruebe lo contrario until proved otherwise. 3. (por el contrario): ~ (que) whereas, whilst. ◇ adv: ~ (tanto) meanwhile, in the meantime.

miércoles m Wednesday; ~ de ceniza Ash Wednesday; ver también **sábado**.

mierda vulg f 1. (excremento) shit. 2. (suciedad) filth, shit. 3. (cosa sin valor): es una ~ it's (a load of) crap. 4. loc: ¡vete a la ~! go to hell!, piss off!

mies f (cereal) ripe corn. ◆ **mieses** fpl (campo) cornfields.

miga f (de pan) crumb. ◆ **migas** fpl (CULIN) fried breadcrumbs; hacer buenas/malas ~s fam to get on well/badly.

migración f migration.

migraña f migraine.

migrar vi to migrate.

migratorio, -ria adj migratory.

mijo m millet.

mil núm thousand; dos ~ two thousand; ~ pesetas a thousand pesetas; ver también **seis**.

milagro m miracle; de ~ miraculously.

milagroso, -sa adj miraculous; fig amazing.

milenario, -ria adj ancient. ◆ **milenario** m millennium.

milenio m millennium.

milésimo, -ma núm thousandth.

mili f fam military service; hacer la ~ to do one's military service.

milicia f 1. (profesión) military (profession). 2. (grupo armado) militia.

miliciano, -na m y f militiaman (f female soldier).

miligramo m milligram.

milímetro m millimetre.

militante adj, m y f militant.

militar ◇ adj military. ◇ m y f soldier; **los ~es** the military. ◇ vi: ~ **(en)** to be active (in).

milla f mile; ~ **(marina)** nautical mile.

millar m thousand; **un ~ de personas** a thousand people.

millón núm million; **dos millones** two million; **un ~ de personas** a million people; **un ~ de cosas que hacer** a million things to do; **un ~ de gracias** thanks a million. ♦ **millones** mpl (dineral) a fortune (sg).

millonario, -ria m y f millionaire (f millionairess).

mimado, -da adj spoilt.

mimar vt to spoil, to pamper.

mimbre m wicker; **de ~** wickerwork.

mímico, -ca adj mime (antes de sust). ♦ **mímica** f 1. (mimo) mime. 2. (lenguaje) sign language.

mimo m 1. (zalamería) mollycoddling. 2. (cariño) show of affection. 3. (TEATRO) mime.

mimosa f (BOT) mimosa.

min (abrev de **minuto**) min.

mina f 1. (GEOL & MIL) mine; ~ **de carbón** coalmine. 2. fig (chollo) goldmine.

minar vt (MIL) to mine.

mineral ◇ adj mineral. ◇ m 1. (GEOL) mineral. 2. (MIN) ore.

minería f 1. (técnica) mining. 2. (sector) mining industry.

minero, -ra ◇ adj mining (antes de sust); (producción, riqueza) mineral. ◇ m y f miner.

miniatura f miniature.

minicadena f midi system.

minifalda f mini skirt.

minigolf (pl **minigolfs**) m (juego) crazy golf.

mínimo, -ma ◇ superl → **pequeño**. ◇ adj 1. (lo más bajo posible o necesario) minimum. 2. (lo más bajo temporalmente) lowest. 3. (muy pequeño - efecto, importancia etc) minimal, very small; (- protesta, ruido etc) slightest; **no tengo la más mínima idea** I haven't the slightest idea; **como ~** at the very least; **en lo más ~** in the slightest. ♦ **mínimo** m (límite) minimum. ♦ **mínima** f (METEOR) low, lowest temperature.

ministerio m 1. (POLÍT) department Am, ministry Br. 2. (RELIG) ministry. ♦ **Ministerio de Asuntos Exteriores** m = State Department Am, = Foreign Office Br. ♦ **Ministerio de**

Economía y Hacienda m = Treasury Department Am, = Treasury Br. ♦ **Ministerio del Interior** m = Department of the Interior Am, = Home Office Br.

ministro, -tra m y f (POLÍT) secretary Am, minister Br; **primer ~** prime minister.

minoría f minority; **~s étnicas** ethnic minorities.

minorista ◇ adj retail. ◇ m y f retailer.

minucia f trifle, insignificant thing.

minucioso, -sa adj 1. (meticuloso) meticulous. 2. (detallado) highly detailed.

minúsculo, -la adj 1. (tamaño) tiny, minute. 2. (letra) small; (IMPRENTA) lower-case. ♦ **minúscula** f small letter; (IMPRENTA) lower-case letter.

minusvalía f (física) handicap, disability.

minusválido, -da ◇ adj disabled, handicapped. ◇ m y f disabled o handicapped person.

minuta f 1. (factura) fee. 2. (menú) menu.

minutero m minute hand.

minuto m minute.

mío, mía ◇ adj poses mine; **este libro es ~** this book is mine; **un amigo ~** a friend of mine; **no es asunto ~** it's none of my business. ◇ pron poses: **el ~** mine; **el ~ es rojo** mine is red; **esta es la mía** fam this is the chance I've been waiting for; **lo ~ es el teatro** (lo que me va) theatre is what I should be doing; **los ~s** fam (mi familia) my folks; (mi bando) my lot, my side.

miope adj shortsighted, myopic.

miopía f shortsightedness, myopia.

mira ◇ f sight; fig intention; **con ~s a** with a view to. ◇ interj: ¡~! look!

mirado, -da adj (prudente) careful; **bien ~** (bien pensado) if you look at it closely. ♦ **mirada** f (gen) look; (rápida) glance; (de cariño, placer, admiración) gaze; **mirada fija** stare; **apartar la mirada** to look away; **dirigir** o **lanzar la mirada a** to glance at; **echar una mirada (a algo)** to glance o to have a quick look (at sthg); **fulminar con la mirada a alguien** to look daggers at sb; **levantar la mirada** to look up.

mirador m 1. (balcón) enclosed balcony. 2. (para ver un paisaje) viewpoint.

miramiento m circumspection; **andarse con ~s** to stand on ceremony; **sin ~s** just like that.

mirar ◇ vt 1. (gen) to look at; (obser-

M

var) to watch; *(fijamente)* to stare at; ~ **algo de cerca/lejos** to look at sthg closely/from a distance; ~ **algo por encima** to glance over sthg, to have a quick look at sthg; ~ **a alguien bien/mal** to think highly/poorly of sb. **2.** *(fijarse en)* to keep an eye on. **3.** *(examinar, averiguar)* to check, to look through; **le miraron todas las maletas** they searched all her luggage; **mira si ha llegado la carta** go and see if the letter has arrived. **4.** *(considerar)* to consider, to take a look at. ◇ *vi* **1.** *(gen)* to look; *(observar)* to watch; *(fijamente)* to stare; **mira, yo creo que ...** look, I think that ... **2.** *(buscar)* to check, to look; **he mirado en todas partes** I've looked everywhere. **3.** *(orientarse):* ~ **a** to face. **4.** *(cuidar):* ~ **por alguien/algo** to look after sb/sthg. ◆ **mirarse** *vpr (uno mismo)* to look at o.s.; **si bien se mira** *fig* if you really think about it.

mirilla *f* spyhole.

mirlo *m* blackbird.

mirón, -ona *fam m y f* **1.** *(espectador)* onlooker. **2.** *(curioso)* nosy parker. **3.** *(voyeur)* peeping Tom.

misa *f* mass; **ir a ~** to go to mass o church; *fam fig* to be gospel.

misal *m* missal.

misántropo, -pa *m y f* misanthropist.

miserable ◇ *adj* **1.** *(pobre)* poor; *(vivienda)* wretched, squalid. **2.** *(penoso, insuficiente)* miserable. **3.** *(vil)* contemptible, base. **4.** *(tacaño)* mean. ◇ *m y f (ruin)* wretch, vile person.

miseria *f* **1.** *(pobreza)* poverty. **2.** *(desgracia)* misfortune. **3.** *(tacañería)* meanness. **4.** *(vileza)* baseness. **5.** *(poco dinero)* pittance.

misericordia *f* compassion; **pedir ~** to beg for mercy.

mísero, -ra *adj (pobre)* wretched; **ni un ~ ...** not even a measly ...

misil *(pl misiles)* *m* missile; ~ **de crucero** cruise missile.

misión *f* **1.** *(gen)* mission; *(cometido)* task. **2.** *(expedición científica)* expedition.

misionero, -ra *adj, m y f* missionary.

mismo, -ma ◇ *adj* **1.** *(igual)* same; **el ~ piso** the same flat; **del ~ color que** the same colour as. **2.** *(para enfatizar):* **yo ~** I myself; **en este ~ cuarto** in this very room; **en su misma calle** right in the street where he lives; **por mí/ti** ~ by myself/yourself; **¡tú ~!** it's up to you. ◇ *pron:* **el ~** the same; **el ~ que vi ayer** the same one I saw yesterday; **lo ~ que** the

same (thing); **lo ~ que** the same as; **da o es lo ~** it doesn't matter, it doesn't make any difference; **me da lo ~** I don't care. ◆ **mismo** *(después de sust)* *adv* **1.** *(para enfatizar):* **lo vi desde mi casa ~** I saw it from my own house; **ahora/aquí ~** right now/here; **ayer ~** only yesterday; **por eso ~** precisely for that reason. **2.** *(por ejemplo):* **escoge uno cualquiera – este ~** choose any – this one, for instance.

misterio *m* mystery.

misterioso, -sa *adj* mysterious.

mística → **místico**.

místico, -ca *adj* mystical. ◆ **mística** *f* *(práctica)* mysticism.

mitad *f* **1.** *(gen)* half; **a ~ de precio** at half price; **a ~ de camino** halfway there; **a ~ de película** halfway through the film; **a ~ de** half (of); **la ~ del tiempo no está** half the time she's not in; **~ y ~** half and half. **2.** *(centro)* middle; **en ~ de** in the middle of; **(cortar algo) por la ~** (to cut sthg) in half.

mítico, -ca *adj* mythical.

mitin *(pl mítines)* *m* rally, meeting.

mito *m* *(gen)* myth.

mitología *f* mythology.

mitote *m* *Méx fam (alboroto)* racket.

mixto, -ta *adj* mixed; *(comisión)* joint.

ml *(abrev de mililitro)* ml.

mm *(abrev de milímetro)* mm.

mobiliario *m* furniture.

mocasín *m* moccasin.

mochila *f* backpack.

moción *f* motion.

moco *m fam* snot (U); (MED) mucus (U); **limpiarse los ~s** to wipe one's nose.

mocoso, -sa *m y f fam despec* brat.

moda *f* *(gen)* fashion; *(furor pasajero)* craze; **estar de ~** to be fashionable o in fashion; **estar pasado de ~** to be unfashionable o out of fashion.

modales *mpl* manners.

modalidad *f* form, type; (DEP) discipline.

modelar *vt* to model; *fig* to shape.

modelo ◇ *adj* model. ◇ *m y f* model. ◇ *m* **1.** *(gen)* model. **2.** *(prenda de vestir)* number.

modem ['moðem] *(pl modems)* *m* (INFORM) modem; ~ **fax** fax modem.

moderación *f* moderation.

moderado, -da *adj, m y f* moderate.

moderador, -ra *m y f* chair, chairperson.

moderar *vt* **1.** *(gen)* to moderate; *(velocidad)* to reduce. **2.** *(debate)* to chair. ◆ **moderarse** *vpr* to restrain o.s.

modernizar *vt* to modernize.

moderno, -na *adj* modern.

modestia *f* modesty.

modesto, -ta *adj* modest.

modificar *vt* 1. *(variar)* to alter. 2. (GRAM) to modify.

modista *m y f* 1. *(diseñador)* fashion designer. 2. *(que cose)* tailor (*f* dress-maker).

modisto *m* 1. *(diseñador)* fashion designer. 2. *(sastre)* tailor.

modo *m (manera, forma)* way; **a ~ de** as, by way of; **de ese ~** in that way; **de ningún ~** in no way; **de todos ~s** in any case, anyway; **de un ~ u otro** one way or another; **en cierto ~** in some ways; **~ de empleo** instructions *(pl)* for use; **de ~ que** *(de manera que)* in such a way that; *(así que)* so. ◆ **modos** *mpl (modales)* manners; **buenos/malos ~s** good/bad manners.

modorra *f fam* drowsiness.

módulo *m* 1. *(gen)* module. 2. *(de muebles)* unit.

mofa *f* mockery.

mofarse *vpr* to scoff; **~ de** to mock.

mogollón *m mfam* 1. *(muchos):* **~ de** tons *(pl)* of, loads *(pl)* of. 2. *(lío)* row, commotion.

mohair [mo'er] *m* mohair.

moho *m* 1. *(hongo)* mould. 2. *(herrumbre)* rust.

mohoso, -sa *adj* 1. *(con hongo)* mouldy. 2. *(oxidado)* rusty.

mojado, -da *adj* wet; *(húmedo)* damp.

mojar *vt* to wet; *(humedecer)* to dampen; *(comida)* to dunk. ◆ **mojarse** *vpr (con agua)* to get wet.

mojón *m (piedra)* milestone; *(poste)* milepost.

molcajete *m Méx* mortar.

molde *m* mould.

moldeado *m* 1. *(del pelo)* soft perm. 2. *(de figura, cerámica)* moulding.

moldear *vt* 1. *(gen)* to mould. 2. *(modelar)* to cast. 3. *(cabello)* to give a soft perm to.

mole[1] *f* hulk.

mole[2] *m Amer chilli sauce made with chocolate.*

molécula *f* molecule.

moler *vt* 1. *(gen)* to grind; *(aceitunas)* to press; *(trigo)* to mill. 2. *fam fig (cansar)* to wear out.

molestar *vt* 1. *(perturbar)* to annoy; **¿le molesta que fume?** do you mind if I smoke?; **perdone que le moleste ...** I'm

sorry to bother you ... 2. *(doler)* to hurt. 3. *(ofender)* to offend. ◆ **molestarse** *vpr* 1. *(incomodarse)* to bother; **~se en hacer algo** to bother to do sthg; **~se por alguien/algo** to put o.s. out for sb/sthg. 2. *(ofenderse):* **~se (por algo)** to take offence (at sthg).

molestia *f* 1. *(incomodidad)* nuisance; **si no es demasiada ~** if it's not too much trouble. 2. *(malestar)* discomfort.

molesto, -ta *adj* 1. *(incordiante)* annoying; *(visita)* inconvenient. 2. *(irritado):* **~ (con)** annoyed (with). 3. *(con malestar)* in discomfort.

molido, -da *adj fam fig (cansado)* worn out; **estar ~ de** to be worn out from.

molinillo *m* grinder.

molino *m* mill; **~ de viento** windmill.

molla *f (parte blanda)* flesh.

molleja *f* gizzard.

mollera *f fam (juicio)* brains *(pl)*.

molusco *m* mollusc.

momentáneo, -a *adj (de un momento)* momentary; *(pasajero)* temporary.

momento *m (gen)* moment; *(periodo)* time; **llegó un ~ en que ...** there came a time when ...; **a cada ~** all the time; **al ~** straightaway; **de ~, por el ~** for the time being O moment; **del ~** *(actual)* of the day; **de un ~ a otro** any minute now; **desde el ~ (en) que ...** *(tiempo)* from the moment that ...; *(causa)* seeing as ...

momia *f* mummy.

Mónaco Monaco.

monada *f* 1. *(persona)* little beauty. 2. *(cosa)* lovely thing. 3. *(gracia)* antic.

monaguillo *m* altar boy.

monarca *m* monarch.

monarquía *f* monarchy.

monárquico, -ca *adj* monarchic.

monasterio *m (de monjes)* monastery; *(de monjas)* convent.

monda *f (acción)* peeling; *(piel)* peel; **ser la ~** *mfam (extraordinario)* to be amazing; *(gracioso)* to be a scream.

mondadientes *m inv* toothpick.

mondadura *f (piel)* peel.

mondar *vt* to peel. ◆ **mondarse** *vpr:* **~se (de risa)** *fam* to laugh one's head off.

moneda *f* 1. *(pieza)* coin; **ser ~ corriente** to be commonplace. 2. *(divisa)* currency.

monedero *m* purse; **~ electrónico** electronic purse.

monetario, -ria *adj* monetary.

M

monitor, -ra *m y f (persona)* instructor. ◆ **monitor** *m* (INFORM & TECN) monitor.

monja *f* nun.

monje *m* monk.

mono, -na ◇ *adj* lovely. ◇ *m y f (animal)* monkey; **ser el último ~** to be bottom of the heap. ◆ **mono** *m (prenda - con peto)* dungarees *(pl)*; *(- con mangas)* overalls *(pl)*.

monóculo *m* monocle.

monogamia *f* monogamy.

monografía *f* monograph.

monolingüe *adj* monolingual.

monólogo *m* monologue; (TEATRO) soliloquy.

monopatín *m* skateboard.

monopolio *m* monopoly.

monopolizar *vt lit & fig* to monopolize.

monosílabo, -ba *adj* monosyllabic. ◆ **monosílabo** *m* monosyllable.

monotonía *f (uniformidad)* monotony.

monótono, -na *adj* monotonous.

monserga *f fam* drivel *(U)*.

monstruo ◇ *adj inv (grande)* enormous, monster *(antes de sust)*. ◇ *m* 1. *(gen)* monster. 2. *(prodigio)* giant, marvel.

monstruosidad *f* 1. *(crueldad)* monstrosity, atrocity. 2. *(fealdad)* hideousness. 3. *(anomalía)* freak.

monstruoso, -sa *adj* 1. *(cruel)* monstrous. 2. *(feo)* hideous. 3. *(enorme)* huge, enormous. 4. *(deforme)* terribly deformed.

monta *f* 1. *(importancia)* importance; **de poca/mucha ~** of little/great importance. 2. *(en un caballo)* ride, riding *(U)*.

montacargas *m inv* freight elevator *Am*, goods lift *Br*.

montaje *m* 1. *(de una máquina)* assembly. 2. (TEATRO) staging. 3. (FOT) montage. 4. (CIN) editing. 5. *(farsa)* put-up job.

montante *m* 1. *(ventanuco)* fanlight. 2. *(importe)* total; **~s compensatorios** (COM) compensating duties.

montaña *f lit & fig* mountain; **ir de excursión a la ~** to go camping in the mountains; **~ rusa** roller coaster; **hacer una ~ de un grano de arena** to make a mountain out of a molehill.

montañero, -ra *m y f* mountaineer.

montañismo *m* mountaineering.

montañoso, -sa *adj* mountainous.

montar ◇ *vt* 1. *(ensamblar - máquina, estantería)* to assemble; *(- tienda de cam-* paña, tenderete)* to put up. 2. *(encajar)*: **~ algo en algo** to fit sthg into sthg. 3. *(organizar - negocio, piso)* to set up. 4. *(cabalgar)* to ride. 5. *(poner encima)*: **~ a alguien en** to lift sb onto. 6. (CULIN - *nata)* to whip; *(- claras, yemas)* to beat. 7. (TEATRO) to stage. 8. (CIN) to cut, to edit. ◇ *vi* 1. *(subir)* to get on; *(en un coche)* to get in; **~ en** *(gen)* to get onto; *(coche)* to get into; *(animal)* to mount. 2. *(ir montado)* to ride; **~ en bicicleta/a caballo** to ride a bicycle/a horse. ◆ **montarse** *vpr (gen)* to get on; *(en un coche)* to get in; *(en un animal)* to mount; **~se en** *(gen)* to get onto; *(coche)* to get into; *(animal)* to mount.

monte *m (elevación)* mountain; *(terreno)* woodland; **~ bajo** scrub. ◆ **monte de piedad** *m* state pawnbroker's.

montepío *m* mutual aid society.

montés *adj* wild.

Montevideo Montevideo.

montículo *m* hillock.

monto *m* total.

montón *m* 1. *(pila)* heap, pile; **a o en ~** everything together o at once; **del ~** *fig* run-of-the-mill. 2. *fig (muchos)* loads; **un ~ de** loads of.

montura *f* 1. *(cabalgadura)* mount. 2. *(arreos)* harness; *(silla)* saddle. 3. *(soporte - de gafas)* frame.

monumental *adj* 1. *(ciudad, lugar)* famous for its monuments. 2. *fig (fracaso etc)* monumental.

monumento *m* monument.

monzón *m* monsoon.

moña *f fam (borrachera)*: **coger una ~** to get smashed.

moño *m* bun *(of hair)*; **estar hasta el ~ (de)** to be sick to death (of).

moqueta *f* fitted carpet.

mora *f* 1. *(de la zarzamora)* blackberry. 2. *(del moral)* mulberry.

morado, -da *adj* purple. ◆ **morado** *m (color)* purple.

moral ◇ *adj* moral. ◇ *f* 1. *(ética)* morality. 2. *(ánimo)* morale.

moraleja *f* moral.

moralizar *vi* to moralize.

morbo *m fam (placer malsano)* morbid pleasure.

morboso, -sa *adj* morbid.

morcilla *f* (CULIN) ≃ blood sausage *Am*, ≃ black pudding *Br*.

mordaz *adj* caustic, biting.

mordaza *f* gag.

mordedura *f* bite.

morder ◊ vt 1. *(con los dientes)* to bite.
2. *(gastar)* to eat into. ◊ vi to bite; **estar
que muerde** to be hopping mad.
♦ **morderse** *vpr:* ~**se la lengua/las uñas**
to bite one's tongue/nails.

mordida *f Méx fam (soborno)* bribe.

mordisco *m* bite.

mordisquear vt to nibble (at).

moreno, -na ◊ adj 1. *(pelo, piel)*
dark; *(por el sol)* tanned; **ponerse** ~ to
get a tan. 2. *(pan, azúcar)* brown. ◊ m y
f *(por el pelo)* dark-haired person; *(por la
piel)* dark-skinned person.

morera *f* white mulberry.

moretón *m* bruise.

morfina *f* morphine.

moribundo, -da adj dying.

morir vi 1. *(gen)* to die. 2. *(río, calle)* to
come out. 3. *(fuego)* to die down; *(luz)*
to go out; *(día)* to come to a close.
♦ **morirse** vpr 1. *(fallecer):* ~**se (de)** to
die (of). 2. *fig (sentir con fuerza):* ~**se de
envidia/ira** to be burning with envy/
rage; **me muero de ganas de ir a bailar**
I'm dying to go dancing; **me muero de
hambre/frío** I'm starving/freezing; ~**se
por algo** to be dying for sthg; ~**se por
alguien** to be crazy about sb.

mormón, -ona adj, m y f Mormon.

moro, -ra ◊ adj (HIST) Moorish. ◊ m
y f 1. (HIST) Moor. 2. *(árabe)* Arab *(N.B.:
the term 'moro' is considered to be racist).*

moroso, -sa (COM) ◊ adj defaulting.
◊ m y f defaulter, bad debtor.

morral *m* (MIL) haversack; *(de cazador)*
gamebag.

morriña *f (por el país de uno)* homesickness; *(por el pasado)* nostalgia.

morro *m* 1. *(hocico)* snout. 2. *fam (de
coche, avión)* nose.

morsa *f* walrus.

morse *m (en aposición inv)* Morse
(code).

mortadela *f* Mortadella.

mortaja *f* shroud.

mortal ◊ adj mortal; *(caída, enfermedad)* fatal; *(aburrimiento, susto, enemigo)* deadly. ◊ m y f mortal.

mortalidad *f* mortality.

mortero *m* mortar.

mortífero, -ra adj deadly.

mortificar vt to mortify.

mosaico, -ca adj Mosaic. ♦ **mosaico**
m mosaic.

mosca *f* fly; **por si las** ~**s** just in case;
¿qué ~ **te ha picado?** what's up with
you? ♦ **mosca muerta** *m y f* slyboots.

moscardón *m* (ZOOL) blowfly.

moscón *m* (ZOOL) bluebottle.

moscovita adj, m y f Muscovite.

Moscú Moscow.

mosquearse vpr fam *(enfadarse)* to get
cross; *(sospechar)* to smell a rat.

mosquitero *m* mosquito net.

mosquito *m* mosquito.

mostacho *m* moustache.

mostaza *f* mustard.

mosto *m (residuo)* must; *(zumo de uva)*
grape juice.

mostrador *m (en tienda)* counter; *(en
bar)* bar.

mostrar vt to show. ♦ **mostrarse**
vpr to appear, to show o.s.; **se mostró
muy interesado** he expressed great
interest.

mota *f (de polvo)* speck; *(en una tela)*
dot.

mote *m* nickname.

moteado, -da adj speckled; *(vestido)*
dotted.

motel *m* motel.

motín *m (del pueblo)* uprising, riot; *(de
las tropas)* mutiny.

motivación *f* motive, motivation *(U).*

motivar vt 1. *(causar)* to cause; *(impulsar)* to motivate. 2. *(razonar)* to explain,
to justify.

motivo *m* 1. *(causa)* reason, cause; *(de
crimen)* motive; **con** ~ **de** *(por causa de)*
because of; *(para celebrar)* on the occasion of; *(con el fin de)* in order to; **sin** ~
for no reason. 2. (ARTE, LITER & MÚS)
motif.

moto *f* motorcycle, motorbike *Br.*

motocicleta *f* motorcycle, motorbike
Br.

motociclismo *m* motorcycling.

motociclista *m y f* motorcyclist.

motocross *m* motocross.

motor *(f* motora ◊ motriz*)* adj motor.
♦ **motor** *m* 1. *(aparato)* motor, engine.
2. *(fuerza)* dynamic force. ♦ **motora** *f*
motorboat.

motorismo *m* motorcycling.

motorista *m y f* motorcyclist.

motriz → motor.

mountain bike ['maunten 'bike] *m*
(DEP) mountain biking.

mousse [mus] *m inv* (CULIN) mousse.

movedizo, -za adj *(movible)* movable,
easily moved.

mover vt 1. *(gen & INFORM)* to move;
(mecánicamente) to drive. 2. *(cabeza -
afirmativamente)* to nod; *(- negativa-
mente)* to shake. 3. *(suscitar)* to provoke.
4. *fig (empujar):* ~ **a alguien a algo/a**

M

hacer **algo** to drive sb to sthg/to do sthg. ◆ **mover a** vi **1.** (incitar) to incite to. **2.** (causar) to provoke, to cause.
◆ **moverse** vpr **1.** (gen) to move; (en la cama) to toss and turn. **2.** (darse prisa) to get a move on.

movido, -da adj **1.** (debate, torneo) lively; (persona) active, restless; (jornada, viaje) hectic. **2.** (FOT) blurred, fuzzy.
◆ **movida** f fam (ambiente) scene.

móvil ◇ adj mobile, movable. ◇ m **1.** (motivo) motive. **2.** (juguete) mobile.

movilidad f mobility.

movilizar vt to mobilize.

movimiento m **1.** (gen & POLÍT) movement. **2.** (FÍS & TECN) motion; ~ **sísmico** earth tremor. **3.** (circulación - gen) activity; (- de personal, mercancías) turnover; (- de vehículos) traffic; ~ **de capital** cash flow. **4.** (MÚS - parte de la obra) movement.

moviola f editing projector.

moza → **mozo**.

mozárabe ◇ adj Mozarabic, Christian in the time of Moorish Spain. ◇ m (lengua) Mozarabic.

mozo, -za ◇ adj (joven) young; (soltero) single. ◇ m y f young boy (f young girl), young lad (f young lass).
◆ **mozo** m **1.** (trabajador) assistant (worker); ~ **de estación** (station) porter. **2.** (recluta) conscript. **3.** Amer (camarero) waiter.

mu m (mugido) moo; **no decir ni** ~ not to say a word.

mucamo, -ma m y f Andes & CSur servant.

muchacho, -cha m y f boy (f girl).
◆ **muchacha** f (sirvienta) maid.

muchedumbre f (de gente) crowd, throng; (de cosas) great number, masses (pl).

mucho, -cha ◇ adj **1.** (gran cantidad) (en sg) a lot of; (en pl) many, a lot of; (en interrogativas y negativas) much, a lot of; **tengo** ~ **sueño** I'm very sleepy; ~**s días** several days; **no tengo** ~ **tiempo** I haven't got much time. **2.** (en sg) (demasiado): **hay** ~ **niño aquí** there are too many kids here. ◇ pron (en sg) a lot; (en pl) many, a lot; **tengo** ~ **que contarte** I have a lot to tell you; **¿queda dinero?** – **no** ~ is there any money left? – not much o not a lot; ~**s piensan igual** a lot of o many people think the same.
◆ **mucho** adv **1.** (gen) a lot; **habla** ~ he talks a lot; **me canso** ~ I get really o very tired; **me gusta** ~ I like it a lot o very much; **no me gusta** ~ I don't like it much; **(no)** ~ **más tarde** (not) much

later. **2.** (largo tiempo): **hace** ~ **que no vienes** I haven't seen you for a long time; **¿vienes** ~ **por aquí?** do you come here often?; **¿dura** ~ **la obra?** is the play long?; ~ **antes/después** long before/after. **3.** loc: **como** ~ at the most; **con** ~ by far, easily; **ni** ~ **menos** by no means; **no está ni** ~ **menos decidido** it is by no means decided. ◆ **por mucho que** loc conj no matter how much, however much; **por** ~ **que insistas** no matter how much o however much you insist.

muda f (ropa interior) change of underwear.

mudanza f **1.** (cambio) change; (de carácter) fickleness; (de plumas, piel) moulting. **2.** (de casa) move; **estar de** ~ to be moving.

mudar ◇ vt **1.** (gen) to change; (casa) to move; **cuando mude la voz** when his voice breaks. **2.** (piel, plumas) to moult. ◇ vi (cambiar): ~ **de** (opinión, color) to change; (domicilio) to move. ◆ **mudarse** vpr: ~**se** (de casa) to move (house); ~**se** (de ropa) to change.

mudéjar adj, m y f Mudejar.

mudo, -da adj **1.** (sin habla) dumb. **2.** (callado) silent, mute; **se quedó** ~ he was left speechless. **3.** (sin sonido) silent.

mueble ◇ m piece of furniture; **los** ~**s** the furniture (U); ~ **bar** cocktail cabinet. ◇ adj → **bien**.

mueca f (gen) face, expression; (de dolor) grimace.

muela f (diente - gen) tooth; (- molar) molar.

muelle m **1.** (de colchón, reloj) spring. **2.** (en el puerto) dock, quay; (en el río) wharf.

muera → **morir**.

muérdago m mistletoe.

muermo m Esp fam bore, drag; **tener** ~ to be bored.

muerte f **1.** (gen) death; **de mala** ~ third-rate, lousy. **2.** (homicidio) murder.

muerto, -ta ◇ pp → **morir**. ◇ adj (gen) dead; **estar** ~ **de miedo/frío** to be scared/freezing to death; **estar** ~ **de hambre** to be starving. ◇ m y f dead person; (cadáver) corpse; **hubo dos** ~**s** two people died; **hacer el** ~ to float on one's back.

muesca f **1.** (concavidad) notch, groove. **2.** (corte) nick.

muestra f **1.** (pequeña cantidad) sample. **2.** (señal) sign, show; (prueba) proof; (de cariño, aprecio) token; **dar** ~**s de** to show signs of. **3.** (modelo) model, pattern. **4.** *(exposición)* show, exhibition.

mugido *m (de vaca)* moo, mooing *(U)*; *(de toro)* bellow, bellowing *(U)*.

mugir *vi (vaca)* to moo; *(toro)* to bellow.

mugre *f* filth, muck.

mugriento, -ta *adj* filthy.

mujer *f* woman; *(cónyuge)* wife; ~ **de la limpieza** cleaning lady; ~ **de negocios** businesswoman.

mulato, -ta *adj, m y f* mulatto.

muleta *f* **1.** *(para andar)* crutch; *fig* prop, support. **2.** (TAUROM) muleta, *red cape hanging from a stick used to tease the bull.*

Mulhacén *m*: el ~ Mulhacén.

mullido, -da *adj* soft, springy.

mulo, -la *m y f* (ZOOL) mule.

multa *f* fine; **poner una ~ a alguien** to fine sb.

multar *vt* to fine.

multimedia *adj inv* (INFORM) multimedia.

multimillonario, -ria *m y f* multimillionaire.

multinacional *adj & f* multinational.

múltiple *adj (variado)* multiple. ◆ **múltiples** *adj pl (numerosos)* many, numerous.

multiplicación *f* multiplication.

multiplicar *vt & vi* to multiply. ◆ **multiplicarse** *vpr* **1.** *(esforzarse)* to do lots of things at the same time. **2.** (BIOL) to multiply.

múltiplo, -pla *adj* multiple. ◆ **múltiplo** *m* multiple.

multitud *f (de personas)* crowd; **una ~ de cosas** loads of o countless things.

multiuso *adj inv* multipurpose.

mundanal *adj* worldly.

mundano, -na *adj* **1.** *(del mundo)* worldly, of the world. **2.** *(de la vida social)* (high) society.

mundial ◇ *adj (política, economía, guerra)* world *(antes de sust)*; *(tratado, organización, fama)* worldwide. ◇ *m* World Championships *(pl)*; *(en fútbol)* World Cup.

mundo *m* **1.** *(gen)* world; **el tercer ~** the Third World; **se le cayó el ~ encima** his world fell apart; **todo el ~** everyone, everybody; **venir al ~** to come into the world, to be born. **2.** *(experiencia)*: **hombre/mujer de ~** man/woman of the world.

munición *f* ammunition.

municipal ◇ *adj* town *(antes de sust)*,

municipal; *(elecciones)* local; *(instalaciones)* public. ◇ *m y f* → **guardia**.

municipio *m* **1.** *(corporación)* town council. **2.** *(territorio)* town, municipality.

muñeco, -ca *m y f (juguete)* doll; *(marioneta)* puppet. ◆ **muñeco** *m fig* puppet. ◆ **muñeca** *f* **1.** (ANAT) wrist. **2.** *Andes & CSur fam (enchufe)*: **tener ~** to have friends in high places. ◆ **muñeco de nieve** *m* snowman.

muñequera *f* wristband.

muñón *m* stump.

mural ◇ *adj (pintura)* mural; *(mapa)* wall. ◇ *m* mural.

muralla *f* wall.

murciélago *m* bat.

murmullo *m (gen)* murmur, murmuring *(U)*; *(de hojas)* rustle, rustling *(U)*; *(de insectos)* buzz, buzzing *(U)*.

murmuración *f* gossip *(U)*.

murmurar ◇ *vt* to murmur. ◇ *vi* **1.** *(susurrar - persona)* to murmur, to whisper; *(- agua, viento)* to murmur, to gurgle. **2.** *(criticar)*: ~ **(de)** to gossip o backbite (about). **3.** *(rezongar, quejarse)* to grumble.

muro *m lit & fig* wall.

mus *m inv* card game played in pairs with bidding and in which players communicate by signs.

musa *f (inspiración)* muse.

musaraña *f* (ZOOL) shrew; **mirar a las ~s** to stare into space o thin air.

muscular *adj* muscular.

musculatura *f* muscles *(pl)*.

músculo *m* muscle.

musculoso, -sa *adj* muscular.

museo *m* museum; ~ **de arte** art gallery.

musgo *m* moss.

música → **músico**.

músico, -ca ◇ *adj* musical. ◇ *m y f (persona)* musician. ◆ **música** *f* music; **música ambiental** background music.

musitar *vt* to mutter, to mumble.

muslo *m* thigh; *(de pollo)* drumstick.

mustio, -tia *adj* **1.** *(flor, planta)* withered, wilted. **2.** *(persona)* gloomy.

musulmán, -ana *adj, m y f* Muslim.

mutante *adj, m y f* mutant.

mutar *vt* to mutate.

mutilado, -da *adj* mutilated.

mutilar *vt (gen)* to mutilate; *(estatua)* to deface.

mutua → **mutuo**.

mutualidad *f (asociación)* mutual benefit society.

M

mutuo, -tua *adj* mutual. ◆ **mutua** *f* mutual benefit society.

muy *adv* very; ~ **bueno/cerca** very good/near; ~ **de mañana** very early in the morning; **¡~ bien!** *(vale)* OK!, all right!; **¡qué bien!** very good!, well done!; **eso es ~ de ella** that's just like her; **eso es ~ de los americanos** that's typically American; **¡el ~ idiota!** what an idiot!

n, N *f (letra)* n, N.

n/ *abrev de* nuestro.

nabo *m* turnip.

nácar *m* mother-of-pearl.

nacer *vi* **1.** *(venir al mundo - niño, animal)* to be born; *(- planta)* to sprout; *(- pájaro)* to hatch (out); ~ **de/en** to be born of/in; ~ **para algo** to be born to be sthg; **ha nacido cantante** she's a born singer. **2.** *(surgir - pelo)* to grow; *(- río)* to rise; *(- costumbre, actitud, duda)* to have its roots.

nacido, -da ◇ *adj* born. ◇ *m y f*: **los ~s hoy** those born today; **recién ~** newborn baby; **ser un mal ~** to be a wicked o vile person.

naciente *adj* **1.** *(día)* dawning; *(sol)* rising. **2.** *(gobierno, estado)* new, fledgling; *(interés)* growing.

nacimiento *m* **1.** *(gen)* birth; *(de planta)* sprouting; **de ~** from birth. **2.** *(de río)* source. **3.** *(origen)* origin, beginning. **4.** *(belén)* Nativity scene.

nación *f (gen)* nation; *(territorio)* country. ◆ **Naciones Unidas** *fpl* United Nations.

nacional *adj* national; *(mercado, vuelo)* domestic; *(asuntos)* home *(antes de sust)*.

nacionalidad *f* nationality.

nacionalismo *m* nationalism.

nacionalista *adj, m y f* nationalist.

nacionalizar *vt* **1.** *(banca, bienes)* to nationalize. **2.** *(persona)* to naturalize. ◆ **nacionalizarse** *vpr* to become naturalized.

nada ◇ *pron* nothing; *(en negativas)* anything; **no he leído ~ de este autor** I haven't read anything by this author; ~ **más** nothing else, nothing more; **no quiero ~ más** I don't want anything

else; **no dijo ~ de** ~ he didn't say anything at all; **de ~** *(respuesta a 'gracias')* you're welcome; **como si** ~ as if nothing had happened. ◇ *adv* **1.** *(en absoluto)* at all; **la película no me ha gustado** ~ I didn't like the film at all. **2.** *(poco)* a little, a bit; **no hace ~ que salió** he left just a minute ago; ~ **menos que** *(cosa)* no less than; *(persona)* none other than. ◇ *f*: **la** ~ nothingness, the void. ◆ **nada más** *loc conj* no sooner, as soon as; ~ **más salir de casa se puso a llover** no sooner had I left the house than it started to rain, as soon as I left the house, it started to rain.

nadador, -ra *m y f* swimmer.

nadar *vi (gen)* to swim; *(flotar)* to float.

nadería *f* trifle, little thing.

nadie *pron* nobody, no one; ~ **lo sabe** nobody knows; **no se lo dije a** ~ I didn't tell anybody; **no ha llamado** ~ nobody phoned.

nado ◆ **a nado** *loc adv* swimming.

nafta *f CSur (gasolina)* gasoline *Am*, petrol *Br*.

nailon, nilón, nylon® *m* nylon.

naipe *m* *(playing)* card. ◆ **naipes** *mpl* cards.

nalga *f* buttock.

nana *f (canción)* lullaby.

naranja ◇ *adj inv* orange. ◇ *m (color)* orange. ◇ *f (fruto)* orange.

naranjo *m (árbol)* orange tree.

narciso *m* (BOT) narcissus.

narcótico, -ca *adj* narcotic. ◆ **narcótico** *m* narcotic; *(droga)* drug.

narcotraficante *m y f* drug trafficker.

narcotráfico *m* drug trafficking.

narigudo, -da *adj* big-nosed.

nariz *f* **1.** *(órgano)* nose. **2.** *(orificio)* nostril. **3.** *fig (olfato)* sense of smell. **4.** *loc*: **estar hasta las narices (de algo)** to be fed up to the back teeth (with sthg); **meter las narices en algo** to poke o stick one's nose into sthg.

narración *f* **1.** *(cuento, relato)* narrative, story. **2.** *(acción)* narration.

narrador, -ra *m y f* narrator.

narrar *vt (contar)* to recount, to tell.

narrativa *f* narrative.

nasal *adj* nasal.

nata *f* **1.** *(gen & fig)* cream; ~ **batida** o **montada** whipped cream. **2.** *(de leche hervida)* skin.

natación *f* swimming.

natal *adj (país)* native; *(ciudad, pueblo)* home *(antes de sust)*.

natalicio *m (cumpleaños)* birthday.
natalidad *f* birth rate.
natillas *fpl* custard *(U).*
nativo, -va *adj, m y f* native.
nato, -ta *adj (gen)* born; *(cargo, título)* ex officio.
natural ◇ *adj* 1. *(gen)* natural; *(flores, fruta, leche)* fresh; **al ~** *(persona)* in one's natural state; *(fruta)* in its own juice; **ser ~ en alguien** to be natural o normal for sb. 2. *(nativo)* native; **ser ~ de** to come from. ◇ *m y f (nativo)* native. ◇ *m (talante)* nature, disposition.
naturaleza *f* 1. *(gen)* nature; **por ~** by nature. 2. *(complexión)* constitution.
naturalidad *f* naturalness; **con ~** naturally.
naturalizar *vt* to naturalize. ◆ **naturalizarse** *vpr* to become naturalized.
naturista *m y f person favouring return to nature.*
naufragar *vi (barco)* to sink, to be wrecked; *(persona)* to be shipwrecked.
naufragio *m (de barco)* shipwreck.
náufrago, -ga *m y f* castaway.
náusea *f (gen pl)* nausea *(U)*, sickness *(U)*; **me da ~s** it makes me sick.
nauseabundo, -da *adj* nauseating.
náutico, -ca *adj (gen)* nautical; (DEP) water *(antes de sust).* ◆ **náutica** *f* navigation, seamanship.
navaja *f* 1. *(cuchillo - pequeño)* penknife; *(- más grande)* jackknife. 2. *(molusco)* razor-shell.
naval *adj* naval.
Navarra Navarre.
navarro, -rra *adj, m y f* Navarrese.
nave *f* 1. *(barco)* ship; **quemar las ~s** to burn one's boats o bridges. 2. *(vehículo)* craft; **~ espacial** spaceship. 3. *(de fábrica)* shop, plant; *(almacén)* warehouse. 4. *(de iglesia)* nave.
navegación *f* navigation.
navegante *m y f* navigator.
navegar *vi & vt (barco)* to sail; *(avión)* to fly.
Navidad *f* 1. *(día)* Christmas (Day). 2. *(gen pl) (periodo)* Christmas (time); **felices Navidades** Merry Christmas.
navideño, -ña *adj* Christmas *(antes de sust).*
navío *m* large ship.
nazi *adj, m y f* Nazi.
nazismo *m* Nazism.
neblina *f* mist.
nebuloso, -sa *adj* 1. *(con nubes)* cloudy; *(de niebla)* foggy. 2. fig *(idea,*

mirada) vague. ◆ **nebulosa** *f* (ASTRON) nebula.
necedad *f* 1. *(estupidez)* stupidity, foolishness. 2. *(dicho, hecho)* stupid o foolish thing; **decir ~es** to talk nonsense.
necesario, -ria *adj* necessary; **es ~ hacerlo** it needs to be done; **no es ~ que lo hagas** you don't need to do it; **si fuera ~** if need be.
neceser *m* toilet bag o case.
necesidad *f* 1. *(gen)* need. 2. *(obligación)* necessity; **por ~** out of necessity. 3. *(hambre)* hunger. ◆ **necesidades** *fpl*: **hacer (uno) sus necesidades** eufemismo to answer the call of nature.
necesitado, -da ◇ *adj* needy. ◇ *m y f* needy o poor person; **los ~s** the poor.
necesitar *vt* to need; **necesito que me lo digas** I need you to tell me; **'se necesita piso'** 'flat wanted'. ◆ **necesitar de** *vi* to have need of.
necio, -cia *adj* stupid, foolish.
necrología *f* obituary; *(lista de esquelas)* obituary column.
néctar *m* nectar.
nectarina *f* nectarine.
negación *f* 1. *(desmentido)* denial. 2. *(negativa)* refusal. 3. *(lo contrario)* antithesis, negation. 4. (GRAM) negative.
negado, -da *adj* useless.
negar *vt* 1. *(rechazar)* to deny. 2. *(denegar)* to refuse, to deny; **~le algo a alguien** to refuse o deny sb sthg. ◆ **negarse** *vpr*: **~se (a)** to refuse (to).
negativo, -va *adj (gen)* negative. ◆ **negativo** *m* (FOT) negative. ◆ **negativa** *f* 1. *(rechazo)* refusal. 2. *(mentís)* denial.
negligencia *f* negligence.
negligente *adj* negligent.
negociable *adj* negotiable.
negociación *f* negotiation.
negociante *m y f (comerciante)* businessman o businesswoman.
negociar ◇ *vi* 1. *(comerciar)* to do business; **~ con** to deal o trade with. 2. *(discutir)* to negotiate. ◇ *vt* to negotiate.
negocio *m* 1. *(gen)* business; **el mundo de los ~s** the business world. 2. *(transacción)* deal, (business) transaction; **~ sucio** shady deal. 3. *(operación ventajosa)* good deal, bargain; **hacer ~** to do well. 4. *(comercio)* trade.
negra → **negro**.
negrita, negrilla → **letra**.
negro, -gra ◇ *adj* 1. *(gen)* black.

2. (*furioso*) furious; **ponerse ~** to get mad o angry. **3.** (CIN): **cine ~** film noir. ◊ *m y f* black man (*f* black woman). ◆ **negro** *m* (*color*) black. ◆ **negra** *f* **1.** (MÚS) crotchet. **2.** *loc*: **tener la negra** to have bad luck.

nene, -na *m y f fam* (*niño*) baby.

nenúfar *m* water lily.

neocelandés, -esa, neozelandés, -esa *m y f* New Zealander.

neologismo *m* neologism.

neón *m* (QUÍM) neon.

neoyorquino, -na ◊ *adj* New York (*antes de sust*), of/relating to New York. ◊ *m y f* New Yorker.

neozelandés, -esa = neocelandés.

Nepal: el ~ Nepal.

Neptuno Neptune.

nervio *m* **1.** (ANAT) nerve. **2.** (*de carne*) sinew. **3.** (*vigor*) energy, vigour. ◆ **nervios** *mpl* (*estado mental*) nerves; **tener ~s** to be nervous; **poner los ~s de punta a alguien** to get on sb's nerves; **tener los ~s de punta** to be on edge.

nerviosismo *m* nervousness, nerves (*pl*).

nervioso, -sa *adj* **1.** (ANAT - *sistema, enfermedad*) nervous; (- *tejido, célula, centro*) nerve (*antes de sust*). **2.** (*inquieto*) nervous; **ponerse ~** to get nervous. **3.** (*irritado*) worked-up; **ponerse ~** to get uptight o worked up.

neto, -ta *adj* **1.** (*claro*) clear, clean; (*verdad*) simple, plain. **2.** (*peso, sueldo*) net.

neumático *m* tyre; **~ de repuesto** spare tyre.

neumonía *f* pneumonia.

neurología *f* neurology.

neurólogo, -ga *m y f* neurologist.

neurosis *f inv* neurosis.

neurótico, -ca *adj, m y f* neurotic.

neutral *adj, m y f* neutral.

neutralidad *f* neutrality.

neutralizar *vt* to neutralize.

neutro, -tra *adj* **1.** (*gen*) neutral. **2.** (BIOL & GRAM) neuter.

neutrón *m* neutron.

nevada *f* snowfall.

nevar *v impers* to snow.

nevera *f* refrigerator, icebox *Am*, fridge *Br*.

nevisca *f* snow flurry.

nexo *m* link, connection; (*relación*) relation, connection.

ni ◊ *conj*: **~ ... ~ ...** neither ... nor ...; **~ mañana ~ pasado** neither tomorrow nor the day after; **no ... ~ ...** neither ... nor ..., not ... or ... (either); **no es alto ~ bajo** he's neither tall nor short, he's not tall or short (either); **no es rojo ~ verde ~ azul** it's neither red nor green nor blue; **~ un/una ...** not a single ...; **no me quedaré ~ un minuto más** I'm not staying a minute longer; **~ uno/una** not a single one; **no he aprobado ~ una** I haven't passed a single one; **~ que** as if; **¡~ que yo fuera tonto!** as if I were that stupid! ◊ *adv* not even; **anda tan atareado que ~ tiene tiempo para comer** he's so busy he doesn't even have time to eat.

Nicaragua Nicaragua.

nicaragüense *adj, m y f* Nicaraguan.

nicho *m* niche.

nicotina *f* nicotine.

nido *m* (*gen*) nest.

niebla *f* (*densa*) fog; (*neblina*) mist; **hay ~** it's foggy.

nieto, -ta *m y f* grandson (*f* granddaughter).

nieve *f* (METEOR) snow. ◆ **nieves** *fpl* (*nevada*) snows, snowfall (*sg*).

NIF (*abrev de* **número de identificación fiscal**) *m* = National Insurance number *Br*, *identification number for tax purposes.*

Nilo *m*: el ~ the (river) Nile.

nilón = nailon.

nimio, -mia *adj* insignificant, trivial.

ninfa *f* nymph.

ninguno, -na ◊ *adj* (*antes de sust masculino:* **ningún**) no; **ninguna respuesta se dio** no answer was given; **no tengo ningún interés en hacerlo** I've no interest in doing it, I'm not at all interested in doing it; **no tengo ningún hijo/ninguna buena idea** I don't have any children/good ideas; **no tiene ninguna gracia** it's not funny. ◊ *pron* (*cosa*) none, not any; (*persona*) nobody, no one; **~ funciona** none of them works; **no hay ~** there aren't any, there are none; **~ lo sabrá** no one o nobody will know; **~ de** none of; **~ de ellos** none of them; **~ de los dos** neither of them.

niña → niño.

niñera *f* nanny.

niñez *f* (*infancia*) childhood.

niño, -ña ◊ *adj* young. ◊ *m y f* (*crío*) child, boy (*f* girl); (*bebé*) baby; **los ~s** the children; **~ bien** *despec* spoilt brat; **~ prodigio** child prodigy; **ser el ~ bonito de alguien** to be sb's pet o blue-eyed boy. ◆ **niña** *f* (*del ojo*) pupil; **la niña de los ojos** *fig* the apple of one's eye.

níquel *m* nickel.

niqui *m* T-shirt.

níspero m medlar.

nitidez f clarity; (de imágenes, colores) sharpness.

nítido, -da adj clear; (imágenes, colores) sharp.

nitrógeno m nitrogen.

nivel m 1. (gen) level; (altura) height; **al ~ de** level with; **al ~ del mar** at sea level. 2. (grado) level, standard; **al mismo ~ (que)** on a level o par (with); **a ~ europeo** at a European level; **~ de vida** standard of living.

niveladora f bulldozer.

nivelar vt 1. (allanar) to level. 2. (equilibrar) to even out; (FIN) to balance.

no ◇ adv 1. (expresa negación - gen) not; (- en respuestas) no; (- con sustantivos) non-; **~ sé** I don't know; **~ veo nada** I can't see anything; **~ es fácil** it's not easy, it isn't easy; **~ tiene dinero** he has no money, he hasn't got any money; **todavía ~** not yet; **¿~ vienes? - ~, ~ creo** aren't you coming? – no, I don't think so; **~ fumadores** nonsmokers; **~ bien** as soon as; **~ ya ... sino que ...** not only ... but (also) ...; **¡a que ~ lo haces!** I bet you don't do it!; **¿cómo ~?** of course; **pues ~, eso sí que ~** certainly not; **¡que ~!** I said no! 2. (expresa duda, extrañeza): **¿~ irás a venir?** you're not coming, are you?; **estamos de acuerdo, ¿~?** we're agreed then, are we?; **es español, ¿~?** he's Spanish, isn't he? ◇ m no.

n.º (abrev de **número**) no.

noble adj, m y f noble; **los ~s** the nobility.

nobleza f nobility.

noche f night; (atardecer) evening; **ayer por la ~** last night; **esta ~** tonight; **hacer ~ en** to stay the night in; **hacerse de ~** to get dark; **por la ~, de ~** at night; **buenas ~s** (despedida) good night; (saludo) good evening; **de la ~ a la mañana** overnight.

Nochebuena f Christmas Eve.

Nochevieja f New Year's Eve.

noción f (concepto) notion; **tener ~ (de)** to have an idea (of). ◆ **nociones** fpl (conocimiento básico): **tener nociones de** to have a smattering of.

nocivo, -va adj (gen) harmful; (gas) noxious.

noctámbulo, -la m y f night owl.

nocturno, -na adj 1. (club, tren, vuelo) night (antes de sust); (clase) evening (antes de sust). 2. (animales, plantas) nocturnal.

Noel → papá.

nogal m walnut.

nómada ◇ adj nomadic. ◇ m y f nomad.

nomás adv Amer just; **está ahí ~** it's just over there; **falta una semana ~** there's only one week to go.

nombramiento m appointment.

nombrar vt 1. (citar) to mention. 2. (designar) to appoint.

nombre m 1. (gen) name; **~ y apellidos** full name; **~ compuesto** compound name; **~ de pila** first o Christian name; **~ de soltera** maiden name; **en ~ de** on behalf of. 2. (fama) reputation; **tener mucho ~** to be renowned o famous. 3. (GRAM) noun; **~ común/propio** common/proper noun.

nomenclatura f nomenclature.

nómina f 1. (lista de empleados) payroll. 2. (hoja de salario) payslip.

nominal adj nominal.

nominar vt to nominate.

nomo, gnomo m gnome.

non m odd number. ◆ **nones** adv (no) no way.

nonagésimo, -ma núm ninetieth.

nordeste adj & m = noreste.

nórdico, -ca adj 1. (del norte) northern, northerly. 2. (escandinavo) Nordic.

noreste, nordeste ◇ adj (posición, parte) northeast, northeastern; (dirección, viento) northeasterly. ◇ m northeast.

noria f 1. (para agua) water wheel. 2. (de feria) Ferris wheel, big wheel Br.

norma f standard; (regla) rule; **es la ~ hacerlo así** it's usual to do it this way.

normal adj normal.

normalidad f normality.

normalizar vt 1. (volver normal) to return to normal. 2. (estandarizar) to standardize. ◆ **normalizarse** vpr to return to normal.

normativa f regulations (pl).

noroeste ◇ adj (posición, parte) northwest, northwestern; (dirección, viento) northwesterly. ◇ m northwest.

norte ◇ adj (posición, parte) north, northern; (dirección, viento) northerly. ◇ m (GEOGR) north.

norteamericano, -na adj, m y f North American, American.

Noruega Norway.

noruego, -ga adj, m y f Norwegian. ◆ **noruego** m (lengua) Norwegian.

nos pron pers 1. (complemento directo) us; **le gustaría vernos** she'd like to see us. 2. (complemento indirecto) (to) us; **~ lo**

dio he gave it to us; **~ tiene miedo** he's afraid of us. **3.** (*reflexivo*) ourselves. **4.** (*recíproco*) each other; **~ enamoramos** we fell in love (with each other).

nosocomio *m Amer* hospital.

nosotros, -tras *pron pers* **1.** (*sujeto*) we. **2.** (*predicado*): **somos ~** it's us. **3.** (*después de prep*) (*complemento*) us; **vente a comer con ~** come and eat with us. **4.** *loc*: **entre ~** between you and me.

nostalgia *f* (*del pasado*) nostalgia; (*de país, amigos*) homesickness.

nota *f* **1.** (*gen & MÚS*) note; **tomar ~ de algo** (*apuntar*) to note sthg down; (*fijarse*) to take note of sthg; **~ dominante** prevailing mood. **2.** (EDUC) mark; **sacar o tener buenas ~s** to get good marks. **3.** (*cuenta*) bill. **4.** *loc*: **dar la ~** to make o.s. conspicuous.

notable ◇ *adj* remarkable, outstanding. ◇ *m* (EDUC) merit, second class.

notar *vt* **1.** (*advertir*) to notice; **te noto cansado** you look tired to me; **hacer ~ algo** to point sthg out. **2.** (*sentir*) to feel. ◆ **notarse** *vpr* to be apparent; **se nota que le gusta** you can tell she likes it.

notaría *f* (*oficina*) notary's office.

notario, -ria *m y f* notary (public).

noticia *f* news (*U*); **una ~** a piece of news; **¿tienes ~s suyas?** have you heard from him? ◆ **noticias** *fpl*: **las ~s** (RADIO & TV) the news.

notificación *f* notification.

notificar *vt* to notify, to inform.

notoriedad *f* (*fama*) fame.

notorio, -ria *adj* **1.** (*evidente*) obvious. **2.** (*conocido*) widely-known.

novato, -ta ◇ *adj* inexperienced. ◇ *m y f* novice, beginner.

novecientos, -tas *núm* nine hundred; *ver también* **seis**.

novedad *f* **1.** (*cualidad - de nuevo*) newness; (*- de novedoso*) novelty. **2.** (*cambio*) change. **3.** (*noticia*) news (*U*); **sin ~** without incident; (MIL) all quiet. ◆ **novedades** *fpl* (*libros, discos*) new releases; (*moda*) latest fashion (*sg*).

novedoso, -sa *adj* novel, new.

novel *adj* new, first-time.

novela *f* novel; **~ policíaca** detective story.

novelista *m y f* novelist.

noveno, -na *núm* ninth.

noventa *núm* ninety; **los (años) ~** the nineties; *ver también* **seis**.

noviazgo *m* engagement.

noviembre *m* November; *ver también* **septiembre**.

novillada *f* (TAUROM) *bullfight with young bulls*.

novillo, -lla *m y f* young bull or cow; **hacer ~s** *fam* to play hooky *Am*, to play truant *Br*.

novio, -via *m y f* **1.** (*compañero*) boyfriend (*f* girlfriend). **2.** (*prometido*) fiancé (*f* fiancée). **3.** (*recién casado*) bridegroom (*f* bride); **los ~s** the newly-weds.

nubarrón *m* storm cloud.

nube *f* **1.** (*gen*) *fig* cloud; **poner algo/a alguien por las ~s** *fig* to praise sthg/sb to the skies; **por las ~s** (*caro*) sky-high, terribly expensive. **2.** (*de personas, moscas*) swarm.

nublado, -da *adj* **1.** (*encapotado*) cloudy, overcast. **2.** *fig* (*turbado*) clouded.

nublar *vt lit & fig* to cloud. ◆ **nublarse** *vpr* **1.** (*suj: cielo*) to cloud over. **2.** *fig* (*turbarse, oscurecerse*) to become clouded.

nubosidad *f* cloudiness, clouds (*pl*).

nuca *f* nape, back of the neck.

nuclear *adj* nuclear.

núcleo *m* **1.** (*centro*) nucleus; *fig* centre. **2.** (*grupo*) core.

nudillo *m* knuckle.

nudismo *m* nudism.

nudo *m* **1.** (*gen*) knot; **se le hizo un ~ en la garganta** she got a lump in her throat. **2.** (*cruce*) junction. **3.** *fig* (*vínculo*) tie, bond. **4.** *fig* (*punto principal*) crux.

nuera *f* daughter-in-law.

nuestra, -tra ◇ *adj poses* our; **~ coche** our car; **este libro es ~** this book is ours, this is our book; **un amigo ~** a friend of ours; **no es asunto ~** it's none of our business. ◇ *pron poses*: **el ~** ours; **el ~ es rojo** ours is red; **esta es la nuestra** *fam* this is the chance we have been waiting for; **lo ~ es el teatro** (*lo que nos va*) theatre is what we should be doing; **los ~s** *fam* (*nuestra familia*) our folks; (*nuestro bando*) our lot, our side.

nueva → nuevo.

Nueva York New York.

Nueva Zelanda New Zealand.

nueve *núm* nine; *ver también* **seis**.

nuevo, -va ◇ *adj* (*gen*) new; (*patatas, legumbres*) new, fresh; (*vino*) young; **ser ~ en** to be new to. ◇ *m y f* newcomer. ◆ **buena nueva** *f* good news (*U*). ◆ **de nuevo** *loc adv* again.

nuez *f* **1.** (BOT) (*gen*) nut; (*de nogal*) walnut. **2.** (ANAT) Adam's apple. ◆ **nuez moscada** *f* nutmeg.

nulo, -la *adj* **1.** (*sin validez*) null and void. **2.** *fam* (*incapacitado*): **~**

(para) useless (at).

núm. (*abrev de* **número**) No.

numeración *f* 1. (*acción*) numbering. 2. (*sistema*) numerals (*pl*), numbers (*pl*).

numeral *adj* numeral.

numerar *vt* to number.

numérico, -ca *adj* numerical.

número *m* 1. (*gen*) number; **~ de matrícula** (AUTOM) registration number; **~ redondo** round number; **en ~s rojos** in the red; **hacer ~s** to reckon up. 2. (*tamaño, talla*) size. 3. (*de publicación*) issue; **~ atrasado** back number. 4. (*de lotería*) ticket. 5. (*de un espectáculo*) turn, number; **montar el ~** *fam* to make o cause a scene.

numeroso, -sa *adj* numerous; **un grupo ~** a large group.

nunca *adv* (*en frases afirmativas*) never; (*en frases negativas*) ever; **casi ~ viene** he almost never comes, he hardly ever comes; **¿~ le has visto?** have you never seen her?, haven't you ever seen her?; **más que ~** more than ever; **~ jamás** o **más** never more o again.

nuncio *m* nuncio.

nupcial *adj* wedding (*antes de sust*).

nupcias *fpl* wedding (*sg*), nuptials.

nutria *f* otter.

nutrición *f* nutrition.

nutrido, -da *adj* 1. (*alimentado*) nourished; **mal ~** undernourished. 2. (*numeroso*) large.

nutrir *vt* 1. (*alimentar*) **~ (con** o **de)** to nourish o feed (with). 2. *fig* (*fomentar*) to feed, to nurture. 3. *fig* (*suministrar*): **~ (de)** to supply (with). ♦ **nutrirse** *vpr* 1. (*gen*): **~se de** o **con** to feed on. 2. *fig* (*proveerse*): **~se de** o **con** to supply o provide o.s. with.

nutritivo, -va *adj* nutritious.

nylon® ['nailon] = **nailon**.

ñ, Ñ *f* (*letra*) ñ, Ñ, *15th letter of the Spanish alphabet*.

ñoñería, ñoñez *f* insipidness (*U*).

ñoño, -ña *adj* 1. (*remilgado*) squeamish; (*quejica*) whining. 2. (*soso*) dull, insipid.

o¹, O *f* (*letra*) o, O.

o² *conj* ('u' *en vez de 'o' antes de palabras que empiezan por 'o' u 'ho'*) or; **~ ... ~** either ... or; **~ sea (que)** in other words.

o/ *abrev de* **orden**.

oasis *m inv lit & fig* oasis.

obedecer ◇ *vt*: **~ (a alguien)** to obey (sb). ◇ *vi* 1. (*acatar*) to obey. 2. (*someterse*): **~ a** to respond to. 3. (*estar motivado*): **~ a** to be due to.

obediencia *f* obedience.

obediente *adj* obedient.

obertura *f* overture.

obesidad *f* obesity.

obeso, -sa *adj* obese.

obispo *m* bishop.

objeción *f* objection; **poner objeciones a** to raise objections to.

objetivo, -va *adj* objective. ♦ **objetivo** *m* 1. (*finalidad*) objective, aim. 2. (MIL) target. 3. (FOT) lens.

objeto *m* 1. (*gen*) object; **ser ~ de** to be the object of; **~s de valor** valuables; **~s perdidos** lost property (*U*). 2. (*propósito*) purpose, object; **sin ~** (*inútilmente*) to no purpose, pointlessly; **al** o **con ~ de** (*para*) in order to.

objetor, -ra *m y f* objector; **~ de conciencia** conscientious objector.

oblicuo, -cua *adj* (*inclinado*) oblique; (*mirada*) sidelong.

obligación *f* 1. (*gen*) obligation, duty; **por ~** out of a sense of duty. 2. (FIN) (*gen pl*) bond, security.

obligar *vt*: **~ a alguien (a hacer algo)** to oblige o force sb (to do sthg). ♦ **obligarse** *vpr*: **~se a hacer algo** to undertake to do sthg.

obligatorio, -ria *adj* obligatory, compulsory.

oboe *m* (*instrumento*) oboe.

obra *f* 1. (*gen*) work (*U*); **es ~ suya** it's his doing; **poner en ~** to put into effect; **~ de caridad** (*institución*) charity; **~s sociales** community work (*U*); **por ~ (y gracia) de** thanks to. 2. (ARTE) work (of art); (TEATRO) play; (LITER) book; (MÚS) opus; **~ maestra** masterpiece; **~s completas** complete works. 3. (CONSTR) (*lugar*) building site; *(reforma)* alteration; **'~s'** *(en carretera)* 'roadworks'; **~s públicas** public works.

obrar ◇ *vi* **1.** *(actuar)* to act. **2.** *(causar efecto)* to work, to take effect. **3.** *(estar en poder)*: **~ en manos de** to be in the possession of. ◇ *vt* to work.

obrero, -ra ◇ *adj (clase)* working; *(movimiento)* labour *(antes de sust).* ◇ *m y f (en fábrica)* worker; *(en obra)* workman; **~ cualificado** skilled worker.

obscenidad *f* obscenity.

obsceno, -na *adj* obscene.

obscurecer = oscurecer.

obscuridad = oscuridad.

obscuro, -ra = oscuro.

obsequiar *vt*: **~ a alguien con algo** to present sb with sthg.

obsequio *m* gift, present.

observación *f* **1.** *(gen)* observation. **2.** *(nota)* note. **3.** *(cumplimiento)* observance.

observador, -ra ◇ *adj* observant. ◇ *m y f* observer.

observar *vt* **1.** *(contemplar)* to observe, to watch. **2.** *(advertir)* to notice, to observe. **3.** *(acatar - ley, normas)* to observe; *(- conducta, costumbre)* to follow. ◆ **observarse** *vpr* to be noticed.

observatorio *m* observatory.

obsesión *f* obsession.

obsesionar *vt* to obsess. ◆ **obsesionarse** *vpr* to be obsessed.

obsesivo, -va *adj* obsessive.

obseso, -sa ◇ *adj* obsessed. ◇ *m y f* obsessed o obsessive person.

obstáculo *m* obstacle; **un ~ para** an obstacle to; **poner ~s a algo/alguien** to hinder sthg/sb.

obstante ◆ **no obstante** *loc adv* nevertheless, however.

obstetricia *f* obstetrics *(U).*

obstinado, -da *adj (persistente)* persistent; *(terco)* obstinate, stubborn.

obstinarse *vpr* to refuse to give way; **~ en** to persist in.

obstrucción *f* lit & fig obstruction.

obstruir *vt* **1.** *(bloquear)* to block, to obstruct. **2.** *(obstaculizar)* to obstruct, to impede. ◆ **obstruirse** *vpr* to get blocked (up).

obtener *vt (beca, cargo, puntos)* to get; *(premio, victoria)* to win; *(ganancias)* to make; *(satisfacción)* to gain.

obviar *vt* to avoid, to get round.

obvio, -via *adj* obvious.

oca *f (animal)* goose.

ocasión *f* **1.** *(oportunidad)* opportunity, chance. **2.** *(momento)* moment, time; *(vez)* occasion; **en dos ocasiones** on two occasions; **en alguna ~** sometimes; **en cierta ~** once; **en otra ~** some other time. **3.** *(motivo)*: **con ~ de** on the occasion of. **4.** *(ganga)* bargain; **de ~** *(precio, artículos etc)* bargain *(antes de sust).*

ocasional *adj* **1.** *(accidental)* accidental. **2.** *(irregular)* occasional.

ocasionar *vt* to cause.

ocaso *m* **1.** *(puesta del sol)* sunset. **2.** fig *(decadencia)* decline.

occidental *adj* western.

occidente *m* west. ◆ **Occidente** *m (bloque de países)* the West.

OCDE *(abrev de* **Organización para la Cooperación y el Desarrollo Económico)** *f* OECD.

Oceanía Oceania.

océano *m* ocean; fig *(inmensidad)* sea, host.

ochenta *núm* eighty; **los (años) ~** the eighties; *ver también* **seis.**

ocho *núm* eight; **de aquí en ~ días** *(en una semana)* a week today; *ver también* **seis.**

ochocientos, -tas *núm* eight hundred; *ver también* **seis.**

ocio *m (tiempo libre)* leisure; *(inactividad)* idleness.

ocioso, -sa *adj* **1.** *(inactivo)* idle. **2.** *(innecesario)* unnecessary; *(inútil)* pointless.

octágono, -na *adj* octagonal. ◆ **octágono** *m* octagon.

octava → octavo.

octavilla *f* **1.** *(de propaganda política)* pamphlet, leaflet. **2.** *(tamaño)* octavo.

octavo, -va *núm* eighth. ◆ **octavo** *m (parte)* eighth. ◆ **octava** *f* (MÚS) octave.

octeto *m* (INFORM) byte.

octogésimo, -ma *núm* eightieth.

octubre *m* October; *ver también* **septiembre.**

ocular *adj* eye *(antes de sust).*

oculista *m y f* ophthalmologist.

ocultar *vt* **1.** *(gen)* to hide. **2.** fig *(delito)* to cover up. ◆ **ocultarse** *vpr* to hide.

oculto, -ta *adj* hidden.

ocupación *f* **1.** *(gen)* occupation; **~ ilegal de viviendas** squatting. **2.** *(empleo)* job.

ocupado, -da *adj* **1.** *(persona)* busy. **2.** *(teléfono, lavabo etc)* engaged.

3. *(lugar - gen, por ejército)* occupied; *(plaza)* taken.

ocupante *m y f* occupant; ~ **ilegal de viviendas** squatter.

ocupar *vt* 1. *(gen)* to occupy. 2. *(superficie, espacio)* to take up; *(habitación, piso)* to live in; *(mesa)* to sit at; *(sillón)* to sit in. 3. *(suj: actividad)* to take up. 4. *(cargo)* to hold. 5. *(dar trabajo a)* to find o provide work for. ◆ **ocuparse** *vpr (encargarse)*: ~**se de** *(gen)* to deal with; *(niños, enfermos, finanzas)* to look after.

ocurrencia *f* 1. *(idea)* bright idea. 2. *(dicho gracioso)* witty remark.

ocurrir *vi* 1. *(acontecer)* to happen. 2. *(pasar, preocupar)*: **¿qué le ocurre a Juan?** what's up with Juan? ◆ **ocurrirse** *vpr (venir a la cabeza)*: **no se me ocurre ninguna solución** I can't think of a solution; **¡ni se te ocurra!** don't even think about it!; **se me ocurre que ...** it occurs to me that ...

odiar *vt & vi* to hate.

odio *m* hatred; **tener ~ a algo/alguien** to hate sthg/sb.

odioso, -sa *adj* hateful, horrible.

odontólogo, -ga *m y f* dentist, dental surgeon.

OEA *(abrev de* **Organización de Estados Americanos)** *f* OAS.

oeste ◇ *adj (posición, parte)* west, western; *(dirección, viento)* westerly. ◇ *m* west.

ofender *vt (injuriar)* to insult; *(suj: palabras)* to offend, to hurt. ◆ **ofenderse** *vpr*: ~**se (por)** to take offence (at).

ofensa *f* 1. *(acción)*: ~ **(a)** offence (against). 2. *(injuria)* slight, insult.

ofensivo, -va *adj* offensive. ◆ **ofensiva** *f* offensive.

oferta *f* 1. *(gen)* offer; '~**s de trabajo**' 'situations vacant'. 2. *(ECON) (suministro)* supply; **la ~ y la demanda** supply and demand; ~ **monetaria** money supply. 3. *(rebaja)* bargain, special offer; **de ~** bargain *(antes de sust)*, on offer. 4. *(FIN) (proposición)* bid, tender; ~ **pública de adquisición** (COM) takeover bid.

ofertar *vt* to offer.

oficial, -la *m y f (obrero)* journeyman; *(aprendiz)* trainee. ◆ **oficial** ◇ *adj* official. ◇ *m* 1. (MIL) officer. 2. *(funcionario)* clerk.

oficialismo *m Amer (gobierno)*: **el ~** the Government.

oficiar *vt* to officiate at.

oficina *f* office; ~ **de empleo** job centre; ~ **de turismo** tourist office.

oficinista *m y f* office worker.

oficio *m* 1. *(profesión manual)* trade; **de ~** by trade. 2. *(trabajo)* job. 3. *(experiencia)*: **tener mucho ~** to be very experienced. 4. (RELIG) service.

oficioso, -sa *adj* unofficial.

ofrecer *vt* 1. *(gen)* to offer; *(una fiesta)* to give, to throw; ~**le algo a alguien** to offer sb sthg. 2. *(un aspecto)* to present. ◆ **ofrecerse** *vpr (presentarse)* to offer, to volunteer; ~**se a** o **para hacer algo** to offer to do sthg.

ofrecimiento *m* offer.

oftalmología *f* ophthalmology.

ofuscar *vt* 1. *(deslumbrar)* to dazzle. 2. *(turbar)* to blind. ◆ **ofuscarse** *vpr*: ~**se (con)** to be blinded (by).

ogro *m* ogre.

oh *interj*: **¡~!** oh!

oídas ◆ **de oídas** *loc adv* by hearsay.

oído *m* 1. *(órgano)* ear; **de ~** by ear; **hacer ~s sordos** to turn a deaf ear. 2. *(sentido)* (sense of) hearing; **ser duro de ~** to be hard of hearing; **tener ~, tener buen ~** to have a good ear.

oír ◇ *vt* 1. *(gen)* to hear. 2. *(atender)* to listen to. ◇ *vi* to hear; **¡oiga, por favor!** excuse me!; **¡oye!** *fam* hey!

OIT *(abrev de* **Organización Internacional del Trabajo)** *f* ILO.

ojal *m* buttonhole.

ojalá *interj*: **¡~!** if only (that were so)!; **¡~ lo haga!** I hope she does it!; **¡~ fuera ya domingo!** I wish it were Sunday!

ojeada *f* glance, look; **echar una ~ a algo/alguien** to take a quick glance at sthg/sb, to take a quick look at sthg/sb.

ojera *f (gen pl)* bags *(pl)* under the eyes.

ojeriza *f fam* dislike; **tener ~ a alguien** to have it in for sb.

ojeroso, -sa *adj* haggard.

ojo ◇ *m* 1. (ANAT) eye; ~**s saltones** popping eyes. 2. *(agujero - de aguja)* eye; *(- de puente)* span; ~ **de la cerradura** keyhole. 3. *loc*: **a ~ (de buen cubero)** roughly, approximately; **andar con (mucho) ~** to be (very) careful; **comerse con los ~s a alguien** *fam* to drool over sb; **echar el ~ a algo** ~ **a alguien** to have one's eye on sthg; **en un abrir y cerrar de ~s** in the twinkling of an eye; **mirar algo con buenos/malos ~s** to look favourably/unfavourably on sthg; **no pegar ~** not to get a wink of sleep; **tener (buen) ~** to have a good eye. ◇ *interj*: **¡~!** watch out!

OK, okey [o'kei] *(abrev de* **all correct)** *interj* OK.

ola f wave; ~ **de calor** heatwave; ~ **de frío** cold spell.

ole, olé interj ¡~! bravo!

oleada f 1. (del mar) swell. 2. fig (abundancia) wave.

oleaje m swell.

óleo m oil (painting).

oleoducto m oil pipeline.

oler ◇ vt to smell. ◇ vi 1. (despedir olor): ~ **(a)** to smell (of). 2. fig (parecer): ~ **a** to smack of. ◆ **olerse** vpr: ~**se algo** fig to sense sthg.

olfatear vt 1. (olisquear) to sniff. 2. fig (barruntar) to smell, to sense. ◆ **olfatear en** vi (indagar) to pry into..

olfato m 1. (sentido) sense of smell. 2. fig (sagacidad) nose, instinct; **tener ~ para algo** to be a good judge of sthg.

oligarquía f oligarchy.

olimpiada, olimpíada f Olympic Games (pl); **las** ~**s** the Olympics.

oliva f olive.

olivar m olive grove.

olivera f olive tree.

olivo m olive tree.

olla f pot; ~ **exprés** O **a presión** pressure cooker; ~ **podrida** (CULIN) stew.

olmo m elm (tree).

olor m smell; ~ **a** smell of.

oloroso, -sa adj fragrant. ◆ **oloroso** m oloroso (sherry).

OLP (abrev de **Organización para la Liberación de Palestina**) f PLO.

olvidadizo, -za adj forgetful.

olvidar vt 1. (gen) to forget. 2. (dejarse) to leave; **olvidé las llaves en la oficina** I left my keys at the office. ◆ **olvidarse** vpr 1. (gen) to forget; ~**se de algo/hacer algo** to forget sthg/to do sthg. 2. (dejarse) to leave.

olvido m 1. (de un nombre, hecho etc) forgetting; **caer en el ~** to fall into oblivion. 2. (descuido) oversight.

ombligo m (ANAT) navel.

omisión f omission.

omitir vt to omit.

ómnibus m inv omnibus; (FERROC) local train.

omnipotente adj omnipotent.

omnívoro, -ra adj omnivorous.

omoplato, omóplato m shoulder-blade.

OMS (abrev de **Organización Mundial de la Salud**) f WHO.

once núm eleven; ver también **seis**.

onceavo, -va núm eleventh.

onda f wave; ~ **corta/larga/media** short/long/medium wave; ~ **expansiva**

shock wave; **estar en la ~** fam to be on the ball.

ondear vi to ripple.

ondulación f (acción) rippling.

ondulado, -da adj wavy.

ondular vi (agua) to ripple; (terreno) to undulate. ◇ vt to wave.

ONG (abrev de **organización no gubernamental**) f NGO.

ónice, ónix m o f onyx.

ONU (abrev de **Organización de las Naciones Unidas**) f UN.

onza f (unidad de peso) ounce.

OPA (abrev de **oferta pública de adquisición**) f takeover bid.

opaco, -ca adj opaque.

ópalo m opal.

opción f 1. (elección) option; **no hay ~** there is no alternative. 2. (derecho) right; **dar ~ a** to give the right to; **tener ~ a** (empleo, cargo) to be eligible for.

opcional adj optional.

OPEP (abrev de **Organización de Países Exportadores de Petróleo**) f OPEC.

ópera f opera; ~ **bufa** comic opera, opera buffa.

operación f 1. (gen) operation; ~ **quirúrgica** (surgical) operation; ~ **retorno** police operation to assist return of holidaymakers to their city homes, minimizing traffic congestion and maximizing road safety. 2. (COM) transaction.

operador, -ra m y f 1. (INFORM & TELECOM) operator. 2. (de la cámara) cameraman; (del proyector) projectionist. ◆ **operador** m (MAT) operator. ◆ **operador turístico** m tour operator.

operar ◇ vt 1. (enfermo): ~ **a alguien (de algo)** (enfermedad) to operate on sb (for sthg); **le operaron del hígado** they've operated on his liver. 2. (cambio etc) to bring about, to produce. ◇ vi 1. (gen) to operate. 2. (actuar) to act. 3. (COM & FIN) to deal. ◆ **operarse** vpr 1. (enfermo) to be operated on, to have an operation; **me voy a ~ del hígado** I'm going to have an operation on my liver. 2. (cambio etc) to occur.

operario, -ria m y f worker.

operativo, -va adj operative.

opereta f operetta.

opinar ◇ vt to believe, to think. ◇ vi to give one's opinion; ~ **de algo/alguien,** ~ **sobre algo/alguien** to think about sthg/sb.

opinión f (parecer) opinion; **expresar** O **dar una ~** to give an opinion; **la ~ pública** public opinion.

opio *m* opium.

oponente *m y f* opponent.

oponer *vt* **1.** *(resistencia)* to put up. **2.** *(argumento, razón)* to put forward, to give. ◆ **oponerse** *vpr* **1.** *(no estar de acuerdo)* to be opposed; ~**se a algo** *(desaprobar)* to oppose sthg; *(contradecir)* to contradict sthg; **me opongo a creerlo** I refuse to believe it. **2.** *(obstaculizar)*: ~**se a** to impede.

oporto *m* port (wine).

oportunidad *f (ocasión)* opportunity, chance.

oportunismo *m* opportunism.

oportunista *m y f* opportunist.

oportuno, -na *adj* **1.** *(pertinente)* appropriate. **2.** *(propicio)* timely; **el momento** ~ the right time.

oposición *f* **1.** *(gen)* opposition. **2.** *(resistencia)* resistance. **3.** *(gen pl) (examen)* public entrance examination; ~ **a profesor** public examination to be a teacher; **preparar oposiciones** to be studying for a public entrance examination.

opositar *vi*: ~ **(a)** to sit a public entrance examination (for).

opositor, -ra *m y f* **1.** *(a un cargo) candidate in a public entrance examination.* **2.** *(oponente)* opponent.

opresión *f fig (represión)* oppression.

opresivo, -va *adj* oppressive.

opresor, -ra *m y f* oppressor.

oprimir *vt* **1.** *(apretar - botón etc)* to press; *(- garganta, brazo etc)* to squeeze. **2.** *(suj: zapatos, cinturón)* to pinch. **3.** *fig (reprimir)* to oppress. **4.** *fig (angustiar)* to weigh down on, to burden.

optar *vi (escoger)*: ~ **(por algo)** to choose (sthg); ~ **por hacer algo** to choose to do sthg; ~ **entre** to choose between.

optativo, -va *adj* optional.

óptico, -ca ◇ *adj* optic. ◇ *m y f (persona)* optician. ◆ **óptica** *f* **1.** (FÍS) optics (U). **2.** *(tienda)* optician's (shop). **3.** *fig (punto de vista)* point of view.

optimismo *m* optimism.

optimista ◇ *adj* optimistic. ◇ *m y f* optimist.

óptimo, -ma ◇ *superl* → **bueno**. ◇ *adj* optimum.

opuesto, -ta ◇ *pp* → **oponer**. ◇ *adj* **1.** *(contrario)* conflicting; ~ **a** opposed o contrary to. **2.** *(de enfrente)* opposite.

opulencia *f (riqueza)* opulence; *(abundancia)* abundance.

opulento, -ta *adj (rico)* opulent.

opus *m* (MÚS) opus. ◆ **Opus Dei** *m*: el

Opus Dei the Opus Dei, *traditionalist religious organization, the members of which are usually professional people or public figures.*

oración *f* **1.** *(rezo)* prayer. **2.** (GRAM) sentence; ~ **principal/subordinada** main/subordinate clause.

orador, -ra *m y f* speaker.

oral ◇ *adj* oral. ◇ *m* → **examen**.

órale *interj Méx fam*: ¡~! come on!

orangután *m* orangutang.

orar *vi* to pray.

órbita *f* **1.** (ASTRON) orbit. **2.** *(de ojo)* eye socket.

orca *f* killer whale.

orden ◇ *m* **1.** *(gen)* order; **en** ~ *(bien colocado)* tidy, in its place; *(como debe ser)* in order; **por** ~ in order; **las fuerzas del** ~ the forces of law and order; ~ **público** law and order. **2.** *(tipo)* type, order; **problemas de** ~ **económico** economic problems. ◇ *f* order; **por** ~ **de** by order of; **estar a la** ~ **del día** to be the order of the day. ◆ **del orden de** *loc prep* around, approximately. ◆ **orden del día** *m* agenda.

ordenado, -da *adj (lugar, persona)* tidy.

ordenador *m* (INFORM) computer; ~ **personal** personal computer; ~ **portátil** laptop computer.

ordenanza ◇ *m (de oficina)* messenger. ◇ *f (gen pl)* ordinance, law; ~**s municipales** by-laws.

ordenar *vt* **1.** *(poner en orden - gen)* to arrange; *(- habitación, armario etc)* to tidy (up). **2.** *(mandar)* to order. **3.** (RELIG) to ordain. ◆ **ordenarse** *vpr* (RELIG) to be ordained.

ordeñar *vt* to milk.

ordinario, -ria *adj* **1.** *(común)* ordinary, usual. **2.** *(vulgar)* common, coarse. **3.** *(no selecto)* unexceptional. **4.** *(no especial - presupuesto, correo)* daily; *(- tribunal)* of first instance.

orégano *m* oregano.

oreja *f* (ANAT) ear.

orfanato, orfelinato *m* orphanage.

orfebre *m y f (de plata)* silversmith; *(de oro)* goldsmith.

orfebrería *f (obra - de plata)* silver work; *(- de oro)* gold work.

orfelinato = **orfanato**.

orgánico, -ca *adj* organic.

organigrama *m (gen & INFORM)* flowchart.

organillo *m* barrel organ.

organismo *m* **1.** (BIOL) organism.

2. (ANAT) body. 3. *fig (entidad)* organization, body.

organización *f* organization.

organizar *vt* to organize.

órgano *m* organ.

orgasmo *m* orgasm.

orgía *f* orgy.

orgullo *m* pride.

orgulloso, -sa *adj* proud.

orientación *f* 1. *(dirección - acción)* guiding; *(- rumbo)* direction. 2. *(posicionamiento - acción)* positioning; *(- lugar)* position. 3. *fig (información)* guidance; ~ **profesional** careers advice o guidance.

oriental ◇ *adj (gen)* eastern; *(del Lejano Oriente)* oriental. ◇ *m y f* oriental.

orientar *vt* 1. *(dirigir)* to direct; *(casa)* to build facing. 2. *fig (medidas etc)*: ~ **hacia** to direct towards o at. 3. *fig (aconsejar)* to give advice o guidance to. ◆ **orientarse** *vpr* 1. *(dirigirse - foco etc)*: ~**se a** to point towards o at. 2. *(encontrar el camino)* to get one's bearings. 3. *fig (encaminarse)*: ~**se hacia** to be aiming at.

oriente *m* east. ◆ **Oriente** *m*: el **Oriente** the East, the Orient; **Oriente Medio/Próximo** Middle/Near East; **Lejano** o **Extremo Oriente** Far East.

orificio *m* hole; (TECN) opening.

origen *m* 1. *(gen)* origin; *(ascendencia)* origins *(pl)*, birth; **de ~ español** of Spanish origin. 2. *(causa)* cause; **dar ~ a** to give rise to.

original ◇ *adj* 1. *(gen)* original. 2. *(raro)* eccentric, different. ◇ *m* original.

originalidad *f* 1. *(gen)* originality. 2. *(extravagancia)* eccentricity.

originar *vt* to cause. ◆ **originarse** *vpr* to be caused.

originario, -ria *adj* 1. *(inicial, primitivo)* original. 2. *(procedente)*: **ser ~ de** *(costumbres etc)* to come from (originally); *(persona)* to be a native of.

orilla *f* 1. *(ribera - de río)* bank; *(- de mar)* shore; **a ~s del mar** by the sea. 2. *(borde)* edge. 3. *(acera)* pavement.

orillar *vt (dificultad, obstáculo)* to skirt around.

orn *m (herrumbre)* rust. ◆ **orines** *mpl (orina)* urine (U).

orina *f* urine.

orinal *m* chamberpot.

orinar *vi & vt* to urinate. ◆ **orinarse** *vpr* to wet o.s.

oriundo, -da *adj*: ~ **de** native of.

ornamentación *f* ornamentation.

ornamento *m (objeto)* ornament.

ornar *vt* to decorate, to adorn.

ornitología *f* ornithology.

oro *m* gold; *fig* riches *(pl)*; **hacerse de ~** to make one's fortune; **pedir el ~ y el moro** to ask the earth. ◆ **oros** *mpl (naipes)* suit of Spanish cards bearing gold coins. ◆ **oro negro** *m* oil.

orquesta *f* 1. *(msicos)* orchestra. 2. *(lugar)* orchestra pit.

orquestar *vt* to orchestrate.

orquestina *f* dance band.

orquídea *f* orchid.

ortiga *f* (stinging) nettle.

ortodoxia *f* orthodoxy.

ortodoxo, -xa *adj* orthodox.

ortografía *f* spelling.

ortográfico, -ca *adj* spelling *(antes de sust)*.

ortopedia *f* orthopaedics (U).

ortopédico, -ca *adj* orthopaedic.

ortopedista *m y f* orthopaedist.

oruga *f* caterpillar.

orzuelo *m* stye.

os *pron pers Esp* 1. *(complemento directo)* you; **me gustaría veros** I'd like to see you. 2. *(complemento indirecto)* (to) you; ~ **lo dio** he gave it to you; ~ **tengo miedo** I'm afraid of you. 3. *(reflexivo)* yourselves. 4. *(recíproco)* each other; ~ **enamorasteis** you fell in love (with each other).

osadía *f* 1. *(valor)* boldness, daring. 2. *(descaro)* audacity, cheek.

osado, -da *adj* 1. *(valeroso)* daring, bold. 2. *(descarado)* impudent, cheeky.

osamenta *f* skeleton.

osar *vi* to dare.

oscilación *f* 1. *(movimiento)* swinging; (FS) oscillation. 2. *fig (variacin)* fluctuation.

oscilar *vi* 1. *(moverse)* to swing; (FS) to oscillate. 2. *fig (variar)* to fluctuate.

oscurecer ◇ *vt* 1. *(privar de luz)* to darken. 2. *fig (mente)* to confuse, to cloud. ◇ *v impers (anochecer)* to get dark. ◆ **oscurecerse** *vpr* to grow dark.

oscuridad *f* 1. *(falta de luz)* darkness. 2. *(zona oscura)*: **en la ~** in the dark. 3. *fig (falta de claridad)* obscurity.

oscuro, -ra *adj* 1. *(gen)* dark; **a oscuras** in the dark. 2. *(nublado)* overcast. 3. *fig (inusual)* obscure. 4. *fig (intenciones, asunto)* shady.

Oslo Oslo.

oso, osa *m y f* bear *(f she-bear)*; ~ **de felpa** o **peluche** teddy bear; ~ **hormiguero** ant-eater; ~ **panda** panda; ~

polar polar bear.

ostensible adj evident, clear.

ostentación f ostentation, show.

ostentar vt (poseer) to hold, to have.

ostentoso, -sa adj ostentatious.

ostepata m y f osteopath.

ostra f oyster; **aburrirse como una ~** fam to be bored to death. ◆ **ostras** interj fam: ¡~s! blimey!

OTAN (abrev de **Organización del Tratado del Atlántico Norte**) f NATO.

OTI (abrev de **Organización de Televisiones Iberoamericanas**) f association of all Spanish-speaking television networks.

otitis f inv inflammation of the ear.

otoñal adj fall Am (antes de sust), autumn Br (antes de sust), autumnal Br.

otoño m lit & fig fall Am, autumn Br.

otorgar vt to grant; (premio) to award, to present; (DER) to execute.

otorrino, -na m y f fam ear, nose and throat specialist.

otorrinolaringología f ear, nose and throat medicine.

otro, -tra ◇ adj 1. (distinto) (sg) another, (pl) other; **~ chico** another boy; **el ~ chico** the other boy; **(los) ~s chicos** (the) other boys; **no hacer otra cosa que llorar** to do nothing but cry; **el ~ día** (pasado) the other day. 2. (nuevo) another; **estamos ante ~ Dalí** this is another Dalí; **~s tres goles** another three goals. ◇ pron (sg) another (one), (pl) others; **dame ~** give me another (one); **el ~** the other one; **(los) ~s** (the) others; **yo no lo hice, fue ~** it wasn't me, it was somebody else; **~ habría abandonado, pero no él** anyone else would have given up, but not him; **¡otra!** (en conciertos) encore!

• *Other*, al igual que otros adjetivos en inglés, es invariable al hablar en plural (*other* people; *other* towns). Cuando se usa como pronombre se añade una -s para formar el plural (where are the *others*?, "¿dónde están los *otros*?).

• Cuando *other* va precedido de *a/an*, se transforma en una sola palabra: *another*.

---

output ['autput] (pl **outputs**) m (INFORM) output (U).

ovación f ovation.

ovacionar vt to give an ovation to.

oval adj oval.

ovario m ovary.

oveja f sheep, ewe. ◆ **oveja negra** f black sheep.

ovillo m ball (of wool etc); **hacerse un ~** to curl up into a ball.

ovino, -na adj ovine, sheep (antes de sust).

ovni ['ofni] m (abrev de **objeto volador no identificado**) UFO.

ovulación f ovulation.

ovular ◇ adj ovular. ◇ vi to ovulate.

oxidación f rusting.

oxidar vt to rust; (QUÍM) to oxidize. ◆ **oxidarse** vpr to get rusty.

óxido m 1. (QUÍM) oxide. 2. (herrumbre) rust.

oxigenado, -da adj 1. (QUÍM) oxygenated. 2. (cabello) peroxide (antes de sust), bleached.

oxigenar vt (QUÍM) to oxygenate. ◆ **oxigenarse** vpr (airearse) to get a breath of fresh air.

oxígeno m oxygen.

oye → oír.

oyente m y f 1. (RADIO) listener. 2. (alumno) unregistered student.

ozono m ozone.

P

p, P f (letra) p, P.

p. 1. = pág. 2. abrev de paseo.

pabellón m 1. (edificio) pavilion. 2. (parte de un edificio) block, section. 3. (en parques, jardines) summerhouse. 4. (tienda de campaa) bell tent. 5. (bandera) flag.

pábilo m wick.

PAC (abrev de **política agrícola común**) f CAP.

pacer vi to graze.

pachá (pl pachaes) m pasha; **vivir como un ~** fam to live like a lord.

pachanga f fam rowdy celebration.

pachorra f fam calmness.

pachucho, -cha adj Esp fam off-colour.

paciencia f patience; **perder la ~** to lose one's patience.

paciente adj, m y f patient.

pacificar vt 1. (país) to pacify. 2. (ánimos) to calm.

pacífico, -ca adj (gen) peaceful; (persona) peaceable.

Pacífico *m*: **el (océano)** ~ the Pacific (Ocean).

pacifismo *m* pacifism.

pacifista *adj, m y f* pacifist.

paco, -ca *m y f Andes fam* cop.

pacotilla *f*: **de** ~ trashy, third-rate.

pactar ◊ *vt* to agree to. ◊ *vi*: ~ **(con)** to strike a deal (with).

pacto *m (gen)* agreement, pact; *(entre países)* treaty.

paddle = pádel.

padecer ◊ *vt* to suffer, to endure; *(enfermedad)* to suffer from. ◊ *vi* to suffer; *(enfermedad)*: ~ **de** to suffer from.

padecimiento *m* suffering.

pádel, paddle ['paðel] *m* ball game for two or four players, played with a small rubber bat on a two-walled court.

padrastro *m* 1. *(pariente)* stepfather. 2. *(pellejo)* hangnail.

padre ◊ *m (gen & RELIG)* father. ◊ *adj inv fam* incredible. ◆ **padres** *mpl (padre y madre)* parents.

padrenuestro *(pl padrenuestros) m* Lord's Prayer.

padrino *m* 1. *(de bautismo)* godfather; *(de boda)* best man. 2. *(en duelos, torneos etc)* second. 3. *fig (protector)* patron. ◆ **padrinos** *mpl (padrino y madrina)* godparents.

padrísimo *adj Méx fam* fantastic, great.

padrón *m (censo)* census; *(para votar)* electoral roll O register.

padrote *m Méx fam* pimp.

paella *f* paella.

paellera *f large frying-pan or earthenware dish for cooking paella.*

pág., p. *(abrev de página)* p.

paga *f* payment; *(salario)* salary, wages *(pl)*; *(de niño)* pocket money; ~ **extra** O **extraordinaria** *bonus paid twice a year to Spanish workers.*

pagadero, -ra *adj* payable; ~ **a 90 días/a la entrega** payable within 90 days/on delivery.

pagano, -na *adj, m y f* pagan, heathen.

pagar ◊ *vt (gen)* to pay; *(deuda)* to pay off, to settle; *(ronda, gastos, delito)* to pay for; *(ayuda, favor)* to repay; **me las pagarás** *fam* you'll pay for this. ◊ *vi* to pay.

pagaré *(pl pagarés) m (COM)* promissory note, IOU; ~ **del Tesoro** Treasury note.

página *f* page; ~ **inicial** O **de inicio** *(INFORM)* home page; **las** ~**s amarillas** the Yellow Pages.

pago *m* payment; *fig* reward, payment; **en** ~ **de** *(en recompensa por)* as a reward for; *(a cambio de)* in return for; ~ **anticipado/inicial** advance/down payment. ◆ **pagos** *mpl (lugar)*: **por estos** ~**s** around here.

paila *f* 1. *Amer (sartén)* frying pan. 2. *Chile (huevos fritos)* fried eggs *(pl)*.

país *m* country; **los** ~**es bálticos** the Baltic States.

paisaje *m (gen)* landscape; *(vista panorámica)* scenery *(U)*, view.

paisano, -na *m y f (del mismo país)* compatriot. ◆ **paisano** *m (civil)* civilian; **de** ~ *(MIL)* in civilian clothes; **de** ~ *(policía)* in plain clothes.

Países Bajos *mpl*: **los** ~ the Netherlands.

País Vasco *m*: **el** ~ the Basque Country.

paja *f* 1. *(gen)* straw. 2. *fig (relleno)* waffle.

pajar *m* straw loft.

pajarería *f* pet shop.

pajarita *f (corbata)* bow tie.

pájaro *m (ZOOL)* bird; ~ **bobo** penguin; ~ **carpintero** woodpecker; ~ **de mal agüero** bird of ill omen; **más vale** ~ **en mano que ciento volando** *proverb* a bird in the hand is worth two in the bush; **matar dos** ~**s de un tiro** to kill two birds with one stone; **tener** ~**s en la cabeza** to be scatterbrained O empty-headed.

paje *m* page.

pajilla, pajita *f* (drinking) straw.

Pakistán, Paquistán Pakistan.

pala *f* 1. *(herramienta)* spade; *(para recoger)* shovel; *(CULIN)* slice; ~ **mecánica** O **excavadora** excavator, digger. 2. *(de frontón, ping-pong)* bat. 3. *(de remo, hélice)* blade.

palabra *f* 1. *(gen)* word; **de** ~ by word of mouth; **no tener** ~ to go back on one's word; **tomar** O **coger la** ~ **a alguien** to hold sb to their word; ~ **de honor** word of honour. 2. *(habla)* speech. 3. *(derecho de hablar)* right to speak; **dar la** ~ **a alguien** to give the floor to sb. 4. *loc*: **en una** ~ in a word. ◆ **palabras** *fpl (discurso)* words.

palabrota *f* swearword; **decir** ~**s** to swear.

palacete *m* mansion, small palace.

palacio *m* palace; ~ **de congresos** conference centre.

paladar *m* palate.

paladear *vt* to savour.

palanca *f (barra, mando)* lever; ~ **de**

cambio gear lever, gearshift *Am*, gear stick *Br*; ~ **de mando** joystick.

palangana *f (para fregar)* washing-up bowl; *(para lavarse)* wash bowl.

palco *m* box *(at theatre)*.

Palestina Palestine.

palestino, -na *adj, m y f* Palestinian.

paleta *f (gen)* small shovel, small spade; *(llana)* trowel; *(CULIN)* slice; *(ARTE)* palette.

paletilla *f* shoulder blade.

paleto, -ta ◊ *adj* coarse, uncouth. ◊ *m y f* yokel, hick *Am*.

paliar *vt* 1. *(atenuar)* to ease, to relieve. 2. *(disculpar)* to excuse, to justify.

palidecer *vi (ponerse pálido)* to go o turn pale.

palidez *f* paleness.

pálido, -da *adj* pale; *fig* dull.

palillero *m* toothpick holder.

palillo *m* 1. *(mondadientes)* toothpick. 2. *(baqueta)* drumstick. 3. *(para comida china)* chopstick.

paliza *f* 1. *(golpes, derrota)* beating. 2. *(esfuerzo)* hard grind.

palma *f* 1. *(de mano)* palm. 2. *(palmera)* palm (tree); *(hoja de palmera)* palm leaf. ◆ **palmas** *fpl (aplausos)* applause *(U)*; **batir** ~**s** to clap (one's hands).

palmada *f* 1. *(golpe)* pat; *(más fuerte)* slap. 2. *(aplauso)* clap; ~**s** clapping *(U)*.

palmar¹ *m* palm grove.

palmar² *fam vi* to kick the bucket.

palmear *vi* to clap, to applaud.

palmera *f (árbol)* palm (tree); *(datilera)* date palm.

palmito *m* 1. *(árbol)* palmetto, fan palm. 2. *(CULIN)* palm heart.

palmo *m* handspan; *fig* small amount; ~ **a** ~ bit by bit; **dejar a alguien con un** ~ **de narices** to let sb down.

palmotear *vi* to clap.

palo *m* 1. *(gen)* stick; *(de golf)* club; *(de portería)* post; *(de la escoba)* handle. 2. *(mástil)* mast. 3. *(golpe)* blow *(with a stick)*. 4. *(de baraja)* suit. 5. *fig (pesadez)* bind, drag. 6. *loc*: **a** ~ **seco** *(gen)* without anything else; *(bebida)* neat.

paloma → **palomo**.

palomar *m* dovecote; *(grande)* pigeon shed.

palomilla *f* 1. *(insecto)* grain moth. 2. *(tornillo)* wing nut. 3. *(soporte)* bracket.

palomita *f*: ~**s** popcorn *(U)*.

palomo, -ma *m y f* dove, pigeon; **paloma mensajera** carrier o homing pigeon.

palpar ◊ *vt* 1. *(tocar)* to feel, to touch; *(MED)* to palpate. 2. *fig (percibir)* to feel. ◊ *vi* to feel around.

palpitante *adj* 1. *(que palpita)* beating; *(con fuerza)* throbbing. 2. *fig (interesante - interés, deseo, cuestión)* burning.

palpitar *vi (latir)* to beat; *(con fuerza)* to throb.

palta *f Andes & CSur* avocado.

paludismo *m* malaria.

palurdo, -da *m y f* yokel, hick *Am*.

pamela *f* sun hat.

pampa *f*: **la** ~ the pampas *(pl)*.

pan *m* 1. *(alimento)* bread; ~ **de molde** o **inglés** sliced bread; ~ **integral** wholemeal bread; ~ **moreno** o **negro** *(integral)* brown bread; ~ **rallado** breadcrumbs *(pl)*. 2. *(hogaza)* loaf. 3. *loc*: **contigo** ~ **y cebolla** I'll go through thick and thin with you; **llamar al** ~ ~ **y al vino vino** to call a spade a spade; **ser** ~ **comido** to be a piece of cake; **ser el** ~ **nuestro de cada día** to be commonplace; **ser más bueno que el** ~ to be kindness itself.

pana *f* corduroy.

panadería *f* bakery, baker's.

panadero, -ra *m y f* baker.

panal *m* honeycomb.

Panamá Panama.

panameño, -ña *adj, m y f* Panamanian.

pancarta *f* placard, banner.

panceta *f* bacon.

pancho, -cha *adj fam* calm, unruffled; **estar/quedarse tan** ~ to be/remain perfectly calm.

páncreas *m inv* pancreas.

panda ◊ *m* → **oso**. ◊ *f* gang.

pandemónium *(pl* **pandemóniums)** *m* pandemonium.

pandereta *f* tambourine.

pandero *m (MÚS)* tambourine.

pandilla *f* gang.

panecillo *m* bread roll.

panel *m* 1. *(gen)* panel. 2. *(pared, biombo)* screen. 3. *(tablero)* board.

panera *f* bread basket.

pánfilo, -la *adj* simple, foolish.

panfleto *m* pamphlet.

pánico *m* panic.

panificadora *f (large)* bakery.

panocha *f* ear, cob.

panorama *m* 1. *(vista)* panorama. 2. *fig (situación)* overall state; *(perspectiva)* outlook.

panorámico, -ca *adj* panoramic. ◆ **panorámica** *f* panorama.

pantaletas *fpl Méx* knickers.

P

pantalla

224

pantalla f 1. (gen & INFORM) screen; ~ de cristal líquido liquid crystal display; la pequeña ~ the small screen, television. 2. (de lámpara) lampshade.

pantalón m (gen pl) trousers (pl), pants (pl) Am; ~ tejano o vaquero jeans (pl); ~ pitillo drainpipe trousers (pl).

pantano m 1. (ciénaga) marsh; (laguna) swamp. 2. (embalse) reservoir.

pantanoso, -sa adj 1. (cenagoso) marshy, boggy. 2. fig (difícil) tricky.

panteón m pantheon; (familiar) mausoleum, vault.

pantera f panther.

panti = panty.

pantorrilla f calf.

pantufla f (gen pl) slipper.

panty (pl pantys), **panti** (pl pantis) m tights (pl).

panza f belly.

pañal m diaper Am, nappy Br; estar en ~es (en sus inicios) to be in its infancy; (sin conocimientos) not to have a clue.

pañería f (producto) drapery; (tienda) draper's (shop), dry-goods store Am.

paño m 1. (tela) cloth, material. 2. (trapo) cloth; (para polvo) duster; (de cocina) tea towel. 3. (lienzo) panel. ◆ paños mpl (vestiduras) drapes; ~s menores underwear (U).

pañoleta f shawl, wrap.

pañuelo m (de nariz) handkerchief; (para el cuello) scarf; (para la cabeza) headscarf; ~ de papel paper handkerchief, tissue.

papa f potato; ~s fritas (de sartén) French fries Am, chips Br; (de bolsa) chips Am, crisps Br; no saber ni ~ fam not to have a clue. ◆ Papa m Pope.

papá m fam dad, daddy, pop Am. ◆ Papá Noel m Father Christmas.

papada f (de persona) double chin; (de animal) dewlap.

papagayo m parrot.

papalote m Méx (cometa) kite.

papamoscas m inv flycatcher.

papaya f (fruta) papaya, pawpaw.

papel m 1. (gen) paper; (hoja) sheet of paper; ~ celofán Cellophane; ~ continuo (INFORM) continuous paper; ~ de embalar o de embalaje wrapping paper; ~ de estaño o de aluminio o de plata tin o aluminium foil; ~ de fumar cigarette paper; ~ de lija sandpaper; ~ higiénico toilet paper; ~ madera CSur cardboard; ~ milimetrado graph paper; ~ pintado wallpaper. 2. (CIN, TEATRO & fig) role, part; ~ principal/secundario main/minor part; hacer buen/mal ~ to do well/

badly. 3. (FIN) stocks and shares (pl); ~ moneda paper money. ◆ papeles mpl (documentos) papers.

papeleo m paperwork, red tape.

papelera → papelero.

papelería f stationer's (shop).

papelero, -ra adj paper (antes de sust). ◆ papelera f (cesto - en oficina etc) wastepaper basket o bin; (- en la calle) litter bin.

papeleta f 1. (boleto) ticket, slip (of paper); (de votación) ballot paper. 2. (EDUC) slip of paper with university exam results.

paperas fpl mumps.

papi m fam daddy, dad.

papilla f (para niños) baby food; hecho ~ (cansado) shattered; (roto) smashed to bits.

papiro m papyrus.

paquete m 1. (de libros, regalos etc) parcel; ~ bomba parcel bomb; ~ postal parcel. 2. (de cigarrillos, klínex, folios etc) pack, packet; (de azúcar, arroz) bag. 3. (de medidas) package; ~ turístico package tour. 4. (INFORM) package.

Paquistán = Pakistán.

par ◇ adj 1. (MAT) even. 2. (igual) equal. ◇ m 1. (pareja - de zapatos etc) pair. 2. (dos - veces etc) couple. 3. (número indeterminado) few, couple; un ~ de copas a couple of o a few drinks. 4. (en golf) par. 5. (noble) peer. ◆ a la par loc adv 1. (simultáneamente) at the same time. 2. (a igual nivel) at the same level. ◆ de par en par loc adj: abierto de ~ en ~ wide open. ◆ sin par loc adj matchless.

para prep 1. (finalidad) for; es ~ ti it's for you; una mesa ~ el salón a table for the living room; esta agua no es buena ~ beber this water isn't fit for drinking o to drink; te lo repetiré ~ que te enteres I'll repeat it so you understand; ¿~ qué? what for? 2. (motivación) (in order) to; ~ conseguir sus propósitos in order to achieve his aims; lo he hecho ~ agradarte I did it to please you. 3. (dirección) towards; ir ~ casa to head (for) home; salir ~ el aeropuerto to leave for the airport. 4. (tiempo) for; tiene que estar acabado ~ mañana it has to be finished by o for tomorrow. 5. (comparación): está muy delgado ~ lo que come he's very thin considering how much he eats; ~ ser verano hace mucho frío considering it's summer, it's very cold. 6. (después de adj y antes de infin) (inminencia, propósito) to; la comida

está lista ~ **servir** the meal is ready to be served; **el atleta está preparado ~ ganar** the athlete is ready to win.
♦ **para con** *loc prep* towards; **es buena ~ con los demás** she is kind towards other people.

parabién (*pl* **parabienes**) *m* congratulations (*pl*).

parábola *f* 1. (*alegoría*) parable. 2. (GEOM) parabola.

parabólico, -ca *adj* parabolic.

parabrisas *m inv* windshield *Am*, windscreen *Br*.

paracaídas *m inv* parachute.

paracaidista *m y f* parachutist; (MIL) paratrooper.

parachoques *m inv* (AUTOM) bumper, fender *Am*; (FERROC) buffer.

parada → **parado**.

paradero *m* 1. (*de persona*) whereabouts (*pl*). 2. *Amer* (*parada de autobús*) bus stop.

parado, -da ◇ *adj* 1. (*inmóvil - coche*) stationary, standing; (*- persona*) still, motionless; (*- fábrica, proyecto*) at a standstill. 2. *fam* (*sin empleo*) unemployed. 3. *loc*: **salir bien/mal ~ de algo** to come off well/badly out of sthg. ◇ *m y f fam* (*desempleado*) unemployed person; **los ~s** the unemployed.
♦ **parada** *f* 1. (*detención*) stop, stopping (U). 2. (DEP) save. 3. (*de autobús*) stop; (*de taxis*) taxi rank; (*de metro*) (underground) station; **parada discrecional** request stop. 4. (MIL) parade.

paradoja *f* paradox.

paradójico, -ca *adj* paradoxical, ironical.

parador *m* 1. (*mesón*) roadside inn. 2. (*hotel*): **~ (nacional)** state-owned luxury hotel, usually a building of historic or artistic importance.

parafernalia *f* paraphernalia.

parafrasear *vt* to paraphrase.

paraguas *m inv* umbrella.

Paraguay: **(el) ~** Paraguay.

paraguayo, -ya *adj, m y f* Paraguayan.

paragüero *m* umbrella stand.

paraíso *m* (RELIG) Paradise; *fig* paradise.

paraje *m* spot, place.

paralelismo *m* 1. (GEOM) parallelism. 2. (*semejanza*) similarity, parallels (*pl*).

paralelo, -la *adj*: **~ (a)** parallel (to).
♦ **paralelo** *m* (GEOGR) parallel.
♦ **paralela** *f* (GEOM) parallel (line).

parálisis *f inv* paralysis; **~ cerebral** cerebral palsy.

paralítico, -ca *adj, m y f* paralytic.

paralizar *vt* to paralyse. ♦ **paralizarse** *vpr* to become paralysed; (*producción etc*) to come to a standstill.

parámetro *m* parameter.

páramo *m* moor, moorland (U); *fig* wilderness.

paranoia *f* paranoia.

paranormal *adj* paranormal.

parapente *m* parapente, paraskiing.

parapetarse *vpr lit & fig*: **~ (tras)** to take refuge (behind).

parapeto *m* (*antepecho*) parapet; (*barandilla*) bannister; (*barricada*) barricade.

parapléjico, -ca *adj, m y f* paraplegic.

parapsicología *f* parapsychology.

parar ◇ *vi* 1. (*gen*) to stop; **~ de hacer algo** to stop doing sthg; **sin ~** non-stop. 2. (*alojarse*) to stay. 3. (*recaer*): **~ en manos de alguien** to come into the possession of sb. 4. (*acabar*) to end up; **¿en qué parará este lío?** where will it all end? ◇ *vt* 1. (*gen*) to stop; (*golpe*) to parry. 2. (*preparar*) to prepare. 3. *Amer* (*levantar*) to raise. ♦ **pararse** *vpr* 1. (*detenerse*) to stop. 2. *Amer* (*ponerse de pie*) to stand up.

pararrayos *m inv* lightning conductor.

parásito, -ta *adj* (BIOL) parasitic.
♦ **parásito** *m* (BIOL & *fig*) parasite.
♦ **parásitos** *mpl* (*interferencias*) statics (*pl*).

parasol *m* parasol.

parcela *f* plot (of land).

parche *m* 1. (*gen*) patch. 2. (*chapuza - para salir del paso*) makeshift solution.

parchís *m inv* ludo.

parcial ◇ *adj* 1. (*no total*) partial. 2. (*no ecuánime*) biased. ◇ *m* (*examen*) end-of-term exam at university.

parcialidad *f* 1. (*tendenciosidad*) bias, partiality. 2. (*bando*) faction.

parco, -ca *adj* (*escaso*) meagre; (*cena*) frugal; (*explicación*) brief, concise.

pardo, -da *adj* greyish-brown, dull brown.

parecer ◇ *m* 1. (*opinión*) opinion. 2. (*apariencia*): **de buen ~** good-looking. ◇ *vi* (*antes de sust*) to look like; **parece un palacio** it looks like a palace. ◇ *v copulativo* to look, to seem; **pareces cansado** you look o seem tired. ◇ *v impers* 1. (*opinar*): **me parece que** ... I think o it seems to me that ...; **me parece que sí/no** I think/don't think so; **¿qué te parece?** what do you think (of

parecido

parecido 226

it)? **2.** *(tener aspecto de):* **parece que va a
llover** it looks like it's going to rain;
parece que le gusta it looks as if ○ it
seems that she likes it; **eso parece** so it
seems; **al ~** apparently. ◆ **parecerse**
vpr: **~se (en)** to be alike (in); **~se a
alguien** *(físicamente)* to look like sb; *(en
carácter)* to be like sb.

parecido, -da *adj* similar; **bien ~**
(atractivo) good-looking. ◆ **parecido**
m: **~ (con/entre)** resemblance (to/
between).

pared *f* **1.** *(gen)* wall; **las ~es oyen**
walls have ears; **subirse por las ~es** to
hit the roof. **2.** *(de montaña)* side.

parejo, -ja *adj:* **~ (a)** similar (to).
◆ **pareja** *f* **1.** *(gen)* pair; *(de novios)*
couple; **pareja de hecho** common-law heterosexual or homosexual relationship; **por
parejas** in pairs. **2.** *(miembro del par-
persona)* partner; **la pareja de este calcetín** the other sock of this pair.

parentela *f* relations *(pl)*, family.

parentesco *m* relationship.

paréntesis *m inv* **1.** *(signo)* bracket;
entre ~ in brackets, in parentheses.
2. *(intercalación)* digression. **3.** *(interrupción)* break.

paria *m y f* pariah.

pariente, -ta *m y f (familiar)* relation,
relative.

> Cuando uno empieza a aprender in-
> glés puede cometer errores elementa-
> les; por ejemplo, con frecuencia se
> confunde la palabra del español "pa-
> rientes" con la palabra inglesa *parents*,
> que quiere decir 'padres, papás' y no
> parientes en general.

parir ◇ *vi* to give birth. ◇ *vt* to give
birth to.

París Paris.

parking ['parkin] *(pl* **parkings)** *m* parking lot *Am*, car park *Br*.

parlamentar *vi* to negotiate.

parlamentario, -ria ◇ *adj* parliamentary. ◇ *m y f* member of parliament.

parlamento *m* (POLÍT) parliament.

parlanchín, -ina ◇ *adj* talkative.
◇ *m y f* chatterbox.

parlante *adj* talking.

parlotear *vi fam* to chatter.

paro *m* **1.** *(desempleo)* unemployment.
2. *(cesación - acción)* shutdown; *(- estado)* stoppage; **~ cardiaco** cardiac arrest.

parodia *f* parody.

parodiar *vt* to parody.

parpadear *vi* **1.** *(pestañear)* to blink.

2. *(centellear)* to flicker.

párpado *m* eyelid.

parque *m* **1.** *(gen)* park; **~ acuático**
waterpark; **~ de atracciones** amusement park; **~ nacional** national park; **~
tecnológico** science park; **(~) zoológico**
zoo. **2.** *(vehículos)* fleet; **~ de bomberos**
fire station. **3.** *(para niños)* playpen.

parquear *vt Amer* to park.

parquímetro *m* parking meter.

parra *f* grapevine.

párrafo *m* paragraph.

parranda *f fam (juerga):* **irse de ~** to
go out on the town.

parrilla *f (utensilio)* grill; **a la ~** grilled.

parrillada *f* mixed grill.

párroco *m* parish priest.

parroquia *f* **1.** *(iglesia)* parish church.
2. *(jurisdicción)* parish. **3.** *(clientela)*
clientele.

parte ◇ *m* report; **dar ~ (a alguien de
algo)** to report (sthg to sb); **~ facultativo** ○ **médico** medical report; **~ meteorológico** weather forecast. ◇ *f (gen)*
part; *(bando)* side; (DER) party; **la mayor
~ de la gente** most people; **la tercera
~ de** a third of; **en alguna ~** somewhere;
no lo veo por ninguna ~ I can't find it
anywhere; **en ~** to a certain extent,
partly; **estar/ponerse de ~ de alguien** to
be on/to take sb's side; **por mi ~** for my
part; **por ~ de padre/madre** on one's
father's/mother's side; **por ~s** bit by
bit; **por una ~ ... por la otra ...** on the
one hand ... on the other (hand) ...;
tomar ~ en algo to take part in sthg.
◆ **de parte de** *loc prep* on behalf of,
for; **¿de ~ de (quién)?** (TELECOM) who is
calling, please? ◆ **por otra parte** *loc
adv (además)* what is more, besides.

partera *f* midwife.

parterre *m* flowerbed.

partición *f (reparto)* sharing out; *(de
territorio)* partitioning.

participación *f* **1.** *(colaboración)* participation. **2.** *(de lotería)* share of a lottery ticket. **3.** *(comunicación)* notice.

participante *m y f* participant.

participar ◇ *vi (colaborar):* **~ (en)** to
take part ○ participate (in); (FIN) to have
a share (in). ◇ *vt:* **~ algo a alguien** to
notify sb of sthg.

partícipe ◇ *adj:* **~ (de)** involved (in);
hacer ~ de algo a alguien *(notificar)* to
notify sb of sthg; *(compartir)* to share
sthg with sb. ◇ *m y f* participant.

partícula *f* particle.

particular ◇ *adj* **1.** *(gen)* particular;
tiene su sabor ~ it has its own particu-

lar taste; **en ~** in particular. **2.** (no públi-co - domicilio, clases etc) private. **3.** (no corriente - habilidad etc) uncommon. ◇ m y f (persona) member of the public. ◇ m (asunto) matter.

particularizar ◇ vt (caracterizar) to characterize. ◇ vi **1.** (detallar) to go into details. **2.** (personalizar): **~ en alguien** to single sb out.

partida f **1.** (marcha) departure. **2.** (en juego) game. **3.** (documento) certificate; **~ de defunción/matrimonio/nacimiento** death/marriage/birth certificate. **4.** (COM - mercancía) consignment; (- entrada) item, entry.

partidario, -ria ◇ adj: **~ de** in favour of. ◇ m y f supporter.

partido m **1.** (POLÍT) party. **2.** (DEP) match; **~ amistoso** friendly (match). **3.** loc: **sacar ~ de** to make the most of; **tomar ~ por** to side with.

partir ◇ vt **1.** (dividir) to divide, to split. **2.** (repartir) to share out. **3.** (romper) to break open; (cascar) to crack; (tronco, loncha etc) to cut. ◇ vi **1.** (marchar) to leave, to set off. **2.** (basarse): **~ de** to start from. ◆ **partirse** vpr **1.** (romperse) to split. **2.** (rajarse) to crack. ◆ **a partir de** loc prep starting from; **a ~ de aquí** from here on.

partitura f score.

parto m birth; **estar de ~** to be in labour.

parvulario m nursery school, kindergarten.

pasa f (fruta) raisin; **~ de Corinto** currant; **~ de Esmirna** sultana.

pasable adj passable.

pasada → pasado.

pasadizo m passage.

pasado, -da adj **1.** (gen) past; **~ un año** a year later; **lo ~, ~ está** let bygones be bygones. **2.** (último) last; **el año ~** last year. **3.** (podrido) off, bad. **4.** (hecho - filete, carne) well done. ◆ **pasado** m (gen) past; (GRAM) past (tense). ◆ **pasada** f (con el trapo) wipe; (con la brocha) coat. ◆ **de pasada** loc adv in passing. ◆ **mala pasada** f dirty trick.

pasador m **1.** (cerrojo) bolt. **2.** (para el pelo) slide.

pasaje m **1.** (billete) ticket, fare. **2.** (pasajeros) passengers (pl). **3.** (calle) passage. **4.** (fragmento) passage.

pasajero, -ra ◇ adj passing. ◇ m y f passenger.

pasamanos m inv (de escalera interior) bannister; (de escalera exterior) handrail.

pasamontañas m inv balaclava (helmet).

pasaporte m passport.

pasapuré m, **pasapurés** m inv food mill.

pasar ◇ vt **1.** (gen) to pass; (noticia, aviso) to pass on; **¿me pasas la sal?** would you pass me the salt?; **~ algo por** (filtrar) to pass sthg through. **2.** (cruzar) to cross; **~ la calle** to cross the road; **pasé el río a nado** I swam across the river. **3.** (traspasar) to pass through. **4.** (trasladar): **~ algo a** to move sthg to. **5.** (llevar adentro) to show in; **el criado nos pasó al salón** the butler showed us into the living room. **6.** (contagiar): **~ algo a alguien** to give sthg to sb, to infect sb with sthg; **me has pasado la tos** you've given me your cough. **7.** (admitir - instancia etc) to accept. **8.** (consentir): **~ algo a alguien** to let sb get away with sthg. **9.** (rebasar - en el espacio) to go through; (- en el tiempo) to have been through; **~ un semáforo en rojo** to go through a red light. **10.** (emplear - tiempo) to spend; **pasó dos años en Roma** he spent two years in Rome. **11.** (padecer) to go through, to suffer; **pasarlo mal** to have a hard time of it. **12.** (sobrepasar): **ya ha pasado los veinticinco** he's over twenty-five now; **mi hijo me pasa ya dos centímetros** my son is already two centimetres taller than me. **13.** (adelantar - coche, contrincante etc) to overtake. **14.** (CIN) to show. ◇ vi **1.** (gen) to pass, to go; **pasó por mi lado** he passed by my side; **el autobús pasa por mi casa** the bus goes past O passes in front of my house; **el Manzanares pasa por Madrid** the Manzanares goes O passes through Madrid; **he pasado por tu calle** I went down your street; **~ de ... a ...** to go O pass from ... to ...; **~ de largo** to go by. **2.** (entrar) to go/come in; **¡pase!** come in! **3.** (poder entrar): **~ (por)** to go (through); **por ahí no pasa** it won't go through there. **4.** (ir un momento) to pop in; **pasaré por mi oficina/por tu casa** I'll pop into my office/round to your place. **5.** (suceder) to happen; **¿qué pasa aquí?** what's going on here?; **¿qué pasa?** what's the matter?; **pase lo que pase** whatever happens, come what may. **6.** (terminarse) to be over; **pasó la Navidad** Christmas is over. **7.** (transcurrir) to go by. **8.** (cambiar - acción): **~ a** to move on to; **pasemos a otra cosa** let's

P

move on to something else. **9.** (*conformarse*): **~ (con/sin algo)** to make do (with/without sthg); **tendrá que ~ sin coche** she'll have to make do without a car. **10.** (*servir*) to be all right, to be usable; **puede ~** it'll do. **11.** *fam* (*prescindir*): **~ de algo/alguien** to want nothing to do with sthg/sb; **paso de política** I'm not into politics. **12.** (*tolerar*): **~ por algo** to put up with sthg. ◆ **pasarse** *vpr* **1.** (*acabarse*) to pass; **siéntate hasta que se te pase** sit down until you feel better. **2.** (*emplear - tiempo*) to spend, to pass; **se pasaron el día hablando** they spent all day talking. **3.** (*desaprovecharse*) to slip by; **se me pasó la oportunidad** I missed my chance. **4.** (*estropearse - comida*) to go off; (- *flores*) to fade. **5.** (*cambiar de bando*): **~se a** to go over to. **6.** (*omitir*) to miss out; **te has pasado una página** you've missed a page out. **7.** (*olvidarse*): **pasársele a alguien** to slip sb's mind; **se me pasó decírtelo** I forgot to mention it to you. **8.** (*no fijarse*): **pasársele a alguien** to escape sb's attention; **no se le pasa nada** he never misses a thing. **9.** (*excederse*): **~se de generoso/bueno** to be far too generous/kind. **10.** *fam* (*propasarse*) to go over the top; **te has pasado diciéndole eso** what you said went too far o was over the top. **11.** (*divertirse*): **¿qué tal te lo estás pasando?** how are you enjoying yourself?; **pasárselo bien/mal** to have a good/bad time.

pasarela *f* **1.** (*puente*) footbridge; (*para desembarcar*) gangway. **2.** (*en un desfile*) catwalk.

pasatiempo *m* (*hobby*) pastime, hobby.

Pascua *f* **1.** (*de los judíos*) Passover. **2.** (*de los cristianos*) Easter. ◆ **Pascuas** *fpl* (*Navidad*) Christmas (*sg*); **¡felices Pascuas!** Merry Christmas!; **de Pascuas a Ramos** once in a blue moon.

pase *m* **1.** (*gen, DEP & TAUROM*) pass. **2.** (*proyección*) showing, screening. **3.** (*desfile*) parade; **~ de modelos** fashion parade.

pasear ◇ *vi* to go for a walk. ◇ *vt* to take for a walk; (*perro*) to walk; *fig* to show off, to parade.

paseo *m* **1.** (*acción - a pie*) walk; (- *en coche*) drive; (- *a caballo*) ride; (- *en barca*) row; **dar un ~** (*a pie*) to go for a walk. **2.** (*lugar*) avenue; **~ marítimo** promenade. **3.** *loc:* **mandar** o **enviar a alguien a ~** to send sb packing.

pasillo *m* corridor.

pasión *f* passion. ◆ **Pasión** *f* (RELIG) Passion.

pasivo, -va *adj* **1.** (*gen & GRAM*) passive. **2.** (*población etc*) inactive. ◆ **pasivo** *m* (COM) liabilities (*pl*).

pasmado, -da *adj* **1.** (*asombrado*) astonished, astounded. **2.** (*atontado*) stunned.

pasmar *vt* to astound. ◆ **pasmarse** *vpr* to be astounded.

pasmo *m* astonishment.

pasmoso, -sa *adj* astonishing.

paso *m* **1.** (*gen*) step; (*huella*) footprint. **2.** (*acción*) passing; (*cruce*) crossing; (*camino de acceso*) way through, thoroughfare; **abrir ~ a alguien** *lit & fig* to make way for sb; **ceder el ~ (a alguien)** to let sb past; (AUTOM) to give way (to sb); **'ceda el ~'** 'give way'; **'prohibido el ~'** 'no entry'; **~ elevado** flyover; **~ a nivel** level crossing; **~ peatonal** o **de peatones** pedestrian crossing; **~ de cebra** zebra crossing. **3.** (*forma de andar*) walk; (*ritmo*) pace. **4.** (GEOGR - *en montaña*) pass; (- *en el mar*) strait. **5.** (*gen pl*) (*gestión*) step; (*progreso*) advance; **dar los ~s necesarios** to take the necessary steps. **6.** *loc:* **a cada ~** every other minute; **está a dos ~s** it's just down the road; **¡a este ~ ...!** *fig* at that rate ...!; **estar de ~** to be passing through; **~ a ~** step by step; **salir del ~** to get out of trouble. ◆ **de paso** *loc adv* in passing.

pasodoble *m* paso doble.

pasta *f* **1.** (*masa*) paste; (*de papel*) pulp; (CULIN - *espaguetti etc*) pasta; (- *de pasteles*) pastry; (- *de pan*) dough. **2.** (*pastelillo*) pastry. **3.** (*pastelillo*) pastry. **4.** *fam* (*dinero*) dough. **5.** (*encuadernación*): **en ~** hardback.

pastar *vi* to graze.

pastel *m* **1.** (CULIN - *dulce*) cake; (- *salado*) pie. **2.** (ARTE) pastel.

pastelería *f* **1.** (*establecimiento*) cake shop, patisserie. **2.** (*repostería*) pastries (*pl*).

pasteurizado [pasteuriˈθaðo], **-da** *adj* pasteurized.

pastiche *m* pastiche.

pastilla *f* **1.** (MED) pill, tablet. **2.** (*de jabón, chocolate*) bar.

pasto *m* **1.** (*acción*) grazing; (*sitio*) pasture. **2.** (*hierba*) fodder. **3.** *loc:* **ser ~ de las llamas** to go up in flames.

pastón *m Esp fam:* **vale un ~** it costs a bomb.

pastor, -ra *m y f* (*de ganado*) shepherd (*f* shepherdess). ◆ **pastor** *m* **1.** (*sacer-*

paya

dote) minister. **2.** → **perro**.

pastoso, -sa *adj* **1.** (*blando*) pasty; (*arroz*) sticky. **2.** (*seco*) dry.

pata *f* **1.** (*pierna*) leg. **2.** (*pie - gen*) foot; (*- de perro, gato*) paw; (*- de vaca, caballo*) hoof. **3.** *fam* (*de persona*) leg; **a cuatro ~s** on all fours; **ir a la ~ coja** to hop. **4.** (*de mueble*) leg; (*de gafas*) arm. **5.** *loc:* **meter la ~** to put one's foot in it; **poner/estar ~s arriba** to turn/be upside down; **tener mala ~** to be unlucky. ◆ **patas** *fpl Amer fam* (*poca vergüenza*) cheek (*U*). ◆ **pata de gallo** *f* (*en la cara*) crow's feet (*pl*).

patada *f* kick; (*en el suelo*) stamp; **dar una ~ a** to kick; **tratar a alguien a ~s** to treat sb like dirt.

patalear *vi* to kick about; (*en el suelo*) to stamp one's feet.

pataleta *f* tantrum.

patán *m* bumpkin.

patata *f Esp* potato; **~s fritas** (*de sartén*) French fries *Am*, chips *Br*; (*de bolsa*) chips *Am*, crisps *Br*.

paté *m* paté.

patear ◇ *vt* (*dar un puntapié*) to kick; (*pisotear*) to stamp on. ◇ *vi* (*patalear*) to stamp one's feet.

patentado, -da *adj* patent, patented.

patente ◇ *adj* obvious; (*demostración, prueba*) clear. ◇ *f* (*de invento*) patent.

paternal *adj* fatherly, paternal; *fig* paternal.

paternidad *f* fatherhood; (DER) paternity.

paterno, -na *adj* paternal.

patético, -ca *adj* pathetic, moving.

patidifuso, -sa *adj fam* stunned.

patilla *f* **1.** (*de pelo*) sideboard, sideburn. **2.** (*de gafas*) arm.

patín *m* **1.** (*calzado - de cuchilla*) ice skate; (*- de ruedas*) roller skate. **2.** (*patinete*) scooter. **3.** (*embarcación*) pedal boat.

pátina *f* patina.

patinaje *m* skating.

patinar *vi* **1.** (*sobre hielo*) to skate; (*sobre ruedas*) to roller-skate. **2.** (*resbalar - coche*) to skid; (*- persona*) to slip. **3.** *fam fig* (*meter la pata*) to put one's foot in it.

patinazo *m* **1.** (*de coche*) skid; (*de persona*) slip. **2.** *fam fig* (*planchazo*) blunder.

patinete *m* scooter.

patio *m* (*gen*) patio, courtyard; (*de escuela*) playground; (*de cuartel*) parade ground.

patitieso, -sa *adj* **1.** (*de frío*) frozen stiff. **2.** (*de sorpresa*) aghast, amazed.

pato, -ta *m y f* duck; **pagar el ~** to carry the can.

patológico, -ca *adj* pathological.

patoso, -sa *adj Esp fam* clumsy.

patria → **patrio**.

patriarca *m* patriarch.

patrimonio *m* **1.** (*bienes - heredados*) inheritance; (*- propios*) wealth; (*económico*) national wealth. **2.** *fig* (*de una colectividad*) exclusive birthright.

patrio, -tria *adj* native. ◆ **patria** *f* native country.

patriota *m y f* patriot.

patriotismo *m* patriotism.

patrocinador, -ra *m y f* sponsor.

patrocinar *vt* to sponsor.

patrocinio *m* sponsorship.

patrón, -ona *m y f* **1.** (*de obreros*) boss; (*de criados*) master (*f* mistress). **2.** (*de pensión etc*) landlord (*f* landlady). **3.** (*santo*) patron saint. ◆ **patrón** *m* **1.** (*de barco*) skipper. **2.** (*en costura*) pattern.

patronal ◇ *adj* (*empresarial*) management (*antes de sust*). ◇ *f* **1.** (*de empresa*) management. **2.** (*de país*) employers' organisation.

patronato *m* (*gen*) board; (*con fines benéficos*) trust.

patrono, -na *m y f* **1.** (*de empresa - encargado*) boss; (*- empresario*) employer. **2.** (*santo*) patron saint.

patrulla *f* patrol; **~ urbana** vigilante group.

patrullar *vt & vi* to patrol.

patuco *m* (*gen pl*) bootee.

paulatino, -na *adj* gradual.

pausa *f* pause, break; (MÚS) rest; **con ~** unhurriedly.

pausado, -da *adj* deliberate, slow.

pauta *f* **1.** (*gen*) standard, model. **2.** (*en un papel*) guideline.

pava → **pavo**.

pavimentación *f* (*de una carretera*) road surfacing; (*de la acera*) paving; (*de un suelo*) flooring.

pavimento *m* (*de carretera*) road surface; (*de acera*) paving; (*de suelo*) flooring.

pavo, -va *m y f* (*ave*) turkey; **~ real** peacock (*f* peahen).

pavonearse *vpr despec:* **~ (de)** to boast o brag (about).

pavor *m* terror.

paya *f Arg & Chile* improvised poem accompanied by guitar.

payasada f clowning (U); **hacer ~s** to clown around.

payaso, -sa m y f clown.

payo, -ya m y f non-gipsy.

paz f peace; (tranquilidad) peacefulness; **dejar a alguien en ~** to leave sb alone o in peace; **estar** o **quedar en ~** to be quits; **hacer las paces** to make (it) up; **que en ~ descanse, que descanse en ~** may he/she rest in peace.

PC m (abrev de **personal computer**) PC.

PD, PS (abrev de **posdata**) PS.

pdo. abrev de **pasado**.

peaje m toll.

peana f pedestal.

peatón m pedestrian.

peca f freckle.

pecado m sin.

pecador, -ra m y f sinner.

pecaminoso, -sa adj sinful.

pecar vi 1. (RELIG) to sin. 2. (pasarse): **~ de confiado/generoso** to be overconfident/too generous.

pecera f fish tank; (redonda) fish bowl.

pecho m 1. (gen) chest; (de mujer) bosom. 2. (mama) breast; **dar el ~ a** to breastfeed. 3. loc: **a lo hecho, ~** it's no use crying over spilt milk; **tomarse algo a ~** to take sthg to heart.

pechuga f (de ave) breast (meat).

pecoso, -sa adj freckly.

peculiar adj 1. (característico) typical, characteristic. 2. (curioso) peculiar.

peculiaridad f 1. (cualidad) uniqueness. 2. (detalle) particular feature o characteristic.

pedagogía f education, pedagogy.

pedagogo, -ga m y f educator; (profesor) teacher.

pedal m pedal.

pedalear vi to pedal.

pedante adj pompous.

El adjetivo español "pedante" y el inglés *pedantic* se parecen mucho y además ambos se utilizan para criticar a las personas, pero por motivos diferentes: el inglés *pedantic* no significa pedante sino 'puntilloso, quisquilloso'. Si se dice a alguien "no seas tan pedante" (don't be so pompous o pretentious) para que no presuma tanto de sus conocimientos, de ninguna manera es igual que si se dice don't be so pedantic; esto último significa "no seas tan puntilloso o quisquilloso", "no te preocupes tanto por los detalles".

---

pedazo m piece, bit; **hacer ~s** to break to bits; fig to destroy.

pedernal m flint.

pedestal m pedestal, stand.

pedestre adj on foot.

pediatra m y f pediatrician.

pedicuro, -ra m y f podiatrist Am, chiropodist Br.

pedido m (COM) order; **hacer un ~** to place an order.

pedigrí, pedigree [peðiˈɣri] m pedigree.

pedir ◇ vt 1. (gen) to ask for; (en comercios, restaurantes) to order; **~ a alguien que haga algo** to ask sb to do sthg; **~ a alguien (en matrimonio)** to ask for sb's hand (in marriage); **~ prestado algo a alguien** to borrow sthg from sb. 2. (exigir) to demand. 3. (requerir) to call for, to need. 4. (poner precio): **~ (por)** to ask (for); **pide un millón por la moto** he's asking a million for the motorbike. ◇ vi (mendigar) to beg.

pedo m vulg (ventosidad) fart; **tirarse un ~** to fart.

pedrada f (golpe): **a ~s** by stoning.

pedregullo m CSur gravel.

pedrería f precious stones (pl).

peeling [ˈpilin] (pl **peelings**) m face mask o pack.

pega f (obstáculo) difficulty, hitch; **poner ~s (a)** to find problems (with).

pegadizo, -za adj 1. (música) catchy. 2. fig (contagioso) catching.

pegajoso, -sa adj sticky; despec clinging.

pegamento m glue.

pegar ◇ vt 1. (adherir) to stick; (con pegamento) to glue; (póster, cartel) to fix, to put up; (botón) to sew on. 2. (arrimar): **~ algo a** to put o place sthg against. 3. (golpear) to hit. 4. (propinar - bofetada, paliza etc) to give; (- golpe) to deal. 5. (contagiar): **~ algo a alguien** to give sb sthg, to pass sthg on to sb. ◇ vi 1. (adherir) to stick. 2. (golpear) to hit. 3. (armonizar) to go together, to match; **~ con** to go with. 4. (sol) to beat down. ◆ **pegarse** vpr 1. (adherirse) to stick. 2. (agredirse) to fight. 3. (golpearse): **~se (un golpe) con algo** to hit o.s. against sthg. 4. fig (contagiarse - enfermedad) to be transmitted; **se me pegó su acento** I picked up his accent .

pegatina f sticker.

pegote m fam 1. (masa pegajosa) sticky mess. 2. (chapucería) botch.

peinado m hairdo; (estilo, tipo) hairstyle.

peinar vt *lit & fig* to comb.
◆ **peinarse** *vpr* to comb one's hair.

peine *m* comb.

peineta *f comb worn in the back of the hair.*

p.ej. (*abrev de por ejemplo*) e.g.

Pekín Peking, Beijing.

pela *f Esp fam* peseta; **no tengo ~s** I'm skint.

peladilla *f* sugared almond.

pelado, -da *adj* 1. (*cabeza*) shorn. 2. (*piel, cara etc*) peeling; (*fruta*) peeled. 3. (*habitación, monte, árbol*) bare. 4. (*número*) exact, round; **saqué un aprobado ~** I passed, but only just. 5. *fam* (*sin dinero*) broke, skint.

pelar vt 1. (*persona*) to cut the hair of. 2. (*fruta, patatas*) to peel; (*guisantes, marisco*) to shell. 3. (*aves*) to pluck; (*conejos etc*) to skin. ◆ **pelarse** *vpr* 1. (*cortarse el pelo*) to have one's hair cut. 2. (*piel, espalda etc*) to peel.

peldaño *m* step; (*de escalera de mano*) rung.

pelea *f* 1. (*a golpes*) fight. 2. (*riña*) row, quarrel.

pelear *vi* 1. (*a golpes*) to fight. 2. (*a gritos*) to have a row o quarrel. 3. (*esforzarse*) to struggle. ◆ **pelearse** *vpr* 1. (*a golpes*) to fight. 2. (*a gritos*) to have a row o quarrel.

pelele *m fam despec* (*persona*) puppet.

peletería *f* (*tienda*) fur shop, furrier's.

peliagudo, -da *adj* tricky.

pelícano, pelicano *m* pelican.

película *f* (*gen*) film; **~ muda/de terror** silent/horror film; **~ del Oeste** western; **de ~** amazing.

peligro *m* danger; **correr ~ (de)** to be in danger (of); **estar/poner en ~** to be/put at risk; **fuera de ~** out of danger; **¡~ de muerte!** danger!

peligroso, -sa *adj* dangerous.

pelirrojo, -ja ◇ *adj* ginger, red-headed. ◇ *m y f* redhead.

pellejo *m* (*piel, vida*) skin.

pellizcar *vt* (*gen*) to pinch.

pellizco *m* pinch.

pelma, pelmazo, -za *fam despec* ◇ *adj* annoying, tiresome. ◇ *m y f* bore, pain.

pelo *m* 1. (*gen*) hair. 2. (*de oso, conejo, gato*) fur; (*de perro, caballo*) coat. 3. (*de una reja*) nap. 4. *loc*: **con ~s y señales** with all the details; **no tener ~s en la lengua** *fam* not to mince one's words; **poner a alguien los ~s de punta** *fam* to make sb's hair stand on end; **por los ~s, por un ~** by the skin of one's teeth;

tomar el ~ a alguien *fam* to pull sb's leg.
◆ **a contra pelo** *loc adv lit & fig* against the grain.

pelota ◇ *f* 1. (*gen & DEP*) ball; **jugar a la ~** to play ball; **~ vasca** pelota; **hacer la ~ (a alguien)** *fam* to suck up (to sb). 2. *fam* (*cabeza*) nut. ◇ *m y f* (*persona*) crawler, creep.

pelotón *m* (*de soldados*) squad; (*de gente*) crowd; (DEP) pack.

pelotudo, -da *adj CSur fam* stupid.

peluca *f* wig.

peluche *m* plush.

peludo, -da *adj* hairy.

peluquería *f* 1. (*establecimiento*) hairdresser's (shop). 2. (*oficio*) hairdressing.

peluquero, -ra *m y f* hairdresser.

peluquín *m* toupee.

pelusa *f* 1. (*de tela*) fluff. 2. (*vello*) down.

pelvis *f inv* pelvis.

pena *f* 1. (*lástima*) shame, pity; **¡qué ~!** what a shame o pity!; **dar ~** to inspire pity; **el pobre me da ~** I feel sorry for the poor chap. 2. (*tristeza*) sadness, sorrow. 3. (*gen pl*) (*desgracia*) problem, trouble. 4. (*gen pl*) (*dificultad*) struggle (U); **a duras ~s** with great difficulty. 5. (*castigo*) punishment; **~ capital** o **de muerte** death penalty. 6. *Amer* (*vergüenza*) shame, embarrassment; **me da ~** I'm ashamed of it. 7. *loc*: **(no) valer** o **merecer la ~** (not) to be worthwhile o worth it.

penal ◇ *adj* criminal. ◇ *m* prison.

penalización *f* 1. (*acción*) penalization. 2. (*sanción*) penalty.

penalti, penalty *m* (DEP) penalty.

penar ◇ *vt* (*castigar*) to punish. ◇ *vi* (*sufrir*) to suffer.

pender *vi* 1. (*colgar*): **~ (de)** to hang (from). 2. *fig* (*amenaza etc*): **~ sobre** to hang over.

pendiente ◇ *adj* 1. (*por resolver*) pending; (*deuda*) outstanding; **estar ~ de** (*atento a*) to keep an eye on; (*a la espera de*) to be waiting for. 2. (*asignatura*) failed. ◇ *m* earring. ◇ *f* slope.

péndulo *m* pendulum.

pene *m* penis.

penene *m y f untenured teacher or lecturer.*

penetración *f* 1. (*gen*) penetration. 2. (*sagacidad*) astuteness.

penetrante *adj* 1. (*intenso - dolor*) acute; (*- olor*) sharp; (*- frío*) biting; (*- mirada*) penetrating; (*- voz, sonido etc*) piercing. 2. *(sagaz)* sharp, penetrating.

penetrar ◇ *vi*: ~ **en** *(internarse en)* to enter; *(filtrarse por)* to get into, to penetrate; *(perforar)* to pierce; *(llegar a conocer)* to get to the bottom of. ◇ *vt* 1. *(introducirse en - suj: arma, sonido etc)* to pierce, to penetrate; *(- suj: humedad, líquido)* to permeate; *(- suj: emoción, sentimiento)* to pierce. 2. *(llegar a conocer - secreto etc)* to get to the bottom of. 3. *(sexualmente)* to penetrate.

penicilina *f* penicillin.

península *f* peninsula.

peninsular *adj* peninsular.

penitencia *f* penance.

penitenciaría *f* penitentiary.

penoso, -sa *adj* 1. *(trabajoso)* laborious. 2. *(lamentable)* distressing; *(aspecto, espectáculo)* sorry.

pensador, -ra *m y f* thinker.

pensamiento *m* 1. *(gen)* thought; *(mente)* mind; *(idea)* idea. 2. (BOT) pansy.

pensar ◇ *vi* to think; ~ **en algo/en alguien/en hacer algo** to think about sthg/about sb/about doing sthg; ~ **sobre algo** to think about sthg; **piensa en un número/buen regalo** think of a number/good present; **dar que** ~ **a alguien** to give sb food for thought. ◇ *vt* 1. *(reflexionar)* to think about ◇ over. 2. *(opinar, creer)* to think; ~ **algo de alguien/algo** to think sthg of sb/sthg; **pienso que no vendrá** I don't think she'll come. 3. *(idear)* to think up. 4. *(tener la intención de)*: ~ **hacer algo** to intend to do sthg. ◆ **pensarse** *vpr*: ~**se algo** to think sthg over.

pensativo, -va *adj* pensive, thoughtful.

pensión *f* 1. *(dinero)* pension. 2. *(de huéspedes)* = guest house; **media** ~ *(en hotel)* half board; **estar a media** ~ *(en colegio)* to have school dinners; ~ **completa** full board.

pensionista *m y f* *(jubilado)* pensioner.

pentágono *m* pentagon.

pentagrama *m* (MÚS) stave.

penúltimo, -ma *adj, m y f* penultimate, last but one.

penumbra *f* half-light.

penuria *f* 1. *(pobreza)* penury, poverty. 2. *(escasez)* paucity, dearth.

peña *f* 1. *(roca)* crag, rock; *(monte)* cliff. 2. *(grupo de amigos)* circle, group; *(club)* club; *(quinielística)* pool; *Amer (folklórica)* folk club.

peñasco *m* large crag ◇ rock.

peñón *m* rock. ◆ **Peñón** *m*: **el Peñón (de Gibraltar)** the Rock (of Gibraltar).

peón *m* 1. *(obrero)* unskilled labourer. 2. *(en ajedrez)* pawn.

peonza *f* (spinning) top.

peor ◇ *adj* 1. *(comparativo)*: ~ **(que)** worse (than). 2. *(superlativo)*: **el/la** ~ ... the worst ... ◇ *pron*: **el/la** ~ **(de)** the worst (in); **lo** ~ **fue que** ... the worst thing was that ... ◇ *adv* 1. *(comparativo)*: ~ **(que)** worse (than); **ahora veo** ~ I see worse now; **estar** ~ *(enfermo)* to get worse; **estoy** ~ *(de salud)* I feel worse. 2. *(superlativo)* worst; **el que lo hizo** ~ the one who did it (the) worst.

pepinillo *m* gherkin.

pepino *m* (BOT) cucumber; **me importa un** ~ I couldn't care less.

pepita *f* 1. *(de fruta)* pip. 2. *(de oro)* nugget.

peppermint = **pipermín**.

pequeño, -ña *adj* small, little; *(hermano)* little; *(posibilidad)* slight; *(ingresos, cifras etc)* low.

pequinés *m* *(perro)* Pekinese.

pera *f* 1. *(fruta)* pear. 2. *(para ducha etc)* (rubber) bulb. 3. *loc*: **pedir** ~**s al olmo** to ask (for) the impossible; **ser la** ~ *fam* to be the limit.

peral *m* pear-tree.

percance *m* mishap.

percebe *m* *(pez)* barnacle.

percepción *f* 1. *(de los sentidos)* perception. 2. *(cobro)* receipt, collection.

perceptible *adj* *(por los sentidos)* noticeable, perceptible.

percha *f* 1. *(de armario)* (coat) hanger. 2. *(de pared)* coat rack. 3. *(de pie)* coat stand. 4. *(para pájaros)* perch.

perchero *m* *(de pared)* coat rack; *(de pie)* coat stand.

percibir *vt* 1. *(con los sentidos)* to perceive, to notice; *(por los oídos)* to hear; *(ver)* to see. 2. *(cobrar)* to receive, to get.

percusión *f* percussion.

perdedor, -ra *m y f* loser.

perder ◇ *vt* 1. *(gen)* to lose. 2. *(desperdiciar)* to waste. 3. *(tren, oportunidad)* to miss. ◇ *vi* 1. *(salir derrotado)* to lose. 2. *loc*: **echar algo a** ~ to spoil sthg; **echarse a** ~ *(alimento)* to go off. ◆ **perderse** *vpr* 1. *(gen)* to get lost. 2. *(desaparecer)* to disappear. 3. *(desperdiciarse)* to be wasted. 4. *(desaprovechar)*: **¡no te lo pierdas!** don't miss it! 5. *fig (por los vicios)* to be beyond salvation.

perdición *f* ruin, undoing.

pérdida f 1. (gen) loss; **no tiene ~** you can't miss it. 2. (de tiempo, dinero) waste. 3. (escape) leak. ♦ **pérdidas** fpl 1. (FIN & MIL) losses. 2. (daños) damage (U).

perdidamente adv hopelessly.

perdido, -da adj 1. (extraviado) lost; (animal, pila) stray. 2. (sucio) filthy. 3. fam (de remate) complete, utter. 4. loc: **estar ~** to be done for o lost.

perdigón m pellet.

perdiz f partridge.

perdón m pardon, forgiveness; **no tener ~** to be unforgivable; **¡~!** sorry!

perdonar vt 1. (gen) to forgive; **~le algo a alguien** to forgive sb for sthg; **perdone que le moleste** sorry to bother you. 2. (eximir de - deuda, condena): **~ algo a alguien** to let sb off sthg; **~le la vida a alguien** to spare sb their life.

perdurar vi 1. (durar mucho) to endure, to last. 2. (persistir) to persist.

perecer vi to perish, to die.

peregrinación f (RELIG) pilgrimage; fig (a un lugar) trek.

peregrinaje m (RELIG) pilgrimage; fig (a un lugar) trek.

peregrino, -na ◇ adj 1. (ave) migratory. 2. fig (extraño) strange. ◇ m y f (persona) pilgrim.

perejil m parsley.

perenne adj 1. (BOT) perennial. 2. (recuerdo) enduring. 3. (continuo) constant.

pereza f idleness.

perezoso, -sa adj 1. (vago) lazy. 2. (lento) slow, sluggish.

perfección f perfection; **es de una gran ~** it's exceptionally good.

perfeccionar vt 1. (redondear) to perfect. 2. (mejorar) to improve.

perfeccionista adj, m y f perfectionist.

perfecto, -ta adj perfect.

perfidia f perfidy, treachery.

perfil m 1. (contorno) outline, shape. 2. (de cara, cuerpo) profile; **de ~** in profile. 3. fig (característica) characteristic. 4. fig (retrato moral) profile. 5. (GEOM) cross section.

perfilar vt to outline. ♦ **perfilarse** vpr 1. (destacarse) to be outlined. 2. (concretarse) to shape up.

perforar vt (horadar) to perforate; (agujero) to drill; (INFORM) to punch.

perfume m perfume.

perfumería f 1. (tienda, arte) perfumery. 2. (productos) perfumes (pl).

pergamino m parchment.

pericia f skill.

periferia f periphery; (alrededores) outskirts (pl).

periférico, -ca adj peripheral; (barrio) outlying.

perifollos mpl fam frills (and fripperies).

perilla f goatee; **venir de ~(s)** to be just the right thing.

perímetro m perimeter.

periódico, -ca adj (gen) periodic. ♦ **periódico** m newspaper.

periodismo m journalism.

periodista m y f journalist.

periodo, período m period; (DEP) half.

peripuesto, -ta adj fam dolled-up.

periquete m: **en un ~** fam in a jiffy.

periquito m parakeet.

periscopio m periscope.

perito m 1. (experto) expert; **~ agrónomo** agronomist. 2. (ingeniero técnico) technician.

perjudicar vt to damage, to harm.

perjudicial adj: **~ (para)** harmful (to).

perjuicio m harm (U), damage (U).

perjurar vi (jurar en falso) to commit perjury.

perla f pearl; fig (maravilla) gem, treasure; **de ~s** great, fine; **me viene de ~s** it's just the right thing.

perlé m beading.

permanecer vi 1. (en un lugar) to stay. 2. (en un estado) to remain, to stay.

permanencia f 1. (en un lugar) staying, continued stay. 2. (en un estado) continuation.

permanente ◇ adj permanent; (comisión) standing. ◇ f perm; **hacerse la ~** to have a perm.

permisible adj permissible, acceptable.

permisivo, -va adj permissive.

permiso m 1. (autorización) permission; **con ~** if I may. 2. (documento) licence, permit; **~ de armas** gun licence; **~ de conducir** driver's license Am, driving licence Br. 3. (vacaciones) leave.

permitir vt to allow; **~ a alguien hacer algo** to allow sb to do sthg; **¿me permite?** may I? ♦ **permitirse** vpr to allow o.s. (the luxury of); **no puedo permitírmelo** I can't afford it.

permuta, permutación f exchange.

pero ◇ conj but; **la casa será vieja, pero es céntrica** the house may be old, but it's central; **~ ¿qué es tanto ruido?** what on earth is all this noise about? ◊ *m* snag, fault; **poner ~s a todo** to find fault with everything.

perol *m* casserole (dish).

perorata *f* long-winded speech.

perpendicular *adj* perpendicular; **ser ~ a algo** to be at right angles to sthg.

perpetrar *vt* to perpetrate, to commit.

perpetuar *vt* to perpetuate. ◆ **perpetuarse** *vpr* to last, to endure.

perpetuo, -tua *adj* 1. (*gen*) perpetual. 2. (*para toda la vida*) lifelong; (DER) life (*antes de sust*).

perplejo, -ja *adj* perplexed, bewildered.

perra *f* 1. (*rabieta*) tantrum; **coger una ~** to throw a tantrum. 2. (*dinero*) penny; **estoy sin una ~** I'm flat broke. 3. → **perro**.

perrera *f* (*lugar*) kennels (*pl*).

perrería *f fam:* **hacer ~s a alguien** to play dirty tricks on sb.

perro, -rra *m y f* (*animal*) dog (*f* bitch); **~ callejero** stray dog; **~ de caza** hunting dog; **~ lazarillo** guide dog; **~ lobo** alsatian; **~ pastor** sheepdog; **~ policía** police dog; **ser ~ viejo** to be an old hand. ◆ **perro caliente** *m* hot dog.

persecución *f* 1. (*seguimiento*) pursuit. 2. (*acoso*) persecution.

perseguir *vt* 1. (*seguir, tratar de obtener*) to pursue. 2. (*acosar*) to persecute. 3. (*suj: mala suerte, problema etc*) to dog.

perseverar *vi:* **~ (en)** to persevere (with), to persist (in).

persiana *f* blind.

persistente *adj* persistent.

persistir *vi:* **~ (en)** to persist (in).

persona *f* 1. (*individuo*) person; **cien ~s** a hundred people; **en ~** in person; **por ~** per head; **ser buena ~** to be nice; **~ mayor** adult, grown-up. 2. (DER) party. 3. (GRAM) person.

personaje *m* 1. (*persona importante*) important person, celebrity. 2. (*de obra*) character.

personal ◊ *adj* (*gen*) personal; (*teléfono, dirección*) private, home (*antes de sust*). ◊ *m* (*trabajadores*) staff, personnel.

personalidad *f* 1. (*características*) personality. 2. (*identidad*) identity. 3. (*persona importante*) important person, celebrity.

personalizar *vi* 1. (*nombrar*) to name names. 2. (*aludir*) to get personal.

personificar *vt* to personify.

perspectiva *f* 1. (*gen*) perspective. 2. (*paisaje*) view. 3. (*futuro*) prospect; **en ~** in prospect.

perspicacia *f* insight, perceptiveness.

perspicaz *adj* sharp, perceptive.

persuadir *vt* to persuade; **~ a alguien para que haga algo** to persuade sb to do sthg. ◆ **persuadirse** *vpr* to convince o.s.; **~se de algo** to become convinced of sthg.

persuasión *f* persuasion.

persuasivo, -va *adj* persuasive. ◆ **persuasiva** *f* persuasive power.

pertenecer *vi* 1. (*gen*): **~ a** to belong to. 2. (*corresponder*) to be a matter for.

perteneciente *adj:* **ser ~ a** to belong to.

pertenencia *f* 1. (*propiedad*) ownership. 2. (*afiliación*) membership. ◆ **pertenencias** *fpl* (*enseres*) belongings.

pértiga *f* 1. (*vara*) pole. 2. (DEP) polevault.

pertinaz *adj* 1. (*terco*) stubborn. 2. (*persistente*) persistent.

pertinente *adj* 1. (*adecuado*) appropriate. 2. (*relativo*) relevant, pertinent.

pertrechos *mpl* 1. (MIL) supplies and ammunition. 2. *fig* (*utensilios*) gear (*U*).

perturbación *f* 1. (*desconcierto*) disquiet, unease. 2. (*disturbio*) disturbance; **~ del orden público** breach of the peace. 3. (MED) mental imbalance.

perturbado, -da *adj* 1. (MED) disturbed. 2. (*desconcertado*) perturbed.

perturbar *vt* 1. (*trastornar*) to disrupt. 2. (*inquietar*) to disturb, to unsettle. 3. (*enloquecer*) to perturb.

Perú: **(el) ~** Peru.

peruano, -na *adj, m y f* Peruvian.

perverso, -sa *adj* depraved.

pervertido, -da *m y f* pervert.

pervertir *vt* to corrupt. ◆ **pervertirse** *vpr* to be corrupted.

pesa *f* 1. (*gen*) weight. 2. (*gen pl*) (DEP) weights (*pl*).

pesadez *f* 1. (*peso*) weight. 2. (*sensación*) heaviness. 3. (*molestia, fastidio*) drag, pain. 4. (*aburrimiento*) ponderousness.

pesadilla *f* nightmare.

pesado, -da ◊ *adj* 1. (*gen*) heavy. 2. (*caluroso*) sultry. 3. (*lento*) ponderous, sluggish. 4. (*duro*) difficult, tough. 5. (*aburrido*) boring. 6. (*molesto*) annoying, tiresome; **¡qué ~ eres!** you're so annoying! ◊ *m y f* bore, pain.

pesadumbre *f* grief, sorrow.

pésame *m* sympathy, condolences

(pl); **dar el ~** to offer one's condolences.

pesar ◇ *m* **1.** *(tristeza)* grief. **2.** *(arrepentimiento)* remorse. **3.** *loc*: **a ~ mío** against my will. ◇ *vt* **1.** *(determinar el peso de)* to weigh. **2.** *(examinar)* to weigh up. ◇ *vi* **1.** *(tener peso)* to weigh. **2.** *(ser pesado)* to be heavy. **3.** *(importar)* to play an important part. **4.** *(entristecer)*: **me pesa tener que decirte esto** I'm sorry to have to tell you this. ◆ **a pesar de** *loc prep* despite. ◆ **a pesar de que** *loc conj* in spite of the fact that.

pesca *f* **1.** *(acción)* fishing; **ir de ~** to go fishing; **~ de bajura/altura** coastal/deep-sea fishing. **2.** *(lo pescado)* catch.

pescadería *f* fishmonger's (shop).

pescadilla *f* whiting.

pescado *m* fish; **~ azul/blanco** blue/white fish.

pescador, -ra *m y f* fisherman *(f* fisherwoman)*.

pescar ◇ *vt* **1.** *(peces)* to catch. **2.** *fig (enfermedad)* to catch. **3.** *fam fig (conseguir)* to get o.s., to land. **4.** *fam fig (atrapar)* to catch. ◇ *vi* to fish, to go fishing.

pescuezo *m* neck.

pese ◆ **pese a** *loc prep* despite.

pesebre *m* **1.** *(para los animales)* manger. **2.** *(belén)* crib, Nativity scene.

pesero *m CAm & Méx* fixed-rate taxi service.

peseta *f (unidad)* peseta. ◆ **pesetas** *fpl fig (dinero)* money (U).

pesimista ◇ *adj* pessimistic. ◇ *m y f* pessimist.

pésimo, -ma ◇ *superl* → **malo**. ◇ *adj* terrible, awful.

peso *m* **1.** *(gen)* weight; **tiene un kilo de ~** it weighs a kilo; **de ~** *(razones)* weighty; *(persona)* influential; **~ bruto/neto** gross/net weight; **~ muerto** dead weight. **2.** *(moneda)* peso. **3.** *(de atletismo)* shot. **4.** *(balanza)* scales *(pl)*.

pesquero *m* fishing boat.

pesquisa *f* investigation, inquiry.

pestaña *f (de párpado)* eyelash; **quemarse las ~s** *fig* to burn the midnight oil.

pestañear *vi* to blink; **sin ~** *(con serenidad)* without batting an eyelid; *(con atención)* without losing concentration once.

peste *f* **1.** *(enfermedad, plaga)* plague; **~ bubónica** bubonic plague. **2.** *fam (mal olor)* stink, stench. **3.** *loc*: **decir ~s de alguien** to heap abuse on sb.

pesticida *m* pesticide.

pestilencia *f* stench.

pestillo *m (cerrojo)* bolt; *(mecanismo, en verjas)* latch; **correr o echar el ~** to shoot the bolt.

petaca *f* **1.** *(para cigarrillos)* cigarette case; *(para tabaco)* tobacco pouch. **2.** *(para bebidas)* flask. **3.** *Méx (maleta)* suitcase.

pétalo *m* petal.

petanca *f* game similar to bowls played in parks, on beach etc.

petardo *m (cohete)* firecracker.

petate *m* kit bag.

petición *f* **1.** *(acción)* request; **a ~ de** at the request of. **2.** (DER) *(escrito)* petition.

petiso, -sa *adj Amer fam* short.

peto *m (de prenda)* bib.

petrificar *vt lit & fig* to petrify.

petrodólar *m* petrodollar.

petróleo *m* oil, petroleum.

petrolero, -ra *adj* oil *(antes de sust)*. ◆ **petrolero** *m* oil tanker.

petrolífero, -ra *adj* oil *(antes de sust)*.

peúco *m (gen pl)* bootee.

peyorativo, -va *adj* pejorative.

pez *m* fish; **~ de río** freshwater fish; **~ espada** swordfish; **estar ~ (en algo)** to have no idea (about sthg). ◆ **pez gordo** *m fam fig* big shot.

pezón *m (de pecho)* nipple.

pezuña *f* hoof.

piadoso, -sa *adj* **1.** *(compasivo)* kindhearted. **2.** *(religioso)* pious.

pianista *m y f* pianist.

piano *m* piano.

pianola *f* pianola.

piar *vi* to cheep, to tweet.

PIB *(abrev de* **producto interior bruto**) *m* GDP.

pibe, -ba *m y f CSur fam* kid, boy *(f* girl)*.

pica *f* **1.** *(naipe)* spade. **2.** *(lanza)* pike; **poner una ~ en Flandes** to do the impossible. ◆ **picas** *fpl (palo de baraja)* spades.

picadero *m (de caballos)* riding school.

picadillo *m (de carne)* mince; *(de verdura)* chopped vegetables *(pl)*.

picado, -da *adj* **1.** *(marcado - piel)* pockmarked; *(- fruta)* bruised. **2.** *(agujereado)* perforated; **~ de polilla** motheaten. **3.** *(triturado - alimento)* chopped; *(- carne)* minced; *(- tabaco)* cut. **4.** *(vino)* sour. **5.** *(diente)* decayed. **6.** *(mar)* choppy. **7.** *fig (enfadado)* annoyed.

picador, -ra *m y f* (TAUROM) picador.

picadora *f* mincer.

picadura *f* **1.** *(de mosquito, serpiente)*

bite; *(de avispa, ortiga, escorpión)* sting.
2. *(tabaco)* (cut) tobacco *(U).*
picante ◇ *adj* **1.** *(comida etc)* spicy,
hot. **2.** *fig (obsceno)* saucy. ◇ *m (comida)*
spicy food; *(sabor)* spiciness.
picantería *f Andes* cheap restaurant.
picapica → **polvo.**
picaporte *m (aldaba)* doorknocker;
(barrita) latch.
picar ◇ *vt* **1.** *(suj: mosquito, serpiente)* to
bite; *(suj: avispa, escorpión, ortiga)* to
sting. **2.** *(escocer)* to itch; **me pican los
ojos** my eyes are stinging. **3.** *(triturar - verdura)* to chop; *(- carne)* to
mince. **4.** *(suj: ave)* to peck. **5.** *(aperitivo)*
to pick at. **6.** *(tierra, piedra, hielo)* to
hack at. **7.** *fig (enojar)* to irritate. **8.** *fig
(estimular - persona, caballo)* to spur on;
(- curiosidad) to prick. **9.** *(perforar - billete, ficha)* to punch. ◇ *vi* **1.** *(alimento)*
to be spicy ○ hot. **2.** *(pez)* to bite.
3. *(escocer)* to itch. **4.** *(ave)* to peck.
5. *(tomar un aperitivo)* to nibble. **6.** *(sol)*
to burn. **7.** *(dejarse engañar)* to take the
bait. ♦ **picarse** *vpr* **1.** *(vino)* to turn
sour. **2.** *(mar)* to get choppy. **3.** *(diente)*
to get a cavity. **4.** *(oxidarse)* to go rusty.
5. *fig (enfadarse)* to get annoyed ○
cross.
picardía *f* **1.** *(astucia)* craftiness.
2. *(travesura)* naughty trick, mischief
(U). **3.** *(atrevimiento)* brazenness.
picaresca *f* **1.** *(LITER)* picaresque literature. **2.** *(modo de vida)* roguery.
pícaro, -ra *m y f* **1.** *(astuto)* sly person,
rogue. **2.** *(travieso)* rascal. **3.** *(atrevido)*
brazen person.
picatoste *m* crouton.
pichi *m Esp* jumper *Am*, pinafore
(dress) *Br.*
pichichi *m* (DEP) top scorer.
pichincha *f CSur fam* snip, bargain.
pichón *m* (ZOOL) young pigeon.
picnic *(pl* **picnics)** *m* picnic.
pico *m* **1.** *(de ave)* beak. **2.** *(punta,
saliente)* corner. **3.** *(herramienta)* pick,
pickaxe. **4.** *(cumbre)* peak. **5.** *(cantidad
indeterminada)*: **cincuenta y ~** fifty-odd;
llegó a las cinco y ~ he got there just
after five. **6.** *fam (boca)* gob, mouth; **cerrar el ~** *(callar)* to shut up.
picor *m (del calor)* burning; *(que irrita)*
itch.
picoso, -sa *adj Méx* spicy, hot.
picotear *vt (suj: ave)* to peck.
pida, pidiera *etc* → **pedir.**
pie *m* **1.** *(gen & ANAT)* foot; **a ~** on foot;
estar ○ **en ~** to be on one's feet ○
standing; **ponerse de** ○ **en ~** to stand

up; **de ~s a cabeza** *fig* from head to toe;
seguir en ~ *(vigente)* to be still valid; **en
~ de igualdad** on an equal footing; **en ~
de guerra** at war; **~ de foto** caption.
2. *(de micrófono, lámpara etc)* stand; *(de
copa)* stem. **3.** *loc:* **al ~ de la letra** to the
letter, word for word; **andar con ~s de
plomo** to tread carefully; **buscarle (los)
tres ~s al gato** to split hairs; **dar ~ a
alguien para que haga algo** to give sb
cause to do sthg; **no tener ni ~s ni
cabeza** to make no sense at all; **pararle
los ~s a alguien** to put sb in their place;
tener un ~ en la tumba to have one foot
in the grave.
piedad *f* **1.** *(compasión)* pity; **tener ~
de** to take pity on. **2.** *(religiosidad)* piety.
piedra *f* **1.** *(gen)* stone; **~ angular** *lit &
fig* cornerstone; **~ pómez** pumice stone;
~ preciosa precious stone. **2.** *(de
mechero)* flint.
piel *f* **1.** *(ANAT)* skin; **~ roja** redskin
*(N.B: the term 'piel roja' is considered to be
racist)*; **dejar** ○ **jugarse la ~** to risk one's
neck. **2.** *(cuero)* leather. **3.** *(pelo)* fur.
4. *(cáscara)* skin, peel.
piensa *etc* → **pensar.**
pierda *etc* → **perder.**
pierna *f* leg; **estirar las ~s** to stretch
one's legs.
pieza *f* **1.** *(gen)* piece; *(de mecanismo)*
part; **~ de recambio** ○ **repuesto** spare
part, extra *Am*; **dejar/quedarse de una ~**
to leave/be thunderstruck. **2.** *(obra
dramática)* play. **3.** *(habitación)* room.
pigmento *m* pigment.
pijama *m* pyjamas *(pl).*
pila *f* **1.** *(generador)* battery. **2.** *(montón)*
pile; **tiene una ~ de deudas** he's up to
his neck in debt. **3.** *(fregadero)* sink.
pilar *m lit & fig* pillar.
píldora *f* pill; *(anticonceptivo)*: **la ~** the
pill; **dorar la ~** to sugar the pill.
pileta *f CSur* swimming pool.
pillar ◇ *vt* **1.** *(gen)* to catch. **2.** *(chiste,
explicación)* to get. **3.** *(atropellar)* to
knock down. ◇ *vi (hallarse)*: **me pilla
lejos** it's out of the way for me; **me pilla
de camino** it's on my way. ♦ **pillarse**
vpr (dedos etc) to catch.
pilotar *vt (avión)* to fly, to pilot; *(coche)*
to drive; *(barco)* to steer.
piloto ◇ *m y f (gen)* pilot; *(de coche)*
driver; **~ automático** automatic pilot.
◇ *m (luz - de coche)* tail light; *(- de
aparato)* pilot lamp. ◇ *adj inv* pilot
(antes de sust).
pimentón *m* paprika.
pimienta *f* pepper.

pimiento *m* (*fruto*) pepper, capsicum; (*planta*) pimiento, pepper plant; **~ morrón** sweet pepper.

pimpollo *m* 1. (*de rama, planta*) shoot; (*de flor*) bud. 2. *fam fig* (*persona atractiva*) gorgeous person.

pinacoteca *f* art gallery.

pinar *m* pine wood o grove.

pinaza *f* pine needles (*pl*).

pincel *m* (*para pintar*) paintbrush; (*para maquillar etc*) brush.

pinchar ◇ *vt* 1. (*punzar - gen*) to prick; (*- rueda*) to puncture; (*- globo, balón*) to burst. 2. (*penetrar*) to pierce. 3. (*fijar*): **~ algo en la pared** to pin sthg to the wall. 4. *fam* (*teléfono*) to tap. 5. *fig* (*irritar*) to torment. 6. *fig* (*incitar*): **~ a alguien para que haga algo** to urge sb to do sthg. ◇ *vi* 1. (*rueda*) to get a puncture. 2. (*barba*) to be prickly. ◆ **pincharse** *vpr* 1. (*punzarse - persona*) to prick o.s.; (*- rueda*) to get a puncture. 2. (*inyectarse*): **~se** (*algo*) (*medicamento*) to inject o.s. (with sthg); *fam* (*droga*) to shoot up (with sthg).

pinchazo *m* 1. (*punzada*) prick. 2. (*marca*) needle mark. 3. (*de neumático, balón etc*) puncture, flat *Am*.

pinche *m y f* kitchen boy (*f* kitchen maid). ◇ *adj Méx fam* damned.

pinchito *m* (CULIN) 1. (*tapa*) aperitif on a stick. 2. (*pincho moruno*) shish kebab.

pincho *m* 1. (*punta*) (sharp) point. 2. (*espina - de planta*) prickle, thorn. 3. (CULIN) aperitif on a stick; **~ moruno** shish kebab.

pinga *f Andes & Méx vulg* prick, cock.

pingajo *m fam despec* rag.

pingo *m fam despec* (*pingajo*) rag.

ping-pong [pin'pon] *m* table-tennis.

pingüino *m* penguin.

pinitos *mpl*: **hacer ~** *lit & fig* to take one's first steps.

pino *m* pine; **en el quinto ~** in the middle of nowhere.

pinta → pinto.

pintado, -da *adj* 1. (*coloreado*) coloured; **'recién ~'** 'wet paint'. 2. (*maquillado*) made-up. 3. (*moteado*) speckled. ◆ **pintada** *f* (*escrito*) graffiti (U).

pintalabios *m inv* lipstick.

pintar ◇ *vt* to paint; **~ algo de negro** to paint sthg black. ◇ *vi* 1. (*con pintura*) to paint. 2. (*significar, importar*) to count; **aquí no pinto nada** there's no place for me here; **¿qué pinto yo en este asunto?** where do I come in? ◆ **pintarse** *vpr* (*maquillarse*) to make o.s. up.

pinto, -ta *adj* speckled, spotted.

◆ **pinta** *f* 1. (*lunar*) spot. 2. *fig* (*aspecto*) appearance; **tener pinta de algo** to look o seem sthg; **tiene buena pinta** it looks good. 3. (*unidad de medida*) pint. 4. *Méx* (*pintada*) graffiti (U).

pintor, -ra *m y f* painter.

pintoresco, -ca *adj* picturesque; *fig* (*extravagante*) colourful.

pintura *f* 1. (ARTE) painting; **~ a la acuarela** watercolour; **~ al óleo** oil painting; **no poder ver a alguien ni en ~** *fig* not to be able to stand the sight of sb. 2. (*materia*) paint.

pinza *f* (*gen pl*) 1. (*gen*) tweezers (*pl*); (*de tender ropa*) peg, clothespin *Am*. 2. (*de animal*) pincer, claw. 3. (*pliegue*) fold.

piña *f* 1. (*del pino*) pine cone. 2. (*ananás*) pineapple. 3. *fig* (*conjunto de gente*) close-knit group.

piñata *f* pot full of sweets.

piñón *m* 1. (*fruto*) pine nut. 2. (*rueda dentada*) pinion.

pío, -a *adj* pious. ◆ **pío** *m* cheep, cheeping (U); (*de gallina*) cluck, clucking (U); **no decir ni ~** *fig* not to make a peep.

piojo *m* louse.

piola *adj CSur fam* 1. (*astuto*) shrewd. 2. (*estupendo*) fabulous.

pionero, -ra *m y f* pioneer.

pipa *f* 1. (*para fumar*) pipe. 2. (*pepita*) seed, pip; **~s** (*de girasol*) sunflower seeds coated in salt. 3. *loc*: **pasarlo o pasárselo ~** to have a whale of a time.

pipermín, peppermint [piper'min] *m* peppermint liqueur.

pipí *m fam* wee-wee; **hacer ~** to have a wee-wee.

pique *m* 1. (*enfado*) grudge. 2. (*rivalidad*) rivalry. 3. *loc*: **irse a ~** (*barco*) to sink; (*negocio*) to go under; (*plan*) to fail.

piquete *m* (*grupo*): **~ de ejecución** firing squad; **~ (de huelga)** picket.

pirado, -da *adj fam* crazy.

piragua *f* canoe.

piragüismo *m* canoeing.

pirámide *f* pyramid.

piraña *f* piranha.

pirarse *vpr fam* to clear off.

pirata ◇ *adj* pirate (*antes de sust*); (*disco*) bootleg. ◇ *m y f lit & fig* pirate; **~ informático** hacker.

piratear ◇ *vi* 1. (*gen*) to be involved in piracy. 2. (INFORM) to hack. ◇ *vt* (INFORM) to hack into.

pírex, pyrex® *m* Pyrex®.

Pirineos *mpl*: **los ~** the Pyrenees.

piripi adj fam tipsy.

pirómano, -na m y f pyromaniac.

piropo m fam flirtatious remark, ≈ wolf whistle.

pirotecnia f pyrotechnics (U).

pirueta f pirouette; **hacer ~s** fig (esfuerzo) to perform miracles.

piruleta f lollipop.

pirulí (pl **pirulís**) m lollipop.

pis (pl **pises**) m fam pee.

pisada f 1. (acción) footstep; **seguir las ~s de alguien** to follow in sb's footsteps. 2. (huella) footprint.

pisapapeles m inv paperweight.

pisar vt 1. (con el pie) to tread on; **~ fuerte** fig to be firing on all cylinders. 2. (uvas) to tread. 3. fig (llegar a) to set foot in. 4. fig (despreciar) to trample on. 5. fig (anticiparse): **~ un contrato a alguien** to beat sb to a contract; **~ una idea a alguien** to think of something before sb.

piscina f swimming pool.

Piscis ◇ m (zodiaco) Pisces. ◇ m y f (persona) Pisces.

piso m 1. (planta) floor. 2. (suelo - de carretera) surface; (- de edificio) floor. 3. (capa) layer. 4. Esp (vivienda) apartment, flat Br.

pisotear vt 1. (con el pie) to trample on. 2. (humillar) to scorn.

pista f 1. (gen) track; **~ de aterrizaje** runway; **~ de baile** dance floor; **~ de esquí** ski slope; **~ de hielo** ice rink; **~ de tenis** tennis court. 2. fig (indicio) clue.

pistacho m pistachio.

pisto m ≈ ratatouille.

pistola f 1. (arma - con cilindro) gun; (- sin cilindro) pistol. 2. (pulverizador) spraygun; **pintar a ~** to spray-paint.

pistolero, -ra m y f (persona) gunman. ◆ **pistolera** f (funda) holster.

pistón m 1. (MEC) piston. 2. (MÚS - corneta) cornet; (- llave) key.

pitada f Amer fam drag, puff.

pitar ◇ vt 1. (arbitrar - partido) to referee; (- falta) to blow for. 2. (abuchear): **~ a alguien** to whistle at sb in disapproval. ◇ vi 1. (tocar el pito) to blow a whistle; (del coche) to toot one's horn. 2. Amer (fumar) to smoke. 3. loc: **salir/irse pitando** to rush out/off.

pitido m whistle.

pitillera f cigarette case.

pitillo m (cigarrillo) cigarette.

pito m 1. (silbato) whistle. 2. (claxon) horn.

pitón m (cuerno) horn.

pitonisa f fortune-teller.

pitorrearse vpr Esp fam: **~ (de)** to take the mickey (out of).

pitorro m spout.

pivote (pl **pivotes**), **pívot** (pl **pivots**) m y f (DEP) pivot.

pizarra f 1. (roca, material) slate. 2. (encerado) blackboard.

pizca f fam 1. (gen) tiny bit; (de sal) pinch. 2. Méx (cosecha) harvest, crop.

pizza ['pitsa] f pizza.

pizzería [pitse'ria] f pizzeria.

placa f 1. (lámina) plate; (de madera) sheet; **~ solar** solar panel. 2. (inscripción) plaque; (de policía) badge. 3. (matrícula) number plate. 4. (de cocina) ring. 5. (ELECTRÓN) board. 6. **~ dental** dental plaque.

placaje m tackle.

placenta f placenta.

placer m pleasure; **ha sido un ~ (conocerle)** it has been a pleasure meeting you.

plafón m (ARQUIT) soffit.

plaga f 1. (gen) plague; (AGR) blight; (animal) pest. 2. (epidemia) epidemic.

plagado, -da adj: **~ (de)** infested (with).

plagar vt: **~ de** (propaganda etc) to swamp with; (moscas etc) to infest with.

plagiar vt (copiar) to plagiarize.

plagio m (copia) plagiarism.

plan m 1. (proyecto, programa) plan. 2. fam (ligue) date. 3. fam (modo, forma): **lo dijo en ~ serio** he was serious about it; **¡vaya ~ de vida!** what a life!; **si te pones en ese ~ ...** if you're going to be like that about it ...

plana → plano.

plancha f 1. (para planchar) iron. 2. (para cocinar) grill; **a la ~** grilled. 3. (placa) plate; (de madera) sheet. 4. (IMPRENTA) plate.

planchado m ironing.

planchar vt to iron.

planeador m glider.

planear ◇ vt to plan. ◇ vi 1. (hacer planes) to plan. 2. (en el aire) to glide.

planeta m planet.

planicie f plain.

planificación f planning; **~ familiar** family planning.

planificar vt to plan.

planilla f Amer (formulario) form.

plano, -na adj flat. ◆ **plano** m 1. (diseño, mapa) plan. 2. (nivel, aspecto) level. 3. (CIN) shot; **primer ~** close-up. 4. (GEOM) plane. 5. loc: **de ~** (golpear) right, directly; *(negar)* flatly. ◆ **plana** *f* *(página)* page; **en primera plana** on the front page.

planta *f* 1. *(vegetal, fábrica)* plant; ~ **depuradora** purification plant. 2. *(piso)* floor; ~ **baja** ground floor. 3. *(del pie)* sole.

plantación *f* 1. *(terreno)* plantation. 2. *(acción)* planting.

plantado, -da *adj* standing, planted; **dejar** ~ **a alguien** *fam (cortar la relación)* to walk out on sb; *(no acudir)* to stand sb up; **ser bien** ~ to be good-looking.

plantar *vt* 1. *(sembrar):* ~ **algo (de)** to plant sthg (with). 2. *(fijar - tienda de campaña)* to pitch; *(- poste)* to put in. 3. *fam (asestar)* to deal, to land. ◆ **plantarse** *vpr* 1. *(gen)* to plant o.s. 2. *(en un sitio con rapidez):* ~**se en** to get to, to reach.

plantear *vt* 1. *(exponer - problema)* to pose; *(- posibilidad, dificultad, duda)* to raise. 2. *(enfocar)* to approach. ◆ **plantearse** *vpr:* ~**se algo** to consider sthg, to think about sthg.

plantel *m fig (conjunto)* group.

plantilla *f* 1. *(de empresa)* staff. 2. *(suela interior)* insole. 3. *(patrón)* pattern, template.

plantón *m:* **dar un** ~ **a alguien** *fam* to stand sb up.

plañidero, -ra *adj* plaintive.

plañir *vi* to moan, to wail.

plasmar *vt* 1. *fig (reflejar)* to give shape to. 2. *(modelar)* to shape, to mould. ◆ **plasmarse** *vpr* to take shape.

plasta ◇ *adj mfam:* **ser** ~ to be a pain. ◇ *m y f mfam (pesado)* pain, drag.

plástico, -ca *adj (gen)* plastic. ◆ **plástico** *m (gen)* plastic.

plastificar *vt* to plasticize.

plastilina® *f* = Plasticine®.

plata *f* 1. *(metal)* silver; ~ **de ley** sterling silver; **hablar en** ~ *fam* to speak bluntly. 2. *(objetos de plata)* silverware. 3. *Amer (dinero)* money.

plataforma *f* 1. *(gen)* platform. 2. ~ **petrolífera** oil rig. 3. *fig (punto de partida)* launching pad. 4. *(GEOL)* shelf.

plátano *m* 1. *(fruta)* banana. 2. *(árbol)* banana tree.

platea *f* stalls *(pl)*.

plateado, -da *adj* 1. *(con plata)* silver-plated. 2. *fig (color)* silvery.

plática *f (charla)* talk, chat.

platicar *vi* to talk, to chat.

platillo *m* 1. *(plato pequeño)* small plate; *(de taza)* saucer. 2. *(de una balanza)* pan. 3. *(gen pl)* *(MÚS)* cymbal.

◆ **platillo volante** *m* flying saucer.

platino *m (metal)* platinum. ◆ **platinos** *mpl* (AUTOM & MEC) contact points.

plato *m* 1. *(recipiente)* plate, dish; **lavar los** ~**s** to do the washing-up; **pagar los** ~**s rotos** to carry the can. 2. *(parte de una comida)* course; **primer** ~ first course, starter; **de primer** ~ for starters; **segundo** ~ second course, main course. 3. *(comida)* dish; ~ **combinado** *single-course meal which usually consists of meat or fish accompanied by chips and vegetables*; ~ **principal** main course. 4. *(de tocadiscos, microondas)* turntable.

plató *m* set.

platudo, -da *adj Amer fam* loaded, rolling in it.

plausible *adj* 1. *(admisible)* acceptable. 2. *(posible)* plausible.

playa *f* 1. *(en el mar)* beach; **ir a la** ~ **de vacaciones** to go on holiday to the seaside. 2. *Amer (aparcamiento):* ~ **de estacionamiento** car park.

play-back ['pleiβak] *(pl* **play-backs)** *m:* **hacer** ~ to mime (the lyrics).

playeras *fpl* 1. *(de deporte)* tennis shoes. 2. *(para la playa)* canvas shoes.

plaza *f* 1. *(en una población)* square. 2. *(sitio)* place. 3. *(asiento)* seat; **de dos** ~**s** two-seater *(antes de sust)*. 4. *(puesto de trabajo)* position, job; ~ **vacante** vacancy. 5. *(mercado)* market, market-place. 6. *(TAUROM):* ~ **(de toros)** bullring.

plazo *m* 1. *(de tiempo)* period (of time); **en un** ~ **de un mes** within a month; **mañana termina el** ~ **de inscripción** the deadline for registration is tomorrow; **a corto/largo** ~ *(gen)* in the short/long term; *(ECON)* short/long term. 2. *(de dinero)* instalment; **a** ~**s** in instalments, on hire purchase.

plazoleta *f* small square.

plebeyo, -ya *adj* 1. *(HIST)* plebeian. 2. *(vulgar)* common.

plegable *adj* collapsible, foldaway; *(chair)* folding.

plegar *vt* to fold; *(mesita, hamaca)* to fold away.

plegaria *f* prayer.

pleito *m* *(DER)* *(litigio)* legal action *(U)*, lawsuit; *(disputa)* dispute.

plenario, -ria *adj* plenary.

plenilunio *m* full moon.

plenitud *f* 1. *(totalidad)* completeness, fullness. 2. *(abundancia)* abundance.

pleno, -na *adj* full, complete; **en** ~ **día** in broad daylight; **en plena guerra** in the middle of the war; **le**

dio en plena cara she hit him right in the face; **en ~ uso de sus facultades** in full command of his faculties; **en plena forma** on top form. ♦ **pleno** *m* (*reunión*) plenary meeting.

pletina *f* cassette deck.

pliego *m* 1. (*hoja*) sheet (of paper). 2. (*carta, documento*) sealed document O letter; **~ de condiciones** specifications (*pl*). 3. (IMPRENTA) signature.

pliegue *m* 1. (*gen &* GEOL) fold. 2. (*en un plisado*) pleat.

plisado *m* pleating.

plomería *f* Amer plumber's.

plomero *m* Amer plumber.

plomizo, -za *adj* (*color*) leaden.

plomo *m* 1. (*metal*) lead; **caer a ~ to** fall O drop like a stone. 2. (*pieza de metal*) lead weight. 3. (*fusible*) fuse.

pluma ◇ *f* 1. (*de ave*) feather. 2. (*para escribir*) (fountain) pen; (HIST) quill; **~ estilográfica** fountain pen. ◇ *adj inv* (DEP) featherweight.

plum-cake [pluŋ'keik] (*pl* **plum-cakes**) *m* fruit cake.

plumero *m* feather duster; **vérsele a alguien el ~** *fam* to see through sb.

plumier (*pl* **plumiers**) *m* pencil box.

plumilla *f* nib.

plumón *m* (*de ave*) down.

plural *adj & m* plural.

pluralidad *f* diversity.

pluralizar *vi* to generalize.

pluriempleo *m*: **hacer ~** to have more than one job.

plus (*pl* **pluses**) *m* bonus.

pluscuamperfecto *adj & m* pluperfect.

plusmarca *f* record.

plusvalía *f* (ECON) appreciation, added value.

Plutón Pluto.

pluvial *adj* rain (*antes de sust*).

p.m. (*abrev de* **post meridiem**) p.m.

PM (*abrev de* **policía militar**) *f* MP.

PNB (*abrev de* **producto nacional bruto**) *m* GNP.

PNV (*abrev de* **Partido Nacionalista Vasco**) *m* Basque nationalist party.

población *f* 1. (*ciudad*) town, city; (*pueblo*) village. 2. (*habitantes*) population.

poblado, -da *adj* 1. (*habitado*) inhabited; **una zona muy poblada** a densely populated area. 2. *fig* (*lleno*) full; (*barba, cejas*) bushy. ♦ **poblado** *m* settlement.

poblar *vt* 1. (*establecerse en*) to settle, to colonize. 2. *fig* (*llenar*): **~ (de)** (*plan-*

tas, árboles) to plant (with); (*peces etc*) to stock (with). 3. (*habitar*) to inhabit. ♦ **poblarse** *vpr*: **~se (de)** to fill up (with).

pobre ◇ *adj* poor; **¡~ hombre!** poor man!; **¡~ de mí!** poor me! ◇ *m y f* 1. (*gen*) poor person; **los ~s** the poor; **¡el ~!** poor thing! 2. (*mendigo*) beggar.

pobreza *f* (*escasez*) poverty; **~ de** lack O scarcity of.

pochismo *m* Méx fam language mistake caused by English influence.

pocho, -cha *adj* 1. (*persona*) off-colour. 2. (*fruta*) over-ripe. 3. Méx fam (*americanizado*) Americanized.

pocilga *f* lit & fig pigsty.

pocillo *m* Amer small cup.

poción *f* potion.

poco, -ca ◇ *adj* little, not much, (*pl*) few, not many; **poca agua** not much water; **de poca importancia** of little importance; **hay ~s árboles** there aren't many trees; **pocas personas lo saben** few O not many people know it; **tenemos ~ tiempo** we don't have much time; **hace ~ tiempo** not long ago; **dame unos ~s días** give me a few days. ◇ *pron* little, not much, (*pl*) few, not many; **queda ~** there's not much left; **tengo muy ~s** I don't have very many, I have very few; **~s hay que sepan tanto** not many people know so much; **un ~** a bit; **¿me dejas un ~?** can I have a bit?; **un ~ de** a bit of; **un ~ de sentido común** a bit of common sense; **unos ~s** a few. ♦ **poco** *adv* 1. (*escasamente*) not much; **este niño come ~** this boy doesn't eat much; **es ~ común** it's not very common; **es un ~ triste** it's rather sad; **por ~** almost, nearly. 2. (*brevemente*): **tardaré muy ~** I won't be long; **al ~ de ...** shortly after ...; **dentro de ~** soon, in a short time; **hace ~** not long ago; **~ a ~** (*progresivamente*) little by little; **¡~ a ~!** (*despacio*) steady on!

podar *vt* to prune.

podenco *m* hound.

poder ◇ *m* 1. (*gen*) power; **estar en/ hacerse con el ~** to be in/to seize power; **~ adquisitivo** purchasing power; **tener ~ de convocatoria** to be a crowd-puller; **~es fácticos** the church, military and press. 2. (*posesión*): **estar en ~ de alguien** to be in sb's hands. 3. (*gen pl*) (*autorización*) power, authorization; **dar ~es a alguien para que haga algo** to authorize sb to do sthg; **por ~es** by proxy. ◇ *vi* 1. (*tener facultad*) can, to be able to; **no puedo decírtelo** I can't tell you, I'm unable to tell you. **2.** *(tener permiso)* can, may; **no puedo salir por la noche** I'm not allowed to O I can't go out at night; **¿se puede fumar aquí?** may I smoke here? **3.** *(ser capaz moralmente)* can; **no podemos portarnos así con él** we can't treat him like that. **4.** *(tener posibilidad, ser posible)* may, can; **podías haber cogido el tren** you could have caught the train; **puede estallar la guerra** war could O may break out; **¡hubiera podido invitarnos!** *(expresa enfado)* she could O might have invited us! **5.** *loc:* **a** O **hasta más no ~** as much as can be; **es avaro a más no ~** he's as miserly as can be; **no ~ más** *(estar cansado)* to be too tired to carry on; *(estar harto de comer)* to be full (up); *(estar enfadado)* to have had enough; **¿se puede?** may I come in? ◇ *v impers (ser posible)* may; **puede que llueva** it may O might rain; **¿vendrás mañana? – puede** will you come tomorrow? – I may do; **puede ser** perhaps, maybe. ◇ *vt (ser más fuerte que)* to be stronger than. ◆ **poder con** *vi + prep* **1.** *(enfermedad, rival)* to be able to overcome. **2.** *(tarea, problema)* to be able to cope with. **3.** *(soportar)*: **no ~ con algo/alguien** not to be able to stand sthg/sb; **no puedo con la hipocresía** I can't stand hypocrisy.

- *May I smoke in here?* y *can I smoke in here?* significan lo mismo, pero *may* se usa de manera más formal.
- *Can* sólo se usa en presente. Los otros tiempos se crean con la expresión *be able to* (*I can't do it now, but maybe I'll be able to on Sunday*, "ahora no puedo hacerlo, pero quizá *pueda* el domingo").
- Sin embargo, *could* se usa como pasado de *can* cuando se traduce por "era posible" o "se hacía" (*ten years ago you could buy a house for 60,000 dollars*, "hace diez años se podía comprar una casa por 60,000 dólares"; *I couldn't get any more tickets*, "no pude conseguir más boletos").
- Ver también **CAN** en el lado Inglés-Español del diccionario.

---

poderío *m (poder)* power.

poderoso, -sa *adj* powerful.

podio, podium *m* podium.

podólogo, -ga *m y f* podiatrist *Am*, chiropodist *Br*.

podrá → **poder**.

podrido, -da ◇ *pp* → **pudrir**. ◇ *adj* rotten.

poema *m* poem.

poesía *f* **1.** *(género literario)* poetry. **2.** *(poema)* poem.

poeta *m y f* poet.

poético, -ca *adj* poetic.

poetisa *f* female poet.

póker = **póquer**.

polar *adj* polar.

polarizar *vt* fig *(miradas, atención, esfuerzo)* to concentrate. ◆ **polarizarse** *vpr (vida política, opinión pública)* to become polarized.

polea *f* pulley.

polémico, -ca *adj* controversial. ◆ **polémica** *f* controversy.

polemizar *vi* to argue, to debate.

polen *m* pollen.

poleo *m* pennyroyal.

poli *fam* ◇ *m y f* cop. ◇ *f* cops *(pl)*.

policía ◇ *m y f* policeman *(f* policewoman*)*. ◇ *f:* **la ~** the police.

policiaco, -ca, policíaco, -ca *adj* police *(antes de sust)*; *(novela, película)* detective *(antes de sust)*.

policial *adj* police *(antes de sust)*.

polideportivo, -va *adj* multi-sport; *(gimnasio)* multi-use. ◆ **polideportivo** *m* sports centre.

poliéster *m inv* polyester.

polietileno *m* polyethylene *Am*, polythene *Br*.

polifacético, -ca *adj* multifaceted, versatile.

poligamia *f* polygamy.

polígamo, -ma *adj* polygamous.

poligloto, -ta, políglото, -ta *adj, m y f* polyglot.

polígono *m* **1.** (GEOM) polygon. **2.** *(terreno)*: **~ industrial/residencial** industrial/housing estate; **~ de tiro** firing range.

polilla *f* moth.

poliomelitis, polio *f inv* polio.

politécnico, -ca *adj* polytechnic. ◆ **politécnica** *f* polytechnic.

político, -ca *adj* **1.** *(de gobierno)* political. **2.** *(pariente)*: **hermano ~** brother-in-law; **familia política** in-laws *(pl)*. ◆ **político** *m* politician. ◆ **política** *f* **1.** *(arte de gobernar)* politics *(U)*. **2.** *(modo de gobernar, táctica)* policy.

politizar *vt* to politicize. ◆ **politizarse** *vpr* to become politicized.

póliza *f* **1.** *(de seguro)* (insurance) policy. **2.** *(sello)* stamp on a document showing that a certain tax has been paid.

polizón *m* stowaway.

polla → **pollo**.

pollera *f* Andes & CSur skirt.

pollería *f* poultry shop.

P

pollito m chick.

pollo, -lla m y f (ZOOL) chick. ♦ **pollo** m (CULIN) chicken.

polo m 1. (gen) pole; **~ norte/sur** North/South Pole; **ser ~s opuestos** fig to be poles apart. 2. (ELECTR) terminal. 3. (helado) ice lolly. 4. (jersey) polo shirt. 5. (DEP) polo.

pololo, -la m y f Andes fam boyfriend (f girlfriend).

Polonia Poland.

poltrón, -ona adj lazy. ♦ **poltrona** f easy chair.

polución f (contaminación) pollution.

polvareda f dust cloud.

polvera f powder compact.

polvo m 1. (en el aire) dust; **limpiar** O **quitar el ~** to do the dusting. 2. (de un producto) powder; **en ~** powdered; **~s de talco** talcum powder; **~s picapica** itching powder; **estar hecho ~** fam to be knackered; **hacer ~ algo** to smash sthg. ♦ **polvos** mpl (maquillaje) powder (U); **ponerse ~s** to powder one's face.

pólvora f (sustancia explosiva) gunpowder; **correr como la ~** to spread like wildfire.

polvoriento, -ta adj (superficie) dusty; (sustancia) powdery.

polvorón m crumbly sweet made from flour, butter and sugar.

pomada f ointment.

pomelo m (fruto) grapefruit.

pómez → **piedra**.

pomo m knob.

pompa f 1. (suntuosidad) pomp. 2. (ostentación) show, ostentation. 3. **~ (de jabón)** (soap) bubble. ♦ **pompas fúnebres** fpl (servicio) undertaker's (sg).

pompis m inv fam bottom, backside.

pompón m pompom.

pomposo, -sa adj 1. (suntuoso) sumptuous. 2. (ostentoso) showy. 3. (lenguaje) pompous.

pómulo m (hueso) cheekbone.

ponchar vt Méx to puncture.

ponche m punch.

poncho m poncho.

ponderar vt 1. (alabar) to praise. 2. (considerar) to weigh up.

ponedero m nesting box.

ponedor, -ra adj egg-laying.

ponencia f (conferencia) lecture, paper; (informe) report.

poner ◇ vt 1. (gen) to put; (colocar) to place, to put. 2. (vestir): **~ algo a alguien** to put sthg on sb. 3. (contribuir, invertir) to put in; **~ dinero en el negocio** to put

money into the business; **~ algo de mi/tu** etc **parte** to do my/your etc bit. 4. (hacer estar de cierta manera): **~ a alguien en un aprieto/de mal humor** to put sb in a difficult position/in a bad mood; **le has puesto colorado** you've made him blush. 5. (calificar): **~ a alguien de algo** to call sb sthg. 6. (oponer): **~ obstáculos a algo** to hinder sthg; **~ pegas a algo** to raise objections to sthg. 7. (asignar - precio, medida) to fix, to settle; (- multa, tarea) to give; **le pusieron Mario** they called him Mario. 8. (TELECOM - telegrama, fax) to send; (- conferencia) to make; **¿me pones con él?** can you put me through to him? 9. (conectar - televisión etc) to switch O put on; (- despertador) to set; (- instalación, gas) to put in. 10. (CIN, TEATRO & TV) to show; **¿qué ponen en la tele?** what's on the telly? 11. (montar - negocio) to set up; **ha puesto una tienda** she has opened a shop. 12. (decorar) to do up; **han puesto su casa con mucho lujo** they've done up their house in real style. 13. (suponer): **pongamos que sucedió así** (let's) suppose that's what happened; **pon que necesitemos cinco días** suppose we need five days; **poniendo que todo salga bien** assuming everything goes according to plan. 14. (decir) to say; **¿qué pone ahí?** what does it say? 15. (huevo) to lay. ◇ vi (ave) to lay (eggs). ♦ **ponerse** ◇ vpr 1. (colocarse) to put o.s.; **~se de pie** to stand up; **ponte en la ventana** stand by the window. 2. (ropa, gafas, maquillaje) to put on. 3. (estar de cierta manera) to go, to become; **se puso rojo de ira** he went red with anger; **se puso colorado** he blushed; **se puso muy guapa** she made herself attractive. 4. (iniciar): **~se a hacer algo** to start doing sthg. 5. (de salud): **~se malo** O **enfermo** to fall ill; **~se bien** to get better. 6. (llenarse): **~se de algo** to get covered in sthg; **se puso de barro hasta las rodillas** he got covered in mud up to the knees. 7. (suj: astro) to set. 8. (llegar): **~se en** to get to. ◇ v impers Amer fam (parecer): **se me pone que ...** it seems to me that ...

poney = **poni**.

pongo → **poner**.

poni, poney ['poni] m pony.

poniente m (occidente) West; (viento) west wind.

pontífice m Pope, Pontiff.

pontón m pontoon.

pop adj pop.

popa f stern.

pope m fam fig (pez gordo) big shot.

popote m Méx drinking straw.

populacho m despec masses (pl).

popular adj **1.** (del pueblo) of the people; (arte, música) folk. **2.** (famoso) popular.

popularidad f popularity.

popularizar vt to popularize. ◆ **popularizarse** vpr to become popular.

popurrí m potpourri.

póquer, póker m (juego) poker.

[por] prep **1.** (causa) because of; **se enfadó ~ tu comportamiento** she got angry because of your behaviour. **2.** (finalidad) (antes de infin) (in order) to; (antes de sust, pron) for; **lo hizo ~ complacerte** he did it to please you; **lo hice ~ ella** I did it for her. **3.** (medio, modo, agente) by; **~ mensajero/fax** by courier/fax; **~ escrito** in writing; **lo cogieron ~ el brazo** they took him by the arm; **el récord fue batido ~ el atleta** the record was broken by the athlete. **4.** (tiempo aproximado): **creo que la boda será ~ abril** I think the wedding will be some time in April. **5.** (tiempo concreto): **~ la mañana/tarde** in the morning/afternoon; **~ la noche** at night; **ayer salimos ~ la noche** we went out last night; **~ unos días** for a few days. **6.** (lugar - aproximadamente en): **¿~ dónde vive?** whereabouts does he live?; **vive ~ las afueras** he lives somewhere on the outskirts; **había papeles ~ el suelo** there were papers all over the floor. **7.** (lugar - a través de) through; **iba paseando ~ el bosque/la calle** she was walking through the forest/along the street; **pasar ~ la aduana** to go through customs. **8.** (a cambio de, en lugar de) for; **lo ha comprado ~ poco dinero** she bought it for very little; **cambió el coche ~ la moto** he exchanged his car for a motorbike; **él lo hará ~ mí** he'll do it for me. **9.** (distribución) per; **cien pesetas ~ unidad** a hundred pesetas each; **20 kms ~ hora** 20 km an o per hour. **10.** (MAT): **dos ~ dos igual a cuatro** two times two is four. **11.** (en busca de) for; **baja ~ tabaco** go down to the shops for some cigarettes; **a ~ for**; **vino a ~ las entradas** she came for the tickets. **12.** (concesión): **~ más o mucho que lo intentes no lo conseguirás** however hard you try o try as you might, you'll never manage it; **no me cae bien, ~ (muy) simpático que te parezca** you may think he's nice, but I don't like him. ◆ **por qué** pron why;

¿~ qué lo dijo? why did she say it?; **¿~ qué no vienes?** why don't you come?

porcelana f (material) porcelain, china.

porcentaje m percentage.

porche m (soportal) arcade; (entrada) porch.

porción f portion, piece.

pormenor m (gen pl) detail.

porno adj fam porno.

pornografía f pornography.

pornográfico, -ca adj pornographic.

poro m pore.

poroso, -sa adj porous.

poroto m CSur & Chile bean; **~ verde** Chile green o French bean.

porque conj **1.** (debido a que) because. **2.** (para que) so that, in order that.

porqué m reason; **el ~ de** the reason for.

porquería f **1.** (suciedad) filth. **2.** (cosa de mala calidad) rubbish (U).

porra f **1.** (palo) club; (de policía) truncheon. **2.** loc: **mandar a alguien a la ~** fam to tell sb to go to hell.

porrazo m (golpe) bang, blow; (caída) bump.

porro m Esp fam (de droga) joint.

porrón m glass wine jar used for drinking wine from its long spout.

portaaviones = **portaviones**.

portada f **1.** (de libro) title page; (de revista) (front) cover; (de periódico) front page. **2.** (de disco) sleeve.

portador, -ra m y f carrier, bearer; **al ~** (COM) to the bearer.

portaequipajes m inv trunk Am, boot Br.

portafolios m inv, **portafolio** m (carpeta) file; (maletín) attaché case.

portal m (entrada) entrance hall; (puerta) main door.

portalámparas m inv socket.

portamonedas m inv purse.

portar vt to carry. ◆ **portarse** vpr to behave; **se ha portado bien conmigo** she has treated me well; **~se mal** to misbehave.

portátil adj portable.

portaviones, portaaviones m inv aircraft carrier.

portavoz m y f (persona) spokesman (f spokeswoman).

portazo m: **dar un ~** to slam the door.

porte m **1.** (gen pl) (gasto de transporte) carriage; **~ debido/pagado** (COM) carriage due/paid. **2.** (transporte) carriage,

P

transport. **3.** *(aspecto)* demeanour.
portentoso, -sa *adj* wonderful, amazing.
portería *f* **1.** *(de casa, colegio)* caretaker's office O lodge; *(de hotel, ministerio)* porter's office O lodge. **2.** (DEP) goal, goalmouth.
portero, -ra *m y f* **1.** *(de casa, colegio)* caretaker; *(de hotel, ministerio)* porter; ~ **automático** O **electrónico** O **eléctrico** entry-phone. **2.** (DEP) goalkeeper.
pórtico *m* **1.** *(fachada)* portico. **2.** *(arcada)* arcade.
portillo *m* *(puerta pequeña)* wicket gate.
Portugal Portugal.
portugués, -esa *adj, m y f* Portuguese. ◆ **portugués** *m* *(lengua)* Portuguese.
porvenir *m* future.
pos ◆ **en pos de** *loc prep* **1.** *(detrás de)* behind. **2.** *(en busca de)* after.
posada *f* **1.** *(fonda)* inn, guest house. **2.** *(hospedaje)* lodging, accommodation.
posar ◇ *vt* to put O lay down; *(mano, mirada)* to rest. ◇ *vi* to pose. ◆ **posarse** *vpr* **1.** *(gen)* to settle. **2.** *(pájaro)* to perch; *(nave, helicóptero)* to come down.
posavasos *m inv* coaster; *(en pub)* beer mat.
posdata, postdata *f* postscript.
pose *f* pose.
poseedor, -ra *m y f* owner; *(de cargo, acciones, récord)* holder.
poseer *vt (ser dueño de)* to own; *(estar en poder de)* to have, to possess.
poseído, -da *adj*: ~ **por** possessed by.
posesión *f* possession.
posesivo, -va *adj* possessive.
posgraduado, -da, postgraduado, -da *adj, m y f* postgraduate.
posguerra, postguerra *f* post-war period.
posibilidad *f* possibility, chance; **cabe la ~ de que ...** there is a chance that ...
posibilitar *vt* to make possible.
posible *adj* possible; **es ~ que llueva** it could rain; **dentro de lo ~, en lo ~** as far as possible; **de ser ~** if possible; **hacer (todo) lo ~** to do everything possible; **lo antes ~** as soon as possible.
posición *f* **1.** *(gen)* position. **2.** *(categoría - social)* status (U); *(- económica)* situation.
posicionarse *vpr* to take a position O stance.
positivo, -va *adj (gen & ELECTR)* positive.

poso *m* sediment; *fig* trace.
posponer *vt* **1.** *(relegar)* to put behind, to relegate. **2.** *(aplazar)* to postpone.
pospuesto, -ta *pp* → **posponer.**
posta ◆ **a posta** *loc adv* on purpose.
postal ◇ *adj* postal. ◇ *f* postcard.
postdata = **posdata.**
poste *m* post, pole; (DEP) post.
póster *(pl* **posters)** *m* poster.
postergar *vt* **1.** *(retrasar)* to postpone. **2.** *(relegar)* to put behind, to relegate.
posteridad *f* **1.** *(generación futura)* posterity. **2.** *(futuro)* future.
posterior *adj* **1.** *(en el espacio)* rear, back. **2.** *(en el tiempo)* subsequent, later; ~ **a** subsequent to, after.
posteriori ◆ **a posteriori** *loc adv* later, afterwards.
posterioridad *f*: **con ~** later, subsequently.
postgraduado, -da = **posgraduado.**
postguerra = **posguerra.**
postigo *m* *(contraventana)* shutter.
postizo, -za *adj (falso)* false. ◆ **postizo** *m* hairpiece.
postor, -ra *m y f* bidder.
postrado, -da *adj* prostrate.
postre *m* dessert, pudding; **a la ~** *fig* in the end.
postular ◇ *vt (exigir)* to call for. ◇ *vi (para colectas)* to collect.
póstumo, -ma *adj* posthumous.
postura *f* **1.** *(posición)* position, posture. **2.** *(actitud)* attitude, stance.
potable *adj (bebible)* drinkable; **agua ~** drinking water.
potaje *m* (CULIN - *guiso)* vegetable stew; *(- caldo)* vegetable stock.
potasio *m* potassium.
pote *m* pot.
potencia *f (gen,* MAT & POLÍT) power; **tiene mucha ~** it's very powerful.
potencial ◇ *adj (gen &* FÍS) potential. ◇ *m* **1.** *(fuerza)* power. **2.** *(posibilidades)* potential. **3.** (GRAM) conditional.
potenciar *vt* **1.** *(fomentar)* to encourage, to promote. **2.** *(reforzar)* to boost.
potente *adj* powerful.
potra → **potro.**
potrero *m* *Amer* field, pasture.
potro, -tra *m y f* (ZOOL) colt *(f* filly). ◆ **potro** *m* (DEP) vaulting horse.
pozo *m* well; *(de mina)* shaft.
p.p. 1. *(abrev de* **por poder)** pp. **2.** *(abrev de* **porte pagado)** c/p.
PP *(abrev de* **Partido Popular)** *m Spanish*

political party to the right of the political spectrum.

práctica → práctico.

practicante ◇ *adj* practising. ◇ *m y f* 1. *(de deporte)* practitioner; *(de religión)* practising member of a Church. 2. (MED) medical assistant.

practicar ◇ *vt* 1. *(gen)* to practise; *(deporte)* to play. 2. *(realizar)* to carry out, to perform. ◇ *vi* to practise.

práctico, -ca *adj* practical. ◆ **práctica** *f* 1. *(gen)* practice; *(de un deporte)* playing; **en la práctica** in practice. 2. *(clase no teórica)* practical.

pradera *f* large meadow, prairie.

prado *m* meadow. ◆ **Prado** *m*: **el (Museo del) Prado** the Prado (Museum).

Praga Prague.

pragmático, -ca ◇ *adj* pragmatic. ◇ *m y f (persona)* pragmatist.

pral. *abrev de* principal.

praliné *m* praline.

preacuerdo *m* draft agreement.

preámbulo *m (introducción - de libro)* foreword, preface; *(- de congreso, conferencia)* introduction.

precalentar *vt* 1. (CULIN) to pre-heat. 2. (DEP) to warm up.

precario, -ria *adj* precarious.

precaución *f* 1. *(prudencia)* caution, care. 2. *(medida)* precaution; **tomar precauciones** to take precautions.

precaver *vt* to guard against. ◆ **precaverse** *vpr* to take precautions.

precavido, -da *adj (prevenido)* prudent; **es muy ~** he always comes prepared.

precedente ◇ *adj* previous, preceding. ◇ *m* precedent.

preceder *vt* to go before, to precede.

preceptivo, -va *adj* obligatory, compulsory. ◆ **preceptiva** *f* rules *(pl)*.

precepto *m* precept.

preciado, -da *adj* valuable, prized.

preciar *vt* to appreciate. ◆ **preciarse** *vpr* to have self-respect; **~se de** to be proud of.

precintar *vt* to seal.

precinto *m* seal.

precio *m lit & fig* price; **a cualquier ~** at any price; **al ~ de** *fig* at the cost of; **~ de fábrica/de coste** factory/cost price; **~ de salida** starting price; **~ de venta (al público)** retail price.

preciosidad *f (cosa bonita)*: **¡es una ~!** it's lovely o beautiful!

precioso, -sa *adj* 1. *(valioso)* precious. 2. *(bonito)* lovely, beautiful.

precipicio *m* precipice.

precipitación *f* 1. *(apresuramiento)* haste. 2. *(lluvia)* rainfall *(U)*.

precipitado, -da *adj* hasty.

precipitar *vt* 1. *(arrojar)* to throw o hurl down. 2. *(acelerar)* to speed up. ◆ **precipitarse** *vpr* 1. *(caer)* to plunge (down). 2. *(acelerarse - acontecimientos etc)* to speed up. 3. *(apresurarse)* **~se (hacia)** to rush (towards). 4. *(obrar irreflexivamente)* to act rashly.

precisamente *adv (justamente)*: **¡~!** exactly!, precisely!; **~ por eso** for that very reason; **~ tú lo sugeriste** in fact it was you who suggested it.

precisar *vt* 1. *(determinar)* to fix, to set; *(aclarar)* to specify exactly. 2. *(necesitar)* to need, to require.

precisión *f* accuracy, precision.

preciso, -sa *adj* 1. *(determinado, conciso)* precise. 2. *(necesario)*: **ser ~ para (algo/hacer algo)** to be necessary (for sthg/to do sthg); **es ~ que vengas** you must come.

precocinado, -da *adj* pre-cooked.

preconcebido, -da *adj (idea)* preconceived; *(plan)* drawn up in advance.

preconcebir *vt* to draw up in advance.

precoz *adj (persona)* precocious.

precursor, -ra *m y f* precursor.

predecesor, -ra *m y f* predecessor.

predecir *vt* to predict.

predestinado, -da *adj*: **~ (a)** predestined (to).

predestinar *vt* to predestine.

predeterminar *vt* to predetermine.

prédica *f* sermon.

predicado *m* (GRAM) predicate.

predicar *vt & vi* to preach.

predicción *f* prediction; *(del tiempo)* forecast.

predicho, -cha *pp* → predecir.

predilección *f*: **~ (por)** preference (for).

predilecto, -ta *adj* favourite.

predisponer *vt*: **~ (a)** to predispose (to).

predisposición *f* 1. *(aptitud)*: **~ para** aptitude for. 2. *(tendencia)*: **~ a** predisposition to.

predispuesto, -ta ◇ *pp* → predisponer. ◇ *adj*: **~ (a)** predisposed (to).

predominante *adj* predominant; *(viento, actitudes)* prevailing.

predominar *vi*: **~ (sobre)** to predominate o prevail (over).

predominio *m* preponderance, predominance *(U)*.

preelectoral *adj* pre-election (*antes de sust*).

preeminente *adj* preeminent.

preescolar *adj* nursery (*antes de sust*), preschool.

prefabricado, -da *adj* prefabricated.

prefacio *m* preface.

preferencia *f* preference; **con** o **de ~** preferably; **tener ~** (AUTOM) to have right of way; **tener ~ por** to have a preference for.

preferente *adj* preferential.

preferentemente *adv* preferably.

preferible *adj*: **~ (a)** preferable (to).

preferido, -da *adj* favourite.

preferir *vt*: **~ algo (a algo)** to prefer sthg (to sthg).

prefijo *m* **1.** (GRAM) prefix. **2.** (TELECOM) (telephone) dialling code.

pregón *m* (*discurso*) speech; (*bando*) proclamation.

pregonar *vt* **1.** (*bando etc*) to proclaim. **2.** *fig* (*secreto*) to spread about.

pregunta *f* question; **hacer una ~** to ask a question.

preguntar ◇ *vt* to ask; **~ algo a alguien** to ask sb sthg. ◇ *vi*: **~ por** to ask about o after. ♦ **preguntarse** *vpr*: **~se (si)** to wonder (whether).

prehistórico, -ca *adj* prehistoric.

prejuicio *m* prejudice.

preliminar ◇ *adj* preliminary. ◇ *m* (*gen pl*) preliminary.

preludio *m* (*gen & MÚS*) prelude.

prematrimonial *adj* premarital.

prematuro, -ra *adj* premature.

premeditación *f* premeditation.

premeditar *vt* to think out in advance.

premiar *vt* **1.** (*recompensar*) to reward. **2.** (*dar un premio a*) to give a prize to.

premier (*pl* **premiers**) *m* British prime minister.

premio *m* (*en competición*) prize; (*recompensa*) reward; **~ gordo** first prize.

premisa *f* premise.

premonición *f* premonition.

prenatal *adj* prenatal, antenatal.

prenda *f* **1.** (*vestido*) garment, article of clothing. **2.** (*garantía*) pledge; **dejar algo en ~** to leave sthg as a pledge. **3.** (*de un juego*) forfeit. **4.** *loc*: **no soltar ~** not to say a word.

prender ◇ *vt* **1.** (*arrestar*) to arrest, to apprehend. **2.** (*sujetar*) to fasten. **3.** (*encender*) to light. **4.** (*agarrar*) to grip. ◇ *vi* (*arder*) to catch (fire). ♦ **prenderse** *vpr* (*arder*) to catch fire.

prendido, -da *adj* caught.

prensa *f* **1.** (*gen*) press; **~ del corazón** romantic magazines (*pl*). **2.** (*imprenta*) printing press.

prensar *vt* to press.

preñado, -da *adj* **1.** (*mujer*) pregnant. **2.** *fig* (*lleno*): **~ de** full of.

preocupación *f* concern, worry.

preocupado, -da *adj*: **~ (por)** worried o concerned (about).

preocupar *vt* **1.** (*inquietar*) to worry. **2.** (*importar*) to bother. ♦ **preocuparse** *vpr* **1.** (*inquietarse*): **~se (por)** to worry (about), to be worried (about). **2.** (*encargarse*): **~se de algo** to take care of sthg; **~se de hacer algo** to see to it that sthg is done; **~se de que ...** to make sure that ...

preparación *f* **1.** (*gen*) preparation. **2.** (*conocimientos*) training.

preparado, -da *adj* **1.** (*dispuesto*) ready; (*de antemano*) prepared. **2.** (CULIN) ready-cooked.

preparar *vt* **1.** (*gen*) to prepare; (*trampa*) to set, to lay; (*maletas*) to pack. **2.** (*examen*) to prepare for. **3.** (DEP) to train. ♦ **prepararse** *vpr*: **~se (para algo)** to prepare o.s. o get ready (for sthg); **~se para hacer algo** to prepare o get ready to do sthg.

preparativos *mpl* preparations.

preposición *f* preposition.

prepotente *adj* (*arrogante*) domineering.

prerrogativa *f* prerogative.

presa *f* **1.** (*captura - de cazador*) catch; (*- de animal*) prey; **hacer ~ en alguien** to seize o grip sb; **ser ~ de** to be prey to; **ser ~ del pánico** to be panic-stricken. **2.** (*dique*) dam.

presagiar *vt* (*felicidad, futuro*) to foretell; (*tormenta, problemas*) to warn of.

presagio *m* **1.** (*premonición*) premonition. **2.** (*señal*) omen.

presbítero *m* priest.

prescindir ♦ **prescindir de** *vi* **1.** (*renunciar a*) to do without. **2.** (*omitir*) to dispense with.

prescribir ◇ *vt* to prescribe. ◇ *vi* **1.** (*ordenar*) to prescribe. **2.** (DER) to expire.

prescripción *f* prescription.

prescrito, -ta *pp* → **prescribir**.

presencia *f* (*asistencia, aspecto*) presence; **en ~ de** in the presence of. ♦ **presencia de ánimo** *f* presence of mind.

presencial → **testigo**.

presenciar *vt* (*asistir*) to be present at;

(ser testigo de) to witness.

presentación *f* 1. *(gen)* presentation. 2. *(entre personas)* introduction.

presentador, -ra *m y f* presenter.

presentar *vt* 1. *(gen)* to present; *(dimisión)* to tender; *(tesis, pruebas, propuesta)* to submit; *(solicitud, recurso, denuncia)* to lodge; *(moción)* to propose. 2. *(ofrecer - disculpas, excusas)* to make; *(- respetos)* to pay. 3. *(persona, amigos etc)* to introduce. 4. *(tener - aspecto etc)* to have, to show; **presenta difícil solución** it's going to be difficult to solve. 5. *(proponer)*: ~ **a alguien para** to propose sb for. ◆ **presentarse** *vpr* 1. *(aparecer)* to turn up. 2. *(en juzgado, comisaría)*: ~**se (en)** to report (to); ~**se a un examen** to sit an exam. 3. *(darse a conocer)* to introduce o.s. 4. *(para un cargo)*: ~**se (a)** to stand o run (for). 5. *(futuro)* to appear, to look. 6. *(problema etc)* to arise.

presente ◇ *adj* 1. *(gen)* present; **aquí ~** here present; **tener ~** *(recordar)* to remember; *(tener en cuenta)* to bear in mind. 2. *(en curso)* current; **del ~ mes** of this month. ◇ *m y f (escrito)*: **por la ~ le informo ...** I hereby inform you ... ◇ *m* 1. *(gen & GRAM)* present. 2. *(regalo)* gift, present. 3. *(corriente)*: **el ~ (mes)** the current month; *(año)* the current year.

presentimiento *m* presentiment, feeling.

presentir *vt* to foresee; ~ **que algo va a pasar** to have a feeling that sthg is going to happen; ~ **lo peor** to fear the worst.

preservar *vt* to protect.

preservativo *m* condom.

presidencia *f (de nación)* presidency; *(de asamblea, empresa)* chairmanship.

presidente, -ta *m y f (de nación)* president; *(de asamblea, empresa)* chairman (*f* chairwoman); ~ **(del gobierno)** ≃ prime minister.

presidiario, -ria *m y f* convict.

presidio *m* prison.

presidir *vt* 1. *(ser presidente de)* to preside over; *(reunión)* to chair. 2. *(predominar)* to dominate.

presión *f* pressure.

presionar *vt* 1. *(apretar)* to press. 2. *fig (coaccionar)* to pressurize.

preso, -sa *m y f* prisoner.

prestado, -da *adj* on loan; **dar ~ algo** to lend sthg; **pedir/tomar ~ algo** to borrow sthg.

préstamo *m* 1. *(acción - de prestar)* lending; *(- de pedir prestado)* borrowing.

2. *(cantidad)* loan.

prestar *vt* 1. *(dejar - dinero etc)* to lend, to loan. 2. *(dar - ayuda etc)* to give, to offer; *(- servicio)* to provide; *(- atención)* to pay; *(- declaración, juramento)* to make. ◆ **prestarse a** *vpr* 1. *(ofrecerse a)* to offer to. 2. *(acceder a)* to consent to. 3. *(dar motivo a)* to be open to.

presteza *f* promptness.

prestidigitador, -ra *m y f* conjuror.

prestigio *m* prestige.

prestigioso, -sa *adj* prestigious.

presto, -ta *adj (dispuesto)*: ~ **(a)** ready (to).

presumible *adj* probable, likely.

presumido, -da *adj* conceited, vain.

presumir ◇ *vt (suponer)* to presume. ◇ *vi* 1. *(jactarse)* to show off. 2. *(ser vanidoso)* to be conceited o vain.

presunto, -ta *adj* presumed, supposed; *(criminal, robo etc)* alleged.

presuntuoso, -sa *adj (vanidoso)* conceited; *(pretencioso)* pretentious.

presuponer *vt* to presuppose.

presupuesto, -ta *pp* → **presuponer**. ◆ **presupuesto** *m* 1. *(cálculo)* budget; *(de costo)* estimate. 2. *(suposición)* assumption.

prêt-à-porter [pretapor'te] *(pl prêts-à-porter) m* off-the-peg clothing.

pretencioso, -sa *adj (persona)* pretentious; *(cosa)* showy.

pretender *vt* 1. *(intentar)*: ~ **hacer algo** to try to do sthg. 2. *(aspirar a)*: ~ **hacer algo** to aspire o want to do sthg; ~ **que alguien haga algo** to want sb to do sthg; **¿qué pretendes decir?** what do you mean? 3. *(afirmar)* to claim. 4. *(cortejar)* to court.

> El verbo del español "pretender" suena parecido al del inglés *to pretend*, pero sus respectivos significados son muy distintos, ya que este último quiere decir 'fingir, simular' y aquél 'ambicionar, aspirar, solicitar, reclamar'. Veamos cómo se utilizan con ejemplos prácticos: "sólo pretendo que me escuchen" se podría traducir como *I just want you to listen to me*. Observemos, sin embargo, cómo cambia el significado en esta frase: *he pretended to be a policeman* expresa que "él <u>se hizo pasar</u> por policía", lo cual nada tiene que ver con que esa persona aspirara a, o solicitara, ser policía.

pretendido, -da *adj* supposed.

pretendiente ◇ *m y f* 1. *(aspirante)*: ~ **(a)** candidate (for). 2. *(a un trono)*: ~ **(a)** pretender (to). ◇ *m (a una mujer)* suitor.

pretensión *f* 1. *(intención)* aim, intention. 2. *(aspiración)* aspiration. 3. *(supuesto derecho)*: ~ **(a** o **sobre)** claim (to). 4. *(afirmación)* claim. 5. *(gen pl) (exigencia)* demand.

pretérito, -ta *adj* past. ♦ **pretérito** *m* (GRAM) preterite, past.

pretexto *m* pretext, excuse.

prevalecer *vi*: ~ **(sobre)** to prevail (over).

prevención *f* *(acción)* prevention; *(medida)* precaution.

prevenido, -da *adj* 1. *(previsor)*: **ser** ~ to be cautious. 2. *(avisado, dispuesto)*: **estar** ~ to be prepared.

prevenir *vt* 1. *(evitar)* to prevent; **más vale** ~ **que curar** *proverb* prevention is better than cure *proverb*. 2. *(avisar)* to warn. 3. *(prever)* to foresee. 4. *(predisponer)*: ~ **a alguien contra algo/alguien** to prejudice sb against sthg/sb.

preventivo, -va *adj* *(medicina, prisión)* preventive; *(medida)* precautionary.

prever *vt* 1. *(conjeturar)* to foresee. 2. *(planear)* to plan. 3. *(predecir)* to forecast.

previniera *etc* → **prevenir**.

previo, -via *adj* prior; ~ **pago de multa** on payment of a fine.

previó → **prever**.

previsible *adj* foreseeable.

previsión *f* 1. *(predicción)* forecast. 2. *(visión de futuro)* foresight.

previsto, -ta ◇ *pp* → **prever**. ◇ *adj* *(conjeturado)* predicted; *(planeado)* planned.

prieto, -ta *adj* 1. *(ceñido)* tight. 2. *Méx fam (moreno)* dark-haired.

prima → **primo**.

primar *vi*: ~ **(sobre)** to have priority (over).

primario, -ria *adj* primary; *fig* primitive.

primavera *f (estación)* spring.

primaveral *adj* spring *(antes de sust)*.

primer, primera → **primero**.

primerizo, -za *m y f (principiante)* beginner.

primero, -ra ◇ *núm adj (antes de sust masculino sg:* **primer**) 1. *(para ordenar)* first. 2. *(en importancia)* main, basic; **lo** ~ the most important o main thing. ◇ *núm m y f* 1. *(en orden)*: **el** ~ the first one; **llegó el** ~ he came first; **es el** ~ **de la clase** he's top of the class; **a** ~**s de mes** at the beginning of the month. 2. *(mencionado antes)*: **vinieron Pedro y Juan, el** ~ **con ...** Pedro and Juan arrived, the former with ... ♦ **primero** ◇ *adv* 1. *(en primer lugar)* first. 2. *(antes, todo menos)*: ~ **morir que traicionarle** I'd rather die than betray him. ◇ *m* 1. *(piso)* first floor. 2. *(curso)* first year. ♦ **primera** *f* 1. (AUTOM) first (gear). 2. (AERON & FERROC) first class. 3. (DEP) first division. 4. *loc*: **de primera** first-class.

primicia *f* scoop, exclusive.

primitivo, -va *adj* 1. *(gen)* primitive. 2. *(original)* original.

primo, -ma *m y f* 1. *(pariente)* cousin. 2. *fam (tonto)* sucker; **hacer el** ~ to be taken for a ride. ♦ **prima** *f* 1. *(paga extra)* bonus. 2. *(de un seguro)* premium. ♦ **prima dona** *f* prima donna.

primogénito, -ta *adj, m y f* firstborn.

primor *m* fine thing.

primordial *adj* fundamental.

primoroso, -sa *adj* 1. *(delicado)* exquisite, fine. 2. *(hábil)* skilful.

princesa *f* princess.

principado *m* principality.

principal *adj* main, principal; *(puerta)* front.

príncipe *m* prince.

principiante ◇ *adj* inexperienced. ◇ *m y f* novice.

principio *m* 1. *(comienzo)* beginning, start; **a** ~**s de** at the beginning of; **en un** ~ at first. 2. *(fundamento, ley)* principle; **en** ~ in principle; **por** ~ on principle. 3. *(origen)* origin, source. 4. *(elemento)* element. ♦ **principios** *mpl* 1. *(reglas de conducta)* principles. 2. *(nociones)* rudiments.

pringoso, -sa *adj (grasiento)* greasy; *(pegajoso)* sticky.

priori ♦ **a priori** *loc adv* in advance, a priori.

prioridad *f* priority; (AUTOM) right of way.

prioritario, -ria *adj* priority *(antes de sust)*.

prisa *f* haste, hurry; **a** o **de** ~ quickly; **correr** ~ to be urgent; **darse** ~ to hurry (up); **meter** ~ **a alguien** to hurry o rush sb; **tener** ~ to be in a hurry.

prisión *f* 1. *(cárcel)* prison. 2. *(encarcelamiento)* imprisonment.

prisionero, -ra *m y f* prisoner.

prisma *m* 1. (FÍS & GEOM) prism. 2. *fig (perspectiva)* perspective.

prismáticos *mpl* binoculars.

privación *f (gen)* deprivation; *(de libertad)* loss.

privado, -da *adj* private; **en** ~ in private.

privar vt 1. (quitar): ~ a alguien/algo de to deprive sb/sthg of. 2. (prohibir): ~ a alguien de hacer algo to forbid sb to do sthg. ◆ **privarse de** vpr to go without.

privativo, -va adj exclusive.

privilegiado, -da adj 1. (favorecido) privileged. 2. (excepcional) exceptional.

privilegiar vt (persona) to favour; (intereses) to put first.

privilegio m privilege.

pro ◇ prep for, supporting; **una asociación** ~ **derechos humanos** a human rights organization. ◇ m advantage; **los ~s y los contras** the pros and cons. ◆ **en pro de** loc prep for, in support of.

proa f (NÁUT) prow, bows (pl); (AERON) nose.

probabilidad f probability; (oportunidad) chance.

probable adj probable, likely; **es ~ que llueva** it'll probably rain.

probador m fitting room.

probar ◇ vt 1. (demostrar, indicar) to prove. 2. (comprobar) to test, to check. 3. (experimentar) to try. 4. (degustar) to taste, to try. ◇ vi: ~ a hacer algo to try to do sthg. ◆ **probarse** vpr (ropa) to try on.

probeta f test tube.

problema m problem.

problemático, -ca adj problematic. ◆ **problemática** f problems (pl).

procedencia f 1. (origen) origin. 2. (punto de partida) point of departure; **con ~ de** (arriving) from.

procedente adj 1. (originario): ~ de (gen) originating in; (AERON & FERROC) (arriving) from. 2. (oportuno) appropriate; (DER) right and proper.

proceder ◇ m conduct, behaviour. ◇ vi 1. (originarse): ~ de to come from. 2. (actuar): ~ (con) to act (with). 3. (empezar): ~ (a algo/a hacer algo) to proceed (with sthg/to do sthg). 4. (ser oportuno) to be appropriate.

procedimiento m 1. (método) procedure, method. 2. (DER) proceedings (pl).

procesado, -da m y f accused, defendant.

procesador m (INFORM) processor; ~ de textos word processor.

procesar vt 1. (DER) to prosecute. 2. (INFORM) to process.

procesión f (RELIG & fig) procession.

proceso m 1. (gen) process. 2. (desarrollo, intervalo) course. 3. (DER - juicio) trial; (- causa) lawsuit.

proclamar vt 1. (nombrar) to pro-

claim. 2. (anunciar) to declare. ◆ **proclamarse** vpr 1. (nombrarse) to proclaim o.s. 2. (conseguir un título): ~se campeón to become champion.

procreación f procreation.

procrear vi to procreate.

procurador, -ra m y f (DER) attorney.

procurar vt 1. (intentar): ~ hacer algo to try to do sthg; ~ que ... to make sure that ... 2. (proporcionar) to get, to secure. ◆ **procurarse** vpr to get, to obtain (for o.s.).

prodigar vt: ~ algo a alguien to lavish sthg on sb.

prodigio m (suceso) miracle; (persona) prodigy.

producción f 1. (gen & CIN) production; ~ en serie (ECON) mass production. 2. (productos) products (pl).

producir vt 1. (gen & CIN) to produce. 2. (causar) to cause, to give rise to. 3. (interés, fruto) to yield, to bear. ◆ **producirse** vpr (ocurrir) to take place.

productividad f productivity.

productivo, -va adj productive; (que da beneficio) profitable.

producto m 1. (gen & MAT) product; (AGR) produce (U); ~ interior/nacional bruto gross domestic/national product; ~ químico chemical. 2. (ganancia) profit. 3. fig (resultado) result.

productor, -ra ◇ adj producing. ◇ m y f (CIN) (persona) producer. ◆ **productora** f (CIN) (firma) production company.

proeza f exploit, deed.

profanar vt to desecrate.

profano, -na ◇ adj 1. (no sagrado) profane, secular. 2. (ignorante) ignorant, uninitiated. ◇ m y f layman (f laywoman).

profecía f (predicción) prophecy.

proferir vt to utter; (insultos) to hurl.

profesión f profession.

profesional adj, m y f professional.

profesionista m y f Méx professional.

profesor, -ra m y f (gen) teacher; (de universidad) lecturer; (de autoescuela, esquí etc) instructor.

profesorado m (plantilla) teaching staff, faculty Am; (profesión) teachers (pl), teaching profession.

profeta m prophet.

profetisa f prophetess.

profetizar vt to prophesy.

profiera etc → **proferir**.

prófugo, -ga adj, m y f fugitive.

profundidad f lit & fig depth; **tiene dos metros de ~** it's two metres deep.

profundizar ◇ vt fig to study in depth. ◇ vi to go into detail; **~ en** to study in depth.

profundo, -da adj 1. (gen) deep. 2. fig (respeto, libro, pensamiento) profound, deep; (dolor) intense.

profusión f profusion.

programa m 1. (gen) programme. 2. (de actividades) schedule, programme; (de estudios) syllabus. 3. (INFORM) program.

programación f 1. (INFORM) programming. 2. (TV) scheduling; **la ~ del lunes** Monday's programmes.

programador, -ra m y f (persona) programmer.

programar vt 1. (vacaciones, reforma etc) to plan. 2. (CIN & TV) to put on, to show. 3. (TECN) to programme; (INFORM) to program.

progre fam m y f progressive.

progresar vi to progress.

progresión f (gen & MAT) progression; (mejora) progress, advance.

progresista adj, m y f progressive.

progresivo, -va adj progressive.

progreso m progress; **hacer ~s** to make progress.

prohibición f ban, banning (U).

prohibido, -da adj prohibited, banned; **'~ aparcar/fumar'** 'no parking/smoking', 'parking/smoking prohibited'; **'prohibida la entrada'** 'no entry'; **'dirección prohibida'** (AUTOM) 'no entry'.

prohibir vt 1. (gen) to forbid; **~ a alguien hacer algo** to forbid sb to do sthg; **'se prohíbe el paso'** 'no entry'. 2. (por ley - de antemano) to prohibit; (- a posteriori) to ban.

prohibitivo, -va adj prohibitive.

prójimo m fellow human being.

prole f offspring.

proletariado m proletariat.

prolífico, -ca adj prolific.

prolijo, -ja adj (extenso) long-winded.

prólogo m (de libro) preface, foreword; (de obra de teatro) prologue; fig prelude.

prolongación f extension.

prolongado, -da adj long; fig (dilatado) lengthy.

prolongar vt (gen) to extend; (espera, visita, conversación) to prolong; (cuerda, tubo) to lengthen.

promedio m average.

promesa f (compromiso) promise.

prometer ◇ vt to promise. ◇ vi (tener futuro) to show promise. ◆ **prometerse** vpr to get engaged.

prometido, -da ◇ m y f fiancé (f fiancée). ◇ adj (para casarse) engaged.

prominente adj 1. (abultado) protruding. 2. (elevado, ilustre) prominent.

promiscuo, -cua adj promiscuous.

promoción f 1. (gen & DEP) promotion. 2. (curso) class, year.

promocionar vt to promote.

promotor, -ra m y f promoter; (de una rebelión) instigator.

promover vt 1. (iniciar - fundación etc) to set up; (- rebelión) to stir up. 2. (ocasionar) to cause. 3. (ascender): **~ a alguien a** to promote sb to.

promulgar vt (ley) to pass.

pronombre m pronoun.

pronosticar vt to predict, to forecast.

pronóstico m 1. (predicción) forecast. 2. (MED) prognosis; **de ~ grave** serious, in a serious condition.

pronto, -ta adj quick, fast; (respuesta) prompt, early; (curación, tramitación) speedy. ◆ **pronto** ◇ adv 1. (rápidamente) quickly; **tan ~ como** as soon as. 2. (temprano) early; **salimos ~** we left early. 3. (dentro de poco) soon; **¡hasta ~!** see you soon! ◇ m fam sudden impulse. ◆ **al pronto** loc adv at first. ◆ **de pronto** loc adv suddenly. ◆ **por lo pronto** loc adv 1. (de momento) for the time being. 2. (para empezar) to start with.

pronunciación f pronunciation.

pronunciado, -da adj (facciones) pronounced; (curva) sharp; (pendiente, cuesta) steep; (nariz) prominent.

pronunciar vt 1. (decir - palabra) to pronounce; (- discurso) to deliver, to make. 2. (DER) to pass. ◆ **pronunciarse** vpr 1. (definirse): **~se (sobre)** to state an opinion (on). 2. (sublevarse) to revolt.

propaganda f 1. (publicidad) advertising (U). 2. (política, religiosa) propaganda.

propagar vt (gen) to spread; (razas, especies) to propagate. ◆ **propagarse** vpr 1. (gen) to spread. 2. (BIOL & FÍS) to propagate.

propensión f propensity, tendency.

propenso, -sa adj: **~ a algo/a hacer algo** prone to sthg/doing sthg.

propicio, -cia adj 1. (favorable) propitious, favourable. 2. (adecuado) suitable, appropriate.

propiedad f 1. (derecho) ownership;

(bienes) property; ~ **privada** private property; ~ **pública** public ownership. **2.** *(facultad)* property. **3.** *(exactitud)* accuracy; **usar una palabra con** ~ to use a word properly.

propietario, -ria *m y f (de bienes)* owner; *(de cargo)* holder.

propina *f* tip.

propinar *vt (paliza)* to give; *(golpe)* to deal.

propio, -pia *adj* **1.** *(gen)* own; **tiene coche** ~ she has a car of her own, she has her own car; **por tu** ~ **bien** for your own good. **2.** *(peculiar):* ~ **de** typical o characteristic of; **no es** ~ **de él** it's not like him. **3.** *(apropiado):* ~ **(para)** suitable o right (for). **4.** *(correcto)* proper, true. **5.** *(en persona)* himself *(f* herself); **el** ~ **compositor** the composer himself.

proponer *vt* to propose; *(candidato)* to put forward. ◆ **proponerse** *vpr:* ~**se hacer algo** to plan o intend to do sthg.

proporción *f* **1.** *(gen & MAT)* proportion. **2.** *(gen pl) (importancia)* extent, size. ◆ **proporciones** *fpl (tamaño)* size *(sg)*.

proporcionado, -da *adj:* ~ **(a)** *(estatura, sueldo)* commensurate (with); *(medidas)* proportionate (to); **bien** ~ well-proportioned.

proporcionar *vt* **1.** *(ajustar):* ~ **algo a algo** to adapt sthg to sthg. **2.** *(facilitar):* ~ **algo a alguien** to provide sb with sthg. **3.** *fig (conferir)* to lend, to add.

proposición *f (propuesta)* proposal.

propósito *m* **1.** *(intención)* intention. **2.** *(objetivo)* purpose. ◆ **a propósito** ◇ *loc adj (adecuado)* suitable. ◇ *loc adv* **1.** *(adrede)* on purpose. **2.** *(por cierto)* by the way. ◆ **a propósito de** *loc prep* with regard to.

propuesta *f* proposal; *(de empleo)* offer.

propuesto, -ta *pp* → proponer.

propulsar *vt* **1.** *(impeler)* to propel. **2.** *fig (promover)* to promote.

propulsión *f* propulsion; ~ **a chorro** jet propulsion.

propulsor *m* **1.** *(dispositivo)* engine. **2.** *(combustible)* propellent.

propusiera *etc* → proponer.

prórroga *f* **1.** *(gen)* extension; *(de estudios, servicio militar)* deferment. **2.** (DEP) extra time.

prorrogar *vt (alargar)* to extend; *(aplazar)* to defer, to postpone.

prosa *f* (LITER) prose.

proscrito, -ta *m y f* **1.** *(desterrado)* exile. **2.** *(fuera de la ley)* outlaw.

proseguir ◇ *vt* to continue. ◇ *vi* to go on, to continue.

prosiga *etc* → proseguir.

prosiguiera *etc* → proseguir.

prospecto *m* leaflet; (COM & EDUC) prospectus.

prosperar *vi (mejorar)* to prosper.

prosperidad *f* **1.** *(mejora)* prosperity. **2.** *(éxito)* success.

próspero, -ra *adj* prosperous.

prostitución *f (gen)* prostitution.

prostituirse *vpr* to become a prostitute.

prostituta *f* prostitute.

protagonista *m y f (gen)* main character, hero *(f* heroine); (TEATRO) lead, leading role.

protagonizar *vt* **1.** *(obra, película)* to play the lead in, to star in. **2.** *fig (crimen, hazaña)* to be responsible for.

protección *f* protection.

proteccionismo *m* protectionism.

protector, -ra ◇ *adj* protective. ◇ *m y f (persona)* protector.

proteger *vt (gen)* to protect; ~ **algo de algo** to protect sthg from sthg. ◆ **protegerse** *vpr* to take cover o refuge.

protege-slips *m inv* panty pad o liner.

protegido, -da *m y f* protégé *(f* protégée).

proteína *f* protein.

prótesis *f inv* (MED) prosthesis; *(miembro)* artificial limb.

protesta *f* protest; (DER) objection.

protestante *adj, m y f* Protestant.

protestar *vi* **1.** *(quejarse):* ~ **(por/contra)** to protest (about/against); **¡protesto!** (DER) objection! **2.** *(refunfuñar)* to grumble.

protocolo *m* **1.** *(gen & INFORM)* protocol. **2.** *(ceremonial)* etiquette.

prototipo *m* **1.** *(modelo)* archetype. **2.** *(primer ejemplar)* prototype.

provecho *m* **1.** *(gen)* benefit; **buen** ~ enjoy your meal!; **de** ~ *(persona)* worthy; **sacar** ~ **de** to make the most of, to take advantage of. **2.** *(rendimiento)* good effect.

provechoso, -sa *adj* **1.** *(ventajoso)* beneficial, advantageous. **2.** *(lucrativo)* profitable.

proveedor, -ra *m y f* supplier.

proveer *vt* **1.** *(abastecer)* to supply, to provide. **2.** *(puesto, cargo)* to fill. ◆ **proveerse de** *vpr* **1.** *(ropa, víveres)* to stock up on. **2.** *(medios, recursos)* to arm o.s. with.

provenir *vi*: ~ **de** to come from.

proverbial *adj* proverbial.

proverbio *m* proverb.

providencia *f (medida)* measure.

providencial *adj lit & fig* providential.

proviene *etc* → provenir.

provincia *f (división administrativa)* province. ◆ **provincias** *fpl (no la capital)* the provinces.

provinciano, -na *adj, m y f despec* provincial.

proviniera *etc* → provenir.

provisión *f* 1. *(gen pl) (suministro)* supply, provision; *(de una plaza)* filling *(U)*. 2. *(disposición)* measure.

provisional *adj* provisional.

provisto, -ta *pp* → proveer.

provocación *f (hostigamiento)* provocation.

provocar *vt* 1. *(incitar)* to incite. 2. *(irritar)* to provoke. 3. *(ocasionar - gen)* to cause. 4. *(excitar sexualmente)* to arouse. 5. *Andes fig (apetecer)*: ¿**te provoca hacerlo?** do you feel like doing it?

provocativo, -va *adj* provocative.

próximamente *adv* soon, shortly; *(CIN)* coming soon.

proximidad *f (cercanía)* closeness, proximity. ◆ **proximidades** *fpl* 1. *(de ciudad)* surrounding area *(sg)*. 2. *(de lugar)* vicinity *(sg)*.

próximo, -ma *adj* 1. *(cercano)* near, close; *(casa, ciudad)* nearby; **en fecha próxima** shortly. 2. *(siguiente)* next; **el ~ año** next year.

proyección *f* 1. *(gen & GEOM)* projection. 2. *(CIN)* screening. 3. *fig (trascendencia)* importance.

proyectar *vt* 1. *(dirigir - focos etc)* to shine, to direct. 2. *(mostrar - película)* to screen; *(- sombra)* to cast; *(- diapositivas)* to show. 3. *(planear - viaje, operación, edificio)* to plan; *(- puente, obra)* to design. 4. *(arrojar)* to throw forwards.

proyectil *m* projectile, missile.

proyecto *m* 1. *(intención)* project. 2. *(plan)* plan. 3. *(diseño -* ARQUIT*)* design; *(-* TECN*)* plan. 4. *(borrador)* draft; **~ de ley** bill. 5. (EDUC): **~ fin de carrera** *design project forming part of doctoral thesis for architecture students etc*; **~ de investigación** *(de un grupo)* research project; *(de una persona)* dissertation.

proyector *m (de cine, diapositivas)* projector.

prudencia *f (cuidado)* caution, care; *(previsión, sensatez)* prudence; *(moderación)* moderation; **con ~** in moderation.

prudente *adj* 1. *(cuidadoso)* careful, cautious; *(previsor, sensato)* sensible. 2. *(razonable)* reasonable.

prueba ◇ *v* → probar. ◇ *f* 1. *(demostración)* proof; (DER) evidence, proof; **no tengo ~s** I have no proof. 2. *(manifestación)* sign, token. 3. (EDUC & MED) test; **~ de acceso** entrance examination. 4. *(comprobación)* test; **a o de ~** *(trabajador)* on trial; *(producto comprado)* on approval; **es a ~ de agua/balas** it's waterproof/bulletproof; **poner a ~** to (put to the) test. 5. (DEP) event. 6. (IMPRENTA) proof.

PS = PD.

pseudónimo *m* pseudonym.

psicoanálisis *m inv* psychoanalysis.

psicoanalista *m y f* psychoanalyst.

psicología *f lit & fig* psychology.

psicológico, -ca *adj* psychological.

psicólogo, -ga *m y f* psychologist.

psicópata *m y f* psychopath.

psiquiatra *m y f* psychiatrist.

psiquiátrico, -ca *adj* psychiatric.

psíquico, -ca *adj* psychic.

PSOE [pe'soe, soe] *(abrev de* **Partido Socialista Obrero Español***) m major Spanish political party to the centre-left of the political spectrum.*

pta. *(abrev de peseta)* pta.

púa *f* 1. *(de planta)* thorn; *(de erizo)* quill; *(de peine)* tooth; *(de tenedor)* prong. 2. (MÚS) plectrum.

pub [pap] *(pl pubs) m* upmarket pub, ≈ wine bar.

pubertad *f* puberty.

publicación *f* publication.

publicar *vt* 1. *(editar)* to publish. 2. *(difundir)* to publicize; *(ley)* to pass; *(aviso)* to issue.

publicidad *f* 1. *(difusión)* publicity; **dar ~ a algo** to publicize sthg. 2. (COM) advertising; (TV) adverts *(pl)*, commercials *(pl)*.

publicitario, -ria *adj* advertising *(antes de sust)*.

público, -ca *adj* public; **ser ~** *(conocido)* to be common knowledge; **en ~** in public. ◆ **público** *m* 1. (CIN, TEATRO & TV) audience; (DEP) crowd. 2. *(comunidad)* public; **el gran ~** the (general) public.

publirreportaje *m (anuncio de televisión)* promotional film; *(en revista)* advertising spread.

puchero *m* 1. *(perola)* cooking pot.

2. *(comida)* stew. ◆ **pucheros** *mpl* *(gesto)* pout *(sg)*; **hacer ~s** to pout.

pucho *m CSur (colilla)* cigarette butt.

pudding = pudin.

pudiera *etc* → **poder.**

pudin *(pl* **púdines**), **pudding** ['puðin] *(pl* **puddings**) *m* (plum) pudding.

pudor *m* **1.** *(recato)* (sense of) shame. **2.** *(timidez)* bashfulness.

pudrir *vt* to rot. ◆ **pudrirse** *vpr* to rot.

puebla *etc* → **poblar.**

pueblerino, -na *adj* village *(antes de sust)*; *despec* provincial.

pueblo *m* **1.** *(población - pequeña)* village; *(- grande)* town. **2.** *(nación)* people.

pueda *etc* → **poder.**

puente *m* **1.** *(gen)* bridge. **2.** *(días festivos)*: **hacer ~** to take an extra day off between two public holidays. ◆ **puente aéreo** *m (civil)* air shuttle; *(militar)* airlift.

puenting *m* bungee-jumping.

puerco, -ca ◇ *adj* filthy. ◇ *m y f (animal)* pig *(f* sow).

puercoespín *m* porcupine.

puericultor, -ra *m y f* pediatrician.

puerro *m* leek.

puerta *f* **1.** *(de casa)* door; *(de jardín, ciudad etc)* gate; **de ~ en ~** from door to door; **~ principal/trasera** front/back door. **2.** *fig (posibilidad)* gateway, opening. **3.** (DEP) goalmouth. **4.** *loc*: **a las ~s de** on the verge of; **a ~ cerrada** *(gen)* behind closed doors; *(juicio)* in camera.

puerto *m* **1.** *(de mar)* port; **~ deportivo** marina. **2.** *(de montaña)* pass. **3.** (INFORM) port. **4.** *fig (refugio)* haven.

Puerto Rico Puerto Rico.

pues *conj* **1.** *(dado que)* since, as. **2.** *(por lo tanto)* therefore, so; **creo, ~, que ...** so, I think that ... **3.** *(así que)* so; **querías verlo, ~ ahí está** you wanted to see it, so here it is. **4.** *(enfático)*: **¡~ ya está!** well, that's it!; **¡~ claro!** but of course!

puesto, -ta ◇ *pp* → **poner.** ◇ *adj*: **ir muy ~** to be all dressed up. ◆ **puesto** *m* **1.** *(empleo)* post, position. **2.** *(en fila, clasificación etc)* place. **3.** *(tenderete)* stall, stand. **4.** (MIL) post; **~ de policía** police station; **~ de socorro** first-aid post. ◆ **puesta** *f (acción)*: **puesta a punto** *(de una técnica)* perfecting; *(de un motor)* tuning; **puesta al día** updating; **puesta en escena** staging, production; **puesta en marcha** *(de máquina)* starting, startup; *(de acuerdo, proyecto)* implementation. ◆ **puesta de sol** *f* sunset. ◆ **puesto que** *loc conj* since, as.

puf *(pl* **pufs**) *m* pouf, pouffe.

púgil *m* boxer.

pugna *f* fight, battle.

pugnar *vi fig (esforzarse)*: **~ por** to struggle O fight (for).

puja *f (en subasta - acción)* bidding; *(- cantidad)* bid.

pujar ◇ *vi (en subasta)* to bid higher. ◇ *vt* to bid.

pulcro, -cra *adj* neat, tidy.

pulga *f* flea.

pulgada *f* inch.

pulgar → **dedo.**

pulgón *m* aphid.

pulimentar *vt* to polish.

pulir *vt* to polish. ◆ **pulirse** *vpr (gastarse)* to blow.

pulmón *m* lung.

pulmonía *f* pneumonia.

pulpa *f* pulp; *(de fruta)* flesh.

púlpito *m* pulpit.

pulpo *m (animal)* octopus.

pulque *m Méx* fermented maguey juice.

pulsación *f* **1.** *(del corazón)* beat, beating (U). **2.** *(en máquina de escribir)* keystroke.

pulsador *m* button, push button.

pulsar *vt (botón, timbre etc)* to press; *(teclas de ordenador)* to hit, to strike; *(teclas de piano)* to play; *(cuerdas de guitarra)* to pluck.

pulsera *f* bracelet.

pulso *m* **1.** *(latido)* pulse; **tomar el ~ a algo/alguien** *fig* to sound sthg/sb out. **2.** *(firmeza)*: **tener buen ~** to have a steady hand; **a ~** unaided.

pulular *vi* to swarm.

pulverizador *m* spray.

pulverizar *vt* **1.** *(líquido)* to spray. **2.** *(sólido)* to reduce to dust; (TECN) to pulverize. **3.** *fig (aniquilar)* to pulverize.

puma *m* puma.

punción *f* puncture.

punición *f* punishment.

punk [paŋk] *(pl* **punks**), **punki** *adj, m y f* punk.

punta *f* **1.** *(extremo - gen)* point; *(- de pan, pelo)* end; *(- de dedo, cuerno)* tip; **sacar ~ a (un lápiz)** to sharpen (a pencil); **a ~ (de) pala** by the dozen O bucket. **2.** *(pizca)* touch, bit; *(de sal)* pinch.

puntada *f (pespunte)* stitch.

puntapié *m* kick.

puntear *vt* to pluck.

punteo *m* guitar solo.

puntera → **puntero.**

puntería *f* **1.** *(destreza)* marksmanship. **2.** *(orientación)* aim.

puntero, -ra ◇ *adj* leading. ◇ *m y f* *(líder)* leader. ◆ **puntera** *f* *(de zapato)* toecap.

puntiagudo, -da *adj* pointed.

puntilla *f* point lace. ◆ **de puntillas** *loc adv* on tiptoe.

puntilloso, -sa *adj* **1.** *(susceptible)* touchy. **2.** *(meticuloso)* punctilious.

punto *m* **1.** *(gen)* point; **~ débil/fuerte** weak/strong point; **~ de ebullición/ fusión** boiling/melting point; *fig* back-up, support; **~ culminante** high point; **~s a tratar** matters to be discussed; **poner ~ final a algo** to bring sthg to a close. **2.** *(signo ortográfico)* dot; **~ y coma** semi-colon; **~s suspensivos** suspension points; **dos ~s** colon. **3.** *(marca)* spot, dot. **4.** *(lugar)* spot, place; **~ de venta** (COM) point of sale. **5.** *(momento)* point, moment; **estar a ~** to be ready; **estar a ~ de hacer algo** to be on the point of doing sthg. **6.** *(estado)* state, condition; **llegar a un ~ en que ...** to reach the stage where ...; **poner a ~** *(gen)* to fine-tune; *(motor)* to tune. **7.** *(cláusula)* clause. **8.** *(puntada - en costura, cirugía)* stitch; **~ de cruz** cross-stitch; **hacer ~** to knit; **un jersey de ~** a knitted jumper. **9.** *(estilo de tejer)* knitting; **~ de ganchillo** crochet. **10.** *(objetivo)* target. ◆ **en punto** *loc adv* on the dot. ◆ **hasta cierto punto** *loc adv* to some extent, up to a point. ◆ **punto de partida** *m* starting point. ◆ **punto de vista** *m* point of view. ◆ **punto muerto** *m* **1.** (AUTOM) neutral. **2.** *(en un proceso)* deadlock; **estar en un ~ muerto** to be deadlocked.

puntuación *f* **1.** *(calificación)* mark; *(en concursos, competiciones)* score. **2.** *(ortográfica)* punctuation.

puntual *adj* **1.** *(en el tiempo)* punctual. **2.** *(exacto, detallado)* detailed. **3.** *(aislado)* isolated, one-off.

puntualidad *f* **1.** *(en el tiempo)* punctuality. **2.** *(exactitud)* exactness.

puntualizar *vt* to specify, to clarify.

puntuar ◇ *vt* **1.** *(calificar)* to mark; (DEP) to award marks to. **2.** *(escrito)* to punctuate. ◇ *vi* **1.** *(calificar)* to mark. **2.** *(entrar en el cómputo)*: **~ (para)** to count (towards).

punzada *f* **1.** *(pinchazo)* prick. **2.** *(dolor intenso)* stabbing pain *(U)*; *fig* pang.

punzante *adj* **1.** *(que pincha)* sharp. **2.** *(intenso)* sharp. **3.** *(mordaz)* caustic.

punzar *vt* **1.** *(pinchar)* to prick. **2.** *(suj: dolor)* to stab; *fig (suj: actitud)* to wound.

punzón *m* punch.

puñado *m* handful.

puñal *m* dagger.

puñalada *f* stab; *(herida)* stab wound.

puñetazo *m* punch.

puño *m* **1.** *(mano cerrada)* fist; **de su ~ y letra** in his/her own handwriting. **2.** *(de manga)* cuff. **3.** *(empuñadura - de espada)* hilt; *(- de paraguas)* handle.

pupila *f* pupil.

pupilo, -la *m y f (discípulo)* pupil.

pupitre *m* desk.

puré *m* (CULIN) purée; *(sopa)* thick soup; **~ de patatas** mashed potatoes *(pl)*.

pureza *f* purity.

purga *f fig (depuración)* purge.

purgar *vt lit & fig* to purge.

purgatorio *m* purgatory.

purificar *vt* to purify; *(mineral, metal)* to refine.

puritano, -na *adj, m y f* puritan.

puro, -ra ◇ *adj* **1.** *(gen)* pure; *(oro)* solid. **2.** *(cielo, atmósfera)* clear. **3.** *(conducta, persona)* decent, honourable. **4.** *(mero)* sheer; *(verdad)* plain; **por pura casualidad** by pure chance. ◆ **puro** *m* cigar.

púrpura ◇ *adj inv* purple. ◇ *m* purple.

pus *m* pus.

pusilánime *adj* cowardly.

puso → **poner**.

puta ◇ *adj* → **puto**. ◇ *f vulg* whore.

puto, -ta *adj vulg (maldito)* bloody. ◆ **puto** *m vulg* male prostitute.

putrefacción *f* rotting, putrefaction.

puzzle ['puθle], **puzle** *m* jigsaw puzzle.

PVP *(abrev de precio de venta al público) m* ≃ RRP.

PYME *(abrev de Pequeña y Mediana Empresa) f* SME.

pyrex® = **pírex**.

pza. *(abrev de plaza)* Sq.

q, Q *f (letra)* q, Q.

q.e.p.d. *(abrev de que en paz descanse)* RIP.

que ◇ *pron relat* **1.** *(sujeto)* *(persona)* who, that; *(cosa)* that, which; **la mujer**

~ **me saluda** the woman (who o that is) waving to me; **el ~ me lo compró** the one who bought it from me; **la moto ~ me gusta** the motorbike (that) I like. **2.** (*complemento directo*) (*persona*) whom, that; (*cosa*) that, which; **el hombre ~ conociste ayer** the man (whom o that) you met yesterday; **ese coche es el ~ me quiero comprar** that car is the one (that o which) I want to buy. **3.** (*complemento indirecto*): **al/a la ~** (to) whom; **ese es el chico al ~ presté dinero** that's the boy to whom I lent some money. **4.** (*complemento circunstancial*): **la playa a la ~ fui** the beach where o to which I went; **la mujer con la ~ hablas** the woman to whom you are talking; **la mesa sobre la ~ escribes** the table on which you are writing. **5.** (*complemento de tiempo*): **(en)** ~ when; **el día (en) ~ me fui** the day (when) I left. ◇ *conj* **1.** (*con oraciones de sujeto*) that; **es importante ~ me escuches** it's important that you listen to me. **2.** (*con oraciones de complemento directo*) that; **me ha confesado ~ me quiere** he has told me that he loves me. **3.** (*comparativo*) than; **es más rápido ~ tú** he's quicker than you; **antes morir ~ vivir la guerra** I'd rather die than live through a war. **4.** (*expresa causa*): **hemos de esperar, ~ todavía no es la hora** we'll have to wait, as it isn't time yet. **5.** (*expresa consecuencia*) that; **tanto me lo pidió ~ se lo di** he asked me for it so insistently that I gave it to him. **6.** (*expresa finalidad*) so (that); **ven aquí ~ te vea** come over here so (that) I can see you. **7.** (+ *subjuntivo*) (*expresa deseo*) that; **quiero ~ lo hagas** I want you to do it; **espero ~ te diviertas** I hope (that) you have fun. **8.** (*en oraciones exclamativas*): **¡~ te diviertas!** have fun!; **¡~ te doy un bofetón!** do that again and I'll slap you! **9.** (*en oraciones interrogativas*): **¡~ quiere venir? pues que venga** so she wants to come? then let her. **10.** (*expresa disyunción*) or; **quieras ~ no, harás lo que yo mando** you'll do what I tell you, whether you like it or not. **11.** (*expresa hipótesis*) if; **~ no quieres hacerlo, pues no pasa nada** it doesn't matter if you don't want to do it. **12.** (*expresa reiteración*) and; **estaban charla ~ charla** they were talking and talking.

qué ◇ *adj* (*gen*) what; (*al elegir, al concretar*) which; **¡~ hora es?** what's the time?; **¡~ coche prefieres?** which car do you prefer?; **¡a ~ distancia?** how far

away? ◇ *pron* (*interrogativo*) what; **¡~ te dijo?** what did he tell you?; **no sé ~ hacer** I don't know what to do; **¡~?** (*¡cómo?*) sorry?, pardon? ◇ *adv* **1.** (*exclamativo*) how; **¡~ horror!** how awful!; **¡~ tonto eres!** how stupid you are!, you're so stupid!; **¡~ casa más bonita!** what a lovely house!; **¡y ~!** so what? **2.** (*expresa gran cantidad*): **¡~ de ...!** what a lot of ...!; **¡~ de gente hay aquí!** what a lot of people there are here!

• En exclamaciones que aluden a un sustantivo, vaya éste o no con un adjetivo, se usa *what* (*what nice friends you've got!*, "¡qué amigos tan simpáticos tienes!"). Si el sustantivo es contable, en singular se pone *a/an* después de *what* (*what a great dress!*; *what a hero!*). Si el sustantivo es incontable no lleva artículo (*what awful luck*, "¡qué mala suerte!").

• En cambio, si el énfasis recae sobre un adjetivo o un adverbio se usa *how* (*how silly you can be sometimes*; *how suddenly it all happened!*).
---

quebradizo, -za *adj* **1.** (*frágil*) fragile, brittle. **2.** (*débil*) frail. **3.** (*voz*) weak.

quebrado, -da *adj* (*terreno*) rough, uneven; (*perfil*) rugged.

quebradura *f* (*grieta*) crack, fissure.

quebrantar *vt* **1.** (*incumplir - promesa, ley*) to break; (- *obligación*) to fail in. **2.** (*debilitar*) to weaken; (*moral, resistencia*) to break. ◆ **quebrantarse** *vpr* (*debilitarse*) to deteriorate.

quebrar ◇ *vt* (*romper*) to break. ◇ *vi* (FIN) to go bankrupt. ◆ **quebrarse** *vpr* **1.** (*romperse*) to break. **2.** (*voz*) to break, to falter. **3.** (*deslomarse*) to rupture o.s.

quechua *m* (*idioma*) Quechua.

quedar *vi* **1.** (*permanecer*) to remain, to stay. **2.** (*haber aún, faltar*) to be left, to remain; **¡queda azúcar?** is there any sugar left?; **nos quedan 100 pesetas** we have 100 pesetas left; **¡cuánto queda para León?** how much further is it to León?; **~ por hacer** to remain to be done; **queda por fregar el suelo** the floor has still to be cleaned. **3.** (*mostrarse*): **~ como** to come across as; **~ bien/mal (con alguien)** to make a good/bad impression (on sb). **4.** (*llegar a ser, resultar*): **el trabajo ha quedado perfecto** the job turned out perfectly; **el cuadro queda muy bien ahí** the picture looks great there. **5.** (*acabar*): **~ en** to end in;

~ **en nada** to come to nothing. **6.** *(sentar)* to look; **te queda un poco corto el traje** your suit is a bit too short; ~ **bien/mal a alguien** to look good/bad on sb; ~ **bien/mal con algo** to go well/badly with sthg. **7.** *(citarse):* ~ **(con alguien)** to arrange to meet (sb); **hemos quedado el lunes** we've arranged to meet on Monday. **8.** *(acordar):* ~ **en algo/en hacer algo** to agree on sthg/to do sthg; ~ **en que ...** to agree that ...; **¿en qué quedamos?** what's it to be, then? **9.** *fam (estar situado)* to be; **¡por dónde queda?** whereabouts is it? ◆ **quedarse** *vpr* **1.** *(permanecer - en un lugar)* to stay, to remain. **2.** *(terminar - en un estado):* ~**se ciego/sordo** to go blind/deaf; ~**se triste** to be o feel sad; ~**se sin dinero** to be left penniless; **la pared se ha quedado limpia** the wall is clean now. **3.** *(comprar)* to take; **me quedo éste** I'll take this one. ◆ **quedarse con** *vpr* **1.** *(retener, guardarse)* to keep. **2.** *(preferir)* to go for, to prefer.

quedo, -da *adj* quiet, soft. ◆ **quedo** *adv* quietly, softly.

quehacer *m (gen pl)* task; ~**es domésticos** housework *(U)*.

queja *f* **1.** *(lamento)* moan, groan. **2.** *(protesta)* complaint.

quejarse *vpr* **1.** *(lamentar)* to groan, to cry out. **2.** *(protestar)* to complain; ~ **de** to complain about.

quejido *m* cry, moan.

quejoso, -sa *adj*: ~ **(de)** annoyed o upset (with).

quemado, -da *adj* **1.** *(gen)* burnt; *(por agua hirviendo)* scalded; *(por electricidad)* burnt-out; *(fusible)* blown. **2.** *(por sol)* sunburnt. **3.** *loc:* **estar** ~ *(agotado)* to be burnt-out; *(harto)* to be fed up.

quemador *m* burner.

quemadura *f (por fuego)* burn; *(por agua hirviendo)* scald.

quemar ◇ *vt* **1.** *(gen)* to burn; *(suj: agua hirviendo)* to scald; *(suj: electricidad)* to blow. **2.** *fig (malgastar)* to fritter away. **3.** *fig (desgastar)* to burn out. **4.** *fig (hartar)* to make fed up. ◇ *vi (estar caliente)* to be (scalding) hot. ◆ **quemarse** *vpr* **1.** *(por fuego)* to burn down; *(por agua hirviendo)* to get scalded; *(por calor)* to burn; *(por electricidad)* to blow. **2.** *(por el sol)* to get burned. **3.** *fig (desgastarse)* to burn out. **4.** *fig (hartarse)* to get fed up.

quemarropa ◆ **a quemarropa** *loc adv* point-blank.

quemazón *f* burning; *(picor)* itch.

quepa → **caber**.

querella *f* **1.** *(DER) (acusación)* charge. **2.** *(discordia)* dispute.

querer ◇ *vt* **1.** *(gen)* to want; **quiero una bicicleta** I want a bicycle; **¿quieren ustedes algo más?** would you like anything else?; ~ **que alguien haga algo** to want sb to do sthg; **quiero que lo hagas tú** I want you to do it; ~ **que pase algo** to want sthg to happen; **queremos que las cosas te vayan bien** we want things to go well for you; **quisiera hacerlo, pero ...** I'd like to do it, but ... **2.** *(amar)* to love. **3.** *(en preguntas - con amabilidad):* **¿quiere decirle a su amigo que pase?** could you tell your friend to come in, please? **4.** *(pedir - precio):* ~ **algo (por)** to want sthg (for); **¿cuánto quieres por el coche?** how much do you want for the car? **5.** *fig & irón (dar motivos para):* **tú lo que quieres es que te pegue** you're asking for a smack. **6.** *loc:* **como quien no quiere la cosa** as if it were nothing; **quien bien te quiere te hará llorar** *proverb* you have to be cruel to be kind *proverb*. ◇ *vi* to want; **ven cuando quieras** come whenever you like o want; **no me voy porque no quiero** I'm not going because I don't want to; **queriendo** on purpose; **sin** ~ accidentally; ~ **decir** to mean; **¿qué quieres decir con eso?** what do you mean by that?; ~ **es poder** where there's a will there's a way. ◇ *v impers (haber atisbos):* **parece que quiere llover** it looks like rain. ◇ *m* love. ◆ **quererse** *vpr* to love each other.

querido, -da ◇ *adj* dear. ◇ *m y f* lover; *(apelativo afectuoso)* darling.

queso *m* cheese; ~ **de bola** Dutch cheese; ~ **manchego** hard mild yellow *cheese made in La Mancha*; ~ **rallado** grated cheese.

quibutz [kiˈβuθ] *(pl* quibutzs), **kibutz** *(pl* kibutzim) *m* kibbutz.

quicio *m* jamb; **estar fuera de** ~ *fig* to be out of kilter; **sacar de** ~ **a alguien** *fig* to drive sb mad.

quiebra *f* **1.** *(ruina)* bankruptcy; *(en bolsa)* crash. **2.** *fig (pérdida)* collapse.

quiebro *m (ademán)* swerve.

quien *pron* **1.** *(relativo) (sujeto)* who; *(complemento)* whom; **fue mi hermano** ~ **me lo explicó** it was my brother who explained it to me; **era Pepe a** ~ **vi/de** ~ **no me fiaba** it was Pepe (whom) I saw/didn't trust. **2.** *(indefinido):* ~**es quieran verlo que se acerquen** whoever wants to see it will have to come closer; **hay** ~ **lo**

niega there are those who deny it. **3.** *loc:* ~ **más** ~ **menos** everyone.

| **quién** | *pron (interrogativo) (sujeto)* who; *(complemento)* who, whom; ¿~ **es ese hombre?** who's that man?; **no sé** ~ **viene** I don't know who is coming; **¿a ~es has invitado?** who O whom have you invited?; **¿de** ~ **es?** whose is it?; **¿**~ **es?** *(en la puerta)* who is it?; *(al teléfono)* who's calling?

• En el habla formal se emplea *whom* en lugar de *who* cuando funciona como complemento de la oración (*whom* did you see?, "¿a quién viste?") pero nunca cuando es sujeto (*who* saw you?, "¿quién te vio?").

• *Whom* se utiliza con preposiciones y varía según el orden de las palabras en la oración. Podemos transformar la pregunta *whom were you arguing with?* en *who were you arguing with?* y hacerla menos formal. Por el contrario, si la preposición (*with* en este caso) va al principio de la frase se emplea *whom*, nunca *who* (*with whom were you arguing?*).

• Ver también **WHOM** en el lado Inglés-Español del diccionario.

---

quienquiera (*pl* quienesquiera) *pron* whoever; ~ **que venga** whoever comes.

quiera *etc* → querer.

quieto, -ta *adj (parado)* still; ¡**estáte** ~! keep still!; ¡~ **ahí**! don't move!

No debe confundirse la palabra "quieto" con el vocablo inglés *quiet*, que se escribe casi igual pero significa 'silencioso, tranquilo, callado'. Cuando el profesor dice *be quiet!* lo que quiere decir es "¡cállese!" o "¡cállense!", no que los alumnos deban permanecer inmóviles.

---

quietud *f* **1.** *(inmovilidad)* stillness. **2.** *(tranquilidad)* quietness.

quijada *f* jaw.

quilate *m* carat.

quilla *f* (NÁUT) keel.

quilo *etc* = kilo.

químico, -ca ◇ *adj* chemical. ◇ *m y f (científico)* chemist. ◆ **química** *f (ciencia)* chemistry.

quina *f (bebida)* quinine.

quincalla *f* trinket.

quince *núm* fifteen; ~ **días** a fortnight; *ver también* **seis**.

quinceañero, -ra *m y f* teenager.

quinceavo, -va *núm* fifteenth.

quincena *f* fortnight.

quincenal *adj* fortnightly.

quincuagésimo, -ma *núm* fiftieth.

quiniela *f (boleto)* pools coupon. ◆ **quinielas** *fpl (apuestas)* (football) pools.

quinientos, -tas *núm* five hundred; *ver también* **seis**.

quinina *f* quinine.

quinqué *m* oil lamp.

quinquenio *m (periodo)* five-year period.

quinqui *m y f fam* delinquent.

quinta → quinto.

quinteto *m* quintet.

quinto, -ta *núm* fifth. ◆ **quinto** *m* **1.** *(parte)* fifth. **2.** (MIL) recruit. ◆ **quinta** *f* **1.** *(finca)* country house. **2.** (MIL) call-up year.

quintuplicar *vt* to increase fivefold. ◆ **quintuplicarse** *vpr* to increase fivefold.

quiosco, kiosco *m* kiosk; *(de periódicos)* newspaper stand; ~ **de música** bandstand.

quiosquero, -ra *m y f* owner of a newspaper stand.

quirófano *m* operating theatre.

quiromasaje *m* (manual) massage.

quirúrgico, -ca *adj* surgical.

quisiera *etc* → querer.

quisquilloso, -sa *adj* **1.** *(detallista)* pernickety. **2.** *(susceptible)* touchy.

quiste *m* cyst.

quitaesmalte *m* nail-polish remover.

quitaipón ◆ **de quitaipón** *loc adj* removable; *(capucha)* detachable.

quitamanchas *m inv* stain remover.

quitanieves *m inv* snow plough.

quitar *vt* **1.** *(gen)* to remove; *(ropa, zapatos etc)* to take off; ~**le algo a alguien** to take sth away from sb; **de quita y pon** removable; *(capucha)* detachable. **2.** *(dolor, ansiedad)* to take away, to relieve; *(sed)* to quench. **3.** *(tiempo)* to take up. **4.** *(robar)* to take, to steal. **5.** *(impedir)*: **esto no quita que sea un vago** that doesn't change the fact that he's a layabout. **6.** *(exceptuar)*: **quitando el queso, me gusta todo** apart from cheese, I'll eat anything. **7.** *(desconectar)* to switch off. ◆ **quitarse** *vpr* **1.** *(apartarse)* to get out of the way. **2.** *(ropa)* to take off. **3.** *(suj: mancha)* to come out. **4.** *loc:* ~**se a alguien de encima** O **de en medio** to get rid of sb.

quitasol *m* sunshade *Br*, parasol.

Q

quite *m* (DEP) parry; **estar al ~** to be on hand to help.

Quito Quito.

quizá, **quizás** *adv* perhaps; **~ lleva mañana** it might rain tomorrow; **~ no lo creas** you may not believe it; **~ sí** maybe; **~ no** maybe not.

R

r, R *f (letra)* r, R.

rábano *m* radish; **me importa un ~** I couldn't care less.

rabí *m* rabbi.

rabia *f* 1. *(ira)* rage; **me da ~** it makes me mad; **tenerle ~ a alguien** *fig* not to be able to stand sb. 2. *(enfermedad)* rabies.

rabiar *vi* 1. *(sufrir)* to writhe in pain. 2. *(enfadarse)* to be furious. 3. *(desear)*: **~ por algo/hacer algo** to be dying for sthg/to do sthg.

rabieta *f fam* tantrum.

rabillo *m* corner; **mirar algo con el ~ del ojo** to look at sthg out of the corner of one's eye.

rabioso, -sa *adj* 1. *(furioso)* furious. 2. *(excesivo)* terrible. 3. *(enfermo de rabia)* rabid. 4. *(chillón)* loud, gaudy.

rabo *m* 1. *(de animal)* tail; **~ de buey** oxtail. 2. *(de hoja, fruto)* stem.

racha *f* 1. *(ráfaga)* gust (of wind). 2. *(época)* spell; *(serie)* string; **buena/mala ~** good/bad patch; **a ~s** in fits and starts.

racial *adj* racial.

racimo *m* 1. *(de frutos)* bunch. 2. *(de flores)* raceme.

raciocinio *m (razón)* (power of) reason.

ración *f* 1. *(porción)* portion. 2. *(en bar, restaurante)* large portion of a dish served as a snack.

racional *adj* rational.

racionalizar *vt* to rationalize.

racionar *vt* to ration.

racismo *m* racism.

racista *adj, m y f* racist.

radar *(pl* radares*) m* radar.

radiación *f* radiation.

radiactivo, -va, **radioactivo, -va** *adj* radioactive.

radiador *m* radiator.

radiante *adj* radiant.

radiar *vt* 1. *(irradiar)* to radiate. 2. *(por radio)* to broadcast.

radical *adj, m y f* radical.

radicar *vi*: **~ en** *(suj: problema etc)* to lie in; *(suj: población)* to be (situated) in.
♦ **radicarse** *vpr (establecerse)*: **~se (en)** to settle (in).

radio ◇ *m* 1. (ANAT & GEOM) radius. 2. *(de rueda)* spoke. 3. (QUÍM) radium. ◇ *f* radio; **oír algo por la ~** to hear sthg on the radio.

radioactivo, -va = **radiactivo**.

radioaficionado, -da *m y f* radio ham.

radiocasete *m* radio cassette (player).

radiocontrol *m* remote control.

radiodespertador *m* clock radio.

radiodifusión *f* broadcasting.

radioescucha *m y f inv* listener.

radiofónico, -ca *adj* radio *(antes de sust)*.

radiografía *f (fotografía)* X-ray; *(ciencia)* radiography.

radionovela *f* radio soap opera.

radiorreloj *m* clock radio.

radiotaxi *m* taxi (with radio link).

radioteléfono *m* radiotelephone.

radioterapia *f* radiotherapy.

radioyente *m y f* listener.

RAE *abrev de* **Real Academia Española**.

raer *vt* to scrape (off).

ráfaga *f (de aire, viento)* gust; *(de disparos)* burst; *(de luces)* flash.

raído, -da *adj* threadbare; *(por los bordes)* frayed.

raíl, rail *m* rail.

raíz *(pl* raíces*) f* (gen & MAT) root; **~ cuadrada/cúbica** square/cube root; **a ~ de** as a result of, following; **echar raíces** to put down roots.

raja *f* 1. *(porción)* slice. 2. *(grieta)* crack.

rajar *vt* 1. *(partir)* to crack; *(melón)* to slice. 2. *mfam (apuñalar)* to slash.
♦ **rajarse** *vpr* 1. *(partirse)* to crack. 2. *fam (echarse atrás)* to chicken out.

rajatabla ♦ **a rajatabla** *loc adv* to the letter, strictly.

ralentí *m* neutral.

rallado, -da *adj* grated.

rallador *m* grater.

ralladura *f (gen pl)* grating.

rallar *vt* to grate.

rally ['rali] *(pl* rallys*) m* rally.

RAM (*abrev de* **random access memory**) *f* RAM.

rama *f* branch; **andarse por las ~s** *fam* to beat about the bush.

ramaje *m* branches (*pl*).

ramal *m* (*de carretera, ferrocarril*) branch.

ramalazo *m* **1.** *fam* (*hecho que delata*) giveaway sign. **2.** (*ataque*) fit.

rambla *f* (*avenida*) avenue, boulevard.

ramificarse *vpr* **1.** (*bifurcarse*) to branch out. **2.** (*subdividirse*): **~ (en)** to subdivide (into).

ramillete *m* bunch, bouquet.

ramo *m* **1.** (*de flores*) bunch, bouquet. **2.** (*rama*) branch; **el ~ de la construcción** the building industry.

rampa *f* **1.** (*para subir y bajar*) ramp. **2.** (*cuesta*) steep incline.

rana *f* frog.

ranchero, -ra *m y f* rancher.
♦ **ranchera** *f* **1.** (MÚS) *popular Mexican song*. **2.** (AUTOM) estate car.

rancho *m* **1.** (*comida*) mess. **2.** (*granja*) ranch.

rancio, -cia *adj* **1.** (*pasado*) rancid. **2.** (*antiguo*) ancient. **3.** (*añejo - vino*) mellow.

rango *m* **1.** (*social*) standing. **2.** (*jerárquico*) rank.

ranking ['raŋkin] (*pl* **rankings**) *m* ranking.

ranura *f* groove; (*de máquina tragaperras, cabina telefónica*) slot.

rapaces *fpl* → **rapaz**.

rapapolvo *m fam* ticking-off.

rapar *vt* (*barba, bigote*) to shave off; (*cabeza*) to shave; (*persona*) to shave the hair of.

rapaz, -za *m y f fam* lad (*f* lass).
♦ **rapaz** *adj* **1.** (*que roba*) rapacious, greedy. **2.** (ZOOL) → **ave**. ♦ **rapaces** *fpl* (ZOOL) birds of prey.

rape *m* angler fish; **cortar el pelo al ~ a alguien** to crop sb's hair.

rapé *m* (*en aposición inv*) snuff.

rápidamente *adv* quickly.

rapidez *f* speed.

rápido, -da *adj* quick, fast; (*coche*) fast; (*beneficio, decisión*) quick. ♦ **rápido** ◇ *adv* quickly; **más ~** quicker; **¡ven, ~!** come, quick! ◇ *m* (*tren*) express train. ♦ **rápidos** *mpl* (*de río*) rapids.

rappel ['rapel] (*pl* **rappels**) *m* (DEP) abseiling; **hacer ~** to abseil.

rapsodia *f* rhapsody.

raptar *vt* to abduct, to kidnap.

rapto *m* **1.** (*secuestro*) abduction, kid-

napping. **2.** (*ataque*) fit.

raqueta *f* (*para jugar - al tenis*) racquet; (*- al ping pong*) bat.

rareza *f* **1.** (*poco común, extraño*) rarity. **2.** (*extravagancia*) eccentricity.

raro, -ra *adj* **1.** (*extraño*) strange; **¡qué ~!** how odd ○ strange! **2.** (*excepcional*) unusual, rare; (*visita*) infrequent. **3.** (*extravagante*) odd, eccentric. **4.** (*escaso*) rare; **rara vez** rarely.

ras *m*: **a ~ de** level with; **a ~ de tierra** at ground level; **volar a ~ de tierra** to fly low.

rasante *f* (*de carretera*) gradient.

rascacielos *m inv* skyscraper.

rascador *m* (*herramienta*) scraper.

rascar ◇ *vt* **1.** (*con uñas, clavo*) to scratch. **2.** (*con espátula*) to scrape (off); (*con cepillo*) to scrub. ◇ *vi* to be rough.
♦ **rascarse** *vpr* to scratch o.s.

rasera *f* fish slice.

rasgar *vt* to tear; (*sobre*) to tear open.

rasgo *m* **1.** (*característica*) trait, characteristic. **2.** (*trazo*) flourish, stroke.
♦ **rasgos** *mpl* **1.** (*del rostro*) features. **2.** (*letra*) handwriting (*U*). ♦ **a grandes rasgos** *loc adv* in general terms.

rasguear *vt* to strum.

rasguñar *vt* to scratch.

rasguño *m* scratch.

raso, -sa *adj* **1.** (*terreno*) flat. **2.** (*cucharada etc*) level. **3.** (*a poca altura*) low. **4.** (MIL): **soldado ~** private. ♦ **raso** *m* (*tela*) satin.

raspadura *f* (*gen pl*) scraping; (*señal*) scratch.

raspar *vt* **1.** (*rascar*) to scrape (off). **2.** (*rasar*) to graze, to shave.

rasposo, -sa *adj* rough.

rastras ♦ **a rastras** *loc adv*: **llevar algo/a alguien a ~** *lit & fig* to drag sthg/sb along.

rastrear *vt* (*seguir las huellas de*) to track.

rastrero, -ra *adj* despicable.

rastrillo *m* **1.** (*en jardinería*) rake. **2.** (*mercado*) flea market; (*benéfico*) jumble sale.

rastro *m* **1.** (*pista*) trail; **perder el ~ de alguien** to lose track of sb; **sin dejar ~** without trace. **2.** (*vestigio*) trace. **3.** (*mercado*) flea market.

rastrojo *m* stubble.

rasurar *vt* to shave. ♦ **rasurarse** *vpr* to shave.

rata *f* rat.

ratero, -ra *m y f* petty thief.

ratificar *vt* to ratify. ♦ **ratificarse**

R

en *vpr* to stand by.

rato *m* while; **estuvimos hablando mucho ~** we were talking for quite a while; **al poco ~ (de)** shortly after; **pasar el ~** to kill time; **pasar un mal ~** to have a hard time of it; **~s libres** spare time *(U)*; **a ~s** at times.

ratón *m* (gen & INFORM) mouse.

ratonera *f* 1. *(para ratas)* mousetrap. 2. *fig (trampa)* trap.

raudal *m* 1. *(de agua)* torrent. 2. *fig (montón)* abundance; *(de lágrimas)* flood; *(de desgracias)* string; **a ~es** in abundance, by the bucket.

ravioli *m* (gen pl) ravioli *(U)*.

raya *f* 1. *(línea)* line; *(en tejido)* stripe; **a ~s** striped. 2. *(del pelo)* parting; **hacerse la ~** to part one's hair. 3. *(de pantalón)* crease. 4. *fig (límite)* limit; **pasarse de la ~** to overstep the mark. 5. *(señal - en disco, pintura etc)* scratch. 6. *(pez)* ray. 7. *(guión)* dash.

rayado, -da *adj* 1. *(a rayas - tela)* striped; *(- papel)* ruled. 2. *(estropeado)* scratched. ♦ **rayado** *m* (rayas) stripes *(pl)*.

rayar ◇ *vt* 1. *(marcar)* to scratch. 2. *(trazar rayas)* to rule lines on. ◇ *vi* 1. *(aproximarse)*: **~ en algo** to border on sthg; **raya en los cuarenta** he's pushing forty. 2. *(alba)* to break. ♦ **rayarse** *vpr* to get scratched.

rayo *m* 1. *(de luz)* ray; **~ solar** sunbeam. 2. (FÍS) beam, ray; **~ láser** laser beam; **~s infrarrojos/ultravioleta/uva** infrared/ultraviolet/UVA rays; **~s X** X-rays; **caer como un ~** *fig* to be a bombshell. 3. (METEOR) bolt of lightning; **~s** lightning *(U)*.

rayón *m* rayon.

rayuela *f (juego en que se salta a la pata coja)* hopscotch.

raza *f* 1. *(humana)* race; **~ humana** human race. 2. *(animal)* breed; **de ~** *(caballo)* thoroughbred; *(perro)* pedigree.

razón *f* 1. *(gen)* reason; **dar la ~ a alguien** to say that sb is right; **en ~ de** o **a** in view of; **~ de ser** raison d'être; **tener ~ (en hacer algo)** to be right (to do sthg); **no tener ~** to be wrong; **y con ~** and quite rightly so. 2. *(información)*: **se vende piso: ~ aquí** flat for sale: enquire within; **dar ~ de** to give an account of. 3. (MAT) ratio. ♦ **a razón de** *loc adv* at a rate of.

razonable *adj* reasonable.

razonamiento *m* reasoning *(U)*.

razonar ◇ *vt (argumentar)* to reason

out. ◇ *vi (pensar)* to reason.

re *m* (MÚS) D; *(en solfeo)* re.

reacción *f* reaction; **~ en cadena** chain reaction.

reaccionar *vi* to react.

reaccionario, -ria *adj, m y f* reactionary.

reacio, -cia *adj* stubborn; **ser ~ a** o **en hacer algo** to be reluctant to do sthg.

reactivación *f* revival.

reactor *m* 1. *(propulsor)* reactor. 2. *(avión)* jet (plane).

readmitir *vt* to accept o take back.

reafirmar *vt* to confirm. ♦ **reafirmarse** *vpr* to assert o.s.; **~se en algo** to become confirmed in sthg.

reajuste *m* 1. *(cambio)* readjustment; **~ ministerial** cabinet reshuffle. 2. (ECON - de precios, impuestos) increase; (- de sector) streamlining; (- de salarios) reduction; **~ de plantilla** redundancies *(pl)*.

real *adj* 1. *(verdadero)* real. 2. *(de monarquía)* royal.

realce *m* 1. *(esplendor)* glamour; **dar ~ a algo/alguien** to enhance sthg/sb. 2. *(en pintura)* highlight.

realeza *f (monarcas)* royalty.

realidad *f* 1. *(mundo real)* reality; **~ virtual** (INFORM) virtual reality. 2. *(verdad)* truth; **en ~** actually, in fact.

realista ◇ *adj* realistic. ◇ *m y f* (ARTE) realist.

realización *f* 1. *(ejecución)* carryingout; *(de proyecto, medidas)* implementation; *(de sueños, deseos)* fulfilment. 2. *(obra)* achievement. 3. (CIN) production.

realizador, -ra *m y f* (CIN & TV) director.

realizar *vt* 1. *(ejecutar - esfuerzo, viaje, inversión)* to make; (- operación, experimento, trabajo) to perform; (- encargo) to carry out; (- plan, reformas) to implement; (- desfile) to go on. 2. *(hacer real)* to fulfil, to realize. 3. (CIN) to produce. ♦ **realizarse** *vpr* 1. *(en un trabajo)* to find fulfilment. 2. *(hacerse real - sueño, predicción, deseo)* to come true; (- esperanza, ambición) to be fulfilled. 3. *(ejecutarse)* to be carried out.

realmente *adv* 1. *(en verdad)* in fact, actually. 2. *(muy)* really, very.

realquilar *vt* to sublet.

realzar *vt* 1. *(resaltar)* to enhance. 2. *(en pintura)* to highlight.

reanimar *vt* 1. *(físicamente)* to revive. 2. *(moralmente)* to cheer up. 3. (MED) to resuscitate.

reanudar vt (conversación, trabajo) to resume; (amistad) to renew.

reavivar vt to revive.

rebaja f 1. (acción) reduction. 2. (descuento) discount. ◆ **rebajas** fpl (COM) sales; **'grandes ~s'** 'massive reductions'; **estar de ~s** to have a sale on.

rebajado, -da adj 1. (precio) reduced. 2. (humillado) humiliated.

rebajar vt 1. (precio) to reduce; **te rebajo 100 pesetas** I'll knock 100 pesetas off for you. 2. (persona) to humiliate. 3. (intensidad) to tone down. 4. (altura) to lower. ◆ **rebajarse** vpr (persona) to humble o.s.; **~se a hacer algo** to lower o.s. o stoop to do sthg.

rebanada f slice.

rebañar vt to scrape clean.

rebaño m flock; (de vacas) herd.

rebasar vt to exceed, to surpass; (agua) to overflow; (AUTOM) to overtake.

rebatir vt to refute.

rebeca f cardigan.

rebelarse vpr to rebel.

rebelde ◇ adj 1. (sublevado) rebel (antes de sust). 2. (desobediente) rebellious. ◇ m y f (sublevado, desobediente) rebel.

rebeldía f 1. (cualidad) rebelliousness. 2. (acción) (act of) rebellion.

rebelión f rebellion.

rebenque m CSur & Méx (látigo) whip.

rebobinar vt to rewind.

rebosante adj: **~ (de)** brimming o overflowing (with).

rebosar ◇ vt to overflow with. ◇ vi to overflow; **~ de** to be overflowing with; fig (persona) to brim with.

rebotar vi: **~ (en)** to bounce (off), to rebound (off).

rebote m 1. (bote) bounce, bouncing (U). 2. (DEP) rebound; **de ~** on the rebound.

rebozado, -da adj (CULIN) coated in batter o breadcrumbs.

rebuscado, -da adj recherché, pretentious.

rebuznar vi to bray.

recabar vt (pedir) to ask for; (conseguir) to manage to get.

recadero, -ra m y f messenger.

recado m 1. (mensaje) message. 2. (encargo) errand; **hacer ~s** to run errands.

recaer vi 1. (enfermo) to have a relapse. 2. (ir a parar): **~ sobre** to fall on. 3. (reincidir): **~ en** to relapse into.

recaída f relapse.

recalcar vt to stress, to emphasize.

recalentar vt 1. (volver a calentar) to warm up. 2. (calentar demasiado) to overheat.

recámara f 1. (de arma de fuego) chamber. 2. CAm & Méx (dormitorio) bedroom.

recamarera f CAm & Méx maid.

recambio m spare (part); (para pluma) refill; **de ~** spare.

recapitulación f recap, recapitulation.

recargado, -da adj (estilo etc) overelaborate.

recargar vt 1. (volver a cargar - encendedor, recipiente) to refill; (- batería, pila) to recharge; (- fusil, camión) to reload. 2. (cargar demasiado) to overload. 3. (adornar en exceso) to overelaborate. 4. (cantidad): **~ 1.000 pesetas a alguien** to charge sb 1,000 pesetas extra. 5. (poner en exceso): **~ algo de algo** to put too much of sthg in sthg.

recargo m extra charge, surcharge.

recatado, -da adj (pudoroso) modest, demure.

recato m (pudor) modesty, demureness.

recaudación f 1. (acción) collection. 2. (cantidad) takings (pl); (DEP) gate.

recaudador, -ra m y f: **~ (de impuestos)** tax collector.

recaudar vt to collect.

recelar ◇ vt 1. (sospechar) to suspect. 2. (temer) to fear. ◇ vi: **~ de** to mistrust.

recelo m mistrust, suspicion.

receloso, -sa adj mistrustful, suspicious.

recepción f (gen) reception.

recepcionista m y f receptionist.

receptáculo m receptacle.

receptivo, -va adj receptive.

receptor, -ra m y f (persona) recipient. ◆ **receptor** m (aparato) receiver.

recesión f recession.

receta f 1. (CULIN & fig) recipe. 2. (MED) prescription.

rechazar vt 1. (gen & MED) to reject; (oferta) to turn down. 2. (repeler - a una persona) to push away; (MIL) to repel.

rechazo m 1. (gen & MED) rejection; (hacia una ley, un político) disapproval; **~ a hacer algo** refusal to do sthg. 2. (negación) denial.

rechinar vi 1. (puerta) to creak; (dientes) to grind; (frenos, ruedas) to screech; (metal) to clank. 2. (dando dentera) to grate.

rechistar *vi* to answer back.

rechoncho, -cha *adj fam* chubby.

rechupete ♦ de rechupete *loc adv fam (gen)* brilliant, great; *(comida)* scrumptious.

recibidor *m* entrance hall.

recibimiento *m* reception, welcome.

recibir ◊ *vt* 1. *(gen)* to receive; *(clase, instrucción)* to have. 2. *(dar la bienvenida a)* to welcome. 3. *(ir a buscar)* to meet. ◊ *vi (atender visitas)* to receive visitors.

recibo *m* receipt; **acusar ~ de** to acknowledge receipt of.

reciclaje *m* 1. *(de residuos)* recycling. 2. *(de personas)* retraining.

reciclar *vt (residuos)* to recycle.

recién *adv* recently, newly; **el ~ casado** the newly-wed; **los ~ llegados** the newcomers; **el ~ nacido** the newborn baby.

reciente *adj* 1. *(acontecimiento etc)* recent. 2. *(pintura, pan etc)* fresh.

recientemente *adv* recently.

recinto *m* *(zona cercada)* enclosure; *(área)* place, area; *(alrededor de edificios)* grounds *(pl)*; **~ ferial** fairground *(of trade fair)*.

recio, -cia *adj* 1. *(persona)* robust. 2. *(voz)* gravelly. 3. *(objeto)* solid. 4. *(material, tela)* tough, strong.

recipiente *m* container, receptacle.

No debe confundirse la palabra del español "recipiente" con la inglesa *recipient*, cuyo significado es 'destinatario'. Por ejemplo: *the recipient of a letter* es "la persona a quien va dirigida una carta", lo cual no tiene relación alguna con "recipiente".

---

recíproco, -ca *adj* mutual, reciprocal.

recital *m* 1. *(de música clásica)* recital; *(de rock)* concert. 2. *(de lectura)* reading.

recitar *vt* to recite.

reclamación *f* 1. *(petición)* claim, demand. 2. *(queja)* complaint.

reclamar ◊ *vt (pedir, exigir)* to demand, to ask for. ◊ *vi (protestar)*: **~ (contra)** to protest (against), to complain (about).

reclamo *m* 1. *(para atraer)* inducement. 2. *(para cazar)* decoy, lure.

reclinar *vt*: **~ algo (sobre)** to lean sthg (on). **♦ reclinarse** *vpr* to lean back.

recluir *vt* to shut ○ lock away. **♦ recluirse** *vpr* to shut o.s. away.

reclusión *f* 1. *(encarcelamiento)* imprisonment. 2. *fig (encierro)* seclusion.

recluso, -sa *m y f (preso)* prisoner.

recluta *m (obligatorio)* conscript; *(voluntario)* recruit.

recobrar *vt (gen)* to recover; *(conocimiento)* to regain; *(tiempo perdido)* to make up for. **♦ recobrarse** *vpr*: **~se (de)** to recover (from).

recodo *m* bend.

recogedor *m* dustpan.

recoger *vt* 1. *(coger)* to pick up. 2. *(reunir)* to collect, to gather. 3. *(ordenar, limpiar - mesa)* to clear; *(- habitación, cosas)* to tidy ○ clear up. 4. *(ir a buscar)* to pick up, to fetch. 5. *(albergar)* to take in. 6. *(cosechar)* to gather, to harvest; *(fruta)* to pick. **♦ recogerse** *vpr* 1. *(a dormir, meditar)* to retire. 2. *(cabello)* to put up.

recogido, -da *adj* 1. *(lugar)* withdrawn, secluded. 2. *(cabello)* tied back. **♦ recogida** *f* 1. *(gen)* collection. 2. *(cosecha)* harvest, gathering; *(de fruta)* picking.

recolección *f* 1. *(cosecha)* harvest, gathering. 2. *(recogida)* collection.

recomendación *f (gen pl)* 1. *(gen)* recommendation. 2. *(referencia)* reference.

recomendado, -da *m y f* protégé *(f* protégée).

recomendar *vt* to recommend; **~ a alguien que haga algo** to recommend that sb do sthg.

recompensa *f* reward; **en ~ por** in return for.

recompensar *vt (premiar)* to reward.

recomponer *vt* to repair, to mend.

recompuesto, -ta *pp* → **recomponer**.

reconciliación *f* reconciliation.

reconciliar *vt* to reconcile. **♦ reconciliarse** *vpr* to be reconciled.

recóndito, -ta *adj* hidden, secret.

reconfortar *vt* 1. *(anímicamente)* to comfort. 2. *(físicamente)* to revitalize.

reconocer *vt* 1. *(gen)* to recognize. 2. (MED) to examine. 3. *(terreno)* to survey. **♦ reconocerse** *vpr* 1. *(identificarse)* to recognize each other. 2. *(confesarse)*: **~se culpable** to admit one's guilt.

reconocido, -da *adj* 1. *(admitido)* recognized, acknowledged. 2. *(agradecido)* grateful.

reconocimiento *m* 1. *(gen)* recognition. 2. *(agradecimiento)* gratitude. 3. (MED) examination. 4. (MIL) reconnaissance.

reconquista *f* reconquest, recapture. **♦ Reconquista** *f*: **la Reconquista** (HIST) the Reconquest of Spain, when the Christian Kings retook the country from the Muslims.

reconstruir vt 1. (edificio, país etc) to rebuild. 2. (suceso) to reconstruct.

reconversión f restructuring; ~ **industrial** rationalization of industry.

recopilar vt 1. (recoger) to collect, to gather. 2. (escritos, leyes) to compile.

récord (pl **récords**) ◇ m record; **batir un ~** to break a record. ◇ adj inv record.

recordar ◇ vt 1. (acordarse de) to remember. 2. (traer a la memoria) to remind; **me recuerda a un amigo mío** he reminds me of a friend of mine. ◇ vi to remember; **si mal no recuerdo** as far as I can remember.

recordatorio m (aviso) reminder.

recordman [re'korðman] (pl **record-men** o **recordmans**) m record holder.

recorrer vt 1. (atravesar - lugar, país) to travel through o across, to cross; (- ciudad) to go round. 2. (distancia) to cover. 3. fig (con la mirada) to look over.

recorrida f Amer trip.

recorrido m 1. (trayecto) route, path. 2. (viaje) journey.

recortado, -da adj 1. (cortado) cut. 2. (borde) jagged.

recortar vt 1. (cortar - lo que sobra) to cut off o away; (- figuras de un papel) to cut out. 2. (pelo, flequillo) to trim. 3. fig (reducir) to cut. ◆ **recortarse** vpr (figura etc) to stand out.

recorte m 1. (pieza cortada) cut, trimming; (de periódico, revista) cutting. 2. (reducción) cut, cutback.

recostar vt to lean (back). ◆ **recostarse** vpr to lie down.

recoveco m 1. (rincón) nook. 2. (curva) bend.

recreación f re-creation.

recrear vt 1. (volver a crear) to recreate. 2. (entretener) to amuse, to entertain. ◆ **recrearse** vpr 1. (entretenerse) to amuse o.s., to entertain o.s. 2. (regodearse) to take delight o pleasure.

recreativo, -va adj recreational.

recreo m 1. (entretenimiento) recreation, amusement. 2. (EDUC - en primaria) playtime; (- en secundaria) break.

recriminar vt to reproach.

recta → recto.

rectángulo m rectangle.

rectificar vt 1. (error) to rectify, to correct. 2. (conducta, actitud etc) to improve. 3. (ajustar) to put right.

rectitud f straightness; fig rectitude.

recto, -ta adj 1. (sin curvas, vertical) straight. 2. fig (íntegro) honourable. ◆ **recto** ◇ m (ANAT) rectum. ◇ adv straight on o ahead. ◆ **recta** f straight line; **la recta final** lit & fig the home straight.

rector, -ra m y f (de universidad) president Am, vice-chancellor Br. ◆ **rector** m (RELIG) rector.

recuadro m box.

recubrir vt (gen) to cover; (con pintura, barniz) to coat.

recuento m recount.

recuerdo m 1. (rememoración) memory. 2. (objeto - de viaje) souvenir; (- de persona) keepsake. ◆ **recuerdos** mpl (saludos) regards; **dale ~s de mi parte** give her my regards.

recular vi (retroceder) to go o move back.

recuperable adj (gen) recoverable; (fiestas, horas de trabajo) that can be made up later.

recuperación f 1. (de lo perdido, la salud, la economía) recovery. 2. (fisioterapia) physiotherapy.

recuperar vt (lo perdido) to recover; (horas de trabajo) to catch up; (conocimiento) to regain. ◆ **recuperarse** vpr 1. (enfermo) to recuperate, to recover. 2. (de una crisis) to recover; (negocio) to pick up; ~**se de algo** to get over sthg.

recurrir vi 1. (buscar ayuda): ~ **a alguien** to turn to sb; ~ **a algo** to resort to sthg. 2. (DER) to appeal.

recurso m 1. (medio) resort; **como último ~** as a last resort. 2. (DER) appeal. ◆ **recursos** mpl (fondos) resources; (financieros) means; ~**s propios** (ECON) equities.

red f 1. (malla) net; (para cabello) hairnet. 2. (sistema) network, system; (de electricidad, agua) mains (sg); ~ **viaria** road network o system. 3. (organización - de espionaje) ring; (- de tiendas) chain. 4. (INFORM) network. ◆ **Red** f (INFORM): **la Red** the Net; **navegar por la Red** to surf the Net.

redacción f 1. (acción - gen) writing; (- de periódico etc) editing. 2. (estilo) wording. 3. (equipo de redactores) editorial team o staff. 4. (oficina) editorial office. 5. (EDUC) essay.

redactar vt to write (up); (carta) to draft.

redactor, -ra m y f (PRENSA - escritor) writer; (- editor) editor; ~ **jefe** editor-in-chief.

R

redada 264

redada *f fig (de policía - en un solo lugar)* raid; *(- en varios lugares)* round-up.

redención *f* redemption.

redil *m* fold, pen.

rédito *m* interest *(U)*, yield *(U)*.

redoblar *vi* to roll.

redondear *vt* 1. *(hacer redondo)* to make round. 2. *(negocio, acuerdo)* to round off. 3. *(cifra, precio)* to round up/down.

redondel *m* 1. *(gen)* circle, ring. 2. (TAUROM) bullring.

redondo, -da *adj* 1. *(circular, esférico)* round; **a la redonda** around; **caerse ~** *fig* to collapse in a heap. 2. *(perfecto)* excellent.

reducción *f* 1. *(gen)* reduction. 2. *(sometimiento)* suppression.

reducido, -da *adj* 1. *(pequeño)* small. 2. *(limitado)* limited. 3. *(estrecho)* narrow.

reducir *vt* 1. *(gen)* to reduce. 2. *(someter - país, ciudad)* to suppress; *(- sublevados, atracadores)* to bring under control. 3. (MAT) *(convertir)* to convert. ◆ **reducirse a** *vpr* 1. *(limitarse a)* to be reduced to. 2. *(equivaler a)* to boil o come down to.

redundancia *f* redundancy, superfluousness.

redundante *adj* redundant, superfluous.

redundar *vi*: **~ en algo** to have an effect on sthg; **redunda en beneficio nuestro** it is to our advantage.

reeditar *vt* to bring out a new edition of; *(reimprimir)* to reprint.

reelección *f* re-election.

reembolsar, rembolsar *vt (gastos)* to reimburse; *(fianza, dinero)* to refund; *(deuda)* to repay.

reembolso, rembolso *m (de gastos)* reimbursement; *(de fianza, dinero)* refund; *(de deuda)* repayment; **contra ~** cash on delivery.

reemplazar, remplazar *vt (gen &* INFORM) to replace.

reemplazo, remplazo *m* 1. *(gen &* INFORM) replacement. 2. (MIL) call-up, draft.

reencarnación *f* reincarnation.

reencuentro *m* reunion.

reestructurar *vt* to restructure.

refacción *f* 1. *Amer (reparaciones)* repairs *(pl)*. 2. *Chile & Méx (recambios)* spare parts *(pl)*.

refaccionar *vt Amer* to repair, to fix.

referencia *f* reference; **con ~ a** with

reference to. ◆ **referencias** *fpl (información)* information *(U)*.

referéndum *(pl* **referéndums**) *m* referendum.

referente *adj*: **~ a** concerning, relating to.

referir *vt* 1. *(narrar)* to tell, to recount. 2. *(remitir)*: **~ a alguien a** to refer sb to. 3. *(relacionar)*: **~ algo a** to relate sthg to. ◆ **referirse a** *vpr* to refer to; **¿a qué se refieres?** what do you mean?; **por lo que se refiere a ...** as far as ... is concerned.

refilón ◆ de refilón *loc adv* 1. *(de lado)* sideways; **mirar algo de ~** to look at sthg out of the corner of one's eye. 2. *fig (de pasada)* briefly.

refinado, -da *adj* refined.

refinar *vt* to refine.

refinería *f* refinery.

reflector *m* (ELECTR) spotlight; (MIL) searchlight.

reflejar *vt lit & fig* to reflect. ◆ **reflejarse** *vpr lit & fig*: **~se (en)** to be reflected (in).

reflejo, -ja *adj (movimiento, dolor)* reflex *(antes de sust)*. ◆ **reflejo** *m* 1. *(gen)* reflection. 2. *(destello)* glint, gleam. 3. (ANAT) reflex. ◆ **reflejos** *mpl (de peluquería)* highlights.

reflexión *f* reflection; **con ~** on reflection; **sin previa ~** without thinking.

reflexionar *vi* to reflect, to think.

reflexivo, -va *adj* 1. *(que piensa)* thoughtful. 2. (GRAM) reflexive.

reflujo *m* ebb (tide).

reforma *f* 1. *(modificación)* reform; **~ agraria** agrarian reform. 2. *(en local, casa etc)* alterations *(pl)*. ◆ **Reforma** *f*: **la Reforma** (RELIG) the Reformation.

reformar *vt* 1. *(gen &* RELIG) to reform. 2. *(local, casa etc)* to renovate. ◆ **reformarse** *vpr* to mend one's ways.

reformatorio *m* reformatory *Am*, ≈ youth custody centre *Br*, ≈ borstal *Br*; *(de menores de 15 años)* ≈ remand home.

reforzar *vt* to reinforce.

refractario, -ria *adj* 1. *(material)* refractory. 2. *(opuesto)*: **~ a** averse to.

refrán *m* proverb, saying.

No es lo mismo el sustantivo del español "refrán" *(proverb, saying)* que el término del inglés *refrain* ("estribillo"). Así, al escuchar la frase *a refrain from a hymn*, sabremos que se trata de un "estribillo de un himno religioso" y no de un dicho o frase proverbial.

reglar

refregar vt **1.** (frotar) to scrub. **2.** fig (reprochar): ~ **algo a alguien** to reproach sb for sthg.

refrenar vt to curb, to restrain.

refrendar vt (aprobar) to approve.

refrescante adj refreshing.

refrescar ◇ vt **1.** (gen) to refresh; (bebidas) to chill. **2.** fig (conocimientos) to brush up. ◇ vi **1.** (tiempo) to cool down. **2.** (bebida) to be refreshing. ◆ **refrescarse** vpr **1.** (tomar aire fresco) to get a breath of fresh air. **2.** (beber algo) to have a drink. **3.** (mojarse con agua fría) to splash o.s. down.

refresco m **1.** (bebida) soft drink; ~s refreshments. **2.** (MIL): **de** ~ new, fresh.

refriega f scuffle; (MIL) skirmish.

refrigeración f **1.** (aire acondicionado) air-conditioning. **2.** (de alimentos) refrigeration. **3.** (de máquinas) cooling.

refrigerador, -ra adj cooling. ◆ **refrigerador** m (de alimentos) refrigerator, icebox Am, fridge Br.

refrigerar vt **1.** (alimentos) to refrigerate. **2.** (local) to air-condition. **3.** (máquina) to cool.

refrigerio m snack.

refrito, -ta adj (demasiado frito) overfried; (frito de nuevo) re-fried. ◆ **refrito** m fig (cosa rehecha) rehash.

refuerzo m reinforcement.

refugiado, -da m y f refugee.

refugiar vt to give refuge to. ◆ **refugiarse** vpr to take refuge; ~**se de algo** to shelter from sthg.

refugio m **1.** (lugar) shelter, refuge; ~ **atómico** nuclear bunker. **2.** fig (amparo, consuelo) refuge, comfort.

refulgir vi to shine brightly.

refunfuñar vi to grumble.

refutar vt to refute.

regadera f **1.** (para regar) watering can. **2.** Méx (ducha) shower.

regalado, -da adj **1.** (muy barato) dirt cheap. **2.** (agradable) comfortable.

regalar vt **1.** (dar - de regalo) to give (as a present); (- gratis) to give away. **2.** (agasajar): ~ **a alguien con algo** to shower sb with sthg.

regaliz m liquorice.

regalo m **1.** (obsequio) present, gift. **2.** (placer) joy, delight.

regalón, -ona adj CSur & Chile fam spoilt.

regañadientes ◆ **a regañadientes** loc adv fam unwillingly, reluctantly.

regañar ◇ vt (reprender) to tell off. ◇ vi (pelearse) to fall out, to argue.

regañón, -ona adj grumpy.

regar vt **1.** (con agua - planta) to water; (- calle) to hose down. **2.** (suj: río) to flow through.

regata f (NÁUT) regatta, boat race.

regatear ◇ vt **1.** (escatimar) to be sparing with; **no ha regateado esfuerzos** he has spared no effort. **2.** (DEP) to beat, to dribble past. **3.** (precio) to haggle over. ◇ vi **1.** (negociar el precio) to barter. **2.** (NÁUT) to race.

regateo m bartering, haggling.

regazo m lap.

regenerar vt to regenerate; (moralmente) to reform.

regentar vt (país) to run, to govern; (negocio) to run, to manage; (puesto) to hold.

regente ◇ adj regent. ◇ m y f **1.** (de un país) regent. **2.** (administrador - de tienda) manager; (- de colegio) governor. **3.** Méx (alcalde) mayor (f mayoress).

regidor, -ra m y f (TEATRO) stage manager; (CIN & TV) assistant director.

régimen (pl **regímenes**) m **1.** (sistema político) regime. **2.** (normativa) rules (pl). **3.** (dieta) diet. **4.** (de vida, lluvias etc) pattern.

regimiento m (MIL & fig) regiment.

regio, -gia adj lit & fig royal.

región f region; (MIL) district.

regir ◇ vt **1.** (reinar en) to rule, to govern. **2.** (administrar) to run, to manage. **3.** fig (determinar) to govern, to determine. ◇ vi (ley) to be in force, to apply. ◆ **regirse por** vpr to trust in.

registrador, -ra m y f registrar.

registrar vt **1.** (inspeccionar - zona, piso) to search; (- persona) to frisk. **2.** (nacimiento, temperatura etc) to register, to record. **3.** (grabar) to record. ◆ **registrarse** vpr **1.** (suceder) to occur. **2.** (observarse) to be recorded.

registro m **1.** (oficina) registry (office); ~ **civil** registry (office). **2.** (libro) register. **3.** (inspección) search, searching (U). **4.** (INFORM) record. **5.** (LING & MÚS) register.

regla f **1.** (para medir) ruler, rule. **2.** (norma) rule; **en** ~ in order; **por** ~ **general** as a rule. **3.** (MAT) operation. **4.** fam (menstruación) period.

reglamentar vt to regulate.

reglamentario, -ria adj lawful; (arma, balón) regulation (antes de sust); (DER) statutory.

reglamento m regulations (pl), rules (pl).

reglar vt to regulate.

regocijar ♦ **regocijarse** *vpr*: ~se (de O con) to rejoice (in).

regocijo *m* joy, delight.

regodeo *m* delight, pleasure; *(malicioso)* (cruel) delight O pleasure.

regordete *adj* chubby.

regresar ◇ *vi (yendo)* to go back, to return; *(viniendo)* to come back, to return. ◇ *vt Amer (devolver)* to give back.

regresión *f* 1. *(de epidemia)* regression. 2. *(de exportaciones)* drop, decline.

regresivo, -va *adj* regressive.

regreso *m* return; **estar de** ~ to be back.

reguero *m (de sangre, agua)* trickle; *(de harina etc)* trail; **correr como un** ~ **de pólvora** to spread like wildfire.

regulación *f (gen)* regulation; *(de nacimientos, tráfico)* control; *(de mecanismo)* adjustment.

regulador, -ra *adj* regulatory.

regular ◇ *adj* 1. *(gen)* regular; *(de tamaño)* medium; **de un modo** ~ regularly. 2. *(mediocre)* average, fair. 3. *(normal)* normal, usual. ◇ *adv* all right; *(de salud)* so-so. ◇ *vt (gen)* to control, to regulate; *(mecanismo)* to adjust. ♦ **por lo regular** *loc adv* as a rule, generally.

regularidad *f* regularity; **con** ~ regularly.

rehabilitación *f* 1. *(de personas)* rehabilitation; *(en un puesto)* reinstatement. 2. *(de local)* restoration.

rehabilitar *vt* 1. *(personas)* to rehabilitate; *(en un puesto)* to reinstate. 2. *(local)* to restore.

rehacer *vt* 1. *(volver a hacer)* to redo, to do again. 2. *(reconstruir)* to rebuild. ♦ **rehacerse** *vpr (recuperarse)* to recuperate, to recover.

rehecho, -cha *pp* → **rehacer**.

rehén *(pl* rehenes) *m* hostage.

rehogar *vt* to fry over a low heat.

rehuir *vt* to avoid.

rehusar *vt & vi* to refuse.

Reikiavik Reykjavik.

reimpresión *f (tirada)* reprint; *(acción)* reprinting.

reina *f (monarca)* queen.

reinado *m lit & fig* reign.

reinante *adj* 1. *(monarquía, persona)* reigning, ruling. 2. *(viento)* prevailing; *(frío, calor)* current.

reinar *vi lit & fig* to reign.

reincidir *vi*: ~ **en** *(falta, error)* to relapse into, to fall back into; *(delito)* to repeat.

reincorporar *vt* to reincorporate. ♦ **reincorporarse** *vpr*: ~se (a) to rejoin.

reino *m* (CIENCIA & POLÍT) kingdom; *fig* realm.

Reino Unido: **el** ~ the United Kingdom.

reintegrar *vt* 1. *(a un puesto)* to reinstate. 2. *(dinero)* to reimburse. ♦ **reintegrarse** *vpr*: ~se (a) to return (to).

reintegro *m* 1. *(de dinero)* reimbursement; (BANCA) withdrawal. 2. *(en lotería)* return of one's stake *(in lottery)*.

reír ◇ *vi* to laugh. ◇ *vt* to laugh at. ♦ **reírse** *vpr*: ~se (de) to laugh (at).

reiterar *vt* to reiterate.

reivindicación *f* claim, demand.

reivindicar *vt* 1. *(derechos, salario etc)* to claim, to demand. 2. *(atentado)* to claim responsibility for.

reivindicativo, -va *adj*: **plataforma reivindicativa** (set of) demands; **jornada reivindicativa** day of protest.

reja *f (gen)* bars *(pl)*; *(en el suelo)* grating; *(celosía)* grille.

rejilla *f* 1. *(enrejado)* grid, grating; *(de ventana)* grille; *(de cocina)* grill *(on stove)*; *(de horno)* gridiron. 2. *(para sillas, muebles)* wickerwork. 3. *(para equipaje)* luggage rack.

rejón *m* (TAUROM) type of 'banderilla' used by mounted bullfighter.

rejoneador, -ra *m y f* (TAUROM) bullfighter on horseback who uses the 'rejón'.

rejuntarse *vpr fam* to live together.

rejuvenecer *vt & vi* to rejuvenate.

relación *f* 1. *(nexo)* relation, connection; **con** ~ **a, en** ~ **con** in relation to; ~ **precio-calidad** value for money. 2. *(comunicación, trato)* relations *(pl)*, relationship; **relaciones diplomáticas/públicas** diplomatic/public relations. 3. *(lista)* list. 4. *(descripción)* account. 5. *(informe)* report. 6. *(gen pl) (noviazgo)* relationship. 7. (MAT) ratio. ♦ **relaciones** *fpl (contactos)* connections.

relacionar *vt (vincular)* to relate, to connect. ♦ **relacionarse** *vpr*: ~se (con) *(alternar)* to mix (with).

relajación *f* relaxation.

relajar *vt* to relax. ♦ **relajarse** *vpr* to relax.

relajo *m Amer fam (alboroto)* racket, din.

relamerse *vpr* 1. *(persona)* to lick one's lips. 2. *(animal)* to lick its chops.

relamido, -da *adj* prim and proper.

relámpago *m (descarga)* flash of lightning, lightning (U); *(destello)* flash.

relampaguear *vi fig* to flash.

relatar *vt (suceso)* to relate, to recount; *(historia)* to tell.

relatividad *f* relativity.

relativo, -va *adj* 1. *(gen)* relative. 2. *(escaso)* limited.

relato *m (exposición)* account, report; *(cuento)* tale.

relax *m inv* 1. *(relajación)* relaxation. 2. *(sección de periódico)* personal column.

relegar *vt:* ~ **(a)** to relegate (to); ~ **algo al olvido** to banish sthg from one's mind.

relevante *adj* outstanding, important.

relevar *vt* 1. *(sustituir)* to relieve, to take over from. 2. *(destituir):* ~ **(de)** to dismiss (from), to relieve (of). 3. *(eximir):* ~ **(de)** to free (from). 4. *(DEP - en partidos)* to substitute; *(- en relevos)* to take over from.

relevo *m* 1. *(MIL)* relief, changing. 2. *(DEP) (acción)* relay. 3. *loc:* **tomar el** ~ to take over. ◆ **relevos** *mpl (DEP) (carrera)* relay (race) *(sg).*

relieve *m* 1. *(gen,* ARTE *&* GEOGR*)* relief; **bajo** ~ bas-relief. 2. *(importancia)* importance; **poner de** ~ to underline (the importance of).

religión *f* religion.

religioso, -sa ◇ *adj* religious. ◇ *m y f (monje)* monk *(f* nun*).*

relinchar *vi* to neigh, to whinny.

reliquia *f* relic; *(familiar)* heirloom.

rellano *m (de escalera)* landing.

rellenar *vt* 1. *(volver a llenar)* to refill. 2. *(documento, formulario)* to fill in o out. 3. *(pollo, cojín etc)* to stuff; *(tarta, pastel)* to fill.

relleno, -na *adj (gen)* stuffed; *(tarta, pastel)* filled. ◆ **relleno** *m (de pollo)* stuffing; *(de pastel)* filling.

reloj *m (de pared)* clock; *(de pulsera)* watch; ~ **de arena** hourglass; ~ **de pulsera** watch, wristwatch; **hacer algo contra** ~ to do sthg against the clock.

relojero, -ra *m y f* watchmaker.

reluciente *adj* shining, gleaming.

relucir *vi lit & fig* to shine; **sacar algo a** ~ to bring sthg up, to mention sthg.

remache *m (clavo)* rivet.

remanente *m* 1. *(de géneros)* surplus stock; *(de productos agrícolas)* surplus. 2. *(en cuenta bancaria)* balance.

remangar = **arremangar**.

remanso *m* still pool.

remar *vi* to row.

rematar ◇ *vt* 1. *(acabar)* to finish. 2. *(matar - persona)* to finish off; *(- ani-*

mal) to put out of its misery. 3. *(DEP)* to shoot. 4. *(liquidar, vender)* to sell off cheaply. ◇ *vi (en fútbol)* to shoot; *(de cabeza)* to head at goal.

remate *m* 1. *(fin, colofón)* end. 2. *(en fútbol)* shot; *(de cabeza)* header at goal. ◆ **de remate** *loc adv* totally, completely.

rembolsar = **reembolsar**.

rembolso = **reembolso**.

remedar *vt* to imitate; *(por burla)* to ape.

remediar *vt (daño)* to remedy, to put right; *(problema)* to solve; *(peligro)* to avoid.

remedio *m* 1. *(solución)* solution, remedy; **como último** ~ as a last resort; **no hay** o **queda más** ~ **que ...** there's nothing for it but ...; **no tener más** ~ to have no alternative o choice; **sin** ~ *(sin cura, solución)* hopeless; *(ineludiblemente)* inevitably. 2. *(consuelo)* consolation. 3. *(medicamento)* remedy, cure.

rememorar *vt* to remember, to recall.

remendar *vt* to mend, to darn.

remero, -ra *m y f (persona)* rower. ◆ **remera** *f CSur (prenda)* T-shirt.

remesa *f (de productos)* consignment; *(de dinero)* remittance.

remeter *vt* to tuck in.

remezón *m Amer* earth tremor.

remiendo *m (parche)* mend, darn.

remilgado, -da *adj* 1. *(afectado)* affected. 2. *(escrupuloso)* squeamish; *(con comida)* fussy.

reminiscencia *f* reminiscence; **tener ~s de** to be reminiscent of.

remiso, -sa *adj:* **ser** ~ **a hacer algo** to be reluctant to do sthg.

remite *m* sender's name and address.

remitente *m y f* sender.

remitir ◇ *vt* 1. *(enviar)* to send. 2. *(perdonar)* to forgive, to remit. 3. *(traspasar):* ~ **algo a** to refer sthg to. ◇ *vi* 1. *(en texto):* ~ **a** to refer to. 2. *(disminuir)* to subside. ◆ **remitirse a** *vpr* 1. *(atenerse a)* to abide by. 2. *(referirse a)* to refer to.

remo *m* 1. *(pala)* oar. 2. *(deporte)* rowing.

remodelar *vt (gen)* to redesign; *(gobierno)* to reshuffle.

remojar *vt (humedecer)* to soak.

remojo *m:* **poner en** ~ to leave to soak; **estar en** ~ to be soaking.

remolacha *f* beet *Am,* beetroot *Br;* *(azucarera)* (sugar) beet.

remolcador *m (camión)* breakdown

lorry; *(barco)* tug, tugboat.

remolcar *vt (coche)* to tow; *(barco)* to tug.

remolino *m* 1. *(de agua)* eddy, whirlpool; *(de viento)* whirlwind; *(de humo)* cloud, swirl. 2. *(de gente)* throng, mass. 3. *(de pelo)* cowlick.

remolón, -ona *adj* lazy.

remolque *m* 1. *(acción)* towing. 2. *(vehículo)* trailer.

remontar *vt (pendiente, río)* to go up; *(obstáculo)* to overcome; *(puestos)* to catch up. ◆ **remontarse** *vpr* 1. *(ave, avión)* to soar, to climb high. 2. *(gastos)*: ~se a to amount o come to. 3. *fig (datar)*: ~se a to go o date back to.

remorder *vt fig*: ~le a alguien to fill sb with remorse.

remordimiento *m* remorse.

remoto, -ta *adj* remote; **no tengo ni la más remota idea** I haven't got the faintest idea.

remover *vt* 1. *(agitar - sopa, café)* to stir; *(- ensalada)* to toss; *(- bote, frasco)* to shake; *(- tierra)* to dig up. 2. *(desplazar)* to move, to shift. 3. *(reavivar - recuerdos, pasado)* to rake up. 4. *Amer (despedir)* to dismiss, to sack. ◆ **removerse** *vpr* to move about; *(mar)* to get rough.

remplazar = **reemplazar**.

remplazo = **reemplazo**.

remuneración *f* remuneration.

remunerar *vt* 1. *(pagar)* to remunerate. 2. *(recompensar)* to reward.

renacimiento *m (gen)* rebirth; *(de flores, hojas)* budding. ◆ **Renacimiento** *m*: **el Renacimiento** the Renaissance.

renacuajo *m* tadpole; *fam fig* tiddler.

rencilla *f* quarrel.

rencor *m* resentment, bitterness.

rencoroso, -sa *adj* resentful, bitter.

rendición *f* surrender.

rendido, -da *adj* 1. *(agotado)* exhausted. 2. *(sumiso)* submissive; *(admirador)* devoted.

rendija *f* crack, gap.

rendimiento *m* 1. *(de inversión, negocio)* yield, return; *(de trabajador, fábrica)* productivity; *(de tierra, cosecha)* yield. 2. *(de motor)* performance.

rendir ◇ *vt* 1. *(cansar)* to tire out. 2. *(rentar)* to yield. 3. *(vencer)* to defeat, to subdue. 4. *(ofrecer)* to give, to present; *(pleitesía)* to pay. ◇ *vi (máquina)* to perform well; *(negocio)* to be profitable; *(fábrica, trabajador)* to be productive. ◆ **rendirse** *vpr* 1. *(entregarse)* to surrender. 2. *(ceder)*: ~se a to give in to.

3. *(desanimarse)* to give in o up.

renegar *vi* 1. *(repudiar)*: ~ de (RELIG) to renounce; *(familia)* to disown. 2. *fam (gruñir)* to grumble.

renglón *m* line; (COM) item.

reno *m* reindeer.

renombrar *vt* (INFORM) to rename.

renombre *m* renown, fame.

renovación *f (de carné, contrato)* renewal; *(de mobiliario, local)* renovation.

renovar *vt* 1. *(cambiar - mobiliario, local)* to renovate; *(- vestuario)* to clear out; *(- personal, plantilla)* to shake out. 2. *(rehacer - carné, contrato, ataques)* to renew. 3. *(restaurar)* to restore. 4. *(innovar)* to rethink, to revolutionize; (POLÍT) to reform.

renquear *vi* to limp, to hobble; *fig* to struggle along.

renta *f* 1. *(ingresos)* income; ~ **fija** fixed income; ~ **per cápita** o **por habitante** per capita income. 2. *(alquiler)* rent. 3. *(beneficios)* return. 4. *(intereses)* interest.

rentable *adj* profitable.

rentar ◇ *vt* 1. *(rendir)* to produce, to yield. 2. *Méx (alquilar)* to rent. ◇ *vi* to be profitable.

renuncia *f (abandono)* giving up; *(dimisión)* resignation.

renunciar *vi* 1. *(abandonar)* to give up. 2. *(dimitir)* to resign. ◆ **renunciar a** *vi* 1. *(prescindir de)* to give up; *(plan, proyecto)* to drop; ~ **al tabaco** to give up o stop smoking. 2. *(rechazar)*: ~ **(a hacer algo)** to refuse (to do sthg).

reñido, -da *adj* 1. *(enfadado)*: ~ **(con)** on bad terms o at odds (with); **están ~s** they've fallen out. 2. *(disputado)* hard-fought. 3. *(incompatible)*: **estar ~ con** to be incompatible with.

reñir ◇ *vt* 1. *(regañar)* to tell off. 2. *(disputar)* to fight. ◇ *vi (enfadarse)* to argue, to fall out.

reo, -a *m y f (culpado)* offender, culprit; *(acusado)* accused, defendant.

reojo *m*: **mirar algo de ~** to look at sthg out of the corner of one's eye.

reparación *f* 1. *(arreglo)* repair, repairing *(U)*; **en ~** under repair. 2. *(compensación)* reparation, redress.

reparador, -ra *adj (descanso, sueño)* refreshing.

reparar ◇ *vt (coche etc)* to repair, to fix; *(error, daño etc)* to make amends for; *(fuerzas)* to restore. ◇ *vi (advertir)*: ~ **en algo** to notice sthg; **no ~ en gastos** to spare no expense.

reparo m 1. *(objeción)* objection. 2. *(apuro)*: **no tener ~s en** not to be afraid to.

repartición f *(reparto)* sharing out.

repartidor, -ra m y f *(gen)* distributor; *(de butano, carbón)* deliveryman *(f* deliverywoman*)*; *(de leche)* milkman *(f* milklady*)*; *(de periódicos)* paperboy *(f* papergirl*)*.

repartir vt 1. *(dividir - gen)* to share out, to divide; *(- territorio, nación)* to partition. 2. *(distribuir - leche, periódicos, correo)* to deliver; *(- naipes)* to deal (out). 3. *(asignar - trabajo, órdenes)* to give out, to allocate; *(- papeles)* to assign.

reparto m 1. *(división)* division, distribution; **~ de beneficios** (ECON) profit sharing; **~ de premios** prizegiving. 2. *(distribución - de leche, periódicos, correo)* delivery. 3. *(asignación)* allocation. 4. (CIN & TEATRO) cast.

repasador m CSur tea towel.

repasar vt 1. *(revisar)* to go over; *(lección)* to revise. 2. *(zurcir)* to darn, to mend.

repaso m *(revisión)* revision; *(de ropa)* darning, mending; **curso de ~** refresher course.

repatriar vt to repatriate.

repecho m steep slope.

repelente adj 1. *(desagradable, repugnante)* repulsive. 2. *(ahuyentador)* repellent.

repeler vt 1. *(rechazar)* to repel. 2. *(repugnar)* to repulse, to disgust.

repente m *(arrebato)* fit. ♦ **de repente** loc adv suddenly.

repentino, -na adj sudden.

repercusión f 1. fig *(consecuencia)* repercussion. 2. *(resonancia)* echoes *(pl)*.

repercutir vi fig *(afectar)*: **~ en** to have repercussions on.

repertorio m 1. *(obras)* repertoire. 2. fig *(serie)* selection.

repesca f 1. (EDUC) resit. 2. (DEP) repêchage.

repetición f repetition; *(de una jugada)* action replay.

repetidor, -ra m y f (EDUC) student repeating a year. ♦ **repetidor** m (ELECTR) repeater.

repetir ◊ vt to repeat; *(ataque)* to renew; *(en comida)* to have seconds of. ◊ vi 1. *(alumno)* to repeat a year. 2. *(sabor, alimento)*: **~ (a alguien)** to repeat (on sb). 3. *(comensal)* to have seconds. ♦ **repetirse** vpr 1. *(fenómeno)* to recur. 2. *(persona)* to repeat o.s.

repicar vi *(campanas)* to ring; *(tambor)* to sound.

repique m peal, ringing *(U)*.

repisa f *(estante)* shelf; *(sobre chimenea)* mantelpiece.

replantear vt 1. *(reenfocar)* to reconsider, to restate. 2. *(volver a mencionar)* to bring up again.

replegar vt *(ocultar)* to retract. ♦ **replegarse** vpr *(retirarse)* to withdraw, to retreat.

repleto, -ta adj: **~ (de)** packed (with).

réplica f 1. *(respuesta)* reply. 2. *(copia)* replica.

replicar ◊ vt *(responder)* to answer; *(objetar)* to answer back, to retort. ◊ vi *(objetar)* to answer back.

repliegue m 1. *(retirada)* withdrawal, retreat. 2. *(pliegue)* fold.

repoblar vt *(con gente)* to repopulate; *(con peces)* to restock; *(con árboles)* to replant.

repollo m cabbage.

reponer vt 1. *(gen)* to replace. 2. (CIN & TEATRO) to re-run; (TV) to repeat. 3. *(replicar)*: **~ que** to reply that.

reportaje m (RADIO & TV) report; (PRENSA) article.

reportar vt 1. *(traer)* to bring. 2. Méx *(informar)* to report.

reporte m Méx *(informe)* report.

reportero, -ra, repórter m y f reporter.

reposado, -da adj relaxed, calm.

reposar vi 1. *(descansar)* to (have a) rest. 2. *(sedimentarse)* to stand.

reposera f CSur easy chair.

reposición f 1. (CIN) rerun; (TEATRO) revival; (TV) repeat. 2. *(de existencias, pieza etc)* replacement.

reposo m *(descanso)* rest.

repostar ◊ vi *(coche)* to fill up; *(avión)* to refuel. ◊ vt 1. *(gasolina)* to fill up with. 2. *(provisiones)* to stock up on.

repostería f *(oficio, productos)* confectionery.

reprender vt *(a niños)* to tell off; *(a empleados)* to reprimand.

represalia f *(gen pl)* reprisal; **tomar ~s** to retaliate, to take reprisals.

representación f 1. *(gen & COM)* representation; **en ~ de** on behalf of. 2. (TEATRO) performance.

representante ◊ adj representative. ◊ m y f 1. *(gen & COM)* representative. 2. *(de artista)* agent.

representar vt 1. *(gen & COM)* to represent. 2. *(aparentar)* to look; **represen-**

ta unos 40 años she looks about 40.
3. *(significar)* to mean; **representa el 50% del consumo interno** it accounts for 50% of domestic consumption. **4.** (TEATRO - *función*) to perform; *(- papel)* to play.

representativo, -va *adj* **1.** *(simbolizador)*: **ser ~ de** to represent. **2.** *(característico, relevante)*: **~ (de)** representative (of).

represión *f* repression.

reprimenda *f* reprimand.

reprimir *vt (gen)* to suppress; *(minorías, disidentes)* to repress. ♦ **reprimirse** *vpr*: **~se (de hacer algo)** to restrain o.s. (from doing sthg).

reprobar *vt* to censure, to condemn.

reprochar *vt*: **~ algo a alguien** to reproach sb for sthg. ♦ **reprocharse** *vpr*: **~se algo (uno mismo)** to reproach o.s. for sthg.

reproche *m* reproach.

reproducción *f* reproduction.

reproducir *vt (gen & ARTE)* to reproduce; *(gestos)* to copy, to imitate. ♦ **reproducirse** *vpr* **1.** *(volver a suceder)* to recur. **2.** *(procrear)* to reproduce.

reptil *m* reptile.

república *f* republic.

República Checa *f* Czech Republic.

República Dominicana *f* Dominican Republic.

republicano, -na *adj, m y f* republican.

repudiar *vt* **1.** *(condenar)* to repudiate. **2.** *(rechazar)* to disown.

repuesto, -ta ◇ *pp* → **reponer**. ◇ *adj*: **~ (de)** recovered (from). ♦ **repuesto** *m (gen)* reserve; *(AUTOM)* spare part; **la rueda de ~** the spare wheel.

repugnancia *f* disgust.

repugnante *adj* disgusting.

repugnar *vt*: **me repugna ese olor/su actitud** I find that smell/her attitude disgusting; **me repugna hacerlo** I'm loathe to do it.

repujar *vt* to emboss.

repulsa *f (censura)* condemnation.

repulsión *f* repulsion.

repulsivo, -va *adj* repulsive.

reputación *f* reputation; **tener mucha ~** to be very famous.

reputar *vt* to consider.

requemado, -da *adj* burnt.

requerimiento *m* **1.** *(demanda)* entreaty. **2.** *(DER - intimación)* writ, injunction; *(- aviso)* summons *(sg)*.

requerir *vt* **1.** *(necesitar)* to require. **2.** *(ordenar)* to demand. **3.** *(pedir)*: **~ a alguien (para) que haga algo** to ask sb to do sthg. **4.** (DER) to order. ♦ **requerirse** *vpr (ser necesario)* to be required O necessary.

requesón *m* cottage cheese.

requisa *f (requisición - MIL)* requisition; *(- en aduana)* seizure.

requisito *m* requirement; **~ previo** prerequisite.

res *f* **1.** *(animal)* beast, animal. **2.** *Méx (vaca)*: **(carne de) ~** beef.

resabio *m* **1.** *(sabor)* nasty aftertaste. **2.** *(vicio)* persistent bad habit.

resaca *f* **1.** *fam (de borrachera)* hangover. **2.** *(de las olas)* undertow.

resalado, -da *adj fam* charming.

resaltar ◇ *vi* **1.** *(destacar)* to stand out. **2.** *(en edificios - decoración)* to stand out. ◇ *vt (destacar)* to highlight.

resbalada *f Amer fam* slip.

resbaladizo, -za *adj lit & fig* slippery.

resbalar *vi* **1.** *(caer)*: **~ (con O sobre)** to slip (on). **2.** *(deslizarse)* to slide. **3.** *(estar resbaladizo)* to be slippery. ♦ **resbalarse** *vpr* to slip (over).

resbalón *m* slip.

rescatar *vt* **1.** *(liberar, salvar)* to rescue; *(pagando rescate)* to ransom. **2.** *(recuperar - herencia etc)* to recover.

rescate *m* **1.** *(liberación, salvación)* rescue. **2.** *(dinero)* ransom. **3.** *(recuperación)* recovery.

rescindir *vt* to rescind.

rescisión *f* cancellation.

rescoldo *m* ember; *fig* lingering feeling.

resecar *vt (piel)* to dry out. ♦ **resecarse** *vpr* **1.** *(piel)* to dry out. **2.** *(tierra)* to become parched.

resentido, -da *adj* bitter, resentful; **estar ~ con alguien** to be really upset with sb.

resentimiento *m* resentment, bitterness.

resentirse *vpr* **1.** *(debilitarse)* to be weakened; *(salud)* to deteriorate. **2.** *(sentir molestias)*: **~ de** to be suffering from. **3.** *(ofenderse)* to be offended.

reseña *f (de libro, concierto)* review; *(de partido, conferencia)* report.

reseñar *vt* **1.** *(criticar - libro, concierto)* to review; *(- partido, conferencia)* to report on. **2.** *(describir)* to describe.

reserva *f* **1.** *(de hotel, avión etc)* reservation. **2.** *(provisión)* reserves *(pl)*; **tener algo de ~** to keep sthg in reserve.

3. *(objeción)* reservation. 4. *(de indígenas)* reservation. 5. *(de animales)* reserve; ~ **natural** nature reserve. 6. (MIL) reserve. ◆ **reservas** *fpl* 1. *(energía acumulada)* energy reserves. 2. *(recursos)* resources.

reservado, -da *adj* 1. *(gen)* reserved. 2. *(tema, asunto)* confidential. ◆ **reservado** *m (en restaurante)* private room; (FERROC) reserved compartment.

reservar *vt* 1. *(habitación, asiento etc)* to reserve, to book. 2. *(guardar - dinero, pasteles etc)* to set aside; *(- sorpresa)* to keep. 3. *(callar - opinión, comentarios)* to reserve. ◆ **reservarse** *vpr* 1. *(esperar)*: ~se **para** to save o.s. for. 2. *(guardar para sí - secreto)* to keep to o.s.; *(- dinero, derecho)* to retain (for o.s.).

resfriado, -da *adj*: **estar** ~ to have a cold. ◆ **resfriado** *m* cold.

resfriar *vt* to make cold. ◆ **resfriarse** *vpr (constiparse)* to catch a cold.

resfrío *m Amer* cold.

resguardar *vt & vi*: ~ **de** to protect against. ◆ **resguardarse** *vpr*: ~se **de** (en un portal) to shelter from; *(con abrigo, paraguas)* to protect o.s. against.

resguardo *m* 1. *(documento)* receipt. 2. *(protección)* protection.

residencia *f* 1. *(estancia)* stay. 2. *(localidad, domicilio)* residence. 3. *(establecimiento - de estudiantes)* hall of residence; *(- de ancianos)* old people's home; *(- de oficiales)* residence. 4. *(hospital)* hospital. 5. *(permiso para extranjeros)* residence permit.

residencial *adj* residential.

residente *adj, m y f* resident.

residir *vi* 1. *(vivir)* to reside. 2. *(radicar)*: ~ **en** to lie in.

residuo *m* 1. *(gen pl) (material inservible)* waste; (QUÍM) residue; ~s **nucleares** nuclear waste *(U)*. 2. *(restos)* leftovers *(pl)*.

resignación *f* resignation.

resignarse *vpr*: ~ **(a hacer algo)** to resign o.s. (to doing sthg).

resina *f* resin.

resistencia *f* 1. *(gen,* ELECTR *&* POLÍT) resistance; **ofrecer** ~ to put up resistance. 2. *(de puente, cimientos)* strength. 3. *(física - para correr etc)* stamina.

resistente *adj (gen)* tough, strong; ~ **al calor** heat-resistant.

resistir ◇ *vt* 1. *(dolor, peso, críticas)* to withstand. 2. *(tentación, impulso, deseo)* to resist. 3. *(tolerar)* to tolerate, to stand. ◇ *vi* 1. *(ejército, ciudad etc)*: ~ **(a algo/a alguien)** to resist (sthg/sb).

2. *(corredor etc)* to keep going; ~ **a algo** to stand up to sthg, to withstand sthg. 3. *(mesa, dique etc)* to take the strain; ~ **a algo** to withstand sthg. 4. *(mostrarse firme - ante tentaciones etc)* to resist (it); ~ **a algo** to resist sthg. ◆ **resistirse** *vpr*: ~se **(a algo)** to resist (sthg); **me resisto a creerlo** I refuse to believe it; **se resisten las matemáticas** she just can't get the hang of maths.

resma *f* ream.

resolución *f* 1. *(solución - de una crisis)* resolution; *(- de un crimen)* solution. 2. *(firmeza)* determination. 3. *(decisión)* decision; (DER) ruling. 4. *(de Naciones Unidas etc)* resolution.

resolver *vt* 1. *(solucionar - duda, crisis)* to resolve; *(- problema, caso)* to solve. 2. *(decidir)*: ~ **hacer algo** to decide to do sthg. 3. *(partido, disputa, conflicto)* to settle. ◆ **resolverse** *vpr* 1. *(solucionarse - duda, crisis)* to be resolved; *(- problema, caso)* to be solved. 2. *(decidirse)*: ~se **a hacer algo** to decide to do sthg.

resonante *adj* resounding; (FÍS) resonant; *fig* important.

resonar *vi* to resound, to echo.

resoplar *vi (de cansancio)* to pant; *(de enfado)* to snort.

resoplido *m (por cansancio)* pant; *(por enfado)* snort.

resorte *m* spring; *fig* means *(pl)*; **tocar todos los** ~s to pull out all the stops.

respaldar *vt* to back, to support. ◆ **respaldarse** *vpr fig (apoyarse)*: ~se **en** to fall back on.

respaldo *m* 1. *(de asiento)* back. 2. *fig (apoyo)* backing, support.

respectar *v impers*: **por lo que respecta a alguien/a algo, en lo que respecta a alguien/a algo** as far as sb/sthg is concerned.

respectivo, -va *adj* respective; **en lo** ~ **a** with regard to.

respecto *m*: **al** ~, **a este** ~ in this respect; **no sé nada al** ~ I don't know anything about it; **(con)** ~ **a,** ~ **de** regarding.

respetable *adj (venerable)* respectable.

respetar *vt (gen)* to respect; *(la palabra)* to honour.

respeto *m*: ~ **(a** ○ **por)** respect (for); **es una falta de** ~ it shows a lack of respect; **por** ~ **a** out of consideration for.

respetuoso, -sa *adj*: ~ **(con)** respectful (of).

respingo

respingo m (movimiento) start, jump.

respingón, -ona adj snub.

respiración f breathing; (MED) respiration.

respirar ◇ vt (aire) to breathe. ◇ vi to breathe; fig (sentir alivio) to breathe again; **sin ~** (sin descanso) without a break; (atentamente) with great attention.

respiratorio, -ria adj respiratory.

respiro m 1. (descanso) rest. 2. (alivio) relief, respite.

resplandecer vi 1. (brillar) to shine. 2. fig (destacar) to shine, to stand out.

resplandeciente adj shining; (sonrisa) beaming; (época) glittering; (vestimenta, color) resplendent.

resplandor m 1. (luz) brightness; (de fuego) glow. 2. (brillo) gleam.

responder ◇ vt to answer. ◇ vi 1. (contestar): **~ (a algo)** to answer (sthg). 2. (reaccionar): **~ (a)** to respond (to). 3. (responsabilizarse): **~ de algo/por alguien** to answer for sthg/for sb. 4. (replicar) to answer back.

responsabilidad f responsibility; (DER) liability; **tener la ~ de algo** to be responsible for sthg; **~ limitada** limited liability.

responsabilizar vt: **~ a alguien (de algo)** to hold sb responsible (for sthg). ◆ **responsabilizarse** vpr: **~se (de)** to accept responsibility (for).

responsable ◇ adj responsible; **~ de** responsible for. ◇ m y f 1. (culpable) person responsible. 2. (encargado) person in charge.

respuesta f 1. (gen) answer, reply; (en exámenes) answer; **en ~ a** in reply to. 2. fig (reacción) response.

resquebrajar vt to crack. ◆ **resquebrajarse** vpr to crack.

resta f (MAT) subtraction.

restablecer vt to reestablish, to restore. ◆ **restablecerse** vpr (curarse): **~se (de)** to recover (from).

restallar vt & vi (látigo) to crack; (lengua) to click.

restante adj remaining; **lo ~** the rest.

restar ◇ vt 1. (MAT) to subtract. 2. (disminuir): **~ importancia a algo/méritos a alguien** to play down the importance of sthg/sb's qualities. ◇ vi (faltar) to be left.

restauración f restoration.

restaurante m restaurant.

restaurar vt to restore.

restitución f return.

restituir vt (devolver - objeto) to return; (- salud) to restore.

resto m: **el ~** (gen) the rest; (MAT) the remainder. ◆ **restos** mpl 1. (sobras) leftovers. 2. (cadáver) remains. 3. (ruinas) ruins.

restregar vt to rub hard; (para limpiar) to scrub. ◆ **restregarse** vpr (frotarse) to rub.

restricción f restriction.

restrictivo, -va adj restrictive.

restringir vt to limit, to restrict.

resucitar ◇ vt (person) to bring back to life; (costumbre) to revive. ◇ vi (persona) to rise from the dead.

resuelto, -ta pp → resolver. ◇ adj (decidido) determined.

resulta f: **de ~s de** as a result of.

resultado m result.

resultante adj & f resultant.

resultar ◇ vi 1. (acabar siendo): **~ (ser)** to turn out (to be); **resultó ileso** he was uninjured; **nuestro equipo resultó vencedor** our team came out on top. 2. (salir bien) to work (out), to be a success. 3. (originarse): **~ de** to result from. 4. (ser) to be; **resulta sorprendente** it's surprising; **me resultó imposible terminar antes** I was unable to finish earlier. 5. (venir a costar): **~ a** to come to, to cost. ◇ v impers (suceder): **~ que** to turn out that; **ahora resulta que no quiere alquilarlo** now it seems that she doesn't want to rent it.

resumen m summary; **en ~** in short.

resumir vt to summarize; (discurso) to sum up. ◆ **resumirse en** vpr 1. (sintetizarse en) to be able to be summed up in. 2. (reducirse a) to boil down to.

Para pedir a alguien "resuma en unas líneas lo que hizo en las vacaciones" le diríamos en inglés summarize what you did in your holidays, aunque es más probable que dicha frase la oigamos de un profesor. Lo anterior difiere completamente de after that, I resumed my holidays ("después de aquello <u>reanudé</u> mis vacaciones"). Por lo tanto no confundamos el verbo del español "resumir" (to summarize, to shorten) con el inglés to resume, que significa 'reanudar, volver a empezar'.

resurrección f resurrection.

retablo m altarpiece.

retal m remnant.

retardar vt (retrasar) to delay; (frenar) to hold up, to slow down.

retazo m remnant; fig fragment.

retén m reserve.

retención f 1. (en el sueldo) deduction.

2. (gen pl) (de tráfico) hold-up.

retener vt **1.** (detener) to hold back; (en comisaría) to detain. **2.** (contener - impulso, ira) to hold back, to restrain. **3.** (conservar) to retain. **4.** (quedarse con) to hold on to, to keep. **5.** (memorizar) to remember. **6.** (deducir del sueldo) to deduct.

reticente adj (reacio) unwilling, reluctant.

retina f retina.

retintín m (ironía) sarcastic tone.

retirado, -da adj **1.** (jubilado) retired. **2.** (solitario, alejado) isolated, secluded.
♦ **retirada** f **1.** (MIL) retreat; **batirse en retirada** to beat a retreat. **2.** (de fondos, moneda, carné) withdrawal. **3.** (de competición, actividad) withdrawal.

retirar vt **1.** (quitar - gen) to remove; (- dinero, moneda, carné) to withdraw; (- nieve) to clear. **2.** (jubilar - a deportista) to force to retire; (- a empleado) to retire. **3.** (retractarse de) to take back.
♦ **retirarse** vpr **1.** (gen) to retire. **2.** (de competición, elecciones) to withdraw; (de reunión) to leave. **3.** (de campo de batalla) to retreat. **4.** (apartarse) to move away.

retiro m **1.** (jubilación) retirement; (pensión) pension. **2.** (refugio, ejercicio) retreat.

reto m challenge.

retocar vt to touch up; (prenda de vestir) to alter.

retoque m touching-up (U); (de prenda de vestir) alteration; **dar los últimos ~s a** to put the finishing touches to.

retorcer vt (torcer - brazo, alambre) to twist; (- ropa, cuello) to wring.
♦ **retorcerse** vpr (contraerse): **~se (de)** (risa) to double up (with); (dolor) to writhe about (in).

retorcido, -da adj **1.** (torcido - brazo, alambre) twisted. **2.** fig (rebuscado) complicated.

retornable adj returnable; **no ~** non-returnable.

retornar vt & vi to return.

retorno m (gen & INFORM) return; **~ de carro** carriage return.

retortijón m (gen pl) stomach cramp.

retractarse vpr (de una promesa) to go back on one's word; (de una opinión) to take back what one has said; **~ de** (lo dicho) to retract, to take back.

retraer vt (encoger) to retract.
♦ **retraerse** vpr **1.** (encogerse) to retract. **2.** (retroceder) to withdraw, to retreat.

retraído, -da adj withdrawn, retiring.

retransmisión f broadcast; **~ en directo/diferido** live/recorded broadcast.

retransmitir vt to broadcast.

retrasado, -da ◇ adj **1.** (país, industria) backward; (reloj) slow; (tren) late, delayed. **2.** (en el pago, los estudios) behind. **3.** (MED) retarded, backward.
◇ m y f: **~ (mental)** mentally retarded person.

retrasar vt **1.** (aplazar) to postpone. **2.** (demorar) to delay, to hold up. **3.** (hacer más lento) to slow down, to hold up. **4.** (en el pago, los estudios) to set back. **5.** (reloj) to put back.
♦ **retrasarse** vpr **1.** (llegar tarde) to be late. **2.** (quedarse atrás) to fall behind. **3.** (aplazarse) to be put off. **4.** (reloj) to lose time.

retraso m **1.** (por llegar tarde) delay; **llegar con (15 minutos de) ~** to be (15 minutes) late. **2.** (por sobrepasar una fecha): **llevo en mi trabajo un ~ de 20 páginas** I'm 20 pages behind with my work. **3.** (subdesarrollo) backwardness. **4.** (MED) mental deficiency.

retratar vt **1.** (fotografiar) to photograph. **2.** (dibujar) to do a portrait of. **3.** fig (describir) to portray.

retrato m **1.** (dibujo) portrait; (fotografía) photograph; **~ robot** photofit picture; **ser el vivo ~ de alguien** to be the spitting image of sb. **2.** fig (reflejo) portrayal.

retrete m toilet.

retribución f (pago) payment; (recompensa) reward.

retribuir vt (pagar) to pay; (recompensar) to reward.

retro adj reactionary.

retroactivo, -va adj (ley) retroactive; (pago) backdated.

retroceder vi to go back; fig to back down.

retroceso m (regresión - gen) backward movement; (- en negociaciones) setback; (- en la economía) recession.

retroproyector m overhead projector.

retrospectivo, -va adj retrospective.

retrovisor m rear-view mirror.

retumbar vi (resonar) to resound.

reuma, reúma m o f rheumatism.

reumatismo m rheumatism.

reunión f meeting.

reunir vt **1.** (público, accionistas etc) to bring together. **2.** (objetos, textos etc) to

R

collect, to bring together; *(fondos)* to raise. **3.** *(requisitos)* to meet; *(cualidades)* to possess, to combine. ◆ **reunirse** *vpr (congregarse)* to meet.

revalidar *vt* to confirm.

revalorar = **revalorizar**.

revalorizar, **revalorar** *vt* **1.** *(aumentar el valor)* to increase the value of; *(moneda)* to revalue. **2.** *(restituir el valor)* to reassess in a favourable light. ◆ **revalorizarse** *vpr (aumentar de valor)* to appreciate; *(moneda)* to be revalued.

revancha *f* **1.** *(venganza)* revenge. **2.** (DEP) return match.

revelación *f* revelation.

revelado *m* (FOT) developing.

revelador, -ra *adj (aclarador)* revealing.

revelar *vt* **1.** *(declarar)* to reveal. **2.** *(evidenciar)* to show. **3.** (FOT) to develop. ◆ **revelarse** *vpr:* ~**se como** to show o.s. to be.

revendedor, -ra *m y f* ticket tout.

reventa *f* resale; *(de entradas)* touting.

reventar ◇ *vt* **1.** *(explotar)* to burst. **2.** *(echar abajo)* to break down; *(con explosivos)* to blow up. ◇ *vi (explotar)* to burst. ◆ **reventarse** *vpr (explotar)* to explode; *(rueda)* to burst.

reventón *m* **1.** *(pinchazo)* blowout, flat *Am*, puncture *Br*. **2.** *(estallido)* burst.

reverberar *vi (sonido)* to reverberate; *(luz, calor)* to reflect.

reverencia *f* **1.** *(respeto)* reverence. **2.** *(saludo - inclinación)* bow; *(- flexión de piernas)* curtsy.

reverendo, -da *adj* reverend. ◆ **reverendo** *m* reverend.

reverente *adj* reverent.

reversible *adj* reversible.

reverso *m* back, other side.

revertir *vi* **1.** *(volver, devolver)* to revert. **2.** *(resultar):* ~ **en** to result in; ~ **en beneficio/perjuicio de** to be to the advantage/detriment of.

revés *m* **1.** *(parte opuesta - de papel, mano)* back; *(- de tela)* other o wrong side; **al** ~ *(en sentido contrario)* the wrong way round; *(en forma opuesta)* the other way round; **del** ~ *(lo de detrás, delante)* the wrong way round, back to front; *(lo de dentro, fuera)* inside out; *(lo de arriba, abajo)* upside down. **2.** *(bofetada)* slap. **3.** (DEP) backhand. **4.** *(contratiempo)* setback.

revestimiento *m* covering.

revestir *vt* **1.** *(recubrir):* ~ **(de)** *(gen)* to cover (with); *(pintura)* to coat (with); *(forro)* to line (with). **2.** *(poseer - solem-*

nidad, gravedad etc) to take on, to have.

revisar *vt* **1.** *(repasar)* to go over again. **2.** *(inspeccionar)* to inspect; *(cuentas)* to audit. **3.** *(modificar)* to revise.

revisión *f* **1.** *(repaso)* revision. **2.** *(inspección)* inspection; ~ **de cuentas** audit; ~ **médica** check-up. **3.** *(modificación)* amendment. **4.** (AUTOM - *puesta a punto)* service; *(- anual)* = MOT (test).

revisor, -ra *m y f (en tren)* ticket inspector; *(en autobús)* bus conductor.

revista *f* **1.** *(publicación)* magazine; ~ **del corazón** gossip magazine. **2.** *(sección de periódico)* section, review. **3.** *(espectáculo teatral)* revue. **4.** *(inspección)* inspection; **pasar** ~ **a** (MIL) to inspect; *(examinar)* to examine.

revistero *m* *(mueble)* magazine rack.

revivir ◇ *vi* to revive. ◇ *vt (recordar)* to revive memories of.

revocar *vt (gen)* to revoke.

revolcar *vt* to upend. ◆ **revolcarse** *vpr* to roll about.

revoltijo, **revoltillo** *m* jumble.

revoltoso, -sa ◇ *adj* rebellious. ◇ *m y f* troublemaker.

revolución *f* revolution.

revolucionar *vt (transformar)* to revolutionize.

revolucionario, -ria *adj, m y f* revolutionary.

revolver *vt* **1.** *(dar vueltas)* to turn around; *(líquido)* to stir. **2.** *(mezclar)* to mix; *(ensalada)* to toss. **3.** *(desorganizar)* to mess up; *(cajones)* to turn out. **4.** *(irritar)* to upset; **me revuelve el estómago** o **las tripas** it makes my stomach turn. ◆ **revolver en** *vi (cajones etc)* to rummage around in. ◆ **revolverse** *vpr* **1.** *(volverse)* to turn around. **2.** *(el mar)* to become rough; *(el tiempo)* to turn stormy.

revólver *m* revolver.

revuelo *m* *(agitación)* commotion; **armar un gran** ~ to cause a great stir.

revuelto, -ta ◇ *pp* → **revolver**. ◇ *adj* **1.** *(desordenado)* in a mess. **2.** *(alborotado - época etc)* turbulent. **3.** *(clima)* unsettled. **4.** *(aguas)* choppy. ◆ **revuelto** *m* (CULIN) scrambled eggs *(pl)*. ◆ **revuelta** *f (disturbio)* riot, revolt.

rey *m* king. ◆ **Reyes** *mpl:* **los Reyes** the King and Queen; **(Día de) Reyes** Twelfth Night.

reyerta *f* fight, brawl.

rezagado, -da *adj:* **ir** ~ to lag behind.

rezar *vi* **1.** *(orar):* ~ **(a)** to pray (to).

2. (*decir*) to read, to say. **3.** (*corresponderse*): ~ **con** to have to do with.

rezo *m* (*oración*) prayer.

ría *f* estuary.

riachuelo *m* brook, stream.

riada *f* lit & fig flood.

ribera *f* (*del río*) bank; (*del mar*) shore.

ribete *m* edging (U), trimming (U); fig touch, nuance.

ricino *m* (*planta*) castor oil plant.

rico, -ca ◊ *adj* **1.** (*gen*) rich. **2.** (*abundante*): ~ **(en)** rich (in). **3.** (*sabroso*) delicious. **4.** (*simpático*) cute. ◊ *m y f* rich person; **los ~s** the rich.

ridiculez *f* **1.** (*payasada*) silly thing, nonsense (U). **2.** (*nimiedad*) trifle; **cuesta una ~** it costs next to nothing.

ridiculizar *vt* to ridicule.

ridículo, -la *adj* ridiculous; (*precio, suma*) laughable, derisory. ♦ **ridículo** *m* ridicule; **hacer el ~** to make a fool of o.s.; **poner** o **dejar en ~ a alguien** to make sb look stupid; **quedar en ~** to look like a fool.

riego *m* (*de campo*) irrigation; (*de jardín*) watering.

riel *m* **1.** (*de vía*) rail. **2.** (*de cortina*) (curtain) rail.

rienda *f* (*de caballería*) rein; **dar ~ suelta a** fig to give free rein to. ♦ **riendas** *fpl* fig (*dirección*) reins.

riesgo *m* risk; **a todo ~** (*seguro, póliza*) comprehensive.

rifa *f* raffle.

rifar *vt* to raffle. ♦ **rifarse** *vpr* fig to fight over.

rifle *m* rifle.

rigidez *f* **1.** (*de un cuerpo, objeto etc*) rigidity. **2.** (*del rostro*) stoniness. **3.** fig (*severidad*) strictness, harshness.

rígido, -da *adj* **1.** (*cuerpo, objeto etc*) rigid. **2.** (*rostro*) stony. **3.** (*severo - normas etc*) harsh; (*- carácter*) inflexible.

rigor *m* **1.** (*severidad*) strictness. **2.** (*exactitud*) accuracy, rigour. **3.** (*inclemencia*) harshness. ♦ **de rigor** *loc adj* essential.

riguroso, -sa *adj* **1.** (*severo*) strict. **2.** (*exacto*) rigorous. **3.** (*inclemente*) harsh.

rimar *vt & vi* to rhyme.

rimbombante *adj* (*estilo, frases*) pompous.

rímel, rimmel *m* mascara.

rincón *m* corner (*inside*).

rinconera *f* corner piece.

ring (*pl* **rings**) *m* (boxing) ring.

rinoceronte *m* rhinoceros.

riña *f* (*disputa*) quarrel; (*pelea*) fight.

riñón *m* kidney.

riñonera *f* (*pequeño bolso*) fanny pack *Am*, bum bag *Br*.

río *m* lit & fig river; **ir ~ arriba/abajo** to go upstream/downstream; **cuando el ~ suena, agua lleva** proverb there's no smoke without fire proverb.

rioja *m* Rioja (wine).

riojano, -na *adj, m y f* Riojan.

riqueza *f* **1.** (*fortuna*) wealth. **2.** (*abundancia*) richness.

risa *f* laugh, laughter (U); **me da ~** I find it funny; **¡qué ~!** how funny!; **de ~** funny.

risotada *f* guffaw.

ristra *f* lit & fig string.

ristre ♦ **en ristre** *loc adv* at the ready.

risueño, -ña *adj* **1.** (*cara*) smiling. **2.** (*persona*) cheerful.

ritmo *m* **1.** (*gen*) rhythm; (*cardíaco*) beat. **2.** (*velocidad*) pace.

rito *m* **1.** (RELIG) rite. **2.** (*costumbre*) ritual.

ritual *adj & m* ritual.

rival *adj, m y f* rival.

rivalidad *f* rivalry.

rivalizar *vi*: ~ **(con)** to compete (with).

rizado, -da *adj* **1.** (*pelo*) curly. **2.** (*mar*) choppy. ♦ **rizado** *m* (*en peluquería*): **hacerse un ~** to have one's hair curled.

rizar *vt* (*pelo*) to curl. ♦ **rizarse** *vpr* (*pelo*) to curl.

rizo, -za *adj* (*pelo*) curly. ♦ **rizo** *m* **1.** (*de pelo*) curl. **2.** (*del agua*) ripple. **3.** (*de avión*) loop. **4.** *loc*: **rizar el ~** to split hairs.

roast-beef [ros'βif] (*pl* **roast-beefs**), **rosbif** (*pl* **rosbifs**) *m* roast beef.

robar *vt* **1.** (*gen*) to steal; (*casa*) to burgle; ~ **a alguien** to rob sb. **2.** (*en naipes*) to draw. **3.** (*cobrar caro*) to rob.

roble *m* **1.** (BOT) oak. **2.** fig (*persona*) strong person.

robo *m* (*delito*) robbery, theft; (*en casa*) burglary.

robot (*pl* **robots**) *m* (*gen & INFORM*) robot.

robótica *f* robotics (U).

robustecer *vt* to strengthen. ♦ **robustecerse** *vpr* to get stronger.

robusto, -ta *adj* robust.

roca *f* rock.

rocalla *f* rubble.

roce *m* **1.** (*rozamiento - gen*) rub, rubbing (U); (*- suave*) brush, brushing (U); (FÍS) friction. **2.** (*desgaste*) wear. **3.** (*ras-*

guño - en piel) graze; *(- en zapato, puerta)* scuffmark; *(- en metal)* scratch. **4.** *(trato)* close contact. **5.** *(desavenencia)* brush.

rociar *vt (arrojar gotas)* to sprinkle; *(con espray)* to spray.

rocío *m* dew.

rock, rock and roll *m inv (estilo)* rock; *(de los 50)* rock and roll.

rockero, -ra, roquero, -ra *m y f* **1.** *(músico)* rock musician. **2.** *(fan)* rock fan.

rocoso, -sa *adj* rocky.

rodaballo *m* turbot.

rodado, -da *adj* **1.** *(piedra)* rounded. **2.** *(tráfico)* road *(antes de sust)*. **3.** *loc:* **estar muy ~** *(persona)* to be very experienced; **venir ~ para** to be the perfect opportunity to.

rodaja *f* slice.

rodaje *m* **1.** *(filmación)* shooting. **2.** *(de motor)* running-in. **3.** *(experiencia)* experience.

Ródano *m:* **el ~** the (River) Rhône.

rodapié *m* skirting board.

rodar ◊ *vi* **1.** *(deslizar)* to roll. **2.** *(circular)* to travel, to go. **3.** *(caer):* **~ (por)** to tumble (down). **4.** *(ir de un lado a otro)* to go around. **5.** (CIN) to shoot. ◊ *vt* **1.** (CIN) to shoot. **2.** *(automóvil)* to run in.

rodear *vt* **1.** *(gen)* to surround; **le rodeó el cuello con los brazos** she put her arms around his neck. **2.** *(dar la vuelta a)* to go around. **3.** *(eludir)* to skirt around. ✦ **rodearse** *vpr:* **~se de** to surround o.s. with.

rodeo *m* **1.** *(camino largo)* detour; **dar un ~** to make a detour. **2.** *(gen pl) (evasiva)* evasiveness *(U);* **andar** o **ir con ~s** to beat about the bush. **3.** *(espectáculo)* rodeo.

rodilla *f* knee; **de ~s** on one's knees.

rodillera *f (protección)* knee pad.

rodillo *m (gen)* roller; *(para repostería)* rolling pin.

roedor, -ra *adj* (ZOOL) rodent *(antes de sust).* ✦ **roedor** *m* rodent.

roer *vt* **1.** *(con dientes)* to gnaw (at). **2.** *fig (gastar)* to eat away (at).

rogar *vt (implorar)* to beg; *(pedir)* to ask; **~ a alguien que haga algo** to ask o beg sb to do sthg; **le ruego me perdone** I beg your pardon; **'se ruega silencio'** 'silence, please'.

rojizo, -za *adj* reddish.

rojo, -ja ◊ *adj* red; **ponerse ~** *(gen)* to turn red; *(ruborizarse)* to blush. ◊ *m y f* (POLÍT) red. ✦ **rojo** *m (color)* red; **al ~ vivo** *(en incandescencia)* red hot; *fig* heated.

rol *(pl* **roles)** *m (papel)* role.

rollizo, -za *adj* chubby, plump.

rollo *m* **1.** *(cilindro)* roll; **~ de primavera** (CULIN) spring roll. **2.** (CIN) roll. **3.** *fam (discurso):* **el ~ de costumbre** the same old story; **tener mucho ~** to witter on. **4.** *fam (embuste)* tall story. **5.** *fam (pelmazo, pesadez)* bore, drag.

ROM *(abrev de* **read-only memory)** *f* ROM.

Roma Rome.

romance *m* **1.** (LING) Romance language. **2.** *(idilio)* romance.

románico, -ca *adj* **1.** (ARQUIT & ARTE) Romanesque. **2.** (LING) Romance.

romano, -na *m y f* Roman.

romanticismo *m* **1.** (ARTE & LITER) Romanticism. **2.** *(sentimentalismo)* romanticism.

romántico, -ca *adj, m y f* **1.** (ARTE & LITER) Romantic. **2.** *(sentimental)* romantic.

rombo *m* **1.** (GEOM) rhombus. **2.** (IMPRENTA) lozenge.

romería *f (peregrinación)* pilgrimage.

romero, -ra *m y f (peregrino)* pilgrim. ✦ **romero** *m* (BOT) rosemary.

romo, -ma *adj (sin filo)* blunt.

rompecabezas *m inv* **1.** *(juego)* jigsaw. **2.** *fam (problema)* puzzle.

rompeolas *m inv* breakwater.

romper ◊ *vt* **1.** *(gen)* to break; *(hacer añicos)* to smash; *(rasgar)* to tear. **2.** *(desgastar)* to wear out. **3.** *(interrumpir - monotonía, silencio, hábito)* to break; *(- hilo del discurso)* to break off; *(- tradición)* to put an end to. **4.** *(terminar - relaciones etc)* to break off. ◊ *vi* **1.** *(terminar una relación):* **~ (con alguien)** to break o split up (with sb). **2.** *(olas, el día)* to break; *(hostilidades)* to break out; **al ~ el alba** o **día** at daybreak. **3.** *(empezar):* **~ a hacer algo** to suddenly start doing sthg; **~ a llorar** to burst into tears; **~ a reír** to burst out laughing. ✦ **romperse** *vpr (partirse)* to break; *(rasgarse)* to tear; **se ha roto una pierna** he has broken a leg.

ron *m* rum.

roncar *vi* to snore.

roncha *f* red blotch.

ronco, -ca *adj* **1.** *(afónico)* hoarse. **2.** *(bronco)* harsh.

ronda *f* **1.** *(de vigilancia, visitas)* rounds *(pl);* **hacer la ~** to do one's rounds. **2.** *fam (de bebidas, en el juego etc)* round.

rondar ◊ *vt* **1.** *(vigilar)* to patrol. **2.** *(rayar - edad)* to be around. ◊ *vi* *(merodear)*: ~ **(por)** to wander o hang around.

ronquera *f* hoarseness.

ronquido *m* snore, snoring *(U)*.

ronronear *vi* to purr.

roña *f (suciedad)* filth, dirt.

roñoso, -sa ◇ *adj* **1.** *(sucio)* dirty. **2.** *(tacaño)* mean. ◇ *m y f* miser.

ropa *f* clothes *(pl)*; ~ **blanca** linen; ~ **de abrigo** warm clothes *(pl)*; ~ **de cama** bed linen; ~ **hecha** ready-to-wear clothes; ~ **interior** underwear.

ropaje *m* robes *(pl)*.

ropero *m* **1.** *(armario)* wardrobe. **2.** *(habitación)* walk-in wardrobe; (TEATRO) cloakroom.

roquero = **rockero**.

rosa ◇ *f (flor)* rose; **estar (fresco) como una** ~ to be as fresh as a daisy. ◇ *m (color)* pink. ◇ *adj inv (color)* pink. ♦ **rosa de los vientos** *f* (NÁUT) compass.

rosado, -da *adj* pink. ♦ **rosado** *m* → **vino**.

rosal *m (arbusto)* rose bush.

rosario *m* **1.** (RELIG) rosary; **rezar el** ~ to say one's rosary. **2.** *(sarta)* string.

rosca *f* **1.** *(de tornillo)* thread. **2.** *(forma - de anillo)* ring; *(- espiral)* coil. **3.** (CULIN) ring doughnut. **4.** *loc:* **pasarse de** ~ *(persona)* to go over the top.

rosco *m* ring-shaped bread roll.

roscón *m* ring-shaped bread roll; ~ **de reyes** roll eaten on 6th January.

rosetón *m (ventana)* rose window.

rosquilla *f* ring doughnut.

rostro *m* face.

rotación *f* **1.** *(giro)* rotation; ~ **de cultivos** crop rotation. **2.** *(alternancia)* rota; **por** ~ in turn.

rotativo, -va *adj* rotary, revolving. ♦ **rotativo** *m* newspaper. ♦ **rotativa** *f* rotary press.

roto, -ta ◇ *pp* → **romper.** ◇ *adj* **1.** *(gen)* broken; *(tela, papel)* torn. **2.** *fig (deshecho - vida etc)* destroyed; *(- corazón)* broken. **3.** *fig (exhausto)* shattered. ♦ **roto** *m (en tela)* tear, rip.

rotonda *f (plaza)* circus.

rotoso, -sa *adj* Andes & CSur ragged.

rótula *f* kneecap.

rotulador *m* felt-tip pen; *(fluorescente)* marker pen.

rótulo *m* **1.** *(letrero)* sign. **2.** *(encabezamiento)* headline, title.

rotundo, -da *adj* **1.** *(categórico - negativa, persona)* categorical; *(- lenguaje, estilo)* emphatic. **2.** *(completo)* total.

roturar *vt* to plough.

roulotte [ru'lot], **rulot** *f* trailer *Am*, caravan *Br*.

rozadura *f* **1.** *(señal)* scratch, scrape. **2.** *(herida)* graze.

rozar *vt* **1.** *(gen)* to rub; *(suavemente)* to brush; *(suj: zapato)* to graze. **2.** *(pasar cerca de)* to skim. ♦ **rozar con** *vi* **1.** *(tocar)* to brush against. **2.** *fig (relacionarse con)* to touch on. ♦ **rozarse** *vpr* **1.** *(tocarse)* to touch. **2.** *(pasar cerca)* to brush past each other. **3.** *(herirse - rodilla etc)* to graze. **4.** *fig (tener trato)*: ~**se con** to rub shoulders with.

Rte. *abrev de* **remitente.**

rubeola, rubéola *f* German measles *(U)*.

rubí *(pl* **rubís** o **rubíes)** *m* ruby.

rubio, -bia ◇ *adj* **1.** *(pelo, persona)* blond *(f* blonde*)*, fair. **2.** *(tabaco)* Virginia *(antes de sust)*. **3.** *(cerveza)* lager *(antes de sust)*. ◇ *m y f (persona)* blond *(f* blonde*)*.

rubor *m* **1.** *(vergüenza)* embarrassment. **2.** *(sonrojo)* blush.

ruborizar *vt (avergonzar)* to embarrass. ♦ **ruborizarse** *vpr* to blush.

rúbrica *f* **1.** *(de firma)* flourish. **2.** *(conclusión)* final flourish; **poner** ~ **a algo** to complete sthg.

rubricar *vt* **1.** *fig (confirmar)* to confirm. **2.** *fig (concluir)* to complete.

rucio, -cia *adj (gris)* grey. ♦ **rucio** *m* ass, donkey.

rudeza *f* **1.** *(tosquedad)* roughness. **2.** *(grosería)* coarseness.

rudimentario, -ria *adj* rudimentary.

rudimentos *mpl* rudiments.

rudo, -da *adj* **1.** *(tosco)* rough. **2.** *(brusco)* sharp, brusque. **3.** *(grosero)* rude, coarse.

rueda *f* **1.** *(pieza)* wheel; ~ **delantera/trasera** front/rear wheel; ~ **de repuesto** spare wheel; **ir sobre** ~**s** *fig* to go smoothly. **2.** *(corro)* circle. ♦ **rueda de prensa** *f* press conference.

ruedo *m* (TAUROM) bullring.

ruega *etc* → **rogar.**

ruego *m* request; ~**s y preguntas** any other business.

rufián *m* villain.

rugby *m* rugby.

rugido *m (gen)* roar; *(de persona)* bellow.

rugir *vi (gen)* to roar; *(persona)* to bellow.

rugoso, -sa *adj* **1.** *(áspero - material, terreno)* rough. **2.** *(con arrugas - rostro etc)*

R

wrinkled; *(- tejido)* crinkled.

ruido *m* 1. *(gen)* noise; *(sonido)* sound; **mucho ~ y pocas nueces** much ado about nothing. 2. *fig (escándalo)* row.

ruidoso, -sa *adj* 1. *(que hace ruido)* noisy. 2. *fig (escandaloso)* sensational.

ruin *adj* 1. *(vil)* low, contemptible. 2. *(avaro)* mean.

ruina *f* 1. *(gen)* ruin; **amenazar ~** *(edificio)* to be about to collapse; **estar en la ~** to be ruined. 2. *(destrucción)* destruction. 3. *(fracaso - persona)* wreck; **estar hecho una ~** to be a wreck. ◆ **ruinas** *fpl (históricas)* ruins.

ruinoso, -sa *adj* 1. *(poco rentable)* ruinous. 2. *(edificio)* ramshackle.

ruiseñor *m* nightingale.

ruleta *f* roulette.

ruletero *m* *Méx* taxi driver.

rulo *m* *(para el pelo)* roller.

rulot = **roulotte**.

Rumanía Romania.

rumano, -na *adj, m y f* Romanian. ◆ **rumano** *m (lengua)* Romanian.

rumba *f* rumba.

rumbo *m* 1. *(dirección)* direction, course; **ir con ~ a** to be heading for; **perder el ~** *(barco)* to go off course; *fig (persona)* to lose one's way. 2. *fig (camino)* path, direction.

rumiante *adj & m* ruminant.

rumiar ◇ *vt (suj: rumiante)* to chew; *fig* to chew over. ◇ *vi (masticar)* to ruminate, to chew the cud.

rumor *m* 1. *(ruido sordo)* murmur. 2. *(chisme)* rumour.

rumorearse *v impers*: **~ que ...** to be rumoured that ...

runrún *m* 1. *(ruido confuso)* hum, humming *(U)*. 2. *(chisme)* rumour.

ruptura *f (gen)* break; *(de relaciones, conversaciones)* breaking-off; *(de contrato)* breach.

rural *adj* rural.

Rusia Russia.

ruso, -sa *adj, m y f* Russian. ◆ **ruso** *m (lengua)* Russian.

rústico, -ca *adj* 1. *(del campo)* country *(antes de sust)*. 2. *(tosco)* rough, coarse. ◆ **en rústica** *loc adj* paperback.

ruta *f* route; *fig* way, course.

rutina *f (gen & INFORM)* routine; **por ~** as a matter of course.

rutinario, -ria *adj* routine.

S

s¹, S *f (letra)* s, S. ◆ **S** *(abrev de* **san***)* St.

s² *(abrev de* **segundo***)* s.

s., sig. *(abrev de* **siguiente***)* foll.

SA *(abrev de* **sociedad anónima***) f* = Ltd, = PLC.

sábado *m* Saturday; **¿qué día es hoy? – (es) ~** what day is it (today)? – (it's) Saturday; **cada ~, todos los ~s** every Saturday; **cada dos ~s, un ~ sí y otro no** every other Saturday; **caer en ~** to be on a Saturday; **te llamo el ~** I'll call you on Saturday; **el próximo ~, el ~ que viene** next Saturday; **el ~ pasado** last Saturday; **el ~ por la mañana/tarde/noche** Saturday morning/afternoon/night; **en ~** on Saturdays; **nací en ~** I was born on a Saturday; **este ~** *(pasado)* last Saturday; *(próximo)* this (coming) Saturday; **¿trabajas los ~s?** do you work (on) Saturdays?; **trabajar un ~** to work on a Saturday; **un ~ cualquiera** on any Saturday.

sábana *f* sheet.

sabañón *m* chilblain.

saber ◇ *m* knowledge. ◇ *vt* 1. *(conocer)* to know; **ya lo sé** I know; **hacer ~ algo a alguien** to inform sb of sthg, to tell sb sthg. 2. *(ser capaz de)*: **~ hacer algo** to know how to do sthg, to be able to do sthg; **sabe hablar inglés/montar en bici** she can speak English/ride a bike. 3. *(enterarse)* to learn, to find out; **lo supe ayer** I only found out yesterday. 4. *(entender de)* to know about; **sabe mucha física** he knows a lot about physics. ◇ *vi* 1. *(tener sabor)*: **~ (a)** to taste (of); **~ bien/mal** to taste good/bad; **~ mal a alguien** *fig* to upset ○ annoy sb. 2. *(entender)*: **~ de algo** to know about sthg. 3. *(tener noticia)*: **~ de alguien** to hear from sb; **~ de algo** to learn of sthg. 4. *(parecer)*: **eso me sabe a disculpa** that sounds like an excuse to me. 5. *loc*: **que yo sepa** as far as I know. ◆ **saberse** *vpr*: **~se algo** to know sthg. ◆ **a saber** *loc adv (es decir)* namely.

sabido, -da *adj*: **como es (bien) ~** as everyone knows.

sabiduría *f* 1. *(conocimientos)* knowledge, learning. 2. *(prudencia)* wisdom.

sabiendas ◆ **a sabiendas** *loc adv* knowingly.

sabio, -bia adj 1. (sensato, inteligente) wise. 2. (docto) learned. 3. (amaestrado) trained.

sablazo m fam fig (de dinero) scrounging (U); **dar un ~ a alguien** to scrounge money off sb.

sable m sabre.

sabor m 1. (gusto) taste, flavour; **tener ~ a algo** to taste of sthg; **dejar mal/buen ~ (de boca)** fig to leave a nasty taste in one's mouth/a warm feeling. 2. fig (estilo) flavour.

saborear vt lit & fig to savour.

sabotaje m sabotage.

sabotear vt to sabotage.

sabrá etc → saber.

sabroso, -sa adj 1. (gustoso) tasty. 2. fig (substancioso) tidy, considerable.

sabueso m 1. (perro) bloodhound. 2. fig (policía) sleuth.

saca f sack.

sacacorchos m inv corkscrew.

sacapuntas m inv pencil sharpener.

sacar ◇ vt 1. (poner fuera, hacer salir) to take out; (lengua) to stick out; **sacar de** to take sthg out of; **nos sacaron algo de comer** they gave us something to eat. 2. (quitar): **~ algo (de)** to remove sthg (from). 3. (librar, salvar): **~ a alguien de** to get sb out of. 4. (obtener - carné, buenas notas) to get, to obtain; (- premio) to win; (- foto) to take; (- fotocopia) to make; (- dinero del banco) to withdraw. 5. (sonsacar): **~ algo a alguien** to get sthg out of sb. 6. (extraer - producto): **~ algo de** to extract sthg from. 7. (fabricar) to produce. 8. (crear - modelo, disco etc) to bring out. 9. (exteriorizar) to show. 10. (resolver - crucigrama etc) to do, to finish. 11. (deducir) to gather, to understand; (conclusión) to come to. 12. (mostrar) to show; **le sacaron en televisión** he was on television. 13. (comprar - entradas etc) to get, to buy. 14. (prenda - de ancho) to let out; (- de largo) to let down. 15. (aventajar): **sacó tres minutos a su rival** he was three minutes ahead of his rival. 16. (DEP - con la mano) to throw in; (- con la raqueta) to serve. ◇ vi (DEP) to put the ball into play; (con la raqueta) to serve. ♦ **sacarse** vpr (carné etc) to get. ♦ **sacar adelante** vt 1. (hijos) to bring up. 2. (negocio) to make a go of.

sacarina f saccharine.

sacerdote m (cristiano) priest.

saciar vt (satisfacer - sed) to quench; (- hambre) to satisfy.

saco m 1. (bolsa) sack, bag; **~ de dormir** sleeping bag. 2. Amer (chaqueta) jacket. 3. loc: **entrar a ~ en** to sack, to pillage; **no echar algo en ~ roto** to take good note of sthg.

sacramento m sacrament.

sacrificar vt 1. (gen) to sacrifice. 2. (animal - para consumo) to slaughter.

sacrificio m lit & fig sacrifice.

sacrilegio m lit & fig sacrilege.

sacristán, -ana m y f sacristan.

sacristía f sacristy.

sacro, -cra adj (sagrado) holy, sacred.

sacudida f 1. (gen) shake; (de la cabeza) toss; (de tren, coche) jolt; **~ eléctrica** electric shock. 2. (terremoto) tremor.

sacudir vt 1. (agitar) to shake. 2. (golpear - alfombra etc) to beat. 3. fig (conmover) to shake, to shock. 4. fam fig (pegar) to smack.

sádico, -ca ◇ adj sadistic. ◇ m y f sadist.

sadismo m sadism.

saeta f 1. (flecha) arrow. 2. (MÚS) flamenco-style song sung on religious occasions.

safari m (expedición) safari.

saga f saga.

sagaz adj astute, shrewd.

Sagitario ◇ m (zodiaco) Sagittarius. ◇ m y f (persona) Sagittarian.

sagrado, -da adj holy, sacred.

Sáhara m: **el (desierto del) ~** the Sahara (Desert).

sal f (CULIN & QUÍM) salt. ♦ **sales** fpl 1. (para reanimar) smelling salts. 2. (para baño) bath salts.

sala f 1. (habitación - gen) room; (- de una casa) lounge, living room; (- de hospital) ward; **~ de espera** waiting room; **~ de estar** lounge, living room; **~ de partos** delivery room. 2. (local - de conferencias, conciertos) hall; (- de cine, teatro) auditorium; **~ de fiestas** discothèque. 3. (DER - lugar) court (room); (- magistrados) bench.

salado, -da adj 1. (con sal) salted; (agua) salt (antes de sust); (con demasiada sal) salty. 2. fig (gracioso) witty. 3. Amer unfortunate.

salamandra f (animal) salamander.

salami, salame m salami.

salar vt 1. (para conservar) to salt. 2. (para cocinar) to add salt to.

salarial adj wage (antes de sust).

salario m salary, wages (pl); (semanal) wage.

S

salchicha *f* sausage.

salchichón *m* ≃ salami.

saldar *vt* **1.** *(pagar - cuenta)* to close; *(- deuda)* to settle. **2.** *fig (poner fin a)* to settle. **3.** (COM) to sell off. ◆ **saldarse** *vpr (acabar):* **~se con** to produce; **la pelea se saldó con 11 heridos** 11 people were injured in the brawl.

saldo *m* **1.** *(de cuenta)* balance; **~ acreedor/deudor** credit/debit balance. **2.** *(de deudas)* settlement. **3.** *(gen pl) (restos de mercancías)* remnant; *(rebajas)* sale; **de ~** bargain. **4.** *fig (resultado)* balance.

saldrá *etc* → **salir**.

salero *m (recipiente)* salt shaker *Am*, salt cellar *Br*.

salga *etc* → **salir**.

salida *f* **1.** *(acción de partir - gen)* leaving; *(- de tren, avión)* departure. **2.** (DEP) start. **3.** *(lugar)* exit, way out. **4.** *(momento):* **quedamos a la ~ del trabajo** we agreed to meet after work. **5.** *(viaje)* trip. **6.** *(aparición - de sol, luna)* rise; *(- de revista, nuevo modelo)* appearance. **7.** (COM - posibilidades) market; *(- producción)* output. **8.** *fig (solución)* way out; **si no hay otra ~** if there's no alternative. **9.** *fig (futuro - de carreras etc)* opening, opportunity.

salido, -da *adj* **1.** *(saliente)* projecting, sticking out; *(ojos)* bulging. **2.** *(animal)* on heat. **3.** *mfam (persona)* horny.

saliente ◇ *adj* (POLÍT) outgoing. ◇ *m* projection.

salino, -na *adj* saline.

salir *vi* **1.** *(ir fuera)* to go out; *(venir fuera)* to come out; **~ de** to go/come out of; **¿salimos al jardín?** shall we go out into the garden?; **¡sal aquí fuera!** come out here! **2.** *(ser novios):* **~ (con alguien)** to go out (with sb). **3.** *(marcharse):* **~ (de/para)** to leave (from/for). **4.** *(desembocar - calle):* **~ a** to open out onto. **5.** *(resultar)* to turn out; **ha salido muy estudioso** he has turned out to be very studious; **¿qué salió en la votación?** what was the result of the vote?; **~ elegida actriz del año** to be voted actress of the year; **~ bien/mal** to turn out well/badly; **~ ganando/perdiendo** to come off well/badly. **6.** *(proceder):* **~ de** to come from; **el vino sale de la uva** wine comes from grapes. **7.** *(surgir - luna, estrellas, planta)* to come out; *(- sol)* to rise; *(- dientes)* to come through; **le ha salido un sarpullido en la espalda** her back has come out in a rash. **8.** *(aparecer - publicación, producto, traumas)* to come out; *(- moda, ley)* to come in; *(- en imagen,*

prensa, televisión) to appear; **¡qué bien sales en la foto!** you look great in the photo!; **ha salido en los periódicos** it's in the papers; **~ de** (CIN & TEATRO) to appear as. **9.** *(costar):* **~ (a O por)** to work out (at); **~ caro** *(de dinero)* to be expensive; *(por las consecuencias)* to be costly. **10.** *(parecerse):* **~ a alguien** to take after sb. **11.** *(en juegos)* to lead; **te toca ~ a ti** it's your lead. **12.** *(quitarse - manchas)* to come out. **13.** *(librarse):* **~ de** *(gen)* to get out of; *(problema)* to get round. **14.** (INFORM): **~ (de)** to quit, to exit. ◆ **salirse** *vpr* **1.** *(marcharse - de lugar, asociación etc):* **~se (de)** to leave. **2.** *(filtrarse):* **~se (por)** *(líquido, gas)* to leak O escape (through); *(humo, aroma)* to come out (through). **3.** *(rebosar)* to overflow; *(leche)* to boil over; **el río se salió del cauce** the river broke its banks. **4.** *(desviarse):* **~se (de)** to come off; **el coche se salió de la carretera** the car came off O left the road. **5.** *fig (escaparse):* **~se de** *(gen)* to deviate from; *(límites)* to go beyond; **~se del tema** to digress. **6.** *loc:* **~se con la suya** to get one's own way. ◆ **salir adelante** *vi* **1.** *(persona, empresa)* to get by. **2.** *(proyecto, propuesta, ley)* to be successful.

saliva *f* saliva.

salivar *vi* to salivate.

salmo *m* psalm.

salmón ◇ *m (pez)* salmon. ◇ *adj & m inv (color)* salmon (pink).

salmonete *m* red mullet.

salmuera *f* brine.

salón *m* **1.** *(habitación - en casa)* lounge, sitting room; *(- en residencia, edificio público)* reception hall. **2.** *(local - de sesiones etc)* hall; **~ de actos** assembly hall. **3.** *(feria)* show, exhibition. **4.** *(establecimiento)* shop; **~ de belleza/masaje** beauty/massage parlour; **~ de té** tea-room.

salpicadera *f Méx* fender *Am*, mudguard *Br*.

salpicadero *m* dashboard.

salpicar *vt (rociar)* to splash.

salpimentar *vt* to season.

salpullido = **sarpullido**.

salsa *f* **1.** (CULIN - gen) sauce; *(- de carne)* gravy; **~ bechamel** O **besamel** bechamel O white sauce; **~ rosa** thousand island dressing; **en su propia ~** *fig* in one's element. **2.** *fig (interés)* spice. **3.** (MÚS) salsa.

salsera *f* gravy boat.

saltamontes *m inv* grasshopper.

saltar ◇ *vt* **1.** *(obstáculo)* to jump

(over). **2.** *(omitir)* to skip, to miss out. **3.** *(hacer estallar)* to blow up. ◇ *vi* **1.** *(gen)* to jump; *(a la comba)* to skip; *(al agua)* to dive; **~ sobre alguien** *(abalanzarse)* to set upon sb; **~ de un tema a otro** to jump (around) from one subject to another. **2.** *(levantarse)* to jump up; **~ de la silla** to jump out of one's seat. **3.** *(salir para arriba - objeto)* to jump (up); *(- champán, aceite)* to spurt (out); *(- corcho, válvula)* to pop out. **4.** *(explotar)* to explode, to blow up. **5.** *(romperse)* to break. **6.** *(reaccionar violentamente)* to explode. ◆ **saltarse** *vpr* **1.** *(omitir)* to skip, to miss out. **2.** *(salir despedido)* to pop off. **3.** *(no respetar - cola, semáforo)* to jump; *(- ley, normas)* to break.

salteado, -da *adj* **1.** (CULIN) sautéed. **2.** *(espaciado)* unevenly spaced.

saltear *vt* (CULIN) to sauté.

saltimbanqui *m y f* acrobat.

salto *m* **1.** *(gen & DEP)* jump; *(grande)* leap; *(al agua)* dive; **~ de altura/longitud** high/long jump. **2.** *fig (diferencia, omisión)* gap. **3.** *fig (progreso)* leap forward. ◆ **salto de agua** *m* waterfall. ◆ **salto de cama** *m* negligée.

saltón, -ona *adj (ojos)* bulging; *(dientes)* sticking out.

salubre *adj* healthy.

salud ◇ *f lit & fig* health; **estar bien/mal de ~** to be well/unwell; **beber** o **brindar a la ~ de alguien** to drink to sb's health. ◇ *interj*: **¡~!** *(para brindar)* cheers!; *(después de estornudar)* bless you!

saludable *adj* **1.** *(sano)* healthy. **2.** *fig (provechoso)* beneficial.

saludar *vt* to greet; (MIL) to salute; **saluda a Ana de mi parte** give my regards to Ana; **le saluda atentamente** yours faithfully. ◆ **saludarse** *vpr* to greet one another.

saludo *m* greeting; (MIL) salute; **Ana te manda ~s** *(en cartas)* Ana sends you her regards; *(al teléfono)* Ana says hello; **un ~ afectuoso** *(en cartas)* yours sincerely.

salva *f* (MIL) salvo; **una ~ de aplausos** *fig* a round of applause.

salvación *f* **1.** *(remedio)*: **no tener ~** to be beyond hope. **2.** *(rescate)* rescue. **3.** (RELIG) salvation.

salvado *m* bran.

salvador, -ra *m y f (persona)* saviour. ◆ **Salvador** *m* (GEOGR): **El Salvador** El Salvador.

salvadoreño, -ña *adj, m y f* Salvadoran.

salvaguardar *vt* to safeguard.

salvaje ◇ *adj* **1.** *(gen)* wild. **2.** *(pueblo, tribu)* savage. ◇ *m y f* **1.** *(primitivo)* savage. **2.** *(bruto)* maniac.

salvamanteles *m inv (llano)* table mat; *(con pies)* trivet.

salvamento *m* rescue, saving; **equipo de ~** rescue team.

salvar *vt* **1.** *(gen & INFORM)* to save. **2.** *(rescatar)* to rescue. **3.** *(superar - moralmente)* to overcome; *(- físicamente)* to go over o around. **4.** *(recorrer)* to cover. **5.** *(exceptuar)*: **salvando algunos detalles** except for a few details. ◆ **salvarse** *vpr* **1.** *(librarse)* to escape. **2.** (RELIG) to be saved.

salvavidas *m (chaleco)* lifejacket; *(flotador)* lifebelt.

salvedad *f* exception.

salvia *f* sage.

salvo, -va *adj* safe; **estar a ~** to be safe; **poner algo a ~** to put sthg in a safe place. ◆ **salvo** *adv* except; **~ que** unless.

san *adj* Saint; **~ José** Saint Joseph.

sanar ◇ *vt (persona)* to cure; *(herida)* to heal. ◇ *vi (persona)* to get better; *(herida)* to heal.

sanatorio *m* sanatorium, nursing home.

sanción *f (castigo)* punishment; (ECON) sanction.

sancionar *vt (castigar)* to punish.

sandalia *f* sandal.

sandez *f* silly thing, nonsense (U).

sandía *f* watermelon.

sándwich ['sanwitʃ] *(pl* **sándwiches***) m* toasted sandwich.

saneamiento *m* **1.** *(higienización - de edificio)* disinfection. **2.** *fig (FIN - de moneda etc)* stabilization; *(- de economía)* putting back on a sound footing.

sanear *vt* **1.** *(higienizar - tierras)* to drain; *(- un edificio)* to disinfect. **2.** *fig* (FIN - *moneda)* to stabilize; *(- economía)* to put back on a sound footing.

sanfermines *mpl festival held in Pamplona when bulls are run through the streets of the town.*

sangrar ◇ *vi* to bleed. ◇ *vt* **1.** *(sacar sangre)* to bleed. **2.** (IMPRENTA) to indent.

sangre *f* blood; **no llegó la ~ al río** it didn't get too nasty. ◆ **sangre fría** *f* sangfroid; **a ~ fría** in cold blood.

sangría *f* **1.** *(bebida)* sangria. **2.** (MED) bloodletting. **3.** *fig (ruina)* drain.

S

sangriento, -ta adj (ensangrentado, cruento) bloody.

sanguijuela f lit & fig leech.

sanguíneo, -a adj blood (antes de sust).

sanidad f 1. (salubridad) health, healthiness. 2. (servicio) public health; (ministerio) health department.

> La palabra del español "sanidad", aunque se le parezca, nada tiene en común con el sustantivo inglés *sanity*, que significa 'cordura, sensatez'.

sanitario, -ria adj health (antes de sust). ◆ **sanitarios** mpl (instalación) bathroom fittings (pl).

San José San José.

sano, -na adj 1. (saludable) healthy; ~ y salvo safe and sound. 2. (positivo - principios, persona etc) sound; (- ambiente, educación) wholesome. 3. (entero) intact.

San Salvador San Salvador.

santero, -ra adj pious.

Santiago (de Chile) Santiago.

santiamén ◆ **en un santiamén** loc adv fam in a flash.

santidad f saintliness, holiness.

santiguarse vpr (persignarse) to cross o.s.

santo, -ta ◇ adj 1. (sagrado) holy. 2. (virtuoso) saintly. 3. fam fig (dichoso) damn; **todo el ~ día** all day long. ◇ m y f (RELIG) saint. ◆ **santo** m 1. (onomástica) saint's day. 2. loc: **¿a ~ de qué?** why on earth? ◆ **santo y seña** m (MIL) password.

Santo Domingo Santo Domingo.

santuario m shrine; fig sanctuary.

saña f viciousness, malice.

sapo m toad.

saque m 1. (en fútbol): ~ **de banda** throw-in; ~ **inicial** o **de centro** kick-off; ~ **de esquina/meta** corner/goal kick. 2. (en tenis etc) serve.

saquear vt 1. (rapiñar - ciudad) to sack; (- tienda etc) to loot. 2. fam (vaciar) to ransack.

saqueo m (de ciudad) sacking; (de tienda etc) looting.

sarampión m measles (U).

sarcasmo m sarcasm.

sarcástico, -ca adj sarcastic.

sarcófago m sarcophagus.

sardana f traditional Catalan dance and music.

sardina f sardine; **como ~s en canasta** o **en lata** like sardines.

sargento m y f (MIL) = sergeant.

sarpullido, salpullido m rash.

sarro m (de dientes) tartar.

sarta f lit & fig string.

sartén f frying pan; **tener la ~ por el mango** to be in control.

sastre, -tra m y f tailor.

sastrería f (oficio) tailoring; (taller) tailor's (shop).

Satanás m Satan.

satélite ◇ m satellite. ◇ adj fig satellite (antes de sust).

satén m satin; (de algodón) sateen.

satinado, -da adj glossy.

sátira f satire.

satírico, -ca ◇ adj satirical. ◇ m y f satirist.

satirizar vt to satirize.

satisfacción f satisfaction.

satisfacer vt 1. (gen) to satisfy; (sed) to quench. 2. (deuda, pago) to pay, to settle. 3. (ofensa, daño) to redress. 4. (duda, pregunta) to answer. 5. (cumplir - requisitos, exigencias) to meet.

satisfactorio, -ria adj satisfactory.

satisfecho, -cha ◇ pp → satisfacer. ◇ adj satisfied; ~ **de sí mismo** self-satisfied; **darse por** ~ to be satisfied.

saturar vt to saturate. ◆ **saturarse** vpr: **~se (de)** to become saturated (with).

saturnismo m lead poisoning.

Saturno Saturn.

sauce m willow; ~ **llorón** weeping willow.

sauna f sauna.

savia f sap; fig vitality; ~ **nueva** fig new blood.

saxo m (instrumento) sax.

saxofón, saxófono m (instrumento) saxophone.

saxófono = saxofón.

sazonado, -da adj seasoned.

sazonar vt to season.

scanner = escáner.

schilling = chelín.

scout [es'kaut] (pl scouts) m scout.

se pron pers 1. (reflexivo) (de personas) himself (f herself), (pl) themselves; (usted mismo) yourself, (pl) yourselves; (de cosas, animales) itself, (pl) themselves; ~ **está lavando, está lavándo~** she is washing (herself); ~ **lavó los dientes** she cleaned her teeth; **espero que ~ diviertan** I hope you enjoy yourselves; **el perro ~ lame** the dog is licking itself; ~ **lame la herida** it's licking its wound; ~ **levantaron y ~ fueron** they got up and left. 2. (reflexivo impersonal) oneself; **hay que afeitar~ todos los días** one has to shave every day, you have to shave every day. **3.** (*recíproco*) each other, one another; **~ aman** they love each other; **~ escriben cartas** they write to each other. **4.** (*en construcción pasiva*): **~ ha suspendido la reunión** the meeting has been cancelled; **'~ prohíbe fumar'** 'no smoking'; **'~ habla inglés'** 'English spoken'. **5.** (*impersonal*): **en esta sociedad ya no ~ respeta a los ancianos** in our society old people are no longer respected; **~ dice que ...** it is said that ..., people say that ... **6.** (*en vez de 'le' o 'les' antes de 'lo', 'la', 'los' o 'las'*) (*complemento indirecto*) (*gen*) to him (f to her), (*pl*) to them; (*de cosa, animal*) to it, (*pl*) to them; (*usted, ustedes*) to you; **~ lo dio** he gave it to him/her *etc*; **~ lo dije, pero no me hizo caso** I told her, but she didn't listen; **si usted quiere, yo ~ lo arreglo en un minuto** if you like, I'll sort it out for you in a minute.

• Fijémonos en las dos posibles traducciones de la frase "Sue y Ted se odian": *Sue and Ted hate themselves* (Sue odia a Sue y Ted odia a Ted, es un "se" reflexivo); *Sue and Ted hate each other* (Sue odia a Ted y Ted odia a Sue, es un "se" recíproco).

• *Each other* es una forma que se emplea cuando la acción del verbo ocurre entre dos personas o grupos que son el sujeto de la oración (*they send each other cards at Christmas*, "se mandan [unos a otros] tarjetas de Navidad").

• Si hay más de dos personas o grupos, se puede usar la forma *one another* en lugar de *each other* (*my brothers and sisters are always arguing with one another*, "mis hermanos [y hermanas] siempre están discutiendo [unos con otros]").

---

sé 1. → **saber**. **2.** → **ser**.

sebo m fat; (*para jabón, velas*) tallow.

secador m dryer; **~ de pelo** hair-dryer.

secadora f clothes o tumble dryer.

secar vt **1.** (*desecar*) to dry. **2.** (*enjugar*) to wipe away; (*con fregona*) to mop up. ♦ **secarse** vpr (*gen*) to dry up; (*ropa, vajilla, suelo*) to dry.

sección f **1.** (*gen & GEOM*) section. **2.** (*departamento*) department.

seccionar vt **1.** (*cortar*) to cut; (*TECN*) to section. **2.** (*dividir*) to divide up.

seco, -ca adj **1.** (*gen*) dry; (*plantas, flores*) withered; (*higos, pasas*) dried; **lavar**

en **~** to dry-clean. **2.** (*tajante*) brusque. **3.** *loc:* **parar en ~** to stop dead. ♦ **a secas** *loc adv* simply, just; **llámame Juan a secas** just call me Juan.

secretaría f **1.** (*oficina, lugar*) secretary's office. **2.** (*organismo*) secretariat.

secretariado m (EDUC) secretarial skills (*pl*).

secretario, -ria m y f secretary.

secreto, -ta adj (*gen*) secret; (*tono*) confidential; **en ~** in secret. ♦ **secreto** m **1.** (*gen*) secret. **2.** (*sigilo*) secrecy.

secta f sect.

sector m **1.** (*gen*) sector; (*grupo*) group. **2.** (*zona*) area.

secuela f consequence.

secuencia f sequence.

secuestrador, -ra m y f kidnapper.

secuestrar vt **1.** (*raptar*) to kidnap. **2.** (*avión*) to hijack. **3.** (*embargar*) to seize.

secuestro m **1.** (*rapto*) kidnapping. **2.** (*de avión, barco*) hijack. **3.** (*de bienes etc*) seizure, confiscation.

secular adj **1.** (*seglar*) secular, lay. **2.** (*centenario*) age-old.

secundar vt to support, to back (up); (*propuesta*) to second.

secundario, -ria adj secondary.

sed ◇ v → **ser**. ◇ f thirst; **tener ~** to be thirsty; **~ de** *fig* thirst for.

seda f silk.

sedal m fishing line.

sedante ◇ adj (MED) sedative; (*música*) soothing. ◇ m sedative.

sede f **1.** (*emplazamiento*) headquarters (*pl*); (*de gobierno*) seat; **~ social** head office. **2.** (RELIG) see. ♦ **Santa Sede** f: la Santa Sede the Holy See.

sedición f sedition.

sediento, -ta adj **1.** (*de agua*) thirsty. **2.** *fig* (*deseoso*): **~ de** hungry for.

sedimentar vt to deposit. ♦ **sedimentarse** vpr (*líquido*) to settle.

sedimento m **1.** (*poso*) sediment. **2.** (GEOL) deposit. **3.** *fig* (*huella*) residue.

sedoso, -sa adj silky.

seducción f **1.** (*cualidad*) seductiveness. **2.** (*acción - gen*) attraction, charm; (*- sexual*) seduction.

seducir vt **1.** (*atraer*) to attract, to charm; (*sexualmente*) to seduce. **2.** (*persuadir*): **~ a alguien para que haga algo** to tempt sb to do sthg.

seductor, -ra ◇ adj (*gen*) charming; (*sexualmente*) seductive; (*persuasivo*) tempting. ◇ m y f seducer.

segador, -ra m y f (*agricultor*) reaper.

S

segar vt 1. (AGR) to reap. 2. (cortar) to cut off. 3. fig (truncar) to put an end to.

seglar m lay person.

segmento m 1. (GEOM & ZOOL) segment. 2. (trozo) piece.

segregar vt 1. (separar, discriminar) to segregate. 2. (secretar) to secrete.

seguidilla f 1. (gen pl) (baile) traditional Spanish dance. 2. (cante) mournful flamenco song.

seguido, -da adj 1. (consecutivo) consecutive; **diez años ~s** ten years in a row. 2. (sin interrupción - gen) one after the other; (- línea, pitido etc) continuous. ◆ **seguido** adv 1. (inmediatamente después) straight after. 2. (en línea recta) straight on. ◆ **en seguida** loc adv straight away, at once; **en seguida nos vamos** we're going in a minute.

seguidor, -ra m y f follower.

seguimiento m (de noticia) following; (de clientes) follow-up.

seguir ◇ vt 1. (gen) to follow. 2. (perseguir) to chase. 3. (reanudar) to continue, to resume. ◇ vi 1. (sucederse): **~ a algo** to follow sthg; **a la tormenta siguió la lluvia** the storm was followed by rain. 2. (continuar) to continue, to go on; **¡sigue! ¡no te pares!** go o carry on, don't stop!; **sigo trabajando en la fábrica** I'm still working at the factory; **debes ~ haciéndolo** you should keep on o carry on doing it; **sigo pensando que está mal** I still think it's wrong; **sigue enferma/en el hospital** she's still ill/at the hospital. ◆ **seguirse** vpr to follow; **~se de algo** to follow o be deduced from sthg; **de esto se sigue que estás equivocado** it therefore follows that you are wrong.

según ◇ prep 1. (de acuerdo con) according to; **~ su opinión, ha sido un éxito** in his opinion o according to him, it was a success; **~ yo/tú** etc in my/your etc opinion. 2. (dependiendo de) depending on; **~ la hora que sea** depending on the time. ◇ adv 1. (como) (just) as; **todo permanecía ~ lo recordaba** everything was just as she remembered it; **actuó ~ se le recomendó** he did as he had been advised. 2. (a medida que) as; **entrarás en forma ~ vayas entrenando** you'll get fit as you train. 3. (dependiendo): **¿te gusta la música? - ~** do you like music? - it depends; **lo intentaré ~ esté o tenga tiempo** I'll try to do it, depending on how much time I have. ◆ **según que** loc adv depending on whether. ◆ **según qué** loc adj certain; **~ qué días**

la clase es muy aburrida some days the class is really boring.

segunda → segundo.

segundero m second hand.

segundo, -da ◇ núm adj second. ◇ núm m y f 1. (en orden): **el ~** the second one; **llegó el ~** he came second. 2. (mencionado antes): **vinieron Pedro y Juan, el ~ con ...** Pedro and Juan arrived, the latter with ... 3. (ayudante) number two; **~ de abordo** (NÁUT) first mate. ◆ **segundo** m 1. (gen) second. 2. (piso) second floor. ◆ **segunda** f 1. (AUTOM) second (gear). 2. (AERON & FERROC) second class. 3. (DEP) second division. ◆ **con segundas** loc adv with an ulterior motive.

seguramente adv probably; **~ iré, pero aún no lo sé** the chances are I'll go, but I'm not sure yet.

seguridad f 1. (fiabilidad, ausencia de peligro) safety; (protección, estabilidad) security; **de ~** (cinturón, cierre) safety (antes de sust); (puerta, guardia) security (antes de sust); **~ vial** road safety. 2. (certidumbre) certainty; **con ~** for sure, definitely. 3. (confianza) confidence; **~ en sí mismo** self-confidence. ◆ **Seguridad Social** f Social Security.

seguro, -ra adj 1. (fiable, sin peligro) safe; (protegido, estable) secure. 2. (infalible - prueba, negocio etc) reliable. 3. (confiado) sure; **estar ~ de algo** to be sure about sthg. 4. (indudable - nombramiento, fecha etc) definite, certain; **tener por ~ que** to be sure that. ◆ **seguro** ◇ m 1. (contrato) insurance (U); **~ a todo riesgo/a terceros** comprehensive/third party insurance; **~ de incendios/de vida** fire/life insurance; **~ de paro** o **de desempleo** unemployment benefit; **~ del coche** car insurance; **~ mutuo** joint insurance. 2. (dispositivo) safety device; (de armas) safety catch. 3. Méx (imperdible) safety pin. ◇ adv for sure, definitely; **~ vendrá** she's bound to come.

seis ◇ núm adj inv 1. (para contar) six; **tiene ~ años** she's six (years old). 2. (para ordenar) (number) six; **la página ~** page six. ◇ núm m 1. (número) six; **el ~** number six; **doscientos ~** two hundred and six; **treinta y ~** thirty-six. 2. (en fechas) sixth; **el ~ de agosto** the sixth of August. 3. (en direcciones): **calle Mayor (número) ~** number six calle Mayor. 4. (en naipes) six; **el ~ de diamantes** the six of diamonds; **echar** o **tirar un ~** to play a six. ◇ núm mpl 1. (referido a grupos): **invité a diez y sólo**

vinieron ~ I invited ten and only six came along; **somos** ~ there are six of us; **de** ~ **en** ~ in sixes; **los** ~ the six of them. **2.** *(en temperaturas)*: **estamos a** ~ **bajo cero** the temperature is six below zero. **3.** *(en puntuaciones)*: **empatar a** ~ to draw six all; ~ **a cero** six-nil. ◇ *núm fpl (hora)*: **las** ~ six o'clock; **son las** ~ it's six o'clock.

seiscientos, -tas *núm* six hundred; *ver también* **seis**.

seísmo *m* earthquake.

selección *f* **1.** *(gen)* selection; *(de personal)* recruitment. **2.** *(equipo)* team; ~ **nacional** national team.

seleccionador, -ra *m y f* **1.** (DEP) selector, = manager. **2.** *(de personal)* recruiter.

seleccionar *vt* to pick, to select.

selectividad *f (examen)* university entrance examination.

selectivo, -va *adj* selective.

selecto, -ta *adj* **1.** *(excelente)* fine, excellent. **2.** *(escogido)* exclusive, select.

self-service *m inv* self-service restaurant.

sellar *vt* **1.** *(timbrar)* to stamp. **2.** *(lacrar)* to seal.

sello *m* **1.** *(gen)* stamp. **2.** *(tampón)* rubber stamp. **3.** *(lacre)* seal. **4.** *fig (carácter)* hallmark.

selva *f (gen)* jungle; *(bosque)* forest.

semáforo *m* traffic lights *(pl)*.

semana *f* week; **entre** ~ during the week; ~ **laboral** working week. ◆ **Semana Santa** *f* Easter; (RELIG) Holy Week.

semanal *adj* weekly.

semanario, -ria *adj* weekly. ◆ **semanario** *m (publicación semanal)* weekly.

semántica *f* semantics *(U)*.

semblanza *f* portrait, profile.

sembrado, -da *adj fig (lleno)*: ~ **de** scattered o plagued with.

sembrar *vt* **1.** *(plantar)* to sow. **2.** *fig (llenar)* to scatter. **3.** *fig (confusión, pánico etc)* to sow.

semejante ◇ *adj* **1.** *(parecido)*: ~ **(a)** similar (to). **2.** *(tal)* such; **jamás aceptaría** ~ **invitación** I would never accept such an invitation. ◇ *m (gen pl)* fellow (human) being.

semejanza *f* similarity.

semejar *vt* to resemble. ◆ **semejarse** *vpr* to be alike.

semen *m* semen.

semental *m* stud; *(caballo)* stallion.

semestre *m* period of six months,

semester *Am*; **cada** ~ every six months.

semidirecto ◇ *adj* express. ◇ *m* → **tren**.

semifinal *f* semifinal.

semilla *f* seed.

seminario *m* **1.** *(escuela para sacerdotes)* seminary. **2.** (EDUC - *curso, conferencia)* seminar; *(- departamento)* department.

sémola *f* semolina.

Sena *m*: **el** ~ the (river) Seine.

senado *m* senate.

senador, -ra *m y f* senator.

sencillez *f* **1.** *(facilidad)* simplicity. **2.** *(modestia)* unaffectedness. **3.** *(discreción)* plainness.

sencillo, -lla *adj* **1.** *(fácil, sin lujo, llano)* simple. **2.** *(campechano)* unaffected. **3.** *(billete, unidad etc)* single. ◆ **sencillo** *m* **1.** *(disco)* single. **2.** *Amer fam (cambio)* loose change.

senda *f*, **sendero** *m* path.

sendos, -das *adj pl* each, respective; **llegaron los dos con** ~ **paquetes** they arrived each carrying a parcel.

Senegal: **(el)** ~ Senegal.

senil *adj* senile.

senior *(pl* **seniors)** *adj & m* senior.

seno *m* **1.** *(pecho)* breast. **2.** *(pechera)* bosom; **en el** ~ **de** *fig* within. **3.** *(útero)*: ~ **(materno)** womb. **4.** *fig (amparo, cobijo)* refuge, shelter. **5.** (ANAT) *(de la nariz)* sinus.

sensación *f* **1.** *(percepción)* feeling, sensation. **2.** *(efecto)* sensation. **3.** *(premonición)* feeling.

sensacional *adj* sensational.

sensacionalista *adj* sensationalist.

sensatez *f* wisdom, common sense.

sensato, -ta *adj* sensible.

sensibilidad *f* **1.** *(perceptibilidad)* feeling. **2.** *(sentimentalismo)* sensitivity. **3.** *(don especial)* feel. **4.** *(de emulsión fotográfica, balanza etc)* sensitivity.

sensible *adj* **1.** *(gen)* sensitive. **2.** *(evidente)* perceptible; *(pérdida)* significant.

"Sensible" en español equivale a *sensitive* en inglés. También existe la palabra *sensible* en inglés con el significado de 'sensato'. Por ejemplo, para referirnos a "un niño muy sensible", en inglés se dice *a very sensitive child*, y no *a very sensible child* ("un niño muy *sensato*").

sensitivo, -va *adj* **1.** *(de los sentidos)* sensory. **2.** *(receptible)* sensitive.

sensor *m* sensor.

sensorial *adj* sensory.

sensual *adj* sensual.

sentado, -da *adj* 1. *(en asiento)* seated; **estar ~** to be sitting down. 2. *(establecido)*: **dar algo por ~** to take sthg for granted; **dejar ~ que ...** to make it clear that ...

sentar ◇ *vt* 1. *(en asiento)* to seat, to sit. 2. *(establecer)* to establish. ◇ *vi* 1. *(ropa, color)* to suit. 2. *(comida)*: **~ bien/mal a alguien** to agree/disagree with sb. 3. *(vacaciones, medicamento)*: **~ bien a alguien** to do sb good. 4. *(comentario, consejo)*: **le sentó mal** it upset her; **le sentó bien** she appreciated it. ◆ **sentarse** *vpr* to sit down.

sentencia *f* 1. (DER) sentence. 2. *(proverbio, máxima)* maxim.

sentenciar *vt* (DER): **~ (a alguien a algo)** to sentence (sb to sthg).

sentido, -da *adj (profundo)* heartfelt. ◆ **sentido** *m* 1. *(gen)* sense; **tener ~** to make sense; **~ común** common sense; **~ del humor** sense of humour; **sexto ~** sixth sense. 2. *(conocimiento)* consciousness; **perder/recobrar el ~** to lose/regain consciousness. 3. *(significado)* meaning, sense; **sin ~** *(ilógico)* meaningless; *(inútil, irrelevante)* pointless; **doble ~** double meaning. 4. *(dirección)* direction; **de ~ único** one-way.

sentimental *adj* sentimental.

sentimiento *m* 1. *(gen)* feeling. 2. *(pena, aflicción)*: **le acompaño en el ~** my deepest sympathy.

sentir ◇ *vt* 1. *(gen)* to feel. 2. *(lamentar)* to regret, to be sorry about; **siento que no puedas venir** I'm sorry you can't come; **lo siento (mucho)** I'm (really) sorry. 3. *(oír)* to hear. ◇ *vi* to feel; **sin ~** *fig* without noticing. ◇ *m* feelings *(pl)*, sentiments *(pl)*. ◆ **sentirse** *vpr* to feel; **me siento mareada** I feel sick.

seña *f* *(gesto, indicio, contraseña)* sign, signal. ◆ **señas** *fpl* 1. *(dirección)* address *(sg)*; **~s personales** (personal) description *(sg)*. 2. *(gesto, indicio)* signs; **dar ~s de algo** to show signs of sthg; **(hablar) por ~s** (to talk) in sign language; **hacer ~s (a alguien)** to signal (to sb). 3. *(detalle)* details; **para** o **por más ~s** to be precise.

señal *f* 1. *(gen &* TELECOM*)* signal; *(de teléfono)* tone; **~ de alarma/salida** alarm/ starting signal. 2. *(indicio, símbolo)* sign; **dar ~es de vida** to show signs of life; **~ de la Cruz** sign of the Cross; **~ de tráfico** road sign; **en ~ de** as a mark o sign of. 3. *(marca, huella)* mark; **no dejó ni ~**

she didn't leave a trace. 4. *(cicatriz)* scar, mark. 5. *(fianza)* deposit.

señalado, -da *adj (importante - fecha)* special; *(- personaje)* distinguished.

señalar *vt* 1. *(marcar, denotar)* to mark; *(hora, temperatura etc)* to indicate, to say. 2. *(indicar - con el dedo, con un comentario)* to point out. 3. *(fijar)* to set, to fix.

señalización *f* 1. *(conjunto de señales)* signs *(pl)*. 2. *(colocación de señales)* signposting.

señalizar *vt* to signpost.

señor, -ra *adj (refinado)* noble, refined. ◆ **señor** *m* 1. *(tratamiento - antes de nombre, cargo)* Mr; *(- al dirigir la palabra)* Sir; **el ~ López** Dear Sir.; **¡~ presidente!** Mr President!; **¡qué desea el ~?** what would you like, Sir?; **Muy ~ mío** *(en cartas)* Dear Sir. 2. *(hombre)* man. 3. *(caballero)* gentleman. 4. *(dueño)* owner. 5. *(amo - de criado)* master. ◆ **señora** *f* 1. *(tratamiento - antes de nombre, cargo)* Mrs; *(- al dirigir la palabra)* Madam; **la señora López** Mrs López; **¡señora presidenta!** Madam President!; **¡qué desea la señora?** what would you like, Madam?; **¡señoras y ~es!** ... Ladies and Gentlemen! ...; **Estimada señora** *(en cartas)* Dear Madam. 2. *(mujer)* lady. 3. *(dama)* lady. 4. *(dueña)* owner. 5. *(ama - de criado)* mistress. 6. *(esposa)* wife. ◆ **señores** *mpl (matrimonio)*: **los ~es Ruiz** Mr & Mrs Ruiz.

señoría *f* lordship *(f* ladyship*)*.

señorial *adj (majestuoso)* stately.

señorío *m* 1. *(dominio)* dominion, rule. 2. *(distinción)* nobility.

señorito, -ta *adj fam despec (refinado)* lordly. ◆ **señorito** *m* 1. *desus (hijo del amo)* master. 2. *fam despec (niñato)* rich kid. ◆ **señorita** *f* 1. *(soltera, tratamiento)* Miss. 2. *(joven)* young lady. 3. *(maestra)*: **la ~** miss, the teacher. 4. *desus (hija del amo)* mistress.

sepa → **saber**.

separación *f* 1. *(gen)* separation. 2. *(espacio)* space, distance.

separado, -da *adj* 1. *(gen)* separate; **está muy ~ de la pared** it's too far away from the wall; **por ~** separately. 2. *(del cónyuge)* separated.

separar *vt* 1. *(gen)* to separate; **~ algo de** to separate sthg from. 2. *(desunir)* to take off, to remove. 3. *(apartar - silla etc)* to move away. 4. *(reservar)* to put aside. 5. *(destituir)*: **~ de** to remove o dismiss from. ◆ **separarse** *vpr* 1. *(apartarse)* to move apart. 2. *(ir por distinto lugar)* to part company. 3. *(ma-*

trimonio): **~se (de alguien)** to separate (from sb). **4.** *(desprenderse)* to come away o off.

separo *m Méx* cell.

sepia *f (molusco)* cuttlefish.

septentrional *adj* northern.

septiembre, **setiembre** *m* September; **el 1 de ~** the 1st of September; **uno de los ~s más lluviosos de la última década** one of the rainiest Septembers in the last decade; **a principios/mediados/finales de ~** at the beginning/in the middle/at the end of September; **el pasado/próximo (mes de) ~** last/next September; **en ~** in September; **en pleno ~** in mid-September; **este (mes de) ~** *(pasado)* (this) last September; *(próximo)* next September, this coming September; **para ~** by September.

séptimo, -ma, **sétimo, -ma** *núm* seventh.

septuagésimo, -ma *núm* seventieth.

sepulcro *m* tomb.

sepultar *vt* to bury.

sepultura *f* **1.** *(enterramiento)* burial. **2.** *(fosa)* grave.

sepulturero, -ra *m y f* gravedigger.

sequía *f* drought.

ser ◇ *vaux (antes de participio forma la voz pasiva)* to be; **fue visto por un testigo** he was seen by a witness. ◇ *v copulativo* **1.** *(gen)* to be; **es alto/gracioso** he is tall/funny; **es azul/difícil** it's blue/difficult; **es un amigo/el dueño** he is a friend/the owner. **2.** *(empleo, dedicación)* to be; **soy abogado/actriz** I'm a lawyer/an actress; **son estudiantes** they're students. ◇ *vi* **1.** *(gen)* to be; **fue aquí** it was here; **lo importante es decidirse** the important thing is to reach a decision; **~ de** *(estar hecho de)* to be made of; *(provenir de)* to be from; *(ser propiedad de)* to belong to; *(formar parte de)* to be a member of; **¿de dónde eres?** where are you from?; **los juguetes son de mi hijo** the toys are my son's. **2.** *(con precios, horas, números)* to be; **¿cuánto es?** how much is it?; **son 300 pesetas** that'll be 300 pesetas; **¿qué (día) es hoy?** what day is it today?; **mañana será 15 de julio** tomorrow (it) will be the 15th of July; **¿qué hora es?** what time is it?, what's the time?; **son las tres (de la tarde)** it's three o'clock (in the afternoon), it's three (pm). **3.** *(servir, ser adecuado)*: **~ para** to be for; **este trapo es para (limpiar) las ventanas** this cloth is for (cleaning) the windows; **este libro es**

para niños this book is (meant) for children. **4.** *(uso partitivo)*: **~ de los que ...** to be one of those (people) who ...; **ése es de los que están en huelga** he is one of those on strike. ◇ *v impers* **1.** *(expresa tiempo)* to be; **es muy tarde** it's rather late; **era de noche/de día** it was night/day. **2.** *(expresa necesidad, posibilidad)*: **es de desear que ...** it is to be hoped that ...; **es de suponer que aparecerá** presumably, he'll turn up. **3.** *(expresa motivo)*: **es que no vine porque estaba enfermo** the reason I didn't come is that I was ill. **4.** *loc*: **a no ~ que** unless; **como sea** somehow or other; **de no ~ por** had it not been for; **érase una vez, érase que se era** once upon a time; **no es para menos** not without reason; **o sea** that is (to say), I mean; **por si fuera poco** as if that wasn't enough. ◇ *m (ente)* being; **~ humano/vivo** human/living being.

Serbia Serbia.

serenar *vt (calmar)* to calm. ♦ **serenarse** *vpr* **1.** *(calmarse)* to calm down. **2.** *(estabilizarse - tiempo)* to clear up; *(- aguas)* to grow calm.

serenata *f* (MÚS) serenade.

serenidad *f* **1.** *(tranquilidad)* calm. **2.** *(quietud)* tranquility.

sereno, -na *adj* calm. ♦ **sereno** *m (vigilante)* night watchman.

serial *m* serial.

serie *f* **1.** *(gen & TV)* series *(sg)*; *(de hechos, sucesos)* chain; *(de mentiras)* string. **2.** *(de sellos, monedas)* set. **3.** *loc*: **ser un fuera de ~** to be unique. ♦ **de serie** *loc adj (equipamiento)* (fitted) as standard. ♦ **en serie** *loc adv (fabricación)*: **fabricar en ~** to mass-produce.

seriedad *f* **1.** *(gravedad)* seriousness. **2.** *(responsabilidad)* sense of responsibility. **3.** *(formalidad - de persona)* reliability.

serio, -ria *adj* **1.** *(gen)* serious; **estar ~** to look serious. **2.** *(responsable, formal)* responsible. **3.** *(sobrio)* sober. ♦ **en serio** *loc adv* seriously; **lo digo en ~** I'm serious; **tomar(se) algo/a alguien en ~** to take sthg/sb seriously.

sermón *m lit & fig* sermon.

seropositivo, -va (MED) ◇ *adj* HIV-positive. ◇ *m y f* HIV-positive person.

serpentear *vi* **1.** *(río, camino)* to wind. **2.** *(culebra)* to wriggle.

serpentina *f* streamer.

serpiente *f (culebra)* snake; (LITER) serpent.

serranía *f* mountainous region.

S

serrano, -na adj 1. (de la sierra) mountain (antes de sust). 2. (jamón) cured.

serrar vt to saw (up).

serrín m sawdust.

serrucho m handsaw.

servicial adj attentive, helpful.

servicio m 1. (gen) service; ~ **de prensa** press department; ~ **de mesa** dinner service; ~ **militar** military service; ~ **de té** tea set; ~ **de urgencias** emergency room Am, casualty department Br. 2. (servidumbre) servants (pl). 3. (turno) duty. 4. (gen pl) (WC) toilet, lavatory. 5. (DEP) serve, service.

servidor, -ra m y f 1. (en cartas): **su seguro** ~ **yours** faithfully. 2. (yo) yours truly, me. ◆ **servidor** m (INFORM) server.

servil adj servile.

servilleta f serviette, napkin.

servilletero m serviette o napkin ring.

servir ◇ vt to serve; **sírvanos dos cervezas** bring us two beers; **¿te sirvo más papas?** would you like some more potatoes?; **¿en qué puedo ~le?** what can I do for you? ◇ vi 1. (gen) to serve; ~ **en el gobierno** to be a government minister. 2. (valer, ser útil) to serve, to be useful; **no sirve para estudiar** he's no good at studying; **de nada sirve que se lo digas** it's no use telling him; ~ **de algo** to serve as sthg. ◆ **servirse** vpr 1. (aprovecharse): ~**se de** to make use of; **sírvase llamar cuando quiera** please call whenever you want. 2. (comida, bebida) to help o.s.

sésamo m sesame.

sesenta núm sixty; **los (años)** ~ the sixties; ver también **seis**.

sesgo m 1. (oblicuidad) slant. 2. fig (rumbo) course, path.

sesión f 1. (reunión) meeting, session; (DER) sitting, session. 2. (proyección, representación) show, performance; ~ **continua** continuous showing; ~ **matinal** matinée; ~ **de tarde** afternoon matinée; ~ **de noche** evening showing. 3. (periodo) session.

seso m (gen pl) 1. (cerebro) brain. 2. (sensatez) brains (pl), sense; **sorber el** ~ o **los** ~**s a alguien** to brainwash sb.

set (pl sets) m (DEP) set.

seta f mushroom; ~ **venenosa** toadstool.

setecientos, -tas núm seven hundred; ver también **seis**.

setenta núm seventy; **los (años)** ~ the seventies; ver también **seis**.

setiembre = septiembre.

sétimo, -ma = séptimo.

seto m fence; ~ **vivo** hedge.

seudónimo = pseudónimo.

severo, -ra adj 1. (castigo) severe, harsh. 2. (persona) strict.

Sevilla Seville.

sevillano, -na adj, m y f Sevillian. ◆ **sevillanas** fpl Andalusian dance and song.

sexagésimo, -ma núm sixtieth.

sexi, sexy (pl sexys) adj sexy.

sexista adj, m y f sexist.

sexo m (gen) sex.

sexteto m (MÚS) sextet.

sexto, -ta núm sixth.

sexual adj (gen) sexual; (educación, vida) sex (antes de sust).

sexualidad f sexuality.

sexy adj = sexi.

sha [sa, ʃa] m shah.

shock = choc.

shorts [ʃorts] mpl shorts.

show [ʃou] (pl shows) m show.

si¹ (pl sis) m (MÚS) B; (en solfeo) ti.

si² conj 1. (condicional) if; ~ **viene él yo me voy** if he comes, then I'm going; ~ **hubieses venido te habrías divertido** if you had come, you would have enjoyed yourself. 2. (en oraciones interrogativas indirectas) if, whether; **ignoro** ~ **lo sabe** I don't know if o whether she knows. 3. (expresa protesta) but; **¡~ te dije que no lo hicieras!** but I told you not to do it!

• If y whether son más o menos intercambiables en preguntas indirectas (she asked me if I wanted to go out for lunch = she asked me whether I wanted to go out for lunch); pero no olvidemos que para frases condicionales sólo se usa if (if you have any problems, just phone me).

---

sí (pl síes) ◇ adv 1. (afirmación) yes; **¿vendrás? - ~, iré** will you come? - yes, I will; **claro que** ~ of course; **creo que** ~ I think so; **¿están de acuerdo? - algunos** ~ do they agree? - some do. 2. (uso enfático): ~ **que** really, certainly; ~ **que me gusta** I really o certainly like it. 3. loc: **no creo que puedas hacerlo - ¡a que ~!** I don't think you can do it - I bet I can!; **porque** ~ (sin razón) because (I/ you etc feel like it); **¡~?** (incredulidad) really? ◇ pron pers 1. (reflexivo) (de personas) himself (f herself), (pl) themselves; *(usted)* yourself, *(pl)* yourselves; *(de cosas, animales)* itself, *(pl)* themselves; **lo quiere todo para ~ (misma)** she wants everything for herself; **se acercó la silla hacia ~** he drew the chair nearer (himself); **de (por) ~ *(cosa)*** in itself. **2.** *(reflexivo impersonal)* oneself; **cuando uno piensa en ~ mismo** when one thinks about oneself, when you think about yourself. ◊ *m* consent; **dar el ~** to give one's consent.

siamés, -esa *adj* Siamese. ◆ **siamés** *m (gato)* Siamese.

Siberia: **(la) ~** Siberia.

Sicilia Sicily.

sicoanálisis *etc* = psicoanálisis.

sicología *etc* = psicología.

sicópata = psicópata.

sicosis = psicosis.

sida *(abrev de* síndrome de inmunodeficiencia adquirida) *m* AIDS.

siderurgia *f* iron and steel industry.

siderúrgico, -ca *adj* iron and steel *(antes de sust)*.

sidra *f* cider.

siega *f* **1.** *(acción)* reaping, harvesting. **2.** *(época)* harvest (time).

siembra *f* **1.** *(acción)* sowing. **2.** *(época)* sowing time.

siempre *adv* **1.** *(gen)* always; **como ~** as usual; **de ~** usual; **lo de ~** the usual; **somos amigos de ~** we've always been friends; **es así desde ~** it has always been that way; **para ~, para ~ jamás** for ever and ever. **2.** *Amer (sin duda)* really. ◆ **siempre que** *loc conj* **1.** *(cada vez que)* whenever. **2.** *(con tal de que)* provided that, as long as. ◆ **siempre y cuando** *loc conj* provided that, as long as.

sien *f* temple.

sienta *etc* **1.** → sentar. **2.** → sentir.

sierra *f* **1.** *(herramienta)* saw. **2.** *(cordillera)* mountain range. **3.** *(región montañosa)* mountains *(pl)*.

siervo, -va *m y f* **1.** *(esclavo)* serf. **2.** *(RELIG)* servant.

siesta *f* siesta, nap; **dormir ○ echarse la ~** to have an afternoon nap.

siete ◊ *núm* seven; *ver también* **seis**. ◊ *f CSur fig:* **de la gran ~** amazing; **¡la gran ~!** good heavens!

sifón *m* **1.** *(agua carbónica)* soda (water). **2.** *(tubo)* siphon.

sig. = s.

sigiloso, -sa *adj (discreto)* secretive; *(al robar, escapar)* stealthy.

siglas *fpl* acronym.

siglo *m* **1.** *(cien años)* century; **el ~ XX** the 20th century. **2.** *fig (mucho tiempo)*: **hace ~s que no la veo** I haven't seen her for ages.

signatura *f* **1.** *(en biblioteca)* catalogue number. **2.** *(firma)* signature.

significación *f* **1.** *(importancia)* significance. **2.** *(significado)* meaning.

significado, -da *adj* important. ◆ **significado** *m (sentido)* meaning.

significar ◊ *vt* **1.** *(gen)* to mean. **2.** *(expresar)* to express. ◊ *vi (tener importancia)*: **no significa nada para mí** it means nothing to me.

significativo, -va *adj* significant.

signo *m* **1.** *(gen)* sign; **~ de multiplicar/dividir** multiplication/division sign; **~ del zodiaco** sign of the zodiac. **2.** *(en la escritura)* mark; **~ de admiración/interrogación** exclamation/question mark. **3.** *(símbolo)* symbol.

sigo *etc* → seguir.

siguiente ◊ *adj* **1.** *(en el tiempo, espacio)* next. **2.** *(a continuación)* following. ◊ *m y f* **1.** *(el que sigue)*: **el ~** the next one; **¡el ~!** next, please! **2.** *(lo que sigue)*: **lo ~** the following.

sílaba *f* syllable.

silbar ◊ *vt* **1.** *(gen)* to whistle. **2.** *(abuchear)* to hiss. ◊ *vi* **1.** *(gen)* to whistle. **2.** *(abuchear)* to hiss. **3.** *fig (oídos)* to ring.

silbato *m* whistle.

silbido, silbo *m* **1.** *(gen)* whistle. **2.** *(para abuchear, del serpiente)* hiss, hissing (U).

silenciador *m* silencer.

silenciar *vt* to hush up, to keep quiet.

silencio *m* **1.** *(gen)* silence; **guardar ~ (sobre algo)** to keep silent (about sthg); **romper el ~** to break the silence. **2.** *(MÚS)* rest.

silencioso, -sa *adj* silent, quiet.

silicona *f* silicone.

silla *f* **1.** *(gen)* chair; **~ de ruedas** wheelchair; **~ eléctrica** electric chair. **2.** *(de caballo)*: **~ (de montar)** saddle.

sillín *m* saddle, seat.

sillón *m* armchair.

silueta *f* **1.** *(cuerpo)* figure. **2.** *(contorno)* outline. **3.** *(dibujo)* silhouette.

silvestre *adj* wild.

simbólico, -ca *adj* symbolic.

simbolizar *vt* to symbolize.

símbolo *m* symbol.

simetría *f* symmetry.

símil *m* **1.** *(paralelismo)* similarity, resemblance. **2.** *(LITER)* simile.

S

similar *adj*: ~ **(a)** similar (to).

similitud *f* similarity.

simio, -mia *m y f* simian, ape.

simpatía *f* 1. *(cordialidad)* friendliness. 2. *(cariño)* affection; **coger ~ a alguien** to take a liking to sb; **tener ~ a, sentir ~ por** to like. 3. (MED) sympathy.

simpático, -ca *adj* 1. *(gen)* nice, likeable; *(abierto, cordial)* friendly. 2. *(anécdota, comedia etc)* amusing, entertaining. 3. *(reunión, velada etc)* pleasant, agreeable.

> Cuidado con los adjetivos "simpático" y *sympathetic*. Si bien ambos se aplican a personas o cosas que aquéllas hacen o aluden a cualidades positivas, sus significados son distintos. Si queremos decir "Chris es un chico de lo más simpático", en inglés lo expresaremos así: *Chris is a very nice guy*. Pero si alguien nos comenta *Chris was very sympathetic about the whole thing* debemos entender que "Chris fue muy <u>comprensivo</u> con todo este asunto".

simpatizante *m y f* sympathizer.

simpatizar *vi*: ~ **(con)** *(persona)* to hit it off (with); *(cosa)* to sympathize (with).

simple *adj* 1. *(gen)* simple. 2. *(fácil)* easy, simple. 3. *(único, sin componentes)* single; **dame una ~ razón** give me one single reason. 4. *(mero)* mere; **por ~ estupidez** through sheer stupidity.

simplemente *adv* simply.

simplicidad *f* simplicity.

simplificar *vt* to simplify.

simplista *adj* simplistic.

simposio, simposium *m* symposium.

simulacro *m* simulation.

simular *vt* 1. *(sentimiento, desmayo etc)* to feign; **simuló que no me había visto** he pretended to not have seen me. 2. *(combate, salvamento)* to simulate.

simultáneo, -nea *adj* simultaneous.

sin *prep* without; ~ **alcohol** alcohol-free; **estoy ~ una peseta** I'm penniless; **ha escrito cinco libros ~ (contar) las novelas** he has written five books, not counting his novels; **está ~ hacer** it hasn't been done yet; **estamos ~ vino** we're out of wine; ~ **que** (+ *subjuntivo*) without (+ *gerund*); ~ **que nadie se enterara** without anyone noticing. ◆ **sin embargo** *conj* however.

sinagoga *f* synagogue.

sincerarse *vpr*: ~ **(con alguien)** to open one's heart (to sb).

sinceridad *f* sincerity; *(llaneza, franqueza)* frankness; **con toda ~** in all honesty.

sincero, -ra *adj* sincere; *(abierto, directo)* frank; **para ser ~** to be honest.

síncope *m* blackout.

sincronizar *vt* 1. *(regular)* to synchronize. 2. (FÍS) to tune.

sindical *adj* (trade) union *(antes de sust)*.

sindicalista *m y f* trade unionist.

sindicato *m* labor union *Am*, trade union *Br*.

síndrome *m* syndrome; ~ **de abstinencia** withdrawal symptoms *(pl)*; ~ **de Down** Down's syndrome; ~ **tóxico** *toxic syndrome caused by ingestion of adulterated rapeseed oil*.

sinfín *m* vast number; **un ~ de problemas** no end of problems.

sinfonía *f* symphony.

sinfónico, -ca *adj* symphonic.

Singapur Singapore.

single ['singel] *m* single.

singular ◇ *adj* 1. *(raro)* peculiar, odd. 2. *(único)* unique. 3. (GRAM) singular. ◇ *m* (GRAM) singular; **en ~** in the singular.

singularizar *vt* to distinguish, to single out. ◆ **singularizarse** *vpr* to stand out.

siniestro, -tra *adj* 1. *(perverso)* sinister. 2. *(desgraciado)* disastrous. ◆ **siniestro** *m* disaster; *(accidente de coche)* accident, crash; *(incendio)* fire.

sinnúmero *m*: **un ~ de** countless.

sino *conj* 1. *(para contraponer)* but; **no lo hizo él, ~ ella** he didn't do it, she did; **no sólo es listo, ~ también trabajador** he's not only clever but also hardworking. 2. *(para exceptuar)* except, but; **¿quién ~ tú lo haría?** who else but you would do it?; **no quiero ~ que se haga justicia** I only want justice to be done.

sinónimo, -ma *adj* synonymous. ◆ **sinónimo** *m* synonym.

sinopsis *f inv* synopsis.

síntesis *f inv* synthesis; **en ~** in short.

sintético, -ca *adj (artificial)* synthetic.

sintetizador *m* synthesizer.

sintetizar *vt* 1. *(resumir)* to summarize. 2. *(fabricar artificialmente)* to synthesize.

sintiera *etc* → **sentir**.

síntoma *m* symptom.

sintonía *f* 1. *(música)* signature tune.

2. *(conexión)* tuning. **3.** *fig (compenetración)* harmony.

sintonizar ◊ *vt (conectar)* to tune in to. ◊ *vi* **1.** *(conectar):* ~ **(con)** to tune in (to). **2.** *fig (compenetrarse):* ~ **en algo (con alguien)** to be on the same wavelength (as sb) about sthg.

sinvergüenza *m y f* **1.** *(canalla)* rogue. **2.** *(fresco, descarado)* cheeky person.

siquiatra = psiquiatra.

siquiátrico, -ca = psiquiátrico.

síquico, -ca = psíquico.

siquiera ◊ *conj (aunque)* even if; **ven por pocos días** do come, even if it's only for a few days. ◊ *adv (por lo menos)* at least; **dime** ~ **tu nombre** (you could) at least tell me your name. ◆ **ni (tan) siquiera** *loc conj* not even; **ni (tan)** ~ **me hablaron** they didn't even speak to me.

sirena *f* **1.** *(señal)* siren. **2.** *(en mitología)* mermaid, siren.

Siria Syria.

sirimiri *m* drizzle.

sirviente, -ta *m y f* servant.

sisa *f (en costura)* dart; *(de manga)* armhole.

sisear *vt & vi* to hiss.

sísmico, -ca *adj* seismic.

sistema *m* **1.** *(gen &* INFORM*)* system; ~ **monetario/nervioso/solar** monetary/nervous/solar system; ~ **experto/operativo** (INFORM) expert/operating system; ~ **dual** (TV) *system enabling dubbed TV programmes to be heard in the original language;* ~ **métrico (decimal)** metric (decimal) system; ~ **monetario europeo** European Monetary System; ~ **montañoso** mountain chain o range; ~ **periódico de los elementos** periodic table of elements. **2.** *(método, orden)* method. ◆ **por sistema** *loc adv* systematically.

sitiar *vt (cercar)* to besiege.

sitio *m* **1.** *(lugar)* place; **cambiar de** ~ **(con alguien)** to change places (with sb); **en otro** ~ elsewhere. **2.** *(espacio)* room, space; **hacer** ~ **a alguien** to make room for sb. **3.** *(cerco)* siege. **4.** (INFORM): ~ **Web** Web site.

situación *f* **1.** *(circunstancias)* situation; *(legal, social)* status. **2.** *(condición, estado)* state, condition. **3.** *(ubicación)* location.

situado, -da *adj* **1.** *(acomodado)* comfortably off. **2.** *(ubicado)* located.

situar *vt* **1.** *(colocar)* to place, to put; *(edificio, ciudad)* to site, to locate. **2.** *(en clasificación)* to place, to rank. **3.** *(localizar)* to locate, to find. ◆ **situarse**

vpr **1.** *(colocarse)* to take up position. **2.** *(ubicarse)* to be located. **3.** *(acomodarse, establecerse)* to get o.s. established. **4.** *(en clasificación)* to be placed; **se sitúa entre los mejores** he's (ranked) amongst the best.

skai [es'kai] = escay.

ski [es'ki] = esquí.

SL *(abrev de* **sociedad limitada)** *f* = Ltd.

slip [es'lip] = eslip.

slogan [es'loɣan] = eslogan.

SME *(abrev de* **sistema monetario europeo)** *m* EMS.

smoking [es'mokin] = esmoquin.

s/n *abrev de* **sin número.**

snob = esnob.

so ◊ *prep* under; ~ **pretexto de** under the pretext of. ◊ *adv:* ¡~ **tonto!** you idiot! ◊ *interj:* ¡~! whoa!

sobaco *m* armpit.

sobado, -da *adj* **1.** *(cuello, puños etc)* worn, shabby; *(libro)* dog-eared. **2.** *fig (argumento, excusa)* hackneyed. ◆ **sobado** *m* (CULIN) shortcrust pastry.

sobar *vt* **1.** *(tocar)* to finger, to paw. **2.** *despec (acariciar, besar)* to touch up.

soberanía *f* sovereignty.

soberano, -na ◊ *adj* **1.** *(independiente)* sovereign. **2.** *fig (grande)* massive; *(paliza)* thorough; *(belleza, calidad)* unrivalled. ◊ *m y f* sovereign.

soberbio, -bia *adj* **1.** *(arrogante)* proud, arrogant. **2.** *(magnífico)* superb. ◆ **soberbia** *f* **1.** *(arrogancia)* pride, arrogance. **2.** *(magnificencia)* grandeur.

sobornar *vt* to bribe.

soborno *m* **1.** *(acción)* bribery. **2.** *(dinero, regalo)* bribe.

sobra *f* excess, surplus; **de** ~ *(en exceso)* more than enough; *(de más)* superfluous; **lo sabemos de** ~ we know it only too well. ◆ **sobras** *fpl (de comida)* leftovers.

sobrado, -da *adj* **1.** *(de sobra)* more than enough, plenty of. **2.** *(de dinero)* well off.

sobrante *adj* remaining.

sobrar *vi* **1.** *(quedar, restar)* to be left over; **nos sobró comida** we had some food left over. **2.** *(haber de más)* to be more than enough; **parece que van a** ~ **bocadillos** it looks like there are going to be too many sandwiches. **3.** *(estar de más)* to be superfluous; **lo que dices sobra** that goes without saying.

sobrasada *f* Mallorcan spiced sausage.

sobre¹ *m* **1.** *(para cartas)* envelope. **2.** *(para alimentos)* sachet, packet.

S

sobre² *prep* **1.** *(encima de)* on (top of); **el libro está ~ la mesa** the book is on (top of) the table. **2.** *(por encima de)* over, above; **el pato vuela ~ el lago** the duck is flying over the lake. **3.** *(acerca de)* about, on; **un libro ~ el amor** a book about o on love; **una conferencia ~ el desarme** a conference on disarmament. **4.** *(alrededor de)* about; **llegarán ~ las diez** they'll arrive at about ten o'clock. **5.** *(acumulación)* upon; **nos contó mentira ~ mentira** he told us lie upon lie o one lie after another. **6.** *(cerca de)* upon; **la desgracia estaba ya ~ nosotros** the disaster was already upon us.

sobrecarga *f* **1.** *(exceso de carga)* excess weight. **2.** *(saturación)* overload.

sobrecargo *m* (COM) surcharge.

sobredosis *f inv* overdose.

sobreentender = sobrentender.

sobregiro *m* (COM) overdraft.

sobremesa *f* after-dinner period.

sobrenatural *adj* *(extraordinario)* supernatural.

sobrenombre *m* nickname.

sobrentender, sobreentender *vt* to understand, to deduce. ♦ **sobrentenderse** *vpr* to be inferred o implied.

sobrepasar *vt* **1.** *(exceder)* to exceed. **2.** *(aventajar):* **~ a alguien** to overtake sb.

sobrepeso *m* excess weight.

sobreponer, superponer *vt fig* *(anteponer):* **~ algo a algo** to put sthg before sthg. ♦ **sobreponerse** *vpr:* **~se a algo** to overcome sthg.

sobrepuesto, -ta, superpuesto, -ta *adj* superimposed. ♦ **sobrepuesto, -ta** *pp* → sobreponer.

sobresaliente ◇ *adj (destacado)* outstanding. ◇ *m (en escuela)* excellent, = A; *(en universidad)* = first class.

sobresalir *vi* **1.** *(en tamaño)* to jut out. **2.** *(en importancia)* to stand out.

sobresaltar *vt* to startle. ♦ **sobresaltarse** *vpr* to be startled, to start.

sobresalto *m* start, fright.

sobrestimar *vt* to overestimate.

sobretodo *m* overcoat.

sobreviviente = superviviente.

sobrevivir *vi* to survive.

sobrevolar *vt* to fly over.

sobriedad *f* **1.** *(moderación)* restraint, moderation. **2.** *(no embriaguez)* soberness.

sobrino, -na *m y f* nephew *(f* niece).

sobrio, -bria *adj* **1.** *(moderado)* restrained. **2.** *(no excesivo)* simple.

3. *(austero, no borracho)* sober.

socarrón, -ona *adj* sarcastic.

socavar *vt (excavar por debajo)* to dig under; *fig (debilitar)* to undermine.

socavón *m* **1.** *(hoyo)* hollow; *(en la carretera)* pothole. **2.** (MIN) gallery.

sociable *adj* sociable.

social *adj* **1.** *(gen)* social. **2.** (COM) company *(antes de sust).*

socialdemócrata *m y f* social democrat.

socialismo *m* socialism.

socialista *adj, m y f* socialist.

sociedad *f* **1.** *(gen)* society; **~ de consumo** consumer society; **~ deportiva** sports club; **~ literaria** literary society. **2.** (COM) *(empresa)* company; **~ anónima** incorporated company *Am,* public (limited) company *Br;* **~ (de responsabilidad) limitada** private limited company.

socio, -cia *m y f* **1.** (COM) partner. **2.** *(miembro)* member.

sociología *f* sociology.

sociólogo, -ga *m y f* sociologist.

socorrer *vt* to help.

socorrismo *m* first aid; *(en la playa)* lifesaving.

socorrista *m y f* first aid worker; *(en la playa)* lifeguard.

socorro ◇ *m* help, aid. ◇ *interj:* ¡**~**! help!

soda *f (bebida)* soda water.

sodio *m* sodium.

sofá *(pl* sofás*) m* sofa; **~ cama** o **nido** sofa bed.

Sofía Sofia.

sofisticación *f* sophistication.

sofisticado, -da *adj* sophisticated.

sofocar *vt* **1.** *(ahogar)* to suffocate. **2.** *(incendio)* to put out. **3.** *fig (rebelión)* to quell. **4.** *fig (avergonzar)* to mortify. ♦ **sofocarse** *vpr* **1.** *(ahogarse)* to suffocate. **2.** *fig (irritarse):* **~se (por)** to get hot under the collar (about).

sofoco *m* **1.** *(ahogo)* breathlessness (U); *(sonrojo, bochorno)* hot flush. **2.** *fig (vergüenza)* mortification. **3.** *fig (disgusto):* **llevarse un ~** to have a fit.

sofreír *vt* to fry lightly over a low heat.

sofrito, -ta *pp* → sofreír. ♦ **sofrito** *m* fried tomato and onion sauce.

software ['sofwer] *m* (INFORM) software.

soga *f* rope; *(para ahorcar)* noose.

sois → ser.

soja *f* soya.

sol *m* **1.** *(astro)* sun; **hace ~** it's sunny;

no dejar a alguien ni a ~ ni a sombra not to give sb a moment's peace. **2.** *(rayos, luz)* sunshine, sun; **tomar el ~** to sunbathe. **3.** (MÚS) G; *(en solfeo)* so. **4.** *(moneda)* sol.

solamente *adv* only, just; **vino ~ él** only he came.

solapa *f* **1.** *(de prenda)* lapel. **2.** *(de libro, sobre)* flap.

solar ◊ *adj* solar. ◊ *m* undeveloped plot (of land).

solario, solárium *(pl* **solariums)** *m* solarium.

soldada *f* pay.

soldado *m* soldier; **~ raso** private.

soldador, -ra *m y f (persona)* welder. ◆ **soldador** *m (aparato)* soldering iron.

soldar *vt* to solder, to weld.

soleado, -da *adj* sunny.

soledad *f* loneliness; *culto* solitude.

solemne *adj* **1.** *(con pompa)* formal. **2.** *(grave)* solemn. **3.** *fig (enorme)* utter.

soler *vi:* **~ hacer algo** to do sthg usually; **aquí suele llover mucho** it usually rains a lot here; **solíamos ir a la playa cada día** we used to go to the beach every day.

solfeo *m* (MÚS) solfeggio, singing of scales.

solicitar *vt* **1.** *(pedir)* to request; *(un empleo)* to apply for; **~ algo a** ○ **de alguien** to request sthg of sb. **2.** *(persona)* to pursue; **estar muy solicitado** to be much sought after.

solícito, -ta *adj* solicitous, obliging.

solicitud *f* **1.** *(petición)* request. **2.** *(documento)* application. **3.** *(atención)* care.

solidaridad *f* solidarity.

solidario, -ria *adj* **1.** *(adherido):* **~ (con)** sympathetic (to). **2.** *(obligación, compromiso)* mutually binding.

solidez *f (física)* solidity.

solidificar *vt* to solidify. ◆ **solidificarse** *vpr* to solidify.

sólido, -da *adj* **1.** *(gen)* solid; *(cimientos, fundamento)* firm. **2.** *(argumento, conocimiento, idea)* sound. ◆ **sólido** *m* solid.

soliloquio *m* soliloquy.

solista ◊ *adj* solo. ◊ *m y f* soloist.

solitario, -ria ◊ *adj* **1.** *(sin compañía)* solitary. **2.** *(lugar)* lonely, deserted. ◊ *m y f (persona)* loner. ◆ **solitario** *m (juego)* patience.

sollozar *vi* to sob.

sollozo *m* sob.

solo, -la *adj* **1.** *(sin nadie)* alone; **se quedó ~ a temprana edad** he was on his

own from an early age; **a solas** alone, by oneself. **2.** *(sin nada)* on its own; *(café)* black; *(whisky)* neat. **3.** *(único)* single, sole; **ni una sola gota** not a (single) drop; **dame una sola cosa** give me just one thing. **4.** *(solitario)* lonely. ◆ **solo** *m* (MÚS) solo.

sólo *adv* only, just; **no ~ ... sino (también)** ... not only ... but (also) ...; **~ que** ... only ...

solomillo *m* sirloin.

soltar *vt* **1.** *(desasir)* to let go of. **2.** *(desatar - gen)* to unfasten; *(- nudo)* to untie; *(- hebilla, cordones)* to undo. **3.** *(dejar libre)* to release. **4.** *(desenrollar - cable etc)* to let ○ pay out. **5.** *(patada, grito, suspiro etc)* to give; **no suelta ni un duro** you can't get a penny out of her. **6.** *(decir bruscamente)* to come out with. ◆ **soltarse** *vpr* **1.** *(desasirse)* to break free. **2.** *(desatarse)* to come undone. **3.** *(desprenderse)* to come off. **4.** *(perder timidez)* to let go.

soltero, -ra ◊ *adj* single, unmarried. ◊ *m y f* bachelor *(f* single woman).

solterón, -ona *m y f* old bachelor *(f* spinster, old maid).

soltura *f* **1.** *(gen)* fluency. **2.** *(seguridad de sí mismo)* assurance.

soluble *adj* **1.** *(que se disuelve)* soluble. **2.** *(que se soluciona)* solvable.

solución *f* solution.

solucionar *vt* to solve; *(disputa)* to resolve.

solvente *adj* **1.** *(económicamente)* solvent. **2.** *fig (fuentes etc)* reliable.

Somalia Somalia.

sombra *f* **1.** *(proyección - fenómeno)* shadow; *(- zona)* shade; **dar ~ a** to cast a shadow over. **2.** *(en pintura)* shade. **3.** *fig (anonimato)* background; **permanecer en la ~** to stay out of the limelight. **4.** *(suerte):* **buena/mala ~** good/bad luck. ◆ **sombras** *fpl (oscuridad, inquietud)* darkness (U).

sombrero *m (prenda)* hat.

sombrilla *f* sunshade, parasol; **me vale ~** *Méx fig* I couldn't care less.

sombrío, -bría *adj* **1.** *(oscuro)* gloomy, dark. **2.** *fig (triste)* sombre, gloomy.

someter *vt* **1.** *(a rebeldes)* to subdue. **2.** *(presentar):* **~ algo a la aprobación de alguien** to submit sthg for sb's approval; **~ algo a votación** to put sthg to the vote. **3.** *(subordinar)* to subordinate. **4.** *(a operación, interrogatorio etc):* **~ a alguien a algo** to subject sb to sthg. ◆ **someterse** *vpr* **1.** *(rendirse)* to surrender. **2.** (*conformarse*): **~se a algo** to yield ○ bow to sthg. **3.** (*a operación, interrogatorio etc*): **~se a algo** to undergo sthg.

somier (*pl* **somieres**) *m* (*de muelles*) bed springs (*pl*); (*de tablas*) slats (*of bed*).

somnífero *m* sleeping pill.

somos → **ser**.

son ○ *v* → **ser**. ◇ *m* **1.** (*sonido*) sound. **2.** (*estilo*) way; **en ~ de** in the manner of; **en ~ de paz** in peace.

sonajero *m* rattle.

sonámbulo, -la *m y f* sleepwalker.

sonar¹ *m* sonar.

sonar² *vi* **1.** (*gen*) to sound; (**así ○ tal**) **como suena** literally, in so many words. **2.** (*timbre*) to ring. **3.** (*hora*): **sonaron las doce** the clock struck twelve. **4.** (*ser conocido, familiar*) to be familiar; **me suena** it rings a bell; **no me suena su nombre** I don't remember hearing her name before. **5.** (*pronunciarse - letra*) to be pronounced. **6.** (*rumorearse*) to be rumoured. ◆ **sonarse** *vpr* to blow one's nose.

sonda *f* **1.** (MED & TECN) probe. **2.** (NÁUT) sounding line. **3.** (MIN) drill, bore.

sondear *vt* **1.** (*indagar*) to sound out. **2.** (MIN - *terreno*) to test; (- *roca*) to drill.

sondeo *m* **1.** (*encuesta*) (opinion) poll. **2.** (MIN) drilling (*U*). **3.** (NÁUT) sounding.

sonido *m* sound.

sonoro, -ra *adj* **1.** (*gen*) sound (*antes de sust*); (*película*) talking. **2.** (*ruidoso, resonante, vibrante*) resonant.

sonreír *vi* (*reír levemente*) to smile. ◆ **sonreírse** *vpr* to smile.

sonriente *adj* smiling.

sonrisa *f* smile.

sonrojarse *vpr* to blush.

sonrosado, -da *adj* rosy.

sonsacar *vt*: **~ algo a alguien** (*conseguir*) to wheedle sthg out of sb; (*hacer decir*) to extract sthg from sb; **~ a alguien** to pump sb for information.

sonso, -sa *adj fam* silly.

soñador, -ra *m y f* dreamer.

soñar ◇ *vt lit & fig* to dream; **¡ni ~lo!** not on your life! ◇ *vi lit & fig*: **~ (con)** to dream (of ○ about).

soñoliento, -ta *adj* sleepy, drowsy.

sopa *f* **1.** (*guiso*) soup. **2.** (*de pan*) sop, *piece of soaked bread*.

sopapo *m* slap.

sopero, -ra *adj* soup (*antes de sust*). ◆ **sopero** *m* (*plato*) soup plate. ◆ **sopera** *f* (*recipiente*) soup tureen.

sopetón ◆ **de sopetón** *loc adv* suddenly, abruptly.

soplar ◇ *vt* **1.** (*vela, fuego*) to blow out. **2.** (*ceniza, polvo*) to blow off. **3.** (*globo etc*) to blow up. **4.** (*vidrio*) to blow. **5.** *fig* (*pregunta, examen*) to prompt. ◇ *vi* (*gen*) to blow.

soplete *m* blowlamp.

soplido *m* blow, puff.

soplo *m* **1.** (*soplido*) blow, puff. **2.** (MED) murmur. **3.** *fam* (*chivatazo*) tip-off.

soplón, -ona *m y f fam* grass.

sopor *m* drowsiness.

soportar *vt* **1.** (*sostener*) to support. **2.** (*resistir, tolerar*) to stand; **¡no lo soporto!** I can't stand him! **3.** (*sobrellevar*) to endure, to bear.

soporte *m* **1.** (*apoyo*) support. **2.** (INFORM) medium; **~ físico** hardware; **~ lógico** software.

soprano *m y f* soprano.

sor *f* sister (RELIG).

sorber *vt* **1.** (*beber*) to sip; (*haciendo ruido*) to slurp. **2.** (*absorber*) to soak up. **3.** (*atraer*) to draw ○ suck in.

sorbete *m* sorbet.

sorbo *m* (*acción*) gulp, swallow; (*pequeño*) sip; **beber a ~s** to sip.

sordera *f* deafness.

sórdido, -da *adj* **1.** (*miserable*) squalid. **2.** (*obsceno, perverso*) sordid.

sordo, -da ◇ *adj* **1.** (*que no oye*) deaf. **2.** (*ruido, dolor*) dull. ◇ *m y f* (*persona*) deaf person; **los ~s** the deaf.

sordomudo, -da ◇ *adj* deaf and dumb. ◇ *m y f* deaf-mute.

sorna *f* sarcasm.

sorprendente *adj* surprising.

sorprender *vt* **1.** (*asombrar*) to surprise. **2.** (*atrapar*): **~ a alguien (haciendo algo)** to catch sb (doing sthg). **3.** (*coger desprevenido*) to catch unawares. ◆ **sorprenderse** *vpr* to be surprised.

sorprendido, -da *adj* surprised.

sorpresa *f* surprise; **de ○ por ~** by surprise.

sortear *vt* **1.** (*rifar*) to raffle. **2.** (*echar a suertes*) to draw lots for. **3.** *fig* (*esquivar*) to dodge.

sorteo *m* **1.** (*lotería*) draw. **2.** (*rifa*) raffle.

sortija *f* ring.

SOS (*abrev de* **save our souls**) *m* SOS.

sosa *f* soda.

sosegado, -da *adj* calm.

sosegar *vt* to calm. ◆ **sosegarse** *vpr* to calm down.

sosias *m inv* double, lookalike.

sosiego m calm.

soslayo ♦ de soslayo loc adv (oblicuamente) sideways, obliquely; **mirar a alguien de ~** to look at sb out of the corner of one's eye.

soso, -sa adj 1. (sin sal) bland, tasteless. 2. (sin gracia) dull, insipid.

sospecha f suspicion; **despertar ~s** to arouse suspicion.

sospechar ♦ vt (creer, suponer) to suspect; **sospecho que no lo terminará** I doubt whether she'll finish it. ◇ vi: ~ **de** to suspect.

sospechoso, -sa ◇ adj suspicious. ◇ m y f suspect.

sostén m 1. (apoyo) support. 2. (sustento) main support; (alimento) sustenance. 3. (sujetador) bra.

sostener vt 1. (sujetar) to support, to hold up. 2. (defender - idea, opinión, tesis) to defend; (- promesa, palabra) to stand by, to keep; **~ que ...** to maintain that ... 3. (tener - conversación) to hold, to have; (- correspondencia) to keep up. **♦ sostenerse** vpr to hold o.s. up; (en pie) to stand up; (en el aire) to hang.

sostenido, -da adj 1. (persistente) sustained. 2. (MÚS) sharp.

sota f = jack.

sotabarba f double chin.

sotana f cassock.

sótano m basement.

soterrar vt (enterrar) to bury; fig to hide.

soufflé [su'fle] (pl soufflés) m soufflé.

soul m (MÚS) soul (music).

soy → ser.

spaghetti [espa'ɣeti] = espagueti.

sport [es'port] = esport.

spot [es'pot] = espot.

spray [es'prai] = espray.

sprint [es'prin] = esprint.

squash [es'kwaʃ] m inv squash.

Sr. (abrev de señor) Mr.

Sra. (abrev de señora) Mrs.

Sres. (abrev de señores) Messrs.

Srta. (abrev de señorita) Miss.

s.s.s. (abrev de su seguro servidor) formula used in letters.

Sta. (abrev de santa) St.

standard [es'tandar] = estándar.

standarizar [estandari'θar] = estandarizar.

starter [es'tarter] = estárter.

status [es'tatus] = estatus.

stereo [es'tereo] = estéreo.

sterling [es'terlin] = esterlina.

Sto. (abrev de santo) St.

stock [es'tok] = estoc.

stop, estop [es'top] m 1. (AUTOM) stop sign. 2. (en telegrama) stop.

stress [es'tres] = estrés.

strip-tease [es'triptis] m inv striptease.

su (pl sus) adj poses (de él) his; (de ella) her; (de cosa, animal) its; (de uno) one's; (de ellos, ellas) their; (de usted, ustedes) your.

suave adj 1. (gen) soft. 2. (liso) smooth. 3. (sabor, olor, color) delicate. 4. (apacible - persona, carácter) gentle; (- clima) mild. 5. (fácil - cuesta, tarea, ritmo) gentle; (- dirección de un coche) smooth.

En inglés también existe el adjetivo *suave*. Pero aun y cuando se escribe igual, tanto su pronunciación como su significado son diferentes del adjetivo "suave" del español; el vocablo inglés es de uso poco frecuente, se aplica sólo a personas y significa 'amable, cortés, fino' e incluso 'zalamero'.

suavidad f 1. (gen) softness. 2. (lisura) smoothness. 3. (de sabor, olor, color) delicacy. 4. (de carácter) gentleness. 5. (de clima) mildness. 6. (de cuesta, tarea, ritmo) gentleness; (de la dirección de un coche) smoothness.

suavizante m conditioner; **~ para la ropa** fabric conditioner.

suavizar vt 1. (gen) to soften; (ropa, cabello) to condition. 2. (ascensión, conducción, tarea) to ease; (clima) to make milder. 3. (sabor, olor, color) to tone down. 4. (alisar) to smooth.

subalquilar vt to sublet.

subalterno, -na m y f (empleado) subordinate.

subasta f 1. (venta pública) auction; **sacar algo a ~** to put sthg up for auction. 2. (contrata pública) tender; **sacar algo a ~** to put sthg out to tender.

subastar vt to auction.

subcampeón, -ona m y f runner-up.

subconsciente adj & m subconscious.

subdesarrollado, -da adj underdeveloped.

subdesarrollo m underdevelopment.

subdirector, -ra m y f assistant manager.

subdirectorio m (INFORM) subdirectory.

súbdito, -ta m y f 1. (subordinado) subject. 2. (ciudadano) citizen, national.

subdivisión f subdivision.

subestimar *vt* to underestimate; *(infravalorar)* to underrate. ◆ **subestimarse** *vpr* to underrate o.s.

subido, -da *adj* **1.** *(intenso)* strong, intense. **2.** *fam (atrevido)* risqué. ◆ **subida** *f* **1.** *(cuesta)* hill. **2.** *(ascensión)* ascent, climb. **3.** *(aumento)* increase, rise.

subir ◇ *vi* **1.** *(a piso, azotea)* to go/come up; *(a montaña, cima)* to climb. **2.** *(aumentar - precio, temperatura)* to go up, to rise; *(- cauce, marea)* to rise. **3.** *(montar - en avión, barco)* to get on; *(- en coche)* to get in; **sube al coche** get into the car. **4.** *(cuenta, importe)*: **~ a** to come o amount to. **5.** *(de categoría)* to be promoted. ◇ *vt* **1.** *(ascender - calle, escaleras)* to go/come up; *(- pendiente, montaña)* to climb. **2.** *(poner arriba)* to lift up; *(llevar arriba)* to take/bring up. **3.** *(aumentar - precio, peso)* to put up, to increase; *(- volumen de radio etc)* to turn up. **4.** *(montar)*: **~ algo/a alguien a** to lift sthg/sb onto. **5.** *(alzar - mano, bandera, voz)* to raise; *(- persiana)* to roll up; *(- ventanilla)* to wind up. ◆ **subirse** *vpr* **1.** *(ascender)*: **~se a** *(árbol)* (mesa) to climb onto; *(piso)* to go/come up o. **2.** *(montarse)*: **~se a** *(tren, avión)* to get on, to board; *(caballo, bicicleta)* to mount; *(coche)* to get into; **el taxi paró y me subí** the taxi stopped and I got in. **3.** *(alzarse - pernera, mangas)* to roll up; *(- cremallera)* to do up; *(- pantalones, calcetines)* to pull up.

súbito, -ta *adj* sudden.

subjetivo, -va *adj* subjective.

subjuntivo, -va *adj* subjunctive. ◆ **subjuntivo** *m* subjunctive.

sublevación *f*, **sublevamiento** *m* uprising.

sublevar *vt* **1.** *(amotinar)* to stir up. **2.** *(indignar)* to infuriate. ◆ **sublevarse** *vpr (amotinarse)* to rebel.

sublime *adj* sublime.

submarinismo *m* skin-diving.

submarinista *m y f* skin-diver.

submarino, -na *adj* underwater. ◆ **submarino** *m* submarine.

subnormal ◇ *adj* **1.** *ofensivo (minusválido)* subnormal. **2.** *fig & despec (imbécil)* moronic. ◇ *m y f fig & despec (imbécil)* moron.

subordinado, -da *adj*, *m y f* subordinate.

subordinar *vt (gen & GRAM)* to subordinate.

subproducto *m* by-product.

subrayar *vt lit & fig* to underline.

subscribir = suscribir.

subscripción = suscripción.

subscriptor = suscriptor.

subsecretario, -ria *m y f* **1.** *(de secretario)* assistant secretary. **2.** *(de ministro)* undersecretary.

subsidiario, -ria *adj* (DER) ancillary.

subsidio *m* benefit, allowance; **~ de invalidez** disability allowance; **~ de paro** unemployment benefit.

subsistencia *f* **1.** *(vida)* subsistence. **2.** *(conservación)* continued existence. ◆ **subsistencias** *fpl (provisiones)* provisions.

subsistir *vi* **1.** *(vivir)* to live, to exist. **2.** *(sobrevivir)* to survive.

substancia = sustancia.

substancial = sustancial.

substancioso = sustancioso.

substantivo = sustantivo.

substitución = sustitución.

substituir = sustituir.

substituto = sustituto.

substracción = sustracción.

substraer = sustraer.

subsuelo *m* subsoil.

subte *m Arg fam* subway *Am*, underground *Br*.

subterráneo, -a *adj* subterranean, underground. ◆ **subterráneo** *m* underground tunnel.

subtítulo *m (gen & CIN)* subtitle.

suburbio *m* poor suburb.

> En español, el sustantivo "suburbio" se refiere a un barrio pobre en las afueras de una ciudad. Por ello, debemos ser cuidadosos en el empleo de su palabra gemela en inglés *suburb* o *suburbs*, pues aunque estos vocablos se refieren también a zonas que se encuentran fuera de los perímetros citadinos, éstas son, por el contrario, áreas residenciales. Así, al escuchar la frase *the New York suburbs*, no debemos pensar en neoyorquinos pobres viviendo en la miseria, sino en todo lo contrario.

subvención *f* subsidy.

subvencionar *vt* to subsidize.

subversión *f* subversion.

subversivo, -va *adj* subversive.

subyacer *vi (ocultarse)*: **~ bajo algo** to underlie sthg.

sucedáneo *m* substitute.

suceder ◇ *v impers (ocurrir)* to happen; **suceda lo que suceda** whatever happens. ◇ *vi (venir después)*: **~ a** to come after, to follow; **a la guerra sucedieron años muy tristes** the war

suicida

was followed by years of misery.
sucesión f (gen) succession.
sucesivamente adv successively; **y así ~** and so on.
sucesivo, -va adj 1. (consecutivo) successive, consecutive. 2. (siguiente): **en días ~s les informaremos** we'll let you know over the next few days; **en lo ~** in future.
suceso m 1. (acontecimiento) event. 2. (gen pl) (hecho delictivo) crime; (incidente) incident.
sucesor, -ra m y f successor.
suciedad f 1. (cualidad) dirtiness (U). 2. (porquería) dirt, filth (U).
sucinto, -ta adj (conciso) succinct.
sucio, -cia adj 1. (gen) dirty; (al comer, trabajar) messy; **en ~** in rough. 2. (juego) dirty.
suculento, -ta adj tasty.
sucumbir vi 1. (rendirse, ceder): **~ (a)** to succumb (to). 2. (fallecer) to die.
sucursal f branch.
sudadera f (prenda) sweatshirt.
Sudáfrica South Africa.
sudafricano, -na adj, m y f South African.
Sudán Sudan.
sudar vi (gen) to sweat.
sudeste, sureste ◇ adj (posición, parte) southeast, southeastern; (dirección, viento) southeasterly. ◇ m southeast.
sudoeste, suroeste ◇ adj (posición, parte) southwest, southwestern; (dirección, viento) southwesterly. ◇ m southwest.
sudor m (gen) sweat (U).
sudoroso, -sa adj sweaty.
Suecia Sweden.
sueco, -ca ◇ adj Swedish. ◇ m y f (persona) Swede. ◆ **sueco** m (lengua) Swedish.
suegro, -gra m y f father-in-law (f mother-in-law).
suela f sole.
sueldo m salary, wages (pl); (semanal) wage; **a ~** (asesino) hired; (empleado) salaried.
suelo ◇ v → **soler**. ◇ m 1. (pavimento - en interiores) floor; (- en el exterior) ground. 2. (terreno, territorio) soil; (para edificar) land. 3. (base) bottom. 4. loc: **echar por el ~ un plan** to ruin a project; **estar por los ~s** (persona, precio) to be at rock bottom; (productos) to be dirt cheap; **poner o tirar por los ~s** to run down, to criticize.

suelto, -ta adj 1. (gen) loose; (cordones) undone; **¿tienes cinco duros ~s?** have you got 25 pesetas in loose change?; **andar ~** (en libertad) to be free; (en fuga) to be at large; (con diarrea) to have diarrhoea. 2. (separado) separate; (desparejado) odd; **no los vendemos ~s** we don't sell them separately. 3. (arroz) fluffy. 4. (lenguaje, estilo) fluent. 5. (desenvuelto) comfortable. ◆ **suelto** m (calderilla) loose change.
suena etc → **sonar²**.
sueño m 1. (ganas de dormir) sleepiness; (por medicamento etc) drowsiness; **¡qué ~!** I'm really sleepy!; **tener ~** to be sleepy. 2. (estado) sleep; **coger el ~** to get to sleep. 3. (imagen mental, objetivo, quimera) dream; **en ~s** in a dream.
suero m 1. (MED) serum; **~ artificial** saline solution. 2. (de la leche) whey.
suerte f 1. (azar) chance; **la ~ está echada** the die is cast. 2. (fortuna) luck; **por ~** luckily; **¡qué ~!** that was lucky!; **tener ~** to be lucky. 3. (destino) fate. 4. (situación) situation, lot. 5. culto (clase): **toda ~ de** all manner of. 6. culto (manera) manner, fashion; **de ~ que** in such a way that.
suéter (pl **suéteres**) m sweater.
suficiente ◇ adj 1. (bastante) enough; (medidas, esfuerzos) adequate; **no llevo (dinero) ~** I don't have enough (money) on me; **no tienes la estatura ~** you're not tall enough. 2. (presuntuoso) smug. ◇ m (nota) pass.
sufragio m suffrage.
sufragista m y f suffragette.
sufrido, -da adj 1. (resignado) patient, uncomplaining; (durante mucho tiempo) long-suffering. 2. (resistente - tela) hard-wearing; (- color) that does not show the dirt.
sufrimiento m suffering.
sufrir ◇ vt 1. (gen) to suffer; (accidente) to have. 2. (soportar) to bear, to stand; **tengo que ~ sus manías** I have to put up with his idiosyncrasies. 3. (experimentar - cambios etc) to undergo. ◇ vi (padecer) to suffer; **~ del estómago** etc to have a stomach etc complaint.
sugerencia f suggestion.
sugerir vt 1. (proponer) to suggest. 2. (evocar) to evoke.
sugestión f suggestion.
sugestionar vt to influence.
sugestivo, -va adj attractive.
suich m Méx switch.
suicida ◇ adj suicidal. ◇ m y f (por naturaleza) suicidal person; (suicidado)

S

person who has committed suicide.
suicidarse *vpr* to commit suicide.
suicidio *m* suicide.
Suiza Switzerland.
suizo, -za *adj, m y f* Swiss.
sujetador *m Esp* bra.
sujetar *vt* 1. *(agarrar)* to hold down.
2. *(aguantar)* to fasten; *(papeles)* to fasten together. 3. *(someter)* to subdue; *(a niños)* to control. ◆ **sujetarse** *vpr*
1. *(agarrarse)*: ~**se a** to hold on to, to cling to. 2. *(aguantarse)* to keep in place. 3. *(someterse)*: ~**se a** to keep o stick to.
sujeto, -ta *adj* 1. *(agarrado - objeto)* fastened. 2. *(expuesto)*: ~ **a** subject to. ◆ **sujeto** *m* 1. (GRAM) subject. 2. *(individuo)* individual.
sulfurar *vt (encolerizar)* to infuriate. ◆ **sulfurarse** *vpr (encolerizarse)* to get mad.
sultán *m* sultan.
sultana *f* sultana.
suma *f* 1. (MAT - *acción)* addition; *(- resultado)* total. 2. *(conjunto - de conocimientos, datos)* total, sum; *(- de dinero)* sum. 3. *(resumen)*: **en** ~ in short.
sumamente *adv* extremely.
sumar *vt* 1. (MAT) to add together; **tres y cinco suman ocho** three and five are o make eight. 2. *(costar)* to come to. ◆ **sumarse** *vpr*: ~**se (a)** to join (in).
sumario, -ria *adj* 1. *(conciso)* brief. 2. (DER) summary. ◆ **sumario** *m* 1. (DER) indictment. 2. *(resumen)* summary.
sumergible *adj* waterproof.
sumergir *vt (hundir)* to submerge; *(- con fuerza)* to plunge; *(bañar)* to dip. ◆ **sumergirse** *vpr (hundirse)* to submerge; *(- con fuerza)* to plunge.
sumidero *m* drain.
suministrador, -ra *m y f* supplier.
suministrar *vt* to supply; ~ **algo a alguien** to supply sb with sthg.
suministro *m (gen)* supply; *(acto)* supplying.
sumir *vt*: ~ **a alguien en** to plunge sb into. ◆ **sumirse en** *vpr* 1. *(depresión, sueño etc)* to sink into. 2. *(estudio, tema)* to immerse o.s. in.
sumisión *f (obediencia - acción)* submission; *(- cualidad)* submissiveness.
sumiso, -sa *adj* submissive.
sumo, -ma *adj* 1. *(supremo)* highest, supreme. 2. *(gran)* extreme, great.
suntuoso, -sa *adj* sumptuous.
supeditar *vt*: ~ **(a)** to subordinate (to); **estar supeditado a** to be dependent

on. ◆ **supeditarse** *vpr*: ~**se a** to submit to.
súper ◇ *m fam* supermarket. ◇ *f*: **(gasolina)** ~ ≃ four-star (petrol).
superable *adj* surmountable.
superar *vt* 1. *(gen)* to beat; *(récord)* to break; ~ **algo/a alguien en algo** to beat sthg/sb in sthg. 2. *(adelantar - corredor)* to overtake, to pass. 3. *(época, técnica)*: **estar superado** to have been superseded. 4. *(resolver - dificultad etc)* to overcome. ◆ **superarse** *vpr* 1. *(mejorar)* to better o.s. 2. *(lucirse)* to excel o.s.
superávit *m inv* surplus.
superdotado, -da *m y f* extremely gifted person.
superficial *adj lit & fig* superficial.
superficie *f* 1. *(gen)* surface. 2. *(área)* area.
superfluo, -flua *adj* superfluous; *(gasto)* unnecessary.
superior, -ra (RELIG) *m y f* superior (*f* mother superior). ◆ **superior** ◇ *adj* 1. *(de arriba)* top. 2. *(mayor)*: ~ **(a)** higher (than). 3. *(mejor)*: ~ **(a)** superior (to). 4. *(excelente)* excellent. 5. (ANAT & GEOGR) upper. 6. (EDUC) higher. ◇ *m (gen pl) (jefe)* superior.
superioridad *f lit & fig* superiority.
superlativo, -va *adj* 1. *(belleza etc)* exceptional. 2. (GRAM) superlative.
supermercado *m* supermarket.
superpoblación *f* overpopulation.
superponer = **sobreponer**.
superpotencia *f* superpower.
superpuesto, -ta ◇ *adj* = **sobrepuesto.** ◇ *pp* → **superponer.**
supersónico, -ca *adj* supersonic.
superstición *f* superstition.
supersticioso, -sa *adj* superstitious.
supervisar *vt* to supervise.
supervisor, -ra *m y f* supervisor.
supervivencia *f* survival.
superviviente, sobreviviente ◇ *adj* surviving. ◇ *m y f* survivor.
supiera *etc* → **saber.**
suplementario, -ria *adj* supplementary, extra.
suplemento *m* 1. *(gen & PRENSA)* supplement. 2. *(complemento)* attachment.
suplente *m y f* 1. *(gen)* stand-in. 2. (TEATRO) understudy. 3. (DEP) substitute.
supletorio *m* (TELECOM) extension.
súplica *f* 1. *(ruego)* plea, entreaty. 2. (DER) petition.
suplicar *vt (rogar)*: ~ **algo (a alguien)** to plead for sthg (with sb); ~ **a alguien que**

haga algo to beg sb to do sthg.
suplicio *m* lit & fig torture.
suplir *vt* 1. *(sustituir):* ~ **algo/a alguien (con)** to replace sthg/sb (with). 2. *(compensar):* ~ **algo (con)** to compensate for sthg (with).
supo → **saber.**
suponer ◇ *vt* 1. *(creer, presuponer)* to suppose. 2. *(implicar)* to involve, to entail. 3. *(significar)* to mean. 4. *(conjeturar)* to imagine; **lo suponía** I guessed as much; **te suponía mayor** I thought you were older. ◇ *m:* **ser un** ~ to be conjecture. ♦ **suponerse** *vpr* to suppose.
suposición *f* assumption.
supositorio *m* suppository.
supremacía *f* supremacy.
supremo, -ma *adj* lit & fig supreme.
supresión *f* 1. *(de ley, impuesto, derecho)* abolition; *(de sanciones, restricciones)* lifting. 2. *(de palabras, texto)* deletion. 3. *(de puestos de trabajo, proyectos)* axing.
suprimir *vt* 1. *(ley, impuesto, derecho)* to abolish; *(sanciones, restricciones)* to lift. 2. *(palabras, texto)* to delete. 3. *(puestos de trabajo, proyectos)* to axe.
supuesto, -ta ◇ *pp* → **suponer.** ◇ *adj* supposed; *(culpable, asesino)* alleged; *(nombre)* false; **por** ~ of course. ♦ **supuesto** *m* assumption; **en el** ~ **de que ...** assuming ...
sur ◇ *adj (posición, parte)* south, southern; *(dirección, viento)* southerly. ◇ *m* south.
surco *m* 1. *(zanja)* furrow. 2. *(señal - de disco)* groove; *(- de rueda)* rut. 3. *(arruga)* line, wrinkle.
sureño, -ña ◇ *adj* southern; *(viento)* southerly. ◇ *m y f* southerner.
sureste = **sudeste.**
surf, surfing *m* surfing.
surgir *vi* 1. *(brotar)* to spring forth. 2. *(aparecer)* to appear. 3. *fig (producirse)* to arise.
suroeste = **sudoeste.**
surrealista *adj, m y f* surrealist.
surtido, -da *adj (variado)* assorted. ♦ **surtido** *m* 1. *(gama)* range. 2. *(caja surtida)* assortment.
surtidor *m (de gasolina)* pump; *(de un chorro)* spout.
surtir ◇ *vt (proveer):* ~ **a alguien (de)** to supply sb (with). ◇ *vi (brotar):* ~ **(de)** to spout O spurt (from). ♦ **surtirse de** *vpr (proveerse de)* to stock up on.
susceptible *adj* 1. *(sensible)* oversensitive. 2. *(posible):* ~ **de** liable to.
suscitar *vt* to provoke; *(interés, dudas,*

sospechas) to arouse.
suscribir *vt* 1. *(firmar)* to sign. 2. *(ratificar)* to endorse. 3. (COM) *(acciones)* to subscribe for. ♦ **suscribirse** *vpr* 1. (PRENSA): ~**se (a)** to subscribe (to). 2. (COM): ~**se a** to take out an option on.
suscripción *f* subscription.
suscriptor, -ra *m y f* subscriber.
susodicho, -cha *adj* abovementioned.
suspender *vt* 1. *(colgar)* to hang (up). 2. (EDUC) to fail. 3. *(interrumpir)* to suspend; *(sesión)* to adjourn. 4. *(aplazar)* to postpone. 5. *(de un cargo)* to suspend.
suspense *m* suspense.
suspensión *f* 1. *(gen & AUTOM)* suspension. 2. *(aplazamiento)* postponement; *(de reunión, sesión)* adjournment.
suspenso, -sa *adj* 1. *(colgado):* ~ **de** hanging from. 2. *(no aprobado):* **estar** ~ to have failed. 3. *fig (interrumpido):* **en** ~ pending. ♦ **suspenso** *m* failure.
suspicacia *f* suspicion.
suspicaz *adj* suspicious.
suspirar *vi (dar suspiros)* to sigh.
suspiro *m (aspiración)* sigh.
sustancia *f* 1. *(gen)* substance; **sin** ~ lacking in substance. 2. *(esencia)* essence. 3. *(de alimento)* nutritional value.
sustancial *adj* substantial, significant.
sustantivo *m* (GRAM) noun.
sustentar *vt* 1. *(gen)* to support. 2. *fig (mantener - argumento, teoría)* to defend.
sustento *m* 1. *(alimento)* sustenance; *(mantenimiento)* livelihood. 2. *(apoyo)* support.
sustitución *f (cambio)* replacement.
sustituir *vt:* ~ **(por)** to replace (with).
sustituto, -ta *m y f* substitute, replacement.
susto *m* fright.
sustracción *f* 1. *(robo)* theft. 2. (MAT) subtraction.
sustraer *vt* 1. *(robar)* to steal. 2. (MAT) to subtract. ♦ **sustraerse** *vpr:* ~**se a** O **de** *(obligación, problema)* to avoid.
susurrar *vt & vi* to whisper.
susurro *m* whisper; *fig* murmur.
sutil *adj (gen)* subtle; *(velo, tejido)* delicate, thin; *(brisa)* gentle; *(hilo, línea)* fine.
sutura *f* suture.

suyo, -ya ◇ *adj poses (de él)* his; *(de ella)* hers; *(de uno)* one's (own); *(de ellos, ellas)* theirs; *(de usted, ustedes)* yours; **este libro es** ~ this book is his/hers *etc;*

S

un amigo ~ a friend of his/hers *etc;* **no es asunto** ~ it's none of his/her *etc* business; **es muy** ~ *fam fig* he/she is really selfish. ◊ *pron poses* **1. el ~** *(de él)* his; *(de ella)* hers; *(de cosa, animal)* its (own); *(de uno)* one's own; *(de ellos, ellas)* theirs; *(de usted, ustedes)* yours. **2.** *loc:* **de ~** in itself; **hacer de las suyas** to be up to his/her *etc* usual tricks; **hacer ~** to make one's own; **lo ~ es el teatro** he/she *etc* should be on the stage; **lo ~ sería volver** the proper thing to do would be to go back; **los ~s** *fam (su familia)* his/her *etc* folks; *(su bando)* his/her *etc* lot.

T

t¹, T *f (letra)* t, T.

t² **1.** *(abrev de* **tonelada)** t. **2.** *abrev de* **tomo.**

tabaco *m* **1.** *(planta)* tobacco plant. **2.** *(picadura)* tobacco. **3.** *(cigarrillos)* cigarettes *(pl).*

tábano *m* horsefly.

taberna *f* country-style bar, usually cheap.

tabernero, -ra *m y f (propietario)* landlord *(f* landlady); *(encargado)* barman *(f* barmaid).

tabique *m (pared)* partition (wall).

tabla *f* **1.** *(plancha)* plank; **~ de planchar** ironing board. **2.** *(pliegue)* pleat. **3.** *(lista, gráfico)* table. **4.** (NÁUT) *(de surf, vela etc)* board. **5.** (ARTE) panel. ◆ **tablas** *fpl* **1.** *(en ajedrez):* **quedar en** o **hacer** ~**s** to end in stalemate. **2.** (TEATRO) stage (sg), boards.

tablado *m (de teatro)* stage; *(de baile)* dancefloor; *(plataforma)* platform.

tablao *m* flamenco show.

tablero *m* **1.** *(gen)* board. **2.** *(en baloncesto)* backboard. **3. ~ (de mandos)** *(de avión)* instrument panel; *(de coche)* dashboard.

tableta *f* **1.** (MED) tablet. **2.** *(de chocolate)* bar.

tablón *m* plank; *(en el techo)* beam; **~ de anuncios** notice board.

tabú *(pl* **tabúes** o **tabús)** *adj & m* taboo.

taburete *m* stool.

tacaño, -ña *adj* mean, miserly.

tacha *f* **1.** *(defecto)* flaw, fault; **sin ~** faultless. **2.** *(clavo)* tack.

tachar *vt* **1.** *(lo escrito)* to cross out. **2.** *fig (acusar):* **~ a alguien de mentiroso** *etc* to accuse sb of being a liar *etc.*

tacho *m CSur (para basura)* garbage can *Am,* rubbish bin *Br.*

tachón *m* **1.** *(tachadura)* correction, crossing out. **2.** *(clavo)* stud.

tachuela *f* tack.

tácito, -ta *adj* tacit; *(norma, regla)* unwritten.

taco *m* **1.** *(tarugo)* plug. **2.** *(cuña)* wedge. **3.** *(de billar)* cue. **4.** *(de hojas, billetes de banco)* wad; *(de billetes de autobús, metro)* book. **5.** *Amer (tacón)* heel. **6.** *CAm & Méx* (CULIN) taco. **7.** *Esp fam fig (palabrota)* swearword. **8.** *Esp (de jamón, queso)* hunk.

tacón *m* heel.

táctica *f* lit & *fig* tactics *(pl).*

tacto *m* **1.** *(sentido)* sense of touch. **2.** *(textura)* feel. **3.** *fig (delicadeza)* tact.

Tailandia Thailand.

taimado, -da *adj* crafty.

Taiwán [tai'wan] Taiwan.

tajada *f* **1.** *(rodaja)* slice. **2.** *fig (parte)* share; **sacar ~ de algo** to get sthg out of sthg.

tajante *adj (categórico)* categorical.

tajar *vt* to cut o slice up; *(en dos)* to slice in two.

tajo *m* **1.** *(corte)* deep cut. **2.** *(acantilado)* precipice.

Tajo *m:* **el (río) ~** the (River) Tagus.

tal ◊ *adj* **1.** *(semejante, tan grande)* such; **¡jamás se vio cosa ~!** you've never seen such a thing!; **lo dijo con ~ seguridad que ...** he said it with such conviction that ...; **dijo cosas ~es como ...** he said such things as ... **2.** *(sin especificar)* such and such; **a ~ hora** at such and such a time. **3.** *(desconocido):* **un ~ Pérez** a (certain) Mr Pérez. ◊ *pron* **1.** *(alguna cosa)* such a thing. **2.** *loc:* **que sí y que sí cual** this, that and the other; **ser ~ para cual** to be two of a kind; **~ y cual, ~ y ~** this and that; **y ~** *(etcétera)* and so on. ◊ *adv:* **¡qué ~?** how's it going?, how are you doing?; **déjalo ~ cual** leave it just as it is. ◆ **con tal de** *loc prep* as long as, provided; **con ~ de volver pronto ...** as long as we're back early ... ◆ **con tal (de) que** *loc conj* as long as, provided. ◆ **tal (y) como** *loc conj* just as o like. ◆ **tal que** *loc prep fam (como por ejemplo)* like.

taladradora *f* drill.

taladrar *vt* to drill; *fig (suj: sonido)* to pierce.

taladro *m* **1.** *(taladradora)* drill. **2.** *(agujero)* drill hole.

talar *vt* to fell.

talco *m* talc, talcum powder.

talego *m* **1.** *(talega)* sack. **2.** *mfam (mil pesetas)* 1000 peseta note.

talento *m* **1.** *(don natural)* talent. **2.** *(inteligencia)* intelligence.

talismán *m* talisman.

talla *f* **1.** *(medida)* size; ¿**qué ~ usas?** what size are you? **2.** *(estatura)* height. **3.** *fig (capacidad)* stature; **dar la ~** to be up to it. **4.** (ARTE - *en madera*) carving; *(- en piedra)* sculpture.

tallado, -da *adj (madera)* carved; *(piedras preciosas)* cut.

tallar *vt* **1.** *(esculpir - madera, piedra)* to carve; *(- piedra preciosa)* to cut. **2.** *(medir)* to measure (the height of).

tallarín *m (gen pl)* noodle.

talle *m* **1.** *(cintura)* waist. **2.** *(figura, cuerpo)* figure.

taller *m* **1.** *(gen)* workshop. **2.** (AUTOM) garage. **3.** (ARTE) studio.

tallo *m* stem; *(brote)* sprout, shoot.

talón *m* **1.** *(gen & ANAT)* heel; **~ de Aquiles** *fig* Achilles' heel; **pisarle a alguien los talones** to be hot on sb's heels. **2.** *(cheque)* check; *(matriz)* stub; **~ cruzado/devuelto/en blanco** crossed/bounced/blank check; **~ bancario** cashier's check *Am*, cashier's cheque *Br*.

talonario *m (de cheques)* check book; *(de recibos)* receipt book.

tamaño, -ña *adj* such; ¡**cómo pudo decir tamaña estupidez!** how could he say such a stupid thing! ◆ **tamaño** *m* size; **de gran ~** large; **de ~ natural** life-size.

tambalearse *vpr* **1.** *(bambolearse - persona)* to stagger; *(- mueble)* to wobble; *(- tren)* to sway. **2.** *fig (gobierno, sistema)* to totter.

también *adv* also, too; **yo ~** me too; **~ a mí me gusta** I like it too, I also like it.

tambor *m* **1.** (MÚS & TECN) drum; *(de pistola)* cylinder. **2.** (ANAT) eardrum. **3.** (AUTOM) brake drum.

Támesis *m*: **el (río) ~** the (River) Thames.

tamiz *m (cedazo)* sieve.

tamizar *vt* **1.** *(cribar)* to sieve. **2.** *fig (seleccionar)* to screen.

tampoco *adv* neither, not ... either; **ella no va y tú ~** she's not going and neither are you, she's not going and you aren't either; ¡**no lo sabías? – yo ~** didn't you know? – me neither o neither did I.

tampón *m* **1.** *(sello)* stamp; *(almohadilla)* inkpad. **2.** *(para la menstruación)* tampon.

tan *adv* **1.** *(mucho)* so; **~ grande/deprisa** so big/quickly; ¡**qué película ~ larga!** what a long film!; **~ ... que ...** so ... that ...; **~ es así que ...** so much so that ... **2.** *(en comparaciones)*: **~ ... como** ... as ... as ... ◆ **tan sólo** *loc adv* only.

tanda *f* **1.** *(grupo, lote)* group, batch. **2.** *(serie)* series; *(de inyecciones)* course. **3.** *(turno de trabajo)* shift.

tándem *(pl* **tándemes)** *m* **1.** *(bicicleta)* tandem. **2.** *(pareja)* duo, pair.

tangente *f* tangent.

tango *m* tango.

tanque *m* **1.** (MIL) tank. **2.** *(vehículo cisterna)* tanker. **3.** *(depósito)* tank.

tantear ◇ *vt* **1.** *(sopesar - peso, precio, cantidad)* to try to guess; *(- problema, posibilidades, ventajas)* to weigh up. **2.** *(probar, sondear)* to test (out). **3.** *(toro, contrincante etc)* to size up. ◇ *vi* **1.** *(andar a tientas)* to feel one's way. **2.** *(apuntar los tantos)* to keep) score.

tanteo *m* **1.** *(prueba, sondeo)* testing out. **2.** *(de posibilidades, ventajas)* weighing up. **3.** *(de contrincante, puntos débiles)* sizing up. **4.** *(puntuación)* score. ◆ **a tanteo** *loc adv* roughly.

tanto, -ta ◇ *adj* **1.** *(gran cantidad)* so much, *(pl)* so many; **~ dinero** so much money, such a lot of money; **tanta gente** so many people; **tiene ~ entusiasmo/~s amigos que ...** she has so much enthusiasm/so many friends that ... **2.** *(cantidad indeterminada)* so much, *(pl)* so many; **nos daban tantas pesetas al día** they used to give us so many pesetas per day; **cuarenta y ~s** forty-something, forty-odd; **nos conocimos en el sesenta y ~s** we met sometime in the Sixties. **3.** *(en comparaciones)*: **~ ... como** as much ... as, *(pl)* as many ... as. ◇ *pron* **1.** *(gran cantidad)* so much, *(pl)* so many; ¡**cómo puedes tener ~s?** how can you have so many? **2.** *(cantidad indeterminada)* so much, *(pl)* so many; **a ~s de agosto** on such and such a date in August. **3.** *(igual cantidad)* as much, *(pl)* as many; **había mucha gente aquí, allí no había tanta** there were a lot of people here, but not as many there; **otro ~** as much again, the same again; **otro ~ le ocurrió a los demás** the same thing happened to the rest of them. **4.** *loc*: **ser**

uno de ~s to be nothing special.
♦ tanto ◇ m 1. (punto) point; (gol) goal; **marcar un ~** to score. 2. fig (ventaja) point; **apuntarse un ~ a favor** to earn o.s. a point in one's favour. 3. (cantidad indeterminada): **un ~** so much, a certain amount; **~ por ciento** percentage. 4. loc: **estar al ~ (de)** to be on the ball (about). **◇ adv** 1. (mucho): **~** (que ...) (cantidad) so much (that ...); (tiempo) so long (that ...); **no bebas ~** don't drink so much; **~ mejor/peor** so much the better/worse; **~ más cuanto que ...** all the more so because ... 2. (en comparaciones): **~ como** as much as; **~ hombres como mujeres** both men and women; **~ si estoy como si no** whether I'm there or not. 3. loc: **¡y ~!** most certainly!, you bet! **♦ tantas** fpl fam: **eran las tantas** it was very late. **♦ en tanto (que)** loc conj while. **♦ entre tanto** loc adv meanwhile. **♦ por (lo) tanto** loc conj therefore, so. **♦ tanto (es así) que** loc conj so much so that. **♦ un tanto** loc adv (un poco) a bit, rather.

tañido m (de campana) ringing.

tapa f 1. (para cerrar) lid. 2. (CULIN) snack, tapa. 3. (portada - de libro) cover. 4. (de zapato) heel plate. 5. Amer (de botella) top; (de frasco) stopper.

tapadera f 1. (para encubrir) front. 2. (tapa) lid.

tapar vt 1. (cerrar - ataúd, cofre) to close (the lid of); (- olla, caja) to put the lid on; (- botella) to put the top on. 2. (ocultar, cubrir) to cover; (no dejar ver) to block out. 3. (abrigar - en la cama) to tuck in; (- con ropa) to wrap up. 4. (encubrir) to cover up. **♦ taparse** vpr 1. (cubrirse) to cover (up). 2. (abrigarse - con ropa) to wrap up; (- en la cama) to tuck o.s. in.

taparrabos m inv 1. (de hombre primitivo) loincloth. 2. (tanga) tanga briefs (pl).

tapete m 1. (paño) runner; (en mesa de billar, para cartas) baize. 2. Méx (alfombra) rug.

tapia f (stone) wall.

tapiar vt 1. (obstruir) to brick up. 2. (cercar) to wall in.

tapicería f 1. (tela) upholstery. 2. (tienda - para muebles) upholsterer's. 3. (tapices) tapestries (pl).

tapiz m (para la pared) tapestry; (para el suelo) carpet.

tapizado m 1. (de mueble) upholstery. 2. (de pared) tapestries (pl).

tapizar vt (mueble) to upholster.

tapón m 1. (para tapar - botellas, frascos) stopper; (- de corcho) cork; (- de metal, plástico) cap, top; (- de bañera, lavabo) plug. 2. (atasco) traffic jam. 3. (en el oído - de cerumen) wax (U) in the ear; (- de algodón) earplug. 4. (en baloncesto) block.

taponar vt (cerrar - botella) to put the top on; (- lavadero) to put the plug in; (- salida) to block; (- tubería) to stop up.

tapujo m subterfuge; **hacer algo con/sin ~s** to do sthg deceitfully/openly.

taquigrafía f shorthand.

taquilla f 1. (ventanilla - gen) ticket office; (CIN & TEATRO) box office. 2. (armario) locker. 3. (recaudación) takings (pl).

tara f 1. (defecto) defect. 2. (peso) tare.

tarántula f tarantula.

tararear vt to hum.

tardanza f lateness.

tardar vi 1. (llevar tiempo) to take; **tardó un año en hacerlo** she took a year to do it; **¿cuánto tardarás (en hacerlo)?** how long will it take you (to do it)? 2. (retrasarse) to be late; (ser lento) to be slow; **~ en hacer algo** to take a long time to do sthg; **no tardaron en hacerlo** they were quick to do it; **a más ~** at the latest.

tarde ◇ f (hasta las cinco) afternoon; (después de las cinco) evening; **por la ~** (hasta las cinco) in the afternoon; (después de las cinco) in the evening; **buenas ~s** (hasta las cinco) good afternoon; (después de las cinco) good evening; **de ~ en ~** from time to time. **◇ adv** (gen) late; (en demasía) too late; **ya es ~ para eso** it's too late for that now; **~ o temprano** sooner or later.

tardío, -a adj (gen) late; (consejo, decisión) belated.

tarea f (gen) task; (EDUC) homework.

tarifa f 1. (precio) charge; (COM) tariff; (en transportes) fare. 2. (gen pl) (lista) price list.

tarima f platform.

tarjeta f (gen & INFORM) card; **~ de crédito** credit card; **~ de embarque** boarding pass; **~ postal** postcard; **~ de visita** visiting O calling card.

tarot m tarot.

tarrina f terrine.

tarro m (recipiente) jar.

tarta f (gen) cake; (plana, con base de pasta dura) tart; (plana, con base de bizcocho) flan.

tartaleta f tartlet.

tartamudear *vi* to stammer, to stutter.

tartamudo, -da *m y f* stammerer.

tartana *f fam (coche viejo)* banger.

tártaro, -ra ◊ *adj (pueblo)* Tartar. ◊ *m y f* Tartar.

tartera *f (fiambrera)* lunch box.

tarugo *m* 1. *fam (necio)* blockhead. 2. *(de madera)* block of wood.

tasa *f* 1. *(índice)* rate; **~ de mortalidad/natalidad** death/birth rate. 2. *(impuesto)* tax. 3. (EDUC) fee. 4. *(tasación)* valuation.

tasación *f* valuation.

tasar *vt* 1. *(valorar)* to value. 2. *(fijar precio)* to fix a price for.

tasca *f* = pub.

tatarabuelo, -la *m y f* great-great-grandfather (*f* -grandmother).

tatuaje *m* 1. *(dibujo)* tattoo. 2. *(acción)* tattooing.

tatuar *vt* to tattoo.

tauro ◊ *m (zodiaco)* Taurus. ◊ *m y f (persona)* Taurean.

tauromaquia *f* bullfighting.

taxativo, -va *adj* precise, exact.

taxi *m* taxi.

taxidermista *m y f* taxidermist.

taxímetro *m* taximeter.

taxista *m y f* taxi driver.

taza *f* 1. *(para beber)* cup. 2. *(de retrete)* bowl.

tazón *m* bowl.

te *pron pers* 1. *(complemento directo)* you; **le gustaría verte** she'd like to see you. 2. *(complemento indirecto)* (to) you; **~ lo dio** he gave it to you; **~ tiene miedo** he's afraid of you. 3. *(reflexivo)* yourself. 4. *fam (valor impersonal)*: **si ~ dejas pisar, estás perdido** if you let people walk all over you, you've had it.

té (*pl* **tés**) *m* tea.

tea *f (antorcha)* torch.

teatral *adj* 1. *(de teatro - gen)* theatre *(antes de sust)*; *(- grupo)* drama *(antes de sust)*. 2. *(exagerado)* theatrical.

teatro *m* 1. *(gen)* theatre. 2. *fig (fingimiento)* playacting.

tebeo® *m Esp (children's)* comic.

techo *m* 1. *(gen)* roof; *(dentro de casa)* ceiling; **~ deslizante** o **corredizo** (AUTOM) sun roof; **bajo ~** under cover. 2. *fig (límite)* ceiling.

tecla *f (gen,* INFORM *&* MÚS*)* key.

teclado *m (gen &* MÚS*)* keyboard.

teclear *vt & vi (en ordenador etc)* to type; *(en piano)* to play.

técnico, -ca ◊ *adj* technical. ◊ *m y f* 1. *(mecánico)* technician. 2. *(experto)* expert. ♦ **técnica** *f* 1. *(gen)* technique. 2. *(tecnología)* technology.

tecnología *f* technology; **~ punta** state-of-the-art technology.

tecnológico, -ca *adj* technological.

tecolote *m Amer* owl.

tedio *m* boredom, tedium.

tedioso, -sa *adj* tedious.

Tegucigalpa Tegucigalpa.

teja *f (de tejado)* tile.

tejado *m* roof.

tejano, -na ◊ *adj* 1. *(de Texas)* Texan. 2. *Esp (tela)* denim. ◊ *m y f (persona)* Texan. ♦ **tejanos** *mpl Esp (pantalones)* jeans.

tejer ◊ *vt* 1. *(gen)* to weave. 2. *(labor de punto)* to knit. 3. *(telaraña)* to spin. ◊ *vi (hacer ganchillo)* to crochet; *(hacer punto)* to knit.

tejido *m* 1. *(tela)* fabric, material. 2. (ANAT) tissue.

tejo *m* 1. *(juego)* hopscotch. 2. (BOT) yew.

tejón *m* badger.

tel., teléf. *(abrev de* **teléfono**) tel.

tela *f* 1. *(tejido)* fabric, material; *(retal)* piece of material; **~ de araña** cobweb; **~ metálica** wire netting. 2. (ARTE) *(lienzo)* canvas. 3. *fam (dinero)* dough. 4. *fam (cosa complicada)*: **tener (mucha) ~** *(ser difícil)* to be (very) tricky. 5. *loc:* **poner en ~ de juicio** to call into question.

telar *m* 1. *(máquina)* loom. 2. *(gen pl)* *(fábrica)* textiles mill.

telaraña *f* spider's web, cobweb.

tele *f fam* telly.

telearrastre *m* ski-tow.

telecomedia *f* television comedy programme.

telecomunicación *f (medio)* telecommunication. ♦ **telecomunicaciones** *fpl (red)* telecommunications.

telediario *m* television news *(U)*.

teledirigido, -da *adj* remote-controlled.

teléf. = tel.

telefax *m inv* telefax, fax.

teleférico *m* cable-car.

telefilme, telefilm (*pl* **telefilms**) *m* TV film.

telefonear *vi* to phone.

telefónico, -ca *adj* telephone *(antes de sust)*.

telefonista *m y f* telephonist.

teléfono *m* 1. *(gen)* telephone, phone; **hablar por ~** to be on the phone; **~ inalámbrico/móvil** cordless/mobile phone; ~ **público** public phone. **2.** **(número de)** ~ telephone number.

telegrafía f telegraphy.

telegráfico, -ca adj lit & fig telegraphic.

telégrafo m (medio, aparato) telegraph.

telegrama m telegram.

telejuego m television game show.

telemando m remote control.

telemática f telematics (U).

telenovela f television soap opera.

telepatía f telepathy.

telescópico, -ca adj telescopic.

telescopio m telescope.

telesilla m chair lift.

telespectador, -ra m y f viewer.

telesquí m ski lift.

teletexto m Teletext®.

teletipo m **1.** (aparato) teleprinter. **2.** (texto) Teletype®.

teletrabajo m teleworking.

televenta f **1.** (por teléfono) telesales (pl). **2.** (por televisión) TV advertising in which a phone number is given for clients to contact.

televidente m y f viewer.

televisar vt to televise.

televisión f television.

televisor m television (set).

télex m inv telex.

telón m (de escenario - delante) curtain; (- detrás) backcloth; ~ **de acero** fig Iron Curtain; ~ **de fondo** fig backdrop.

telonero, -ra m y f (cantante) support artist; (grupo) support band.

tema m **1.** (gen) subject. **2.** (MÚS) theme.

temario m (de una asignatura) curriculum; (de oposiciones) list of topics; (de reunión, congreso) agenda.

temática f subject matter.

temblar vi **1.** (tiritar): ~ **(de)** (gen) to tremble (with); (de frío) to shiver (with). **2.** (vibrar - suelo etc) to shudder, to shake.

temblor m shaking (U), trembling (U).

tembloroso, -sa adj trembling, shaky.

temer ◇ vt **1.** (tener miedo de) to fear, to be afraid of. **2.** (sospechar) to fear. ◇ vi to be afraid; **no temas** don't worry; ~ **por** to fear for. ◆ **temerse** vpr: ~**se que** to be afraid that; **me temo que no vendrá** I'm afraid she won't come.

temeroso, -sa adj (receloso) fearful.

temible adj fearsome.

temor m: ~ **(a o de)** fear (of).

temperamental adj **1.** (cambiante) temperamental. **2.** (impulsivo) impulsive.

temperamento m temperament.

temperatura f temperature.

tempestad f storm.

tempestuoso, -sa adj lit & fig stormy.

templado, -da adj **1.** (tibio - agua, bebida, comida) lukewarm. **2.** (GEOGR) (clima, zona) temperate. **3.** (nervios) steady. **4.** (persona, carácter) calm, composed. **5.** (MÚS) in tune.

templar vt **1.** (entibiar - lo frío) to warm (up); (- lo caliente) to cool down. **2.** (calmar - nervios, ánimos) to calm; (- ira, pasiones) to restrain; (- voz) to soften. **3.** (TECN) (metal etc) to temper. **4.** (MÚS) to tune. **5.** (tensar) to tighten (up). ◆ **templarse** vpr to warm up.

temple m **1.** (serenidad) composure. **2.** (TECN) tempering. **3.** (ARTE) tempera.

templete m pavilion.

templo m (edificio - gen) temple; (- católico, protestante) church; (- judío) synagogue.

temporada f **1.** (periodo concreto) season; (de exámenes) period; **de** ~ (fruta, trabajo) seasonal; (en turismo) peak (antes de sust); **alta/baja** high/low season; ~ **media** mid-season. **2.** (periodo indefinido) (period of) time; **pasé una** ~ **en el extranjero** I spent some time abroad.

temporal ◇ adj **1.** (provisional) temporary. **2.** (ANAT & RELIG) temporal. ◇ m (tormenta) storm.

temporero, -ra m y f casual labourer.

temporizador m timing device.

temprano, -na adj early. ◆ **temprano** adv early.

ten v → tener.

tenacidad f tenacity.

tenacillas fpl tongs; (para vello) tweezers; (para rizar el pelo) curling tongs.

tenaz adj (perseverante) tenacious.

tenaza f (gen pl) **1.** (herramienta) pliers (pl). **2.** (pinzas) tongs (pl). **3.** (ZOOL) pincer.

tendedero m **1.** (armazón) clothes horse; (cuerda) clothes line. **2.** (lugar) drying place.

tendencia f tendency, trend; ~ **a hacer algo** tendency to do sthg.

tendencioso, -sa adj tendentious.

tender vt **1.** (colgar - ropa) to hang

out. **2.** (*tumbar*) to lay (out). **3.** (*extender*) to stretch (out); (*mantel*) to spread. **4.** (*dar - cosa*) to hand; (*- mano*) to hold out, to offer. **5.** (*entre dos puntos - cable, vía*) to lay; (*- puente*) to build. **6.** *fig* (*preparar - trampa etc*) to lay. ◆ **tender a** *vi*: ~ **a hacer algo** to tend to do something; ~ **a la depresión** to have a tendency to get depressed. ◆ **tenderse** *vpr* to stretch out, to lie down.

tenderete *m* (*presto*) stall.

tendero, -ra *m y f* shopkeeper.

tendido, -da *adj* **1.** (*extendido, tumbado*) stretched out. **2.** (*colgado - ropa*) hung out, on the line. ◆ **tendido** *m* **1.** (*instalación - de cable*) laying; ~ **eléctrico** electrical installation. **2.** (TAUROM) front rows (*pl*).

tendón *m* tendon.

tendrá *etc* → tener.

tenebroso, -sa *adj* dark, gloomy; *fig* shady, sinister.

tenedor¹ *m* (*utensilio*) fork.

tenedor², -ra *m y f* (*poseedor*) holder; ~ **de libros** (COM) bookkeeper.

teneduría *f* (COM) bookkeeping.

tenencia *f* possession; ~ **ilícita de armas** illegal possession of arms.

tener ◇ *vaux* **1.** (*antes de participio*) (*haber*): **teníamos pensado ir al teatro** we had thought of going to the theatre. **2.** (*antes de adj*) (*hacer estar*): **me tuvo despierto** it kept me awake; **eso la tiene despistada** that has confused her. **3.** (*expresa obligación*): ~ **que hacer algo** to have to do sthg; **tiene que ser así** it has to be this way. **4.** (*expresa propósito*): **tenemos que ir a cenar un día** we ought to o should go for dinner some time. ◇ *vt* **1.** (*gen*) to have; **tengo un hermano** I have o I've got a brother; ~ **fiebre** to have a temperature; **tuvieron una pelea** they had a fight; ~ **un niño** to have a baby; **¡que tengan buen viaje!** have a good journey!; **hoy tengo clase** I have to go to school today. **2.** (*medida, años, sensación, cualidad*) to be; **tiene 3 metros de ancho** it's 3 metres wide; **¿cuántos años tienes?** how old are you?; **tiene diez años** she's ten (years old); ~ **hambre/miedo** to be hungry/afraid; ~ **mal humor** to be bad-tempered; **tiene lástima** he feels sorry for her. **3.** (*sujetar*) to hold; **tenlo por el asa** hold it by the handle. **4.** (*tomar*): **ten el libro que me pediste** here's the book you asked me for; **¡aquí tienes!** here you are! **5.** (*recibir*) to get; **tuve un verdadero desengaño** I was really disappointed;

tendrá una sorpresa he'll get a surprise. **6.** (*valorar*): **me tienen por tonto** they think I'm stupid; ~ **a alguien en mucho** to think the world of sb. **7.** (*guardar, contener*) to keep. **8.** *Col & Méx* (*llevar*): **tengo dos años trabajando aquí** I've been working here for two years. **9.** *loc*: **no las tiene todas consigo** he is not too sure about it; ~ **a bien hacer algo** to be kind enough to do sthg; ~ **que ver con algo/alguien** (*existir relación*) to have something to do with sb/sb; (*existir semejanza*) to be in the same league as sthg/sb. ◆ **tenerse** *vpr* **1.** (*sostenerse*): ~**se de pie** to stand upright. **2.** (*considerarse*): **se tiene por listo** he thinks he's clever.

tengo → tener.

tenia *f* tapeworm.

teniente *m* lieutenant.

tenis *m inv* tennis; ~ **de mesa** table tennis.

tenista *m y f* tennis player.

tenor *m* **1.** (MÚS) tenor. **2.** (*estilo*) tone. ◆ **a tenor de** *loc prep* in view of.

tensar *vt* to tauten; (*arco*) to draw.

tensión *f* **1.** (*gen*) tension; ~ **nerviosa** nervous tension. **2.** (TECN) (*estiramiento*) stress. **3.** (MED): ~ (**arterial**) blood pressure; **tener la ~ alta/baja** to have high/low blood pressure. **4.** (ELECTR) voltage; **alta ~** high voltage.

tenso, -sa *adj* taut; *fig* tense.

tentación *f* (*deseo*) temptation; **caer en la ~** to give in to temptation; **tener la ~ de** to be tempted to.

tentáculo *m* tentacle.

tentador, -ra *adj* tempting.

tentar *vt* **1.** (*palpar*) to feel. **2.** (*atraer, incitar*) to tempt.

tentativa *f* attempt; ~ **de asesinato** attempted murder.

tentempié (*pl* **tentempiés**) *m* snack.

tenue *adj* **1.** (*tela, hilo, lluvia*) fine. **2.** (*luz, sonido, dolor*) faint. **3.** (*relación*) tenuous.

teñir *vt* **1.** (*ropa, pelo*): ~ **algo (de rojo** *etc*) to dye sthg (red etc). **2.** *fig* (*matizar*): ~ **algo (de)** to tinge sthg (with). ◆ **teñirse** *vpr*: ~**se (el pelo)** to dye one's hair.

teología *f* theology; ~ **de la liberación** liberation theology.

teólogo, -ga *m y f* theologian.

teorema *m* theorem.

teoría *f* theory; **en ~** in theory.

teórico, -ca ◇ *adj* theoretical. ◇ *m y f* (*persona*) theorist. ◆ **teórica** *f* (*teoría*) theory (U).

teorizar vi to theorize.

tequila m o f tequila.

terapéutico, -ca adj therapeutic.

terapia f therapy; ~ **ocupacional/de grupo** occupational/group therapy.

tercer → tercero.

tercera → tercero.

tercermundista adj third-world (antes de sust).

tercero, -ra núm (antes de sust masculino sg: **tercer**) third. ◆ **tercero** m 1. (piso) third floor. 2. (curso) third year. 3. (mediador, parte interesada) third party. ◆ **tercera** f (AUTOM) third (gear).

terceto m (MÚS) trio.

terciar ◇ vt (poner en diagonal - gen) to place diagonally; (- sombrero) to tilt. ◇ vi 1. (mediar): ~ **(en)** to mediate (in). 2. (participar) to intervene, to take part. ◆ **terciarse** vpr to arise; **si se tercia** if the opportunity arises.

tercio m 1. (tercera parte) third. 2. (TAUROM) stage (of bullfight).

terciopelo m velvet.

terco, -ca adj stubborn.

tergal® m Tergal®.

termal adj thermal.

termas fpl (baños) hot baths, spa (sg).

térmico, -ca adj thermal.

terminación f 1. (finalización) completion. 2. (parte final) end. 3. (GRAM) ending.

terminal ◇ adj (gen) final; (enfermo) terminal. ◇ m (ELECTR & INFORM) terminal. ◇ f (de aeropuerto) terminal; (de autobuses) terminus.

terminar ◇ vt to finish. ◇ vi 1. (acabar) to end; (tren) to stop, to terminate; ~ **en** (objeto) to end in. 2. (ir a parar): ~ **(de/en)** to end up (as/in); ~ **por hacer algo** to end up doing sthg. ◆ **terminarse** vpr 1. (finalizarse) to finish. 2. (agotarse) to run out.

término m 1. (fin, extremo) end; **poner ~ a algo** to put a stop to sthg. 2. (territorio): ~ **(municipal)** district. 3. (plazo) period; **en el ~ de un mes** within (the space of) a month. 4. (lugar, posición) place; **en primer ~** (ARTE & FOT) in the foreground; **en último ~** (ARTE & FOT) in the background; fig (si es necesario) as a last resort; (en resumidas cuentas) in the final analysis. 5. (elemento) point; ~ **medio (media)** average; (compromiso) compromise; **por ~ medio** on average. 6. (LING & MAT) term; **en ~s generales** generally speaking. ◆ **términos** mpl (condiciones) terms; **los ~s del contrato** the terms of the contract.

terminología f terminology.

termo m Thermos® flask.

termómetro m thermometer.

termostato m thermostat.

terna f (POLÍT) shortlist of three candidates.

ternasco f suckling lamb.

ternero, -ra m y f (animal) calf. ◆ **ternera** f (carne) veal.

ternilla f 1. (CULIN) gristle. 2. (ANAT) cartilage.

terno m Amer suit.

ternura f tenderness.

terracota f terracotta.

terrado m terrace roof.

terral, tierral m Amer dust cloud.

terraplén m embankment.

terrateniente m y f landowner.

terraza f 1. (balcón) balcony. 2. (de café) terrace, patio. 3. (azotea) terrace roof. 4. (bancal) terrace.

terremoto m earthquake.

terrenal adj earthly.

terreno, -na adj earthly. ◆ **terreno** m 1. (suelo - gen) land; (- GEOL) terrain; (- AGR) soil. 2. (solar) plot (of land). 3. (DEP): ~ **(de juego)** field, pitch. 4. fig (ámbito) field.

terrestre adj 1. (del planeta) terrestrial. 2. (de la tierra) land (antes de sust).

terrible adj 1. (gen) terrible. 2. (aterrador) terrifying.

terrícola m y f earthling.

territorial adj territorial.

territorio m territory; **por todo el ~ nacional** across the country, nationwide.

terrón m 1. (de tierra) clod of earth. 2. (de harina etc) lump.

terror m terror; (CIN) horror; **dar ~** to terrify.

terrorífico, -ca adj terrifying.

terrorismo m terrorism.

terrorista adj, m y f terrorist.

terso, -sa adj 1. (piel, superficie) smooth. 2. (aguas, mar) clear. 3. (estilo, lenguaje) polished.

tersura f 1. (de piel, superficie) smoothness. 2. (de aguas, mar) clarity.

tertulia f regular meeting of people for informal discussion of a particular issue of common interest; ~ **literaria** literary circle.

tesina f (undergraduate) dissertation.

tesis f inv thesis.

tesitura f (circunstancia) circumstances (pl).

tesón *m* **1.** *(tenacidad)* tenacity, perseverance. **2.** *(firmeza)* firmness.

tesorero, -ra *m y f* treasurer.

tesoro *m* **1.** *(botín)* treasure. **2.** *(hacienda pública)* treasury, exchequer. ♦ **Tesoro** *m* (ECON): **el Tesoro** the Treasury.

test *(pl* tests*)* *m* test.

testamento *m* will; **hacer ~** to write one's will. ♦ **Antiguo Testamento** *m* Old Testament. ♦ **Nuevo Testamento** *m* New Testament.

testar *vi* to make a will.

testarudo, -da *adj* stubborn.

testículo *m* testicle.

testificar ◇ *vt* to testify; *fig* to testify to. ◇ *vi* to testify, to give evidence.

testigo ◇ *m y f* *(persona)* witness; **~ de cargo/descargo** witness for the prosecution/defence; **~ ocular** o **presencial** eyewitness. ◇ *m* (DEP) baton. ♦ **testigo de Jehová** *m y f* Jehovah's Witness.

testimoniar *vt* to testify; *fig* to testify to.

testimonio *m* **1.** (DER) testimony. **2.** *(prueba)* proof; **como ~ de** as proof of; **dar ~ de** to prove.

teta *f* **1.** *fam* *(de mujer)* tit. **2.** *(de animal)* teat.

tétanos *m inv* tetanus.

tetera *f* teapot.

tetilla *f* **1.** *(de hombre, animal)* nipple. **2.** *(de biberón)* teat.

tetina *f* teat.

tetrapléjico, -ca *adj, m y f* quadriplegic.

tétrico, -ca *adj* gloomy.

textil *adj & m* textile.

texto *m* **1.** *(gen)* text. **2.** *(pasaje)* passage.

textual *adj* **1.** *(del texto)* textual. **2.** *(exacto)* exact.

textura *f* *(de tela etc)* texture.

tez *f* complexion.

ti *pron pers* *(después de prep)* **1.** *(gen)* you; **siempre pienso en ~** I'm always thinking about you; **me acordaré de ~** I'll remember you. **2.** *(reflexivo)* yourself; **sólo piensas en ~ (mismo)** you only think about yourself.

tía → tío.

tianguis *m inv Méx* open-air market.

Tibet *m*: **el ~** Tibet.

tibia *f* shinbone, tibia.

tibio, -bia *adj* **1.** *(cálido)* warm; *(falto de calor)* tepid, lukewarm. **2.** *fig (frío)* lukewarm.

tiburón *m* *(gen)* shark.

tic *m* tic.

ticket = **tíquet**.

tictac *m* tick tock.

tiempo *m* **1.** *(gen)* time; **al poco ~** soon afterwards; **a ~ (de hacer algo)** in time (to do sthg); **a un ~** at the same time; **con el ~** in time; **del ~ (fruta)** of the season; *(bebida)* at room temperature; **estar a ~ o tener ~** to have time to; **fuera de ~** at the wrong moment; **ganar ~** to save time; **perder el ~** to waste time; **~ libre** o **de ocio** spare time; **a ~ parcial** o **partido** part-time; **en ~s de Maricastaña** donkey's years ago; **engañar** o **matar el ~** to kill time. **2.** *(periodo largo)* long time; **con ~** in good time; **hace ~ que** it is a long time since; **hace ~ que no vive aquí** he hasn't lived here for some time; **tomarse uno su ~** to take one's time. **3.** *(edad)* age; **¿qué ~ tiene?** how old is he? **4.** *(movimiento)* movement; **motor de cuatro ~s** four-stroke engine. **5.** (METEOR) weather; **hizo buen/mal ~** the weather was good/bad; **si el ~ lo permite** o **no lo impide** weather permitting; **hace un ~ de perros** it's a foul day. **6.** (DEP) half. **7.** (GRAM) tense. **8.** (MÚS - *compás*) time; *(- ritmo)* tempo.

tienda *f* **1.** *(establecimiento)* shop. **2.** *(para acampar)*: **~ (de campaña)** tent.

tiene → tener.

tienta ♦ a tientas *loc adv* blindly; **andar a ~s** to grope along.

tierno, -na *adj* **1.** *(blando, cariñoso)* tender. **2.** *(del día)* fresh.

tierra *f* **1.** *(gen)* land; **~ adentro** inland; **~ firme** terra firma. **2.** *(materia inorgánica)* earth, soil; **un camino de ~** a dirt track. **3.** *(suelo)* ground; **caer a ~** to fall to the ground; **tomar ~** to touch down. **4.** *(patria)* homeland, native land. **5.** (ELECTR) ground *Am*, earth *Br*. ♦ **Tierra** *f*: **la Tierra** the Earth.

tierral = **terral**.

tieso, -sa *adj* **1.** *(rígido)* stiff. **2.** *(erguido)* erect. **3.** *fig (engreído)* haughty.

tiesto *m* flowerpot.

tifón *m* typhoon.

tifus *m inv* typhus.

tigre *m* tiger.

tigresa *f* tigress.

tijera *f* *(gen pl)* scissors *(pl)*; *(de jardinero, esquilador)* shears *(pl)*; **unas ~s** a pair of scissors/shears.

tijereta *f* *(insecto)* earwig.

tila *f* *(infusión)* lime blossom tea.

tildar *vt*: **~ a alguien de algo** to brand o call sb sthg.

tilde f 1. (signo ortográfico) tilde. 2. (acento gráfico) accent.

tilo m (árbol) linden O lime tree.

timar vt (estafar): ~ **a alguien** to swindle sb; ~ **algo a alguien** to swindle sb out of sthg.

timbal m (MÚS - de orquesta) kettledrum.

timbrar vt to stamp.

timbre m 1. (aparato) bell; **tocar el** ~ to ring the bell. 2. (de voz, sonido) tone; (TECN) timbre. 3. (sello - de documentos) stamp; (- de impuestos) seal.

timidez f shyness.

tímido, -da adj shy.

timo m (estafa) swindle.

timón m 1. (AERON & NÁUT) rudder. 2. fig (gobierno) helm; **llevar el** ~ **de** to be at the helm of. 3. Andes (volante) steering wheel.

tímpano m (ANAT) eardrum.

tina f 1. (tinaja) pitcher. 2. (gran cuba) vat. 3. (bañera) bathtub.

tinaja f (large) pitcher.

tinglado m 1. (cobertizo) shed. 2. (armazón) platform. 3. fig (lío) fuss. 4. fig (maquinación) plot.

tinieblas fpl darkness (U); fig confusion (U), uncertainty (U).

tino m 1. (puntería) good aim. 2. fig (habilidad) skill. 3. fig (juicio) sense, good judgment.

tinta f ink; ~ **china** Indian ink; **cargar** O **recargar las** ~**s** to exaggerate; **saberlo de buena** ~ to have it on good authority; **sudar** ~ to sweat blood. ◆ **medias tintas** fpl: andarse con medias ~s to be wishy-washy.

tinte m 1. (sustancia) dye. 2. (operación) dyeing. 3. (tintorería) dry cleaner's. 4. fig (tono) shade, tinge.

tintero m (frasco) ink pot; (en la mesa) inkwell.

tintinear vi to jingle, to tinkle.

tinto, -ta adj 1. (teñido) dyed. 2. (manchado) stained. 3. (vino) red. ◆ **tinto** m (vino) red wine.

tintorera f blue shark.

tintorería f dry cleaner's.

tiña f (MED) ringworm.

tío, -a m y f 1. (familiar) uncle (f aunt). 2. Esp fam (individuo) guy (f girl). 3. Esp mfam (apelativo) mate (f darling).

tiovivo m merry-go-round.

típico, -ca adj typical; (traje, restaurante etc) traditional; ~ **de** typical of.

tipificar vt 1. (gen & DER) to classify. 2. (simbolizar) to typify.

tiple m y f (cantante) soprano.

tipo, -pa m y f mfam guy (f bird). ◆ **tipo** m 1. (clase) type, sort; **todo** ~ **de** all sorts of. 2. (cuerpo - de mujer) figure; (- de hombre) build. 3. (ECON) rate; ~ **de interés/cambio** interest/exchange rate. 4. (IMPRENTA & ZOOL) type.

tipografía f 1. (procedimiento) printing. 2. (taller) printing works (sg).

tipógrafo, -fa m y f printer.

tíquet (pl **tíquets**), **ticket** ['tiket] (pl **tickets**) m ticket.

tiquismiquis ◇ adj inv fam (maniático) pernickety. ◇ m y f inv fam (maniático) fusspot. ◇ mpl 1. (riñas) squabbles. 2. (bagatelas) trifles.

TIR (abrev de **transport international routier**) m International Road Transport, ≈ HGV Br.

tira f 1. (banda cortada) strip. 2. (de viñetas) comic strip. 3. loc: **la** ~ **de** fam loads (pl) of.

tirabuzón m (rizo) curl.

tirachinas m inv catapult.

tiradero m Méx rubbish dump.

tirado, -da adj 1. fam (barato) dirt cheap. 2. fam (fácil) simple, dead easy; **estar** ~ to be a cinch. 3. loc: **dejar** ~ **a alguien** to leave sb in the lurch. ◆ **tirada** f 1. (lanzamiento) throw. 2. (IMPRENTA - número de ejemplares) print run; (- reimpresión) reprint; (- número de lectores) circulation. 3. (sucesión) series. 4. (distancia): **de** O **en una tirada** in one go.

tirador, -ra m y f (persona) marksman. ◆ **tirador** m (mango) handle. ◆ **tiradores** mpl CSur (tirantes) suspenders Am, braces Br.

Tirana Tirana.

tiranía f tyranny.

tirano, -na ◇ adj tyrannical. ◇ m y f tyrant.

tirante ◇ adj 1. (estirado) taut. 2. fig (violento, tenso) tense. ◇ m 1. (de tela) strap. 2. (ARQUIT) brace. ◆ **tirantes** mpl (para pantalones) suspenders Am, braces Br.

tirar ◇ vt 1. (lanzar) to throw; ~ **algo a alguien/algo** (para hacer daño) to throw sthg at sb/sthg; **tírame una manzana** throw me an apple. 2. (dejar caer) to drop; (derramar) to spill; (volcar) to knock over. 3. (desechar, malgastar) to throw away. 4. (disparar) to fire; (- bomba) to drop; (- petardo, cohete) to let off. 5. (derribar) to knock down. 6. (jugar - carta) to play; (- dado) to throw. 7. (DEP - falta, penalti etc) to take; (- balón) to pass. 8. (imprimir) to print. ◇ vi 1. (estirar, arrastrar): ~ **(de algo)** to

pull (sthg); **tira y afloja** give and take.
2. *(disparar)* to shoot. **3.** *fam (atraer)* to
have a pull; **me tira la vida del campo** I
feel drawn towards life in the country.
4. *(cigarrillo, chimenea etc)* to draw.
5. *(dirigirse)* to go, to head. **6.** *fam
(apañárselas)* to get by; **ir tirando** to get
by; **voy tirando** I'm O.K. **7.** *(parecerse)*:
tira a gris it's greyish; **tira a su abuela**
she takes after her grandmother; **tirando a** approaching. **8.** *(tender)*: **~ para
algo** *(persona)* to have the makings of
sthg; **este programa tira a (ser) hortera**
this programme is a bit on the tacky
side; **el tiempo tira a mejorar** the
weather looks as if it's getting better.
9. (DEP - *con el pie)* to kick; *(- con la
mano)* to throw; *(- a meta, canasta etc)* to
shoot. ◆ **tirarse** *vpr* **1.** *(lanzarse)*: **~se
(a)** *(agua)* to dive (into); *(aire)* to jump
(into); **~se sobre alguien** to jump on top
of sb. **2.** *(tumbarse)* to stretch out.
3. *(tiempo)* to spend.

tirita® *f Esp* = Bandaid® *Am*, (sticking) plaster *Br*.

tiritar *vi*: **~ (de)** to shiver (with).

tiro *m* **1.** *(gen)* shot; **pegar un ~ a
alguien** to shoot sb; **pegarse un ~** to
shoot o.s.; **ni a ~s** never in a million
years. **2.** *(acción)* shooting; **~ al blanco**
(deporte) target shooting; *(lugar)* shooting range; **~ con arco** archery. **3.** *(huella, marca)* bullet mark; *(herida)* gunshot
wound. **4.** *(alcance)* range; **a ~ de** within the range of; **a ~ de piedra** a stone's
throw away. **5.** *(de chimenea, horno)*
draw. **6.** *(de caballos)* team.

tiroides *m inv* thyroid (gland).

tirón *m* **1.** *(estirón)* pull. **2.** *(robo)*
bagsnatching. ◆ **de un tirón** *loc adv* in
one go.

tirotear ◇ *vt* to fire at. ◇ *vi* to shoot.

tiroteo *m (tiros)* shooting; *(intercambio
de disparos)* shootout.

tisana *f* herbal tea.

títere *m lit & fig* puppet; **no dejar ~
con cabeza** *(destrozar)* to destroy everything in sight; *(criticar)* to spare nobody.
◆ **títeres** *mpl (guiñol)* puppet show
(sg).

titilar, **titilear** *vi (estrella, luz)* to
flicker.

titiritar *vi*: **~ (de)** to shiver (with).

titubeante *adj* **1.** *(actitud)* hesitant.
2. *(voz)* stuttering. **3.** *(al andar)* tottering.

titubear *vi* **1.** *(dudar)* to hesitate.
2. *(al hablar)* to stutter.

titulado, -da *m y f (diplomado)* holder
of a qualification; *(licenciado)* graduate.

titular ◇ *adj (profesor, médico)* official.
◇ *m y f (poseedor)* holder. ◇ *m (gen pl)*
(PRENSA) headline. ◇ *vt (llamar)* to title,
to call. ◆ **titularse** *vpr* **1.** *(llamarse)* to
be titled o called. **2.** *(licenciarse)*: **~se
(en)** to graduate (in). **3.** *(diplomarse)*:
~se (en) to obtain a qualification (in).

título *m* **1.** *(gen)* title; **~ de propiedad**
title deed. **2.** *(licenciatura)* degree; *(diploma)* diploma; **tiene muchos ~s** she has a
lot of qualifications. **3.** *fig (derecho)*
right; **a ~ de** as.

tiza *f* chalk; **una ~** a piece of chalk.

tiznar *vt* to blacken.

tizne *m o f* soot.

tizón *m* burning stick o log.

tlapalería *f Méx* hardware store,
ironmonger's (shop) *Br*.

TLCAN *(abrev de* **Tratado de Libre Comercio de América del Norte)** *m* NAFTA.

toalla *f (para secarse)* towel; **~ de
ducha/manos** bath/hand towel; **arrojar**
o **tirar la ~** to throw in the towel.

toallero *m* towel rail.

tobillo *m* ankle.

tobogán *m (rampa)* slide; *(en parque de
atracciones)* helter-skelter; *(en piscina)*
flume.

tocadiscos *m inv* record player.

tocado, -da *adj (chiflado)* soft in the
head. ◆ **tocado** *m (prenda)* headgear
(U).

tocador *m* **1.** *(mueble)* dressing table.
2. *(habitación - en lugar público)* powder
room; *(- en casa)* boudoir.

tocar ◇ *vt* **1.** *(gen)* to touch; *(palpar)*
to feel; *(suj: país, jardín)* to border on.
2. *(instrumento, canción)* to play; *(bombo)*
to bang; *(sirena, alarma)* to sound; *(campana, timbre)* to ring; **el reloj tocó las
doce** the clock struck twelve. **3.** *(abordar - tema etc)* to touch on. **4.** *fig (conmover)* to touch; *(herir)* to wound. **5.** *fig
(concernir)*: **por lo que a mí me toca/a eso
le toca** as far as I'm/that's concerned.
◇ *vi* **1.** *(entrar en contacto)* to touch.
2. *(estar próximo)*: **~ (con)** *(gen)* to be
touching; *(país, jardín)* to border (on).
3. *(llamar - a la puerta, ventana)* to
knock. **4.** *(corresponder - en un reparto)*:
~ a alguien to be due to sb; **tocamos a
mil cada uno** we're due a thousand
each; **le tocó la mitad** he got half of it;
te toca a ti hacerlo *(turno)* it's your turn
to do it; *(responsabilidad)* it's up to you
to do it. **5.** *(caer en suerte)*: **me ha tocado
la lotería** I've won the lottery; **le ha
tocado sufrir mucho** he has had to suf-
fer a lot. **6.** *(llegar el momento)*: **nos toca**

pagar ahora it's time (for us) to pay now. ◆ **tocarse** *vpr* to touch.

tocayo, -ya *m y f* namesake.

tocinería *f* pork butcher's (shop).

tocino *m* (*para cocinar*) lard; (*para comer*) fat (*of bacon*). ◆ **tocino de cielo** *m* (CULIN) dessert made of syrup and eggs.

todavía *adv* 1. (*aún*) still; (*con negativo*) yet, still; ~ **no lo he recibido** I still haven't got it, I haven't got it yet; ~ **ayer** as late as yesterday; ~ **no** not yet. 2. (*sin embargo*) still. 3. (*incluso*) even.

todo, -da ◇ *adj* 1. (*gen*) all; ~ **el mundo** everybody; ~ **el libro** the whole book, all (of) the book; ~ **el día** all day. 2. (*cada, cualquier*): ~**s los días/lunes** every day/Monday; ~ **español** every Spaniard, all Spaniards. 3. (*para enfatizar*): **es** ~ **un hombre** he's every bit a man; **ya es toda una mujer** she's a big girl now; **fue** ~ **un éxito** it was a great success. ◇ *pron* 1. (*todas las cosas*) everything, (*pl*) all of them; **lo vendió** ~ he sold everything, he sold it all; ~**s están rotos** they're all broken, all of them are broken; **ante** ~ (*sobre todo*) above all; (*en primer lugar*) first of all; **con** ~ despite everything; **sobre** ~ above all; **está en** ~ he/she always makes sure everything is just so. 2. (*todas las personas*): ~**s** everybody; **todas vinieron** everybody o they all came. ◆ **todo** ◇ *m* whole. ◇ *adv* completely, all. ◆ **del todo** *loc adv*: **no estoy del** ~ **contento** I'm not entirely happy; **no lo hace mal del** ~ she doesn't do it at all badly. ◆ **todo terreno** *m* Jeep®.

todopoderoso, -sa *adj* almighty.

toga *f* 1. (*manto*) toga. 2. (*traje*) gown.

Togo Togo.

toldo *m* (*de tienda*) awning; (*de playa*) sunshade.

tolerancia *f* tolerance.

tolerante *adj* tolerant.

tolerar *vt* 1. (*consentir, aceptar*) to tolerate; ~ **que alguien haga algo** to tolerate sb doing sthg. 2. (*aguantar*) to stand.

toma *f* 1. (*de biberón, papilla*) feed. 2. (*de medicamento*) dose; (*de sangre*) sample. 3. (*de ciudad etc*) capture. 4. (*de agua, aire*) inlet; ~ **de corriente** (ELECTR) socket. 5. (CIN) (*de escena*) take. 6. *loc*: **ser un** ~ **y daca** to be give and take. ◆ **toma de posesión** *f* 1. (*de gobierno, presidente*) investiture. 2. (*de cargo*) undertaking.

tomar ◇ *vt* 1. (*gen*) to take; (*actitud, costumbre*) to adopt. 2. (*datos, informa-*

ción) to take down. 3. (*comida, bebida*) to have; **¿qué quieres** ~? what would you like (to drink/eat)? 4. (*autobús, tren etc*) to catch; (*taxi*) to take. 5. (*considerar, confundir*): ~ **a alguien por algo/alguien** to take sb for sthg/sb. 6. *loc*: ~**la** o ~**las con alguien** *fam* to have it in for sb; **¡toma!** (*al dar algo*) here you are!; (*expresando sorpresa*) well I never! ◇ *vi* (*encaminarse*) to go, to head. ◆ **tomarse** *vpr* 1. (*comida, bebida*) to have; (*medicina, drogas*) to take. 2. (*interpretar*) to take; ~**se algo a mal/bien** to take sthg badly/well.

tomate *m* (*fruto*) tomato.

tómbola *f* tombola.

tomillo *m* thyme.

tomo *m* (*volumen*) volume.

ton ◆ **sin ton ni son** *loc adv* for no apparent reason.

tonada *f* tune.

tonadilla *f* ditty.

tonalidad *f* (*de color*) tone.

tonel *m* (*recipiente*) barrel.

tonelada *f* tonne.

tonelaje *m* tonnage.

tónico, -ca ◇ *adj* 1. (*reconstituyente*) revitalizing. 2. (GRAM & MÚS) tonic. ◆ **tónico** *m* (*reconstituyente*) tonic. ◆ **tónica** *f* 1. (*tendencia*) trend. 2. (MÚS) tonic. 3. (*bebida*) tonic water.

tonificar *vt* to invigorate.

tono *m* 1. (*gen*) tone; **fuera de** ~ out of place. 2. (MÚS - *tonalidad*) key; (- *altura*) pitch. 3. (*de color*) shade; ~ **de piel** complexion.

tontear *vi* (*hacer el tonto*) to fool about.

tontería *f* 1. (*estupidez*) stupid thing; **decir una** ~ to talk nonsense; **hacer una** ~ to do sthg foolish. 2. (*cosa sin importancia o valor*) trifle.

tonto, -ta ◇ *adj* stupid. ◇ *m y f* idiot; **hacer el** ~ to play the fool; **hacerse el** ~ to act innocent. ◆ **a tontas y a locas** *loc adv* haphazardly.

top (*pl* **tops**) *m* (*prenda*) short top.

topacio *m* topaz.

topadora *f* CSur bulldozer.

topar *vi* (*encontrarse*): ~ **con alguien** to bump into sb; ~ **con algo** to come across sthg.

tope ◇ *adj inv* (*máximo*) top, maximum; (*fecha*) last. ◇ *m* 1. (*pieza*) block; (*para puerta*) doorstop. 2. (FERROC) buffer. 3. (*límite máximo*) limit; (*de plazo*) deadline. 4. (*freno*): **poner** ~ **a** to rein in, to curtail. *loc*: **estar hasta los** ~**s** to be bursting at the seams. ◆ **a**

tosco

tope *loc adv* 1. (*de velocidad, intensidad*) flat out. 2. *fam* (*lleno - lugar*) packed.

topetazo *m* bump.

tópico, -ca *adj* 1. (MED) topical. 2. (*manido*) clichéd. ◆ **tópico** *m* cliché.

topo *m* (ZOOL & *fig*) mole.

topógrafo, -fa *m y f* topographer.

topónimo *m* place name.

toque *m* 1. (*gen*) touch; **dar los (últimos) ~s a algo** to put the finishing touches to sthg. 2. (*aviso*) warning; **dar un ~ a alguien** (*llamar*) to call sb; (*amonestar*) to prod sb, to warn sb. 3. (*sonido - de campana*) chime, chiming (U); (*- de tambor*) beat, beating (U); (*- de sirena etc*) blast; **~ de diana** reveille; **~ de difuntos** death knell; **~ de queda** curfew.

toquilla *f* shawl.

tórax *m inv* thorax.

torbellino *m* (*remolino - de aire*) whirlwind; (*- de agua*) whirlpool; (*- de polvo*) dustcloud.

torcedura *f* 1. (*torsión*) twist, twisting (U). 2. (*esguince*) sprain.

torcer ◇ *vt* 1. (*gen*) to twist; (*doblar*) to bend. ◇ *vi* (*girar*) to turn. ◆ **torcerse** *vpr* 1. (*retorcerse*) to twist; (*doblarse*) to bend; **me tuerzo al andar/escribir** I can't walk/write in a straight line. 2. (*dislocarse*) to sprain. 3. (*ir mal - esperanzas, negocios, día*) to go wrong; (*- persona*) to go astray.

torcido, -da *adj* (*enroscado*) twisted; (*doblado*) bent; (*cuadro, corbata*) crooked.

tordo, -da *adj* dappled. ◆ **tordo** *m* (*pájaro*) thrush.

torear ◇ *vt* 1. (*lidiar*) to fight (*bulls*). 2. *fig* (*eludir*) to dodge. 3. *fig* (*burlarse de*): **~ a alguien** to mess sb about. ◇ *vi* (*lidiar*) to fight bulls.

toreo *m* bullfighting.

torero, -ra *m y f* (*persona*) bullfighter; **saltarse algo a la torera** *fig* to flout sthg. ◆ **torera** *f* (*prenda*) bolero (jacket).

tormenta *f lit & fig* storm.

tormento *m* torment.

tormentoso, -sa *adj* stormy; (*sueño*) troubled.

tornado *m* tornado.

tornar *culto* ◇ *vt* (*convertir*): **~ algo en (algo)** to turn sthg into (sthg). ◇ *vi* 1. (*regresar*) to return. 2. (*volver a hacer*): **~ a hacer algo** to do sthg again. ◆ **tornarse** *vpr* (*convertirse*): **~se (en)** to turn (into), to become.

torneo *m* tournament.

tornillo *m* screw; (*con tuerca*) bolt; **le**

falta un ~ *fam* he has a screw loose.

torniquete *m* (MED) tourniquet.

torno *m* 1. (*de alfarero*) (potter's) wheel. 2. (*para pesos*) winch. ◆ **en torno a** *loc prep* 1. (*alrededor de*) around. 2. (*acerca de*) about; **girar en ~ a** to be about.

toro *m* bull. ◆ **toros** *mpl* (*lidia*) bullfight (*sg*), bullfighting (U).

toronja *f* grapefruit.

torpe *adj* 1. (*gen*) clumsy. 2. (*necio*) slow, dim-witted.

torpedear *vt* to torpedo.

torpedero *m* torpedo boat.

torpedo *m* (*proyectil*) torpedo.

torpeza *f* 1. (*gen*) clumsiness; **fue una ~ hacerlo/decirlo** it was a clumsy thing to do/say. 2. (*falta de inteligencia*) slowness.

torre *f* 1. (*construcción*) tower; (ELECTR) pylon; **~ (de apartamentos)** tower block; **~ de control** control tower; **~ de perforación** oil derrick. 2. (*en ajedrez*) rook, castle. 3. (MIL) turret.

torrefacto, -ta *adj* high-roast (*antes de sust*).

torrencial *adj* torrential.

torrente *m* torrent; **un ~ de** *fig* (*gente, palabras etc*) a stream o flood of; (*dinero, energía*) masses of.

torreta *f* 1. (MIL) turret. 2. (ELECTR) pylon.

torrija *f* French toast (U).

torsión *f* 1. (*del cuerpo, brazo*) twist, twisting (U). 2. (MEC) torsion.

torso *m culto* torso.

torta *f* 1. (CULIN) cake. 2. *fam* (*bofetada*) thump; **dar** o **pegar una ~ a alguien** to thump sb. ◆ **ni torta** *loc adv fam* not a thing.

tortazo *m* 1. (*bofetada*) thump. 2. (*accidente*) crash.

tortícolis *f inv* crick in the neck.

tortilla *f* 1. (*de maíz*) tortilla, *thin pancake made from maize flour*. 2. (*de huevos*) omelette; **~ (a la) española** Spanish o potato omelette; **~ (a la) francesa** French o plain omelette.

tórtola *f* turtledove.

tortuga *f* (*terrestre*) tortoise; (*marina*) turtle; (*fluvial*) terrapin.

tortuoso, -sa *adj* 1. (*sinuoso*) tortuous, winding. 2. *fig* (*perverso*) devious.

tortura *f* torture.

torturar *vt* to torture.

tos *f* cough; **~ ferina** = tosferina.

tosco, -ca *adj* 1. (*basto*) crude. 2. *fig* (*ignorante*) coarse.

T

toser 312

toser *vi* to cough.
tosferina, **tos ferina** *f* whooping cough.
tostado, -da *adj* 1. *(pan, almendras)* toasted. 2. *(color)* brownish. 3. *(piel)* tanned. ◆ **tostada** *f* piece of toast.
tostador *m*, **tostadora** *f* toaster.
tostar *vt* 1. *(dorar, calentar - pan, almendras)* to toast; *(- carne)* to brown. 2. *(broncear)* to tan. ◆ **tostarse** *vpr* to get brown.
tostón *m Esp fam fig (rollo, aburrimiento)* bore, drag.
total ◇ *adj* total. ◇ *m* 1. *(suma)* total. 2. *(totalidad, conjunto)* whole; **el ~ del grupo** the whole group; **en ~** in all. ◇ *adv* anyway; **~ que me marché** so anyway, I left.
totalidad *f* whole; **en su ~** as a whole.
totalitario, -ria *adj* totalitarian.
totalizar *vt* to amount to.
tóxico, -ca *adj* toxic, poisonous. ◆ **tóxico** *m* poison.
toxicómano, -na *m y f* drug addict.
toxina *f* toxin.
tozudo, -da *adj* stubborn.
traba *f fig (obstáculo)* obstacle; **poner ~s (a alguien)** to put obstacles in the way (of sb).
trabajador, -ra ◇ *adj* hard-working. ◇ *m y f* worker.
trabajar ◇ *vi* 1. *(gen)* to work; **~ de/en** to work as/in; **~ en una empresa** to work for a firm. 2. (CIN & TEATRO) to act. ◇ *vt* 1. *(hierro, barro, tierra)* to work; *(masa)* to knead. 2. *(mejorar)* to work on 0 at.
trabajo *m* 1. *(gen)* work; **hacer un buen ~** to do a good job; **~ intelectual/físico** mental/physical effort; **~ manual** manual labour; **~s manuales** *(en el colegio)* arts and crafts. 2. *(empleo)* job; **no tener ~** to be out of work. 3. *(estudio escrito)* essay. 4. (POLÍT) labour. 5. *fig (esfuerzo)* effort.
trabajoso, -sa *adj* 1. *(difícil)* hard, difficult. 2. *(molesto)* tiresome.
trabalenguas *m inv* tongue-twister.
trabar *vt* 1. *(sujetar)* to fasten; *(a preso)* to shackle. 2. *(unir)* to join. 3. *(iniciar - conversación, amistad)* to strike up. 4. *(obstaculizar)* to hinder. 5. (CULIN) to thicken. ◆ **trabarse** *vpr* 1. *(enredarse)* to get tangled. 2. *loc*: **se le trabó la lengua** he got tongue-tied.
trabazón *f fig (conexión, enlace)* link, connection.
trabucar *vt* to mix up.

tracción *f* traction; **~ delantera/trasera** front-wheel/rear-wheel drive.
tractor *m* tractor.
tradición *f* tradition.
tradicional *adj* traditional.
traducción *f* translation.
traducir ◇ *vt (a otro idioma)* to translate. ◇ *vi*: **~ (de/a)** to translate (from/into). ◆ **traducirse** *vpr (a otro idioma)*: **~se (por)** to be translated (by 0 as).
traductor, -ra *m y f* translator.
traer *vt* 1. *(trasladar, provocar)* to bring; *(consecuencias)* to carry, to have; **~ consigo** *(implicar)* to mean, to lead to. 2. *(llevar)* to carry; **¿qué traes ahí?** what have you got there? 3. *(llevar adjunto, dentro)* to have; **trae un artículo interesante** it has an interesting article in it. 4. *(llevar puesto)* to wear. ◆ **traerse** *vpr*: **traérselas** *fam fig* to be a real handful.
traficante *m y f (de drogas, armas etc)* trafficker.
traficar *vi*: **~ (en/con algo)** to traffic (in sthg).
tráfico *m (gen)* traffic.
tragaluz *m* skylight.
traganíqueles *f inv Amer fam →* máquina.
tragaperras *f inv* slot machine.
tragar ◇ *vt* 1. *(ingerir, creer)* to swallow. 2. *(absorber)* to swallow up. 3. *fig (soportar)* to put up with. ◇ *vi* to swallow. ◆ **tragarse** *vpr fig (soportarse)*: **no se tragan** they can't stand each other.
tragedia *f* tragedy.
trágico, -ca *adj* tragic.
trago *m* 1. *(de líquido)* mouthful; **de un ~** in one gulp. 2. *fam (copa)* drink. 3. *fam fig (disgusto)*: **ser un ~ para alguien** to be tough on sb.
traición *f* 1. *(infidelidad)* betrayal. 2. (DER) treason.
traicionar *vt lit & fig (ser infiel)* to betray.
traicionero, -ra *adj (desleal)* treacherous; (DER) treasonous.
traidor, -ra ◇ *adj* treacherous; (DER) treasonous. ◇ *m y f* traitor.
traiga *etc* → **traer**.
trailer ['trailer] *(pl* **trailers)** *m* 1. (AUTOM) articulated lorry. 2. *Amer (caravana)* trailer *Am*, caravan *Br*. 3. *Esp* (CIN) trailer.
traje *m* 1. *(con chaqueta)* suit; *(de una pieza)* dress; **~ de baño** swimsuit; **~ de chaqueta** woman's two-piece suit. 2. *(regional, de época etc)* costume; **~ de luces** matador's outfit. 3. *(ropa)* clothes

(pl); ~ **de paisano** *(de militar)* civilian clothes; *(de policia)* plain clothes.

trajinar *vi fam fig* to bustle about.

trajo → **traer**.

trama *f* 1. *(de hilos)* weft. 2. *fig (confabulación)* intrigue. 3. *(LITER)* plot.

tramar *vt* 1. *(hilo)* to weave. 2. *fam fig (planear)* to plot; *(complot)* to hatch; **estar tramando algo** to be up to something.

tramitar *vt* 1. *(suj: autoridades - pasaporte, permiso)* to take the necessary steps to obtain; *(- solicitud, dimisión)* to process. 2. *(suj: solicitante)*: ~ **un permiso** to be in the process of applying for a licence.

trámite *m (gestión)* formal step; **de ~** routine, formal. ◆ **trámites** *mpl* 1. *(proceso)* procedure *(sg)*. 2. *(papeleo)* paperwork *(U)*.

tramo *m* 1. *(espacio)* section, stretch. 2. *(de escalera)* flight (of stairs).

tramoya *f (TEATRO)* stage machinery *(U)*.

trampa *f* 1. *(para cazar)* trap. 2. *fig (engaño)* trick; **tender una ~ (a alguien)** to set o lay a trap (for sb); **hacer ~s** to cheat. 3. *fig (deuda)* debt.

trampear *vi fam (estafar)* to swindle money.

trampilla *f (en el suelo)* trapdoor.

trampolín *m (de piscina)* diving board; *(de esquí)* ski jump; *(en gimnasia)* springboard.

tramposo, -sa ◇ *adj (fullero)* cheating. ◇ *m y f (fullero)* cheat.

tranca *f* 1. *(de puerta o ventana)* bar. 2. *(arma)* cudgel. 3. *loc:* **a ~s y barrancas** with great difficulty.

trance *m* 1. *(apuro)* difficult situation; **estar en ~ de hacer algo** to be about to do sthg; **pasar por un mal ~** to go through a bad patch. 2. *(estado hipnótico)* trance.

tranquilidad *f* peacefulness, calmness; **para mayor ~** to be on the safe side.

tranquilizante *m (medicamento)* tranquilizer.

tranquilizar *vt* 1. *(calmar)* to calm (down). 2. *(dar confianza)* to reassure. ◆ **tranquilizarse** *vpr* 1. *(calmarse)* to calm down. 2. *(ganar confianza)* to feel reassured.

tranquilo, -la *adj* 1. *(sosegado - lugar, música)* peaceful; *(- persona, tono de voz, mar)* calm; *(- viento)* gentle; **¡(tú) ~!** *fam* don't you worry! 2. *(velada, charla, negocio)* quiet. 3. *(mente)* untroubled;

(conciencia) clear. 4. *(despreocupado)* casual, laid-back.

transacción *f (COM)* transaction.

transar *vi Amer* to compromise.

transatlántico, -ca *adj* transatlantic. ◆ **transatlántico** *m (NÁUT)* (ocean) liner.

transbordador *m* 1. *(NÁUT)* ferry. 2. *(AERON)*: ~ **(espacial)** space shuttle.

transbordar ◇ *vt* to transfer. ◇ *vi* to change *(trains etc)*.

transbordo *m*: **hacer ~** to change *(trains etc)*.

transcendencia *f* importance; **tener una gran ~** to be deeply significant.

transcendental *adj* 1. *(importante)* momentous. 2. *(meditación)* transcendental.

transcendente *adj* momentous.

transcender *vi* 1. *(extenderse)*: ~ **(a algo)** to spread (across sthg). 2. *(filtrarse)* to be leaked. 3. *(sobrepasar)*: ~ **de** to transcend, to go beyond.

transcurrir *vi* 1. *(tiempo)* to pass, to go by. 2. *(ocurrir)* to take place.

transcurso *m* 1. *(paso de tiempo)* passing. 2. *(periodo de tiempo)*: **en el ~ de** in the course of.

transeúnte *m y f (paseante)* passerby.

transexual *adj, m y f* transsexual.

transferencia *f* transfer.

transferir *vt* to transfer.

transformación *f* transformation.

transformador, -ra *adj* transforming. ◆ **transformador** *m (ELECTRÓN)* transformer.

transformar *vt* 1. *(cambiar radicalmente)*: ~ **algo/a alguien (en)** to transform sthg/sb (into). 2. *(convertir)*: ~ **algo (en)** to convert sthg (into). 3. *(en rugby)* to convert. ◆ **transformarse** *vpr* 1. *(cambiar radicalmente)* to be transformed. 2. *(convertirse)*: ~**se en algo** to be converted into sthg.

transfusión *f* transfusion.

transgredir *vt* to transgress.

transgresor, -ra *m y f* transgressor.

transición *f* transition; **periodo de ~** transition period; ~ **democrática** transition to democracy.

transido, -da *adj:* ~ **(de)** stricken (with); ~ **de pena** grief-stricken.

transigir *vi* 1. *(ceder)* to compromise. 2. *(ser tolerante)* to be tolerant.

transistor *m* transistor.

transitar *vi* to go (along).

tránsito *m* 1. *(circulación - gen)* move-

T

ment; *(- de coches)* traffic. **2.** *(transporte)* transit.

transitorio, -ria *adj (gen)* transitory; *(residencia)* temporary; *(régimen, medida)* transitional, interim.

translúcido, -da *adj* translucent.

transmisión *f* **1.** *(gen & AUTOM)* transmission; *(de saludos, noticias)* passing on. **2.** *(RADIO & TV)* broadcast, broadcasting *(U)*. **3.** *(de herencia, poderes etc)* transference.

transmisor, -ra *adj* transmission *(antes de sust)*. ◆ **transmisor** *m* transmitter.

transmitir *vt* **1.** *(gen)* to transmit; *(saludos, noticias)* to pass on. **2.** *(RADIO & TV)* to broadcast. **3.** *(ceder)* to transfer.

transparencia *f* transparency.

transparentarse *vpr (tela)* to be see-through; *(vidrio, líquido)* to be transparent.

transparente *adj (gen)* transparent; *(tela)* see-through.

transpiración *f* perspiration; *(BOT)* transpiration.

transpirar *vi* to perspire; *(BOT)* to transpire.

transplantar *vt* to transplant.

transplante *m* transplant, transplanting *(U)*.

transportador *m (para medir ángulos)* protractor.

transportar *vt* **1.** *(trasladar)* to transport. **2.** *(embelesar)* to captivate. ◆ **transportarse** *vpr (embelesarse)* to go into raptures.

transporte *m* transport; **~ público** o **colectivo** public transport.

transportista *m y f* carrier.

transversal *adj* transverse.

tranvía *m* tram, streetcar *Am*.

trapecio *m (de gimnasia)* trapeze.

trapecista *m y f* trapeze artist.

trapero, -ra *m y f* rag-and-bone man *(f* rag-and-bone woman).

trapisonda *f fam (enredo)* scheme.

trapo *m* **1.** *(trozo de tela)* rag. **2.** *(gamuza, bayeta)* cloth; **poner a alguien como un ~** to tear sb to pieces. ◆ **trapos** *mpl fam (ropa)* clothes.

tráquea *f* windpipe, trachea (MED).

traquetear ◇ *vt* to shake. ◇ *vi (hacer ruido)* to rattle.

tras *prep* **1.** *(detrás de)* behind. **2.** *(después de, en pos de)* after; **uno ~ otro** one after the other; **andar ~ algo** to be after sthg.

trasatlántico, -ca = transatlántico.

trasbordador = transbordador.

trasbordar = transbordar.

trasbordo = transbordo.

trascendencia = transcendencia.

trascendental = transcendental.

trascendente = transcendente.

trascender = transcender.

trascurrir = transcurrir.

trascurso = transcurso.

trasegar *vt (desordenar)* to rummage about amongst.

trasero, -ra *adj* back *(antes de sust)*, rear *(antes de sust)*. ◆ **trasero** *m fam* backside.

trasferencia = transferencia.

trasferir = transferir.

trasfondo *m* background; *(de palabras, intenciones)* undertone.

trasformación = transformación.

trasformador, -ra = transformador.

trasformar = transformar.

trasfusión = transfusión.

trasgredir = transgredir.

trasgresor, -ra = transgresor.

trasiego *m (movimiento)* comings and goings *(pl)*.

traslación *f* (ASTRON) passage.

trasladar *vt* **1.** *(desplazar)* to move. **2.** *(a empleado, funcionario)* to transfer. **3.** *(reunión, fecha)* to postpone. ◆ **trasladarse** *vpr* **1.** *(desplazarse)* to go. **2.** *(mudarse)* to move; **me traslado de piso** I'm moving flat.

traslado *m* **1.** *(de casa, empresa, muebles)* move, moving *(U)*. **2.** *(de trabajo)* transfer. **3.** *(de personas)* movement.

traslúcido, -da = translúcido.

trasluz *m* reflected light; **al ~** against the light.

trasmisión = transmisión.

trasmisor, -ra = transmisor.

trasmitir = transmitir.

trasnochar *vi* to stay up late.

traspapelar *vt (papeles, documentos)* to mislay.

trasparencia = transparencia.

trasparentarse = transparentarse.

trasparente = transparente.

traspasar *vt* **1.** *(atravesar)* to go through, to pierce. **2.** *(cruzar)* to cross (over); *(puerta)* to pass through. **3.** *(suj: líquido)* to soak through. **4.** *(jugador)* to transfer. **5.** *(negocio)* to sell (as a going concern). **6.** *fig (exceder)* to go beyond.

traspaso *m (venta - de jugador)* transfer; *(- de negocio)* sale (as a going concern).

traspié *(pl* traspiés*) m* **1.** *(resbalón)* trip, stumble; **dar un ~** to trip up. **2.** *fig (error)* slip.

traspiración = transpiración.

traspirar = transpirar.

trasplantar = transplantar.

trasplante = transplante.

trasponer = transponer.

trasportar *etc* = transportar.

trastabillar *vi* to stagger.

trastada *f* dirty trick; **hacer una ~ a alguien** to play a dirty trick on sb.

traste *m* **1.** (MÚS) fret. **2.** *loc:* **dar al ~ con algo** to ruin sthg; **irse al ~** to fall through.

trastero *m* junk room.

trastienda *f* backroom.

trasto *m* **1.** *(utensilio inútil)* piece of junk, junk *(U)*. **2.** *fam fig (persona traviesa)* menace, nuisance. ◆ **trastos** *mpl fam (pertenencias, equipo)* things, stuff *(U)*; **tirarse los ~s a la cabeza** to have a flaming row.

trastocar *vt (cambiar)* to turn upside down. ◆ **trastocarse** *vpr (enloquecer)* to go mad.

trastornado, -da *adj* disturbed, unbalanced.

trastornar *vt* **1.** *(volver loco)* to drive mad. **2.** *(inquietar)* to worry, to trouble. **3.** *(alterar)* to turn upside down; *(planes)* to disrupt. ◆ **trastornarse** *vpr (volverse loco)* to go mad.

trastorno *m* **1.** *(mental)* disorder; *(digestivo)* upset. **2.** *(alteración - por huelga, nevada)* disruption *(U)*; *(- por guerra etc)* upheaval.

trastrocar *vt (cambiar de orden)* to switch O change round.

tratable *adj* easy-going, friendly.

tratado *m* **1.** *(convenio)* treaty. **2.** *(escrito)* treatise.

tratamiento *m* **1.** *(gen & MED)* treatment. **2.** *(título)* title, form of address. **3.** (INFORM) processing; **~ de datos/textos** data/word processing; **~ por lotes** batch processing.

tratar ◇ *vt* **1.** *(gen & MED)* to treat. **2.** *(discutir)* to discuss. **3.** (INFORM) to process. **4.** *(dirigirse a):* **~ a alguien de** *(usted, tú etc)* to address sb as. ◇ *vi* **1.** *(versar):* **~ de/sobre** to be about. **2.** *(tener relación):* **~ con alguien** to mix with sb, to have dealings with sb. **3.** *(intentar):* **~ de hacer algo** to try to do sthg. **4.** *(utilizar):* **~ con** to deal with, to use. **5.** *(comerciar):* **~ en** to deal in.

◆ **tratarse** *vpr* **1.** *(relacionarse):* **~se con** to mix with, to have dealings with. **2.** *(versar):* **~se de** to be about; **¿de qué se trata?** what's it about?

trato *m* **1.** *(comportamiento, conducto)* treatment; **de ~ agradable** pleasant; **malos ~s** battering *(U) (of child, wife)*. **2.** *(relación)* dealings *(pl)*. **3.** *(acuerdo)* deal; **cerrar** O **hacer un ~** to do O make a deal; **¡~ hecho!** it's a deal! **4.** *(tratamiento)* title, term of address.

trauma *m* trauma.

traumatólogo, -ga *m y f* traumatologist.

través ◆ **a través de** *loc prep* **1.** *(de un lado a otro de)* across, over. **2.** *(por, por medio de)* through. ◆ **de través** *loc adv (transversalmente)* crossways; *(de lado)* sideways.

travesaño *m* **1.** (ARQUIT) crosspiece. **2.** (DEP) crossbar.

travesía *f* **1.** *(viaje - por mar)* voyage, crossing. **2.** *(calle)* cross-street.

travestido, -da, travestí *(pl* travestís*) m y f* transvestite.

travesura *f* prank, mischief *(U)*.

traviesa *f* **1.** (FERROC) sleeper *(on track)*. **2.** (CONSTR) crossbeam.

travieso, -sa *adj* mischievous.

trayecto *m* **1.** *(distancia)* distance; **final de ~** end of the line. **2.** *(viaje)* journey, trip. **3.** *(ruta)* route.

trayectoria *f* **1.** *(recorrido)* trajectory. **2.** *fig (evolución)* path.

traza *f (aspecto)* appearance *(U)*, looks *(pl)*.

trazado *m* **1.** *(trazo)* outline, sketching. **2.** *(diseño)* plan, design. **3.** *(recorrido)* route.

trazar *vt* **1.** *(dibujar)* to draw, to trace; *(ruta)* to plot. **2.** *(indicar, describir)* to outline. **3.** *(idear)* to draw up.

trazo *m* **1.** *(de dibujo, rostro)* line. **2.** *(de letra)* stroke.

trébol *m (planta)* clover. ◆ **tréboles** *mpl (naipes)* clubs.

trece *núm* thirteen; *ver también* **seis**.

treceavo, -va *núm* thirteenth.

trecho *m (espacio)* distance; *(tiempo)* time.

tregua *f* truce; *fig* respite.

treinta *núm* thirty; **los (años) ~** the Thirties; *ver también* **seis**.

treintena *f* thirty.

tremendo, -da *adj (enorme)* tremendous, enormous. ◆ **tremenda** *f:* **tomar** O **tomarse algo a la tremenda** to take sthg hard.

T

trémulo, -la *adj (voz)* trembling; *(luz)* flickering.

tren *m* 1. *(ferrocarril)* train; ~ **de alta velocidad/largo recorrido** high-speed/long-distance train; ~ **semidirecto** *through train, a section of which becomes a stopping train*; **estar como (para parar) un** ~ to be really gorgeous; **perder el** ~ *fig* to miss the boat. 2. (TECN) line; ~ **de aterrizaje** undercarriage; ~ **de lavado** car wash.

trenza *f* 1. *(de pelo)* plait. 2. *(de fibras)* braid.

trenzar *vt* 1. *(pelo)* to plait. 2. *(fibras)* to braid.

trepa *m y f fam* social climber.

trepador, -ra ◇ *adj*: **planta trepadora** creeper. ◇ *m y f fam* social climber.

trepar ◇ *vt* to climb. ◇ *vi* 1. *(subir)* to climb. 2. *fam fig (medrar)* to be a social climber.

tres *núm* three; **ni a la de** ~ for anything in the world, no way; *ver también* **seis**. ◆ **tres cuartos** *m inv (abrigo)* three-quarter-length coat. ◆ **tres en raya** *m* noughts and crosses (U) *Br*, tick-tack-toe *Am*.

trescientos, -tas *núm* three hundred; *ver también* **seis**.

tresillo *m (sofá)* three-piece suite.

treta *f (engaño)* trick.

triangular *adj* triangular.

triángulo *m* (GEOM & MÚS) triangle.

tribu *f* tribe.

tribuna *f* 1. *(estrado)* rostrum, platform; *(del jurado)* jury box. 2. (DEP - *localidad*) stand; *(- graderío)* grandstand. 3. (PRENSA): ~ **de prensa** press box; ~ **libre** open forum.

tribunal *m* 1. *(gen)* court; **llevar a alguien/acudir a los** ~**es** to take sb/go to court. 2. *(de examen)* board of examiners; *(de concurso)* panel.

tributable *adj* taxable.

tributar *vt (homenaje)* to pay; *(respeto, admiración)* to have.

tributo *m* 1. *(impuesto)* tax. 2. *fig (precio)* price. 3. *(homenaje)* tribute.

triciclo *m* tricycle.

tricornio *m* three-cornered hat.

tricot *m inv* knitting (U).

tricotar *vt & vi* to knit.

tridimensional *adj* three-dimensional.

trigésimo, -ma *núm* thirtieth.

trigo *m* wheat.

trigonometría *f* trigonometry.

trillado, -da *adj fig* trite.

trillar *vt* to thresh.

trillizo, -za *m y f* triplet.

trilogía *f* trilogy.

trimestral *adj* three-monthly, quarterly; *(exámenes, notas)* end-of-term *(antes de sust)*.

trimestre *m* three months *(pl)*, quarter; *(en escuela, universidad)* term.

trinar *vi* to chirp; **está que trina** *fig* she's fuming.

trincar *Esp fam* ◇ *vt (detener)* to nick, to arrest. ◇ *vi (beber)* to guzzle.

trincha *f* strap.

trinchante *m (tenedor)* meat fork.

trinchar *vt* to carve.

trinchera *f* (MIL) trench.

trineo *m (pequeño)* sledge; *(grande)* sleigh.

Trinidad *f*: **la (Santísima)** ~ the (Holy) Trinity.

Trinidad y Tobago Trinidad and Tobago.

trino *m (de pájaros)* chirp, chirping (U); (MÚS) trill.

trío *m (gen)* trio.

tripa *f* 1. *(intestino)* gut, intestine. 2. *fam (barriga)* gut, belly. ◆ **tripas** *fpl fig (interior)* insides.

triple ◇ *adj* triple. ◇ *m*: **el** ~ three times as much; **el** ~ **de gente** three times as many people.

triplicado *m* second copy, triplicate.

triplicar *vt* to triple, to treble. ◆ **triplicarse** *vpr* to triple, to treble.

trípode *m* tripod.

tripulación *f* crew.

tripulante *m y f* crew member.

tripular *vt* to man.

triste *adj* 1. *(gen)* sad; *(día, tiempo, paisaje)* gloomy, dreary; **es** ~ **que** it's a shame o pity that. 2. *fig (color, vestido, luz)* pale. 3. *(antes de sust) (humilde)* poor; *(sueldo)* sorry, miserable.

tristeza *f (gen)* sadness; *(de paisaje, día)* gloominess, dreariness.

triturador *m (de basura)* waste-disposal unit; *(de papeles)* shredder.

triturar *vt* 1. *(moler, desmenuzar)* to crush, to grind; *(papel)* to shred. 2. *(mascar)* to chew.

triunfal *adj* triumphant.

triunfar *vi* 1. *(vencer)* to win. 2. *(tener éxito)* to succeed, to be successful.

triunfo *m (gen)* triumph; *(en encuentro, elecciones)* victory, win.

trivial *adj* trivial.

trivializar *vt* to trivialize.

trizas *fpl* piece (sg), bit (sg); **hacer** ~

algo *(hacer añicos)* to smash sthg to pieces; *(desgarrar)* to tear sthg to shreds; **estar hecho ~** *(persona)* to be shattered.

trocar *vt* 1. *(transformar)*: **~ algo (en algo)** to change sthg (into sthg). 2. *(intercambiar)* to swap.

trocear *vt* to cut up (into pieces).

trocha *f Amer* path.

trofeo *m* trophy.

trola *f fam* fib, lie.

trolebús *m* trolleybus.

trombón *m* (MÚS - *instrumento)* trombone; *(- músico)* trombonist.

trombosis *f inv* thrombosis.

trompa *f* 1. (MÚS) horn. 2. *(de elefante)* trunk; *(de oso hormiguero)* snout. 3. *fam (borrachera)*: **coger** o **pillar una ~** to get plastered.

trompazo *m* bang.

trompear *vt fam* to punch. ♦ **trompearse** *vpr fam* to have a fight.

trompeta *f* trumpet.

trompetista *m y f* trumpeter.

trompo *m* spinning top.

tronar ◇ *v impers* to thunder. ◇ *vi Méx fam* to fail. ♦ **tronarse** *vpr Amer fam* to shoot o.s.

tronchar *vt (partir)* to snap. ♦ **troncharse** *vpr fam*: **~se (de risa)** to split one's sides laughing.

tronco *m* (ANAT & BOT) trunk; *(talado y sin ramas)* log; **dormir como un ~, estar hecho un ~** to sleep like a log.

trono *m* throne.

tropa *f (gen pl)* (MIL) troops *(pl)*.

tropezar *vi (con pie)*: **~ (con)** to trip o stumble (on). ♦ **tropezarse** *vpr fam (encontrarse)* to bump into each other; **~se con alguien** to bump into sb. ♦ **tropezar con** *vi (problema, persona)* to run into, to come across.

tropezón *m* 1. *(tropiezo)* trip, stumble; **dar un ~** to trip up, to stumble. 2. *fig (desacierto)* slip-up. ♦ **tropezones** *mpl* (CULIN) small chunks of meat.

tropical *adj* tropical.

trópico *m* tropic.

tropiezo *m* 1. *(tropezón)* trip, stumble; **dar un ~** to trip up, to stumble. 2. *fig (equivocación)* slip-up. 3. *(revés)* setback.

troquel *m (molde)* mould, die.

trotamundos *m y f inv* globe-trotter.

trotar *vi* to trot; *fam fig (andar mucho)* to dash o run around.

trote *m (de caballo)* trot; **al ~** at a trot.

troupe [trup, 'trupe] *(pl* **troupes)** *f* troupe.

trozo *m (gen)* piece; *(de obra, película)* extract; **cortar algo a ~s** to cut sthg into pieces.

trucar *vt* to doctor; *(motor)* to soup up.

trucha *f (pez)* trout.

truco *m* 1. *(trampa, engaño)* trick. 2. *(habilidad, técnica)* knack; **coger el ~** to get the knack; **~ publicitario** advertising gimmick.

truculento, -ta *adj* horrifying, terrifying.

El adjetivo "truculento" del español y *truculent* del inglés son muy parecidos, pero las apariencias engañan: *truculent* significa 'agresivo, pendenciero, belicoso'. Si en español el término "truculento" suele aplicarse a noticias, historias, imágenes, etc. ("un crimen truculento" sería *a horrifying crime)*, en inglés*truculent* se aplica por lo general a personas *(a truculent boy,* "un chico <u>pendenciero</u>").

---

trueno *m* (METEOR) clap of thunder, thunder *(U)*.

trueque *m* 1. (COM & HIST) barter. 2. *(intercambio)* exchange, swap.

trufa *f (hongo, bombón)* truffle.

truncar *vt (frustrar - vida, carrera)* to cut short; *(- planes, ilusiones)* to spoil, to ruin.

---

tu *(pl* **tus)** *adj poses (antes de sust)* your.

---

tú *pron pers* you; **es más alta que ~** she's taller than you; **de ~ a ~** *(lucha)* evenly matched; **hablar** o **tratar de ~ a alguien** to address sb as 'tú'.

tubérculo *m* tuber, root vegetable.

tuberculosis *f inv* tuberculosis.

tubería *f* 1. *(cañerías)* pipes *(pl)*, pipework. 2. *(tubo)* pipe.

tubo *m* 1. *(tubería)* pipe; **~ de escape** (AUTOM) exhaust (pipe); **~ del desagüe** drainpipe. 2. *(recipiente)* tube; **~ de ensayo** test tube. 3. (ANAT) tract; **~ digestivo** digestive tract.

tuerca *f* nut.

tuerto, -ta *adj (sin un ojo)* one-eyed; *(ciego de un ojo)* blind in one eye.

tuétano *m* (ANAT) (bone) marrow.

tufo *m (mal olor)* stench.

tugurio *m* hovel.

tul *m* tulle.

tulipa *f (tulipán)* tulip.

tulipán *m* tulip.

tullido, -da ◇ *adj* crippled. ◇ *m y f* cripple, disabled person.

tumba *f* grave, tomb; **ser (como) una ~** to be as silent as the grave.

tumbar vt (derribar) to knock over o down. ◆ **tumbarse** vpr (acostarse) to lie down.

tumbo m jolt, jerk.

tumbona f (en la playa) deck chair; (en el jardín) (sun) lounger.

tumor m tumour.

tumulto m 1. (disturbio) riot, disturbance. 2. (alboroto) uproar, tumult.

tumultuoso, -sa adj 1. (conflictivo) tumultuous. 2. (turbulento) rough, stormy.

tuna f → tuno.

túnel m tunnel. ◆ **túnel de lavado** m (AUTOM) car wash.

Túnez 1. (capital) Tunis. 2. (país) Tunisia.

túnica f tunic.

Tunicia Tunisia.

tuno, -na m y f rogue, scoundrel. ◆ **tuna** f group of student minstrels.

tuntún ◆ **al tuntún** loc adv without thinking.

tupé m (cabello) quiff.

tupido, -da adj thick, dense.

turba f 1. (combustible) peat, turf. 2. (muchedumbre) mob.

turbación f 1. (desconcierto) upset, disturbance. 2. (azoramiento) embarrassment.

turbante m turban.

turbar vt 1. (alterar) to disturb. 2. (emocionar) to upset. 3. (desconcertar) to trouble, to disconcert. ◆ **turbarse** vpr (emocionarse) to get upset.

turbina f turbine.

turbio, -bia adj 1. (agua etc) cloudy. 2. (vista) blurred. 3. fig (negocio etc) shady. 4. fig (época etc) turbulent.

turbulencia f 1. (de fluido) turbulence. 2. (alboroto) uproar, clamour.

turbulento, -ta adj 1. (gen) turbulent. 2. (revoltoso) unruly, rebellious.

turco, -ca ◇ adj Turkish. ◇ m y f (persona) Turk. ◆ **turco** m (lengua) Turkish.

turismo m 1. (gen) tourism; hacer ~ (por) to go touring (round). 2. (AUTOM) private car.

turista m y f tourist.

turístico, -ca adj tourist (antes de sust).

turnarse vpr: ~ (con alguien) to take turns (with sb).

turno m 1. (tanda) turn, go. 2. (de trabajo) shift; ~ de día/noche day/night shift.

turquesa ◇ f (mineral) turquoise.

◇ adj inv (color) turquoise. ◇ m (color) turquoise.

Turquía Turkey.

turrón m Christmas sweet similar to marzipan or nougat, made with almonds and honey.

tute m (juego) card game similar to whist.

tutear vt to address as 'tú'. ◆ **tutearse** vpr to address each other as 'tú'.

tutela f 1. (DER) guardianship. 2. (cargo): ~ (de) responsibility (for); bajo la ~ de under the protection of.

tutelar ◇ adj (DER) tutelary. ◇ vt to act as guardian to.

tutor, -ra m y f 1. (DER) guardian. 2. (profesor - privado) tutor; (- de un curso) form teacher.

tutoría f (DER) guardianship.

tutú (pl tutús) m tutu.

tuviera etc → tener.

tuyo, -ya ◇ adj poses yours; este libro es ~ this book is yours; un amigo ~ a friend of yours; no es asunto ~ it's none of your business. ◇ pron poses: el ~ yours; el ~ es rojo yours is red; ésta es la tuya fam this is the chance you've been waiting for; lo ~ es el teatro (lo que haces bien) you should be on the stage; los ~s fam (tu familia) your folks; (tu bando) your lot.

TV (abrev de televisión) f TV.

u¹, U f (letra) u, U.

u² conj or; ver también **o²**.

ubicación f position, location.

ubicar vt to place, to position; (edificio etc) to locate. ◆ **ubicarse** vpr (edificio etc) to be situated.

ubre f udder.

Ucrania the Ukraine.

Ud., Vd. abrev de usted.

Uds., Vds. abrev de ustedes.

UEFA (abrev de Unión de Asociaciones Europeas de Fútbol) f UEFA.

ufanarse vpr: ~ de to boast about.

ufano, -na adj 1. (satisfecho) proud, pleased. 2. (engreído) boastful, conceited.

Uganda Uganda.

UHF (*abrev de* **ultra high frequency**) *f* UHF.

ujier (*pl* **ujieres**) *m* usher.

újule *interj Méx*: ¡~! wow!

úlcera *f* (MED) ulcer.

ulcerar *vt* to ulcerate. ✦ **ulcerarse** *vpr* (MED) to ulcerate.

ulterior *adj culto* (*en el tiempo*) subsequent, ulterior.

ulteriormente *adv culto* subsequently.

últimamente *adv* recently.

ultimar *vt* 1. (*gen*) to conclude, to complete. 2. *Amer* (*matar*) to kill.

ultimátum (*pl* **ultimátums** o **ultimatos**) *m* ultimatum.

último, -ma ◇ *adj* 1. (*gen*) last; **por ~** lastly, finally. 2. (*más reciente*) latest, most recent. 3. (*más remoto*) furthest, most remote. 4. (*más bajo*) bottom. 5. (*más alto*) top. 6. (*de más atrás*) back. ◇ *m y f* 1. (*en fila, carrera etc*): **el ~** the last (one); **llegar el ~** to come last. 2. (*en comparaciones, enumeraciones*): **éste ~** ... the latter ...

ultra *m y f* (POLÍT) right-wing extremist.

ultraderecha *f* extreme right (wing).

ultraizquierda *f* extreme left (wing).

ultrajar *vt* to insult, to offend.

ultraje *m* insult.

ultramar *m* overseas (*pl*); **de ~** overseas (*antes de sust*).

ultramarino, -na *adj* overseas (*antes de sust*). ✦ **ultramarinos** ◇ *mpl* (*comestibles*) groceries. ◇ *m inv* (*tienda*) grocer's (shop) (*sg*).

ultranza ✦ **a ultranza** *loc adv* 1. (*con decisión*) to the death. 2. (*acérrimamente*) out-and-out.

ultrasonido *m* ultrasound.

ultratumba *f*: **de ~** from beyond the grave.

ultravioleta *adj inv* ultraviolet.

ulular *vi* 1. (*viento, lobo*) to howl. 2. (*búho*) to hoot.

umbilical *adj* → **cordón**.

umbral *m* 1. (*gen*) threshold. 2. *fig* (*límite*) bounds (*pl*), realms (*pl*).

un, una ◇ *art* (*antes de sust femenino que empiece por 'a' o 'ha' tónica*: **un**) a, an (*ante sonido vocálico*); ~ **hombre/coche** a man/car; **una mujer/mesa** a woman/table; ~ **águila/hacha** an eagle/axe; **una hora** an hour. ◇ *adj* → **uno**.

• Se usa el artículo indeterminado *a* cuando la palabra que sigue comienza con una consonate (*a game, a year, a new boat*) y *an* cuando comienza con vocal (*an apple, an egg, an old boat*). Sin embargo se usa *a* delante de vocal cuando ésta se pronuncia como consonante en inglés: *a university* (la 'u' se pronuncia [j]) o *a one-way street* (la 'o' se pronuncia [w]). Cuando la palabra empieza con 'h' se usa *an* (*an hour, an honor*).

• Este artículo se suprime para el plural (*a little house — little houses*).

• Ver también **ONE** en el lado Inglés-Español del diccionario.

---

unánime *adj* unanimous.

unanimidad *f* unanimity; **por ~** unanimously.

unción *f* function.

undécimo, -ma *núm* eleventh.

ungüento *m* ointment.

únicamente *adv* only, solely.

único, -ca *adj* 1. (*sólo*) only; **es lo ~ que quiero** it's all I want. 2. (*excepcional*) unique. 3. (*precio, función, razón*) single.

unicornio *m* unicorn.

unidad *f* 1. (*gen,* MAT & MIL) unit; **25 pesetas la ~** 25 pesetas each; **~ central de proceso** (INFORM) central processing unit; **~ de disco** (INFORM) disk drive. 2. (*cohesión, acuerdo*) unity.

unido, -da *adj* united; (*familia, amigo*) close.

unifamiliar *adj* detached.

unificar *vt* 1. (*unir*) to unite, to join; (*países*) to unify. 2. (*uniformar*) to standardize.

uniformar *vt* 1. (*igualar*) to standardize. 2. (*poner uniforme*) to put into uniform.

uniforme ◇ *adj* uniform; (*superficie*) even. ◇ *m* uniform.

uniformidad *f* uniformity; (*de superficie*) evenness.

unión *f* 1. (*gen*) union; **en ~ de** together with. 2. (*suma, adherimiento*) joining together. 3. (TECN) join, joint.

unir *vt* 1. (*pedazos, habitaciones etc*) to join. 2. (*empresas, estados, facciones*) to unite. 3. (*comunicar - ciudades etc*) to link. 4. (*suj: amistad, circunstancias etc*) to bind. 5. (*casar*) to join, to marry. 6. (*combinar*) to combine. 7. (*mezclar*) to mix o blend in. ✦ **unirse** *vpr* 1. (*gen*) to join together; **~se a algo** to join sthg.

2. *(casarse):* **~se en matrimonio** to be joined in wedlock.

unisexo, unisex *adj inv* unisex.

unísono ♦ al unísono *loc adv* in unison.

unitario, -ria *adj* **1.** *(de una unidad - estado, nación)* single; *(- precio)* unit *(antes de sust).* **2.** (POLÍT) unitarian.

universal *adj* **1.** *(gen)* universal. **2.** *(mundial)* world *(antes de sust).*

universidad *f* university.

universitario, -ria ◇ *adj* university *(antes de sust).* ◇ *m y f (estudiante)* university student.

universo *m* **1.** (ASTRON) universe. **2.** *fig (mundo)* world.

unívoco, -ca *adj* univocal, unambiguous.

uno, una ◇ *adj (antes de sust masculino sg:* **un***)* **1.** *(indefinido)* one; **un día volveré** one ○ some day I'll return; **había ~s coches mal aparcados** there were some badly parked cars; **había ~s 12 muchachos** there were about ○ some 12 boys there. **2.** *(numeral)* one; **un hombre, un voto** one man, one vote; **la fila ~** row one. ◇ *pron* **1.** *(indefinido)* one; **coge ~** take one; **~ de vosotros** one of you; **~s ... otros ...** some ... others ...; **~ a otro, ~s a otros** each other, one another; **~ y otro** both; **~s y otros** all of them. **2.** *fam (cierta persona)* someone, somebody; **hablé con ~ que te conoce** I spoke to someone who knows you; **me lo han contado ~s** certain people told me so. **3.** *(yo)* one; **~ ya no está para estos trotes** one isn't really up to this sort of thing any more. **4.** *loc:* **a una** *(en armonía, a la vez)* together; **de ~ en ~, ~ a ~, ~ por ~** one by one; **juntar varias cosas en una** to combine several things into one; **lo ~ por lo otro** it all evens out in the end; **más de ~** many people; **una de dos** it's either one thing or the other; **~s cuantos** a few; **una y no más** once bitten, twice shy. ♦ **uno** *m (número)* (number) one; **el ~** number one; *ver también* **seis. ♦ una** *f (hora):* **la una** one o'clock.

untar *vt* **1.** *(pan, tostada):* **~ (con)** to spread (with); *(piel, cara etc)* to smear (with). **2.** *(máquina, bisagra etc)* to grease.

untuoso, -sa *adj* greasy, oily.

uña *f* **1.** *(de mano)* fingernail, nail; **ser ~ y carne** to be as thick as thieves. **2.** *(de pie)* toenail. **3.** *(garra)* claw.

uralita® *f* (CONSTR) *material made of asbestos and cement, usually corrugated and used mainly for roofing.*

uranio *m* uranium.

Urano Uranus.

urbanidad *f* politeness, courtesy.

urbanismo *m* town planning.

urbanización *f* **1.** *(acción)* urbanization. **2.** *(zona residencial)* (housing) estate.

urbanizar *vt* to develop, to urbanize.

urbano, -na *adj* urban, city *(antes de sust).*

urbe *f* large city.

urdir *vt* **1.** *(planear)* to plot, to forge. **2.** *(hilos)* to warp.

urgencia *f* **1.** *(cualidad)* urgency. **2.** *(necesidad)* urgent need; **en caso de ~** in case of emergency. ♦ **urgencias** *fpl* (MED) emergency room *Am,* casualty (department) *(sg) Br.*

urgente *adj* **1.** *(apremiante)* urgent. **2.** *(correo)* express.

urgir *vi* to be urgently necessary; **me urge hacerlo** I urgently need to do it.

urinario, -ria *adj* urinary. ♦ **urinario** *m* urinal, comfort station *Am.*

urna *f* **1.** *(vasija)* urn. **2.** *(caja de cristal)* glass case. **3.** *(para votar)* ballot box.

urraca *f* magpie.

URSS *(abrev de* **Unión de Repúblicas Socialistas Soviéticas)** *f* USSR.

urticaria *f* nettle rash.

Uruguay: **(el) ~** Uruguay.

uruguayo, -ya *adj, m y f* Uruguayan.

usado, -da *adj* **1.** *(utilizado)* used; **muy ~** widely-used. **2.** *(gastado)* worn-out, worn.

usanza *f:* **a la vieja ~** in the old way ○ style.

usar *vt* **1.** *(gen)* to use. **2.** *(prenda)* to wear. ♦ **usarse** *vpr* **1.** *(emplearse)* to be used. **2.** *(estar de moda)* to be worn.

uso *m* **1.** *(gen)* use; **al ~** fashionable; **al ~ andaluz** in the Andalusian style. **2.** *(gen pl) (costumbre)* custom. **3.** (LING) usage. **4.** *(desgaste)* wear and tear.

usted *pron pers* **1.** *(sujeto - sg)* you; *(- pl):* **~es** you *(pl);* **contesten ~es a las preguntas** please answer the questions. **2.** *(con preposiciones)* you; **de ~/~es** yours; **me gustaría hablar con ~** I'd like to talk to you.

usual *adj* usual.

usuario, -ria *m y f* user.

usufructo *m* (DER) usufruct, use.

usura *f* usury.

usurero, -ra *m y f* usurer.

usurpar *vt* to usurp.

utensilio *m (gen)* tool, implement;

(CULIN) utensil; **~s de pesca** fishing tackle.

útero *m* womb, uterus (MED).

útil ◊ *adj (beneficioso, aprovechable)* useful. ◊ *m (gen pl) (herramienta)* tool; (AGR) implement.

utilidad *f* 1. *(cualidad)* usefulness. 2. *(beneficio)* profit.

utilitario, -ria *adj* (AUTOM) utility. ◆ **utilitario** *m* (AUTOM) utility car.

utilización *f* use.

utilizar *vt (gen)* to use.

utopía *f* utopia.

utópico, -ca *adj* utopian.

uva *f* grape; **estar de mala ~** to be in a bad mood; **tener mala ~** to be a nasty piece of work; **~s de la suerte** *grapes eaten for good luck as midnight chimes on New Year's Eve.*

UVI *(abrev de* **unidad de vigilancia intensiva***) f* ICU.

uy *interj* ¡~! ahh!, oh!

v, V [ˈuβe] *f (letra)* v, V. ◆ **v doble** *f* W.

v. = vid.

va → ir.

vaca *f* 1. *(animal)* cow. 2. *(carne)* beef.

vacaciones *fpl* holiday (*sg*), vacation (*sg*) *Am*, holidays *Br*; **estar/irse de ~** to be/go on holiday.

vacante ◊ *adj* vacant. ◊ *f* vacancy.

vaciar *vt* 1. *(gen)*: **~ algo (de)** to empty sthg (of). 2. *(dejar hueco)* to hollow (out). 3. (ARTE) to cast, to mould.

vacilación *f* 1. *(duda)* hesitation; *(al elegir)* indecision. 2. *(oscilación)* swaying; *(de la luz)* flickering.

vacilante *adj* 1. *(gen)* hesitant; *(al elegir)* indecisive. 2. *(luz)* flickering; *(pulso)* irregular; *(paso)* swaying, unsteady.

vacilar *vi* 1. *(dudar)* to hesitate; *(al elegir)* to be indecisive. 2. *(voz, principios, régimen)* to falter. 3. *(fluctuar - luz)* to flicker; *(- pulso)* to be irregular. 4. *(tambalearse)* to wobble, to sway. 5. *fam (chulear)* to swank. 6. *fam (bromear)* to take the mickey.

vacilón, -ona *fam m y f* 1. *(chulo)* show-off. 2. *(bromista)* tease. ◆ **vaci-**

lón *m Méx fam (fiesta)* party.

vacío, -a *adj* empty. ◆ **vacío** *m* 1. (FÍS) vacuum; **envasar al ~** to vacuum-pack. 2. *(abismo, carencia)* void. 3. *(hueco)* space, gap.

vacuna *f* vaccine.

vacunar *vt* to vaccinate.

vacuno, -na *adj* bovine.

vadear *vt* to ford; *fig* to overcome.

vado *m* 1. *(en acera)* lowered kerb; '**~ permanente**' 'keep clear'. 2. *(de río)* ford.

vagabundear *vi (vagar)*: **~ (por)** to wander, to roam.

vagabundo, -da ◊ *adj (persona)* vagrant; *(perro)* stray. ◊ *m y f* tramp, bum *Am*.

vagancia *f* 1. *(holgazanería)* laziness, idleness. 2. *(vagabundeo)* vagrancy.

vagar *vi*: **~ (por)** to wander, to roam.

vagina *f* vagina.

vago, -ga *adj* 1. *(perezoso)* lazy, idle. 2. *(impreciso)* vague.

vagón *m (de pasajeros)* carriage; *(de mercancías)* wagon.

vagoneta *f* wagon.

vaguedad *f* 1. *(cualidad)* vagueness. 2. *(dicho)* vague remark.

vahído *m* blackout, fainting fit.

vaho *m* 1. *(vapor)* steam. 2. *(aliento)* breath.

vaina *f* 1. *(gen)* sheath. 2. (BOT - *envoltura)* pod. 3. *Amer fam (engreído)* pain in the neck.

vainilla *f* vanilla.

vaivén *m* 1. *(balanceo - de barco)* swaying, rocking; *(- de péndulo, columpio)* swinging. 2. *(altibajo)* ups-and-downs (*pl*).

vajilla *f* crockery; **una ~** a dinner service.

vale ◊ *m* 1. *(bono)* coupon, voucher. 2. *(entrada gratuita)* free ticket. 3. *(comprobante)* receipt. 4. *(pagaré)* I.O.U. ◊ *interj* → **valer**.

valedero, -ra *adj* valid.

valenciano, -na *adj, m⁻ y f (de Valencia)* Valencian.

valentía *f (valor)* bravery.

valer ◊ *vt* 1. *(costar - precio)* to cost; *(tener un valor de)* to be worth; **¿cuánto vale?** *(de precio)* how much does it cost?, how much is it? 2. *(suponer)* to earn. 3. *(merecer)* to deserve, to be worth. 4. *(equivaler)* to be equivalent ○ equal to. ◊ *vi* 1. *(merecer aprecio)* to be worthy; **hacerse ~** to show one's worth. 2. *(servir)*: **~ para algo** to be for sthg; **eso**

aún vale you can still use that; **¿para qué vale?** what's it for? **3.** *(ser válido)* to be valid; *(en juegos)* to be allowed. **4.** *(ayudar)* to help, to be of use. **5.** *(tener calidad)* to be of worth; **no ~ nada** to be worthless o useless. **6.** *(equivaler)*: **~ por** to be worth. **7.** *loc*: **más vale tarde que nunca** better late than never; **más vale que te calles/vayas** it would be better if you shut up/left; **¿vale?** okay?, all right?; **¡vale!** okay!, all right! ◆ **valerse** *vpr* **1.** *(servirse)*: **~se de algo/alguien** to use sthg/sb. **2.** *(desenvolverse)*: **~se (por sí mismo)** to manage on one's own.

valeroso, -sa *adj* brave, courageous.

valía *f* value, worth.

validar *vt* to validate.

validez *f* validity; **dar ~ a** to validate.

válido, -da *adj* valid.

valiente *adj* *(valeroso)* brave.

valija *f* **1.** *(maleta)* case, suitcase; **~ diplomática** diplomatic bag. **2.** *(de correos)* mailbag.

valioso, -sa *adj* **1.** *(gen)* valuable. **2.** *(intento, esfuerzo)* worthy.

valla *f* **1.** *(cerca)* fence. **2.** (DEP) hurdle. ◆ **valla publicitaria** *f* billboard, hoarding.

vallar *vt* to put a fence round.

valle *m* valley.

valor *m* **1.** *(gen, MAT & MÚS)* value; **joyas por ~ de ...** jewels worth ...; **sin ~** worthless. **2.** *(importancia)* importance; **dar ~ a** to give o attach importance to; **quitar ~ a algo** to take away from sthg. **3.** *(valentía)* bravery. ◆ **valores** *mpl* **1.** *(principios)* values. **2.** (FIN) securities, bonds; **~es en cartera** investments.

valoración *f* **1.** *(de precio, pérdidas)* valuation. **2.** *(de mérito, cualidad, ventajas)* evaluation, assessment.

valorar *vt* **1.** *(tasar, apreciar)* to value. **2.** *(evaluar)* to evaluate, to assess.

vals *(pl valses)* *m* waltz.

valuar *vt* to value.

válvula *f* valve. ◆ **válvula de escape** *f* *fig* means of letting off steam.

vampiresa *f* *fam* vamp, femme fatale.

vampiro *m* *(personaje)* vampire.

vanagloriarse *vpr*: **~ (de)** to boast (about), to show off (about).

vandalismo *m* vandalism.

vanguardia *f* **1.** (MIL) vanguard; **ir a la ~ de** *fig* to be at the forefront of. **2.** *(cultural)* avant-garde, vanguard.

vanidad *f* **1.** *(orgullo)* vanity. **2.** *(inutilidad)* futility.

vanidoso, -sa *adj* vain, conceited.

vano, -na *adj* **1.** *(gen)* vain; **en ~** in vain. **2.** *(vacío, superficial)* shallow, superficial.

vapor *m* **1.** *(emanación)* vapour; *(de agua)* steam; **al ~** (CULIN) steamed; **~ de** *(máquina etc)* steam *(antes de sust)*; **~ de agua** (FÍS & QUÍM) water vapour. **2.** *(barco)* steamship.

vaporizador *m* **1.** *(pulverizador)* spray. **2.** *(para evaporar)* vaporizer.

vaporoso, -sa *adj* **1.** *(con vapor - ducha, baño)* steamy; *(- cielo)* hazy, misty. **2.** *(fino - tela etc)* diaphanous.

vapulear *vt* to beat, to thrash; *fig* to slate.

vaquero, -ra ◇ *adj* cowboy *(antes de sust)*. ◇ *m y f* *(persona)* cowboy *(f cowgirl)*, cowherd. ◆ **vaqueros** *mpl* *(pantalón)* jeans.

vara *f* **1.** *(rama, palo)* stick. **2.** *(de metal etc)* rod. **3.** *(insignia)* staff.

variable *adj* changeable, variable.

variación *f* variation; *(del tiempo)* change.

variado, -da *adj* varied; *(galletas, bombones)* assorted.

variante ◇ *adj* variant. ◇ *f* **1.** *(variación)* variation; *(versión)* version. **2.** (AUTOM) by-pass.

variar ◇ *vt* **1.** *(modificar)* to alter, to change. **2.** *(dar variedad)* to vary. ◇ *vi* *(cambiar)*: **para ~** *irón* (just) for a change.

varicela *f* chickenpox.

varicoso, -sa *adj* varicose.

variedad *f* variety. ◆ **variedades, varietés** *fpl* (TEATRO) variety *(U)*, music hall *(U)*.

varilla *f* **1.** *(barra larga)* rod, stick. **2.** *(tira larga - de abanico, paraguas)* spoke, rib; *(- de gafas)* arm; *(- de corsé)* bone, stay.

vario, -ria *adj* *(variado)* varied, different; *(pl)* various, several. ◆ **varios, -rias** *pron pl* several.

variopinto, -ta *adj* diverse.

varita *f* wand; **~ mágica** magic wand.

variz *f* *(gen pl)* varicose vein.

varón *m* *(hombre)* male, man; *(chico)* boy.

varonil *adj* masculine, male.

Varsovia Warsaw.

vasallo, -lla *m y f* *(siervo)* vassal.

vasco, -ca *adj, m y f* Basque. ◆ **vasco** *m* *(lengua)* Basque.

vascuence *m* *(lengua)* Basque.

vasectomía *f* vasectomy.

vaselina® *f* Vaseline®.

vasija *f* (de barro) earthenware vessel.

vaso *m* **1.** (recipiente, contenido) glass; **un ~ de plástico** a plastic cup. **2.** (ANAT) vessel; **~s sanguíneos** blood vessels.

> Todos sabemos a lo que alude el término "vaso", e incluso cómo se dice esta palabra en inglés (*glass*). Pero no está de más saber que existe un vocablo que el el español: *vase*, que significa 'jarrón, florero'. Se refiere también a un recipiente, pero con una función distinta. No lo olvidemos: "el vino en un vaso y las flores en un <u>florero</u>", (*the wine in a glass and the flowers in a vase*).

vástago *m* **1.** (descendiente) offspring (U). **2.** (brote) shoot. **3.** (varilla) rod.

vasto, -ta *adj* vast.

váter = **wáter**.

vaticinar *vt* to prophesy, to predict.

vatio, watio ['batio] *m* watt.

vaya ◊ *v* → **ir**. ◊ *interj* **1.** (sorpresa): ¡~! well! **2.** (énfasis): ¡~ **moto**! what a motorbike!

VB *abrev de* **visto bueno**.

Vd. = **Ud.**

Vda. *abrev de* **viuda**.

Vds. = **Uds.**

ve → **ir**.

véase → **ver**.

vecinal *adj* (camino, impuestos) local.

vecindad *f* **1.** (vecindario) neighbourhood. **2.** (alrededores) vicinity.

vecindario *m* (de barrio) neighbourhood; (de población) community, inhabitants (pl).

vecino, -na ◊ *adj* (cercano) neighbouring. ◊ *m y f* **1.** (de la misma casa, calle) neighbour; (de un barrio) resident. **2.** (de una localidad) inhabitant.

vector *m* vector.

veda *f* **1.** (prohibición) ban (on hunting and fishing); **levantar la ~** to open the season. **2.** (periodo) close season.

vedado, -da *adj* prohibited. ♦ **vedado** *m* reserve.

vedar *vt* to prohibit.

vedette [be'ðet] (pl **vedettes**) *f* star.

vegetación *f* vegetation.

vegetal ◊ *adj* **1.** (BIOL) vegetable, plant (antes de sust). **2.** (sandwich) salad (antes de sust). ◊ *m* vegetable.

vegetar *vi* to vegetate.

vegetariano, -na *adj*, *m y f* vegetarian.

vehemencia *f* (pasión, entusiasmo) vehemence.

vehemente *adj* (apasionado, entusiasta) vehement.

vehículo *m* (gen) vehicle; (de infección) carrier.

veinte *núm* twenty; **los (años) ~** the twenties; *ver también* **seis**.

veinteavo, -va *núm* twentieth.

veintena *f* **1.** (veinte) twenty. **2.** (aproximadamente): **una ~ (de)** about twenty.

vejación *f*, **vejamen** *m* humiliation.

vejestorio *m despec* old fogey.

vejez *f* old age.

vejiga *f* bladder; **~ de la bilis** gall bladder.

vela *f* **1.** (para dar luz) candle; **estar a dos ~s** not to have two halfpennies to rub together. **2.** (de barco) sail. **3.** (DEP) sailing. **4.** (vigilia) vigil; **pasar la noche en ~** (adrede) to stay awake all night; (desvelado) to have a sleepless night.

velada *f* evening.

velado, -da *adj* **1.** (oculto) veiled, hidden. **2.** (FOT) blurred.

velar ◊ *vi* **1.** (cuidar): **~ por** to look after, to watch over. **2.** (no dormir) to stay awake. ◊ *vt* **1.** (de noche - muerto) to keep a vigil over. **2.** (ocultar) to mask, to veil. **3.** (FOT) to blur. ♦ **velarse** *vpr* (FOT) to blur.

veleidad *f* **1.** (inconstancia) fickleness. **2.** (antojo, capricho) whim, caprice.

velero *m* sailing boat/ship.

veleta *f* weather vane.

vello *m* **1.** (pelusilla) down. **2.** (pelo) hair.

velloso, -sa *adj* hairy.

velo *m lit & fig* veil.

velocidad *f* **1.** (gen) speed; (TECN) velocity; **a toda ~** at full speed; **de alta ~** high-speed; **~ punta** top speed. **2.** (AUTOM) (marcha) gear; **cambiar de ~** to change gear.

velocímetro *m* speedometer.

velódromo *m* cycle track, velodrome.

veloz *adj* fast, quick.

ven → **venir**.

vena *f* **1.** (gen, ANAT & MIN) vein. **2.** (inspiración) inspiration. **3.** (don) vein, streak; **tener ~ de algo** to have a gift for doing sthg.

venado *m* (ZOOL) deer; (CULIN) venison.

vencedor, -ra ◊ *adj* winning, victorious. ◊ *m y f* winner.

vencer ◊ *vt* **1.** (ganar) to beat, to defeat. **2.** (derrotar - suj: sueño, cansan-

cio, emoción) to overcome. **3.** *(aventajar):* ~ **a alguien a** o **en algo** to outdo sb at sthg. **4.** *(superar - miedo, obstáculos)* to overcome; *(- tentación)* to resist. ◇ *vi* **1.** *(ganar)* to win, to be victorious. **2.** *(caducar - garantía, contrato, plazo)* to expire; *(- deuda, pago)* to fall due; *(- bono)* to mature. **3.** *(prevalecer)* to prevail. ◆ **vencerse** *vpr (estante etc)* to give way, to collapse.

vencido, -da *adj* **1.** *(derrotado)* defeated; **darse por** ~ to give up. **2.** *(caducado - garantía, contrato, plazo)* expired; *(- pago, deuda)* due, payable.

vencimiento *m (término - de garantía, contrato, plazo)* expiry; *(- de pago, deuda)* falling due.

venda *f* bandage.

vendaje *m* bandaging.

vendar *vt* to bandage; ~ **los ojos a alguien** to blindfold sb.

vendaval *m* gale.

vendedor, -ra *m y f (gen)* seller; *(en tienda)* shop o sales assistant; *(de coches, seguros)* salesman *(f* saleswoman).

vender *vt lit & fig* to sell; ~ **algo a** o **por** to sell sthg for. ◆ **venderse** *vpr* **1.** *(ser vendido)* to be sold o on sale; **'se vende'** 'for sale'. **2.** *(dejarse sobornar)* to sell o.s., to be bribed.

vendimia *f* grape harvest.

vendrá *etc* → **venir**.

veneno *m (gen)* poison; *(de serpiente, insecto)* venom.

venenoso, -sa *adj* **1.** *(gen)* poisonous. **2.** *fig (malintencionado)* venomous.

venerable *adj* venerable.

venerar *vt* to venerate, to worship.

venéreo, -a *adj* venereal.

venezolano, -na *adj, m y f* Venezuelan.

Venezuela Venezuela.

venga *interj* ¡~! come on!

venganza *f* vengeance, revenge.

vengar *vt* to avenge. ◆ **vengarse** *vpr:* ~**se (de)** to take revenge (on).

vengativo, -va *adj* vengeful, vindictive.

vengo → **venir**.

venia *f* **1.** *(permiso)* permission. **2.** (DER) *(perdón)* pardon.

venial *adj* petty, venial.

venida *f* **1.** *(llegada)* arrival. **2.** *(regreso)* return.

venidero, -ra *adj* coming, future.

venir ◇ *vi* **1.** *(gen)* to come; ~ **a/de hacer algo** to come to do sthg/from doing sthg; ~ **de algo** *(proceder,* *derivarse)* to come from sthg; **no me vengas con exigencias** don't come to me making demands; **el año que viene** next year. **2.** *(llegar)* to arrive; **vino a las doce** he arrived at twelve o'clock. **3.** *(hallarse)* to be; **su foto viene en primera página** his photo is o appears on the front page; **el texto viene en inglés** the text is in English. **4.** *(acometer, sobrevenir):* **me viene sueño** I'm getting sleepy; **le vinieron ganas de reír** he was seized by a desire to laugh; **le vino una tremenda desgracia** he suffered a great misfortune. **5.** *(ropa, calzado):* ~ **a alguien** to fit sb; **¿qué tal te viene?** does it fit all right?; **el abrigo le viene pequeño** the coat is too small for her. **6.** *(convenir):* ~ **bien/mal a alguien** to suit/not to suit sb. **7.** *(aproximarse):* **viene a costar un millón** it costs almost a million. **8.** *loc:* **¡a qué viene esto?** what do you mean by that?; ~ **a menos** *(negocio)* to go downhill; *(persona)* to go down in the world; ~ **a parar en** to end in; ~ **a ser** to amount to. ◇ *vaux* **1.** *(antes de gerundio)* *(haber estado):* ~ **haciendo algo** to have been doing sthg. **2.** *(antes de participio)* *(estar):* **los cambios vienen motivados por la presión de la oposición** the changes have resulted from pressure on the part of the opposition. ◆ **venirse** *vpr* **1.** *(volver):* ~**se (de)** to come back o return (from). **2.** *loc:* ~**se abajo** *(techo, estante etc)* to collapse; *(ilusiones)* to be dashed.

venta *f* **1.** *(acción)* sale, selling; **estar en** ~ to be for sale; ~ **al contado** cash sale; ~ **a plazos** sale by instalments. **2.** *(gen pl)* *(cantidad)* sales *(pl)*.

ventaja *f* **1.** *(hecho favorable)* advantage. **2.** *(en competición)* lead; **llevar** ~ **a alguien** to have a lead over sb.

ventajoso, -sa *adj* advantageous.

ventana *f (gen & INFORM)* window.

ventanilla *f* **1.** *(de vehículo, sobre)* window. **2.** *(taquilla)* counter.

ventilación *f* ventilation.

ventilador *m* ventilator, fan.

ventilar *vt* **1.** *(airear)* to air. **2.** *(resolver)* to clear up. **3.** *(discutir)* to air. ◆ **ventilarse** *vpr (airearse)* to air.

ventiscar, ventisquear *v impers* to blow a blizzard.

ventisquero *m (nieve amontonada)* snowdrift.

ventolera *f (viento)* gust of wind.

ventosa *f (gen & ZOOL)* sucker.

ventosidad *f* wind, flatulence.

ventoso, -sa *adj* windy.

ventrílocuo, -cua *m y f* ventriloquist.

ventura *f* **1.** *(suerte)* luck; **a la (buena) ~** *(al azar)* at random, haphazardly; *(sin nada previsto)* without planning o a fixed plan. **2.** *(casualidad)* fate, fortune.

Venus Venus.

ver ◊ *vi* **1.** *(gen)* to see. **2.** *loc:* **a ~** *(veamos)* let's see; **¿a ~?** *(mirando con interés)* let me see; **¡a ~!** *(¡pues claro!)* what do you expect?; *(al empezar algo)* right!; **dejarse ~** *(por un sitio)* to show one's face (somewhere); **eso está por ~** that remains to be seen; **ya veremos** we'll see. ◊ *vt* **1.** *(gen)* to see; *(mirar)* to look at; *(televisión, partido de fútbol)* to watch; **¿ves algo?** can you see anything?; **he estado viendo tu trabajo** I've been looking at your work; **ya veo que estás de mal humor** I can see you're in a bad mood; **¿ves lo que quiero decir?** do you see what I mean?; **ir a ~ lo que pasa** to go and see what's going on; **es una manera de ~ las cosas** that's one way of looking at it; **yo no lo veo tan mal** I don't think it's that bad. **2.** *loc:* **eso habrá que ~lo** that remains to be seen; **¡hay que ~ qué lista es!** you wouldn't believe how clever she is!; **no puedo ~le (ni en pintura)** *fam* I can't stand him; **si no lo veo, no lo creo** you'll never believe it; **~ venir a alguien** to see what sb is up to. ◊ *m:* **estar de buen ~** to be good-looking. ◆ **verse** *vpr* **1.** *(mirarse, imaginarse)* to see o.s.; **~se en el espejo** to see o.s. in the mirror. **2.** *(percibirse):* **desde aquí se ve el mar** you can see the sea from here. **3.** *(encontrarse)* to meet, to see each other; **hace mucho que no nos vemos** we haven't seen each other for a long time. **4.** *(darse, suceder)* to see. **5.** *loc:* **vérselas y deseárselas para hacer algo** to have a real struggle doing sthg. ◆ **véase** *vpr* *(en textos)* see. ◆ **por lo visto, por lo que se ve** *loc adv* apparently.

vera *f* **1.** *(orilla - de río, lago)* bank; *(- de camino)* edge, side. **2.** *fig (lado)* side; **a la ~ de** next to.

veracidad *f* truthfulness.

veraneante *m y f* (summer) vacationer *Am*, holidaymaker *Br*.

veranear *vi:* **~ en** to spend one's summer holidays in.

veraneo *m* summer holidays *(pl)*; **de ~** holiday *(antes de sust)*.

veraniego, -ga *adj* summer *(antes de sust)*.

verano *m* summer.

veras *fpl* truth *(U)*; **de ~** *(verdaderamente)* really; *(en serio)* seriously.

veraz *adj* truthful.

verbal *adj* verbal.

verbena *f (fiesta)* street party *(on the eve of certain saints' days)*.

verbo *m* (GRAM) verb.

verdad *f* **1.** *(gen)* truth; **a decir ~** to tell the truth. **2.** *(principio aceptado)* fact. **3.** *loc:* **no te gusta, ¿~?** you don't like it, do you?; **está bueno, ¿~?** it's good, isn't it? ◆ **verdades** *fpl (opinión sincera)* true thoughts; **cantarle** o **decirle a alguien cuatro ~es** *fig* to tell sb a few home truths. ◆ **de verdad** *loc adv* **1.** *(en serio)* seriously. **2.** *(realmente)* really. ◊ *loc adj (auténtico)* real.

verdadero, -ra *adj* **1.** *(cierto, real)* true, real; **fue un ~ lío** it was a real mess. **2.** *(sin falsificar)* real. **3.** *(enfático)* real.

verde ◊ *adj* **1.** *(gen)* green; **poner ~ a alguien** to criticize sb. **2.** *(fruta)* unripe, green. **3.** *fig (obsceno)* blue, dirty. **4.** *fig (inmaduro - proyecto etc)* in its early stages. ◊ *m (color)* green. ◆ **Verdes** *mpl (partido):* **los Verdes** the Greens.

verdor *m* **1.** *(color)* greenness. **2.** *(madurez)* lushness.

verdugo *m* **1.** *(de preso)* executioner; *(que ahorca)* hangman. **2.** *(pasamontañas)* balaclava helmet.

verdulería *f* greengrocer's (shop).

verdulero, -ra *m y f (tendero)* greengrocer.

verdura *f* vegetables *(pl)*, greens *(pl)*.

vereda *f* **1.** *(senda)* path. **2.** *Csur (acera)* sidewalk *Am*, pavement *Br*.

veredicto *m* verdict.

vergonzoso, -sa *adj* **1.** *(deshonroso)* shameful. **2.** *(tímido)* bashful.

vergüenza *f* **1.** *(turbación)* embarrassment; **dar ~** to embarrass; **¡qué ~!** how embarrassing!; **sentir ~** to feel embarrassed. **2.** *(timidez)* bashfulness. **3.** *(remordimiento)* shame; **sentir ~** to feel ashamed. **4.** *(dignidad)* pride, dignity. **5.** *(deshonra, escándalo)* disgrace; **¡es una ~!** it's disgraceful!

verídico, -ca *adj (cierto)* true, truthful.

verificar *vt* **1.** *(comprobar - verdad, autenticidad)* to check, to verify. **2.** *(examinar - funcionamiento, buen estado)* to check, to test. **3.** *(confirmar - fecha, cita)* to confirm. **4.** *(llevar a cabo)* to carry out. ◆ **verificarse** *vpr (tener lugar)* to take place.

verja *f* **1.** *(puerta)* iron gate. **2.** *(valla)*

V

railings (pl). **3.** (enrejado) grille.

vermú (pl vermús), **vermut** (pl vermuts) m (bebida) vermouth.

vernáculo, -la adj vernacular.

verosímil adj **1.** (creíble) believable, credible. **2.** (probable) likely, probable.

verruga f wart.

versado, -da adj: ~ **(en)** versed (in).

versar vi: ~ **sobre** to be about, to deal with.

versátil adj **1.** (voluble) fickle. **2.** (considerado incorrecto) (polifacético) versatile.

versículo m verse.

versión f (gen) version; (en música pop) cover version; ~ **original** (CIN) original (version).

verso m **1.** (género) verse. **2.** (unidad rítmica) line (of poetry). **3.** (poema) poem.

vértebra f vertebra.

vertebrado, -da adj vertebrate. ◆ **vertebrados** mpl (ZOOL) vertebrates.

vertedero m (de basuras) rubbish tip o dump; (de agua) overflow.

verter vt **1.** (derramar) to spill. **2.** (vaciar - líquido) to pour (out); (- recipiente) to empty. **3.** (tirar - basura, residuos) to dump. **4.** fig (decir) to tell. ◆ **verterse** vpr (derramarse) to spill.

vertical ◇ adj (GEOM) vertical; (derecho) upright. ◇ f (GEOM) vertical.

vértice m (gen) vertex; (de cono) apex.

vertido m **1.** (gen pl) (residuo) waste (U). **2.** (acción) dumping.

vertiente f **1.** (pendiente) slope. **2.** fig (aspecto) side, aspect.

vertiginoso, -sa adj **1.** (mareante) dizzy. **2.** fig (raudo) giddy.

vértigo m (enfermedad) vertigo; (mareo) dizziness; **trepar me da** ~ climbing makes me dizzy.

vesícula f: ~ **biliar** gall bladder.

vespertino, -na adj evening (antes de sust).

vestíbulo m (de casa) (entrance) hall; (de hotel, oficina) lobby, foyer.

vestido, -da adj dressed. ◆ **vestido** m **1.** (indumentaria) clothes (pl). **2.** (prenda femenina) dress.

vestidura f (gen pl) clothes (pl); (RELIG) vestments (pl); **rasgarse las** ~**s** to make a fuss.

vestigio m vestige; fig sign, trace.

vestimenta f clothes (pl), wardrobe.

vestir ◇ vt **1.** (gen) to dress. **2.** (llevar puesto) to wear. **3.** (cubrir) to cover. **4.** fig (encubrir): ~ **algo de** to invest sthg with. ◇ vi **1.** (llevar ropa) to dress. **2.** fig (estar bien visto) to be the done thing. ◆ **vestirse** vpr **1.** (ponerse ropa) to get dressed, to dress. **2.** (adquirir ropa): ~**se en** to buy one's clothes at.

vestuario m **1.** (vestimenta) clothes (pl), wardrobe; (TEATRO) costumes (pl). **2.** (guardarropa) cloakroom. **3.** (para cambiarse) changing room; (de actores) dressing room.

veta f **1.** (filón) vein, seam. **2.** (faja, lista) grain.

vetar vt to veto.

veterano, -na adj, m y f veteran.

veterinario, -ria ◇ adj veterinary. ◇ m y f (persona) vet, veterinary surgeon. ◆ **veterinaria** f (ciencia) veterinary science o medicine.

veto m veto; **poner** ~ **a algo** to veto sthg.

vetusto, -ta adj culto ancient, very old.

vez f **1.** (gen) time; **una** ~ once; **dos veces** twice; **tres veces** three times; **¿has estado allí alguna** ~? have you ever been there?; **a la** ~ **(que)** at the same time (as); **cada** ~ **(que)** every time; **cada** ~ **más** more and more; **cada** ~ **menos** less and less; **cada** ~ **la veo más feliz** she seems happier and happier; **de una** ~ in one go; **de una** ~ **para siempre** o **por todas** once and for all; **muchas veces** often, a lot; **otra** ~ again; **pocas veces, rara** ~ rarely, seldom; **por última** ~ for the last time; **una** ~ **más** once again; **una y otra** ~ time and again; **érase una** ~ once upon a time. **2.** (turno) turn. ◆ **a veces, algunas veces** loc adv sometimes, at times. ◆ **de vez en cuando** loc adv from time to time, now and again. ◆ **en vez de** loc prep instead of. ◆ **tal vez** loc adv perhaps, maybe. ◆ **una vez que** loc conj once, after.

VHF (abrev de **very high frequency**) f VHF.

VHS (abrev de **video home system**) m VHS.

vía ◇ f **1.** (medio de transporte) route; **por** ~ **aérea** (gen) by air; (correo) by airmail; **por** ~ **marítima** by sea; **por** ~ **terrestre** overland, by land; ~ **fluvial** waterway. **2.** (calzada, calle) road; ~ **pública** public thoroughfare. **3.** (FERROC - raíl) rails (pl), track; (- andén) platform; ~ **férrea** (ruta) railway line. **4.** (proceso): **estar en** ~**s de** to be in the process of; **país en** ~**s de**

desarrollo developing country; **una especie en ~s de extinción** an endangered species. **5.** (ANAT) tract. **6.** (*opción*) channel, path; **por ~ oficial/judicial** through official channels/the courts. **7.** (*camino*) way; **dar ~ libre** (*dejar paso*) to give way; (*dar libertad de acción*) to give a free rein. **8.** (DER) procedure. ◊ *prep* via. ◆ **Vía Láctea** *f* Milky Way.

viabilidad *f* viability.

viable *adj fig* (*posible*) viable.

viaducto *m* viaduct.

viajante *m y f* travelling salesperson.

viajar *vi* **1.** (*trasladarse, irse*): **~ (en)** to travel (by). **2.** (*circular*) to run.

viaje *m* **1.** (*gen*) journey, trip; (*en barco*) voyage; **¡buen ~!** have a good journey o trip!; **estar/ir de ~** to be/go away (on a trip); **hay 11 días de ~** it's an 11-day journey; **~ de ida/de vuelta** outward/return journey; **~ de ida y vuelta** return journey o trip; **~ de novios** honeymoon. **2.** *fig* (*recorrido*) trip. ◆ **viajes** *mpl* (*singladuras*) travels.

viajero, -ra ◊ *adj* (*persona*) travelling; (*ave*) migratory. ◊ *m y f* (*gen*) traveller; (*en transporte público*) passenger.

vial *adj* road (*antes de sust*).

viandante *m y f* **1.** (*peatón*) pedestrian. **2.** (*transeúnte*) passer-by.

viario, -ria *adj* road (*antes de sust*).

víbora *f* viper.

vibración *f* vibration.

vibrante *adj* **1.** (*oscilante*) vibrating. **2.** *fig* (*emocionante*) vibrant.

vibrar *vi* **1.** (*oscilar*) to vibrate. **2.** *fig* (*voz, rodillas etc*) to shake. **3.** *fig* (*público*) to get excited.

vicaría *f* (*residencia*) vicarage.

vicario *m* vicar.

vicepresidente, -ta *m y f* (*de país, asociación*) vice-president; (*de comité, empresa*) vice-chairman.

viceversa *adv* vice versa.

viciado, -da *adj* (*maloliente*) foul; (*contaminado*) polluted.

viciar *vt* **1.** (*pervertir*) to corrupt. **2.** (*contaminar*) to pollute. **3.** (*adulterar*) to adulterate. ◆ **viciarse** *vpr* **1.** (*pervertirse*) to become o get corrupted; (*enviciarse*) to take to vice. **2.** (*contaminarse*) to become polluted.

vicio *m* **1.** (*mala costumbre*) bad habit, vice. **2.** (*libertinaje*) vice. **3.** (*defecto físico, de dicción etc*) defect.

vicioso, -sa ◊ *adj* **1.** (*depravado*) depraved. **2.** (*defectuoso*) defective. ◊ *m y f* (*depravado*) depraved person.

> Los adjetivos "vicioso" y *vicious* se parecen mucho, pero sus significados son diferentes, sobre todo cuando se refieren a personas: "un hombre vicioso" es *a depraved man*; sin embargo, cuando se dice *a vicious man*, en realidad se está haciendo referencia a "un hombre cruel o despiadado".

vicisitud *f* (*inestabilidad*) instability, changeability. ◆ **vicisitudes** *fpl* (*avatares*) vicissitudes, ups and downs.

víctima *f* victim; (*en accidente, guerra*) casualty; **ser ~ de** to be the victim of.

victoria *f* victory; **cantar ~** to claim victory.

victorioso, -sa *adj* victorious.

vid *f* vine.

vid., v. (*abrev de* **véase**) v., vid.

vida *f* life; **de por ~** for life; **en ~ de** during the life o lifetime of; **en mi/tu** *etc* **~** never (in my/your *etc* life); **estar con ~** to be alive; **ganarse la ~** to earn a living; **pasar a mejor ~** to pass away; **perder la ~** to lose one's life; **quitar la ~ a alguien** to kill sb; **¡así es la ~!** that's life!; **darse/pegarse la gran ~, darse o pegarse la ~ padre** to live the life of Riley.

vidente *m y f* clairvoyant.

vídeo, video *m* **1.** (*gen*) video; **grabar en ~** to videotape. **2.** (*aparato filmador*) camcorder.

videocámara *f* camcorder.

videocasete *m* video, videocassette.

videoclip *m* (pop) video.

videoclub (*pl* **videoclubes**) *m* video club.

videojuego *m* video game.

videotexto *m*, **videotex** *m inv* (*por señal de televisión*) teletext; (*por línea telefónica*) videotext, viewdata.

vidriero, -ra *m y f* **1.** (*que fabrica cristales*) glass merchant o manufacturer. **2.** (*que coloca cristales*) glazier. ◆ **vidriera** *f* (*puerta*) glass door; (*ventana*) glass window; (*en catedrales*) stained glass window.

vidrio *m* (*material*) glass.

vidrioso, -sa *adj* **1.** *fig* (*tema, asunto*) thorny, delicate. **2.** *fig* (*ojos*) glazed.

vieira *f* scallop.

viejo, -ja ◊ *adj* old; **hacerse ~** to get o grow old. ◊ *m y f* **1.** (*anciano*) old man (*f old lady*); **los ~s** the elderly; **~ verde** dirty old man (*f dirty old woman*). **2.** *fam* (*padres*) old man (*f old girl*); **mis ~s** my folks. **3.** *Amer fam* (*amigo*) pal, mate. ◆ **Viejo de Pascua** *m Chile* Santa

(Claus), Father Christmas *Br*.

Viena Vienna.

viene → **venir**.

vienés, -esa *adj, m y f* Viennese.

viento *m* 1. *(aire)* wind; ~ **de costado** o **de lado** crosswind. 2. *(cuerda)* guy (rope). 3. *loc:* **contra ~ y marea** in spite of everything; **mis esperanzas se las llevó el ~** my hopes flew out of the window; **~ en popa** splendidly.

vientre *m* (ANAT) stomach.

viera → **ver**.

viernes *m inv* Friday; *ver también* **sábado**. ◆ **Viernes Santo** *m* (RELIG) Good Friday.

Vietnam Vietnam.

vietnamita *adj, m y f* Vietnamese.

viga *f* *(de madera)* beam, rafter; *(de metal)* girder.

vigencia *f* *(de ley etc)* validity; *(de costumbre)* use.

vigente *adj* *(ley etc)* in force; *(costumbre)* in use.

vigésimo, -ma *núm* twentieth.

vigía *m y f* lookout.

vigilancia *f* 1. *(cuidado)* vigilance, care. 2. *(vigilantes)* guards *(pl)*.

vigilante ◇ *adj* vigilant. ◇ *m y f* guard; ~ **nocturno** night watchman.

vigilar ◇ *vt* *(enfermo)* to watch over; *(presos, banco)* to guard; *(niños, bolso)* to keep an eye on; *(proceso)* to oversee. ◇ *vi* to keep watch.

vigilia *f* *(vela)* wakefulness; **estar de ~** to be awake.

vigor *m* 1. *(gen)* vigour. 2. *(vigencia):* **entrar en ~** to come into force.

vigorizar *vt* *(fortalecer)* to fortify.

vigoroso, -sa *adj* *(gen)* vigorous; *(colorido)* strong.

vikingo, -ga *adj, m y f* Viking.

vil *adj* vile, despicable; *(metal)* base.

vileza *f* 1. *(acción)* vile o despicable act. 2. *(cualidad)* vileness.

villa *f* 1. *(población)* small town; ~ **miseria** *CSur* shantytown. 2. *(casa)* villa, country house.

villancico *m* *(navideño)* Christmas carol.

villano, -na *m y f* villain.

vilo ◆ **en vilo** *loc adv* 1. *(suspendido)* in the air, suspended. 2. *(inquieto)* on tenterhooks; **tener a alguien en ~** to keep sb in suspense.

vinagre *m* vinegar.

vinagrera *f* *(vasija)* vinegar bottle. ◆ **vinagreras** *fpl* (CULIN) *(convoy)* cruet *(sg)*.

vinagreta *f* vinaigrette, French dressing.

vinculación *f* link, linking *(U)*.

vincular *vt* 1. *(enlazar)* to link; *(por obligación)* to tie, to bind. 2. (DER) to entail.

vínculo *m* *(lazo - entre hechos, países)* link; *(- personal, familiar)* tie, bond.

vinícola *adj* *(país, región)* wine-producing *(antes de sust)*; *(industria)* wine *(antes de sust)*.

vinicultura *f* wine producing.

vino ◇ *v* → **venir**. ◇ *m* wine; ~ **blanco/tinto** white/red wine; ~ **dulce/seco** sweet/dry wine; ~ **rosado** rosé.

viña *f* vineyard.

viñedo *m* (large) vineyard.

viñeta *f* 1. *(de tebeo)* (individual) cartoon. 2. *(de libro)* vignette.

vio → **ver**.

viola *f* viola.

violación *f* 1. *(de ley, derechos)* violation, infringement. 2. *(de persona)* rape.

violador, -ra *adj, m y f* rapist.

violar *vt* 1. *(ley, derechos, domicilio)* to violate, to infringe. 2. *(persona)* to rape.

violencia *f* 1. *(agresividad)* violence. 2. *(fuerza - de viento, pasiones)* force. 3. *(incomodidad)* embarrassment, awkwardness.

violentar *vt* 1. *(incomodar)* to embarrass. 2. *(forzar - domicilio)* to break into. ◆ **violentarse** *vpr* *(incomodarse)* to feel awkward.

violento, -ta *adj* 1. *(gen)* violent; *(goce)* intense. 2. *(incómodo)* awkward.

violeta ◇ *f* *(flor)* violet. ◇ *adj & m* *(color)* violet.

violín *m* violin.

violón *m* double bass.

violonchelo, violoncelo *m* cello.

VIP *(abrev de* **very important person**) *m y f* VIP.

viperino, -na *adj fig* venomous.

viraje *m* 1. *(giro & AUTOM)* turn; (NÁUT) tack. 2. *(curva)* bend, curve. 3. *fig (cambio)* change of direction.

virar ◇ *vt* *(girar)* to turn (round); (NÁUT) to tack. ◇ *vi* *(girar)* to turn (round).

virgen ◇ *adj* *(gen)* virgin; *(cinta)* blank; *(película)* unused. ◇ *m y f* *(persona)* virgin. ◇ *f* (ARTE) Madonna. ◆ **Virgen** *f:* **la Virgen** (RELIG) the (Blessed) Virgin.

virgo *m* *(virginidad)* virginity. ◆ **Virgo** ◇ *m* *(zodiaco)* Virgo. ◇ *m y f* *(persona)* Virgo.

virguería *f fam* gem.

viril *adj* virile, manly.

virilidad *f* virility.

virtual *adj* 1. *(posible)* possible, potential. 2. *(casi real)* virtual.

virtud *f* 1. *(cualidad)* virtue. 2. *(poder)* power; **tener la ~ de** to have the power o ability to. ♦ **en virtud de** *loc prep* by virtue of.

virtuoso, -sa ◇ *adj (honrado)* virtuous. ◇ *m y f (genio)* virtuoso.

viruela *f* 1. *(enfermedad)* smallpox. 2. *(pústula)* pockmark; **picado de ~s** pockmarked.

virulé ♦ **a la virulé** *loc adj* 1. *(torcido)* crooked. 2. *(hinchado)*: **un ojo a la ~** a black eye.

virulencia *f* (MED & *fig*) virulence.

virus *m inv* (*gen* & INFORM) virus.

viruta *f* shaving.

visado *m* visa.

víscera *f* internal organ; **~s** entrails.

visceral *adj* (ANAT & *fig*) visceral; **un sentimiento/una reacción ~** a gut feeling/reaction.

viscoso, -sa *adj (gen)* viscous; *(baboso)* slimy. ♦ **viscosa** *f (tejido)* viscose.

visera *f* 1. *(de gorra)* peak. 2. *(de casco, suelta)* visor. 3. *(de automóvil)* sun visor.

visibilidad *f* visibility.

visible *adj* visible.

visigodo, -da *m y f* Visigoth.

visillo *m* (*gen pl*) net/lace curtain.

visión *f* 1. *(sentido, lo que se ve)* sight. 2. *(alucinación, lucidez)* vision; **ver visiones** to be seeing things. 3. *(punto de vista)* (point of) view.

visionar *vt* to view privately.

visionario, -ria *adj, m y f* visionary.

visita *f* 1. *(gen)* visit; *(breve)* call; **hacer una ~ a alguien** to visit sb, to pay sb a visit; **pasar ~** (MED) to see one's patients. 2. *(visitante)* visitor; **tener ~** o **~s** to have visitors.

visitante *m y f* visitor.

visitar *vt (gen)* to visit; *(suj: médico)* to call on.

vislumbrar *vt* 1. *(entrever)* to make out, to discern. 2. *(adivinar)* to have an inkling of. ♦ **vislumbrarse** *vpr* 1. *(entreverse)* to be barely visible. 2. *(adivinarse)* to become a little clearer.

vislumbre *m o f* lit & *fig* glimmer.

viso *m* 1. *(aspecto)*: **tener ~s de** to seem; **tiene ~s de hacerse realidad** it could become a reality. 2. *(reflejo - de tejido)* sheen; *(- de metal)* glint.

visón *m* mink.

víspera *f (día antes)* day before, eve;

en **~s de** on the eve of.

vista → **visto**.

vistazo *m* glance, quick look; **echar** o **dar un ~ a** to have a quick look at.

visto, -ta ◇ *pp* → **ver**. ◇ *adj*: **estar bien/mal ~** to be considered good/frowned upon. ♦ **vista** ◇ *v* → **vestir**. ◇ *f* 1. *(sentido)* sight, eyesight; *(ojos)* eyes (*pl*). 2. *(observación)* watching. 3. *(mirada)* gaze; **fijar la vista en** to fix one's eyes on; **a primera** o **simple vista** *(aparentemente)* at first sight, on the face of it; **estar a la vista** *(visible)* to be visible; *(muy cerca)* to be staring one in the face. 4. *(panorama)* view. 5. (DER) hearing. 6. *loc*: **conocer a alguien de vista** to know sb by sight; **hacer la vista gorda** to turn a blind eye; **¡hasta la vista!** see you!; **no perder de vista a alguien/algo** *(vigilar)* not to let sb/sthg out of one's sight; *(tener en cuenta)* not to lose sight of sb/sthg; **perder de vista** *(dejar de ver)* to lose sight of; *(perder contacto)* to lose touch with; **saltar a la vista** to be blindingly obvious. ♦ **vistas** *fpl (panorama)* view (*sg*); **con vistas al mar** with a sea view. ♦ **visto bueno** *m*: **el ~ bueno** the go-ahead; **'~ bueno'** 'approved'. ♦ **a la vista** *loc adv* (BANCA) at sight. ♦ **con vistas a** *loc prep* with a view to. ♦ **en vista de** *loc prep* in view of. ♦ **en vista de que** *loc conj* since, seeing as. ♦ **por lo visto** *loc adv* apparently. ♦ **visto que** *loc conj* seeing o given that.

vistoso, -sa *adj* eye-catching.

visual ◇ *adj* visual. ◇ *f* line of sight.

visualizar *vt* 1. *(gen)* to visualize. 2. (INFORM) to display.

vital *adj (gen)* vital; *(ciclo)* life *(antes de sust)*; *(persona)* full of life, vivacious.

vitalicio, -cia *adj* for life, life *(antes de sust)*.

vitalidad *f* vitality.

vitamina *f* vitamin.

vitaminado, -da *adj* vitamin-enriched.

vitamínico, -ca *adj* vitamin *(antes de sust)*.

viticultor, -ra *m y f* wine grower.

viticultura *f* wine growing, viticulture.

vitorear *vt* to cheer.

vítreo, -a *adj* vitreous.

vitrina *f (en casa)* display cabinet; *(en tienda)* showcase, glass case.

vitro ♦ **in vitro** *loc adv* in vitro.

vituperar *vt* to criticize harshly.

viudedad *f* 1. *(viudez - de mujer)*

widowhood; *(- de hombre)* widower-hood. **2. (pensión de)** ~ widow's/widower's pension.

viudo, -da *m y f* widower *(f* widow).

viva ◇ *m* cheer. ◇ *interj*: ¡~! hurrah!; ¡~ el rey! long live the King!

vivac = **vivaque.**

vivacidad *f* liveliness.

vivales *m y f inv* crafty person.

vivamente *adv* **1.** *(relatar, describir)* vividly. **2.** *(afectar, emocionar)* deeply.

vivaque, vivac *m* bivouac.

vivaz *adj (despierto)* alert, sharp.

vivencia *f (gen pl)* experience.

víveres *mpl* provisions, supplies.

vivero *m* **1.** *(de plantas)* nursery. **2.** *(de peces)* fish farm; *(de moluscos)* bed.

viveza *f* **1.** *(de colorido, descripción)* vividness. **2.** *(de persona, discusión, ojos)* liveliness; *(de ingenio, inteligencia)* sharpness.

vívido, -da *adj* vivid.

vividor, -ra *m y f despec* scrounger.

vivienda *f* **1.** *(alojamiento)* housing. **2.** *(morada)* dwelling.

viviente *adj* living.

vivir ◇ *vt (experimentar)* to experience, to live through. ◇ *vi (gen)* to live; *(estar vivo)* to be alive; *(en armonía)* to be happy; ~ para ver who'd have thought it?

vivito *adj*: ~ y coleando *fam* alive and kicking.

vivo, -va *adj* **1.** *(existente - ser, lengua etc)* living; estar ~ *(persona, costumbre, recuerdo)* to be alive. **2.** *(dolor, deseo, olor)* intense; *(luz, color, tono)* bright. **3.** *(gestos, ojos, descripción)* lively, vivid. **4.** *(activo - ingenio, niño)* quick, sharp; *(- ciudad)* lively. **5.** *(genio)* quick, hot. ◆ **vivos** *mpl*: los ~s the living. ◆ **en vivo** *loc adv (en directo)* live.

Vizcaya Vizcaya; **Golfo de** ~ Bay of Biscay.

vizconde, -desa *m y f* viscount *(f* viscountess).

vocablo *m* word, term.

vocabulario *m* **1.** *(riqueza léxica)* vocabulary. **2.** *(diccionario)* dictionary.

vocación *f* vocation.

vocacional *adj* vocational.

vocal ◇ *adj* vocal. ◇ *f* vowel.

vocalizar *vi* to vocalize.

vocear ◇ *vt* **1.** *(gritar)* to shout o call out. **2.** *(llamar)* to shout o call to. **3.** *(pregonar - mercancía)* to hawk. ◇ *vi (gritar)* to shout.

vociferar *vi* to shout.

vodka ['boθka] *m o f* vodka.

vol. *(abrev de* **volumen)** vol.

volador, -ra *adj* flying.

volandas ◆ **en volandas** *loc adv* in the air.

volante ◇ *adj* flying. ◇ *m* **1.** *(para conducir)* (steering) wheel. **2.** *(de tela)* frill, flounce. **3.** *(del médico)* (referral) note. **4.** *(en bádminton)* shuttlecock.

volar ◇ *vt (en guerras, atentados)* to blow up; *(caja fuerte, puerta)* to blow open; *(edificio en ruinas)* to demolish *(with explosives)*; (MIN) to blast. ◇ *vi* **1.** *(gen)* to fly; *(papeles etc)* to blow away; ~ a *(una altura)* to fly at; *(un lugar)* to fly to; **echar(se) a** ~ to fly away o off. **2.** *fam (desaparecer)* to disappear, to vanish.

volátil *adj* (QUÍM *& fig)* volatile.

vol-au-vent = **volován.**

volcán *m* volcano.

volcánico, -ca *adj* volcanic.

volcar ◇ *vt* **1.** *(tirar)* to knock over; *(carretilla)* to tip up. **2.** *(vaciar)* to empty out. ◇ *vi (coche, camión)* to overturn; *(barco)* to capsize. ◆ **volcarse** *vpr (esforzarse)*: ~se **(con/en)** to bend over backwards (for/in).

volea *f* volley.

voleibol *m* volleyball.

voleo *m* volley; **a** o **al** ~ *(arbitrariamente)* randomly, any old how.

volován *(pl* **volovanes), vol-au-vent** [bolo'βan] *(pl* **vol-au-vents)** *m* vol-au-vent.

volquete *m* dump truck *Am*, dumper truck *Br*.

voltaje *m* voltage.

voltear *vt* **1.** *(heno, crepe, torero)* to toss; *(tortilla - con dedo)* to turn over; *(mesa, silla)* to turn upside-down. **2.** *Amer (derribar)* to knock over. ◆ **voltearse** *vpr Amer* **1.** *(volverse)* to turn around. **2.** *(volcarse)* to overturn.

voltereta *f (en el suelo)* handspring; *(en el aire)* somersault; ~ **lateral** cartwheel.

voltio *m* volt.

voluble *adj* changeable, fickle.

volumen *m* **1.** *(gen & COM)* volume; ~ **de negocio** o **ventas** turnover. **2.** *(espacio ocupado)* size, bulk.

voluminoso, -sa *adj* bulky.

voluntad *f* **1.** *(determinación)* will, willpower; ~ **de hierro** iron will. **2.** *(intención)* intention; **buena** ~ goodwill; **mala** ~ ill will. **3.** *(deseo)* wishes *(pl)*, will; **contra la** ~ **de alguien** against sb's will. **4.** *(albedrío)* free will; **a** ~ *(cuanto se quiere)* as much as one likes; **por** ~ **propia** of one's own free will.

voluntariado *m* voluntary enlistment.

voluntario, -ria ◇ *adj* voluntary. ◇ *m y f* volunteer.

voluntarioso, -sa *adj* (*esforzado*) willing.

voluptuoso, -sa *adj* voluptuous.

volver ◇ *vt* 1. (*dar la vuelta a*) to turn round; (*lo de arriba abajo*) to turn over. 2. (*poner del revés - boca abajo*) to turn upside down; (*- lo de dentro fuera*) to turn inside out; (*- lo de detrás delante*) to turn back to front. 3. (*cabeza, ojos etc*) to turn. 4. (*convertir en*): **eso le volvió un delincuente** that turned him into a criminal. ◇ *vi* (*ir de vuelta*) to go back, to return; (*venir de vuelta*) to come back, to return; **yo allí no vuelvo** I'm not going back there; **vuelve, no te vayas** come back, don't go; **~ en sí** to come to.
♦ **volver a** *vi* (*reanudar*) to return to; **~ a hacer algo** (*hacer otra vez*) to do sthg again. ♦ **volverse** *vpr* 1. (*darse la vuelta, girar la cabeza*) to turn round. 2. (*ir de vuelta*) to go back, to return; (*venir de vuelta*) to come back, to return. 3. (*convertirse en*) to become; **~se loco/pálido** to go mad/pale. 4. *loc*: **~se atrás** (*de una afirmación, promesa*) to go back on one's word; (*de una decisión*) to back out; **~se (en) contra (de) alguien** to turn against sb.

vomitar ◇ *vt* (*devolver*) to vomit, to bring up. ◇ *vi* to vomit, to be sick.

vómito *m* (*substancia*) vomit (*U*).

voraz *adj* 1. (*persona, apetito*) voracious. 2. *fig* (*fuego, enfermedad*) raging.

vos *pron pers* CAm & CSur (*tú*) you.

vosotros, -tras *pron pers* Esp you (*pl*).

votación *f* vote, voting (*U*); **decidir algo por ~** to put sthg to the vote; **~ a mano alzada** show of hands.

votante *m y f* voter.

votar ◇ *vt* 1. (*partido, candidato*) to vote for; (*ley*) to vote on. 2. (*aprobar*) to pass, to approve (*by vote*). ◇ *vi* to vote; **~ por** (*emitir un voto por*) to vote for; *fig* (*estar a favor de*) to be in favour of; **~ por que ...** to vote (that) ...; **~ en blanco** to return a blank ballot paper.

voto *m* 1. (*gen*) vote; **~ de confianza/censura** vote of confidence/no confidence. 2. (RELIG) vow.

voy → **ir**.

vóytelas *interj* Méx fam good grief!

voz *f* 1. (*gen & GRAM*) voice; **a media ~** in a low voice, under one's breath; **a ~ en cuello** o **grito** at the top of one's voice; **alzar** o **levantar la ~ a alguien** to raise one's voice to sb; **en ~ alta** aloud; **en ~ baja** softly, in a low voice; **~ en off** (CIN) voice-over; (TEATRO) voice offstage. 2. (*grito*) shout; **a voces** shouting; **dar voces** to shout. 3. (*vocablo*) word. 4. (*derecho a expresarse*) say, voice; **no tener ni ~ ni voto** to have no say in the matter. 5. (*rumor*) rumour.

VPO (*abrev de* **vivienda de protección oficial**) *f* ≃ public housing unit *Am*, ≃ council house/flat *Br*.

vudú (*en aposición inv*) *m* voodoo.

vuelco *m* upset; **dar un ~** (*coche*) to overturn; (*relaciones*) to change completely; (*empresa*) to ruin; **me dio un ~ el corazón** my heart missed o skipped a beat.

vuelo *m* 1. (*gen & AERON*) flight; **alzar** o **emprender** o **levantar el ~** (*despegar*) to take flight, to fly off; *fig* (*irse de casa*) to fly the nest; **coger algo al ~** (*en el aire*) to catch sthg in flight; *fig* (*rápido*) to catch on to sthg very quickly; **remontar el ~** to soar; **~ chárter/regular** charter/scheduled flight; **~ libre** hang gliding; **~ sin motor** gliding. 2. (*de vestido*): **una falda de ~** a full skirt.

vuelta *f* 1. (*gen*) turn; (*acción*) turning; **darse la ~** to turn round; **dar ~s (a algo)** (*girándolo*) to turn (sthg) round; **media ~** (MIL) about-turn; (AUTOM) U-turn. 2. (DEP) lap; **~ (ciclista)** tour. 3. (*regreso, devolución*) return; **a la ~** (*volviendo*) on the way back; (*al llegar*) on one's return; **estar de ~** to be back. 4. (*paseo*): **dar una ~** to go for a walk. 5. (*dinero sobrante*) change. 6. (*ronda, turno*) round. 7. (*parte opuesta*) back, other side; **a la ~ de la página** over the page. 8. (*cambio, avatar*) change. 9. *loc*: **a ~ de correo** by return of post; **dar la ~ a la tortilla** *fam* to turn the tables; **dar una ~/dos** *etc* **~s de campana** (*coche*) to turn over once/twice *etc*; **darle ~s a algo** to turn sthg over in one's mind; **estar de ~ de algo** to be blasé about sthg; **no tiene ~ de hoja** there are no two ways about it.

vuelto, -ta ◇ *pp* → **volver**. ◇ *adj* turned. ♦ **vuelto** *m Amer* change.

vuestro, -tra *Esp* ◇ *adj poses:* your; **~ libro/amigo** your book/friend; **este libro es ~** this book is yours; **un amigo ~** a friend of yours; **no es asunto ~** it's none of your business. ◇ *pron poses:* **el ~** yours; **los ~s están en la mesa** yours are on the table; **lo ~ es el teatro** (*lo que hacéis bien*) you should be on the stage; **los ~s** *fam* (*vuestra familia*) your folks;

V

(vuestro bando) your lot.
vulgar *adj* **1.** *(no refinado)* vulgar. **2.** *(corriente, ordinario)* ordinary, common.
vulgaridad *f* **1.** *(grosería)* vulgarity; **hacer/decir una ~** to do/say sthg vulgar. **2.** *(banalidad)* banality.
vulgarizar *vt* to popularize.
vulgo *m despec*: **el ~** *(plebe)* the masses *(pl)*; *(no expertos)* the lay public *(U)*.
vulnerable *adj* vulnerable.
vulnerar *vt* **1.** *(prestigio etc)* to harm, to damage. **2.** *(ley, pacto etc)* to violate, to break.
vulva *f* vulva.
VV *abrev de* **ustedes**.

w, W *f (letra)* w, W.
walkie-talkie ['walki'talki] *(pl* **walkie-talkies)** *m* walkie-talkie.
walkman® ['walman] *(pl* **walkmans)** *m* Walkman®.
Washington ['wafinton] Washington.
wáter ['bater] *(pl* **wáteres)**, **váter** *(pl* **váteres)** *m Esp* toilet.
waterpolo [water'polo] *m* water polo.
watio = **vatio**.
Web *f*: **la (World Wide) ~** the World Wide Web.
WC *(abrev de* **water closet)** *m* WC.
whisky ['wiski] *m* = **güisqui**.
windsurf ['winsurf], **windsurfing** ['winsurfin] *m* windsurfing.

x, X *f (letra)* x, X. ◆ **X** *m y f*: **la señora X** Mrs X.
xenofobia *f* xenophobia.
xilofón, xilófono *m* xylophone.

y¹, Y *f (letra)* y, Y.
y² *conj* **1.** *(gen)* and; **un ordenador ~ una impresora** a computer and a printer; **horas ~ horas de espera** hours and hours of waiting. **2.** *(pero)* and yet; **sabía que no lo conseguiría ~ seguía intentándolo** she knew she wouldn't manage it and yet she kept on trying. **3.** *(en preguntas)* what about; **¿~ tu mujer?** what about your wife?
ya ◇ *adv* **1.** *(en el pasado)* already; **~ me lo habías contado** you had already told me; **~ en 1926** as long ago as 1926. **2.** *(ahora)* now; *(inmediatamente)* at once; **hay que hacer algo ~** something has to be done now/at once; **bueno, yo ~ me voy** right, I'm off now; **~ no es así** it's no longer like that. **3.** *(en el futuro)*: **~ te llamaré** I'll give you a ring some time; **~ hablaremos** we'll talk later; **~ nos habremos ido** we'll already have gone; **~ verás** you'll (soon) see. **4.** *(refuerza al verbo)*: **~ entiendo/lo sé** I understand/know. ◇ *conj (distributiva)*: **~ (sea) por ... ~ (sea) por ...** whether for ... or ... ◇ *interj*: **¡~!** *(expresa asentimiento)* right!; *(expresa comprensión)* yes!; **¡~, ~!** *irón* sure!, yes, of course! ◆ **ya no** *loc adv*: **~ no ... sino** not only ..., but. ◆ **ya que** *loc conj* since; **~ que has venido, ayúdame con esto** since you're here, give me a hand with this.
yacer *vi* to lie.
yacimiento *m* **1.** *(minero)* bed, deposit; **~ de petróleo** oilfield. **2.** *(arqueológico)* site.
yanqui *m y f* **1.** (HIST) Yankee. **2.** *fam (estadounidense)* pejorative term referring to a person from the US, yank.
yate *m* yacht.
yegua *f* mare.
yema *f* **1.** *(de huevo)* yolk. **2.** *(de planta)* bud, shoot. **3.** *(de dedo)* fingertip.
Yemen: **(el) ~** Yemen.
yen *(pl* **yenes)** *m* yen.
yerba = **hierba**.
yerbatero *m Amer* healer.
yermo, -ma *adj (estéril)* barren.
yerno *m* son-in-law.
yeso *m* **1.** (GEOL) gypsum. **2.** (CONSTR)

plaster. **3.** (ARTE) gesso.
yeyé *adj* sixties.

yo *pron pers* **1.** (*sujeto*) I; ~ **me llamo Luis** I'm called Luis. **2.** (*predicado*): **soy** ~ it's me. **3.** *loc*: ~ **que tú/él** *etc* if I were you/him *etc*.
yodo, **iodo** *m* iodine.
yoga *m* yoga.
yogur (*pl* **yogures**), **yogurt** (*pl* **yogurts**) *m* yoghurt.
yonqui *m y f fam* junkie.
yóquey (*pl* **yóqueys**), **jockey** (*pl* **jockeys**) *m* jockey.
yoyó *m* yoyo.
yuca *f* **1.** (BOT) yucca. **2.** (CULIN) cassava.
yudo, judo ['juðo] *m* judo.
yugo *m lit & fig* yoke.
Yugoslavia Yugoslavia.
yugoslavo, -va ◇ *adj* Yugoslavian. ◇ *m y f* Yugoslav.
yugular *adj & f* jugular.
yunque *m* anvil.
yuppie (*pl* **yuppies**), **yuppi** *m y f* yuppie.
yuxtaponer *vt* to juxtapose.
yuxtaposición *f* juxtaposition.
yuxtapuesto, -ta *pp* → **yuxtaponer**.

Z

z, Z *f* (*letra*) z, Z.
zafio, -fia *adj* rough, uncouth.
zafiro *m* sapphire.
zaga *f* (DEP) defence; **a la** ~ behind, at the back; **no irle a la** ~ **a alguien** to be every bit o just as good as sb.
zaguán *m* (*entrance*) hall.
Zaire Zaire.
zalamería *f* (*gen pl*) flattery (U).
zalamero, -ra *m y f* flatterer; *despec* smooth talker.
zamarra *f* sheepskin jacket.
zambo, -ba *m y f* knock-kneed person.
zambullir *vt* to dip, to submerge. ◆ **zambullirse** *vpr*: ~**se (en)** (*agua*) to dive (into); (*actividad*) to immerse o.s. (in).
zampar *fam vi* to gobble. ◆ **zam-**

parse *vpr* to wolf down.
zanahoria *f* carrot.
zanca *f* (*de ave*) leg, shank.
zancada *f* stride.
zancadilla *f* trip; **poner una** o **la** ~ **a alguien** (*hacer tropezar*) to trip sb up; (*engañar*) to trick sb.
zancadillear *vt* (*hacer tropezar*) to trip up.
zanco *m* stilt.
zancudo, -da *adj* long-legged. ◆ **zancudo** *m Amer* mosquito.
zángano, -na *m y f fam* (*persona*) lazy oaf. ◆ **zángano** *m* (*abeja*) drone.
zanja *f* ditch.
zanjar *vt* (*poner fin a*) to put an end to; (*resolver*) to settle, to resolve.
zapallito *m CSur* zucchini *Am*, courgette *Br*.
zapallo *m Amer* pumpkin.
zapata *f* (*de freno*) shoe.
zapateado *m* type of flamenco music and dance.
zapatear *vi* to stamp one's feet.
zapatería *f* **1.** (*oficio*) shoemaking. **2.** (*taller*) shoemaker's. **3.** (*tienda*) shoe shop.
zapatero, -ra *m y f* **1.** (*fabricante*) shoemaker. **2.** (*reparador*): ~ **(de viejo** o **remendón)** cobbler. **3.** (*vendedor*) shoe seller.
zapatilla *f* **1.** (*de baile*) shoe, pump; (*de estar en casa*) slipper; (*de deporte*) sports shoe, trainer. **2.** (*de grifo*) washer.
zapato *m* shoe.
zapping ['θapin] *m inv* channel-hopping; **hacer** ~ to channel-hop.
zar, zarina *m y f* tsar (*f* tsarina), czar (*f* czarina).
zarandear *vt* **1.** (*cosa*) to shake. **2.** (*persona*) to jostle, to knock about.
zarcillo *m* (*gen pl*) earring.
zarpa *f* (*de animal - uña*) claw; (*- mano*) paw.
zarpar *vi* to weigh anchor, to set sail.
zarpazo *m* clawing (U).
zarza *f* bramble, blackberry bush.
zarzal *m* bramble patch.
zarzamora *f* blackberry.
zarzaparrilla *f* sarsaparilla.
zarzuela *f* (MÚS) zarzuela, *Spanish light opera*.
zas *interj* ¡~! wham!, bang!
zenit, cenit *m lit & fig* zenith.
zepelín (*pl* **zepelines**) *m* zeppelin.

zigzag (*pl* **zigzags** O **zigzagues**) *m* zigzag.

zigzaguear *vi* to zigzag.

zinc = cinc.

zíper *m Amer* zipper *Am*, zip *Br*.

zócalo *m* 1. (*de pared*) skirting board. 2. (*de edificio, pedestal*) plinth.

zoco *m* souk, Arabian market.

zodiaco, zodíaco *m* zodiac.

zombi, zombie *m y f lit & fig* zombie.

zona *f* zone, area; ~ **azul** (AUTOM) restricted parking zone; ~ **verde** (*grande*) park; (*pequeño*) lawn.

zoo *m* zoo.

zoología *f* zoology.

zoológico, -ca *adj* zoological. ♦ **zoológico** *m* zoo.

zoólogo, -ga *m y f* zoologist.

zopenco, -ca *fam m y f* nitwit.

zoquete ◊ *m* (*calcetín*) ankle sock. ◊ *m y f* (*tonto*) blockhead.

zorro, -rra *m y f lit & fig* fox.

♦ **zorro** *m* (*piel*) fox (fur).

zozobra *f* anxiety, worry.

zozobrar *vi* 1. (*naufragar*) to be shipwrecked. 2. *fig* (*fracasar*) to fall through.

zueco *m* clog.

zulo *m* hideout.

zulú (*pl* **zulúes**) *adj, m y f* Zulu.

zumbar *vi* (*gen*) to buzz; (*máquinas*) to whirr, to hum; **me zumban los oídos** my ears are buzzing.

zumbido *m* (*gen*) buzz, buzzing (*U*); (*de máquinas*) whirr, whirring (*U*).

zumo *m* juice.

zurcido *m* 1. (*acción*) darning. 2. (*remiendo*) darn.

zurcir *vt* to darn.

zurdo, -da *adj* (*mano etc*) left; (*persona*) left-handed. ♦ **zurda** *f* (*mano*) left hand.

zurrar *vt* (*pegar*) to beat, to thrash.

zutano, -na *m y f* so-and-so, what's-his-name (*f* what's-her-name).

EL IDIOMA EN ACCIÓN

LLAMAR POR TELÉFONO

Para llamar a un particular

— Hello, this is Tom. Could I speak to Lucy, please?
— *Speaking.*

— Hello, this is Tom. Is Lucy there, please?
— *I'll get her for you.*

Más formal

— Hello, would it be possible to speak to Jane Richards, please?
— *Yes, who's calling?*
— It's Andrew Simpson.

Si Jane no está

— *I'm sorry, she's not in. Can she call you back?*

Si quien llama se ha equivocado de número

— *I'm afraid you have the wrong number.*

Para llamar a una empresa

— Hello, is this Mexican Airways?
— *Yes, how can I help?*

A través de un conmutador

— Could I have extension 227 (two two seven), please?
— *Yes, I'm connecting you now.*

— Can you connect me to accounting, please?
— *I'm afraid the line is busy. Can you hold, please?*
— Yes, I'll hold. / No, thank you, I'll try again later.

Para dejar un recado

— *Would you like to leave a message?*
— Yes, please. Could you tell her that Mr Wilson called?
— *Certainly.*

— *Can I take a message?*
— Yes, please. Would you ask her to call me back?
— *Certainly. Does she have your number?*

CONOCERSE

Presentarse

— Hello, my name is Tom.
— Hi, I'm Lucy.

Presentar a alguien

— Do you know everybody?
— Have you two met?
— Lucy, this is my mom.
— Paul, do you know Katie?

Más formal

— John, I'd like you to meet our sales manager, Tom Kline.
— I'd like to introduce you to Mrs Webb.

Una vez presentados

— Pleased / Nice to meet you.
— How do you do? *Br (más formal)*.

Antes de despedirse

— Nice meething you.
— Take care.
— Have a nice day!

Al despedirse

— Goodbye!
— Bye! / So long! / See you! *(familiar)*.

ESCRIBIR UNA CARTA FORMAL O COMERCIAL

Nuestro nombre y dirección ▶

Tom Fleetwood
640 South Bay Drive
Smalltown, TX 63007

La fecha ▶

September 13, 1998

El nombre y dirección de la persona a la que escribimos ▶

The Manager
Tourist Office
6 Bridge Street
Houston, TX 63100

Otras posibilidades ▶
Si se conoce su nombre
- Dear Mr / Mrs / Ms / Miss Brown
- Dear Dr / Professor Brown

Si no se conoce su nombre
- Dear Sir (si es hombre)
- Dear Madam (si es mujer)

- To whom it may concern o Dear Sirs *Br* (si es una empresa)

Dear Sir or Madam,

I am writing to ask if you could send me some information about any special events which will be taking place in or around Houston next month as part of the annual festival. My 14-year-old penpal from Chicago is visiting me for two weeks, and she is especially interested in sports.

I look forward to hearing from you. Thank you for your kelp.

Sincerely

Tom Fleetwood

◀ Otras posibilidades
- Sincerely yours *Am*
- Yours truly *Am*
- Yours sincerely
- Yours faithfully *Br* (but only with Dear Sir/Madam)
- With best wishes / Kind regards *Br*

ESCRIBIR UNA CARTA INFORMAL

La fecha ▶

Saturday, September 20

Dear Lucy,

Just a quick note to let you know that we're all really excited about your visit to Texas next month. I wrote to the tourist office to see if there's anything special happening in this area while you're here, and there are lots of things I'm sure you'll be interested in.

See you at the airport on the 10th! Say hello to your mom and dad for me.

Love

Tom

◀ **Otras posibilidades**

Losts of love	
Love from	**familiar**
All the best *Br*	
Yours	
Best wishes *Br*	

Tom Fleetwood
640 South Bay Drive
Smalltown, TX 63007

Lucy Simpson
620 Lake Boulevard
Chicago, IL 77321

LOS NÚMEROS

Los números cardinales se emplean para contar:

0	zero *Am*, nought *Br*	19	nineteen	90	ninety
1	one	20	twenty	100	one hundred
2	two	21	twenty-one	101	one hundred and one
3	three	22	twenty-two		
4	four	23	twenty-three	102	one hundred and two
5	five	24	twenty-four		
6	six	25	twenty-five	110	one hundred and ten
7	seven	26	twenty-six		
8	eight	27	twenty-seven	200	two hundred
9	nine	28	twenty-eight	201	two hundred and one
10	ten	29	twenty-nine		
11	eleven	30	thirty	202	two hundred and two
12	twelve	31	thirty-one		
13	thirteen	32	thirty-two	300	three hundred
14	fourteen	40	forty	400	four hundred
15	fifteen	50	fifty	500	five hundred
16	sixteen	60	sixty		
17	seventeen	70	seventy		
18	eighteen	80	eighty		

1,000	one thousand	10,000	ten thousand
1,001	one thousand and one	100,000	one hundred thousand
1,002	one thousand and two	1,000,000	one million
1,100	one thousand one hundred	2,000,000	two million
1,200	one thousand two hundred	1,000,000,000	one billion/ one thousand million *Br*
2,000	two thousand		

NOTAS:

- Tanto en el inglés americano como en el británico es usual llamar **one billion** al número **1,000,000,000** (mil millones); sin embargo, algunos británicos prefieren decir **one thousand million**, y llamar **billion** a **1,000,000,000,000** (un millón de millones; es decir, el billón usado en español) pero esto se considera anticuado.

- En el inglés británico se usa siempre la palabra **and** en números como **four hundred and twenty-six**, mientras que en el americano se suele omitir (**four hundred twenty-six**).

- La palabra **dozen** se usa a veces en lugar de **twelve** (**there were about a dozen people at the meeting**), especialmente si nos referimos a cantidades aproximadas o a ciertas expresiones de cantidad en asuntos comerciales (**a dozen red roses**); igualmente, **half**

a dozen puede sustituir a **six** (**half a dozen eggs**).

- **Dozen, hundred, thousand, million** y **billion** no suelen llevar **-s** delante de sustantivos en plural (**a few hundred books, a million people**). En cambio, añaden la **-s** cuando van seguidos de **of** (**hundreds of books, millions of people**).

- Tanto **a** como **one** pueden usarse delante de **dozen, hundred, thousand, million** y **billion**. El uso de **one** implica un tono más formal o de más precisión (**the experiment was repeated one hundred times; the total is one thousand four hundred and seventy-two**).

- El inglés, al contrario que el español de algunos países, marca los decimales con un punto: **6.5** (**6 point 5** = 6 coma 5). En cambio, números como **one thousand** o **forty million** suelen ir con comas y no con puntos (**1,000; 40,000,000**) o también separados por espacios (**1 000; 40 000 000**); si tienen sólo cuatro cifras pueden ir todos juntos (**1000**).

Los números ordinales sirven para colocar cosas en orden:

1st	first	10th	tenth	72nd	seventy-second
2nd	second	11th	eleventh	83rd	eighty-third
3rd	third	12th	twelfth	94th	ninety-fourth
4th	fourth	13th	thirteenth	100th	one hundredth
5th	fifth	20th	twentieth	101st	one hundred
6th	sixth	30th	thirtieth		and first
7th	seventh	40th	fortieth	1,000th	one thousandth
8th	eighth	50th	fiftieth		
9th	ninth	61st	sixty-first		

NOTA:

- Para formar los ordinales suele añadirse **-th** al cardinal, salvo en el caso de **first, second, third** y sus derivados. A veces puede darse una ligera variación ortográfica (p.ej. **nine → ninth, twelve → twelfth, twenty → twentieth**).

Para mayor información sobre los números consúltense las entradas de **seis** y **sexto** en el lado Español-Inglés del diccionario, o las de **six** y **sixth** en el lado Inglés-Español.

LA FECHA

Las formas más comunes de preguntar la fecha son: **what date is it today?, what's the date today?** o **what's today's date?** El hablante americano usa el modelo de respuesta **it's July fifth**, mientras que el británico dirá **it's July the fifth** o **it's the fifth of July**.

Recordemos que en inglés se usan los ordinales para decir la fecha: **January tenth, February twenty-fifth, September first**. Los años (1998, por ejemplo) se dicen como dos números separados: **nineteen ninety-eight**.

Tengamos presente otra importante diferencia entre el inglés americano y el británico: **4.12.98** en Estados Unidos es el día doce del mes cuatro (12 de abril de 1998 = **April 12 1998**), en cambio en Gran Bretaña es el día cuatro del mes doce (4 de diciembre de 1998 = **4 december 1998**).

Los días de la semana son:

Monday   lunes
Tuesday   martes
Wednesday miércoles
Thursday jueves
Friday   viernes
Saturday sábado
Sunday   domingo

Los meses del año son:

January   enero
February febrero
March   marzo
April   abril
May   mayo
June   junio
July   julio
August   agosto
September septiembre
October   octubre
November noviembre
December diciembre

Los nombres de los días de la semana y los meses del año en inglés siempre empiezan con mayúscula.

Para mayor información sobre días y meses consúltense las entradas de **sábado** y **septiembre** en el lado Español-Inglés del diccionario, o las de **Saturday** y **September** en el lado Inglés-Español.

LA HORA

El modo más usual de preguntar la hora es: **what time is it?** o **what's the time?** He aquí varias respuestas posibles:

it's five o'clock o it's five
a.m. / p.m.

it's five past five /
five after five Am

it's (a) quarter past five /
(a) quarter after five Am

it's five thirty /
half past five Br

it's twenty-five to six /
twenty-five of six Am

it's (a) quarter to six /
(a) quarter of six Am

it's one o'clock (in the
morning/afternoon)

it's twelve o'clock (at night/in
the daytime)

En inglés británico se usa a veces el horario de 24 horas: **the train leaves at 14:40**. En cambio, en inglés americano esto no se utiliza.

10

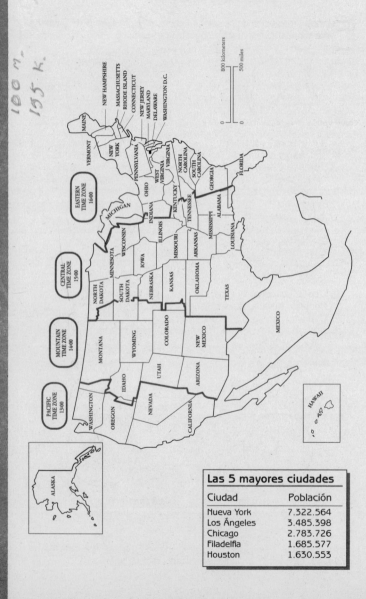

100 m.
155 k.

NEW HAMPSHIRE
MASSACHUSETTS
RHODE ISLAND
CONNECTICUT
NEW JERSEY
MARYLAND
DELAWARE
WASHINGTON D.C.

MAINE
VERMONT
NEW YORK
PENNSYLVANIA
WEST VIRGINIA
VIRGINIA
NORTH CAROLINA
SOUTH CAROLINA
GEORGIA
FLORIDA

EASTERN TIME ZONE 1600
CENTRAL TIME ZONE 1500
MOUNTAIN TIME ZONE 1400
PACIFIC TIME ZONE 1300

MICHIGAN
OHIO
INDIANA
ILLINOIS
KENTUCKY
TENNESSEE
ALABAMA
MISSISSIPPI
LOUISIANA

WISCONSIN
MINNESOTA
IOWA
MISSOURI
ARKANSAS

NORTH DAKOTA
SOUTH DAKOTA
NEBRASKA
KANSAS
OKLAHOMA
TEXAS

MONTANA
WYOMING
COLORADO
NEW MEXICO

IDAHO
UTAH
ARIZONA

WASHINGTON
OREGON
NEVADA
CALIFORNIA

MEXICO

HAWAII

ALASKA

800 kilometers
500 miles

Las 5 mayores ciudades

Ciudad	Población
Nueva York	7.322.564
Los Ángeles	3.485.398
Chicago	2.783.726
Filadelfia	1.685.577
Houston	1.630.553

GEOGRAFÍA DE EU

Estados Unidos de Norteamérica (*United States of America*, también denominado *US* o *USA*) es el cuarto país del mundo en extensión. Tiene 9 364 000 km^2 de superficie, incluyendo Alaska y Hawai (*Hawaii*). Por su población es el tercero, con más de 260 millones de habitantes. Ocupa la parte central de América del Norte, abarcando 4000 kilómetros entre el Océano Atlántico y el Pacífico y 1900 kilómetros desde la frontera canadiense al Golfo de México. Alaska se sitúa al noroeste de Canadá y Hawai es un archipiélago del Pacífico central. Estados Unidos también incluye varios territorios insulares en el Pacífico y el Caribe tales como Guam, Samoa, las Islas Vírgenes y el estado libre asociado de Puerto Rico.

Regiones Estados Unidos puede dividirse en cuatro regiones:

- ❏ **Noreste** – Delaware, Maryland, Nueva Inglaterra (integrado por Connecticut, Maine, Massachusetts, New Hampshire, Rhode Island y Vermont), Nueva Jersey, Nueva York, Pensilvania y Washington D.C.
- ❏ **Medio Oeste** – Dakota del Norte, Dakota del Sur, Illinois, Indiana, Iowa, Kansas, Michigan, Minnesota, Missouri, Nebraska, Ohio y Wisconsin.
- ❏ **Sur** – Alabama, Arkansas, Carolina del Norte, Carolina del Sur, Florida, Georgia, Kentucky, Luisiana, Mississippi, Oklahoma, Tennessee, Texas, Virginia y Virginia Occidental.
- ❏ **Oeste** – Alaska, Arizona, California, Colorado, Hawai, Idaho, Montana, Nevada, Nuevo México, Oregón, Utah, Washington y Wyoming.

La mayoría de la población se concentra en ciudades y poblaciones del noreste, del sur, alrededor de los Grandes Lagos y en la costa oeste.

Gobierno federal y estatal Estados Unidos es una república federal de 50 estados y el Distrito de Columbia, un territorio de la costa este donde se ubica la capital, Washington D.C. El poder se reparte entre los gobiernos locales, los estatales y el federal.

- ❏ **El gobierno federal** controla áreas tales como defensa, asuntos exteriores, emisión de moneda y comercio internacional. Lo dirigen el Presidente, el Congreso (la Cámara de Representantes y el Senado) y el Tribunal Supremo.
- ❏ **Los gobiernos estatales** se encargan de asuntos fiscales, así como de la sanidad, educación y orden público. A su frente suelen estar un gobernador y un Congreso estatal con cámaras alta y baja.
- ❏ **Los estados** se dividen en condados, que se componen a su vez de municipios (ciudades, pueblos, distritos), cada uno con su ayuntamiento. Casi todas las ciudades son regidas por un alcalde y concejales electos. Los ayuntamientos se encargan de los servicios locales.

LA EDUCACIÓN EN EU

El sistema educativo estadounidense varía según las regiones. En general, la mayor parte de las escuelas y universidades son mixtas y estatales, pero cerca del 25% de las escuelas y 45% de las universidades pertenecen a entidades privadas o religiosas. Casi todos los estados proporcionan educación gratuita en el *kindergarten* (donde los niños entran a los 4 o 5 años) y durante los siguientes 12 años. En la mayoría de los estados la educación es obligatoria por ley desde los 5 o 6 años hasta los 16 o 18.

Educación preescolar (hasta los 5; *pre-school education*) Cerca del 35% de los niños de 3 y 4 años van a guarderías (*nursery schools*) y casi todos los de 4 y 5 van al *kindergarten*.

Escuela primaria (de 6 a 13; *elementary school*) **y secundaria (hasta los 18**; *high school*) El tiempo de estancia en la escuela varía. Casi todos los alumnos siguen alguno de estos sistemas:

❏ seis años de *elementary school* (cursos 1° a 6°), tres de *junior high school* (cursos 7° a 9°) y tres de *senior high school* (cursos 10° a 12°).

❏ cursos 1° a 8° de primaria y luego cuatro de *high school*.

❏ cuatro o cinco años de primaria, luego cuatro de *middle school* y cuatro más de secundaria.

Plan de estudios No existe un plan de estudios oficial. La mayoría de los estudiantes de secundaria deben cursar algunas materias básicas (*core curriculum*) y pueden escoger otras optativas (*electives*) en los últimos cursos que serán de carácter puramente escolar o para formación profesional.

Terminología

	High school		College
	edad	curso	edad
■ freshman	14-15	9°	18
■ sophomore	15-16	10°	19
■ junior	16-17	11°	20
■ senior	17-18	12°	21

Exámenes En Estados Unidos no son tan importantes como en otros países. El trabajo de los alumnos se evalúa a lo largo de sus años escolares. Las notas que reciben por sus trabajos, las discusiones en clase y las pruebas dan su nota media global o *Grade Point Average* (*GPA*). Los que deseen ir a la universidad pueden presentarse a exámenes como el *Scholastic Achievement Test* (*SAT*) o el *American College Test* (*ACT*). Estos, junto con su *GPA*, determinan el acceso a estudios superiores.

Graduación Aquellos que aprueban el 12° curso pueden participar en la ceremonia conocida como *graduation* (o *commencement*). Se visten con una toga y un birrete y se les concede un *diploma*. Pueden incluso comprar

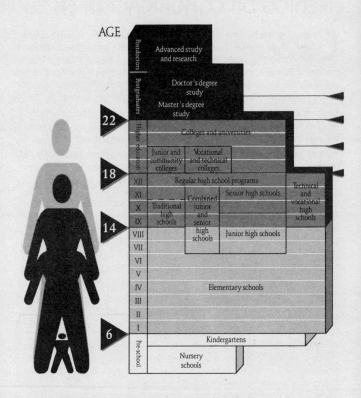

AGE

Postdoctors	Advanced study and research
Postgraduates	Doctor's degree study
	Master's degree study

22

Higher education	Colleges and universities		
	Junior and community colleges	Vocational and technical colleges	

18

XII	Regular high school programs			Technical and vocational high schools
XI			Senior high schools	
X	Traditional high schools	Combined junior and senior high schools		
IX				
VIII			Junior high schools	
VII				

14

VI	
V	
IV	Elementary schools
III	
II	
I	

6

Pre-school	Kindergartens
	Nursery schools

un ejemplar del anuario (*yearbook*) con las fotos de los alumnos y profesores. El mejor alumno tal vez haga de *valedictorian* y dé el discurso de despedida a los graduados.

Estudios superiores (de 18 a 26) Más del 60% de los graduados en secundaria acceden a estudios superiores. Existen dos niveles: *undergraduate* (licenciatura) y *graduate* o *postgraduate* (máster o doctorado). Los padres pagan la matrícula, pero alrededor de un 50% de los alumnos reciben ayuda económica en forma de becas, reducción de tasas o préstamos a bajo interés.

Educación de adultos Millones de estadounidenses realizan cursos, a tiempo parcial o completo, que van desde aprender a leer hasta la educación superior en universidades, centros de especialización, institutos municipales, etc.

MEDIOS DE COMUNICACIÓN EN EU

Canales de televisión y emisoras de radio Hay cuatro cadenas televisivas comerciales de ámbito nacional en Estados Unidos: la *American Broadcasting Company* (ABC), la *Columbia Broadcasting Service* (CBS), la *National Broadcasting Company* (NBC) y *Fox TV*. Existen alrededor de 1300 canales comerciales y 400 no comerciales. La mayoría de los comerciales tienen conexión con alguna cadena nacional.

Emisiones en cadena Difunden programas de entretenimiento de interés general: concursos, comentarios, deportes, telecomedias, viejas películas y emisiones seriadas. Se financian con publicidad.

TV por cable y satélite En las grandes ciudades suele haber unos 35 canales de televisión por cable, generalmente temáticos: deportes, cine, religión, noticias (como la *CNN*), compras, música (como la *MTV*), salud, pornografía o programas en lengua extranjera. Los aficionados pueden emitir sus programas en los canales de acceso público (*public access TV*). Muchos bares, clubes y hoteles tienen antena parabólica para ver deportes en directo.

Public Broadcasting Service PBS es una cadena no comercial financiada en parte a través del patrocinio de empresas y las donaciones de la audiencia. Sus programas son de mayor calidad que los de canales comerciales.

Radio Muchas emisoras tienen conexión con alguna cadena nacional como *ABC*, *CBS* y *NBC*. También existen más de 100 cadenas regionales, muchas de carácter temático (p. ej. emisoras en lengua extranjera). Las emisoras de noticias y comentarios suelen estar en AM y las de música en FM. Hay también cadenas no comerciales con emisiones más serias, como la *National Public Radio* (NPR), especializada en programas de noticias y actualidad.

Periódicos La mayoría de los diarios son de ámbito regional. Sólo son nacionales el *Christian Science Monitor*, *USA Today* (con fotos en color y deportes) y el *Wall Street Journal*, líder de la prensa económica. Los periódicos regionales de más prestigio (p. ej. el *New York Times*, *Washington Post* o *Los Angeles Times*) están a la venta en otras ciudades.

▶ **Diarios sensacionalistas** como el *Daily News* (Nueva York) y el *Herald* (Boston) divulgan muchas noticias y fotos sobre deportes y sucesos.

▶ **Los periódicos dominicales** se suelen poner a la venta el sábado por la tarde. Casi todos los diarios tienen su edición dominical con multitud de secciones.

Revistas Semanarios como *Newsweek* o *Time* cubren la actualidad nacional e internacional y son muy populares. Las revistas más leídas son las deportivas, las de moda y las guías de programación televisiva.

LA RECREACIÓN EN EU

El trabajo no deja mucho tiempo libre a los americanos, por lo que suelen pasar las fiestas y vacaciones con la familia.

Festividades Además de las fiestas nacionales, cada estado posee sus propios días festivos. Muchos caen en lunes para poder hacer puente (*three-day weekends*).

▶ **Navidad y Año Nuevo** son importantes festividades familiares. En muchos hogares se pone un árbol de Navidad (*Christmas tree*) con luces y adornos, la gente se obsequia regalos de Navidad (*Christmas presents*) y se hace una cena de Navidad (*Christmas dinner*) con pavo asado, patatas y verduras. La noche de Fin de Año es tradicional ir a una fiesta.

Fiestas nacionales	
1 de enero	New Year's Day
Tercer lunes de enero	Martin Luther King's Day
Tercer lunes de febrero	President's Day (cumpleaños de Lincoln y Washington)
Último lunes de mayo	Memorial Day (en recuerdo de los caídos en combate)
4 de julio	Independence Day
Primer lunes de septiembre	Labor Day
Segundo lunes de octubre	Columbus Day
11 de noviembre	Veterans Day
Cuarto jueves de noviembre	Thanksgiving
25 de diciembre	Christmas Day

▶ **Semana Santa** es cuando los niños piensan en el *Easter Bunny* (Conejo de Pascua), un animal imaginario que trae *Easter baskets* (cestas con golosinas y huevos de chocolate).

▶ **Thanksgiving** es el día de Acción de Gracias, que conmemora el primer festín compartido entre colonos e indígenas. Las familias se reúnen en torno a una comida a base de pavo, calabaza, boniatos o camotes y pastel de manzana.

Clubes sociales Existen muchos clubes sociales que, junto con la iglesia local, aglutinan la actividad social y comercial en pequeñas localidades.

Deportes Los estadounidenses toman el deporte muy en serio. Los que más practican son natación, ciclismo, esquí, pesca, caminata y aerobic. Los deportes de masas más populares son el béisbol (deporte nacional), el fútbol americano y el baloncesto.

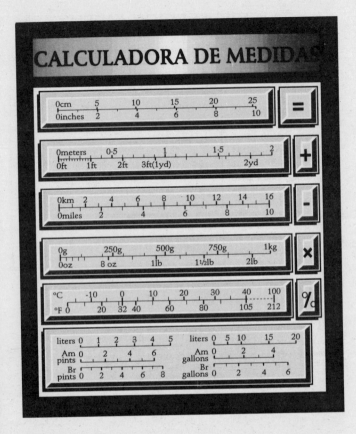

CALCULADORA DE MEDIDAS

El sistema americano de pesos y medidas se basa en el antiguo sistema británico de la yarda, el galón y la libra, si bien algunas medidas difieren un poco (como la pinta, el galón y el cuarto americanos). En Gran Bretaña se usa por lo general el sistema métrico, aunque muchos siguen empleando los términos antiguos, sobre todo al referirse a distancias.

Abreviaturas: cm = centímetro(s); ft = pie(s) (*foot/feet*); yd = yarda(s); km = kilómetro(s); g = gramo(s); kg = kilogramo(s); oz = onza(s) (*ounce/ounces*); lb = libra(s) (*pound/pounds*); C = centígrado; F = Fahrenheit.

a¹ (*pl* **as** OR **a's**), **A** (*pl* **As** OR **A's**) [eɪ] *n* (*letter*) a *f*, A *f*. ♦ **A** *n* **1.** (MUS) la *m*. **2.** (SCH) (*mark*) ≃ sobresaliente *m*.

a² [*stressed* eɪ, *unstressed* ə] (*before vowel or silent* 'h': **an** [*stressed* æn, *unstressed* ən]) *indef art* **1.** (*gen*) un (una); **a boy** un chico; **a table** una mesa; **an orange** una naranja; **an eagle** un águila; **a hundred/thousand pounds** cien/mil libras. **2.** (*referring to occupation*): **to be a dentist/teacher** ser dentista/maestra. **3.** (*to express prices, ratios etc*) por; **£10 a person** 10 libras por persona; **50 km an hour** 50 kms. por hora; **20p a kilo** 20 peniques el kilo; **twice a week/month** dos veces a la semana/al mes.

AA *n* **1.** (*abbr of* **Automobile Association**) *asociación británica del automóvil*, ≃ RACE *m*. **2.** (*abbr of* **Alcoholics Anonymous**) AA *mpl*.

AAA [ˌtrɪplˈeɪ] *n* (*abbr of* **American Automobile Association**) *asociación estadounidense del automóvil*, ≃ RACE *m*.

AB (*abbr of* **Bachelor of Arts**) *n Am* (*titular de una*) *licenciatura de letras*.

aback [əˈbæk] *adv*: **to be taken ~** quedarse atónito(ta) OR estupefacto(ta).

abandon [əˈbændən] ◊ *vt* abandonar. ◊ *n*: **with ~** con desenfreno.

abashed [əˈbæʃt] *adj* avergonzado(da).

abate [əˈbeɪt] *vi* (*storm*) amainar; (*noise*) debilitarse; (*fear*) apaciguarse.

abattoir [ˈæbətwɑːʳ] *n* matadero *m*.

abbey [ˈæbɪ] *n* abadía *f*.

abbot [ˈæbət] *n* abad *m*.

abbreviate [əˈbriːvɪeɪt] *vt* abreviar.

abbreviation [ə,briːvɪˈeɪʃn] *n* abreviatura *f*.

ABC *n lit & fig* abecé *m*.

abdicate [ˈæbdɪkeɪt] ◊ *vi* abdicar. ◊ *vt* (*responsibility*) abdicar de.

abdomen [ˈæbdəmən] *n* abdomen *m*.

abduct [əbˈdʌkt] *vt* raptar.

aberration [ˌæbəˈreɪʃn] *n* aberración *f*.

abhor [əbˈhɔːʳ] *vt* aborrecer.

abide [əˈbaɪd] *vt* soportar, aguantar. ♦ **abide by** *vt fvs* (*law, ruling*) acatar; (*principles, own decision*) atenerse a.

ability [əˈbɪlətɪ] *n* **1.** (*capability*) capacidad *f*. **2.** (*skill*) dotes *fpl*.

abject [ˈæbdʒekt] *adj* **1.** (*poverty*) vil, indigente. **2.** (*person*) sumiso(sa); (*apology*) humillante.

ablaze [əˈbleɪz] *adj* (*on fire*) en llamas.

able [ˈeɪbl] *adj* **1.** (*capable*): **to be ~ to do sthg** poder hacer algo. **2.** (*skilful*) capaz, competente.

ably [ˈeɪblɪ] *adv* eficientemente.

abnormal [æbˈnɔːʳml] *adj* anormal.

aboard [əˈbɔːʳd] ◊ *adv* a bordo. ◊ *prep* (*ship, plane*) a bordo de; (*bus, train*) en.

abode [əˈbəʊd] *n fml*: **of no fixed ~** sin domicilio fijo.

abolish [əˈbɒlɪʃ] *vt* abolir.

abolition [ˌæbəˈlɪʃn] *n* abolición *f*.

abominable [əˈbɒmɪnəbl] *adj* abominable, deplorable.

aborigine [ˌæbəˈrɪdʒənɪ] *n* aborigen *m* y *f* de Australia.

abort [əˈbɔːʳt] *vt* **1.** (*pregnancy, plan, project*) abortar; (*pregnant woman*) provocar el aborto a. **2.** (COMPUT) abortar.

abortion [əˈbɔːʳʃn] *n* aborto *m*; **to have an ~** abortar.

abortive [əˈbɔːʳtɪv] *adj* frustrado(da).

abound [əˈbaʊnd] *vi* **1.** (*be plentiful*) abundar. **2.** (*be full*): **to ~ with** OR **in** abundar en.

about [əˈbaʊt] ◊ *adv* **1.** (*approximately*) más o menos, como; **there were ~ fifty/a hundred** había (como) unos cincuenta/cien o así; **at ~ five o'clock** a eso de las cinco. **2.** (*referring to place*) por ahí; **to leave things lying ~** dejar las cosas por ahí; **to walk ~** ir andando por ahí; **to jump ~** dar saltos. **3.** *(on the point of):* **to be ~ to do sthg** estar a punto de hacer algo. ◇ *prep* **1.** *(relating to, concerning)* sobre, acerca de; **a film ~ Paris** una película sobre París; **what is it ~?** ¿de qué trata?; **there's something odd ~ that man** hay algo raro en ese hombre; **how ~ ...?** → **how**; **what ~ ...?** → **what**. **2.** *(referring to place)* por; **to wander ~ the streets** vagar por las calles.

> • *Be about to se utiliza para expresar que algo va a ocurrir en un futuro inmediato* (the train's about to leave, "el tren está a punto de salir").

about-turn, about-face *n* (MIL) media vuelta *f*; *fig* cambio *m* radical.

above [ə'bʌv] ◇ *adv* **1.** *(on top, higher up)* arriba; **the flat ~** el piso de arriba; **see ~** *(in text)* véase más arriba. **2.** *(more, over):* **children aged five and ~** niños de cinco años en adelante. ◇ *prep* **1.** *(on top of)* encima de. **2.** *(higher up than, over)* por encima de. **3.** *(more than, superior to)* por encima de; **children ~ the age of 15** niños mayores de 15 años. ◆ **above all** *adv* sobre todo.

aboveboard [ə'bʌvbɔ:rd] *adj* honrado (da), sin tapujos.

abrasive [ə'breɪsɪv] *adj* **1.** *(substance)* abrasivo(va). **2.** *(person)* mordaz.

abreast [ə'brest] ◇ *adv* hombro con hombro. ◇ *prep:* **to keep ~ of** mantenerse OR estar al día de.

abridged [ə'brɪdʒd] *adj* abreviado (da).

abroad [ə'brɔːd] *adv* en el extranjero; **to go ~** ir al extranjero.

abrupt [ə'brʌpt] *adj* **1.** *(sudden)* repentino(na). **2.** *(brusque)* brusco(ca).

abscess ['æbses] *n* absceso *m*.

abseil ['æbseɪl] *vi:* **to ~ (down sthg)** descolgarse OR descender haciendo rappel (por algo).

absence ['æbsəns] *n* **1.** *(of person)* ausencia *f*. **2.** *(of thing)* falta *f*.

absent ['æbsənt] *adj* *(not present)* ausente; **to be ~ from** faltar a, ausentarse de.

absentee [,æbsən'tiː] *n* ausente *m y f*.

absent-minded [-'maɪndəd] *adj* *(person)* despistado(da); *(behaviour)* distraído(da).

absolute ['æbsəluːt] *adj* absoluto(ta).

absolutely ['æbsəluːtlɪ] ◇ *adv* *(completely)* completamente, absolutamente. ◇ *excl* ¡desde luego!

absolve [əb'zɒlv] *vt:* **to ~ sb (from)** absolver a alguien (de).

absorb [əb'sɔːrb] *vt* *(gen)* absorber; **to be ~ed in sthg** *fig* estar absorto OR embebido en algo.

absorbent [əb'sɔːrbənt] *adj* absorbente.

absorption [əb'sɔːrpʃn] *n* *(of liquid)* absorción *f*.

abstain [əb'steɪn] *vi:* **to ~ (from)** abstenerse (de).

abstemious [æb'stiːmjəs] *adj* *fml* sobrio(bria), moderado(da).

abstention [əb'stenʃn] *n* abstención *f*.

abstract ['æbstrækt] ◇ *adj* abstracto (ta). ◇ *n* *(summary)* resumen *m*, sinopsis *f*.

absurd [əb'sɜːrd] *adj* absurdo(da).

ABTA ['æbtə] *(abbr of Association of British Travel Agents)* *n* asociación británica de agencias de viajes.

abundant [ə'bʌndənt] *adj* abundante.

abundantly [ə'bʌndəntlɪ] *adv* *(extremely):* **it's ~ clear** está clarísimo.

abuse [*n* ə'bjuːs, *vb* ə'bjuːz] ◇ *n* (U) **1.** *(offensive remarks)* insultos *mpl*. **2.** *(misuse, maltreatment)* abuso *m*. ◇ *vt* **1.** *(insult)* insultar. **2.** *(maltreat, misuse)* abusar de.

abusive [ə'bjuːsɪv] *adj* *(person)* grosero (ra); *(behaviour, language)* insultante.

abysmal [ə'bɪzml] *adj* pésimo(ma), nefasto(ta).

abyss [ə'bɪs] *n* abismo *m*, sima *f*.

a/c *(abbr of account (current))* c/c.

AC *n* *(abbr of alternating current)* CA *f*.

academic [,ækə'demɪk] ◇ *adj* **1.** *(of college, university)* académico(ca). **2.** *(studious)* estudioso(sa). **3.** *(hypothetical)* teórico(ca). ◇ *n* *(university lecturer)* profesor *m* universitario, profesora *f* universitaria.

academy [ə'kædəmɪ] *n* academia *f*.

ACAS ['eɪkæs] *(abbr of Advisory, Conciliation and Arbitration Service)* *n* organización británica para el arbitraje en conflictos laborales, ≃ IMAC *m*.

accelerate [ək'seləreɪt] *vi* **1.** *(car, driver)* acelerar. **2.** *(inflation, growth)* dispararse.

acceleration [ək,selə'reɪʃn] *n* aceleración *f*.

accelerator [ək'seləreɪtər] *n* acelerador *m*.

accent ['æksent] *n* *lit & fig* acento *m*.

accept [ək'sept] *vt* **1.** *(gen)* aceptar. **2.** *(difficult situation, problem)* asimilar.

3. *(defeat, blame, responsibility)* asumir. **4.** *(agree):* **to ~ that** admitir que. **5.** *(subj: machine - coins, tokens)* admitir.
acceptable [ək'septəbl] *adj* aceptable.
acceptance [ək'septəns] *n* **1.** *(gen)* aceptación *f.* **2.** *(of piece of work, article)* aprobación *f.* **3.** *(of defeat, blame, responsibility)* reconocimiento *m.* **4.** *(of person - as part of group etc)* admisión *f.*
access ['ækses] *n* **1.** *(entry)* acceso *m.* **2.** *(opportunity to use or see)* libre acceso *m*; **to have ~ to** tener acceso a.
accessible [ək'sesəbl] *adj* **1.** *(place)* accesible. **2.** *(service, book, film)* asequible.
accessory [ək'sesərɪ] *n* **1.** *(of car, vacuum cleaner)* accesorio *m.* **2.** (JUR) cómplice *m y f.* ♦ **accessories** *npl* complementos *mpl.*
accident ['æksɪdənt] *n* accidente *m*; **it was an ~** fue sin querer; **by ~** *(by chance)* por casualidad.
accidental [,æksɪ'dentl] *adj* accidental.
accidentally [,æksɪ'dentlɪ] *adv* **1.** *(by chance)* por casualidad. **2.** *(unintentionally)* sin querer.
accident-prone *adj* propenso(sa) a los accidentes.
acclaim [ə'kleɪm] ◇ *n* (U) elogio *m*, alabanza *f.* ◇ *vt* elogiar, alabar.
acclimatize [ə'klaɪmətaɪz], **acclimate** *Am* [ə'klaɪmət] *vi*: **to ~ (to)** aclimatarse (a).
accommodate [ə'kɒmədeɪt] *vt* **1.** *(provide room for people - subj: person)* alojar; *(- subj: building, place)* albergar. **2.** *(oblige)* complacer.
accommodating [ə'kɒmədeɪtɪŋ] *adj* complaciente, servicial.
accommodations [ə,kɒmə'deɪʃnz] *npl* *Am*, **accommodation** [ə,kɒmə'deɪʃn] *Br n (lodging)* alojamiento *m.*
accompany [ə'kʌmpənɪ] *vt* acompañar.
accomplice [ə'kʌmpləs] *n* cómplice *m y f.*
accomplish [ə'kʌmplɪʃ] *vt* *(achieve)* conseguir, alcanzar.
accomplished [ə'kʌmplɪʃt] *adj* competente, experto(ta).
accomplishment [ə'kʌmplɪʃmənt] *n* **1.** *(action)* realización *f.* **2.** *(achievement)* logro *m.*
accord [ə'kɔːd] ◇ *n*: **to do sthg of one's own ~** hacer algo por propia voluntad. ◇ *vt*: **to ~ sb sthg, to ~ sthg to sb** conceder algo a alguien.
accordance [ə'kɔːdns] *n*: **in ~ with** acorde con, conforme a.

according [ə'kɔːdɪŋ] ♦ **according to** *prep* **1.** *(as stated or shown by)* según; **to go ~ to plan** ir según lo planeado. **2.** *(with regard to)* de acuerdo con, conforme a.
accordingly [ə'kɔːdɪŋlɪ] *adv* **1.** *(appropriately)* como corresponde. **2.** *(consequently)* por lo tanto.
accordion [ə'kɔːdjən] *n* acordeón *m.*
accost [ə'kɒst] *vt* abordar.
account [ə'kaʊnt] *n* **1.** *(with bank, shop etc)* cuenta *f.* **2.** *(report - spoken)* relato *m*; *(- written)* informe *m.* **3.** *phr*: **to take ~ of sthg, to take sthg into ~** tener en cuenta algo; **of no ~** indiferente, de poca importancia; **on no ~** bajo ningún pretexto OR concepto. ♦ **accounts** *npl* *(of business)* cuentas *fpl.* ♦ **by all accounts** *adv* a decir de todos, según todo el mundo. ♦ **on account of** *prep* debido a. ♦ **account for** *vt fus* **1.** *(explain)* justificar. **2.** *(represent)* representar.
accountable [ə'kaʊntəbl] *adj* *(responsible):* **~ (for)** responsable (de).
accountancy [ə'kaʊntənsɪ] *n* contabilidad *f.*
accountant [ə'kaʊntənt] *n* contador *m*, -ra *f Amer*, contable *mf Esp.*
accrue [ə'kruː] *vi* acumularse.
accumulate [ə'kjuːmjəleɪt] ◇ *vt* acumular. ◇ *vi (money, things)* acumularse; *(problems)* amontonarse.
accuracy ['ækjərəsɪ] *n* **1.** *(of description, report)* veracidad *f.* **2.** *(of weapon, marksman)* precisión *f*; *(of typing, figures)* exactitud *f.*
accurate ['ækjərət] *adj* **1.** *(description, report)* veraz. **2.** *(weapon, marksman, typist)* preciso(sa); *(figures, estimate)* exacto(ta).
accusation [,ækjə'zeɪʃn] *n* **1.** *(charge)* acusación *f.* **2.** (JUR) denuncia *f.*
accuse [ə'kjuːz] *vt*: **to ~ sb of sthg/of doing sthg** acusar a alguien de algo/de hacer algo.
accused [ə'kjuːzd] *(pl inv)* *n* (JUR): **the ~** el acusado, la acusada.
accustomed [ə'kʌstəmd] *adj*: **~ to** acostumbrado(da) a.
ace [eɪs] *n (playing card)* as *m.*
ache [eɪk] ◇ *n (pain)* dolor *m.* ◇ *vi (hurt)* doler; **my back ~s** me duele la espalda.
achieve [ə'tʃiːv] *vt (success, goal, fame)* alcanzar, lograr; *(ambition)* realizar.
achievement [ə'tʃiːvmənt] *n (accomplishment)* logro *m*, éxito *m.* **2.** *(act of*

achieving) consecución *f,* realización *f.*

Achilles' tendon [ə'kɪliːz-] *n* tendón *m* de Aquiles.

acid ['æsɪd] ◊ *adj* **1.** (CHEM) ácido(da). **2.** *(sharp-tasting)* agrio (agria). **3.** *fig (person, remark)* mordaz. ◊ *n* ácido *m.*

acid rain *n* lluvia *f* ácida.

acknowledge [ək'nɒlɪdʒ] *vt* **1.** *(accept)* reconocer. **2.** *(greet)* saludar. **3.** *(letter etc)*: **to ~ receipt of** acusar recibo de. **4.** *(recognize)*: **to ~ sb as** reconocer OR considerar a alguien como.

acknowledg(e)ment [ək'nɒlɪdʒmənt] *n* **1.** *(acceptance)* reconocimiento *m.* **2.** *(confirmation of receipt)* acuse *m* de recibo. ◆ **acknowledg(e)ments** *npl* agradecimientos *mpl.*

acne ['æknɪ] *n* acné *m.*

acorn ['eɪkɔːrn] *n* bellota *f.*

acoustic [ə'kuːstɪk] *adj* acústico(ca). ◆ **acoustics** *npl* acústica *f.*

acquaint [ə'kweɪnt] *vt* **1.** *(make familiar)*: **to ~ sb with sthg** *(information)* poner a alguien al corriente de algo; *(method, technique)* familiarizar a alguien con algo. **2.** *(make known)*: **to be ~ed with sb** conocer a alguien.

acquaintance [ə'kweɪntns] *n* conocido *m,* -da *f.*

acquire [ə'kwaɪər] *vt* **1.** *(buy, adopt)* adquirir. **2.** *(obtain - information, document)* procurarse.

acquisitive [ə'kwɪzətɪv] *adj* consumista.

acquit [ə'kwɪt] *vt* **1.** (JUR): **to ~ sb of sthg** absolver a alguien de algo. **2.** *(perform)*: **to ~ o.s. well/badly** hacer un buen/mal papel.

acquittal [ə'kwɪtl] *n* (JUR) absolución *f.*

acre ['eɪkər] *n* acre *m.*

acrid ['ækrɪd] *adj lit & fig* acre.

acrimonious [ˌækrə'məʊnjəs] *adj (words)* áspero(ra); *(dispute)* enconado (da).

acrobat ['ækrəbæt] *n* acróbata *m y f.*

acronym ['ækrənɪm] *n* siglas *fpl.*

across [ə'krɒs] ◊ *adv* **1.** *(from one side to the other)* de un lado a otro; **to walk/run ~** cruzar andando/corriendo. **2.** *(in measurements)*: **the river is 2 km ~** el ríotiene 2 kms de ancho. ◊ *prep* **1.** *(from one side to the other of)* a través de, de un lado a otro de; **to walk/run ~ the road** cruzar la carretera andando/corriendo. **2.** *(on the other side of)* al otro lado de. ◆ **across from** *prep* enfrente de.

•"A través de" puede traducirse por *across* o *through. Across* alude a superficies y zonas planas (*I ran across the road; he swam across the lake*), en tanto que *through* se refiere a espacios tridimensionales, que a menudo suponen un obstáculo (*we walked through the woods; the sun was shining through the clouds*). En la mayoría de estos ejemplos pueden traducirse por los verbos "atravesar" o "cruzar".

acrylic [ə'krɪlɪk] ◊ *adj* acrílico(ca). ◊ *n* acrílico *m.*

act [ækt] ◊ *n* **1.** *(action, deed)* acto *m,* acción *f;* **to be in the ~ of doing sthg** estar haciendo algo. **2.** *(pretence)* farsa *f.* **3.** *(in parliament)* ley *f.* **4.** (THEATRE - *part of play)* acto *m;* (- *routine, turn)* número *m.* ◊ *vi* **1.** *(gen)* actuar; **to ~ as** *(person)* hacer de; *(thing)* actuar como. **2.** *(behave)*: **to ~ (as if/like)** comportarse (como si/como). **3.** *fig (pretend)* fingir. ◊ *vt (part - in play, film)* interpretar.

acting ['æktɪŋ] ◊ *adj (interim)* en funciones. ◊ *n* actuación *f;* **I like ~** me gusta actuar.

action ['ækʃn] *n* **1.** *(gen & MIL)* acción *f;* **to take ~** tomar medidas; **in ~** *(person)* en acción; *(machine)* en funcionamiento; **out of ~** *(person)* fuera de combate; *(machine)* averiado(da). **2.** *(deed)* acto *m,* acción *f.* **3.** (JUR) demanda *f.*

action replay *n* repetición *f* (de la jugada).

activate ['æktɪveɪt] *vt (device)* activar; *(machine)* poner en funcionamiento.

active ['æktɪv] *adj* **1.** *(person, campaigner)* activo(va). **2.** *(encouragement etc)* enérgico(ca). **3.** *(volcano)* en actividad; *(bomb)* activado(da).

actively ['æktɪvlɪ] *adv (encourage, discourage)* enérgicamente.

activity [æk'tɪvətɪ] *n* **1.** *(movement, action)* actividad *f.* **2.** *(pastime, hobby)* afición *f.*

actor ['æktər] *n* actor *m.*

actress ['æktrəs] *n* actriz *f.*

actual ['æktʃʊəl] *adj (emphatic)*: **the ~ cost is £10** el coste real es de 10 libras; **the ~ spot where it happened** el sitio mismo en que ocurrió.

actually ['æktʃʊəlɪ] *adv* **1.** *(really, in truth)*: **do you ~ like him?** ¿de verdad que te gusta?; **no-one ~ saw her** en realidad, nadie la vio. **2.** *(by the way)*: **~, I was there yesterday** pues yo estuve ayer por allí.

admit

acumen [Am ə'kju:mən, Br 'ækjumən] n: **business ~ vista** f para los negocios.

acupuncture ['ækjəpʌŋktʃər] n acupuntura f.

acute [ə'kju:t] adj 1. (illness) agudo (da); (pain, danger) extremo(ma). 2. (perceptive - person) perspicaz. 3. (hearing, smell) muy fino(na).

ad [æd] (abbr of **advertisement**) n anuncio m.

AD (abbr of **Anno Domini**) d. C.

adamant ['ædəmənt] adj: **to be ~ (that)** mostrarse inflexible (en que).

Adam's apple ['ædəmz-] n bocado m OR nuez f de Adán.

adapt [ə'dæpt] ◇ vt adaptar. ◇ vi: **to ~ (to)** adaptarse OR amoldarse (a).

adaptable [ə'dæptəbl] adj (person) capaz de adaptarse.

adapter, **adaptor** [ə'dæptər] n (ELEC - for several devices) ladrón m; (- for different socket) adaptador m.

add [æd] vt 1. (gen): **to ~ sthg (to sthg)** añadir algo (a algo). 2. (numbers) sumar.
♦ **add on** vt sep (to bill, total): **to ~ sthg on (to sthg)** añadir OR incluir algo (en algo). ♦ **add to** vt fus aumentar, acrecentar. ♦ **add up** ◇ vt sep (numbers) sumar. ◇ vi inf (make sense): **it doesn't ~ up** no tiene sentido.

adder ['ædər] n víbora f.

addict ['ædɪkt] n 1. (taking drugs) adicto m, -ta f; **drug ~** drogadicto m, -ta f, toxicómano m, -na f. 2. fig (fan) fanático m, -ca f.

addicted [ə'dɪktəd] adj 1. (to drug): **~ (to)** adicto(ta) (a). 2. fig (to food, TV): **to be ~ (to)** ser un fanático (de).

addiction [ə'dɪkʃn] n 1. (to drug): **~ (to)** adicción f (a). 2. fig (to food, TV): **~ (to)** vicio m (por).

addictive [ə'dɪktɪv] adj lit & fig adictivo(va).

addition [ə'dɪʃn] n 1. (MATH) suma f. 2. (extra thing) adición f. 3. (act of adding) incorporación f; **in ~** además; **in ~ to** además de.

additional [ə'dɪʃənl] adj adicional.

additive ['ædətɪv] n aditivo m.

address [n Am 'ædres, Br 'ædres, vb ə-'dres] ◇ n 1. (of person, organization) dirección f, domicilio m. 2. (speech) discurso m. ◇ vt 1. (letter, parcel, remark): **to ~ sthg to** dirigir algo a. 2. (meeting, conference) dirigirse a. 3. (issue): **to ~ o.s. to sthg** enfrentarse a OR abordar algo.

address book n agenda f de direcciones.

adenoids ['ædənɔɪdz] npl vegetaciones

fpl (adenoideas).

adept [ə'dept] adj: **to be ~ (at sthg/at doing sthg)** ser experto(ta) (en algo/en hacer algo).

adequate ['ædɪkwət] adj 1. (sufficient) suficiente. 2. (good enough) aceptable.

adhere [əd'hɪər] vi 1. (to surface, principle): **to ~ (to)** adherirse a (a). 2. (to rule, decision): **to ~ to** respetar, observar.

adhesive [əd'hi:sɪv] ◇ adj adhesivo (va), adherente. ◇ n adhesivo m.

adhesive tape n cinta f adhesiva.

adjacent [ə'dʒeɪsnt] adj: **~ (to)** adyacente OR contiguo(gua) (a).

adjective ['ædʒɪktɪv] n adjetivo m.

adjoining [ə'dʒɔɪnɪŋ] ◇ adj (table) adyacente; (room) contiguo(gua). ◇ prep junto a.

adjourn [ə'dʒɜːrn] ◇ vt (decision) aplazar; (session) levantar; (meeting) interrumpir. ◇ vi aplazarse, suspenderse.

adjudge [ə'dʒʌdʒ] vt declarar, juzgar.

adjudicate [ə'dʒu:dɪkeɪt] vi actuar como juez; **to ~ on OR upon sthg** emitir un fallo OR un veredicto sobre algo.

adjust [ə'dʒʌst] ◇ vt (machine, setting) ajustar; (clothing) arreglarse. ◇ vi: **to ~ (to)** adaptarse OR amoldarse (a).

adjustable [ə'dʒʌstəbl] adj (machine, chair) regulable, graduable.

adjustment [ə'dʒʌstmənt] n 1. (modification) modificación f, reajuste m. 2. (U) (change in attitude): **~ (to)** adaptación f OR amoldamiento m (a).

ad-lib [ˌæd'lɪb] ◇ adj (improvised) improvisado(da). ◇ adv (without preparation) improvisando; (without limit) a voluntad. ♦ **ad-lib** vi improvisar.

administer [əd'mɪnɪstər] vt (gen) administrar; (punishment) aplicar.

administration [əd,mɪnɪ'streɪʃn] n (gen) administración f; (of punishment) aplicación f.

administrative [əd'mɪnɪstrətɪv] adj administrativo(va).

admirable ['ædmərəbl] adj admirable.

admiral ['ædmrəl] n almirante m.

admiration [ˌædmə'reɪʃn] n admiración f.

admire [əd'maɪər] vt: **to ~ sb (for)** admirar a alguien (por).

admirer [əd'maɪərər] n admirador m, -ra f.

admission [əd'mɪʃn] n 1. (permission to enter) admisión f, ingreso m. 2. (cost of entrance) entrada f. 3. (of guilt, mistake) reconocimiento m.

admit [əd'mɪt] ◇ vt 1. (acknowledge,

confess): **to ~ (that)** admitir OR reconocer (que); **to ~ doing sthg** reconocer haber hecho algo; **to ~ defeat** *fig* darse por vencido. **2.** *(allow to enter or join)* admitir; **to be admitted to the hospital** *Am* OR **to hospital** *Br* ser ingresado en el hospital. ◇ *vi*: **to ~ to sthg** confesar algo.

admittance [əd'mɪtəns] *n*: **to gain ~ to** conseguir entrar en; **'no ~'** 'prohibido el paso'.

admittedly [əd'mɪtədlɪ] *adv* sin duda.

admonish [əd'mɒnɪʃ] *vt* amonestar.

ad nauseam [ˌæd'nɔːzɪæm] *adv* hasta la saciedad.

adolescence [ˌædə'lesns] *n* adolescencia *f*.

adolescent [ˌædə'lesnt] ◇ *adj* **1.** *(teenage)* adolescente. **2.** *pej (immature)* pueril. ◇ *n (teenager)* adolescente *m y f*.

adopt [ə'dɒpt] *vt & vi* adoptar.

adoption [ə'dɒpʃn] *n* adopción *f*.

adore [ə'dɔːʳ] *vt* **1.** *(love deeply)* adorar. **2.** *(like very much)*: **I ~ chocolate** me encanta el chocolate.

adorn [ə'dɔːʳn] *vt* adornar.

adrenalin [ə'drenəlɪn] *n* adrenalina *f*.

Adriatic [ˌeɪdrɪ'ætɪk] *n*: **the ~ (Sea)** el (mar) Adriático.

adrift [ə'drɪft] ◇ *adj (boat)* a la deriva. ◇ *adv*: **to go ~** *fig* irse a la deriva.

adult [ə'dʌlt, 'ædʌlt] ◇ *adj* **1.** *(fully grown)* adulto(ta). **2.** *(mature)* maduro (ra). **3.** *(suitable for adults only)* para adultos OR mayores. ◇ *n* adulto *m*, -ta *f*.

adultery [ə'dʌltərɪ] *n* adulterio *m*.

advance [*Am* əd'væns, *Br* -'vɑːns] ◇ *n* **1.** *(gen)* avance *m*. **2.** *(money)* anticipo *m*. ◇ *comp*: **~ notice** OR **warning** previo aviso *m*; **~ booking** reserva *f* anticipada. ◇ *vt* **1.** *(improve)* promover. **2.** *(bring forward in time)* adelantar. **3.** *(give in advance)*: **to ~ sb sthg** adelantarle a alguien algo. ◇ *vi* avanzar. ◆ **advances** *npl*: **to make ~s to sb** *(sexual)* hacerle proposiciones a alguien, insinuarse a alguien; *(business)* hacerle una propuesta a alguien. ◆ **in advance** *adv* *(pay)* por adelantado; *(book)* con antelación; *(know)* de antemano.

advanced [*Am* əd'vænst, *Br* -'vɑːnst] *adj* **1.** *(developed)* avanzado(da). **2.** *(student, pupil)* adelantado(da); *(studies)* superior.

advantage [*Am* əd'væntɪdʒ, *Br* -'vɑːnt-] *n*: **~ (over)** ventaja *f* (sobre); **to be to one's ~** ir en beneficio de uno; **to take ~ of sthg** aprovechar algo; **to take ~ of sb** aprovecharse de alguien.

advent ['ædvent] *n (arrival)* advenimiento *m*. ◆ **Advent** *n* (RELIG) Adviento *m*.

adventure [əd'ventʃəʳ] *n* aventura *f*.

adventure playground *n Br* parque *m* infantil.

adventurous [əd'ventʃərəs] *adj* **1.** *(daring)* aventurero(ra). **2.** *(dangerous)* arriesgado(da).

adverb ['ædvɜːʳb] *n* adverbio *m*.

adverse ['ædvɜːʳs] *adj* adverso(sa).

advert ['ædvɜːʳt] *Br* = **advertisement**.

advertise ['ædvəʳtaɪz] ◇ *vt* anunciar. ◇ *vi* anunciarse, poner un anuncio; **to ~ for** buscar *(mediante anuncio)*.

advertisement [*Am* ˌædvəʳ'taɪzmənt, *Br* əd'vɜːtɪsmənt] *n* anuncio *m*.

advertiser ['ædvəʳtaɪzəʳ] *n* anunciante *m y f*.

advertising ['ædvəʳtaɪzɪŋ] *n* publicidad *f*.

advice [əd'vaɪs] *n (U)* consejos *mpl*; **to take sb's ~** seguir el consejo de alguien; **a piece of ~** un consejo; **to give sb ~** aconsejar a alguien.

advisable [əd'vaɪzəbl] *adj* aconsejable.

advise [əd'vaɪz] ◇ *vt* **1.** *(give advice to)*: **to ~ sb to do sthg** aconsejar a alguien que haga algo; **to ~ sb against sthg/against doing sthg** desaconsejar a alguien algo/que haga algo. **2.** *(professionally)*: **to ~ sb on sthg** asesorar a alguien en algo. **3.** *fml (inform)*: **to ~ sb (of sthg)** informar a alguien (de algo). ◇ *vi* **1.** *(give advice)*: **to ~ against sthg** desaconsejar algo; **to ~ against doing sthg** aconsejar no hacer algo. **2.** *(professionally)*: **to ~ on** asesorar en (materia de).

advisedly [əd'vaɪzədlɪ] *adv* *(deliberately)* deliberadamente; *(after careful consideration)* con conocimiento de causa.

advisor *Am*, **adviser** *Br* [əd'vaɪzəʳ] *n* consejero *m*, -ra *f*, asesor *m*, -ra *f*.

advisory [əd'vaɪzərɪ] *adj (body)* consultivo(va), asesor(ra).

advocate [*n* 'ædvəkət, *vb* 'ædvəkeɪt] ◇ *n* **1.** (JUR) abogado *m*, -da *f*. **2.** *(supporter)* defensor *m*, -ra *f*. ◇ *vt* abogar por.

Aegean [ɪ'dʒiːən] *n*: **the ~ (Sea)** el mar Egeo.

aerial ['eərɪəl] ◇ *adj* aéreo(a). ◇ *n Br (antenna)* antena *f*.

aerobics [eə'rəʊbɪks] *n (U)* aerobic *m*.

aerodynamic [ˌeərəʊdaɪ'næmɪk] *adj* aerodinámico(ca).

aeroplane ['eərəpleɪn] *n Br* avión *m*.

aerosol ['eərəsɒl] *n* aerosol *m*.

aesthetic, esthetic *Am* [*Am* es'θetɪk, *Br* iːs-] *adj* estético(ca).

afar [ə'fɑːʳ] *adv*: **from ~** desde lejos.

affable ['æfəbl] *adj* afable.

affair [ə'feəʳ] *n* **1.** *(event, do)* acontecimiento *m*. **2.** *(concern, matter)* asunto *m*. **3.** *(extra - marital relationship)* aventura *f* (amorosa).

affect [ə'fekt] *vt* **1.** *(influence, move emotionally)* afectar. **2.** *(put on)* fingir.

affected [ə'fektəd] *adj (insincere)* afectado(da).

affection [ə'fekʃn] *n* cariño *m*, afecto *m*.

affectionate [ə'fekʃnət] *adj* cariñoso (sa).

affirm [ə'fɜːʳm] *vt* afirmar.

affix [ə'fɪks] *vt* fijar, pegar.

afflict [ə'flɪkt] *vt* aquejar, afligir.

affluence ['æfluəns] *n* opulencia *f*.

affluent ['æfluənt] *adj* pudiente.

afford [ə'fɔːʳd] *vt* **1.** *(gen)*: **to be able to ~** poder permitirse (el lujo de); **we can't ~ to let this happen** no podemos permitirnos el lujo de dejar que esto ocurra. **2.** *fml (provide, give)* brindar.

affront [ə'frʌnt] *n* afrenta *f*.

Afghanistan [*Am* æf'gænəstæn, *Br* -staːn] *n* Afganistán.

afield [ə'fiːld] *adv*: **far ~** lejos.

afloat [ə'fləʊt] *adj lit & fig* a flote.

afoot [ə'fʊt] *adj (plan)* en marcha; **there is a rumour ~ that** corre el rumor de que.

afraid [ə'freɪd] *adj* **1.** *(gen)* asustado (da); **to be ~ of sb** tenerle miedo a alguien; **to be ~ of sthg** tener miedo de algo; **to be ~ of doing OR to do sthg** tener miedo de hacer algo. **2.** *(in apologies)*: **to be ~ that** temerse que; **I'm ~ so/not** me temo que sí/no.

afresh [ə'freʃ] *adv* de nuevo.

Africa ['æfrɪkə] *n* África.

African ['æfrɪkən] ◇ *adj* africano(na). ◇ *n* africano *m*, -na *f*.

African American *n* negro *m* americano, negra *f* americana.

aft [*Am* æft, *Br* ɑːft] *adv* en popa.

after [*Am* 'æftr, *Br* 'ɑːftə] ◇ *prep* **1.** *(gen)* después de; **~ all my efforts** después de todos mis esfuerzos; **~ you!** ¡usted primero!; **day ~ day** día tras día; **the day ~ tomorrow** pasado mañana; **the week ~ next** no la semana que viene sino la otra. **2.** *inf (in search of)*: **to be ~ sthg** buscar algo; **to be ~ sb** andar detrás de alguien. **3.** *(with the name of)*: **to be named ~ sb/sthg** llamarse así por alguien/algo. **4.** *(towards retreating per-*

son): **to run ~ sb** correr tras alguien. **5.** *Am (telling the time)*: **it's twenty ~ three** son las tres y veinte. ◇ *adv* más tarde, después. ◇ *conj* después (de) que; **~ you had done it** después de que lo hubieras hecho. ◆ **afters** *npl Br inf* postre *m*. ◆ **after all** *adv* **1.** *(in spite of everything)* después de todo. **2.** *(it should be remembered)* al fin y al cabo.

aftereffects [*Am* 'æftərɪfekts, *Br* 'ɑːftər-] *npl* secuelas *fpl*, efectos *mpl* secundarios.

afterlife [*Am* 'æftrlaɪf, *Br* 'ɑːftə-] *(pl* **-lives** [-laɪvz]) *n* más allá *m*, vida *f* de ultratumba.

aftermath [*Am* 'æftrmæθ, *Br* 'ɑːftə-] *n (time)* periodo *m* posterior; *(situation)* situación *f* posterior.

afternoon [*Am* æftr'nuːn, *Br* ,ɑːftə-] *n* tarde *f*; **in the ~** por la tarde; **good ~** buenas tardes.

aftershave [*Am* 'æftrʃeɪv, *Br* 'ɑːftə-] *n* loción *f* para después del afeitado.

afterthought [*Am* 'æftrθɔːt, *Br* 'ɑːftə-] *n* idea *f* a posteriori.

afterward(s) [*Am* 'æftrwrd(z), *Br* 'ɑːftəwəd(z)] *adv* después, más tarde.

again [ə'gen] *adv* **1.** *(gen)* otra vez, de nuevo; **never ~** nunca jamás; **he's well ~ now** ya está bien; **to do sthg ~** volver a hacer algo; **to say sthg ~** repetir algo; **~ and ~** una y otra vez; **all over ~** otra vez desde el principio; **time and ~** una y otra vez. **2.** *phr*: **half as much ~** la mitad otra vez; **twice as much ~** dos veces lo mismo otra vez; **then OR there ~** por otro lado, por otra parte.

> • No confundamos los adverbios *again* y *back*; su significado es parecido pero se usan de forma diferente. *Again* significa "nuevamente" (*don't do it again* o *you'll be in trouble*, "no lo hagas <u>nuevamente</u> o vas a tener problemas"), mientras que *back* indica el regreso a un lugar o estado anteriores (*put it <u>back</u> in the closet*, "vuelve a ponerlo en el armario"). *Back* también sirve para expresar la idea de "devolver" (*give it <u>back</u> to me right now!*, "¡devuélvemelo ahora mismo!").

against [ə'genst] ◇ *prep* contra; **I'm ~ it** estoy (en) contra (de) ello; **to lean ~ sthg** apoyarse en algo; **(as) ~** a diferencia de. ◇ *adv* en contra.

age [eɪdʒ] *(cont* **ageing OR aging)** ◇ *n* **1.** *(gen)* edad *f*; **to come of ~** hacerse mayor de edad; **to be under ~** ser menor (de edad); **what ~ are you?** ¿qué edad tienes? **2.** *(state of being old)* vejez *f.* ◇ *vt & vi* envejecer. ◆ **ages** *npl (long time)*: **~s ago** hace siglos; **I haven't seen her for ~s** hace siglos que no la veo.

aged *adj [adj* ˈeɪdʒd, *npl* ˈeɪdʒɪd] ◇ *adj (of the stated age)*: **children ~ between 8 and 15** niños de entre 8 y 15 años de edad. ◇ *npl*: **the ~** los ancianos.

age group *n* (grupo *m* de) edad *f*.

agency [ˈeɪdʒənsɪ] *n* **1.** *(business)* agencia *f*. **2.** *(organization, body)* organismo *m*, instituto *m*.

agenda [əˈdʒendə] *n* orden *m* del día.

agent [ˈeɪdʒənt] *n* **1.** (COMM) *(of company)* representante *m* y *f*; *(of actor)* agente *m* y *f*. **2.** *(substance)* agente *m*. **3.** *(secret agent)* agente *m* (secreto).

aggravate [ˈæɡrəveɪt] *vt* **1.** *(make worse)* agravar, empeorar. **2.** *(annoy)* irritar.

aggregate [ˈæɡrɪɡət] ◇ *adj* global, total. ◇ *n (total)* conjunto *m*, total *m*.

aggressive [əˈɡresɪv] *adj* **1.** *(belligerent - person)* agresivo(va). **2.** *(forceful -person, campaign)* audaz, emprendedor(ra).

aggrieved [əˈɡriːvd] *adj* ofendido(da).

aghast [*Am* əˈɡæst, *Br* -ˈɡɑːst] *adj*: **~ (at)** horrorizado(da) (ante).

agile [*Am* ˈædʒl, *Br* ˈædʒaɪl] *adj* ágil.

agitate [ˈædʒɪteɪt] ◇ *vt* **1.** *(disturb, worry)* inquietar. **2.** *(shake about)* agitar. ◇ *vi (campaign)*: **to ~ for/against** hacer campaña a favor de/en contra de.

AGM *n abbr of* **annual general meeting.**

agnostic [æɡˈnɒstɪk] ◇ *adj* agnóstico (ca). ◇ *n* agnóstico *m*, -ca *f*.

ago [əˈɡoʊ] *adv*: **a long time/three days/three years ~** hace mucho tiempo/tres días/tres años.

> • *Ago* va siempre después de frases que indican tiempo *(half an hour ago)*. El verbo de la oración puede ir en pasado simple *(the bus left 20 minutes ago)* o en pasado continuo *(I was living abroad five years ago)*.
> • Para preguntar se usa *how long ago (how long ago did you start English classes?*, "¿hace cuánto empezaste a dar clases de inglés?").

agog [əˈɡɒɡ] *adj* ansioso(sa), expectante.

agonizing [ˈæɡənaɪzɪŋ] *adj* angustioso (sa).

agony [ˈæɡənɪ] *n* **1.** *(physical pain)* dolor *m* muy intenso; **to be in ~** tener tremendos dolores. **2.** *(mental pain)* angustia *f*; **to be in ~** estar angustiado.

agony aunt *n Br inf* consejera *f* sentimental.

agree [əˈɡriː] ◇ *vi* **1.** *(be of same opinion)*: **to ~ (with sb about sthg)** estar de acuerdo (con alguien acerca de algo); **to ~ on sthg** ponerse de acuerdo en algo. **2.** *(consent)*: **to ~ (to sthg)** acceder (a algo). **3.** *(approve)*: **to ~ with sthg** estar de acuerdo con algo. **4.** *(be consistent)* concordar. **5.** *(food)*: **to ~ with sb** sentarle bien a alguien. **6.** (GRAMM): **to ~ (with)** concordar (con). ◇ *vt* **1.** *(fix)* acordar, convenir. **2.** *(be of same opinion)*: **to ~ that** estar de acuerdo en que. **3.** *(agree, consent)*: **to ~ to do sthg** acordar hacer algo. **4.** *(concede)*: **to ~ (that)** reconocer que.

agreeable [əˈɡriːəbl] *adj* **1.** *(pleasant)* agradable. **2.** *(willing)*: **to be ~ to sthg/doing sthg** estar conforme con algo/hacer algo.

agreed [əˈɡriːd] ◇ *adj*: **to be ~ on sthg** estar de acuerdo sobre algo. ◇ *adv (admittedly)* de acuerdo que.

agreement [əˈɡriːmənt] *n* **1.** *(accord, settlement, contract)* acuerdo *m*; **to be in ~ with** estar de acuerdo con. **2.** *(consent)* aceptación *f*. **3.** *(consistency)* correspondencia *f*. **4.** (GRAMM) concordancia *f*.

agricultural [ˌæɡrɪˈkʌltʃrəl] *adj* agrícola.

agriculture [ˈæɡrɪkʌltʃər] *n* agricultura *f*.

aground [əˈɡraʊnd] *adv*: **to run ~** encallar.

ahead [əˈhed] *adv* **1.** *(in front)* delante. **2.** *(forwards)* adelante, hacia delante; **go ~!** ¡por supuesto!; **right** OR **straight ~** todo recto OR de frente. **3.** *(winning)*: **to be ~** *(in race)* ir en cabeza; *(in football, rugby etc)* ir ganando. **4.** *(in better position)* por delante; **to get ~** *(be successful)* abrirse camino. **5.** *(in time)*: **to look** OR **think ~** mirar hacia el futuro. ◆ **ahead of** *prep* **1.** *(in front of)* frente a. **2.** *(beating)*: **to be two points ~ of** llevar dos puntos de ventaja a. **3.** *(in better position than)* por delante de. **4.** *(in time)* con anterioridad a; **~ of schedule** por delante de lo previsto.

aid [eɪd] *n* ayuda *f*; **medical ~** asistencia *f* médica; **in ~ of** a beneficio de. ◇ *vt (help)* ayudar.

aide [eɪd] *n* (POL) ayudante *m* y *f*.

AIDS, Aids [eɪdz] *(abbr of* **acquired immune deficiency syndrome)** *n* SIDA *m*.

ailment ['eɪlmənt] *n* achaque *m*, molestia *f*.

aim [eɪm] ◇ *n* **1.** *(objective)* objetivo *m*, intención *f*. **2.** *(in firing gun)* puntería *f*; **to take ~ at** apuntar a. ◇ *vt* **1.** *(weapon)*: **to ~ sthg at** apuntar algo a. **2.** *(plan, action)*: **to be ~ed at doing sthg** ir dirigido OR encaminado a hacer algo. **3.** *(campaign, publicity, criticism)*: **to ~ sthg at sb** dirigir algo a alguien. ◇ *vi* **1.** *(point weapon)*: **to ~ (at sthg)** apuntar (a algo). **2.** *(intend)*: **to ~ at** OR **for sthg** apuntar a OR pretender algo; **to ~ to do sthg** aspirar a OR pretender hacer algo.

aimless ['eɪmləs] *adj* sin un objetivo claro.

ain't [eɪnt] *inf* = am not, are not, is not, have not, has not.

air [eəʳ] ◇ *n* **1.** *(gen)* aire *m*; **into the ~** al aire; **by ~** en avión; **(up) in the ~** *fig* en el aire. **2.** *(RADIO & TV)*: **on the ~** en el aire. ◇ *comp* aéreo(a). ◇ *vt* **1.** *(clothes, sheets)* airear; *(cupboard, room)* ventilar. **2.** *(views, opinions)* expresar. **3.** *Am (broadcast)* emitir. ◇ *vi (clothes, sheets)* airearse; *(cupboard, room)* ventilarse.

airbag ['eəʳbæg] *n* (AUT) colchón que se infla automáticamente en caso de accidente para proteger a los pasajeros.

airbase ['eəʳbeɪs] *n* base *f* aérea.

airbed ['eəʳbed] *n Br* colchón *m* inflable.

airborne ['eəʳbɔːʳn] *adj* **1.** *(troops)* aerotransportado(da); *(attack)* aéreo(a). **2.** *(plane)* en el aire, en vuelo.

air-conditioned [-kən'dɪʃnd] *adj* climatizado(da), con aire acondicionado.

air-conditioning [-kən'dɪʃnɪŋ] *n* aire *m* acondicionado.

aircraft [*Am* 'eɑrkræft, *Br* 'eɑkrɑːft] *(pl inv)* n *(plane)* avión *m*; *(any flying machine)* aeronave *m*.

aircraft carrier *n* portaaviones *m inv*.

airfield ['eəʳfiːld] *n* campo *m* de aviación.

airforce ['eəʳfɔːs] *n*: **the ~** las fuerzas aéreas.

air freshener [-ˌfreʃnəʳ] *n* ambientador *m*.

airgun ['eəʳgʌn] *n* pistola *f* de aire comprimido.

airhostess ['eəʳhoustəs] *n* azafata *f*, aeromoza *f Amer*.

airlift ['eəʳlɪft] ◇ *n* puente *m* aéreo. ◇ *vt* transportar por avión.

airline ['eəʳlaɪn] *n* línea *f* aérea.

airliner ['eəʳlaɪnəʳ] *n* avión *m* (grande) de pasajeros.

airlock ['eəʳlɒk] *n* **1.** *(in tube, pipe)* bolsa *f* de aire. **2.** *(airtight chamber)* cámara *f* OR esclusa *f* de aire.

airmail ['eəʳmeɪl] *n*: **by ~** por correo aéreo.

airplane ['eəʳpleɪn] *n Am* avión *m*.

airport ['eəʳpɔːʳt] *n* aeropuerto *m*.

air raid *n* ataque *m* aéreo.

airsick ['eəʳsɪk] *adj*: **to be ~** marearse *(en el avión)*.

airspace ['eəʳspeɪs] *n* espacio *m* aéreo.

air steward *n* auxiliar *m* de vuelo.

airstrip ['eəʳstrɪp] *n* pista *f* de aterrizaje.

air terminal *n* terminal *f* aérea.

airtight ['eəʳtaɪt] *adj* hermético(ca).

air-traffic controller *n* controlador aéreo *m*, controladora aérea *f*.

airy ['eəʳɪ] *adj* **1.** *(room)* espacioso(sa) y bien ventilado(da). **2.** *(fanciful)* ilusorio (ria). **3.** *(nonchalant)* despreocupado (da).

aisle [aɪl] *n* **1.** *(in church)* nave *f* lateral. **2.** *(in plane, theatre, supermarket)* pasillo *m*.

ajar [əˈdʒɑːʳ] *adj* entreabierto(ta).

aka *(abbr of also known as)* alias.

akin [əˈkɪn] *adj*: **~ to sthg/to doing sthg** semejante a algo/a hacer algo.

alacrity [əˈlækrətɪ] *n* presteza *f*.

alarm [əˈlɑːʳm] ◇ *n* alarma *f*; **to raise** OR **sound the ~** dar la (voz de) alarma. ◇ *vt* alarmar, asustar.

alarm clock *n* despertador *m*.

alarming [əˈlɑːʳmɪŋ] *adj* alarmante.

alas [əˈlæs] *excl literary* ¡ay!

Albania [ælˈbeɪnjə] *n* Albania *f*.

albeit [ɔːlˈbiːɪt] *conj fml* aunque, si bien.

album ['ælbəm] *n* **1.** *(of stamps, photos)* álbum *m*. **2.** *(record)* elepé *m*.

alcohol ['ælkəhɒl] *n* alcohol *m*.

alcoholic [ˌælkəˈhɒlɪk] ◇ *adj* alcohólico(ca). ◇ *n* alcohólico *m*, -ca *f*.

alcopop ['ælkoupɒp] *n* refresco gaseoso que contiene un cierto porcentaje de alcohol.

alcove ['ælkoʊv] *n* hueco *m*.

alderman ['ɔːldəʳmən] *(pl* **-men** [-mən]*)* *n* = concejal *m*, -a *f*.

ale [eɪl] *n* tipo de cerveza.

alert [əˈlɜːʳt] ◇ *adj* **1.** *(vigilant)* atento (ta). **2.** *(perceptive)* despierto(ta). **3.** *(aware)*: **to be ~ to** ser consciente de. ◇ *n (gen & MIL)* alerta *f*; **on the ~** alerta. ◇ *vt* alertar; **to ~ sb to sthg** alertar a alguien de algo.

A level *(abbr of* Advanced level*)* *n Br* (SCH) *nivel escolar necesario para acceder a la universidad.*

alfresco [æl'freskoʊ] *adj & adv* al aire libre.

algae ['ældʒiː] *npl* algas *fpl*.

algebra ['ældʒəbrə] *n* álgebra *f*.

Algeria [æl'dʒɪərɪə] *n* Argelia.

alias ['eɪlɪəs] (*pl* **-es**) ◇ *adv* alias. ◇ *n* alias *m*.

alibi ['ælɪbaɪ] *n* coartada *f*.

alien ['eɪljən] ◇ *adj* **1.** (*from outer space*) extraterrestre. **2.** (*unfamiliar*) extraño (ña), ajeno(na). ◇ *n* **1.** (*from outer space*) extraterrestre *m* y *f*. **2.** (JUR) (*foreigner*) extranjero *m*, -ra *f*.

alienate ['eɪljəneɪt] *vt* (*make unsympathetic*) ganarse la antipatía de.

alight [ə'laɪt] (*pt & pp* **-ed**) ◇ *adj* (*on fire*) ardiendo. ◇ *vi fml* **1.** (*land*) posarse. **2.** (*get off*): **to ~ from** apearse de.

align [ə'laɪn] *vt* (*line up*) alinear.

alike [ə'laɪk] ◇ *adj* parecido(da). ◇ *adv* de la misma forma; **to look ~** parecerse.

alimony [*Am* 'æləmoʊnɪ, *Br* -mənɪ] *n* pensión *f* alimenticia.

alive [ə'laɪv] *adj* **1.** (*living*) vivo(va). **2.** (*active, lively*) lleno(na) de vida; **to come ~** (*story, description*) cobrar vida; (*person, place*) animarse.

alkali ['ælkəlaɪ] (*pl* **-s** OR **-ies**) *n* álcali *m*.

all [ɔːl] *adj* **1.** (*with sg noun*) todo (da); **~ the drink** toda la bebida; **~ day** todo el día; **~ night** toda la noche; **~ the time** todo el tiempo OR el rato. **2.** (*with pl noun*) todos(das); **~ the boxes** todas las cajas; **~ men** todos los hombres; **~ three died** los tres murieron. ◇ *pron* **1.** (*sg*) (*the whole amount*) todo *m*, -da *f*; **she drank it ~, she drank ~ of it** se lo bebió todo. **2.** (*pl*) (*everybody, everything*) todos *mpl*, -das *fpl*; **~ of them came, they ~ came** vinieron todos. **3.** (*with superl*): **he's the cleverest of ~** es el más listo de todos; **the most amazing thing of ~** lo más impresionante de todo; **best/worst of ~ …** lo mejor/peor de todo es que …; **above ~ → above**; **after ~ → after**; **at ~ → at.** ◇ *adv* **1.** (*entirely*) completamente; **I'd forgotten ~ about that** me había olvidado completamente de eso; **~ alone** completamente solo(la). **2.** (*in sport, competitions*): **the score is two ~** el resultado es de empate a dos. **3.** (*with compar*): **to run ~ the faster** correr aun más rápido. ◆ **all but** *adv* casi. ◆ **all in all** *adv* en conjunto. ◆ **all that** *adv*: **she's not ~ that pretty** no es tan guapa. ◆ **in all** *adv* en total.

• Cuidado al usar *all, each* y *every*. *All* es el único de estos adjetivos que puede ir con sustantivos plurales o incontables (*all students, all money*); también puede ir con sustantivos contables en singular cuando éstos expresan un periodo de tiempo (*all day*). *Each* y *every* se usan sólo con sustantivos contables en singular (*each person; every town*).

• Tanto *all* como *each* son además pronombres (*I want all of it; we got one each*), no así *every*; los dos primeros pueden ir después de pronombres personales como *we, you, they*, etc. (*we all went swimming; I gave them one each*).

• Ver también **CADA** en el lado Español-Inglés del diccionario.

Allah ['ælə] *n* Alá *m*.

all-around *Am*, **all-round** *Br adj* (*multi-skilled*) polifacético(ca).

allay [ə'leɪ] *vt fml* apaciguar, mitigar.

all clear *n* **1.** (*signal*) señal *f* de cese de peligro. **2.** *fig* (*go-ahead*) luz *f* verde.

allegation [ælɪ'geɪʃn] *n* acusación *f*.

allege [ə'ledʒ] *vt* alegar; **to be ~d to have done/said** ser acusado de haber hecho/dicho.

allegedly [ə'ledʒədlɪ] *adv* presuntamente.

allegiance [ə'liːdʒəns] *n* fidelidad *f*.

allergic [ə'lɜːrdʒɪk] *adj lit & fig*: **~ (to sthg)** alérgico(ca) (a algo).

allergy ['ælərdʒɪ] *n* alergia *f*.

alleviate [ə'liːvɪeɪt] *vt* aliviar.

alley(way) ['ælɪ(weɪ)] *n* callejuela *f*.

alliance [ə'laɪəns] *n* alianza *f*.

allied ['ælaɪd] *adj* **1.** (*powers, troops*) aliado(da). **2.** (*subjects*) afín.

alligator ['ælɪgeɪtər] (*pl inv* OR **-s**) *n* caimán *m*.

all-important *adj* crucial.

all-in *adj Br* (*inclusive*) todo incluido. ◆ **all in** ◇ *adj inf* (*tired*) hecho(cha) polvo. ◇ *adv* (*inclusive*) todo incluido.

all-night *adj* (*party etc*) que dura toda la noche; (*chemist, bar*) abierto(ta) toda la noche.

allocate ['æləkeɪt] *vt*: **to ~ sthg to sb** (*money, resources*) destinar algo a alguien; (*task, tickets, seats*) asignar algo a alguien.

allot [ə'lɒt] *vt* (*job, time*) asignar; (*money, resources*) destinar.

allotment [ə'lɒtmənt] *n* **1.** *Br* (*garden*)

A

parcela municipal arrendada para su culti-
vo. **2.** *(share - of money, resources)* asignación *f*; *(- of time)* espacio *m* (de tiempo) concedido.

all-out *adj (effort)* supremo(ma); *(war)*
sin cuartel.

allow [ə'laʊ] *vt* **1.** *(permit)* permitir,
dejar; **to ~ sb to do sthg** permitir OR
dejar a alguien hacer algo. **2.** *(set
aside - money)* destinar; *(- time)* dejar.
3. *(officially accept - subj: person)* conceder; *(- subj: law)* admitir. **4.** *(concede)*: **to
~ that** admitir OR reconocer que.
♦ **allow for** *vt fus* contar con.

allowance [ə'laʊəns] *n* **1.** *(money received - from government)* subsidio *m*;
(- from employer) dietas *fpl*. **2.** *Am
(pocket money)* paga *f*. **3.** *(FIN)* desgravación *f*. **4. to make ~s for sthg/sb** *(forgive)*
disculpar algo/a alguien; *(take into
account)* tener en cuenta algo/a alguien.

alloy ['ælɔɪ] *n* aleación *f*.

all right ◇ *adv* **1.** *(gen)* bien. **2.** *inf
(only just acceptably)* (más o menos)
bien. **3.** *inf (in answer - yes)* vale, bueno.
◇ *adj* **1.** *(gen)* bien. **2.** *inf (not bad)*: **it's
~, but ...** no está mal, pero ... **3.** *inf
(OK)*: **sorry – that's ~** lo siento – no
importa.

all-round *Br* = **all-around**.

all-time *adj* de todos los tiempos.

allude [ə'luːd] *vi*: **to ~ to** aludir a.

alluring [ə'lʊərɪŋ] *adj (person)* atrayente; *(thing)* tentador(ra).

allusion [ə'luːʒn] *n* alusión *f*.

ally [*n* 'ælaɪ, *vb* ə'laɪ] *n* aliado *m*, -da *f*.

almighty [ɔːl'maɪtɪ] *adj inf (very big)*
descomunal.

almond ['ɑːmənd] *n (nut)* almendra *f*.

almost ['ɔːlməʊst] *adv* casi.

alms [ɑːmz] *npl dated* limosna *f*.

aloft [ə'lɒft] *adv (in the air)* en lo alto.

alone [ə'ləʊn] ◇ *adj* solo(la); **to be ~
with** estar a solas con. ◇ *adv* **1.** *(without
others)* solo(la). **2.** *(only)* sólo. **3.** *phr*: **to
leave sthg/sb ~** dejar algo/a alguien en
paz. ♦ **let alone** *conj* y mucho menos.

along [ə'lɒŋ] ◇ *adv* **1.** *(forward)* hacia
delante; **to go OR walk ~** avanzar; **she
was walking ~** iba andando. **2.** *(to this or
that place)*: **to come ~** venir; **to go ~** ir.
◇ *prep (towards one end of, beside)* por, a
lo largo de. ♦ **all along** *adv* todo el
rato, siempre. ♦ **along with** *prep* junto
con.

alongside [ə,lɒŋ'saɪd] ◇ *prep* **1.** *(next
to)* junto a. **2.** *(together with)* junto con.
◇ *adv*: **to come ~** ponerse a la misma
altura.

aloof [ə'luːf] *adj* frío(a), distante.

aloud [ə'laʊd] *adv* en alto, en voz alta.

alphabet ['ælfəbet] *n* alfabeto *m*.

alphabetical [,ælfə'betɪkl] *adj* alfabéti-
co(ca); **in ~ order** en OR por orden alfabético.

Alps [ælps] *npl*: **the ~** los Alpes.

already [ɔːl'redɪ] *adv* ya.

alright [,ɔːl'raɪt] = **all right**.

Alsatian [æl'seɪʃn] *n (dog)* pastor *m* alemán.

also ['ɔːlsəʊ] *adv* también.

altar ['ɔːltər] *n* altar *m*.

alter ['ɔːltər] ◇ *vt (modify)* alterar, modificar. ◇ *vi* cambiar.

alteration [,ɔːltə'reɪʃn] *n* alteración *f*.

alternate *adj* [*Am* 'ɔːltərnət, *Br* ɔːl-
'tɜːnət, *vb* 'ɔːltərneɪt] ◇ *adj* **1.** *(by turns)*
alternativo(va), alterno(na). **2.** *(every
other)*: **on ~ days/weeks** cada dos días/
semanas. ◇ *vi*: **to ~ (with/between)**
alternar (con/entre).

alternating current [,ɔːltərneɪtɪŋ-] *n*
(ELEC) corriente *f* alterna.

alternative [ɔːl'tɜːrnətɪv] ◇ *adj* alter-
nativo(va). ◇ *n* alternativa *f*, opción *f*;
to have no ~ (but to do sthg) no tener
más remedio (que hacer algo).

alternatively [ɔːl'tɜːrnətɪvlɪ] *adv* o
bien, por otra parte.

alternator ['ɔːltərneɪtər] *n* (ELEC) alter-
nador *m*.

although [ɔːl'ðəʊ] *conj* aunque.

altitude ['æltɪtjuːd] *n* altitud *f*.

alto ['æltəʊ] *(pl -s) n (male voice)* contralto *m*; *(female voice)* contralto *f*.

altogether [,ɔːltə'geðər] *adv* **1.** *(completely)* completamente; **not ~** no del
todo. **2.** *(considering all things)* en conjunto. **3.** *(in total)* en total.

aluminum *Am* [ə'luːmɪnəm], **aluminium** *Br* [,æljə'mɪnjəm] *n* aluminio *m*.

always ['ɔːlweɪz] *adv* siempre.

am [æm] → **be**.

a.m. *(abbr of* ante meridiem*)*: **at 3 ~** a
las tres de la mañana.

AM *(abbr of* amplitude modulation*) n*
AM *f*.

amalgamate [ə'mælgəmeɪt] ◇ *vt
(unite)* amalgamar. ◇ *vi (unite)* amalga-
marse.

amass [ə'mæs] *vt* amasar.

amateur [*Am* 'æmətʃʊr, *Br* 'æmətə] ◇
adj aficionado(da); *pej* chapucero(ra). ◇ *n*
aficionado *m*, -da *f*; *pej* chapucero *m*, -ra *f*.

amaze [ə'meɪz] *vt* asombrar.

amazed [ə'meɪzd] *adj* asombrado(da).

amazement [ə'meɪzmənt] *n* asombro *m*.

amazing [əˈmeɪzɪŋ] *adj* asombroso(sa).

Amazon [*Am* ˈæməzɑːn, *Br* -zən] *n* **1.** *(river):* **the ~** el Amazonas. **2.** *(region):* **the ~ (Basin)** la cuenca amazónica; **the ~ rain forest** la selva amazónica.

ambassador [æmˈbæsədəʳ] *n* embajador *m*, -ra *f.*

amber [ˈæmbəʳ] ◇ *adj* **1.** *(amber-coloured)* de color ámbar. **2.** *Br (traffic light)* ámbar. ◇ *n* ámbar *m.*

ambiguous [æmˈbɪgjʊəs] *adj* ambiguo (gua).

ambition [æmˈbɪʃn] *n* ambición *f.*

ambitious [æmˈbɪʃəs] *adj* ambicioso (sa).

amble [ˈæmbl] *vi (walk)* deambular, pasear.

ambulance [ˈæmbjələns] *n* ambulancia *f.*

ambush [ˈæmbʊʃ] ◇ *n* emboscada *f.* ◇ *vt* emboscar.

amenable [əˈmiːnəbl] *adj* razonable; **~ to** favorable a.

amend [əˈmend] *vt (law)* enmendar; *(text)* corregir. ◆ **amends** *npl:* **to make ~s for sthg** reparar algo.

amendment [əˈmendmənt] *n (change - to law)* enmienda *f; (- to text)* corrección *f.*

amenities [əˈmiːnətɪz] *npl (of town)* facilidades *fpl; (of building)* comodidades *fpl.*

America [əˈmerɪkə] *n* América.

American [əˈmerɪkən] ◇ *adj* americano(na). ◇ *n (person)* americano *m*, -na *f.*

American Indian *n* amerindio *m*, -dia *f.*

amiable [ˈeɪmjəbl] *adj* amable, agradable.

amicable [ˈæmɪkəbl] *adj* amigable, amistoso(sa).

amid(st) [əˈmɪd(st)] *prep fml* entre, en medio de.

amiss [əˈmɪs] ◇ *adj* mal. ◇ *adv:* **to take sthg ~** tomarse algo a mal.

ammonia [əˈmoʊnjə] *n* amoniaco *m.*

ammunition [ˌæmjəˈnɪʃn] *n (U)* (MIL) municiones *fpl.*

amnesia [æmˈniːʒə] *n* amnesia *f.*

amnesty [ˈæmnəstɪ] *n* amnistía *f.*

amok [əˈmɒk] *adv:* **to run ~** enloquecer atacando a gente de forma indiscriminada.

among(st) [əˈmʌŋ(st)] *prep* entre.

amoral [ˌeɪˈmɒrəl] *adj* amoral.

amorous [ˈæmərəs] *adj* amoroso(sa).

amount [əˈmaʊnt] *n* cantidad *f.* ◆ **amount to** *vt fus* **1.** *(total)* ascender a. **2.** *(be equivalent to)* venir a ser.

amp [æmp] *n abbr of* ampere.

ampere [ˈæmpeəʳ] *n* amperio *m.*

amphibian [æmˈfɪbɪən] *n* anfibio *m.*

ample [ˈæmpl] *adj* **1.** *(enough)* suficiente; *(more than enough)* sobrado(da). **2.** *(garment, room)* amplio(plia); *(stomach, bosom)* abundante.

amplifier [ˈæmplɪfaɪəʳ] *n* amplificador *m.*

amputate [ˈæmpjəteɪt] *vt & vi* amputar.

Amsterdam [ˌæmstərˈdæm] *n* Amsterdam.

Amtrak [ˈæmtræk] *n organismo que regula y coordina las líneas férreas en Estados Unidos.*

amuck [əˈmʌk] = amok.

amuse [əˈmjuːz] *vt* **1.** *(make laugh, smile)* divertir. **2.** *(entertain)* distraer.

amused [əˈmjuːzd] *adj* **1.** *(person, look)* divertido(da); **I was not ~ at** OR **by that** no me hizo gracia eso. **2.** *(entertained):* **to keep o.s. ~** entretenerse, distraerse.

amusement [əˈmjuːzmənt] *n* **1.** *(enjoyment)* regocijo *m*, diversión *f.* **2.** *(diversion, game)* atracción *f.*

amusement arcade *n* salón *m* de juegos.

amusement park *n* parque *m* de atracciones.

amusing [əˈmjuːzɪŋ] *adj* divertido(da).

an *[stressed* æn, *unstressed* ən] → **a²**.

anabolic steroid [ˌænəbɒlɪk-] *n* esteroide *m* anabolizante.

anaemic *Br* = anemic.

anaesthetic *etc Br* = anesthetic *etc.*

analogue, analog *Am* [ˈænəlɒg] ◇ *adj (watch, clock)* analógico(ca). ◇ *n fml* equivalente *m.*

analogy [əˈnælədʒɪ] *n* analogía *f.*

analyse *Br* = analyze.

analysis [əˈnæləsɪs] *(pl* analyses [əˈnæləsiːz]*) n* análisis *m inv.*

analyst [ˈænələst] *n* **1.** *(gen)* analista *m y f.* **2.** *(psychoanalyst)* psicoanalista *m y f.*

analytic(al) [ˌænəˈlɪtɪk(l)] *adj* analítico (ca).

analyze *Am*, **analyse** *Br* [ˈænəlaɪz] *vt* analizar.

anarchist [ˈænərkɪst] *n* anarquista *m y f.*

anarchy [ˈænərkɪ] *n* anarquía *f.*

anathema [əˈnæθəmə] *n:* **the idea is ~ to me** la idea me parece aberrante.

anatomy [əˈnætəmɪ] *n* anatomía *f.*

ANC *(abbr of* African National Congress) *n* ANC *m.*

ancestor [ˈænsestəʳ] *n lit & fig* antepasado *m.*

A

anchor ['æŋkər] ◇ n (NAUT) ancla f; **to drop ~** echar el ancla; **to weigh ~** levar anclas. ◇ vt **1.** (secure) sujetar. **2.** (TV) presentar. ◇ vi (NAUT) anclar.

anchovy [Am 'æntʃoʊvi, Br -əvɪ] (pl inv OR **-ies**) n (salted) anchoa f; (fresh) boquerón m.

ancient ['eɪnʃənt] adj **1.** (gen) antiguo (gua). **2.** hum (very old) vetusto(ta).

ancillary [æn'sɪlərɪ] adj auxiliar.

and [stressed ænd, unstressed ən] conj **1.** (gen) y; (before 'i' or 'hi') e; **faster ~ faster** cada vez más rápido; **it's nice ~ easy** es sencillito. **2.** (in numbers): **one hundred ~ eighty** ciento ochenta; **one ~ a half** uno y medio; **2 ~ 2 is 4** 2 y 2 son 4. **3.** (to): **try ~ come** intenta venir; **come ~ see the kids** ven a ver a los niños; **wait ~ see** espera a ver. ◆ **and so on, and so forth** adv etcétera, y cosas así.

Andalusia [ændə'luːzɪə] n Andalucía.

Andes ['ændiːz] npl: **the ~** los Andes.

Andorra [æn'dɔːrə] n Andorra.

anecdote ['ænɪkdoʊt] n anécdota f.

anemic Am, **anaemic** Br [ə'niːmɪk] adj (ill) anémico(ca).

anesthetic Am, **anaesthetic** Br [ænəs'θetɪk] n anestesia f; **local/general ~** anestesia local/general.

angel ['eɪndʒəl] n (RELIG) ángel m.

anger ['æŋgər] ◇ n ira f, furia f. ◇ vt enfurecer.

angina [æn'dʒaɪnə] n angina f de pecho.

angle ['æŋgl] n **1.** (gen) ángulo m; **at an ~** (aslant) torcido. **2.** (point of view) enfoque m.

angler ['æŋglər] n pescador m, -ra f (con caña).

Anglican ['æŋglɪkən] ◇ adj anglicano (na). ◇ n anglicano m, -na f.

angling ['æŋglɪŋ] n pesca f con caña.

Anglo-Saxon [æŋgloʊ'sæksn] adj anglosajón(ona).

angry ['æŋgrɪ] adj (person) enfadado (da); (letter, look, face) furioso(sa), airado (da); **to be ~ at** OR **with sb** estar enfadado con alguien; **to get ~ with sb** enfadarse con alguien.

anguish ['æŋgwɪʃ] n angustia f.

angular ['æŋgjələr] adj (face, body) anguloso(sa).

animal ['ænɪml] ◇ adj animal. ◇ n animal m; pej animal m y f.

animate ['ænɪmət] adj animado(da).

animated ['ænɪmeɪtɪd] adj animado (da).

aniseed ['ænɪsiːd] n anís m.

ankle ['æŋkl] ◇ n tobillo m. ◇ comp: **~ boots** botines mpl; **~ socks** calcetines mpl por el tobillo.

annex ['æneks] ◇ n edificio m anejo. ◇ vt anexionar.

annexe ['æneks] = **annex**.

annihilate [ə'naɪəleɪt] vt (destroy) aniquilar.

anniversary [ænɪ'vɜːrsərɪ] n aniversario m.

announce [ə'naʊns] vt anunciar.

announcement [ə'naʊnsmənt] n anuncio m.

announcer [ə'naʊnsər] n: **radio/television ~** presentador m, -ra f OR locutor m, -ra f de radio/televisión.

annoy [ə'nɔɪ] vt fastidiar, molestar.

annoyance [ə'nɔɪəns] n molestia f.

annoyed [ə'nɔɪd] adj: **~ at sthg/with sb** molesto(ta) por algo/con alguien.

annoying [ə'nɔɪɪŋ] adj fastidioso(sa).

annual ['ænjʊəl] ◇ adj anual. ◇ n **1.** (plant) planta f anual. **2.** (book) anuario m.

annual general meeting n junta f general anual.

annul [ə'nʌl] vt anular.

annum ['ænəm] n: **per ~** al año.

anomaly [ə'nɒməlɪ] n anomalía f.

anonymous [ə'nɒnɪməs] adj anónimo (ma).

anorak ['ænəræk] n chubasquero m, anorak m.

anorexia (nervosa) [ænə'reksɪə-(nɜːr'voʊsə)] n anorexia f.

anorexic [ænə'reksɪk] ◇ adj anoréxico (ca). ◇ n anoréxico m, -ca f.

another [ə'nʌðər] ◇ adj otro(tra); **in ~ few minutes** en unos minutos más. ◇ pron otro m, -tra f; **one after ~** uno tras otro, una tras otra; **one ~** el uno al otro, la una a la otra; **we love one ~** nos queremos.

• Ver **SE** en el lado Español-Inglés del diccionario.

answer [Am 'ænsr, Br 'ɑːnsə] ◇ n respuesta f; **in ~ to** en respuesta a. ◇ vt **1.** (reply to) responder a, contestar a. **2.** (respond to): **to ~ the door** abrir la puerta; **to ~ the phone** coger OR contestar el teléfono. ◇ vi responder, contestar. ◆ **answer back** vt sep & vi replicar. ◆ **answer for** vt fus **1.** (accept responsibility for) responder por. **2.** (suffer consequences of) responder de.

answerable [Am 'ænsərəbl, Br 'ɑːns-] adj: **~ (to sb/for sthg)** responsable (ante alguien/de algo).

answering machine [Am 'ænsərɪŋ-, Br 'ɑːns-] n contestador m automático.

ant [ænt] n hormiga f.

antagonism [æn'tægənɪzm] n antagonismo m.

antagonize [æn'tægənaɪz] vt provocar la hostilidad de.

Antarctic [æn'tɑːˈktɪk] ◇ adj antártico(ca). ◇ n: **the ~** el Antártico.

Antarctica [ænt'ɑːˈktɪktə] n (la) Antártida.

antelope ['æntəloup] (pl inv OR -s) n antílope m.

antenatal [ˌæntɪ'neɪtl] adj prenatal.

antenatal clinic n maternidad f.

antenna [æn'tenə] (pl sense 1 -nae [-niː], pl sense 2 -s) n 1. (of insect) antena f. 2. Am (aerial) antena f.

anthem ['ænθəm] n himno m.

anthology [æn'θɒlədʒɪ] n antología f.

antibiotic [ˌæntɪbaɪ'ɒtɪk] n antibiótico m.

antibody ['æntɪbɒdɪ] n anticuerpo m.

anticipate [æn'tɪsəpeɪt] vt 1. (expect) prever. 2. (look forward to) esperar ansiosamente. 3. (competitor) adelantarse a.

anticipation [ænˌtɪsə'peɪʃn] n expectación f; **in ~ of** en previsión de.

anticlimax [ˌæntɪ'klaɪmæks] n anticlímax m.

anticlockwise [ˌæntɪ'klɒkwaɪz] Br adv en sentido contrario al de las agujas del reloj.

antics ['æntɪks] npl payasadas fpl.

anticyclone [ˌæntɪ'saɪkloun] n anticiclón m.

antidepressant [ˌæntɪdɪ'presnt] n antidepresivo m.

antidote ['æntɪdoʊt] n lit & fig: **~ (to)** antídoto m (contra).

antifreeze ['æntɪfriːz] n anticongelante m.

antihistamine [ˌæntɪ'hɪstəmiːn] n antihistamínico m.

antiperspirant [ˌæntɪ'pɜːˈspərənt] n antitranspirante m.

antiquated ['æntɪkweɪtəd] adj anticuado(da).

antique [æn'tiːk] ◇ adj (furniture, object) antiguo(gua). ◇ n antigüedad f.

antique shop n tienda f de antigüedades.

anti-Semitism [-'semətɪzm] n antisemitismo m.

antiseptic [ˌæntɪ'septɪk] ◇ adj antiséptico(ca). ◇ n antiséptico m.

antisocial [ˌæntɪ'soʊʃl] adj 1. (against society) antisocial. 2. (unsociable) poco sociable.

antlers ['æntləˈz] npl cornamenta f.

anus ['eɪnəs] n ano m.

anvil ['ænvəl] n yunque m.

anxiety [æŋ'zaɪətɪ] n 1. (worry) ansiedad f, inquietud f. 2. (cause of worry) preocupación f. 3. (keenness) afán m, ansia f.

anxious ['æŋkʃəs] adj 1. (worried) preocupado(da); **to be ~ about** estar preocupado por. 2. (keen): **to be ~ that/to do sthg** estar ansioso(sa) por que/por hacer algo.

any ['enɪ] ◇ adj 1. (with negative) ninguno(na); **I haven't read ~ books** no he leído ningún libro; **I haven't got ~ money** no tengo nada de dinero. 2. (some) algún(una); **are there ~ cakes left?** ¿queda algún pastel?; **is there ~ milk left?** ¿queda algo de leche?; **have you got ~ money?** ¿tienes dinero? 3. (no matter which) cualquier; **~ box will do** cualquier caja vale; see also case, day, moment, rate. ◇ pron 1. (with negative) ninguno m, -na f; **I didn't get ~** a mí no me tocó ninguno. 2. (some) alguno m, -na f; **can ~ of you do it?** ¿sabe alguno de vosotros hacerlo?; **I need some matches, do you have ~?** necesito cerillas, ¿tienes? 3. (no matter which) cualquiera; **take ~ you like** coge cualquiera que te guste. ◇ adv 1. (with negative): **I can't see it ~ more** ya no lo veo; **he's not feeling ~ better** no se siente nada mejor; **I can't stand it ~ longer** no lo aguanto más. 2. (some, a little): **do you want ~ more potatoes?** ¿quieres más patatas?; **is that ~ better/different?** ¿es así mejor/diferente?

anybody ['enɪbɒdɪ] = anyone.

anyhow ['enɪhaʊ] adv 1. (in spite of that) de todos modos. 2. (carelessly) de cualquier manera. 3. (in any case) en cualquier caso.

anyone ['enɪwʌn] 1. (in negative sentences) nadie; **I don't know ~** no conozco a nadie. 2. (in questions) alguien. 3. (any person) cualquiera.

anyplace ['enɪpleɪs] Am = anywhere.

anything ['enɪθɪŋ] pron 1. (in negative sentences) nada; **I don't want ~** no quiero nada. 2. (in questions) algo; **would you like ~ else?** ¿quiere algo más? 3. (any object, event) cualquier cosa.

anyway ['enɪweɪ] adv 1. (in any case) de todas formas OR maneras. 2. (in conversation) en cualquier caso.

anywhere ['enɪweəʳ], **anyplace** Am [-'enɪpleɪs] adv **1.** (in negative sentences) en ningún sitio; **I didn't go** ~ no fui a ninguna parte. **2.** (in questions) en algún sitio; **did you go** ~? ¿fuiste a algún sitio? **3.** (any place) cualquier sitio; ~ **you like** donde quieras.

apart [ə'pɑːʳt] adv **1.** (separated) aparte; **we're living** ~ vivimos separados. **2.** (aside) aparte; **joking** ~ bromas aparte. ◆ **apart from** prep **1.** (except for) salvo. **2.** (as well as) aparte de.

apartheid [ə'pɑːʳteɪt] n apartheid m.

apartment [ə'pɑːʳtmənt] n apartamento m, departamento m Amer, piso m Esp.

apartment building n Am bloque m de apartamentos.

apathy ['æpəθɪ] n apatía f.

ape [eɪp] ◇ n simio m. ◇ vt pej imitar.

aperitif [əperəˈtiːf] n aperitivo m.

aperture ['æpəʳtʃəʳ] n abertura f.

apex ['eɪpeks] n (top) vértice m.

APEX ['eɪpeks] (abbr of advance purchase excursion) n Br (tarifa f) APEX f.

apiece [ə'piːs] adv cada uno(na).

apocalypse [ə'pɒkəlɪps] n apocalipsis m inv.

apologetic [ə,pɒlə'dʒetɪk] adj (tone, look) lleno(na) de disculpas; **to be** ~ **(about)** no hacer más que disculparse (por).

apologize [ə'pɒlədʒaɪz] vi: **to** ~ **(to sb for sthg)** disculparse (con alguien por algo).

apology [ə'pɒlədʒɪ] n disculpa f.

apostle [ə'pɒsl] n (RELIG) apóstol m.

apostrophe [ə'pɒstrəfɪ] n apóstrofo m.

appal, appall Am [ə'pɔːl] vt horrorizar.

appalling [ə'pɔːlɪŋ] adj **1.** (shocking) horroroso(sa). **2.** inf (very bad) fatal.

apparatus [Am ,æpə'rætəs, Br -'reɪtəs] (pl inv OR -es) n (gen & POL) aparato m.

apparel [Am ə'perl, Br ə'pærl] n Am ropa f.

apparent [Am ə'perənt, Br -'pær-] adj **1.** (evident) evidente, patente. **2.** (seeming) aparente.

apparently [Am ə'perəntlɪ, Br -'pær-] adv **1.** (it seems) por lo visto. **2.** (seemingly) aparentemente.

appeal [ə'piːl] ◇ vi **1.** (request): **to** ~ **(to sb for sthg)** solicitar (de alguien algo). **2.** (to sb's honour, common sense): **to** ~ **to** apelar a. **3.** (JUR): **to** ~ **(against)** apelar (contra). **4.** (attract, interest): **to** ~ **(to)** atraer (a). ◇ n **1.** (request) llamamiento

m, súplica f; (fundraising campaign) campaña f para recaudar fondos. **2.** (JUR) apelación f. **3.** (charm, interest) atractivo m.

appealing [ə'piːlɪŋ] adj (attractive) atractivo(va).

appear [ə'pɪəʳ] vi **1.** (gen) aparecer. **2.** (seem): **to** ~ **(to be/to do sthg)** parecer (ser/hacer algo); **it would** ~ **that ...** parece que ... **3.** (in play, film, on TV): **to** ~ **on TV/in a film** salir en televisión/en una película. **4.** (JUR): **to** ~ **(before)** comparecer (ante).

appearance [ə'pɪərəns] n **1.** (gen) aparición f; **to make an** ~ aparecer. **2.** (look - of person, place, object) aspecto m.

appease [ə'piːz] vt aplacar, apaciguar.

appendices [ə'pendɪsiːz] pl → **appendix.**

appendicitis [ə,pendə'saɪtəs] n (U) apendicitis f inv.

appendix [ə'pendɪks] (pl -dixes OR -dices) n (gen & MED) apéndice m.

appetite ['æpətaɪt] n **1.** (for food) apetito m; ~ **for** ganas fpl de. **2.** fig (enthusiasm): ~ **for** entusiasmo m OR ilusión f por.

appetizer ['æpətaɪzəʳ] n aperitivo m.

appetizing ['æpətaɪzɪŋ] adj (food) apetitoso(sa).

applaud [ə'plɔːd] vt & vi lit & fig aplaudir.

applause [ə'plɔːz] n (U) aplausos mpl.

apple ['æpl] n manzana f.

apple tree n manzano m.

appliance [ə'plaɪəns] n aparato m.

applicable [ə'plɪkəbl] adj: **to be** ~ **(to)** aplicarse (a).

applicant ['æplɪkənt] n: ~ **(for)** solicitante m y f (de).

application [,æplɪ'keɪʃn] n **1.** (gen) aplicación f. **2.** (for job, college, club): ~ **(for)** solicitud f (para). **3.** (COMPUT): ~ **(program)** aplicación f.

application form n impreso m de solicitud.

applied [ə'plaɪd] adj (science) aplicado(da).

apply [ə'plaɪ] ◇ vt (gen) aplicar; (brakes) echar. ◇ vi **1.** (for work, grant): **to** ~ **to sb for sthg** solicitar a alguien algo. **2.** (be relevant) aplicarse; **to** ~ **to** concernir a.

appoint [ə'pɔɪnt] vt **1.** (to job, position): **to** ~ **sb (to sthg)** nombrar a alguien (para algo); **to** ~ **sb as sthg** nombrar a alguien algo. **2.** fml (time, place) señalar, fijar.

appointment [ə'pɔɪntmənt] *n* **1.** *(to job, position)* nombramiento *m*. **2.** *(job, position)* puesto *m*, cargo *m*. **3.** *(with businessman, lawyer)* cita *f*; *(with doctor, hairdresser)* hora *f*; **to have an ~** *(with businessman)* tener una cita; *(with doctor)* tener hora; **to make an ~** concertar una cita.

appraisal [ə'preɪzl] *n* evaluación *f*.

appreciable [ə'pri:ʃəbl] *adj* apreciable.

appreciate [ə'pri:ʃɪeɪt] ◇ *vt* **1.** *(value, like)* apreciar. **2.** *(recognize, understand)* darse cuenta de. **3.** *(be grateful for)* agradecer. ◇ *vi* (FIN) encarecerse.

appreciation [ə,pri:ʃɪ'eɪʃn] *n* **1.** *(liking)* aprecio *m*. **2.** *(recognition, understanding)* entendimiento *m*. **3.** *(gratitude)* agradecimiento *m*. **4.** (FIN) encarecimiento *m*.

appreciative [ə'pri:ʃətɪv] *adj* *(person, remark)* agradecido(da); *(audience)* entendido(da).

apprehensive [,æprɪ'hensɪv] *adj* aprensivo(va).

apprentice [ə'prentɪs] *n* aprendiz *m*, -za *f*.

apprenticeship [ə'prentəsʃɪp] *n* aprendizaje *m*.

approach [ə'prəʊtʃ] ◇ *n* **1.** *(arrival)* llegada *f*. **2.** *(way in)* acceso *m*. **3.** *(method)* enfoque *m*. **4.** *(to person)*: **to makes ~es to sb** hacerle propuestas a alguien. ◇ *vt* **1.** *(come near to)* acercarse a. **2.** *(ask)*: **to ~ sb about sthg** hacer una propuesta OR dirigirse a alguien acerca de algo. **3.** *(problem, situation)* abordar. **4.** *(level, speed)* aproximarse a. ◇ *vi* acercarse.

approachable [ə'prəʊtʃəbl] *adj* accesible.

appropriate [*adj* ə'prəʊprɪət, *vb* ə'prəʊprɪeɪt] ◇ *adj* apropiado(da). ◇ *vt* (JUR) *(take)* apropiarse de.

approval [ə'pru:vl] *n* **1.** *(admiration)* aprobación *f*. **2.** *(official sanctioning)* visto *m* bueno. **3.** (COMM): **on ~** a prueba.

approve [ə'pru:v] ◇ *vi* estar de acuerdo; **to ~ of sthg/sb** ver con buenos ojos algo/a alguien. ◇ *vt* aprobar.

approx. [ə'prɒks] *(abbr of approximately)* aprox.

approximate [*adj* ə'prɒksɪmət, *vb* ə'prɒksɪmeɪt] *adj* aproximado(da).

approximately [ə'prɒksɪmətlɪ] *adv* aproximadamente.

apricot ['eɪprɪkɒt] *n* *(fruit)* albaricoque *m*, damasco *m* CSur, chabacano *m* Méx.

April ['eɪprəl] *n* abril *m*; *see also* September.

April Fools' Day *n* primero *m* de abril, = Día *m* de los Santos Inocentes.

apron ['eɪprən] *n* *(clothing)* delantal *m*, mandil *m*.

apt [æpt] *adj* **1.** *(pertinent)* acertado(da). **2.** *(likely)*: **~ to do sthg** propenso(sa) a hacer algo.

aptitude ['æptətju:d] *n* aptitud *f*.

aptly ['æptlɪ] *adv* apropiadamente.

aqualung [*Am* 'ɑ:kwəlʌŋ, *Br* 'æk-] *n* escafandra *f* autónoma.

aquarium [ə'kweərɪəm] *(pl* -riums OR -ria [-rɪə]*)* *n* acuario *m*.

Aquarius [ə'kweərɪəs] *n* Acuario *m*.

aquatic [*Am* ə'kwɑːtɪk, *Br* ə'kwætɪk] *adj* acuático(ca).

aqueduct ['ækwədʌkt] *n* acueducto *m*.

Arab ['ærəb] ◇ *adj* árabe. ◇ *n* *(person)* árabe *m y f*.

Arabic ['ærəbɪk] ◇ *adj* árabe. ◇ *n* *(language)* árabe *m*.

Arabic numeral *n* número *m* arábigo.

arable ['ærəbl] *adj* cultivable.

arbitrary [*Am* 'ɑ:rbɪtreri, *Br* 'ɑ:bɪtrərɪ] *adj* *(random)* arbitrario(ria).

arbitration [,ɑ:rbɪ'treɪʃn] *n* arbitraje *m*.

arcade [ɑ:r'keɪd] *n* **1.** *(shopping arcade)* galería *f* OR centro *m* comercial. **2.** *(covered passage)* arcada *f*, galería *f*.

arch [ɑ:rtʃ] ◇ *n* **1.** (ARCHIT) arco *m*. **2.** *(of foot)* puente *m*. ◇ *vt* arquear.

archaeologist [,ɑ:rkɪ'ɒlədʒɪst] *n* arqueólogo *m*, -ga *f*.

archaeology [,ɑ:rkɪ'ɒlədʒɪ] *n* arqueología *f*.

archaic [ɑ:r'keɪɪk] *adj* arcaico(ca).

archbishop [,ɑ:rtʃ'bɪʃəp] *n* arzobispo *m*.

archenemy [,ɑ:rtʃ'enəmɪ] *n* peor enemigo *m*, enemigo acérrimo.

archeology *etc* = **archaeology** *etc*.

archer ['ɑ:rtʃər] *n* arquero *m*.

archery ['ɑ:rtʃərɪ] *n* tiro *m* con arco.

archetypal [,ɑ:rkɪ'taɪpl] *adj* arquetípico(ca).

architect ['ɑ:rkətekt] *n* **1.** *(of buildings)* arquitecto *m*, -ta *f*. **2.** *fig (of plan, event)* artífice *m y f*.

architecture ['ɑ:rkətektʃər] *n* *(gen & COMPUT)* arquitectura *f*.

archives ['ɑ:rkaɪvz] *npl* *(of documents)* archivos *mpl*.

archway ['ɑ:rtʃweɪ] *n* *(passage)* arcada *f*; *(entrance)* entrada *f* en forma de arco.

Arctic ['ɑ:rktɪk] ◇ *adj* (GEOGR) ártico(ca). ◇ *n*: **the ~** el Ártico.

ardent [ˈɑːʳdnt] *adj* ardoroso(sa), ferviente.

arduous [ˈɑːʳdʒʊəs] *adj* arduo(dua).

are [*stressed* ɑːʳ, *unstressed* əʳ] → **be**.

area [ˈeərɪə] *n* **1.** (*region, designated space*) zona f, área f; **in the ~** en la zona. **2.** *fig* (*approximate size, number*): **in the ~ of** del orden de, alrededor de. **3.** (*surface size*) superficie f, área f. **4.** (*of knowledge, interest*) campo *m*.

area code *n* prefijo *m* (telefónico).

arena [əˈriːnə] *n* **1.** (SPORT) pabellón *m*. **2.** *fig* (*area of activity*): **she entered the political ~** saltó al ruedo político.

aren't [ɑːʳnt] = **are not**.

Argentina [ˌɑːʳdʒənˈtiːnə] *n* (la) Argentina.

Argentine [ˈɑːʳdʒəntaɪn] *adj* argentino (na).

Argentinian [ˌɑːʳdʒənˈtɪnɪən] ◇ *adj* argentino(na). ◇ *n* argentino *m*, -na *f*.

arguably [ˈɑːʳgjʊəblɪ] *adv* probablemente.

argue [ˈɑːʳgjuː] ◇ *vi* **1.** (*quarrel*): **to ~ (with sb about sthg)** discutir (con alguien de algo). **2.** (*reason*): **to ~ (for/against)** argumentar (a favor de/contra). ◇ *vt*: **to ~ that** argumentar que.

argument [ˈɑːʳgjəmənt] *n* **1.** (*gen*) discusión f; **to have an ~ (with)** tener una discusión (con). **2.** (*reason*) argumento *m*.

argumentative [ˌɑːʳgjəˈmentətɪv] *adj* muy propenso(sa) a discutir.

arid [ˈærɪd] *adj* *lit* & *fig* árido(da).

Aries [ˈeəriːz] *n* Aries *m*.

arise [əˈraɪz] (*pt* **arose**, *pp* **arisen** [əˈrɪzn]) *vi* (*appear*): **to ~ (from)** surgir (de).

aristocrat [*Am* əˈrɪstəkræt, *Br* ˈærɪstəkræt] *n* aristócrata *m y f*.

arithmetic [əˈrɪθmətɪk] *n* aritmética f.

ark [ɑːʳk] *n* arca f.

arm [ɑːʳm] ◇ *n* **1.** (*of person, chair*) brazo *m*; **~ in ~** del brazo; **to twist sb's ~** *fig* persuadir a alguien. **2.** (*of garment*) manga f. ◇ *vt* armar. ♦ **arms** *npl* (*weapons*) armas *fpl*.

armaments [ˈɑːʳməmənts] *npl* armamento *m*.

armchair [ˈɑːʳmtʃeəʳ] *n* sillón *m*.

armed [ɑːʳmd] *adj* **1.** (*police, thieves*) armado(da). **2.** *fig* (*with information*): **~ with** provisto(ta) de.

armed forces *npl* fuerzas *fpl* armadas.

armhole [ˈɑːʳmhəʊl] *n* sobaquera f, sisa f.

armor *Am*, **armour** *Br* [ˈɑːʳməʳ] *n*

1. (*for person*) armadura f. **2.** (*for military vehicle*) blindaje *m*.

armoured car [ɑːməd-] *n* (MIL) carro *m* blindado.

armpit [ˈɑːʳmpɪt] *n* sobaco *m*, axila f.

armrest [ˈɑːʳmrest] *n* brazo *m*.

arms control [ˈɑːʳmz-] *n* control *m* armamentístico.

army [ˈɑːʳmɪ] *n* *lit* & *fig* ejército *m*.

A road *n* *Br* = carretera f nacional.

aroma [əˈrəʊmə] *n* aroma *m*.

arose [əˈrəʊz] *pt* → **arise**.

around [əˈraʊnd] ◇ *adv* **1.** (*about, round*) por ahí; **to walk/look ~** andar/ mirar por ahí. **2.** (*on all sides*) alrededor. **3.** (*present, available*): **is John ~?** (*there*) ¿está John por ahí?; (*here*) ¿está John por aquí? **4.** (*turn, look*): **to turn ~** volverse; **to look ~** volver la cabeza. ◇ *prep* **1.** (*on all sides of*) alrededor de. **2.** (*about, round - place*) por. **3.** (*in the area of*) cerca de. **4.** (*approximately*) alrededor de.

arouse [əˈraʊz] *vt* (*excite - feeling*) levantar, despertar; (*- person*) excitar.

arrange [əˈreɪndʒ] *vt* **1.** (*flowers, books, furniture*) colocar. **2.** (*event, meeting, party*) organizar; **to ~ to do sthg** acordar hacer algo; **to ~ sthg for sb** organizarle algo a alguien. **3.** (MUS) arreglar.

arrangement [əˈreɪndʒmənt] *n* **1.** (*agreement*) acuerdo *m*; **to come to an ~** llegar a un acuerdo. **2.** (*of flowers, furniture*) disposición f. **3.** (MUS) arreglo *m*. ♦ **arrangements** *npl* preparativos *mpl*.

array [əˈreɪ] *n* (*of objects*) surtido *m*.

arrears [əˈrɪəʳz] *npl* (*money owed*) atrasos *mpl*; **in ~** (*retrospectively*) con retraso; (*late*) atrasado en el pago.

arrest [əˈrest] ◇ *n* arresto *m*, detención f; **under ~** bajo arresto. ◇ *vt* **1.** (*subj: police*) detener. **2.** (*sb's attention*) captar. **3.** *fml* (*stop*) poner freno a.

arrival [əˈraɪvl] *n* llegada f; **late ~** (*of train, bus, mail*) retraso *m*; **new ~** (*person*) recién llegado *m*, recién llegada f; (*baby*) recién nacido *m*, recién nacida f.

arrive [əˈraɪv] *vi* **1.** (*gen*) llegar; **to ~ at** (*conclusion, decision*) llegar a. **2.** (*baby*) nacer.

arrogant [*Am* ˈerəgənt, *Br* ˈær-] *adj* arrogante.

arrow [*Am* ˈeroʊ, *Br* ˈær-] *n* flecha f.

arse [ɑːs] *n* *Br v inf* (*bottom*) culo *m*.

arsenic [ˈɑːʳsnɪk] *n* arsénico *m*.

arson [ˈɑːʳsn] *n* incendio *m* premeditado.

art [ɑːʳt] *n* arte *m*. ◆ **arts** *npl* **1.** (SCH & UNIV) *(humanities)* letras *fpl*. **2.** *(fine arts)*: **the ~s** las bellas artes.

artefact [ˈɑːʳtəfækt] = **artifact**.

artery [ˈɑːʳtərɪ] *n* arteria *f*.

art gallery *n* *(public)* museo *m* (de arte); *(commercial)* galería *f* (de arte).

arthritis [ɑːʳˈθraɪtɪs] *n* artritis *f* *inv*.

artichoke [ˈɑːʳtɪtʃəʊk] *n* alcachofa *f*.

article [ˈɑːʳtɪkl] *n* artículo *m*; **~ of clothing** prenda *f* de vestir.

articulate *adj* [ɑːʳˈtɪkjələt], *vb* ɑːʳ-ˈtɪkjəleɪt] ◇ *adj* *(person)* elocuente; *(speech)* claro(ra), bien articulado(da). ◇ *vt* *(express clearly)* expresar.

articulated lorry [ɑːʳtɪkjələtɪd-] *n* *Br* camión *m* articulado.

artifact [ˈɑːʳtəfækt] *n* artefacto *m*.

artificial [ˌɑːʳtəˈfɪʃl] *adj* artificial.

artillery [ɑːʳˈtɪlərɪ] *n* *(guns)* artillería *f*.

artist [ˈɑːʳtəst] *n* artista *m y f*.

artiste [ɑːʳˈtiːst] *n* artista *m y f*.

artistic [ɑːʳˈtɪstɪk] *adj* **1.** *(gen)* artístico (ca). **2.** *(good at art)* con sensibilidad artística.

artistry [ˈɑːʳtɪstrɪ] *n* maestría *f*.

artless [ˈɑːʳtləs] *adj* ingenuo(nua).

as [stressed æz, unstressed əz] ◇ *conj* **1.** *(referring to time - while)* mientras; *(- when)* cuando; **she told it to me ~ we walked along** me lo contó mientras paseábamos; **~ time goes by** a medida que pasa el tiempo; **she rang (just) ~ I was leaving** llamó justo cuando iba a salir. **2.** *(referring to manner, way)* como; **do ~ I say** haz lo que te digo. **3.** *(introducing a statement)* como; **~ you know, ...** como (ya) sabes, ... **4.** *(because)* como, ya que. **5.** *phr*: **~ it is** (ya) de por sí. ◇ *prep* como; **I'm speaking ~ a friend** te hablo como amigo; **she works ~ a nurse** trabaja de OR como enfermera; **~ a boy, I lived in Spain** de niño vivía en España; **it came ~ a shock** fue una gran sorpresa. ◇ *adv* *(in comparisons)*: **~ ... ~** tan ... como; **~ tall ~ I am** tan alto como yo; **I've lived ~ long ~ she has** he vivido durante tanto tiempo como ella; **twice ~ big** el doble de grande; **it's just ~ fast** es igual de rápido; **~ much ~** tanto como; **~ many ~** tantos(tas) como; **~ much wine ~ you like** tanto vino como quieras. ◆ **as for, as to** *prep* en cuanto a. ◆ **as from, as of** *prep* a partir de. ◆ **as if, as though** *conj* como si. ◆ **as to** *prep* *Br* con respecto a.

• *As ... as* se utiliza para comparaciones de igualdad. En el habla común va seguido de un pronombre de complemento *me, him, her,* etc. (*she's as tall as me*). En lengua formal va con el pronombre de sujeto *I, he, she,* etc. y el verbo que sigue puede omitirse (*she's not as tall as I am*).

• *As if* y *as though* significan lo mismo. Van seguidos del pronombre y luego del *were* hipotético en lugar de *was* si el hablante duda de que la comparación sea cierta o está seguro de que no lo es (*she went pale as if/though she were about to faint,* "se puso pálida como si fuera a desmayarse").

a.s.a.p. *(abbr of* **as soon as possible***)* a la mayor brevedad posible.

asbestos [æsˈbestəs] *n* asbesto *m*, amianto *m*.

ascend [əˈsend] ◇ *vt* subir. ◇ *vi* ascender.

ascent [əˈsent] *n* **1.** *(climb)* ascensión *f*. **2.** *(upward slope)* subida *f*, cuesta *f*. **3.** *fig* *(progress)* ascenso *m*.

ascertain [ˌæsəʳˈteɪn] *vt* determinar.

ASCII [ˈæskɪ] *(abbr of* **American Standard Code for Information Interchange***)* *n* ASCII *m*.

ascribe [əˈskraɪb] *vt*: **to ~ sthg to** atribuir algo a.

ash [æʃ] *n* **1.** *(from cigarette, fire)* ceniza *f*. **2.** *(tree)* fresno *m*.

ashamed [əˈʃeɪmd] *adj* avergonzado (da), apenado(da) *Amer*; **I'm ~ to do it** me avergüenza hacerlo; **to be ~ of** avergonzarse de, achuncharse de *Amer*.

ashore [əˈʃɔːʳ] *adv* *(swim)* hasta la orilla; **to go ~** desembarcar.

ashtray [ˈæʃtreɪ] *n* cenicero *m*.

Ash Wednesday *n* miércoles *m inv* de ceniza.

Asia [*Am* ˈeɪʒə, *Br* ˈeɪʃə] *n* Asia.

Asian [*Am* ˈeɪʒn, *Br* ˈeɪʃn] ◇ *adj* asiático(ca). ◇ *n* asiático *m*, -ca *f*.

aside [əˈsaɪd] ◇ *adv* **1.** *(to one side)* a un lado; **to move ~** apartarse; **to take sb ~** llevar a alguien aparte. **2.** *(apart)* aparte; **~ from** aparte de. ◇ *n* **1.** *(in play)* aparte *m*. **2.** *(remark)* inciso *m*.

ask [*Am* æsk, *Br* ɑːsk] ◇ *vt* **1.** *(question - person)*: **to ~ (sb sthg)** preguntar (a alguien algo). **2.** *(put - question)*: **to ~ a question** hacer una pregunta. **3.** *(request, demand)* pedir; **to ~ sb (to do sthg)** pedir a alguien (que haga algo); **to ~ sb for sthg** pedirle algo a alguien. **4.** *(invite)* invitar. ◇ *vi* **1.** *(question)* preguntar. **2.** *(request)* pedir. ◆ **ask after** *vt fus* preguntar por. ◆ **ask for** *vt fus* **1.** *(person)* preguntar por. **2.** *(thing)* pedir.

askance [əˈskæns] *adv*: **to look ~ at sb** mirar a alguien con recelo.

askew [əˈskjuː] *adj* torcido(da).

asking price [*Am* ˈæskɪŋ-, *Br* ˈɑːskɪŋ-] *n* precio *m* inicial.

asleep [əˈsliːp] *adj* dormido(da); **to fall ~** quedarse dormido.

asparagus [əˈspærəgəs] *n* (U) *(plant)* espárrago *m*; *(shoots)* espárragos *mpl*.

aspect [ˈæspekt] *n* **1.** *(of subject, plan)* aspecto *m*. **2.** *(appearance)* cariz *m*, aspecto *m*. **3.** *(of building)* orientación *f*.

asphalt [*Am* ˈæsfɔːlt, *Br* -fælt] *n* asfalto *m*.

asphyxiate [əsˈfɪksɪeɪt] *vt* asfixiar.

aspiration [ˌæspəˈreɪʃn] *n* aspiración *f*.

aspire [əˈspaɪər] *vi*: **to ~ to** aspirar a.

aspirin [ˈæsprɪn] *n* aspirina *f*.

ass [æs] *n* **1.** *(donkey)* asno *m*, -na *f*. **2.** *Br inf (idiot)* burro *m*, -rra *f*. **3.** *Am v inf (bottom)* culo *m*.

assailant [əˈseɪlənt] *n* agresor *m*, -ra *f*.

assassin [əˈsæsɪn] *n* asesino *m*, -na *f*.

assassinate [əˈsæsɪneɪt] *vt* asesinar.

assassination [əˌsæsɪˈneɪʃn] *n* asesinato *m*.

assault [əˈsɔːlt] ◇ *n* **1.** (MIL): **~ (on)** ataque *m* (contra). **2.** *(physical attack)*: **~ (on sb)** agresión *f* (contra alguien). ◇ *vt (physically)* asaltar, agredir; *(sexually)* abusar de.

assemble [əˈsembl] ◇ *vt* **1.** *(gather)* juntar, reunir. **2.** *(fit together)* montar. ◇ *vi* reunirse.

assembly [əˈsemblɪ] *n* **1.** *(meeting, law-making body)* asamblea *f*. **2.** *(gathering together)* reunión *f*. **3.** *(fitting together)* montaje *m*.

assembly line *n* cadena *f* de montaje.

assert [əˈsɜːrt] *vt* **1.** *(fact, belief)* afirmar. **2.** *(authority)* imponer.

assertive [əˈsɜːrtɪv] *adj* enérgico(ca).

assess [əˈses] *vt* evaluar.

assessment [əˈsesmənt] *n* **1.** *(evaluation)* evaluación *f*. **2.** *(calculation)* cálculo *m*.

assessor [əˈsesər] *n* tasador *m*, -ra *f*.

asset [ˈæset] *n* **1.** *(valuable quality - of person)* cualidad *f*; *(- of thing)* ventaja *f*. **2.** *(valuable person)* elemento *m* importante. ◆ **assets** *npl* (COMM) activo *m*, bienes *mpl*.

assign [əˈsaɪn] *vt* **1.** *(gen)*: **to ~ sthg (to sb)** asignar OR encomendar algo (a alguien); **to ~ sb to sthg** asignar OR encomendar a alguien algo; **to ~ sb to do sthg** asignar OR encomendar a alguien que haga algo. **2.** *(designate for specific use, purpose)*: **to ~ sthg (to)** destinar algo (a).

assignment [əˈsaɪnmənt] *n* **1.** *(task)* misión *f*; (SCH) trabajo *m*. **2.** *(act of assigning)* asignación *f*.

assimilate [əˈsɪmɪleɪt] *vt* **1.** *(learn)* asimilar. **2.** *(absorb)*: **to ~ sb (into)** integrar a alguien (en).

assist [əˈsɪst] *vt*: **to ~ sb (with sthg/in doing sthg)** ayudar a alguien (con algo/a hacer algo).

assistance [əˈsɪstəns] *n* ayuda *f*, asistencia *f*; **to be of ~ (to)** ayudar (a).

assistant [əˈsɪstənt] ◇ *n* ayudante *m* y *f*; (shop) ~ dependiente *m*, -ta *f*. ◇ *comp* adjunto(ta); **~ manager** director adjunto *m*, directora adjunta *f*.

associate [*adj* &*n* əˈsəʊʃɪət, *vb* əˈsəʊʃɪeɪt] ◇ *adj* asociado(da). ◇ *n* socio *m*, -cia *f*. ◇ *vt* asociar; **to ~ sthg/sb with** asociar algo/a alguien con; **to be ~d with** *(organization, plan, opinion)* estar relacionado con; *(people)* estar asociado con. ◇ *vi*: **to ~ with sb** relacionarse con alguien.

association [əˌsəʊsɪˈeɪʃn] *n* **1.** *(organization, act of associating)* asociación *f*; **in ~ with** en colaboración con. **2.** *(in mind)* connotación *f*.

assorted [əˈsɔːrtəd] *adj (of various types)* variado(da).

assortment [əˈsɔːrtmənt] *n* surtido *m*.

assume [əˈsjuːm] *vt* **1.** *(suppose)* suponer. **2.** *(power, responsibility)* asumir. **3.** *(appearance, attitude)* adoptar.

assuming [əˈsjuːmɪŋ] *conj* suponiendo que.

assumption [əˈsʌmpʃn] *n* **1.** *(supposition)* suposición *f*. **2.** *(of power)* asunción *f*.

assurance [əˈʃʊərəns] *n* **1.** *(promise)* garantía *f*. **2.** *(confidence)* seguridad *f* de sí mismo. **3.** *(insurance)* seguro *m*.

assure [əˈʃʊər] *vt* asegurar, garantizar; **to ~ sb of sthg** garantizar a alguien algo; **to be ~d of sthg** tener algo garantizado.

assured [ə'ʃʊərd] *adj (confident)* seguro (ra).

asterisk ['æstərɪsk] *n* asterisco *m*.

astern [ə'stɜːrn] *adv* (NAUT) a popa.

asthma [*Am* 'æzmə, *Br* 'æs-] *n* asma *f*.

astonish [ə'stɒnɪʃ] *vt* asombrar.

astonishment [ə'stɒnɪʃmənt] *n* asombro *m*.

astound [ə'staʊnd] *vt* asombrar.

astray [ə'streɪ] *adv*: **to go ~** *(become lost)* extraviarse; **to lead sb ~** *(into bad ways)* llevar a alguien por el mal camino.

astride [ə'straɪd] ◊ *adv* a horcajadas. ◊ *prep* a horcajadas en.

astrology [ə'strɒlədʒɪ] *n* astrología *f*.

astronaut ['æstrənɔːt] *n* astronauta *m y f*.

astronomical [,æstrə'nɒmɪkl] *adj* astronómico(ca).

astronomy [ə'strɒnəmɪ] *n* astronomía *f*.

astute [ə'stjuːt] *adj* astuto(ta).

asylum [ə'saɪləm] *n* **1.** *(mental hospital)* manicomio *m*. **2.** *(protection)* asilo *m*.

at [*stressed* æt, *unstressed* ət] *prep* **1.** *(indicating place)* en; **~ my father's** en casa de mi padre; **standing ~ the window** de pie junto a la ventana; **~ the bottom of the hill** al pie de la colina; **~ school/work/home** en la escuela/el trabajo/casa. **2.** *(indicating direction)* a; **to look ~ sthg/sb** mirar algo/a alguien. **3.** *(indicating a particular time)* en; **~ a more suitable time** en un momento más oportuno; **~ midnight/noon/eleven o'clock** a medianoche/mediodía/las once; **~ night** por la noche; **~ Christmas/Easter** en Navidades/Semana Santa. **4.** *(indicating speed, rate, price)* a; **~ 100mph/high speed** a 100 millas por hora/gran velocidad; **~ £50 (a pair)** a 50 libras (el par). **5.** *(indicating particular state, condition)*: **~ peace/war** en paz/guerra; **she's ~ lunch** está comiendo. **6.** *(indicating a particular age)* a; **~ 52/your age** a los 52/tu edad. **7.** *(after adjectives)*: **delighted ~** encantado con; **clever/experienced ~** listo/experimentado en; **puzzled/horrified ~** perplejo/horrorizado ante; **he's good/bad ~ sport** se le dan bien/mal los deportes. ◆ **at all** *adv* **1.** *(with negative)*: **not ~ all** *(when thanked)* de nada; *(when answering a question)* en absoluto; **she's not ~ all happy** no está nada contenta. **2.** *(in the slightest)*: **anything ~ all will do** cualquier cosa valdrá; **do you know her ~ all?** ¿la conoces (de algo)?

• No hay que confundir *at, in* y *on,* aunque las tres pueden expresar tiempo.

• *At* se usa con tiempos concretos (*at nine o'clock,*; *at lunchtime*), con los nombres de algunos periodos festivos (*at Christmas, at New Year, at Easter*) y con *weekend* y *night* (*what did you do at the weekend?*; *I do my homework at night*).

• *In* se utiliza con los meses (*in September*), años (*in 1966*), siglos (*in the 17ᵗʰ century*) y estaciones (*in spring*); así como con los sustantivos *morning, afternoon* y *evening* al referirse a ellos en sentido general (*in the evening we like to go out,* "nos gusta salir por la noche"; *I'll call you in the afternoon,* "te llamaré por la tarde").

• Utilizamos *on* para referirnos a una fecha o día específicos (*on Christmas Day*; *on March 8ᵗʰ, 1998*; *on Monday I went swimming*), o a un día en general (*on Sundays I visit my grandparents*). También acompaña los sustantivos *morning, afternoon* y *evening* al referirnos a ellos más en particular (*on Saturday morning,* "el sábado por la mañana"; *on wet afternoons,* "en las tardes lluviosas").

ate [eɪt] *pt* → **eat**.

atheist ['eɪθɪəst] *n* ateo *m*, -a *f*.

Athens ['æθənz] *n* Atenas.

athlete ['æθliːt] *n* atleta *m y f*.

athletic [æθ'letɪk] *adj* atlético(ca). ◆ **athletics** *npl* atletismo *m*.

Atlantic [ət'læntɪk] ◊ *adj* atlántico (ca). ◊ *n*: **the ~ (Ocean)** el (océano) Atlántico.

atlas ['ætləs] *n* atlas *m inv*.

ATM *(abbr of* **automatic teller machine***)* *n* cajero automático.

atmosphere ['ætməsfɪər] *n* **1.** *(of planet)* atmósfera *f*. **2.** *(air in room, mood of place)* ambiente *m*, atmósfera *f*.

atom ['ætəm] *n* (TECH) átomo *m*.

atom bomb *n* bomba *f* atómica.

atomic [ə'tɒmɪk] *adj* atómico(ca).

atomic bomb *n* = **atom bomb**.

atomizer ['ætəmaɪzər] *n* atomizador *m*.

atone [ə'təʊn] *vi*: **to ~ for** reparar.

A to Z *n* guía *f* alfabética; *(map)* callejero *m*.

atrocious [ə'trəʊʃəs] *adj (very bad)* atroz.

atrocity [ə'trɒsətɪ] *n (terrible act)* atrocidad *f*.

attach [ə'tætʃ] *vt* **1.** *(with pin, clip)*: **to ~ sthg (to)** sujetar algo (a); *(with string)* atar algo (a). **2.** *(importance, blame)*: **to ~ sthg (to sthg)** atribuir algo a (algo).

attaché case [*Am* ˌætə'ʃeɪ-, *Br* ə'tæʃeɪ-] *n* maletín *m*.

attached [ə'tætʃt] *adj* **1.** *(fastened on)*: **~ (to)** adjunto(ta) (a). **2.** *(fond)*: **~ to** encariñado(da) con.

attachment [ə'tætʃmənt] *n* **1.** *(device)* accesorio *m*. **2.** *(fondness)*: **~ (to)** cariño *m* (por).

attack [ə'tæk] ◇ *n*: **~ (on)** ataque *m* (contra). ◇ *vt* **1.** *(gen)* atacar. **2.** *(job, problem)* acometer. ◇ *vi* atacar.

attacker [ə'tækər] *n* atacante *m y f*.

attain [ə'teɪn] *vt* lograr, alcanzar.

attainment [ə'teɪnmənt] *n* logro *m*.

attempt [ə'tempt] ◇ *n*: **~ (at sthg)** intento *m* (de algo); **~ on sb's life** atentado *m*. ◇ *vt*: **to ~ sthg/to do sthg** intentar algo/hacer algo.

attend [ə'tend] ◇ *vt* asistir a. ◇ *vi* **1.** *(be present)* asistir. **2.** *(pay attention)*: **to ~ (to)** atender (a). ◆ **attend to** *vt fus* **1.** *(matter)* ocuparse de. **2.** *(customer)* atender a; *(patient)* asistir a.

attendance [ə'tendəns] *n* asistencia *f*.

attendant [ə'tendənt] ◇ *adj* concomitante. ◇ *n (at museum)* vigilante *m y f*; *(at petrol station)* encargado *m*, -da *f*.

attention [ə'tenʃn] ◇ *n (U)* **1.** *(gen)* atención *f*; **to bring sthg to sb's ~, to draw sb's ~ to sthg** llamar la atención de alguien sobre algo; **to attract** OR **catch sb's ~** atraer OR captar la atención de alguien; **to pay/pay no ~ (to)** prestar/no prestar atención (a); **for the ~ of** (COMM) a la atención de. **2.** *(care)* asistencia *f*. ◇ *excl* (MIL) ¡firmes!

attentive [ə'tentɪv] *adj* atento(ta).

attic ['ætɪk] *n* desván *m*, entretecho *m Amer*.

attitude ['ætɪtju:d] *n* **1.** *(way of thinking, acting)*: **~ (to** OR **towards)** actitud *f* (hacia). **2.** *(posture)* postura *f*.

attn. *(abbr of* **for the attention of)** a/a.

attorney [ə'tɜ:rnɪ] *n Am* abogado *m*, -da *f*.

attorney general *(pl* **attorneys general)** *n* fiscal *m* general del estado.

attract [ə'trækt] *vt* **1.** *(gen)* atraer. **2.** *(support, criticism)* atraerse, ganarse.

attraction [ə'trækʃn] *n* **1.** *(gen)*: **~ (to sb)** atracción *f* (hacia OR por alguien). **2.** *(attractiveness - of thing)* atractivo *m*.

attractive [ə'træktɪv] *adj* atractivo (va).

attribute [*vb* ə'trɪbju:t, *n* 'ætrɪbju:t] ◇ *vt*: **to ~ sthg to** atribuir algo a. ◇ *n* atributo *m*.

aubergine ['oʊbərʒi:n] *n Br* berenjena *f*.

auburn ['ɔ:bərn] *adj* castaño rojizo.

auction ['ɔ:kʃn] ◇ *n* subasta *f*. ◇ *vt* subastar.

auctioneer [ˌɔ:kʃə'nɪər] *n* subastador *m*, -ra *f*.

audible ['ɔ:dəbl] *adj* audible.

audience ['ɔ:djəns] *n* **1.** *(of play, film)* público *m*. **2.** *(formal meeting, TV viewers)* audiencia *f*.

audiotypist ['ɔ:dɪoʊtaɪpɪst] *n* mecanógrafo *m*, -fa *f* por dictáfono.

audio-visual ['ɔ:dɪoʊ-] *adj* audiovisual.

audit ['ɔ:dət] ◇ *n* auditoría *f*. ◇ *vt* auditar.

audition [ɔ:'dɪʃn] *n* prueba *f (a un artista)*.

auditor ['ɔ:dɪtər] *n* auditor *m*, -ra *f*.

auditorium [ˌɔ:dɪ'tɔ:rɪəm] *(pl* **-riums** OR **-ria** [-rɪə]) *n* auditorio *m*.

augment [ɔ:g'ment] *vt* acrecentar.

augur ['ɔ:gər] *vi*: **to ~ well/badly** traer buenos/malos augurios.

August ['ɔ:gəst] *n* agosto *m*; *see also* **September**.

Auld Lang Syne [ˌɔ:ldlæŋ'zaɪn] *n canción escocesa en alabanza de los viejos tiempos*.

aunt [*Am* ænt, *Br* ɑ:nt] *n* tía *f*.

auntie, aunty [*Am* 'æntɪ, *Br* 'ɑ:ntɪ] *n inf* tita *f*.

au pair [oʊ'peər] *n* au pair *f*.

aura ['ɔ:rə] *n* aura *f*, halo *m*.

aural ['ɔ:rəl] *adj* auditivo(va).

auspices ['ɔ:spɪsɪz] *npl*: **under the ~ of** bajo los auspicios de.

Aussie ['ɒzɪ] *n inf* australiano *m*, -na *f*.

austere [ɒ'stɪər] *adj* austero(ra).

austerity [ɒ'sterətɪ] *n* austeridad *f*.

Australia [ɒ'streɪljə] *n* Australia.

Australian [ɒ'streɪljən] ◇ *adj* australiano(na). ◇ *n* australiano *m*, -na *f*.

Austria ['ɒstrɪə] *n* Austria.

Austrian ['ɒstrɪən] ◇ *adj* austriaco (ca). ◇ *n* austriaco *m*, -ca *f*.

authentic [ɔ:'θentɪk] *adj* auténtico(ca).

author ['ɔ:θər] *n* autor *m*, -ra *f*.

authoritarian [ɔ:ˌθɒrə'teərɪən] *adj* autoritario(ria).

authoritative [*Am* ə'θɒrəteɪtɪv, *Br* -tətɪv] *adj* **1.** *(person, voice)* autoritario (ria). **2.** *(study)* autorizado(da).

authority [ɔː'θɒrəti] n 1. (gen) autoridad f; **to be an ~ on** ser una autoridad en. 2. (permission) autorización f. ◆ **authorities** npl: **the authorities** las autoridades fpl.

authorize ['ɔːθəraız] vt: **to ~ (sb to do sthg)** autorizar (a alguien a hacer algo).

autistic [ɔː'tıstık] adj autista.

auto ['ɔːtəʊ] (pl -s) n Am coche m, auto m, carro m Amer.

autobiography [ˌɔːtəbaı'ɒgrəfı] n autobiografía f.

autocratic [ˌɔːtə'krætık] adj autocrático(ca).

autograph [Am 'ɔːtəgræf, Br -grɑːf] ◇ n autógrafo m. ◇ vt autografiar.

automate ['ɔːtəmeıt] vt automatizar.

automatic [ˌɔːtə'mætık] ◇ adj automático(ca). ◇ n 1. (car) coche m automático. 2. (gun) arma f automática. 3. (washing machine) lavadora f automática.

automatically [ˌɔːtə'mætıklı] adv automáticamente.

automation [ˌɔːtə'meıʃn] n automatización f.

automobile ['ɔːtəməbiːl] n Am coche m, automóvil m.

autonomous [ɔː'tɒnəməs] adj autónomo(ma).

autonomy [ɔː'tɒnəmı] n autonomía f.

autopsy ['ɔːtɒpsı] n autopsia f.

autumn ['ɔːtəm] n otoño m.

auxiliary [ɔːg'zıljərı] ◇ adj auxiliar. ◇ n (medical worker) auxiliar sanitario m, auxiliar sanitaria f.

Av. (abbr of avenue) Av.

avail [ə'veıl] n: **to no ~** en vano.

available [ə'veıləbl] adj 1. (product, service) disponible. 2. (person) libre, disponible.

avalanche [Am 'ævəlænʃ, Br -lɑːnʃ] n lit & fig avalancha f, alud m.

avant-garde [Am ˌævɑːn'gɑːrd, Br ˌævɒŋ'gɑːd] adj de vanguardia, vanguardista.

avarice ['ævərıs] n avaricia f.

Ave. (abbr of avenue) Avda.

avenge [ə'vendʒ] vt vengar.

avenue ['ævənjuː] n 1. (wide road) avenida f. 2. fig (method, means) vía f.

average ['ævərıdʒ] ◇ adj 1. (mean, typical) medio(dia). 2. (mediocre) regular. ◇ n media f, promedio m; **on ~** de media, por término medio. ◇ vt alcanzar un promedio de. ◆ **average out** vi: **to ~ out at** salir a una media de.

aversion [ə'vɜːʃn] n (dislike): **~ (to)**

aversión f (a).

avert [ə'vɜːt] vt 1. (problem, accident) evitar, prevenir. 2. (eyes, glance) apartar, desviar.

aviary ['eıvjərı] n pajarera f.

avid ['ævıd] adj: **~ (for)** ávido(da) (de).

avocado [ˌævə'kɑːdəʊ] (pl -s OR -es) n: **~ (pear)** aguacate m, palta f Andes & CSur.

avoid [ə'vɔıd] vt: **to ~ (sthg/doing sthg)** evitar (algo/hacer algo).

avoidance [ə'vɔıdəns] → **tax avoidance.**

await [ə'weıt] vt esperar, aguardar.

awake [ə'weık] (pt **awoke** OR **awaked**, pp **awoken**) ◇ adj (not sleeping) despierto(ta). ◇ vt lit & fig despertar. ◇ vi lit & fig despertarse.

awakening [ə'weıkənıŋ] n lit & fig despertar m.

award [ə'wɔːd] ◇ n 1. (prize) premio m, galardón m. 2. (compensation) indemnización f. ◇ vt: **to ~ sb sthg, to ~ sthg to sb** (prize) conceder OR otorgar algo a alguien; (compensation) adjudicar algo a alguien.

aware [ə'weəʳ] adj 1. (conscious): **~ of** consciente de. 2. (informed, sensitive) informado(da), al día; **~ of sthg** al día de algo; **to be ~ that** estar informado de que.

awareness [ə'weəʳnəs] n conciencia f.

awash [ə'wɒʃ] adj lit & fig: **~ (with)** inundado(da) (de).

away [ə'weı] ◇ adv 1. (move, walk, drive): **to walk ~ (from)** marcharse (de); **to drive ~ (from)** alejarse (de) (en coche). 2. (at a distance - in space, time): **~ from** a distancia de; **4 miles ~** a 4 millas de distancia; **the exam is two days ~** faltan dos días para el examen. 3. (not at home or office) fuera. 4. (in safe place): **to put sthg ~** poner algo en su sitio. 5. (indicating removal or disappearance): **to fade ~** desvanecerse; **to give sthg ~** regalar algo; **to take sthg ~** llevarse algo. 6. (continuously): **he was working ~ when ...** estaba muy concentrado trabajando cuando ... ◇ adj (SPORT) visitante; **~ game** partido m fuera de casa.

awe [ɔː] n sobrecogimiento m; **to be in ~ of sb** estar sometido a alguien.

awesome ['ɔːsəm] adj impresionante.

awful ['ɔːfl] adj 1. (terrible) terrible, espantoso(sa); **I feel ~** me siento fatal. 2. inf (very great) tremendo(da).

awfully ['ɔːflı] adv inf (very) tremendamente.

awhile [ə'waıl] adv literary un rato.

awkward [ˈɔːkwərd] *adj* **1.** *(clumsy - movement)* torpe; *(- person)* desgarbado(da). **2.** *(embarrassed, embarrassing)* incómodo(da). **3.** *(unreasonable)* difícil. **4.** *(inconvenient)* poco manejable.

awning [ˈɔːnɪŋ] *n* toldo *m*.

awoke [əˈwouk] *pt* → **awake**.

awoken [əˈwoukn] *pp* → **awake**.

awry [əˈraɪ] ◇ *adj* torcido(da), ladeado (da). ◇ *adv*: **to go ~** salir mal.

ax *Am*, **axe** *Br* [æks] ◇ *n* hacha *f*. ◇ *vt* *(project, jobs)* suprimir.

axes [ˈæksiːz] *pl* → **axis**.

axis [ˈæksɪs] *(pl* **axes**) *n* eje *m*.

axle [ˈæksl] *n* eje *m*.

aye [aɪ] ◇ *adv* sí. ◇ *n* sí *m*.

azalea [əˈzeɪljə] *n* azalea *f*.

Aztec [ˈæztek] ◇ *adj* azteca. ◇ *n (person)* azteca *m y f*.

B

b *(pl* **b's** OR **bs**), **B** *(pl* **B's** OR **Bs**) [biː] *n (letter)* b *f*, B *f*. ◇ **B** *n* **1.** (MUS) si *m*. **2.** (SCH) *(mark)* = bien *m*.

BA *n (abbr of* **Bachelor of Arts**) *(titular de una)* licenciatura de letras.

babble [ˈbæbl] *vi (person)* farfullar.

baboon [bəˈbuːn] *n* babuino *m*.

baby [ˈbeɪbɪ] *n* **1.** *(newborn child)* bebé *m*; *(infant)* niño *m*, -ña *f*. **2.** *inf (term of affection)* cariño *m*.

baby buggy *n* **1.** *Br (foldable push-chair)* sillita *f* de niño (con ruedas). **2.** *Am* = **baby carriage**.

baby carriage *n Am* cochecito *m* de niños.

baby food *n* papilla *f*.

baby-sit *vi* cuidar a niños.

baby-sitter [-sɪtər] *n* canguro *m y f*.

bachelor [ˈbætʃələr] *n* soltero *m*.

Bachelor of Arts *n* = licenciado *m*, -da *f* en Letras.

Bachelor of Science *n* = licenciado *m*, -da *f* en Ciencias.

back [bæk] ◇ *adv* **1.** *(in position)* atrás; **stand ~!** ¡échense para atrás!; **to push ~** empujar hacia atrás. **2.** *(to former position or state)* de vuelta; **to come ~** volver; **to go ~** volver; **to look ~** volver la mirada; **to give sthg ~** devolver algo; **to be**

~ *(in fashion)* estar de vuelta; **he has been there and ~** ha estado allí y ha vuelto; **I spent all day going ~ and forth** pasé todo el día yendo y viniendo. **3.** *(in time)*: **two weeks ~** hace dos semanas; **it dates ~ to 1960** data de 1960; **~ in March** allá en marzo. **4.** *(phone, write)* de vuelta. ◇ *n* **1.** *(of person)* espalda *f*; *(of animal)* lomo *m*; **behind sb's ~** a espaldas de alguien. **2.** *(of hand, cheque)* dorso *m*; *(of coin, page)* reverso *m*; *(of car, book, head)* parte *f* trasera; *(of chair)* respaldo *m*; *(of room, cupboard)* fondo *m*. **3.** (SPORT) *(player)* defensa *m*. ◇ *adj (in compounds)* **1.** *(at the back - door, legs, seat)* trasero(ra); *(- page)* último(ma). **2.** *(overdue - pay, rent)* atrasado(da). ◇ *vt* **1.** *(reverse)* dar marcha atrás a. **2.** *(support)* respaldar. **3.** *(bet on)* apostar por. **4.** *(line with material)* forrar. ◇ *vi (drive backwards)* ir marcha atrás; *(walk backwards)* ir hacia atrás. ◆ **back to back** *adv (with backs facing)* espalda con espalda. ◆ **back to front** *adv* al revés. ◆ **back down** *vi* echarse OR volverse atrás. ◆ **back out** *vi* echarse OR volverse atrás. ◆ **back up** ◇ *vt sep* **1.** *(support)* apoyar. **2.** (COMPUT) hacer un archivo de seguridad de. ◇ *vi (reverse)* ir marcha atrás.

• Ver **AGAIN**.

---

backache [ˈbækeɪk] *n* dolor *m* de espalda.

backbencher [ˌbækˈbentʃər] *n Br* diputado sin cargo en el gabinete del gobierno o la oposición.

backbone [ˈbækboun] *n lit & fig* columna *f* vertebral.

backcloth [ˈbækklɒθ] *n Br* = **backdrop**.

backdate [ˌbækˈdeɪt] *vt*: **a pay rise ~d to March** un aumento de sueldo con efecto retroactivo desde marzo.

back door *n* puerta *f* trasera.

backdrop [ˈbækdrɒp] *n lit & fig* telón *m* de fondo.

backfire [ˌbækˈfaɪər] *vi* **1.** *(motor vehicle)* petardear. **2.** *(go wrong)*: **it ~d on him** le salió el tiro por la culata.

backgammon [ˈbækgæmən] *n* backgammon *m*.

background [ˈbækgraʊnd] *n* **1.** *(in picture, view)* fondo *m*; **in the ~** *(of painting etc)* al fondo; *(out of the limelight)* en la sombra. **2.** *(of event, situation)* trasfondo *m*. **3.** *(upbringing)* origen *m*; **family ~** antecedentes *mpl* familiares.

backhand [ˈbækhænd] *n* revés *m*.

backhanded [ˈbækhændəd] *adj fig* equívoco(ca).

backhander ['bækhændər] n Br inf: **to give sb a ~** untarle la mano a alguien.

backing ['bækɪŋ] n **1.** (support) apoyo m, respaldo m. **2.** (lining) refuerzo m. **3.** (MUS) acompañamiento m.

backlash ['bæklæʃ] n reacción f violenta.

backlog ['bæklɒg] n acumulación f.

backpack ['bækpæk] n mochila f.

back pay n (U) atrasos mpl.

back seat n asiento m trasero OR de atrás.

backside [,bæksaɪd] n inf trasero m.

backstage [,bæk'steɪdʒ] adv entre bastidores.

back street n Br callejuela f de barrio.

backstroke ['bækstrouk] n espalda f (en natación).

backup ['bækʌp] ◇ adj **1.** (plan) de emergencia; (team) de apoyo. **2.** (COMPUT) de seguridad. ◇ n **1.** (support) apoyo m. **2.** (COMPUT) copia f de seguridad.

backward ['bækwərd] ◇ adj **1.** (movement, look) hacia atrás. **2.** (country, person) atrasado(da). ◇ adv Am = **backwards**.

backwards ['bækwərdz], **backward** Am adv **1.** (move, go) hacia atrás; **~ and forwards** (movement) de un lado a otro. **2.** (back to front) al OR del revés.

backwater ['bækwɔːtər] n fig páramo m, lugar m atrasado.

backyard [,bæk'jɑːrd] n **1.** Am (garden) jardín m (trasero). **2.** Br (yard) patio m.

bacon ['beɪkən] n bacon m, tocino m.

bacteria [bæk'tɪərɪə] npl bacterias fpl.

bad [bæd] (compar **worse**, superl **worst**) ◇ adj **1.** (gen) malo(la); **he's ~ at French** se le da mal el francés; **to go ~** (food) echarse a perder; **too ~!** ¡qué pena!; **it's not ~ (at all)** no está nada mal; **how are you? - not ~** ¿qué tal? - bien. **2.** (illness) fuerte, grave. **3.** (guilty): **to feel ~ about sthg** sentirse mal por algo. ◇ adv Am = **badly**.

badge [bædʒ] n **1.** (for decoration - metal, plastic) chapa f; (sewn-on) insignia f. **2.** (for identification) distintivo m.

badger ['bædʒər] ◇ n tejón m. ◇ vt: **to ~ sb (to do sthg)** ponerse pesado(da) con alguien (para que haga algo).

badly ['bædlɪ] (compar **worse**, superl **worst**) adv **1.** (not well) mal. **2.** (seriously) gravemente; **I'm ~ in need of help** necesito ayuda urgentemente.

badly-off adj **1.** (poor) apurado(da) de dinero. **2.** (lacking): **to be ~ for sthg** estar OR andar mal de algo.

bad-mannered [-'mænərd] adj maleducado(da).

badminton ['bædmɪntən] n bádminton m.

bad-tempered [-'tempərd] adj **1.** (by nature) de mal genio. **2.** (in a bad mood) malhumorado(da).

baffle ['bæfl] vt desconcertar.

bag [bæg] n **1.** (container, bagful) bolsa f; **to pack one's ~s** fig hacer las maletas. **2.** (handbag) cartera f Amer, bolso m Esp. ♦ **bags** npl **1.** (under eyes) ojeras fpl. **2.** (lots): **~s of** inf un montón de.

bagel ['beɪgl] n bollo de pan en forma de rosca.

baggage ['bægɪdʒ] n (U) equipaje m.

baggage reclaim n recogida f de equipajes.

baggy ['bægɪ] adj holgado(da).

bagpipes ['bægpaɪps] npl gaita f.

baguette [bæ'get] n barra f de pan.

Bahamas [bə'hɑːməz] npl: **the ~** (las) Bahamas.

bail [beɪl] n (U) fianza f; **on ~** bajo fianza. ♦ **bail out** ◇ vt sep **1.** (pay bail for) obtener la libertad bajo fianza de. **2.** (rescue) sacar de apuros. ◇ vi (from plane) tirarse en paracaídas.

bailiff ['beɪlɪf] n alguacil m.

bait [beɪt] ◇ n lit & fig cebo m. ◇ vt **1.** (put bait on) cebar. **2.** (tease, torment) hacer sufrir, cebarse con.

bake [beɪk] ◇ vt (food) cocer al horno. ◇ vi (food) cocerse al horno.

baked beans [,beɪkt-] npl alubias fpl cocidas en salsa de tomate.

baked potato [,beɪkt-] n patata f asada OR al horno.

baker ['beɪkər] n panadero m; **~'s (shop)** panadería f.

bakery ['beɪkərɪ] n panadería f.

baking ['beɪkɪŋ] n cocción f.

balaclava (helmet) [,bælə'klɑːvə-] n pasamontañas m inv.

balance ['bæləns] ◇ n **1.** (equilibrium) equilibrio m; **to keep/lose one's ~** mantener/perder el equilibrio; **it caught me off ~** me pilló desprevenido. **2.** fig (counterweight) contrapunto m. **3.** (of evidence etc) peso m. **4.** (scales) balanza f. **5.** (of account) saldo m ◇ vt **1.** (keep in balance) poner en equilibrio. **2.** (compare) sopesar. **3.** (in accounting): **to ~ the books/a budget** hacer que cuadren las cuentas/cuadre un presupuesto. ◇ vi **1.** (maintain equilibrium) sostenerse en

equilibrio. **2.** (in accounting) cuadrar.
◆ **on balance** adv tras pensarlo detenidamente.
balanced diet [ˌbælənst-] n dieta f
equilibrada.
balance of payments n balanza f de
pagos.
balance of trade n balanza f comercial.
balance sheet n balance m.
balcony [ˈbælkəni] n **1.** (on
building - big) terraza f; (- small) balcón
m. **2.** (in theatre) anfiteatro m, galería
f.
bald [bɔːld] adj **1.** (without hair) calvo
(va). **2.** (without tread) desgastado(da).
bale [beil] n bala f, fardo m. ◆ **bale
out** vi Br **1.** (remove water) achicar agua.
2. (from plane) tirarse en paracaídas.
Balearic Islands [ˌbælɪˈærɪk-],
Balearics [ˌbælɪˈærɪks] npl: **the ~** las
Baleares.
baleful [ˈbeilful] adj maligno(na).
balk [bɔːk] vi: **to ~ (at doing sthg)** resistirse (a hacer algo).
Balkans [ˈbɔːlkənz], **Balkan States**
[ˌbɔːlkən-] npl: **the ~** los países balcáni-
cos.
ball [bɔːl] n **1.** (for tennis, cricket) pelota
f; (for golf, billiards) bola f; (for football)
balón m; **to be on the ~** fig estar al tanto
de todo. **2.** (round shape) bola f. **3.** (of
foot) pulpejo m. **4.** (dance) baile m.
◆ **balls** v inf ◇ npl (testicles) pelotas fpl.
◇ n (U) (nonsense) gilipolleces fpl.
ballad [ˈbæləd] n balada f.
ballast [ˈbæləst] n lastre m.
ball bearing n cojinete m de bolas.
ball boy n recogepelotas m inv.
ballerina [ˌbæləˈriːnə] n bailarina f.
ballet [Am bæˈlei, Br ˈbælei] n ballet
m.
ballet dancer n bailarín m, -ina f.
ball game n Am (baseball match) partido m de béisbol.
balloon [bəˈluːn] n **1.** (toy) globo m.
2. (hot-air balloon) globo m (aerostático). **3.** (in cartoon) bocadillo m.
ballot [ˈbælət] n (voting process) votación f.
ballot box n (container) urna f.
ballot paper n voto m, papeleta
f.
ball park n Am estadio m de béisbol.
ballpoint (pen) [ˈbɔːlpɔint-] n bolígrafo m.
ballroom [ˈbɔːlruːm] n salón m de
baile.

ballroom dancing n (U) baile m de
salón.
balm [bɑːm] n bálsamo m.
balti [ˈbɔːlti] n (pan) cacerola utilizada
en la cocina india; (food) plato sazonado
con especias y preparado en un 'balti'.
Baltic [ˈbɔːltik] ◇ adj báltico(ca). ◇ n:
the ~ (Sea) el (mar) Báltico.
Baltic Republic n: **the ~s** las repúblicas bálticas.
bamboo [ˌbæmˈbuː] n bambú m.
bamboozle [bæmˈbuːzl] vt inf camelar,
engatusar.
ban [bæn] ◇ n: **~ (on)** prohibición f
(de). ◇ vt: **to ~ sb (from doing sthg)**
prohibir a alguien (hacer algo).
banal [bəˈnɑːl] adj pej banal.
banana [Am bəˈnænə, Br bəˈnɑːnə] n
plátano m, banana f Amer.
band [bænd] n **1.** (musical group - pop)
grupo m; (- jazz, military) banda f. **2.** (of
thieves etc) banda f. **3.** (strip) cinta f.
4. (stripe, range) franja f. ◆ **band
together** vi juntarse.
bandage [ˈbændɪdʒ] ◇ n venda f. ◇ vt
vendar.
Band-Aid® n curita f Amer, ≃ tirita® f
Esp.
b and b, B and B n abbr of **bed and
breakfast**.
bandit [ˈbændət] n bandido m, -da
f.
bandstand [ˈbændstænd] n quiosco m
de música.
bandwagon [ˈbændwægən] n: **to jump
on the ~** subirse OR apuntarse al carro.
bandy [ˈbændi] adj de piernas arqueadas. ◆ **bandy about, bandy around**
vt sep sacar a relucir.
bandy-legged [-ˈlegd] adj de piernas
arqueadas.
bang [bæŋ] ◇ n **1.** (blow) golpe m.
2. (loud noise) estampido m, estruendo
m. ◇ vt **1.** (hit - drum, desk) golpear;
(- knee, head) golpearse. **2.** (slam) cerrar
de golpe. ◇ vi golpear. ◇ adv (exactly):
~ in the middle of justo en mitad de; **~
on** muy acertado(da). ◆ **bangs** npl Am
flequillo m.
banger [ˈbæŋəʳ] n Br **1.** inf (sausage)
salchicha f. **2.** inf (old car) carraca f,
cacharro m. **3.** (firework) petardo m.
Bangladesh [ˌbæŋɡləˈdeʃ] n
Bangladesh.
bangle [ˈbæŋɡl] n brazalete m.
banish [ˈbænɪʃ] vt lit & fig desterrar.
banister [ˈbænɪstəʳ] n, **banisters**
[ˈbænəstəʳz] npl barandilla f, pasamanos
m inv.

bank [bæŋk] ◊ n **1.** (gen & FIN) banco m. **2.** (by river, lake) ribera f, orilla f. **3.** (slope) loma f. **4.** (of clouds etc) masa f. ◊ vi **1.** (FIN): **to ~ with** tener una cuenta en. **2.** (plane) ladearse. ◆ **bank on** vt fus contar con.

bank account n cuenta f bancaria.

bank balance n saldo m.

bank card n = **banker's card**.

bank charges npl comisiones fpl bancarias.

bank draft n giro m bancario.

banker ['bæŋkər] n banquero m, -ra f.

banker's card n Br tarjeta f de identificación bancaria.

bank holiday n Br día m festivo.

banking ['bæŋkɪŋ] n banca f.

bank manager n director m, -ra f de banco.

bank note n billete m de banco.

bank rate n tipo m de interés bancario.

bankrupt ['bæŋkrʌpt] ◊ adj (financially) quebrado(da), en quiebra; **to go ~** quebrar. ◊ vt llevar a la quiebra.

bankruptcy ['bæŋkrʌptsɪ] n quiebra f, bancarrota f.

bank statement n extracto m de cuenta.

banner ['bænər] n pancarta f.

bannister ['bænəstər] n, **bannisters** ['bænəstərz] npl = **banister(s)**.

banquet ['bæŋkwət] n banquete m.

banter ['bæntər] n (U) bromas fpl.

baptism ['bæptɪzm] n bautismo m.

baptize [Am 'bæptaɪz, Br bæp'taɪz] vt bautizar.

bar [bɑːr] ◊ n **1.** (of soap) pastilla f; (of chocolate) tableta f; (of gold) lingote m; (of wood) tabla f; (of metal) barra f; **to be behind ~s** estar entre rejas. **2.** fig (obstacle) barrera f; (ban) prohibición f. **3.** (drinking place) bar m. **4.** (counter) barra f. **5.** (MUS) compás m. ◊ vt **1.** (close with a bar) atrancar. **2.** (block): **to ~ sb's way** impedir el paso a alguien. **3.** (ban): **to ~ sb (from doing sthg)** prohibir a alguien (hacer algo); **to ~ sb from somewhere** prohibir a alguien la entrada en un sitio. ◊ prep (except) menos, salvo; **~ none** sin excepción. ◆ **Bar** n (JUR): **the Bar** Am la abogacía; Br conjunto de los abogados que ejercen en tribunales superiores.

barbaric [bɑːr'bærɪk] adj bárbaro(ra).

barbecue ['bɑːrbɪkjuː] n barbacoa f.

barbed wire [bɑːrbd-] n alambre m de espino.

barber ['bɑːrbər] n barbero m; **~'s** barbería f.

barbiturate [bɑːr'bɪtʃərət] n barbitúrico m.

bar code n código m de barras.

bare [beər] ◊ adj **1.** (without covering - legs, trees, hills) desnudo(da); (- feet) descalzo(za). **2.** (absolute, minimum) esencial. **3.** (empty) vacío(a). ◊ vt descubrir; **to ~ one's teeth** enseñar los dientes.

bareback ['beərbæk] adj & adv a pelo.

barefaced [ˌbeər'feɪst] adj descarado(da).

barefoot(ed) ['beərfʊt, ˌbeər'fʊtəd] adj & adv descalzo(za).

barely ['beərlɪ] adv (scarcely) apenas.

bargain ['bɑːrgən] ◊ n **1.** (agreement) trato m, acuerdo m; **into the ~** por añadidura, además. **2.** (good buy) ganga f. ◊ vi: **to ~ (with sb for sthg)** negociar (con alguien para obtener algo). ◆ **bargain for, bargain on** vt fus contar con.

barge [bɑːrdʒ] ◊ n barcaza f. ◊ vi inf: **to ~ into** (person) chocarse con; (room) irrumpir en. ◆ **barge in** vi inf: **to ~ in (on)** (conversation etc) entrometerse (en).

baritone ['bærətoʊn] n barítono m.

bark [bɑːrk] ◊ n **1.** (of dog) ladrido m. **2.** (on tree) corteza f. ◊ vi: **to ~ (at)** ladrar (a).

barley ['bɑːrlɪ] n cebada f.

barley sugar n Br azúcar m o f cande.

barley water n Br hordiate m.

barmaid ['bɑːrmeɪd] n camarera f.

27

bathing costume

barman ['bɑːᵣmən] (*pl* **-men** [-mən]) *n* camarero *m*, barman *m*.

barn [bɑːⁿn] *n* granero *m*.

barometer [bəˈrɒmətəᵣ] *n* barómetro *m*; *fig (of public opinion etc)* piedra *f* de toque.

baron [*Am* ˈberən, *Br* ˈbær-] *n* barón *m*.

baroness [*Am* ˈberənes, *Br* ˈbær-] *n* baronesa *f*.

barrack [*Am* ˈberək, *Br* ˈbær-] *vt Br* abroncar. ♦ **barracks** *npl* cuartel *m*.

barrage [*senses 1 & 2 Am* bəˈrɑːʒ, *Br* ˈbærɑːʒ, *sense 3 Am* ˈbɑːrɪdʒ, *Br* ˈbærɑːʒ] *n* **1.** *(of firing)* bombardeo *m*, fuego *m* intenso de artillería. **2.** *(of questions)* aluvión *m*, alud *m*. **3.** *Br (dam)* presa *f*, dique *m*.

barrel [*Am* ˈberəl, *Br* ˈbær-] *n* **1.** *(for beer, wine, oil)* barril *m*. **2.** *(of gun)* cañón *m*.

barren [*Am* ˈberən, *Br* ˈbær-] *adj* estéril.

barricade [ˌbærəˈkeɪd] ♦ *n* barricada *f*. ♦ *vt* levantar barricadas en.

barrier [*Am* ˈberɪʳ, *Br* ˈbærɪə] *n lit & fig* barrera *f*.

barring [ˈbɑːrɪŋ] *prep* salvo.

barrister [*Am* ˈberɪstr, *Br* ˈbærɪstə] *n Br* abogado *m*, -da *f (de tribunales superiores)*.

barrow [*Am* ˈberoʊ, *Br* ˈbær-] *n* carrito *m*.

bartender [ˈbɑːᵣtendəʳ] *n* camarero *m*, -ra *f*.

barter [ˈbɑːᵣtəʳ] ♦ *n* trueque *m*. ♦ *vt*: **to ~ (sthg for sthg)** trocar (algo por algo).

base [beɪs] ♦ *n* base *f*. ♦ *vt* **1.** *(place, establish)* emplazar; **he's ~d in Paris** trabaja en París. **2.** *(use as starting point)*: **to ~ sthg on** OR **upon** basar algo en.

baseball [ˈbeɪsbɔːl] *n* béisbol *m*.

baseball cap *n* gorra *f* de béisbol.

basement [ˈbeɪsmənt] *n* sótano *m*.

base rate *n* tipo *m* de interés base.

bases [ˈbeɪsiːz] *pl* → basis.

bash [bæʃ] *inf* ♦ *n* **1.** *(attempt)*: **to have a ~ at sthg** intentar algo. **2.** *(party)* juerga *f*. ♦ *vt (hit - person, thing)* darle un porrazo a; *(- one's head, knee)* darse un porrazo en.

bashful [ˈbæʃfl] *adj (person)* vergonzoso(sa); *(smile)* tímido(da).

basic [ˈbeɪsɪk] *adj* básico(ca). ♦ **basics** *npl* **1.** *(rudiments)* principios *mpl* básicos. **2.** *(essentials)* lo imprescindible.

BASIC [ˈbeɪsɪk] *(abbr of* Beginner's All-purpose Symbolic Instruction Code*) n* BASIC *m*.

basically [ˈbeɪsɪklɪ] *adv* **1.** *(essentially)* esencialmente. **2.** *(really)* en resumen.

basil [*Am* ˈbeɪzl, *Br* ˈbæzl] *n* albahaca *f*.

basin [ˈbeɪsn] *n* **1.** *Br (bowl)* balde *m*, barreño *m*. **2.** *(wash basin)* lavabo *m*. **3.** (GEOGR) cuenca *f*.

basis [ˈbeɪsɪs] *(pl* **bases***) n* base *f*; **on the ~ of** de acuerdo con, a partir de; **on a weekly/monthly ~** de forma semanal/mensual.

bask [*Am* bæsk, *Br* bɑːsk] *vi (sunbathe)*: **to ~ in the sun** tostarse al sol.

basket [*Am* ˈbæskət, *Br* ˈbɑːsk-] *n* cesto *m*, cesta *f*.

basketball [*Am* ˈbæskətbɔːl, *Br* ˈbɑːˈk-] *n* baloncesto *m*.

Basque [bæsk] ♦ *adj* vasco(ca). ♦ *n* **1.** *(person)* vasco *m*, -ca *f*. **2.** *(language)* vascuence *m*, euskera *m*.

Basque Country [bæsk-] *n*: **the ~** el País Vasco, Euskadi.

bass [beɪs] ♦ *adj* bajo(ja). ♦ *n* **1.** *(singer, bass guitar)* bajo *m*. **2.** *(double bass)* contrabajo *m*.

bass drum [ˌbeɪs-] *n* bombo *m*.

bass guitar [ˌbeɪs-] *n* bajo *m*.

bassoon [bəˈsuːn] *n* fagot *m*.

bastard [*Am* ˈbæstərd, *Br* ˈbɑːstəd] *n* **1.** *(illegitimate child)* bastardo *m*, -da *f*. **2.** *v inf pej* cabrón *m*, -ona *f*.

bastion [*Am* ˈbæstʃən, *Br* ˈbæstɪən] *n* bastión *m*.

bat [bæt] *n* **1.** *(animal)* murciélago *m*. **2.** *(for cricket, baseball)* bate *m*. **3.** *(for table-tennis)* pala *f*, paleta *f*.

batch [bætʃ] *n* **1.** *(of letters etc)* remesa *f*. **2.** *(of work)* montón *m*, serie *f*. **3.** *(of products)* lote *m*.

bated [ˈbeɪtəd] *adj*: **with ~ breath** con el aliento contenido.

bath [*Am* bæθ, *Br* bɑːθ] ♦ *n* **1.** *(bathtub)* bañera *f*, tina *f Amer*. **2.** *(act of washing)* baño *m*; **to have** OR **take a ~** darse un baño, bañarse. ♦ *vt* bañar. ♦ **baths** *npl Br (public swimming pool)* piscina *f* municipal.

bathe [beɪð] ♦ *vt (wound)* lavar. ♦ *vi* bañarse.

bathing [ˈbeɪðɪŋ] *n (U)* baños *mpl*.

bathing cap *n* gorro *m* de baño.

bathing costume, bathing suit *n* traje *m* de baño, malla *f CSur*, bañador *m Esp*.

bathrobe [Am 'bæθroub, Br 'bɑ:θ-] n
1. (made of towelling) albornoz m.
2. (dressing gown) batín m, bata f.

bathroom [Am 'bæθru:m, Br 'bɑ:θ-] n
1. Am (toilet) baño m, servicio m. 2. Br
(room with bath) (cuarto m de) baño
m.

bath towel n toalla f de baño.

bathtub [Am 'bæθtʌb, Br 'bɑ:θ-] n
bañera f.

baton [Am bə'tɑ:n, Br 'bætən] n 1. (of
conductor) batuta f. 2. (in relay race) testigo m. 3. Br (of policeman) porra f.

batsman ['bætsmən] (pl -men [-mən]) n
bateador m.

battalion [bə'tæliən] n batallón
m.

batten ['bætn] n listón m (de madera).

batter ['bætər] ◇ n pasta f para rebo-
zar. ◇ vt 1. (child, woman) pegar.
2. (door, ship) sacudir, golpear. ◆ **batter down** vt sep echar abajo.

battered ['bætəʳd] adj 1. (child,
woman) maltratado(da). 2. (car, hat)
abollado(da).

battery ['bætəri] n (of radio) pila f; (of
car, guns) batería f.

battle ['bætl] ◇ n 1. (in war) batalla
f. 2. (struggle): ~ (for/against/with)
lucha f (por/contra/con). ◇ vi: to ~
(for/against/with) luchar (por/contra/
con).

battlefield ['bætlfi:ld], **battle-
ground** ['bætlgraund] n lit & fig campo
m de batalla.

battlements ['bætlmənts] npl almenas
fpl.

battleship ['bætlʃip] n acorazado
m.

bauble ['bɔ:bl] n baratija f.

baulk [bɔ:k] = **balk**.

bawdy ['bɔ:di] adj verde, picante.

bawl [bɔ:l] vi 1. (shout) vociferar.
2. (cry) berrear.

bay [bei] ◇ n 1. (of coast) bahía f. 2. (for
loading) zona f de carga y descarga.
3. (for parking) plaza f. 4. phr: to keep
sthg/sb at ~ mantener algo/a alguien a
raya. ◇ vi aullar.

bay leaf n (hoja f de) laurel m.

bay window n ventana f saledizá.

bazaar [bə'zɑ:ʳ] n 1. (market) bazar m.
2. Br (charity sale) mercadillo m benéfico.

B & B abbr of **bed and breakfast**.

BBC (abbr of **British Broadcasting
Corporation**) n BBC f, compañía estatal
británica de radiotelevisión.

BC (abbr of **before Christ**) a.C.

be [stressed bi:, unstressed bi] (pt was
OR were, pp been) ◇ aux vb 1. (in combination with present participle: to form cont
tense) estar; **what is he doing?** ¿qué hace
OR está haciendo?; **it's snowing** está
nevando; **I'm leaving tomorrow** me voy
mañana; **they've been promising it for
years** han estado prometiéndolo durante años. 2. (in combination with pp: to
form passive) ser; **to ~ loved** ser amado;
there was no one to ~ seen no se veía a
nadie; **ten people were killed** murieron
diez personas. 3. (in question tags):
you're not going now, are you? no irás a
marcharte ya ¿no?; **the meal was delicious, wasn't it?** la comida fue deliciosa
¿verdad? 4. (followed by 'to' + infin): **I'm
to be promoted** me van a ascender;
you're not to tell anyone no debes decírselo a nadie. ◇ copulative vb 1. (with adj,
n) (indicating innate quality, permanent
condition) ser; (indicating state, temporary
condition) estar; **snow is white** la nieve es
blanca; **she's intelligent/tall** es inteligen-
te/alta; **she's a doctor/plumber** ser médi-
co/fontanero; **I'm Scottish** soy escocés;
1 and 1 are 2 1 y 1 son 2; **your hands are
cold** tus manos están frías; **I'm tired/
angry** estoy cansado/enfadado; **he's in a
difficult position** está en una situación
difícil. 2. (referring to health) estar; **she's
ill/better** está enferma/mejor; **how are
you?** ¿cómo estás? 3. (referring to age):
how old are you? ¿qué edad OR cuántos
años tienes?; **I'm 20 (years old)** tengo
20 años. 4. (cost) ser, costar; **how much
is it?** ¿cuánto es?; **that will ~ £10,
please** son 10 libras; **apples are only 20p
a kilo today** hoy las manzanas están a
tan sólo 20 peniques el kilo. ◇ vi
1. (exist) ser, existir; **the worst prime
minister that ever was** el peor primer
ministro que jamás existió; **~ that as it
may** aunque así sea; **there is/are** hay; **is
there life on Mars?** ¿hay vida en Marte?
2. (referring to place) estar; **Valencia is in
Spain** Valencia está en España; **he will ~
here tomorrow** estará aquí mañana.
3. (referring to movement) estar; **where
have you been?** ¿dónde has estado?
◇ impersonal vb 1. (referring to time,
dates) ser; **it's two o'clock** son las dos;
it's the 17th of February estamos a 17
de febrero. 2. (referring to distance): **it's 3
km to the next town** hay 3 kms hasta el
próximo pueblo. 3. (referring to the
weather): **it's hot/cold/windy** hace calor/
frío/viento. 4. (for emphasis) ser; **it's me**
soy yo.

Presente simple	
I am	we are
you are	you are
he/she/it is	they are

Pasado simple

I was	we were
you were	you were
he/she/it was	they were

Participio presente

being

Participio pasado

been

• *Be* tiene sus propios significados como un verbo principal y, a su vez, funciona como verbo auxiliar, principalmente para formar los tiempos continuos (why <u>are</u> you staring at me?) y la voz pasiva (my suit <u>is being</u> mended) de otros verbos.

• Recordemos que *be* se traduce por "ser" o "estar".

• *Be* también se traduce como "tener" o "hacer"; por ejemplo, cuando nos referimos a sensaciones y actitudes (<u>I'm cold</u>, "<u>tengo</u> frío"; <u>are</u> you hungry?, "¿<u>tienes</u> hambre?"; she'<u>s</u> right, "<u>tiene</u> razón"), o al clima (it'<u>s</u> sunny, "<u>hace</u> sol").

• *Be to* sirve para dar la idea de que alguien ha preparado un plan o tarea para el sujeto de la oración (we're <u>to</u> meet at 10 o'clock, "<u>debemos</u> reunirnos a las 10"). En pasado, *was to/ were to*, expresan que algo estaba destinado a ocurrir (he <u>was to</u> become president at the age of 39, "<u>iba a</u> convertirse en presidente a la edad de 39 años").

• Ver también **GO**.

beach [bi:tʃ] ◇ n playa f. ◇ vt varar.
beacon ['bi:kən] n 1. *(warning fire)* almenara f. 2. *(lighthouse)* faro m, fanal m. 3. *(radio beacon)* radiofaro m.
bead [bi:d] n 1. *(of wood, glass)* cuenta f, abalorio m. 2. *(of sweat)* gota f.
beak [bi:k] n pico m.
beaker ['bi:kər] n taza f *(sin asa)*.
beam [bi:m] ◇ n 1. *(of wood, concrete)* viga f. 2. *(of light)* rayo m. ◇ vt transmitir. ◇ vi 1. *(smile)* sonreír resplandeciente. 2. *(shine)* resplandecer.

bean [bi:n] n (CULIN) *(haricot)* habichuela f, frijol m Amer, poroto m CSur, judía f Esp; *(of coffee)* grano m.
beanbag ['bi:nbæg] n cojín grande relleno de polietileno.
beanshoot ['bi:nʃu:t], **beansprout** ['bi:nspraut] n brote m de soja.
bear [beər] *(pt* bore, *pp* borne) ◇ n *(animal)* oso m, -sa f. ◇ vt 1. *(carry)* llevar. 2. *(support)* soportar. 3. *(responsibility)* cargar con. 4. *(marks, signs)* llevar. 5. *(endure)* aguantar. 6. *(fruit, crop)* dar. 7. *(feeling)* guardar, albergar. ◇ vi: to ~ left torcer OR doblar a la izquierda; to bring pressure/influence to ~ on ejercer presión/influencia sobre. ◆ bear out vt sep corroborar. ◆ bear up vi resistir. ◆ bear with vt fus tener paciencia con.
beard [biərd] n barba f.
bearer ['beərər] n 1. *(of stretcher, news, cheque)* portador m, -ra f. 2. *(of passport)* titular m y f.
bearing ['beərɪŋ] n 1. *(connection)*: ~ (on) relación f (con). 2. *(deportment)* porte m. 3. *(for shaft)* cojinete m. 4. *(on compass)* rumbo m; to get one's ~s orientarse; to lose one's ~s desorientarse.
beast [bi:st] n lit & fig bestia f.
beastly ['bi:stlɪ] adj dated atroz.
beat [bi:t] *(pt* beat, *pp* beaten) ◇ n 1. *(of drum)* golpe m. 2. *(of heart, pulse)* latido m. 3. (MUS) *(rhythm)* ritmo m; *(individual unit of time)* golpe m *(de compás)*. 4. *(of policeman)* ronda f. ◇ vt 1. *(hit - person)* pegar; *(- thing)* golpear. 2. *(wings, eggs, butter)* batir. 3. *(defeat)* ganar; it ~s me inf no me lo explico. 4. *(be better than)* ser mucho mejor que. 5. phr: ~ it! inf ¡largo! ◇ vi 1. *(rain)* golpear. 2. *(heart, pulse)* latir. ◆ beat off vt sep repeler. ◆ beat up vt sep inf dar una paliza a.
beating ['bi:tɪŋ] n 1. *(hitting)* paliza f. 2. *(defeat)* derrota f.
beautiful ['bju:təfl] adj 1. *(person)* guapo(pa). 2. *(thing, animal)* precioso (sa). 3. inf *(very good - shot, weather)* espléndido(da).
beautifully ['bju:təflɪ] adv 1. *(attractively)* bellamente. 2. inf *(very well)* espléndidamente.
beauty ['bju:tɪ] n belleza f.
beauty parlour n salón f de belleza.
beauty salon = beauty parlour.
beauty spot n 1. *(picturesque place)* bello paraje m. 2. *(on skin)* lunar m.
beaver ['bi:vər] n castor m.
became [bɪ'keɪm] pt → become.

because [bɪ'kɒz] *conj* porque.
◆ **because of** *prep* por, a causa de.

beck [bek] *n*: **to be at sb's ~ and call** estar siempre a disposición de alguien.

beckon ['bekən] ◇ *vt (signal to)* llamar (con un gesto). ◇ *vi (signal)*: **to ~ to sb** llamar (con un gesto) a alguien.

become [bɪ'kʌm] (*pt* **became**, *pp* **become**) *vi* hacerse; **to ~ happy** ponerse contento; **to ~ angry** enfadarse; **he became Prime Minister in 1991** en 1991 se convirtió en primer ministro.

becoming [bɪ'kʌmɪŋ] *adj* 1. *(attractive)* favorecedor(ra). 2. *(appropriate)* apropiado(da).

bed [bed] *n* 1. *(to sleep on)* cama *f*; **to go to ~** irse a la cama; **to make the ~** hacer la cama; **to go to ~ with** *euphemism* acostarse con. 2. *(flowerbed)* macizo *m*. 3. *(of sea)* fondo *m*; *(of river)* lecho *m*.

bed and breakfast *n (service)* cama *f* y desayuno; *(hotel)* pensión *f*.

BED AND BREAKFAST

La mayoría de los establecimientos conocidos como *bed and breakfast* son casas de particulares que reciben huéspedes. Además del tradicional desayuno casero, algunos ofrecen cenas. Muchos están ubicados en lugares turísticos junto al mar; también los hay tanto en las grandes urbes como en remotos parajes campestres. En Gran Bretaña los *bed and breakfast* son más baratos que los hoteles; en Estados Unidos suelen ser más caros y modernos.

---

bedclothes ['bedkləʊz] *npl* ropa *f* de cama.

bedlam ['bedləm] *n* jaleo *m*, alboroto *m*.

bed linen *n* ropa *f* de cama.

bedraggled [bɪ'drægld] *adj* mojado y sucio (mojada y sucia).

bedridden ['bedrɪdn] *adj* postrado(da) en cama.

bedroom ['bedru:m] *n* dormitorio *m*, pieza *f*, recámara *f* *Méx*.

bedside ['bedsaɪd] *n (side of bed)* lado *m* de la cama; *(of ill person)* lecho *m*; **~ table** mesita *f* de noche.

bed-sit(ter) [,bed'sɪt(ə')] *n* *Br* habitación alquilada con cama.

bedsore ['bedsɔ:'] *n* úlcera *f* por decúbito.

bedspread ['bedspred] *n* colcha *f*.

bedtime ['bedtaɪm] *n* hora *f* de dormir.

bee [bi:] *n* abeja *f*.

beech [bi:tʃ] *n* haya *f*.

beef [bi:f] *n* carne *f* de vaca.

beefburger ['bi:fbɜ:'gə'] *n* hamburguesa *f*.

Beefeater ['bi:fi:tə'] *n* guardián de la Torre de Londres.

beefsteak ['bi:fsteɪk] *n* bistec *m*.

beehive ['bi:haɪv] *n* colmena *f*.

beeline ['bi:laɪn] *n*: **to make a ~ for** *inf* irse derechito(ta) hacia.

been [bi:n] *pp* → **be**.

beer [bɪə'] *n* cerveza *f*.

beet [bi:t] *n* remolacha *f*.

beetle ['bi:tl] *n* escarabajo *m*.

beetroot ['bi:tru:t] *n* remolacha *f*.

before [bɪ'fɔ:'] ◇ *adv* antes; **we went the year ~** fuimos el año anterior. ◇ *prep* 1. *(in time)* antes de; **they arrived ~ us** llegaron antes que nosotros. 2. *(in space - facing)* ante, frente a. ◇ *conj* antes de; **~ it's too late** antes de que sea demasiado tarde.

beforehand [bɪ'fɔ:'hænd] *adv* con antelación, de antemano.

befriend [bɪ'frend] *vt* hacer OR entablar amistad con.

beg [beg] ◇ *vt* 1. *(money, food)* mendigar, pedir. 2. *(favour, forgiveness)* suplicar; **to ~ sb to do sthg** rogar a alguien que haga algo; **to ~ sb sthg** rogar algo a alguien. ◇ *vi* 1. *(for money, food)*: **to ~ (for sthg)** pedir OR mendigar (algo). 2. *(for favour, forgiveness)*: **to ~ (for sthg)** suplicar OR rogar (algo).

began [bɪ'gæn] *pt* → **begin**.

beggar ['begə'] *n* mendigo *m*, -ga *f*.

begin [bɪ'gɪn] (*pt* **began**, *pp* **begun**, *cont* **-ning**) ◇ *vt*: **to ~ (doing** OR **to do sthg)** empezar OR comenzar (a hacer algo). ◇ *vi* empezar, comenzar; **to ~ with** para empezar, de entrada.

beginner [bɪ'gɪnə'] *n* principiante *m* y *f*.

beginning [bɪ'gɪnɪŋ] *n* comienzo *m*, principio *m*; **at the ~ of the month** a principios de mes.

begrudge [bɪ'grʌdʒ] *vt* 1. *(envy)*: **to ~ sb sthg** envidiar a alguien algo. 2. *(give, do unwillingly)*: **to ~ doing sthg** hacer algo de mala gana OR a regañadientes.

begun [bɪ'gʌn] *pp* → **begin**.

behalf [*Am* bɪ'hæf, *Br* -'hɑ:f] *n*: **in ~ of** *Am*, **on ~ of** *Br* en nombre OR en representación de.

behave [bɪ'heɪv] ◇ *vt*: **to ~ o.s.** portarse bien. ◇ *vi* 1. *(in a particular way)* comportarse, portarse. 2. *(in an acceptable way)* comportarse OR portarse bien.

behavior *Am*, **behaviour** *Br* [bɪ-ˈheɪvjəʳ] *n* comportamiento *m*, conducta *f*.

behead [bɪˈhed] *vt* decapitar.

beheld [bɪˈheld] *pt & pp* → behold.

behind [bɪˈhaɪnd] ◇ *prep* **1.** *(in space)* detrás de. **2.** *(causing, responsible for)* detrás de. **3.** *(in support of)*: **we're ~ you** nosotros te apoyamos. **4.** *(in time)*: **to be ~ schedule** ir retrasado(da). **5.** *(less successful than)* por detrás de. ◇ *adv* **1.** *(in space)* detrás. **2.** *(in time)*: **to be ~ (with)** ir atrasado(da) (con). **3.** *(less successful)* por detrás. ◇ *n inf* trasero *m*.

behold [bɪˈhəʊld] *(pt & pp beheld)* *vt literary* contemplar.

beige [beɪʒ] *adj* beige.

being [ˈbiːɪŋ] *n* **1.** *(creature)* ser *m*. **2.** *(state of existing)*: **in ~** en vigor; **to come into ~** ver la luz, nacer.

belated [bɪˈleɪtəd] *adj* tardío(a).

belch [beltʃ] *vi (person)* eructar.

Belgian [ˈbeldʒən] ◇ *adj* belga. ◇ *n* belga *m y f*.

Belgium [ˈbeldʒəm] *n* Bélgica.

belie [bɪˈlaɪ] *(cont belying)* *vt* **1.** *(disprove)* desmentir. **2.** *(give false idea of)* encubrir.

belief [bɪˈliːf] *n* **1.** *(faith, principle)*: **~ (in)** creencia *f* (en). **2.** *(opinion)* opinión *f*.

believe [bɪˈliːv] ◇ *vt* creer; **~ it or not** lo creas o no. ◇ *vi (know to exist, be good)*: **to ~ in** creer en.

believer [bɪˈliːvəʳ] *n* **1.** *(religious person)* creyente *m y f*. **2.** *(in idea, action)*: **~ in sthg** partidario *m*, -ria *f* de algo.

belittle [bɪˈlɪtl] *vt* menospreciar.

bell [bel] *n (of church)* campana *f*; *(handbell, on door, bike)* timbre *m*.

belligerent [bəˈlɪdʒərənt] *adj* **1.** *(at war)* beligerante. **2.** *(aggressive)* belicoso(sa).

bellow [ˈbeləʊ] *vi* **1.** *(person)* rugir. **2.** *(bull)* mugir, bramar.

bellows [ˈbeləʊz] *npl* fuelle *m*.

belly [ˈbeli] *n* **1.** *(of person)* barriga *f*. **2.** *(of animal)* vientre *m*.

bellyache [ˈbelieɪk] *inf* ◇ *n* dolor *m* de barriga. ◇ *vi* gruñir.

belly button *n inf* ombligo *m*.

belong [bɪˈlɒŋ] *vi* **1.** *(be property)*: **to ~ to** pertenecer a. **2.** *(be member)*: **to ~ to** ser miembro de. **3.** *(be situated in right place)*: **where does this book ~?** ¿dónde va este libro?; **he felt he didn't ~ there** sintió que no encajaba allí.

belongings [bɪˈlɒŋɪŋz] *npl* pertenencias *fpl*.

beloved [bɪˈlʌvəd] ◇ *adj* querido(da). ◇ *n* amado *m*, -da *f*.

below [bɪˈləʊ] ◇ *adv* **1.** *(gen)* abajo; **the flat ~** el piso de abajo. **2.** *(in text)* más abajo; **see ~** véase más abajo. ◇ *prep* **1.** *(lower than in position)* (por) debajo de, bajo. **2.** *(lower than in rank, number)* por debajo de.

belt [belt] ◇ *n* **1.** *(for clothing)* cinturón *m*. **2.** (TECH) *(wide)* cinta *f*; *(narrow)* correa *f*. **3.** *(of land, sea)* franja *f*. ◇ *vt inf* arrear. ◇ *vi Br inf* ir a toda mecha.

beltway [ˈbeltweɪ] *n Am* carretera *f* de circunvalación.

bemused [bɪˈmjuːzd] *adj* atónito(ta).

bench [bentʃ] *n* **1.** *(seat)* banco *m*. **2.** *(in lab, workshop)* mesa *f* de trabajo. **3.** *Br* (POL) escaño *m*.

bend [bend] *(pt & pp bent)* ◇ *n* curva *f*; **round the ~** *inf* majareta. ◇ *vt* doblar. ◇ *vi (person)* agacharse; *(tree)* doblarse; **to ~ over backwards for** hacer todo lo humanamente posible por.

beneath [bɪˈniːθ] ◇ *adv* debajo. ◇ *prep* **1.** *(under)* bajo. **2.** *(unworthy of)* indigno(na) de.

benefactor [ˈbenəfæktəʳ] *n* benefactor *m*.

beneficial [ˌbenəˈfɪʃl] *adj*: **~ (to)** beneficioso(sa) (para).

beneficiary [ˌbenəˈfɪʃərɪ] *n* **1.** (JUR) *(of will)* beneficiario *m*, -ria *f*. **2.** *(of change in law, new rule)* beneficiado *m*, -da *f*.

benefit [ˈbenɪfɪt] ◇ *n* **1.** *(advantage)* ventaja *f*; **for the ~ of** en atención a; **to be to sb's ~, to be of ~ to sb** ir en beneficio de alguien. **2.** *(allowance of money)* subsidio *m*. ◇ *vt* beneficiar. ◇ *vi*: **to ~ from** beneficiarse de.

Benelux [ˈbenɪlʌks] *n* (el) Benelux; **the ~ countries** los países del Benelux.

benevolent [bəˈnevələnt] *adj* benevolente.

benign [bəˈnaɪn] *adj* **1.** *(person)* bondadoso(sa). **2.** (MED) benigno(na).

bent [bent] ◇ *pt & pp* → bend. ◇ *adj* **1.** *(wire, bar)* torcido(da). **2.** *(person, body)* encorvado(da). **3.** *Br inf (dishonest)* corrupto(ta). **4.** *(determined)*: **to be ~ on sthg/on doing sthg** estar empeñado(da) en algo/en hacer algo. ◇ *n (natural tendency)* inclinación *f*; **~ for** don *m* OR talento *m* para.

bequeath [bɪˈkwiːð] *vt lit & fig*: **to ~ sb sthg, to ~ sthg to sb** legar algo a alguien.

bequest [bɪˈkwest] *n* legado *m*.

berate [bɪˈreɪt] *vt* regañar.

bereaved [bɪˈriːvd] *(pl inv)* *n*: **the ~** la

persona más allegada al difunto.

beret [*Am* bə'reɪ, *Br* 'bereɪ] *n* boina *f*.

Berlin [bɜː'lɪn] *n* Berlín.

berm [bɜːm] *n Am* arcén *m*.

Bermuda [bə'mjuːdə] *n* las Bermudas.

Bern [bɜːn] *n* Berna.

berry ['berɪ] *n* baya *f*.

berserk [bə'zɜːk] *adj*: **to go ~** ponerse hecho(cha) una fiera.

berth [bɜːθ] ◇ *n* **1.** *(in harbour)* amarradero *m*, atracadero *m*. **2.** *(in ship, train)* litera *f*. ◇ *vt & vi* atracar.

beset [bɪ'set] (*pt & pp* **beset**) ◇ *adj*: **~ with** OR **by** *(subj: person)* acosado(da) por; *(subj: plan)* plagado(da) de. ◇ *vt* acosar.

beside [bɪ'saɪd] *prep* **1.** *(next to)* al lado de, junto a. **2.** *(compared with)* comparado(da) con. **3.** *phr*: **that's ~ the point** eso no viene al caso; **to be ~ o.s. with rage** estar fuera de sí; **to be ~ o.s. with joy** estar loco(ca) de alegría.

besides [bɪ'saɪdz] ◇ *adv* además. ◇ *prep* aparte de.

besiege [bɪ'siːdʒ] *vt lit & fig* asediar.

besotted [bɪ'sɒtəd] *adj*: **~ with** borracho(cha) de.

best [best] ◇ *adj* mejor. ◇ *adv* mejor; **which did you like ~?** ¿cuál te gustó más? ◇ *n*: **to do one's ~** hacerlo lo mejor que uno puede; **to make the ~ of sthg** sacarle el mayor partido posible a algo; **for the ~** para bien; **all the ~** *(ending letter)* un abrazo; *(saying goodbye)* que te vaya bien. ◆ **at best** *adv* en el mejor de los casos.

best man *n* = padrino *m* de boda.

BEST MAN

En los países anglosajones existe una costumbre consistente en que el padrino de boda entrega el anillo al novio y luego pronuncia un breve discurso durante el banquete nupcial, en el cual es común que se incluya algún chascarrillo o comentario jocoso acerca del novio.

---

bestow [bɪ'stəʊ] *vt fml*: **to ~ sthg on sb** *(gift)* otorgar OR conceder algo a alguien; *(praise)* dirigir algo a alguien; *(title)* conferir algo a alguien.

best-seller *n* *(book)* best seller *m*, éxito *m* editorial.

bet [bet] (*pt & pp* **bet** OR **-ted**) ◇ *n* **1.** *(gen)*: **~ (on)** apuesta *f* (a). **2.** *fig (prediction)* predicción *f*. ◇ *vt* apostar. ◇ *vi* **1.** *(gamble)*: **to ~ (on)** apostar (a). **2.** *(predict)*: **to ~ on sthg** contar con (que pase) algo.

betray [bɪ'treɪ] *vt* **1.** *(person, trust, prin-*

ciples) traicionar. **2.** *(secret)* revelar. **3.** *(feeling)* delatar.

betrayal [bɪ'treɪəl] *n* **1.** *(of person, trust, principles)* traición *f*. **2.** *(of secret)* revelación *f*.

better ['betər] ◇ *adj (compar of good)* mejor; **to get ~** mejorar. ◇ *adv (compar of well)* **1.** *(in quality)* mejor. **2.** *(more)*: **I like it ~** me gusta más. **3.** *(preferably)*: **we had ~ be going** más vale que nos vayamos ya. ◇ *n (best one)* mejor *m y f*; **to get the ~ of sb** poder con alguien. ◇ *vt* mejorar; **to ~ o.s.** mejorarse.

• La expresión *had better* suele contraerse en *-'d better* y con ella podemos aconsejar algo (*you'd better leave soon*), avisar o incluso amenazar a alguien (*you'd better* not forget it or she'll be angry, "no vayas a olvidarlo o se enfadará").

---

better off *adj* **1.** *(financially)* mejor de dinero. **2.** *(in better situation)*: **you'd be ~ going by bus** sería mejor si vas en autobús.

betting ['betɪŋ] *n (U)* apuestas *fpl*.

betting shop *n Br* casa *f* de apuestas.

between [bɪ'twiːn] ◇ *prep* entre; **closed ~ 1 and 2** cerrado de 1 a 2. ◇ *adv*: **(in) ~** en medio, entremedio.

beverage ['bevərɪdʒ] *n fml* bebida *f*.

beware [bɪ'weər] *vi*: **to ~ (of)** tener cuidado (con).

bewildered [bɪ'wɪldərd] *adj* desconcertado(da).

bewitching [bɪ'wɪtʃɪŋ] *adj* hechizante.

beyond [bɪ'jɒnd] ◇ *prep* más allá de; **~ midnight** pasada la medianoche; **~ my reach/responsibility** fuera de mi alcance/competencia. ◇ *adv* más allá.

bias ['baɪəs] *n* **1.** *(prejudice)* prejuicio *m*. **2.** *(tendency)* tendencia *f*, inclinación *f*.

biased ['baɪəst] *adj* parcial; **to be ~ towards/against** tener prejuicios en favor/en contra de.

bib [bɪb] *n (for baby)* babero *m*.

Bible ['baɪbl] *n*: **the ~** la Biblia.

bicarbonate of soda [baɪ'kɑːbənət-] *n* bicarbonato *m*.

biceps ['baɪseps] (*pl inv*) *n* bíceps *m inv*.

bicker ['bɪkər] *vi* reñir.

bicycle ['baɪsɪkl] *n* bicicleta *f*.

bicycle pump *n* bomba *f*.

bid [bɪd] (*pt & pp* **bid**) ◇ *n* **1.** *(attempt)*: **~ (for)** intento *m* (de hacerse con). **2.** *(at auction)* puja *f*. **3.** *(financial offer)*: **~ (for sthg)** oferta *f* (para adquirir algo). ◇ *vt (money)* pujar. ◇ *vi (at auction)*: **to ~ (for)** pujar (por).

bit

bidder ['bɪdər] *n* postor *m*, -ra *f.*

bidding ['bɪdɪŋ] *n (U) (at auction)* puja *f.*

bide [baɪd] *vt*: **to ~ one's time** esperar el momento oportuno.

bifocals [baɪ'foʊklz] *npl* gafas *fpl* bifocales.

big [bɪg] *adj* **1.** *(large, important)* grande; **a ~ problem** un gran problema; **~ problems** grandes problemas. **2.** *(older)* mayor. **3.** *(successful)* popular.

bigamy ['bɪgəmɪ] *n* bigamia *f.*

Big Dipper [-'dɪpər] *n Br (rollercoaster)* montaña *f* rusa.

bigheaded [,bɪg'hedəd] *adj inf pej* creído(da).

bigot ['bɪgət] *n* fanático *m*, -ca *f.*

bigoted ['bɪgətəd] *adj* fanático(ca).

bigotry ['bɪgətrɪ] *n* fanatismo *m.*

big time *n inf*: **the ~** el éxito, la fama.

big toe *n* dedo *m* gordo (del pie).

big top *n* carpa *f.*

big wheel *n Br (at fairground)* noria *f.*

bike [baɪk] *n inf (bicycle)* bici *f; (motorcycle)* moto *f.*

bikeway ['baɪkweɪ] *n Am (lane)* carril-bici *m.*

bikini [bɪ'ki:nɪ] *n* biquini *m*, bikini *m.*

bile [baɪl] *n (fluid)* bilis *f.*

bilingual [baɪ'lɪŋgwəl] *adj* bilingüe.

bill [bɪl] ◇ *n* **1.** *(statement of cost):* **~ (for)** *(meal)* cuenta *f* (de); *(electricity, phone)* factura *f* (de). **2.** *(in parliament)* proyecto *m* de ley. **3.** *(of show, concert)* programa *m.* **4.** *Am (banknote)* billete *m.* **5.** *(poster):* **'post** OR **stick no ~s'** 'prohibido fijar carteles'. **6.** *(beak)* pico *m.* ◇ *vt (send a bill):* **to ~ sb for** mandar la factura a alguien por.

billboard ['bɪlbɔ:rd] *n* cartelera *f.*

billet ['bɪlət] *n* acantonamiento *m.*

billfold ['bɪlfoʊld] *n Am* billetera *f.*

billiards ['bɪljərdz] *n* billar *m.*

billion ['bɪljən] *num* **1.** *Am (thousand million)* millar *m* de millones. **2.** *Br (million million)* billón *m.*

Bill of Rights *n*: **the ~** las diez primeras enmiendas de la Constitución estadounidense.

bimbo ['bɪmboʊ] *(pl* -s OR -es) *n inf pej* niña *f* mona, *mujer joven, guapa y poco inteligente.*

bin [bɪn] *n* **1.** *Br (for rubbish)* cubo *m* de la basura; *(for paper)* papelera *f.* **2.** *(for grain, coal)* depósito *m.*

bind [baɪnd] *(pt & pp* **bound**) *vt* **1.** *(tie up)* atar. **2.** *(unite - people)* unir. **3.** *(bandage)* vendar. **4.** *(book)* encuader-

nar. **5.** *(constrain)* obligar.

binder ['baɪndər] *n (cover)* carpeta *f.*

binding ['baɪndɪŋ] ◇ *adj* obligatorio (ria). ◇ *n (on book)* encuadernación *f.*

binge [bɪndʒ] *inf n*: **to go on a ~** irse de juerga.

bingo ['bɪŋgoʊ] *n* bingo *m.*

binoculars [bɪ'nɒkjələrz] *npl* gemelos *mpl*, prismáticos *mpl.*

biochemistry [,baɪoʊ'kemɪstrɪ] *n* bioquímica *f.*

biodegradable [,baɪoʊdɪ'greɪdəbl] *adj* biodegradable.

biography [baɪ'ɒgrəfɪ] *n* biografía *f.*

biological [,baɪə'lɒdʒɪkl] *adj* biológico (ca).

biology [baɪ'ɒlədʒɪ] *n* biología *f.*

birch [bɜ:rtʃ] *n (tree)* abedul *m.*

bird [bɜ:rd] *n* **1.** *(animal - large)* ave *f; (- small)* pájaro *m.* **2.** *inf (woman)* tía *f.*

birdie ['bɜ:rdɪ] *n (in golf)* birdie *m.*

bird's-eye view [,bɜ:rdz-] *n* vista *f* panorámica.

bird-watcher [-,wɒtʃər] *n* observador *m*, -ra *f* de pájaros.

Biro® ['baɪroʊ] *n* bolígrafo *m.*

birth [bɜ:rθ] *n (gen)* nacimiento *m; (delivery)* parto *m;* **to give ~ (to)** dar a luz (a).

birth certificate *n* partida *f* de nacimiento.

birth control *n* control *m* de natalidad.

birthday ['bɜ:rθdeɪ] *n* cumpleaños *m inv.*

birthmark ['bɜ:rθmɑ:rk] *n* antojo *m.*

birthrate ['bɜ:rθreɪt] *n* índice *m* de natalidad.

Biscay ['bɪskeɪ] *n*: **the Bay of ~** el golfo de Vizcaya.

biscuit ['bɪskɪt] *n (in UK)* galleta *f; (in US)* tipo de bollo.

bisect [baɪ'sekt] *vt* dividir en dos.

bishop ['bɪʃəp] *n* **1.** *(in church)* obispo *m.* **2.** *(in chess)* alfil *m.*

bison ['baɪsn] *(pl inv* OR -s) *n* bisonte *m.*

bit [bɪt] ◇ *pt* → **bite.** ◇ *n* **1.** *(piece)* trozo *m;* **a ~ of** un poco de; **a ~ of news** una noticia; **~s and pieces** *Br (objects)* cosillas *fpl; (possessions)* bártulos *mpl;* **to take sthg to ~s** desmontar algo. **2.** *(amount):* **a ~ of** un poco de; **a ~ of shopping** algunas compras; **quite a ~ of** bastante. **3.** *(short time):* **(for) a ~** un rato. **4.** *(of drill)* broca *f.* **5.** *(of bridle)* bocado *m*, freno *m.* **6.** (COMPUT) bit *m.*

bitch

34

◆ **a bit** *adv & pron* un poco. ◆ **bit by bit** *adv* poco a poco.

> • *A bit* se usa como adverbio (*he's a bit shy*, "es un poco tímido") o como pronombre (*would you like some cake? -yes, just a bit*, "¿quieres tarta? -sí, un poco"). Cuando se usa con un sustantivo, se debe añadir *of* (*a bit of paper*).
> • *A bit* y *a bit of* se usan de la misma forma que *a little* pero en lengua menos formal.

bitch [bɪtʃ] *n* **1.** *(female dog)* perra *f*. **2.** *v inf pej (unpleasant woman)* bruja *f*.

bite [baɪt] *(pt* bit, *pp* bitten*)* ◇ *n* **1.** *(by dog, person)* mordisco *m*; *(by insect, snake)* picotazo *m*. **2.** *inf (food):* **a ~ (to eat)** un bocado. **3.** *(wound - from dog)* mordedura *f*; *(- from insect, snake)* picadura *f*. ◇ *vt* **1.** *(subj: person, animal)* morder. ◇ *vi* **1.** *(animal, person):* **to ~ (into sthg)** morder (algo); **to ~ off sthg** arrancar algo de un mordisco. **2.** *(insect, snake)* picar. **3.** *(grip)* agarrar.

bitten ['bɪtn] *pp* → bite.

bitter ['bɪtər] ◇ *adj* **1.** *(coffee, chocolate)* amargo(ga); *(lemon)* agrio(gria). **2.** *(icy)* gélido(da). **3.** *(causing pain)* amargo(ga). **4.** *(acrimonious)* enconado(da). **5.** *(resentful)* amargado(da). ◇ *n Br (beer)* tipo de cerveza amarga.

bitter lemon *n* bíter *m* de limón.

bitterness ['bɪtərnəs] *n* **1.** *(of taste)* amargor *m*. **2.** *(of wind, weather)* gelidez *f*. **3.** *(resentment)* resentimiento *m*.

bizarre [bɪ'zɑːr] *adj (behaviour, appearance)* extravagante; *(machine, remark)* singular, extraordinario(ria).

blab [blæb] *vi inf* irse de la lengua.

black [blæk] ◇ *adj* **1.** *(gen)* negro(gra); **~ and blue** amoratado(da); **~ and white** *(films, photos)* en blanco y negro; *(clear-cut)* extremadamente nítido(da). **2.** *(without milk)* solo. **3.** *(angry)* furioso (sa). ◇ *n* **1.** *(colour)* negro *m*. **2.** *(person)* negro *m*, -gra *f*. **3.** *phr:* **in ~ and white** *(in writing)* por escrito; **to be in the ~** tener saldo positivo. ◇ *vt Br (boycott)* boicotear. ◆ **black out** *vi* desmayarse.

blackberry [*Am* 'blækberɪ, *Br* -bərɪ] *n* mora *f*, zarzamora *f*.

blackbird ['blækbɜːrd] *n* mirlo *m*.

blackboard ['blækbɔːrd] *n* pizarra *f*.

blackcurrant [*Am* ˌblæk'kɜːrənt, *Br* -'kʌr-] *n* grosella *f* negra, casis *m*.

blacken ['blækən] *vt* **1.** *(make dark)*

ennegrecer. **2.** *(tarnish)* manchar.

black eye *n* ojo *m* morado.

blackhead ['blækhed] *n* barrillo *m*.

black ice *n* hielo transparente en el suelo.

blacklist ['blæklɪst] *n* lista *f* negra.

blackmail ['blækmeɪl] ◇ *n lit & fig* chantaje *m*. ◇ *vt lit & fig* chantajear.

black market *n* mercado *m* negro.

blackout ['blækaʊt] *n* **1.** *(in wartime, power cut)* apagón *m*. **2.** *(of news)* censura *f*. **3.** *(fainting fit)* desmayo *m*.

black pudding *n Br* morcilla *f*.

Black Sea *n*: **the ~** el mar Negro.

black sheep *n* oveja *f* negra.

blacksmith ['blæksmɪθ] *n* herrero *m*.

black spot *n* punto *m* negro.

bladder ['blædər] *n* (ANAT) vejiga *f*.

blade [bleɪd] *n* **1.** *(of knife, saw)* hoja *f*. **2.** *(of propeller)* aleta *f*, paleta *f*. **3.** *(of grass)* brizna *f*, hoja *f*.

blame [bleɪm] ◇ *n* culpa *f*; **to take the ~ for** hacerse responsable de; **to be to ~ for** ser el culpable de. ◇ *vt* echar la culpa a, culpar; **to ~ sthg on sthg/sb**, **to ~ sthg/sb for sthg** culpar algo/a alguien de algo.

bland [blænd] *adj* soso(sa).

blank [blæŋk] ◇ *adj* **1.** *(wall)* liso(sa); *(sheet of paper)* en blanco. **2.** *(cassette)* virgen. **3.** *fig (look)* vacío(a). ◇ *n* **1.** *(empty space)* espacio *m* en blanco. **2.** (MIL) *(cartridge)* cartucho *m* de fogueo.

blank cheque *n* cheque *m* en blanco; *fig* carta *f* blanca.

blanket ['blæŋkət] *n* **1.** *(bed cover)* manta *f*, frazada *f Amer*. **2.** *(layer)* manto *m*.

blare [bleər] *vi* resonar, sonar.

blasé [*Am* ˌblɑː'zeɪ, *Br* 'blɑːzeɪ] *adj*: **to be ~ about** estar de vuelta de.

blasphemy ['blæsfəmɪ] *n* blasfemia *f*.

blast [*Am* blæst, *Br* blɑːst] ◇ *n* **1.** *(of bomb)* explosión *f*. **2.** *(of wind)* ráfaga *f*. ◇ *vt (hole, tunnel)* perforar *(con explosivos)*. ◆ *excl Br inf* ¡maldita sea! ◆ **(at) full blast** *adv* a todo trapo.

blasted [*Am* 'blæstəd, *Br* 'blɑːstəd] *adj inf* maldito(ta).

blast-off *n* despegue *m*.

blatant ['bleɪtnt] *adj* descarado(da).

blaze [bleɪz] ◇ *n* **1.** *(fire)* incendio *m*. **2.** *fig (of colour)* explosión *f*; *(of light)* resplandor *m*; **a ~ of publicity** una ola de publicidad. ◇ *vi lit & fig* arder.

blazer ['bleɪzər] *n chaqueta de sport generalmente con la insignia de un* *equipo, colegio etc.*

bleach [bli:tʃ] ◇ *n* lejía *f.* ◇ *vt (hair)* blanquear; *(clothes)* desteñir.

bleached [bli:tʃt] *adj (hair)* teñido(da) de rubio; *(jeans)* desteñido(da).

bleachers ['bli:tʃəʳz] *npl Am* (SPORT) graderío *m* descubierto.

bleak [bli:k] *adj* **1.** *(future)* negro(gra). **2.** *(place, person, face)* sombrío(a). **3.** *(weather)* desapacible.

bleary-eyed [-'aɪd] *adj* con los ojos nublados.

bleat [bli:t] *vi* **1.** *(sheep)* balar. **2.** *fig (person)* gimotear.

bleed [bli:d] *(pt & pp* **bled**) ◇ *vt (radiator etc)* vaciar. ◇ *vi* sangrar.

bleeper ['bli:pəʳ] *n* busca *m.*

blemish ['blemɪʃ] *n (mark)* señal *f*, marca *f; fig* mancha *f.*

blend [blend] ◇ *n lit & fig* mezcla *f.* ◇ *vt:* **to ~** *(sthg with sthg)* mezclar (algo con algo). ◇ *vi:* **to ~** *(with)* combinarse (con).

blender ['blendəʳ] *n* licuadora *f.*

bless [bles] *(pt & pp* **-ed** OR **blest**) *vt* **1.** (RELIG) bendecir. **2.** *phr:* **~ you!** *(after sneezing)* ¡jesús!; *(thank you)* ¡gracias!

blessing ['blesɪŋ] *n* **1.** (RELIG) bendición *f.* **2.** *fig (good wishes)* aprobación *f.*

blest [blest] *pt & pp* → **bless.**

blew [blu:] *pt* → **blow.**

blimey ['blaɪmɪ] *excl Br inf* ¡ostias!

blind [blaɪnd] ◇ *adj* **1.** *(unsighted, irrational)* ciego(ga). **2.** *fig (unaware):* **to be ~ to sthg** no ver algo. ◇ *n (for window)* persiana *f.* ◇ *npl:* **the ~** los ciegos. ◇ *vt (permanently)* dejar ciego(ga); *(temporarily)* cegar.

blind alley *n lit & fig* callejón *m* sin salida.

blind date *n* cita *f* a ciegas.

blinders ['blaɪndəʳz] *npl Am* anteojeras *fpl.*

blindfold ['blaɪndfoʊld] ◇ *adv* con los ojos vendados. ◇ *n* venda *f.* ◇ *vt* vendar los ojos a.

blindly ['blaɪndlɪ] *adv* **1.** *(unable to see)* a ciegas. **2.** *fig (guess)* a boleo; *(accept)* ciegamente.

blindness ['blaɪndnəs] *n lit & fig:* **~ (to)** ceguera *f* (ante).

blind spot *n* **1.** *(when driving)* ángulo *m* muerto. **2.** *fig (inability to understand)* punto *m* débil.

blink [blɪŋk] ◇ *vt* **1.** *(eyes):* **to ~ one's eyes** parpadear. **2.** *Am* (AUT) **to ~ one's lights** dar las luces (intermitentemente). ◇ *vi* parpadear.

blinkers ['blɪŋkəʳz] *npl Br* anteojeras *fpl.*

bliss [blɪs] *n* gloria *f*, dicha *f.*

blissful ['blɪsfl] *adj* dichoso(sa), feliz.

blister ['blɪstəʳ] ◇ *n* ampolla *f.* ◇ *vi* ampollarse.

blitz [blɪts] *n* (MIL) bombardeo *m* aéreo.

blizzard ['blɪzəʳd] *n* ventisca *f* (de nieve).

bloated ['bloʊtəd] *adj* hinchado(da).

blob [blɒb] *n* **1.** *(drop)* gota *f.* **2.** *(indistinct shape)* bulto *m* borroso.

bloc [blɒk] *n* bloque *m.*

block [blɒk] ◇ *n* **1.** *(gen)* bloque *m.* **2.** *Am (of buildings)* manzana *f*, cuadra *f Amer.* **3.** *(obstruction - physical or mental)* bloqueo *m.* ◇ *vt* **1.** *(road)* cortar; *(pipe)* obstruir. **2.** *(view)* tapar. **3.** *(prevent)* bloquear, obstaculizar.

blockade [blɒ'keɪd] ◇ *n* bloqueo *m.* ◇ *vt* bloquear.

blockage ['blɒkɪdʒ] *n* obstrucción *f.*

blockbuster ['blɒkbʌstəʳ] *n inf (book)* (gran) éxito *m* editorial; *(film)* (gran) éxito de taquilla.

block capitals *npl* mayúsculas *fpl (de imprenta).*

block letters *npl* mayúsculas *fpl (de imprenta).*

bloke [bloʊk] *n Br inf* tío *m*, tipo *m.*

blond [blɒnd] *adj* rubio(bia).

blonde [blɒnd] ◇ *adj* rubia. ◇ *n (woman)* rubia *f.*

blood [blʌd] *n* sangre *f;* **in cold ~** a sangre fría.

bloodbath [*Am* 'blʌdbæθ, *pl* -bæðz, *Br* -bɑ:θ, *pl* -bɑ:ðz] *n* matanza *f*, carnicería *f.*

blood cell *n* glóbulo *m.*

blood donor *n* donante *m y f* de sangre.

blood group *n* grupo *m* sanguíneo.

bloodhound ['blʌdhaʊnd] *n* sabueso *m.*

blood poisoning *n* septicemia *f.*

blood pressure *n* tensión *f* arterial; **to have high/low ~** tener la tensión alta/baja.

bloodshed ['blʌdʃed] *n* derramamiento *m* de sangre.

bloodshot ['blʌdʃɒt] *adj* inyectado(da) (de sangre).

bloodstream ['blʌdstri:m] *n* flujo *m* sanguíneo, sangre *f.*

blood test *n* análisis *m inv* de sangre.

bloodthirsty ['blʌdθɜ:ʳstɪ] *adj* sediento(ta) de sangre.

blood transfusion *n* transfusión *f* de sangre.

bloody ['blʌdɪ] ◊ adj **1.** (war, conflict) sangriento(ta). **2.** (face, hands) ensangrentado(da). **3.** Br v inf maldito(ta), pinche Méx. ◊ adv Br v inf: **he's ~ useless** es un puto inútil; **it's ~ brilliant** es de puta madre.

bloody-minded [-'maɪndəd] adj Br inf puñetero(ra), que lleva la contraria.

bloom [blu:m] ◊ n flor f. ◊ vi florecer.

blossom ['blɒsəm] ◊ n flor f; **in ~** en flor. ◊ vi lit & fig florecer.

blot [blɒt] ◊ n (of ink) borrón m; fig mancha f. ◊ vt **1.** (paper) emborronar. **2.** (ink) secar. ◆ **blot out** vt sep (gen) cubrir, ocultar; (memories) borrar.

blotchy ['blɒtʃɪ] adj lleno(na) de marcas.

blotting paper ['blɒtɪŋ-] n (U) papel m secante.

blouse [Am blaʊs, Br blaʊz] n blusa f.

blow [bloʊ] (pt **blew**, pp **blown**) ◊ vi **1.** (gen) soplar. **2.** (in wind) salir volando, volar. **3.** (fuse) fundirse. ◊ vt **1.** (subj: wind) hacer volar. **2.** (whistle, horn) tocar, hacer sonar. **3.** (bubbles) hacer. **4.** (kiss) mandar. **5.** (fuse) fundir. **6.** (clear): **to ~ one's nose** sonarse la nariz. **7.** inf (money) ventilarse. ◊ n (hit, shock) golpe m. ◆ **blow out** ◊ vt sep apagar. ◊ vi **1.** (candle) apagarse. **2.** (tyre) reventar. ◆ **blow over** vi **1.** (storm) amainar. **2.** (argument) disiparse. ◆ **blow up** ◊ vt sep **1.** (inflate) inflar. **2.** (destroy) volar. **3.** (photograph) ampliar. ◊ vi saltar por los aires, estallar.

blow-dry n secado m (con secador).

blowlamp ['bloʊlæmp] Br, **blowtorch** ['bloʊtɔ:rtʃ] n soplete m.

blown [bloʊn] pp → **blow**.

blowout ['bloʊaʊt] n (of tyre) pinchazo m, reventón m.

blowtorch ['bloʊtɔ:rtʃ] = **blowlamp**.

blubber ['blʌbər] ◊ n grasa f de ballena. ◊ vi inf lloriquear.

blue [blu:] ◊ adj **1.** (colour) azul. **2.** inf (sad) triste. **3.** (pornographic - film) equis (inv), porno; (- joke) verde. ◊ n azul m; **out of the ~** en el momento menos pensado. ◆ **blues** npl **1.** (MUS) blues m inv. **2.** inf (sad feeling) depre f.

bluebell ['blu:bel] n campanilla f.

blueberry [Am 'blu:berɪ, Br -bərɪ] n arándano m.

bluebottle ['blu:bɒtl] n moscardón m, moscón m.

blue cheese n queso m azul.

blue-collar adj: **~ worker** obrero m, -ra f.

blue jeans npl Am vaqueros mpl, tejanos mpl Esp.

blueprint ['blu:prɪnt] n **1.** (CONSTR) cianotipo m. **2.** fig (description) proyecto m.

bluff [blʌf] ◊ adj brusco(ca). ◊ n (deception) fanfarronada f; **to call sb's ~** desafiar a alguien a que haga lo que dice. ◊ vi fanfarronear.

blunder ['blʌndər] ◊ n metedura f de pata. ◊ vi **1.** (make mistake) meter la pata. **2.** (move clumsily) ir tropezando.

blunt [blʌnt] adj **1.** (knife) desafilado (da). **2.** (object) romo(ma). **3.** (forthright) directo(ta), franco(ca).

blur [blɜ:r] ◊ n imagen f borrosa. ◊ vt **1.** (vision) nublar. **2.** (distinction) desdibujar.

blurb [blɜ:rb] n inf texto publicitario en la cubierta o solapa de un libro.

blurt [blɜ:rt] ◆ **blurt out** vt sep espetar, decir de repente.

blush [blʌʃ] ◊ n rubor m. ◊ vi ruborizarse.

blusher ['blʌʃər] n colorete m.

BMX (abbr of **bicycle motorcross**) n mountain-bike.

BO n (abbr of **body odour**) OC m.

boar [bɔ:r] n **1.** (male pig) verraco m. **2.** (wild pig) jabalí m.

board [bɔ:rd] ◊ n **1.** (plank) tabla f. **2.** (for notices) tablón m. **3.** (for games) tablero m. **4.** (blackboard) pizarra f. **5.** (COMPUT) placa f. **6.** (of company): **~ (of directors)** (junta f) directiva f. **7.** (committee) comité m, junta f. **8.** Br (at hotel, guesthouse) pensión f; **~ and lodging** comida y habitación; **full ~** pensión completa; **half ~** media pensión. **9. on ~** (ship, plane) a bordo; (bus, train) dentro. **10.** phr: **above ~** en regla. ◊ vt (ship, plane) embarcar en; (train, bus) subirse a.

boarder ['bɔ:rdər] n **1.** (lodger) huésped m y f. **2.** (at school) interno m, -na f.

boarding card ['bɔ:rdɪŋ-] n tarjeta f de embarque.

boardinghouse ['bɔ:rdɪŋhaʊs, pl -haʊzɪz] n casa f de huéspedes.

boarding school ['bɔ:rdɪŋ-] n internado m.

Board of Trade n Br: **the ~** = el Ministerio de Comercio.

boardroom ['bɔ:rdrʊ:m] n sala f de juntas.

boast [boʊst] ◊ vt disfrutar de. ◊ vi: **to ~ (about)** alardear OR jactarse (de).

boastful ['boʊstfl] adj fanfarrón(ona).

boat [boʊt] n (large) barco m; (small) barca f; **by ~** en barco/barca.

B

boater ['bəʊtə^r] *n* (*hat*) canotié *m*.

boatswain ['bəʊsn] *n* (NAUT) contramaestre *m*.

bob [bɒb] ◊ *n* **1.** (*hairstyle*) corte *m* de chico. **2.** *Br inf dated* (*shilling*) chelín *m*. **3.** = **bobsleigh.** ◊ *vi* (*boat*) balancearse.

bobbin ['bɒbɪn] *n* bobina *f*.

bobby ['bɒbɪ] *n Br inf* poli *m*.

bobsleigh ['bɒbsleɪ] *n* bobsleigh *m*.

bode [bəʊd] *vi literary*: **to ~ ill/well for** traer malos/buenos presagios para.

bodily ['bɒdɪlɪ] ◊ *adj* corporal. ◊ *adv*: **to lift/move sb ~** levantar/mover a alguien por la fuerza.

body ['bɒdɪ] *n* **1.** (*gen*) cuerpo *m*. **2.** (*corpse*) cadáver *m*. **3.** (*organization*) entidad *f*; **a ~ of thought/opinion** una corriente de pensamiento/opinión. **4.** (*of car*) carrocería *f*; (*of plane*) fuselaje *m*.

body building *n* culturismo *m*.

bodyguard ['bɒdɪgɑːrd] *n* guardaespaldas *m inv*, guarura *m Méx*.

body odour *n* olor *m* corporal.

bodywork ['bɒdɪwɜːrk] *n* carrocería *f*.

bog [bɒg] *n* **1.** (*marsh*) cenagal *m*. **2.** *Br v inf* (*toilet*) meódromo *m*.

bogged down [,bɒgd-] *adj* **1.** (*in details, work*): **~ (in)** empantanado(da) (en). **2.** (*in mud, snow*): **~ in** atascado (da) en.

boggle ['bɒgl] *vi*: **the mind ~s!** ¡me da vueltas la cabeza!, ¡es increíble!

bogus ['bəʊgəs] *adj* falso(sa).

boil [bɔɪl] ◊ *n* **1.** (MED) pústula *f*, grano *m*. **2.** (*boiling point*): **to bring sthg to the ~** poner algo a hervir; **to come to the ~** romper a hervir. ◊ *vt* **1.** (*water*) hervir. **2.** (*pan, kettle*) poner a hervir. **3.** (*food*) cocer. ◊ *vi* hervir. ♦ **boil down to** *vt fus* reducirse a. ♦ **boil over** *vi* **1.** (*liquid*) rebosar. **2.** *fig* (*feelings*) desbordarse.

boiled ['bɔɪld] *adj* cocido(da); **~ egg** huevo *m* pasado por agua; **~ sweets** *Br* caramelos *mpl* (duros).

boiler ['bɔɪlə^r] *n* caldera *f*.

boiler suit *n Br* mono *m*.

boiling ['bɔɪlɪŋ] *adj inf* (*hot*): **I'm ~** estoy asado(da) de calor; **it's ~** hace un calor de muerte.

boiling point *n* punto *m* de ebullición.

boisterous ['bɔɪstərəs] *adj* ruidoso (sa), alborotado(ra).

bold [bəʊld] *adj* **1.** (*brave, daring*) audaz. **2.** (*lines, design*) marcado(da). **3.** (*colour*) vivo(va). **4.** (TYPO): **~ type** OR **print** negrita *f*.

Bolivia [bə'lɪvɪə] *n* Bolivia.

Bolivian [bə'lɪvɪən] ◊ *adj* boliviano (na). ◊ *n* boliviano *m*, -na *f*.

bollard [*Am* 'bɒlərd, *Br* 'bɒlɑːd] *n* (*on road*) poste *m*.

bolster ['bəʊlstə^r] *vt* reforzar. ♦ **bolster up** *vt fus* reforzar.

bolt [bəʊlt] ◊ *n* **1.** (*on door, window*) cerrojo *m*. **2.** (*type of screw*) tornillo *m*, perno *m*. ◊ *adv*: **~ upright** muy derecho(cha). ◊ *vt* **1.** (*fasten together*) atornillar. **2.** (*door, window*) echar el cerrojo a. **3.** (*food*) tragarse. ◊ *vi* salir disparado(da).

bomb [bɒm] ◊ *n* bomba *f*. ◊ *vt* bombardear.

bombard [bɒm'bɑːrd] *vt* (MIL & *fig*): **to ~ (with)** bombardear (a).

bomb disposal squad *n* equipo *m* de artificieros.

bomber ['bɒmə^r] *n* **1.** (*plane*) bombardero *m*. **2.** (*person*) persona *f* que pone bombas.

bombing ['bɒmɪŋ] *n* bombardeo *m*.

bombshell ['bɒmʃel] *n fig* bombazo *m*.

bona fide [,bəʊnə'faɪdɪ] *adj* de buena fe.

bond [bɒnd] ◊ *n* **1.** (*between people*) lazo *m*, vínculo *m*. **2.** (*binding promise*) compromiso *m*. **3.** (FIN) bono *m*. ◊ *vt* (*glue*) adherir; *fig* (*people*) unir.

bondage ['bɒndɪdʒ] *n literary* (*servitude*) esclavitud *f*, vasallaje *m*.

bone [bəʊn] ◊ *n* (*gen*) hueso *m*; (*of fish*) raspa *f*, espina *f*. ◊ *vt* (*fish*) limpiar; (*meat*) deshuesar.

bone-dry *adj* bien seco(ca).

bonfire ['bɒnfaɪə^r] *n* hoguera *f*.

bonfire night *n Br* noche del 5 de noviembre en que se encienden hogueras y fuegos artificiales.

Bonn [bɒn] *n* Bonn.

bonnet ['bɒnɪt] *n* **1.** *Br* (*of car*) capó *m*. **2.** (*hat*) toca *f*.

bonus ['bəʊnəs] (*pl* **-es**) *n* (*extra money*) paga *f* extra, prima *f*; *fig* beneficio *m* adicional.

bony ['bəʊnɪ] *adj* **1.** (*person, hand*) huesudo(da). **2.** (*meat*) lleno(na) de huesos; (*fish*) espinoso(sa).

boo [buː] (*pl* **-s**) ◊ *excl* ¡bu! ◊ *n* abucheo *m*. ◊ *vt & vi* abuchear.

boob [buːb] *n inf* (*mistake*) metedura *f* de pata. ♦ **boobs** *npl Br v inf* (*woman's breasts*) tetas *fpl*.

booby trap ['buːbɪ-] *n* (*bomb*) bomba *f* camuflada.

book [bʊk] ◊ *n* **1.** (*for reading*) libro *m*.

2. (of stamps) librillo m; (of tickets, cheques) talonario m; (of matches) cajetilla f. ◇ vt **1.** (reserve) reservar; **to be fully ~ed** estar completo. **2.** inf (subj: police) multar. **3.** Br (FTBL) amonestar. ◇ vi hacer reserva. ◆ **books** npl (COMM) libros mpl. ◆ **book up** vt sep: **to be ~ed up** estar completo.

bookcase ['bʊkkeɪs] n estantería f.

bookie ['bʊkɪ] n inf corredor m, -ra f de apuestas.

booking ['bʊkɪŋ] n **1.** (reservation) reserva f. **2.** Br (FTBL) amonestación f.

booking office n taquilla f.

bookkeeping ['bʊkki:pɪŋ] n contabilidad f.

booklet ['bʊklət] n folleto m.

bookmaker ['bʊkmeɪkər] n corredor m, -ra f de apuestas.

bookmark ['bʊkmɑ:rk] n separador m.

bookseller ['bʊkselər] n librero m, -ra f.

bookshelf ['bʊkʃelf] (pl **-shelves** [-ʃelvz]) n (shelf) estante m; (bookcase) estantería f, librero m Méx.

bookstore Am ['bʊkstɔ:r], **bookshop** Br ['bʊkʃɒp] n librería f.

book token n vale m para comprar libros.

boom [bu:m] ◇ n **1.** (loud noise) estampido m. **2.** (increase) auge m, boom m. **3.** (for TV camera, microphone) jirafa f. ◇ vi **1.** (make noise) tronar. **2.** (ECON) estar en auge.

boon [bu:n] n ayuda f.

boost [bu:st] ◇ n **1.** (in profits, production) incremento m. **2.** (to popularity, spirits) empujón m. ◇ vt **1.** (increase) incrementar. **2.** (improve) levantar.

booster ['bu:stər] n (MED) inyección f de revacunación.

boot [bu:t] ◇ n **1.** (item of footwear) bota f; (ankle boot) botín m. **2.** Br (of car) maletero m, cajuela f CAm & Méx, baúl m CSur. ◇ vt inf dar una patada a.

booth [bu:ð] n **1.** (at fair) puesto m. **2.** (for phoning, voting) cabina f.

booty ['bu:tɪ] n literary botín m.

booze [bu:z] inf ◇ n (U) bebida f, alcohol m. ◇ vi pimplar, empinar el codo.

bop [bɒp] inf n (disco, dance) baile m.

border ['bɔːrdər] ◇ n **1.** (between countries) frontera f. **2.** (edge) borde m. **3.** (in garden) arriate m. ◇ vt **1.** (country) limitar con. **2.** (edge) bordear. ◆ **border on** vt fus rayar en.

borderline ['bɔːrdərlaɪn] ◇ adj: **a ~ case** un caso dudoso. ◇ n fig límite m.

bore [bɔːr] ◇ pt → **bear.** ◇ n **1.** pej

(person) pelmazo m, -za f; (situation, event) rollo m, lata f. **2.** (of gun) calibre m. ◇ vt **1.** (not interest) aburrir; **to ~ sb stiff** OR **to tears** OR **to death** aburrir a alguien un montón. **2.** (drill) horadar.

bored [bɔːrd] adj aburrido(da); **to be ~ with sthg** estar harto de algo.

boredom ['bɔːrdəm] n aburrimiento m.

boring ['bɔːrɪŋ] adj aburrido(da).

born [bɔːrn] adj **1.** (given life) nacido (da); **to be ~** nacer. **2.** (natural) nato(ta).

borne [bɔːrn] pp → **bear.**

borough [Am 'bɜːroʊ, Br 'bʌrə] n (area of town) distrito m; (town) municipio m.

borrow ['bɒroʊ] vt: **to ~ sthg from sb** coger OR tomar algo prestado a alguien; **can I ~ your bike?** ¿me prestas tu bici?

Bosnia ['bɒznɪə] n Bosnia.

bosom ['bʊzəm] n (of woman) busto m, pecho m.

boss [bɒs] ◇ n jefe m, -fa f. ◇ vt pej mangonear, dar órdenes a. ◆ **boss about, boss around** vt sep pej mangonear, dar órdenes a.

bossy ['bɒsɪ] adj mandón(ona).

bosun ['boʊsn] = **boatswain.**

botany ['bɒtənɪ] n botánica f.

botch [bɒtʃ] ◆ **botch up** vt sep inf estropear, hacer chapuceramente.

both [boʊθ] ◇ adj los dos, las dos, ambos(bas). ◇ pron: **~ (of them)** los dos (las dos), ambos mpl, -bas fpl; **~ of us are coming** vamos los dos. ◇ adv: **she is ~ pretty and intelligent** es guapa e inteligente.

- *Both* funciona como adjetivo delante de un sustantivo contable en plural (*both* girls are clever) o de dos sustantivos contables en singular (*both* my brother and my sister are coming). En ambos casos el verbo va en plural.

- Como adjetivo, *both* puede ir directamente delante del sustantivo (*both* cars need repairing), del artículo *the* (*both the* cars need repairing), de posesivos como *my, your, his*, etc. (*both* my cars need repairing), o de los demostrativos *this/these* o *that/those* (*both these* cars need repairing).

- Como pronombre, *both* puede ir solo (I like them *both*; *both* speak English) o con *of* y un pronombre de complemento como *us, you* o *them* (*both of them* speak English).

---

bother ['bɒðər] ◇ vt **1.** (worry) preocupar; *(irritate)* fastidiar; **I/she can't be ~ed to do it** no tengo/tiene ganas de hacerlo. **2.** *(pester)* molestar. ◇ *vi:* **to ~ (doing** OR **to do sthg)** molestarse (en hacer algo); **to ~ about** preocuparse por. ◇ *n (U)* **1.** *(inconvenience)* problema *m.* **2.** *(pest, nuisance)* molestia *f.*

bothered [ˈbɒðəʳd] *adj* preocupado(da).

bottle [ˈbɒtl] ◇ *n* **1.** *(gen)* botella *f.* **2.** *(of shampoo, medicine - plastic)* bote *m;* (- glass) frasco *m.* **3.** *(for baby)* biberón *m.* **4.** *(U) Br inf (courage)* agallas *fpl.* ◇ *vt (wine)* embotellar. ◆ **bottle up** *vt sep* reprimir, tragarse.

bottle bank *n* contenedor *m* de vidrio *(para reciclaje).*

bottleneck [ˈbɒtlnek] *n* **1.** *(in traffic)* embotellamiento *m.* **2.** *(in production)* freno *m.*

bottle-opener *n* abrebotellas *m inv.*

bottom [ˈbɒtəm] ◇ *adj* **1.** *(lowest)* más bajo(ja), de abajo del todo. **2.** *(least successful)* peor. ◇ *n* **1.** *(lowest part - of glass, bottle)* culo *m;* (- of bag, mine, sea) fondo *m;* (- of ladder, hill) pie *m;* (- of page, list) final *m.* **2.** *(farthest point)* final *m,* fondo *m.* **3.** *(of class etc)* parte *f* más baja. **4.** *(buttocks)* trasero *m.* **5.** *(root)*: **to get to the ~ of** llegar al fondo de. ◆ **bottom out** *vi* tocar fondo.

bough [baʊ] *n* rama *f.*

bought [bɔːt] *pt & pp* → **buy.**

boulder [ˈbəʊldəʳ] *n* canto *m* rodado.

bounce [baʊns] ◇ *vi* **1.** *(gen)* rebotar. **2.** *(person)*: **to ~ (on sthg)** dar botes (en algo). **3.** *inf (cheque)* ser rechazado(da) por el banco. ◇ *vt* botar. ◇ *n* bote *m.*

bouncer [ˈbaʊnsəʳ] *n inf* matón *m,* gorila *m (de un local).*

bound [baʊnd] ◇ *pt & pp* → **bind.** ◇ *adj* **1.** *(certain)*: **it's ~ to happen** seguro que va a pasar. **2.** *(obliged)*: **~ (by sthg/to do sthg)** obligado(da) (por algo/a hacer algo); **I'm ~ to say** OR **admit** tengo que decir OR admitir. **3.** *(for place)*: **to be ~ for** ir rumbo a. ◇ *n* salto *m.* ◇ *vi* ir dando saltos. ◆ **bounds** *npl (limits)* límites *mpl;* **out of ~s** (en) zona prohibida.

boundary [ˈbaʊndrɪ] *n (gen)* límite *m;* *(between countries)* frontera *f.*

bouquet [buˈkeɪ] *n (of flowers)* ramo *m.*

bourbon [ˈbɜːʳbən] *n* bourbon *m.*

bourgeois [ˈbʊəʳʒwɑː] *adj pej* burgués (esa).

bout [baʊt] *n* **1.** *(attack)* ataque *m,* acceso *m.* **2.** *(session)* racha *f.* **3.** *(boxing match)* pelea *f,* combate *m.*

bow¹ [baʊ] ◇ *n* **1.** *(act of bowing)* reverencia *f.* **2.** *(of ship)* proa *f.* ◇ *vt* inclinar. ◇ *vi* **1.** *(make a bow)* inclinarse. **2.** *(defer)*: **to ~ to sthg** ceder OR doblegarse ante algo.

bow² [bəʊ] *n* **1.** *(weapon, musical instrument)* arco *m.* **2.** *(knot)* lazo *m.*

bowels [ˈbaʊəlz] *npl lit & fig* entrañas *fpl.*

bowl [bəʊl] ◇ *n (gen)* cuenco *m,* bol *m;* *(for soup)* tazón *m;* *(for washing clothes)* barreño *m,* balde *m.* ◇ *vi* lanzar la bola. ◆ **bowls** *n (U)* bochas *fpl.*

bowler [ˈbəʊləʳ] *n* **1.** (CRICKET) lanzador *m.* **2.** **~ (hat)** bombín *m,* sombrero *m* hongo.

bowling [ˈbəʊlɪŋ] *n (U)* bolos *mpl.*

bowling alley *n* **1.** *(building)* bolera *f.* **2.** *(alley)* calle *f.*

bowling green *n* campo *m* de césped para jugar a las bochas.

bow tie [ˌbəʊ-] *n* pajarita *f.*

box [bɒks] ◇ *n* **1.** *(container, boxful)* caja *f;* *(for jewels)* estuche *m.* **2.** (THEATRE) palco *m.* ◇ *vi* boxear.

boxer [ˈbɒksəʳ] *n* **1.** *(fighter)* boxeador *m,* púgil *m.* **2.** *(dog)* bóxer *m.*

boxer shorts *npl* calzón *m* (de boxeo).

boxing [ˈbɒksɪŋ] *n* boxeo *m.*

Boxing Day *n* fiesta nacional en Inglaterra y Gales el 26 de diciembre *(salvo domingos)* en que tradicionalmente se da el aguinaldo.

boxing glove *n* guante *m* de boxeo.

box office *n* taquilla *f,* boletería *f* Amer.

boxroom [ˈbɒksruːm] *n Br* trastero *m.*

boy [bɔɪ] ◇ *n* **1.** *(male child)* chico *m,* niño *m.* **2.** *inf (young man)* chico *m.* ◇ *excl:* **(oh) ~!** ¡jolín!, ¡vaya, vaya!

boycott [ˈbɔɪkɒt] ◇ *n* boicot *m.* ◇ *vt* boicotear.

boyfriend [ˈbɔɪfrend] *n* novio *m.*

boyish [ˈbɔɪʃ] *adj (man)* juvenil.

BR *(abbr of* **British Rail)** *n* ferrocarriles británicos, ≃ Renfe *f.*

bra [brɑː] *n* sujetador *m.*

brace [breɪs] ◇ *n* **1.** *(on teeth)* aparato *m* corrector. **2.** *(pair)* par *m.* ◇ *vt (steady)* tensar; **to ~ o.s. (for)** *lit & fig* prepararse (para). ◆ **braces** *npl* **1.** *(on teeth)* aparato *m* corrector. **2.** *Br (for trousers)* tirantes *mpl,* tiradores *mpl CSur.*

bracelet [ˈbreɪslət] *n* brazalete *m,* pulsera *f.*

bracing ['breɪsɪŋ] *adj* tonificante.
bracken ['brækən] *n* helecho *m*.
bracket ['brækət] ◇ *n* **1.** *(support)* soporte *m*, palomilla *f*. **2.** *(parenthesis - round)* paréntesis *m* *inv*; *(- square)* corchete *m*; **in ~s** entre paréntesis. **3.** *(group)* sector *m*, banda *f*. ◇ *vt* *(enclose in brackets)* poner entre paréntesis.
brag [bræg] *vi* fanfarronear, jactarse.
braid [breɪd] ◇ *n* **1.** *(on uniform)* galón *m*. **2.** *(hairstyle)* trenza *f*. ◇ *vt* trenzar.
brain [breɪn] *n* *lit & fig* cerebro *m*. ◆ **brains** *npl* cerebro *m*, seso *m*.
brainchild ['breɪntʃaɪld] *n* *inf* invención *f*, idea *f*.
brainwash ['breɪnwɒʃ] *vt* lavar el cerebro a.
brainwave ['breɪnweɪv] *n* idea *f* genial.
brainy ['breɪnɪ] *adj* *inf* listo(ta).
brake [breɪk] ◇ *n* *lit & fig* freno *m*. ◇ *vi* frenar.
brake light *n* luz *f* de freno.
bramble ['bræmbl] *n* *(bush)* zarza *f*, zarzamora *f*; *(fruit)* mora *f*.
bran [bræn] *n* salvado *m*.
branch [*Am* bræntʃ, *Br* brɑːntʃ] ◇ *n* **1.** *(of tree, of subject)* rama *f*. **2.** *(of river)* afluente *m*; *(of railway)* ramal *m*. **3.** *(of company, bank)* sucursal *f*. ◇ *vi* bifurcarse. ◆ **branch out** *vi* *(person)* ampliar horizontes; *(firm)* expandirse, diversificarse.
brand [brænd] ◇ *n* **1.** *(of product)* marca *f*. **2.** *fig (type)* tipo *m*, estilo *m*. **3.** *(mark)* hierro *m*. ◇ *vt* **1.** *(cattle)* marcar (con hierro). **2.** *fig (classify)*: **to ~ sb (as sthg)** tildar a alguien (de algo).
brandish ['brændɪʃ] *vt* *(weapon)* blandir; *(letter etc)* agitar.
brand-new *adj* flamante.
brandy ['brændɪ] *n* coñac *m*.
brash [bræʃ] *adj* *pej* insolente.
brass [*Am* bræs, *Br* brɑːs] *n* **1.** *(metal)* latón *m*. **2.** *(MUS)*: **the ~** el metal.
brass band *n* banda *f* de metal.
brassiere [*Am* brə'zɪr, *Br* 'bræzɪə] *n* sostén *m*, sujetador *m*.
brat [bræt] *n* *inf* *pej* mocoso *m*, -sa *f*.
bravado [brə'vɑːdəʊ] *n* bravuconería *f*.
brave [breɪv] ◇ *adj* valiente. ◇ *vt* *(weather, storm)* desafiar; *(sb's anger)* hacer frente a.
bravery ['breɪvərɪ] *n* valentía *f*.
brawl [brɔːl] *n* gresca *f*, reyerta *f*.
brawn [brɔːn] *n* *(U)* **1.** *(muscle)* musculatura *f*, fuerza *f* física. **2.** *Br* *(meat)* carne de cerdo en gelatina.
bray [breɪ] *vi* *(donkey)* rebuznar.

brazen ['breɪzn] *adj* *(person)* descarado (da); *(lie)* burdo(da). ◆ **brazen out** *vt* *sep*: **to ~ it out** echarle cara.
brazier [*Am* 'breɪʒr, *Br* -zjə] *n* brasero *m*.
Brazil [brə'zɪl] *n* (el) Brasil.
Brazilian [brə'zɪljən] ◇ *adj* brasileño (ña). ◇ *n* brasileño *m*, -ña *f*.
brazil nut *n* nuez *f* de Pará.
breach [briːtʃ] ◇ *n* **1.** *(act of disobedience)* incumplimiento *m*; **~ of confidence** abuso *m* de confianza; **to be in ~ of sthg** incumplir algo; **~ of contract** incumplimiento *m* de contrato. **2.** *(opening, gap)* brecha *f*. **3.** *fig (in friendship, marriage)* ruptura *f*. ◇ *vt* **1.** *(disobey)* incumplir. **2.** *(make hole in)* abrir (una) brecha en.
breach of the peace *n* alteración *f* del orden público.
bread [bred] *n* **1.** *(food)* pan *m*; **~ and butter** *(buttered bread)* pan con mantequilla; *fig (main income)* sustento *m* diario. **2.** *inf (money)* pasta *f*.
bread bin *Br*, **bread box** *Am* *n* panera *f*.
breadcrumbs ['bredkrʌmz] *npl* migas *fpl* (de pan); *(CULIN)* pan *m* rallado.
breadline ['bredlaɪn] *n*: **to be on the ~** vivir en la miseria.
breadth [bredθ] *n* **1.** *(in measurements)* anchura *f*. **2.** *fig (scope)* amplitud *f*.
breadwinner ['bredwɪnər] *n* cabeza *m* y *f* de familia.
break [breɪk] *(pt* **broke***, pp* **broken***)* ◇ *n* **1.** *(gap - in clouds)* claro *m*; *(- in transmission)* corte *m*. **2.** *(fracture)* fractura *f*. **3.** *(pause)*: **~ (from)** descanso *m* (de); **to have** OR **take a ~** tomarse un descanso. **4.** *(playtime)* recreo *m*. **5.** *inf (chance)* oportunidad *f*; **a lucky ~** un golpe de suerte. ◇ *vt* **1.** *(gen)* romper; *(arm, leg etc)* romperse; **to ~ sb's hold** escaparse OR liberarse de alguien. **2.** *(machine)* estropear. **3.** *(journey, contact)* interrumpir. **4.** *(habit, health)* acabar con; *(strike)* reventar. **5.** *(law, rule)* violar; *(appointment, word)* faltar a. **6.** *(record)* batir. **7.** *(tell)*: **to ~ the news (of sthg to sb)** dar la noticia (de algo a alguien). ◇ *vi* **1.** *(come to pieces)* romperse. **2.** *(stop working)* estropearse. **3.** *(pause)* parar; *(weather)* cambiar. **4.** *(start - day)* romper; *(- storm)* estallar. **5.** *(voice)* cambiar. **6.** *(news)* divulgarse. **7.** *phr*: **to ~ even** salir sin pérdidas ni beneficios. ◆ **break away** *vi* escaparse; **to ~ away (from)** *(end connection)* separarse (de); *(POL)* escindirse (de). ◆ **break down** ◇ *vt* *sep* **1.** *(destroy - gen)* derribar; *(- resistance)* vencer. **2.** *(analyse)* descomponer. ◇ *vi* **1.** *(collapse, disintegrate,*

fail) venirse abajo. **2.** *(stop working)* estropearse. **3.** *(lose emotional control)* perder el control. **4.** *(decompose)* descomponerse. ◆ **break in** ◇ *vi* **1.** *(enter by force)* entrar por la fuerza. **2.** *(interrupt)*: **to ~ in** (**on sthg/sb**) interrumpir (algo/a alguien). ◇ *vt sep (horse, shoes)* domar. ◆ **break into** *vt fus* **1.** *(house, shop)* entrar (por la fuerza) en; *(box, safe)* forzar. **2.** *(begin suddenly)*: **to ~ into song/a run** echarse a cantar/correr. ◆ **break off** *vt sep* **1.** *(detach)* partir. **2.** *(end)* romper; *(holiday)* interrumpir. ◇ *vi* **1.** *(become detached)* partirse. **2.** *(stop talking)* interrumpirse. ◆ **break out** *vi* **1.** *(fire, fighting, panic)* desencadenarse; *(war)* estallar. **2.** *(escape)*: **to ~ out (of)** escapar (de). ◆ **break up** ◇ *vt sep* **1.** *(ice)* hacer pedazos; *(car)* desguazar. **2.** *(relationship)* romper; *(talks)* poner fin a; *(fight, crowd)* disolver. ◇ *vi* **1.** *(into smaller pieces)* hacerse pedazos. **2.** *(relationship)* deshacerse; *(conference)* concluir; *(school, pupils)* terminar el curso; **to ~ up with sb** romper con alguien. **3.** *(crowd)* disolverse.

breakage ['breɪkɪdʒ] *n* rotura *f*.

breakdown ['breɪkdaʊn] *n* **1.** *(of car, train)* avería *f*; *(of talks, in communications)* ruptura *f*; *(of law and order)* colapso *m*. **2.** *(analysis)* desglose *m*.

breakfast ['brekfəst] *n* desayuno *m*.

breakfast television *n* Br programación *f* matinal de televisión.

break-in *n* robo *m* (con allanamiento de morada).

breaking ['breɪkɪŋ] *n*: **~ and entering** (JUR) allanamiento *m* de morada.

breakneck ['breɪknek] *adj*: **at ~ speed** a (una) velocidad de vértigo.

breakthrough ['breɪkθruː] *n* avance *m*.

breakup ['breɪkʌp] *n* ruptura *f*.

breast [brest] *n* **1.** *(of woman)* pecho *m*, seno *m*; *(of man)* pecho *m*. **2.** *(meat of bird)* pechuga *f*.

breast-feed *vt & vi* amamantar.

breaststroke ['breststrəʊk] *n* braza *f*.

breath [breθ] *n* respiración *f*, aliento *m*; **to take a deep ~** respirar hondo; **to get one's ~ back** recuperar el aliento; **to say sthg under one's ~** decir algo en voz baja; **out of ~** sin aliento.

breathalyze *Am*, **-yse** *Br* ['breθəlaɪz] *vt* hacer la prueba del alcohol a.

breathe [briːð] ◇ *vi* respirar. ◇ *vt* **1.** *(inhale)* respirar. **2.** *(exhale)* despedir. ◆ **breathe in** *vt sep & vi* aspirar. ◆ **breathe out** *vi* espirar.

breather ['briːðəʳ] *n inf* respiro *m*.

breathing ['briːðɪŋ] *n* respiración *f*.

breathless ['breθləs] *adj* **1.** *(out of breath)* jadeante. **2.** *(with excitement)* sin aliento (por la emoción).

breathtaking ['breθteɪkɪŋ] *adj* sobrecogedor(ra), impresionante.

breed [briːd] *(pt & pp* **bred** [bred]*)* ◇ *n* **1.** *(of animal)* raza *f*. **2.** *fig (sort)* generación *f*, especie *f*. ◇ *vt (animals)* criar; *(plants)* cultivar. ◇ *vi* procrear.

breeding ['briːdɪŋ] *n* **1.** *(of animals)* cría *f*; *(of plants)* cultivo *m*. **2.** *(manners)* educación *f*.

breeze [briːz] ◇ *n* brisa *f*. ◇ *vi*: **to ~ in/out** entrar/salir como si tal cosa.

breezy ['briːzɪ] *adj* **1.** *(windy)*: **it's ~** hace aire. **2.** *(cheerful)* jovial, despreocupado(da).

brevity ['brevɪtɪ] *n* brevedad *f*.

brew [bruː] ◇ *vt (beer)* elaborar; *(tea, coffee)* preparar. ◇ *vi* **1.** *(tea)* reposar. **2.** *(trouble)* fraguarse.

brewery ['bruːərɪ] *n* fábrica *f* de cerveza.

bribe [braɪb] ◇ *n* soborno *m*. ◇ *vt*: **to ~ (sb to do sthg)** sobornar (a alguien para que haga algo).

bribery ['braɪbərɪ] *n* soborno *m*.

bric-a-brac ['brɪkəbræk] *n* baratijas *fpl*.

brick [brɪk] *n* ladrillo *m*.

bricklayer ['brɪkleɪəʳ] *n* albañil *m*.

bridal ['braɪdl] *adj* nupcial; **~ dress** traje *m* de novia.

bride [braɪd] *n* novia *f*.

bridegroom ['braɪdgruːm] *n* novio *m*.

bridesmaid ['braɪdzmeɪd] *n* dama *f* de honor.

bridge [brɪdʒ] ◇ *n* **1.** *(gen)* puente *m*. **2.** *(on ship)* puente *m* de mando. **3.** *(of nose)* caballete *m*. **4.** *(card game)* bridge *m*. ◇ *vt fig (gap)* llenar.

bridle ['braɪdl] *n* brida *f*.

bridle path *n* camino *m* de herradura.

brief [briːf] ◇ *adj* **1.** *(short, to the point)* breve; **in ~** en resumen. **2.** *(clothes)* corto(ta). ◇ *n* **1.** *(JUR) (statement)* sumario *m*, resumen *m*. **2.** *Br (instructions)* instrucciones *fpl*. ◇ *vt*: **to ~ sb (on)** informar a alguien (acerca de). ◆ **briefs** *npl (underpants)* calzoncillos *mpl*; *(knickers)* bragas *fpl*.

briefcase ['briːfkeɪs] *n* maletín *m*, portafolios *m inv*.

briefing ['briːfɪŋ] *n (meeting)* reunión *f* informativa; *(instructions)* instrucciones *fpl*.

briefly ['briːflɪ] *adv* 1. *(for a short time)* brevemente. 2. *(concisely)* en pocas palabras.

brigade [brɪ'geɪd] *n* brigada *f*.

bright [braɪt] *adj* 1. *(light)* brillante; *(day, room)* luminoso(sa); *(weather)* despejado(da). 2. *(colour)* vivo(va), fuerte. 3. *(lively - eyes)* brillante; *(- smile)* radiante. 4. *(intelligent - person)* listo(ta); *(- idea)* genial. 5. *(hopeful)* prometedor (ra).

brighten ['braɪtn] *vi* 1. *(become lighter)* despejarse. 2. *(become more cheerful)* alegrarse. ◆ **brighten up** ◇ *vt sep* animar, alegrar. ◇ *vi* 1. *(become more cheerful)* animarse. 2. *(weather)* despejarse.

brilliance ['brɪljəns] *n* 1. *(cleverness)* brillantez *f*. 2. *(of colour, light)* brillo *m*.

brilliant ['brɪljənt] *adj* 1. *(clever)* genial, fantástico(ca). 2. *(colour)* vivo (va). 3. *(light, career, future)* brillante. 4. *inf (wonderful)* fenomenal, genial.

Brillo pad® ['brɪloʊ-] *n* estropajo *m* (jabonoso) de aluminio.

brim [brɪm] ◇ *n* 1. *(edge)* borde *m*. 2. *(of hat)* ala *f*. ◇ *vi lit & fig*: **to ~ with** rebosar de.

brine [braɪn] *n* salmuera *f*.

bring [brɪŋ] *(pt & pp* **brought**) *vt (gen)* traer; **to ~ sthg to an end** poner fin a algo. ◆ **bring about** *vt sep* producir. ◆ **bring around** *vt sep (make conscious)* reanimar. ◆ **bring back** *vt sep* 1. *(books etc)* devolver; *(person)* traer de vuelta. 2. *(memories)* traer (a la memoria). 3. *(practice, hanging)* volver a introducir; *(fashion)* recuperar. ◆ **bring down** *vt sep* 1. *(plane, bird)* derribar; *(government, tyrant)* derrocar. 2. *(prices)* reducir. ◆ **bring forward** *vt sep* 1. *(meeting, elections etc)* adelantar. 2. *(in bookkeeping)* sumar a la siguiente columna. ◆ **bring in** *vt sep* 1. *(introduce - law)* implantar; *(- bill)* presentar. 2. *(earn)* ganar. ◆ **bring off** *vt sep (plan)* sacar adelante; *(deal)* cerrar. ◆ **bring out** *vt sep* 1. *(new product, book)* sacar. 2. *(the worst etc in sb)* revelar, despertar. ◆ **bring round, bring to** *vt sep* = bring around. ◆ **bring up** *vt sep* 1. *(raise - children)* criar. 2. *(mention)* sacar a relucir. 3. *(vomit)* devolver.

brink [brɪŋk] *n*: **on the ~ of** al borde de.

brisk [brɪsk] *adj* 1. *(quick)* rápido(da). 2. *(busy)* boyante, activo(va). 3. *(efficient, confident - manner)* enérgico(ca); *(- person)* eficaz.

bristle ['brɪsl] ◇ *n (gen)* cerda *f*; *(of person)* pelillo *m*. ◇ *vi (stand up)* erizarse,

ponerse de punta.

Brit [brɪt] *n inf* británico *m*, -ca *f*.

Britain ['brɪtn] *n* Gran Bretaña.

British ['brɪtɪʃ] ◇ *adj* británico(ca). ◇ *npl*: **the ~** los británicos.

British Council *n*: **the ~** el British Council.

British Isles *npl*: **the ~** las Islas Británicas.

British Rail *n compañía ferroviaria británica, =* Renfe *f*.

British Telecom [-'telɪkɒm] *n principal empresa británica de telecomunicaciones, =* Telefónica *f*.

Briton ['brɪtn] *n* británico *m*, -ca *f*.

brittle ['brɪtl] *adj* quebradizo(za), frágil.

broach [broʊtʃ] *vt* abordar.

B road *n Br =* carretera *f* comarcal.

broad [brɔːd] *adj* 1. *(shoulders, river, street)* ancho(cha); *(grin)* amplio(plia). 2. *(range, interests)* amplio(plia). 3. *(description, outline)* general. 4. *(hint)* claro (ra). 5. *(accent)* cerrado(da). 6. *phr*: **in ~ daylight** a plena luz del día.

broad bean *n* haba *f*.

broadcast [*Am* 'brɔːdkæst, *Br* -kɑːst] *(pt & pp* **broadcast**) ◇ *n* emisión *f*. ◇ *vt* emitir.

broaden ['brɔːdn] ◇ *vt* 1. *(road, pavement)* ensanchar. 2. *(scope, appeal)* ampliar. ◇ *vi (river, road)* ensancharse; *(smile)* hacerse más amplia.

broadminded [,brɔːd'maɪndəd] *adj* abierto(ta), liberal.

broadsheet ['brɔːdʃiːt] *n periódico con hojas de gran tamaño.*

broccoli ['brɒkəlɪ] *n* brécol *m*.

brochure [*Am* broʊ'ʃʊr, *Br* 'broʊʃə] *n* folleto *m*.

broil [brɔɪl] *vt Am* asar a la parrilla.

broke [broʊk] ◇ *pt* → **break**. ◇ *adj inf* sin blanca, sin un duro.

broken ['broʊkən] ◇ *pp* → **break**. ◇ *adj* 1. *(gen)* roto(ta). 2. *(not working)* estropeado(da). 3. *(interrupted - sleep)* entrecortado(da); *(- journey)* discontinuo(nua).

broker ['broʊkər] *n (of stock)* corredor *m*; *(of insurance)* agente *m* y *f*.

brolly ['brɒlɪ] *n Br inf* paraguas *m inv*.

bronchitis [brɒŋ'kaɪtəs] *n (U)* bronquitis *f*.

bronze [brɒnz] *n (metal, sculpture)* bronce *m*.

brooch [broʊtʃ] *n* broche *m*, alfiler *m*.

brood [bruːd] *vi*: **to ~ (over** OR **about)** dar vueltas (a).

brook [bruk] *n* arroyo *m*.

broom [bru:m] *n (brush)* escoba *f.*

broomstick ['bru:mstɪk] *n* palo *m* de escoba.

Bros., bros. *(abbr of* brothers*)* Hnos.

broth [brɒθ] *n* caldo *m*.

brothel ['brɒθl] *n* burdel *m*.

brother ['brʌðəʳ] *n (relative, monk)* hermano *m*.

brother-in-law *(pl* brothers-in-law*) n* cuñado *m*.

brought [brɔ:t] *pt & pp →* bring.

brow [brau] *n* 1. *(forehead)* frente *f.* 2. *(eyebrow)* ceja *f.* 3. *(of hill)* cima *f.*

brown [braun] ◇ *adj* 1. *(gen)* marrón; *(hair, eyes)* castaño(ña). 2. *(tanned)* moreno(na). ◇ *n* marrón *m.* ◇ *vt (food)* dorar.

Brownie (Guide) ['brauni-] *n* guía *f* (7-10 años).

brown paper *n (U)* papel *m* de embalar.

brown rice *n* arroz *m* integral.

brown sugar *n* azúcar *m* moreno.

browse [brauz] *vi (person)* echar un ojo, mirar; **to ~ through** hojear.

bruise [bru:z] ◇ *n* cardenal *m.* ◇ *vt* 1. *(person, arm)* magullar; *(fruit)* estropear. 2. *fig (feelings)* herir.

brunch [brʌntʃ] *n* brunch *m, combinación de desayuno y almuerzo que se toma por la mañana tarde.*

brunette [bru'net] *n* morena *f.*

brunt [brʌnt] *n:* **to bear** OR **take the ~ of** aguantar lo peor de.

brush [brʌʃ] ◇ *n* 1. *(for hair, teeth)* cepillo *m;* *(for shaving, painting)* brocha *f;* *(of artist)* pincel *m;* *(broom)* escoba *f.* 2. *(encounter)* roce *m.* ◇ *vt* 1. *(clean with brush)* cepillar. 2. *(move with hand)* quitar, apartar. 3. *(touch lightly)* rozar. ◆ **brush aside** *vt sep* rechazar. ◆ **brush off** *vt sep (dismiss)* hacer caso omiso de. ◆ **brush up** ◇ *vt sep fig (revise)* repasar. ◇ *vi:* **to ~ up on** repasar.

brushwood ['brʌʃwud] *n* leña *f.*

brusque [*Am* brʌsk, *Br* brusk] *adj* brusco(ca).

Brussels ['brʌslz] *n* Bruselas.

brussels sprout *n* col *f* de Bruselas.

brutal ['bru:tl] *adj* brutal.

brute [bru:t] ◇ *adj* bruto(ta). ◇ *n* 1. *(large animal)* bestia *f,* bruto *m.* 2. *(bully)* bestia *m y f.*

BSc *(abbr of* Bachelor of Science*) n (titular de una)* licenciatura de ciencias.

BT *n abbr of* British Telecom.

bubble ['bʌbl] ◇ *n (gen)* burbuja *f; (of soap)* pompa *f.* ◇ *vi* 1. *(produce bubbles)* burbujear. 2. *(make a bubbling sound)* borbotar.

bubble bath *n* espuma *f* de baño.

bubble gum *n* chicle *m* (de globo).

buck [bʌk] *(pl inv* OR **-s)** ◇ *n* 1. *(male animal)* macho *m.* 2. *inf (dollar)* dólar *m.* 3. *inf (responsibility):* **to pass the ~ to sb** echarle el muerto a alguien. ◇ *vt (subj: horse)* tirar. ◇ *vi* corcovear. ◆ **buck up** *inf* ◇ *vt sep (improve)* mejorar; **~ your ideas up** más vale que espabiles. ◇ *vi* 1. *(hurry up)* darse prisa. 2. *(cheer up)* animarse.

bucket ['bʌkɪt] *n (container, bucketful)* cubo *m.*

Buckingham Palace ['bʌkɪŋəm-] *n* el palacio de Buckingham.

buckle ['bʌkl] ◇ *n* hebilla *f.* ◇ *vt* 1. *(fasten)* abrochar con hebilla. 2. *(bend)* combar, torcer. ◇ *vi (wheel)* combarse, torcerse; *(knees)* doblarse.

bud [bʌd] ◇ *n (shoot)* brote *m; (flower)* capullo *m.* ◇ *vi* brotar, echar brotes.

Buddha ['budə] *n* Buda *m.*

Buddhism ['budɪzm] *n* budismo *m.*

budding ['bʌdɪŋ] *adj* en ciernes.

buddy ['bʌdɪ] *n inf (friend)* amiguete *m,* -ta *f,* colega *m y f.*

budge [bʌdʒ] ◇ *vt* mover. ◇ *vi (move)* moverse; *(give in)* ceder.

budgerigar ['bʌdʒərɪgɑ:ʳ] *n* periquito *m.*

budget ['bʌdʒət] ◇ *adj* económico(ca). ◇ *n* presupuesto *m.* ◆ **budget for** *vt fus* contar con.

budgie ['bʌdʒɪ] *n inf* periquito *m.*

buff [bʌf] ◇ *adj* color de ante. ◇ *n inf (expert)* aficionado *m,* -da *f.*

buffalo ['bʌfələu] *(pl inv* OR **-s** OR **-es)** *n* búfalo *m.*

buffer ['bʌfəʳ] *n* 1. *Br (for trains)* tope *m.* 2. *(protection)* defensa *f,* salvaguarda *f.*

buffet[1] [*Am* bə'feɪ, *Br* 'bufeɪ] *n* 1. *(meal)* bufé *m.* 2. *(cafeteria)* cafetería *f.*

buffet[2] ['bʌfɪt] *vt (physically)* golpear.

buffet car [*Am* bə'feɪ-, *Br* 'bufeɪ-] *n* coche *m* restaurante *(sólo mostrador).*

bug [bʌg] ◇ *n* 1. *(small insect)* bicho *m.* 2. *inf (germ)* microbio *m.* 3. *inf (listening device)* micrófono *m* oculto. 4. (COMPUT) error *m.* 5. *(enthusiasm)* manía *f.* ◇ *vt* 1. *inf (spy on - room)* poner un micrófono oculto en; *(- phone)* pinchar. 2. *inf (annoy)* fastidiar, jorobar.

bugger ['bʌgəʳ] *Br v inf (unpleasant person)* cabrón *m,* -ona *f.* ◆ **bugger off** *vi v inf:* **~ off!** ¡vete a tomar por culo!

buggy ['bʌgɪ] n **1.** (carriage) calesa f. **2.** (pushchair) sillita f de ruedas; Am (pram) cochecito m de niño.

bugle ['bjuːgl] n corneta f, clarín m.

build [bɪld] (pt & pp **built**) ◇ vt **1.** (construct) construir. **2.** fig (form, create) crear. ◇ n complexión f, constitución f. ◆ **build (up)on** ◇ vt fus (further) desarrollar. ◇ vt sep (base on) fundar en. ◆ **build up** ◇ vt sep **1.** (business - establish) poner en pie; (- promote) fomentar. **2.** (person) fortalecer. ◇ vi acumularse.

builder ['bɪldər] n constructor m, -ra f.

building ['bɪldɪŋ] n **1.** (structure) edificio m. **2.** (profession) construcción f.

building and loan association n Am = caja f de ahorros.

building site n solar m (de construcción), obra f.

building society n Br = caja f de ahorros.

buildup ['bɪldʌp] n (increase) acumulación f.

built [bɪlt] pt & pp → **build**.

built-in adj **1.** (physically integral) empotrado(da). **2.** (inherent) incorporado(da).

built-up adj urbanizado(da).

bulb [bʌlb] n **1.** (for lamp) bombilla f. **2.** (of plant) bulbo m.

Bulgaria [bʌl'geərɪə] n Bulgaria.

bulge [bʌldʒ] ◇ n (lump) protuberancia f, bulto m. ◇ vi: **to ~ (with)** rebosar (de), estar atestado(da).

bulk [bʌlk] ◇ n **1.** (mass) bulto m, volumen m. **2.** (large quantity): **in ~** a granel. **3.** (majority, most of): **the ~ of** la mayor parte de. ◇ adj a granel.

bulky ['bʌlkɪ] adj abultado(da), voluminoso(sa).

bull [bʊl] n **1.** (male cow) toro m. **2.** (male animal) macho m.

bulldog ['bʊldɒg] n buldog m.

bulldozer ['bʊldəʊzər] n bulldozer m.

bullet ['bʊlɪt] n bala f.

bulletin ['bʊlətən] n **1.** (news) boletín m; (medical report) parte m. **2.** (regular publication) boletín m, gaceta f.

bullet-proof adj a prueba de balas.

bullfight ['bʊlfaɪt] n corrida f (de toros).

bullfighter ['bʊlfaɪtər] n torero m, -ra f.

bullfighting ['bʊlfaɪtɪŋ] n toreo m.

bullion ['bʊljən] n (U) lingotes mpl.

bullock ['bʊlək] n buey m, toro m castrado.

bullring ['bʊlrɪŋ] n plaza f (de toros).

bull's-eye ['bʊlz-] n diana f.

bully ['bʊlɪ] ◇ n abusón m, matón m. ◇ vt abusar de, intimidar.

bum [bʌm] n **1.** v inf (bottom) culo m. **2.** Am inf pej (tramp) vagabundo m, -da f.

bumblebee ['bʌmblbiː] n abejorro m.

bump [bʌmp] ◇ n **1.** (lump - on head) chichón m; (- on road) bache m. **2.** (knock, blow, noise) golpe m. ◇ vt (car) chocar con OR contra; (head, knee) golpearse en; **I ~ed my head on the door** me di con la cabeza en la puerta. ◆ **bump into** vt fus (meet by chance) toparse con.

bumper ['bʌmpər] ◇ adj abundante; **~ edition** edición especial. ◇ n **1.** (AUT) parachoques m inv. **2.** Am (RAIL) tope m.

bumpy ['bʌmpɪ] adj **1.** (road) lleno(na) de baches. **2.** (ride, journey) con muchas sacudidas.

bun [bʌn] n **1.** (cake, bread roll) bollo m. **2.** (hairstyle) moño m.

bunch [bʌntʃ] ◇ n (of people) grupo m; (of flowers) ramo m; (of fruit) racimo m; (of keys) manojo m. ◇ vi agruparse. ◆ **bunches** npl (hairstyle) coletas fpl.

bundle ['bʌndl] ◇ n (of clothes) lío m, bulto m; (of notes, papers) fajo m; (of wood) haz m. ◇ vt (clothes) empaquetar de cualquier manera; (person) empujar. ◆ **bundle up** vt sep (put into bundles) liar, envolver.

bung [bʌŋ] ◇ n tapón m. ◇ vt Br inf **1.** (throw) tirar. **2.** (pass) alcanzar.

bungalow ['bʌŋgələʊ] n bungalow m.

bungle ['bʌŋgl] vt chapucear.

bunion ['bʌnjən] n juanete m.

bunk [bʌŋk] n (bed) litera f.

bunk bed n litera f.

bunker ['bʌŋkər] n **1.** (shelter, in golf) búnker m. **2.** (for coal) carbonera f.

bunny ['bʌnɪ] n: **~ (rabbit)** conejito m, -ta f.

bunting ['bʌntɪŋ] n (U) (flags) banderitas fpl.

buoy [Am 'buːɪ, Br bɔɪ] n boya f. ◆ **buoy up** vt sep (encourage) alentar.

buoyant [Am 'buːjənt, Br 'bɔɪənt] adj **1.** (able to float) boyante. **2.** (optimistic - gen) optimista; (- market) con tendencia alcista.

burden ['bɜːrdn] n **1.** (heavy load) carga f. **2.** fig (heavy responsibility): **~ on** carga f para.

bureau ['bjʊərəʊ] (pl **-x**) n **1.** (government department) departamento m. **2.** (office) oficina f. **3.** Am (chest of drawers) cómoda f; Br (desk) secreter m.

bureaucracy [bjʊəˈrɒkrəsɪ] n burocracia f.

bureaux [ˈbjʊərəʊz] pl → bureau.

burger [ˈbɜːˈɡəʳ] n hamburguesa f.

burglar [ˈbɜːˈɡləʳ] n ladrón m, -ona f.

burglar alarm n alarma f antirrobo.

burglarize Am = burgle.

burglary [ˈbɜːˈɡlərɪ] n robo m (de una
casa).

burgle [ˈbɜːˈɡl], **burglarize** [ˈbɜːˈɡlə-
raɪz] Am vt robar, desvalijar (una casa).

burial [ˈberɪəl] n entierro m.

burly [ˈbɜːˈlɪ] adj fornido(da).

Burma [ˈbɜːˈmə] n Birmania.

burn [bɜːˈn] (pt & pp **burnt** OR **-ed**)
◇ vt **1.** (gen) quemar. **2.** (injure - by
heat, fire) quemarse. ◇ vi **1.** (gen) arder.
2. (be alight) estar encendido(da).
3. (food) quemar. **4.** (cause burning sensation) escocer. **5.** (become sunburnt)
quemarse. ◇ n quemadura f. ◆ **burn
down** ◇ vt sep incendiar. ◇ vi (be destroyed by fire) incendiarse.

burner [ˈbɜːˈnəʳ] n quemador m.

Burns' Night n fiesta celebrada en
Escocia el 25 de enero en honor del poeta
escocés Robert Burns.

burnt [bɜːˈnt] pt & pp → burn.

burp [bɜːˈp] inf vi eructar.

burrow [Am ˈbɜːˈroʊ, Br ˈbʌrəʊ] ◇ n
madriguera f. ◇ vi **1.** (dig) escarbar (un
agujero). **2.** fig (in order to search) hurgar.

bursar [ˈbɜːˈsəʳ] n tesorero m, -ra f.

bursary [ˈbɜːˈsərɪ] n Br beca f.

burst [bɜːˈst] (pt & pp **burst**) ◇ vi
1. (gen) reventarse; (bag) romperse;
(tyre) pincharse. **2.** (explode) estallar.
◇ vt (gen) reventar; (tyre) pinchar. ◇ n
(of gunfire, enthusiasm) estallido m; (of
song) clamor m. ◆ **burst into** vt fus
1. (tears, song): **to ~ into tears/song**
romper a llorar/cantar. **2.** (flames) estallar en. ◆ **burst out** vi (begin suddenly):
to ~ out laughing/crying echarse a reír/
llorar.

bury [ˈberɪ] vt **1.** (in ground) enterrar.
2. (hide - face, memory) ocultar.

bus [bʌs] n (local) autobús m, camión m
CAm & Méx, guagua f Carib, colectivo
m Arg; (long-distance) autobús m, micro
m Arg, autocar m Esp; **by ~** en autobús.

bush [bʊʃ] n **1.** (plant) arbusto m.
2. (open country): **the ~** el campo abierto, el monte. **3.** phr: **to beat about the
~** andarse por las ramas.

bushy [ˈbʊʃɪ] adj poblado(da), espeso
(sa).

business [ˈbɪznəs] n **1.** (U) (commerce,
amount of trade) negocios mpl; **to be**

away on ~ estar en viaje de negocios; **to
mean ~** inf ir en serio; **to go out of ~**
quebrar. **2.** (company) negocio m,
empresa f. **3.** (concern, duty) oficio m,
ocupación f; **mind your own ~!** inf ¡no te
metas donde no te llaman! **4.** (U)
(affair, matter) asunto m.

business class n clase f preferente.

businesslike [ˈbɪznəslaɪk] adj formal,
práctico(ca).

businessman [ˈbɪznəsmæn] (pl **-men**
[-men]) n empresario m, hombre m de
negocios.

business trip n viaje m de negocios.

businesswoman [ˈbɪznəswʊmən] (pl
-women [-ˌwɪmɪn]) n empresaria f, mujer
f de negocios.

busker [ˈbʌskəʳ] n Br músico m ambulante OR callejero.

bus-shelter n marquesina f (de parada de autobús).

bus station n estación f de autobuses.

bus stop n parada f de autobús, paradero m de autobús Amer.

bust [bʌst] (pt & pp **-ed** OR **bust**) ◇ adj
inf **1.** (broken) fastidiado(da), roto(ta).
2. (bankrupt): **to go ~** quebrar. ◇ n
(bosom, statue) busto m. ◇ vt inf (break)
fastidiar, estropear.

bustle [ˈbʌsl] ◇ n bullicio m. ◇ vi
apresurarse.

busy [ˈbɪzɪ] ◇ adj **1.** (active) activo(va).
2. (hectic - life, week) ajetreado(da);
(- town, office) concurrido(da). **3.** (occupied) ocupado(da); **to be ~ doing sthg**
estar ocupado haciendo algo. ◇ vt: **to
~ o.s. (doing sthg)** ocuparse (haciendo
algo).

busybody [ˈbɪzɪbɒdɪ] n pej entrometido m, -da f.

busy signal n Am (TELEC) señal f de
comunicando.

but [stressed bʌt, unstressed bət] ◇ conj
pero; **we were poor ~ happy** éramos
pobres pero felices; **she owns not one ~
two houses** tiene no una sino dos casas.
◇ prep menos, excepto; **we've had
nothing ~ bad weather** no hemos tenido
más que mal tiempo; **he has no one ~
himself to blame** la culpa no es de otro
más que él OR sino de él. ◇ adv fml: **had
I ~ known** de haberlo sabido; **we can ~
try** por intentarlo que no quede. ◆ **but
for** conj de no ser por.

butcher [ˈbʊtʃəʳ] n **1.** (occupation) carnicero m, -ra f; **~'s (shop)** carnicería f.
2. (indiscriminate killer) carnicero m, -ra
f, asesino m, -na f.

butler ['bʌtlər] n mayordomo m.

butt [bʌt] ◇ n 1. (of cigarette, cigar) colilla f. 2. (of rifle) culata f. 3. (for water) tina f. 4. (target) blanco m. ◇ vt topetar. ♦ **butt in** vi (interrupt): **to ~ in on sb** cortar a alguien; **to ~ in on sthg** entrometerse en algo.

butter ['bʌtər] ◇ n mantequilla f. ◇ vt untar con mantequilla.

buttercup ['bʌtərkʌp] n ranúnculo m.

butter dish n mantequera f.

butterfly ['bʌtərflaɪ] n 1. (insect) mariposa f. 2. (swimming style) (estilo m) mariposa f.

buttocks ['bʌtəks] npl nalgas fpl.

button ['bʌtn] ◇ n 1. (gen & COMPUT) botón m. 2. Am (badge) chapa f. ◇ vt = **button up**. ♦ **button up** vt sep abotonar, abrochar.

button mushroom n champiñón m pequeño.

buttress ['bʌtrəs] n contrafuerte m.

buxom ['bʌksəm] adj (woman) maciza, pechugona.

buy [baɪ] (pt & pp **bought**) ◇ vt lit & fig comprar; **to ~ sthg from sb** comprar algo a alguien. ◇ n compra f. ♦ **buy up** vt sep acaparar.

buyer ['baɪər] n (purchaser) comprador m, -ra f.

buyout ['baɪaʊt] n adquisición de la mayoría de las acciones de una empresa.

buzz [bʌz] ◇ n (of insect, machinery) zumbido m; (of conversation) rumor m; **to give sb a ~** inf (on phone) dar un toque OR llamar a alguien. ◇ vi 1. (make noise) zumbar. 2. fig (be active): **to ~ (with)** bullir (de).

buzzer ['bʌzər] n timbre m.

buzzword ['bʌzwɜːrd] n inf palabra f de moda.

by [baɪ] prep 1. (indicating cause, agent) por; **caused/written ~** causado/escrito por; **a book ~ Joyce** un libro de Joyce. 2. (indicating means, method, manner): **to travel ~ bus/train/plane/ship** viajar en autobús/tren/avión/barco; **to pay ~ cheque** pagar con cheque. 3. (beside, close to) junto a; **~ the sea** junto al mar. 4. (past) por delante de; **to walk ~ sb/ sthg** pasear por delante de alguien/algo; **we drove ~ the castle** pasamos por el castillo (conduciendo). 5. (via, through) por; **we entered ~ the back door** entramos por la puerta trasera. 6. (with time - at or before, during) para; **I'll be there ~ eight** estaré allí para las ocho; **~ now** ya; **~ day/night** de día/noche. 7. (according to) según; **~ law/my stand-**

ards según la ley/mis criterios. 8. (in division) entre; (in multiplication, measurements) por; **divide 20 ~ 2** dividir 20 entre 2; **multiply 20 ~ 2** multiplicar 20 por 2; **twelve feet ~ ten** doce pies por diez. 9. (in quantities, amounts) por; **~ the thousand** OR **thousands** por miles; **~ the day/hour** por día/horas; **prices were cut ~ 50%** los precios fueron rebajados (en) un 50%. 10. (indicating gradual change): **day ~ day** día a OR tras día; **one ~ one** uno a uno. 11. (to explain a word or expression): **what do you mean ~ 'all right'?** ¿qué quieres decir con 'bien'?; **what do you understand ~ the word 'subsidiarity'?** ¿qué entiendes por 'subsidiariedad'? 12. phr: **(all) ~ oneself** solo(la).

> • En la voz pasiva, el complemento agente –la persona o cosa que realiza la acción– se introduce como by (the tickets were booked by my mother, I was hurt by he said). El instrumento –aquello que se emplea para realizar la acción– va precedido de with (he was killed with a knife, "fue asesinado con un cuchillo").

bye(-bye) [Am 'baɪ(baɪ), Br ˌbaɪ('baɪ)] excl inf ¡hasta luego!

bye-election n = by-election.

byelaw ['baɪlɔː] n = bylaw.

by-election n elección f parcial.

bylaw ['baɪlɔː] n reglamento m OR estatuto m local.

bypass [Am 'baɪpæs, Br -pɑːs] ◇ n 1. (road) carretera f de circunvalación. 2. (MED): **~ (operation)** (operación f de) by-pass m. ◇ vt evitar.

by-product n 1. (product) subproducto m. 2. (consequence) consecuencia f.

bystander ['baɪˌstændər] n espectador m, -ra f.

byte [baɪt] n (COMPUT) byte m, octeto m.

byword ['baɪwɜːrd] n: **~ (for)** símbolo m (de), equivalente m (a).

C

c¹ (*pl* c's OR cs), **C** (*pl* C's OR Cs) [siː] *n* (*letter*) c *f*, C *f*. ◆ **C** *n* 1. (MUS) do *m*. 2. (*abbr of* **celsius, centigrade**) C.

c² (*abbr of* **cent(s)**) cént.

c. (*abbr of* **circa**) h.

c/a (*abbr of* **current account**) c/c.

cab [kæb] *n* 1. (*taxi*) taxi *m*. 2. (*of lorry*) cabina *f*.

cabaret ['kæbəreɪ] *n* cabaret *m*.

cabbage ['kæbɪdʒ] *n* col *f*, repollo *m*.

cabin ['kæbɪn] *n* 1. (*on ship*) camarote *m*. 2. (*in aircraft*) cabina *f*. 3. (*house*) cabaña *f*.

cabin class *n* clase *f* económica OR de cámara.

cabinet ['kæbɪnət] *n* 1. (*cupboard*) armario *m*. 2. (POL) consejo *m* de ministros, gabinete *m*.

cable ['keɪbl] ◇ *n* 1. (*rope, wire*) cable *m*. 2. (*telegram*) cablegrama *m*. ◇ *vt* cablegrafiar.

cable car *n* teleférico *m*.

cable television, cable TV *n* televisión *f* por cable.

cache [kæʃ] *n* 1. (*store*) alijo *m*. 2. (COMPUT) memoria *f* de acceso rápido.

cackle ['kækl] *vi* 1. (*hen*) cacarear. 2. (*person*) reírse.

cactus ['kæktəs] (*pl* **-tuses** OR **-ti** [-taɪ]) *n* cactus *m inv*.

cadet [kə'det] *n* cadete *m*.

cadge [kædʒ] *Br inf vt*: **to ~ sthg (off** OR **from sb)** gorronear algo (a alguien).

caesarean (section) *Br* = **cesarean (section)**.

cafe, café [*Am* kæ'feɪ, *Br* 'kæfeɪ] *n* café *m*, cafetería *f*.

cafeteria [,kæfə'tɪərɪə] *n* (restaurante *m*) autoservicio *m*, cantina *f*.

caffeine [*Am* kæ'fiːn, *Br* 'kæfiːn] *n* cafeína *f*.

cage [keɪdʒ] *n* jaula *f*.

cagey ['keɪdʒɪ] (*compar* **-ier**, *superl* **-iest**) *adj inf* reservado(da).

cagoule [kə'guːl] *n Br* chubasquero *m*.

cajole [kə'dʒəʊl] *vt*: **to ~ sb (into doing sthg)** engatusar a alguien (para que haga algo).

Cajun ['keɪdʒən] *adj* cajún.

cake [keɪk] *n* 1. (*sweet food*) pastel *m*, tarta *f*; **to be a piece of ~** *inf* ser pan comido. 2. (*of fish, potato*) medallón *m* empanado. 3. (*of soap*) pastilla *f*.

caked [keɪkt] *adj*: **~ with mud** cubierto (ta) de barro seco.

calcium ['kælsɪəm] *n* calcio *m*.

calculate ['kælkjʊleɪt] *vt* 1. (*work out*) calcular. 2. (*plan*): **to be ~d to do sthg** estar pensado(da) para hacer algo.

calculating ['kælkjʊleɪtɪŋ] *adj pej* calculador(ra).

calculation [,kælkjʊ'leɪʃn] *n* cálculo *m*.

calculator ['kælkjʊleɪtər] *n* calculadora *f*.

calendar ['kæləndər] *n* calendario *m*.

calendar month *n* mes *m* civil.

calendar year *n* año *m* civil.

calf [*Am* kæf, *Br* kɑːf] (*pl* **calves**) *n* 1. (*young animal - of cow*) ternero *m*, -ra *f*, becerro *m*, -rra *f*; (- *of other animals*) cría *f*. 2. (*leather*) piel *f* de becerro. 3. (*of leg*) pantorrilla *f*.

calibre, caliber *Am* ['kælɪbər] *n* 1. (*quality*) nivel *m*. 2. (*size*) calibre *m*.

California [,kælɪ'fɔːrnjə] *n* California.

calipers *Am*, **callipers** *Br* ['kælɪpərz] *npl* 1. (MED) aparato *m* ortopédico. 2. (MATH) compás *m* de grueso.

call [kɔːl] ◇ *n* 1. (*cry, attraction, vocation*) llamada *f*; (*cry of bird*) reclamo *m*. 2. (*visit*) visita *f*; **to pay a ~ on sb** hacerle una visita a alguien. 3. (*demand*): **~ for** petición *f* de. 4. (*summons*): **on ~** de guardia. 5. (TELEC) llamada *f*. ◇ *vt* 1. (*gen & TELEC*) llamar; **I'm ~ed Joan** me llamo Joan; **he ~ed my name** me llamó por el nombre; **we'll ~ it £10** dejémoslo en 10 libras. 2. (*announce - flight*) anunciar; (- *strike, meeting, election*) convocar. ◇ *vi* 1. (*gen & TELEC*) llamar; **who's ~ing?** ¿quién es? 2. (*visit*) pasar. ◆ **call back** ◇ *vt sep* 1. (*on phone*) volver a llamar. 2. (*ask to return*) hacer volver. ◇ *vi* 1. (*on phone*) volver a llamar. 2. (*visit again*) volver a pasarse.

♦ **call for** vt fus 1. (collect) ir a buscar. 2. (demand) pedir. ♦ **call in** vt sep 1. (send for) llamar. 2. (recall - product, banknotes) retirar; (- loan) exigir pago de. ♦ **call off** vt sep 1. (meeting, party) suspender; (strike) desconvocar. 2. (dog etc) llamar (para que no ataque). ♦ **call on** vt fus 1. (visit) visitar. 2. (ask): to ~ on sb to do sthg pedir a alguien que haga algo. ♦ **call out** ◇ vt sep 1. (order to help - troops) movilizar; (- police, firemen) hacer intervenir. 2. (cry out) gritar. ◇ vi gritar. ♦ **call round** vi pasarse. ♦ **call up** vt sep 1. (MIL) llamar a filas a. 2. (on telephone) llamar (por teléfono). 3. (COMPUT) hacer aparecer en pantalla.

call box n Br cabina f telefónica.

caller ['kɔːlər] n 1. (visitor) visita f. 2. (on telephone) persona f que llama.

call-in n Am (RADIO & TV) programa m a micrófono abierto.

calling ['kɔːlɪŋ] n 1. (profession) profesión f. 2. (vocation) vocación f.

calling card n Am tarjeta f de visita.

callipers Br = calipers.

callous ['kæləs] adj despiadado(da).

calm [kɑːm] ◇ adj 1. (not worried or excited) tranquilo(la). 2. (evening, weather) apacible. 3. (water) en calma. ◇ n calma f. ◇ vt calmar. ♦ **calm down** ◇ vt sep calmar. ◇ vi calmarse.

Calor gas® ['kælər-] n Br (gas m) butano m.

calorie ['kælərɪ] n caloría f.

calves [Am kævz, Br kɑːvz] pl → calf.

camber ['kæmbər] n bombeo m.

Cambodia [kæm'boʊdjə] n Camboya.

camcorder ['kæmkɔːrdər] n camcorder m, cámara f de vídeo con micrófono.

came [keɪm] pt → come.

camel ['kæml] n camello m.

cameo ['kæmɪoʊ] (pl -s) n 1. (jewellery) camafeo m. 2. (in acting) actuación breve y memorable; (in writing) excelente descripción.

camera ['kæmərə] n cámara f. ♦ **in camera** adv fml a puerta cerrada.

cameraman ['kæmrəmən] (pl -men [-men]) n cámara m.

camouflage ['kæməfluːʒ] ◇ n camuflaje m. ◇ vt camuflar.

camp [kæmp] ◇ n 1. (gen & MIL) campamento m. 2. (temporary mass accommodation) campo m. 3. (faction) bando m. ◇ vi acampar. ♦ **camp out** vi acampar (al aire libre).

campaign [kæm'peɪn] ◇ n campaña f. ◇ vi: to ~ (for/against) hacer campaña (a favor de/en contra de).

camp bed n cama f de campaña.

camper ['kæmpər] n 1. (person) campista m y f. 2. ~ (van) caravana f.

campground ['kæmpɡraʊnd] n Am camping m.

camping ['kæmpɪŋ] n camping m.

camping site, campsite ['kæmpsaɪt] n camping m.

campus ['kæmpəs] (pl -es) n campus m inv, ciudad f universitaria.

can¹ [kæn] (pt & pp -ned, cont -ning) ◇ n (for drink, food) lata f, bote m; (for oil, paint) lata. ◇ vt enlatar.

can² [stressed kæn, unstressed kən] (pt & conditional **could**, negative **cannot** OR **can't**) modal vb 1. (be able to) poder; ~ **you come to lunch?** ¿puedes venir a comer?; ~ **you see/hear something?** ¿ves/oyes algo? 2. (know how to) saber; **I ~ speak French/play the piano** sé hablar francés/tocar el piano. 3. (indicating permission, in polite requests) poder; ~ **I speak to John, please?** ¿puedo hablar con John, por favor? 4. (indicating disbelief, puzzlement): **you ~'t be serious** estás de broma ¿no?; **what ~ she have done with it?** ¿qué puede haber hecho con ello? 5. (indicating possibility) poder; **you could have done it** podrías haberlo hecho; **I could see you tomorrow** podríamos vernos mañana.

• En frases interrogativas, *can* sirve para solicitar permiso, información, etc. (*can* you tell me the way to the station?, "¿*puede* decirme cómo llegar a la estación?"). *Could* sirve para lo mismo pero de forma más cortés (*could* you help me with this, please?, "¿*podría* ayudarme con esto, por favor?).

• Con verbos que se refieren a los sentidos corporales como *hear* ("escuchar") o *see* ("ver") usados en presente, generalmente se coloca *can* o *can't* delante (*can* you hear something?; I *can't* see the house from here).

• Asimismo, *can* y *can't* sirven para expresar si alguien sabe o no hacer algo (I *can* speak English, "puedo hablar Inglés"; I *can't* swim, "no sé nadar").

• Ver también **PODER** en el lado Español-Inglés del diccionario.

Canada ['kænədə] n (el) Canadá.

Canadian [kə'neɪdjən] ◇ adj canadiense. ◇ n (person) canadiense m y f.

49 capsize

canal [kə'næl] *n* canal *m*.

canary [kə'neərɪ] *n* canario *m*.

Canary Islands, Canaries [kə-'neərɪz] *npl*: **the ~** las (islas) Canarias.

cancel ['kænsl] *vt* **1.** *(call off)* cancelar, suspender. **2.** *(invalidate - cheque, debt)* cancelar. ◆ **cancel out** *vt sep* anular.

cancellation [,kænsə'leɪʃn] *n* suspensión *f*.

cancer ['kænsər] *n (disease)* cáncer *m*.
◆ **Cancer** *n* Cáncer *m*.

candelabra [,kændə'lɑːbrə] *n* candelabro *m*.

candid ['kændɪd] *adj* franco(ca).

candidate ['kændɪdeɪt] *n*: ~ **(for)** candidato *m*, -ta *f* (a).

candle ['kændl] *n* vela *f*.

candlelight ['kændllaɪt] *n* luz *f* de una vela.

candlestick ['kændlstɪk] *n* candelero *m*.

candor *Am*, **candour** *Br* ['kændər] *n* franqueza *f*, sinceridad *f*.

candy ['kændɪ] *n* **1.** *(U) (confectionery)* golosinas *fpl*; ~ **bar** chocolatina *f*. **2.** *(sweet)* caramelo *m*.

candyfloss ['kændɪflɒs] *n Br* azúcar *m* hilado, algodón *m*.

cane [keɪn] *n* **1.** *(U) (for making furniture, supporting plant)* caña *f*, mimbre *m*. **2.** *(walking stick)* bastón *m*. **3.** *(for punishment)*: **the ~** la vara.

canine ['keɪnaɪn] *adj* canino(na).

canister ['kænɪstər] *n (for tea)* bote *m*; *(for film)* lata *f*; *(for gas)* bombona *f*.

cannabis ['kænəbəs] *n* canabis *m*.

canned [kænd] *adj (food, drink)* enlatado(da), en lata.

cannibal ['kænɪbl] *n* caníbal *m y f*.

cannon ['kænən] *(pl inv OR -s) n* cañón *m*.

cannonball ['kænənbɔːl] *n* bala *f* de cañón.

cannot ['kænɒt] *fml* → **can²**.

canny ['kænɪ] *adj (shrewd)* astuto(ta).

canoe [kə'nuː] *n (gen)* canoa *f*, (SPORT) piragua *f*.

canoeing [kə'nuːɪŋ] *n* piragüismo *m*.

canon ['kænən] *n* **1.** *(clergyman)* canónigo *m*. **2.** *(general principle)* canon *m*.

can opener *n* abrelatas *m inv*.

canopy ['kænəpɪ] *n (over bed, seat)* dosel *m*.

can't [*Am* kænt, *Br* kɑːnt] = **cannot**.

cantankerous [kæn'tæŋkərəs] *adj (person)* refunfuñón(ona); *(behaviour)* arisco(ca).

canteen [kæn'tiːn] *n* **1.** *(restaurant)* cantina *f*. **2.** *(set of cutlery)* (juego *m*

de) cubertería *f*.

canter ['kæntər] ◇ *n* medio galope *m*. ◇ *vi* ir a medio galope.

cantilever [,kæntɪliːvər] *n* voladizo *m*.

Cantonese [,kæntə'niːz] ◇ *adj* cantonés(esa). ◇ *n* **1.** *(person)* cantonés *m*, -esa *f*. **2.** *(language)* cantonés *m*.

canvas ['kænvəs] *n* **1.** *(cloth)* lona *f*. **2.** *(for painting on, finished painting)* lienzo *m*.

canvass ['kænvəs] ◇ *vt* **1.** (POL) *(person)* solicitar el voto a. **2.** *(opinion)* pulsar. ◇ *vi* solicitar votos yendo de puerta en puerta.

canyon ['kænjən] *n* cañón *m*.

cap [kæp] ◇ *n* **1.** *(hat - peaked)* gorra *f*; *(- with no peak)* gorro *m*. **2.** *(on bottle)* tapón *m*; *(on jar)* tapa *f*; *(on pen)* capuchón *m*. **3.** *Br (contraceptive device)* diafragma *m*. ◇ *vt* **1.** *(top)*: **to be capped with** estar coronado(da) de. **2.** *(outdo)*: **to ~ it all** para colmo.

capability [,keɪpə'bɪlətɪ] *n* capacidad *f*.

capable ['keɪpəbl] *adj* **1.** *(able)*: **to be ~ of sthg/of doing sthg** ser capaz de algo/de hacer algo. **2.** *(competent)* hábil.

capacity [kə'pæsətɪ] *n* **1.** *(gen)*: ~ **(for)** capacidad *f* (de); **seating ~** aforo *m*; ~ **for doing** OR **to do sthg** capacidad de hacer algo. **2.** *(position)* calidad *f*.

cape [keɪp] *n* **1.** (GEOGR) cabo *m*. **2.** *(cloak)* capa *f*.

caper ['keɪpər] *n* **1.** *(food)* alcaparra *f*. **2.** *inf (escapade)* treta *f*.

capita ['kæpətə] → **per capita**.

capital ['kæpɪtl] ◇ *adj* **1.** *(letter)* mayúscula. **2.** *(punishable by death)* capital. ◇ *n* **1.** *(of country, main centre)* capital *f*. **2.** ~ **(letter)** mayúscula *f*. **3.** *(money)* capital *m*.

capital expenditure *n (U)* inversión *f* de capital.

capital gains tax *n* impuesto *m* sobre plusvalías.

capitalism ['kæpɪtəlɪzm] *n* capitalismo *m*.

capitalist ['kæpɪtəlɪst] ◇ *adj* capitalista. ◇ *n* capitalista *m y f*.

capitalize ['kæpɪtəlaɪz] *vi*: **to ~ on sthg** capitalizar algo.

capital punishment *n (U)* pena *f* capital.

Capitol Hill ['kæpɪtl-] *n* el Capitolio, *ubicación del Congreso estadounidense, en Washington.*

Capricorn ['kæprɪkɔːrn] *n* Capricornio *m*.

capsize [*Am* 'kæpsaɪz, *Br* kæp'saɪz] ◇ *vt*

hacer volcar OR zozobrar. ◇ *vi* volcar, zozobrar.

capsule [*Am* 'kæpsl, *Br* 'kæpsjuːl] *n* cápsula *f*.

captain ['kæptən] *n* capitán *m*, -ana *f*.

caption ['kæpʃən] *n (under picture etc)* leyenda *f*; *(heading)* encabezamiento *m*.

captivate ['kæptɪveɪt] *vt* cautivar.

captive ['kæptɪv] ◇ *adj* **1.** *(imprisoned)* en cautividad. **2.** *fig (market)* asegurado (da). ◇ *n* cautivo *m*, -va *f*.

captivity [kæp'tɪvətɪ] *n*: **in ~** en cautividad, en cautiverio.

captor ['kæptər] *n* apresador *m*, -ra *f*.

capture ['kæptʃər] ◇ *vt* **1.** *(gen & COMPUT)* capturar. **2.** *(audience, share of market)* hacerse con; *(city)* tomar. **3.** *(scene, mood, attention)* captar. ◇ *n* captura *f*.

car [kɑːr] ◇ *n* **1.** *(motorcar)* coche *m*, automóvil *m*, carro *m Amer*, auto *m CSur*. **2.** *(on train)* vagón *m*. ◇ *comp (door, tyre etc)* del coche; *(industry)* del automóvil; *(accident)* de automóvil.

carafe [kə'ræf] *n* garrafa *f*.

caramel ['kærəmel] *n* **1.** *(burnt sugar)* caramelo *m* (líquido), azúcar *m* quemado. **2.** *(sweet)* tofe *m*.

carat [*Am* 'kerət, *Br* 'kær-] *n Br* quilate *m*.

caravan [*Am* 'kerəvæn, *Br* 'kær-] *n* caravana *f*, roulotte *f*.

caravan site *n Br* camping *m* para caravanas OR roulottes.

carbohydrate [ˌkɑːbou'haɪdreɪt] *n (CHEM)* hidrato *m* de carbono. ◆ **carbohydrates** *npl (in food)* féculas *fpl*.

carbon ['kɑːbən] *n (element)* carbono *m*.

carbonated ['kɑːbəneɪtəd] *adj* con gas.

carbon copy *n (document)* copia *f* en papel carbón; *fig (exact copy)* calco *m*.

carbon dioxide [-daɪ'ɒksaɪd] *n* bióxido *m* OR dióxido *m* de carbono.

carbon monoxide [-mə'nɒksaɪd] *n* monóxido *m* de carbono.

carbon paper *n (U)* papel *m* carbón.

car-boot sale *n* venta *f* de objetos usados colocados en el portaequipajes del coche.

carburetor *Am* ['kɑːrbəreɪtr], **carburettor** *Br* [ˌkɑːbə'retə] *n* carburador *m*.

carcass ['kɑːkəs] *n (gen)* cadáver *m* (de animal); *(of bird)* carcasa *f*; *(at butcher's)* canal *m*.

card [kɑːd] *n* **1.** *(playing card)* carta *f*, naipe *m*. **2.** *(for information, greetings, computers)* tarjeta *f*. **3.** *(postcard)* postal

f. **4.** *(cardboard)* cartulina *f*. ◆ **cards** *npl* las cartas, los naipes. ◆ **in the cards** *Am*, **on the cards** *Br adv inf* más que probable.

cardboard ['kɑːdbɔːd] ◇ *n (U)* cartón *m*. ◇ *comp* de cartón.

cardboard box *n* caja *f* de cartón.

cardiac ['kɑːdɪæk] *adj* cardíaco(ca).

cardigan ['kɑːdɪgən] *n* rebeca *f*.

cardinal ['kɑːdɪnl] ◇ *adj* capital. ◇ *n (RELIG)* cardenal *m*.

card index *n Br* fichero *m*.

card table *n* mesita *f* plegable *(para jugar a cartas)*.

care [keər] ◇ *n* **1.** *(gen)* cuidado *m*; **in sb's ~** al cargo OR cuidado de alguien; **to be in/be taken into ~** estar/ser internado en un centro de protección de menores; **to take ~ of** *(look after)* cuidar de; *(deal with)* encargarse de; **take ~!** ¡nos vemos!, ¡cuídate!; **to take ~ (to do sthg)** tener cuidado (de hacer algo). **2.** *(cause of worry)* preocupación *f*. ◇ *vi* **1.** *(be concerned)*: **to ~ (about)** preocuparse (de OR por). **2.** *(mind)*: **I don't ~** no me importa. ◆ **care of** *prep* al cuidado de, en casa de. ◆ **care for** *vt fus dated (like)*: **I don't ~ for cheese** no me gusta el queso.

career [kə'rɪər] *n* carrera *f*.

careers adviser *n* persona que aconseja sobre salidas profesionales.

carefree ['keəfriː] *adj* despreocupado (da).

careful ['keəfl] *adj (gen)* cuidadoso (sa); *(driver)* prudente; *(work)* esmerado (da); **to be ~ with** ser mirado OR cuidadoso con; **to be ~ to do sthg** tener cuidado de hacer algo.

carefully ['keəflɪ] *adv* **1.** *(cautiously)* con cuidado, cuidadosamente. **2.** *(thoroughly)* detenidamente.

careless ['keələs] *adj* **1.** *(inattentive)* descuidado(da). **2.** *(unconcerned)* despreocupado(da).

caress [kə'res] ◇ *n* caricia *f*. ◇ *vt* acariciar.

caretaker ['keəteɪkər] *n Br* conserje *m* y *f*.

car ferry *n* transbordador *m* de coches.

cargo ['kɑːgou] *(pl* -es OR -s) *n* carga *f*, cargamento *m*.

car hire *n Br* alquiler *m* de coches.

Caribbean [*Am* kerə'bɪən, *Br* kær-] *n*: **the ~ (Sea)** el (mar) Caribe.

caring ['keərɪŋ] *adj* solícito(ta), dedicado(da).

carnage ['kɑːnɪdʒ] *n* carnicería *f*.

carnal ['kɑːᵣnl] *adj literary* carnal.

carnation [kɑːᵣ'neɪʃn] *n* clavel *m*.

carnival ['kɑːᵣnɪvl] *n* carnaval *m*.

carnivorous [kɑːᵣ'nɪvərəs] *adj* carnívoro(ra).

carol [*Am* 'kerəl, *Br* 'kær-] *n* villancico *m*.

carousel [*Am* ˌkerə'sel, *Br* ˌkær-] *n* **1.** *(at fair)* tiovivo *m*. **2.** *(at airport)* cinta *f* transportadora.

carp [kɑːᵣp] *(pl inv* OR **-s)** ◇ *n* carpa *f*. ◇ *vi*: **to ~ (about)** refunfuñar OR renegar (de).

car park *n Br* estacionamiento *m*, aparcamiento *m Esp*.

carpenter ['kɑːᵣpəntəᵣ] *n* carpintero *m*, -ra *f*.

carpentry ['kɑːᵣpəntrɪ] *n* carpintería *f*.

carpet ['kɑːᵣpɪt] ◇ *n lit & fig* alfombra *f*; **fitted ~** moqueta *f*. ◇ *vt (fit with carpet)* enmoquetar.

carpet sweeper [-ˌswiːpəᵣ] *n* cepillo *m* mecánico (de alfombras).

car phone *n* teléfono *m* de coche.

car rental *n Am* alquiler *m* de coches.

carriage [*Am* 'kerɪdʒ, *Br* 'kær-] *n* **1.** *(horsedrawn vehicle)* carruaje *m*. **2.** *Br (railway coach)* vagón *m*. **3.** *(transport of goods)* transporte *m*; **~ paid** OR **free** *Br* porte pagado. **4.** *(on typewriter)* carro *m*.

carriage return *n* retorno *m* de carro.

carriageway [*Am* 'kerɪdʒweɪ, *Br* 'kær-] *n Br* carril *m*.

carrier [*Am* 'kerɪəᵣ, *Br* 'kærɪə] *n* **1.** (COMM) transportista *m y f*. **2.** *(of disease)* portador *m*, -ra *f*. **3.** = **carrier bag**.

carrier bag *n* bolsa *f (de papel o plástico)*.

carrot [*Am* 'kerət, *Br* 'kær-] *n* **1.** *(vegetable)* zanahoria *f*. **2.** *inf (incentive)* aliciente *m*.

carry [*Am* 'kerɪ, *Br* 'kærɪ] ◇ *vt* **1.** *(transport)* llevar. **2.** *(disease)* transmitir. **3.** *(involve)* acarrear, conllevar. **4.** *(motion, proposal)* aprobar. **5.** *(be pregnant with)* estar embarazada de. **6.** (MATH) llevarse. ◇ *vi (sound)* oírse. ♦ **carry away** *vt fus*: **to get carried away** exaltarse. ♦ **carry forward** *vt sep* llevar a la página siguiente; **carried forward** suma y sigue. ♦ **carry off** *vt sep* **1.** *(make a success of)* llevar a cabo. **2.** *(win)* llevarse. ♦ **carry on** ◇ *vt sep* **1.** *(continue)* continuar, seguir; **to ~ on doing sthg** continuar OR seguir haciendo algo. **2.** *(conversation)* sostener. ◇ *vi* **1.** *(continue)*: **to ~ on (with)** continuar OR seguir (con). **2.** *inf (make a fuss)* exagerar la nota. ♦ **carry out** *vt fus*

1. *(perform)* llevar a cabo. **2.** *(fulfil)* cumplir. ♦ **carry through** *vt sep (accomplish)* llevar a cabo.

carryall [*Am* 'kerɔːl, *Br* 'kær-] *n Am* bolsa *f* de viaje.

carrycot [*Am* 'kerɪkɒt, *Br* 'kær-] *n* moisés *m*.

carry-out *n* comida *f* para llevar.

carsick ['kɑːᵣsɪk] *adj* mareado(da) *(al ir en coche)*.

cart [kɑːᵣt] ◇ *n* carro *m*, carreta *f*. ◇ *vt inf* acarrear.

carton ['kɑːᵣtn] *n* **1.** *(strong cardboard box)* caja *f* de cartón. **2.** *(for liquids)* cartón *m*, envase *m*.

cartoon [kɑːᵣ'tuːn] *n* **1.** *(satirical drawing)* chiste *m* (en viñeta). **2.** *(comic strip)* tira *f* cómica. **3.** *(film)* dibujos *mpl* animados.

cartridge ['kɑːᵣtrɪdʒ] *n* **1.** *(for gun, camera)* cartucho *m*. **2.** *(for pen)* recambio *m*.

cartwheel ['kɑːᵣtwiːl] *n* voltereta *f* lateral.

carve [kɑːᵣv] ◇ *vt* **1.** *(wood)* tallar; *(stone)* esculpir. **2.** *(meat)* trinchar. **3.** *(cut)* grabar. ◇ *vi* trinchar. ♦ **carve out** *vt sep (niche, place)* conquistar. ♦ **carve up** *vt sep* repartir.

carving ['kɑːᵣvɪŋ] *n* **1.** *(art, work - wooden)* tallado *m*; *(- stone)* labrado *m*. **2.** *(object - wooden)* talla *f*; *(- stone)* escultura *f*.

carving knife *n* cuchillo *m* de trinchar.

car wash *n* lavado *m* de coches.

case [keɪs] *n* **1.** *(gen)* caso *m*; **to be the ~** ser el caso; **in that/which ~** en ese/ cuyo caso; **as** OR **whatever the ~ may be** según sea el caso; **in ~ of** en caso de. **2.** *(argument)* argumento *m*; **the ~ for/ against (sthg)** los argumentos a favor/ en contra (de algo). **3.** (JUR) *(trial, inquiry)* pleito *m*, causa *f*. **4.** *(container - of leather)* funda *f*; *(- of hard material)* estuche *m*. **5.** *Br (suitcase)* maleta *f*. ♦ **in any case** *adv* en cualquier caso. ♦ **in case** *conj & adv* por si acaso.

cash [kæʃ] ◇ *n* **1.** *(notes and coins)* (dinero *m*) efectivo *m*; **to pay (in) ~** pagar al contado OR en efectivo. **2.** *inf (money)* dinero *m*. **3.** *(payment)*: **~ in advance** pago *m* al contado por adelantado; **~ on delivery** entrega *f* contra reembolso. ◇ *vt* cobrar, hacer efectivo.

cash and carry *n* almacén *m* de venta al por mayor.

cashbook ['kæʃbʊk] *n* libro *m* de caja.

cash box *n* caja *f* con cerradura (para el dinero).

cash card *n* tarjeta *f* de cajero automático.

cash desk *n* Br caja *f*.

cash dispenser [-dɪ'spensə*r*] *n* cajero *m* automático.

cashew (nut) ['kæʃuː] *n* (nuez *f* de) anacardo *m*.

cashier [kæ'ʃɪə*r*] *n* cajero *m*, -ra *f*.

cash machine = cash dispenser.

cashmere [*Am* 'kæʒmɪr, *Br* 'kæʃmɪə] *n* cachemira *f*.

cash register *n* caja *f* (registradora).

casing ['keɪsɪŋ] *n* revestimiento *m*.

casino [kə'siːnou] (*pl* **-s**) *n* casino *m*.

cask [*Am* kæsk, *Br* kɑːsk] *n* tonel *m*.

casket [*Am* 'kæskət, *Br* 'kɑːskɪt] *n*. **1.** *Am (coffin)* ataúd *m*. **2.** *(for jewels)* estuche *m*.

casserole ['kæsəroul] *n* **1.** *(stew)* guiso *m*. **2.** *(pan)* cazuela *f*, cacerola *f*.

cassette [kə'set] *n* cinta *f*, casete *f*.

cassette player *n* casete *m*, magnetófono *m*.

cassette recorder *n* casete *m*, magnetófono *m*.

cast [*Am* kæst, *Br* kɑːst] (*pt & pp* **cast**) ◇ *n* *(of play, film)* reparto *m*. ◇ *vt* **1.** *(look)* echar, lanzar; **to ~ doubt on sthg** poner algo en duda. **2.** *(light)* irradiar; *(shadow)* proyectar. **3.** *(throw)* arrojar, lanzar. **4.** *(choose for play):* **to ~ sb as** asignar a alguien el papel de. **5.** *(vote)* emitir. **6.** *(metal, statue)* fundir. ◆ **cast aside** *vt sep (person)* abandonar; *(idea)* rechazar. ◆ **cast off** *vi* (NAUT) soltar amarras.

castanets [ˌkæstə'nets] *npl* castañuelas *fpl*.

castaway [*Am* 'kæstəweɪ, *Br* 'kɑːst-] *n* náufrago *m*, -ga *f*.

caste [*Am* kæst, *Br* kɑːst] *n* casta *f*.

caster [*Am* 'kæstr, *Br* 'kɑːstə] *n* *(wheel)* ruedecilla *f*.

caster sugar *n* Br azúcar *m* extrafino.

Castile [kæs'tiːl], **Castilla** [kæs'tiʎa] *n* Castilla.

casting vote ['kɑːstɪŋ-] *n* voto *m* de calidad.

cast iron *n* hierro *m* fundido.

castle [*Am* 'kæsl, *Br* 'kɑːsl] *n* **1.** *(building)* castillo *m*. **2.** *(in chess)* torre *f*.

castor [*Am* 'kæstr, *Br* 'kɑːstə] = **caster**.

castor oil *n* aceite *m* de ricino.

castor sugar = caster sugar.

castrate [*Am* 'kæstreɪt, *Br* kæ'streɪt] *vt* castrar.

casual ['kæʒʊəl] *adj* **1.** *(relaxed, indifferent)* despreocupado(da). **2.** *pej (offhand)* descuidado(da), informal. **3.** *(chance - visitor)* ocasional; *(- remark)* casual. **4.** *(informal)* de sport, informal. **5.** *(irregular - labourer etc)* eventual.

casualty ['kæʒʊəltɪ] *n* **1.** *(gen)* víctima *f*. **2.** *(U) (ward)* urgencias *fpl*.

casualty department *n* unidad *f* de urgencias.

cat [kæt] *n* **1.** *(domestic)* gato *m*, -ta *f*. **2.** *(wild)* felino *m*.

Catalan ['kætəlæn] ◇ *adj* catalán(ana). ◇ *n* **1.** *(person)* catalán *m*, -ana *f*. **2.** *(language)* catalán *m*.

catalog *Am*, **catalogue** *Br* ['kætəlɒg] ◇ *n* **1.** *(of items)* catálogo *m*. **2.** *fig (list)* serie *f*, cadena *f*. ◇ *vt* **1.** *(make official list of)* catalogar. **2.** *fig (list)* enumerar.

Catalonia [ˌkætə'lounjə] *n* Cataluña.

Catalonian [ˌkætə'lounjən] ◇ *adj* catalán(ana). ◇ *n* *(person)* catalán *m*, -ana *f*.

catalyst ['kætələst] *n* catalizador *m*.

catalytic convertor [ˌkætəlɪtɪkkən-'vɜːrtə*r*] *n* catalizador *m*.

catapult ['kætəpʌlt] *Br n* *(hand-held)* tirachinas *m inv*.

cataract ['kætərækt] *n* *(in eye, waterfall)* catarata *f*.

catarrh [kə'tɑː*r*] *n* *(U)* catarro *m*.

catastrophe [kə'tæstrəfɪ] *n* catástrofe *f*.

catch [kætʃ] (*pt & pp* **caught**) ◇ *vt* **1.** *(gen)* coger, agarrar *Amer*. **2.** *(fish)* pescar; *(stop - person)* parar. **3.** *(be in time for):* **to ~ the (last) post** *Br* llegar a la (última) recogida del correo. **4.** *(hear clearly)* entender, llegar a oír. **5.** *(interest, imagination)* despertar. **6.** *(see):* **to ~ sight OR a glimpse of** alcanzar a ver. **7.** *(hook - shirt etc)* engancharse; *(shut in door - finger)* pillarse. **8.** *(strike)* golpear. ◇ *vi* **1.** *(become hooked, get stuck)* engancharse. **2.** *(start to burn)* prenderse. ◇ *n* **1.** *(of ball etc)* parada *f*. **2.** *(of fish)* pesca *f*, captura *f*. **3.** *(fastener)* pestillo *m*. **4.** *(snag)* trampa *f*. ◆ **catch on** *vi* **1.** *(become popular)* hacerse popular. **2.** *inf (understand):* **to ~ on (to)** caer en la cuenta (de). ◆ **catch out** *vt sep (trick)* pillar en un error. ◆ **catch up** ◇ *vt sep* alcanzar. ◇ *vi:* **we'll soon ~ up** pronto nos pondremos a la misma altura; **to ~ up on** *(sleep)* recuperar; *(work, reading)* ponerse al día con. ◆ **catch up with** *vt fus* **1.** *(group etc)* alcanzar. **2.** *(criminal)* pillar, descubrir.

catching ['kætʃɪŋ] *adj* contagioso(sa).

catchment area ['kætʃmənt-] *n* Br

zona *f* de captación.
catchphrase ['kætʃfreɪz] *n* muletilla *f*.
catchy ['kætʃɪ] *adj* pegadizo(za).
categorically [,kætə'gɒrɪklɪ] *adv (state)* categóricamente; *(deny)* rotundamente.
category [*Am* 'kætəgɔːrɪ, *Br* -əgərɪ] *n* categoría *f*.
cater ['keɪtə^r] *vi* proveer comida.
♦ **cater for** *vt fus Br (tastes, needs)* atender a; *(social group)* estar destinado (da) a; **I hadn't ~ed for that** no había contado con eso. ♦ **cater to** *vt fus* complacer.
caterer ['keɪtərə^r] *n* proveedor *m*, -ra *f*.
catering ['keɪtərɪŋ] *n (at wedding etc)* servicio *m* de banquetes; *(trade)* hostelería *f*.
caterpillar ['kætə^rpɪlə^r] *n* oruga *f*.
caterpillar tracks *npl* (rodado *m* de) oruga *f*.
cathedral [kə'θiːdrəl] *n* catedral *f*.
Catholic ['kæθlɪk] ◇ *adj* católico(ca). ◇ *n* católico *m*, -ca *f*. ♦ **catholic** *adj* diverso(sa).
Catseyes® ['kætsaɪz] *npl Br* catafaros *mpl*.
cattle ['kætl] *npl* ganado *m* (vacuno).
catty ['kætɪ] *adj inf pej (spiteful)* rencoroso(sa).
catwalk ['kætwɔːk] *n* pasarela *f*.
caucus ['kɔːkəs] *n (political group)* comité *m*. ♦ **Caucus** *n Am* congreso de los principales partidos estadounidenses.
caught [kɔːt] *pt & pp* → catch.
cauliflower ['kɒlɪflaʊə^r] *n* coliflor *f*.
cause [kɔːz] ◇ *n* **1.** *(gen)* causa *f*. **2.** *(grounds)*: ~ **(for)** motivo *m* (para); ~ **for complaint** motivo de queja; ~ **to do sthg** motivo para hacer algo. ◇ *vt* causar; **to ~ sb to do sthg** hacer que alguien haga algo.
caustic ['kɔːstɪk] *adj* **1.** (CHEM) cáustico(ca). **2.** *(comment)* mordaz, hiriente.
caution ['kɔːʃn] ◇ *n* **1.** *(U) (care)* precaución *f*, cautela *f*. **2.** *(warning)* advertencia *f*. ◇ *vt* **1.** *(warn - against danger)* prevenir; *(- against behaving rudely etc)* advertir. **2.** *Br (subj: policeman)*: **to ~ sb (for)** amonestar a alguien (por).
cautious ['kɔːʃəs] *adj* prudente, precavido(da).
cavalier [,kævə'lɪə^r] *adj* arrogante, desdeñoso(sa).
cavalry ['kævlrɪ] *n* caballería *f*.
cave [keɪv] *n* cueva *f*. ♦ **cave in** *vi (roof, ceiling)* hundirse.
caveman ['keɪvmæn] *(pl -men* [-men]) *n* cavernícola *m y f*.

caviar(e) ['kævɪɑː^r] *n* caviar *m*.
cavity ['kævɪtɪ] *n* **1.** *(in object, structure)* cavidad *f*. **2.** *(in tooth)* caries *f inv*.
cavort [kə'vɔː^rt] *vi* retozar, brincar.
CB *n abbr of* citizens' band.
CBI *abbr of* **Confederation of British Industry**.
cc ◇ *n (abbr of* **cubic centimetre)** cc. ◇ *(abbr of* **carbon copy)** cc.
CD *n (abbr of* **compact disc)** CD *m*.
CD player *n* reproductor *m* de CD.
CD-ROM [,siːdiː'rɒm] *(abbr of* **compact disc read only memory)** *n* CD-ROM *m*.
cease [siːs] *fml* ◇ *vt* cesar; **to ~ doing** OR **to do sthg** dejar de hacer algo. ◇ *vi* cesar.
cease-fire *n* alto *m* el fuego.
cedar (tree) ['siːdə^r-] *n* cedro *m*.
ceiling ['siːlɪŋ] *n* **1.** *(of room)* techo *m*. **2.** *(limit)* tope *m*, límite *m*.
celebrate ['selɪbreɪt] ◇ *vt* celebrar. ◇ *vi* divertirse.
celebrated ['selɪbreɪtəd] *adj* célebre.
celebration [,selɪ'breɪʃn] *n* **1.** *(U) (activity, feeling)* celebración *f*. **2.** *(event)* fiesta *f*, festejo *m*.
celebrity [sə'lebrətɪ] *n* celebridad *f*.
celery ['selərɪ] *n* apio *m*.
celibate ['seləbət] *adj* célibe.
cell [sel] *n* **1.** (BIOL, COMPUT & POL) célula *f*. **2.** *(prisoner's, nun's or monk's room)* celda *f*.
cellar ['selə^r] *n* **1.** *(basement)* sótano *m*. **2.** *(stock of wine)* bodega *f*.
cello ['tʃeləʊ] *(pl* -s) *n* violoncelo *m*.
Cellophane® ['seləfeɪn] *n* celofán® *m*.
Celsius ['selsɪəs] *adj* centígrado(da); **20 degrees ~** 20 grados centígrados.
Celt [kelt] *n* celta *m y f*.
Celtic ['keltɪk] ◇ *adj* celta. ◇ *n* celta *m*.
cement [sə'ment] *n* **1.** *(for concrete)* cemento *m*. **2.** *(glue)* cola *f*.
cement mixer *n* hormigonera *f*.
cemetery [*Am* 'semətrɪ, *Br* -ətrɪ] *n* cementerio *m*.
censor ['sensə^r] ◇ *n* censor *m*, -ra *f*. ◇ *vt* censurar.
censorship ['sensə^rʃɪp] *n* censura *f*.
censure ['senʃə^r] *vt* censurar.
census ['sensəs] *(pl* -uses) *n* censo *m*.
cent [sent] *n* centavo *m*.
centennial *Am* ['sen'tenjəl], **centenary** *Br* [*Am* sen'tenərɪ, *Br* -'tiːn-] *n* centenario *m*.
center *Am*, **centre** *Br* ['sentə^r] ◇ *n* centro *m*; **the ~** (POL) el centro. ◇ *adj*

1. *(middle)* central. **2.** (POL) centrista.
◇ *vt* centrar.

center back *n* defensa *m y f* central.

center forward *n* delantero *m*, -ra *f*
centro *(inv)*.

center half = center back.

centigrade ['sentəgreɪd] *adj* centígra-
do(da); **20 degrees** ~ 20 grados centígrados.

centiliter *Am*, **centilitre** *Br* ['sentɪ-
ˌliːtəʳ] *n* centilitro *m*.

centimeter *Am*, **centimetre** *Br*
['sentəˌmiːtəʳ] *n* centímetro *m*.

centipede ['sentɪpiːd] *n* ciempiés *m inv*.

central ['sentrəl] *adj* **1.** *(gen)* central; **in**
~ **Spain** en el centro de España.
2. *(easily reached)* céntrico(ca).

Central America *n* Centroamérica.

central heating *n* calefacción *f* central.

centralize ['sentrəlaɪz] *vt* centralizar.

central locking [-'lɒkɪŋ] *n* cierre *m*
centralizado.

central reservation *n Br* mediana *f*.

centre *Br* = center.

century ['sentʃərɪ] *n* siglo *m*.

ceramic [sə'ræmɪk] *adj* de cerámica,
cerámico(ca). ◆ **ceramics** *n* cerámica *f*.

cereal ['sɪərɪəl] *n* **1.** *(crop)* cereal *m*.
2. *(breakfast food)* cereales *mpl*.

ceremonial [ˌserə'məʊnjəl] *adj* ceremonial.

ceremony [*Am* 'serəməʊnɪ, *Br* -mənɪ] *n*
ceremonia *f*; **to stand on** ~ andarse con
cumplidos OR ceremonias.

certain ['sɜːʳtn] *adj* **1.** *(gen)* seguro(ra);
he's ~ **to be late** (es) seguro que llega
tarde; **to be** ~ **(of)** estar seguro (de); **to
make** ~ **(of)** asegurarse (de); **for** ~ seguro, con toda seguridad. **2.** *(particular,
some)* cierto(ta); **to a** ~ **extent** hasta
cierto punto. **3.** *(named person)*: **a** ~ ...
un (una) tal ...

certainly ['sɜːʳtnlɪ] *adv* desde luego; ~
not! ¡claro que no!

certainty ['sɜːʳtntɪ] *n* seguridad *f*.

certificate [sə'tɪfɪkət] *n (gen)* certificado *m*; (SCH & UNIV) diploma *m*, título
m; *(of birth, death)* partida *f*.

certified mail *n Am* correo *m* certificado.

certified public accountant *n Am*
contador público *m*, contadora pública
f Amer, contable diplomado *m*, contable
diplomada *f Esp*.

certify ['sɜːʳtɪfaɪ] *vt* **1.** *(declare true)*
certificar. **2.** *(declare insane)* declarar
demente.

cervical ['sɜːʳvɪkl] *adj* cervical.

cervical smear *n* citología *f*, frotis *f*
cervical.

cervix ['sɜːʳvɪks] *(pl* **-ices** [-ɪsiːz]) *n (of
womb)* cuello *m* del útero.

cesarean (section) *Am*, **caesarean
(section)** *Br* [sɪˌzeərɪən(-)] *n* cesárea *f*.

cesspit ['sespɪt], **cesspool** ['sespuːl] *n*
pozo *m* negro.

cf. *(abbr of* confer*)* cf., cfr.

CFC *(abbr of* chlorofluorocarbon*)* *n* CFC
m.

chafe [tʃeɪf] *vt (rub)* rozar.

chaffinch ['tʃæfɪntʃ] *n* pinzón *m*.

chain [tʃeɪn] ◇ *n* cadena *f*; ~ **of events**
serie *f* OR cadena *f* de acontecimientos.
◇ *vt (person, object)* encadenar.

chain reaction *n* reacción *f* en cadena.

chain saw *n* sierra *f* (mecánica) continua OR de cinta.

chain-smoke *vi* fumar un cigarrillo
tras otro.

chain store *n* grandes almacenes *mpl*.

chair [tʃeəʳ] ◇ *n* **1.** *(gen)* silla *f*; *(armchair)* sillón *m*. **2.** *(university post)* cátedra *f*. **3.** *(of meeting)* presidencia *f*. ◇ *vt*
presidir.

chair lift *n* telesilla *m*.

chairman ['tʃeəʳmən] *(pl* **-men** [-mən])
n presidente *m*.

chairperson ['tʃeəʳˌpɜːʳsn] *(pl* **-s**) *n*
presidente *m*, -ta *f*.

chalet [*Am* ʃæ'leɪ, *Br* 'ʃæleɪ] *n* chalé *m*,
chalet *m*.

chalk [tʃɔːk] *n* **1.** *(type of rock)* creta *f*.
2. *(for drawing)* tiza *f*, gis *m Col & Méx*.

chalkboard ['tʃɔːkbɔːʳd] *n Am* pizarra
f.

challenge ['tʃælɪndʒ] ◇ *n* desafío *m*,
reto *m*. ◇ *vt* **1.** *(to fight, competition)*: **to**
~ **sb (to sthg/to do sthg)** desafiar a
alguien (a algo/a hacer algo).
2. *(question)* poner en tela de juicio.

challenging ['tʃælɪndʒɪŋ] *adj* **1.** *(task,
job)* estimulante, que supone un reto.
2. *(look, tone of voice)* desafiante.

chamber ['tʃeɪmbəʳ] *n (room)* cámara
f.

chambermaid ['tʃeɪmbəʳmeɪd] *n (at
hotel)* camarera *f*.

chamber of commerce *n* cámara *f*
de comercio.

chameleon [kə'miːljən] *n* camaleón *m*.

champagne [ʃæm'peɪn] *n* champán *m*.

champion ['tʃæmpjən] *n* **1.** *(of competition)* campeón *m*, -ona *f*. **2.** *(of cause)*
defensor *m*, -ra *f*.

championship ['tʃæmpjənʃɪp] *n* campeonato *m*.

chance [*Am* tʃæns, *Br* tʃɑːns] ◇ *n*
1. *(luck)* azar *m*, suerte *f*; **by ~** por casualidad. **2.** *(likelihood)* posibilidad *f*; **not to stand a ~ (of)** no tener ninguna posibilidad (de); **by any ~** por casualidad, acaso. **3.** *(opportunity)* oportunidad *f*. **4.** *(risk)* riesgo *m*; **to take a ~ (on)** correr un riesgo OR arriesgarse (con). ◇ *adj* fortuito(ta), casual. ◇ *vt* arriesgar; **to ~ it** arriesgarse.

chancellor [*Am* 'tʃænslər, *Br* 'tʃɑːnslə] *n* **1.** *(chief minister)* canciller *m*. **2.** (UNIV) ≈ rector *m*, -ra *f*.

Chancellor of the Exchequer *n Br* Ministro *m*, -tra *f* de Economía y Hacienda.

chandelier [ˌʃændə'lɪər] *n* (lámpara *f* de) araña *f*.

change [tʃeɪndʒ] ◇ *n* **1.** *(gen)* cambio *m*; **~ of clothes** muda *f*; **for a ~** para variar. **2.** *(from payment)* cambio *m*, vuelto *m Amer*, vuelta *f Esp*. **3.** *(coins)* suelto *m*, calderilla *f*. **4.** *(money in exchange)*: **have you got ~ for £5?** ¿tienes cambio de 5 libras? ◇ *vt* **1.** *(gen)* cambiar; **to ~ sthg into** transformar algo en; **to ~ pounds into francs** cambiar libras en francos; **to ~ direction** cambiar de rumbo; **to ~ one's mind** cambiar de idea OR opinión. **2.** *(goods in shop)* descambiar. **3.** *(switch - job, gear, train)* cambiar de; **to ~ one's clothes** cambiarse de ropa. ◇ *vi* **1.** *(alter)* cambiar; **to ~ into sthg** transformarse en algo. **2.** *(change clothes)* cambiarse. **3.** *(change trains, buses)* hacer transbordo. ◆ **change over** *vi (convert)*: **to ~ over to** cambiar a.

changeable ['tʃeɪndʒəbl] *adj* variable.

change machine *n* máquina *f* de cambio.

changeover ['tʃeɪndʒəʊvər] *n*: **~ (to)** cambio *m* (a).

changing room *n* vestuario *m*.

channel ['tʃænl] ◇ *n* canal *m*. ◇ *vt lit & fig* canalizar. ◆ **Channel** *n*: **the (English) Channel** el Canal de la Mancha. ◆ **channels** *npl (procedure)* conductos *mpl*, medios *mpl*.

Channel Islands *npl*: **the ~** las islas del canal de la Mancha.

Channel tunnel *n*: **the ~** el túnel del Canal de la Mancha.

chant [*Am* tʃænt, *Br* tʃɑːnt] ◇ *n* **1.** (RELIG) canto *m*. **2.** *(repeated words)* soniquete *m*. ◇ *vt* **1.** (RELIG) cantar. **2.** *(words)* corear.

chaos ['keɪɒs] *n* caos *m*.

chaotic [keɪ'ɒtɪk] *adj* caótico(ca).

chap [tʃæp] *n Br inf* chico *m*, tío *m*.

chapel ['tʃæpl] *n* capilla *f*.

chaperon(e) ['ʃæpərəʊn] ◇ *n* carabina *f*, acompañanta *f*. ◇ *vt* acompañar.

chaplain ['tʃæplɪn] *n* capellán *m*.

chapped [tʃæpt] *adj* agrietado(da).

chapter ['tʃæptər] *n lit & fig* capítulo *m*.

char [tʃɑːr] ◇ *n Br (cleaner)* mujer *f* de la limpieza. ◇ *vt (burn)* carbonizar, calcinar.

character [*Am* 'kerəktər, *Br* 'kærəktə] *n* **1.** *(nature, quality, letter)* carácter *m*. **2.** *(in film, book, play)* personaje *m*. **3.** *inf (person of stated kind)* tipo *m*. **4.** *inf (person with strong personality)*: **to be a ~** ser todo un carácter.

characteristic [*Am* ˌkerəktə'rɪstɪk, ˌkær-] ◇ *adj* característico(ca). ◇ *n* característica *f*.

characterize [*Am* 'kerəktəraɪz, *Br* 'kær-] *vt* **1.** *(typify)* caracterizar. **2.** *(portray)*: **to ~ sthg as** describir algo como.

charade [*Am* ʃə'rɑːd, *Br* -'reɪd] *n* farsa *f*. ◆ **charades** *n* (U) charadas *fpl*.

charcoal ['tʃɑːrkoʊl] *n (for barbecue etc)* carbón *m* (vegetal); *(for drawing)* carboncillo *m*.

charge [tʃɑːrdʒ] ◇ *n* **1.** *(cost)* precio *m*, coste *m*; **free of ~** gratis. **2.** (JUR) cargo *m*, acusación *f*. **3.** *(responsibility)*: **to have ~ of sthg** tener algo al cargo de uno; **to take ~ (of)** hacerse cargo (de); **to be in ~** ser el encargado (la encargada); **in ~ of** encargado(da) de. **4.** (ELEC) carga *f*. **5.** (MIL) *(of cavalry)* carga *f*. ◇ *vt* **1.** *(customer, sum)* cobrar; **to ~ sthg to sb** cargar algo en la cuenta de alguien. **2.** *(suspect, criminal)*: **to ~ sb (with)** acusar a alguien (de). **3.** *(attack)* cargar contra. **4.** *(battery)* cargar. ◇ *vi (rush)* cargar; **to ~ in/out** entrar/salir en tromba.

charge card *n* tarjeta *f* de crédito de un establecimiento comercial.

charger ['tʃɑːrdʒər] *n (for batteries)* cargador *m*.

chariot [*Am* 'tʃerɪət, *Br* 'tʃær-] *n* carro *m*, cuadriga *f*.

charisma [kə'rɪzmə] *n* carisma *m*.

charitable ['tʃærətəbl] *adj* **1.** *(person, remark)* caritativo(va). **2.** *(organization)* benéfico(ca).

charity ['tʃærətɪ] *n* **1.** *(kindness, money)* caridad *f*. **2.** *(organization)* institución *f* benéfica.

charm [tʃɑːrm] ◇ *n* **1.** *(appeal, attractiveness)* encanto *m*. **2.** *(spell)* hechizo *m*. **3.** *(on bracelet)* dije *m*, amuleto *m*. ◇ *vt* dejar encantado(da).

charming ['tʃɑːᵊmɪŋ] *adj* encantador (ra).

chart [tʃɑːᵊt] ◇ *n* 1. *(diagram)* gráfico *m*. 2. *(map)* carta *f*. ◇ *vt* 1. *(plot, map)* representar en un mapa. 2. *fig (record)* trazar. ◆ **charts** *npl*: **the ~s** la lista de éxitos.

charter ['tʃɑːᵊtəʳ] ◇ *n (document)* carta *f*. ◇ *comp* chárter *(inv)*. ◇ *vt (plane, boat)* fletar.

chartered accountant [,tʃɑːᵊtəᵊd-] *n Br* contador público *m*, contadora pública *f Amer*, contable diplomado *m*, contable diplomada *f Esp*.

charter flight *n* vuelo *m* chárter.

chase [tʃeɪs] ◇ *n (pursuit)* persecución *f*. ◇ *vt* 1. *(pursue)* perseguir. 2. *(drive away)* ahuyentar.

chasm ['kæzəm] *n (deep crack)* sima *f*.

chassis ['ʃæsɪ] *(pl inv)* *n (of vehicle)* chasis *m inv*.

chaste [tʃeɪst] *adj* casto(ta).

chat [tʃæt] ◇ *n* charla *f*. ◇ *vi* charlar. ◆ **chat up** *vt sep Br inf* ligar con.

chat show *n Br* programa *m* de entrevistas.

chatter ['tʃætəʳ] ◇ *n* 1. *(of person)* cháchara *f*. 2. *(of bird)* gorjeo *m*; *(of monkey)* chillidos *mpl*. ◇ *vi* 1. *(person)* parlotear. 2. *(teeth)* castañetear.

chatterbox ['tʃætəbɒks] *n inf* parlanchín *m*, -ina *f*.

chatty ['tʃætɪ] *adj* 1. *(person)* dicharachero(ra). 2. *(letter)* informal.

chauffeur [*Am* 'ʃoufɜːr, *Br* 'ʃoufə] *n* chófer *m y f*.

chauvinist ['ʃouvənɪst] *n* 1. *(sexist)* sexista *m y f*; **male ~** machista *m*. 2. *(nationalist)* chovinista *m y f*.

cheap [tʃiːp] ◇ *adj* 1. *(inexpensive)* barato(ta). 2. *(low - quality)* de mala calidad. 3. *(vulgar - joke etc)* de mal gusto. ◇ *adv* barato.

cheapen ['tʃiːpən] *vt (degrade)* rebajar.

cheaply ['tʃiːplɪ] *adv* barato.

cheat [tʃiːt] ◇ *n* tramposo *m*, -sa *f*. ◇ *vt* timar, estafar; **to ~ sb out of sthg** estafar algo a alguien. ◇ *vi (in exam)* copiar; *(at cards)* hacer trampas.

check [tʃek] ◇ *n* 1. *(inspection, test)*: ~ **(on)** inspección *f* OR comprobación *f* (de); **to keep a ~ on** llevar un control de. 2. *(restraint)*: ~ **(on)** restricción *f* (en). 3. *Am (cheque)* cheque *m*. 4. *Am (bill)* cuenta *f*. 5. *(pattern)* cuadros *mpl*. 6. *Am (written mark)* marca *f* OR señal *f* de visto bueno. ◇ *vt* 1. *(test, verify)* comprobar; *(inspect)* inspeccionar. 2. *(restrain, stop)* refrenar. 3. *Am (box,* *item)* marcar (con una señal). ◇ *vi* comprobar; **to ~ (for/on sthg)** comprobar (algo). ◆ **check in** ◇ *vt sep (luggage, coat)* facturar. ◇ *vi* 1. *(at hotel)* inscribirse, registrarse. 2. *(at airport)* facturar. ◆ **check out** ◇ *vt sep* 1. *(luggage, coat)* recoger. 2. *(investigate)* comprobar. ◇ *vi (from hotel)* dejar el hotel. ◆ **check up** *vi*: **to ~ up (on)** informarse (acerca de).

checkbook *Am*, **chequebook** *Br* ['tʃekbʊk] *n* talonario *m* de cheques, chequera *f Amer*.

checked [tʃekt] *adj* a cuadros.

checkered *Am*, **chequered** *Br* ['tʃekəᵊd] *adj* 1. *(patterned)* a cuadros. 2. *(varied)* lleno(na) de altibajos.

checkers ['tʃekəᵊz] *n Am (U)* damas *fpl*.

check-in *n* facturación *f* de equipajes.

checking account ['tʃekɪŋ-] *n Am* cuenta *f* corriente.

checkmate ['tʃekmeɪt] *n* jaque *m* mate.

checkout ['tʃekaʊt] *n* caja *f*.

checkpoint ['tʃekpɔɪnt] *n* control *m*.

checkup ['tʃekʌp] *n* chequeo *m*.

Cheddar (cheese) ['tʃedəʳ-] *n (queso m)* cheddar *m*.

cheek [tʃiːk] *n* 1. *(of face)* mejilla *f*. 2. *inf (impudence)* cara *f*, descaro *m*.

cheekbone ['tʃiːkbəʊn] *n* pómulo *m*.

cheeky ['tʃiːkɪ] *adj* descarado(da).

cheer [tʃɪəʳ] ◇ *n (shout)* aclamación *f*; **~s** vítores *mpl*. ◇ *vt* 1. *(shout approval, encouragement at)* aclamar. 2. *(gladden)* animar. ◇ *vi* gritar con entusiasmo. ◆ **cheers** *excl (when drinking)* ¡salud!; *inf (thank you)* ¡gracias!; *inf (goodbye)* ¡hasta luego! ◆ **cheer up** ◇ *vt sep* animar. ◇ *vi* animarse.

cheerful ['tʃɪəᵊfl] *adj (gen)* alegre.

cheerio [,tʃɪərɪ'oʊ] *excl inf* ¡hasta luego!

cheese [tʃiːz] *n* queso *m*.

cheeseboard ['tʃiːzbɔːᵊd] *n* tabla *f* de quesos.

cheeseburger ['tʃiːzbɜːᵊgəʳ] *n* hamburguesa *f* de queso.

cheesecake ['tʃiːzkeɪk] *n* pastel *m* OR tarta *f* de queso.

cheetah ['tʃiːtə] *n* guepardo *m*, onza *f*.

chef [ʃef] *n* chef *m*, jefe *m* de cocina.

chemical ['kemɪkl] ◇ *adj* químico(ca). ◇ *n* sustancia *f* química.

chemist ['kemɪst] *n* 1. *Br (pharmacist)* farmacéutico *m*, -ca *f*; **~'s (shop)** farmacia *f*. 2. *(scientist)* químico *m*, -ca *f*.

chemistry ['kemɪstrɪ] *n (science)* química *f*.

cheque [tʃek] *n Br* cheque *m*, talón *m Esp*.

chequebook *Br* = checkbook.

cheque card *n Br* tarjeta *f* de identificación bancaria.

chequered *Br* = checkered.

cherish ['tʃerɪʃ] *vt* 1. *(hope, memory)* abrigar. 2. *(privilege, right)* apreciar. 3. *(person, thing)* tener mucho cariño a.

cherry ['tʃerɪ] *n (fruit)* cereza *f*; ~ **(tree)** cerezo *m*.

chess [tʃes] *n* ajedrez *m*.

chessboard ['tʃesbɔːrd] *n* tablero *m* de ajedrez.

chessman ['tʃesmæn] *(pl* -men [-men]) *n* pieza *f*.

chest [tʃest] *n* 1. (ANAT) pecho *m*. 2. *(box, trunk - gen)* arca *f*, cofre *m*; *(- for tools)* caja *f*.

chestnut ['tʃesnʌt] ◇ *adj (colour)* castaño(ña). ◇ *n (nut)* castaña *f*; ~ **(tree)** castaño *m*.

chest of drawers *(pl* chests of drawers) *n* cómoda *f*.

chew [tʃuː] *vt* 1. *(food)* masticar. 2. *(nails)* morderse; *(carpet)* morder. ◆ **chew up** *vt sep (food)* masticar; *(slippers)* mordisquear.

chewing gum ['tʃuːɪŋ-] *n* chicle *m*.

chic [ʃiːk] *adj* chic *(inv)*, elegante.

chick [tʃɪk] *n (baby bird)* polluelo *m*.

chicken ['tʃɪkən] *n* 1. *(bird)* gallina *f*. 2. *(food)* pollo *m*. 3. *inf (coward)* gallina *m y f*. ◆ **chicken out** *vi inf*: **to ~ out (of** sthg/of doing sthg) rajarse (a la hora de algo/de hacer algo).

chickenpox ['tʃɪkənpɒks] *n* varicela *f*.

chickpea ['tʃɪkpiː] *n* garbanzo *m*.

chicory ['tʃɪkərɪ] *n* achicoria *f*.

chief [tʃiːf] ◇ *adj* principal. ◇ *n* jefe *m*, -fa *f*.

chief executive *n (head of company)* director *m*, -ra *f* general.

chiefly ['tʃiːflɪ] *adv* 1. *(mainly)* principalmente. 2. *(especially, above all)* por encima de todo.

chiffon ['ʃɪfɒn] *n* gasa *f*.

chilblain ['tʃɪlbleɪn] *n* sabañón *m*.

child [tʃaɪld] *(pl* children) *n* 1. *(boy, girl)* niño *m*, -ña *f*. 2. *(son, daughter)* hijo *m*, -ja *f*.

child benefit *n (U) Br* subsidio pagado a todas las familias por cada hijo.

childbirth ['tʃaɪldbɜːθ] *n (U) Br* parto *m*.

childhood ['tʃaɪldhʊd] *n* infancia *f*.

childish ['tʃaɪldɪʃ] *adj pej* infantil.

childlike ['tʃaɪldlaɪk] *adj (person)* como un niño; *(smile, trust)* de niño.

childminder ['tʃaɪldmaɪndər] *n Br* niñera *f (durante el día)*.

childproof ['tʃaɪldpruːf] *adj* a prueba de niños.

children ['tʃɪldrən] *pl* → **child**.

children's home *n* hogar *m* infantil.

Chile ['tʃɪlɪ] *n* Chile.

Chilean ['tʃɪlɪən] ◇ *adj* chileno(na). ◇ *n* chileno *m*, -na *f*.

chili ['tʃɪlɪ] = chilli.

chill [tʃɪl] ◇ *n* 1. *(illness)* resfriado *m*. 2. *(in temperature)*: **there's a ~ in the air** hace un poco de fresco. ◇ *vt* 1. *(drink, food)* (dejar) enfriar. 2. *(person - with cold)* enfriar; *(- with fear)* hacer sentir escalofríos.

chilli ['tʃɪlɪ] *(pl* -ies) *n* guindilla *f*, chile *m*, ají *m Amer*.

chilling ['tʃɪlɪŋ] *adj* 1. *(very cold)* helado (da). 2. *(frightening)* escalofriante.

chilly ['tʃɪlɪ] *adj* frío(a).

chime [tʃaɪm] ◇ *n* campanada *f*. ◇ *vi (bell)* repicar; *(clock)* sonar.

chimney ['tʃɪmnɪ] *n* chimenea *f*.

chimneysweep ['tʃɪmnɪswiːp] *n* deshollinador *m*, -ra *f*.

chimp [tʃɪmp], **chimpanzee** [,tʃɪmpænˈziː] *n* chimpancé *m y f*.

chin [tʃɪn] *n* barbilla *f*.

china ['tʃaɪnə] *n* porcelana *f*, loza *f*.

China ['tʃaɪnə] *n* la China.

Chinese [,tʃaɪˈniːz] ◇ *adj* chino(na). ◇ *n* 1. *(person)* chino *m*, -na *f*. 2. *(language)* chino *m*. ◇ *npl*: **the ~** los chinos.

chink [tʃɪŋk] ◇ *n* 1. *(narrow opening)* grieta *f*; *(of light)* resquicio *m*. 2. *(sound)* tintineo *m*. ◇ *vi* tintinear.

chip [tʃɪp] ◇ *n* 1. *Am (potato crisp)* papa *f* frita *(de bolsa o de churrería)*; *Br (fried potato chip)* papa *f* frita. 2. *(fragment - gen)* pedacito *m*; *(- of wood)* viruta *f*; *(- of stone)* lasca *f*. 3. *(flaw - in cup, glass)* desportilladura *f*. 4. (COMPUT) chip *m*. 5. *(token)* ficha *f*. ◇ *vt (damage)* desportillar. ◆ **chip in** *inf vi* 1. *(pay money)* poner dinero. 2. *(interrupt)* interrumpir. ◆ **chip off** *vt sep* desconchar.

chipboard ['tʃɪpbɔːrd] *n* aglomerado *m*.

chip shop *n Br* tienda en la que se vende pescado y papas fritas.

chiropodist [kəˈrɒpədəst] *n* podólogo *m*, -ga *f*, pedicuro *m*, -ra *f*.

chirp [tʃɜːrp] *vi (bird)* piar; *(insect)* chirriar.

chirpy ['tʃɜːrpɪ] *adj inf* alegre.

chisel ['tʃɪzl] *n (for wood)* formón *m*, escoplo *m*; *(for stone)* cincel *m*.

chitchat ['tʃɪttʃæt] *n (U) inf* cotilleos *mpl*.

chivalry ['ʃɪvlrɪ] *n* 1. *literary (of knights)* caballería *f*. 2. *(good manners)* caballerosidad *f*.

chives [tʃaɪvz] *npl* cebollana *f*.

chlorine ['klɔːriːn] *n* cloro *m*.

choc-ice ['tʃɒkaɪs] *n Br* helado *m* cubierto de chocolate.

chock [tʃɒk] *n* cuña *f*, calzo *m*.

chock-a-block, chock-full *adj inf*: ~ **(with)** hasta los topes (de).

chocolate ['tʃɒklət] ◊ *n* 1. *(food, drink)* chocolate *m*. 2. *(sweet)* bombón *m*. ◊ *comp* de chocolate.

choice [tʃɔɪs] ◊ *n* 1. *(gen)* elección *f*; **to have no ~ but to do sthg** no tener más remedio que hacer algo. 2. *(person chosen)* preferido *m*, -da *f*; *(thing chosen)* alternativa *f* preferida. 3. *(variety, selection)* surtido *m*. ◊ *adj* de primera calidad.

choir ['kwaɪəʳ] *n* coro *m*.

choirboy ['kwaɪəʳbɔɪ] *n* niño *m* de coro.

choke [tʃəʊk] ◊ *n* (AUT) estárter *m*. ◊ *vt* 1. *(subj: person, fumes)* asfixiar; *(subj: fishbone etc)* hacer atragantarse. 2. *(block - pipes, gutter)* atascar. ◊ *vi (on fishbone etc)* atragantarse; *(to death)* asfixiarse.

cholera ['kɒlərə] *n* cólera *m*.

choose [tʃuːz] *(pt* **chose**, *pp* **chosen)** ◊ *vt* 1. *(select)* elegir, escoger. 2. *(decide)*: **to ~ to do sthg** decidir hacer algo; **do whatever you ~** haz lo que quieras. ◊ *vi* elegir, escoger.

choos(e)y ['tʃuːzɪ] *(compar* **-ier**, *superl* **-iest)** *adj (gen)* quisquilloso(sa); *(about food)* exigente, remilgado(da).

chop [tʃɒp] ◊ *n* 1. (CULIN) chuleta *f*. 2. *(blow - with axe)* hachazo *m*. ◊ *vt* 1. *(cut up)* cortar. 2. *phr*: **to ~ and change** cambiar cada dos por tres. ◆ **chops** *npl inf* morros *mpl*, jeta *f*. ◆ **chop down** *vt sep* talar. ◆ **chop up** *vt sep (vegetables, meat)* picar; *(wood)* cortar.

chopper ['tʃɒpəʳ] *n* 1. *(for wood)* hacha *f*; *(for meat)* cuchillo *m* de carnicero. 2. *inf (helicopter)* helicóptero *m*.

choppy ['tʃɒpɪ] *adj* picado(da).

chopsticks ['tʃɒpstɪks] *npl* palillos *mpl*.

chord [kɔːʳd] *n* (MUS) acorde *m*.

chore [tʃɔːʳ] *n* tarea *f*, faena *f*.

chortle ['tʃɔːʳtl] *vi* reírse con satisfacción.

chorus ['kɔːrəs] *n* 1. *(part of song, refrain)* estribillo *m*. 2. *(choir, group of singers or dancers)* coro *m*.

chose [tʃəʊz] *pt* → **choose**.

chosen ['tʃəʊzn] *pp* → **choose**.

Christ [kraɪst] *n* Cristo *m*.

christen ['krɪsn] *vt* bautizar.

christening ['krɪsnɪŋ] *n* bautizo *m*.

Christian ['krɪstʃən] ◊ *adj* cristiano (na). ◊ *n* cristiano *m*, -na *f*.

Christianity [ˌkrɪstɪˈænətɪ] *n* cristianismo *m*.

Christian name *n* nombre *m* de pila.

Christmas ['krɪsməs] *n* Navidad *f*; **happy** OR **merry ~!** ¡Felices Navidades!

Christmas card *n* crismas *m inv*.

Christmas Day *n* día *m* de Navidad.

Christmas Eve *n* Nochebuena *f*.

Christmas pudding *n Br* pudín *m* de frutas que se come caliente el día de Navidad.

Christmas tree *n* árbol *m* de Navidad.

chrome [krəʊm], **chromium** ['krəʊmjəm] ◊ *n* cromo *m*. ◊ *comp* cromado(da).

chronic ['krɒnɪk] *adj* 1. *(illness, unemployment)* crónico(ca). 2. *(liar, alcoholic)* empedernido(da).

chronicle ['krɒnɪkl] *n* crónica *f*.

chronological [ˌkrɒnəˈlɒdʒɪkl] *adj* cronológico(ca).

chrysanthemum [krɪˈsænθəməm] *(pl* **-s)** *n* crisantemo *m*.

chubby ['tʃʌbɪ] *adj (person, hands)* rechoncho(cha); *(cheeks)* mofletudo (da).

chuck [tʃʌk] *vt inf* 1. *(throw)* tirar, arrojar; **to ~ sb out** echar a alguien. 2. *(job, girlfriend)* dejar. ◆ **chuck away, chuck out** *vt sep inf* tirar.

chuckle ['tʃʌkl] *vi* reírse entre dientes.

chug [tʃʌg] *vi (train)* traquetear; *(car)* resoplar.

chum [tʃʌm] *n inf (gen)* compinche *mf*, manito *m Méx*; *(at school)* compañero *m*, -ra *f*.

chunk [tʃʌŋk] *n (piece)* trozo *m*.

church [tʃɜːʳtʃ] *n* iglesia *f*; **to go to ~** ir a misa.

Church of England *n*: **the ~** la Iglesia Anglicana.

churchyard ['tʃɜːʳtʃjɑːʳd] *n* cementerio *m*, camposanto *m*.

churn [tʃɜːʳn] ◊ *n* 1. *(for making butter)* mantequera *f*. 2. *(for transporting milk)* lechera *f*. ◊ *vt (stir up)* agitar. ◆ **churn out** *vt sep inf* hacer como churros OR en cantidades industriales.

chute [ʃuːt] *n (for water)* vertedor *m*; *(slide)* tobogán *m*; *(for waste)* rampa *f*.

chutney ['tʃʌtnɪ] *n salsa agridulce y*

claim

picante de fruta y semillas.

CIA (*abbr of* **Central Intelligence Agency**) *n* CIA *f*.

CID (*abbr of* **Criminal Investigation Department**) *n Br* = Brigada *f* de Policía Judicial.

cider ['saɪdə^r] *n* sidra *f*.

cigar [sɪ'gɑː^r] *n* puro *m*.

cigarette [ˌsɪgə'ret] *n* cigarrillo *m*.

cigarette paper *n* papel *m* de fumar.

cinch [sɪntʃ] *n inf*: **it's a ~** está tirado, es pan comido.

cinder ['sɪndə^r] *n* ceniza *f*.

Cinderella [ˌsɪndə'relə] *n* Cenicienta *f*.

cinema ['sɪnəmə] *n* cine *m*.

cinnamon ['sɪnəmən] *n* canela *f*.

circa ['sɜːkə] *prep* hacia.

circle ['sɜːkl] ◇ *n* **1.** (*gen*) círculo *m*; **to go round in ~s** darle (mil) vueltas al mismo tema. **2.** (*in theatre*) anfiteatro *m*; (*in cinema*) entresuelo *m*. ◇ *vt* **1.** (*draw a circle round*) rodear con un círculo. **2.** (*move round*) describir círculos alrededor de. ◇ *vi* dar vueltas.

circuit ['sɜːkɪt] *n* **1.** (*gen*) circuito *m*. **2.** (*of track*) vuelta *f*.

circuitous [sə'kjuːɪtəs] *adj* tortuoso (sa).

circular ['sɜːkjələ^r] ◇ *adj* (*gen*) circular. ◇ *n* circular *f*.

circulate ['sɜːkjəleɪt] ◇ *vi* **1.** (*gen*) circular. **2.** (*socialize*) alternar. ◇ *vt* (*rumour, document*) hacer circular.

circulation [ˌsɜːkjə'leɪʃn] *n* **1.** (*of blood, money*) circulación *f*. **2.** (*of magazine, newspaper*) tirada *f*.

circumcise ['sɜːkəmsaɪz] *vt* circuncidar.

circumference [sə'kʌmfərəns] *n* circunferencia *f*.

circumstances ['sɜːkəmstænsɪz] *npl* circunstancias *fpl*; **under** OR **in no ~s** bajo ningún concepto; **in** OR **under the ~** dadas las circunstancias.

circus ['sɜːkəs] *n* **1.** (*for entertainment*) circo *m*. **2.** (*in place names*) glorieta *f*.

CIS (*abbr of* **Commonwealth of Independent States**) *n* CEI *f*.

cistern ['sɪstə^rn] *n* **1.** *Br* (*in roof*) depósito *m* de agua. **2.** (*in toilet*) cisterna *f*.

cite [saɪt] *vt* citar.

citizen ['sɪtɪzən] *n* ciudadano *m*, -na *f*.

Citizens' Advice Bureau *n* oficina británica de información y asistencia al ciudadano.

Citizens' Band *n* banda de radio reservada para radioaficionados y conductores.

citizenship ['sɪtɪzənʃɪp] *n* ciudadanía *f*.

citrus fruit ['sɪtrəs-] *n* cítrico *m*.

city ['sɪtɪ] *n* ciudad *f*. ◆ **City** *n Br*: **the City** la City, *centro financiero de Londres*.

city centre *n* centro *m* de la ciudad.

city hall *n Am* ayuntamiento *m*.

city technology college *n Br centro de formación profesional financiado por la industria*.

civic ['sɪvɪk] *adj* **1.** (*leader, event*) público(ca). **2.** (*duty, pride*) cívico(ca).

civic centre *n Br zona de la ciudad donde se encuentran los edificios públicos*.

civil ['sɪvl] *adj* **1.** (*involving ordinary citizens*) civil. **2.** (*polite*) cortés.

civil engineering *n* ingeniería *f* civil.

civilian [sə'vɪljən] ◇ *n* civil *m* y *f*. ◇ *comp* (*organization*) civil; (*clothes*) de paisano.

civilization [*Am* ˌsɪvlə'zeɪʃn, *Br* -aɪ'zeɪʃn] *n* civilización *f*.

civilized ['sɪvəlaɪzd] *adj* civilizado(da).

civil law *n* derecho *m* civil.

civil liberties *npl* libertades *fpl* civiles.

civil rights *npl* derechos *mpl* civiles.

civil servant *n* funcionario *m*, -ria *f*.

civil service *n* administración *f* pública.

civil war *n* guerra *f* civil.

AMERICAN CIVIL WAR

La guerra civil norteamericana, también conocida como Guerra de Secesión, comenzó en 1861 cuando once estados del sur abandonaron la Unión (los Estados Unidos) para formar una entidad política diferente que se dio en llamar la Confederación, o también Estados Confederados de América. La lucha concluyó en 1865, año en que Robert E. Lee, general de los confederados, ofreció su rendición al jefe de las tropas unionistas, Ulysses S. Grant. Como consecuencia de esta guerra, la esclavitud fue abolida en Estados Unidos y los estados perdieron importancia frente al gobierno central.

clad [klæd] *adj literary*: **~ in** vestido(da) de.

claim [kleɪm] ◇ *n* **1.** (*for pay, insurance, expenses*) reclamación *f*. **2.** (*of right*) reivindicación *f*; **to lay ~ to sthg** reclamar algo. **3.** (*assertion*) afirmación *f*. ◇ *vt* **1.** (*allowance, expenses, lost property*) reclamar. **2.** (*responsibility, credit*) atribuirse. **3.** (*maintain*): **to ~ (that)** mantener que. ◊ *vi*: **to ~ on one's insurance** reclamar al seguro; **to ~ for sthg** reclamar algo.

claimant ['kleɪmənt] *n (to throne)* pretendiente *m y f*; *(of unemployment benefit)* solicitante *m y f*; (JUR) demandante *m y f*.

clairvoyant [kleə^r'vɔɪənt] *n* clarividente *m y f*.

clam [klæm] *n* almeja *f*.

clamber ['klæmbə^r] *vi* trepar.

clammy ['klæmɪ] *adj (hands)* húmedo (da), pegajoso(sa); *(weather)* bochornoso(sa).

clamor *Am*, **clamour** *Br* ['klæmə^r] ◊ *n (U)* 1. *(noise)* clamor *m*. 2. *(demand)*: ~ **(for)** exigencias *fpl* OR demandas *fpl* (de). ◊ *vi*: **to ~ for sthg** exigir a voces algo.

clamp [klæmp] ◊ *n (gen)* abrazadera *f*; *(for car wheel)* cepo *m*. ◊ *vt* 1. *(with clamp)* sujetar (con abrazadera). 2. *(with wheel clamp)* poner un cepo a. ♦ **clamp down** *vi*: **to ~ down on** poner freno a.

clan [klæn] *n* clan *m*.

clandestine [klæn'destən] *adj* clandestino(na).

clang [klæŋ] *vi* hacer un ruido metálico.

clap [klæp] ◊ *vt*: **to ~ one's hands** dar palmadas. ◊ *vi* aplaudir.

clapping ['klæpɪŋ] *n (U)* aplausos *mpl*.

claret [*Am* 'klerət, *Br* 'klær-] *n* burdeos *m inv*.

clarify [*Am* 'klerɪfaɪ, *Br* 'klær-] *vt* aclarar.

clarinet [*Am* ˌklerə'net, *Br* ˌklær-] *n* clarinete *m*.

clarity [*Am* 'klerətɪ, *Br* 'klærətɪ] *n* claridad *f*.

clash [klæʃ] ◊ *n* 1. *(difference - of interests)* conflicto *m*; *(- of personalities)* choque *m*. 2. *(fight, disagreement)*: ~ **(with)** conflicto *m* (con). 3. *(noise)* estruendo *m*. ◊ *vi* 1. *(fight, disagree)*: **to ~ (with)** enfrentarse (con). 2. *(opinions, policies)* estar en desacuerdo. 3. *(date, event)*: **to ~ (with)** coincidir (con). 4. *(colour)*: **to ~ (with)** desentonar (con).

clasp [*Am* klæsp, *Br* klɑːsp] ◊ *n (on necklace, bracelet)* broche *m*; *(on belt)* cierre *m*. ◊ *vt (person)* abrazar (agarrando); *(thing)* agarrar.

class [*Am* klæs, *Br* klɑːs] ◊ *n* 1. *(gen)* clase *f*. 2. *(category)* clase *f*, tipo *m*. ◊ *vt*: **to ~ sb (as)** clasificar a alguien (de).

classic ['klæsɪk] ◊ *adj (typical)* clásico (ca). ◊ *n* clásico *m*.

classical ['klæsɪkl] *adj* clásico(ca).

classified ['klæsɪfaɪd] *adj (secret)* reservado(da), secreto(ta).

classified ad *n* anuncio *m* por palabras.

classify ['klæsɪfaɪ] *vt* clasificar.

classmate [*Am* 'klæsmeɪt, *Br* 'klɑːs-] *n* compañero *m*, -ra *f* de clase.

classroom [*Am* 'klæsruːm, *Br* 'klɑːs-] *n* aula *f*, clase *f*.

classy [*Am* 'klæsɪ, *Br* 'klɑːsɪ] *adj inf* con clase.

clatter ['klætə^r] *n (gen)* estrépito *m*; *(of pots, pans, dishes)* ruido *m* (de cacharros); *(of hooves)* chacoloteo *m*.

clause [klɔːz] *n* 1. *(in legal document)* cláusula *f*. 2. (GRAMM) oración *f*.

claw [klɔː] ◊ *n* 1. *(of animal, bird)* garra *f*; *(of cat)* uña *f*. 2. *(of crab, lobster)* pinza *f*. ◊ *vi*: **to ~ at sthg** *(cat)* arañar algo; *(person)* intentar agarrarse a algo.

clay [kleɪ] *n* arcilla *f*.

clean [kliːn] ◊ *adj* 1. *(gen)* limpio(pia). 2. *(page)* en blanco. 3. *(record, reputation)* impecable; *(driving licence)* sin multas. 4. *(joke)* inocente. 5. *(outline)* nítido (da); *(movement)* suelto(ta). ◊ *vt & vi* limpiar. ♦ **clean out** *vt sep* 1. *(clear out)* limpiar el interior de. 2. *inf (take everything from)*: **they ~ed us out** (los ladrones) nos limpiaron la casa. ♦ **clean up** *vt sep (clear up)* ordenar, limpiar; **to ~ o.s. up** asearse.

cleaner ['kliːnə^r] *n* 1. *(person)* limpiador *m*, -ra *f*. 2. *(substance)* producto *m* de limpieza.

cleaning ['kliːnɪŋ] *n* limpieza *f*.

cleanliness ['klenlɪnəs] *n* limpieza *f*.

cleanse [klenz] *vt (gen)* limpiar; *(soul)* purificar; **to ~ sthg/sb of sthg** limpiar algo/a alguien de algo.

cleanser ['klenzə^r] *n* crema *f* OR loción *f* limpiadora.

clean-shaven [-'ʃeɪvn] *adj (never growing a beard)* barbilampiño(ña); *(recently shaved)* bien afeitado(da).

clear [klɪə^r] ◊ *adj* 1. *(gen)* claro(ra); *(day, road, view)* despejado(da); **to make sthg ~ (to)** dejar algo claro (a); **it's ~ that** ... está claro que ...; **are you ~ about it?** ¿lo entiendes?; **to make o.s. ~** explicarse con claridad. 2. *(transparent)* transparente. 3. *(free of blemishes - skin)* terso(sa). 4. *(free - time)* libre. 5. *(complete - day, week)* entero(ra); *(- profit, wages)* neto(ta). ◊ *adv (out of the way)*: **stand ~!** ¡aléjate!; **to jump/step ~** saltar/ dar un paso para hacerse a un lado. ◊ *vt* 1. *(remove objects, obstacles from)* despejar; *(pipe)* desatascar; **to ~ sthg of sthg** quitar algo de algo; **to ~ a space**

hacer sitio; **to ~ the table** quitar la mesa. **2.** *(remove)* quitar. **3.** *(jump)* saltar. **4.** *(pay)* liquidar. **5.** *(authorize)* aprobar. **6.** *(prove not guilty)* declarar inocente; **to be ~ed of sthg** salir absuelto de algo. ◇ *vi* despejarse. ◆ **clear away** *vt sep* poner en su sitio. ◆ **clear off** *vi Br inf* largarse. ◆ **clear out** *vt sep* limpiar a fondo. ◆ **clear up** ◇ *vt sep* **1.** *(room, mess)* limpiar; *(toys, books)* ordenar. **2.** *(mystery, disagreement)* aclarar, resolver. ◇ *vi* **1.** *(weather)* despejarse; *(infection)* desaparecer. **2.** *(tidy up)* ordenar, recoger.

clearance [ˈklɪərəns] *n* **1.** *(removal - of rubbish, litter)* despeje *m*, limpieza *f*; *(of slums, houses)* eliminación *f*. **2.** *(permission)* autorización *f*, permiso *m*. **3.** *(free space)* distancia *f* de seguridad.

clear-cut *adj (issue, plan)* bien definido(da); *(division)* nítido(da).

clearing [ˈklɪərɪŋ] *n* claro *m*.

clearing bank *n Br banco asociado a la cámara de compensación.*

clearly [ˈklɪərlɪ] *adv* **1.** *(gen)* claramente. **2.** *(plainly)* obviamente.

clearway [ˈklɪərweɪ] *n Br carretera donde no se puede parar.*

cleavage [ˈkliːvɪdʒ] *n (between breasts)* escote *m*.

cleaver [ˈkliːvər] *n* cuchillo *m* OR cuchilla *f* de carnicero.

clef [klef] *n* clave *f*.

cleft [kleft] *n* grieta *f*.

clench [klentʃ] *vt* apretar.

clergy [ˈklɜːʳdʒɪ] *npl*: **the ~** el clero.

clergyman [ˈklɜːʳdʒɪmən] *(pl* **-men** [-mən]*) n* clérigo *m*.

clerical [ˈklerɪkl] *adj* **1.** *(in office)* de oficina. **2.** *(in church)* clerical.

clerk [*Am* klɑːrk, *Br* klɑːk] *n* **1.** *(in office)* oficinista *m y f*. **2.** *(in court)* secretario *m*. **3.** *Am (shop assistant)* dependiente *m*, -ta *f*.

clever [ˈklevər] *adj* **1.** *(intelligent)* listo (ta), inteligente. **2.** *(idea, invention)* ingenioso(sa); *(with hands)* hábil.

cliché [*Am* kliːˈʃeɪ, *Br* ˈkliːʃeɪ] *n* cliché *m*.

click [klɪk] ◇ *vt* chasquear. ◇ *vi* **1.** *(heels)* sonar con un taconazo; *(camera)* hacer clic. **2.** *inf (fall into place)*: **suddenly, it ~ed (with me)** de pronto, caí en la cuenta.

client [ˈklaɪənt] *n* cliente *m*, -ta *f*.

cliff [klɪf] *n (on coast)* acantilado *m*; *(inland)* precipicio *m*.

climate [ˈklaɪmət] *n (weather)* clima *m*; *fig (atmosphere)* ambiente *m*.

climax [ˈklaɪmæks] *n (culmination)* clí-

max *m*, culminación *f*.

climb [klaɪm] ◇ *n* escalada *f*. ◇ *vt (stairs, ladder)* subir; *(tree)* trepar a; *(mountain)* escalar. ◇ *vi* **1.** *(clamber)*: **to ~ over sthg** trepar por algo; **to ~ into sthg** subirse a algo. **2.** *(plant)* trepar; *(road, plane)* subir. **3.** *(increase)* subir.

climb-down *n* rectificación *f*.

climber [ˈklaɪmər] *n (mountaineer)* escalador *m*, -ra *f*.

climbing [ˈklaɪmɪŋ] *n* montañismo *m*.

clinch [klɪntʃ] *vt (deal)* cerrar.

cling [klɪŋ] *(pt & pp* **clung)** *vi* **1.** *(hold tightly)*: **to ~ (to)** agarrarse (a). **2.** *(clothes, person)*: **to ~ (to sb)** pegarse (a alguien).

clingfilm [ˈklɪŋfɪlm] *n Br* film *m* de plástico adherente.

clinic [ˈklɪnɪk] *n* clínica *f*.

clinical [ˈklɪnɪkl] *adj* **1.** (MED) clínico (ca). **2.** *(cold)* frío(a).

clink [klɪŋk] *vi* tintinear.

clip [klɪp] ◇ *n* **1.** *(for paper)* clip *m*; *(for hair)* horquilla *f*; *(on earring)* cierre *m*. **2.** *(of film)* fragmento *m*, secuencias *fpl*. ◇ *vt* **1.** *(fasten)* sujetar. **2.** *(cut - lawn, newspaper cutting)* recortar; *(punch - tickets)* picar.

clipboard [ˈklɪpbɔːʳd] *n* tabloncillo *m* con pinza sujetapapeles.

clippers [ˈklɪpəʳz] *npl (for nails)* cortaúñas *m inv*; *(for hair)* maquinilla *f* para cortar el pelo; *(for hedges, grass)* tijeras *fpl* de podar.

clipping [ˈklɪpɪŋ] *n* **1.** *(from newspaper)* recorte *m*. **2.** *(of nails)* corte *m*.

clique [kliːk] *n pej* camarilla *f*.

cloak [kləʊk] *n (garment)* capa *f*, manto *m*.

cloakroom [ˈkləʊkruːm] *n* **1.** *(for clothes)* guardarropa *m*. **2.** *Br (toilets)* servicios *mpl*.

clock [klɒk] *n* **1.** *(timepiece)* reloj *m*; **round the ~** día y noche, las 24 horas. **2.** *(mileometer)* cuentakilómetros *m inv*. ◆ **clock in, clock on** *vi Br* fichar (a la entrada). ◆ **clock off, clock out** *vi Br* fichar (a la salida).

clockwise [ˈklɒkwaɪz] *adj & adv* en el sentido de las agujas del reloj.

clockwork [ˈklɒkwɜːʳk] *comp* de cuerda.

clog [klɒg] *vt* atascar, obstruir. ◆ **clogs** *npl* zuecos *mpl*. ◆ **clog up** ◇ *vt sep (drain, pipe)* atascar; *(eyes, nose)* congestionar. ◇ *vi* atascarse.

close¹ [kləʊs] *adj* **1.** *(near)* cercano (na); **~ to** cerca de; **~ to tears/laughter** a punto de llorar/reír; **~ up, ~ to** de cerca; **~ by**, **~ at hand** muy cerca; **it was a ~ shave** OR **thing** OR **call** nos libramos por los pelos. **2.** *(relationship, friend)* íntimo(ma); **to be ~ to sb** estar muy unido(da) a alguien. **3.** *(relative, family)* cercano(na); *(resemblance)* grande; *(link, tie, cooperation)* estrecho(cha). **4.** *(questioning)* minucioso(sa); *(examination)* detallado(da); *(look)* de cerca; *(watch)* estrecho(cha). **5.** *(room, air)* cargado (da); *(weather)* bochornoso(sa). **6.** *(contest, race)* reñido(da); *(result)* apretado (da). ◊ *adv* cerca. ◆ **close on, close to** *prep (almost)* cerca de.

close² [kləʊz] ◊ *vt* **1.** *(gen)* cerrar. **2.** *(meeting)* clausurar; *(discussion, speech)* terminar. ◊ *vi* cerrarse. ◊ *n* final *m*. ◆ **close down** *vt sep* cerrar (definitivamente). ◊ *vi (factory etc)* cerrarse (definitivamente).

closed [kləʊzd] *adj* cerrado(da).

close-knit [ˌkləʊs-] *adj* muy unido(da).

closely ['kləʊslɪ] *adv* **1.** *(of connection, relation etc)* estrechamente; **to be ~ involved in sthg** estar muy metido en algo; *(of resemblance)* fielmente. **2.** *(carefully)* atentamente.

closet ['klɒzət] ◊ *adj inf* en secreto. ◊ *n Am* armario *m*.

close-up ['kləʊs-] *n* primer plano *m*.

closing time *n* hora *f* de cierre.

closure ['kləʊʒər] *n* cierre *m*.

clot [klɒt] ◊ *n* **1.** *(in blood)* coágulo *m*; *(in liquid)* grumo *m*. **2.** *Br inf (fool)* bobo *m*, -ba *f*. ◊ *vi (blood)* coagularse.

cloth [klɒθ] *n* **1.** *(U) (fabric)* tela *f*. **2.** *(piece of cloth)* trapo *m*.

clothe [kləʊð] *vt fml* vestir.

clothes [kləʊz] *npl* ropa *f*; **to put one's ~ on** vestirse; **to take one's ~ off** quitarse la ropa.

clothes brush *n* cepillo *m* para la ropa.

clothesline ['kləʊzlaɪn] *n* cuerda *f* para tender la ropa.

clothespin ['kləʊzpɪn] *Am*, **clothes peg** *Br n* pinza *f* (para la ropa).

clothing ['kləʊðɪŋ] *n* ropa *f*.

cloud [klaʊd] *n* nube *f*. ◆ **cloud over** *vi lit & fig* nublarse.

cloudy ['klaʊdɪ] *adj* **1.** *(overcast)* nublado(da). **2.** *(murky)* turbio(bia).

clout [klaʊt] *inf n* **1.** *(blow)* tortazo *m*. **2.** *(U) (influence)* influencia *f*.

clove [kləʊv] *n*: **a ~ of garlic** un diente de ajo. ◆ **cloves** *npl (spice)* clavos *mpl*.

clover ['kləʊvər] *n* trébol *m*.

clown [klaʊn] ◊ *n (performer)* payaso *m*. ◊ *vi* hacer payasadas.

cloying ['klɔɪɪŋ] *adj* empalagoso(sa).

club [klʌb] ◊ *n* **1.** *(organization, place)* club *m*. **2.** *(weapon)* porra *f*, garrote *m*. **3. (golf)** **~** palo *m* de golf. ◊ *vt* apalear, aporrear. ◆ **clubs** *npl (cards)* tréboles *mpl*. ◆ **club together** *vi Br* recolectar dinero.

club car *n Am* (RAIL) vagón *m* restaurante.

clubhouse ['klʌbhaʊs, *pl* -haʊzɪz] *n (for golfers)* (edificio *m* del) club *m*.

cluck [klʌk] *vi (hen)* cloquear.

clue [kluː] *n* **1.** *(in crime)* pista *f*; **not to have a ~ (about)** no tener ni idea (de). **2.** *(in crossword)* pregunta *f*, clave *f*.

clued-up [ˌkluːd-] *adj Br inf* al tanto.

clump [klʌmp] *n (of bushes)* mata *f*; *(of trees, flowers)* grupo *m*.

clumsy ['klʌmzɪ] *adj* **1.** *(ungraceful)* torpe. **2.** *(unwieldy)* difícil de manejar. **3.** *(tactless)* torpe, sin tacto.

clung [klʌŋ] *pt & pt* → **cling.**

cluster ['klʌstər] ◊ *n (group)* grupo *m*; *(of grapes)* racimo *m*. ◊ *vi* agruparse.

clutch [klʌtʃ] ◊ *n* (AUT) embrague *m*. ◊ *vt (hand)* estrechar; *(arm, baby)* agarrar. ◊ *vi*: **to ~ at sthg** tratar de agarrarse a algo.

clutter ['klʌtər] ◊ *n* desorden *m*. ◊ *vt* cubrir desordenadamente.

cm *(abbr of* **centimetre)** cm.

CND *(abbr of* **Campaign for Nuclear Disarmament)** *n organización británica contra el armamento nuclear.*

c/o *(abbr of* **care of)** c/d.

Co. [kəʊ] **1.** *(abbr of* **Company)** Cía. *f. abbr of* **County.**

coach [kəʊtʃ] ◊ *n* **1.** *(bus)* autocar *m*. **2.** (RAIL) coche *m*, vagón *m*. **3.** *(horsedrawn)* carruaje *m*. **4.** (SPORT) entrenador *m*, -ra *f*. **5.** *(tutor)* profesor *m*, -ra *f* particular. ◊ *vt* **1.** (SPORT) entrenar. **2.** *(tutor)* dar clases particulares a.

coal [kəʊl] *n* carbón *m*.

coalfield ['kəʊlfiːld] *n* cuenca *f* minera.

coalition [ˌkəʊə'lɪʃn] *n* coalición *f*.

coalman ['kəʊlmæn] *(pl* -men [-men]) *n Br* carbonero *m*.

coalmine ['kəʊlmaɪn] *n* mina *f* de carbón.

coarse [kɔːrs] *adj* **1.** *(skin, hair, sandpaper)* áspero(ra); *(fabric)* basto(ta). **2.** *(person, joke)* ordinario(ria).

coast [kəʊst] ◊ *n* costa *f*. ◊ *vi (in car)* ir en punto muerto.

coastal [kəʊstl] *adj* costero(ra).

coaster ['kəʊstər] *n (small mat)* posavasos *m inv*.

coastguard ['koʊstgɑːᵈd] *n (person)* guardacostas *m y f inv.*

coastline ['koʊstlaɪn] *n* litoral *m.*

coat [koʊt] ◇ *n* **1.** *(garment)* abrigo *m.* **2.** *(of animal)* pelo *m*, pelaje *m.* **3.** *(layer)* capa *f.* ◇ *vt:* **to ~ sthg (with)** cubrir algo (de).

coat hanger *n* percha *f.*

coating ['koʊtɪŋ] *n (of dust etc)* capa *f; (of chocolate, silver)* baño *m.*

coat of arms *(pl* **coats of arms)** *n* escudo *m* de armas.

coax [koʊks] *vt:* **to ~ sb (to do OR into doing sthg)** engatusar a alguien (para que haga algo).

cob [kɒb] → **corn.**

cobbler ['kɒbləʳ] *n* zapatero (remendón) *m*, zapatera (remendona) *f.*

cobbles ['kɒblz], **cobblestones** ['kɒblstoʊnz] *npl* adoquines *mpl.*

cobweb ['kɒbweb] *n* telaraña *f.*

Coca-Cola® [,koʊkə'koʊlə] *n* Coca-Cola® *f.*

cocaine [koʊ'keɪn] *n* cocaína *f.*

cock [kɒk] ◇ *n* **1.** *(male chicken)* gallo *m.* **2.** *(male bird)* macho *m.* ◇ *vt* **1.** *(gun)* amartillar. **2.** *(head)* ladear. ◆ **cock up** *vt sep Br v inf* jorobar.

cockerel ['kɒkrəl] *n* gallo *m* joven.

cockle ['kɒkl] *n* berberecho *m.*

Cockney ['kɒknɪ] *(pl* **Cockneys)** *n* **1.** *(person)* cockney *m y f, persona procedente del este de Londres.* **2.** *(dialect, accent)* cockney *m*, dialecto del este de Londres.

cockpit ['kɒkpɪt] *n (in plane)* cabina *f.*

cockroach ['kɒkroʊtʃ] *n* cucaracha *f.*

cocksure [*Am* ,kɒk'ʃʊəʳ, *Br* -'ʃɔː] *adj* presuntuoso(sa).

cocktail ['kɒkteɪl] *n* cóctel *m.*

cock-up *n v inf* chapuza *f*, pifia *f.*

cocky ['kɒkɪ] *adj inf* chulo(la), chuleta.

cocoa ['koʊkoʊ] *n* **1.** *(powder)* cacao *m.* **2.** *(drink)* chocolate *m.*

coconut ['koʊkənʌt] *n* coco *m.*

cod [kɒd] *(pl inv OR -s)* *n* bacalao *m.*

COD *(abbr of* **cash on delivery)** *contra reembolso,* ≈ CAE.

code [koʊd] *n* **1.** *(gen)* código *m.* **2.** *(for telephone)* prefijo *m.*

cod-liver oil *n* aceite *m* de hígado de bacalao.

coed ['koʊed] *adj (abbr of* **coeducational)** mixto(ta).

coerce [koʊ'ɜːʳs] *vt:* **to ~ sb (into doing sthg)** coaccionar a alguien (para que haga algo).

coffee ['kɒfɪ] *n* café *m.*

coffee bar *n Br* cafetería *f.*

coffee break *n pausa para descansar en el trabajo por la mañana y por la tarde.*

coffee morning *n Br reunión matinal, generalmente benéfica, en la que se sirve café.*

coffeepot ['kɒfɪpɒt] *n* cafetera *f.*

coffee shop *n* **1.** *Am (restaurant)* café *m.* **2.** *Br (shop)* cafetería *f.*

coffee table *n* mesita *f* baja (de salón).

coffin ['kɒfn] *n* ataúd *m.*

cog [kɒg] *n (tooth on wheel)* diente *m; (wheel)* rueda *f* dentada.

cognac [*Am* 'koʊnjæk, *Br* 'kɒn-] *n* coñac *m.*

coherent [koʊ'hɪərənt] *adj* coherente.

coil [kɔɪl] ◇ *n* **1.** *(of rope, wire)* rollo *m; (of hair)* tirabuzón *m; (of smoke)* espiral *f.* **2.** (ELEC) bobina *f.* **3.** *Br (contraceptive device)* DIU *m*, espiral *m.* ◇ *vi* enrollarse, enroscarse. ◇ *vt* enrollar, enroscar. ◆ **coil up** *vt sep* enrollar.

coin [kɔɪn] ◇ *n* moneda *f.* ◇ *vt (invent)* acuñar, inventar.

coinage ['kɔɪnɪdʒ] *n (currency)* moneda *f.*

coincide [,koʊɪn'saɪd] *vi:* **to ~ (with)** coincidir (con).

coincidence [koʊ'ɪnsɪdəns] *n* coincidencia *f.*

coke [koʊk] *n (fuel)* coque *m.*

Coke® [koʊk] *n* Coca-Cola® *f.*

cola ['koʊlə] *n (bebida f de)* cola *f.*

colander ['kʌləndəʳ] *n* colador *m*, escurridor *m.*

cold [koʊld] ◇ *adj* frío(a); **it's ~** hace frío; **my hands are ~** tengo las manos frías; **I'm ~** tengo frío; **to get ~** enfriarse. ◇ *n* **1.** *(illness)* resfriado *m*, constipado *m;* **to catch (a) ~** resfriarse, coger un resfriado. **2.** *(low temperature)* frío *m.*

cold-blooded [-'blʌdɪd] *adj* **1.** *(animal)* de sangre fría. **2.** *(person)* despiadado(da); *(killing)* a sangre fría.

cold sore *n* calentura *f*, pupa *f.*

cold war *n:* **the ~** la guerra fría.

coleslaw ['koʊlslɔː] *n* ensalada de col, zanahoria, cebolla y mayonesa.

colic ['kɒlɪk] *n* cólico *m.*

collaborate [kə'læbəreɪt] *vi:* **to ~ (with)** colaborar (con).

collapse [kə'læps] ◇ *n* **1.** *(of building)* derrumbamiento *m; (of roof)* hundimiento *m.* **2.** *(of marriage, system)* fracaso *m; (of government, currency)* caída *f; (of empire)* derrumbamiento *m.* **3.** (MED) colapso *m.* ◇ *vi* **1.** *(building, person)* derrumbarse; *(roof)* hundirse; **to ~ with laughter** partirse de risa. **2.** *(plan, business)* venirse abajo. **3.** (MED) sufrir un colapso.

collapsible [kə'læpsəbl] *adj* plegable.

collar ['kɒlər] *n* **1.** *(on clothes)* cuello *m*. **2.** *(for dog)* collar *m*. **3.** (TECH) collar *m*.

collarbone ['kɒlərbəʊn] *n* clavícula *f*.

collateral [kə'lætərəl] *n* garantía *f* subsidiaria, seguridad *f* colateral.

colleague ['kɒliːg] *n* colega *m y f*.

collect [kə'lekt] ◇ *vt* **1.** *(gather together)* reunir, juntar; **to ~ o.s.** recobrar el dominio de sí mismo. **2.** *(as a hobby)* coleccionar. **3.** *(go to get - person, parcel)* recoger. **4.** *(money, taxes)* recaudar. ◇ *vi* **1.** *(gather)* congregarse, reunirse. **2.** *(accumulate)* acumularse. **3.** *(for charity, gift)* hacer una colecta. ◇ *adv Am* (TELEC): **to call (sb) ~** llamar (a alguien) a cobro revertido.

collection [kə'lekʃn] *n* **1.** *(of stamps, art etc)* colección *f*. **2.** *(of poems, stories etc)* recopilación *f*. **3.** *(of rubbish, mail)* recogida *f*; *(of taxes)* recaudación *f*. **4.** *(of money)* colecta *f*.

collective [kə'lektɪv] ◇ *adj* colectivo (va). ◇ *n* colectivo *m*.

collector [kə'lektər] *n* **1.** *(as a hobby)* coleccionista *m y f*. **2.** *(of taxes)* recaudador *m*, -ra *f*. **3.** *(of debts, rent)* cobrador *m*, -ra *f*.

college ['kɒlɪdʒ] *n* **1.** *(for further education)* instituto *m*, escuela *f*. **2.** *(of university)* colegio universitario que forma parte de ciertas universidades. **3.** *(organized body)* colegio *m*.

college of education *n* escuela de formación de profesores de enseñanza primaria y secundaria.

collide [kə'laɪd] *vi*: **to ~ (with)** chocar (con).

collie ['kɒlɪ] *n* collie *m*.

colliery ['kɒljərɪ] *n* mina *f* de carbón.

collision [kə'lɪʒn] *n lit & fig*: **~ (with/ between)** choque *m* (con/entre).

colloquial [kə'ləʊkwɪəl] *adj* coloquial.

collude [kə'luːd] *vi*: **to ~ with** estar en connivencia con.

Colombia [kə'lʌmbɪə] *n* Colombia.

Colombian [kə'lʌmbɪən] ◇ *adj* colombiano(na). ◇ *n* colombiano *m*, -na *f*.

colon ['kəʊlən] *n* **1.** (ANAT) colon *m*. **2.** *(punctuation mark)* dos puntos *mpl*.

colonel ['kɜːnl] *n* coronel *m y f*.

colonial [kə'ləʊnjəl] *adj* colonial.

colony ['kɒlənɪ] *n* colonia *f*.

color *Am*, **colour** *Br* ['kʌlər] ◇ *n* color *m*; **in ~** en color. ◇ *adj* en color. ◇ *vt*

1. *(give color to)* dar color a; *(with pen, crayon)* colorear. **2.** *(dye)* teñir. **3.** *(affect)* influenciar. ◇ *vi (blush)* ruborizarse.

color bar *n* discriminación *f* racial.

color-blind *adj* daltónico(ca).

colored *Am*, **coloured** *Br* ['kʌlərd] *adj* **1.** *(pens, sheets etc)* de colores. **2.** *(with stated color)*: **maroon-~** de color granate; **brightly-~** de vivos colores. **3.** *(person - black)* de color.

colorful *Am*, **colourful** *Br* ['kʌlərfl] *adj* **1.** *(brightly colored)* de vivos colores. **2.** *(story)* animado(da). **3.** *(person)* pintoresco(ca).

coloring *Am*, **colouring** *Br* ['kʌlərɪŋ] *n* **1.** *(dye)* colorante *m*. **2.** *(complexion, hair)* tez *f*. **3.** *(of animal's skin)* color *m*.

color scheme *n* combinación *f* de colores.

colossal [kə'lɒsl] *adj* colosal.

colour *etc Br* = **color** *etc*.

colt [kəʊlt] *n* potro *m*.

column ['kɒləm] *n* **1.** *(gen)* columna *f*. **2.** *(of people, vehicles)* hilera *f*.

columnist [*Am* 'kɒləmnəst, *Br* 'kɒləməst] *n* columnista *m y f*.

coma ['kəʊmə] *n* coma *m*.

comb [kəʊm] ◇ *n* peine *m*. ◇ *vt lit & fig* peinar.

combat ['kɒmbæt] ◇ *n* combate *m*. ◇ *vt* combatir.

combination [ˌkɒmbɪ'neɪʃn] *n* combinación *f*.

combine [*vb* kəm'baɪn, *n* 'kɒmbaɪn] ◇ *vt*: **to ~ sthg (with)** combinar algo (con). ◇ *vi* combinarse. ◇ *n* **1.** *(group)* grupo *m*. **2.** = **combine harvester**.

combine harvester [ˌkɒmbaɪn-'hɑːrvɪstər] *n* cosechadora *f*.

come [kʌm] *(pt* came, *pp* come*)* *vi* **1.** *(move)* venir; *(arrive)* llegar; **the news came as a shock** la noticia constituyó un duro golpe; **coming!** ¡ahora voy! **2.** *(reach)*: **to ~ up/down to** llegar hasta. **3.** *(happen)* pasar; **~ what may** pase lo que pase. **4.** *(become)*: **to ~ true** hacerse realidad; **to ~ unstuck** despegarse; **my shoelaces have ~ undone** se me han desatado los cordones. **5.** *(begin gradually)*: **to ~ to do sthg** llegar a hacer algo. **6.** *(be placed in order)*: **to ~ first/ last in a race** llegar el primero/el último en una carrera; **she came second in the exam** quedó segunda en el examen; **P ~s before Q** la P viene antes de la Q.

◆ **to come** *adv*: **in (the) days/years to ~** en días/años venideros. ◆ **come about** *vi (happen)* pasar, ocurrir. ◆ **come across** *vt fus (find)* cruzarse con. ◆ **come along** *vi* 1. *(arrive by chance - opportunity)* surgir; *(- bus)* aparecer, llegar. 2. *(improve)* ir; **the project is coming along nicely** el proyecto va muy bien. ◆ **come apart** *vi* deshacerse. ◆ **come back** *vi* 1. *(in talk, writing)*: **to ~ back to sthg** volver a algo. 2. *(memory)*: **to ~ back to sb** volverle a la memoria a alguien. ◆ **come by** *vt fus (get, obtain)* conseguir. ◆ **come down** *vi* 1. *(decrease)* bajar. 2. *(descend - plane, parachutist)* aterrizar; *(- rain)* caer. ◆ **come down to** *vt fus* reducirse a. ◆ **come down with** *vt fus (criticism etc)* coger, agarrar *(enfermedad)*. ◆ **come forward** *vi* presentarse. ◆ **come from** *vt fus (noise etc)* venir de; *(person)* ser de. ◆ **come in** *vi* 1. *(enter)* entrar, pasar; **~ in!** ¡pase! 2. *(arrive - train, letters, donations)* llegar. ◆ **come in for** *vt fus (criticism etc)* recibir, llevarse. ◆ **come into** *vt fus* 1. *(inherit)* heredar. 2. *(begin to be)*: **to ~ into being** nacer, ver la luz. ◆ **come off** *vi* 1. *(button)* descoserse; *(label)* despegarse; *(lid)* soltarse; *(stain)* quitarse. 2. *(plan, joke)* salir bien. 3. *phr*: **~ off it!** *inf* ¡venga ya! ◆ **come on** *vi* 1. *(start)* empezar. 2. *(start working - lights, heating)* encenderse. 3. *(progress, improve)* ir; **it's coming on nicely** va muy bien. 4. *phr*: **~ on!** *(expressing encouragement, urging haste)* ¡vamos!; *(expressing disbelief)* ¡venga ya! ◆ **come out** *vi* 1. *(become known)* salir a la luz. 2. *(appear - product, book, sun)* salir; *(- film)* estrenarse. 3. *(go on strike)* ponerse en huelga. ◆ **come over** *vt fus (subj: feeling)* sobrevenir; **I don't know what has ~ over her** no sé qué le pasa. ◆ **come round** *vi* 1. *(change opinion)*: **to ~ round (to sthg)** terminar por aceptar (algo). 2. *(regain consciousness)* volver en sí. ◆ **come through** *vt fus (difficult situation, period)* pasar por; *(operation, war)* sobrevivir a. ◆ **come to** ◇ *vt fus* 1. *(reach)*: **to ~ to an end** tocar a su fin; **to ~ to a decision** alcanzar una decisión. 2. *(amount to)* ascender a. ◇ *vi (regain consciousness)* volver en sí. ◆ **come under** *vt fus* 1. *(be governed by)* estar bajo. 2. *(suffer)*: **to ~ under attack** ser víctima de críticas. ◆ **come up** *vi* 1. *(name, topic, opportunity)* surgir. 2. *(be imminent)* estar al llegar. 3. *(sun, moon)* salir. ◆ **come up against** *vt fus* tropezarse OR toparse con. ◆ **come up with** *vt fus (idea)* salir con; *(solution)* encontrar.

comeback ['kʌmbæk] *n (return)* reaparición *f*; **to make a ~** *(fashion)* volver (a ponerse de moda); *(actor)* hacer

una reaparición.

comedian [kə'miːdjən] *n* cómico *m*.

comedy ['kɒmədɪ] *n* comedia *f*.

comet ['kɒmət] *n* cometa *m*.

comfort ['kʌmfət] ◇ *n* 1. *(gen)* comodidad *f*. 2. *(solace)* consuelo *m*. ◇ *vt* consolar, confortar.

comfortable ['kʌmftəbl] *adj* 1. *(gen)* cómodo(da). 2. *(financially secure)* acomodado(da). 3. *(victory, job, belief)* fácil; *(lead, majority)* amplio(plia).

comfortably ['kʌmftəblɪ] *adv* 1. *(sit, sleep)* cómodamente. 2. *(without financial difficulty)* sin aprietos. 3. *(easily)* fácilmente.

comfort station *n Am euphemism* aseos *mpl* públicos.

comic ['kɒmɪk] ◇ *adj* cómico(ca). ◇ *n* 1. *(comedian)* cómico *m*, -ca *f*. 2. *(magazine - for children)* tebeo *m*; *(- for adults)* cómic *m*.

comical ['kɒmɪkl] *adj* cómico(ca).

comic strip *n* tira *f* cómica.

coming ['kʌmɪŋ] ◇ *adj (future)* próximo(ma). ◇ *n*: **~s and goings** idas *fpl* y venidas.

comma ['kɒmə] *n* coma *f*.

command [*Am* kə'mænd, *Br* -'mɑːnd] ◇ *n* 1. *(order)* orden *f*. 2. *(U) (control)* mando *m*. 3. *(of language, skill)* dominio *m*. 4. (COMPUT) comando *m*. ◇ *vt* 1. *(order)*: **to ~ sb (to do sthg)** ordenar OR mandar a alguien (que haga algo). 2. (MIL) *(control)* comandar. 3. *(deserve - respect, attention)* hacerse acreedor(ra) de.

commandeer [ˌkɒmən'dɪər] *vt* requisar.

commander [*Am* kə'mændr, *Br* kə-'mɑːndə] *n* 1. *(in army)* comandante *m* y *f*. 2. *(in navy)* capitán *m*, -ana *f* de fragata.

commandment [*Am* kə'mændmənt, *Br* -'mɑːnd-] *n* (RELIG) mandamiento *m*.

commando [*Am* kə'mændoʊ, *Br* -'mɑːnd-] *(pl* -s OR -es*)* *n* comando *m*.

commemorate [kə'meməreɪt] *vt* conmemorar.

commence [kə'mens] *fml* ◇ *vt*: **to ~ (doing sthg)** comenzar OR empezar (a hacer algo). ◇ *vi* comenzar, empezar.

commend [kə'mend] *vt* 1. *(praise)* alabar. 2. *(recommend)*: **to ~ sthg (to)** recomendar algo (a).

comment ['kɒment] ◇ *n* comentario *m*; **no ~** sin comentarios. ◇ *vi* comentar; **to ~ on** hacer comentarios sobre.

commentary [*Am* 'kɒmənterɪ, *Br* -əntərɪ] *n* comentario *m*.

commentator ['kɒmənteɪtə'] *n* comentarista *m y f*.

commerce ['kɒmɜːʳs] *n (U)* comercio *m*.

commercial [kə'mɜːʳʃl] ◇ *adj* comercial. ◇ *n* anuncio *m (televisivo o radiofónico)*.

commercial break *n* pausa *f* para la publicidad.

commission [kə'mɪʃn] ◇ *n* **1.** *(money, investigative body)* comisión *f*. **2.** *(piece of work)* encargo *m*. ◇ *vt* encargar; **to ~ sb (to do sthg)** encargar a alguien (que haga algo).

commissionaire [kə,mɪʃə'neəʳ] *n Br* portero *m* (uniformado).

commissioner [kə'mɪʃnəʳ] *n* comisario *m*, -ria *f*.

commit [kə'mɪt] *vt* **1.** *(crime, sin etc)* cometer. **2.** *(pledge - money, resources)* destinar; **to ~ o.s. (to)** comprometerse (a). **3.** *(consign - to mental hospital)* ingresar; **to ~ sthg to memory** aprender algo de memoria.

commitment [kə'mɪtmənt] *n* compromiso *m*.

committee [kə'mɪtɪ] *n* comisión *f*, comité *m*.

commodity [kə'mɒdətɪ] *n* mercancía *f*, producto *m*.

common ['kɒmən] ◇ *adj* **1.** *(gen)*: **~ (to)** común (a). **2.** *(ordinary - man, woman)* corriente, de la calle. **3.** *Br pej (vulgar)* vulgar, ordinario(ria). ◇ *n* campo *m* común. ◆ **in common** *adv* en común.

common law *n* derecho *m* consuetudinario. ◆ **common-law** *adj (wife, husband)* de hecho.

commonly ['kɒmənlɪ] *adv* generalmente, comúnmente.

Common Market *n*: **the ~** el Mercado Común.

commonplace ['kɒmənpleɪs] *adj* corriente, común.

common room *n* sala *f* de estudiantes.

Commons ['kɒmənz] *npl Br*: **the ~** (la Cámara de) los Comunes.

common sense *n* sentido *m* común.

Commonwealth ['kɒmənwelθ] *n*: **the ~** la Commonwealth.

Commonwealth of Independent States *n*: **the ~** la Comunidad de Estados Independientes.

commotion [kə'məʊʃn] *n* alboroto *m*.

communal [kə'mjuːnl, 'kɒmjʊnl] *adj* comunal.

commune [*n* 'kɒmjuːn, *vb* kə'mjuːn]

◇ *n* comuna *f*. ◇ *vi*: **to ~ with** estar en comunión OR comulgar con.

communicate [kə'mjuːnɪkeɪt] ◇ *vt* transmitir, comunicar. ◇ *vi*: **to ~ (with)** comunicarse (con).

communication [kə,mjuːnɪ'keɪʃn] *n* **1.** *(contact)* comunicación *f*. **2.** *(letter, phone call)* comunicado *m*.

communication cord *n Br* alarma *f (de un tren o metro)*.

communion [kə'mjuːnjən] *n (communication)* comunión *f*. ◆ **Communion** *n (U)* (RELIG) comunión *f*.

communiqué [kə'mjuːnɪkeɪ] *n* comunicado *m* oficial.

Communism ['kɒmjʊnɪzm] *n* comunismo *m*.

Communist ['kɒmjʊnɪst] ◇ *adj* comunista. ◇ *n* comunista *m y f*.

community [kə'mjuːnətɪ] *n* comunidad *f*.

community centre *n* centro *m* social.

commutation ticket [,kɒmjuː'teɪʃn-] *n Am* billete *m* de abono.

commute [kə'mjuːt] ◇ *vt* (JUR) conmutar. ◇ *vi (to work)* viajar diariamente al lugar de trabajo, esp en tren.

commuter [kə'mjuːtəʳ] *n persona que viaja diariamente al lugar de trabajo, esp en tren*.

compact [*adj* kəm'pækt, *n* 'kɒmpækt] ◇ *adj (small and neat)* compacto(ta). ◇ *n* **1.** *(for face powder)* polvera *f*. **2.** *Am (car)* utilitario *m*.

compact disc [,kɒmpækt-] *n* compact disc *m*.

compact disc player *n* compact *m* (disc), reproductor *m* de discos compactos.

companion [kəm'pænjən] *n* compañero *m*, -ra *f*.

companionship [kəm'pænjənʃɪp] *n* compañerismo *m*.

company ['kʌmpənɪ] *n (gen)* compañía *f*; *(business)* empresa *f*, compañía *f*; **to keep sb ~** hacer compañía a alguien; **to part ~ (with)** separarse (de).

company secretary *n ejecutivo de una empresa encargado de llevar las cuentas, asuntos legales etc*.

comparable ['kɒmpərəbl] *adj*: **~ (to** OR **with)** comparable (a).

comparative [kəm'pærətɪv] *adj* **1.** *(relative)* relativo(va). **2.** *(study)* comparado(da). **3.** (GRAMM) comparativo (va).

compare [kəm'peəʳ] ◇ *vt*: **to ~ sthg/sb (with), to ~ sthg/sb (to)** comparar algo/ a alguien (con); **~d with** OR **to** *(as op-*

compound

posed to) comparado con; *(in comparison with)* en comparación con. ◇ *vi:* **to ~ (with)** compararse (con).

comparison [*Am* kəm'perɪsən, *Br* -'pær-] *n* comparación *f*; **in ~ (with** OR **to)** en comparación (con).

compartment [kəm'pɑːᵗtmənt] *n* 1. *(container)* compartimiento *m*. 2. (RAIL) departamento *m*, compartimiento *m*.

compass ['kʌmpəs] *n (magnetic)* brújula *f*. ◆ **compasses** *npl* compás *m*.

compassion [kəm'pæʃn] *n* compasión *f*.

compassionate [kəm'pæʃənət] *adj* compasivo(va).

compatible [kəm'pætəbl] *adj:* **~ (with)** compatible (con).

compel [kəm'pel] *vt (force)* obligar; **to ~ sb to do sthg** forzar OR obligar a alguien a hacer algo.

compelling [kəm'pelɪŋ] *adj (forceful)* convincente.

compensate ['kɒmpənseɪt] ◇ *vt:* **to ~ sb for sthg** *(financially)* compensar OR indemnizar a alguien por algo. ◇ *vi:* **to ~ for sthg** compensar algo.

compensation [ˌkɒmpən'seɪʃn] *n* 1. *(money)*: **~ (for)** indemnización *f* (por). 2. *(way of compensating)*: **~ (for)** compensación *f* (por).

compete [kəm'piːt] *vi* 1. *(gen)*: **to ~ (for/in)** competir (por/en); **to ~ (with** OR **against)** competir (con). 2. *(be in conflict)* rivalizar.

competence ['kɒmpətəns] *n (proficiency)* competencia *f*, aptitud *f*.

competent ['kɒmpətənt] *adj* competente, capaz.

competition [ˌkɒmpə'tɪʃn] *n* 1. *(rivalry)* competencia *f*. 2. *(race, sporting event)* competición *f*. 3. *(contest)* concurso *m*.

competitive [kəm'petətɪv] *adj* 1. *(person, spirit)* competidor(ra). 2. *(match, exam, prices)* competitivo(va).

competitor [kəm'petətəʳ] *n* competidor *m*, -ra *f*.

compile [kəm'paɪl] *vt* recopilar.

complacency [kəm'pleɪsnsɪ] *n* autosatisfacción *f*, autocomplacencia *f*.

complacent [kəm'pleɪsnt] *adj* autocomplaciente.

complain [kəm'pleɪn] *vi* 1. *(moan)*: **to ~ (about)** quejarse (de). 2. (MED): **to ~ of sthg** sufrir algo.

complaint [kəm'pleɪnt] *n* 1. *(gen)* queja *f*. 2. (MED) dolencia *f*.

complement ['kɒmpləmənt] ◇ *n* 1. *(gen & GRAMM)* complemento *m*.

2. *(number)*: **a full ~ of** la totalidad de. ◇ *vt* complementar.

complementary [ˌkɒmplə'mentərɪ] *adj* complementario(ria).

complete [kəm'pliːt] ◇ *adj* 1. *(total)* total. 2. *(lacking nothing)* completo(ta); **bathroom ~ with shower** baño con ducha. 3. *(finished)* terminado(da). ◇ *vt* 1. *(make whole - collection)* completar; *(- disappointment, amazement)* colmar. 2. *(finish)* terminar. 3. *(form)* rellenar.

completely [kəm'pliːtlɪ] *adv* completamente.

completion [kəm'pliːʃn] *n* finalización *f*, terminación *f*.

complex ['kɒmpleks] ◇ *adj* complejo (ja). ◇ *n* complejo *m*.

complexion [kəm'plekʃn] *n (of face)* tez *f*, cutis *m inv*.

compliance [kəm'plaɪəns] *n (obedience)*: **~ (with)** acatamiento *m* (de).

complicate ['kɒmpləkeɪt] *vt* complicar.

complicated ['kɒmpləkeɪtəd] *adj* complicado(da).

complication [ˌkɒmplə'keɪʃn] *n* complicación *f*.

compliment [*n* 'kɒmpləmənt, *vb* 'kɒmpləmənt] ◇ *n* cumplido *m*. ◇ *vt:* **to ~ sb (on)** felicitar a alguien (por). ◆ **compliments** *npl fml* saludos *mpl*.

complimentary [ˌkɒmplə'mentərɪ] *adj* 1. *(remark)* elogioso(sa); *(person)* halagador(ra). 2. *(drink, seats)* gratis *(inv)*.

complimentary ticket *n* entrada *f* gratuita.

comply [kəm'plaɪ] *vi:* **to ~ with sthg** *(standards)* cumplir (con) algo; *(request)* acceder a algo; *(law)* acatar algo.

component [kəm'pəunənt] *n (gen)* elemento *m*; (TECH) pieza *f*.

compose [kəm'pəuz] *vt* 1. *(constitute)* componer; **to be ~d of** estar compuesto OR componerse de. 2. *(music, poem, letter)* componer. 3. *(calm)*: **to ~ o.s.** calmarse.

composed [kəm'pəuzd] *adj* tranquilo (la).

composer [kəm'pəuzəʳ] *n* compositor *m*, -ra *f*.

composition [ˌkɒmpə'zɪʃn] *n* 1. *(gen)* composición *f*. 2. *(essay)* redacción *f*.

compost [*Am* 'kɒmpoust, *Br* -post] *n* abono *m*.

composure [kəm'pəuʒəʳ] *n* calma *f*.

compound ['kɒmpaund] *n* 1. *(gen & CHEM)* compuesto *m*. 2. *(enclosed area)* recinto *m*.

comprehend [ˌkɒmprɪˈhend] *vt* comprender.

comprehension [ˌkɒmprɪˈhenʃn] *n* comprensión *f*.

comprehensive [ˌkɒmprɪˈhensɪv] ◇ *adj* **1.** (*wide-ranging*) amplio(plia). **2.** (*insurance*) a todo riesgo. ◇ *n Br* = **comprehensive school.**

comprehensive school *n instituto de enseñanza media no selectiva en Gran Bretaña.*

compress [kəmˈpres] *vt* **1.** (*squeeze, press*) comprimir. **2.** (*shorten*) reducir.

comprise [kəmˈpraɪz] *vt* **1.** (*consist of*) comprender. **2.** (*form*) constituir.

compromise [ˈkɒmprəmaɪz] ◇ *n* arreglo *m*, término *m* medio. ◇ *vt* comprometer. ◇ *vi* llegar a un arreglo, transigir.

compulsion [kəmˈpʌlʃn] *n* **1.** (*strong desire*) ganas *fpl* irrefrenables. **2.** (*U*) (*force*) obligación *f*.

compulsive [kəmˈpʌlsɪv] *adj* **1.** (*gambler*) empedernido(da); (*liar*) compulsivo(va). **2.** (*fascinating, compelling*) absorbente.

compulsory [kəmˈpʌlsərɪ] *adj* (*gen*) obligatorio(ria); (*retirement*) forzoso(sa).

computer [kəmˈpjuːtəʳ] *n* ordenador *m*.

computer game *n* videojuego *m*.

computerized [kəmˈpjuːtəraɪzd] *adj* informatizado(da), computerizado(da).

computing [kəmˈpjuːtɪŋ], **computer science** *n* informática *f*.

comrade [*Am* ˈkɒmræd, *Br* -reɪd] *n* camarada *m y f*.

con [kɒn] *inf* ◇ *n* (*trick*) timo *m*. ◇ *vt* timar, estafar; **to ~ sb out of sthg** timarle algo a alguien; **to ~ sb into doing sthg** engañar a alguien para que haga algo.

concave [kɒnˈkeɪv] *adj* cóncavo(va).

conceal [kənˈsiːl] *vt* (*object, substance, information*) ocultar; (*feelings*) disimular; **to ~ sthg from sb** ocultarle algo a alguien.

concede [kənˈsiːd] ◇ *vt* (*defeat, a point*) admitir, reconocer. ◇ *vi* (*gen*) ceder; (*in sports, chess*) rendirse.

conceit [kənˈsiːt] *n* vanidad *f*.

conceited [kənˈsiːtɪd] *adj* engreído (da).

conceive [kənˈsiːv] ◇ *vt* concebir. ◇ *vi* **1.** (MED) concebir. **2.** (*imagine*): **to ~ of sthg** imaginarse algo.

concentrate [ˈkɒnsntreɪt] ◇ *vt* concentrar. ◇ *vi*: **to ~ (on)** concentrarse (en).

concentration [ˌkɒnsnˈtreɪʃn] *n* concentración *f*.

concentration camp *n* campo *m* de concentración.

concept [ˈkɒnsept] *n* concepto *m*.

concern [kənˈsɜːʳn] ◇ *n* **1.** (*worry, anxiety*) preocupación *f*. **2.** (*company*) negocio *m*, empresa *f*. ◇ *vt* **1.** (*worry*) preocupar; **to be ~ed about** preocuparse por. **2.** (*involve*) concernir; **to be ~ed with** (*subj: person*) estar involucrado en; **to ~ o.s. with sthg** preocuparse de OR por algo; **as far as … is ~ed** por lo que a … respecta.

concerning [kənˈsɜːʳnɪŋ] *prep* sobre, acerca de.

concert [ˈkɒnsəʳt] *n* concierto *m*.

concerted [kənˈsɜːʳtəd] *adj* conjunto (ta).

concert hall *n* sala *f* de conciertos.

concertina [ˌkɒnsəʳˈtiːnə] *n* concertina *f*.

concerto [kənˈtʃɜːʳtoʊ] (*pl* **-s**) *n* concierto *m*.

concession [kənˈseʃn] *n* **1.** (*allowance, franchise*) concesión *f*. **2.** (*special price*) descuento *m*, rebaja *f*; (*reduced ticket*) entrada *f* de descuento.

conciliatory [*Am* kənˈsɪlɪətɔːrɪ, *Br* -ətrɪ] *adj* conciliador(ra).

concise [kənˈsaɪs] *adj* conciso(sa).

conclude [kənˈkluːd] ◇ *vt* **1.** (*bring to an end*) concluir, terminar. **2.** (*deduce*): **to ~ (that)** concluir que. **3.** (*agreement*) llegar a; (*business deal*) cerrar; (*treaty*) firmar. ◇ *vi* terminar, concluir.

conclusion [kənˈkluːʒn] *n* **1.** (*decision*) conclusión *f*. **2.** (*ending*) final *m*. **3.** (*of business deal*) cierre *m*; (*of treaty*) firma *f*; (*of agreement*) alcance *m*.

conclusive [kənˈkluːsɪv] *adj* concluyente, irrebatible.

concoct [kənˈkɒkt] *vt* **1.** (*excuse, story*) ingeniar. **2.** (*food*) confeccionar; (*drink*) preparar.

concoction [kənˈkɒkʃn] *n* (*drink*) brebaje *m*; (*food*) mezcla *f*.

concourse [ˈkɒnkɔːʳs] *n* (*of station etc*) vestíbulo *m*.

concrete [ˈkɒnkriːt] ◇ *adj* (*definite, real*) concreto(ta). ◇ *n* hormigón *m*, concreto *m Amer*. ◇ *comp* (*made of concrete*) de hormigón.

concur [kənˈkɜːʳ] *vi* (*agree*): **to ~ (with)** estar de acuerdo OR cc incidir (con).

concurrently [*Am* kənˈkɜːrəntlɪ, *Br* -ˈkʌr-] *adv* simultáneamente, al mismo tiempo.

concussion [kənˈkʌʃn] *n* conmoción *f* cerebral.

condemn [kənˈdem] *vt* **1.** (*gen*): **to ~ sb**

(for/to) condenar a alguien (por/a). **2.** *(building)* declarar en ruinas.

condensation [ˌkɒndenˈseɪʃn] *n (on glass)* vaho *m*.

condense [kənˈdens] ◇ *vt* condensar. ◇ *vi* condensarse.

condensed milk [kənˌdenst-] *n* leche *f* condensada.

condescending [ˌkɒndɪˈsendɪŋ] *adj* altanero(ra), altivo(va).

condition [kənˈdɪʃn] ◇ *n* **1.** *(state)* estado *m*; **in good/bad ~** en buen/mal estado; **to be out of ~** no estar en forma. **2.** (MED) *(disease, complaint)* afección *f*. **3.** *(provision)* condición *f*; **on ~ that** a condición de que; **on one ~** con una condición. ◇ *vt (gen)* condicionar.

conditional [kənˈdɪʃnəl] *adj* condicional; **to be ~ on** OR **upon** depender de.

conditioner [kənˈdɪʃnər] *n* suavizante *m*.

condolences [kənˈdəʊlənsɪz] *npl* pésame *m*; **to offer one's ~** dar uno su más sentido pésame.

condom [*Am* ˈkʌndəm, *Br* ˈkɒnd-] *n* condón *m*.

condominium [ˌkɒndəˈmɪnjəm] *n Am* **1.** *(apartment)* piso *m*, apartamento *m*. **2.** *(apartment block)* bloque *m* de pisos OR apartamentos.

condone [kənˈdəʊn] *vt* perdonar.

conducive [kənˈdjuːsɪv] *adj*: **~ to** favorable para.

conduct [*n* ˈkɒndʌkt, *vb* kənˈdʌkt] ◇ *n* **1.** *(behaviour)* conducta *f*. **2.** *(carrying out)* dirección *f*. ◇ *vt* **1.** *(carry out)* dirigir, llevar a cabo. **2.** *(behave)*: **to ~ o.s. well/badly** comportarse bien/mal. **3.** (MUS) dirigir. **4.** (PHYSICS) conducir.

conducted tour [kənˌdʌktəd-] *n* excursión *f* con guía.

conductor [kənˈdʌktər] *n* **1.** *(of orchestra, choir)* director *m*, -ra *f*. **2.** *(on bus)* cobrador *m*. **3.** *Am (on train)* revisor *m*, -ra *f*.

conductress [kənˈdʌktrəs] *n* cobradora *f*.

cone [kəʊn] *n* **1.** *(shape)* cono *m*. **2.** *(for ice cream)* cucurucho *m*. **3.** *(from tree)* piña *f*.

confectioner [kənˈfekʃnər] *n* confitero *m*, -ra *f*; **~'s (shop)** confitería *f*.

confectionery [*Am* kənˈfekʃəneri, *Br* -əri] *n (U)* dulces *mpl*, golosinas *fpl*.

confederation [kənˌfedəˈreɪʃn] *n* confederación *f*.

Confederation of British Industry *n*: **the ~** organización patronal británica, ≃ la CEOE.

confer [kənˈfɜːr] ◇ *vt fml*: **to ~ sthg (on)** otorgar OR conferir algo (a). ◇ *vi*: **to ~ (with)** consultar (con).

conference [ˈkɒnfrəns] *n* congreso *m*, conferencia *f*.

confess [kənˈfes] ◇ *vt* confesar. ◇ *vi* **1.** *(to crime)* confesarse; **to ~ to sthg** confesar algo. **2.** *(admit)*: **to ~ to sthg** admitir algo.

confession [kənˈfeʃn] *n* confesión *f*.

confetti [kənˈfeti] *n* confeti *m*.

confide [kənˈfaɪd] *vi*: **to ~ (in)** confiar (en).

confidence [ˈkɒnfɪdəns] *n* **1.** *(self-assurance)* confianza *f* OR seguridad *f* (en sí mismo/misma). **2.** *(trust)* confianza *f*. **3.** *(secrecy)*: **in ~** en secreto. **4.** *(secret)* intimidad *f*, secreto *m*.

confidence trick *n* timo *m*, estafa *f*.

confident [ˈkɒnfɪdənt] *adj* **1.** *(self-assured - person)* seguro de sí mismo (segura de sí misma); *(- smile, attitude)* confiado(da). **2.** *(sure)*: **~ (of)** seguro(ra) (de).

confidential [ˌkɒnfɪˈdenʃl] *adj (gen)* confidencial; *(tone)* de confianza.

confine [kənˈfaɪn] *vt* **1.** *(limit, restrict)* limitar, restringir; **to be ~d to** limitarse a. **2.** *(shut up)* recluir, encerrar.

confined [kənˈfaɪnd] *adj* reducido(da).

confinement [kənˈfaɪnmənt] *n (imprisonment)* reclusión *f*.

confines [ˈkɒnfaɪnz] *npl* confines *mpl*.

confirm [kənˈfɜːrm] *vt* confirmar.

confirmation [ˌkɒnfərˈmeɪʃn] *n* confirmación *f*.

confirmed [kənˈfɜːrmd] *adj (non-smoker)* inveterado(da); *(bachelor)* empedernido.

confiscate [ˈkɒnfɪskeɪt] *vt* confiscar.

conflict [*n* ˈkɒnflɪkt, *vb Am* ˈkɒnflɪkt, *Br* kənˈflɪkt] ◇ *n* conflicto *m*. ◇ *vi*: **to ~ (with)** estar en desacuerdo (con).

conflicting [*Am* ˈkɒnflɪktɪŋ, *Br* kənˈflɪktɪŋ] *adj* contrapuesto(ta).

conform [kənˈfɔːrm] *vi* **1.** *(behave as expected)* amoldarse a las normas sociales. **2.** *(be in accordance)*: **to ~ (to** OR **with)** *(expectations)* corresponder (a); *(rules)* ajustarse (a).

confound [kənˈfaʊnd] *vt (confuse, defeat)* confundir, desconcertar.

confront [kənˈfrʌnt] *vt* **1.** *(problem, task)* hacer frente a. **2.** *(subj: problem, task)* presentarse a. **3.** *(enemy etc)* enfrentarse con. **4.** *(challenge)*: **to ~ sb (with)** poner a alguien cara a cara (con).

confrontation [ˌkɒnfrʌnˈteɪʃn] *n* enfrentamiento *m*, confrontación *f*.

confuse [kən'fju:z] vt 1. *(bewilder)* desconcertar. 2. *(mix up)*: **to ~ (with)** confundir (con). 3. *(complicate, make less clear)* complicar.

confused [kən'fju:zd] adj 1. *(not clear)* confuso(sa). 2. *(bewildered)* desconcertado(da).

confusing [kən'fju:zɪŋ] adj confuso (sa).

confusion [kən'fju:ʒn] n 1. *(gen)* confusión f. 2. *(of person)* desconcierto m.

congeal [kən'dʒi:l] vi coagularse.

congenial [kən'dʒi:njəl] adj ameno (na), agradable.

congested [kən'dʒestəd] adj 1. *(area)* superpoblado(da); *(road)* congestionado(da). 2. (MED) congestionado(da).

congestion [kən'dʒestʃən] n (U) 1. *(of traffic)* retención f, congestión f. 2. (MED) congestión f.

conglomerate [kən'glɒmərət] n (COMM) conglomerado m.

congratulate [kən'grætʃəleɪt] vt: **to ~ sb (on)** felicitar a alguien (por).

congratulations [kən,grætʃə'leɪʃənz] ◇ npl felicitaciones fpl. ◇ excl ¡enhorabuena!

congregate ['kɒŋgrɪgeɪt] vi *(people)* congregarse; *(animals)* juntarse.

congregation [,kɒŋgrɪ'geɪʃn] n (RELIG) feligreses mpl.

congress ['kɒŋgres] n congreso m. ◆ **Congress** n *(in US)*: **(the) Congress** el Congreso.

CONGRESS

El Congreso es el órgano legislativo estadounidense, integrado por el Senado y la Cámara de Representantes. Un proyecto de ley debe ser aprobado obligatoriamente y de manera separada por las dos cámaras. El Senado se compone de 100 miembros, dos por cada estado. Los diputados de la Cámara de Representantes son elegidos a través de un sistema de votación proporcional basado en la población de cada estado.

---

congressman ['kɒŋgresmən] (pl -men [-mən]) n miembro m del Congreso.

conifer ['kɒnɪfəʳ] n conífera f.

conjugation [,kɒndʒə'geɪʃn] n conjugación f.

conjunction [kən'dʒʌŋkʃn] n 1. (GRAMM) conjunción f. 2. *(combination)*: **in ~ with** juntamente con.

conjunctivitis [kən,dʒʌŋktɪ'vaɪtəs] n conjuntivitis f inv.

conjure ['kʌndʒəʳ] vi hacer juegos de manos. ◆ **conjure up** vt sep *(evoke)* evocar.

conjurer ['kʌndʒərəʳ] n prestidigitador m, -ra f.

conman ['kɒnmæn] (pl -men [-men]) n estafador m, timador m.

connect [kə'nekt] ◇ vt 1. *(join)*: **to ~ sthg (to)** unir algo (con). 2. *(on telephone)*: **I'll ~ you now** ahora le paso OR pongo. 3. *(associate)*: **to ~ sthg/sb (with)** asociar algo/a alguien (con). 4. (ELEC): **to ~ sthg to** conectar algo a. ◇ vi *(train, plane, bus)*: **to ~ (with)** enlazar (con).

connection [kə'nekʃn] n 1. *(gen & ELEC)*: **~ (between/with)** conexión f (entre/con); **in ~ with** con relación OR respecto a. 2. *(plane, train, bus)* enlace m. 3. *(professional acquaintance)* contacto m; **to have good ~s** tener mucho enchufe.

connive [kə'naɪv] vi 1. *(plot)*: **to ~ (with)** confabularse (con). 2. *(allow to happen)*: **to ~ at sthg** hacer la vista gorda con algo.

connoisseur [,kɒnə'sɜːʳ] n entendido m, -da f, experto m, -ta f.

conquer ['kɒŋkəʳ] vt 1. *(take by force)* conquistar. 2. *(gain control of, overcome)* doblegar, vencer.

conqueror ['kɒŋkərəʳ] n conquistador m, -ra f.

conquest ['kɒŋkwest] n conquista f.

cons [kɒnz] npl 1. Br inf: **all mod ~** con todas las comodidades. 2. → **pro**.

conscience ['kɒnʃns] n conciencia f.

conscientious [,kɒnʃɪ'enʃəs] adj concienzudo(da).

conscious ['kɒnʃəs] adj 1. *(gen)* consciente; **to be ~ of** ser consciente de. 2. *(intentional)* deliberado(da).

consciousness ['kɒnʃəsnəs] n 1. *(gen)* conciencia f. 2. *(state of being awake)* conocimiento m.

conscript [vb kən'skrɪpt, n 'kɒnskrɪpt] n recluta m y f.

conscription [kən'skrɪpʃn] n servicio m militar obligatorio.

consecutive [kən'sekjətɪv] adj consecutivo(va); **on three ~ days** tres días seguidos.

consent [kən'sent] ◇ n (U) 1. *(permission)* consentimiento m. 2. *(agreement)* acuerdo m. ◇ vi: **to ~ (to)** consentir (en).

consequence ['kɒnsɪkwəns] n 1. *(result)* consecuencia f; **in ~** por consiguiente. 2. *(importance)* importancia f.

consequently ['kɒnsɪkwəntlɪ] adv

por consiguiente.

conservation [ˌkɒnsəˈveɪʃn] n conservación f.

conservative [kənˈsɜːrvətɪv] adj 1. (not modern) conservador(ra). 2. (estimate, guess) moderado(da). ◆ **Conservative** (POL) ◇ adj conservador(ra). ◇ n conservador m, -ra f.

Conservative Party n: the ~ el partido Conservador británico.

conservatory [Am kənˈsɜːrvətɔːrɪ, Br -ˈsɜːvətrɪ] n pequeña habitación acristalada aneja a la casa.

conserve [vb kənˈsɜːrv, n ˈkɒnsɜːrv] ◇ n compota f. ◇ vt (energy, supplies) ahorrar; (nature, wildlife) conservar.

consider [kənˈsɪdər] vt 1. (gen) considerar; to ~ doing sthg pensarse si hacer algo. 2. (take into account) tener en cuenta.

considerable [kənˈsɪdrəbl] adj considerable.

considerably [kənˈsɪdrəblɪ] adv considerablemente, sustancialmente.

considerate [kənˈsɪdərət] adj considerado(da).

consideration [kənˌsɪdəˈreɪʃn] n consideración f; to take sthg into ~ tomar OR tener algo en cuenta.

considering [kənˈsɪdərɪŋ] ◇ prep habida cuenta de. ◇ conj después de todo.

consign [kənˈsaɪn] vt: to ~ sthg/sb to relegar algo/a alguien a.

consignment [ˌkənˈsaɪnmənt] n remesa f.

consist [kənˈsɪst] ◆ **consist in** vt fus consistir en, basarse en. ◆ **consist of** vt fus consistir en, constar de.

consistency [kənˈsɪstənsɪ] n 1. (coherence - of behaviour, policy) consecuencia f, coherencia f; (of work) regularidad f. 2. (texture) consistencia f.

consistent [kənˈsɪstənt] adj 1. (regular) constante. 2. (coherent): ~ (with) consecuente (con).

consolation [ˌkɒnsəˈleɪʃn] n consuelo m.

console [n ˈkɒnsəʊl, vb kənˈsəʊl] ◇ n consola f. ◇ vt consolar.

consonant [ˈkɒnsənənt] n consonante f.

consortium [kənˈsɔːrtjəm] (pl -tiums OR -tia [-tjə]) n consorcio m.

conspicuous [kənˈspɪkjʊəs] adj (building) visible; (colour) llamativo(va).

conspiracy [kənˈspɪrəsɪ] n conspiración f.

conspire [kənˈspaɪər] ◇ vt: to ~ to do sthg conspirar para hacer algo. ◇ vi

(plan secretly): to ~ (against/with) conspirar (contra/con).

constable [ˈkʌnstəbl] n policía m y f.

constant [ˈkɒnstənt] adj (gen) constante.

constantly [ˈkɒnstəntlɪ] adv (forever) constantemente.

consternation [ˌkɒnstərˈneɪʃn] n consternación f.

constipated [ˈkɒnstɪpeɪtɪd] adj estreñido(da).

constipation [ˌkɒnstɪˈpeɪʃn] n estreñimiento m.

constituency [kənˈstɪtjʊənsɪ] n (area) distrito m electoral.

constituent [kənˈstɪtjʊənt] n 1. (voter) votante m y f. 2. (element) componente m, constituyente m.

constitute [ˈkɒnstɪtjuːt] vt constituir.

constitution [ˌkɒnstəˈtjuːʃn] n constitución f.

constraint [kənˈstreɪnt] n 1. (restriction): ~ (on) limitación f (de). 2. (self-control) autocontrol m. 3. (coercion) coacción f.

construct [vb kənˈstrʌkt, n ˈkɒnstrʌkt] vt lit & fig construir.

construction [kənˈstrʌkʃn] n construcción f.

constructive [kənˈstrʌktɪv] adj constructivo(va).

construe [kənˈstruː] vt fml: to ~ sthg as interpretar algo como.

consul [ˈkɒnsl] n cónsul m y f.

consulate [Am ˈkɒnslət, Br ˈkɒnsjʊlət] n consulado m.

consult [kənˈsʌlt] ◇ vt consultar. ◇ vi: to ~ with sb consultar a OR con alguien.

consultant [kənˈsʌltənt] n 1. (expert) asesor m, -ra f. 2. Br (hospital doctor) (médico) especialista m, (médica) especialista f.

consultation [ˌkɒnsəlˈteɪʃn] n 1. (gen) consulta f. 2. (discussion) discusión f.

consulting room [kənˈsʌltɪŋ-] n consultorio m, consulta f.

consume [kənˈsjuːm] vt lit & fig consumir.

consumer [kənˈsjuːmər] n consumidor m, -ra f.

consumer goods npl bienes mpl de consumo.

consumer society n sociedad f de consumo.

consummate [adj ˈkɒnsəmət, vb ˈkɒnsəmeɪt] ◇ adj 1. (skill, ease) absoluto(ta). 2. (liar, politician, snob) consumado(da). ◇ vt (marriage) consumar.

consumption [kən'sʌmpʃn] n (use) consumo m.

contact ['kɒntækt] ◇ n contacto m; **in ~ (with)** en contacto (con); **to lose ~ with** perder (el) contacto con; **to make ~ with** ponerse en contacto con. ◇ vt ponerse en contacto con.

contact lens n lentilla f, lente f de contacto.

contagious [kən'teɪdʒəs] adj contagioso(sa).

contain [kən'teɪn] vt contener; **to ~ o.s.** contenerse.

container [kən'teɪnəʳ] n 1. (box, bottle etc) recipiente m, envase m. 2. (for transporting goods) contenedor m.

contaminate [kən'tæmɪneɪt] vt contaminar.

cont'd abbr of **continued**.

contemplate ['kɒntəmpleɪt] ◇ vt 1. (consider) considerar, pensar en. 2. fml (look at) contemplar. ◇ vi reflexionar.

contemporary [Am kən'tempərerɪ, Br -rərɪ] ◇ adj contemporáneo(a). ◇ n contemporáneo m, -a f.

contempt [kən'tempt] n 1. (scorn): **~ (for)** desprecio m OR desdén m (por). 2. (JUR) desacato m.

contemptuous [kən'temptʃʊəs] adj despreciativo(va); **to be ~ of sthg** despreciar algo.

contend [kən'tend] ◇ vi 1. (deal): **to ~ with** enfrentarse a. 2. (compete): **to ~ for/against** competir por/contra. ◇ vt fml: **to ~ that** sostener OR afirmar que.

contender [kən'tendəʳ] n (gen) contendiente m y f; (for title) aspirante m y f.

content [n 'kɒntent, adj &vb kən'tent] ◇ adj: **~ (with)** contento(ta) OR satisfecho(cha) (con); **to be ~ to do sthg** contentarse con hacer algo. ◇ n contenido m. ◇ vt: **to ~ o.s. with sthg/with doing sthg** contentarse con algo/con hacer algo. ◆ **contents** npl contenido m.

contented [kən'tentəd] adj satisfecho (cha), contento(ta).

contention [kən'tenʃn] n fml 1. (argument, assertion) argumento m. 2. (U) (disagreement) disputas fpl. 3. (competition): **to be in ~** entrar en liza.

contest [n 'kɒntest, vb kən'test] ◇ n 1. (competition) competición f, concurso m. 2. (for power, control) lucha f. ◇ vt 1. (seat, election) presentarse como candidato(ta) a. 2. (dispute - statement) disputar; (- decision) impugnar.

contestant [kən'testənt] n (in quiz show) concursante m y f; (in race) parti-

cipante m y f; (in boxing match) contrincante m y f.

context ['kɒntekst] n contexto m.

continent ['kɒntɪnənt] n continente m. ◆ **Continent** n Br: **the Continent** la Europa continental.

continental [ˌkɒntɪ'nentl] adj 1. (GEOGR) continental. 2. (European) de la Europa continental.

continental breakfast n desayuno m continental.

continental quilt n Br edredón m.

contingency [kən'tɪndʒənsɪ] n contingencia f.

contingency plan n plan m de emergencia.

continual [kən'tɪnjʊəl] adj continuo (nua), constante.

continually [kən'tɪnjʊəlɪ] adv continuamente, constantemente.

continuation [kənˌtɪnjʊ'eɪʃn] n continuación f.

continue [kən'tɪnjuː] ◇ vt: **to ~ (doing** OR **to do sthg)** continuar (haciendo algo); **to be ~d** continuará. ◇ vi: **to ~ (with sthg)** continuar (con algo).

continuous [kən'tɪnjʊəs] adj continuo (nua).

continuously [kən'tɪnjʊəslɪ] adv continuamente, ininterrumpidamente.

contort [kən'tɔːt] vt retorcer.

contour ['kɒntʊəʳ] n 1. (outline) contorno m. 2. (on map) curva f de nivel.

contraband ['kɒntrəbænd] ◇ adj de contrabando. ◇ n contrabando m.

contraception [ˌkɒntrə'sepʃn] n anticoncepción f.

contraceptive [ˌkɒntrə'septɪv] ◇ adj anticonceptivo(va). ◇ n anticonceptivo m.

contract [n 'kɒntrækt, vb kən'trækt] ◇ n contrato m. ◇ vt 1. (through legal agreement): **to ~ sb (to do sthg)** contratar a alguien (para hacer algo); **to ~ to do sthg** comprometerse a hacer algo (por contrato). 2. fml (illness, disease) contraer. ◇ vi (decrease in size, length) contraerse.

contraction [kən'trækʃn] n contracción f.

contractor [kən'træktəʳ] n contratista m y f.

contradict [ˌkɒntrə'dɪkt] vt contradecir.

contradiction [ˌkɒntrə'dɪkʃn] n contradicción f.

contraflow ['kɒntrəfləʊ] n estrechamiento (de la autopista) a una carretera de dos direcciones.

contraption [kən'træpʃn] *n* chisme *m*, artilugio *m*.

contrary ['kɒntrərɪ, *adj sense 2* kən-'treərɪ] *adj* 1. *(opposite)* contrario(ria); ~ **to** en contra de. 2. *(awkward)* obstinado(da). ◊ *n*: **the** ~ lo contrario; **on the** ~ al contrario. ◆ **contrary to** *prep* en contra de.

contrast [*n Am* 'kɒntræst, *Br* -trɑːst, *vb Am* kən'træst, *Br* -trɑːst] ◊ *n*: ~ **(between** OR **with)** contraste *m* (entre); **by** OR **in** ~ en cambio; **in** ~ **with** OR **to** a diferencia de. ◊ *vt*: **to** ~ **sthg with** contrastar algo con. ◊ *vi*: **to** ~ **(with)** contrastar (con).

contravene [ˌkɒntrə'viːn] *vt* contravenir.

contribute [*Am* kən'trɪbjət, *Br* -juːt] ◊ *vt* *(give)* contribuir, aportar. ◊ *vi* 1. *(gen)*: **to** ~ **(to)** contribuir (a). 2. *(write material)*: **to** ~ **to** colaborar con.

contribution [ˌkɒntrɪ'bjuːʃn] *n* 1. *(gen)*: ~ **(to)** contribución *f* (a). 2. *(article)* colaboración *f*.

contributor [kən'trɪbjətər] *n* 1. *(of money)* contribuyente *m y f*. 2. *(to magazine, newspaper)* colaborador *m*, -ra *f*.

contrive [kən'traɪv] *fml vt* 1. *(engineer)* maquinar, idear. 2. *(manage)*: **to** ~ **to do sthg** lograr hacer algo.

contrived [kən'traɪvd] *adj* inverosímil.

control [kən'trəʊl] *n* 1. *(gen & COMPUT)* control *m*; *(on spending)* restricción *f*; **in** ~ **of** al mando de; **to be in** ~ **of the situation** dominar la situación; **out of/ under** ~ fuera de/bajo control. 2. *(of emotions)* dominio *m*. ◊ *vt* 1. *(gen)* controlar; **to** ~ **o.s.** dominarse. 2. *(operate - machine, plane)* manejar; *(- central heating)* regular. ◆ **controls** *npl (of machine, vehicle)* controles *mpl*.

controller [kən'trəʊlər] *n* (FIN) interventor *m*, -ra *f*; (RADIO & TV) director *m*, -ra *f*.

control panel *n* tablero *m* de instrumentos OR de mandos.

control tower *n* torre *f* de control.

controversial [ˌkɒntrə'vɜːrʃl] *adj* polémico(ca).

controversy ['kɒntrəvɜːrsɪ] *n* controversia *f*, polémica *f*.

convalesce [ˌkɒnvə'les] *vi* convalecer.

convene [kən'viːn] ◊ *vt* convocar. ◊ *vi* reunirse.

convenience [kən'viːnjəns] *n* comodidad *f*; **do it at your** ~ hágalo cuando le venga bien.

convenience store *n Am* tienda *f* que abre hasta tarde.

convenient [kən'viːnjənt] *adj* 1. *(suitable)* conveniente; **is Monday** ~? ¿te viene bien el lunes? 2. *(handy - size)* práctico (ca); *(- position)* adecuado(da); ~ **for** *(well-situated)* bien situado para.

convent ['kɒnvənt] *n* convento *m*.

convention [kən'venʃn] *n* convención *f*.

conventional [kən'venʃnəl] *adj* convencional.

converge [kən'vɜːrdʒ] *vi lit & fig*: **to** ~ **(on)** converger (en).

conversant [kən'vɜːrsnt] *adj fml*: ~ **with** familiarizado(da) con.

conversation [ˌkɒnvər'seɪʃn] *n* conversación *f*.

conversational [ˌkɒnvər'seɪʃnəl] *adj* coloquial.

converse [*n* 'kɒnvɜːrs, *vb* kən'vɜːrs] ◊ *n*: **the** ~ lo contrario OR opuesto. ◊ *vi fml*: **to** ~ **(with)** conversar (con).

conversely [kən'vɜːrslɪ] *adv fml* a la inversa.

conversion [kən'vɜːrʃn] *n (gen & RELIG)* conversión *f*.

convert [*vb* kən'vɜːrt, *n* 'kɒnvɜːrt] ◊ *vt* 1. *(gen)*: **to** ~ **sthg (to** OR **into)** convertir algo (en). 2. *(change belief of)*: **to** ~ **sb (to)** convertir a alguien (a). ◊ *n* converso *m*, -sa *f*.

convertible [kən'vɜːrtəbl] ◊ *adj* 1. *(sofa)*: ~ **sofa** sofá-cama *m*. 2. *(currency)* convertible. 3. *(car)* descapotable. ◊ *n* (coche *m*) descapotable *m*.

convex [kɒn'veks] *adj* convexo(xa).

convey [kən'veɪ] *vt* 1. *fml (transport)* transportar. 2. *(express)*: **to** ~ **sthg (to)** expresar OR transmitir algo (a).

conveyer belt [kən'veɪər-] *n* cinta *f* transportadora.

convict [*vb* kən'vɪkt, *n* 'kɒnvɪkt] ◊ *n* presidiario *m*, -ria *f*. ◊ *vt*: **to** ~ **sb of** condenar a alguien por.

conviction [kən'vɪkʃn] *n* 1. *(belief, fervour)* convicción *f*. 2. (JUR) condena *f*.

convince [kən'vɪns] *vt*: **to** ~ **sb (of sthg/ to do sthg)** convencer a alguien (de algo/para que haga algo).

convincing [kən'vɪnsɪŋ] *adj* convincente.

convoluted ['kɒnvəluːtəd] *adj (tortuous)* retorcido(da).

convoy ['kɒnvɔɪ] *n* convoy *m*.

convulse [kən'vʌls] *vt*: **to be** ~**d with** *(pain)* retorcerse de; *(laughter)* troncharse de.

convulsion [kən'vʌlʃn] *n* (MED) convulsión *f*.

coo [ku:] *vi* arrullar.

cook [kʊk] ◇ *n* cocinero *m*, -ra *f*. ◇ *vt*
1. *(gen)* cocinar, guisar; *(prepare)* preparar. 2. *(in oven)* asar, hacer en el horno.
◇ *vi* 1. *(prepare food)* cocinar, guisar.
2. *(in oven)* cocerse. ♦ **cook up** *vt sep*
(plan, deal) tramar, urdir; *(excuse)*
inventarse.

cookbook ['kʊkbʊk] = **cookery book**.

cooker ['kʊkər] *n* cocina *f (aparato)*.

cookery ['kʊkəri] *n* cocina *f (arte)*.

cookery book *n* libro *m* de cocina.

cookie ['kʊki] *n Am* galleta *f*.

cooking ['kʊkɪŋ] *n (food)* cocina *f*.

cool [ku:l] ◇ *adj* 1. *(not warm)* fresco
(ca). 2. *(calm)* tranquilo(la).
3. *(unfriendly)* frío(a). 4. *inf (hip)* guay,
chachi. ◇ *vt* refrescar. ◇ *vi (become less
warm)* enfriarse. ◇ *n*: **to keep/lose one's
~** mantener/perder la calma. ♦ **cool
down** *vi* 1. *(become less warm)* enfriarse.
2. *(become less angry)* calmarse.

cool box *n* nevera *f* portátil.

coop [ku:p] *n* gallinero *m*. ♦ **coop up**
vt sep inf encerrar.

Co-op ['kəʊɒp] *(abbr of* co-operative
society) *n* Coop. *f*.

cooperate [kəʊ'ɒpəreit] *vi*: **to ~ (with)**
cooperar (con).

cooperation [kəʊˌɒpə'reɪʃn] *n (U)*
cooperación *f*.

cooperative [kəʊ'ɒpərətɪv] ◇ *adj*
1. *(helpful)* servicial. 2. *(collective)*
cooperativo(va). ◇ *n* cooperativa *f*.

coordinate [*n* kəʊ'ɔ:dnət, *vt* kəʊ-
'ɔ:rdəneit] ◇ *n* coordenada *f*. ◇ *vt* coordinar. ♦ **coordinates** *npl (clothes)* conjunto *m*.

coordination [kəʊˌɔ:rdə'neiʃn] *n* coordinación *f*.

cop [kɒp] *n inf* poli *m*.

cope [kəʊp] *vi* arreglárselas; **to ~ with**
(work) poder con; *(problem, situation)*
hacer frente a.

Copenhagen [*Am* ˌkoʊpənheigən, *Br*
ˌkoʊpən'heigən] *n* Copenhague *f*.

copier ['kɒpiər] *n* fotocopiadora *f*.

cop-out *n inf* escaqueo *m*.

copper ['kɒpər] *n* 1. *(metal)* cobre *m*. 2.
Br inf (policeman) poli *m*.

coppice ['kɒpəs], **copse** [kɒps] *n* bosquecillo *m*.

copy ['kɒpi] ◇ *n* 1. *(imitation, duplicate)*
copia *f*. 2. *(of book, magazine)* ejemplar
m. ◇ *vt* 1. *(imitate)* copiar. 2. *(photocopy)* fotocopiar.

copyright ['kɒpirait] *n (U)* derechos
mpl de autor.

coral ['kɒrəl] *n* coral *m*.

cord [kɔ:rd] *n* 1. *(string)* cuerda *f*; *(for
tying clothes)* cordón *m*. 2. *(wire)* cable *m*,
cordón *m*. 3. *(fabric)* pana *f*. ♦ **cords**
npl pantalones *mpl* de pana.

cordial [*Am* 'kɔ:rdʒəl, *Br* 'kɔ:djəl] ◇ *adj*
cordial, afectuoso(sa). ◇ *n bebida de frutas concentrada*.

cordon ['kɔ:rdn] *n* cordón *m*. ♦ **cordon off** *vt sep* acordonar.

corduroy ['kɔ:rdərɔi] *n* pana *f*.

core [kɔ:r] *n* 1. *(of fruit)* corazón *m*.
2. *(of Earth, nuclear reactor, group)*
núcleo *m*. 3. *(of issue, matter)* meollo *m*.

corgi ['kɔ:rgi] *(pl* -s) *n* perro *m* galés.

coriander [ˌkɒri'ændər] *n* cilantro *m*.

cork [kɔ:rk] *n* corcho *m*.

corkscrew ['kɔ:rkskru:] *n* sacacorchos
m inv.

corn [kɔ:rn] *n* 1. *Am (maize)* maíz *m*,
choclo *m Amer*; **~ on the cob** mazorca *f*,
elote *m CAm & Méx*. 2. *Br (wheat, barley, oats)* cereal *m*. 3. *(callus)* callo *m*.

cornea ['kɔ:rniə] *(pl* -s) *n* córnea *f*.

corned beef [ˌkɔ:rnd-] *n* carne de vaca
cocinada y enlatada.

corner ['kɔ:rnər] ◇ *n* 1. *(angle - on outside)* esquina *f*; *(- on inside)* rincón *m*.
2. *(bend - in street, road)* curva *f*; **just
around the ~** a la vuelta de la esquina.
3. *(faraway place)* rincón *m*. 4. *(in football)* córner *m*. ◇ *vt* 1. *(trap)* arrinconar.
2. *(monopolize)* acaparar.

corner shop *n* tienda *pequeña de
barrio que vende comida, artículos de limpieza etc*.

cornerstone ['kɔ:rnərstoʊn] *n fig* piedra *f* angular.

cornet [*Am* kɔ:r'net, *Br* 'kɔ:nit] *n*
1. *(instrument)* corneta *f*. 2. *Br (ice-cream
cone)* cucurucho *m*.

cornflakes ['kɔ:rnfleiks] *npl* copos *mpl*
de maíz, cornflakes *mpl*.

cornstarch *Am* ['kɔ:rnstɑ:rtʃ], **cornflour** *Br* ['kɔ:rnflaʊər] *n* harina *f* de
maíz, maicena *f*.

Cornwall ['kɔ:rnwɔ:l] *n* Cornualles *f*.

corny ['kɔ:rni] *adj inf* trillado(da).

coronary [*Am* 'kɔ:rənəri, *Br* 'kɒrənri],
coronary thrombosis [-θrɒm-
'boʊsəs] *(pl coronary thromboses* [-θrɒm-
'boʊsi:z]) *n* trombosis *f inv* coronaria.

coronation [ˌkɒrə'neiʃn] *n* coronación
f.

coroner ['kɒrənər] *n* ≈ juez *m y f* de
instrucción.

Corp. *(abbr of* corporation) Corp.

corporal ['kɔ:rprəl] *n* cabo *m y f*.

corporal punishment *n* castigo *m* corporal.
corporate ['kɔːʳpərət] *adj* 1. *(business)* corporativo(va). 2. *(collective)* colectivo (va).
corporation [ˌkɔːʳpə'reɪʃn] *n* 1. *(council)* ayuntamiento *m*. 2. *(large company)* ≃ sociedad *f* mercantil.
corps [kɔːʳ] (*pl inv*) *n* cuerpo *m*.
corpse [kɔːʳps] *n* cadáver *m*.
correct [kə'rekt] ◇ *adj* 1. *(accurate - time, amount, forecast)* exacto(ta); *(- answer)* correcto(ta). 2. *(socially acceptable)* correcto(ta). 3. *(appropriate, required)* apropiado(da). ◇ *vt* corregir.
correction [kə'rekʃn] *n* corrección *f*.
correctly [kə'rektlɪ] *adv* 1. *(gen)* correctamente. 2. *(appropriately, as required)* apropiadamente.
correlation [ˌkɒrə'leɪʃn] *n*: **~ (between)** correlación *f* (entre).
correspond [ˌkɒrə'spɒnd] *vi* 1. *(correlate)*: **to ~ (with** OR **to)** corresponder (con OR a). 2. *(match)*: **to ~ (with** OR **to)** coincidir (con). 3. *(write letters)*: **to ~ (with)** cartearse (con).
correspondence [ˌkɒrə'spɒndəns] *n*: **~ (with/between)** correspondencia *f* (con/entre).
correspondence course *n* curso *m* por correspondencia.
correspondent [ˌkɒrɪ'spɒndənt] *n* *(reporter)* corresponsal *m y f*.
corridor [*Am* 'kɔːrədr, *Br* 'kɒrɪdɔː] *n* pasillo *m*.
corroborate [kə'rɒbəreɪt] *vt* corroborar.
corrode [kə'roʊd] ◇ *vt* corroer. ◇ *vi* corroerse.
corrosion [kə'roʊʒn] *n* corrosión *f*.
corrugated ['kɒrəgeɪtəd] *adj* ondulado(da).
corrugated iron *n* chapa *f* ondulada.
corrupt [kə'rʌpt] ◇ *adj (gen &* COMPUT*)* corrupto(ta). ◇ *vt* corromper; **to ~ a minor** pervertir a un menor.
corruption [kə'rʌpʃn] *n* corrupción *f*.
corset ['kɔːʳsət] *n* corsé *m*, faja *f*.
cortege, cortège [*Am* kɔːr'teʒ, *Br* kɔː'teɪʒ] *n* cortejo *m*.
cosmetic [kɒz'metɪk] ◇ *n* cosmético *m*. ◇ *adj fig* superficial.
cosmopolitan [kɒzmə'pɒlɪtn] *adj* cosmopolita.
cosset ['kɒsət] *vt* mimar.
cost [kɒst] (*pt & pp* **cost** OR **-ed**) ◇ *n* 1. *(price)* coste *m*, precio *m*. 2. *fig (loss, damage)* coste *m*, costo *m*; **at the ~ of a** costa de; **at all ~s** a toda costa. ◇ *vt* 1. *(gen)* costar; **it ~ us £20/a lot of effort** nos costó 20 libras/mucho esfuerzo; **how much does it ~?** ¿cuánto cuesta OR vale? 2. *(estimate)* presupuestar, preparar un presupuesto de. ◆ **costs** *npl* (JUR) litisexpensas *fpl*.
co-star ['koʊ-] *n* coprotagonista *m y f*.
Costa Rica [*Am* ˌkoʊstə'riːkə, *Br* ˌkɒstə'riːkə] *n* Costa Rica.
Costa Rican [*Am* ˌkoʊstə'riːkən, *Br* ˌkɒstə'riːkən] ◇ *adj* costarricense. ◇ *n* costarricense *m y f*.
cost-effective *adj* rentable.
costly ['kɒstlɪ] *adj* costoso(sa).
cost of living *n*: **the ~** el coste de la vida.
cost price *n* precio *m* de coste.
costume ['kɒstʲuːm] *n* 1. *(gen)* traje *m*. 2. *(swimming costume)* traje *m* de baño.
costume jewellery *n (U)* bisutería *f*.
cosy *Br* = **cozy**.
cot [kɒt] *n* 1. *Am (folding bed)* cama *f* plegable. 2. *Br (for child)* cuna *f*.
cottage ['kɒtɪdʒ] *n* casa *f* de campo, chalé *m*.
cottage cheese *n* requesón *m*.
cottage pie *n Br pastel de carne picada con una capa de puré de patatas*.
cotton ['kɒtn] *n* 1. *(fabric)* algodón *m*. 2. *(thread)* hilo *m* (de algodón). ◆ **cotton on** *vi inf*: **to ~ on (to)** caer en la cuenta (de).
cotton candy *n Am* azúcar *m* hilado, algodón *m*.
cotton wool *n* algodón *m* (hidrófilo).
couch [kaʊtʃ] ◇ *n* 1. *(sofa)* sofá *m*, diván *m*. 2. *(in doctor's surgery)* camilla *f*. ◇ *vt*: **to ~ sthg in** formular algo en.
couchette [kuː'ʃet] *n Br* litera *f*.
cough [kɒf] ◇ *n* tos *f*. ◇ *vi* toser.
cough mixture *n Br* jarabe *m* para la tos.
cough sweet *n Br* caramelo *m* para la tos.
cough syrup = **cough mixture**.
could [kʊd] *pt* → **can²**.
couldn't ['kʊdnt] = **could not**.
could've ['kʊdəv] = **could have**.
council ['kaʊnsl] *n* 1. *(of a town)* ayuntamiento *m*; *(of a county)* ≃ diputación *f*. 2. *(group, organization)* consejo *m*. 3. *(meeting)* junta *f*, consejo *m*.
council estate *n urbanización de viviendas de protección oficial*.
council house *n Br* ≃ casa *f* de protección oficial.
councillor ['kaʊnsləʳ] *n* concejal *m y f*.

C

council tax *n Br* impuesto municipal basado en el valor de la propiedad, ≈ contribución *f* urbana.

counsel ['kaʊnsl] ◇ *n* **1.** *(U) fml (advice)* consejo *m*. **2.** *(lawyer)* abogado *m*, -da *f*.

counselor *Am*, **counsellor** *Br* ['kaʊnslər] ◇ *n* **1.** *(gen)* consejero *m*, -ra *f*. **2.** *Am (lawyer)* abogado *m*, -da *f*.

count [kaʊnt] ◇ *n* **1.** *(total)* total *m*; *(of votes)* recuento *m*; **to keep/lose ~ of** llevar/perder la cuenta de. **2.** *(aristocrat)* conde *m*. ◇ *vt* **1.** *(add up)* contar; *(total, cost)* calcular. **2.** *(consider)*: **to ~ sb as** considerar a alguien como. **3.** *(include)* incluir, contar. ◇ *vi* contar; **to ~ (up) to** contar hasta; **to ~ for** valer. **♦ count against** *vt fus* perjudicar. **♦ count (up)on** *vt fus* contar con. **♦ count up** *vt fus* contar.

countdown ['kaʊntdaʊn] *n* cuenta *f* atrás.

counter ['kaʊntər] ◇ *n* **1.** *(in shop)* mostrador *m*; *(in bank)* ventanilla *f*. **2.** *(in board game)* ficha *f*. ◇ *vt*: **to ~ sthg with** responder a algo mediante; **to ~ sthg by doing sthg** contrarrestar algo haciendo algo. **♦ counter to** *adv* contrario a.

counteract [,kaʊntər'ækt] *vt* contrarrestar.

counterattack [,kaʊntərə'tæk] ◇ *n* contraataque *m*. ◇ *vt & vi* contraatacar.

counterclockwise [,kaʊntər'klɒkwaɪz] *adv Am* en sentido opuesto a las agujas del reloj.

counterfeit ['kaʊntərfɪt] ◇ *adj* falsificado(da). ◇ *vt* falsificar.

counterfoil ['kaʊntərfɔɪl] *n* matriz *f*.

counterpart ['kaʊntərpɑːrt] *n* homólogo *m*, -ga *f*.

counterproductive [,kaʊntərprə-'dʌktɪv] *adj* contraproducente.

countess ['kaʊntəs] *n* condesa *f*.

countless ['kaʊntləs] *adj* innumerable.

country ['kʌntrɪ] ◇ *n* **1.** *(nation)* país *m*. **2.** *(population)*: **the ~** el pueblo. **3.** *(countryside)*: **the ~** el campo. **4.** *(terrain)* terreno *m*. ◇ *comp* campestre.

country dancing *n (U)* baile *m* tradicional.

country house *n* casa *f* de campo.

countryman ['kʌntrɪmən] *(pl* **-men** [-mən])* *n (from same country)* compatriota *m*.

country park *n Br* parque natural abierto al público.

countryside ['kʌntrɪsaɪd] *n (land)* campo *m*; *(landscape)* paisaje *m*.

county ['kaʊntɪ] *n* condado *m*.

county council *n Br* organismo que gobierna un condado, ≈ diputación *f* provincial.

coup [kuː] *n* **1.** *(rebellion)*: **~ (d'état)** golpe *m* (de estado). **2.** *(masterstroke)* éxito *m*.

couple ['kʌpl] ◇ *n* **1.** *(two people in relationship)* pareja *f*. **2.** *(two objects, people)*: **a ~ (of)** un par (de). **3.** *(a few - objects, people)*: **a ~ (of)** un par (de), unos(nas). ◇ *vt (join)*: **to ~ sthg (to)** enganchar algo (con).

coupon ['kuːpɒn] *n (gen)* cupón *m*; *(for pools)* boleto *m*.

courage [*Am* 'kɜːrɪdʒ, *Br* 'kʌr-] *n* valor *m*.

courageous [kə'reɪdʒəs] *adj* valiente.

courgette [*Am* kʊr'ʒet, *Br* kɔː-] *n Br* calabacín *m*, zapallito *m CSur*, calabacita *f Méx*.

courier ['kʊrɪər] *n* **1.** *(on holiday)* guía *m y f*. **2.** *(to deliver letters, packages)* mensajero *m*, -ra *f*.

course [kɔːrs] *n* **1.** *(gen)* curso *m*; *(of lectures)* ciclo *m*; *(UNIV)* carrera *f*; **~ of treatment** *(MED)* tratamiento *m*; **off ~** fuera de su rumbo; **~ (of action)** medida *f*; **in the ~ of** a lo largo de. **2.** *(of meal)* plato *m*. **3.** *(SPORT)* *(for golf)* campo *m* (de golf); *(for horse racing)* hipódromo *m*. **♦ of course** *adv* **1.** *(inevitably, not surprisingly)* naturalmente. **2.** *(certainly)* claro; **of ~ not** claro que no.

coursebook ['kɔːsbʊk] *n* libro *m* de texto.

coursework ['kɔːrswɜːrk] *n (U)* trabajo *m* realizado durante el curso.

court [kɔːrt] *n* **1.** *(place of trial, judge, jury etc)* tribunal *m*; **to take sb to ~** llevar a alguien a juicio. **2.** *(SPORT)* cancha *f*, pista *f*. **3.** *(of king, queen etc)* corte *f*.

courteous ['kɜːrtjəs] *adj* cortés.

courtesy ['kɜːrtəsɪ] ◇ *n* cortesía *f*. ◇ *comp* de cortesía. **♦ (by) courtesy of** *prep (the author)* con permiso de; *(a company)* por cortesía OR gentileza de.

courthouse ['kɔːrthaʊs, *pl* -haʊzɪz] *n Am* palacio *m* de justicia.

courtier ['kɔːrtjər] *n* cortesano *m*.

court-martial *(pl* court-martials OR courts-martial)* *n* consejo *m* de guerra.

courtroom ['kɔːrtruːm] *n* sala *f* del tribunal.

courtyard ['kɔːrtjɑːrd] *n* patio *m*.

cousin ['kʌzn] *n* primo *m*, -ma *f*.

cove [koʊv] *n* cala *f*, ensenada *f*.

covenant ['kʌvənənt] *n* **1.** *(of money)* compromiso escrito para el pago regular de *una contribución esp con fines caritativos.* **2.** *(agreement)* convenio *m*.

Covent Garden [*Am* ˌkʌvnt-, *Br* ˌkɒv-] *n famosa galería comercial londinense donde se dan cita todo tipo de artistas callejeros.*

cover [ˈkʌvəᵣ] ◇ *n* **1.** *(covering)* cubierta *f*; *(lid)* tapa *f*; *(for seat, typewriter)* funda *f*. **2.** *(of book)* tapa *f*, cubierta *f*; *(of magazine - at the front)* portada *f*; *(- at the back)* contraportada *f*. **3.** *(protection, shelter)* refugio *m*; **to take ~** *(from weather, gunfire)*: refugiarse; **under ~** *(from weather)* a cubierto. **4.** *(concealment)* tapadera *f*; **under ~ of** al amparo OR abrigo de. **5.** *(insurance)* cobertura *f*. **6.** *(blanket)* manta *f*. ◇ *vt* **1.** *(gen)*: **to ~ sthg (with)** cubrir algo (de); *(with lid)* tapar algo (con). **2.** *(insure)*: **to ~ sb (against)** cubrir OR asegurar a alguien (contra). **3.** *(include)* abarcar. **4.** *(report on)* informar sobre. **5.** *(discuss, deal with)* abarcar. ◆ **cover up** *vt sep* **1.** *(place sthg over)* tapar. **2.** *(conceal)* encubrir.

coverage [ˈkʌvərɪdʒ] *n (of news)* reportaje *m*, cobertura *f* informativa.

cover charge *n* precio *m* del cubierto.

covering [ˈkʌvərɪŋ] *n* **1.** *(for floor etc)* cubierta *f*. **2.** *(of snow, dust)* capa *f*.

cover letter *Am,* **covering letter** *Br n (with CV)* carta *f* de presentación; *(with parcel, letter)* nota *f* aclaratoria.

cover note *n Br* póliza *f* provisional.

covert [ˈkʌvəːrt] *adj (operation)* encubierto(ta), secreto(ta); *(glance)* furtivo (va).

cover-up *n* encubrimiento *m*.

covet [ˈkʌvət] *vt* codiciar.

cow [kaʊ] *n* **1.** *(female type of cattle)* vaca *f*. **2.** *(female elephant, whale, seal)* hembra *f*.

coward [ˈkaʊəᵣd] *n* cobarde *m y f*.

cowardly [ˈkaʊəᵣdlɪ] *adj* cobarde.

cowboy [ˈkaʊbɔɪ] *n (cattlehand)* vaquero *m*, tropero *m CSur*.

cower [ˈkaʊəᵣ] *vi* encogerse.

cox [kɒks], **coxswain** [ˈkɒksn] *n* timonel *m y f*.

coy [kɔɪ] *adj* gazmoño(ña) *(afectada)*.

cozy *Am,* **cosy** *Br* [ˈkəʊzɪ] ◇ *adj* **1.** *(warm and comfortable - room)* acogedor(ra). **2.** *(intimate)* agradable, amigable. ◇ *n* funda *f* para tetera.

crab [kræb] *n* cangrejo *m*.

crab apple *n* manzana *f* silvestre.

crack [kræk] ◇ *n* **1.** *(split - in wood, ground)* grieta *f*; *(- in glass, pottery)* raja *f*. **2.** *(gap)* rendija *f*. **3.** *(sharp noise - of whip)* chasquido *m*; *(- of twigs)* crujido *m*. **4.** *inf (attempt)*: **to have a ~ at sthg**

intentar algo. **5.** *drugs sl (cocaine)* crack *m*. ◇ *adj* de primera. ◇ *vt* **1.** *(cause to split)* romper, partir. **2.** *(egg, nut)* cascar. **3.** *(whip etc)* chasquear. **4.** *(bang - head)* golpearse. **5.** *(solve)* dar con la clave de. **6.** *inf (make - joke)* contar. ◇ *vi* **1.** *(split - skin, wood, ground)* agrietarse; *(- pottery, glass)* partirse. **2.** *(break down)* hundirse. **3.** *(make sharp noise - whip)* chasquear; *(- twigs)* crujir. **4.** *Br inf (act quickly)*: **to get ~ing** ponerse manos a la obra. ◆ **crack down** *vi*: **to ~ down (on)** tomar medidas severas (contra). ◆ **crack up** *vi* venirse abajo.

cracker [ˈkrækəᵣ] *n* **1.** *(biscuit)* galleta *f* (salada). **2.** *Br (for Christmas)* tubo con sorpresa típico de Navidades.

crackle [ˈkrækl] *vi (fire)* crujir, chasquear; *(radio)* sonar con interferencias.

cradle [ˈkreɪdl] ◇ *n (baby's bed, birthplace)* cuna *f*. ◇ *vt* acunar, mecer.

craft [*Am* kræft, *Br* krɑːft] *(pl sense 2 inv)* *n* **1.** *(trade)* oficio *m*; *(skill)* arte *m*. **2.** *(boat)* embarcación *f*.

craftsman [*Am* ˈkræftsmən, *Br* ˈkrɑːfts-] *(pl* -men *[-mən])* *n* artesano *m*.

craftsmanship [*Am* ˈkræftsmənʃɪp, *Br* ˈkrɑːfts-] *n (U)* **1.** *(skill)* destreza *f*, habilidad *f*. **2.** *(skilled work)* artesanía *f*.

craftsmen *pl* → **craftsman**.

crafty [*Am* ˈkræftɪ, *Br* ˈkrɑːftɪ] *adj* astuto(ta).

crag [kræg] *n* peñasco *m*.

cram [kræm] ◇ *vt* **1.** *(push - books, clothes)* embutir; *(people)* apiñar. **2.** *(overfill)*: **to ~ sthg with** atiborrar OR atestar algo de; **to be crammed (with)** estar repleto(ta) (de). ◇ *vi* empollar.

cramp [kræmp] *n* calambre *m*; **stomach ~s** retortijones *mpl* de vientre.

cranberry [*Am* ˈkrænberɪ, *Br* -bərɪ] *n* arándano *m* (agrio).

crane [kreɪn] *n* **1.** *(machine)* grúa *f*. **2.** *(bird)* grulla *f*.

crank [kræŋk] *n* **1.** (TECH) manivela *f*. **2.** *inf (eccentric)* majareta *m y f*. ◇ *vt (wind)* girar.

crankshaft [*Am* ˈkræŋkʃæft, *Br* -ʃɑːft] *n* cigüeñal *m*.

crap [kræp] *n (U) v inf* mierda *f*.

crash [kræʃ] ◇ *n* **1.** *(accident)* choque *m*. **2.** *(loud noise)* estruendo *m*. **3.** (FIN) crac *m*. ◇ *vt* estrellar. ◇ *vi* **1.** *(collide - two vehicles)* chocar; *(one vehicle - into wall etc)* estrellarse; **to ~ into sthg** chocar OR estrellarse contra algo. **2.** (FIN) quebrar. **3.** (COMPUT) bloquearse.

crash course *n* cursillo *m* intensivo

de introducción, curso *m* acelerado.

crash helmet *n* casco *m* protector.

crash-land *vi* realizar un aterrizaje forzoso.

crass [kræs] *adj* burdo(da); **a ~ error** un craso error.

crate [kreɪt] *n* caja *f* (*para embalaje o transporte*).

crater ['kreɪtəʳ] *n* **1.** (*hole in ground*) socavón *m*. **2.** (*of volcano, on the moon*) cráter *m*.

cravat [krə'væt] *n* pañuelo *m* (de hombre).

crave [kreɪv] ◇ *vt* ansiar. ◇ *vi*: **to ~ for sthg** ansiar algo.

crawl [krɔːl] ◇ *vi* **1.** (*baby*) andar a gatas. **2.** (*insect, person*) arrastrarse. **3.** (*move slowly, with difficulty*) avanzar lentamente. **4.** *inf* (*grovel*): **to ~ (to)** arrastrarse (ante). ◇ *n* (*swimming stroke*): **the ~** el crol.

crayfish ['kreɪfɪʃ] (*pl inv* OR **-es**) *n* **1.** (*freshwater*) cangrejo *m* de río; (*spiny lobster*) langosta *f*.

crayon ['kreɪɒn] *n* lápiz *m* de cera.

craze [kreɪz] *n* moda *f*.

crazy ['kreɪzɪ] *adj inf* **1.** (*mad - person*) loco(ca); (*- idea*) disparatado(da). **2.** (*enthusiastic*): **to be ~ about** estar loco (ca) por.

creak [kriːk] *vi* (*floorboard, bed*) crujir; (*door, hinge*) chirriar.

cream [kriːm] ◇ *adj* (*in colour*) (color) crema (*inv*). ◇ *n* **1.** (*food*) nata *f*. **2.** (*cosmetic, mixture for food*) crema *f*. **3.** (*colour*) (color *m*) crema *m*. **4.** (*elite*): **the ~** la flor y nata, la crema.

cream cake *n Br* pastel *m* de nata.

cream cheese *n* queso *m* cremoso OR blanco.

cream cracker *n Br* galleta sin azúcar que generalmente se come con queso.

cream tea *n Br* merienda de té con bollos, nata y mermelada.

crease [kriːs] ◇ *n* (*deliberate - in shirt*) pliegue *m*; (*- in trousers*) raya *f*; (*accidental*) arruga *f*. ◇ *vt* arrugar. ◇ *vi* (*gen*) arrugarse; (*forehead*) fruncirse.

create [kriː'eɪt] *vt* (*gen*) crear; (*interest*) producir.

creation [kriː'eɪʃn] *n* creación *f*.

creative [kriː'eɪtɪv] *adj* (*gen*) creativo (va); (*energy*) creador(ra); **~ writing** redacciones *fpl*.

creature [kriːtʃəʳ] *n* criatura *f*.

crèche [kreʃ] *n Br* guardería *f* (infantil).

credentials [krə'denʃlz] *npl* credenciales *fpl*.

credibility [ˌkredə'bɪlətɪ] *n* credibilidad *f*.

credit ['kredət] ◇ *n* **1.** (*financial aid*) crédito *m*; **in ~** con saldo acreedor OR positivo; **on ~** a crédito. **2.** (*U*) (*praise*) reconocimiento *m*; **to give sb ~ for** reconocer a alguien el mérito de. **3.** (SCH & UNIV) crédito *m*. **4.** (*money credited*) saldo *m* acreedor OR positivo. ◇ *vt* **1.** (FIN) (*add*) abonar; **we'll ~ your account** lo abonaremos en su cuenta. **2.** *inf* (*believe*) creer. **3.** (*give the credit to*): **to ~ sb with** atribuir a alguien el mérito de. ◆ **credits** *npl* (*on film*) títulos *mpl*.

credit card *n* tarjeta *f* de crédito.

credit note *n* pagaré *m*.

creditor ['kredətəʳ] *n* acreedor *m*, -ra *f*.

creed [kriːd] *n* credo *m*.

creek [kriːk] *n* **1.** (*inlet*) cala *f*. **2.** *Am* (*stream*) riachuelo *m*.

creep [kriːp] (*pt & pp* **crept**) ◇ *vi* **1.** (*insect*) arrastrarse; (*traffic etc*) avanzar lentamente. **2.** (*person*) deslizarse, andar con sigilo. ◇ *n inf* (*person*) pelotillero *m*, -ra *f*. ◆ **creeps** *npl*: **to give sb the ~s** *inf* ponerle a alguien la piel de gallina.

creeper ['kriːpəʳ] *n* enredadera *f*.

creepy ['kriːpɪ] *adj inf* horripilante.

creepy-crawly [-'krɔːlɪ] (*pl* **-ies**) *n inf* bicho *m*.

cremate [*Am* 'kriːmeɪt, *Br* krə'meɪt] *vt* incinerar.

crematory *Am* [*Am* 'kriːmətɔːrɪ, *Br* 'kremətrɪ], **crematorium** *Br* [*Am* ˌkriːmə'tɔːrɪəm, *Br* ˌkrem-] (*pl* **-riums** OR **-ria** [-rɪə]) *n* (horno *m*) crematorio *m*.

crepe [kreɪp] *n* **1.** (*cloth*) crespón *m*. **2.** (*rubber*) crepé *m*. **3.** (*thin pancake*) crepe *f*.

crepe bandage *n Br* venda *f* de gasa.

crepe paper *n* (*U*) papel *m* seda.

crept [krept] *pt & pp* → **creep**.

crescendo [krɪ'ʃendoʊ] (*pl* **-s**) *n* crescendo *m*.

crescent [*Am* 'kresnt, *Br* 'krez-] *n* **1.** (*shape*) media luna *f*. **2.** (*street*) calle en forma de arco.

cress [kres] *n* berro *m*.

crest [krest] *n* **1.** (*on bird's head, of wave*) cresta *f*. **2.** (*of hill*) cima *f*, cumbre *f*. **3.** (*on coat of arms*) blasón *m*.

crestfallen ['krestfɔːlən] *adj* alicaído (da).

cretin [*Am* 'kriːtn, *Br* 'kretɪn] *n inf* (*idiot*) cretino *m*, -na *f*.

Creutzfeldt-Jakob disease [ˌkrɔɪtsfelt'jækɒb-] *n* enfermedad *f* de Creutzfeldt-Jakob.

crevasse [krə'væs] *n* grieta *f*, fisura *f*.
crevice ['krevəs] *n* grieta *f*, hendidura *f*.
crew [kru:] *n* **1.** *(of ship, plane)* tripulación *f*. **2.** *(on film set etc)* equipo *m*.
crew cut *n* rapado *m*, corte *m* al cero.
crew-neck(ed) [-nek(t)] *adj* con cuello redondo.
crib [krɪb] ◇ *n (cot)* cuna *f*. ◇ *vt inf*: **to ~ sthg off** OR **from sb** copiar algo de alguien.
crick [krɪk] *n (in neck)* tortícolis *f*.
cricket ['krɪkət] *n* **1.** *(game)* críquet *m*. **2.** *(insect)* grillo *m*.
crime [kraɪm] ◇ *n* **1.** *(criminal behaviour - serious)* criminalidad *f*; *(- less serious)* delincuencia *f*. **2.** *(serious offence)* crimen *m*; *(less serious offence)* delito *m*. **3.** *(immoral act)* crimen *m*. ◇ *comp*: **~ novel** novela *f* policíaca.
criminal ['krɪmɪnl] ◇ *adj* **1.** (JUR) *(act, behaviour)* criminal, delictivo(va); *(law)* penal; *(lawyer)* criminalista. **2.** *inf (shameful)* criminal. ◇ *n (serious)* criminal *m y f*; *(less serious)* delincuente *m y f*.
crimson ['krɪmzn] ◇ *adj (in colour)* carmesí. ◇ *n* carmesí *m*.
cringe [krɪndʒ] *vi* **1.** *(out of fear)* encogerse. **2.** *inf (with embarrassment)*: **to ~ (at)** encogerse de vergüenza (ante).
crinkle ['krɪŋkl] *vt* arrugar.
cripple ['krɪpl] ◇ *n dated & offensive* tullido *m*, -da *f*. ◇ *vt* **1.** (MED) dejar inválido(da). **2.** *(country, industry)* paralizar; *(ship, plane)* dejar inutilizado(da).
crisis ['kraɪsəs] *(pl* **crises** ['kraɪsi:z]) *n* crisis *f inv*.
crisp [krɪsp] *adj* **1.** *(pastry, bacon, snow)* crujiente; *(banknote, vegetables, weather)* fresco(ca). **2.** *(brisk)* directo(ta). ◆ **crisps** *npl* papas *fpl* fritas *(de bolsa)*.
crisscross ['krɪskrɒs] *adj* entrecruzado(da).
criterion [kraɪ'tɪərɪən] *(pl* **-ria** [-rɪə] OR **-rions**) *n* criterio *m*.
critic ['krɪtɪk] *n* crítico *m*, -ca *f*.
critical ['krɪtɪkl] *adj (gen)* crítico(ca); *(illness)* grave; **to be ~ of** criticar a.
critically ['krɪtɪklɪ] *adv (gen)* críticamente; *(ill)* gravemente.
criticism ['krɪtɪsɪzm] *n* crítica *f*.
criticize ['krɪtɪsaɪz] *vt & vi* criticar.
croak [krəuk] *vi* **1.** *(frog)* croar; *(raven)* graznar. **2.** *(person)* ronquear.
Croatia [krəu'eɪʃə] *n* Croacia.
crochet [*Am* krou'ʃeɪ, *Br* 'krouʃeɪ] *n* ganchillo *m*.
crockery ['krɒkərɪ] *n* loza *f*, vajilla *f*.

crocodile ['krɒkədaɪl] *(pl inv* OR **-s)** *n* cocodrilo *m*.
crocus ['krəukəs] *(pl* **-es)** *n* azafrán *m*.
croft [krɒft] *n Br* granja o terreno pequeño que pertenece a una familia y les proporciona sustento.
crony ['krəunɪ] *n inf* amiguete *m*, -ta *f*, amigote *m*.
crook [kruk] *n* **1.** *(criminal)* ratero *m*, -ra *f*. **2.** *inf (dishonest person)* ladrón *m*, -ona *f*, sinvergüenza *m y f*. **3.** *(shepherd's staff)* cayado *m*.
crooked ['krukəd] *adj* **1.** *(back)* encorvado(da); *(path)* sinuoso(sa). **2.** *(teeth, tie)* torcido(da). **3.** *inf (dishonest - person, policeman)* corrupto(ta).
crop [krɒp] ◇ *n* **1.** *(kind of plant)* cultivo *m*. **2.** *(harvested produce)* cosecha *f*. **3.** *(whip)* fusta *f*. ◇ *vt (cut short)* cortar (muy corto). ◆ **crop up** *vi* surgir, salir.
croquette [krou'ket] *n* croqueta *f*.
cross [krɒs] ◇ *adj* enfadado(da); **to get ~ (with)** enfadarse (con). ◇ *n* **1.** *(gen)* cruz *f*. **2.** *(hybrid)* cruce *m*; **a ~ between** *(combination)* una mezcla de. ◇ *vt* **1.** *(gen & FIN)* cruzar. **2.** *(face - subj: expression)* reflejarse en. **3.** (RELIG): **to ~ o.s.** santiguarse. ◇ *vi (intersect)* cruzarse. ◆ **cross off, cross out** *vt sep* tachar.
crossbar ['krɒsbɑ:r] *n* **1.** *(on goal)* travesaño *m*. **2.** *(on bicycle)* barra *f*.
cross-country ◇ *adj & adv* a campo traviesa. ◇ *n* cross *m*.
cross-examine *vt* interrogar *(para comprobar veracidad)*.
cross-eyed [-aɪd] *adj* bizco(ca).
crossfire ['krɒsfaɪər] *n* fuego *m* cruzado.
crossing ['krɒsɪŋ] *n* **1.** *(on road)* cruce *m*, paso *m* de peatones; *(on railway line)* paso a nivel. **2.** *(sea journey)* travesía *f*.
cross-legged [-legd] *adv* con las piernas cruzadas.
cross-purposes *npl*: **to be at ~ with** sufrir un malentendido con.
cross-reference *n* remisión *f*, referencia *f*.
crossroads ['krɒsroudz] *(pl inv)* *n* cruce *m*.
cross-section *n* **1.** *(drawing)* sección *f* transversal. **2.** *(sample)* muestra *f* representativa.
crosswalk ['krɒswɔ:k] *n Am* paso *m* de peatones.
crosswind ['krɒswɪnd] *n* viento *m* de costado.
crossword (puzzle) ['krɒswɜ:rd(-)] *n* crucigrama *m*.
crotch [krɒtʃ] *n* entrepierna *f*.

crouch [kraʊtʃ] *vi* (gen) agacharse; (ready to spring) agazaparse.

crow [krəʊ] ◇ *n* corneja *f.* ◇ *vi* 1. (cock) cantar. 2. *inf* (gloat) darse pisto.

crowbar ['krəʊbɑːr] *n* palanca *f.*

crowd [kraʊd] ◇ *n* 1. (mass of people) multitud *f,* muchedumbre *f;* (at football match etc) público *m.* 2. (particular group) gente *f.* ◇ *vi* agolparse, apiñarse. ◇ *vt* 1. (room, theatre etc) llenar. 2. (people) meter, apiñar.

crowded ['kraʊdəd] *adj*: ~ (with) repleto(ta) OR atestado(da) (de).

crown [kraʊn] ◇ *n* 1. (of royalty, on tooth) corona *f.* 2. (of hat) copa *f;* (of head) coronilla *f;* (of hill) cumbre *f,* cima *f.* ◇ *vt* (gen) coronar. ◆ **Crown** *n*: **the Crown** (monarchy) la corona.

crown jewels *npl* joyas *fpl* de la corona.

crown prince *n* príncipe *m* heredero.

crow's feet *npl* patas *fpl* de gallo.

crucial ['kruːʃl] *adj* crucial.

crucifix ['kruːsəfɪks] *n* crucifijo *m.*

crude [kruːd] *adj* 1. (rubber, oil, joke) crudo(da). 2. (person, behaviour) basto (ta). 3. (drawing, sketch) tosco(ca).

crude oil *n* crudo *m.*

cruel ['kruːəl] *adj* (gen) cruel; (winter) crudo(da).

cruelty ['kruːəltɪ] *n* (U) crueldad *f.*

cruet ['kruːɪt] *n* vinagreras *fpl.*

cruise [kruːz] ◇ *n* crucero *m.* ◇ *vi* 1. (sail) hacer un crucero. 2. (drive, fly) ir a velocidad de crucero.

cruiser ['kruːzər] *n* 1. (warship) crucero *m.* 2. (cabin cruiser) yate *m* (para cruceros).

crumb [krʌm] *n* 1. (of food) miga *f,* migaja *f.* 2. (of information) pizca *f.*

crumble ['krʌmbl] ◇ *n* compota de fruta con una pasta seca por encima. ◇ *vt* desmigajar. ◇ *vi* 1. (building, cliff) desmoronarse; (plaster) caerse. 2. *fig* (relationship, hopes) venirse abajo.

crumbly ['krʌmblɪ] *adj* que se desmigaja con facilidad.

crumpet ['krʌmpət] *n* (food) bollo que se come tostado.

crumple ['krʌmpl] *vt* (dress, suit) arrugar; (letter) estrujar.

crunch [krʌntʃ] ◇ *n* crujido *m.* ◇ *vt* 1. (with teeth) ronzar. 2. (underfoot) hacer crujir.

crunchy ['krʌntʃɪ] *adj* crujiente.

crusade [kruːˈseɪd] *n lit & fig* cruzada *f.*

crush [krʌʃ] ◇ *n* 1. (crowd) gentío *m.* 2. *inf* (infatuation): **to have a ~ on sb** estar

colado(da) OR loco(ca) por alguien. ◇ *vt* 1. (squash) aplastar. 2. (grind - garlic, grain) triturar; (- ice) picar; (- grapes) exprimir. 3. (destroy) demoler.

crust [krʌst] *n* 1. (on bread) corteza *f.* 2. (on pie) pasta *f* (dura). 3. (of snow, earth) corteza *f.*

crutch [krʌtʃ] *n* 1. (stick) muleta *f; fig* (support) apoyo *m.* 2. (crotch) entrepierna *f.*

crux [krʌks] *n*: **the ~ of the matter** el quid de la cuestión.

cry [kraɪ] ◇ *n* 1. (weep) llorera *f.* 2. (shout) grito *m.* ◇ *vi* 1. (weep) llorar. 2. (shout) gritar. ◆ **cry off** *vi* volverse atrás.

crystal ['krɪstl] *n* cristal *m.*

crystal clear *adj* 1. (transparent) cristalino(na). 2. (clearly stated) claro(ra) como el agua.

CSE (abbr of **Certificate of Secondary Education**) *n* antiguo título de enseñanza secundaria en Gran Bretaña para alumnos de bajo rendimiento escolar.

CTC *n abbr of* **city technology college**.

cub [kʌb] *n* 1. (young animal) cachorro *m.* 2. (boy scout) boy scout de entre 8 y 11 años.

Cuba ['kjuːbə] *n* Cuba.

Cuban ['kjuːbən] ◇ *adj* cubano(na). ◇ *n* (person) cubano *m,* -na *f.*

cubbyhole ['kʌbɪhəʊl] *n* (room) cuchitril *m;* (cupboard) armario *m.*

cube [kjuːb] ◇ *n* (gen) cubo *m;* (of sugar) terrón *m.* ◇ *vt* (MATH) elevar al cubo.

cubic ['kjuːbɪk] *adj* cúbico(ca).

cubicle ['kjuːbɪkl] *n* (at swimming pool) caseta *f;* (in shop) probador *m.*

Cub Scout *n* boy scout de entre 8 y 11 años.

cuckoo ['kʊkuː] *n* cuco *m,* cuclillo *m.*

cuckoo clock *n* reloj *m* de cuco.

cucumber ['kjuːkʌmbər] *n* pepino *m.*

cuddle ['kʌdl] ◇ *n* abrazo *m.* ◇ *vt* abrazar. ◇ *vi* abrazarse.

cuddly toy ['kʌdlɪ-] *n* muñeco *m* de peluche.

cue [kjuː] *n* 1. (RADIO, THEATRE & TV) entrada *f;* **on ~** justo en aquel instante. 2. *fig* (stimulus, signal) señal *f.* 3. (in snooker, pool) taco *m.*

cuff [kʌf] *n* 1. (of sleeve) puño *m;* **off the ~** improvisado(da), sacado(da) de la manga. 2. *Am* (of trouser leg) vuelta *f.* 3. (blow) cachete *m.*

cuff link *n* gemelo *m,* collera *f* Chile.

cuisine [kwɪˈziːn] *n* cocina *f.*

cul-de-sac ['kʌldəsæk] n callejón m sin salida.

cull [kʌl] vt 1. (animals) eliminar. 2. fml (information, facts) recoger.

culminate ['kʌlmɪneɪt] vi: to ~ in culminar en.

culmination [ˌkʌlmɪ'neɪʃn] n culminación f.

culottes [Am 'kuːlɒts, Br kjuː'lɒts] npl falda f pantalón.

culpable ['kʌlpəbl] adj fml: ~ (of) culpable (de); ~ homicide homicidio m involuntario.

culprit ['kʌlprət] n culpable m y f.

cult [kʌlt] ◇ n (RELIG) culto m. ◇ comp de culto.

cultivate ['kʌltəveɪt] vt 1. (gen) cultivar. 2. (get to know - person) hacer amistad con.

cultivated ['kʌltəveɪtəd] adj 1. (cultured) culto(ta). 2. (land) cultivado(da).

cultivation [ˌkʌltɪ'veɪʃn] n (U) cultivo m.

cultural ['kʌltʃrəl] adj cultural.

culture ['kʌltʃər] n 1. (gen) cultura f. 2. (of bacteria) cultivo m.

cultured ['kʌltʃərd] adj culto(ta).

cumbersome ['kʌmbərsəm] adj 1. (parcel) abultado(da); (machinery) aparatoso(sa). 2. (system) torpe.

cunning ['kʌnɪŋ] ◇ adj (gen) astuto(ta); (device, idea) ingenioso(sa). ◇ n (U) astucia f.

cup [kʌp] ◇ n 1. (gen) taza f. 2. (prize, of bra) copa f. ◇ vt ahuecar.

cupboard ['kʌbərd] n armario m.

Cup Final n: the ~ ≃ la final de la Copa.

cup tie n Br partido m de copa.

curate ['kjʊərət] n coadjutor m, -ra f.

curator [kjʊ'reɪtər] n conservador m, -ra f, director m, -ra f.

curb [kɜːrb] ◇ n 1. (control): ~ (on) control OR restricción f (de); to put a ~ on sthg poner freno a algo. 2. Am (in road) bordillo m. ◇ vt controlar, contener.

curdle ['kɜːrdl] vi (milk) cuajarse; fig (blood) helarse.

cure [kjʊər] ◇ n 1. (MED): ~ (for) cura f (para). 2. (solution): ~ (for) remedio m (a). ◇ vt 1. (MED) curar. 2. (problem, inflation) remediar. 3. (food, tobacco) curar; (leather) curtir.

cure-all n panacea f.

curfew ['kɜːrfjuː] n toque m de queda.

curio ['kjʊərɪəʊ] (pl -s) n curiosidad f.

curiosity [ˌkjʊərɪ'ɒsɪtɪ] n curiosidad f.

curious ['kjʊərɪəs] adj curioso(sa); to be ~ about sentir curiosidad por.

curl [kɜːrl] ◇ n (of hair) rizo m. ◇ vt 1. (hair) rizar. 2. (twist) enroscar. ◇ vi 1. (hair) rizarse. 2. (paper) abarquillarse. ◆ **curl up** vi (person, animal) acurrucarse; (leaf, paper) abarquillarse.

curler ['kɜːrlər] n rulo m.

curling tongs npl tenacillas fpl de rizar.

curly ['kɜːrlɪ] adj (hair) rizado(da).

currant [Am 'kɜːrənt, Br 'kʌr-] n (dried grape) pasa f de Corinto.

currency [Am 'kɜːrənsɪ, Br 'kʌr-] n 1. (FIN) moneda f; foreign ~ divisa f. 2. fml (acceptability): to gain ~ ganar aceptación.

current [Am 'kɜːrənt, Br 'kʌr-] ◇ adj (price, method, girlfriend) actual; (year) en curso; (issue) último(ma); (ideas, expressions, customs) corriente. ◇ n corriente f.

current account n Br cuenta f corriente.

current affairs npl temas mpl de actualidad.

currently [Am 'kɜːrəntlɪ, Br 'kʌr-] adv actualmente.

curriculum [kə'rɪkjələm] (pl -lums OR -la [-lə]) n (course of study) temario m, plan m de estudios.

curriculum vitae [Am -'vaɪtɪ, Br -'viːtaɪ] (pl curricula vitae) n currículum m (vitae).

curry [Am 'kɜːrɪ, Br 'kʌrɪ] n curry m.

curse [kɜːrs] ◇ n 1. (evil charm) maldición f. 2. (swearword) taco m, palabrota f. ◇ vt maldecir. ◇ vi (swear) soltar tacos.

cursor ['kɜːrsər] n (COMPUT) cursor m.

cursory ['kɜːrsrɪ] adj superficial.

curt [kɜːrt] adj brusco(ca), seco(ca).

curtail [kɜːr'teɪl] vt 1. (visit) acortar. 2. (expenditure) reducir; (rights) restringir.

curtain ['kɜːrtn] n 1. (gen) cortina f. 2. (in theatre) telón m.

curts(e)y ['kɜːrtsɪ] (pt & pp curtsied) ◇ n reverencia f (de mujer). ◇ vi hacer una reverencia (una mujer).

curve [kɜːrv] ◇ n curva f. ◇ vi (river) hacer una curva; (surface) curvarse.

cushion ['kʊʃn] ◇ n 1. (for sitting on) cojín m. 2. (protective layer) colchón m. ◇ vt lit & fig amortiguar.

custard ['kʌstərd] n (U) (sauce) natillas fpl.

custodian [kʌ'stəʊdjən] n (of building, museum) conservador m, -ra f.

custody ['kʌstədɪ] *n* custodia *f*; **to take sb into ~** detener a alguien; **in ~** bajo custodia.

custom ['kʌstəm] *n* **1.** *(tradition, habit)* costumbre *f*. **2.** *(U) fml (trade)* clientela *f*. ◆ **customs** *n* *(place)* aduana *f*.

customary [*Am* 'kʌstəmerɪ, *Br* '-əmərɪ] *adj* acostumbrado(da), habitual.

customer ['kʌstəmər] *n* **1.** *(client)* cliente *m* y *f*. **2.** *inf (person)* tipo *m*.

customize ['kʌstəmaɪz] *vt* personalizar.

Customs and Excise *n (U) Br oficina del gobierno británico encargada de la recaudación de derechos arancelarios.*

customs duty *n (U)* derechos *mpl* de aduana, aranceles *mpl*.

customs officer *n* empleado *m*, -da *f* de aduana.

cut [kʌt] *(pt & pp* **cut)** ◇ *n* **1.** *(gen)* corte *m*. **2.** *(reduction):* **~ (in)** reducción *f (de)*. **3.** *inf (share)* parte *f*. ◇ *vt* **1.** *(gen)* cortar; *(one's finger etc)* cortarse. **2.** *(spending, staff etc)* reducir, recortar. **3.** *inf (lecture)* fumarse. ◆ **cut back** *vt sep* **1.** *(plant)* podar. **2.** *(expenditure, budget)* recortar. ◆ **cut down** ◇ *vt sep* **1.** *(chop down)* cortar, talar. **2.** *(reduce)* reducir. ◇ *vi:* **to ~ down on smoking** OR **cigarettes** fumar menos. ◆ **cut in** *vi* **1.** *(interrupt):* **to ~ in (on sb)** cortar OR interrumpir (a alguien). **2.** *(in car)* colarse. ◆ **cut off** *vt sep* **1.** *(gen)* cortar. **2.** *(separate):* **to be ~ off (from)** *(person)* estar aislado(da) (de); *(town, village)* quedarse incomunicado(da) (de). ◆ **cut out** *vt sep* **1.** *(remove)* recortar. **2.** *(dress, pattern etc)* cortar. **3.** *(stop):* **to ~ out smoking** OR **cigarettes** dejar de fumar; **~ it out!** *inf* ¡basta ya! **4.** *(exclude - will etc):* **to ~ sb out of one's will** desheredar a alguien. ◆ **cut up** *vt sep (chop up)* cortar, desmenuzar.

cutback ['kʌtbæk] *n:* **~ (in)** recorte *m* OR reducción *f (en)*.

cute [kjuːt] *adj (appealing)* mono(na), lindo(da).

cuticle ['kjuːtɪkl] *n* cutícula *f*.

cutlery ['kʌtlərɪ] *n (U)* cubertería *f*.

cutlet ['kʌtlət] *n* chuleta *f*.

cut-price, cut-rate *Am adj* de oferta.

cutthroat ['kʌtθrəʊt] *adj (ruthless)* encarnizado(da).

cutting ['kʌtɪŋ] ◇ *adj (sarcastic)* cortante, mordaz. ◇ *n* **1.** *(of plant)* esqueje *m*. **2.** *(from newspaper)* recorte *m*. **3.** *Br (for road, railway)* desmonte *m*.

CV *(abbr of* **curriculum vitae)** *n* CV *m*.

cwt. *abbr of* **hundredweight**.

cyanide ['saɪənaɪd] *n* cianuro *m*.

cybercafe [*Am* saɪbrkæˈfeɪ, *Br* 'saɪbə-ˌkæfeɪ] *n* cybercafé *m*.

cyberspace ['saɪbərspeɪs] *n* cyberespacio *m*.

cycle ['saɪkl] ◇ *n* **1.** *(series of events, poems, songs)* ciclo *m*. **2.** *(bicycle)* bicicleta *f*. ◇ *comp:* **~ path** camino *m* para bicicletas. ◇ *vi* ir en bicicleta.

cycling ['saɪklɪŋ] *n* ciclismo *m*; **to go ~** ir en bicicleta.

cyclist ['saɪklɪst] *n* ciclista *m* y *f*.

cygnet ['sɪgnət] *n* pollo *m* de cisne.

cylinder ['sɪlɪndər] *n* **1.** *(shape, engine component)* cilindro *m*. **2.** *(container - for gas)* bombona *f*.

cymbals ['sɪmblz] *npl* platillos *mpl*.

cynic ['sɪnɪk] *n* cínico *m*, -ca *f*.

cynical ['sɪnɪkl] *adj* cínico(ca).

cynicism ['sɪnɪsɪzm] *n* cinismo *m*.

cypress ['saɪprəs] *n* ciprés *m*.

Cyprus ['saɪprəs] *n* Chipre.

cyst [sɪst] *n* quiste *m*.

cystitis [sɪˈstaɪtəs] *n* cistitis *f inv*.

czar [zɑːr] *n* zar *m*.

Czech Republic [tʃek-] *n:* **the ~** la República Checa.

d *(pl* **d's** OR **ds)**, **D** *(pl* **D's** OR **Ds)** [diː] *n (letter)* d *f*, D *f*. ◆ **D** *n (MUS)* re *m*.

DA *n abbr of* **district attorney**.

dab [dæb] ◇ *n (small amount)* toque *m*, pizca *f*; *(of powder)* pizca *f*. ◇ *vt* **1.** *(skin, wound)* dar ligeros toques en. **2.** *(cream, ointment):* **to ~ sthg on** OR **onto** aplicar algo sobre.

dabble ['dæbl] *vi:* **to ~ (in)** pasar el tiempo OR entretenerse (con).

dachshund [*Am* 'dɑːkshʊnd, *Br* 'dæksnd] *n* perro *m* salchicha.

dad [dæd], **daddy** ['dædɪ] *n inf* papá *m*.

daffodil ['dæfədɪl] *n* narciso *m*.

daft [*Am* dæft, *Br* dɑːft] *adj Br inf* tonto (ta).

dagger ['dægər] *n* daga *f*, puñal *m*.

daily ['deɪlɪ] ◇ *adj* diario(ria). ◇ *adv* diariamente; **twice ~** dos veces al día. ◇ *n (newspaper)* diario *m*.

dainty ['deɪntɪ] *adj* delicado(da), fino (na).

dairy ['deərɪ] *n* **1.** *(on farm)* vaquería *f*. **2.** *(shop)* lechería *f*.

dairy farm *n* granja *f* (de productos lácteos).

dairy products *npl* productos *mpl* lácteos.

dais ['deɪəs] *n* tarima *f*, estrado *m*.

daisy ['deɪzɪ] *n* margarita *f*.

daisy wheel *n* margarita *f* (de máquina de escribir).

dale [deɪl] *n* valle *m*.

dam [dæm] ◇ *n* (across river) presa *f*. ◇ *vt* represar.

damage ['dæmɪdʒ] ◇ *n* **1.** *(physical harm)*: ~ (to) daño *m* (a). **2.** *(harmful effect)*: ~ (to) perjuicio *m* (a). ◇ *vt* dañar. ♦ **damages** *npl* (JUR) daños *mpl* y perjuicios.

damn [dæm] ◇ *adj inf* maldito(ta). ◇ *adv inf* tela de, muy. ◇ *n inf*: **I don't give** OR **care a ~ (about it)** me importa un bledo. ◇ *vt* **1.** (RELIG) *(condemn)* condenar. **2.** *v inf (curse)*: **~ it!** ¡maldita sea!

damned [dæmd] *inf* ◇ *adj* maldito(ta); **I'm ~ if ...** que me maten si ...; **well I'll be** OR **I'm ~!** ¡ostras! ◇ *adv* tela de, muy.

damning ['dæmɪŋ] *adj* comprometedor (ra).

damp [dæmp] ◇ *adj* húmedo(da). ◇ *n* humedad *f*. ◇ *vt (make wet)* humedecer.

dampen ['dæmpən] *vt* **1.** *(make wet)* humedecer. **2.** *fig (emotion)* apagar.

damson ['dæmzn] *n* (ciruela *f*) damascena *f*.

dance [*Am* dæns, *Br* dɑːns] ◇ *n* baile *m*. ◇ *vi* bailar.

dancer [*Am* 'dænsr, *Br* 'dɑːnsə] *n* bailarín *m*, -ina *f*.

dancing [*Am* 'dænsɪŋ, *Br* 'dɑːns-] *n* (U) baile *m*.

dandelion ['dændəlaɪən] *n* diente *m* de león.

dandruff ['dændrʌf] *n* caspa *f*.

Dane [deɪn] *n* danés *m*, -esa *f*.

danger ['deɪndʒər] *n*: ~ (to) peligro *m* (para); **in/out of** ~ en/fuera de peligro; **to be in** ~ **of doing sthg** correr el riesgo de hacer algo.

dangerous ['deɪndʒərəs] *adj* peligroso (sa).

dangle ['dæŋgl] ◇ *vt* colgar; *fig*: **to** ~ **sthg before sb** poner los dientes largos a alguien con algo. ◇ *vi* colgar, pender.

Danish ['deɪnɪʃ] ◇ *adj* danés(esa). ◇ *n* **1.** *(language)* danés *m*. **2.** *Am* = **Danish**

pastry. ◇ *npl (people)*: **the** ~ los daneses.

Danish pastry *n* pastel de hojaldre con crema o manzana o almendras etc.

dank [dæŋk] *adj* húmedo(da) e insalubre.

dapper ['dæpər] *adj* pulcro(cra).

dappled ['dæpld] *adj* **1.** *(light)* moteado (da). **2.** *(horse)* rodado(da).

dare [deər] ◇ *vt* **1.** *(be brave enough)*: **to** ~ **to do sthg** atreverse a hacer algo, osar hacer algo. **2.** *(challenge)*: **to** ~ **sb to do sthg** desafiar a alguien a hacer algo. **3.** *phr*: **I** ~ **say (...)** supongo OR me imagino (que ...). ◇ *vi* atreverse, osar; **how** ~ **you!** ¿cómo te atreves? ◇ *n* desafío *m*, reto *m*.

daredevil ['deərdevl] *n* temerario *m*, -ria *f*.

daring ['deərɪŋ] ◇ *adj* atrevido(da), audaz. ◇ *n* audacia *f*.

dark [dɑːk] ◇ *adj* **1.** *(night, colour, hair)* oscuro(ra). **2.** *(person, skin)* moreno (na). **3.** *(thoughts, days, mood)* sombrío (a), triste. ◇ *n* **1.** *(darkness)*: **the** ~ la oscuridad; **to be in the** ~ **about sthg** estar a oscuras sobre algo. **2.** *(night)*: **before/after** ~ antes/después del anochecer.

darken ['dɑːkən] ◇ *vt* oscurecer. ◇ *vi (become darker)* oscurecerse.

dark glasses *npl* gafas *fpl* oscuras.

darkness ['dɑːknəs] *n* oscuridad *f*.

darkroom ['dɑːkruːm] *n* (PHOT) cuarto *m* oscuro.

darling ['dɑːlɪŋ] ◇ *adj (dear)* querido (da). ◇ *n* **1.** *(loved person)* encanto *m*. **2.** *inf (addressing any woman)* maja *f*.

darn [dɑːn] ◇ *adj inf* maldito(ta), condenado(da). ◇ *adv inf* tela de, muy. ◇ *vt* zurcir. ◇ *excl inf* ¡maldita sea!

dart [dɑːt] ◇ *n (arrow)* dardo *m*. ◇ *vi* precipitarse. ♦ **darts** *n* (U) *(game)* dardos *mpl*.

dartboard ['dɑːtbɔːd] *n* blanco *m*, diana *f*.

dash [dæʃ] ◇ *n* **1.** *(of liquid, colour)* gotas *fpl*, chorrito *m*. **2.** *(in punctuation)* guión *m*. **3.** *(rush)*: **to make a** ~ **for sthg** salir disparado hacia algo. ◇ *vt* **1.** *literary (throw)* arrojar. **2.** *(hopes)* frustrar, malograr. ◇ *vi* ir de prisa.

dashboard ['dæʃbɔːd] *n* salpicadero *m*.

dashing ['dæʃɪŋ] *adj* gallardo(da).

data ['deɪtə] *n* (U) datos *mpl*.

database ['deɪtəbeɪs] *n* (COMPUT) base *f* de datos.

data processing *n* proceso *m* de datos.

date [deɪt] ◊ n 1. (in time) fecha f; **to ~** hasta la fecha. 2. (appointment) cita f. 3. Am (person) pareja f (con la que se sale). 4. (fruit) dátil m. ◊ vt 1. (establish the date of) datar. 2. (mark with the date) fechar. 3. Am (go out with) salir con.

dated ['deɪtɪd] adj anticuado(da).

date of birth n fecha f de nacimiento.

daub [dɔːb] vt: **to ~ sthg with** embadurnar algo con.

daughter ['dɔːtər] n hija f.

daughter-in-law (pl **daughters-in-law**) n nuera f.

daunting ['dɔːntɪŋ] adj amedrantador (ra).

dawdle ['dɔːdl] vi remolonear.

dawn [dɔːn] ◊ n 1. (of day) amanecer m, alba f. 2. (of era, period) albores mpl. ◊ vi (day) amanecer. ◆ **dawn (up)on** vt fus: **it ~ed on me that ...** caí en la cuenta de que ...

day [deɪ] n 1. (gen) día m; **the ~ before/after** el día anterior/siguiente; **the ~ before yesterday** anteayer; **the ~ after tomorrow** pasado mañana; **any ~ now** cualquier día de estos; **one OR some ~, one of these ~s** uno de estos días; **to make sb's ~** dar un alegrón a alguien. 2. (period in history): **in my/your** etc **~** en mis/tus etc tiempos; **in those ~s** en aquellos tiempos. ◆ **days** adv de día.

daybreak ['deɪbreɪk] n amanecer m, alba f; **at ~** al amanecer.

daycentre ['deɪsentər] n Br (centro estatal diurno donde se da) acogida y cuidado a niños, ancianos, minusválidos etc.

daydream ['deɪdriːm] ◊ n sueño m, ilusión f. ◊ vi soñar despierto(ta).

daylight ['deɪlaɪt] n 1. (light) luz f del día. 2. (dawn) amanecer m.

day off (pl **days off**) n día m libre.

day return n Br billete m de ida y vuelta para un día.

daytime ['deɪtaɪm] ◊ n (U) día m. ◊ comp de día, diurno(na).

day-to-day adj cotidiano(na).

day trip n excursión f (de un día).

daze [deɪz] ◊ n: **in a ~** aturdido(da). ◊ vt lit & fig aturdir.

dazzle ['dæzl] vt lit & fig deslumbrar.

DC ◊ n (abbr of **direct current**) CC f. ◊ abbr of **District of Columbia**.

D-day n el día D.

DEA (abbr of **Drug Enforcement Administration**) n organismo estadounidense para la lucha contra la droga.

deacon ['diːkən] n diácono m.

dead [ded] ◊ adj 1. (person, animal, plant) muerto(ta); **to shoot sb ~** matar a alguien a tiros. 2. (numb - leg, arm) entumecido(da). 3. (telephone) cortado (da); (car battery) descargado(da). 4. (silence) absoluto(ta). 5. (lifeless - town, party) sin vida. ◊ adv 1. (directly, precisely) justo. 2. (completely) totalmente, completamente; **'~ slow'** 'al paso'. 3. inf (very) la mar de, muy. 4. (suddenly): **to stop ~** parar en seco. ◊ npl: **the ~** los muertos.

deaden ['dedn] vt atenuar.

dead end n lit & fig callejón m sin salida.

dead heat n empate m.

deadline ['dedlaɪn] n plazo m, fecha f tope.

deadlock ['dedlɒk] n punto m muerto.

dead loss n inf 1. (person) inútil m y f. 2. (thing) inutilidad f.

deadly ['dedlɪ] ◊ adj 1. (gen) mortal. 2. (accuracy) absoluto(ta). ◊ adv (boring) mortalmente, terriblemente; (serious) totalmente.

deadpan ['dedpæn] adj inexpresivo (va), serio(ria).

deaf [def] ◊ adj (unable to hear) sordo (da). ◊ npl: **the ~** los sordos.

deaf-aid n Br audífono m.

deaf-and-dumb adj sordomudo(da).

deafen ['defn] vt ensordecer.

deaf-mute n sordomudo m, -da f.

deafness ['defnəs] n sordera f.

deal [diːl] (pt & pp **dealt**) ◊ n 1. (quantity): **a good OR great ~ (of)** mucho. 2. (business agreement) trato m, transacción f; **to do OR strike a ~ with sb** hacer un trato con alguien. 3. inf (treatment) trato m; **big ~!** ¡vaya cosa! ◊ vt 1. (strike): **to ~ sb/sthg a blow, to ~ a blow to sb/sthg** lit & fig asestar un golpe a alguien/algo. 2. (cards) repartir, dar. ◊ vi 1. (in cards) repartir, dar. 2. (in drugs) traficar con droga. ◆ **deal in** vt fus (COMM) comerciar en. ◆ **deal out** vt sep repartir. ◆ **deal with** vt fus 1. (handle - situation, problem) hacer frente a, resolver; (- customer) tratar con. 2. (be about) tratar de. 3. (be faced with) enfrentarse a.

dealer ['diːlər] n 1. (trader) comerciante m y f. 2. (in cards) repartidor m, -ra f.

dealing ['diːlɪŋ] n comercio m. ◆ **dealings** npl (personal) trato m; (in business) tratos mpl.

dealt [delt] pt & pp → **deal**.

dean [diːn] n 1. (of university) ≃ decano m, -na fpl. 2. (of church) deán m.

dear [dɪəʳ] ◇ *adj* **1.** *(loved)* querido(da); **~ to sb** preciado(da) para alguien. **2.** *(expensive)* caro(ra). **3.** *(in letter)*: **Dear Sir** Estimado señor, Muy señor mío; **Dear Madam** Estimada señora. ◇ *n* querido *m*, -da *f*. ◇ *excl*: **oh ~!** ¡vaya por Dios!

dearly ['dɪəʳlɪ] *adv (love, wish)* profundamente.

death [deθ] *n* muerte *f*; **to frighten sb to ~** dar un susto de muerte a alguien; **to be sick to ~ of sthg/of doing sthg** estar hasta las narices de algo/de hacer algo.

death certificate *n* partida *f* OR certificado *m* de defunción.

death duty *Br* = **death tax**.

deathly ['deθlɪ] ◇ *adj* sepulcral. ◇ *adv*: **he was ~ pale** estaba pálido como un muerto.

death penalty *n* pena *f* de muerte.

death rate *n* índice *m* OR tasa *f* de mortalidad.

death tax *Am*, **death duty** *Br n* impuesto *m* de sucesiones.

death trap *n inf* trampa *f* mortal, sitio *m* peligroso.

debase [dɪ'beɪs] *vt*: **to ~ o.s.** rebajarse.

debate [dɪ'beɪt] ◇ *n* debate *m*; **that's open to ~** eso está por ver. ◇ *vt* **1.** *(issue)* discutir, debatir. **2.** *(what to do)*: **to ~ (whether to do sthg)** pensarse (si hacer algo). ◇ *vi* discutir, debatir.

debating society [dɪ'beɪtɪŋ-] *n* asociación de debates especialmente universitaria.

debauchery [dɪ'bɔːtʃərɪ] *n* depravación *f*, libertinaje *m*.

debit ['debɪt] ◇ *n* debe *m*, débito *m*. ◇ *vt*: **to ~ sb** OR **sb's account with an amount, to ~ an amount to sb** adeudar OR cargar una cantidad en la cuenta de alguien.

debit note *n* pagaré *m*.

debris [*Am* də'briː, *Br* 'debriː] *n* (U) *(of building)* escombros *mpl*; *(of aircraft)* restos *mpl*.

debt [det] *n* deuda *f*; **to be in ~ (to sb)** tener una deuda (con alguien).

debtor ['detəʳ] *n* deudor *m*, -ra *f*.

debug [ˌdiː'bʌg] *vt* (COMPUT) suprimir fallos de.

debut [*Am* deɪ'bjuː, *Br* 'deɪbjuː] *n* debut *m*.

decade ['dekeɪd] *n* década *f*.

decadent ['dekədənt] *adj* decadente.

decaffeinated [dɪ'kæfɪneɪtəd] *adj* descafeinado(da).

decathlon [dɪ'kæθlɒn] *n* decatlón *m*.

decay [dɪ'keɪ] ◇ *n* (U) **1.** *(of tooth)* caries *f*; *(of body, plant)* descomposición *f*. **2.** *fig (of building)* deterioro *m*; *(of society)* degradación *f*. ◇ *vi (tooth)* picarse; *(body, plant)* pudrirse.

deceased [dɪ'siːst] *(pl inv) fml n*: **the ~** el difunto (la difunta).

deceit [dɪ'siːt] *n* engaño *m*.

deceitful [dɪ'siːtfl] *adj (person, smile)* embustero(ra); *(behaviour)* falso(sa).

deceive [dɪ'siːv] *vt* engañar.

December [dɪ'sembəʳ] *n* diciembre *m*; *see also* **September**.

decency ['diːsnsɪ] *n* **1.** *(respectability)* decencia *f*. **2.** *(consideration)*: **to have the ~ to do sthg** tener la delicadeza de hacer algo.

decent ['diːsnt] *adj* **1.** *(gen)* decente. **2.** *(considerate)*: **that's very ~ of you** es muy amable de tu parte.

deception [dɪ'sepʃn] *n* engaño *m*.

deceptive [dɪ'septɪv] *adj* engañoso (sa).

decide [dɪ'saɪd] ◇ *vt* **1.** *(gen)*: **to ~ (to do sthg)** decidir (hacer algo); **to ~ (that)** decidir que. **2.** *(person)* hacer decidirse. **3.** *(issue, case)* resolver. ◇ *vi* decidir.

♦ **decide (up)on** *vt fus* decidirse por.

decided [dɪ'saɪdəd] *adj* **1.** *(advantage, improvement)* indudable. **2.** *(person)* decidido(da); *(opinion)* categórico(ca).

decidedly [dɪ'saɪdədlɪ] *adv* **1.** *(clearly)* decididamente. **2.** *(resolutely)* con decisión.

deciduous [dɪ'sɪdʒʊəs] *adj* de hoja caduca.

decimal ['desɪml] ◇ *adj* decimal. ◇ *n* (número *m*) decimal *m*.

decimal point *n* coma *f* decimal.

decimate ['desɪmeɪt] *vt* diezmar.

decipher [dɪ'saɪfəʳ] *vt* descifrar.

decision [dɪ'sɪʒn] *n* decisión *f*; **to make a ~** tomar una decisión.

decisive [dɪ'saɪsɪv] *adj* **1.** *(person)* decidido(da). **2.** *(factor, event)* decisivo(va).

deck [dek] *n* **1.** *(of ship)* cubierta *f*; *(of bus)* piso *m*. **2.** *(of cards)* baraja *f*. **3.** *Am (of house)* entarimado *m* (junto a una casa).

deckchair ['dektʃeəʳ] *n* tumbona *f*.

declaration [ˌdeklə'reɪʃn] *n* declaración *f*.

Declaration of Independence *n*: **the ~** *la declaración de independencia estadounidense de 1776.*

declare [dɪ'kleəʳ] *vt* declarar.

decline [dɪ'klaɪn] ◇ *n* declive *m*; **in ~** en decadencia; **on the ~** en declive.

D

◇ *vt (offer)* declinar; *(request)* denegar; **to ~ to do sthg** rehusar hacer algo. ◇ *vi* **1.** *(deteriorate)* disminuir. **2.** *(refuse)* negarse.

decode [di:'koud] *vt* descodificar.

decompose [,di:kəm'pouz] *vi* descomponerse.

décor [*Am* der'kɔːr, *Br* 'deɪkɔː] *n* decoración *f*.

decorate ['dekəreɪt] *vt* **1.** *(make pretty)*: **to ~ sthg (with)** decorar algo (de). **2.** *(with paint)* pintar; *(with wallpaper)* empapelar. **3.** *(with medal)* condecorar.

decoration [,dekə'reɪʃn] *n* **1.** *(gen)* decoración *f*. **2.** *(ornament)* adorno *m*. **3.** *(medal)* condecoración *f*.

decorator ['dekəreɪtər] *n (painter)* pintor *m*, -ra *f*; *(paperhanger)* empapelador *m*, -ra *f*.

decorum [dɪ'kɔːrəm] *n* decoro *m*.

decoy ['diːkɔɪ] *n* señuelo *m*.

decrease [*n* 'diːkriːs, *vb* dɪ'kriːs] ◇ *n*: **~ (in)** disminución *f* (en). ◇ *vt & vi* disminuir.

decree [dɪ'kriː] ◇ *n* **1.** *(order, decision)* decreto *m*. **2.** *Am (judgment)* sentencia *f*, fallo *m*. ◇ *vt* decretar.

decree nisi [-'naɪsaɪ] *(pl* **decrees nisi***) n Br* (JUR) sentencia *f* provisional de divorcio.

decrepit [dɪ'krepɪt] *adj* decrépito(ta).

dedicate ['dedɪkeɪt] *vt* dedicar; **to ~ o.s. to** consagrarse OR dedicarse a.

dedication [,dedɪ'keɪʃn] *n* **1.** *(commitment)* dedicación *f*. **2.** *(in book)* dedicatoria *f*.

deduce [dɪ'djuːs] *vt*: **to ~ (sthg from sthg)** deducir (algo de algo).

deduct [dɪ'dʌkt] *vt*: **to ~ (from)** deducir (de), descontar (de).

deduction [dɪ'dʌkʃn] *n* deducción *f*.

deed [diːd] *n* **1.** *(action)* acción *f*, obra *f*. **2.** (JUR) escritura *f*.

deem [diːm] *vt fml* estimar.

deep [diːp] ◇ *adj* **1.** *(gen)* profundo (da); **to be 10 feet ~** tener 10 pies de profundidad. **2.** *(sigh, breath)* hondo (da). **3.** *(colour)* intenso(sa). **4.** *(sound, voice)* grave. ◇ *adv (dig, cut)* hondo; **~ down** OR **inside** por dentro.

deepen ['diːpən] ◇ *vt (hole, channel)* ahondar. ◇ *vi (river, sea)* ahondarse.

deep freeze *n* congelador *m*.

deep fry *vt* freír (con mucho aceite).

deeply ['diːplɪ] *adv (gen)* profundamente; *(dig, breathe, sigh)* hondo.

deep-sea *adj*: **~ diving** buceo *m* de profundidad.

deer [dɪər] *(pl inv) n* ciervo *m*.

deface [dɪ'feɪs] *vt* pintarrajear.

defamatory [*Am* dɪ'fæmətɔːrɪ, *Br* -ətərɪ] *adj fml* difamatorio(ria).

default [dɪ'fɔːlt] ◇ *n* **1.** *(on payment, agreement)* incumplimiento *m*; *(failure to attend)* incomparecencia *f*; **by ~** *(win)* por incomparecencia. **2.** (COMPUT): **~ (value)** valor *m* de ajuste (por defecto). ◇ *vi* incumplir un compromiso.

defeat [dɪ'fiːt] ◇ *n* derrota *f*; **to admit ~** darse por vencido(da). ◇ *vt (team, opponent)* derrotar; *(motion)* rechazar; *(plans)* frustrar.

defeatist [dɪ'fiːtəst] *adj* derrotista.

defect [*n* 'diːfekt, *vi* dɪ'fekt] ◇ *n (fault)* defecto *m*. ◇ *vi* (POL): **to ~ to the other side** pasarse al otro bando.

defective [dɪ'fektɪv] *adj* defectuoso (sa).

defence *Br* = **defense**.

defenceless *Br* = **defenseless**.

defend [dɪ'fend] *vt* defender.

defendant [dɪ'fendənt] *n* acusado *m*, -da *f*.

defender [dɪ'fendər] *n* **1.** *(gen)* defensor *m*, -ra *f*. **2.** (SPORT) defensa *m y f*.

defense *Am*, **defence** *Br* [dɪ'fens] *n* defensa *f*.

defenseless *Am*, **defenceless** *Br* [dɪ-'fensləs] *adj* indefenso(sa).

defensive [dɪ'fensɪv] ◇ *adj* **1.** *(weapons, tactics)* defensivo(va). **2.** *(person)* receloso(sa). ◇ *n*: **on the ~** a la defensiva.

defer [dɪ'fɜːr] ◇ *vt* deferir, aplazar. ◇ *vi*: **to ~ to sb** deferir con OR a alguien.

deferential [,defə'renʃl] *adj* deferente.

defiance [dɪ'faɪəns] *n* desafío *m*; **in ~ of** en desafío de, a despecho de.

defiant [dɪ'faɪənt] *adj* desafiante.

deficiency [dɪ'fɪʃnsɪ] *n* **1.** *(lack)* escasez *f*. **2.** *(inadequacy)* deficiencia *f*.

deficient [dɪ'fɪʃnt] *adj* **1.** *(lacking)*: **to be ~ in** ser deficitario(ria) en, estar falto(ta) de. **2.** *(inadequate)* deficiente.

deficit ['defəsɪt] *n* déficit *m inv*.

defile [dɪ'faɪl] *vt (desecrate)* profanar; *fig (mind, purity)* corromper.

define [dɪ'faɪn] *vt* definir.

definite ['defənət] *adj* **1.** *(plan, date, answer)* definitivo(va). **2.** *(improvement, difference)* indudable. **3.** *(confident - person)* tajante; **I am quite ~ (about it)** estoy totalmente seguro (de ello).

definitely ['defənətlı] *adv* **1.** *(without doubt)* sin duda. **2.** *(for emphasis)* desde luego, con (toda) seguridad.

definition [,defə'nɪʃn] *n* **1.** *(gen)* definición *f*; **by ~** por definición. **2.** *(clarity)* nitidez *f*.

deflate [dɪ:'fleɪt] ◇ *vt (balloon)* desinflar; *fig (person)* bajar los humos a. ◇ *vi* desinflarse.

deflect [dɪ'flekt] *vt (gen)* desviar; *(criticism)* soslayar.

defogger [,dɪ:'fɒgər] *n Am* (AUT) dispositivo *m* antivaho, luneta *f* térmica.

deformed [dɪ'fɔ:rmd] *adj* deforme.

defraud [dɪ'frɔ:d] *vt* defraudar, estafar.

defrost [,dɪ:'frɒst] ◇ *vt* **1.** *(gen)* descongelar. **2.** *Am* (AUT) *(demist)* desempañar. ◇ *vi* descongelarse.

deft [deft] *adj* habilidoso(sa), diestro (tra).

defunct [dɪ'fʌŋkt] *adj (plan)* desechado(da); *(body, organization)* desaparecido(da).

defuse [,dɪ:'fju:z] *vt Br* **1.** *(bomb)* desactivar. **2.** *(situation)* neutralizar.

defy [dɪ'faɪ] *vt* **1.** *(disobey - person, authority)* desafiar, desobedecer; *(law, rule)* violar. **2.** *(challenge)*: **to ~ sb to do sthg** retar OR desafiar a alguien a hacer algo. **3.** *(description, analysis)* hacer imposible; *(attempts, efforts)* hacer inútil.

degenerate [*adj* dɪ'dʒenərət, *vb* dɪ-'dʒenəreɪt] ◇ *adj* degenerado(da). ◇ *vi*: **to ~ (into)** degenerar (en).

degrading [dɪ'greɪdɪŋ] *adj* denigrante.

degree [dɪ'gri:] *n* **1.** *(unit of measurement, amount)* grado *m*; **by ~s** poco a poco. **2.** *(qualification)* título *m* universitario, = licenciatura *f*; **to have/take a ~ (in sthg)** tener/hacer una licenciatura (en algo).

dehydrated [,dɪ:haɪ'dreɪtəd] *adj* deshidratado(da).

de-ice [,dɪ:'aɪs] *vt* descongelar.

deign [deɪn] *vt*: **to ~ to do sthg** dignarse a hacer algo.

deity ['deɪɪtɪ] *n* deidad *f*.

dejected [dɪ'dʒektəd] *adj* abatido(da).

delay [dɪ'leɪ] ◇ *n* retraso *m*. ◇ *vt* retrasar; **to ~ starting sthg** retrasar el comienzo de algo. ◇ *vi*: **to ~ (in doing sthg)** retrasarse (en hacer algo).

delayed [dɪ'leɪd] *adj*: **to be ~** *(person)* retrasarse; *(train)* ir con retraso.

delegate [*n* 'delɪgət, *vb* 'delɪgeɪt] ◇ *n* delegado *m*, -da *f*. ◇ *vt*: **to ~ sthg (to sb)** delegar algo (en alguien); **to ~ sb to do sthg** delegar a alguien para hacer algo.

delegation [,delɪ'geɪʃn] *n* delegación *f*.

delete [dɪ'li:t] *vt (gen & *COMPUT)* borrar.

deli ['delɪ] *n inf abbr of* delicatessen.

deliberate [*adj* dɪ'lɪbərət, *vb* dɪ'lɪbəreɪt] ◇ *adj* **1.** *(intentional)* deliberado(da). **2.** *(slow)* pausado(da). ◇ *vi fml* deliberar.

deliberately [dɪ'lɪbərətlɪ] *adv* **1.** *(on purpose)* adrede. **2.** *(slowly)* pausadamente.

delicacy ['delɪkəsɪ] *n* **1.** *(gracefulness, tact)* delicadeza *f*. **2.** *(food)* exquisitez *f*, manjar *m*.

delicate ['delɪkət] *adj* **1.** *(gen)* delicado (da). **2.** *(subtle - colour, taste)* suave, sutil. **3.** *(tactful)* prudente; *(instrument)* sensible.

delicatessen [,delɪkə'tesn] *n* ≃ charcutería *f*, = (tienda *f* de) ultramarinos *m* *inv*.

delicious [dɪ'lɪʃəs] *adj* delicioso(sa).

delight [dɪ'laɪt] ◇ *n (great pleasure)* gozo *m*, regocijo *m*; **to take ~ in doing sthg** disfrutar haciendo algo. ◇ *vt* encantar. ◇ *vi*: **to ~ in sthg/in doing sthg** disfrutar con algo/haciendo algo.

delighted [dɪ'laɪtəd] *adj* encantado (da), muy contento(ta); **~ by** OR **with** encantado con; **to be ~ to do sthg/that** estar encantado de hacer algo/de que; **I'd be ~ (to come)** me encantaría (ir).

delightful [dɪ'laɪtfl] *adj (gen)* encantador(ra); *(meal)* delicioso(sa); *(view)* muy agradable.

delinquent [dɪ'lɪŋkwənt] ◇ *adj (behaviour)* delictivo(va); *(child)* delincuente. ◇ *n* delincuente *m y f*.

delirious [dɪ'lɪrɪəs] *adj (with fever)* delirante; *fig (ecstatic)* enfervorizado(da).

deliver [dɪ'lɪvər] *vt* **1.** *(distribute)* repartir; *(hand over)* entregar; **to ~ sthg to sb** entregar algo a alguien. **2.** *(give - speech, verdict, lecture)* pronunciar; *(- message)* entregar; *(- warning, ultimatum)* lanzar; *(- blow, kick)* asestar. **3.** *(baby)* traer al mundo. **4.** *fml (free)* liberar, libertar. **5.** *Am* (POL) *(votes)* captar.

delivery [dɪ'lɪvərɪ] *n* **1.** *(distribution)* reparto *m*; *(handing over)* entrega *f*. **2.** *(goods delivered)* partida *f*. **3.** *(way of speaking)* (estilo *m* de) discurso *m*. **4.** *(birth)* parto *m*.

delude [dɪ'lu:d] *vt* engañar; **to ~ o.s.** engañarse (a uno mismo/una misma).

deluge ['delju:dʒ] *n (flood)* diluvio *m*; *fig (huge number)* aluvión *m*.

delusion [dɪ'lu:ʒn] *n* espejismo *m*, engaño *m*.

de luxe [dəˈlʌks] *adj* de lujo.

delve [delv] *vi*: **to ~ (into)** *(bag, cupboard)* hurgar (en); *fig (mystery)* profundizar (en).

demand [*Am* dɪˈmænd, *Br* -ˈmɑːnd] ◇ *n* 1. *(claim, firm request)* exigencia *f*, reclamación *f*; **on ~** a petición. 2. *(need)*: **~ for** demanda *f* de; **in ~** solicitado(da). ◇ *vt (gen)* exigir; *(pay rise)* reclamar, demandar; **to ~ to do sthg** exigir hacer algo.

demanding [*Am* dɪˈmændɪŋ, *Br* -ˈmɑːnd-] *adj* 1. *(exhausting)* que exige mucho esfuerzo. 2. *(not easily satisfied)* exigente.

demeaning [dɪˈmiːnɪŋ] *adj* denigrante.

demeanor *Am*, **demeanour** *Br* [dɪˈmiːnəʳ] *n (U) fml* proceder *m*, comportamiento *m*.

demented [dɪˈmentəd] *adj* demente.

demise [dɪˈmaɪz] *n fml* 1. *(death)* defunción *f*. 2. *(end)* hundimiento *m*.

demister [ˌdiːˈmɪstəʳ] *n Br* (AUT) dispositivo *m* antivaho, luneta *f* térmica.

demo [ˈdeməʊ] *(abbr of* **demonstration)** *n inf* mani *f*.

democracy [dɪˈmɒkrəsɪ] *n* democracia *f*.

democrat [ˈdeməkræt] *n* demócrata *m y f*. ◆ **Democrat** *n Am* demócrata *m y f*.

democratic [ˌdeməˈkrætɪk] *adj* democrático(ca). ◆ **Democratic** *adj Am* demócrata.

Democratic Party *n Am* Partido *m* Demócrata (de Estados Unidos).

demolish [dɪˈmɒlɪʃ] *vt (building)* demoler; *(argument, myth)* destrozar.

demonstrate [ˈdemənstreɪt] ◇ *vt* 1. *(prove)* demostrar. 2. *(show)* hacer una demostración de. ◇ *vi* manifestarse.

demonstration [ˌdemənˈstreɪʃn] *n* 1. *(of machine, product)* demostración *f*. 2. *(public meeting)* manifestación *f*.

demonstrator [ˈdemənstreɪtəʳ] *n* 1. *(in march)* manifestante *m y f*. 2. *(of machine, product)* persona que hace demostraciones.

demoralized [dɪˈmɒrəlaɪzd] *adj* desmoralizado(da).

demure [dɪˈmjʊəʳ] *adj* recatado(da).

den [den] *n (lair)* guarida *f*.

denial [dɪˈnaɪəl] *n* 1. *(refutation)* negación *f*, rechazo *m*. 2. *(refusal)* denegación *f*.

denier [ˈdenjəʳ] *n* denier *m*.

denigrate [ˈdenɪgreɪt] *vt fml* desacreditar.

denim [ˈdenɪm] *n* tela *f* vaquera. ◆ **denims** *npl (pantalones mpl)* vaqueros *mpl*.

denim jacket *n* cazadora *f* vaquera.

Denmark [ˈdenmɑːʳk] *n* Dinamarca *f*.

denomination [dɪˌnɒməˈneɪʃn] *n* 1. *(religious group)* confesión *f*. 2. *(of money)* valor *m*.

denounce [dɪˈnaʊns] *vt* denunciar.

dense [dens] *adj* 1. *(gen)* denso(sa); *(trees)* tupido(da). 2. *inf (stupid)* bruto(ta).

density [ˈdensətɪ] *n* densidad *f*.

dent [dent] ◇ *n (on car)* abolladura *f*; *(in wall)* melladura *f*. ◇ *vt (car)* abollar; *(wall)* mellar.

dental [ˈdentl] *adj* dental.

dental floss *n* hilo *m* OR seda *f* dental.

dental surgeon *n* odontólogo *m*, -ga *f*.

dentist [ˈdentəst] *n* dentista *m y f*; **to go to the ~'s** ir al dentista.

dentures [ˈdentʃəʳz] *npl* dentadura *f* postiza.

deny [dɪˈnaɪ] *vt* 1. *(refute)* negar, rechazar; **to ~ doing sthg** negar haber hecho algo. 2. *fml (refuse)*: **to ~ sb sthg** denegar algo a alguien.

deodorant [dɪˈəʊdərənt] *n* desodorante *m*.

depart [dɪˈpɑːʳt] *vi fml* 1. *(leave)*: **to ~ (from)** salir (de); **this train will ~ from Platform 2** este tren efectuará su salida de la vía 2. 2. *(differ)*: **to ~ from sthg** apartarse de algo.

department [dɪˈpɑːʳtmənt] *n* 1. *(gen)* departamento *m*. 2. *(in government)* ministerio *m*.

department store *n* grandes almacenes *mpl*.

departure [dɪˈpɑːʳtʃəʳ] *n* 1. *(of train, plane)* salida *f*; *(of person)* marcha *f*. 2. *(change)*: **~ (from)** abandono *m* (de); **a new ~** un nuevo enfoque.

departure lounge *n (in airport)* sala *f* de embarque; *(in coach station)* vestíbulo *m* de salidas.

depend [dɪˈpend] *vi*: **to ~ on** depender de; **you can ~ on me** puedes confiar en mí; **it ~s** depende; **~ing on** según.

dependable [dɪˈpendəbl] *adj* fiable.

dependant [dɪˈpendənt] *n* persona *f* dependiente del cabeza de familia.

dependent [dɪˈpendənt] *adj* 1. *(gen)*: **to be ~ (on)** depender (de). 2. *(addicted)* adicto(ta).

depict [dɪˈpɪkt] *vt* 1. *(in picture)* retratar. 2. *(describe)*: **to ~ sthg/sb as sthg** describir algo/a alguien como algo.

deplete [dɪ'pliːt] vt mermar, reducir.
deplorable [dɪ'plɔːrəbl] adj deplorable.
deplore [dɪ'plɔːr] vt deplorar.
deploy [dɪ'plɔɪ] vt desplegar.
deport [dɪ'pɔːrt] vt deportar.
depose [dɪ'pəuz] vt deponer.
deposit [dɪ'pɒzət] ◇ n **1.** (GEOL) yacimiento m. **2.** (sediment) poso m, sedimento m. **3.** (payment into bank) ingreso m. **4.** (down payment - on house, car) entrada f; (- on hotel room) señal f, adelanto m; (- on hired goods) fianza f; (- on bottle) dinero m del envase OR casco. ◇ vt **1.** (put down) depositar. **2.** (in bank) ingresar.
deposit account n Br cuenta f de ahorro a plazo fijo.
depot [sense 1 'depəu, sense 2 'diːpəu] n **1.** (storage facility) almacén m; (for buses) cochera f. **2.** Am (bus or train terminus) terminal f.
depreciate [dɪ'priːʃɪeɪt] vi depreciarse.
depress [dɪ'pres] vt (person) deprimir.
depressed [dɪ'prest] adj deprimido (da).
depressing [dɪ'presɪŋ] adj deprimente.
depression [dɪ'preʃn] n (gen & ECON) depresión f.

deprivation [ˌdeprɪ'veɪʃn] n **1.** (poverty) miseria f. **2.** (lack) privación f.
deprive [dɪ'praɪv] vt: to ~ sb of sthg privar a alguien de algo.
depth [depθ] n profundidad f; in ~ a fondo; he was out of his ~ with that job ese trabajo le venía grande. ◆ **depths** npl: in the ~s of winter en pleno invierno; to be in the ~s of despair estar en un abismo de desesperación.
deputation [ˌdepjə'teɪʃn] n delegación f.

deputize ['depjətaɪz] vi: to ~ (for) actuar en representación (de).
deputy ['depjətɪ] ◇ adj: ~ head subdirector m, -ra f; ~ chairman/president vicepresidente m. ◇ n **1.** (second-in-command) asistente m y f, suplente m y f. **2.** Am (deputy sheriff) ayudante m y f del sheriff.
derail [dɪ'reɪl] vt & vi (train) descarrilar.
deranged [dɪ'reɪndʒd] adj perturbado (da), trastornado(da).
derby [Am 'dɜːrbɪ, Br 'dɑːbɪ] n **1.** Am (hat) sombrero m hongo. **2.** (sports event) derby m (local).
deregulate [ˌdiː'regjəleɪt] vt liberalizar.
derelict ['derəlɪkt] adj abandonado (da).
deride [dɪ'raɪd] vt mofarse de.
derisory [dɪ'raɪsərɪ] adj **1.** (puny, trivial) irrisorio(ria). **2.** (derisive) burlón (ona).
derivative [də'rɪvətɪv] n derivado m.
derive [dɪ'raɪv] ◇ vt **1.** (draw, gain): to ~ sthg from sthg encontrar algo en algo. **2.** (come): to be ~d from derivar de. ◇ vi: to ~ from derivar de.
derogatory [Am dɪ'rɒgətɔːrɪ, Br -ətərɪ] adj despectivo(va).
derrick ['derɪk] n **1.** (crane) grúa f. **2.** (over oil well) torre f de perforación.
derv [dɜːrv] n Br gasóleo m, gasoil m.
descend [dɪ'send] ◇ vt fml (go down) descender por. ◇ vi **1.** fml (go down) descender. **2.** (subj: silence, gloom): to ~ (on sthg/sb) invadir (algo/a alguien). **3.** (stoop): to ~ to sthg/to doing sthg rebajarse a algo/a hacer algo.
descendant [dɪ'sendənt] n descendiente m y f.
descended [dɪ'sendəd] adj: to be ~ from ser descendiente de, descender de.
descent [dɪ'sent] n **1.** (downwards movement) descenso m, bajada f. **2.** (origin) ascendencia f.
describe [dɪ'skraɪb] vt describir.
description [dɪ'skrɪpʃn] n **1.** (account) descripción f. **2.** (type): of all ~s de todas clases.
desecrate ['desɪkreɪt] vt profanar.
desert [n 'dezərt, vb dɪ'zɜːrt] ◇ n (GEOGR) desierto m. ◇ vt abandonar. ◇ vi (MIL) desertar.
deserted [dɪ'zɜːrtəd] adj abandonado (da).
deserter [dɪ'zɜːrtər] n desertor m, -ra f.
desert island [ˌdezərt-] n isla f desierta.

deserve [dɪ'zɜːʳv] vt merecer.

deserving [dɪ'zɜːʳvɪŋ] adj encomiable.

design [dɪ'zaɪn] ◊ n 1. (gen) diseño m; (of garment) corte m. 2. (pattern) dibujo m. 3. fml (intention) designio m; **by ~** adrede; **to have ~s on** tener las miras puestas en. ◊ vt 1. (draw plans for) diseñar. 2. (plan, prepare) concebir.

designate [adj 'dezɪgnət, vb 'dezɪgneɪt] ◊ adj designado(da). ◊ vt designar.

designer [dɪ'zaɪnəʳ] ◊ adj (clothes) de diseño; (glasses) de marca. ◊ n (gen) diseñador m, -ra f.

desirable [dɪ'zaɪərəbl] adj 1. fml (appropriate) deseable, conveniente. 2. (attractive) atractivo(va), apetecible.

desire [dɪ'zaɪəʳ] ◊ n: **~ (for sthg/to do sthg)** deseo m (de algo/de hacer algo). ◊ vt desear.

desk [desk] n 1. (gen) mesa f, escritorio m; (in school) pupitre m. 2. (service area): **information ~** (mostrador m de) información f.

desktop publishing n (COMPUT) autoedición f de textos.

desolate ['desələt] adj (place, person) desolado(da); (feeling) desolador(ra).

despair [dɪ'speəʳ] ◊ n desesperación f. ◊ vi desesperarse; **to ~ of sb** desesperarse con alguien; **to ~ of sthg/doing sthg** desesperar de algo/hacer algo.

despairing [dɪ'speərɪŋ] adj desesperado(da).

despatch [dɪ'spætʃ] = dispatch.

desperate ['despərət] adj desesperado(da); **to be ~ for sthg** necesitar desesperadamente algo.

desperately ['despərətlɪ] adv 1. (want, fight, love) desesperadamente. 2. (ill) gravemente; (poor, unhappy, shy) tremendamente.

desperation [,despə'reɪʃn] n desesperación f; **in ~** con desesperación.

despicable [dɪ'spɪkəbl] adj despreciable.

despise [dɪ'spaɪz] vt despreciar.

despite [dɪ'spaɪt] prep a pesar de, pese a.

despondent [dɪ'spɒndənt] adj descorazonado(da).

dessert [dɪ'zɜːʳt] n postre m.

dessertspoon [dɪ'zɜːʳtspuːn] n (spoon) cuchara f de postre.

destination [,destɪ'neɪʃn] n destino m.

destined ['destɪnd] adj 1. (fated, intended): **~ for sthg/to do sthg** destinado (da) a algo/a hacer algo. 2. (bound): **~ for** rumbo a, con destino a.

destiny ['destɪnɪ] n destino m.

destitute ['destɪtjuːt] adj indigente.

destroy [dɪ'strɔɪ] vt 1. (ruin) destruir. 2. (put down) matar, sacrificar.

destruction [dɪ'strʌkʃn] n destrucción f.

detach [dɪ'tætʃ] vt 1. (pull off): **to ~ sthg (from)** quitar OR separar algo (de). 2. (disassociate): **to ~ o.s. from sthg** distanciarse de algo.

detachable [dɪ'tætʃəbl] adj (handle etc) de quita y pon; (collar) postizo(za).

detached [dɪ'tætʃt] adj (unemotional) objetivo(va).

detached house n casa f OR chalet m individual.

detachment [dɪ'tætʃmənt] n 1. (aloofness) distanciamiento m. 2. (MIL) destacamento m.

detail [Am dɪ'teɪl, Br 'diːteɪl] ◊ n 1. (small point) detalle m, pormenor m. 2. (U) (facts, points) detalles mpl; **to go into ~** entrar en detalles; **in ~** con detalle. 3. (MIL) destacamento m. ◊ vt (list) detallar. ♦ **details** npl (gen) información f; (personal) datos mpl.

detailed [Am dɪ'teɪld, Br 'diːteɪld] adj detallado(da).

detain [dɪ'teɪn] vt (gen) retener; (in police station) detener.

detect [dɪ'tekt] vt (gen) detectar; (difference) notar, percibir.

detection [dɪ'tekʃn] n (U) 1. (gen) detección f. 2. (of crime) investigación f; (of drugs) descubrimiento m.

detective [dɪ'tektɪv] n (private) detective m y f; (policeman) agente m y f.

detective novel n novela f policíaca.

détente ['deɪtɒnt] n (POL) distensión f.

detention [dɪ'tenʃn] n 1. (of suspect, criminal) detención f, arresto m. 2. (at school) castigo de permanecer en la escuela después de clase.

deter [dɪ'tɜːʳ] vt: **to ~ sb (from doing sthg)** disuadir a alguien (de hacer algo).

detergent [dɪ'tɜːʳdʒənt] n detergente m.

deteriorate [dɪ'tɪərɪəreɪt] vi (health, economy) deteriorarse; (weather) empeorar.

determination [dɪ,tɜːʳmɪ'neɪʃn] n determinación f.

determine [dɪ'tɜːʳmɪn] vt determinar.

determined [dɪ'tɜːʳmɪnd] adj decidido (da); **~ to do sthg** decidido OR resuelto a hacer algo.

deterrent [Am dɪ'tɜːʳrənt, Br -'ter-] n fuerza f disuasoria; **nuclear ~** armas fpl nucleares disuasorias.

detest [dɪ'test] *vt* detestar.

detonate ['detəneɪt] *vt & vi* detonar.

detour ['di:tʊər] *n* desviación *f*, desvío *m*; **to make a ~** dar un rodeo.

detract [dɪ'trækt] *vi*: **to ~ from sthg** *(gen)* mermar algo, aminorar algo; *(achievement)* restar importancia a algo.

detriment ['detrɪmənt] *n*: **to the ~ of** en detrimento de.

detrimental [,detrɪ'mentl] *adj* perjudicial.

deuce [dju:s] *n* (U) (TENNIS) deuce *m*, iguales *mpl* (a cuarenta).

devaluation [,di:væljʊ'eɪʃn] *n* devaluación *f*.

devastated ['devəsteɪtəd] *adj (area, city)* asolado(da); *fig (person)* desolado (da).

devastating ['devəsteɪtɪŋ] *adj* 1. *(destructive - hurricane etc)* devastador(ra). 2. *(effective - remark, argument)* abrumador(ra). 3. *(upsetting - news, experience)* desolador(ra). 4. *(attractive)* imponente, irresistible.

develop [dɪ'veləp] ◇ *vt* 1. *(land)* urbanizar. 2. *(illness)* contraer, coger; *(habit)* adquirir; **to ~ a fault** fallar, estropearse. 3. *(product)* elaborar. 4. *(idea, argument, resources)* desarrollar. 5. (PHOT) revelar. ◇ *vi* 1. *(grow)* desarrollarse. 2. *(appear)* presentarse, darse.

developing country [dɪ,veləpɪŋ-] *n* país *m* en vías de desarrollo.

development [dɪ'veləpmənt] *n* (U) 1. *(growth)* desarrollo *m*. 2. *(of design, product)* elaboración *f*. 3. *(developed land)* urbanización *f*. 4. *(new event)* (nuevo) acontecimiento *m*. 5. *(advance - in science etc)* avance *m*.

deviate ['di:vɪeɪt] *vi*: **to ~ from sthg** apartarse OR desviarse de algo.

device [dɪ'vaɪs] *n* dispositivo *m*, mecanismo *m*.

devil ['devl] *n* diablo *m*, demonio *m*; **poor ~** pobre diablo; **you lucky ~!** ¡vaya suerte que tienes!; **who/where/why the ~ ...?** ¿quién/dónde/por qué demonios ...? ◆ **Devil** *n* (Satan): **the Devil** el Diablo.

devious ['di:vɪəs] *adj* 1. *(person, scheme)* malévolo(la), retorcido(da); *(means)* dudoso(sa). 2. *(route)* sinuoso (sa).

devise [dɪ'vaɪz] *vt (instrument, system)* diseñar; *(plan)* trazar.

devoid [dɪ'vɔɪd] *adj fml*: **~ of** desprovisto(ta) de.

devolution [Am ,devə'lu:ʃn, Br ,di:və-] *n* (POL) = autonomía *f*, = traspaso *m* de competencias.

devote [dɪ'vəʊt] *vt*: **to ~ sthg to** dedicar OR consagrar algo a.

devoted [dɪ'vəʊtəd] *adj (person)* leal; **to be ~ to sb** tener veneración por alguien.

devotee [,devə'ti:] *n (fan)* devoto *m*, -ta *f*, admirador *m*, -ra *f*.

devotion [dɪ'vəʊʃn] *n* (U) 1. *(commitment)*: **~ (to)** dedicación *f* (a). 2. (RELIG) devoción *f*.

devour [dɪ'vaʊər] *vt literary lit & fig* devorar.

devout [dɪ'vaʊt] *adj* (RELIG) devoto(ta).

dew [dju:] *n* rocío *m*.

dexterity [dek'sterətɪ] *n* destreza *f*.

diabetes [Am ,daɪə'bi:təs, Br -i:z] *n* diabetes *f inv*.

diabetic [,daɪə'betɪk] ◇ *adj (person)* diabético(ca). ◇ *n* diabético *m*, -ca .

diabolic(al) [,daɪə'bɒlɪk(l)] *adj inf (very bad)* demencial, pésimo(ma).

diagnose [Am 'daɪəgnəʊs, Br -nəʊz] *vt* (MED) diagnosticar.

diagnosis [,daɪəg'nəʊsɪs] (*pl* **-oses** [-əʊsi:z]) *n* (MED) *(verdict)* diagnóstico *m*; *(science, activity)* diagnosis *f inv*.

diagonal [daɪ'ægənl] ◇ *adj* diagonal. ◇ *n* diagonal *f*.

diagram ['daɪəgræm] *n* diagrama *m*, dibujo *m* esquemático.

dial ['daɪəl] ◇ *n* 1. *(of watch, clock, meter)* esfera *f*. 2. *(of telephone, radio)* dial *m*. ◇ *vt (number)* marcar.

dialect ['daɪəlekt] *n* dialecto *m*.

dialling code ['daɪəlɪŋ-] *n Br* prefijo *m* (telefónico).

dialling tone *Br* = **dial tone.**

dialog *Am*, **dialogue** *Br* ['daɪəlɒg] *n* diálogo *m*.

dial tone *Am*, **dialling tone** *Br* ['daɪəlɪŋ-] *n* señal *f* de llamada.

dialysis [daɪ'æləsəs] *n* diálisis *f inv*.

diameter [daɪ'æmətər] *n* diámetro *m*.

diamond ['daɪmənd] *n* 1. *(gem, playing card)* diamante *m*. 2. *(shape)* rombo *m*. ◆ **diamonds** *npl* diamantes *mpl*.

diaper ['daɪpər] *n Am* pañal *m*.

diaphragm ['daɪəfræm] *n* diafragma *m*.

diarrh(o)ea [,daɪə'rɪə] *n* diarrea *f*.

diary ['daɪərɪ] *n* 1. *(appointment book)* agenda *f*. 2. *(journal)* diario *m*.

dice [daɪs] (*pl inv*) ◇ *n* dado *m*. ◇ *vt* cortar en cuaditos.

dictate [dɪk'teɪt] *vt*: **to ~ sthg (to sb)** dictar algo (a alguien).

dictation [dɪk'teɪʃn] *n* dictado *m*.

dictator [dɪk'teɪtər] *n* dictador *m*, -ra *f*.

dictatorship [*Am* 'dıkteıtərʃıp, *Br* dık-'teıtəʃıp] *n* dictadura *f*.

dictionary [*Am* 'dıkʃənerı, *Br* -ʃənrı] *n* diccionario *m*.

did [dıd] *pt* → **do**.

didn't ['dıdnt] = **did not**.

die [daı] (*pl* **dice**, *pt & pp* **died**, *cont* **dying**) ◇ *vi* **1.** (*gen*) morir, morirse; **to be dying** estar muriéndose OR agonizando; **to be dying for sthg/to do sthg** morirse por algo/por hacer algo. **2.** *literary* (*feeling*) extinguirse. ◇ *n* (*dice*) dado *m*. ◆ **die away** *vi* desvanecerse. ◆ **die down** *vi* (*wind*) amainar; (*sound*) apaciguarse; (*fire*) remitir; (*excitement, fuss*) calmarse. ◆ **die out** *vi* extinguirse.

diehard ['daıhɑːrd] *n* reaccionario *m*, -ria *f*.

diesel ['diːzl] *n* **1.** (*vehicle*) vehículo *m* diesel. **2.** (*fuel*) gasóleo *m*, gasoil *m*.

diesel fuel, diesel oil *n* gasóleo *m*.

diet ['daıət] ◇ *n* **1.** (*eating pattern*) dieta *f*. **2.** (*to lose weight*) régimen *m*; **to be on a ~** estar a régimen. ◇ *comp* (*low-calorie*) light (*inv*). ◇ *vi* estar a régimen.

differ ['dıfər] *vi* **1.** (*be different*) diferir, ser diferente; **to ~ from sthg** distinguirse OR diferir de algo. **2.** (*disagree*): **to ~ with sb (about sthg)** disentir OR discrepar de alguien (en algo).

difference ['dıfrəns] *n* diferencia *f*; **it doesn't make any ~** da lo mismo.

different ['dıfrənt] *adj*: **~ (from)** diferente OR distinto(ta) (de).

differentiate [‚dıfə'renʃıeıt] ◇ *vt*: **to ~ (sthg from sthg)** diferenciar OR distinguir (algo de algo). ◇ *vi*: **to ~ between** diferenciar OR distinguir entre.

difficult ['dıfıklt] *adj* difícil.

difficulty ['dıfıkltı] *n* dificultad *f*; **to have ~ in doing sthg** tener dificultad en OR para hacer algo.

diffident ['dıfıdənt] *adj* retraído(da).

diffuse [dı'fjuːz] *vt* difundir.

dig [dıg] (*pt & pp* **dug**) ◇ *vt* **1.** (*hole - with spade*) cavar; (*- with hands, paws*) escarbar. **2.** (*garden*) cavar en; (*mine*) excavar. **3.** (*press*): **to ~ sthg into** clavar OR hundir algo en. ◇ *vi* **1.** (*with spade*) cavar; (*with hands, paws*) escarbar. **2.** (*press*): **to ~ into** clavarse OR hundirse en. ◇ *n* **1.** *fig* (*unkind remark*) pulla *f*. **2.** (*in archeology*) excavación *f*. ◆ **dig out** *vt sep inf* (*find - letter*) desempolvar; (*- information*) extraer. ◆ **dig up** *vt sep* (*gen*) desenterrar; (*tree*) arrancar.

digest [*n* 'daıdʒest, *vb* daı'dʒest] ◇ *n* compendio *m*. ◇ *vt lit & fig* digerir.

digestion [daı'dʒestʃn] *n* digestión *f*.

digestive biscuit [daı‚dʒestıv-] *n Br* galleta hecha con harina integral.

digit ['dıdʒət] *n* **1.** (*figure*) dígito *m*. **2.** (*finger, toe*) dedo *m*.

digital ['dıdʒətl] *adj* digital.

dignified ['dıgnəfaıd] *adj* (*gen*) solemne; (*behaviour*) ceremonioso(sa).

dignity ['dıgnətı] *n* dignidad *f*.

digress [daı'gres] *vi* apartarse del tema; **to ~ from** apartarse OR desviarse de.

digs [dıgz] *npl Br inf* alojamiento *m*; **to live in ~** vivir de patrona.

dike [daık] *n* (*wall, bank*) dique *m*.

dilapidated [dı'læpədeıtəd] *adj* destartalado(da), derruido(da).

dilate [daı'leıt] *vi* dilatarse.

dilemma [dı'lemə] *n* dilema *m*.

diligent ['dılədʒənt] *adj* diligente.

dilute [daı'luːt] *vt* diluir; (*wine, beer*) aguar.

dim [dım] ◇ *adj* **1.** (*light*) tenue; (*room*) sombrío(a). **2.** (*outline, figure*) difuso(sa). **3.** (*eyesight*) nublado(da). **4.** (*memory*) vago(ga). **5.** *inf* (*stupid*) tonto(ta), torpe. ◇ *vt* atenuar. ◇ *vi* (*light*) atenuarse.

dime [daım] *n Am* moneda de diez centavos.

dimension [daı'menʃn] *n* dimensión *f*.

diminish [dı'mınıʃ] *vt & vi* disminuir.

diminutive [dı'mınjətıv] *fml* ◇ *adj* diminuto(ta). ◇ *n* (GRAMM) diminutivo *m*.

dimmer ['dımər], **dimmer switch** *n* potenciómetro *m*.

dimmers ['dımərz] *npl Am* (*dipped headlights*) luces *fpl* cortas OR de cruce; (*parking lights*) luces de posición OR situación.

dimmer switch = **dimmer**.

dimple ['dımpl] *n* hoyuelo *m*.

din [dın] *n inf* estrépito *m*.

dine [daın] *vi fml* cenar. ◆ **dine out** *vi* cenar fuera.

diner ['daınər] *n* **1.** (*person*) comensal *m* y *f* (*en cena*). **2.** *Am* (*restaurant - cheap*) restaurante *m* barato; (*- on the road*) = restaurante *m* OR parador *m* de carretera.

DINER

Los *diners* estadounidenses son pequeños restaurantes baratos donde se sirven comidas ligeras. Suelen localizarse en las carreteras principales, aunque también existen en las ciudades. La mayor parte de su clientela está conformada por camioneros y gente de paso.

93

dinghy ['dɪŋgɪ] *n* bote *m*.

dingy ['dɪndʒɪ] *adj (room, street)* lóbrego (ga); *(clothes, carpet)* deslustrado(da).

dining car ['daɪnɪŋ-] *n* vagón *m* restaurante.

dining room ['daɪnɪŋ-] *n* comedor *m*.

dinner ['dɪnər] *n* 1. *(evening meal)* cena *f*; *(midday meal)* comida *f*, almuerzo *m*. 2. *(formal event)* cena *f* de gala, banquete *m*.

dinner jacket *n* esmoquin *m*.

dinner party *n* cena *f (de amigos en casa)*.

dinnertime ['dɪnərtaɪm] *n (in the evening)* la hora de la cena; *(at midday)* la hora del almuerzo OR de la comida.

dinosaur ['daɪnəsɔːr] *n (reptile)* dinosaurio *m*.

dint [dɪnt] *n fml*: **by ~ of** a base de.

dip [dɪp] ◇ *n* 1. *(in road, ground)* pendiente *f*, declive *m*. 2. *(sauce)* salsa *f*. 3. *(swim)* chapuzón *m*; **to go for/take a ~** ir a darse/darse un chapuzón. ◇ *vt* 1. *(into liquid)*: **to ~ sthg in** OR **into sthg** mojar algo en algo. 2. *Br (headlights)*: **to ~ one's lights** poner las luces de cruce. ◇ *vi* descender suavemente.

diploma [dɪ'pləʊmə] *(pl -s)* *n* diploma *m*.

diplomacy [dɪ'pləʊməsɪ] *n* diplomacia *f*.

diplomat ['dɪpləmæt] *n* 1. *(official)* diplomático *m*, -ca *f*. 2. *(tactful person)* persona *f* diplomática.

diplomatic [,dɪplə'mætɪk] *adj* diplomático(ca).

dipstick ['dɪpstɪk] *n* (AUT) varilla *f* (para medir el nivel) del aceite.

dire ['daɪər] *adj (consequences)* grave; *(warning)* estremecedor(ra); *(need, poverty)* extremo(ma).

direct [də'rekt] ◇ *adj* directo(ta). ◇ *vt* 1. *(gen)*: **to ~ sthg at sb** dirigir algo a alguien. 2. *(person to place)*: **to ~ sb (to)** indicar a alguien el camino (a). 3. *(order)*: **to ~ sb to do sthg** mandar a alguien hacer algo. ◇ *adv* directamente.

direct current *n* corriente *f* continua.

direct debit *n Br* domiciliación *f* (de pago).

direction [də'rekʃn] *n* dirección *f*; **sense of ~** sentido *m* de la orientación. ♦ **directions** *npl* 1. *(instructions to place)* señas *fpl*, indicaciones *fpl*. 2. *(instructions for use)* modo *m* de empleo.

directly [də'rektlɪ] *adv* 1. *(gen)* directamente. 2. *(immediately)* inmediatamente. 3. *(very soon)* pronto, en breve.

director [də'rektər] *n* director *m*, -ra *f*.

directory [də'rektərɪ] *n* 1. *(gen)* guía *f* (alfabética). 2. (COMPUT) directorio *m*.

directory enquiries *n Br (servicio m de)* información *f* telefónica.

dire straits *npl*: **in ~** en serios aprietos.

dirt [dɜːrt] *n (U)* 1. *(mud, dust)* suciedad *f*. 2. *(earth)* tierra *f*.

dirt cheap *inf* ◇ *adj* tirado(da) de precio. ◇ *adv* a precio de ganga.

dirty ['dɜːrtɪ] ◇ *adj* 1. *(gen)* sucio(cia). 2. *(joke)* verde; *(film)* pornográfico(ca); *(book, language)* obsceno(na). ◇ *vt* ensuciar.

disability [,dɪsə'bɪlətɪ] *n* minusvalía *f*.

disabled [dɪs'eɪbld] ◇ *adj (person)* minusválido(da). ◇ *npl*: **the ~** los minusválidos.

disadvantage [*Am* ,dɪsəd'væntɪdʒ, *Br* -'vɑːnt-] *n* desventaja *f*; **to be at a ~** estar en desventaja.

disagree [,dɪsə'griː] *vi* 1. *(have different opinions)*: **to ~ (with)** no estar de acuerdo (con). 2. *(differ)* contradecirse, no concordar. 3. *(subj: food, drink)*: **to ~ with sb** sentar mal a alguien.

disagreeable [,dɪsə'griːəbl] *adj* desagradable.

disagreement [,dɪsə'griːmənt] *n* 1. *(fact of disagreeing)* desacuerdo *m*. 2. *(argument)* discusión *f*.

disallow [,dɪsə'laʊ] *vt* 1. *fml (appeal, claim)* rechazar. 2. *(goal)* anular.

disappear [,dɪsə'pɪər] *vi* desaparecer.

disappearance [,dɪsə'pɪərəns] *n* desaparición *f*.

disappoint [,dɪsə'pɔɪnt] *vt (person)* decepcionar; *(expectations, hopes)* defraudar.

disappointed [,dɪsə'pɔɪntəd] *adj* 1. *(person)*: **~ (in** OR **with sthg)** decepcionado(da) (con algo). 2. *(expectations, hopes)* defraudado(da).

disappointing [,dɪsə'pɔɪntɪŋ] *adj* decepcionante.

disappointment [,dɪsə'pɔɪntmənt] *n* decepción *f*, desilusión *f*.

disapproval [,dɪsə'pruːvl] *n* desaprobación *f*.

disapprove [,dɪsə'pruːv] *vi*: **to ~ (of sthg/sb)** censurar (algo/a alguien).

disarm [dɪs'ɑːrm] ◇ *vt lit & fig* desarmar. ◇ *vi* desarmarse.

disarmament [dɪs'ɑːrməmənt] *n* desarme *m*.

disarray [,dɪsə'reɪ] *n*: **in ~** *(clothes, hair)* en desorden; *(army, political party)* sumido(da) en el desconcierto.

disaster [Am dɪ'zæstr, Br -'zɑːstə] n desastre m.

disastrous [Am dɪ'zæstrəs, Br -'zɑːst-] adj desastroso(sa).

disband [dɪs'bænd] ◇ vt disolver, disgregar. ◇ vi disolverse, disgregarse.

disbelief [,dɪsbɪ'liːf] n: in OR with ~ con incredulidad.

disc [dɪsk] n Br disco m.

discard [dɪs'kɑːrd] vt (old clothes etc) desechar; (possibility) descartar.

discern [dɪ'sɜːrn] vt 1. (gen) discernir; (improvement) percibir. 2. (figure, outline) distinguir.

discerning [dɪ'sɜːrnɪŋ] adj refinado (da); (audience) entendido(da).

discharge [n 'dɪstʃɑːrdʒ, vt dɪs'tʃɑːrdʒ] ◇ n 1. (of patient) alta f; (of prisoner, defendant) puesta f en libertad; (of soldier) licencia f. 2. (of gas, smoke) emisión f; (of sewage) vertido m. 3. (MED - from wound) supuración f. 4. (ELEC) descarga f. ◇ vt 1. (patient) dar de alta; (prisoner, defendant) poner en libertad; (soldier) licenciar. 2. fml (duty etc) cumplir. 3. (gas, smoke) despedir; (sewage) verter; (cargo) descargar. 4. (debt) saldar.

disciple [dɪ'saɪpl] n 1. (follower) discípulo m, -la f. 2. (RELIG) discípulo m.

discipline ['dɪsəplɪn] ◇ n disciplina f. ◇ vt 1. (control) disciplinar. 2. (punish) castigar.

disc jockey n pinchadiscos m y f inv.

disclaim [dɪs'kleɪm] vt fml negar.

disclose [dɪs'kləʊz] vt desvelar, revelar.

disclosure [dɪs'kləʊʒər] n revelación f.

disco ['dɪskəʊ] (pl -s) (abbr of discotheque) n (place) discoteca f; (event) baile m.

discomfort [dɪs'kʌmfərt] n incomodidad f.

disconcert [,dɪskən'sɜːrt] vt desconcertar.

disconnect [,dɪskə'nekt] vt 1. (detach) quitar, separar. 2. (from gas, electricity - appliance) desconectar; (- house, subscriber) cortar el suministro a. 3. (on phone - person) cortar la línea a.

disconsolate [dɪs'kɒnsələt] adj desconsolado(da).

discontent [,dɪskən'tent] n: ~ (with) descontento m (con).

discontented [,dɪskən'tentəd] adj descontento(ta).

discontinue [,dɪskən'tɪnjuː] vt interrumpir.

discord ['dɪskɔːrd] n 1. (disagreement)

discordia f. 2. (MUS) disonancia f.

discotheque ['dɪskətek] n discoteca f.

discount [n 'dɪskaʊnt, vb Am 'dɪskaʊnt, Br dɪs'kaʊnt] ◇ n descuento m. ◇ vt (report, claim) descartar.

discourage [Am dɪs'kɜːrɪdʒ, Br -'kʌr-] vt 1. (dispirit) desanimar. 2. (deter) desaconsejar; **to ~ sb from doing sthg** disuadir a alguien de hacer algo.

discover [dɪ'skʌvər] vt descubrir.

discovery [dɪ'skʌvərɪ] n descubrimiento m.

discredit [dɪs'kredət] ◇ n descrédito m. ◇ vt 1. (person, organization) desacreditar. 2. (idea, report) refutar.

discreet [dɪ'skriːt] adj discreto(ta).

discrepancy [dɪs'krepənsɪ] n: ~ (in/ between) desigualdad f (en/entre).

discretion [dɪ'skreʃn] n (U) 1. (tact) discreción f. 2. (judgment) capacidad f de decisión; **at the ~ of** a voluntad de.

discriminate [dɪ'skrɪmɪneɪt] vi 1. (distinguish): **to ~ (between)** discriminar OR distinguir (entre). 2. (treat unfairly): **to ~ against sb** discriminar a alguien.

discriminating [dɪ'skrɪmɪneɪtɪŋ] adj refinado(da); (audience) entendido(da).

discrimination [dɪ,skrɪmɪ'neɪʃn] n 1. (prejudice): **~ (against)** discriminación f (hacia). 2. (judgment) (buen) gusto m.

discus ['dɪskəs] (pl -es) n disco m (en atletismo).

discuss [dɪ'skʌs] vt 1. (gen): **to ~ sthg (with sb)** discutir algo (con alguien). 2. (subj: book, lecture) tratar de.

discussion [dɪ'skʌʃn] n discusión f.

disdain [dɪs'deɪn] fml ◇ n: ~ (for) desdén m OR desprecio m (hacia). ◇ vt desdeñar, despreciar.

disease [dɪ'ziːz] n enfermedad f.

disembark [,dɪsɪm'bɑːrk] vi desembarcar.

disenchanted [Am ,dɪsɪn'tʃæntəd, Br -'tʃɑːnt-] adj: ~ (with) desencantado(da) (con).

disengage [,dɪsɪn'geɪdʒ] vt 1. (release): **to ~ sthg (from)** soltar OR desenganchar algo (de). 2. (TECH) (gears) quitar; (clutch) soltar.

disfavor Am, **disfavour** Br [dɪs-'feɪvər] n 1. (disapproval) desaprobación f. 2. (state of being disapproved of) desgracia f.

disfigure [dɪs'fɪgjər] vt desfigurar.

disgrace [dɪs'greɪs] ◇ n vergüenza f; **to be in ~** (minister, official) estar desprestigiado(da); (child, pet) estar castigado(da). ◇ vt deshonrar.

disgraceful [dɪsˈgreɪsfl] *adj* vergonzoso(sa).

disgruntled [dɪsˈgrʌntld] *adj* disgustado(da).

disguise [dɪsˈgaɪz] ◇ *n* disfraz *m*; **in ~** *(policeman, personality)* de incógnito. ◇ *vt* disfrazar.

disgust [dɪsˈgʌst] ◇ *n*: **~ (at)** *(physical)* asco *m* (hacia); *(moral)* indignación *f* (ante). ◇ *vt* *(physically)* asquear; *(morally)* indignar.

disgusting [dɪsˈgʌstɪŋ] *adj* *(physically)* asqueroso(sa); *(morally)* indignante.

dish [dɪʃ] *n* 1. *(container)* fuente *f*. 2. *(course)* plato *m*. 3. *Am* *(plate)* plato *m*. ◆ **dishes** *npl* platos *mpl*; **to do OR wash the ~es** fregar (los platos). ◆ **dish out** *vt sep inf* repartir. ◆ **dish up** *vt sep inf* servir.

dish antenna *Am*, **dish aerial** *Br n* (antena *f*) parabólica *f*.

dishcloth [ˈdɪʃklɒθ] *n* trapo *m* de fregar los platos.

disheartened [dɪsˈhɑːrtnd] *adj* descorazonado(da).

disheveled *Am*, **dishevelled** *Br* [dɪˈʃevld] *adj* desaliñado(da); *(hair)* despeinado(da).

dishonest [dɪsˈɒnəst] *adj* deshonesto (ta), nada honrado(da).

dishonor *Am*, **dishonour** *Br* [dɪsˈɒnəʳ] *fml* ◇ *n* deshonra *f*. ◇ *vt* deshonrar.

dishonorable *Am*, **dishonourable** *Br* [dɪsˈɒnərəbl] *adj* deshonroso(sa).

dishonour *etc Br* = **dishonor** *etc*.

dish soap *n Am* detergente *m* para vajillas.

dish towel *n Am* paño *m* de cocina.

dishwasher [ˈdɪʃwɒʃəʳ] *n (machine)* lavavajillas *m inv*.

disillusioned [ˌdɪsɪˈluːʒnd] *adj* desilusionado(da).

disincentive [ˌdɪsɪnˈsentɪv] *n* freno *m*, traba *f*.

disinfect [ˌdɪsɪnˈfekt] *vt* desinfectar.

disinfectant [ˌdɪsɪnˈfektənt] *n* desinfectante *m*.

disintegrate [dɪsˈɪntəgreɪt] *vi lit & fig* desintegrarse.

disinterested [ˌdɪsˈɪntrəstəd] *adj* 1. *(objective)* desinteresado(da). 2. *inf (uninterested)*: **~ (in)** indiferente (a).

disjointed [dɪsˈdʒɔɪntəd] *adj* deslabazado(da).

disk [dɪsk] *n* 1. (COMPUT) disquete *m*. 2. *Am* disco *m*.

disk drive *Br* = **diskette drive**.

diskette [dɪˈsket] *n* disquete *m*.

diskette drive *Am*, **disk drive** *Br n* (COMPUT) disquetera *f*.

dislike [dɪsˈlaɪk] ◇ *n* 1. *(feeling)*: **~ (for)** *(things)* aversión *f* (a); *(people)* antipatía *f* (por); **to take a ~ to** cogerle manía a. 2. *(person, thing not liked)* fobia *f*. ◇ *vt* *(thing)* tener aversión a; *(person)* tener antipatía a.

dislocate [ˈdɪsləkeɪt] *vt* (MED) dislocar.

dislodge [dɪsˈlɒdʒ] *vt*: **to ~ sthg/sb (from)** desalojar algo/a alguien (de).

disloyal [ˌdɪsˈlɔɪəl] *adj*: **~ (to)** desleal (a).

dismal [ˈdɪzməl] *adj* 1. *(weather, future)* sombrío(a); *(place, atmosphere)* deprimente. 2. *(attempt, failure)* lamentable.

dismantle [dɪsˈmæntl] *vt (machine)* desmontar; *(organization)* desmantelar.

dismay [dɪsˈmeɪ] ◇ *n* (U) consternación *f*. ◇ *vt* consternar.

dismiss [dɪsˈmɪs] *vt* 1. *(refuse to take seriously)* desechar. 2. *(from job)*: **to ~ sb (from)** despedir a alguien (de). 3. *(allow to leave)* dar permiso para irse a.

dismissal [dɪsˈmɪsl] *n (from job)* despido *m*.

dismount [ˌdɪsˈmaʊnt] *vi*: **to ~ (from sthg)** desmontar (de algo).

disobedience [ˌdɪsəˈbiːdjəns] *n* desobediencia *f*.

disobedient [ˌdɪsəˈbiːdjənt] *adj*: **~ (to)** desobediente (con).

disobey [ˌdɪsəˈbeɪ] *vt & vi* desobedecer.

disorder [dɪsˈɔːrdəʳ] *n* 1. *(disarray)*: **in ~** en desorden. 2. (U) *(rioting)* disturbios *mpl*. 3. (MED) *(physical)* afección *f*, dolencia *f*; *(mental)* trastorno *m*.

disorderly [dɪsˈɔːrdəʳlɪ] *adj* 1. *(untidy)* desordenado(da). 2. *(unruly - behaviour)* incontrolado(da).

disorganized [dɪsˈɔːrgənaɪzd] *adj* desorganizado(da).

disoriented *Am* [dɪsˈɔːrɪentəd], **disorientated** *Br* [dɪsˈɔːrɪenteɪtəd] *adj* desorientado(da).

disown [dɪsˈoʊn] *vt* renegar de.

disparaging [dɪsˈperɪdʒɪŋ, *Br* -ˈspær-] *adj* menospreciativo(va).

dispassionate [dɪsˈpæʃnət] *adj* desapasionado(da).

dispatch [dɪsˈpætʃ] ◇ *n* despacho *m*. ◇ *vt (goods, parcel)* expedir; *(message, messenger, troops)* enviar.

dispel [dɪsˈpel] *vt* disipar.

dispensary [dɪsˈpensərɪ] *n* dispensario *m*.

dispense [dɪsˈpens] *vt* 1. *(advice)* ofrecer; *(justice)* administrar. 2. *(drugs, medicine)* despachar, dispensar. ◆ **dispense**

with vt *fus* prescindir de.

dispensing pharmacist Am, **dispensing chemist** Br [dɪ,spensɪŋ-] n farmacéutico m, -ca f.

disperse [dɪ'spɜːrs] ◇ vt dispersar. ◇ vi dispersarse.

dispirited [dɪ'spɪrətəd] adj desanimado(da).

displace [dɪs'pleɪs] vt (supplant) reemplazar, sustituir.

display [dɪ'spleɪ] ◇ n 1. (arrangement - in shop window) escaparate m; (- in museum) exposición f; (- on stall, pavement) muestrario m. 2. (demonstration, public event) demostración f. 3. (COMPUT) visualización f. ◇ vt 1. (arrange) exponer. 2. (show) demostrar.

displease [dɪs'pliːz] vt (annoy) disgustar; (anger) enfadar.

displeasure [dɪs'pleʒəʳ] n (annoyance) disgusto m; (anger) enfado m.

disposable [dɪ'spəʊzəbl] adj desechable; ~ **income** ingresos mpl disponibles.

disposal [dɪ'spəʊzl] n 1. (removal) eliminación f. 2. (availability): **at sb's** ~ a la disposición de alguien.

dispose [dɪ'spəʊz] ♦ **dispose of** vt fus (rubbish) deshacerse de; (problem) quitarse de encima OR de en medio.

disposed [dɪ'spəʊzd] adj 1. (willing): **to be** ~ **to do sthg** estar dispuesto(ta) a hacer algo. 2. (friendly): **to be well** ~ **to** OR **towards sb** tener buena disposición hacia alguien.

disposition [,dɪspə'zɪʃn] n (temperament) carácter m.

disproportionate [,dɪsprə'pɔːrʃnət] adj: ~ **(to)** desproporcionado(da) (a).

disprove [,dɪs'pruːv] vt refutar.

dispute [dɪ'spjuːt] ◇ n 1. (quarrel) disputa f. 2. (U) (disagreement) conflicto m, desacuerdo m. 3. (INDUSTRY) conflicto m laboral. ◇ vt cuestionar.

disqualify [,dɪs'kwɒlɪfaɪ] vt 1. (subj: authority, illness etc): **to** ~ **sb (from doing sthg)** incapacitar a alguien (para hacer algo). 2. (SPORT) descalificar. 3. Br (from driving) retirar el permiso de conducir a.

disquiet [dɪs'kwaɪət] n inquietud f.

disregard [,dɪsrɪ'gɑːrd] ◇ n: ~ **(for)** indiferencia f (a), despreocupación f (por). ◇ vt hacer caso omiso de.

disrepair [,dɪsrɪ'peəʳ] n: **in a state of** ~ en mal estado.

disreputable [dɪs'repjətəbl] adj (person, company) de mala fama; (behaviour) vergonzante.

disrepute [,dɪsrɪ'pjuːt] n: **to bring sthg**

into ~ desprestigiar OR desacreditar algo.

disrupt [dɪs'rʌpt] vt (meeting) interrumpir; (transport system) trastornar, perturbar; (class) revolucionar, enredar en.

disruption [dɪs'rʌpʃn] n (of meeting) interrupción f; (of transport system) trastorno m, desbarajuste m.

dissatisfaction [,dɪssætəs'fækʃn] n descontento m.

dissatisfied [,dɪs'sætəsfaɪd] adj: ~ **(with)** insatisfecho(cha) OR descontento (ta) (con).

dissect [dɪ'sekt] vt (MED) disecar; fig (study) analizar minuciosamente.

disseminate [dɪ'seməneɪt] vt difundir.

dissent [dɪ'sent] ◇ n (gen) disconformidad f, disentimiento m. ◇ vi: **to** ~ **(from)** disentir (de).

dissertation [,dɪsə'teɪʃn] n tesina f.

disservice [,dɪs'sɜːrvɪs] n: **to do sb a** ~ hacer un flaco servicio a alguien.

dissident ['dɪsədənt] n disidente m y f.

dissimilar [dɪ'sɪmɪləʳ] adj: ~ **(to)** distinto(ta) (de).

dissipate ['dɪsəpeɪt] vt 1. (heat) disipar. 2. (efforts, money) desperdiciar.

dissociate [dɪ'səʊʃɪeɪt] vt disociar.

dissolute ['dɪsəluːt] adj disoluto(ta).

dissolve [dɪ'zɒlv] ◇ vt disolver. ◇ vi 1. (substance) disolverse. 2. fig (disappear) desvanecerse, desaparecer.

dissuade [dɪ'sweɪd] vt: **to** ~ **sb (from doing)** disuadir a alguien (de hacer).

distance ['dɪstəns] n distancia f; **at a** ~ a distancia; **from a** ~ desde lejos; **in the** ~ a lo lejos.

distant ['dɪstənt] adj 1. (place, time, relative) lejano(na); ~ **from** distante de. 2. (person, manner) frío(a), distante.

distaste [dɪs'teɪst] n: ~ **(for)** desagrado m (por).

distasteful [dɪs'teɪstfl] adj desagradable.

distill Am, **distil** Br [dɪ'stɪl] vt (liquid) destilar.

distillery [dɪ'stɪləri] n destilería f.

distinct [dɪ'stɪŋkt] adj 1. (different): ~ **(from)** distinto(ta) (de); **as** ~ **from** a diferencia de. 2. (clear - improvement) notable, visible; (- possibility) claro(ra).

distinction [dɪ'stɪŋkʃn] n 1. (difference, excellence) distinción f; **to draw** OR **make a** ~ **between** hacer una distinción entre. 2. (in exam result) sobresaliente m.

distinctive [dɪ'stɪŋktɪv] adj característico(ca), particular.

distinguish [dɪ'stɪŋgwɪʃ] vt (gen): **to** ~

sthg (from) distinguir algo (de).

distinguished [dɪ'stɪŋgwɪʃt] adj distinguido(da).

distort [dɪ'stɔː't] vt 1. (shape, face) deformar; (sound) distorsionar. 2. (truth, facts) tergiversar.

distract [dɪ'strækt] vt (person, attention): **to ~ sb (from)** distraer a alguien (de).

distracted [dɪ'stræktəd] adj distraído (da).

distraction [dɪ'strækʃn] n (interruption, diversion) distracción f.

distraught [dɪ'strɔːt] adj muy turbado (da).

distress [dɪ'stres] ◇ n 1. (anxiety) angustia f; (pain) dolor m. 2. (danger, difficulty) peligro m. ◇ vt afligir, apenar.

distressing [dɪ'stresɪŋ] adj angustioso (sa), doloroso(sa).

distribute [Am dɪ'strɪbjət, Br -juːt] vt (gen) distribuir, repartir.

distribution [ˌdɪstrɪ'bjuːʃn] n (gen) distribución f.

distributor [dɪ'strɪbjətəʳ] n 1. (COMM) distribuidor m, -ra f. 2. (AUT) delco® m.

district ['dɪstrɪkt] n 1. (area - of country) zona f, región f; (- of town) barrio m. 2. (administrative area) distrito m.

district attorney n Am fiscal m y f (del distrito).

district council n Br ≃ municipio m.

district nurse n Br enfermera encargada de atender a domicilio a los pacientes de una zona.

distrust [dɪs'trʌst] ◇ n desconfianza f. ◇ vt desconfiar de.

disturb [dɪ'stɜːʳb] vt 1. (interrupt - person) molestar; (- concentration) perturbar. 2. (upset, worry) inquietar. 3. (alter - surface, arrangement) alterar; (- papers) desordenar.

disturbance [dɪ'stɜːʳbəns] n 1. (fight) tumulto m. 2. (interruption) interrupción f. 3. (of mind, emotions) trastorno m.

disturbed [dɪ'stɜːʳbd] adj 1. (upset, ill) trastornado(da). 2. (worried) inquieto (ta).

disturbing [dɪ'stɜːʳbɪŋ] adj inquietante.

disuse [dɪs'juːs] n: **to fall into ~** (regulation) caer en desuso; (building, mine) verse paulatinamente abandonado(da).

disused [ˌdɪs'juːzd] adj abandonado (da).

ditch [dɪtʃ] ◇ n (gen) zanja f; (by road) cuneta f. ◇ vt inf 1. (end relationship with) romper con. 2. (get rid of) deshacerse de.

dither ['dɪðəʳ] vi vacilar.

ditto ['dɪtəu] adv ídem, lo mismo.

dive [daɪv] (Br pt & pp -d, Am pt -d OR **dove**, pp -d) ◇ vi 1. (into water - person) zambullirse; (- submarine, bird, fish) sumergirse. 2. (with breathing apparatus) bucear. 3. (through air - person) lanzarse; (- plane) caer en picado. 4. (into bag, cupboard): **to ~ into** meter la mano en. ◇ n 1. (of person - into water) zambullida f. 2. (of submarine) inmersión f. 3. (of person - through air) salto m; (- in football etc) estirada f. 4. (of plane) picado m. 5. inf pej (bar, restaurant) garito m, antro m.

diver ['daɪvəʳ] n (underwater) buceador m, -ra f; (professional) buzo m; (from diving board) saltador m, -ra f (de trampolín).

diverge [daɪ'vɜːʳdʒ] vi 1. (gen): **to ~ (from)** divergir (de). 2. (disagree) discrepar.

diversify [daɪ'vɜːʳsəfaɪ] ◇ vt diversificar. ◇ vi diversificarse.

diversion [daɪ'vɜːʳʃn] n 1. (distraction) distracción f. 2. (of traffic, river, funds) desvío m.

diversity [daɪ'vɜːʳsəti] n diversidad f.

divert [daɪ'vɜːʳt] vt 1. (traffic, river, funds) desviar. 2. (person, attention) distraer.

divide [dɪ'vaɪd] ◇ vt: **to ~ sthg (between OR among)** dividir algo (entre); **to ~ sthg into** dividir algo en; **to ~ sthg by** dividir algo entre OR por; **~ 3 into 89** divide 89 entre 3. ◇ vi 1. (river, road, wall) bifurcarse. 2. (group) dividirse.

dividend ['dɪvɪdend] n (FIN) dividendo m; (profit) beneficio m.

divine [dɪ'vaɪn] adj divino(na).

diving ['daɪvɪŋ] n (U) 1. (into water) salto m. 2. (with breathing apparatus) buceo m.

divingboard ['daɪvɪŋbɔːʳd] n trampolín m.

divinity [dɪ'vɪnəti] n 1. (godliness, deity) divinidad f. 2. (study) teología f.

division [dɪ'vɪʒn] n 1. (gen) división f. 2. (of labour, responsibility) repartición f.

divorce [dɪ'vɔːʳs] ◇ n divorcio m. ◇ vt (husband, wife) divorciarse de.

divorced [dɪ'vɔːʳst] adj divorciado(da).

divorcee [Am də,vɔːʳ'seɪ, Br dɪ,vɔː'siː] n divorciado m, -da f.

divulge [daɪ'vʌldʒ] vt divulgar, revelar.

DIY abbr of **do-it-yourself**.

dizzy ['dɪzɪ] adj 1. (because of illness etc) mareado(da). 2. (because of heights): **to feel ~** sentir vértigo.

DJ n abbr of **disc jockey**.

DNA *(abbr of* **deoxyribonucleic acid)** *n*
ADN *m.*

do [du:] *(pt* **did,** *pp* **done,** *pl* **dos** OR
do's) ◇ *aux vb* **1.** *(in negatives):* **don't
leave it there** no lo dejes ahí. **2.** *(in questions):* **what did he want?** ¿qué quería?;
~ you think she'll come? ¿crees que vendrá? **3.** *(referring back to previous verb):* **~
you think so? – yes, I ~** ¿tú crees? – sí;
she reads more than I ~ lee más que yo;
so ~ I/they yo/ellos también. **4.** *(in question tags):* **you know her, don't you?** la
conoces ¿no?; **so you think you can
dance, ~ you?** así que te crees que sabes
bailar ¿no? **5.** *(for emphasis):* **I did tell
you but you've forgotten** sí que te lo
dije, pero te has olvidado; **~ come in**
¡pase, por favor! ◇ *vt* **1.** *(gen)* hacer; **to
~ the cooking/cleaning** hacer la comida/
limpieza; **to ~ one's teeth** lavarse los
dientes; **he did his duty** cumplió con su
deber; **what can I ~ for you?** ¿en qué
puedo servirle?; **what can we ~?** ¿qué le
vamos a hacer? **2.** *(referring to job):* **what
~ you ~?** ¿a qué te dedicas? **3.** *(study)*
hacer; **I did physics at school** hice física
en la escuela. **4.** *(travel at a particular
speed)* ir a; **the car can ~ 110 mph** el
coche puede ir a 110 millas por hora.
5. *(be good enough for):* **will that ~ you?**
¿te vale eso? ◇ *vi* **1.** *(gen)* hacer; **~ as
she says** haz lo que te dice; **they're ~ing
really well** les va muy bien; **he could ~
better** lo podría hacer mejor; **how did
you ~ in the exam?** ¿qué tal te salió el
examen? **2.** *(be good enough, sufficient)*
servir, valer; **this kind of behaviour
won't ~** ese tipo de comportamiento no
es aceptable; **that will ~ (nicely)** con eso
vale; **that will ~!** *(showing annoyance)*
¡basta ya! **3.** *phr:* **how ~ you ~** *(greeting)*
¿cómo está usted?; *(answer)* mucho
gusto. ◇ *n (party)* fiesta *f.* ◆ **dos** *npl:* **~s
and don'ts** normas *fpl* de conducta.
◆ **do away with** *vt fus (disease, poverty)*
acabar con; *(law, reforms)* suprimir.
◆ **do down** *vt sep inf:* **to ~ sb down**
menospreciar a alguien. ◆ **do up** *vt sep*
1. *(fasten - shoelaces, tie)* atar; *(- coat,
buttons)* abrochar; **~ your shoes up** átate
los zapatos. **2.** *(decorate)* renovar, redecorar. **3.** *(wrap up)* envolver. ◆ **do
with** *vt fus* **1.** *(need):* **I could ~ with a
drink/new car** no me vendría mal una
copa/un coche nuevo. **2.** *(have connection with):* **that has nothing to ~ with it**
eso no tiene nada que ver (con ello).
◆ **do without** ◇ *vt fus* pasar sin. ◇ *vi*
apañárselas.

Presente simple	
I do	we do
you do	you do
he/she/it does	they do

Pasado simple	
I did	we did
you did	you did
he/she/it did	they did

Participio presente

doing

Participio pasado

done

• *Do* tiene sus propios significados
como un verbo principal y, a su vez,
funciona como verbo auxiliar, principalmente para formar oraciones
interrogativas (*do you watch much
television?*) y negativas (*I didn't see
him at school today*) cuando el verbo
principal está en presente o pasado
simples; para otros tiempos se usa
be o have.

• *Do* también sirve para dar énfasis a
la frase (*you're wrong; I do know her,*
"te equivocas; sí que la conozco").

• Ver también **HACER** en el lado Español-Inglés del diccionario.

Doberman ['doobə'mən] *(pl* **-s)** *n:* **~
(pinscher)** doberman *m.*

docile [*Am* 'dɒsl, *Br* 'doosaɪl] *adj*
dócil.

dock [dɒk] ◇ *n* **1.** *(in harbour)* dársena
f, muelle *m.* **2.** *(in court)* banquillo *m* (de
los acusados). ◇ *vi* atracar.

docker ['dɒkə'] *n* estibador *m.*

docklands ['dɒkləndz] *npl Br* muelles
mpl.

dockyard ['dɒkjɑ:'d] *n* astillero *m.*

doctor ['dɒktə'] ◇ *n* **1.** *(of medicine)*
médico *m,* -ca *f;* **to go to the ~'s** ir al
médico. **2.** *(holder of PhD)* doctor *m,* -ra
f. ◇ *vt* **1.** *(results, text)* amañar. **2.** *(food,
drink)* adulterar.

doctorate ['dɒktərət], **doctor's
degree** *n* doctorado *m.*

doctrine ['dɒktrɪn] *n* doctrina *f.*

document ['dɒkjəmənt] *n* documento
m.

documentary [,dɒkjə'mentərɪ] ◇ *adj*
documental. ◇ *n* documental *m.*

dodge [dɒdʒ] ◇ *n inf (fraud)* artimaña
f. ◇ *vt* esquivar. ◇ *vi* echarse a un lado.

dodgy ['dɒdʒɪ] *adj Br inf (business, plan)* arriesgado(da), comprometido(da); *(chair, brakes)* poco fiable.

doe [dəʊ] *n* **1.** *(female deer)* gama *f*. **2.** *(female rabbit)* coneja *f*.

does [*stressed* dʌz, *unstressed* dəz] → **do**.

doesn't ['dʌznt] = **does not.**

dog [dɒg] ◇ *n* **1.** *(animal)* perro *m*. **2.** *Am (hot dog)* perrito *m* caliente. ◇ *vt* **1.** *(subj: person)* seguir. **2.** *(subj: problems, bad luck)* perseguir.

dog collar *n* **1.** *(of dog)* collar *m* de perro. **2.** *(of priest)* alzacuello *m*.

dog-eared [-ɪəᵊd] *adj* manoseado (da).

dogged ['dɒgɪd] *adj* tenaz.

dogsbody ['dɒgzbɒdɪ] *n Br inf* último mono *m*, burro *m* de carga.

doing ['du:ɪŋ] *n*: **this is all your ~** tú eres responsable por esto. ◆ **doings** *npl* actividades *fpl*.

do-it-yourself *n* bricolaje *m*.

doldrums ['dɒldrəmz] *npl fig*: **to be in the ~** *(trade)* estar estancado(da); *(person)* estar abatido(da).

dole [dəʊl] *n* (subsidio *m* de) paro *m*; **to be on the ~** estar parado(da).

doleful ['dəʊlfl] *adj* lastimero(ra).

doll [dɒl] *n (toy)* muñeca *f*.

dollar ['dɒləᵊ] *n* dólar *m*.

dolphin ['dɒlfɪn] *n* delfín *m*.

domain [dəʊ'meɪn] *n* **1.** *(sphere of interest)* campo *m*, ámbito *m*. **2.** *(land)* dominios *mpl*.

dome [dəʊm] *n (roof)* cúpula *f*; *(ceiling)* bóveda *f*.

domestic [də'mestɪk] ◇ *adj* **1.** *(internal - policy, flight)* nacional. **2.** *(chores, water supply, animal)* doméstico(ca). **3.** *(home-loving)* hogareño(ña), casero (ra). ◇ *n* criado *m*, -da *f*.

domestic appliance *n* electrodoméstico *m*.

dominant ['dɒmənənt] *adj* dominante.

dominate ['dɒmənet] *vt* dominar.

domineering [,dɒmə'nɪərɪŋ] *adj* dominante, tiránico(ca).

dominion [də'mɪnjən] *n* **1.** *(U) (power)* dominio *m*. **2.** *(land)* dominios *mpl*.

domino ['dɒmənəʊ] *(pl* **-es***) n* dominó *m*. ◆ **dominoes** *npl* dominó *m*.

don [dɒn] *n Br (UNIV)* profesor *m*, -ra *f* de universidad.

donate [dəʊ'neɪt] *vt* donar.

done [dʌn] ◇ *pp* → **do**. ◇ *adj* **1.** *(finished)* listo(ta). **2.** *(cooked)* hecho(cha); **well-~** muy hecho. ◇ *adv (to conclude deal)*: **~!** ¡(trato) hecho!

donkey ['dɒŋkɪ] *(pl* **donkeys***) n* burro *m*, -rra *f*.

donor ['dəʊnəᵊ] *n* donante *m y f*.

donor card *n* carné *m* de donante.

don't [dəʊnt] = **do not.**

doodle ['du:dl] *vi* garabatear.

doom [du:m] *n* perdición *f*, fatalidad *f*.

doomed [du:md] *adj (plan, mission)* condenado(da) al fracaso; **to be ~ to sthg/to do sthg** estar condenado a algo/ a hacer algo.

door [dɔ:ᵊ] *n* **1.** *(gen)* puerta *f*. **2.** *(doorway)* entrada *f*.

doorbell ['dɔ:ᵊbel] *n* timbre *m* (de la puerta).

doorknob ['dɔ:ᵊnɒb] *n* pomo *m*.

doorman ['dɔ:ᵊmən] *(pl* **-men** [-mən]*) n* portero *m*.

doormat ['dɔ:ᵊmæt] *n (mat)* felpudo *m*.

doorstep ['dɔ:ᵊstep] *n* peldaño *m* de la puerta.

doorway ['dɔ:ᵊweɪ] *n* entrada *f*, portal *m*.

dope [dəʊp] ◇ *n inf* **1.** *drugs sl (cannabis)* maría *f*. **2.** *(for athlete, horse)* estimulante *m*. **3.** *(fool)* bobo *m*, -ba *f*. ◇ *vt* drogar, dopar.

dopey ['dəʊpɪ] *(compar* **-ier***, superl* **-iest***) adj inf* **1.** *(groggy)* atontado(da), grogui. **2.** *(stupid)* imbécil.

dormant ['dɔ:ᵊmənt] *adj (volcano)* inactivo(va).

dormitory [*Am* 'dɔ:rmətɔ:rɪ, *Br* 'dɔ:mətrɪ] *n* dormitorio *m*.

Dormobile® ['dɔ:ᵊməbi:l] *n* combi *m*.

DOS [dɒs] *(abbr of* **disk operating system***) n* DOS *m*.

dose [dəʊs] *n lit & fig* dosis *f inv*.

dosser ['dɒsəᵊ] *n Br inf* gandul *m*, -la *f*.

dosshouse ['dɒshaʊs, -haʊzɪz] *n Br inf* pensión *f* de mala muerte.

dot [dɒt] *n* punto *m*; **on the ~** en punto. ◇ *vt* salpicar.

dote [dəʊt] ◆ **dote (up)on** *vt fus* adorar.

dot-matrix printer *n* (COMPUT) impresora *f* matricial de agujas.

double ['dʌbl] ◇ *adj* **1.** *(gen)* doble. **2.** *(repeated)* repetido(da); **~ three eight two** treinta y tres, ochenta y dos. ◇ *adv* **1.** *(twice)* doble; **~ the amount** el doble. **2.** *(in two - fold)* en dos; **to bend ~** doblarse, agacharse. ◇ *n* **1.** *(twice as much)* el doble. **2.** *(drink)* doble *m*. **3.** *(lookalike)* doble *m y f*. ◇ *vt* doblar. ◇ *vi (increase twofold)* doblarse.

D

◆ **doubles** *npl* (TENNIS) (partido *m* de) dobles *mpl*.

• Si usamos *double* como sustantivo, no hace falta poner *the* antes (*I only paid 10 dollars but he offered me double for it*, "sólo me costó 10 dólares pero él me ofreció el doble").

• Sin embargo, si *double* va antes de otro sustantivo, el segundo sustantivo va precedido de *the*, *this/that* o *what* (*I'd like double that amount*, "quiero el doble [de eso]"; *she earns double what she got in her old job*, "gana el doble de lo que ganaba en su empleo anterior").

---

double-barreled *Am*, **double-barrelled** *Br* [*Am* -'berəld, *Br* -'bær-] *adj* 1. (*shotgun*) de dos cañones. 2. (*name*) con dos apellidos unidos con guión.

double bass [-'beɪs] *n* contrabajo *m*.

double bed *n* cama *f* de matrimonio.

double-breasted [-'brestəd] *adj* cruzado(da).

double-check *vt & vi* verificar dos veces.

double chin *n* papada *f*.

double cream *n* nata *f* enriquecida.

double-cross *vt* traicionar, timar.

double-decker [-'dekə^r] *n* autobús *m* de dos pisos.

double-dutch *n Br hum*: it's ~ to me me suena a chino.

double-glazing [-'gleɪzɪŋ] *n* doble acristalamiento *m*.

double room *n* habitación *f* doble.

double vision *n* vista *f* doble.

doubly ['dʌblɪ] *adv* doblemente.

doubt [daʊt] ◇ *n* duda *f*; there is no ~ that no hay OR cabe duda de que; without (a) ~ sin duda (alguna); to be in ~ about sthg estar dudando acerca de algo; to cast ~ on poner en duda; no ~ sin duda. ◇ *vt* 1. (*not trust*) dudar de. 2. (*consider unlikely*) dudar; to ~ whether OR if dudar que.

doubtful ['daʊtfl] *adj* 1. (*gen*) dudoso (sa). 2. (*unsure*) incierto(ta); to be ~ about OR of tener dudas acerca de.

doubtless ['daʊtləs] *adv* sin duda.

dough [dəʊ] *n* (U) 1. (*for baking*) masa *f*, pasta *f*. 2. *v inf* (*money*) pasta *f*.

doughnut ['dəʊnʌt] *n* (*without hole*) buñuelo *m*; (*with hole*) dónut® *m*.

douse [daʊs] *vt* 1. (*put out*) apagar. 2. (*drench*) mojar, empapar.

dove¹ [dʌv] *n* paloma *f*.

dove² [dəʊv] *Am pt* → **dive**.

dowdy ['daʊdɪ] *adj* poco elegante.

down [daʊn] ◇ *adv* 1. (*downwards*) (hacia) abajo; to fall ~ caer; to bend ~ agacharse; ~ here/there aquí/allí abajo. 2. (*along*): I'm going ~ the pub voy a acercarme al pub. 3. (*southwards*) hacia el sur; we're going ~ to Brighton vamos a bajar a Brighton. 4. (*lower in amount*): prices are coming ~ van bajando los precios. 5. (*including*): ~ to the last detail hasta el último detalle. 6. (*as deposit*): to pay £5 ~ pagar 5 libras ahora (y el resto después). ◇ *prep* 1. (*downwards*): they ran ~ the hill corrieron cuesta abajo; he walked ~ the stairs bajó la escalera; rain poured ~ the window la lluvia resbalaba por la ventana. 2. (*along*): she was walking ~ the street iba andando por la calle. ◇ *adj* 1. *inf* (*depressed*) deprimido(da). 2. (*not in operation*): the computer is ~ again el ordenador se ha estropeado otra vez. ◇ *n* (*feathers*) plumón *m*; (*hair*) pelusa *f*, vello *m*. ◆ **downs** *npl Br* montes del sur de Inglaterra. ◆ **down with** *excl*: ~ with the King! ¡abajo el rey!

down-and-out *n* vagabundo *m*, -da *f*.

down-at-heel *adj* desastrado(da).

downbeat ['daʊnbiːt] *adj inf* pesimista.

downcast [*Am* 'daʊnkæst, *Br* -kɑːst] *adj fml* (*sad*) alicaído(da), triste.

downfall ['daʊnfɔːl] *n* (U) ruina *f*, caída *f*.

downhearted [,daʊn'hɑːrtəd] *adj* desanimado(da).

downhill [,daʊn'hɪl] ◇ *adj* cuesta abajo. ◇ *adv* 1. (*downwards*) cuesta abajo. 2. (*worse*) en declive. ◇ *n* (SKIING) descenso *m*.

Downing Street ['daʊnɪŋ-] *n* calle londinense donde se encuentran las residencias del Primer Ministro y el ministro de Finanzas; por extensión el gobierno británico.

down payment *n* entrada *f*.

downpour ['daʊnpɔːr] *n* chaparrón *m*.

downright ['daʊnraɪt] ◇ *adj* patente, manifiesto(ta). ◇ *adv* completamente.

downstairs [,daʊn'steə^rz] ◇ *adj* de abajo. ◇ *adv* abajo; to come/go ~ bajar (la escalera).

downstream [,daʊn'striːm] *adv* río OR aguas abajo.

down-to-earth *adj* realista.

downtown [,daʊn'taʊn] ◇ *adj* céntrico (ca), del centro (de la ciudad). ◇ *adv* (*live*) en el centro; (*go*) al centro.

downturn ['daʊntɜːrn] *n*: ~ (in) descenso *m* (en).

down under *adv* en/a *Australia o Nueva Zelanda.*

downward ['daʊnwə'd] ◇ *adj* **1.** *(towards ground)* hacia abajo. **2.** *(decreasing)* descendente. ◇ *adv Am* = **downwards**.

downwards ['daʊnwə'dz] *adv (gen)* hacia abajo; **face** ~ boca abajo.

dowry ['daʊrɪ] *n* dote *f.*

doze [dəʊz] ◇ *n* sueñecito *m*; **to have a** ~ echar una cabezada. ◇ *vi* dormitar.
♦ **doze off** *vi* quedarse adormilado (da).

dozen ['dʌzn] ◇ *num adj:* **a** ~ **eggs** una docena de huevos. ◇ *n* docena *f*; **50p a** ~ 50 peniques la docena. ♦ **dozens** *npl inf:* ~**s of** montones *mpl* OR miles *mpl* de.

dozy ['dəʊzɪ] *adj (sleepy)* soñoliento (ta), amodorrado(da).

Dr. 1. *(abbr of* **Drive***)* c/. **2.** *(abbr of* **Doctor***)* Dr.

drab [dræb] *adj (colour)* apagado(da); *(building, clothes)* sobrio(bria); *(lives)* monótono(na).

draft [*Am* dræft, *Br* drɑːft] ◇ *n* **1.** *(early version)* borrador *m.* **2.** *Am (air current)* corriente *f* de aire. **3.** *(money order)* letra *f* de cambio, giro *m.* **4.** *Am* (MIL): **the** ~ la llamada a filas. **5.** *Am (beer):* **on** ~ de barril. ◇ *vt* **1.** *(write)* redactar, hacer un borrador de. **2.** *Am* (MIL) llamar a filas. **3.** *(transfer - staff etc)* transferir.

draft beer *n Am* cerveza *f* de barril.

draftsman *Am* ['dræftsmən] *(pl* -men [-mən]*)*, **draughtsman** *Br* ['drɑːftsmən] *(pl* -men [-mən]*) n* delineante *m y f.*

drafty *Am*, **draughty** *Br* ['drɑːftɪ] *adj* que tiene corrientes de aire.

drag [dræg] ◇ *vt* **1.** *(gen)* arrastrar. **2.** *(lake, river)* dragar. ◇ *vi* **1.** *(dress, coat)* arrastrarse. **2.** *(time, play)* ir muy despacio. ◇ *n inf* **1.** *(bore - thing)* rollo *m*; *(- person)* pesado *m*, -da *f.* **2.** *(on cigarette)* calada *f.* **3.** *(cross-dressing):* **in** ~ vestido de mujer. ♦ **drag on** *vi* ser interminable.

dragon ['drægən] *n* dragón *m.*

dragonfly ['drægənflaɪ] *n* libélula *f.*

drain [dreɪn] ◇ *n (for water)* desagüe *m*; *(for sewage)* alcantarilla *f*; *(grating)* sumidero *m.* ◇ *vt* **1.** *(marsh, field)* drenar; *(vegetables)* escurrir. **2.** *(energy, resources)* agotar. **3.** *(drink, glass)* apurar. ◇ *vi* **1.** *(dishes)* escurrirse. **2.** *(colour, blood, tension)* desaparecer poco a poco.

drainage ['dreɪnɪdʒ] *n* **1.** *(pipes, ditches)* alcantarillado *m.* **2.** *(of land)* drenaje *m.*

drainboard *Am* ['dreɪnbɔːrd], **draining board** *Br* ['dreɪnɪŋ-] *n* escurridero *m.*

drainpipe ['dreɪnpaɪp] *n* tubo *m* de desagüe.

dram [dræm] *n* trago *m.*

drama ['drɑːmə] *n* **1.** *(gen)* drama *m.* **2.** *(subject)* teatro *m.*

dramatic [drə'mætɪk] *adj* **1.** *(concerned with theatre)* dramático(ca). **2.** *(gesture, escape, improvement)* espectacular.

dramatist ['dræmətɪst] *n* dramaturgo *m*, -ga *f.*

dramatize ['dræmətaɪz] *vt* **1.** *(rewrite as play)* adaptar, escenificar. **2.** *pej (make exciting)* dramatizar, exagerar.

drank [dræŋk] *pt* → **drink**.

drape [dreɪp] *vt:* **to** ~ **sth over sth** cubrir algo con algo; ~**d with** OR **in** cubierto con. ♦ **drapes** *npl Am* cortinas *fpl.*

drastic ['dræstɪk] *adj* **1.** *(extreme, urgent)* drástico(ca). **2.** *(noticeable)* radical.

draught [drɑːft] *n Br* **1.** *(air current)* corriente *f* de aire. **2.** *(beer):* **on** ~ de barril. ♦ **draughts** *n Br* damas *fpl.*

draughtboard [*Am* 'dræftbɔːrd, *Br* 'drɑːftbɔːd] *n Br* tablero *m* de damas.

draughtsman *Br* = **draftsman**.

draughty *Br* = **drafty**.

draw [drɔː] *(pt* **drew**, *pp* **drawn)** ◇ *vt* **1.** *(sketch)* dibujar; *(line, circle)* trazar. **2.** *(pull - cart etc)* tirar de; **she drew the comb through her hair** se pasó el peine por el cabello. **3.** *(curtains - open)* descorrer; *(- close)* correr. **4.** *(gun, sword)* sacar. **5.** *(conclusion)* llegar a. **6.** *(distinction, comparison)* señalar. **7.** *(attract - criticism, praise, person)* atraer; **to** ~ **sb's attention to sth** llamar la atención de alguien hacia algo. ◇ *vi* **1.** *(sketch)* dibujar. **2.** *(move)* moverse; **to** ~ **away** alejarse; **to** ~ **closer** acercarse. **3.** (SPORT): **to** ~ **(with)** empatar (con). ◇ *n* **1.** (SPORT) empate *m.* **2.** *(lottery)* sorteo *m.* ♦ **draw out** *vt sep* **1.** *(encourage to talk)* hacer hablar. **2.** *(prolong)* prolongar. **3.** *(money)* sacar. ♦ **draw up** ◇ *vt sep (draft)* preparar, redactar. ◇ *vi (stop)* pararse.

drawback ['drɔːbæk] *n* inconveniente *m*, desventaja *f.*

drawbridge ['drɔːbrɪdʒ] *n* puente *m* levadizo.

drawer [drɔːr] *n (in desk, chest)* cajón *m.*

drawing ['drɔːɪŋ] *n* dibujo *m.*

drawing board *n* tablero *m* de delineante.

drawing pin n Br tachuela f, chinche f
Amer, chincheta f Esp.

drawing room n salón m.

drawl [drɔːl] n manera lenta y poco clara
de hablar, alargando las vocales.

drawn [drɔːn] pp → **draw.**

dread [dred] ◇ n pavor m. ◇ vt: **to ~
(doing sthg)** temer (hacer algo).

dreadful ['dredfl] adj 1. (very unpleasant - pain, weather) terrible. 2.
(poor - play, English) horrible, fatal. 3.
(for emphasis - waste, bore) espantoso
(sa).

dreadfully ['dredflɪ] adv terriblemente.

dream [driːm] (pt & pp -ed OR dreamt)
◇ n lit & fig sueño m; **bad ~** pesadilla f.
◇ adj ideal. ◇ vt: **to ~ (that)** soñar que.
◇ vi lit & fig: **to ~ of doing sthg** soñar
con hacer algo; **to ~ (of OR about)** soñar
(con); **I wouldn't ~ of it** ¡ni hablar!, ¡de
ninguna manera! ◆ **dream up** vt sep
inventar, idear.

dreamt [dremt] pp → **dream.**

dreamy ['driːmɪ] adj 1. (distracted)
soñador(ra). 2. (peaceful, dreamlike) de
ensueño.

dreary ['drɪərɪ] adj 1. (weather, day)
triste. 2. (job, life) monótono(na), abu-
rrido(da); (persona) gris.

dredge [dredʒ] vt dragar. ◆ **dredge
up** vt sep 1. (with dredger) extraer (del
agua) con draga. 2. fig (from past) sacar
a (la) luz.

dregs [dregz] npl 1. (of liquid) sedimento m. 2. fig (of society) hez f.

drench [drentʃ] vt empapar; **~ed to the
skin** calado hasta los huesos.

dress [dres] ◇ n 1. (woman's garment)
vestido m. 2. (U) (clothing) traje m. ◇ vt
1. (clothe) vestir; **to be ~ed in** ir vestido
de; **to be ~ed** estar vestido; **to get ~ed**
vestirse. 2. (bandage) vendar. 3. (CULIN)
aliñar. ◇ vi 1. (put on clothing) vestirse.
2. (wear clothes) vestir; **to ~ well/badly**
vestir bien/mal.

dress circle n piso m principal.

dresser ['dresər] n 1. Am (chest of
drawers) cómoda f. 2. (for dishes) aparador m.

dressing ['dresɪŋ] n 1. (bandage) vendaje m. 2. (for salad) aliño m. 3. Am (for
turkey etc) relleno m.

dressing gown n bata f.

dressing room n (THEATRE) camerino
m; (SPORT) vestuario m.

dressing table n tocador m.

dressmaker ['dresmeɪkər] n costurero
m, -ra f, modisto m, -ta f.

dressmaking ['dresmeɪkɪŋ] n costura f.

dress rehearsal n ensayo m general.

dressy ['dresɪ] adj elegante.

drew [druː] pt → **draw.**

dribble ['drɪbl] ◇ n 1. (saliva) baba f.
2. (trickle) hilo m. ◇ vt (SPORT) (ball)
regatear. ◇ vi 1. (drool) babear.
2. (spill) gotear, caer gota a gota.

dried [draɪd] adj (gen) seco(ca); (milk,
eggs) en polvo.

dried fruit n (U) fruta f pasa.

drier ['draɪər] = **dryer.**

drift [drɪft] ◇ n 1. (trend, movement)
movimiento m, tendencia f; (of current)
flujo m. 2. (meaning) significado m, sentido m. 3. (mass - of snow) ventisquero
m; (- of sand, leaves) montículo m. ◇ vi
1. (boat) ir a la deriva. 2. (snow, sand,
leaves) amontonarse.

driftwood ['drɪftwʊd] n madera f de
deriva.

drill [drɪl] ◇ n 1. (tool - gen) taladro m;
(- bit) broca f; (- dentist's) fresa f; (- in
mine, oilfield) perforadora f. 2. (exercise - for fire, battle) simulacro m. ◇ vt
1. (tooth, wood, oil well) perforar. 2. (instruct - people, pupils) adiestrar, entrenar; (- soldiers) instruir.

drink [drɪŋk] (pt drank, pp drunk) ◇ n
1. (gen) bebida f; **a ~ of water** un trago
de agua. 2. (alcoholic beverage) copa f;
would you like a ~? ¿quieres tomar algo
(de beber)?; **to have a ~** tomar algo,
tomar una copa. ◇ vt beber. ◇ vi
beber.

drink-driving Br = **drunk-driving.**

drinker ['drɪŋkər] n 1. (of alcohol) bebedor m, -ra f. 2. (of tea, coffee): **tea/coffee
~** persona que bebe té/café.

drinking water ['drɪŋkɪŋ-] n agua f
potable.

drip [drɪp] ◇ n 1. (drop) gota f; (drops)
goteo m. 2. (MED) gota a gota m inv.
◇ vi (liquid, tap, nose) gotear.

drip-dry adj de lava y pon.

drive [draɪv] (pt drove, pp driven) ◇ n
1. (outing) paseo m (en coche); **to go for
a ~** ir a dar una vuelta en coche.
2. (journey) viaje m (en coche); **it's a
two-hour ~ (away)** está a dos horas en
coche. 3. (urge) instinto m. 4. (campaign) campaña f. 5. (energy) vigor m,
energía f. 6. (road to house) camino m
(de entrada). 7. (SPORT) drive m.
8. (COMPUT) unidad f de disco. ◇ vt
1. (vehicle) manejar Amer, conducir Esp.
2. (passenger) llevar (en coche). 3. (fuel,
power) impulsar. 4. (force to move - gen)
arrastrar; (- cattle) arrear. 5. (motivate)

do. ◇ *vt (copy)* duplicar.
durable ['djʊərəbl] *adj* duradero(ra).
duration [dʲʊ'reɪʃn] *n* duración *f*; **for the ~ of** durante.
duress [dʲʊ'res] *n*: **under ~** por coacción *f*.
Durex® ['dʲʊəreks] *n (condom)* preservativo *m*, condón *m*.
during ['dʲʊərɪŋ] *prep* durante.
dusk [dʌsk] *n* crepúsculo *m*, anochecer *m*.
dust [dʌst] ◇ *n* polvo *m*. ◇ *vt* **1.** *(clean)* quitar el polvo a, limpiar. **2.** *(cover with powder)*: **to ~ sthg (with)** espolvorear algo (con).
dustbin ['dʌstbɪn] *n Br* cubo *m* de la basura.
dustcart ['dʌstkɑːʳt] *n Br* camión *m* de la basura.
duster ['dʌstəʳ] *n (cloth)* bayeta *f*, trapo *m* (de quitar el polvo).
dust jacket *n* sobrecubierta *f*.
dustman ['dʌstmən] (*pl* **-men** [-mən]) *n Br* basurero *m*.
dustpan ['dʌstpæn] *n* recogedor *m*.
dusty ['dʌstɪ] *adj (covered in dust)* polvoriento(ta).
Dutch [dʌtʃ] ◇ *adj* holandés(esa). ◇ *n (language)* holandés *m*. ◇ *npl*: **the ~** los holandeses.
dutiful ['dʲuːtɪfl] *adj* obediente, sumiso (sa).
duty ['dʲuːtɪ] *n* **1.** *(U) (moral, legal responsibility)* deber *m*; **to do one's ~** cumplir uno con su deber. **2.** *(work)* servicio *m*; **to be on/off ~** estar/no estar de servicio. **3.** *(tax)* impuesto *m*. ◆ **duties** *npl* tareas *fpl*.
duty-free *adj* libre de impuestos.
duvet [*Am* du'veɪ, *Br* 'duːveɪ] *n Br* edredón *m*.
duvet cover *n Br* funda *f* del edredón.
dwarf [dwɔːʳf] (*pl* **-s** OR **dwarves** [dwɔːʳvz]) ◇ *n* enano *m*, -na *f*. ◇ *vt* achicar, empequeñecer.
dwell [dwel] (*pt & pp* **-ed** OR **dwelt**) *vi literary* morar, habitar. ◆ **dwell on** *vt fus* darle vueltas a.
dwelling ['dwelɪŋ] *n literary* morada *f*.
dwelt [dwelt] *pt & pp* → **dwell**.
dwindle ['dwɪndl] *vi* ir disminuyendo.
dye [daɪ] ◇ *n* tinte *m*. ◇ *vt* teñir.
dying ['daɪɪŋ] ◇ *cont* → **die**. ◇ *adj* **1.** *(person, animal)* moribundo(da). **2.** *(activity, practice)* en vías de desaparición.
dyke [daɪk] = **dike**.
dynamic [daɪ'næmɪk] *adj* dinámico(ca).
dynamite ['daɪnəmaɪt] *n lit & fig* dinamita *f*.
dynamo ['daɪnəmoʊ] (*pl* **-s**) *n* dinamo *f*.
dynasty [*Am* 'daɪnəstɪ, *Br* 'dɪn-] *n* dinastía *f*.
dyslexia [dɪs'leksɪə] *n* dislexia *f*.
dyslexic [dɪs'leksɪk] *adj* disléxico(ca).

E

e (*pl* **e's** OR **es**), **E** (*pl* **E's** OR **Es**) [iː] *n (letter)* e *f*, E *f*. ◆ **E** *n* **1.** (MUS) mi *m*. **2.** (*abbr of* **east**) E *m*.
each [iːtʃ] ◇ *adj* cada. ◇ *pron* cada uno *m*, una *f*; **one ~** uno cada uno; **~ of us/the boys** cada uno de nosotros/los niños; **two of ~** dos de cada (uno); **~ other** el uno al otro; **they kissed ~ other** se besaron; **we know ~ other** nos conocemos.

• Ver **ALL** en este lado y **SE** en el lado Español-Inglés del diccionario.

eager ['iːgəʳ] *adj (pupil)* entusiasta; *(smile, expression)* de entusiasmo; **to be ~ for sthg/to do sthg** ansiar algo/hacer algo, desear vivamente algo/hacer algo.
eagle ['iːgl] *n* águila *f*.
ear [ɪəʳ] *n* **1.** *(of person, animal)* oreja *f*. **2.** *(of corn)* espiga *f*.
earache ['ɪəreɪk] *n* dolor *m* de oídos.
eardrum ['ɪəʳdrʌm] *n* tímpano *m*.
earl [ɜːʳl] *n* conde *m*.
earlier ['ɜːʳlɪəʳ] ◇ *adj* anterior. ◇ *adv* antes; **~ on** antes.
earliest ['ɜːʳlɪəst] ◇ *adj* primero(ra). ◇ *n*: **at the ~** como muy pronto.
earlobe ['ɪəʳloʊb] *n* lóbulo *m* (de la oreja).
early ['ɜːʳlɪ] ◇ *adj* **1.** *(before expected time, in day)* temprano(na); **she was ~** llegó temprano OR con adelanto; **I'll take an ~ lunch** almorzaré pronto OR temprano; **to get up ~** madrugar. **2.** *(at beginning)*: **~ morning** la madrugada; **in the ~ 1950s** a principios de los años 50. ◇ *adv* **1.** *(before expected time)* temprano, pronto; **we got up ~** nos levantamos temprano; **it arrived ten minutes ~** llegó con diez minutos de adelanto. **2.** *(at beginning)*: **as ~ as 1920** ya en 1920; **~ this morning** esta mañana tem-

prano; ~ **in the year** a principios de
año; ~ **on** temprano.

early retirement *n* jubilación *f* anticipada.

earmark ['ɪɑʳmɑːʳk] *vt*: **to be ~ed for**
estar destinado(da) a.

earn [ɜːʳn] *vt* **1.** (*be paid*) ganar.
2. (*generate - subj: business, product*)
generar. **3.** *fig* (*gain - respect, praise*)
ganarse.

earnest ['ɜːʳnəst] *adj* (*gen*) serio(ria);
(*wish*) sincero(ra). ♦ **in earnest** *adv*
(*seriously*) en serio.

earnings ['ɜːʳnɪŋz] *npl* ingresos *mpl*.

earphones ['ɪɑʳfoʊnz] *npl* auriculares
mpl.

earplugs ['ɪɑʳplʌgz] *npl* tapones *mpl*
para los oídos.

earring ['ɪɑrɪŋ] *n* pendiente *m*, arete *m*
Amer.

earshot ['ɪɑʳʃɒt] *n*: **within/out of ~** al
alcance/fuera del alcance del oído.

earth [ɜːʳθ] ◊ *n* **1.** (*gen*) tierra *f*; **how/
what/where/why on ~ ...?** ¿cómo/qué/
dónde/por qué demonios ...? **2.** (*in
electric plug, appliance*) toma *f* de tierra.
◊ *vt Br*: **to be ~ed** estar conectado(da)
a tierra.

earthenware ['ɜːʳθnweəʳ] *n* loza *f*.

earthquake ['ɜːʳθkweɪk] *n* terremoto
m.

ease [iːz] ◊ *n* (U) **1.** (*lack of difficulty*)
facilidad *f*; **with ~** con facilidad.
2. (*comfort*) comodidad *f*; **at ~** cómodo
(da); **ill at ~** incómodo(da). ◊ *vt*
1. (*pain, grief*) calmar, aliviar; (*problems, tension*) atenuar. **2.** (*move carefully*):
to ~ sthg open abrir algo con cuidado;
to ~ o.s. out of sthg levantarse despacio
de algo. ◊ *vi* (*problem*) atenuarse; (*pain*)
calmarse; (*rain*) amainar; (*grip*) relajarse. ♦ **ease off** *vi* (*problem*) atenuarse;
(*pain*) calmarse; (*rain*) amainar. ♦ **ease
up** *vi* **1.** *inf* (*treat less severely*): **to ~ up
on sb** no ser muy duro(ra) con alguien.
2. (*rain*) amainar. **3.** (*relax - person*)
tomarse las cosas con más calma.

easel ['iːzl] *n* caballete *m*.

easily ['iːzəlɪ] *adv* **1.** (*without difficulty*)
fácilmente. **2.** (*without doubt*) sin lugar a
dudas. **3.** (*in a relaxed manner*) tranquilamente, relajadamente.

east [iːst] ◊ *n* **1.** (*direction*) este *m*.
2. (*region*): **the ~** el este. ◊ *adj* oriental;
(*wind*) del este. ◊ *adv*: **~ (of)** al este
(de). ♦ **East** *n*: **the East** (POL) el Este;
(*Asia*) el Oriente.

East End *n*: **the ~** el este de Londres.

Easter ['iːstəʳ] *n* Semana *f* Santa.

Easter egg *n* huevo *m* de Pascua.

easterly ['iːstəʳlɪ] *adj* del este.

eastern ['iːstəʳn] *adj* del este, oriental.
♦ **Eastern** *adj* (*gen & POL*) del Este;
(*from Asia*) oriental.

East Germany *n*: (**the former**) **~** (la
antigua) Alemania Oriental.

eastwards ['iːstwəʳdz] *adv* hacia el
este.

easy ['iːzɪ] *adj* **1.** (*not difficult*) fácil.
2. (*life, time*) cómodo(da). **3.** (*manner*)
relajado(da).

easy chair *n* (*armchair*) sillón *m*.

easygoing [,iːzɪ'goʊɪŋ] *adj* (*person*) tolerante; (*manner*) relajado(da).

eat [iːt] (*pt* **ate**, *pp* **eaten**) *vt & vi* comer.
♦ **eat away, eat into** *vt sep* **1.** (*corrode*)
corroer. **2.** (*deplete*) mermar.

eaten ['iːtn] *pp* → **eat**.

eau de cologne [,oʊdəkə'loʊn] *n* (agua
f de) colonia *f*.

eaves [iːvz] *npl* alero *m*.

eavesdrop ['iːvzdrɒp] *vi*: **to ~ (on)**
escuchar secretamente (a).

ebb [eb] ◊ *n* reflujo *m*. ◊ *vi* (*tide, sea*)
bajar.

ebony ['ebənɪ] *n* ébano *m*.

EC (*abbr of* **European Community**) *n* CE
f.

eccentric [ɪk'sentrɪk] ◊ *adj* excéntrico
(ca). ◊ *n* excéntrico *m*, -ca *f*.

echo ['ekoʊ] (*pl* **-es**) ◊ *n lit & fig* eco *m*.
◊ *vt* (*words*) repetir; (*opinion*) hacerse
eco de. ◊ *vi* resonar.

eclipse [ɪ'klɪps] ◊ *n lit & fig* eclipse *m*.
◊ *vt fig* eclipsar.

ecological [,iːkə'lɒdʒɪkl] *adj* **1.** (*pattern,
balance, impact*) ecológico(ca). **2.** (*group,*

movement, person) ecologista.
ecology [ɪ'kɒlədʒɪ] *n* ecología *f*.
economic [ˌi:kə'nɒmɪk] *adj* **1.** *(of money, industry)* económico(ca). **2.** *(profitable)* rentable.
economical [ˌi:kə'nɒmɪkl] *adj* económico(ca).
economics [ˌi:kə'nɒmɪks] ◇ *n (U)* economía *f*. ◇ *npl (of plan, business)* aspecto *m* económico.
economize [ɪ'kɒnəmaɪz] *vi*: **to ~ (on)** economizar (en).
economy [ɪ'kɒnəmɪ] *n* economía *f*.
economy class *n* clase *f* económica OR turista.
ecstasy ['ekstəsɪ] *n* éxtasis *m inv*.
ecstatic [ek'stætɪk] *adj* extático(ca).
ECU, Ecu [*Am* er'ku:, *Br* 'ekju:] *(abbr of European Currency Unit)* *n* ECU *m*, ecu *m*.
Ecuador ['ekwədɔ:r] *n* (el) Ecuador.
Ecuadoran [ˌekwə'dɔ:rən], **Ecuadorian** [ˌekwə'dɔ:rɪən] ◇ *adj* ecuatoriano(na). ◇ *n* ecuatoriano *m*, -na *f*.
eczema [*Am* ɪg'zi:mə, *Br* 'eksɪmə] *n* eczema *m*.
edge [edʒ] ◇ *n* **1.** *(of cliff, table, garden)* borde *m*; **to be on the ~** of estar al borde de. **2.** *(of coin)* canto *m*; *(of knife)* filo *m*. **3.** *(advantage)*: **to have an ~ over** OR **the ~ on** llevar ventaja a. ◇ *vi*: **to ~ away/closer** ir alejándose/acercándose poco a poco. ◆ **on edge** *adj* con los nervios de punta.
edgeways ['edʒweɪz], **edgewise** ['edʒwaɪz] *adv* de lado.
edgy ['edʒɪ] *adj* nervioso(sa).
edible ['edəbl] *adj* comestible.
edict ['i:dɪkt] *n* edicto *m*.
Edinburgh [*Am* 'edɪnbɜ:rə, *Br* -bərə] *n* Edimburgo.
edit ['edɪt] *vt* **1.** *(correct - text)* corregir, revisar. **2.** *(select material for - book)* recopilar. **3.** (CINEMA, RADIO & TV) montar. **4.** *(run - newspaper, magazine)* dirigir.
edition [ɪ'dɪʃn] *n* edición *f*.
editor ['edɪtər] *n* **1.** *(of newspaper, magazine)* director *m*, -ra *f*. **2.** *(of section of newspaper, programme, text)* redactor *m*, -ra *f*. **3.** *(compiler - of book)* autor *m*, -ra *f* de la edición.
editorial [ˌedɪ'tɔ:rɪəl] ◇ *adj* editorial; **~ staff** redacción *f*. ◇ *n* editorial *m*.
educate ['edʒəkeɪt] *vt* **1.** *(at school, college)* educar. **2.** *(inform)* informar.
education [ˌedʒə'keɪʃn] *n (U)* **1.** *(activity, sector)* enseñanza *f*. **2.** *(process or*

result of teaching) educación *f*.
educational [ˌedʒə'keɪʃənl] *adj* educativo(va); *(establishment)* docente.
EEC *(abbr of European Economic Community)* *n* CEE *f*.
eel [i:l] *n* anguila *f*.
eerie ['ɪərɪ] *adj* espeluznante.
efface [ɪ'feɪs] *vt* borrar.
effect [ɪ'fekt] ◇ *n* efecto *m*; **to have an ~ on** tener OR surtir efecto en; **to take ~** *(law, rule)* entrar en vigor; *(drug)* hacer efecto; **to put sthg into ~** hacer entrar algo en vigor; **words to that ~** palabras por el estilo. ◇ *vt* efectuar, llevar a cabo. ◆ **effects** *npl*: **(special) ~s** efectos *mpl* especiales.
effective [ɪ'fektɪv] *adj* **1.** *(successful)* eficaz. **2.** *(actual, real)* efectivo(va). **3.** *(law, ceasefire)* operativo(va).
effectively [ɪ'fektɪvlɪ] *adv* **1.** *(well, successfully)* eficazmente. **2.** *(in fact)* de hecho.
effectiveness [ɪ'fektɪvnəs] *n* eficacia *f*.
effeminate [ɪ'femɪnət] *adj pej* afeminado(da).
effervescent [ˌefə'vesnt] *adj* efervescente.
efficiency [ɪ'fɪʃnsɪ] *n (gen)* eficiencia *f*; *(of machine)* rendimiento *m*.
efficient [ɪ'fɪʃnt] *adj (gen)* eficiente; *(machine)* de buen rendimiento.
effluent ['efluənt] *n* aguas *fpl* residuales.
effort ['efərt] *n* **1.** *(gen)* esfuerzo *m*; **to be worth the ~** merecer la pena; **to make the ~ to do sthg** hacer el esfuerzo de hacer algo; **to make an/no ~ to do sthg** hacer un esfuerzo/no hacer ningún esfuerzo por hacer algo. **2.** *inf (result of trying)* tentativa *f*.
effortless ['efərtləs] *adj* sin gran esfuerzo.
effusive [ɪ'fju:sɪv] *adj* efusivo(va).
e.g. *(abbr of exempli gratia)* *adv* p. ej.
egg [eg] *n (gen)* huevo *m*. ◆ **egg on** *vt sep* incitar.
eggcup ['egkʌp] *n* huevera *f*.
eggplant [*Am* 'egplænt, *Br* -plɑ:nt] *n Am* berenjena *f*.
eggshell ['egʃel] *n* cáscara *f* de huevo.
egg white *n* clara *f* (de huevo).
egg yolk [-jəʊk] *n* yema *f* (de huevo).
ego ['i:gəʊ] *(pl* **-s)** *n (opinion of self)* amor *m* propio, ego *m*.
egoism ['i:gəʊɪzm] *n* egoísmo *m*.
egoistic [ˌi:gəʊ'ɪstɪk] *adj* egoísta.
egotistic(al) [ˌi:gə'tɪstɪk(l)] *adj* egotista.

Egypt [ˈiːdʒɪpt] *n* Egipto.
Egyptian [ɪˈdʒɪpʃn] ◇ *adj* egipcio(cia). ◇ *n (person)* egipcio *m*, -cia *f*.
eiderdown [ˈaɪdərdaʊn] *n* edredón *m*.
eight [eɪt] *num* ocho; *see also* **six**.
eighteen [ˌeɪˈtiːn] *num* dieciocho; *see also* **six**.
eighth [eɪtθ] *num* octavo(va); *see also* **sixth**.
eighty [ˈeɪtɪ] *num* ochenta; *see also* **sixty**.
Eire [ˈeərə] *n* Eire.
either [*Am* ˈiːðr, *Br* ˈaɪðə] ◇ *adj* **1.** *(one or the other)* cualquiera de los dos; **she couldn't find ~ jumper** no podía encontrar ninguno de los dos jerseys; **~ way** de cualquiera de las formas. **2.** *(each)* cada; **on ~ side** a ambos lados. ◇ *pron*: **~ (of them)** cualquiera (de ellos (ellas)); **I don't like ~ (of them)** no me gusta ninguno de ellos (ninguna de ellas). ◇ *adv (in negatives)* tampoco; **she can't and I can't ~** ella no puede y yo tampoco. ◇ *conj*: **~ ... or ...** o ... o ...; **~ you or me** o tú o yo; **I don't like ~ him or his wife** no me gusta ni él ni su mujer (tampoco).

- Como adjetivo, *either* sólo se emplea delante de sustantivos contables en singular (*either dictionary; either alternative*).
- Cuando *either* se usa como sujeto de la oración, o cuando lo es el sustantivo al que acompaña, el verbo siempre va en singular (*either is fine; either movie is fine with me*).
- Cuando el sujeto de la oración se ubica entre *either ... or*, el verbo va siempre en singular; no así en español (*either John or Deborah has taken it*, "John o Deborah lo tomaron").

eject [ɪˈdʒekt] *vt* **1.** *(object)* expulsar, despedir. **2.** *(person)*: **to ~ sb (from)** expulsar a alguien (de).
eke [iːk] ◆ **eke out** *vt sep* alargar *fig*, estirar *fig*.
elaborate [*adj* ɪˈlæbərət, *vb* ɪˈlæbəreɪt] ◇ *adj (ceremony)* complicado(da); *(carving)* trabajado(da); *(explanation, plan)* detallado(da). ◇ *vi*: **to ~ on sthg** ampliar algo, explicar algo con más detalle.
elapse [ɪˈlæps] *vi* transcurrir.
elastic [ɪˈlæstɪk] ◇ *adj* **1.** *(gen)* elástico(ca). **2.** *fig (flexible)* flexible. ◇ *n* elástico *m*.

elastic band *n Br* gomita *f*.
elated [ɪˈleɪtəd] *adj* eufórico(ca).
elbow [ˈelbəʊ] *n* codo *m*.
elder [ˈeldər] ◇ *adj* mayor. ◇ *n* **1.** *(older person)* mayor *m y f*. **2.** *(of tribe, church)* anciano *m*. **3.** **~ (tree)** saúco *m*.
elderly [ˈeldəlɪ] ◇ *adj* mayor, anciano (na). ◇ *npl*: **the ~** los ancianos.
eldest [ˈeldəst] *adj* mayor.
elect [ɪˈlekt] ◇ *adj* electo(ta); **the president ~** el presidente electo. ◇ *vt* **1.** *(by voting)* elegir. **2.** *fml (choose)*: **to ~ to do sthg** optar por OR decidir hacer algo.
election [ɪˈlekʃn] *n* elección *f*; **to have** OR **hold an ~** celebrar (unas) elecciones.

ELECTION

Las elecciones presidenciales estadounidenses tienen lugar cada cuatro años. Por ley, el presidente no puede mantenerse en el cargo más de dos periodos consecutivos. Las elecciones generales británicas se celebran cada cinco años, pero el primer ministro puede convocar a elecciones en cualquier momento de la legislatura. Tanto los británicos como los estadounidenses pueden abstenerse de votar si así lo deciden.

---

electioneering [ɪˌlekʃəˈnɪərɪŋ] *n usu pej* electoralismo *m*.
elector [ɪˈlektər] *n* elector *m*, -ra *f*.
electorate [ɪˈlektərət] *n*: **the ~** el electorado.
electric [ɪˈlektrɪk] *adj (gen)* eléctrico (ca). ◆ **electrics** *npl Br inf* sistema *m* eléctrico.
electrical [ɪˈlektrɪkl] *adj* eléctrico(ca).
electrical shock *Am*, **electric shock** *Br n* descarga *f* eléctrica.
electric blanket *n* manta *f* eléctrica.
electric cooker *n* cocina *f* eléctrica.
electric fire *n* estufa *f* eléctrica.
electrician [ɪˌlekˈtrɪʃn] *n* electricista *m y f*.
electricity [ɪˌlekˈtrɪsətɪ] *n* electricidad *f*.
electric shock *Br* = **electrical shock**.
electrify [ɪˈlektrɪfaɪ] *vt* **1.** *(rail line)* electrificar. **2.** *fig (excite)* electrizar.
electrocute [ɪˈlektrəkjuːt] *vt*: **to ~ o.s., to be ~d** electrocutarse.
electrolysis [ɪˌlekˈtrɒləsɪs] *n* electrólisis *f inv*.
electron [ɪˈlektrɒn] *n* electrón *m*.
electronic [ɪˌlekˈtrɒnɪk] *adj* electrónico (ca). ◆ **electronics** ◇ *n (U) (technology)*

electrónica f. ◊ *npl (equipment)* sistema *m* electrónico.

electronic data processing *n* proceso *m* electrónico de datos.

electronic mail *n* (COMPUT) correo *m* electrónico.

elegant ['eligənt] *adj* elegante.

element ['elimənt] *n* **1.** *(gen)* elemento *m*. **2.** *(amount, proportion)* toque *m*. **3.** *(in heater, kettle)* resistencia *f*. ◆ **elements** *npl* **1.** *(basics)* elementos *mpl.* **2.** *(weather):* **the ~s** los elementos.

elementary [,eli'mentəri] *adj* elemental; **~ education** enseñanza *f* primaria.

elementary school *n Am* escuela *f* primaria.

elephant ['eləfənt] *(pl inv* OR **-s)** *n* elefante *m*.

elevate ['eləveit] *vt:* **to ~ sthg/sb (to** OR **into)** elevar algo/a alguien (a la categoría de).

elevator ['eləveitər] *n Am* ascensor *m*, elevador *m Amer.*

eleven [ɪ'levn] *num* once *m; see also* **six.**

elevenses [ɪ'levnziz] *n (U) Br* tentempié *m* que se toma sobre las once.

eleventh [ɪ'levnθ] *num* undécimo(ma); *see also* **sixth.**

elicit [ɪ'lisət] *vt fml* **1.** *(response, reaction):* **to ~ sthg (from sb)** provocar algo (en alguien). **2.** *(information):* **to ~ sthg (from sb)** sacar algo (a alguien).

eligible ['elidʒəbl] *adj (suitable, qualified)* elegible; **to be ~ for sthg/to do sthg** reunir los requisitos para algo/para hacer algo.

eliminate [ɪ'limineit] *vt* eliminar; **to be ~d from sthg** ser eliminado(da) de algo.

elite [ɪ'liːt] ◊ *adj* selecto(ta). ◊ *n* élite *f*.

elitist [ɪ'liːtəst] *adj pej* elitista.

elk [elk] *(pl inv* OR **-s)** *n* alce *m*.

elm [elm] *n:* **~ (tree)** olmo *m*.

elocution [,elə'kjuːʃn] *n* dicción *f*.

elongated [*Am* ɪ'lɔŋgeitəd, *Br* 'iːlɒŋ-] *adj* alargado(da).

elope [ɪ'loup] *vi:* **to ~ (with)** fugarse (con).

eloquent ['eləkwənt] *adj* elocuente.

El Salvador [,el'sælvədɔːr] *n* El Salvador.

else [els] *adv:* **anything ~?** ¿algo más?; **I don't need anything ~** no necesito nada más; **everyone ~** todos los demás (todas las demás); **everywhere ~** en/a todas las otras partes; **little ~** poco más; **nothing/nobody ~** nada/nadie más; **someone/something ~** otra persona/cosa; **somewhere ~** en/a otra parte; **who ~?** ¿quién

si no?; **what ~?** ¿qué más?; **where ~?** ¿en/a qué otro sitio? ◆ **or else** *conj (or if not)* si no, de lo contrario.

elsewhere [*Am* 'elswer, *Br* ,els'weə] *adv* a/en otra parte.

elude [ɪ'luːd] *vt (gen)* escaparse de, eludir a; *(blow)* esquivar.

elusive [ɪ'luːsiv] *adj (person, success)* esquivo(va); *(quality)* difícil de encontrar.

emaciated [ɪ'meiʃieitəd] *adj* demacrado(da).

E-mail *(abbr of* **electronic mail)** *n* (COMPUT) correo *m* electrónico.

emanate ['eməneit] *fml vi:* **to ~ from** emanar de.

emancipate [ɪ'mænsipeit] *vt:* **to ~ sb (from)** emancipar a alguien (de).

embankment [ɪm'bæŋkmənt] *n* **1.** (RAIL) terraplén *m*. **2.** *(of river)* dique *m*.

embark [ɪm'baːrk] *vi:* **to ~ on** *lit & fig* embarcarse en.

embarkation [,embaːr'keiʃn] *n (gen)* embarque *m; (of troops)* embarco *m*.

embarrass [*Am* ɪm'berəs, *Br* -'bær-] *vt* **1.** *(gen)* avergonzar; **it ~es me** me da vergüenza. **2.** *(financially)* poner en un aprieto.

embarrassed [*Am* ɪm'berəst, *Br* -'bær-] *adj* avergonzado(da), violento(ta).

embarrassing [*Am* ɪm'berəsɪŋ, *Br* -'bær-] *adj* embarazoso(sa), violento(ta); **how ~!** ¡qué vergüenza!

embarrassment [*Am* ɪm'berəsmənt, *Br* -'bær-] *n (feeling)* vergüenza *f*, pena *f Amer.*

embassy ['embəsi] *n* embajada *f*.

embedded [ɪm'bedəd] *adj (buried):* **~ (in)** incrustado(da) (en).

embellish [ɪm'beliʃ] *vt:* **to ~ sthg (with)** adornar OR embellecer algo (con).

embers ['embərz] *npl* rescoldos *mpl.*

embezzle [ɪm'bezl] *vt* malversar.

embittered [ɪm'bitərd] *adj* amargado(da), resentido(da).

emblem ['embləm] *n* emblema *m*.

embody [ɪm'bɒdi] *vt* personificar, encarnar; **to be embodied in sthg** estar plasmado en algo.

embrace [ɪm'breis] ◊ *n* abrazo *m*. ◊ *vt* **1.** *(hug)* abrazar, dar un abrazo a. **2.** *fml (convert to)* convertirse a. **3.** *fml (include)* abarcar. ◊ *vi* abrazarse.

embroider [ɪm'brɔidər] *vt* **1.** (SEWING) bordar. **2.** *pej (embellish)* adornar.

embroidery [ɪm'brɔidəri] *n (U)* bordado *m*.

embryo ['embrɪəʊ] (*pl* **-s**) *n* embrión *m*.

emerald ['emərəld] ◇ *adj (colour)* esmeralda *m inv.* ◇ *n (stone)* esmeralda *f*.

emerge [ɪ'mɜːʳdʒ] ◇ *vi* **1.** *(gen)*: **to ~ (from)** salir (de). **2.** *(come into existence, become known)* surgir, emerger. ◇ *vt*: **it ~d that ...** resultó que ...

emergence [ɪ'mɜːʳdʒəns] *n* surgimiento *m*, aparición *f*.

emergency [ɪ'mɜːʳdʒənsɪ] ◇ *adj (case, exit, services)* de emergencia; *(ward)* de urgencia; *(supplies)* de reserva; *(meeting)* extraordinario(ria). ◇ *n* emergencia *f*.

emergency exit *n* salida *f* de emergencia.

emergency landing *n* aterrizaje *m* forzoso.

emergency services *npl* servicios *mpl* de urgencia.

emery board ['emərɪ-] *n* lima *f* de uñas.

emigrant ['emɪɡrənt] *n* emigrante *m y f*.

emigrate ['emɪɡreɪt] *vi*: **to ~ (to/from)** emigrar (a/de).

eminent ['emɪnənt] *adj* eminente.

emission [ɪ'mɪʃn] *n* emisión *f*.

emit [ɪ'mɪt] *vt (gen)* emitir; *(smell, smoke)* despedir.

emotion [ɪ'məʊʃn] *n* emoción *f*.

emotional [ɪ'məʊʃənl] *adj* **1.** *(gen)* emotivo(va). **2.** *(needs, problems)* emocional.

emperor ['empərəʳ] *n* emperador *m*.

emphasis ['emfəsɪs] (*pl* **-ases** [-əsiːz]) *n*: **~ (on)** énfasis *m inv* (en); **to lay** OR **place ~ on** poner énfasis en, hacer hincapié en.

emphasize ['emfəsaɪz] *vt (word, syllable)* acentuar; *(point, fact, feature)* subrayar, hacer hincapié en; **to ~ that ...** poner de relieve OR subrayar que ...

emphatic [ɪm'fætɪk] *adj (forceful)* rotundo(da), categórico(ca).

emphatically [ɪm'fætɪklɪ] *adv* **1.** *(with emphasis)* rotundamente, enfáticamente. **2.** *(certainly)* ciertamente.

empire ['empaɪəʳ] *n* imperio *m*.

employ [ɪm'plɔɪ] *vt* **1.** *(give work to)* emplear; **to be ~ed as** estar empleado de. **2.** *fml (use)* utilizar, emplear; **to ~ sthg as sthg/to do sthg** utilizar algo de algo/para hacer algo.

employee [ɪm'plɔɪiː] *n* empleado *m*, -da *f*.

employer [ɪm'plɔɪəʳ] *n* patrono *m*, -na *f*, empresario *m*, -ria *f*.

employment [ɪm'plɔɪmənt] *n* empleo *m*; **to be in ~** tener trabajo.

employment agency *n* agencia *f* de trabajo.

empower [ɪm'paʊəʳ] *vt fml*: **to be ~ed to do sthg** estar autorizado(da) a OR para hacer algo.

empress ['emprəs] *n* emperatriz *f*.

empty ['emptɪ] ◇ *adj* **1.** *(gen)* vacío(a); *(town)* desierto(ta). **2.** *pej (words, threat, promise)* vano(na). ◇ *vt* vaciar; **to ~ sthg into sthg** vaciar algo en algo. ◇ *vi* vaciarse. ◇ *n inf* casco *m*.

empty-handed [-'hændəd] *adv* con las manos vacías.

EMS *(abbr of* European Monetary System*) n* SME *m*.

emulate ['emjəleɪt] *vt* emular.

emulsion [ɪ'mʌlʃn] *n*: **~ (paint)** pintura *f* mate.

enable [ɪ'neɪbl] *vt*: **to ~ sb to do sthg** permitir a alguien hacer algo.

enact [ɪ'nækt] *vt* **1.** (JUR) promulgar. **2.** *(act)* representar.

enamel [ɪ'næml] *n* **1.** *(gen)* esmalte *m*. **2.** *(paint)* pintura *f* de esmalte.

encampment [ɪn'kæmpmənt] *n* campamento *m*.

encapsulate [ɪn'kæpsjəleɪt] *vt*: **to ~ sthg (in)** sintetizar algo (en).

encase [ɪn'keɪs] *vt*: **~d in** encajonado (da) en.

enchanted [*Am* ɪn't'fæntəd, *Br* -'tʃɑːnt-] *adj*: **~ (by** OR **with)** encantado(da) (con).

enchanting [*Am* ɪn't'fæntɪŋ, *Br* -'tʃɑːnt-] *adj* encantador(ra).

encircle [ɪn'sɜːʳkl] *vt* rodear.

enclose [ɪn'kləʊz] *vt* **1.** *(surround, contain)* rodear; **~d by** OR **with** rodeado de, rodeado por; **an ~d space** un espacio cerrado. **2.** *(put in envelope)* adjuntar; **please find ~d ...** envío adjunto ...

enclosure [ɪn'kləʊʒəʳ] *n* **1.** *(place)* recinto *m* (vallado). **2.** *(in letter)* anexo *m*.

encompass [ɪn'kʌmpəs] *vt fml (include)* abarcar.

encore ['ɒŋkɔːʳ] ◇ *n* bis *m*. ◇ *excl* ¡otra!

encounter [ɪn'kaʊntəʳ] ◇ *n* encuentro *m*. ◇ *vt fml* encontrarse con.

encourage [*Am* ɪn'kɜːrɪdʒ, *Br* -'kʌr-] *vt* **1.** *(give confidence to)*: **to ~ sb (to do sthg)** animar a alguien (a hacer algo). **2.** *(foster)* fomentar.

encouragement [*Am* ɪn'kɜːrɪdʒmənt, *Br* -'kʌr-] *n* aliento *m*; *(of industry)* fomento *m*.

encroach [ɪnˈkroutʃ] *vi*: **to ~ on** OR **upon** *(rights, territory)* usurpar; *(privacy, time)* invadir.

encyclop(a)edia [ɪn,saɪklə'pi:djə] *n* enciclopedia *f*.

end [end] ◇ *n* **1.** *(last part, finish)* fin *m*, final *m*; **at the ~ of May/1992** a finales de mayo/1992; **at an ~** terminando; **to bring sthg to an ~** poner fin a algo; **to come to an ~** llegar a su fin, terminarse; **'the ~'** *(in films)* 'FIN'; **to put an ~ to sthg** poner fin a algo; **in the ~** *(finally)* finalmente, por fin. **2.** *(of two-ended thing)* extremo *m*, punta *f*; *(of phone line)* lado *m*; **~ to ~** extremo con extremo; **cigarette ~** colilla *f*. **3.** *fml (purpose)* fin *m*. ◇ *vt*: **to ~ sthg (with)** terminar algo (con). ◇ *vi (finish)* acabarse, terminarse; **to ~ in/with** acabar en/con, terminar en/con. ♦ **on end** *adv* **1.** *(upright - hair)* de punta; *(- object)* de pie. **2.** *(continuously)*: **for days on ~** día tras día. ♦ **end up** *vi* acabar, terminar; **to ~ up doing sthg** acabar por hacer algo/ haciendo algo; **to ~ up in** ir a parar a.

endanger [ɪnˈdeɪndʒər] *vt* poner en peligro.

endearing [ɪnˈdɪərɪŋ] *adj* simpático (ca).

endeavor *Am*, **endeavour** *Br* [ɪnˈdevər] *fml* ◇ *n* esfuerzo *m*. ◇ *vt*: **to ~ to do sthg** procurar hacer algo.

ending [ˈendɪŋ] *n* final *m*, desenlace *m*.

endive [ˈendaɪv] *n* **1.** *(salad vegetable)* endibia *f*. **2.** *(chicory)* achicoria *f*.

endless [ˈendləs] *adj (gen)* interminable; *(patience, resources)* inagotable.

endorse [ɪnˈdɔːrs] *vt* **1.** *(approve)* apoyar, respaldar. **2.** *(cheque)* endosar.

endorsement [ɪnˈdɔːrsmənt] *n* **1.** *(approval)* apoyo *m*, respaldo *m*. **2.** *Br (on driving licence)* nota de sanción que consta en el carnet de conducir.

endow [ɪnˈdau] *vt* **1.** *fml (equip)*: **to be ~ed with** estar dotado(da) de. **2.** *(donate money to)* donar fondos a.

endurance [ɪnˈdjuərəns] *n* resistencia *f*.

endure [ɪnˈdjuər] ◇ *vt* soportar, aguantar. ◇ *vi fml* perdurar.

enemy [ˈenəmɪ] *n* enemigo *m*, -ga *f*.

energetic [,enərˈdʒetɪk] *adj* **1.** *(lively, physically taxing)* enérgico(ca). **2.** *(enthusiastic)* activo(va), vigoroso(sa).

energy [ˈenərdʒɪ] *n* energía *f*.

enforce [ɪnˈfɔːrs] *vt (law)* hacer cumplir, aplicar; *(standards)* imponer.

engage [ɪnˈgeɪdʒ] ◇ *vt* **1.** *(attract)* atraer. **2.** *(TECH - clutch)* pisar; *(- gear)*

meter. **3.** *fml (employ)* contratar; **to be ~d in** OR **on** dedicarse a. ◇ *vi (be involved)*: **to ~ in** *(gen)* meterse en, dedicarse a; *(conversation)* entablar.

engaged [ɪnˈgeɪdʒd] *adj* **1.** *(to be married)*: **~ (to)** prometido(da) (con); **to get ~** prometerse. **2.** *(busy, in use)* ocupado(da); **~ in sthg** ocupado en algo. **3.** (TELEC) comunicando.

engaged tone *n Br* señal *f* de comunicando.

engagement [ɪnˈgeɪdʒmənt] *n* **1.** *(to be married)* compromiso *m*; *(period)* noviazgo *m*. **2.** *(appointment)* cita *f*.

engagement ring *n* anillo *m* de compromiso.

engaging [ɪnˈgeɪdʒɪŋ] *adj* atractivo(va).

engender [ɪnˈdʒendər] *vt fml* engendrar.

engine [ˈendʒɪn] *n* **1.** *(of vehicle)* motor *m*. **2.** (RAIL) locomotora *f*, máquina *f*.

engineer [,endʒɪˈnɪər] ◇ *n* **1.** *(gen)* ingeniero *m*, -ra *f*. **2.** *Am (engine driver)* maquinista *m* y *f*. ◇ *vt* **1.** *(construct)* construir. **2.** *(contrive)* tramar.

engineering [,endʒɪˈnɪərɪŋ] *n* ingeniería *f*.

England [ˈɪŋglənd] *n* Inglaterra.

English [ˈɪŋglɪʃ] ◇ *adj* inglés(esa). ◇ *n (language)* inglés *m*. ◇ *npl (people)*: **the ~** los ingleses.

English breakfast *n* desayuno *m* inglés.

English Channel *n*: **the ~** el canal de la Mancha.

Englishman [ˈɪŋglɪʃmən] *(pl* -**men** [-mən]) *n* inglés *m*.

Englishwoman [ˈɪŋglɪʃwumən] *(pl* -**women** [-,wɪmɪn]) *n* inglesa *f*.

engrave [ɪnˈgreɪv] *vt lit & fig*: **to ~ sthg (on)** grabar algo (en).

engraving [ɪnˈgreɪvɪŋ] *n* grabado *m*.

engrossed [ɪnˈgroust] *adj*: **to be ~ (in)** estar absorto(ta) (en).

engulf [ɪnˈgʌlf] *vt*: **to be ~ed in** *(flames etc)* verse devorado(da) por; *(fear, despair)* verse sumido(da) en.

enhance [*Am* ɪnˈhæns, *Br* -ˈhɑːns] *vt (gen)* aumentar; *(status, position)* elevar; *(beauty)* realzar.

enjoy [ɪnˈdʒɔɪ] *vt* **1.** *(like)* disfrutar de; **did you ~ the film/book?** ¿te gustó la película/el libro?; **she ~s reading** le gusta leer; **~ your meal!** ¡que aproveche!; **to ~ o.s.** pasarlo bien, divertirse. **2.** *fml (possess)* gozar OR disfrutar de.

enjoyable [ɪnˈdʒɔɪəbl] *adj* agradable.

enjoyment [ɪnˈdʒɔɪmənt] *n (pleasure)* placer *m*.

enlarge |ın'luːʳdʒ| vt (gen & PHOT) ampliar. ◆ **enlarge (up)on** vt fus ampliar.

enlargement |ın'luːʳdʒmənt| n (gen & PHOT) ampliación f.

enlighten |ın'laıtn| vt fml iluminar.

enlightened |ın'laıtnd| adj amplio (plia) de miras.

enlightenment |ın'laıtnmənt| n (U) aclaración f. ◆ **Enlightenment** n: the **Enlightenment** la Ilustración.

enlist |ın'lıst| ◇ vt 1. (person) alistar, reclutar. 2. (support) obtener. ◇ vi (MIL): **to ~ (in)** alistarse (en).

enmity |'enmətı| n enemistad f.

enormity |ı'nɔːʳmətı| n (extent) enormidad f.

enormous |ı'nɔːʳməs| adj enorme.

enough |ı'nʌf| ◇ adj bastante, suficiente. ◇ pron bastante; **more than ~** más que suficiente; **that's ~** (sufficient) ya está bien; **to have had ~ (of)** (expressing annoyance) estar harto (de). ◇ adv bastante, suficientemente; **I was stupid ~ to believe him** fui lo bastante tonto como para creerle; **he was good ~ to lend me his car** fml tuvo la bondad de dejarme su coche; **strangely ~** curiosamente.

> • Si enough acompaña a un adjetivo o a un adverbio, lo colocaremos después y no antes de éste (he's old enough to understand; strangely enough, she couldn't remember).

enquire |ın'kwaıəʳ| vi (ask for information) informarse; **to ~ about sthg** informarse de algo; **to ~ when/how/whether/if ...** preguntar cuándo/cómo/si ... ◆ **enquire into** vt fus investigar.

enquiry |ın'kwaıərı| n 1. (question) pregunta f; **'Enquiries'** 'Información'. 2. (investigation) investigación f.

enraged |ın'reıdʒd| adj enfurecido(da).

enroll Am, **enrol** Br |ın'rəʊl| ◇ vt matricular. ◇ vi: **to ~ (on)** matricularse (en).

en route |ɒn'ruːt| adv: **~ (from/to)** en el camino (de/a).

ensue |ın'sjuː| vi fml originarse; (war) sobrevenir.

ensure |ın'ʃɔəʳ| vt: **to ~ (that)** asegurar que.

ENT (abbr of **Ear, Nose & Throat**) n otorrinolaringología f.

entail |ın'teıl| vt (involve) conllevar, suponer.

enter |'entəʳ| ◇ vt 1. (gen) entrar en. 2. (join - profession, parliament) ingresar en; (- university) matricularse en; (- army, navy) alistarse en. 3. (become involved in - politics etc) meterse en; (- race, examination etc) presentarse a. 4. (register): **to ~ sthg/sb for** inscribir algo/a alguien en algo. 5. (write down) apuntar. 6. (appear in) presentarse OR aparecer en. 7. (COMPUT) dar entrada a. ◇ vi 1. (come or go in) entrar. 2. (participate): **to ~ (for sthg)** presentarse (a algo). ◆ **enter into** vt fus entrar en; (agreement) comprometerse a.

enter key n (COMPUT) tecla f de entrada.

enterprise |'entəʳpraız| n empresa f.

enterprise zone n zona del Reino Unido donde se fomenta la actividad industrial y empresarial.

enterprising |'entəʳpraızıŋ| adj emprendedor(ra).

entertain |ˌentəʳ'teın| vt 1. (amuse) divertir, entretener. 2. (invite) recibir (en casa). 3. fml (idea, proposal) considerar.

entertainer |ˌentəʳ'teınəʳ| n artista m y f.

entertaining |ˌentəʳ'teınıŋ| adj divertido(da), entretenido(da).

entertainment |ˌentəʳ'teınmənt| n 1. (U) (amusement) diversión f. 2. (show) espectáculo m.

enthrall Am, **enthral** Br |ın'θrɔːl| vt embelesar.

enthusiasm |ın'θjuːzıæzm| n 1. (passion, eagerness): **~ (for)** entusiasmo m (por). 2. (interest) pasión f, interés m.

enthusiast |ın'θjuːzıæst| n entusiasta m y f.

enthusiastic |ınˌθjuːzı'æstık| adj (person) entusiasta; (cry, response) entusiástico(ca).

entice |ın'taıs| vt seducir, atraer.

entire |ın'taıəʳ| adj entero(ra); **the ~ evening** toda la noche.

entirely |ın'taıəʳlı| adv enteramente; **I'm not ~ sure** no estoy del todo seguro.

entirety |ın'taıərətı| n fml: **in its ~** en su totalidad.

entitle |ın'taıtl| vt (allow): **to ~ sb to sthg** dar a alguien derecho a algo; **to ~ sb to do sthg** autorizar a alguien a hacer algo.

entitled |ın'taıtld| adj 1. (allowed): **to be ~ to sthg/to do sthg** tener derecho a algo/a hacer algo. 2. (having the title) titulado(da).

entourage |ˌɒntʊ'ruːʒ| n séquito m.

entrance [*n* 'entrəns, *vb Am* ɪn'træns, *Br* -'traːns] ◇ *n*: ~ **(to)** entrada *f* (a OR de); **to gain ~ to** *fml (building)* lograr acceso a; *(society, university)* lograr el ingreso en. ◇ *vt* encantar, hechizar.

entrance examination *n* examen *m* de ingreso.

entrance fee *n* (precio *m* de) entrada *f*.

entrant ['entrənt] *n* participante *m* y *f*.

entrenched [ɪn'trentʃt] *adj (firm)* arraigado(da).

entrepreneur [,ɒntrəprə'nɜːr] *n* empresario *m*, -ria *f*.

entrust [ɪn'trʌst] *vt*: **to ~ sthg to sb, to ~ sb with sthg** confiar algo a alguien.

entry ['entrɪ] *n* **1.** *(gen)*: ~ **(into)** entrada *f* (en); **no ~** se prohíbe la entrada, prohibido el paso. **2.** *fig (joining - of group, society)* ingreso *m*. **3.** *(in competition)* participante *m* y *f*. **4.** *(in diary)* anotación *f*; *(in ledger)* partida *f*.

entry form *n* boleto *m* OR impreso *m* de inscripción.

entry phone *n Br* portero *m* automático.

envelop [ɪn'veləp] *vt*: **to ~ sthg/sb in** envolver algo/a alguien en.

envelope ['envələʊp] *n* sobre *m*.

envious ['envɪəs] *adj (person)* envidioso(sa); *(look)* de envidia.

environment [ɪn'vaɪrənmənt] *n* **1.** *(surroundings)* entorno *m*. **2.** *(natural world)*: **the ~** el medio ambiente.

environmental [ɪn,vaɪrən'mentl] *adj* medioambiental; ~ **pollution** contaminación *f* del medio ambiente.

environmentally [ɪn,vaɪrən'mentlɪ] *adv* ecológicamente; ~ **friendly** ecológico(ca).

envisage [ɪn'vɪzɪdʒ], **envision** *Am* [ɪn-'vɪʒn] *vt* prever.

envoy ['envɔɪ] *n* enviado *m*, -da *f*.

envy ['envɪ] ◇ *n* envidia *f*. ◇ *vt*: **to ~ (sb sthg)** envidiar (algo a alguien).

epic ['epɪk] ◇ *adj* épico(ca). ◇ *n* epopeya *f*.

epidemic [,epɪ'demɪk] *n* epidemia *f*.

epileptic [,epɪ'leptɪk] ◇ *adj* epiléptico (ca). ◇ *n* epiléptico *m*, -ca *f*.

episode ['epɪsəʊd] *n* **1.** *(event)* episodio *m*. **2.** *(of story, TV series)* capítulo *m*.

epistle [ɪ'pɪsl] *n* epístola *f*.

epitaph [*Am* 'epɪtæf, *Br* -tɑːf] *n* epitafio *m*.

epitome [ɪ'pɪtəmɪ] *n*: **the ~ of** *(person)* la personificación de; *(thing)* el vivo ejemplo de.

epoch [*Am* 'epək, *Br* 'iːpɒk] *n* época *f*.

equable ['ekwəbl] *adj (calm, reasonable)* ecuánime.

equal ['iːkwəl] ◇ *adj* igual; ~ **to** *(sum)* igual a; **to be ~ to** *(task etc)* estar a la altura de. ◇ *n* igual *m* y *f*. ◇ *vt* **1.** (MATH) ser igual a. **2.** *(person, quality)* igualar.

equality [ɪ'kwɒlətɪ] *n* igualdad *f*.

equalize ['iːkwəlaɪz] *vi* (SPORT) empatar.

equalizer ['iːkwəlaɪzər] *n* (SPORT) (gol *m* de la) igualada *f*.

equally ['iːkwəlɪ] *adv* **1.** *(gen)* igualmente; ~ **important** igual de importante. **2.** *(share, divide)* a partes iguales, por igual.

equal opportunities *npl* igualdad *f* de oportunidades.

equanimity [,ekwə'nɪmətɪ] *n* ecuanimidad *f*.

equate [ɪ'kweɪt] *vt*: **to ~ sthg with** equiparar algo con.

equation [ɪ'kweɪʒn] *n* ecuación *f*.

equator [ɪ'kweɪtər] *n*: **the ~** el ecuador.

equilibrium [,iːkwɪ'lɪbrɪəm] *n* equilibrio *m*.

equip [ɪ'kwɪp] *vt* **1.** *(provide with equipment)*: **to ~ sthg (with)** equipar algo (con); **to ~ sb (with)** proveer a alguien (de). **2.** *(prepare)*: **to be equipped for** estar bien dotado(da) para.

equipment [ɪ'kwɪpmənt] *n (U)* equipo *m*.

equitable ['ekwɪtəbl] *adj* equitativo (va).

equities ['ekwətɪz] *npl* acciones *fpl* ordinarias.

equivalent [ɪ'kwɪvələnt] ◇ *adj* equivalente; **to be ~ to** equivaler a. ◇ *n* equivalente *m*.

era ['ɪərə] (*pl* -s) *n* era *f*, época *f*.

eradicate [ɪ'rædɪkeɪt] *vt* erradicar.

erase [ɪ'reɪz] *vt lit & fig* borrar.

eraser [ɪ'reɪzər] *n* goma *f* de borrar.

erect [ɪ'rekt] ◇ *adj (person, posture)* erguido(da). ◇ *vt* **1.** *(building, statue)* erigir, levantar. **2.** *(tent)* montar.

erection [ɪ'rekʃn] *n* **1.** *(U) (of building, statue)* construcción *f*. **2.** *(erect penis)* erección *f*.

ERM *(abbr of* **Exchange Rate Mechanism)** *n mecanismo de tipos de cambio del SME.*

ermine ['ɜːmɪn] *n* armiño *m*.

erode [ɪ'rəʊd] *vt* **1.** *(rock, soil)* erosionar; *(metal)* desgastar. **2.** *(confidence, rights)* mermar.

erosion [ɪ'roʊʒn] n **1.** (of rock, soil) erosión f; (of metal) desgaste m. **2.** (of confidence, rights) merma f.

erotic [ɪ'rɒtɪk] adj erótico(ca).

err [ɜːr] vi equivocarse, errar.

errand ['erənd] n recado m, mandado m.

erratic [ɪ'rætɪk] adj irregular.

error ['erər] n error m; **spelling** ~ falta f de ortografía; **in** ~ por equivocación.

erupt [ɪ'rʌpt] vi (volcano) entrar en erupción; fig (violence, war) estallar.

eruption [ɪ'rʌpʃn] n **1.** (of volcano) erupción f. **2.** (of violence, war) estallido m.

escalate ['eskəleɪt] vi **1.** (conflict) intensificarse. **2.** (costs) ascender.

escalator ['eskəleɪtər] n escalera f mecánica.

escapade ['eskəpeɪd] n aventura f.

escape [ɪ'skeɪp] ◇ n **1.** (gen) fuga f. **2.** (leakage - of gas, water) escape m. ◇ vt **1.** (avoid) escapar a, eludir. **2.** (subj: fact, name): **her name** ~**s me** ahora mismo no caigo en su nombre. ◇ vi **1.** (gen): **to** ~ (**from**) escaparse (de). **2.** (survive) escapar.

escapism [ɪ'skeɪpɪzm] n (U) evasión f.

escort [n 'eskɔːt, vb ɪ'skɔːt] ◇ n **1.** (guard) escolta f. **2.** (companion) acompañante m y f. ◇ vt escoltar; **to** ~ **sb home** acompañar a alguien a casa.

Eskimo ['eskɪmoʊ] (pl **-s**) n (person) esquimal m y f.

espadrille ['espədrɪl] n alpargata f.

especially [ɪ'speʃlɪ] adv **1.** (in particular) sobre todo. **2.** (more than usually, specifically) especialmente.

espionage ['espɪənɑːʒ] n espionaje m.

esplanade [Am 'esplənɑːd, Br esplə-'neɪd] n paseo m marítimo.

Esquire [ɪ'skwaɪər] n Sr. Don; **B. Jones** ~ Sr. Don B. Jones.

essay ['eseɪ] n **1.** (SCH) redacción f; (UNIV) trabajo m. **2.** (LITERATURE) ensayo m.

essence ['esns] n esencia f.

essential [ɪ'senʃl] adj **1.** (absolutely necessary): ~ (**to** OR **for**) esencial OR indispensable (para). **2.** (basic) fundamental, esencial. ◆ **essentials** npl **1.** (basic commodities) lo indispensable. **2.** (most important elements) elementos mpl esenciales.

essentially [ɪ'senʃlɪ] adv (basically) esencialmente.

establish [ɪ'stæblɪʃ] vt **1.** (gen) establecer. **2.** (facts, cause) verificar.

establishment [ɪ'stæblɪʃmənt] n establecimiento m. ◆ **Establishment** n: **the Establishment** el sistema.

estate [ɪ'steɪt] n **1.** (land, property) finca f. **2.** (housing) ~ urbanización f. **3.** (industrial) ~ polígono m industrial. **4.** (JUR) (inheritance) herencia f.

estate agency n Br agencia f inmobiliaria.

estate agent n Br agente inmobiliario m, agente inmobiliaria f.

estate car n Br ranchera f.

esteem [ɪ'stiːm] ◇ n estima f, consideración f. ◇ vt estimar, apreciar.

esthetic etc Am = **aesthetic** etc.

estimate [n 'estɪmət, vb 'estɪmeɪt] ◇ n **1.** (calculation, judgment) cálculo m, estimación f. **2.** (written quote) presupuesto m. ◇ vt estimar.

estimation [,estɪ'meɪʃn] n **1.** (opinion) juicio m. **2.** (calculation) cálculo m.

Estonia [e'stoʊnjə] n Estonia.

estranged [ɪ'streɪndʒd] adj (husband, wife) separado(da); **his** ~ **son** su hijo con el que no se habla.

estuary [Am 'estʃʊərɪ, Br -tʃʊrɪ] n estuario m.

etc. (abbr of etcetera) etc.

etching ['etʃɪŋ] n aguafuerte m o f.

eternal [ɪ'tɜːnl] adj eterno(na).

eternity [ɪ'tɜːrnətɪ] n eternidad f.

ethic ['eθɪk] n ética f. ◆ **ethics** ◇ n (U) (study) ética f. ◇ npl (morals) moralidad f.

ethical ['eθɪkl] adj ético(ca).

Ethiopia [,iːθɪ'oʊpɪə] n Etiopía.

ethnic ['eθnɪk] adj **1.** (traditions, groups, conflict) étnico(ca). **2.** (food) típico de una cultura distinta a la occidental.

ethos ['iːθɒs] n código m de valores.

etiquette ['etɪkət] n etiqueta f.

EU (abbr of European Union) n UE f.

euphemism ['juːfəmɪzm] n eufemismo m.

euphoria [juːˈfɔːrɪə] n euforia f.

Eurocheque ['jʊəroʊtʃek] n eurocheque m.

Euro MP n eurodiputado m, -da f.

Europe ['jʊərəp] n Europa f.

European [,jʊərə'piːən] ◇ adj europeo (a). ◇ n europeo m, -a f.

European Community n: **the** ~ la Comunidad Europea.

European Monetary System n: **the** ~ el Sistema Monetario Europeo.

European Parliament n: **the** ~ el Parlamento Europeo.

European Union n: **the** ~ la Unión Europea.

euthanasia [ˌjuːθəˈneɪʒə] *n* eutanasia *f*.

evacuate [ɪˈvækjʊeɪt] *vt* evacuar.

evade [ɪˈveɪd] *vt* eludir.

evaluate [ɪˈvæljʊeɪt] *vt* evaluar.

evaporate [ɪˈvæpəreɪt] *vi* (*liquid*) evaporarse; *fig* (*feeling*) desvanecerse.

evaporated milk [ˌɪˌvæpəreɪtəd-] *n* leche *f* evaporada.

evasion [ɪˈveɪʒn] *n* **1.** (*of responsibility, payment etc*) evasión *f*. **2.** (*lie*) evasiva *f*.

evasive [ɪˈveɪsɪv] *adj* evasivo(va).

eve [iːv] *n*: on the ~ of en la víspera de.

even [ˈiːvn] ◇ *adj* **1.** (*regular*) uniforme, constante. **2.** (*calm*) sosegado(da). **3.** (*flat, level*) llano(na), liso(sa). **4.** (*equal - contest, teams*) igualado(da); (*- chance*) igual; **to get ~ with** ajustarle las cuentas a. **5.** (*number*) par. ◇ *adv* **1.** (*gen*) incluso, hasta; **~ now/then** incluso ahora/entonces; **not ~** ni siquiera. **2.** (*in comparisons*) aun; **~ more** aun más. ♦ **even if** *conj* aunque. ♦ **even so** *conj* aun así. ♦ **even though** *conj* aunque. ♦ **even out** *vi* igualarse.

evening [ˈiːvnɪŋ] *n* **1.** (*end of day - early part*) tarde *f*; (*- later part*) noche *f*. **2.** (*event, entertainment*) velada *f*.

evening class *n* clase *f* nocturna.

evening dress *n* **1.** (*worn by man*) traje *m* de etiqueta. **2.** (*worn by woman*) traje *m* de noche.

event [ɪˈvent] *n* **1.** (*happening*) acontecimiento *m*, suceso *m*; **in the ~ of** en caso de; **in the ~ that it rains** en caso de que llueva. **2.** (SPORT) prueba *f*. ♦ **in any event** *adv* en todo caso. ♦ **in the event** *adv* Br al final.

eventful [ɪˈventfl] *adj* accidentado(da).

eventual [ɪˈventʃʊəl] *adj* final.

eventuality [ɪˌventʃʊˈælətɪ] *n* eventualidad *f*.

eventually [ɪˈventʃʊəlɪ] *adv* finalmente.

ever [ˈevəʳ] *adv* **1.** (*at any time*) alguna vez; **have you ~ done it?** ¿lo has hecho alguna vez?; **hardly ~** casi nunca. **2.** (*all the time*) siempre; **as ~** como siempre; **for ~** para siempre. **3.** (*for emphasis*): **~ so muy**; **~ such a mess** un lío tan grande; **why/how ~ did you do it?** ¿por qué/cómo diablos lo hiciste?; **what ~ can it be?** ¿qué diablos puede ser? ♦ **ever since** ◇ *adv* desde entonces. ◇ *conj* desde que. ◇ *prep* desde.

evergreen [ˈevəʳgriːn] ◇ *adj* de hoja perenne. ◇ *n* árbol *m* de hoja perenne.

everlasting [*Am* ˌevəʳˈlæstɪŋ, *Br* ˌevəˈlɑːstɪŋ] *adj* eterno(na).

every [ˈevrɪ] *adj* cada; **~ day** cada día, todos los días. ♦ **every now and then, every so often** *adv* de vez en cuando. ♦ **every other** *adj*: **~ other day** un día sí y otro no, cada dos días.

> • Ver **ALL**.

everybody [ˈevrɪbɒdɪ] = **everyone**.

everyday [ˈevrɪdeɪ] *adj* diario(ria), cotidiano(na).

everyone [ˈevrɪwʌn] *pron* todo el mundo, todos(das).

everyplace *Am* = **everywhere**.

everything [ˈevrɪθɪŋ] *pron* todo; **money isn't ~** el dinero no lo es todo.

everywhere [ˈevrɪweəʳ], **everyplace** *Am* [ˈevrɪpleɪs] *adv* en OR por todas partes; (*with verbs of motion*) a todas partes.

evict [ɪˈvɪkt] *vt*: **to ~ sb from** desahuciar a alguien de.

evidence [ˈevɪdəns] *n* (*U*) **1.** (*proof*) prueba *f*. **2.** (JUR) (*of witness*) declaración *f*; **to give ~** dar testimonio.

evident [ˈevɪdənt] *adj* evidente, manifiesto(ta).

evidently [ˈevɪdəntlɪ] *adv* **1.** (*seemingly*) por lo visto, al parecer. **2.** (*obviously*) evidentemente, obviamente.

evil [ˈiːvl] ◇ *adj* (*person*) malo(la), malvado(da); (*torture, practice*) perverso(sa), vil. ◇ *n* **1.** (*evil quality*) maldad *f*. **2.** (*evil thing*) mal *m*.

evocative [ɪˈvɒkətɪv] *adj* evocador(ra).

evoke [ɪˈvəʊk] *vt* **1.** (*memory, emotion*) evocar. **2.** (*response*) producir.

evolution [ˌevəˈluːʃn] *n* **1.** (BIOL) evolución *f*. **2.** (*development*) desarrollo *m*.

evolve [ɪˈvɒlv] ◇ *vt* desarrollar. ◇ *vi* **1.** (BIOL): **to ~ (into/from)** evolucionar (en/de). **2.** (*develop*) desarrollarse.

ewe [juː] *n* oveja *f*.

ex- [eks] *prefix* ex-.

exacerbate [ɪgˈzæsəʳbeɪt] *vt* exacerbar.

exact [ɪgˈzækt] *adj* exacto(ta); **to be ~** para ser exacto.

exacting [ɪgˈzæktɪŋ] *adj* **1.** (*job, work*) arduo(dua). **2.** (*standards*) severo(ra); (*person*) exigente.

exactly [ɪgˈzæktlɪ] ◇ *adv* (*precisely*) exactamente; **it's ~ ten o'clock** son las diez en punto. ◇ *excl* ¡exacto!

exaggerate [ɪgˈzædʒəreɪt] *vt & vi* exagerar.

exaggeration [ɪgˌzædʒəˈreɪʃn] *n* exageración *f*.

exalted [ɪɡˈzɔːltəd] *adj (person, position)* elevado(da).

exam [ɪɡˈzæm] *(abbr of examination)* n examen m; **to take** OR **sit an ~** presentarse a un examen.

examination [ɪɡˌzæmɪˈneɪʃn] n **1.** = **exam**. **2.** *(inspection)* inspección f, examen m. **3.** (MED) reconocimiento m. **4.** *(consideration)* estudio m.

examine [ɪɡˈzæmɪn] vt **1.** *(gen)* examinar. **2.** (MED) reconocer. **3.** *(consider - idea, proposal)* estudiar, considerar. **4.** (JUR) interrogar.

examiner [ɪɡˈzæmɪnəʳ] n examinador m, -ra f.

example [Am ɪɡˈzæmpl, Br -ˈzɑːmpl] n ejemplo m; **for ~** por ejemplo.

exasperate [ɪɡˈzæspəreɪt] vt exasperar.

exasperation [ɪɡˌzæspəˈreɪʃn] n exasperación f, irritación f.

excavate [ˈekskəveɪt] vt excavar.

exceed [ɪkˈsiːd] vt **1.** *(amount, number)* exceder, pasar. **2.** *(limit, expectations)* rebasar.

exceedingly [ɪkˈsiːdɪŋlɪ] adv extremadamente.

excel [ɪkˈsel] vi: **to ~ (in** OR **at)** sobresalir (en); **to ~ o.s.** Br lucirse.

excellence [ˈeksələns] n excelencia f.

excellent [ˈeksələnt] adj excelente.

except [ɪkˈsept] prep & conj: **~ (for)** excepto, salvo.

excepting [ɪkˈseptɪŋ] prep & conj = **except**.

exception [ɪkˈsepʃn] n **1.** *(exclusion)*: **~ (to)** excepción f (a); **with the ~ of** a excepción de. **2.** *(offence)*: **to take ~ to** ofenderse por.

exceptional [ɪkˈsepʃənl] adj excepcional.

excerpt [ˈeksɜːʳpt] n: **~ (from)** extracto m (de).

excess [ɪkˈses, *before nouns* ˈekses] ◇ adj excedente. ◇ n exceso m.

excess baggage n exceso m de equipaje.

excess fare n Br suplemento m.

excessive [ɪkˈsesɪv] adj excesivo(va).

exchange [ɪksˈtʃeɪndʒ] ◇ n **1.** *(gen)* intercambio m; **in ~ (for)** a cambio (de). **2.** (FIN) cambio m. **3.** (TELEC): **(telephone) ~** central f telefónica. **4.** fml *(conversation)*: **a heated ~** una acalorada discusión. ◇ vt *(swap)* intercambiar, cambiar; **to ~ sthg for sthg** cambiar algo por algo; **to ~ sthg with sb** intercambiar algo con alguien.

exchange rate n (FIN) tipo m de cambio.

Exchequer [Am ˈekstʃekər, Br ɪksˈtʃekəʳ] n Br: **the ~** ≃ Hacienda.

excise [ˈeksaɪz] n (U) impuestos mpl sobre el consumo interior.

excite [ɪkˈsaɪt] vt **1.** *(person)* emocionar. **2.** *(suspicion, interest)* despertar.

excited [ɪkˈsaɪtəd] adj emocionado(da).

excitement [ɪkˈsaɪtmənt] n emoción f.

exciting [ɪkˈsaɪtɪŋ] adj emocionante.

exclaim [ɪkˈskleɪm] ◇ vt exclamar. ◇ vi: **~ (at)** exclamar (ante).

exclamation [ˌekskləˈmeɪʃn] n exclamación f.

exclamation mark Br, **exclamation point** Am n signo m de admiración.

exclude [ɪkˈskluːd] vt: **to ~ sthg/sb (from)** excluir algo/a alguien (de).

excluding [ɪkˈskluːdɪŋ] prep excepto, con excepción de.

exclusive [ɪkˈskluːsɪv] ◇ adj **1.** *(high-class)* selecto(ta). **2.** *(sole)* exclusivo(va). ◇ n *(news story)* exclusiva f. ♦ **exclusive of** prep excluyendo.

excrement [ˈekskrəmənt] n excremento m.

excruciating [ɪkˈskruːʃɪeɪtɪŋ] adj insoportable.

excursion [ɪkˈskɜːʳʃn] n excursión f.

excuse [n ɪkˈskjuːs, vb ɪkˈskjuːz] ◇ n excusa f; **to make an ~** dar una excusa, excusarse. ◇ vt **1.** *(gen)*: **to ~ sb (for sthg/for doing sthg)** perdonar a alguien (por algo/por haber hecho algo). **2.** *(let off)*: **to ~ sb (from)** dispensar a alguien (de). **3.** phr: **~ me** *(to attract attention)* oiga (por favor); *(when coming past)* ¿me deja pasar?; *(apologizing)* perdone; Am *(pardon me?)* ¿perdón?, ¿cómo?

ex-directory adj Br que no figura en la guía telefónica.

execute [ˈeksɪkjuːt] vt *(gen & COMPUT)* ejecutar.

execution [ˌeksɪˈkjuːʃn] n ejecución f.

executioner [ˌeksɪˈkjuːʃnəʳ] n verdugo m.

executive [ɪɡˈzekjətɪv] ◇ adj *(decision-making)* ejecutivo(va). ◇ n **1.** *(person)* ejecutivo m, -va f. **2.** *(committee)* ejecutiva f, órgano m ejecutivo.

executor [ɪɡˈzekjətəʳ] n albacea m.

exempt [ɪɡˈzempt] ◇ adj: **~ (from)** exento(ta) (de). ◇ vt: **to ~ sthg/sb (from)** eximir algo/a alguien (de).

exercise [ˈeksəsaɪz] ◇ n **1.** *(gen)* ejercicio m. **2.** (MIL) maniobra f. ◇ vt **1.** *(dog)* llevar de paseo; *(horse)* entrenar. **2.** *fml (power, right)* ejercer; *(caution, restraint)* mostrar. ◇ *vi* hacer ejercicio.

exercise book *n* cuaderno *m* de ejercicios.

exert [ɪg'zɜːᵗt] *vt* ejercer; **to ~ o.s.** esforzarse.

exertion [ɪg'zɜːʃn] *n* esfuerzo *m*.

exhale [eks'heɪl] ◇ *vt* exhalar, despedir. ◇ *vi* espirar.

exhaust [ɪg'zɔːst] ◇ *n* (U) *(fumes)* gases *mpl* de combustión; **~ (pipe)** tubo *m* de escape. ◇ *vt* agotar.

exhausted [ɪg'zɔːstəd] *adj (person)* agotado(da).

exhausting [ɪg'zɔːstɪŋ] *adj* agotador(ra).

exhaustion [ɪg'zɔːstʃn] *n* agotamiento *m*.

exhaustive [ɪg'zɔːstɪv] *adj* exhaustivo(va).

exhibit [ɪg'zɪbət] ◇ *n* **1.** (ART) objeto *m* expuesto. **2.** (JUR) prueba *f* (instrumental). ◇ *vt* **1.** *fml (feeling)* mostrar, manifestar. **2.** (ART) exponer.

exhibition [,eksɪ'bɪʃn] *n* **1.** (ART) exposición *f*. **2.** *(of feeling)* manifestación *f*.

exhilarating [ɪg'zɪlareɪtɪŋ] *adj* estimulante.

exile ['eksaɪl] ◇ *n* **1.** *(condition)* exilio *m*; **in ~** en el exilio. **2.** *(person)* exiliado *m*, -da *f*. ◇ *vt*: **to ~ sb (from/to)** exiliar a alguien (de/a).

exist [ɪg'zɪst] *vi* existir.

existence [ɪg'zɪstəns] *n* existencia *f*; **to be in ~** existir; **to come into ~** nacer.

existing [ɪg'zɪstɪŋ] *adj* existente.

exit ['eksɪt] ◇ *n* salida *f*. ◇ *vi fml* salir; (THEATRE) hacer mutis.

exodus ['eksədəs] *n* éxodo *m*.

exonerate [ɪg'zɒnəreɪt] *vt*: **to ~ sb (from)** exonerar a alguien (de).

exorbitant [ɪg'zɔːrbətənt] *adj (cost)* excesivo(va); *(demand, price)* exorbitante.

exotic [ɪg'zɒtɪk] *adj* exótico(ca).

expand [ɪk'spænd] ◇ *vt* extender, ampliar. ◇ *vi* extenderse, ampliarse; *(materials, fluids)* expandirse, dilatarse. ◆ **expand (up)on** *vt fus* desarrollar.

expanse [ɪk'spæns] *n* extensión *f*.

expansion [ɪk'spænʃn] *n* expansión *f*.

expect [ɪk'spekt] ◇ *vt* **1.** *(gen)* esperar; **to ~ sb to do sthg** esperar que alguien haga algo; **to ~ sthg (from sb)** esperar algo (de alguien); **as ~ed** como era de esperar. **2.** *(suppose)* imaginarse, suponer; **I ~ so** supongo que sí. ◇ *vi* **1.** *(anticipate)*: **to ~ to do sthg** esperar hacer algo. **2.** *(be pregnant)*: **to be ~ing** estar embarazada OR en estado.

expectancy → **life expectancy**.

expectant [ɪk'spektənt] *adj* expectante.

expectant mother *n* futura madre *f*.

expectation [,ekspek'teɪʃn] *n* esperanza *f*; **against all ~** OR **~s, contrary to all ~** OR **~s** contrariamente a lo que se esperaba.

expedient [ɪk'spiːdjənt] *fml* ◇ *adj* conveniente. ◇ *n* recurso *m*.

expedition [,ekspə'dɪʃn] *n* **1.** *(journey)* expedición *f*. **2.** *(outing)* salida *f*.

expel [ɪk'spel] *vt* **1.** *(person)*: **to ~ sb (from)** expulsar a alguien (de). **2.** *(gas, liquid)*: **to ~ sthg (from)** expeler algo (de).

expend [ɪk'spend] *vt*: **to ~ sthg (on)** emplear algo (en).

expendable [ɪk'spendəbl] *adj* reemplazable.

expenditure [ɪk'spendɪtʃəʳ] *n* (U) gasto *m*.

expense [ɪk'spens] *n* (U) gasto *m*; **at the ~ of** *(sacrificing)* a costa de; **at sb's ~** *lit & fig* a costa de alguien. ◆ **expenses** *npl* (COMM) gastos *mpl*.

expense account *n* cuenta *f* de gastos.

expensive [ɪk'spensɪv] *adj* caro(ra).

experience [ɪk'spɪərɪəns] ◇ *n* experiencia *f*. ◇ *vt* experimentar.

experienced [ɪk'spɪərɪənst] *adj*: **~ (at** OR **in)** experimentado(da) (en).

experiment [ɪk'sperɪmənt] ◇ *n* experimento *m*. ◇ *vi*: **to ~ (with/on)** experimentar (con), hacer experimentos (con).

expert ['ekspɜːʳt] ◇ *adj*: **~ (at sthg/at doing sthg)** experto(ta) (en algo/en hacer algo). ◇ *n* experto *m*, -ta *f*.

expertise [,ekspɜːʳ'tiːz] *n* (U) competencia *f*, aptitud *f*.

expire [ɪk'spaɪəʳ] *vi (licence, membership)* caducar; *(lease)* vencer.

expiry [ɪk'spaɪərɪ] *n (of licence)* caducación *f*; *(of lease)* vencimiento *m*.

explain [ɪk'spleɪn] ◇ *vt*: **to ~ sthg (to sb)** explicar algo (a alguien). ◇ *vi* explicar; **to ~ to sb about sthg** explicarle algo a alguien.

explanation [,eksplə'neɪʃn] *n*: **~ (for)** explicación *f* (de).

explicit [ɪk'splɪsət] *adj* explícito(ta).

explode [ɪk'spləʊd] ◇ *vt (bomb)* hacer explotar; *(building etc)* volar; *fig (theory)* reventar. ◇ *vi lit & fig* estallar.

E

exploit [n 'eksplɔit, vb ɪk'splɔit] ◇ n proeza f, hazaña f. ◇ vt explotar.

exploitation [,eksplɔɪ'teɪʃn] n (U) explotación f.

exploration [,eksplə'reɪʃn] n exploración f.

explore [ɪk'splɔːʳ] vt & vi lit & fig explorar.

explorer [ɪk'splɔːrəʳ] n explorador m, -ra f.

explosion [ɪk'splouʒn] n explosión f.

explosive [ɪk'splousɪv] ◇ adj explosivo(va). ◇ n explosivo m.

exponent [ɪk'spounənt] n 1. (supporter) partidario m, -ria f. 2. (expert) experto m, -ta f.

export [n & comp 'ekspɔːʳt, vb ɪk'spɔːʳt] ◇ n 1. (act) exportación f. 2. (exported product) artículo m de exportación. ◇ comp de exportación. ◇ vt exportar.

exporter [ek'spɔːʳtəʳ] n exportador m, -ra f.

expose [ɪk'spouz] vt lit & fig descubrir; **to be ~d to sthg** estar OR verse expuesto a algo.

exposed [ɪk'spouzd] adj (land, house, position) expuesto(ta), al descubierto.

exposure [ɪk'spouʒəʳ] n 1. (to light, radiation) exposición f. 2. (MED) hipotermia f. 3. (PHOT) (time) (tiempo m de) exposición f; (photograph) fotografía f. 4. (publicity) publicidad f.

exposure meter n fotómetro m.

express [ɪk'spres] ◇ adj 1. Br (letter, delivery) urgente. 2. (train, coach) rápido (da). 3. fml (specific) expreso(sa). ◇ adv urgente. ◇ n (train) expreso m. ◇ vt expresar; **to ~ o.s.** expresarse.

expression [ɪk'spreʃn] n expresión f.

expressive [ɪk'spresɪv] adj (full of feeling) expresivo(va).

expressly [ɪk'spreslɪ] adv (specifically) expresamente.

expressway [ɪk'spreswei] n Am autopista f.

exquisite [ɪk'skwɪzɪt] adj exquisito(ta).

ext., extn. (abbr of extension) ext.

extend [ɪk'stend] ◇ vt 1. (gen) extender; (house) ampliar; (road, railway) prolongar; (visa) prorrogar. 2. (offer - welcome, help) brindar; (- credit) conceder. ◇ vi 1. (become longer) extenderse. 2. (from surface, object) sobresalir.

extension [ɪk'stenʃn] n 1. (gen & TELEC) extensión f. 2. (to building) ampliación f. 3. (of visit) prolongación f; (of deadline, visa) prórroga f. 4. (ELEC): ~ (lead) alargador m.

extension cable n alargador m.

extensive [ɪk'stensɪv] adj (gen) extenso (sa); (changes) profundo(da); (negotiations) amplio(plia).

extensively [ɪk'stensɪvlɪ] adv extensamente.

extent [ɪk'stent] n 1. (size) extensión f. 2. (of problem, damage) alcance m. 3. (degree): **to what ~ ...?** ¿hasta qué punto ...?; **to the ~ that** (in that, in so far as) en la medida en que; (to the point where) hasta tal punto que; **to some/a certain ~** hasta cierto punto; **to a large** OR **great ~** en gran medida.

extenuating circumstances [ɪk'stenjʋeɪtɪŋ-] npl circunstancias fpl atenuantes.

exterior [ɪk'stɪərɪəʳ] ◇ adj exterior. ◇ n exterior m.

exterminate [ɪk'stɜːʳmɪneɪt] vt exterminar.

external [ɪk'stɜːʳnl] adj externo(na).

extinct [ɪk'stɪŋkt] adj extinto(ta).

extinguish [ɪk'stɪŋgwɪʃ] vt fml (gen) extinguir; (cigarette) apagar.

extinguisher [ɪk'stɪŋgwɪʃəʳ] n extintor m.

extn. = ext.

extort [ɪk'stɔːʳt] vt: **to ~ sthg from sb** (confession, promise) arrancar algo a alguien; (money) sacar algo a alguien.

extortionate [ɪk'stɔːʳʃnət] adj desorbitado(da), exorbitante.

extra ['ekstrə] ◇ adj (additional) extra (inv), adicional; (spare) de más; **take ~ care** pon sumo cuidado. ◇ n 1. (addition) extra m. 2. (additional charge) suplemento m. 3. (CINEMA & THEATRE) extra m y f. ◇ adv extra; **to pay/charge ~** pagar/cobrar un suplemento.

extra- ['ekstrə] prefix extra-.

extract [n 'ekstrækt, vb ɪk'strækt] ◇ n 1. (from book, piece of music) fragmento m. 2. (CHEM) extracto m. ◇ vt: **to ~ sthg (from)** (gen) extraer algo (de); (confession) arrancar algo (de).

extradite ['ekstrədaɪt] vt: **to ~ sb (from/to)** extraditar OR extradir a alguien (de/a).

extramarital [,ekstrə'mærətl] adj fuera del matrimonio.

extramural [,ekstrə'mjʋərəl] adj (UNIV) fuera de la universidad pero organizado por ella.

extraordinary [Am ɪk'strɔːrdnərɪ, Br ɪk'strɔːdnrɪ] adj extraordinario(ria).

extraordinary general meeting n junta f (general) extraordinaria.

extravagance [ɪk'strævəgəns] n 1. (U) (excessive spending) derroche m, despil-

farro m. 2. *(luxury)* extravagancia f.
extravagant [ɪk'strævəgənt] *adj*
1. *(wasteful)* derrochador(ra). 2. *(expensive)* caro(ra). 3. *(exaggerated)* extravagante.
extreme [ɪk'striːm] ◇ *adj* extremo
(ma). ◇ *n (furthest limit)* extremo m.
extremely [ɪk'striːmlɪ] *adv (very)*
sumamente, extremadamente.
extremist [ɪk'striːməst] ◇ *adj* extremista. ◇ *n* extremista m y f.
extricate ['ekstrɪkeɪt] *vt*: **to ~ sthg
from** lograr sacar algo de; **to ~ o.s. from**
lograr salirse de.
extrovert ['ekstrəvɜːt] ◇ *adj* extrovertido(da). ◇ *n* extrovertido m, -da f.
exultant [ɪg'zʌltənt] *adj* jubiloso(sa).
eye [aɪ] *(cont* **eyeing** OR **eying)** ◇ *n* ojo m;
to cast OR **run one's ~ over sthg** echar
un ojo OR un vistazo a algo; **to have
one's ~ on sthg** echar el ojo a algo; **to
keep one's ~s open for, to keep an ~ out
for** estar atento a; **to keep an ~ on sthg**
echar un ojo a algo, vigilar algo. ◇ *vt*
mirar.
eyeball ['aɪbɔːl] *n* globo m ocular.
eyebath *[Am* 'aɪbæθ, *Br* 'aɪbɑːθ] *n* lava-
ojos m inv.
eyebrow ['aɪbraʊ] *n* ceja f.
eyebrow pencil *n* lápiz m de cejas.
eyedrops ['aɪdrɒps] *npl* colirio m.
eyelash ['aɪlæʃ] *n* pestaña f.
eyelid ['aɪlɪd] *n* párpado m.
eyeliner ['aɪlaɪnər] *n* lápiz m de ojos.
eye shadow *n* sombra f de ojos.
eyesight ['aɪsaɪt] *n* vista f.
eyesore ['aɪsɔːr] *n* monstruosidad f.
eyewitness [ˌaɪ'wɪtnəs] *n* testigo m y f
ocular.

F

f (*pl* **f's** OR **fs**), **F** (*pl* **F's** OR **Fs**) [ef] *n (letter)* f f, F f. ◆ **F** ◇ *n (MUS)* fa m. ◇ *adj
(abbr of* **Fahrenheit**) F.
fable ['feɪbl] *n (traditional story)* fábula f.
fabric ['fæbrɪk] *n* 1. *(cloth)* tela f, tejido
m. 2. *(of building, society)* estructura f.
fabulous ['fæbjələs] *adj inf (excellent)*
fabuloso(sa).
facade [fə'sɑːd] *n* fachada f.

face [feɪs] ◇ *n* 1. *(of person)* cara f, rostro m; **~ to ~** cara a cara; **to lose ~** quedar mal; **to save ~** salvar las apariencias; **to say sthg to sb's ~** decir algo a
alguien en su cara. 2. *(expression)* sem-
blante m; **to make** OR **pull a ~** hacer
muecas. 3. *(of cliff, mountain, coin)* cara f;
(of building) fachada f. 4. *(of clock, watch)*
esfera f. 5. *(appearance, nature)* aspecto
m. 6. *(surface)* superficie f; **on the ~ of it**
a primera vista. ◇ *vt* 1. *(point towards)*
mirar a. 2. *(confront, accept, deal with)*
hacer frente a. 3. *inf (cope with)* aguantar, soportar. ◇ *vi*: **to ~ forwards/south**
mirar hacia delante/al sur. ◆ **face
down** *adv* boca abajo. ◆ **face up** *adv*
boca arriba. ◆ **in the face of** *prep (in
spite of)* a pesar de. ◆ **face up to** *vt fus*
hacer frente a.
facecloth ['feɪsklɒθ] *n Br* toallita f
(para lavarse).
face cream *n* crema f facial.
face-lift *n (on face)* lifting m; *fig (on
building etc)* lavado m de cara.
face powder *n (U)* polvos *mpl* para la
cara.
face-saving [-seɪvɪŋ] *adj* para salvar
las apariencias.
facet ['fæsɪt] *n* faceta f.
facetious [fə'siːʃəs] *adj* guasón(ona).
face value *n (of coin, stamp)* valor m
nominal; **to take sthg at ~** tomarse algo
literalmente.
facility [fə'sɪlətɪ] *n (feature)* dispositivo
m. ◆ **facilities** *npl (amenities)* instalaciones *fpl; (services)* servicios *mpl.*
facing ['feɪsɪŋ] *adj* opuesto(ta).
facsimile [fæk'sɪmɪlɪ] *n* facsímil m.
fact [fækt] *n* 1. *(piece of information)*
dato m; *(established truth)* hecho m; **to
know sthg for a ~** saber algo a ciencia
cierta. 2. *(U) (truth)* realidad f. ◆ **in fact**
conj & adv de hecho, en realidad.
fact of life *n* hecho m ineludible.
◆ **facts of life** *npl euphemism*: **to tell sb
(about) the facts of life** contar a alguien
cómo nacen los niños.
factor ['fæktər] *n* factor m.
factory ['fæktrɪ] *n* fábrica f.
fact sheet *n Br* hoja f informativa.
factual ['fæktʃʊəl] *adj* basado(da) en
hechos reales.
faculty ['fækltɪ] *n* 1. *(gen)* facultad f. 2.
Am (in college): **the ~** el profesorado.
fad [fæd] *n (of person)* capricho m; *(of
society)* moda f pasajera.
fade [feɪd] ◇ *vt* descolorar, desteñir.
◇ *vi* 1. *(jeans, curtains, paint)* descolo-
rarse, desteñirse; *(flower)* marchitarse.

2.*(light, sound, smile)* irse apagando. 3. *(memory, feeling, interest)* desvanecerse.

faeces *Br* = **feces**.

fag [fæg] *n inf* 1. *Am pej (homosexual)* marica *m*. 2. *Br (cigarette)* pitillo *m*.

Fahrenheit ['færənhaɪt] *adj* Fahrenheit *(inv)*.

fail [feɪl] ◇ *vt* 1. *(exam, test, candidate)* suspender. 2. *(not succeed)*: **to ~ to do sthg** no lograr hacer algo. 3. *(neglect)*: **to ~ to do sthg** no hacer algo. 4. *(let down)* fallar. ◇ *vi* 1. *(not succeed)* fracasar. 2. *(not pass exam)* suspender. 3. *(stop functioning)* fallar. 4. *(weaken)* debilitarse.

failing ['feɪlɪŋ] ◇ *n (weakness)* fallo *m*. ◇ *prep* a falta de; **~ that** en su defecto.

failure ['feɪljər] *n* 1. *(lack of success, unsuccessful thing)* fracaso *m*. 2. *(person)* fracasado *m*, -da *f*. 3. *(in exam)* suspenso *m*. 4. *(act of neglecting)*: **her ~ to do it** el que no lo hiciera. 5. *(breakdown, malfunction)* avería *f*, fallo *m*.

faint [feɪnt] ◇ *adj* 1. *(weak, vague)* débil; *(outline)* impreciso(sa); *(memory, longing)* vago(ga); *(trace, hint, smell)* leve. 2. *(chance)* reducido(da). 3. *(dizzy)* mareado(da). ◇ *vi* desmayarse.

fair [feər] ◇ *adj* 1. *(just)* justo(ta); **it's not ~!** ¡no hay derecho! 2. *(quite large)* considerable. 3. *(quite good)* bastante bueno(na). 4. *(hair)* rubio(bia). 5. *(skin, complexion)* blanco(ca), claro(ra). 6. *(weather)* bueno(na). ◇ *n* 1. *Br (funfair)* parque *m* de atracciones. 2. *(trade fair)* feria *f*. ◇ *adv (fairly)* limpio. ◆ **fair enough** *adv Br inf* vale.

fair-haired [-'heərd] *adj* rubio(bia).

fairly ['feərlɪ] *adv* 1. *(moderately)* bastante. 2. *(justly)* justamente.

fairness ['feərnəs] *n (justness)* justicia *f*.

fair play *n* juego *m* limpio.

fairy ['feərɪ] *n* hada *f*.

fairy tale *n* cuento *m* de hadas.

faith [feɪθ] *n* fe *f*.

faithful ['feɪθfl] ◇ *adj* fiel. ◇ *npl* (RELIG): **the ~** los fieles.

faithfully ['feɪθflɪ] *adv* fielmente; **Yours ~** *Br (in letter)* le saluda atentamente.

fake [feɪk] ◇ *adj* falso(sa). ◇ *n* 1. *(object, painting)* falsificación *f*. 2. *(person)* impostor *m*, -ra *f*. ◇ *vt* 1. *(results, signature)* falsificar. 2. *(illness, emotions)* fingir. ◇ *vi (pretend)* fingir.

falcon [*Am* 'fælkən, *Br* 'fɔːlk-] *n* halcón *m*.

Falkland Islands ['fɔːklənd-], **Falklands** ['fɔːkləndz] *npl*: **the ~** las (Islas) Malvinas.

fall [fɔːl] (*pt* **fell**, *pp* **fallen**) ◇ *vi* 1. *(gen)*

caer; **he fell off the chair** se cayó de la silla; **to ~ to bits** OR **pieces** hacerse pedazos; **to ~ flat** *fig* no causar el efecto deseado. 2. *(decrease)* bajar. 3. *(become)*: **to ~ ill** ponerse enfermo(ma); **to ~ asleep** dormirse; **to ~ in love** enamorarse. ◇ *n* 1. *(gen)* caída *f*. 2. *(of snow)* nevada *f*. 3. (MIL - *of city)* derrota *f*. 4. *(decrease)*: **~ (in)** descenso *m* (de). 5. *Am (autumn)* otoño *m*. ◆ **falls** *npl* cataratas *fpl*. ◆ **fall apart** *vi (book, chair)* romperse; *fig (country, person)* desmoronarse. ◆ **fall back** *vi (person, crowd)* echarse atrás, retroceder. ◆ **fall back on** *vt fus (resort to)* recurrir a. ◆ **fall behind** *vi* 1. *(in race)* quedarse atrás. 2. *(with rent, work)* retrasarse. ◆ **fall for** *vt fus* 1. *inf (fall in love with)* enamorarse de. 2. *(trick, lie)* tragarse. ◆ **fall in** *vi* 1. *(roof, ceiling)* desplomarse, hundirse. 2. (MIL) formar filas. ◆ **fall off** *vi* 1. *(branch, handle)* desprenderse. 2. *(demand, numbers)* disminuir. ◆ **fall out** *vi* 1. *(hair, tooth)*: **his hair is ~ing out** se le está cayendo el pelo. 2. *(friends)* pelearse, discutir. 3. (MIL) romper filas. ◆ **fall over** *vi (person, chair etc)* caerse. ◆ **fall through** *vi (plan, deal)* fracasar.

fallacy ['fæləsɪ] *n* concepto *m* erróneo, error *m*.

fallen ['fɔːlən] *pp* → **fall**.

fallible ['fæləbl] *adj* falible.

fallout ['fɔːlaʊt] *n (radiation)* lluvia *f* radiactiva.

fallout shelter *n* refugio *m* atómico.

fallow ['fæləʊ] *adj* en barbecho.

false [fɔːls] *adj (gen)* falso(sa); *(eyelashes, nose)* postizo(za).

false alarm *n* falsa alarma *f*.

false teeth *npl* dentadura *f* postiza.

falsify ['fɔːlsɪfaɪ] *vt (facts, accounts)* falsificar.

falter ['fɔːltər] *vi* vacilar.

fame [feɪm] *n* fama *f*.

familiar [fə'mɪljər] *adj* 1. *(known)* familiar, conocido(da). 2. *(conversant)*: **~ with** familiarizado(da) con. 3. *pej (too informal - tone, manner)* demasiado amistoso(sa).

familiarity [fə,mɪlɪ'ærətɪ] *n* (U) *(knowledge)*: **~ with** conocimiento *m* de.

familiarize [fə'mɪljəraɪz] *vt*: **to ~ o.s./sb with sthg** familiarizarse/familiarizar a alguien con algo.

family ['fæmlɪ] *n* familia *f*.

family credit *n* (U) *Br* = prestación *f* OR ayuda *f* familiar.

family doctor *n* médico *m* de cabecera.

family planning n planificación f familiar.

famine ['fæmɪn] n hambruna f.

famished ['fæmɪʃt] adj inf (very hungry) muerto(ta) de hambre, famélico(ca).

famous ['feɪməs] adj: ~ (for) famoso (sa) (por).

famously ['feɪməslɪ] adv dated: **to get on** OR **along ~ (with sb)** llevarse de maravilla (con alguien).

fan [fæn] ◇ n **1.** (of paper, silk) abanico m. **2.** (electric or mechanical) ventilador m. **3.** (enthusiast) fan m y f, admirador m, -ra f; (FTBL) hincha m y f. ◇ vt **1.** (cool) abanicar. **2.** (stimulate - fire, feelings) avivar. ◆ **fan out** vi desplegarse en abanico.

fanatic [fə'nætɪk] n fanático m, -ca f.

fan belt n correa f del ventilador.

fanciful ['fænsɪfl] adj (odd) rocambolesco(ca).

fancy ['fænsɪ] ◇ vt **1.** inf (feel like): **I ~ a cup of tea/going to the cinema** me apetece una taza de té/ir al cine. **2.** inf (desire): **do you ~ her?** ¿te gusta? **3.** (imagine): **~ that!** ¡imagínate! **4.** dated (think) creer. ◇ n (desire, liking) capricho m; **to take a ~ to** encapricharse con. ◇ adj **1.** (elaborate) elaborado(da). **2.** (expensive) de lujo, caro(ra); (prices) exorbitante.

fancy dress n (U) disfraz m.

fancy-dress party n fiesta f de disfraces.

fanfare ['fænfeə^r] n fanfarria f.

fang [fæŋ] n colmillo m.

fan heater n convector m.

fanny ['fænɪ] n Am inf (buttocks) nalgas fpl.

fantasize ['fæntəsaɪz] vi fantasear; **to ~ about sthg/about doing sthg** soñar con algo/con hacer algo.

fantastic [fæn'tæstɪk] adj (gen) fantástico(ca).

fantasy ['fæntəsɪ] n = la liga fantástica®.

fantasy football n fantasía f.

fao (abbr of **for the attention of**) a/a.

far [fɑ:^r] (compar **farther** OR **further**, superl **farthest** OR **furthest**) ◇ adv **1.** (in distance, time) lejos; **is it ~?** ¿está lejos?; **how ~ is it?** ¿a qué distancia está?; **how ~ is it to Prague?** ¿cuánto hay de aquí a Praga?; **~ away** OR **off** (a long way away, a long time away) lejos; **so ~** por ahora, hasta ahora; **~ and wide** por todas partes; **as ~ as** hasta. **2.** (in degree or extent): **~ more/better/stronger** mucho más/ mejor/más fuerte; **how ~ have you got?**

¿hasta dónde has llegado?; **as ~ as I know** que yo sepa; **as ~ as I'm concerned** por OR en lo que a mí respecta; **as ~ as possible** en (la medida de) lo posible; **~ and away, by ~** con mucho; **~ from it** en absoluto, todo lo contrario; **so ~** hasta un cierto punto. ◇ adj (extreme) extremo(ma).

faraway [,fɑ:rə'weɪ] adj **1.** (land etc) lejano(na). **2.** (look, expression) ausente.

farce [fɑ:s] n lit & fig farsa f.

farcical ['fɑ:sɪkl] adj absurdo(da).

fare [feə^r] n **1.** (payment) (precio m del) billete m; (in taxi) tarifa f; (passenger) cliente m y f (de taxi). **2.** (U) fml (food) comida f.

Far East n: **the ~** el Extremo Oriente.

farewell [,feə'wel] ◇ n adiós m, despedida f. ◇ excl literary ¡vaya con Dios!

farm [fɑ:m] ◇ n granja f, chacra f Amer. ◇ vt (land) cultivar; (livestock) criar.

farmer ['fɑ:mə^r] n agricultor m, -ra f, granjero m, -ra f, chacarero m, -ra f Amer.

farmhand ['fɑ:mhænd] n peón m.

farmhouse ['fɑ:mhaʊs, pl -haʊzɪz] n granja f, caserío m.

farming ['fɑ:mɪŋ] n (U) **1.** (AGR) (industry) agricultura f. **2.** (act - of crops) cultivo m; (- of animals) cría f, crianza f.

farm labourer = farmhand.

farmland ['fɑ:mlænd] n (U) tierras fpl de labranza.

farmstead ['fɑ:msted] n Am granja f.

farm worker = farmhand.

farmyard ['fɑ:mjɑ:d] n corral m.

far-reaching [-'ri:tʃɪŋ] adj trascendental, de amplio alcance.

farsighted [,fɑ:'saɪtɪd] adj **1.** (gen) con visión de futuro. **2.** Am (long-sighted) présbita.

fart [fɑ:t] v inf ◇ n (flatulence) pedo m. ◇ vi tirarse un pedo.

farther ['fɑ:ðə^r] compar → far.

farthest ['fɑ:ðəst] superl → far.

fascinate ['fæsɪneɪt] vt fascinar.

fascinating ['fæsɪneɪtɪŋ] adj fascinante.

fascism ['fæʃɪzm] n fascismo m.

fashion ['fæʃn] ◇ n **1.** (clothing, style, vogue) moda f; **in/out of ~** de/pasado de moda. **2.** (manner) manera f. ◇ vt fml elaborar; fig forjar.

fashionable ['fæʃnəbl] adj de moda.

fashion show n pase m OR desfile m de modelos.

fast [Am fæst, Br fɑ:st] ◇ adj 1. (rapid) rápido(da). 2. (clock, watch) que adelanta. 3. (dye, colour) que no destiñe. ◇ adv 1. (rapidly) de prisa, rápidamente. 2. (firmly): **stuck ~** bien pegado(da); **~ asleep** profundamente dormido. ◇ n ayuno m. ◇ vi ayunar.

fasten [Am 'fæsn, Br 'fɑ:sn] vt 1. (gen) sujetar; (clothes, belt) abrochar; **he ~ed his coat** se abrochó el abrigo. 2. (attach): **to ~ sthg to sthg** fijar algo a algo.

fastener [Am 'fæsnr, Br 'fɑ:snə] n cierre m, broche m; (zip) cremallera f.

fastening [Am 'fæsnɪŋ, Br 'fɑ:s-] n (of door, window) cerrojo m, pestillo m.

fast food n (U) comida f rápida.

fastidious [fə'stɪdɪəs] adj (fussy) quisquilloso(sa).

fat [fæt] ◇ adj 1. (gen) gordo(da); **to get ~** engordar. 2. (meat) con mucha grasa. ◇ n 1. (gen) grasa f. 2. (for cooking) manteca f.

fatal ['feɪtl] adj 1. (serious) fatal, funesto(ta). 2. (mortal) mortal.

fatality [fə'tælətɪ] n (accident victim) víctima f mortal, muerto m.

fate [feɪt] n 1. (destiny) destino m; **to tempt ~** tentar a la suerte. 2. (result, end) final m, suerte f.

fateful ['feɪtfl] adj fatídico(ca).

father ['fɑ:ðər] n lit & fig padre m.

Father Christmas n Br Papá m Noel.

father-in-law (pl **father-in-laws** OR **fathers-in-law**) n suegro m.

fatherly ['fɑ:ðərlɪ] adj paternal.

fathom ['fæðəm] ◇ n braza f. ◇ vt: **to ~ sthg/sb (out)** llegar a comprender algo/a alguien.

fatigue [fə'ti:g] n fatiga f.

fatten ['fætn] vt engordar.

fattening ['fætnɪŋ] adj que engorda.

fatty ['fætɪ] ◇ adj graso(sa). ◇ n inf pej gordinflón m, -ona f.

fatuous [Am 'fætʃuəs, Br 'fætju-] adj necio(cia).

faucet ['fɔ:sɪt] n Am llave f, grifo m Esp.

fault [fɔ:lt] ◇ n 1. (responsibility) culpa f; **to be at ~** tener la culpa. 2. (mistake, imperfection) defecto m; **to find ~ with** encontrar defectos a. 3. (GEOL) falla f. 4. (in tennis) falta f. ◇ vt: **to ~ sb (on sthg)** criticar a alguien (en algo).

faultless ['fɔ:ltləs] adj impecable.

faulty ['fɔ:ltɪ] adj (machine, system) defectuoso(sa); (reasoning, logic) imperfecto(ta).

fauna ['fɔ:nə] n fauna f.

faux pas [,fou'pɑ:, pl -'pɑ:z] (pl inv) n plancha f.

favor Am, **favour** Br ['feɪvər] ◇ n (gen) favor m; **in sb's ~** a favor de alguien; **to be in/out of ~ (with)** ser/dejar de ser popular (con); **to do sb a ~** hacerle un favor a alguien. ◇ vt 1. (prefer) decantarse por, preferir. 2. (treat better, help) favorecer. ◆ **in favour** adv (in agreement) a favor. ◆ **in favour of** prep 1. (in preference to) en favor de. 2. (in agreement with): **to be in ~ of sthg/of doing sthg** estar a favor de algo/de hacer algo.

favorable Am, **favourable** Br ['feɪvərəbl] adj (positive) favorable.

favorite Am, **favourite** Br ['feɪvərət] ◇ adj favorito(ta). ◇ n favorito m, -ta f.

favoritism Am, **favouritism** Br ['feɪvərətɪzm] n favoritismo m.

fawn [fɔ:n] ◇ adj pajizo(za), beige (inv). ◇ n (animal) cervato m, cervatillo m. ◇ vi: **to ~ on sb** adular a alguien.

fax [fæks] ◇ n fax m. ◇ vt 1. (send fax to) mandar un fax a. 2. (send by fax) enviar por fax.

fax machine n fax m.

FBI (abbr of **Federal Bureau of Investigation**) n FBI m.

fear [fɪər] ◇ n 1. (gen) miedo m, temor m; **for ~ of** por miedo a. 2. (risk) peligro m. ◇ vt 1. (be afraid of) temer. 2. (anticipate) temerse; **to ~ (that)** ... temerse que ...

fearful ['fɪərfl] adj 1. fml (frightened) temeroso(sa). 2. (frightening) terrible.

fearless ['fɪərləs] adj intrépido(da).

feasible ['fi:zəbl] adj factible, viable.

feast [fi:st] ◇ n (meal) banquete m, festín m. ◇ vi: **to ~ on** OR **off sthg** darse un banquete a base de algo.

feat [fi:t] n hazaña f.

feather ['feðər] n pluma f.

feature ['fi:tʃər] ◇ n 1. (characteristic) característica f. 2. (of face) rasgo m. 3. (GEOG) accidente m geográfico. 4. (article) artículo m de fondo. 5. (RADIO & TV) (programme) programa m especial. 6. (CINEMA) = feature film. ◇ vt (subj: film) tener como protagonista a; (subj: exhibition) tener como atracción principal a. ◇ vi: **to ~ (in)** aparecer OR figurar (en).

feature film n largometraje m.

February ['februərɪ] n febrero m; see also **September**.

feces Am, **faeces** Br ['fi:si:z] npl heces fpl.

fed [fed] pt & pp → **feed**.

federal ['fedərəl] *adj* federal.

federation [,fedə'reɪʃn] *n* federación *f*.

fed up *adj*: **~ (with)** harto(ta) (de).

fee [fi:] *n* (*to lawyer, doctor etc*) honorarios *mpl*; **membership ~** cuota *f* de socio; **entrance ~** entrada *f*; **school ~s** (*precio m de*) matrícula *f*.

feeble ['fi:bl] *adj* **1.** (*weak*) débil. **2.** (*poor, silly*) pobre, flojo(ja).

feed [fi:d] (*pt & pp* fed) ◇ *vt* **1.** (*gen*) alimentar; (*animal*) dar de comer a. **2.** (*put, insert*): **to ~ sthg into sthg** introducir algo en algo. ◇ *vi* comer. ◇ *n* **1.** (*meal*) comida *f*. **2.** (*animal food*) pienso *m*.

feedback ['fi:dbæk] *n* (*U*) **1.** (*reaction*) reacciones *fpl*. **2.** (COMPUT & ELEC) realimentación *f*; (*on guitar etc*) feedback *m*.

feeding bottle ['fi:dɪŋ-] *n Br* biberón *m*.

feel [fi:l] (*pt & pp* felt) ◇ *vt* **1.** (*touch*) tocar. **2.** (*sense, notice, experience*) sentir; **I felt myself blushing** noté que me ponía colorado. **3.** (*believe*) creer; **to ~ (that)** creer OR pensar que. **4.** *phr*: **not to ~ o.s.** no encontrarse bien. ◇ *vi* **1.** (*have sensation*): **to ~ hot/cold/sleepy** tener calor/frío/sueño. **2.** (*have emotion*): **to ~ safe/happy** sentirse seguro/feliz. **3.** (*seem*) parecer (al tacto). **4.** (*by touch*): **to ~ for sthg** buscar algo a tientas. **5.** (*be in mood*): **do you ~ like a drink/eating out?** ¿te apetece beber algo/comer fuera? ◇ *n* **1.** (*sensation, touch*) tacto *m*, sensación *f*. **2.** (*atmosphere*) atmósfera *f*.

feeler ['fi:lə'] *n* antena *f*.

feeling ['fi:lɪŋ] *n* **1.** (*emotion*) sentimiento *m*. **2.** (*sensation*) sensación *f*. **3.** (*intuition*) presentimiento *m*; **I have a** OR **get the ~ (that) ...** me da la sensación de que ... **4.** (*understanding*) apreciación *f*, entendimiento *m*. ◆ **feelings** *npl* sentimientos *mpl*.

feet [fi:t] *pl* → foot.

feign [feɪn] *vt fml* fingir, aparentar.

fell [fel] ◇ *pt* → fall. ◇ *vt* (*tree*) talar. ◆ **fells** *npl* (GEOGR) monte *m*.

fellow ['feləʊ] ◇ *adj*: **~ students/prisoners** compañeros de clase/celda. ◇ *n* **1.** *dated* (*man*) tipo *m*. **2.** (*comrade, peer*) camarada *m y f*. **3.** (*of society*) miembro *m*. **4.** (*of college*) miembro *m* del claustro de profesores.

fellowship ['feləʊʃɪp] *n* **1.** (*comradeship*) camaradería *f*. **2.** (*society*) asociación *f*. **3.** (*of society or college*) pertenencia *f*.

felony ['felənɪ] *n* (JUR) delito *m* grave.

felt [felt] ◇ *pt & pp* → feel. ◇ *n* (*U*) fieltro *m*.

felt-tip pen *n* rotulador *m*.

female ['fi:meɪl] ◇ *adj* (*animal, plant, connector*) hembra; (*figure, sex*) femenino(na). ◇ *n* **1.** (*female animal*) hembra *f*. **2.** (*woman*) mujer *f*.

feminine ['femɪnɪn] ◇ *adj* femenino(na). ◇ *n* (GRAMM) femenino *m*.

feminist ['femənəst] *n* feminista *m y f*.

fence [fens] ◇ *n* valla *f*. ◇ *vt* cercar.

fencing ['fensɪŋ] *n* (SPORT) esgrima *f*.

fend [fend] *vi*: **to ~ for o.s.** valerse por sí mismo. ◆ **fend off** *vt sep* (*blows*) defenderse de, desviar; (*questions, reporters*) eludir.

fender ['fendə'] *n* **1.** (*round fireplace*) guardafuego *m*. **2.** (*on boat*) defensa *f*. **3.** *Am* (*on car*) guardabarros *m inv*, salpicadera *f Méx*.

ferment [*n* 'fɜ:'ment, *vb* fə'ment] ◇ *n* (*unrest*) agitación *f*. ◇ *vi* fermentar.

fern [fɜ:'n] *n* helecho *m*.

ferocious [fə'rəʊʃəs] *adj* feroz.

ferret ['ferət] *n* hurón *m*. ◆ **ferret about, ferret around** *vi inf* rebuscar.

ferris wheel ['ferəs-] *n* noria *f*.

ferry ['ferɪ] ◇ *n* (*large, for cars*) transbordador *m*, ferry *m*; (*small*) barca *f*. ◇ *vt* llevar, transportar.

ferryboat ['ferɪbəʊt] *n* = ferry.

fertile [*Am* 'fɜ:rtl, *Br* 'fɜ:taɪl] *adj* fértil.

fertilizer ['fɜ:'təlaɪzə'] *n* abono *m*.

fervent ['fɜ:'vənt] *adj* ferviente.

fester ['festə'] *vi* enconarse.

festival ['festɪvl] *n* **1.** (*event, celebration*) festival *m*. **2.** (*holiday*) día *m* festivo.

festive ['festɪv] *adj* festivo(va).

festive season *n*: **the ~** las Navidades.

festivities [fe'stɪvətɪz] *npl* festividades *fpl*.

fetch [fetʃ] *vt* **1.** (*go and get*) ir a buscar. **2.** *inf* (*raise - money*) venderse por.

fetching ['fetʃɪŋ] *adj* atractivo(va).

fete, fête [feɪt] *n* fiesta *f* benéfica.

fetus ['fi:təs] = foetus.

feud [fju:d] ◇ *n* enfrentamiento *m* duradero. ◇ *vi* pelearse.

feudal ['fju:dl] *adj* feudal.

fever ['fi:və'] *n lit & fig* fiebre *f*; **to have a ~** tener fiebre.

feverish ['fi:vərɪʃ] *adj lit & fig* febril.

few [fju:] ◇ *adj* pocos(cas); **a ~** algunos(nas); **a ~ more potatoes** algunas patatas más; **quite a ~, a good ~** bastantes; **~ and far between** escasos, contados. ◇ *pron* pocos *mpl*, -cas *fpl*; **a ~ (of them)** algunos *mpl*, -nas *fpl*.

• No confundamos *few* ("pocos [as]") y *a few* ("algunos [as]").

• *Few* puede ir delante de sustantivos contables en plural (*few women*), pero para sustantivos incontables usaremos *little* (*little water*).

• *A few* y *a little* tampoco deben confundirse. *A little* va con sustantivos incontables (*a little sugar*; *a little patience*), mientras que *a few* se utiliza con sustantivos contables en plural (*a few good ideas*, "algunas buenas ideas"). *A little* funciona también como adverbio, *a few* no.

• En oraciones negativas generalmente se usa *not many* en lugar de *few* y *not much* en lugar de *little*.

• Ver también **LITTLE**.

---

fewer ['fjuːər] ◇ *adj* menos. ◇ *pron* menos.

fewest ['fjuːəst] *adj* menos.

fiancé [*Am* ˌfiːɒn'seɪ, *Br* fɪ'ɒnseɪ] *n* prometido *m*.

fiancée [*Am* ˌfiːɒn'seɪ, *Br* fɪ'ɒnseɪ] *n* prometida *f*.

fiasco [fɪ'æskoʊ] (*Br pl* **-s**, *Am pl* **-es**) *n* fiasco *m*.

fib [fɪb] *n inf* bola *f*, trola *f*.

fiber *Am*, **fibre** *Br* ['faɪbər] *n* fibra *f*.

fiberglass *Am* ['faɪbrglæs], **fibreglass** *Br* ['faɪbəglɑːs] *n* (*U*) fibra *f* de vidrio.

fickle ['fɪkl] *adj* voluble.

fiction ['fɪkʃn] *n* **1.** (*stories*) (literatura *f* de) ficción *f*. **2.** (*fabrication*) ficción *f*.

fictional ['fɪkʃnəl] *adj* **1.** (*literary*) novelesco(ca). **2.** (*invented*) ficticio(cia).

fictitious [fɪk'tɪʃəs] *adj* (*false*) ficticio (cia).

fiddle ['fɪdl] ◇ *n* **1.** (*violin*) violín *m*. **2.** *Br inf* (*fraud*) timo *m*. ◇ *vt Br inf* falsear. ◇ *vi* (*play around*): **to ~ (with sthg)** juguetear (con algo).

fiddly ['fɪdlɪ] *adj Br* (*job*) delicado(da); (*gadget*) intrincado(da).

fidget ['fɪdʒət] *vi* no estarse quieto(ta).

field [fiːld] *n* (*gen &* COMPUT) campo *m*; **in the ~** sobre el terreno.

fieldwork ['fiːldwɜːrk] *n* (*U*) trabajo *m* de campo.

fiend [fiːnd] *n* (*cruel person*) malvado *m*, -da *f*.

fiendish ['fiːndɪʃ] *adj* **1.** (*evil*) malévolo

(la). **2.** *inf* (*very difficult*) endiablado(da).

fierce [fɪərs] *adj* (*gen*) feroz; (*temper*) endiablado(da); (*loyalty*) ferviente; (*heat*) asfixiante.

fifteen [ˌfɪf'tiːn] *num* quince; *see also* **six**.

fifth [fɪfθ] *num* quinto(ta); *see also* **sixth**.

fifty ['fɪftɪ] *num* cincuenta; *see also* **sixty**.

fifty-fifty ◇ *adj* al cincuenta por ciento; **a ~ chance** unas posibilidades del cincuenta por ciento. ◇ *adv*: **to go ~** ir a medias.

fig [fɪg] *n* higo *m*.

fight [faɪt] (*pt & pp* **fought**) ◇ *n* pelea *f*; (*fig*) lucha *f*; **to have a ~ (with)** pelearse (con); **to put up a ~** oponer resistencia. ◇ *vt* (*gen*) luchar contra; (*battle, campaign*) librar; (*war*) luchar en. ◇ *vi* **1.** (*in punch-up*) pelearse; (*in war*) luchar. **2.** *fig* (*battle, struggle*): **to ~ (for/against)** luchar (por/contra). **3.** (*argue*): **to ~ (about** OR **over)** pelearse OR discutir (por). ◆ **fight back** ◇ *vt fus* reprimir, contener. ◇ *vi* defenderse.

fighter ['faɪtər] *n* **1.** (*plane*) caza *m*. **2.** (*soldier*) combatiente *m* y *f*. **3.** (*combative person*) luchador *m*, -ra *f*.

fighting ['faɪtɪŋ] *n* (*U*) (*punch-up*) pelea *f*; (*on streets, terraces*) peleas *fpl*; (*in war*) combate *m*.

figment ['fɪgmənt] *n*: **a ~ of sb's imagination** un producto de la imaginación de alguien.

figurative ['fɪgjərətɪv] *adj* figurado (da).

figure ['fɪgjər] ◇ *n* **1.** (*statistic, number*) cifra *f*; **to be in single/double ~s** no sobrepasar/sobrepasar la decena. **2.** (*shape of person, personality*) figura *f*. **3.** (*diagram*) gráfico *m*, diagrama *m*. ◇ *vt* (*suppose*) figurarse, suponer. ◇ *vi* (*feature*) figurar. ◆ **figure out** *vt sep* (*reason, motives*) figurarse; (*problem etc*) resolver.

figurehead ['fɪgjərhed] *n* (*leader without real power*) testaferro *m*.

figure of speech *n* forma *f* de hablar.

Fiji ['fiːdʒiː] *n* Fiyi.

file [faɪl] ◇ *n* **1.** (*folder*) carpeta *f*. **2.** (*report*) expediente *m*; **on ~**, **on the ~s** archivado. **3.** (COMPUT) fichero *m*. **4.** (*tool*) lima *f*. **5.** (*line*): **in single ~** en fila india. ◇ *vt* **1.** (*put in file*) archivar. **2.** (JUR) presentar. **3.** (*shape, smoothe*) limar. ◇ *vi* (*walk in single file*) ir en fila.

filet *Am* [fɪ'leɪ], **fillet** *Br* ['fɪlət] *n* filete *m*.

filet steak n Am filete m (de carne).

filing cabinet ['faɪlɪŋ-] n archivo m, fichero m.

Filipino [ˌfɪləˈpiːnəʊ] (pl -s) ◇ adj filipino(na). ◇ n filipino m, -na f.

fill [fɪl] ◇ vt 1. (gen): **to ~ sthg (with)** llenar algo (de). 2. (gap, hole, crack) rellenar; (tooth) empastar. 3. (need, vacancy etc) cubrir. ◇ n: **to eat one's ~** comer hasta hartarse. ♦ **fill in** vt sep 1. (complete) rellenar. 2. (inform): **to ~ sb in (on)** poner a alguien al corriente (de). ◇ vi (substitute): **to ~ in (for sb)** sustituir (a alguien). ♦ **fill out** vt sep (complete) rellenar. ♦ **fill up** ◇ vt sep llenar (hasta arriba). ◇ vi llenarse.

fillet Br = filet.

filling ['fɪlɪŋ] ◇ adj (satisfying) que llena mucho. ◇ n 1. (in tooth) empaste m. 2. (in cake, sandwich) relleno m.

filling station n estación f de servicio.

film [fɪlm] ◇ n 1. (gen) película f. 2. (U) (footage) escenas fpl filmadas. ◇ vt & vi filmar, rodar.

film star n estrella f de cine.

Filofax® ['faɪləfæks] n agenda f (de hojas recambiables).

filter ['fɪltər] ◇ n filtro m. ◇ vt (purify) filtrar.

filter coffee n café m de filtro.

filter lane n Br carril m de giro.

filter-tipped ['-tɪpt] adj con filtro.

filth [fɪlθ] n (U) 1. (dirt) suciedad f. 2. (obscenity) obscenidades fpl.

filthy ['fɪlθɪ] adj 1. (very dirty) mugriento(ta), sucísimo(ma). 2. (obscene) obsceno(na).

fin [fɪn] n (on fish) aleta f.

final ['faɪnl] ◇ adj 1. (last) último(ma). 2. (at end) final. 3. (definitive) definitivo (va). ◇ n final f. ♦ **finals** npl (UNIV) exámenes mpl finales.

finale [Am fɪˈnælɪ, Br -ˈnɑːlɪ] n final m.

finalize ['faɪnəlaɪz] vt ultimar.

finally ['faɪnəlɪ] adv 1. (at last) por fin. 2. (lastly) finalmente, por último.

finance [n Am fəˈnæns, Br ˈfaɪnæns, vb Am fəˈnæns, Br faɪˈnæns] ◇ n (U) 1. (money) fondos mpl. 2. (money management) finanzas fpl. ◇ vt financiar. ♦ **finances** npl finanzas fpl.

financial [fəˈnænʃl] adj financiero(ra).

find [faɪnd] (pt & pp **found**) ◇ vt 1. (gen) encontrar. 2. (realize - fact) darse cuenta de, descubrir. 3. (JUR): **to be found guilty/not guilty (of)** ser declarado(da) culpable/inocente (de). ◇ n hallazgo m, descubrimiento m. ♦ **find**

out ◇ vi informarse. ◇ vt fus 1. (fact) averiguar. 2. (truth) descubrir. ◇ vt sep (person) descubrir.

findings ['faɪndɪŋz] npl conclusiones fpl.

fine [faɪn] ◇ adj 1. (excellent) excelente. 2. (perfectly satisfactory): **it's/that's ~** está bien, perfecto; **how are you? – fine thanks** ¿qué tal? – muy bien. 3. (weather) bueno(na); **it will be ~ tomorrow** mañana hará buen día. 4. (thin, smooth) fino(na). 5. (minute - detail, distinction) sutil; (- adjustment, tuning) milimétrico(ca). ◇ adv (very well) muy bien. ◇ n multa f. ◇ vt multar.

fine arts npl bellas artes fpl.

finery ['faɪnərɪ] n (U) galas fpl.

finesse [fɪˈnes] n finura f, delicadeza f.

fine-tune vt poner a punto.

finger ['fɪŋgər] ◇ n dedo m. ◇ vt acariciar con los dedos.

fingernail ['fɪŋgərneɪl] n uña f (de las manos).

fingerprint ['fɪŋgərprɪnt] n huella f dactilar OR digital.

fingertip ['fɪŋgərtɪp] n punta f OR yema f del dedo.

finicky ['fɪnɪkɪ] adj pej (person) melindroso(sa); (task) delicado(da).

finish ['fɪnɪʃ] ◇ n 1. (end) final m. 2. (surface texture) acabado m. ◇ vt: **to ~ sthg/doing sthg** acabar algo/de hacer algo, terminar algo/de hacer algo. ◇ vi acabar, terminar. ♦ **finish off** vt sep acabar OR terminar del todo. ♦ **finish up** vi acabar, terminar.

finishing line ['fɪnɪʃɪŋ-] n línea f de meta.

finishing school ['fɪnɪʃɪŋ-] n colegio privado donde se prepara a las alumnas de clase alta para entrar en sociedad.

finite ['faɪnaɪt] adj 1. (limited) finito(ta). 2. (GRAMM) conjugado(da).

Finland ['fɪnlənd] n Finlandia f.

Finn [fɪn] n (person) finlandés m, -esa f.

Finnish ['fɪnɪʃ] ◇ adj finlandés(esa). ◇ n (language) finlandés m.

fir [fɜːr] n abeto m.

fire ['faɪər] ◇ n 1. (gen) fuego m; **on ~** en llamas; **to catch ~** incendiarse; **to open ~ (on sb)** abrir fuego (contra alguien); **to set ~ to** prender fuego a. 2. (blaze) incendio m. 3. Br (heater): **(electric/gas) ~** estufa f (eléctrica/de gas). ◇ vt 1. (shoot) disparar. 2. (dismiss) despedir. ◇ vi: **to ~ (on OR at)** disparar (contra).

fire alarm n alarma f antiincendios.

firearm ['faɪərɑːrm] n arma f de fuego.

fire department *Am*, **fire brigade** *Br* n cuerpo *m* de bomberos.

fire engine n coche *m* de bomberos.

fire escape n escalera *f* de incendios.

fire extinguisher n extintor *m* (de incendios).

fireguard ['faɪəʳgɑːʳd] n pantalla *f* (de chimenea).

firelighter ['faɪəʳlaɪtəʳ] n enciende-fuegos *m inv*, tea *f*.

fireman ['faɪəʳmən] (*pl* **-men** [-mən]) n bombero *m*.

fireplace ['faɪəʳpleɪs] n chimenea *f*.

fireproof ['faɪəʳpruːf] adj incombustible.

fireside ['faɪəʳsaɪd] n: **by the ~** al calor de la chimenea.

fire station n parque *m* de bomberos.

firewood ['faɪəʳwʊd] n leña *f*.

firework ['faɪəʳwɜːʳk] n fuego *m* de artificio. ◆ **fireworks** npl fuegos *mpl* artificiales OR de artificio.

firing ['faɪərɪŋ] n (U) (MIL) disparos *mpl*.

firing squad n pelotón *m* de ejecución OR fusilamiento.

firm [fɜːʳm] ◇ adj 1. (gen) firme; **to stand ~** mantenerse firme. 2. (FIN) (steady) estable. ◇ n firma *f*, empresa *f*.

first [fɜːʳst] ◇ adj 1. (suitable): **for the ~ time** por primera vez; **~ thing (in the morning)** a primera hora (de la mañana). ◇ adv 1. (gen) primero; **~ of all** en primer lugar. 2. (for the first time) por primera vez. ◇ n 1. (person) primero *m*, -ra *f*. 2. (unprecedented event) acontecimiento *m* sin precedentes. 3. *Br* (UNIV) = sobresaliente *m*. ◆ **at first** adv al principio. ◆ **at first hand** adv de primera mano.

first aid n (U) primeros auxilios *mpl*.

first-aid kit n botiquín *m* de primeros auxilios.

first-class adj 1. (excellent) de primera. 2. (letter, ticket) de primera clase.

first floor n 1. *Am* (at ground level) planta *f* baja. 2. *Br* (above ground level) primer piso *m*.

firsthand [ˌfɜːʳstˈhænd] ◇ adj de primera mano. ◇ adv directamente.

first lady n primera dama *f*.

firstly ['fɜːʳstlɪ] adv en primer lugar.

first name n nombre *m* de pila.

first-rate adj de primera.

firtree ['fɜːʳtriː] = **fir**.

fish [fɪʃ] (*pl inv*) ◇ n 1. (animal) pez *m*. 2. (U) (food) pescado *m*. ◇ vt pescar en. ◇ vi (for fish): **to ~ (for sthg)** pescar (algo).

fish and chips npl pescado *m* frito con papas fritas.

fish and chip shop n *Br* tienda *f* de pescado frito con papas fritas.

fishcake ['fɪʃkeɪk] n pastelillo *m* de pescado.

fisherman ['fɪʃəʳmən] (*pl* **-men** [-mən]) n pescador *m*.

fish farm n piscifactoría *f*.

fish fingers *Br* = **fish sticks**.

fishing ['fɪʃɪŋ] n pesca *f*; **to go ~** ir de pesca.

fishing boat n barco *m* pesquero.

fishing line n sedal *m*.

fishing rod n caña *f* de pescar.

fishmonger ['fɪʃmʌŋgəʳ] n pescadero *m*, -ra *f*; **~'s (shop)** pescadería *f*.

fish sticks *Am*, **fish fingers** *Br* npl palitos *mpl* de pescado.

fishy ['fɪʃɪ] adj 1. (smell, taste) a pescado. 2. (suspicious) sospechoso(sa).

fist [fɪst] n puño *m*.

fit [fɪt] ◇ adj 1. (suitable): **~ (for sthg/to do sthg)** apto(ta) (para algo/para hacer algo); **do as you think ~** haz lo que te parezca conveniente. 2. (healthy) en forma; **to keep ~** mantenerse en forma. ◇ n 1. (of clothes, shoes etc): **it's a good ~** le/te etc sienta OR va bien. 2. (bout, seizure) ataque *m*; **he had a ~** lit & fig le dio un ataque; **in ~s and starts** a trompicones. ◇ vt 1. (be correct size for) sentar bien a, ir bien a. 2. (place): **to ~ sthg into** encajar algo en. 3. (provide): **to ~ sthg with** equipar algo con; **to have an alarm fitted** poner una alarma. 4. (be suitable for) corresponder a. ◇ vi 1. (clothes, shoes) estar bien de talla. 2. (part - when assembling etc): **this bit ~s in here** esta pieza encaja aquí. 3. (have enough room) caber. ◆ **fit in** ◇ vt sep (accommodate) hacer un hueco a. ◇ vi 1. (subj: person): **to ~ in (with)** adaptarse (a). 2. (be compatible): **it doesn't ~ in with our plans** no encaja con nuestros planes.

fitful ['fɪtfʊl] adj irregular, intermitente.

fitment ['fɪtmənt] n mueble *m*.

fitness ['fɪtnəs] n (U) 1. (health) buen estado *m* físico. 2. (suitability): **~ (for)** idoneidad *f* (para).

fitted carpet [ˌfɪtəd-] n moqueta *f*.

fitted kitchen [ˌfɪtəd-] n *Br* cocina *f* de módulos.

fitter ['fɪtəʳ] n (mechanic) (mecánico *m*) ajustador *m*.

fitting ['fɪtɪŋ] ◇ adj fml conveniente, adecuado(da). ◇ n 1. (part) accesorio *m*. 2. (for clothing) prueba *f*. ◆ **fittings**

npl accesorios *mpl*.

fitting room *n* probador *m*.

five [faɪv] *num* cinco; *see also* **six**.

fiver ['faɪvə'] *n Br inf (billete de) cinco libras*.

fix [fɪks] ◇ *vt* 1. *(gen)* fijar; **to ~ sthg (to)** fijar algo (a). 2. *(repair)* arreglar, refaccionar *Amer*. 3. *inf (rig)* amañar. 4. *(prepare - food, drink)* preparar. ◇ *n* 1. *inf (difficult situation):* **to be in a ~** estar en un aprieto. 2. *drugs sl* dosis *f inv*. ◆ **fix up** *vt sep* 1. *(provide):* **to ~ sb up with** proveer a alguien de. 2. *(arrange)* organizar, preparar.

fixation [fɪk'seɪʃn] *n:* **~ (on** OR **about)** fijación *f* (con).

fixed [fɪkst] *adj* fijo(ja).

fixture ['fɪkstʃə'] *n* 1. *(furniture)* instalación *f* fija. 2. *(permanent feature)* rasgo *m* característico. 3. *(sports event)* encuentro *m*.

fizz [fɪz] *vi* burbujear.

fizzle ['fɪzl] ◆ **fizzle out** *vi (firework, fire)* apagarse; *fig* disiparse.

fizzy ['fɪzɪ] *adj* gaseoso(sa).

flabbergasted [*Am* 'flæbrgæstəd, *Br* 'flæbəgɑːstəd] *adj* pasmado(da), boquiabierto(ta).

flabby ['flæbɪ] *adj* fofo(fa), gordo(da).

flag [flæg] ◇ *n (banner)* bandera *f*. ◇ *vi* decaer.

flagpole ['flægpoʊl] *n* asta *f* (de bandera).

flagrant ['fleɪgrənt] *adj* flagrante.

flair [fleə'] *n* don *m*.

flak [flæk] *n (U)* 1. *(gunfire)* fuego *m* antiaéreo. 2. *inf (criticism)* críticas *fpl*.

flake [fleɪk] ◇ *n (of skin)* escama *f*; *(of snow)* copo *m*; *(of paint)* desconchón *m*. ◇ *vi (skin)* descamarse; *(paint, plaster)* descascarillarse, desconcharse.

flamboyant [flæm'bɔɪənt] *adj* 1. *(person, behaviour)* extravagante. 2. *(clothes, design)* vistoso(sa).

flame [fleɪm] *n* llama *f*; **in ~s** en llamas.

flamingo [flə'mɪŋgoʊ] *(pl* **-s** OR **-es)** *n* flamenco *m*.

flammable ['flæməbl] *adj* inflamable.

flan [flæn] *n* tarta *f* (de fruta etc).

flank [flæŋk] ◇ *n* 1. *(of animal)* costado *m*, ijada *f*. 2. *(of army)* flanco *m*. ◇ *vt:* **to be ~ed by** estar flanqueado(da) por.

flannel ['flænl] *n* 1. *(fabric)* franela *f*. 2. *Br (facecloth)* toallita *f* (de baño para lavarse).

flap [flæp] ◇ *n (of skin)* colgajo *m*; *(of pocket, book, envelope)* solapa *f*. ◇ *vt* agitar; *(wings)* batir. ◇ *vi (flag, skirt)* on-

dear; *(wings)* aletear.

flapjack ['flæpdʒæk] *n* 1. *Am (pancake)* torta *f*, crepe *f*. 2. *Br (biscuit)* torta *f* de avena.

flare [fleə'] ◇ *n (signal)* bengala *f*. ◇ *vi* 1. *(burn brightly):* **to ~ (up)** llamear. 2. *(intensify):* **to ~ (up)** estallar. ◆ **flares** *npl Br* pantalones *mpl* de campana.

flash [flæʃ] ◇ *n* 1. *(of light)* destello *m*; *(of lightning)* relámpago *m*, refucilo *m Amer*. 2. (PHOT) flash *m*. 3. *(of genius, inspiration etc)* momento *m*; *(of anger)* acceso *m*; **in a ~** en un instante. ◇ *vt* 1. *(shine in specified direction)* dirigir; *(switch on briefly)* encender intermitentemente. 2. *(send out)* lanzar. 3. *(show - picture, image)* mostrar; *(- information, news)* emitir. ◇ *vi* 1. *(light)* destellar. 2. *(eyes)* brillar. 3. *(rush):* **to ~ by** OR **past** pasar como un rayo.

flashback ['flæʃbæk] *n* flashback *m*.

flashbulb ['flæʃbʌlb] *n* flash *m*.

flashgun ['flæʃgʌn] *n* disparador *m* de flash.

flashlight ['flæʃlaɪt] *n (torch)* linterna *f* eléctrica.

flashy ['flæʃɪ] *adj inf* chulo(la); *pej* ostentoso(sa).

flask [*Am* flæsk, *Br* flɑːsk] *n* 1. *(thermos flask)* termo *m*. 2. *(used in chemistry)* matraz *m*. 3. *(hip flask)* petaca *f*.

flat [flæt] ◇ *adj* 1. *(surface, ground)* llano(na); *(feet)* plano. 2. *(shoes)* bajo (ja). 3. *(tyre)* desinflado(da). 4. *(refusal, denial)* rotundo(da). 5. *(business, trade)* flojo(ja); *(voice, tone)* monótono(na); *(colour)* soso(sa); *(performance, writing)* desangelado(da). 6. (MUS) *(lower than correct note)* desafinado(da); *(lower than stated note)* bemol *(inv)*. 7. *(fare, price)* único(ca). 8. *(beer, lemonade)* muerto (ta). 9. *(battery)* descargado(da). ◇ *adv* 1. *(level):* **to lie ~** estar totalmente extendido; **to fall ~** *(person)* caerse de bruces. 2. *(of time):* **in five minutes ~** en cinco minutos justos. ◇ *n* 1. *Br (apartment)* apartamento *m*, departamento *m Amer*, piso *m Esp*. 2. (MUS) bemol *m*. ◆ **flat out** *adv* a toda velocidad.

flatly ['flætlɪ] *adv (refuse, deny)* de plano, terminantemente.

flatmate ['flætmeɪt] *n Br* compañero *m*, -ra *f* de apartamento.

flat rate *n* tarifa *f* única.

flatten ['flætn] *vt* 1. *(surface, paper, bumps)* allanar, aplanar; *(paper)* alisar. 2. *(building, city)* arrasar. ◆ **flatten out**

◇ *vi* allanarse, nivelarse. ◇ *vt sep* allanar.

flatter ['flætər] *vt* 1. *(subj: person, report)* adular, halagar. 2. *(subj: clothes, colour, photograph)* favorecer.

flattering ['flætərɪŋ] *adj* 1. *(remark, interest)* halagador(ra). 2. *(clothes, colour, photograph)* favorecedor(ra).

flattery ['flætərɪ] *n (U)* halagos *mpl*.

flaunt [flɔːnt] *vt* ostentar, hacer gala de.

flavor *Am*, **flavour** *Br* ['fleɪvər] ◇ *n* 1. *(taste)* sabor *m*. 2. *fig (atmosphere)* aire *m*, toque *m*. ◇ *vt* condimentar.

flavoring *Am*, **flavouring** *Br* ['fleɪvərɪŋ] *n (U)* condimento *m*.

flaw [flɔː] *n (fault)* desperfecto *m*.

flawless ['flɔːləs] *adj* impecable.

flax [flæks] *n* lino *m*.

flea [fliː] *n* pulga *f*.

flea market *n* rastro *m*.

fleck [flek] *n* mota *f*.

fled [fled] *pt & pp* → **flee**.

flee [fliː] *(pt & pp* **fled***)* ◇ *vt* huir de. ◇ *vi*: **to ~ (from/to)** huir (de/a).

fleece [fliːs] *n* vellón *m*.

fleet [fliːt] *n* 1. *(of ships)* flota *f*. 2. *(of cars, buses)* parque *m* (móvil).

fleeting ['fliːtɪŋ] *adj* fugaz.

Fleet Street *n calle londinense que antiguamente fue el centro de la prensa inglesa y cuyo nombre todavía se utiliza para referirse a ésta.*

Flemish ['flemɪʃ] ◇ *adj* flamenco(ca). ◇ *n (language)* flamenco *m*. ◇ *npl*: **the ~** los flamencos.

flesh [fleʃ] *n* 1. *(of body)* carne *f*; **in the ~** en persona. 2. *(of fruit, vegetable)* pulpa *f*.

flew [fluː] *pt* → **fly**.

flex [fleks] ◇ *n* (ELEC) cable *m*, cordón *m*. ◇ *vt* flexionar.

flexible ['fleksəbl] *adj* flexible.

flexitime ['fleksɪtaɪm] *n (U)* horario *m* flexible.

flick [flɪk] ◇ *n* 1. *(of whip, towel)* golpe *m* rápido. 2. *(with finger)* toba *f*. ◇ *vt (switch)* apretar, pulsar. ♦ **flick through** *vt fus* hojear rápidamente.

flicker ['flɪkər] *vi (eyes)* parpadear; *(flame)* vacilar.

flick knife *n Br* navaja *f* automática.

flight [flaɪt] *n* 1. *(gen)* vuelo *m*. 2. *(of steps, stairs)* tramo *m*. 3. *(of birds)* bandada *f*. 4. *(escape)* huida *f*, fuga *f*.

flight attendant *n* auxiliar *m* de vuelo, azafata *f*.

flight crew *n* tripulación *f* de vuelo.

flight deck *n* 1. *(of aircraft carrier)* cubierta *f* de vuelo. 2. *(of plane)* cabina *f* del piloto.

flight recorder *n* registrador *m* de vuelo.

flimsy ['flɪmzɪ] *adj* 1. *(dress, material)* muy ligero(ra). 2. *(structure)* débil, poco sólido(da). 3. *(excuse)* flojo(ja).

flinch [flɪntʃ] *vi* 1. *(shudder)* estremecerse; **without ~ing** sin pestañear. 2. *(be reluctant)*: **to ~ (from sthg/from doing sthg)** retroceder (ante algo/ante hacer algo); **without ~ing** sin inmutarse.

fling [flɪŋ] *(pt & pp* **flung***)* ◇ *n (affair)* aventura *f* amorosa. ◇ *vt* arrojar.

flint [flɪnt] *n* 1. *(rock)* sílex *m*. 2. *(in lighter)* piedra *f*.

flip [flɪp] ◇ *vt* 1. *(turn)* dar la vuelta a; **to ~ sthg open** abrir algo de golpe. 2. *(switch)* pulsar. ◇ *n (of coin)* papirotazo *m*.

flip-flop *n (shoe)* chancleta *f*.

flippant ['flɪpənt] *adj* frívolo(la).

flipper ['flɪpər] *n* aleta *f*.

flirt [flɜːrt] ◇ *n* coqueto *m*, -ta *f*. ◇ *vi (with person)*: **to ~ (with)** flirtear OR coquetear (con).

flit [flɪt] *vi (bird)* revolotear.

float [fləʊt] ◇ *n* 1. *(for fishing line)* corcho *m*. 2. *(buoyant object)* flotador *m*. 3. *(in procession)* carroza *f*. 4. *(supply of change)* cambio *m*. ◇ *vt (on water)* hacer flotar. ◇ *vi* flotar.

flock [flɒk] *n* 1. *(of sheep)* rebaño *m*; *(of birds)* bandada *f*. 2. *fig (of people)* multitud *f*, tropel *m*.

flog [flɒg] *vt* 1. *(whip)* azotar. 2. *Br inf (sell)* vender.

flood [flʌd] ◇ *n* 1. *(of water)* inundación *f*. 2. *(of letters, people)* aluvión *m*, riada *f*. ◇ *vt lit & fig*: **to ~ sthg (with)** inundar algo (de).

flooding ['flʌdɪŋ] *n (U)* inundación *f*.

floodlight ['flʌdlaɪt] *n* foco *m*.

floor [flɔːr] ◇ *n* 1. *(of room, forest)* suelo *m*; *(of club, disco)* pista *f*. 2. *(of sea, valley)* fondo *m*. 3. *(of building)* piso *m*, planta *f*. 4. *(at meeting, debate)*: **to give/have the ~** dar/tener la palabra. ◇ *vt* 1. *(knock down)* derribar. 2. *(baffle)* desconcertar, dejar perplejo(ja).

floorboard ['flɔːbɔːrd] *n* tabla *f* (del suelo).

floor show *n* espectáculo *m* de cabaret.

flop [flɒp] *n inf (failure)* fracaso *m*.

floppy ['flɒpɪ] *adj* caído(da), flojo(ja).

floppy (disk) *n* disco *m* flexible.

flora ['flɔːrə] *n* flora *f*.

florid ['flɒrɪd] adj 1. (red) rojizo(za). 2. (extravagant) florido(da).

florist ['flɒrəst] n florista m y f; ~'s (shop) floristería f.

flotsam ['flɒtsəm] n (U): ~ and jetsam restos mpl del naufragio; fig desechos mpl de la humanidad.

flounce [flaʊns] ◇ n (SEWING) volante m. ◇ vi: to ~ out salir airadamente.

flounder ['flaʊndər] vi 1. (move with difficulty) debatirse. 2. (when speaking) titubear.

flour ['flaʊər] n harina f.

flourish [Am 'flɜːrɪʃ, Br 'flʌr-] ◇ vi florecer. ◇ vt agitar. ◇ n: to do sthg with a ~ hacer algo con una floritura.

flout [flaʊt] vt incumplir, no obedecer.

flow [fləʊ] ◇ n (gen) flujo m; (of opinion) corriente f. ◇ vi 1. (gen) fluir, correr. 2. (hair, clothes) ondear.

flow chart, flow diagram n organigrama m, cuadro m sinóptico.

flower ['flaʊər] ◇ n lit & fig flor f. ◇ vi lit & fig florecer.

flowerbed ['flaʊərbed] n arriate m.

flowerpot ['flaʊərpɒt] n tiesto m.

flowery ['flaʊərɪ] adj 1. (patterned) de flores, floreado(da). 2. pej (elaborate) florido(da). 3. (sweet-smelling) con olor a flores.

flown [fləʊn] pp → fly.

flu [fluː] n gripe f.

fluctuate ['flʌktʃʊeɪt] vi fluctuar.

fluency ['fluːənsɪ] n soltura f, fluidez f.

fluent ['fluːənt] adj 1. (in foreign language): to be ~ in French, to speak ~ French dominar el francés. 2. (style) elocuente, fluido(da).

fluff [flʌf] n pelusa f.

fluffy ['flʌfɪ] adj (jumper) de pelusa; (toy) de peluche.

fluid ['fluːɪd] ◇ n fluido m, líquido m. ◇ adj 1. (flowing) fluido(da). 2. (situation, opinion) incierto(ta).

fluid ounce n = 0,03 litre, onza f líquida.

fluke [fluːk] n inf chiripa f; by a ~ por OR de chiripa.

flung [flʌŋ] pt & pp → fling.

flunk [flʌŋk] vt & vi inf catear.

fluorescent [flɔːˈresnt] adj fluorescente.

fluoride ['flʊəraɪd] n fluoruro m.

flurry [Am 'flɜːrɪ, Br 'flʌrɪ] n 1. (shower) ráfaga f. 2. (burst) frenesí m.

flush [flʌʃ] ◇ adj (level): ~ with nivelado(da) con. ◇ n 1. (of lavatory) cadena f. 2. (blush) rubor m. 3. (sudden feeling)

arrebato m. ◇ vt 1. (toilet) tirar de la cadena de. 2. (force out of hiding): to ~ sb out hacer salir a alguien. ◇ vi (blush) ruborizarse.

flushed [flʌʃt] adj 1. (red-faced) encendido(da). 2. (excited): ~ (with) enardecido(da) (por).

flustered ['flʌstərd] adj aturullado(da).

flute [fluːt] n (MUS) flauta f.

flutter ['flʌtər] ◇ n 1. (of wings) aleteo m; (of eyelashes) pestañeo m. 2. inf (of excitement) arranque m. ◇ vi 1. (bird) aletear. 2. (flag, dress) ondear.

flux [flʌks] n (change): to be in a state of ~ cambiar constantemente.

fly [flaɪ] (pt flew, pp flown) ◇ n 1. (insect) mosca f. 2. (in trousers) bragueta f. ◇ vt 1. (plane) pilotar; (kite, model aircraft) hacer volar. 2. (passengers, supplies) transportar en avión. 3. (flag) ondear. ◇ vi 1. (bird, plane, person) volar. 2. (pilot a plane) pilotar. 3. (travel by plane) volar en avión. 4. (flag) ondear. ◆ **fly away** vi irse volando.

fly-fishing n pesca f con mosca.

flying ['flaɪɪŋ] ◇ adj (able to fly) volador(ra), volante. ◇ n: I hate/love ~ odio/me encanta ir en avión; her hobby is ~ es aficionada a la aviación.

flying colours npl: to pass (sthg) with ~ salir airoso(sa) (de algo).

flying saucer n platillo m volante.

flying squad n brigada f volante.

flying start n: to get off to a ~ empezar con muy buen pie.

flyover ['flaɪˌəʊvər] n Br paso m elevado.

flysheet ['flaɪʃiːt] n doble techo m.

fly spray n matamoscas m inv (en aerosol).

FM (abbr of frequency modulation) FM f.

foal [fəʊl] n potro m.

foam [fəʊm] ◇ n 1. (bubbles) espuma f. 2. ~ (rubber) gomaespuma f. ◇ vi hacer espuma.

fob [fɒb] ◆ **fob off** vt sep: to ~ sb off (with sthg) dar largas a alguien (con algo); to ~ sthg off on sb endosar a alguien algo.

focal point ['fəʊkl-] n punto m focal OR central.

focus ['fəʊkəs] (pl -cuses OR -ci [-saɪ]) ◇ n (gen) foco m; in ~ enfocado; out of ~ desenfocado. ◇ vt 1. (eyes, lens, rays) enfocar. 2. (attention) fijar, centrar. ◇ vi 1. (eyes, lens): to ~ (on sthg) enfocar (algo). 2. (attention): to ~ on sthg centrarse en algo.

fodder ['fɒdər] n forraje m.

foetus ['fiːtəs] n feto m.

fog [fɒg] n niebla f.

foggy ['fɒgɪ] adj (misty) brumoso(sa); (day) de niebla.

foghorn ['fɒghɔːʳn] n sirena f (de niebla).

fog lamp n faro m antiniebla.

foil [fɔɪl] ◇ n (U) (metal sheet) papel m aluminio OR de plata. ◇ vt frustrar.

fold [fould] ◇ vt (sheet, blanket) doblar; (chair, pram) plegar; **to ~ one's arms** cruzar los brazos. ◇ vi 1. (table, chair etc) plegarse. 2. inf (collapse) venirse abajo. ◇ n 1. (in material, paper) pliegue m. 2. (for animals) redil m. ◆ **fold up** ◇ vt sep 1. (bend) doblar. 2. (close up) plegar. ◇ vi 1. (bend) doblarse. 2. (close up) plegarse. 3. (collapse) venirse abajo.

folder ['fouldəʳ] n (gen) carpeta f.

folding ['fouldɪŋ] adj plegable; (ladder) de tijera.

foliage ['foulɪdʒ] n follaje m.

folk [fouk] ◇ adj popular. ◇ npl (people) gente f. ◇ n (MUS) música f folklórica OR popular. ◆ **folks** npl inf (relatives) familia f.

folklore ['fouklɔːʳ] n folklore m.

folk music n música f folklórica OR popular.

folk song n canción f popular.

follow ['fɒlou] ◇ vt 1. (gen) seguir. 2. (understand) comprender. ◇ vi 1. (gen) seguir. 2. (be logical) ser lógico (ca); **it ~s that** se deduce que. 3. (understand) comprender. ◆ **follow up** vt sep examinar en más detalle; **to ~ sthg up with** proseguir algo con.

follower ['fɒlouəʳ] n partidario m, -ria f.

following ['fɒlouɪŋ] ◇ adj siguiente. ◇ n partidarios mpl; (of team) afición f. ◇ prep tras.

folly ['fɒlɪ] n (U) (foolishness) locura f.

fond [fɒnd] adj 1. (affectionate) afectuoso(sa), cariñoso(sa). 2. (having a liking): **to be ~ of sb** tener cariño a alguien; **to be ~ of sthg/of doing sthg** ser aficionado(da) a algo/a hacer algo.

fondle ['fɒndl] vt acariciar.

font [fɒnt] n 1. (in church) pila f bautismal. 2. (COMPUT): **hard/printer/screen ~** grupo m de caracteres impreso/de impresora/de pantalla.

food [fuːd] n comida f.

food mixer n batidora f eléctrica.

food poisoning [-ˌpɔɪznɪŋ] n intoxicación f alimenticia.

food processor [Am -ˌprɒsesər, Br -ˌprousesə] n robot m de cocina.

foodstuffs ['fuːdstʌfs] npl comestibles mpl.

fool [fuːl] ◇ n (idiot) tonto m, -ta f, imbécil m y f. ◇ vt (deceive) engañar; (joke with) tomar el pelo a; **to ~ sb into doing sthg** embaucar a alguien para que haga algo. ◇ vi bromear. ◆ **fool about, fool around** vi 1. (behave foolishly): **to ~ about (with sthg)** hacer el tonto (con algo). 2. (be unfaithful): **to ~ about (with sb)** tontear (con alguien).

foolhardy ['fuːlhɑːʳdɪ] adj temerario (ria).

foolish ['fuːlɪʃ] adj tonto(ta).

foolproof ['fuːlpruːf] adj infalible.

foot [fut] (pl sense 1 feet, pl sense 2 inv OR feet) ◇ n 1. (gen) pie m; (of bird, animal) pata f; **to be on one's feet** estar de pie; **to get to one's feet** levantarse; **on ~** a pie, andando; **to put one's ~ in it** meter la pata; **to put one's feet up** descansar (con los pies en alto). 2. (unit of measurement) = 30,48 cm, pie m. ◇ vt inf: **to ~ the bill (for sthg)** pagar la cuenta (de algo).

footage ['futɪdʒ] n (U) secuencias fpl.

football ['futbɔːl] n 1. (game - American football) fútbol m americano; (- soccer) fútbol m. 2. (ball) balón m.

footballer ['futbɔːləʳ] n Br futbolista m y f.

football ground n Br campo m de fútbol.

football player = footballer.

footbrake ['futbreɪk] n freno m de pedal.

footbridge ['futbrɪdʒ] n paso m elevado, pasarela f.

foothold ['futhould] n punto m de apoyo para el pie.

footing ['futɪŋ] n 1. (foothold) equilibrio m; **to lose one's ~** perder el equilibrio. 2. (basis) nivel m; **on an equal ~ (with)** en pie de igualdad (con).

footlights ['futlaɪts] npl candilejas fpl.

footnote ['futnout] n nota f a pie de página.

footpath [Am 'futpæθ, pl -pæðz, Br -pɑːθ, pl -pɑːðz] n senda f.

footprint ['futprɪnt] n huella f, pisada f.

footstep ['futstep] n 1. (sound) paso m. 2. (footprint) pisada f.

footwear ['futweəʳ] n calzado m.

---

for [stressed fɔːʳ, unstressed fəʳ] ◇ prep 1. (indicating intention, destination, purpose) para; **this is ~ you** esto es para ti; **I'm going ~ the paper** voy (a) por el periódico; **the plane ~ Paris** (gen) el avión para OR de París; *(in airport announcements)* el avión con destino a París; **it's time ~ bed** es hora de irse a la cama; **we did it ~ a laugh** OR **~ fun** lo hicimos de broma OR por divertirnos; **to go ~ a walk** ir a dar un paseo; **what's it ~?** ¿para qué es OR sirve? **2.** *(representing, on behalf of)* por; **the MP ~ Barnsley** el diputado por Barnsley; **let me do it ~ you** deja que lo haga por ti; **he plays ~ England** juega en la selección inglesa; **to work ~** trabajar para. **3.** *(because of)* por; **a prize ~ bravery** un premio a la valentía; **to jump ~ joy** dar saltos de alegría; **~ fear of failing** por miedo a fracasar. **4.** *(with regard to)* para; **it's not ~ me to say** no me toca a mí decidir; **he looks young ~ his age** aparenta ser más joven de lo que es. **5.** *(indicating amount of time, space)* para; **there's no time/room ~ it** no hay tiempo/sitio para eso. **6.** *(indicating period of time - during)* durante; *(- by, in time for)* para; **she cried ~ two hours** estuvo llorando durante dos horas; **I've lived here ~ three years** llevo tres años viviendo aquí, he vivido aquí (durante) tres años; **I've worked here ~ years** trabajo aquí desde hace años; **I'll do it ~ tomorrow** lo tendré hecho para mañana. **7.** *(indicating distance)* en; **there were roadworks ~ 50 miles** había obras en 50 millas; **we walked ~ miles** andamos millas y millas. **8.** *(indicating particular occasion)* para; **I got it ~ my birthday** me lo regalaron para OR por mi cumpleaños; **~ the first time** por vez primera. **9.** *(indicating amount of money, price)* por; **I bought/sold it ~ £10** lo compré/vendí por 10 libras; **they're 50p ~ ten** son a 50 peniques cada diez. **10.** *(in favour of, in support of)* a favor de, por; **to vote ~ sthg/sb** votar por algo/a alguien; **to be all ~ sthg** estar completamente a favor de algo. **11.** *(in ratios)* por. **12.** *(indicating meaning)*: **P ~ Peter** P de Pedro; **what's the Greek ~ 'mother'?** ¿cómo se dice 'madre' en griego? ◇ *conj fml (as, since)* ya que. ♦ **for all** ♦ *prep* **1.** *(in spite of)* a pesar de; **~ all your moaning** a pesar de lo mucho que te quejas. **2.** *(considering how little)* para; **~ all the good it has done me** para lo que me ha servido. ◇ *conj*: **~ all I care, she could be dead** por mí, como si se muere; **~ all I know** por lo que yo sé, que yo sepa.

forbad, forbade [fərˈbæd] *pt* → **forbid**.

forbid [fəˈbɪd] *(pt* **-bade** OR **-bad,** *pp* **forbid** OR **-bidden)** *vt*: **to ~ sb (to do sthg)** prohibir a alguien (hacer algo).

forbidden [fəˈbɪdn] *adj* prohibido(da).

forbidding [fəˈbɪdɪŋ] *adj (building, landscape)* inhóspito(ta); *(person, expression)* severo(ra), austero(ra).

force [fɔːrs] ◇ *n* fuerza *f*; **sales ~** personal *m* de ventas; **security ~s** fuerzas *fpl* de seguridad; **by ~** a la fuerza; **to be in/come into ~** estar/entrar en vigor; **in ~** *(in large numbers)* en masa, en gran número. ◇ *vt* forzar; **to ~ sb to do sthg** *(gen)* forzar a alguien a hacer algo; *(subj: event, circumstances)* obligar a alguien a hacer algo. ♦ **forces** *npl*: **the ~s** las fuerzas armadas; **to join ~s (with)** unirse (con).

force-feed *vt* alimentar a la fuerza.

forceful [ˈfɔːrsfl] *adj (person, impression)* fuerte; *(support, recommendation)* enérgico(ca); *(speech, idea, argument)* contundente.

forceps [ˈfɔːrseps] *npl* fórceps *m inv*.

forcibly [ˈfɔːrsəblɪ] *adv* **1.** *(using physical force)* por la fuerza. **2.** *(remind)* vivamente; *(express, argue, recommend)* enérgicamente.

ford [fɔːrd] *n* vado *m*.

fore [fɔːr] *n*: **to come to the ~** empezar a destacar, emerger.

forearm [ˈfɔːrɑːrm] *n* antebrazo *m*.

foreboding [fɔːrˈboʊdɪŋ] *n* **1.** *(presentiment)* presagio *m*. **2.** *(apprehension)* miedo *m*.

forecast [*Am* ˈfɔːrkæst, *Br* ˈfɔːkɑːst] *(pt & pp* **forecast** OR **-ed)** ◇ *n (prediction)* predicción *f*, previsión *f*; *(of weather)* pronóstico *m*. ◇ *vt (predict)* predecir; *(weather)* pronosticar.

forecourt [ˈfɔːrkɔːrt] *n* patio *m*.

forefinger [ˈfɔːrfɪŋgər] *n* (dedo *m*) índice *m*.

forefront [ˈfɔːrfrʌnt] *n*: **in** OR **at the ~ of** en OR a la vanguardia de.

forego [fɔːrˈgoʊ] = **forgo**.

foregone conclusion [ˌfɔːrgɒn-] *n*: **it's a ~** es un resultado inevitable.

foreground [ˈfɔːrgraʊnd] *n* primer plano *m*.

forehand [ˈfɔːrhænd] *n (stroke)* golpe *m* natural, drive *m*.

forehead [ˈfɒrɪd] *n* frente *f*.

foreign [ˈfɒrən] *adj* **1.** *(from abroad)* extranjero(ra). **2.** *(external - policy)* exterior; *(- correspondent, holiday)* en el extranjero. **3.** *(unwanted, harmful)* extraño(ña). **4.** *(alien, untypical)*: **~ (to sb/sthg)** ajeno(na) (a alguien/algo).

foreign affairs *npl* asuntos *mpl* exteriores.

foreign currency *n (U)* divisa *f*.

foreigner [ˈfɒrənər] *n* extranjero *m*, -ra *f*.

foreign minister *n* ministro *m*, -tra *f* de asuntos exteriores.

Foreign Office *n* *Br*: **the ~** el Ministerio de Asuntos Exteriores británico.

Foreign Secretary *n* *Br* Ministro *m*, -tra *f* de Asuntos Exteriores.

foreman [ˈfɔːrmən] (*pl* **-men** [-mən]) *n* 1. (*of workers*) capataz *m*. 2. (*of jury*) presidente *m*.

foremost [ˈfɔːrmoust] ◇ *adj* primero (ra). ◇ *adv*: **first and ~** ante todo.

forensic [fəˈrensɪk] *adj* forense.

forensic science *n* ciencia *f* forense.

forerunner [ˈfɔːrʌnər] *n* (*precursor*) precursor *m*, -ra *f*.

foresee [fɔːrˈsiː] (*pt* **-saw** [-ˈsɔː], *pp* **-seen**) *vt* prever.

foreseeable [fɔːrˈsiːəbl] *adj* previsible; **for/in the ~ future** en un futuro próximo.

foreseen [fɔːrˈsiːn] *pp* → foresee.

foreshadow [fɔːrˈʃædou] *vt* presagiar.

foresight [ˈfɔːrsaɪt] *n* (*U*) previsión *f*.

forest [ˈfɒrəst] *n* bosque *m*.

forestry [ˈfɒrəstrɪ] *n* silvicultura *f*.

foretaste [ˈfɔːteɪst] *n* anticipo *m*.

foretell [fɔːrˈtel] (*pt & pp* **-told**) *vt* predecir.

forever [fərˈevər] *adv* 1. (*eternally*) para siempre. 2. *inf* (*incessantly*) siempre, continuamente.

foreword [ˈfɔːrwɜːrd] *n* prefacio *m*.

forfeit [ˈfɔːrfɪt] ◇ *n* precio *m*; (*in game*) prenda *f*. ◇ *vt* renunciar a, perder.

forgave [fərˈgeɪv] *pt* → forgive.

forge [fɔːrdʒ] ◇ *n* fragua *f*. ◇ *vt* 1. (*gen*) fraguar. 2. (*falsify*) falsificar. ◆ **forge ahead** *vi* hacer grandes progresos.

forgery [ˈfɔːrdʒərɪ] *n* falsificación *f*.

forget [fərˈget] (*pt* **-got**, *pp* **-gotten**) ◇ *vt*: **to ~ (to do sthg)** olvidar (hacer algo). ◇ *vi*: **to ~ (about sthg)** olvidarse (de algo).

forgetful [fərˈgetfl] *adj* olvidadizo(za).

forget-me-not *n* nomeolvides *m inv*.

forgive [fərˈgɪv] (*pt* **-gave**, *pp* **-given**) *vt*: **to ~ sb (for sthg/for doing sthg)** perdonar a alguien (algo/por haber hecho algo).

forgiveness [fərˈgɪvnəs] *n* perdón *m*.

forgo [fɔːrˈgou] (*pt* **-went**, *pp* **-gone** [-ˈgɒn]) *vt* sacrificar, renunciar a.

forgot [fərˈgɒt] *pt* → forget.

forgotten [fərˈgɒtn] *pp* → forget.

fork [fɔːrk] ◇ *n* 1. (*for food*) tenedor *m*. 2. (*for gardening*) horca *f*. 3. (*in road etc*) bifurcación *f*. ◇ *vi* bifurcarse. ◆ **fork out** *vi inf*: **to ~ out for sthg** aflojar dinero para algo.

forklift truck [ˈfɔːrklɪft-] *n* carretilla *f* elevadora.

forlorn [fərˈlɔːrn] *adj* 1. (*person, expression*) consternado(da). 2. (*place, landscape*) desolado(da). 3. (*hope, attempt*) desesperado(da).

form [fɔːrm] ◇ *n* 1. (*shape, type*) forma *f*; **in the ~ of** en forma de. 2. (*fitness*): **in ~** *Am*, **on ~** *Br* en forma; **off ~** en baja forma. 3. (*document*) impreso *m*, formulario *m*. 4. (*figure - of person*) figura *f*. 5. *Br* (*class*) clase *f*. ◇ *vt* formar; (*plan*) concebir; (*impression, idea*) formarse. ◇ *vi* formarse.

formal [ˈfɔːrml] *adj* 1. (*gen*) formal; (*education*) convencional. 2. (*clothes, wedding, party*) de etiqueta.

formality [fɔːrˈmælətɪ] *n* formalidad *f*.

format [ˈfɔːrmæt] ◇ *n* (*gen & COMPUT*) formato *m*; (*of meeting*) plan *m*. ◇ *vt* (*COMPUT*) formatear.

formation [fɔːrˈmeɪʃn] *n* formación *f*; (*of ideas, plans*) creación *f*.

formative [ˈfɔːrmətɪv] *adj* formativo (va).

former [ˈfɔːrmər] ◇ *adj* 1. (*previous*) antiguo(gua); **in ~ times** antiguamente. 2. (*first of two*) primero(ra). ◇ *n*: **the ~** el primero (la primera) /los primeros (las primeras).

formerly [ˈfɔːrmərlɪ] *adv* antiguamente.

formidable [ˈfɔːrmɪdəbl] *adj* 1. (*frightening*) imponente, temible. 2. (*impressive*) formidable.

formula [ˈfɔːrmjələ] (*pl* **-as** OR **-ae** [-iː]) *n* fórmula *f*.

formulate [ˈfɔːrmjəleɪt] *vt* formular.

forsake [fərˈseɪk] (*pt* **forsook**, *pp* **forsaken**) *vt literary* abandonar.

fort [fɔːrt] *n* fuerte *m*, fortaleza *f*.

forte [*Am* fɔːrt, *Br* ˈfɔːteɪ] *n* fuerte *m*.

forth [fɔːrθ] *adv literary* 1. (*outwards, onwards*) hacia adelante. 2. (*into future*): **from that day ~** desde aquel día en adelante.

forthcoming [fɔːrˈθkʌmɪŋ] *adj* 1. (*election, book, events*) próximo(ma). 2. (*person*) abierto(ta), amable.

forthright [ˈfɔːrθraɪt] *adj* (*person, manner, opinions*) directo(ta), franco(ca); (*opposition*) rotundo(da).

fortified wine [ˌfɔːrtəfaɪd-] *n* vino *m* licoroso.

fortify [ˈfɔːrtəfaɪ] *vt* 1. (*MIL*) fortificar.

2. *(person, resolve)* fortalecer.

fortnight ['fɔːtnaɪt] *n* quincena *f*.

fortnightly ['fɔːtnaɪtlɪ] ◊ *adj* quincenal. ◊ *adv* quincenalmente.

fortress ['fɔːtrəs] *n* fortaleza *f*.

fortunate ['fɔːtʃənət] *adj* afortunado (da).

fortunately ['fɔːtʃənətlɪ] *adv* afortunadamente.

fortune ['fɔːtʃən] *n* 1. *(money, luck)* fortuna *f*. 2. *(future)*: **to tell sb's ~** decir a alguien la buenaventura.

fortune-teller [-ˌtelər] *n* adivino *m*, -na *f*.

forty ['fɔːtɪ] *num* cuarenta; *see also* sixty.

forum ['fɔːrəm] *(pl* -s) *n lit & fig* foro *m*.

forward ['fɔːwərd] ◊ *adj* 1. *(towards front - movement)* hacia adelante; *(near front - position etc)* delantero(ra). 2. *(towards future)*: **~ planning** planificación *f* anticipada. 3. *(advanced)*: **we're (no) further ~** (no) hemos adelantado (nada). 4. *(impudent)* atrevido(da). ◊ *adv* 1. *(ahead)* hacia adelante; **to go** OR **move ~** avanzar. 2. *(in time)*: **to bring sthg ~** adelantar algo. ◊ *n* (SPORT) delantero *m*, -ra *f*. ◊ *vt (send on)* remitir; **'please ~'** 'remítase al destinatario'.

forwarding address ['fɔːwərdɪŋ-] *n* nueva dirección *f* para reenvío de correo.

forwards ['fɔːwərdz] *adv* = **forward**.

forwent [fɔːwent] *pt* → **forgo**.

fossil ['fɒsl] *n* fósil *m*.

foster ['fɒstər] *vt* 1. *(child)* acoger. 2. *(idea, arts, relations)* promover.

foster child *n* menor *m y f* en régimen de acogimiento familiar.

foster parents *npl* familia *f* de acogida.

fought [fɔːt] *pt & pp* → **fight**.

foul [faʊl] ◊ *adj* 1. *(unclean - smell)* fétido(da); *(- taste)* asqueroso(sa); *(- water, language)* sucio(cia). 2. *(very unpleasant)* horrible. *n* falta *f*. ◊ *vt* 1. *(make dirty)* ensuciar. 2. (SPORT) cometer una falta contra.

found [faʊnd] ◊ *pt & pp* → **find**. ◊ *vt*: **to ~ sthg (on)** fundar algo (en).

foundation [faʊnˈdeɪʃn] *n* 1. *(organization, act of establishing)* fundación *f*. 2. *(basis)* fundamento *m*, base *f*. 3. *(make-up)*: **~ (cream)** crema *f* base. ◆ **foundations** *npl* (CONSTR) cimientos *mpl*.

founder ['faʊndər] ◊ *n* fundador *m*, -ra *f*. ◊ *vi lit & fig* hundirse, irse a pique.

foundry ['faʊndrɪ] *n* fundición *f*.

fountain ['faʊntən] *n* 1. *(structure)* fuente *f*. 2. *(jet)* chorro *m*.

fountain pen *n* (pluma *f*) estilográfica *f*.

four [fɔːr] *num* cuatro; **on all ~s** a gatas; *see also* **six**.

four-letter word *n* palabrota *f*, taco *m*.

foursome ['fɔːrsəm] *n* grupo *m* de cuatro personas.

fourteen [ˌfɔːrˈtiːn] *num* catorce; *see also* **six**.

fourth [fɔːrθ] *num* cuarto(ta); *see also* sixth.

Fourth of July *n*: **the ~** *el cuatro de julio, día de la independencia estadounidense.*

four-wheel drive *n* tracción *f* a cuatro ruedas.

fowl [faʊl] *(pl inv* OR -s) *n* ave *f* de corral.

fox [fɒks] *n* zorro *m*.

foxglove ['fɒksglʌv] *n* dedalera *f*.

foyer [*Am* fɔɪr, *Br* 'fɔɪeɪ] *n* vestíbulo *m*.

fracas [*Am* 'freɪkəs, *Br* 'frækɑː] (*Am pl* **fracases** ['freɪkəsɪz], *Br pl inv* ['frækɑːz]) *n fml* riña *f*, gresca *f*.

fraction ['frækʃn] *n* 1. (MATH) quebrado *m*, fracción *f*. 2. *(small part)* fracción *f*.

fractionally ['frækʃnəlɪ] *adv* ligeramente.

fracture ['fræktʃər] ◊ *n* fractura *f*. ◊ *vt* fracturar.

fragile [*Am* 'frædʒl, *Br* -aɪl] *adj* frágil.

fragment ['frægmənt] *n* *(of glass, text)* fragmento *m*; *(of paper, plastic)* trozo *m*.

fragrance ['freɪgrəns] *n* fragancia *f*.

fragrant ['freɪgrənt] *adj* fragante.

frail [freɪl] *adj* frágil.

frame [freɪm] ◇ n **1.** (of picture, door) marco m; (of glasses) montura f; (of chair, bed) armadura f; (of bicycle) cuadro m; (of boat) armazón m o f. **2.** (physique) cuerpo m. ◇ vt **1.** (put in a frame) enmarcar. **2.** (express) formular, expresar. **3.** inf (set up) tender una trampa a, amañar la culpabilidad de.

frame of mind n estado m de ánimo.

framework ['freɪmwɜːrk] n **1.** (physical structure) armazón m o f, esqueleto m. **2.** (basis) marco m.

France [Am fræns, Br frɑːns] n Francia.

franchise ['fræntʃaɪz] n **1.** (POL) sufragio m, derecho m de voto. **2.** (COMM) concesión f, licencia f exclusiva.

frank [fræŋk] ◇ adj franco(ca). ◇ vt franquear.

frankly ['fræŋklɪ] adv francamente.

frantic ['fræntɪk] adj frenético(ca).

fraternity [frəˈtɜːrnətɪ] n **1.** fml (community) cofradía f. **2.** (in American university) club m de estudiantes. **3.** (U) fml (friendship) fraternidad f.

FRATERNITY

Los clubes de estudiantes, masculinos (fraternities) o femeninos (sororities), son un elemento sobresaliente de la vida social universitaria estadounidense. Muchos estudiantes se hacen socios desde el primer año y continúan siéndolo incluso después de haber finalizado sus estudios. Cada club posee su propio nombre, constituido por letras del alfabeto griego y tiene su sede en el edificio donde reside la mayoría de sus miembros. Estos clubes realizan trabajos para instituciones de asistencia social, pero también son famosas sus juergas con alcohol y sus ceremonias secretas. Algunas universidades han decidido prohibirlos porque sus ceremonias de iniciación incluían novatadas crueles y peligrosas.

fraternize ['frætərnaɪz] vi: to ~ (with) fraternizar (con).

fraud [frɔːd] n **1.** (U) (deceit) fraude m. **2.** pej (impostor) farsante m y f.

fraught [frɔːt] adj **1.** (full): ~ with lleno(na) OR cargado(da) de. **2.** Br (frantic) tenso(sa).

fray [freɪ] ◇ vt fig (temper, nerves) crispar, poner de punta. ◇ vi **1.** (sleeve, cuff) deshilacharse. ◇ fig (temper, nerves) crisparse. ◇ n literary: to enter the ~ saltar a la palestra.

frayed [freɪd] adj (sleeve, cuff) deshilachado(da).

freak [friːk] ◇ adj imprevisible. ◇ n **1.** (strange creature - in appearance) monstruo m; (- in behaviour) estrafalario m, -ria f. **2.** (unusual event) anormalidad f. **3.** inf (fanatic): film/fitness ~ fanático m, -ca f del cine/ejercicio. ♦ **freak out** vi inf flipar, alucinar.

freckle ['frekl] n peca f.

free [friː] (compar freer, superl freest, pt & pp freed) ◇ adj **1.** (gen): ~ (from OR of) libre (de); to be ~ to do sthg ser libre de hacer algo; feel ~! ¡adelante!, ¡cómo no!; to set ~ liberar. **2.** (not paid for) gratis (inv), gratuito(ta); ~ of charge gratis (inv). **3.** (unattached) suelto(ta). **4.** (generous): to be ~ with sthg no regatear algo. ◇ adv **1.** (without payment): (for) ~ gratis. **2.** (unrestricted) libremente. **3.** (loose): to pull/cut sthg ~ soltar algo tirando/cortando. ◇ vt **1.** (release) liberar, libertar; to ~ sb of sthg librar a alguien de algo. **2.** (make available) dejar libre. **3.** (extricate - person) rescatar; (- one's arm, oneself) soltar.

freedom ['friːdəm] n libertad f; ~ from indemnidad f ante OR de.

freefone ['friːfəʊn] n (U) Br teléfono m OR número m gratuito.

free-for-all n refriega f.

free gift n obsequio m.

freehold ['friːhəʊld] n propiedad f absoluta.

free kick n tiro m libre.

freelance [Am 'friːlæns, Br -lɑːns] ◇ adj autónomo(ma). ◇ adv por libre. ◇ n (trabajador m, -ra f) autónomo m, -ma f.

freely ['friːlɪ] adv **1.** (readily - admit, confess) sin reparos; (- available) fácilmente. **2.** (openly) abiertamente, francamente. **3.** (without restrictions) libremente. **4.** (generously) liberalmente.

Freemason ['friːmeɪsn] n francmasón m, -ona f.

freephone ['friːfəʊn] = freefone.

freepost ['friːpəʊst] n franqueo m pagado.

free-range adj de granja.

freestyle ['friːstaɪl] n (in swimming) estilo m libre.

free trade n libre cambio m.

freeway ['friːweɪ] n Am autopista f.

freewheel [friːˈwiːl] vi (on bicycle) andar sin pedalear; (in car) ir en punto muerto.

free will n libre albedrío m; to do sthg

of one's own ~ hacer algo por voluntad propia.

freeze [fri:z] (*pt* **froze**, *pp* **frozen**) ◇ *vt* **1.** (*gen*) helar. **2.** (*food, wages, prices*) congelar. **3.** (*assets*) bloquear. ◇ *vi* (*gen*) helarse. ◇ *v impers* (METEOR) helar. ◇ *n* **1.** (*cold weather*) helada *f*. **2.** (*of wages, prices*) congelación *f*.

freeze-dried [-,draɪd] *adj* liofilizado (da).

freezer ['fri:zər] *n* congelador *m*.

freezing ['fri:zɪŋ] ◇ *adj* helado(da); **it's ~ in here** hace un frío espantoso aquí. ◇ *n* = **freezing point**.

freezing point *n* punto *m* de congelación.

freight [freɪt] *n* (*U*) (*goods*) mercancías *fpl*, flete *m*.

freight train *n* (tren *m* de) mercancías *m inv*.

French [frentʃ] ◇ *adj* francés(esa). ◇ *n* (*language*) francés *m*. ◇ *npl*: **the ~** los franceses.

French bean *n* habichuela *f*, ejote *m* CAm & Méx, chaucha *f* CSur, poroto *m* verde Chile, judía *f* verde Esp.

French bread *n* (*U*) pan *m* de barra.

French dressing *n* (*in UK*) (*vinaigrette*) vinagreta *f*; (*in US*) ≃ salsa *f* rosa.

French fries *npl* patatas *fpl* fritas.

Frenchman ['frentʃmən] (*pl* **-men** [-mən]) *n* francés *m*.

French stick *n* Br barra *f* de pan.

French windows *npl* puertaventanas *fpl*.

Frenchwoman ['frentʃ,wʊmən] (*pl* **-women** [-,wɪmɪn]) *n* francesa *f*.

frenetic [frə'netɪk] *adj* frenético(ca).

frenzy ['frenzɪ] *n* frenesí *m*.

frequency ['fri:kwənsɪ] *n* frecuencia *f*.

frequent [*adj* 'fri:kwənt, *vb* frɪ'kwent] ◇ *adj* frecuente. ◇ *vt* frecuentar.

frequently ['fri:kwəntlɪ] *adv* a menudo.

fresh [freʃ] *adj* **1.** (*gen*) fresco(ca); (*flavour, taste*) refrescante. **2.** (*bread*) del día. **3.** (*not canned*) natural. **4.** (*water*) dulce. **5.** (*new - drink, approach*) nuevo (va). **6.** (*bright and pleasant*) alegre.

freshen ['freʃn] ◇ *vt* (*air*) refrescar. ◇ *vi* (*wind*) soplar más fuerte. ◆ **freshen up** *vi* (*person*) refrescarse, lavarse.

fresher ['freʃər] *n* Br inf estudiante *m* y *f* de primer año.

freshly ['freʃlɪ] *adv* recién.

freshman ['freʃmən] (*pl* **-men** [-mən]) *n* estudiante *m* y *f* de primer año.

freshness ['freʃnəs] *n* (*U*) **1.** (*of food*)

buen estado *m*. **2.** (*originality*) novedad *f*, originalidad *f*. **3.** (*brightness*) pulcritud *f*. **4.** (*refreshing quality*) frescor *m*. **5.** (*energy*) vigor *m*.

freshwater ['freʃ,wɔ:tər] *adj* de agua dulce.

fret [fret] *vi* preocuparse.

friar ['fraɪər] *n* fraile *m*.

friction ['frɪkʃn] *n* fricción *f*.

Friday ['fraɪdɪ] *n* viernes *m inv*; *see also* **Saturday**.

fridge [frɪdʒ] *n* refrigerador *m*, heladera *f* CSur, frigorífico *m* Esp.

fridge-freezer *n* Br nevera *f* congeladora.

fried [fraɪd] *adj* frito(ta).

friend [frend] *n* (*close acquaintance*) amigo *m*, -ga *f*; **to be ~s with sb** ser amigo de alguien; **to make ~s (with)** hacerse amigo (de), trabar amistad (con).

friendly ['frendlɪ] *adj* **1.** (*person*) amable, simpático(ca); (*attitude, manner, welcome*) amistoso(sa); **to be ~ with sb** ser amigo de alguien. **2.** (*nation*) amigo (ga). **3.** (*argument, game*) amistoso(sa).

friendship ['frendʃɪp] *n* amistad *f*.

fries [fraɪz] = **French fries**.

frieze [fri:z] *n* friso *m*.

fright [fraɪt] *n* **1.** (*fear*) miedo *m*; **to take ~** espantarse, asustarse. **2.** (*shock*) susto *m*; **to give sb a ~** darle un susto a alguien.

frighten ['fraɪtn] *vt* asustar.

frightened ['fraɪtnd] *adj* asustado(da); **to be ~ of sthg/of doing sthg** tener miedo a algo/a hacer algo.

frightening ['fraɪtnɪŋ] *adj* aterrador (ra), espantoso(sa).

frightful ['fraɪtfl] *adj* dated terrible.

frigid ['frɪdʒɪd] *adj* (*sexually*) frígido (da).

frill [frɪl] *n* **1.** (*decoration*) volante *m*. **2.** *inf* (*extra*) adorno *m*.

fringe [frɪndʒ] ◇ *n* **1.** (*decoration*) flecos *mpl*. **2.** Br (*of hair*) flequillo *m*. **3.** (*edge*) periferia *f*. **4.** (*extreme*) margen *m*. ◇ *vt* (*edge*) bordear.

frisk [frɪsk] *vt* cachear, registrar.

frisky ['frɪskɪ] *adj* inf retozón(ona), juguetón(ona).

fritter ['frɪtər] *n* buñuelo *m*. ◆ **fritter away** *vt* sep: **to ~ money/time away on sthg** malgastar dinero/tiempo en algo.

frivolous ['frɪvələs] *adj* frívolo(la).

frizzy ['frɪzɪ] *adj* crespo(pa), ensortijado(da).

fro [frəʊ] *adv* → **to**.

frog [frɒg] *n* (*animal*) rana *f*.

F

frogman ['frɒgmən] (*pl* **-men**) *n* hombre-rana *m*.

frolic ['frɒlɪk] (*pt* & *pp* **-ked**, *cont* **-king**) *vi* retozar, triscar.

from [stressed frɒm, unstressed frəm] *prep* **1.** (*indicating source, origin, removal*) de; **where are you ~?** ¿de dónde eres?; **I got a letter ~ her today** hoy me ha llegado una carta suya; **a flight ~ Paris** un vuelo de París; **to translate ~ Spanish into English** traducir del español al inglés; **he's not back ~ work yet** no ha vuelto del trabajo aún; **to take sthg away ~ sb** quitarle algo a alguien. **2.** (*indicating a deduction*): **take 15 (away) ~ 19** quita 15 a 19; **to deduct sthg ~ sthg** deducir OR descontar algo de algo. **3.** (*indicating escape, separation*) de; **he ran away ~ home** huyó de casa. **4.** (*indicating position*) desde; **seen ~ above/below** visto desde arriba/abajo; **a light bulb hung ~ the ceiling** una bombilla colgaba del techo. **5.** (*indicating distance*) de; **it's 60 km ~ here** está a 60 kms. de aquí. **6.** (*indicating material object is made out of*) de; **it's made ~ wood/plastic** está hecho de madera/plástico. **7.** (*starting at a particular time*) desde; **closed ~ 1 pm to 2 pm** cerrado de 13h a 14h; **~ the moment I saw him** desde el momento en que lo vi. **8.** (*indicating difference, change*) de; **to be different ~** ser diferente de; **~ ... to de ... a; the price went up ~ £100 to £150** el precio subió de 100 a 150 libras. **9.** (*because of, as a result of*) de; **to die ~ cold** morir de frío; **to suffer ~ cold/hunger** padecer frío/hambre. **10.** (*on the evidence of*) por; **to speak ~ personal experience** hablar por propia experiencia. **11.** (*indicating lowest amount*): **prices range ~ £5 to £500** los precios oscilan entre 5 y 500 libras; **it could take anything ~ 15 to 20 weeks** podría llevar de 15 a 20 semanas.

front [frʌnt] ◇ *n* **1.** (*gen*) parte *f* delantera; (*of house*) fachada *f*. **2.** (METEOR, MIL & POL) frente *m*. **3.** (*on coast*): **(sea) ~** paseo *m* marítimo. **4.** (*outward appearance*) fachada *f*. ◇ *adj* (*gen*) delantero(ra); (*page*) primero(ra). ♦ **in front** *adv* **1.** (*further forward*) delante. **2.** (*winning*) en cabeza. ♦ **in front of** *prep* delante de.

frontbench [,frʌnt'bentʃ] *n Br* en la Cámara de los Comunes, cada una de las dos filas de escaños ocupadas respectivamente por los ministros del Gobierno y los principales líderes de la oposición mayoritaria.

front door *n* puerta *f* principal.

frontier [*Am* frʌn'tɪər, *Br* 'frʌntɪə] *n lit* & *fig* frontera *f*.

front man *n* **1.** (*of group*) portavoz *m* y *f*. **2.** (*of programme*) presentador *m*.

front room *n* sala *f* de estar.

front-runner *n* favorito *m*, -ta *f*.

front-wheel drive *n* (*vehicle*) vehículo *m* de tracción delantera.

frost [frɒst] *n* **1.** (*layer of ice*) escarcha *f*. **2.** (*weather*) helada *f*.

frostbite ['frɒstbaɪt] *n* (U) congelación *f* (MED).

frosted ['frɒstəd] *adj* **1.** (*glass*) esmerilado(da). **2.** *Am* (CULIN) escarchado(da).

frosty ['frɒstɪ] *adj* **1.** (*very cold*) de helada. **2.** (*covered with frost*) escarchado (da). **3.** *fig* (*unfriendly*) glacial.

froth [frɒθ] ◇ *n* espuma *f*. ◇ *vi* hacer espuma.

frown [fraʊn] *vi* fruncir el ceño.
♦ **frown (up)on** *vt fus* desaprobar.

froze [frəʊz] *pt →* **freeze**.

frozen ['frəʊzn] ◇ *pp →* **freeze**. ◇ *adj* **1.** (*gen*) helado(da). **2.** (*preserved*) congelado(da).

frugal ['fruːgl] *adj* frugal.

fruit [fruːt] (*pl inv* OR **fruits**) *n* **1.** (*food*) fruta *f*. **2.** (*result*) fruto *m*.

fruitcake ['fruːtkeɪk] *n* pastel *m* de frutas.

fruiterer ['fruːtərər] *n Br* frutero *m*, -ra *f*; **~'s (shop)** frutería *f*.

fruitful ['fruːtfl] *adj* (*successful*) fructífero(ra).

fruition [fruː'ɪʃn] *n*: **to come to ~** (*plan*) realizarse; (*hope*) cumplirse.

fruit juice *n* zumo *m* de fruta.

fruitless ['fruːtləs] *adj* infructuoso(sa).

fruit machine *n Br* máquina *f* tragaperras.

fruit salad *n* macedonia *f* (de frutas).

frumpy ['frʌmpɪ] *adj* chapado(da) a la antigua.

frustrate [*Am* 'frʌstreɪt, *Br* frʌ'streɪt] *vt* frustrar.

frustrated [*Am* 'frʌstreɪtəd, *Br* frʌ-'streɪt-] *adj* frustrado(da).

frustration [frʌ'streɪʃn] *n* frustración *f*.

fry [fraɪ] ◇ *vt* (*food*) freír. ◇ *vi* (*food*) freírse.

frying pan ['fraɪɪŋ-] *n* sartén *f*.

ft. *abbr of* **foot, feet**.

fudge [fʌdʒ] *n* (U) (*sweet*) dulce de azúcar, leche y mantequilla.

fuel ['fjuːəl] ◇ *n* combustible *m*. ◇ *vt* **1.** (*supply with fuel*) alimentar. **2.**

(increase) agravar.

fuel tank *n* depósito *m* de gasolina.

fugitive ['fjuːdʒətɪv] *n* fugitivo *m*, -va *f*.

fulfil, fulfill *Am* [fʊl'fɪl] *vt (promise, duty, threat)* cumplir; *(hope, ambition)* realizar, satisfacer; *(obligation)* cumplir con; *(role)* desempeñar; *(requirement)* satisfacer.

fulfilment, fulfillment *Am* [fʊl-'fɪlmənt] *n* 1. *(satisfaction)* satisfacción *f*, realización *f* (de uno mismo). 2. *(of promise, duty, threat)* cumplimiento *m*; *(of hope, ambition)* realización *f*; *(of role)* desempeño *m*; *(of requirement)* satisfacción *f*.

full [fʊl] ◇ *adj* 1. *(filled)*: ~ **(of)** lleno (na) (de); **I'm ~!** *(after meal)* ¡no puedo más! 2. *(complete - recovery, employment, control)* pleno(na); *(- name, price, fare)* completo(ta); *(- explanation, information)* detallado(da); *(- member, professor)* numerario(ria). 3. *(maximum - volume, power etc)* máximo(ma). 4. *(plump)* grueso(sa). 5. *(wide)* holgado(da), amplio(plia). ◇ *adv (very)*: **to know sthg ~ well** saber algo perfectamente. ◇ *n*: **in ~** íntegramente.

full-blown [-'bloʊn] *adj (gen)* auténtico(ca); *(AIDS)* desarrollado(da).

full board *n* pensión *f* completa.

full-fledged *Am*, **fully-fledged** *Br* [-'fledʒd] *adj fig* hecho(cha) y derecho(cha); *(member)* de pleno derecho.

full moon *n* luna *f* llena.

full-scale *adj* 1. *(life-size)* de tamaño natural. 2. *(complete)* a gran escala.

full stop *n* punto *m*.

full time *n Br* (SPORT) final *m* del (tiempo reglamentario del) partido. ◆ **full-time** ◇ *adj* de jornada completa. ◇ *adv* a tiempo completo.

full up *adj* lleno(na).

fully ['fʊlɪ] *adv* 1. *(completely)* completamente. 2. *(thoroughly)* detalladamente.

fully-fledged *Br* = full-fledged

fulsome ['fʊlsəm] *adj* exagerado(da).

fumble ['fʌmbl] *vi* hurgar; **to ~ for sthg** *(for key, light switch)* buscar algo a tientas; *(for words)* buscar algo titubeando.

fume [fjuːm] *vi (with anger)* rabiar. ◆ **fumes** *npl* humo *m*.

fun [fʌn] *n* (U) 1. *(pleasure, amusement)* diversión *f*; **to have ~** divertirse, pasarlo bien; **have ~!** ¡que te diviertas!; **for the ~ of it** por diversión. 2. *(playfulness)*: **he's full of ~** le encanta todo lo que sea diversión. 3. *(at sb else's expense)*: **to make ~ of sb, to poke ~ at sb**

reírse OR burlarse de alguien.

function ['fʌŋkʃn] ◇ *n* 1. *(gen & MATH)* función *f*. 2. *(way of working)* funcionamiento *m*. 3. *(formal social event)* acto *m*, ceremonia *f*. ◇ *vi* funcionar; **to ~ as** hacer de, actuar como.

functional ['fʌŋkʃnəl] *adj* 1. *(practical)* funcional. 2. *(operational)* en funcionamiento.

fund [fʌnd] ◇ *n* fondo *m*. ◇ *vt* financiar. ◆ **funds** *npl* fondos *mpl*.

fundamental [ˌfʌndə'mentl] *adj*: ~ **(to)** fundamental (para).

funding ['fʌndɪŋ] *n* financiación *f*.

funeral ['fjuːnrəl] *n* funeral *m*.

funeral parlour *n* funeraria *f*.

funfair ['fʌnfeər] *n* parque *m* de atracciones.

fungus ['fʌŋɡəs] *(pl -gi [-gaɪ]* OR **-guses)** *n* hongo *m*.

funnel ['fʌnl] *n* 1. *(for pouring)* embudo *m*. 2. *(on ship)* chimenea *f*.

funny ['fʌnɪ] *adj* 1. *(amusing)* divertido(da), gracioso(sa). 2. *(odd)* raro(ra). 3. *(ill)* pachucho(cha).

fur [fɜːr] *n* 1. *(on animal)* pelaje *m*, pelo *m*. 2. *(garment)* (prenda *f* de) piel *f*.

fur coat *n* abrigo *m* de piel OR pieles.

furious ['fjʊərɪəs] *adj* 1. *(very angry)* furioso(sa). 2. *(frantic)* frenético(ca).

furlong ['fɜːlɒŋ] *n* 201,17 metros.

furnace ['fɜːnɪs] *n* horno *m*.

furnish ['fɜːnɪʃ] *vt* 1. *(fit out)* amueblar. 2. *fml (provide - goods, explanation)* proveer; *(- proof)* aducir; **to ~ sb with sthg** proporcionar algo a alguien.

furnishings ['fɜːnɪʃɪŋz] *npl* mobiliario *m*.

furniture ['fɜːnɪtʃər] *n* (U) muebles *mpl*, mobiliario *m*; **a piece of ~** un mueble.

furrow ['fʌrəʊ] *n lit & fig* surco *m*.

furry ['fɜːrɪ] *adj* peludo(da).

further ['fɜːðər] ◇ *compar* → **far**. ◇ *adv* 1. *(in distance)* más lejos; **how much ~ is it?** ¿cuánto queda (de camino)?; ~ **on** más adelante. 2. *(in degree, extent, time)* más; ~ **on/back** más adelante/atrás. 3. *(in addition)* además. ◇ *adj* otro(tra); **until ~ notice** hasta nuevo aviso. ◇ *vt* promover, fomentar.

further education *n Br* estudios postescolares no universitarios.

furthermore [ˌfɜːðə'mɔːr] *adv* lo que es más.

furthest ['fɜːðɪst] ◇ *superl* → **far**. ◇ *adj* 1. *(in distance)* más lejano(na). 2. *(greatest - in degree, extent)* extremo (ma). ◇ adv 1. (in distance) más lejos. 2. (to greatest degree, extent) más.

furtive ['fɜːrtɪv] adj furtivo(va).

fury ['fjʊərɪ] n furia f.

fuse, fuze Am [fjuːz] ◇ n 1. (ELEC) fusible m, plomo m. 2. (of bomb, firework) mecha f. ◇ vt fundir. ◇ vi (gen & ELEC) fundirse.

fuse-box n caja f de fusibles.

fused [fjuːzd] adj (fitted with a fuse) con fusible.

fuselage ['fjuːzəlɑːʒ] n fuselaje m.

fuss [fʌs] ◇ n (U) 1. (excitement, anxiety) jaleo m; **to make a ~** armar un escándalo. 2. (complaints) protestas fpl. ◇ vi apurarse, angustiarse.

fussy ['fʌsɪ] adj 1. (fastidious) quisquilloso(sa). 2. (over-decorated) recargado (da).

futile [Am 'fjuːtl, Br -aɪl] adj inútil, vano(na).

futon ['fuːtɒn] n futón m.

future ['fjuːtʃər] ◇ n futuro m; **in ~** de ahora en adelante; **in the ~** en el futuro; **~ (tense)** futuro m. ◇ adj futuro(ra).

fuze Am = fuse.

fuzzy ['fʌzɪ] adj 1. (hair) rizado(da), ensortijado(da). 2. (photo, image) borroso(sa).

G

g¹ (pl g's OR gs), **G** (pl G's OR Gs) [dʒiː] n (letter) g f; G f. ◆ **G** n 1. (MUS) sol m. 2. (abbr of good) B.

g² n (abbr of gram) g. m.

gab [gæb] n → gift.

gable ['geɪbl] n aguilón m.

gadget ['gædʒɪt] n artilugio m.

Gaelic ['geɪlɪk] n (language) gaélico m.

gaffe [gæf] n metedura f de pata.

gag [gæg] ◇ n 1. (for mouth) mordaza f. 2. inf (joke) chiste m. ◇ vt amordazar.

gage [geɪdʒ] Am = gauge.

gaiety ['geɪətɪ] n alegría f, regocijo m.

gaily ['geɪlɪ] adv alegremente.

gain [geɪn] ◇ n 1. (profit) beneficio m, ganancia f. 2. (improvement) mejora f. ◇ vt (gen) ganar. ◇ vi 1. (advance): **to ~ in sth** ganar algo. 2. (benefit): **to ~ (from OR by)** beneficiarse (de).

3. (watch, clock) adelantarse. ◆ **gain on** vt fus ganar terreno a.

gait [geɪt] n forma f de andar.

gal. abbr of gallon.

gala [Am 'geɪlə, Br 'gɑːlə] n (celebration) fiesta f.

galaxy ['gæləksɪ] n galaxia f.

gale [geɪl] n vendaval m.

gallant [sense 1 'gælənt, sense 2 gə'lænt, 'gælənt] adj 1. (courageous) valiente, valeroso(sa). 2. (polite to women) galante.

gall bladder n vesícula f biliar.

gallery ['gælərɪ] n 1. (for art) galería f. 2. (in courtroom, parliament) tribuna f. 3. (in theatre) paraíso m.

galley ['gælɪ] (pl galleys) n 1. (ship) galera f. 2. (kitchen) cocina f.

galling ['gɔːlɪŋ] adj indignante.

gallivant ['gælɪvænt] vi inf andar por ahí holgazaneando.

gallon ['gælən] n = 4,546 litros, galón m.

gallop ['gæləp] ◇ n galope m. ◇ vi lit & fig galopar.

gallows ['gæləʊz] (pl inv) n horca f.

gallstone ['gɔːlstəʊn] n cálculo m biliar.

galore [gə'lɔːr] adj en abundancia.

galvanize ['gælvənaɪz] vt 1. (TECH) galvanizar. 2. (impel): **to ~ sb into action** impulsar a alguien a la acción.

gambit ['gæmbɪt] n táctica f.

gamble ['gæmbl] ◇ n (calculated risk) riesgo m, empresa f arriesgada. ◇ vi 1. (bet) jugar; **to ~ on** (race etc) apostar a; (stock exchange) jugar a. 2. (take risk): **to ~ on** contar de antemano con que.

gambler ['gæmblər] n jugador m, -ra f.

gambling ['gæmblɪŋ] n (U) juego m.

game [geɪm] ◇ n 1. (gen) juego m. 2. (of football, rugby etc) partido m; (of snooker, chess, cards) partida f. 3. (hunted animals) caza f. ◇ adj 1. (brave) valiente. 2. (willing): **~ (for sth/to do sth)** dispuesto(ta) (a algo/a hacer algo). ◆ **games** ◇ n (U) (at school) deportes mpl. ◇ npl (sporting contest) juegos mpl.

gamekeeper ['geɪmkiːpər] n guarda m de caza.

game reserve n coto m de caza.

gammon ['gæmən] n jamón m.

gamut ['gæmət] n gama f.

gang [gæŋ] n 1. (of criminals) banda f. 2. (of young people) pandilla f. ◆ **gang up** vi inf: **to ~ up (on sb)** confabularse (contra alguien).

gangland ['gæŋlænd] n (U) bajos fondos *mpl*, mundo *m* del hampa.

gangrene ['gæŋgri:n] *n* gangrena *f*.

gangster ['gæŋstər] *n* gángster *m*.

gangway ['gæŋweɪ] *n Br (aisle)* pasillo *m*.

gantry ['gæntrɪ] *n* pórtico *m (para grúas)*.

gaol [dʒeɪl] *Br* = **jail**.

gap [gæp] *n* **1.** *(empty space)* hueco *m*; *(in traffic, trees, clouds)* claro *m*; *(in text)* espacio *m* en blanco. **2.** *(interval)* intervalo *m*. **3.** *fig (in knowledge, report)* laguna *f*. **4.** *fig (great difference)* desfase *m*.

gape [geɪp] *vi* **1.** *(person)* mirar boquiabierto(ta). **2.** *(hole, wound)* estar muy abierto(ta).

gaping ['geɪpɪŋ] *adj* **1.** *(open-mouthed)* boquiabierto(ta). **2.** *(wide-open)* abierto (ta).

garage [*Am* gə'rɑ:ʒ, *Br* 'gærɑ:ʒ] *n* **1.** *(for keeping car)* garaje *m*. **2.** *Br (for fuel)* gasolinera *f*. **3.** *(for car repair)* taller *m*. **4.** *Br (for selling cars)* concesionario *m* de automóviles.

garage sale *n venta de objetos usados que realiza una persona en su garaje o jardín.*

GARAGE SALE

Las *garage sales* son muy populares en los Estados Unidos. Cuando la gente necesita deshacerse de cosas de su propiedad que ya no quiere —por ejemplo antes de una mudanza— monta un tenderete en su casa para venderlas; a esto se le llama *garage sale*. Quienes las organizan suelen vender libros, ropa, muebles, herramientas, etc. y la exhibición de estos objetos puede ubicarse en el garaje, dentro de la casa, en el jardín o incluso en la calle delante de la casa. Estas ventas aparecen anunciadas en los periódicos locales o en carteles colocados en puntos concurridos del respectivo barrio.

---

garbage ['gɑ:'bɪdʒ] *n (U)* **1.** *(refuse)* basura *f*. **2.** *inf (nonsense)* tonterías *fpl*.

garbage can *n Am* cubo *m* de la basura.

garbage truck *n Am* camión *m* de la basura.

garbled ['gɑ:'bld] *adj* confuso(sa).

garden ['gɑ:'dn] *n* jardín *m*.

garden centre *n* centro *m* de jardinería.

gardener ['gɑ:'dnər] *n* jardinero *m*, -ra *f*.

gardening ['gɑ:'dnɪŋ] *n* jardinería *f*.

gargle ['gɑ:'gl] *vi* hacer gárgaras.

garish ['geərɪʃ] *adj* chillón(ona).

garland ['gɑ:'lənd] *n* guirnalda *f*.

garlic ['gɑ:'lɪk] *n* ajo *m*.

garlic bread *n* pan *m* de ajo.

garment ['gɑ:'mənt] *n* prenda *f* (de vestir).

garnish ['gɑ:'nɪʃ] *vt* guarnecer.

garrison [*Am* 'gerɪsən, *Br* 'gær-] *n* guarnición *f*.

garrulous [*Am* 'gerələs, *Br* 'gær-] *adj* parlanchín(ina).

garter ['gɑ:'tər] *n* **1.** *(band round leg)* liga *f*. **2.** *Am (suspender)* portaligas *m inv*.

gas [gæs] *(pl* **-es** OR **-ses)** ◇ *n* **1.** (CHEM) gas *m*. **2.** *Am (petrol)* gasolina *f*, nafta *f CSur*, bencina *f Chile*. ◇ *vt* asfixiar con gas.

gas cooker *n Br* cocina *f* de gas.

gas cylinder *n* bombona *f* de gas.

gas fire *n Br* estufa *f* de gas.

gas gauge *n Am* indicador *m* del nivel de gasolina.

gash [gæʃ] ◇ *n* raja *f*. ◇ *vt* rajar.

gasket ['gæskət] *n* junta *f*.

gasman ['gæsmæn] *(pl* **-men** [-men]) *n* hombre *m* del gas.

gas mask *n* máscara *f* antigás.

gas meter *n* contador *m* del gas.

gasoline ['gæsəli:n] *n Am* gasolina *f*.

gasp [*Am* gæsp, *Br* gɑ:sp] ◇ *n* resuello *m*. ◇ *vi* **1.** *(breathe quickly)* resollar, jadear. **2.** *(in shock, surprise)* ahogar un grito.

gas pedal *n Am* acelerador *m*.

gas station *n Am* gasolinera *f*, estación *f* de servicio.

gas stove = **gas cooker**.

gas tank *n Am* depósito *m* de gasolina.

gas tap *n* llave *f* del gas.

gastroenteritis [,gæstrəʊentə'raɪtəs] *n (U)* gastroenteritis *f inv*.

gastronomy [gæ'strɒnəmɪ] *n* gastronomía *f*.

gasworks ['gæswɜ:'ks] *(pl inv)* *n* fábrica *f* de gas.

gate [geɪt] *n* **1.** *(gen)* puerta *f*; *(metal)* verja *f*. **2.** (SPORT) *(takings)* taquilla *f*; *(attendance)* entrada *f*.

gâteau [*Am* gæ'tɒʊ, *Br* 'gætɒʊ] *(pl* **-x** [-z]) *n Br* tarta *f* (con nata).

gatecrash ['geɪtkræʃ] *vi inf* colarse de gorra.

gateway ['geɪtweɪ] *n (entrance)* puerta *f*, pórtico *m*.

gather ['gæðər] ◇ vt 1. (collect) recoger; to ~ together reunir. 2. (increase - speed, strength) ganar, cobrar. 3. (understand): to ~ (that) sacar en conclusión que. 4. (cloth) fruncir. ◇ vi (people, animals) reunirse; (clouds) acumularse.

gathering ['gæðərɪŋ] n (meeting) reunión f.

gaudy ['gɔːdɪ] adj chillón(ona), llamativo(va).

gauge, gage Am [geɪdʒ] ◇ n 1. (for fuel, temperature) indicador m; (for width of tube, wire) calibrador m. 2. (calibre) calibre m. 3. (RAIL) ancho m de vía. ◇ vt lit & fig calibrar.

gaunt [gɔːnt] adj 1. (person, face) enjuto(ta). 2. (building, landscape) adusto (ta).

gauntlet ['gɔːntlət] n guante m; to run the ~ of sthg exponerse a algo; to throw down the ~ (to sb) arrojar el guante (a alguien).

gauze [gɔːz] n gasa f.

gave [geɪv] pt → give.

gawky ['gɔːkɪ] adj desgarbado(da).

gay [geɪ] ◇ adj 1. (homosexual) gay, homosexual. 2. (cheerful, lively, bright) alegre. ◇ n gay m y f.

gaze [geɪz] ◇ n mirada f fija. ◇ vi: to ~ (at sthg/sb) mirar fijamente (algo/a alguien).

gazelle [gə'zel] (pl inv OR -s) n gacela f.

gazetteer [,gæzə'tɪər] n índice m geográfico.

gazump [gə'zʌmp] vt Br inf: to ~ sb acordar vender una casa a alguien y luego vendérsela a otro a un precio más alto.

GB (abbr of Great Britain) n GB f.

GCSE (abbr of General Certificate of Secondary Education) n examen final de enseñanza secundaria en Gran Bretaña.

GDP (abbr of gross domestic product) n PIB m.

gear [gɪər] ◇ n 1. (mechanism) engranaje m. 2. (speed - of car, bicycle) marcha f; in ~ con una marcha metida; out of ~ en punto muerto. 3. (U) (equipment, clothes) equipo m. ◇ vt: to ~ sthg to orientar OR encaminar algo hacia. ◆ gear up vi: to ~ up for sthg/to do sthg hacer preparativos para algo/para hacer algo.

gearbox ['gɪərbɒks] n caja f de cambios.

gear lever, gear shift Am, **gear stick** Br n palanca f de cambios.

gear wheel n rueda f dentada.

geese [giːs] pl → goose.

gel [dʒel] ◇ n (for shower) gel m; (for hair) gomina f. ◇ vi 1. (thicken) aglutinarse. 2. (plan) cuajar; (idea, thought) tomar forma.

gelatin ['dʒelətɪn], **gelatine** ['dʒelətiːn] n gelatina f.

gelignite ['dʒelɪgnaɪt] n gelignita f.

gem [dʒem] n lit & fig joya f.

Gemini ['dʒemɪnaɪ] n Géminis m inv.

gender ['dʒendər] n género m.

gene [dʒiːn] n gene m, gen m.

general ['dʒenrəl] ◇ adj general. ◇ n general m. ◆ in general adv 1. (as a whole) en general. 2. (usually) por lo general.

general anaesthetic n anestesia f general.

general delivery n Am lista f de correos.

general election n elecciones fpl generales.

generalization [Am ,dʒenrələ'zeɪʃn, Br -aɪ'zeɪʃn] n generalización f.

general knowledge n cultura f general.

generally ['dʒenrəlɪ] adv en general.

general practitioner n médico m, -ca f de cabecera.

general public n: the ~ el gran público.

generate ['dʒenəreɪt] vt generar.

generation [,dʒenə'reɪʃn] n generación f.

generator ['dʒenəreɪtər] n generador m.

generosity [,dʒenə'rɒsətɪ] n generosidad f.

generous ['dʒenrəs] adj generoso(sa); (cut of clothes) amplio(plia).

genetic [dʒə'netɪk] adj genético(ca). ◆ genetics n (U) genética f.

Geneva [dʒə'niːvə] n Ginebra.

genial ['dʒiːnjəl] adj cordial, afable.

genitals ['dʒenɪtlz] npl genitales mpl.

genius ['dʒiːnɪəs] (pl -es) n genio m.

gent [dʒent] n inf caballero m. ◆ gents n Br (toilets) servicio m de caballeros.

genteel [dʒen'tiːl] adj fino(na), refinado(da).

gentle ['dʒentl] adj 1. (kind) tierno(na), dulce. 2. (breeze, movement, slope) suave. 3. (scolding) ligero(ra); (hint) sutil.

gentleman ['dʒentlmən] (pl -men [-mən]) n 1. (well-behaved man) caballero m. 2. (man) señor m, caballero m.

gently ['dʒentlɪ] adv 1. (kindly) dulcemente. **2.** *(softly, smoothly)* suavemente. **3.** *(carefully)* con cuidado.

gentry ['dʒentrɪ] *n* alta burguesía *f*.

genuine ['dʒenjuɪn] *adj* **1.** *(real)* auténtico(ca). **2.** *(sincere)* sincero(ra).

geography [dʒɪ'ɒɡrəfɪ] *n* geografía *f*.

geology [dʒɪ'ɒlədʒɪ] *n* geología *f*.

geometric(al) [ˌdʒiːə'metrɪk(l)] *adj* geométrico(ca).

geometry [dʒɪ'ɒmətrɪ] *n* geometría *f*.

geranium [dʒə'reɪnjəm] *(pl* -s) *n* geranio *m*.

gerbil ['dʒɜːrbl] *n* jerbo *m*, gerbo *m*.

geriatric [ˌdʒerɪ'ætrɪk] *adj* geriátrico (ca).

germ [dʒɜːrm] *n* (BIOL & *fig*) germen *m*; (MED) microbio *m*.

German ['dʒɜːrmən] ◇ *adj* alemán (ana). ◇ *n* **1.** *(person)* alemán *m*, -ana *f*. **2.** *(language)* alemán *m*.

German measles *n* rubéola *f*.

Germany ['dʒɜːrmənɪ] *n* Alemania.

germinate ['dʒɜːrmɪneɪt] *vt & vi lit & fig* germinar.

gerund ['dʒerənd] *n* gerundio *m*.

gesticulate [dʒes'tɪkjəleɪt] *vi* gesticular.

gesture ['dʒestʃər] ◇ *n* gesto *m*. ◇ *vi*: **to ~ to** OR **towards sb** hacer gestos a alguien.

get [get] *(Am pt* **got**, *pp* **gotten**, *Br pt & pp* **got**) ◇ *vt* **1.** *(cause to do)*: **to ~ sb to do sthg** hacer que alguien haga algo; **I'll ~ my sister to help** le pediré a mi hermana que ayude. **2.** *(cause to be done)*: **to ~ sthg done** mandar hacer algo; **have you got the car fixed yet?** ¿te han arreglado ya el coche? **3.** *(cause to become)*: **to ~ sthg ready** preparar algo; **to ~ sb pregnant** dejar a alguien preñada. **4.** *(cause to move)*: **can you ~ it through the gap?** ¿puedes meterlo por el hueco?; **to ~ sthg/sb out of sthg** conseguir sacar algo/a alguien de algo. **5.** *(bring, fetch)* traer; **can I ~ you something to eat/drink?** ¿te traigo algo de comer/beber? **I'll ~ my coat** voy a por el abrigo; **could you ~ me the boss, please?** *(when phoning)* póngame con el jefe. **6.** *(obtain)* conseguir; **she got top marks** sacó las mejores notas. **7.** *(receive)* recibir; **what did you ~ for your birthday?** ¿qué te regalaron para tu cumpleaños?; **she ~s a good salary** gana un buen sueldo. **8.** *(experience - a sensation)*: **do you ~ the feeling he doesn't like us?** ¿no te da la sensación de que no le

gustamos? **9.** *(catch - bus)* tomar, coger *Esp*; *(- criminal, illness)* agarrar *Amer*, coger *Esp*; **I've got a cold** estoy resfriado; **he got cancer** contrajo cáncer. **10.** *(understand)* entender; **I don't ~ it** *inf* no me aclaro, no lo entiendo; **he didn't ~ the point** no me pareció captar el sentido. **11.** *inf (annoy)* poner negro(gra). **12.** *(find)*: **you ~ a lot of artists here** hay mucho artista por aquí; *see also* **have**. ◇ *vi* **1.** *(become)* ponerse; **to ~ angry/pale** ponerse furioso/pálido; **to ~ ready** prepararse; **to ~ dressed** vestirse; **I'm getting cold/bored** me estoy enfriando/aburriendo; **it's getting late** se está haciendo tarde. **2.** *(arrive)* llegar; **how do I ~ there?** ¿cómo se llega (allí)?; **I only got back yesterday** regresé justo ayer. **3.** *(eventually succeed)*: **to ~ to do sthg** llegar a hacer algo; **did you ~ to see him?** ¿conseguiste verlo? **4.** *(progress)* llegar; **how far have you got?** ¿cuánto llevas?, ¿hasta dónde has llegado?; **now we're getting somewhere** ahora sí que vamos por buen camino; **we're getting nowhere** así no llegamos a ninguna parte. ◇ *aux vb*: **to ~ excited** emocionarse; **someone could ~ hurt** alguien podría resultar herido; **I got beaten up** me zurraron; **let's ~ going** OR **moving** vamos a ponernos en marcha. ◆ **get about, get around** *vi* **1.** *(move from place to place)* salir a menudo. **2.** *(circulate - news etc)* difundirse; *see also* **get around**. ◆ **get along** *vi* **1.** *(manage)* arreglárselas. **2.** *(progress)*: **how are you getting along?** ¿cómo te va? **3.** *(have a good relationship)*: **to ~ along (with sb)** llevarse bien (con alguien). ◆ **get around, get round** ◇ *vt fus (overcome - problem)* solventar; *(- obstacle)* sortear. ◇ *vi* **1.** *(circulate - news etc)* difundirse. **2.** *(eventually do)*: **to ~ around to (doing) sthg** sacar tiempo para (hacer) algo; *see also* **get about**. ◆ **get at** *vt fus* **1.** *(reach)* llegar a, alcanzar. **2.** *(imply)* referirse a. **3.** *inf (criticize)*: **stop getting at me!** ¡deja ya de meterte conmigo! ◆ **get away** *vi* **1.** *(leave)* salir, irse. **2.** *(go on holiday)*: **I really need to ~ away** necesito unas buenas vacaciones. **3.** *(escape)* escaparse. ◆ **get away with** *vt fus* salir impune de; **she lets him ~ away with everything** ella se lo consiente todo. ◆ **get back** ◇ *vt sep (recover, regain)* recuperar. ◇ *vi (move away)* echarse atrás, apartarse. ◆ **get back to** *vt fus* **1.** *(return to previous state, activity)* volver a; **to ~ back to sleep/normal** volver a dormirse/a la normalidad. **2.** *inf (phone back)*: **I'll ~ back to you**

G

later te llamo de vuelta más tarde.
◆ **get by** *vi* apañárselas, apañarse.
◆ **get down** *vt sep* 1. *(depress)* deprimir. 2. *(fetch from higher level)* bajar. ◆ **get down to** *vt fus*: to ~ down to doing sthg ponerse a hacer algo. ◆ **get in** *vi* 1. *(enter)* entrar. 2. *(arrive)* llegar. ◆ **get into** *vt fus* 1. *(car)* subir a. 2. *(become involved in)* meterse en. 3. *(enter into a particular situation, state)*: to ~ into a panic OR state ponerse nerviosísimo; to ~ into trouble meterse en líos; to ~ into the habit of doing sthg adquirir el hábito OR coger la costumbre de hacer algo. 4. *(be accepted as a student at)*: she managed to ~ into Oxford consiguió entrar en Oxford. ◆ **get off** *vt sep (remove)* quitar. ◇ *vt fus* 1. *(go away from)* irse OR salirse de; ~ off my land! ¡fuera de mis tierras! 2. *(train, bus, etc)* bajarse de. ◇ *vi* 1. *(leave bus, train)* bajarse, desembarcarse Amer. 2. *(escape punishment)* escaparse; he got off lightly salió bien librado. 3. *(depart)* irse, salir. ◆ **get off with** *vt fus Br inf* ligar con. ◆ **get on** ◇ *vt fus (bus, train, horse)* subirse a, montarse en. ◇ *vi* 1. *(enter bus, train)* subirse, montarse. 2. *(have good relationship)* llevarse bien. 3. *(progress)*: how are you getting on? ¿cómo te va? 4. *(proceed)*: to ~ on with sthg seguir OR continuar con algo. 5. *(be successful professionally)* triunfar. ◆ **get out** ◇ *vt sep (remove - object, prisoner)* sacar; *(- stain etc)* quitar; she got a pen out of her bag sacó un bolígrafo del bolso. ◇ *vi* 1. *(leave car, bus, train)* bajarse. 2. *(become known - news)* difundirse, filtrarse. ◆ **get out of** *vt fus* 1. *(car etc)* bajar de. 2. *(escape from)* escapar OR huir de. 3. *(avoid)*: to ~ out of (doing) sthg librarse de (hacer) algo. ◆ **get over** *vt fus* 1. *(recover from)* recuperarse de. 2. *(overcome)* superar. 3. *(communicate)* hacer comprender. ◆ **get round** = get around. ◆ **get through** ◇ *vt fus* 1. *(job, task)* terminar. 2. *(exam)* aprobar. 3. *(food, drink)* consumir. 4. *(unpleasant situation)* sobrevivir a. ◇ *vi* 1. *(make oneself understood)*: to ~ through (to sb) hacerse comprender (por alguien). 2. (TELEC) conseguir comunicar. ◆ **get together** ◇ *vt sep (organize - project, demonstration)* organizar, montar; *(- team)* juntar; *(- report)* preparar. ◇ *vi* juntarse, reunirse. ◆ **get up** ◇ *vi* levantarse. ◇ *vt fus (organize - petition etc)* preparar, organizar. ◆ **get up to** *vt fus inf* hacer, montar.

•En el habla coloquial, el verbo *get* se prefiere al verbo *be* en oraciones pasivas que aluden a un hecho más que a un estado (they got married on Saturday, "se casaron el sábado"; the window got broken last night; "anoche se rompió la ventana"). También es muy usado en construcciones reflexivas (he got washed, "se lavó"), o para dar la idea de que algo ocurre de repente (he got left behind, "se quedó atrás"). Algunas personas consideran incorrectos estos usos de *get*.

getaway ['getəweɪ] *n* fuga *f*, huida *f*; to make one's ~ darse a la fuga.
get-together *n inf* reunión *f*.
geyser [Am 'gaɪzr, Br 'giːzə] *n* 1. *(hot spring)* géiser *m*. 2. Br *(water heater)* calentador *m* de agua.
Ghana ['gɑːnə] *n* Ghana.
ghastly [Am 'gæstlɪ, Br 'gɑːst-] *adj* 1. *inf (very bad, unpleasant)* horrible, espantoso(sa); to feel ~ sentirse fatal. 2. *(horrifying)* horripilante.
gherkin ['gɜːrkɪn] *n* pepinillo *m*.
ghetto ['getəʊ] *(pl* -s OR -es*)* *n* gueto *m*.
ghetto blaster [Am -blæstr, Br -'blɑːstə] *n inf* radiocasete portátil de gran tamaño y potencia.
ghost [gəʊst] *n (spirit)* fantasma *m*.
giant ['dʒaɪənt] ◇ *adj* gigantesco(ca). ◇ *n* gigante *m*.
gibberish ['dʒɪbərɪʃ] *n* galimatías *m inv*.
gibe [dʒaɪb] ◇ *n* pulla *f*, sarcasmo *m*. ◇ *vi*: to ~ (at) mofarse (de).
giblets ['dʒɪblɪts] *npl* menudillos *mpl*.
Gibraltar [dʒɪ'brɔːltər] *n* Gibraltar; the Rock of ~ el Peñón.
giddy ['gɪdɪ] *adj (dizzy)* mareado (da).
gift [gɪft] *n* 1. *(present)* regalo *m*, obsequio *m*. 2. *(talent)* don *m*; to have a ~ for sthg/for doing sthg tener un don especial para algo/para hacer algo; to have the ~ of the gab tener un pico de oro.
gift certificate *n Am* vale *m* OR cupón *m* para regalo.
gifted ['gɪftɪd] *adj* 1. *(talented)* dotado (da). 2. *(extremely intelligent)* superdotado(da).
gift token, gift voucher *Br* = gift certificate.

gig [gɪg] *n inf (concert)* concierto *m*.

gigabyte ['gɪgəbaɪt] *n* (COMPUT) giga-octeto *m*.

gigantic [dʒaɪ'gæntɪk] *adj* gigantesco (ca).

giggle ['gɪgl] ◇ *n* **1.** *(laugh)* risita *f*, risa *f* tonta. **2.** *Br inf (fun)*: **it's a real ~** es la mar de divertido; **to do sthg for a ~** hacer algo por puro cachondeo. ◇ *vi (laugh)* tener la risa tonta.

gilded ['gɪldəd] = **gilt**.

gill [dʒɪl] *n (unit of measurement)* = 0,142 litros.

gills [gɪlz] *npl (of fish)* agallas *fpl*.

gilt [gɪlt] ◇ *adj* dorado(da). ◇ *n* dorado *m*.

gilt-edged [-edʒd] *adj* (FIN) de máxima garantía.

gimmick ['gɪmɪk] *n pej* artilugio *m* innecesario; **advertising ~** reclamo *m* publicitario.

gin [dʒɪn] *n* ginebra *f*; **~ and tonic** gin-tonic *m*.

ginger ['dʒɪndʒər] ◇ *adj Br (hair)* bermejo(ja); *(cat)* de color bermejo. ◇ *n* jengibre *m*.

ginger ale *n (mixer)* ginger-ale *m*.

ginger beer *n (slightly alcoholic)* refresco *m* de jengibre.

gingerbread ['dʒɪndʒərbred] *n* **1.** *(cake)* pan *m* de jengibre. **2.** *(biscuit)* galleta *f* de jengibre.

ginger-haired [-'heərd] *adj* pelirrojo (ja).

gingerly ['dʒɪndʒərlɪ] *adv* con mucho tiento.

gipsy ['dʒɪpsɪ] ◇ *adj* gitano(na). ◇ *n Br* gitano *m*, -na *f*.

giraffe [Am dʒɪ'ræf, Br -'rɑːf] *(pl inv* OR *-s) n* jirafa *f*.

girder ['gɜːrdər] *n* viga *f*.

girdle ['gɜːrdl] *n (corset)* faja *f*.

girl [gɜːrl] *n* **1.** *(child)* niña *f*. **2.** *(young woman)* chica *f*, muchacha *f*. **3.** *(daughter)* niña *f*, chica *f*. **4.** *inf (female friend)*: **the ~s** las amigas, las chicas.

girlfriend ['gɜːrlfrend] *n* **1.** *(female lover)* novia *f*. **2.** *(female friend)* amiga *f*.

girl scout *Am*, **girl guide** *Br n (individual)* exploradora *f*.

giro ['dʒaɪrou] *(pl -s) n Br* **1.** *(U) (system)* giro *m*. **2. ~ (cheque)** cheque *m* para giro bancario.

girth [gɜːrθ] *n* **1.** *(circumference)* circunferencia *f*. **2.** *(of horse)* cincha *f*.

gist [dʒɪst] *n*: **the ~ of** lo esencial de; **to get the ~ (of sthg)** entender el

sentido (de algo).

give [gɪv] *(pt* **gave**, *pp* **given**) ◇ *vt* **1.** *(gen)* dar; *(time, effort)* dedicar; *(attention)* prestar; **to ~ sb/sthg sthg, to ~ sthg to sb/sthg** dar algo a alguien/algo. **2.** *(as present)*: **to ~ sb sthg, to ~ sthg to sb** regalar algo a alguien. **3.** *(hand over)*: **to ~ sb sthg, to ~ sthg to sb** entregar OR dar algo a alguien. ◇ *vi (collapse, break)* romperse, ceder. ♦ **give or take** *prep* más o menos; **in half an hour ~ or take five minutes** en más o menos media hora. ♦ **give away** *vt sep* **1.** *(as present)* regalar. **2.** *(reveal)* revelar, descubrir. ♦ **give back** *vt sep (return)* devolver, regresar *Amer*. ♦ **give in** *vi* **1.** *(admit defeat)* rendirse, darse por vencido(da). **2.** *(agree unwillingly)*: **to ~ in to sthg** ceder ante algo. ♦ **give off** *vt fus (produce, emit)* despedir. ♦ **give out** ◇ *vt sep (distribute)* repartir, distribuir. ◇ *vi (supply, strength)* agotarse, acabarse; *(legs, machine)* fallar. ♦ **give up** ◇ *vt sep* **1.** *(stop)* abandonar; **to ~ up chocolate** dejar de comer chocolate. **2.** *(job)* dimitir de, renunciar a. **3.** *(surrender)*: **to ~ o.s. up (to sb)** rendirse (a alguien). ◇ *vi* rendirse, darse por vencido (da).

given ['gɪvn] ◇ *adj* **1.** *(set, fixed)* dado (da). **2.** *(prone)*: **to be ~ to sthg/to doing sthg** ser dado(da) a algo/a hacer algo. ◇ *prep (taking into account)* dado(da); **~ that** dado que.

given name *n* nombre *m* de pila.

glacier [Am 'gleɪʃr, Br 'glæsjə] *n* glaciar *m*.

glad [glæd] *adj* **1.** *(happy, pleased)* alegre, contento(ta); **to be ~ about/that** alegrarse de/de que. **2.** *(willing)*: **to be ~ to do sthg** tener gusto en hacer algo. **3.** *(grateful)*: **to be ~ of sthg** agradecer algo.

gladly ['glædlɪ] *adv* **1.** *(happily, eagerly)* alegremente. **2.** *(willingly)* con mucho gusto.

glamor *Am*, **glamour** *Br* ['glæmər] *n* encanto *m*, atractivo *m*.

glamorous ['glæmərəs] *adj* atractivo (va), lleno(na) de encanto.

glamour *Br* = **glamor**.

glance [Am glæns, Br glɑːns] ◇ *n (quick look)* mirada *f*, vistazo *m*; **at a ~** de un vistazo; **at first ~** a primera vista. ◇ *vi (look quickly)*: **to ~ at sb** lanzar una mirada a alguien; **to ~ at sthg** echar una ojeada OR un vistazo a algo. ♦ **glance off** *vt fus* rebotar en.

glancing [Am 'glænsɪŋ, Br 'glɑːns-] *adj* oblicuo(cua).

gland [glænd] *n* glándula *f*.

glandular fever [,glændʒələr-] *n* mononucleosis *f inv* infecciosa.

glare [gleər] ◇ *n* **1.** *(scowl)* mirada *f* asesina. **2.** *(blaze, dazzle)* destello *m*, deslumbramiento *m*. **3.** *(U) fig (of publicity)* foco *m*. ◇ *vi* **1.** *(scowl):* **to ~ (at sthg/sb)** mirar con furia (algo/ a alguien). **2.** *(blaze, dazzle)* deslumbrar.

glaring ['gleərıŋ] *adj* **1.** *(very obvious)* evidente. **2.** *(blazing, dazzling)* deslumbrante.

glass [*Am* glæs, *Br* glɑːs] ◇ *n* **1.** *(material)* vidrio *m*, cristal *m*. **2.** *(drinking vessel, glassful)* vaso *m*; *(with stem)* copa *f*. ◇ *comp* de vidrio, de cristal.
♦ **glasses** *npl (spectacles)* gafas *fpl*.

glassware [*Am* 'glæsweər, *Br* 'glɑːsweə] *n (U)* cristalería *f*.

glassy [*Am* 'glæsı, *Br* 'glɑːsı] *adj* **1.** *(smooth, shiny)* cristalino(na). **2.** *(blank, lifeless)* vidrioso(sa).

glaze [gleız] ◇ *n (on pottery)* vidriado *m*; *(on food)* glaseado *m*. ◇ *vt (pottery)* vidriar; *(food)* glasear.

glazier ['gleızjər] *n* vidriero *m*, -ra *f*.

gleam [gliːm] ◇ *n* destello *m*; *(of hope)* rayo *m*. ◇ *vi* relucir.

gleaming ['gliːmıŋ] *adj* reluciente.

glean [gliːn] *vt (gather)* recoger.

glee [gliː] *n (U) (joy, delight)* alegría *f*, regocijo *m*.

glen [glen] *n Scot* cañada *f*.

glib [glıb] *adj pej* de mucha labia.

glide [glaıd] *vi* **1.** *(move smoothly)* deslizarse. **2.** *(fly)* planear.

glider ['glaıdər] *n (plane)* planeador *m*.

gliding ['glaıdıŋ] *n (sport)* vuelo *m* sin motor.

glimmer ['glımər] *n* **1.** *(faint light)* luz *f* tenue. **2.** *fig (trace, sign)* atisbo *m*; *(of hope)* rayo *m*.

glimpse [glımps] ◇ *n* **1.** *(look, sight)* vislumbre *f*. **2.** *(idea, perception)* asomo *m*, atisbo *m*. ◇ *vt* entrever, vislumbrar.

glint [glınt] ◇ *n* **1.** *(flash)* destello *m*. **2.** *(in eyes)* fulgor *m*. ◇ *vi* destellar.

glisten ['glısn] *vi* relucir, brillar.

glitter ['glıtər] *vi* relucir, brillar.

gloat [gloʊt] *vi:* **to ~ (over sthg)** regodearse (con algo).

global ['gloʊbl] *adj (worldwide)* mundial.

global warming [-'wɔːrmıŋ] *n* calenta-miento *m* mundial.

globe [gloʊb] *n* **1.** *(gen)* globo *m*. **2.** *(spherical map)* globo *m* (terráqueo).

gloom [gluːm] *n (U)* **1.** *(darkness)* penumbra *f*. **2.** *(unhappiness)* pesimismo *m*, melancolía *f*.

gloomy ['gluːmı] *adj* **1.** *(dark, cloudy)* oscuro(ra). **2.** *(unhappy)* melancólico (ca). **3.** *(without hope - report, forecast)* pesimista; *(- situation, prospects)* desalentador(ra).

glorious ['glɔːrıəs] *adj* magnífico (ca).

glory ['glɔːrı] *n* **1.** *(gen)* gloria *f*. **2.** *(beauty, splendour)* esplendor *m*.
♦ **glory in** *vt fus (relish)* disfrutar de, regocijarse con.

gloss [glɒs] *n* **1.** *(shine)* lustre *m*, brillo *m*. **2. ~ (paint)** pintura *f* esmalte.
♦ **gloss over** *vt fus* tocar muy por encima.

glossary ['glɒsərı] *n* glosario *m*.

glossy ['glɒsı] *adj* **1.** *(smooth, shiny)* lustroso(sa). **2.** *(on shiny paper)* de papel satinado.

glove [glʌv] *n* guante *m*.

glove compartment *n* guantera *f*.

glow [gloʊ] ◇ *n (light)* fulgor *m*. ◇ *vi (gen)* brillar.

glower ['glaʊər] *vi:* **to ~ (at sthg/sb)** mirar con furia (algo/a alguien).

glucose ['gluːkoʊs] *n* glucosa *f*.

glue [gluː] *(cont* **glueing** OR **gluing)** ◇ *n (paste)* pegamento *m*; *(for glueing wood, metal etc)* cola *f*. ◇ *vt (paste)* pegar (con pegamento); *(wood, metal etc)* encolar.

glum [glʌm] *adj (unhappy)* sombrío (a).

glut [glʌt] *n* superabundancia *f*.

glutton ['glʌtn] *n (greedy person)* glotón *m*, -ona *f*; **to be a ~ for punishment** ser un masoquista.

gnarled [nɑːrld] *adj* nudoso(sa).

gnash [næʃ] *vt:* **to ~ one's teeth** hacer rechinar los dientes.

gnat [næt] *n* mosquito *m*.

gnaw [nɔː] *vt (chew)* roer; **to ~ (away) at sb** corroer a alguien.

gnome [noʊm] *n* gnomo *m*.

GNP *(abbr of* **gross national product)** *n* PNB *m*.

[go] [goʊ] *(pt* went, *pp* gone, *pl* goes) ◇ *vi* **1.** *(move, travel, attend)* ir; **where are you ~ing?** ¿dónde vas?; **he's gone to Portugal** se ha ido a Portugal; **we went by bus/train** fuimos en autobús/tren; **to**

~ **and do sthg** ir a hacer algo; **where does this path ~?** ¿a dónde lleva este camino?; **to ~ swimming/shopping** ir a nadar/de compras; **to ~ for a walk/run** ir a dar un paseo/a correr; **to ~ to church/school** ir a misa/la escuela. **2.** *(depart - person)* irse, marcharse; *(- bus)* salir; **I must ~, I have to ~** tengo que irme; **let's ~!** ¡vámonos! **3.** *(pass - time)* pasar. **4.** *(progress)* ir; **to ~ well/badly** ir bien/mal; **how's it ~ing?** *inf (how are you?)* ¿qué tal? **5.** *(belong, fit)* ir; **the plates ~ in the cupboard** los platos van en el armario; **it won't ~ into the suitcase** no cabe en la maleta. **6.** *(become)* ponerse; **to ~ grey** ponerse gris; **to ~ mad** volverse loco; **to ~ blind** quedarse ciego. **7.** *(indicating intention, certainty, expectation)*: **to be ~ing to do sthg** ir a hacer algo; **he said he was ~ing to be late** dijo que llegaría tarde; **it's ~ing to rain/snow** va a llover/nevar. **8.** *(match, be compatible)*: **to ~ (with)** ir bien (con); **this blouse goes well with the skirt** esta blusa va muy bien OR hace juego con la falda. **9.** *(function, work)* funcionar. **10.** *(bell, alarm)* sonar. **11.** *(stop working)* estropearse; **the fuse must have gone** han debido de saltar los plomos. **12.** *(deteriorate)*: **her sight/hearing is ~ing** está perdiendo la vista/el oído. **13.** *(be disposed of)*: **he'll have to ~** habrá que despedirle; **everything must ~!** ¡gran liquidación! **14.** *inf (expressing irritation, surprise)*: **now what's he gone and done?** ¿qué leches ha hecho ahora? **15.** *(in division)*: **three into two won't ~** dos entre tres no cabe. ◇ *n* **1.** *(turn)* turno *m*; **it's my ~** me toca a mí. **2.** *inf (attempt)*: **to have a ~ at sthg** intentar OR probar algo. **3.** *phr*: **to have a ~ at sb** *inf* echar una bronca a alguien; **to be on the ~** *inf* no parar, estar muy liado. ◆ **to go** *adv (remaining)*: **there are only three days to ~** sólo quedan tres días. ◆ **go about** ◇ *vt fus* **1.** *(perform)* hacer, realizar; **to ~ about one's business** ocuparse uno de sus asuntos. **2.** *(tackle)*: **to ~ about doing sthg** apañárselas para hacer algo; **how do you intend ~ing about it?** ¿cómo piensas hacerlo? ◇ *vi* = **go around.** ◆ **go ahead** *vi* **1.** *(begin)*: **to ~ ahead (with sthg)** seguir adelante (con algo); **~ ahead!** ¡adelante! **2.** *(take place)* celebrarse. ◆ **go along** *vi (proceed)*: **as you ~ along** a medida que lo vayas haciendo. ◆ **go along with** *vt fus* estar de acuerdo con. ◆ **go around** *vi* **1.** *(associate)*: **to ~ around with sb** juntarse con alguien. **2.** *(joke,*

illness, story) correr (por ahí). ◆ **go back on** *vt fus (one's word, promise)* faltar a. ◆ **go back to** *vt fus* **1.** *(return to activity)* continuar OR seguir con; **to ~ back to sleep** volver a dormir. **2.** *(date from)* remontarse a. ◆ **go by** ◇ *vi (time)* pasar. ◇ *vt fus* **1.** *(be guided by)* guiarse por. **2.** *(judge from)*: **~ing by her voice, I'd say she was French** a juzgar por su voz yo diría que es francesa. ◆ **go down** ◇ *vi* **1.** *(get lower - prices etc)* bajar. **2.** *(be accepted)*: **to ~ down well/badly** tener una buena/mala acogida. **3.** *(sun)* ponerse. **4.** *(tyre, balloon)* deshincharse. ◇ *vt fus* bajar. ◆ **go for** *vt fus* **1.** *(choose)* decidirse por. **2.** *(be attracted to)*: **I don't really ~ for men like him** no me gustan mucho los hombres como él. **3.** *(attack)* lanzarse sobre, atacar. **4.** *(try to obtain - record, job)* ir a por. ◆ **go in** *vi* entrar. ◆ **go in for** *vt fus* **1.** *(competition, exam)* presentarse a. **2.** *inf (enjoy)*: **I don't really ~ in for classical music** no me va la música clásica. ◆ **go into** *vt fus* **1.** *(investigate)* investigar. **2.** *(take up as a profession)* dedicarse a. ◆ **go off** ◇ *vi* **1.** *(explode - bomb)* estallar; *(- gun)* dispararse. **2.** *(alarm)* sonar. **3.** *(go bad - food)* estropearse; *(- milk)* cortarse. **4.** *(lights, heating)* apagarse. **5.** *(happen)*: **to ~ off (well/badly)** salir (bien/mal). ◇ *vt fus inf (lose interest in)* perder el gusto a OR el interés en. ◆ **go on** ◇ *vi* **1.** *(take place)* pasar, ocurrir. **2.** *(continue)*: **to ~ on (doing sthg)** seguir (haciendo algo). **3.** *(proceed to further activity)*: **to ~ on to sthg/to do sthg** pasar a algo/a hacer algo. **4.** *(heating etc)* encenderse. **5.** *(talk for too long)*: **to ~ on (about)** no parar de hablar (de). ◇ *vt fus (be guided by)* guiarse por. ◇ *excl* ¡venga!, ¡vamos! ◆ **go on at** *vt fus (nag)* dar la lata a. ◆ **go out** *vi* **1.** *(leave house)* salir; **to ~ out for a meal** cenar fuera. **2.** *(as friends or lovers)*: **to ~ out (with sb)** salir (con alguien). **3.** *(light, fire, cigarette)* apagarse. ◆ **go over** *vt fus* **1.** *(examine)* repasar. **2.** *(repeat)* repetir. ◆ **go round** *vi (revolve)* girar, dar vueltas; *see also* **go around.** ◆ **go through** *vt fus* **1.** *(experience)* pasar por, experimentar. **2.** *(study, search through)* registrar; **she went through his pockets** le miró en los bolsillos. ◆ **go through with** *vt fus* llevar a cabo. ◆ **go towards** *vt fus* contribuir a. ◆ **go under** *vi lit & fig* hundirse. ◆ **go up** ◇ *vi* **1.** *(rise - prices, temperature, balloon)* subir. **2.** *(be built)* levantarse, construirse. ◇ *vt fus* subir. ◆ **go**

without ◇ vt fus prescindir de. ◇ vi apañárselas.

• Es muy frecuente usar *go* seguido de un verbo en participio presente para describir actividades físicas, recreativas o deportivas (*to go dancing/bird watching/running*, "ir a bailar/ver pájaros/correr"). *I like swimming = I like to be in the water*, "me gusta nadar" es distinto de *I like going swimming = I like being at the swimming pool*, "me gusta ir a nadar".

• En el pretérito perfecto y en el pluscuamperfecto, el participio *gone* se puede sustituir por *been*, con un ligero cambio de significado. Compárese *the Fosters have gone to Bermuda for their vacation*, "los Foster <u>se han ido</u> a las Bermudas y todavía están allí", con *the Fosters have been to Bermuda for their vacation*, "los Foster <u>fueron</u> a las Bermudas (y ya han regresado)".

• Cuando a *go* le sigue un infinitivo, es común en el habla coloquial sustituir *to* por la partícula *and* (*I'll go and see what's happening* = I'll go to see what's happening*).

• Ver también **IR** en el lado Español-Inglés del diccionario.

---

goad [goud] vt (provoke) aguijonear, incitar.

go-ahead ◇ adj (dynamic) dinámico (ca). ◇ n (U) (permission) luz f verde.

goal [goul] n 1. (SPORT) (area between goalposts) portería f, arco m Amer; (point scored) gol m. 2. (aim) objetivo m, meta f.

goalkeeper ['goulki:pə'] n portero m, -ra f, arquero m, -ra f Amer.

goalmouth ['goulmauθ, pl -mauðz] n portería f, meta f, arco m Amer.

goalpost ['goulpoust] n poste m (de la portería).

goat [gout] n (animal) cabra f.

gobble ['gobl] vt (food) engullir, tragar.
♦ **gobble down, gobble up** vt sep engullir, tragar.

go-between n intermediario m, -ria f.

gobsmacked ['gobsmækt] adj Br inf alucinado(da), flipado(da).

go-cart = go-kart.

god [god] n dios m. ♦ **God** ◇ n Dios m; **God knows** sabe Dios; **for God's sake** ¡por el amor de Dios!; **thank God** ¡gracias a Dios! ◇ excl: **(my) God!** ¡Dios (mío)!

godchild ['godtʃaɪld] (pl -**children** [-ˌtʃɪldrən]) n ahijado m, -da f.

goddaughter ['goddɔ:tə'] n ahijada f.

goddess ['godəs] n diosa f.

godfather ['godfɑ:ðə'] n padrino m.

godforsaken ['godfə'seɪkn] adj dejado (da) de la mano de Dios.

godmother ['godmʌðə'] n madrina f.

godsend ['godsend] n: **to be a ~** venir como agua de mayo.

godson ['godsʌn] n ahijado m.

goes [gouz] → go.

goggles ['goglz] npl (for swimming) gafas fpl submarinas; (for skiing) gafas de esquí; (for welding) gafas de protección.

going ['gouɪŋ] ◇ adj 1. Br (available) disponible. 2. (rate) actual. ◇ n (U) 1. (rate of advance) marcha f. 2. (conditions) condiciones fpl.

go-kart [-kɑ:'t] n kart m.

gold [gould] ◇ adj (gold-coloured) dorado(da). ◇ n (gen) oro m. ◇ comp (made of gold) de oro.

golden ['gouldən] adj 1. (made of gold) de oro. 2. (gold-coloured) dorado(da).

goldfish ['gouldfɪʃ] (pl inv) n pez m de colores.

gold leaf n pan m de oro.

gold medal n medalla f de oro.

goldmine ['gouldmaɪn] n lit & fig mina f de oro.

gold-plated [-'pleɪtəd] adj chapado (da) en oro.

goldsmith ['gouldsmɪθ] n orfebre m y f.

golf [golf] n golf m.

golf ball n 1. (for golf) pelota f de golf. 2. (for typewriter) esfera f impresora.

golf club n 1. (society, place) club m de golf. 2. (stick) palo m de golf.

golf course n campo m de golf.

golfer ['golfə'] n golfista m y f.

gone [gon] ◇ pp → go. ◇ adj: **those days are ~** esos tiempos ya pasaron.

gong [gon] n gong m.

good [gud] (compar better, superl best) ◇ adj 1. (gen) bueno(na); **it's ~ to see you** me alegro de verte; **she's ~ at it** se le da bien; **to be ~ with** saber manejárselas con; **she's ~ with her hands** es muy mañosa; **it's ~ for you** es bueno, es beneficioso; **to feel ~** sentirse fenomenal; **it's ~ that ...** está bien que ...; **to look ~** (attractive) estar muy guapo; (appetizing, promising) tener buena pinta; **~ looks** atractivo m; **be ~!** ¡sé bueno!, ¡pórtate bien!; **~!** ¡muy bien!, ¡estupendo! 2. (kind) amable; **to be ~**

to sb ser amable con alguien; **to be ~ enough to do sthg** ser tan amable de hacer algo. ◇ *n* **1.** (U) *(benefit)* bien *m*; **it will do him ~** le hará bien. **2.** *(use)* beneficio *m*, provecho *m*; **what's the ~ of ...?** ¿de OR para qué sirve ...?; **it's no ~** no sirve para nada. **3.** *(morally correct behaviour)* el bien; **to be up to no ~** estar tramando algo malo. ◆ **goods** *npl* **1.** (COMM - *for sale)* productos *mpl*; *(- when transported)* mercancías *fpl*. **2.** (ECON) bienes *mpl*. ◆ **as good as** *adv* casi, prácticamente; **it's as ~ as new** está como nuevo. ◆ **for good** *adv (forever)* para siempre. ◆ **good afternoon** *excl* ¡buenas tardes! ◆ **good evening** *excl (in the evening)* ¡buenas tardes!; *(at night)* ¡buenas noches! ◆ **good morning** *excl* ¡buenos días!, ¡buen día! *Amer.* ◆ **good night** *excl* ¡buenas noches!

goodbye [,gʊd'baɪ] ◇ *excl* ¡adiós! ◇ *n* adiós *m*.

Good Friday *n* Viernes *m* Santo.

good-humoured [-'hjuːmərd] *adj* jovial.

good-looking [-'lʊkɪŋ] *adj (person)* guapo(pa).

good-natured [-'neɪtʃərd] *adj* bondadoso(sa).

goodness ['gʊdnəs] ◇ *n* (U) **1.** *(kindness)* bondad *f*. **2.** *(nutritive quality)* alimento *m*. ◇ *excl*: **(my) ~!** ¡Dios mío!; **for ~' sake!** ¡por Dios!; **thank ~** ¡gracias a Dios!

goods train [gʊdz-] *n Br* mercancías *m inv*.

goodwill [,gʊd'wɪl] *n* **1.** *(kind feelings)* buena voluntad *f*. **2.** (COMM) fondo *m* de comercio.

goody ['gʊdɪ] *n inf* bueno *m*, -na *f*.

goose [guːs] *(pl* geese*)* *n (bird)* ganso *m*, oca *f*.

gooseberry [*Am* 'guːsberɪ, *Br* 'gʊzbərɪ] *n (fruit)* grosella *f* silvestre, uva *f* espina.

goose flesh ['guːsfleʃ] *n*, **goosebumps** *Am* ['guːsbʌmps], **goose pimples** *Br npl* carne *f* de gallina.

gorge [gɔːrdʒ] ◇ *n* cañón *m*. ◇ *vt*: **to ~ o.s. on** OR **with** atracarse de.

gorgeous ['gɔːrdʒəs] *adj* **1.** *(lovely)* magnífico(ca), espléndido(da). **2.** *inf (good-looking)*: **to be ~** estar como un tren.

gorilla [gə'rɪlə] *n* gorila *m y f*.

gorse [gɔːrs] *n* (U) tojo *m*.

gory ['gɔːrɪ] *adj (death, scene)* sangriento(ta); *(details, film)* escabroso(sa).

gosh [gɒʃ] *excl inf* ¡joroba!, ¡caray!

go-slow *n Br* huelga *f* de celo.

gospel ['gɒspl] *n (doctrine)* evangelio *m*. ◆ **Gospel** *n (in Bible)* Evangelio *m*.

gossip [*Am* 'gɒsəp, *Br* -ɪp] ◇ *n* **1.** *(conversation)* cotilleo *m*. **2.** *(person)* cotilla *m y f*, chismoso *m*, -sa *f*. ◇ *vi* cotillear.

gossip column *n* ecos *mpl* de sociedad.

got [gɒt] *pt & pp* → get.

gotten ['gɒtn] *pp Am* → get.

goulash [*Am* 'guːlɑːʃ, *Br* -æʃ] *n* gulasch *m*.

gourmet ['gʊərmeɪ] ◇ *n* gastrónomo *m*, -ma *f*. ◇ *comp* para/de gastrónomos.

govern ['gʌvərn] ◇ *vt* **1.** (POL) gobernar. **2.** *(control)* dictar. ◇ *vi* (POL) gobernar.

governess ['gʌvərnəs] *n* institutriz *f*.

government ['gʌvərnmənt] ◇ *n* gobierno *m*. ◇ *comp* gubernamental.

governor ['gʌvərnər] *n* **1.** (POL) gobernador *m*, -ra *f*. **2.** *(of school, bank, prison)* director *m*, -ra *f*.

gown [gaʊn] *n* **1.** *(dress)* vestido *m*, traje *m*. **2.** *(of judge etc)* toga *f*.

GP *(abbr of* general practitioner*)* *n* médico *m* de cabecera.

grab [græb] ◇ *vt* **1.** *(snatch away)* arrebatar; *(grip)* agarrar, asir. **2.** *inf (appeal to)* seducir. ◇ *vi*: **to ~ at sthg** intentar agarrar algo.

grace [greɪs] ◇ *n* **1.** (U) *(elegance)* elegancia *f*, gracia *f*. **2.** (U) *(delay)* prórroga *f*. **3.** *(prayer)*: **to say ~** bendecir la mesa. ◇ *vt fml* **1.** *(honour)* honrar. **2.** *(decorate)* adornar, embellecer.

graceful ['greɪsfl] *adj* **1.** *(beautiful)* elegante. **2.** *(gracious)* cortés.

gracious ['greɪʃəs] ◇ *adj* **1.** *(polite)* cortés. **2.** *(elegant)* elegante. ◇ *excl*: **(good) ~!** ¡Dios mío!

grade [greɪd] ◇ *n* **1.** *(level, quality)* clase *f*, calidad *f*. **2.** *Am (class)* curso *m*, clase *f*. **3.** *(mark)* nota *f*. ◇ *vt* **1.** *(classify)* clasificar. **2.** *(mark, assess)* calificar.

grade crossing *n Am* paso *m* a nivel.

grade school *n Am* escuela *f* primaria.

gradient ['greɪdjənt] *n* pendiente *f*.

gradual ['grædjuəl] *adj* gradual.

gradually ['grædjuəlɪ] *adv* gradualmente.

graduate [*n* 'grædjuət, *vb* 'grædjueɪt] ◇ *n* **1.** *(person with a degree)* licenciado *m*, -da *f*, egresado *m*, -da *f Amer*. **2.** *Am (of high school)* = bachiller *m y f*. ◇ *vi* **1.** *(with a degree)*: **to ~ (from)** licenciarse (por), egresar (de) *Amer*. **2.** *Am (from high school)*: **to ~ (from)** = obtener el título de bachiller (en).

graduation [ˌgrædʒʊ'eɪʃn] *n* graduación *f*, egreso *m Amer*.

GRADUATION

Los alumnos que terminan sus estudios en la universidad, en una escuela universitaria o en una escuela estadounidense de enseñanza secundaria reciben su título o diploma en una ceremonia pública de graduación. Normalmente sus familias y amigos acuden a este acto, al que los estudiantes van vestidos con toga (una especie de capa larga) y birrete (sombrero redondo con una superficie plana en la parte superior). En Estados Unidos el alumno con mejores notas llamado *valedictorian*, da un discurso y al finalizar el acto todos los graduados lanzan sus birretes al aire.

---

graffiti [grə'fi:tɪ] *n (U)* pintadas *fpl*.

graft [*Am* græft, *Br* grɑ:ft] ◇ *n* **1.** (BOT & MED) injerto *m*. **2.** *Am inf (corruption)* chanchullos *mpl*. **3.** *Br inf (hard work)* curro *m* muy duro. ◇ *vt* (BOT & MED): **to ~ sthg (onto sthg)** injertar algo (en algo).

grain [greɪn] *n* **1.** *(seed, granule)* grano *m*. **2.** *(U) (crop)* cereales *mpl*. **3.** *fig (small amount)* pizca *f*. **4.** *(pattern)* veta *f*.

gram [græm] *n* gramo *m*.

grammar ['græmər] *n* gramática *f*.

grammar school *n (in UK) colegio subvencionado para mayores de once años con un programa de asignaturas tradicional; (in US)* escuela *f* primaria.

grammatical [grə'mætɪkl] *adj* **1.** *(of grammar)* gramatical. **2.** *(correct)* (gramaticalmente) correcto(ta).

gramme [græm] *Br* = **gram**.

gran [græn] *n Br inf* abuelita *f*, yaya *f*.

grand [grænd] ◇ *adj* **1.** *(impressive)* grandioso(sa), monumental. **2.** *(ambitious)* ambicioso(sa). **3.** *(important)* distinguido(da). **4.** *inf dated (excellent)* fenomenal. ◇ *n inf (thousand pounds or dollars)*: **a ~** mil libras/dólares; **five ~** cinco mil libras/dólares.

grandchild ['græntʃaɪld] *(pl* **-children** [-ˌtʃɪldrən]*) n* nieto *m*, -ta *f*.

grand(d)ad ['grændæd] *n inf* abuelito *m*, yayo *m*.

granddaughter ['grændɔ:tər] *n* nieta *f*.

grandeur ['grændʒər] *n* **1.** *(splendour)* grandiosidad *f*. **2.** *(status)* grandeza *f*.

grandfather ['grændfɑ:ðər] *n* abuelo *m*.

grandma ['grænmɑ:] *n inf* abuelita *f*, yaya *f*, mamá *f* grande *Méx*.

grandmother ['grænmʌðər] *n* abuela *f*.

grandpa ['grænpɑ:] *n inf* abuelito *m*, yayo *m*, papá *m* grande *Méx*.

grandparents ['grænpeərənts] *npl* abuelos *mpl*.

grand piano *n* piano *m* de cola.

grand slam *n* (SPORT) *(in tennis)* gran slam *m*; *(in rugby)* gran chelem *f*.

grandson ['grænsʌn] *n* nieto *m*.

grandstand ['grændstænd] *n* tribuna *f*.

grand total *n (total number)* cantidad *f* total; *(total sum, cost)* importe *m* total.

granite ['grænɪt] *n* granito *m*.

granny ['grænɪ] *n inf* abuelita *f*, yaya *f*.

grant [*Am* grænt, *Br* grɑ:nt] ◇ *n* subvención *f*; *(for study)* beca *f*. ◇ *vt fml* **1.** *(gen)* conceder; **to take sthg/sb for ~ed** no apreciar algo/a alguien en lo que vale; **it is taken for ~ed that ...** se da por sentado que ... **2.** *(admit - truth, logic)* admitir, aceptar.

granulated sugar [ˌgrænjəleɪtəd-] *n* azúcar *m* granulado.

granule ['grænju:l] *n* gránulo *m*.

grape [greɪp] *n* uva *f*.

grapefruit ['greɪpfru:t] *(pl inv* OR **-s)** *n* pomelo *m*.

grapevine ['greɪpvaɪn] *n* **1.** *(plant)* vid *f*; *(against wall)* parra *f*. **2.** *(information channel)*: **I heard on the ~ that ...** me ha dicho un pajarito que ...

graph [*Am* græf, *Br* grɑ:f] *n* gráfica *f*.

graphic ['græfɪk] *adj lit & fig* gráfico (ca). ◆ **graphics** *npl (pictures)* ilustraciones *fpl*; **computer ~s** gráficos *mpl*.

graphite ['græfaɪt] *n* grafito *m*.

graph paper *n (U)* papel *m* cuadriculado.

grapple ['græpl] ◆ **grapple with** *vt fus* **1.** *(person)* forcejear con. **2.** *(problem)* esforzarse por resolver.

grasp [*Am* græsp, *Br* grɑ:sp] ◇ *n* **1.** *(grip)* agarre *m*, asimiento *m*. **2.** *(understanding)* comprensión *f*; **to have a good ~ of sthg** dominar algo. ◇ *vt* **1.** *(grip, seize)* agarrar, asir. **2.** *(understand)* comprender. **3.** *(opportunity)* aprovechar.

grasping [*Am* 'græspɪŋ, *Br* 'grɑ:sp-] *adj pej* avaro(ra).

grass [*Am* græs, *Br* grɑ:s] ◇ *n* **1.** *(plant)* hierba *f*; *(lawn)* césped *m*; *(pasture)* pasto *m*; **keep off the ~'** 'prohibido pisar el césped'. **2.** *drugs sl (marijuana)* hierba *f*, maría *f*. ◇ *vi Br crime sl*: **to ~ (on sb)** chivarse (de alguien).

grasshopper [*Am* ˈgræshɒpr, *Br* ˈgrɑːshɒpə] *n* saltamontes *m inv*.

grass roots ◇ *npl* bases *fpl*. ◇ *comp* de base.

grass snake *n* culebra *f*.

grate [greɪt] ◇ *n* parrilla *f*, rejilla *f*. ◇ *vt* rallar. ◇ *vi* rechinar, chirriar.

grateful [ˈgreɪtfl] *adj* (*gen*) agradecido(da); (*smile, letter*) de agradecimiento; **to be ~ to sb (for sthg)** estar agradecido a alguien (por algo); **I'm very ~ to you** te lo agradezco mucho.

grater [ˈgreɪtər] *n* rallador *m*.

grating [ˈgreɪtɪŋ] ◇ *adj* chirriante. ◇ *n* (*grille*) reja *f*, enrejado *m*.

gratitude [ˈgrætɪtjuːd] *n* (*U*): **~ (to sb for)** agradecimiento *m* OR gratitud *f* (a alguien por).

gratuitous [grəˈtjuːɪtəs] *adj fml* gratuito(ta).

grave [greɪv] ◇ *adj* grave. ◇ *n* sepultura *f*, tumba *f*.

gravel [ˈgrævl] *n* grava *f*, gravilla *f*.

gravestone [ˈgreɪvstəʊn] *n* lápida *f* (sepulcral).

graveyard [ˈgreɪvjɑːd] *n* cementerio *m*.

gravity [ˈgrævətɪ] *n* gravedad *f*.

gravy [ˈgreɪvɪ] *n* (*U*) (*meat juice*) salsa *f* OR jugo *m* de carne.

gray *Am*, **grey** *Br* [greɪ] ◇ *adj lit & fig* gris; **to go ~** (*grey-haired*) echar canas, encanecer. ◇ *n* gris *m*.

graze [greɪz] ◇ *vt* 1. (*feed on*) pacer OR pastar en. 2. (*skin, knee etc*) rasguñar. 3. (*touch lightly*) rozar. ◇ *vi* pacer, pastar. ◇ *n* rasguño *m*.

grease [griːs] *n* grasa *f*. ◇ *vt* engrasar.

greaseproof paper [ˌgriːsˈpruːf-] *n* (*U*) *Br* papel *m* de cera (para envolver).

greasy [ˈgriːsɪ] *adj* grasiento(ta); (*inherently*) graso(sa).

great [greɪt] ◇ *adj* 1. (*gen*) grande; (*heat*) intenso(sa); **~ big** enorme. 2. *inf* (*splendid*) estupendo(da), fenomenal; **we had a ~ time** lo pasamos en grande; **~!** ¡estupendo! ◇ *n* grande *m* y *f*.

Great Britain *n* Gran Bretaña *f*.

greatcoat [ˈgreɪtkəʊt] *n* gabán *m*.

great-grandchild *n* bisnieto *m*, -ta *f*.

great-grandfather *n* bisabuelo *m*.

great-grandmother *n* bisabuela *f*.

greatly [ˈgreɪtlɪ] *adv* enormemente.

greatness [ˈgreɪtnəs] *n* grandeza *f*.

Greece [griːs] *n* Grecia *f*.

greed [griːd] *n* (*U*): **~ (for)** (*food*) glotonería *f* (con); (*money*) codicia *f* (de); (*power*) ambición *f* (de).

greedy [ˈgriːdɪ] *adj* 1. (*for food*) glotón

(ona). 2. (*for money, power*): **~ for** codicioso(sa) OR ávido(da) de.

Greek [griːk] ◇ *adj* griego(ga). ◇ *n* 1. (*person*) griego *m*, -ga *f*. 2. (*language*) griego *m*.

green [griːn] ◇ *adj* 1. (*gen*) verde. 2. *inf* (*pale*) pálido(da). 3. *inf* (*inexperienced*) novato(ta). ◇ *n* 1. (*colour*) verde *m*. 2. (*in village*) terreno *m* comunal. 3. (*in golf*) green *m*. ◆ **Green** *n* (POL) verde *m* y *f*, ecologista *m* y *f*. ◆ **greens** *npl* (*vegetables*) verduras *fpl*.

greenback [ˈgriːnbæk] *n Am inf* billete de banco americano.

green belt *n Br* cinturón *m* verde.

green card *n* 1. *Am* (*work permit*) permiso *m* de trabajo (*en Estados Unidos*). 2. *Br* (*for vehicle*) seguro que cubre a conductores en el extranjero.

greenery [ˈgriːnərɪ] *n* vegetación *f*.

greenfly [ˈgriːnflaɪ] (*pl inv* OR **-ies**) *n* pulgón *m*.

greengage [ˈgriːngeɪdʒ] *n* ciruela *f* claudia.

greengrocer [ˈgriːnˌgrəʊsər] *n* verdulero *m*, -ra *f*; **~'s (shop)** verdulería *f*.

greenhouse [ˈgriːnhaʊs, *pl* -haʊzɪz] *n* invernadero *m*.

greenhouse effect *n*: **the ~** el efecto invernadero.

Greenland [ˈgriːnlənd] *n* Groenlandia.

green salad *n* ensalada *f* verde.

greet [griːt] *vt* 1. (*say hello to*) saludar. 2. (*receive*) recibir.

greeting [ˈgriːtɪŋ] *n* saludo *m*; (*welcome*) recibimiento *m*. ◆ **greetings** *npl*: **Christmas/birthday ~s!** ¡feliz navidad/cumpleaños!; **~s from ...** recuerdos de ...

greeting card *Am*, **greetings card** *Br* [ˈgriːtɪŋz-] *n* tarjeta *f* de felicitación.

GREETINGS CARD

En las poblaciones grandes de Estados Unidos y Gran Bretaña hay tiendas que se dedican exclusivamente a la venta de tarjetas de felicitación. La gente manda estas tarjetas a sus amigos o familiares en fechas señaladas como Navidad, Semana Santa, el Día del Padre o el Día de la Madre. También suelen enviarse cuando alguien cumple años, se casa o tiene un bebé. En Estados Unidos además se elaboran tarjetas para felicitar a los abuelos, a las secretarias, e incluso para desear un pronto restablecimiento a los enfermos.

grenade [grə'neɪd] *n*: **(hand)** ~ granada *f* (de mano).

grew [gru:] *pt* → **grow**.

grey *Br* = **gray**.

grey-haired [-'heə^rd] *adj* canoso(sa).

greyhound ['greɪhaʊnd] *n* galgo *m*.

grid [grɪd] *n* **1.** *(grating)* reja *f*, enrejado *m*. **2.** *(system of squares)* cuadrícula *f*.

griddle ['grɪdl] *n* plancha *f*.

gridlock ['grɪdlɒk] *n Am* embotellamiento *m*, atasco *m*.

grief [gri:f] *n* (*U*) **1.** *(sorrow)* dolor *m*, pesar *m*. **2.** *inf (trouble)* problemas *mpl*. **3.** *phr*: **to come to** ~ *(person)* sufrir un percance; *(plans)* irse al traste; **good** ~! ¡madre mía!

grievance ['gri:vns] *n* (motivo *m* de) queja *f*.

grieve [gri:v] *vi*: **to** ~ **(for)** llorar (por).

grievous ['gri:vəs] *adj fml* grave.

grievous bodily harm *n* (*U*) lesiones *fpl* graves.

grill [grɪl] ◇ *n* **1.** *(of cooker)* parrilla *f*. **2.** *(food)* parrillada *f*. ◇ *vt* **1.** (CULIN) asar a la parrilla. **2.** *inf (interrogate)* someter a un duro interrogatorio.

grille [grɪl] *n* *(on radiator, machine)* rejilla *f*; *(on window, door)* reja *f*.

grim [grɪm] *adj* **1.** *(expression)* adusto (ta); *(determination)* inexorable. **2.** *(place, facts, prospects)* descorazonador(ra), lúgubre.

grimace ['grɪməs] ◇ *n* mueca *f*. ◇ *vi* hacer una mueca.

grime [graɪm] *n* mugre *f*.

grimy ['graɪmɪ] *adj* mugriento(ta).

grin [grɪn] ◇ *n* sonrisa *f* (abierta). ◇ *vi*: **to** ~ **(at)** sonreír (a).

grind [graɪnd] (*pt & pp* **ground**) ◇ *vt* *(crush)* moler. ◇ *vi* *(scrape)* rechinar, chirriar. ◇ *n* *(hard, boring work)* rutina *f*.

♦ **grind down** *vt sep (oppress)* oprimir, acogotar. ♦ **grind up** *vt sep* pulverizar.

grip [grɪp] ◇ *n* **1.** *(grasp, hold)*: **to have a** ~ **(on sthg/sb)** tener (algo/a alguien) bien agarrado. **2.** *(control, domination)*: ~ **on** control *m* de, dominio *m* de; **to get to** ~**s with** llegar a controlar; **to get a** ~ **on o.s.** calmarse, controlarse. **3.** *(adhesion)* sujeción *f*, adherencia *f*. **4.** *(handle)* asidero *m*. **5.** *(bag)* bolsa *f* de viaje. ◇ *vt* **1.** *(grasp)* agarrar, asir; *(hand)* apretar; *(weapon)* empuñar. **2.** *(seize)* apoderarse de.

gripping ['grɪpɪŋ] *adj* apasionante.

grisly ['grɪzlɪ] *adj (horrible, macabre)* espeluznante.

gristle ['grɪsl] *n* cartílago *m*, ternilla *f*.

grit [grɪt] ◇ *n* **1.** *(stones)* grava *f*; *(sand, dust)* arena *f*. **2.** *inf (courage)* valor *m*. ◇ *vt* cubrir de arena *(las calles)*.

groan [grəʊn] ◇ *n* gemido *m*. ◇ *vi* **1.** *(moan)* gemir. **2.** *(creak)* crujir.

grocer ['grəʊsə^r] *n* tendero *m*, -ra *f*, abarrotero *m*, -ra *f Amer*, almacenero *m*, -ra *f Amer*; ~'s **(shop)** tienda *f* de comestibles OR ultramarinos, tienda *f* de abarrotes *Amer*, almacén *m Amer*.

groceries ['grəʊsəriz] *npl (foods)* comestibles *mpl*, abarrotes *mpl Amer*.

grocery ['grəʊsərɪ] *n (shop)* tienda *f* de comestibles OR ultramarinos, tienda *f* de abarrotes *Amer*, almacén *m Amer*.

groggy ['grɒgɪ] *adj* atontado(da), mareado(da).

groin [grɔɪn] *n* ingle *f*.

groom [gru:m] ◇ *n* **1.** *(of horses)* mozo *m* de cuadra. **2.** *(bridegroom)* novio *m*. ◇ *vt* **1.** *(brush)* cepillar, almohazar. **2.** *(prepare)*: **to** ~ **sb (for sthg)** preparar a alguien (para algo).

groove [gru:v] *n (deep line)* ranura *f*; *(in record)* surco *m*.

grope [grəʊp] ◇ *vt* **1.** *(fondle)* meter mano a. **2.** *(try to find)*: **to** ~ **one's way** andar a tientas. ◇ *vi*: **to** ~ **(about) for sthg** *(object)* buscar algo a tientas; *(solution, remedy)* buscar algo a ciegas.

gross [grəʊs] (*pl inv* OR **-es**) ◇ *adj* **1.** *(total)* bruto(ta). **2.** *fml (serious, inexcusable)* grave. **3.** *(coarse, vulgar)* basto (ta), vulgar. **4.** *inf (obese)* obeso(sa). ◇ *n* gruesa *f*. ◇ *vt* ganar en bruto.

grossly ['grəʊslɪ] *adv (seriously)* enormemente.

grotesque [grəʊ'tesk] *adj* grotesco (ca).

grotto ['grɒtəʊ] (*pl* **-es** OR **-s**) *n* gruta *f*.

grotty ['grɒtɪ] *adj Br inf* asqueroso(sa).

ground [graʊnd] ◇ *pt & pp* → **grind**. ◇ *n* **1.** *(surface of earth)* suelo *m*, tierra *f*; **above/below** ~ sobre/bajo tierra; **on the** ~ en el suelo. **2.** *(area of land)* terreno *m*; (SPORT) campo *m*, terreno *m* de juego. **3.** *(subject area)* campo *m*. **4.** *(advantage)*: **to gain/lose** ~ ganar/perder terreno. ◇ *vt* **1.** *(base)*: **to be** ~**ed on** OR **in sthg** basarse en algo. **2.** *(aircraft, pilot)* hacer permanecer en tierra. **3.** *Am inf (child)* castigar sin salir. **4.** *Am* (ELEC): **to be** ~**ed** estar conectado(da) a tierra.

♦ **grounds** *npl* **1.** *(reason)*: ~**s (for sthg/for doing sthg)** motivos *mpl* (para algo/para hacer algo); **on the** ~**s that** aduciendo que, debido a que. **2.** *(around building)* jardines *mpl*. **3.** *(of coffee)* poso *m*.

ground crew n personal m de tierra.

ground floor n planta f baja; **~ flat** (piso m) bajo m.

grounding ['graundɪŋ] n: **~ (in)** base f (de), conocimientos mpl básicos (de).

groundless ['graundləs] adj infundado (da).

groundsheet ['graundʃiːt] n lona f impermeable (para camping etc).

ground staff n 1. (at sports ground) personal m al cargo de las instalaciones. 2. Br = ground crew.

groundwork ['graundwɜːʳk] n (U) trabajo m preliminar.

group [gruːp] ◇ n grupo m. ◇ vt agrupar. ◇ vi: **to ~ (together)** agruparse.

groupie ['gruːpɪ] n inf groupie f.

grouse [graus] (pl inv OR **-s**) ◇ n (bird) urogallo m. ◇ vi inf quejarse.

grove [grəʊv] n (of trees) arboleda f.

grovel [Am 'grʌvl, Br 'grɒvl] vi lit & fig: **to ~ (to)** arrastrarse (ante).

grow [grəʊ] (pt grew, pp grown) ◇ vi 1. (gen) crecer. 2. (become) volverse, ponerse; **to ~ dark** oscurecer; **to ~ old** envejecer. ◇ vt 1. (plants) cultivar. 2. (hair, beard) dejarse crecer. ◆ **grow on** vt fus inf gustar cada vez más. ◆ **grow out of** vt fus 1. (become too big for): **he has grown out of his clothes** se le ha quedado pequeña la ropa. 2. (lose - habit etc) perder. ◆ **grow up** vi crecer; **~ up!** ¡no seas niño!

grower ['grəʊəʳ] n cultivador m, -ra f.

growl [graul] vi (dog, person) gruñir; (lion, engine) rugir.

grown [grəʊn] pp → **grow**. ◇ adj crecido(da), adulto(ta).

grown-up n persona f mayor.

growth [grəʊθ] n 1. (gen): **~ (of OR in)** crecimiento m (de). 2. (MED) tumor m.

grub [grʌb] n 1. (insect) larva f, gusano m. 2. inf (food) manduca f, papeo m.

grubby ['grʌbɪ] adj sucio(cia), mugriento(ta).

grudge [grʌdʒ] ◇ n rencor m; **to bear sb a ~, to bear a ~ against sb** guardar rencor a alguien. ◇ vt: **to ~ sb sthg** conceder algo a alguien a regañadientes; **to ~ doing sthg** hacer algo a regañadientes.

grueling Am, **gruelling** Br ['gruːəlɪŋ] adj agotador(ra).

gruesome ['gruːsəm] adj horripilante.

gruff [grʌf] adj 1. (hoarse) bronco(ca). 2. (rough, unfriendly) hosco(ca).

grumble ['grʌmbl] vi 1. (complain) quejarse, refunfuñar; **to ~ about sthg** quejarse de algo, refunfuñar por algo.

2. (stomach) gruñir, hacer ruido.

grumpy ['grʌmpɪ] adj inf gruñón(ona).

grunt [grʌnt] vi gruñir.

G-string n taparrabos m inv, tanga m.

guarantee [Am ˌgerənˈtiː, Br ˌgær-] ◇ n garantía f. ◇ vt garantizar.

guard [gɑːʳd] ◇ n 1. (person) guardia m y f. 2. (group of guards, operation) guardia f; **to be on/stand ~** estar de/hacer guardia; **to catch sb off ~** coger a alguien desprevenido. 3. Br (RAIL) jefe m de tren. 4. (protective device - for body) protector m; (- for machine) cubierta f protectora. ◇ vt 1. (protect, hide) guardar. 2. (prevent from escaping) vigilar.

guard dog n perro m guardián.

guarded ['gɑːʳdəd] adj cauteloso(sa).

guardian ['gɑːʳdjən] n 1. (of child) tutor m, -ra f. 2. (protector) guardián m, -ana f, protector m, -ra f.

guardrail ['gɑːʳdreɪl] n Am (on road) pretil m.

guard's van n Br furgón m de cola.

Guatemala [ˌgwɑːtəˈmɑːlə] n Guatemala.

Guatemalan [ˌgwɑːtəˈmɑːlən] ◇ adj guatemalteco(ca). ◇ n guatemalteco m, -ca f.

guerilla [gəˈrɪlə] = guerrilla.

guerrilla [gəˈrɪlə] n guerrillero m, -ra f.

guerrilla warfare n (U) guerra f de guerrillas.

guess [ges] ◇ n suposición f, conjetura f; **to take a ~** intentar adivinar. ◇ vt adivinar; **~ what?** ¿sabes qué? ◇ vi 1. (conjecture) suponer, conjeturar; **to ~ at sthg** tratar de adivinar algo. 2. (suppose): **I ~ (so)** supongo OR me imagino que sí.

guesswork ['geswɜːʳk] n (U) conjeturas fpl, suposiciones fpl.

guest [gest] n 1. (at home) invitado m, -da f. 2. (at hotel) huésped m y f.

guesthouse ['gesthaus, pl -hauzɪz] n casa f de huéspedes.

guestroom ['gestruːm] n cuarto m de los huéspedes.

guffaw [gʌˈfɔː] ◇ n carcajada f. ◇ vi reírse a carcajadas.

guidance ['gaɪdns] n (U) 1. (help) orientación f. 2. (leadership) dirección f.

guide [gaɪd] ◇ n 1. (person) guía m y f. 2. (book) guía f. ◇ vt 1. (show by leading) guiar. 2. (control) conducir, dirigir. 3. (influence): **to be ~d by** guiarse por. ◆ **Guide** n = Girl Guide.

guide book n guía f.

guide dog n perro m lazarillo.

G

guidelines ['gaɪdlaɪnz] *npl* directrices *fpl*.

guild [gɪld] *n* 1. (HISTORY) gremio *m*. 2. (association) corporación *f*.

guile [gaɪl] *n* (U) *literary* astucia *f*.

guilt [gɪlt] *n* 1. (remorse) culpa *f*. 2. (JUR) culpabilidad *f*.

guilty ['gɪltɪ] *adj* (gen): ~ (of) culpable (de); **to be found ~/not ~** ser declarado culpable/inocente.

guinea pig ['gɪnɪ-] *n lit & fig* conejillo *m* de Indias.

guitar [gɪ'tɑːʳ] *n* guitarra *f*.

guitarist [gɪ'tɑːrəst] *n* guitarrista *m y f*.

gulf [gʌlf] *n* 1. (sea) golfo *m*. 2. (chasm) sima *f*, abismo *m*. ♦ **Gulf** *n*: **the Gulf** el Golfo.

gull [gʌl] *n* gaviota *f*.

gullet ['gʌlət] *n* esófago *m*.

gullible ['gʌləbl] *adj* crédulo(la).

gully ['gʌlɪ] *n* barranco *m*.

gulp [gʌlp] ♦ *n* trago *m*. ♦ *vt* (liquid) tragarse; (food) engullir. ♦ *vi* tragar saliva. ♦ **gulp down** *vt sep* (liquid) tragarse; (food) engullir.

gum [gʌm] ♦ *n* 1. (chewing gum) chicle *m*. 2. (adhesive) cola *f*, pegamento *m*. 3. (ANAT) encía *f*. ♦ *vt* pegar, engomar.

gumboots ['gʌmbuːts] *npl Br* botas *fpl* de agua OR de goma.

gun [gʌn] *n* 1. (pistol) pistola *f*; (rifle) escopeta *f*, fusil *m*. 2. (tool) pistola *f*. ♦ **gun down** *vt sep* abatir (a tiros).

gunboat ['gʌnbəʊt] *n* cañonero *m*.

gunfire ['gʌnfaɪəʳ] *n* (U) disparos *mpl*, tiroteo *m*.

gunman ['gʌnmən] (*pl* **-men** [-mən]) *n* pistolero *m*.

gunpoint ['gʌnpɔɪnt] *n*: **at ~** a punta de pistola.

gunpowder ['gʌnpaʊdəʳ] *n* pólvora *f*.

gunshot ['gʌnʃɒt] *n* tiro *m*, disparo *m*.

gunsmith ['gʌnsmɪθ] *n* armero *m*.

gurgle ['gɜːʳgl] *vi* 1. (water) gorgotear. 2. (baby) gorjear.

guru ['gʊruː] *n lit & fig* gurú *m*.

gush [gʌʃ] ♦ *n* chorro *m*. ♦ *vi* 1. (flow out) chorrear, manar. 2. *pej* (enthuse) ser muy efusivo(va).

gusset ['gʌsət] *n* escudete *m*.

gust [gʌst] *n* ráfaga *f*, racha *f*.

gusto ['gʌstəʊ] *n*: **with ~** con deleite.

gut [gʌt] ♦ *n* 1. (MED) intestino *m*. 2. (strong thread) sedal *m*. ♦ *vt* 1. (animal) destripar. 2. (building etc) destruir el interior de. ♦ **guts** *npl inf* 1. (intestines) tripas *fpl*; **to hate sb's ~s** odiar a alguien a muerte. 2. (courage) agallas *fpl*.

gutter ['gʌtəʳ] *n* 1. (ditch) cuneta *f*. 2. (on roof) canalón *m*.

guy [gaɪ] *n* 1. *inf* (man) tipo *m*, tío *m*, chavo *m* Amer. 2. Br (dummy) muñeco que se quema en Gran Bretaña la noche de Guy Fawkes.

Guy Fawkes' Night [,gaɪ'fɔːks-] *n* fiesta que se celebra el 5 de noviembre en Gran Bretaña en que se encienden hogueras y se lanzan fuegos artificiales.

guy rope *n* viento *m*, cuerda *f* (de tienda de campaña).

guzzle ['gʌzl] ♦ *vt* zamparse. ♦ *vi* zampar.

gym [dʒɪm] *n inf* 1. (gymnasium) gimnasio *m*. 2. (exercises) gimnasia *f*.

gymnasium [dʒɪm'neɪzjəm] (*pl* **-siums** OR **-sia** [-zjə]) *n* gimnasio *m*.

gymnast ['dʒɪmnæst] *n* gimnasta *m y f*.

gymnastics [dʒɪm'næstɪks] *n* (U) gimnasia *f*.

gym shoes *npl* zapatillas *fpl* de gimnasia.

gymslip ['dʒɪmslɪp] *n Br* bata *f* de colegio.

gynecologist *Am*, **gynaecologist** *Br* [,gaɪnə'kɒlədʒəst] *n* ginecólogo *m*, -ga *f*.

gynecology *Am*, **gynaecology** *Br* [,gaɪnə'kɒlədʒɪ] *n* ginecología *f*.

gypsy ['dʒɪpsɪ] = **gipsy**.

h (*pl* **h's** OR **hs**), **H** (*pl* **H's** OR **Hs**) [eɪtʃ] *n* (letter) h *f*, H *f*.

haberdashery ['hæbəʳdæʃərɪ] *n* mercería *f*.

habit ['hæbɪt] *n* 1. (custom) costumbre *f*, hábito *m*; **to make a ~ of doing sthg** tener por costumbre hacer algo. 2. (garment) hábito *m*.

habitat ['hæbɪtæt] *n* hábitat *m*.

habitual [hə'bɪtʃʊəl] *adj* 1. (usual) habitual, acostumbrado(da). 2. (smoker, gambler) empedernido(da).

hack [hæk] ♦ *n pej* (writer) escritorzuelo *m*, -la *f*; (journalist) gacetillero *m*, -ra *f*. ♦ *vt* (cut) cortar en tajos, acuchillar. ♦ **hack into** *vt fus* piratear.

hacker ['hækəʳ] *n*: (computer) ~ pirata *m* informático, pirata *f* informática.

153

hackneyed ['hæknɪd] *adj pej* trillado (da), gastado(da).

hacksaw ['hæksɔ:] *n* sierra *f* para metales.

had [*stressed* hæd, *unstressed* həd] *pt & pp* → **have.**

haddock ['hædək] (*pl inv*) *n* eglefino *m.*

hadn't ['hædnt] = **had not.**

haemophiliac [,hi:mə'fɪlɪæk] = **hemophiliac.**

haemorrhage ['hemərɪdʒ] = **hemorrhage.**

haemorrhoids ['hemərɔɪdz] = **hemorrhoids.**

haggard ['hægəd] *adj* ojeroso(sa).

haggis ['hægɪs] *n* plato típico escocés hecho con las asaduras del cordero.

haggle ['hægl] *vi*: **to ~ (with sb over** OR **about sthg)** regatear (algo con alguien).

Hague [heɪg] *n*: **The ~** La Haya.

hail [heɪl] ◇ *n* **1.** (METEOR) granizo *m*, pedrisco *m*. **2.** *fig (large number)* lluvia *f*. ◇ *vt* **1.** *(call)* llamar. **2.** *(acclaim)*: **to ~ sb as sthg** aclamar a alguien algo; **to ~ sthg as sthg** ensalzar algo catalogándolo de algo. ◇ *v impers* granizar.

hailstone ['heɪlstəʊn] *n* granizo *m*, piedra *f.*

hair [heər] *n* **1.** (U) *(gen)* pelo *m*; **to do one's ~** arreglarse el pelo. **2.** *(on person's skin)* vello *m.*

hairbrush ['heərbrʌʃ] *n* cepillo *m* para el pelo.

haircut ['heərkʌt] *n* corte *m* de pelo.

hairdo ['heərdu:] (*pl* -s) *n inf* peinado *m.*

hairdresser ['heər,dresər] *n* peluquero *m*, -ra *f*; **~'s (salon)** peluquería *f.*

hairdryer ['heərdraɪər] *n* secador *m* (de pelo).

hair gel *n* gomina *f.*

hairgrip ['heəgrɪp] *n Br* horquilla *f.*

hairpin ['heərpɪn] *n* horquilla *f* de moño.

hairpin turn *Am*, **hairpin bend** *Br n* curva *f* muy cerrada.

hair-raising [-,reɪzɪŋ] *adj* espeluznante.

hair remover [-rɪ,mu:vər] *n* depilatorio *m.*

hair slide *n Br* pasador *m.*

hairspray ['heərspreɪ] *n* laca *f* (para el pelo).

hairstyle ['heərstaɪl] *n* peinado *m.*

hairy ['heərɪ] *adj* **1.** *(covered in hair)* peludo(da). **2.** *inf (scary)* espeluznante, espantoso(sa).

Haiti ['heɪtɪ] *n* Haití.

hake [heɪk] (*pl inv* OR **-s**) *n* merluza *f.*

half [*Am* hæf, *Br* hɑ:f] (*pl senses 1 and 3* **halves**, *pl senses 2 and 4* **halves** OR **halfs**) ◇ *adj* medio(dia); **~ a dozen/mile** media docena/milla; **~ an hour** media hora. ◇ *adv* **1.** *(gen)*: **~ full/open** lleno/abierto por la mitad; **~ and ~** mitad y mitad. **2.** *(by half)*: **~ as big (as)** la mitad de grande (que). **3.** *(in telling the time)*: **~ past nine, ~ after nine** *Am* las nueve y media; **it's ~ past** son y media. ◇ *n* **1.** *(one of two parts)* mitad *f*; **~ (of) the group** la mitad del grupo; **a pound/mile and a ~** una libra/milla y media; **in ~** por la mitad, en dos; **to go halves (with sb)** ir a medias (con alguien). **2.** *(fraction, halfback, child's ticket)* medio *m*. **3.** *(of sports match)* tiempo *m*, mitad *f*. **4.** *(of beer)* media pinta *f*. ◇ *pron* la mitad; **~ of it/them** la mitad.

• Al emplear *half* como sustantivo no hace falta poner delante el artículo *the* (*I can't eat all of that, just give me* *half*, "no puedo comer tanto, dame sólo la mitad").

• No obstante, si *half* acompaña a otro sustantivo, éste va precedido de *a, the, this/that* o *what* (*half a pound of butter*, "media libra de mantequilla"; *she earns half what she got in her old job*, "gana la mitad de lo que ganaba en su anterior empleo").

---

halfback [*Am* 'hæfbæk, *Br* hɑ:f-] *n* medio *m.*

half board *n* media pensión *f.*

half-breed ◇ *adj* mestizo(za). ◇ *n* mestizo *m*, -za *f* *(atención: el término 'half-breed' se considera racista).*

half-caste [*Am* -kæst, *Br* -kɑ:st] ◇ *adj* mestizo(za). ◇ *n* mestizo *m*, -za *f* *(atención: el término 'half-caste' se considera racista).*

half-hearted [-'hɑ:rtəd] *adj* poco entusiasta.

half hour *n* media hora *f.*

half-mast *n*: **at ~** *(flag)* a media asta.

half note *n Am* (MUS) blanca *f.*

halfpenny ['heɪpnɪ] (*pl* -**pennies** OR -**pence** ['heɪpəns]) *n* medio penique *m.*

half-price *adj* a mitad de precio.

half term *n Br* breves vacaciones escolares a mitad de trimestre.

half time *n* (U) descanso *m.*

halfway [*Am* ,hæf'weɪ, *Br* hɑ:f-] ◇ *adj* intermedio(dia). ◇ *adv* **1.** *(in space)*: **l**

was ~ **down the street** llevaba la mitad de la calle andada. **2.** *(in time)*: **the film was ~ through** la película iba por la mitad.

halibut [ˈhælɪbət] *(pl inv* OR **-s)** *n* halibut *m.*

hall [hɔːl] *n* **1.** *(in house)* vestíbulo *m.* **2.** *(public building)* sala *f.* **3.** *Br* (UNIV) colegio *m* mayor. **4.** *(country house)* mansión *f,* casa *f* solariega.

hallmark [ˈhɔːlmɑːʳk] *n* **1.** *(typical feature)* sello *m* distintivo. **2.** *(on metal)* contraste *m.*

hallo [həˈlou] = hello.

hall of residence *(pl* halls of residence) *n Br* residencia *f* universitaria, colegio *m* mayor.

Hallowe'en [ˌhæloʊiːn] *n fiesta celebrada la noche del 31 de octubre.*

HALLOWEEN

Fiesta tradicional celebrada la noche del 31 de octubre. Una de sus características en Estados Unidos es que los niños, disfrazados de brujas, fantasmas, etc., van de puerta en puerta pidiendo golosinas a cambio de no asustar a la gente.

hallucinate [həˈluːsɪneɪt] *vi* alucinar.

hallway [ˈhɔːlweɪ] *n* vestíbulo *m.*

halo [ˈheɪloʊ] *(pl* **-es** OR **-s)** *n* halo *m,* aureola *f.*

halt [hɔːlt] ◇ *n (stop)*: **to come to a ~** *(vehicle)* pararse; *(activity)* interrumpirse; **to call a ~ to** poner fin a. ◇ *vt (person)* parar, detener; *(development, activity)* interrumpir. ◇ *vi (person, train)* pararse, detenerse; *(development, activity)* interrumpirse.

haltertop *Am* [ˈhɔːltəʳtɒp], **halterneck** *Br* [ˈhɔːltəʳnek] *adj* escotado(da) por detrás.

halve [*Am* hæv, *Br* hɑːv] *vt* **1.** *(reduce by half)* reducir a la mitad. **2.** *(divide)* partir en dos.

halves [*Am* hævz, *Br* hɑːvz] *pl* → half.

ham [hæm] *n (meat)* jamón *m.*

hamburger [ˈhæmbɜːʳgəʳ] *n* **1.** *(burger)* hamburguesa *f.* **2.** *(U) Am (mince)* carne *f* picada.

hamlet [ˈhæmlət] *n* aldea *f.*

hammer [ˈhæməʳ] ◇ *n (gen & SPORT)* martillo *m.* ◇ *vt* **1.** *(with tool)* martillear. **2.** *(with fist)* aporrear. **3.** *inf (defeat)* dar una paliza a. ◇ *vi (with fist)*: **to ~ (on sthg)** aporrear (algo). ◆ **hammer out** *vt fus (solution, agreement)* alcanzar con esfuerzo.

hammock [ˈhæmək] *n* hamaca *f,* chinchorro *m Col, Méx & Ven.*

hamper [ˈhæmpəʳ] ◇ *n* **1.** *(for food)* cesta *f.* **2.** *Am (for laundry)* cesto *m* de la ropa sucia. ◇ *vt* obstaculizar.

hamster [ˈhæmstəʳ] *n* hámster *m.*

hamstring [ˈhæmstrɪŋ] *n* tendón *m* de la corva.

hand [hænd] ◇ *n* **1.** *(gen)* mano *f;* **to hold ~s** ir cogidos de la mano; **~ in ~** *(people)* (cogidos) de la mano; **by ~** a mano; **in the ~s of** en manos de; **to have sthg on one's ~s** tener uno algo en sus manos; **to get** OR **lay one's ~s on sthg** hacerse con algo; **to get** OR **lay one's ~s on sb** pillar a alguien; **to get out of ~** *(situation)* hacerse incontrolable; *(person)* desmandarse; **to give** OR **lend sb a ~ (with)** echar una mano a alguien (con); **to have one's ~s full** estar muy ocupado; **to have time in ~** tener tiempo de sobra; **to take sb in ~** hacerse cargo OR ocuparse de alguien; **to try one's ~ at sthg** intentar hacer algo. **2.** *(influence)* influencia *f.* **3.** *(worker - on farm)* bracero *m,* peón *m; (- on ship)* tripulante *m.* **4.** *(of clock, watch)* manecilla *f,* aguja *f.* **5.** *(handwriting)* letra *f.* ◇ *vt*: **to ~ sthg to sb, to ~ sb sthg** dar OR entregar algo a alguien. ◆ **(close) at hand** *adv* cerca. ◆ **on hand** *adv* al alcance de la mano. ◆ **on the other hand** *conj* por otra parte. ◆ **out of hand** *adv (completely)* terminantemente. ◆ **to hand** *adv* a mano. ◆ **hand down** *vt sep (heirloom)* pasar en herencia; *(knowledge)* transmitir. ◆ **hand in** *vt sep* entregar. ◆ **hand out** *vt sep* repartir, distribuir. ◆ **hand over** ◇ *vt sep* **1.** *(baton, money)* entregar. **2.** *(responsibility, power)* ceder. ◇ *vi*: **to ~ over (to)** dar paso (a).

handbag [ˈhændbæg] *n* cartera *f Amer,* bolso *m Esp.*

handball [ˈhændbɔːl] *n* balonmano *m.*

handbook [ˈhændbʊk] *n* manual *m.*

handbrake [ˈhændbreɪk] *n* freno *m* de mano.

handcuffs [ˈhændkʌfs] *npl* esposas *fpl.*

handful [ˈhændfl] *n (gen)* puñado *m.*

handgun [ˈhændɡʌn] *n* pistola *f.*

handicap [ˈhændɪkæp] ◇ *n* **1.** *(disability)* incapacidad *f,* minusvalía *f.* **2.** *(disadvantage)* desventaja *f,* obstáculo *m.* **3.** (SPORT) hándicap *m.* ◇ *vt* estorbar.

handicapped [ˈhændɪkæpt] ◇ *adj* minusválido(da). ◇ *npl*: **the ~** los minusválidos.

handicraft [*Am* ˈhændɪkræft, *Br* -krɑːft] *n (skill)* trabajos *mpl* manuales, artesanía *f.*

handiwork ['hændɪwɜːʳk] n (U) (doing, work) obra f.

handkerchief ['hæŋkəʳtʃɪf] (pl **-chiefs** OR **-chieves** [-tʃiːvz]) n pañuelo m.

handle ['hændl] ◇ n (of door, window) pomo m; (of tool) mango m; (of suitcase, cup, jug) asa f. ◇ vt (gen) manejar; (order, complaint, application) encargarse de; (negotiations, takeover) conducir; (people) tratar.

handlebars ['hændlbɑːʳz] npl manillar m.

handler ['hændləʳ] n 1. (of animal) guardián m, -ana f. 2. (at airport): (baggage) ~ mozo m de equipajes.

hand luggage n Br equipaje m de mano.

handmade [,hænd'meɪd] adj hecho (cha) a mano.

handout ['hændaʊt] n 1. (gift) donativo m. 2. (leaflet) hojas fpl (informativas).

handrail ['hændreɪl] n pasamano m.

handset ['hændset] n auricular m (de teléfono); **to lift/replace the** ~ descolgar/colgar (el teléfono).

handshake ['hændʃeɪk] n apretón m de manos.

handsome ['hænsəm] adj 1. (man) guapo, atractivo. 2. (literary) (woman) bella. 3. (reward, profit) considerable.

handwriting ['hændraɪtɪŋ] n letra f, caligrafía f.

handy ['hændɪ] adj inf 1. (useful) práctico(ca); **to come in** ~ venir bien. 2. (skilful) mañoso(sa). 3. (near) a mano, cerca.

handyman ['hændɪmæn] (pl **-men** [-men]) n: **a good** ~ un manitas.

hang [hæŋ] (pt & pp sense 1 hung, pt & pp sense 2 hung OR hanged) ◇ vt 1. (fasten) colgar. 2. (execute) ahorcar. ◇ vi 1. (be fastened) colgar, pender. 2. (be executed) ser ahorcado(da). ◇ n: **to get the** ~ **of sthg** inf coger el tranquillo a algo. ◆ **hang about, hang around** vi pasar el rato; **they didn't** ~ **about** se pusieron en marcha sin perder un minuto. ◆ **hang on** vi 1. (keep hold): **to** ~ **on (to)** agarrarse (a). 2. inf (continue waiting) esperar, aguardar. 3. (persevere) resistir. ◆ **hang out** vi inf (spend time) moverse, pasar el rato. ◆ **hang round** = **hang about**. ◆ **hang up** ◇ vt sep colgar. ◇ vi colgar. ◆ **hang up on** vt fus colgar.

hangar ['hæŋəʳ] n hangar m.

hanger ['hæŋəʳ] n percha f.

hanger-on (pl **hangers-on**) n lapa f, moscón m, -ona f.

hang gliding n vuelo m con ala delta.

hangover ['hæŋˌoʊvəʳ] n (from drinking) resaca f.

hang-up n inf complejo m.

hanker ['hæŋkəʳ] ◆ **hanker after, hanker for** vt fus anhelar.

hankie, hanky ['hæŋkɪ] (abbr of **handkerchief**) n inf pañuelo m.

haphazard [,hæp'hæzəʳd] adj caótico(ca).

happen ['hæpən] vi 1. (occur) pasar, ocurrir; **to** ~ **to sb** pasarle OR sucederle a alguien. 2. (chance): **I** ~ed **to be looking out of the window** ... dio la casualidad de que estaba mirando por la ventana ...; **do you** ~ **to have a pen on you?** ¿no tendrás un boli acaso OR por casualidad?; **as it** ~s ... da la casualidad de que ...

happening ['hæpənɪŋ] n suceso m, acontecimiento m.

happily ['hæpɪlɪ] adv 1. (with pleasure) alegremente, felizmente. 2. (fortunately) afortunadamente.

happiness ['hæpɪnəs] n (state) felicidad f; (feeling) alegría f.

happy ['hæpɪ] adj 1. (gen) feliz, contento(ta); ~ **Christmas/birthday!** ¡Feliz Navidad/cumpleaños!; **to be** ~ **with/about sthg** estar contento con algo. 2. (causing contentment) feliz, alegre. 3. (fortunate) feliz, oportuno(na). 4. (willing): **to be** ~ **to do sthg** estar más que dispuesto(ta) a hacer algo; **I'd be** ~ **to do it** yo lo haría con gusto.

happy-go-lucky adj despreocupado(da).

happy medium n término m medio.

harangue [hə'ræŋ] ◇ n arenga f. ◇ vt arengar.

harass [Am hə'ræs, Br 'hærəs] vt acosar.

harbor Am, **harbour** Br ['hɑːʳbəʳ] ◇ n puerto m. ◇ vt 1. (feeling) abrigar. 2. (person) dar refugio a, encubrir.

hard [hɑːʳd] ◇ adj 1. (gen) duro(ra); (frost) fuerte; **to be** ~ **on sb/sthg** (subj: person) ser duro con alguien/algo; (subj: work, strain) perjudicar a alguien/algo; (subj: result) ser inmerecido para alguien/algo. 2. (difficult) difícil. 3. (forceful - push, kick etc) fuerte. 4. (fact, news) concreto(ta). 5. Br (extreme): ~ **left/right** extrema izquierda/derecha. ◇ adv 1. (try) mucho; (work, rain) intensamente; (listen) atentamente. 2. (push, kick) fuerte, con fuerza. 3. phr: **to be** ~ **pushed** OR **put** OR **pressed to do sthg** vérselas y deseárselas para hacer algo; **to feel** ~ **done by** sentirse tratado injustamente.

hardback ['hɑːrdbæk] n edición f en pasta dura OR en tela.

hardboard ['hɑːrdbɔːrd] n madera f conglomerada.

hard-boiled adj lit & fig duro(ra).

hard cash n dinero m contante y sonante.

hard copy n (COMPUT) copia f impresa.

hard disk n (COMPUT) disco m duro.

harden ['hɑːrdn] ◇ vt 1. (gen) endurecer. 2. (resolve, opinion) reforzar. ◇ vi 1. (gen) endurecerse. 2. (resolve, opinion) reforzarse.

hard-headed [-'hedəd] adj realista.

hard-hearted [-'hɑːrtəd] adj insensible.

hard labor n (U) trabajos mpl forzados.

hard-liner n partidario m, -ria f de la línea dura.

hardly ['hɑːrdlɪ] adv apenas; ~ ever/ anything casi nunca/nada; I'm ~ a communist, am I? ¡pues sí que tengo yo mucho que ver con el comunismo!

•*Hardly* no tiene nada que ver con *hard*, no obstante ambos sean adverbios y aunque *hardly* parezca formado a partir del adjetivo *hard*. *Hardly* quiere decir lo mismo que *barely* ("apenas"). Comparemos *I hit him as hard as I could* "lo golpeé tan fuerte como pude" con *I hardly touched him* "apenas lo toqué".

---

hardness ['hɑːrdnəs] n 1. (firmness) dureza f. 2. (difficulty) dificultad f.

hardship ['hɑːrdʃɪp] n 1. (U) (difficult conditions) privaciones fpl. 2. (difficult circumstance) infortunio m.

hard shoulder n Br (AUT) arcén m.

hard up adj inf sin un duro.

hardware ['hɑːrdweər] n (U) 1. (tools, equipment) artículos mpl de ferretería. 2. (COMPUT) hardware m.

hardware shop n ferretería f.

hardwearing [,hɑːrd'weərɪŋ] adj Br resistente, duradero(ra).

hardworking [,hɑːrd'wɜːrkɪŋ] adj trabajador(ra).

hardy ['hɑːrdɪ] adj 1. (person, animal) fuerte, robusto(ta). 2. (plant) resistente.

hare [heər] n liebre f.

harelip [,heər'lɪp] n labio m leporino.

haricot (bean) [Am 'herɪkoʊ-, Br 'hær-] n judía f, alubia f.

Harley Street ['hɑːrlɪ-] n calle londi-

---

nense famosa por sus médicos especialistas.

harm [hɑːrm] ◇ n daño m; to do ~ to sthg/sb, to do sthg/sb ~ (physically) hacer daño a algo/alguien; fig perjudicar algo/a alguien; to be out of ~'s way estar a salvo. ◇ vt (gen) hacer daño a, dañar.

harmful ['hɑːrmfl] adj: ~ (to) perjudicial OR dañino(na) (para).

harmless ['hɑːrmləs] adj inofensivo (va).

harmonica [hɑːr'mɒnɪkə] n armónica f.

harmonize ['hɑːmənaɪz] ◇ vi: to ~ (with) armonizar (con). ◇ vt armonizar.

harmony ['hɑːrmənɪ] n armonía f.

harness ['hɑːrnəs] ◇ n (for horse) arreos mpl, guarniciones fpl. ◇ vt 1. (horse) enjaezar. 2. (use) aprovechar.

harp [hɑːrp] n arpa f. ◆ **harp on** vi: to ~ on (about sthg) dar la matraca (con algo).

harpoon [hɑːr'puːn] n arpón m.

harrowing [Am 'heroʊɪŋ, Br 'hær-] adj pavoroso(sa).

harsh [hɑːrʃ] adj 1. (life, conditions, winter) duro(ra). 2. (punishment, decision, person) severo(ra). 3. (texture, taste, voice) áspero(ra); (light, sound) violento (ta).

harvest ['hɑːrvɪst] ◇ n (gen) cosecha f, pizca f Méx; (of grapes) vendimia f. ◇ vt cosechar.

has [stressed hæz, unstressed həz] 3rd person sg → have.

has-been n inf pej vieja gloria f.

hash [hæʃ] n 1. (meat) picadillo m (de carne). 2. inf (mess): to make a ~ of sthg hacer algo fatal.

hashish ['hæʃiːʃ] n hachís m.

hasn't ['hæznt] = has not.

hassle ['hæsl] inf ◇ n (U) (annoyance) rollo m, lío m. ◇ vt dar la lata a.

haste [heɪst] n prisa f; to do sthg in ~ hacer algo de prisa y corriendo.

hasten ['heɪsn] fml ◇ vt acelerar. ◇ vi: to ~ (to do sthg) apresurarse (a hacer algo).

hastily ['heɪstəlɪ] adv 1. (quickly) de prisa, precipitadamente. 2. (rashly) a la ligera, sin reflexionar.

hasty ['heɪstɪ] adj 1. (quick) apresurado (da), precipitado(da). 2. (rash) irreflexivo(va).

hat [hæt] n sombrero m.

hatch [hætʃ] ◇ vi 1. (chick) romper el cascarón, salir del huevo. 2. (egg) romperse. ◇ vt 1. (chick, egg) incubar. 2. fig (scheme, plot) idear, tramar. ◇ n (for serving food) ventanilla f.

hatchback ['hætʃbæk] n coche m con puerta trasera.

hatchet ['hætʃət] n hacha f.

hate [heɪt] ◊ n odio m. ◊ vt odiar; **to ~ doing sthg** odiar hacer algo.

hateful ['heɪtfl] adj odioso(sa).

hatred ['heɪtrəd] n odio m.

hat trick n (SPORT) tres tantos marcados por un jugador en el mismo partido.

haughty ['hɔːtɪ] adj altanero(ra), altivo (va).

haul [hɔːl] ◊ n 1. (of stolen goods) botín m; (of drugs) alijo m. 2. (distance): **long ~** largo camino m, largo trayecto m. ◊ vt (pull) tirar, arrastrar.

haulage ['hɔːlɪdʒ] n transporte m.

hauler Am ['hɔːlr], **haulier** Br ['hɔːlɪər] n transportista m y f.

haunch [hɔːntʃ] n 1. (of person) asentaderas fpl; **to squat on one's ~es** ponerse en cuclillas. 2. (of animal) pernil m.

haunt [hɔːnt] ◊ n sitio m favorito. ◊ vt 1. (subj: ghost) aparecer en. 2. (subj: memory, fear, problem) atormentar.

have [hæv] (pt & pp **had**) ◊ aux vb (to form perfect tenses) haber; **to ~ eaten** haber comido; **he hasn't gone yet, has he?** no se habrá ido ya ¿no?; **no, he hasn't (done it)** no, no lo ha hecho; **yes, he has (done it)** sí, lo ha hecho; **I was out of breath, having run all the way** estaba sin aliento después de haber corrido todo el camino. ◊ vt 1. (possess, receive): **to ~ (got)** tener; **I ~ no money, I haven't got any money** no tengo dinero; **he has big hands** tiene las manos grandes; **do you ~ a car?, ~ you got a car?** ¿tienes coche? 2. (experience, suffer): **I had an accident** tuve un accidente; **to ~ a cold** tener un resfriado. 3. (referring to an action, instead of another verb): **to ~ a look** mirar, echar una mirada; **to ~ a swim** darse un baño, nadar; **to ~ breakfast** desayunar; **to ~ lunch** comer; **to ~ dinner** cenar; **to ~ a cigarette** fumarse un cigarro; **to ~ an operation** operarse. 4. (give birth to): **to ~ a baby** tener un niño. 5. (cause to be done): **to ~ sb do sthg** hacer que alguien haga algo; **to ~ sthg done** hacer que se haga algo; **to ~ one's hair cut** (ir a) cortarse el pelo. 6. (be treated in a certain way): **I had my car stolen** me robaron el coche. 7. inf (cheat): **you've been had** te han timado. 8. phr: **to ~ had it** (car, machine) estar para el arrastre. ◊ modal vb (be obliged): **to ~ (got) to do sthg** tener que hacer algo; **do you ~ to go?, ~ you got to go?** ¿tienes que irte?

◆ **have on** vt sep 1. (be wearing) llevar (puesto). 2. (tease) tomar el pelo a. 3. (have to do): **~ you got anything on on Friday?** ¿estás libre OR haces algo el viernes? ◆ **have out** vt sep 1. (have removed): **to ~ one's tonsils out** operarse de las amígdalas. 2. (discuss frankly): **to ~ it out with sb** poner las cuentas claras con alguien.

Presente simple	
I have	we have
you have	you have
he/she/it has	they have

Pasado simple	
I had	we had
you had	you had
he/she/it had	they had

Participio presente	
having	

Participio pasado	
had	

• Have tiene sus propios significados como verbo principal y a su vez funciona como verbo auxiliar, principalmente para formar tiempos compuestos (I have always liked you; I wish they had told me before).

• También aparece en construcciones pasivas (he had his bike stolen the other day). A veces el uso de have indica que el sujeto de la oración encarga a otro la realización de la acción (she's having the house painted, "están pintando su casa"; he had his hair cut, "fue a que le cortaran el pelo").

• Cuando significa "tener" o "poseer", have funciona como un verbo principal en el inglés americano; es decir utiliza do para formar oraciones negativas o interrogativas (I don't have any money; do you have any money?). En el inglés británico coloquial se prefiere la expresión have got (I haven't got any money; have you got any money?).

• Ver también **MUST**, **NEED**.

haven ['heɪvn] n fig refugio m, asilo m.

haven't ['hævnt] = **have not**.

haversack ['hævərsæk] n mochila f.

havoc ['hævək] n (U) caos m, estragos mpl; **to play ~ with sthg** causar estragos en algo.

Hawaii [hə'waɪiː] *n* Hawai.

hawk [hɔːk] *n* halcón *m*.

hawker ['hɔːkər] *n* vendedor *m*, -ra *f* ambulante.

hay [heɪ] *n* heno *m*.

hay fever *n* (U) fiebre *f* del heno.

haystack ['heɪstæk] *n* almiar *m*.

haywire ['heɪwaɪər] *adj inf:* **to go ~** *(person)* volverse majara; *(plan)* liarse, embrollarse; *(computer, TV etc)* changarse.

hazard ['hæzərd] ◇ *n* riesgo *m*, peligro *m*. ◇ *vt (guess, suggestion)* aventurar.

hazardous ['hæzərdəs] *adj* arriesgado (da), peligroso(sa).

hazard warning lights *npl Br* luces *fpl* de emergencia.

haze [heɪz] *n* neblina *f*.

hazel ['heɪzl] *adj* color avellana *(inv)*.

hazelnut ['heɪzlnʌt] *n* avellana *f*.

hazy ['heɪzi] *adj* 1. *(misty)* neblinoso (sa). 2. *(vague)* vago(ga), confuso(sa).

he [hiː] ◇ *pers pron* él; **~'s tall/happy** es alto/feliz; HE **can't do it** ÉL no puede hacerlo; **there ~ is** allí está. ◇ *comp:* **~-goat** macho cabrío *m*.

> • *He* es el pronombre personal que sustituye nombres de personas y animales de sexo masculino *(there's my brother – he's a teacher, there's my cat – isn't he funny?)*. Su equivalente femenino es *she (there's my sister – she's a nurse)*. *It* designa cosas, ideas y animales en general *(there's my car – it's a Ford)*.
>
> • Con nombres de animales o con algunas palabras referidas a personas, como *baby*, se puede usar *it* si se desconoce el sexo *(listen to that baby, I wish it would be quiet!)*.
>
> • Antiguamente, en el habla formal se empleaba el pronombre masculino para referirse a una persona cuyo sexo se desconocía *(if a student is sick, he must have a note from his parents)*. En el habla formal moderna se usan el masculino y el femenino juntos *(if a student is sick, he or she must have a note from his or her parents)*. Coloquialmente se prefiere they *(if a student is sick, they must have a note from their parents)*.

head [hed] ◇ *n* 1. (ANAT & COMPUT) cabeza *f*; **a** OR **per ~** por persona, por cabeza; **to be soft in the ~** estar mal de

la sesera; **to be off out of one's ~** *Am*, **to be off one's ~** *Br* estar como una cabra; **it went to her ~** se le subió a la cabeza; **to keep/lose one's ~** no perder/perder la cabeza; **to laugh one's ~ off** reír a mandíbula batiente. 2. *(mind, brain)* talento *m*, aptitud *f*; **she has a ~ for figures** se le dan bien las cuentas. 3. *(top - gen)* cabeza *f*; *(- of bed)* cabecera *f*. 4. *(of flower)* cabezuela *f*; *(of cabbage)* cogollo *m*. 5. *(leader)* jefe *m*, -fa *f*. 6. *(head teacher)* director *m*, -ra *f* (de colegio). ◇ *vt* 1. *(procession, convoy, list)* encabezar. 2. *(organization, delegation)* dirigir. 3. (FTBL) cabecear. ◇ *vi:* **to ~ north/for home** dirigirse hacia el norte/a casa. ◆ **heads** *npl (on coin)* cara *f*; **~s or tails?** ¿cara o cruz? ◆ **head for** *vt fus (place)* dirigirse a.

headache ['hedeɪk] *n* 1. (MED) dolor *m* de cabeza. 2. *fig (problem)* quebradero *m* de cabeza.

headband ['hedbænd] *n* cinta *f*, banda *f* *(para el pelo)*.

headdress ['heddres] *n* tocado *m*.

header ['hedər] *n* (FTBL) cabezazo *m*.

headfirst [hed'fɜːrst] *adv* de cabeza.

heading ['hedɪŋ] *n* encabezamiento *m*.

headlamp ['hedlæmp] *n Br* faro *m*.

headland ['hedlənd] *n* cabo *m*, promontorio *m*.

headlight ['hedlaɪt] *n* faro *m*.

headline ['hedlaɪn] *n* titular *m*.

headlong ['hedlɒŋ] *adv* 1. *(headfirst)* de cabeza. 2. *(quickly, unthinkingly)* precipitadamente.

headmaster [*Am* ˌhed'mæstər, *Br* -'mɑːstə] *n* director *m* (de colegio).

headmistress [ˌhed'mɪstrəs] *n* directora *f* (de colegio).

head office *n* oficina *f* central.

head-on ◇ *adj* de frente, frontal. ◇ *adv* de frente.

headphones ['hedfəʊnz] *npl* auriculares *mpl*.

headquarters [ˌhed'kwɔːrtərz] *npl* (oficina *f*) central *f*, sede *f*; (MIL) cuartel *m* general.

headrest ['hedrest] *n* reposacabezas *m inv*.

headroom ['hedruːm] *n* (U) *(in car)* espacio *m* entre la cabeza y el techo; *(below bridge)* altura *f* libre, gálibo *m*.

headscarf ['hedskɑːrf] *(pl* **-scarves** [-skɑːrvz] OR **-scarfs)** *n* pañuelo *m* (para la cabeza).

headset ['hedset] *n* auriculares *mpl* con micrófono.

head start *n:* **~ (on** OR **over)** ventaja *f*

(con respecto a).

headstrong ['hedstrɒŋ] *adj* obstinado (da).

head waiter *n* jefe *m* de rango OR de camareros.

headway ['hedweɪ] *n*: **to make ~** avanzar, hacer progresos.

headwind ['hedwɪnd] *n* viento *m* de proa.

heady ['hedɪ] *adj* 1. *(exciting)* emocionante. 2. *(causing giddiness)* embriagador(ra).

heal [hiːl] ◇ *vt* 1. *(person)* curar, sanar; *(wound)* cicatrizar. 2. *fig (troubles, discord)* remediar. ◇ *vi* cicatrizar.

healing ['hiːlɪŋ] *n* curación *f*.

health [helθ] *n* 1. *(gen)* salud *f*; **to be in good/poor ~** estar bien/mal de salud. 2. *fig (of country, organization)* buen estado *m*.

health centre *n* centro *m* de salud.

health food *n* comida *f* dietética.

health food shop *n* tienda *f* de dietética.

health service *n* servicio *m* sanitario de la Seguridad Social, = INSALUD *m*.

healthy ['helθɪ] *adj* 1. *(gen)* sano(na), saludable. 2. *(profit)* pingüe. 3. *(attitude, respect)* natural, sano(na).

heap [hiːp] ◇ *n* montón *m*, pila *f*. ◇ *vt* *(pile up)* **to ~ sthg (on** OR **onto sthg)** amontonar algo (sobre algo). ◆ **heaps** *npl inf* montones *fpl*.

hear [hɪəʳ] *(pt & pp* **heard** [hɜːd]) ◇ *vt* 1. *(sense)* oír; **I ~ (that)** me dicen que. 2. *(JUR)* ver. ◇ *vi* 1. *(gen)* oír; **have you heard about that job yet?** ¿sabes algo del trabajo ese?; **to ~ from sb** tener noticias de alguien. 2. *phr*: **to have heard of** haber oído hablar de; **I won't ~ of it!** ¡de eso ni hablar!

hearing ['hɪərɪŋ] *n* 1. *(sense)* oído *m*; **hard of ~** duro de oído. 2. *(JUR)* vista *f*.

hearing aid *n* audífono *m*.

hearsay ['hɪəʳseɪ] *n (U)* habladurías *fpl*.

hearse [hɜːs] *n* coche *m* fúnebre.

heart [hɑːt] *n* 1. *(gen)* corazón *m*; **from the ~** con toda sinceridad; **to break sb's ~** romper OR partir el corazón a alguien. 2. *(courage)*: **I didn't have the ~ to tell her** no tuve valor para decírselo; **to lose ~** descorazonarse. 3. *(centre - of issue, problem)* quid *m*; *(- of city etc)* centro *m*; *(- of lettuce)* cogollo *m*. ◆ **hearts** *npl* corazones *mpl*. ◆ **at heart** *adv* en el fondo. ◆ **by heart** *adv* de memoria.

heartache ['hɑːteɪk] *n* congoja *f*.

heart attack *n* infarto *m*.

heartbeat ['hɑːtbiːt] *n* latido *m*.

heartbroken ['hɑːtbroʊkən] *adj*

desolado(da), abatido(da).

heartburn ['hɑːtbɜːʳn] *n* ardor *m* de estómago.

heart failure *n* paro *m* cardíaco.

heartfelt ['hɑːtfelt] *adj* sincero(ra), de todo corazón.

hearth [hɑːθ] *n* hogar *m*.

heartless ['hɑːtləs] *adj* cruel.

heartwarming ['hɑːtwɔːʳmɪŋ] *adj* gratificante, grato(ta).

hearty ['hɑːtɪ] *adj* 1. *(laughter)* bonachón(ona); *(welcome, congratulations, thanks)* cordial; *(person)* fuertote(ta). 2. *(meal)* abundante; *(appetite)* bueno(na). 3. *(dislike, distrust)* profundo(da).

heat [hiːt] ◇ *n* 1. *(gen)* calor *m*. 2. *(specific temperature)* temperatura *f*. 3. *fig (pressure)* tensión *f*; **in the ~ of the moment** en el calor del momento. 4. *(eliminating round)* serie *f*, prueba *f* eliminatoria. 5. *(ZOOL)*: **on** *Br* OR **in ~** en celo. ◇ *vt* calentar. ◆ **heat up** ◇ *vt sep* calentar. ◇ *vi* calentarse.

heated ['hiːtəd] *adj* acalorado(da).

heater ['hiːtəʳ] *n* calentador *m*.

heath [hiːθ] *n (place)* brezal *m*.

heathen ['hiːðn] *n* pagano *m*, -na *f*.

heather ['heðəʳ] *n* brezo *m*.

heating ['hiːtɪŋ] *n* calefacción *f*.

heatstroke ['hiːtstroʊk] *n (U)* insolación *f*.

heat wave *n* ola *f* de calor.

heave [hiːv] ◇ *vt* 1. *(pull)* tirar de, arrastrar; *(push)* empujar. 2. *inf (throw)* tirar. ◇ *vi* 1. *(pull)* tirar. 2. *(rise and fall - waves)* ondular; *(- chest)* palpitar.

heaven ['hevn] *n (Paradise)* cielo *m*. ◆ **heavens** *npl*: **the ~s** *literary* los cielos; **(good) ~s!** ¡cielos!

heavenly ['hevnlɪ] *adj inf dated (delightful)* divino(na).

heavily ['hevəlɪ] *adv* 1. *(smoke, drink)* mucho; *(rain)* con fuerza; **~ in debt** con muchas deudas. 2. *(solidly)*: **~ built** corpulento(ta). 3. *(breathe, sigh)* profundamente. 4. *(sit, move, fall)* pesadamente. 5. *(speak)* pesarosamente.

heavy ['hevɪ] *adj* 1. *(gen)* pesado(da); *(solid)* sólido(da); **~ build** corpulencia *f*; **how ~ is it?** ¿cuánto pesa? 2. *(traffic, rain, fighting)* intenso(sa); **to be a ~ smoker/drinker** ser un fumador/bebedor empedernido. 3. *(soil, mixture)* denso (sa). 4. *(blow)* duro(ra). 5. *(busy - schedule, day)* apretado(da). 6. *(work)* duro (ra). 7. *(weather, air, day)* cargado(da).

heavy cream *n Am* nata *f* para montar.

heavy goods vehicle *n Br* vehículo

m (de transporte) pesado.

heavyweight ['hevɪweɪt] (SPORT) ◇ *adj* de los pesos pesados. ◇ *n* peso *m* pesado.

Hebrew ['hi:bru:] ◇ *adj* hebreo(a). ◇ *n* **1.** (*person*) hebreo *m*, -a *f*. **2.** (*language*) hebreo *m*.

Hebrides ['hebrədi:z] *npl*: **the ~** las Hébridas.

heckle ['hekl] *vt & vi* interrumpir con exabruptos.

hectic ['hektɪk] *adj* ajetreado(da).

he'd [hi:d] = he had, he would.

hedge [hedʒ] ◇ *n* seto *m*. ◇ *vi* (*prevaricate*) contestar con evasivas.

hedgehog ['hedʒhɒg] *n* erizo *m*.

heed [hi:d] *n*: **to take ~ of sthg** tener algo en cuenta. ◇ *vt fml* tener en cuenta.

heedless ['hi:dləs] *adj*: **to be ~ of sthg** no hacer caso de algo.

heel [hi:l] *n* **1.** (*of foot*) talón *m*. **2.** (*of shoe*) tacón *m*, taco *m* CSur.

hefty ['heftɪ] *adj inf* **1.** (*person*) fornido (da). **2.** (*salary, fee, fine*) considerable, importante.

heifer ['hefər] *n* vaquilla *f*.

height [haɪt] *n* **1.** (*gen*) altura *f*; (*of person*) estatura *f*; **5 metres in ~** 5 metros de altura; **what ~ is it/are you?** ¿cuánto mide/mides? **2.** (*zenith*): **the ~ of** (*gen*) el punto álgido de; (*ignorance, bad taste*) el colmo de.

heighten ['haɪtn] ◇ *vt* intensificar, aumentar. ◇ *vi* intensificarse, aumentar.

heir [eər] *n* heredero *m*.

heiress ['eərəs] *n* heredera *f*.

heirloom ['eəlu:m] *n* reliquia *f* de familia.

heist [haɪst] *n inf* golpe *m*, robo *m*.

held [held] *pt & pp* → hold.

helicopter ['helɪkɒptər] *n* helicóptero *m*.

helium ['hi:lɪəm] *n* helio *m*.

hell [hel] *n* infierno *m*; **what/where/why the ~ ...?** *inf* ¿qué/dónde/por qué demonios ...?; **one** OR **a ~ of a nice guy** *inf* un tipo estupendo; **go to ~!** *v inf* ¡vete al infierno!

he'll [hi:l] = he will.

hellish ['helɪʃ] *adj inf* diabólico(ca).

hello [hə'ləʊ] *excl* **1.** (*as greeting*) ¡hola!; (*on phone - when answering*) ¡sí!, ¡aló! *Amer*, ¡hola! CSur, ¡bueno! *Méx*, ¡diga! *Esp*; (- *when calling*) ¡oiga! **2.** (*to attract attention*) ¡oiga!

helm [helm] *n lit & fig* timón *m*.

helmet ['helmət] *n* casco *m*.

help [help] ◇ *n* **1.** (*gen*) ayuda *f*; **with the ~ of** con la ayuda de; **to be a ~** ser una ayuda; **to be of ~** ayudar. **2.** (*U*) (*emergency aid*) socorro *m*, ayuda *f*. ◇ *vt* **1.** (*assist*): **to ~ sb (to) do sthg/with sthg** ayudar a alguien (a hacer algo/con algo); **can I ~ you?** (*in shop, bank*) ¿en qué puedo servirle? **2.** (*avoid*): **I can't ~ it/feeling sad** no puedo evitarlo/evitar que me dé pena. **3.** (*with food, drink*): **to ~ o.s. (to sthg)** servirse (algo). ◇ *vi*: **to ~ (with)** ayudar (con). ◇ *excl* ¡socorro!, ¡auxilio! ◆ **help out** ◇ *vt sep* echar una mano a. ◇ *vi* echar una mano.

helper ['helpər] *n* **1.** (*gen*) ayudante *m y f*. **2.** *Am* (*to do housework*) mujer *f* OR señora *f* de la limpieza.

helpful ['helpfl] *adj* **1.** (*willing to help*) servicial, atento(ta). **2.** (*providing assistance*) útil.

helping ['helpɪŋ] *n* ración *f*; **would you like a second ~?** ¿quiere repetir?

helpless ['helpləs] *adj* (*child*) indefenso (sa); (*look, gesture*) impotente.

helpline ['helplaɪn] *n* servicio *m* telefónico de ayuda.

Helsinki ['helsɪŋkɪ] *n* Helsinki.

hem [hem] *n* dobladillo *m*. ◆ **hem in** *vt sep* rodear, cercar.

hemisphere ['hemɪsfɪər] *n* (*of earth*) hemisferio *m*.

hemline ['hemlaɪn] *n* bajo *m* (de falda etc).

hemophiliac [,hi:mə'fɪlɪæk] *n* hemofílico *m*, -ca *f*.

hemorrhage ['hemərɪdʒ] *n* hemorragia *f*.

hemorrhoids ['hemərɔɪdz] *npl* hemorroides *fpl*.

hen [hen] *n* **1.** (*female chicken*) gallina *f*. **2.** (*female bird*) hembra *f*.

hence [hens] *adv fml* **1.** (*therefore*) por lo tanto, así pues. **2.** (*from now*): **five years ~** de aquí a cinco años.

henceforth [,hens'fɔ:θ] *adv fml* de ahora en adelante.

henpecked ['henpekt] *adj pej* calzonazos (*inv*).

hepatitis [,hepə'taɪtəs] *n* hepatitis *f inv*.

her [hɜ:r] ◇ *pers pron* **1.** (*direct - unstressed*) la; (- *stressed*) ella; (*referring to ship, car etc*) lo; **I know ~** la conozco; **I like ~** me gusta; **it's ~** es ella; **if I were** OR **was ~** si (yo) fuera ella; **you can't expect** HER **to do it** no esperarás que ELLA lo haga; **fill ~ up!** (AUT) ¡llénemelo!, ¡lléname el depósito! **2.** (*indirect - with other third person pronouns*) se; (- *with other third person pronouns*) le; **he sent ~ a letter** le mandó una carta;

we spoke to ~ hablamos con ella; **I gave it to ~** se lo di. **3.** (after prep, in comparisons etc) ella; **I'm shorter than ~** yo soy más bajo que ella. ◇ poss adj su, sus (pl); **~ coat** su abrigo; **~ children** sus niños; **~ name is Sarah** se llama Sarah; **it wasn't** HER **fault** no fue culpa suya OR su culpa; **she washed ~ hair** se lavó el pelo.

• Para referirse a las partes de un cuerpo femenino se usa el adjetivo posesivo *her* en lugar del artículo *the* (*her hair; her legs*).

herald ['herəld] ◇ vt fml **1.** (signify, usher in) anunciar. **2.** (proclaim) proclamar. ◇ n (messenger) heraldo m.

herb [Am ɜːrb, Br hɜːb] n hierba f (aromática o medicinal).

herd [hɜːrd] ◇ n manada f, rebaño m. ◇ vt fig (push) conducir (en grupo) bruscamente.

here [hɪər] adv aquí; **~ he is/they are** aquí está/están; **~ it is** aquí está; **~ is the book** aquí tienes el libro; **~ and there** aquí y allá; **~ are the keys** aquí tienes las llaves.

hereabout Am [,hɪərə'baʊt], **hereabouts** Br ['hɪərə,baʊts] adv por aquí.

hereditary [Am hɪ'redəteri, Br hə'redɪtri] adj hereditario(ria).

heresy ['herəsɪ] n (RELIG & fig) herejía f.

heritage ['herɪtɪdʒ] n patrimonio m.

hermetically [hɜːr'metɪklɪ] adv: **~ sealed** cerrado(da) herméticamente.

hermit ['hɜːrmət] n ermitaño m, -ña f.

hernia ['hɜːrnjə] n hernia f de hiato OR hiatal.

hero ['hɪəroʊ] (pl -es) n **1.** (gen) héroe m. **2.** (idol) ídolo m.

heroic [hə'roʊɪk] adj heroico(ca).

heroin ['heroʊɪn] n heroína f (droga).

heroine ['heroʊɪn] n heroína f.

heron ['herən] (pl inv OR -s) n garza f real.

herring ['herɪŋ] (pl inv OR -s) n arenque m.

hers [hɜːrz] poss pron suyo (suya); **that money is ~** ese dinero es suyo; **those keys are ~** esas llaves son suyas; **it wasn't his fault, it was** HERS no fue culpa de él sino de ella; **a friend of ~** un amigo suyo, un amigo de ella; **mine is good, but ~ is bad** el mío es bueno pero el suyo es malo.

herself [hɜːr'self] pron **1.** (reflexive) se; (after prep) sí misma; **with ~** consigo misma. **2.** (for emphasis) ella misma; **she did it ~** lo hizo ella sola.

he's [hiːz] = he is, he has.

hesitant ['hezətənt] adj **1.** (unsure of oneself) indeciso(sa), inseguro(ra). **2.** (faltering, slow to appear) vacilante.

hesitate ['hezəteɪt] vi vacilar, dudar; **to ~ to do sthg** dudar en hacer algo.

hesitation [,hezə'teɪʃn] n vacilación f.

heterogeneous [,hetəroʊ'dʒiːnɪəs] adj fml heterogéneo(a).

heterosexual [,hetəroʊ'sekʃʊəl] ◇ adj heterosexual. ◇ n heterosexual m y f.

hey [heɪ] excl ¡eh!, ¡oye!

heyday ['heɪdeɪ] n apogeo m, auge m.

HGV n abbr of heavy goods vehicle.

hi [haɪ] excl inf (hello) ¡hola!

hiatus [,haɪ'eɪtəs] (pl -es) n fml (pause, pausa f.

hibernate ['haɪbərneɪt] vi hibernar.

hiccough, **hiccup** ['hɪkʌp] ◇ n **1.** (caused by wind) hipo m; **to have ~s** tener hipo. **2.** fig (difficulty) contratiempo m. ◇ vi hipar.

hid [hɪd] pt → hide.

hidden ['hɪdn] ◇ pp → hide. ◇ adj oculto(ta).

hide [haɪd] (pt hid, pp hidden) ◇ vt **1.** (conceal) esconder, ocultar; **to ~ sthg (from sb)** esconder OR ocultar algo (a alguien). **2.** (cover) tapar, ocultar. ◇ vi esconderse. ◇ n **1.** (animal skin) piel f. **2.** (for watching birds, animals) puesto m.

hide-and-seek n escondite m.

hideaway ['haɪdəweɪ] n inf escondite m.

hideous ['hɪdɪəs] adj horrible.

hiding ['haɪdɪŋ] n **1.** (concealment): **in ~** escondido(da). **2.** inf (beating): **to give sb/get a (good) ~** darle a alguien/recibir una (buena) paliza.

hiding place n escondite m.

hierarchy ['haɪərɑːrkɪ] n jerarquía f.

hi-fi ['haɪfaɪ] n equipo m de alta fidelidad.

high [haɪ] ◇ adj **1.** (gen) alto(ta); (wind) fuerte; (altitude) grande; **it's 6 metres ~** tiene 6 metros de alto OR altura; **how ~ is it?** ¿cuánto mide?; **temperatures in the ~ 20s** temperaturas cercanas a los 30 grados. **2.** (ideals, principles, tone) elevado(da). **3.** (high-pitched) agudo(da). **4.** drug sl flipado(da). ◇ adv alto; **he threw the ball ~ in the air** lanzó la bola muy alto. ◇ n (highest point) punto m álgido.

highbrow ['haɪbraʊ] adj culto(ta), intelectual.

high chair n trona f.

high-class adj (superior) de (alta) categoría.

H

High Court n Br tribunal m supremo.

higher ['haɪər] adj (exam, qualification) superior. ◆ **Higher** n: Higher (Grade) en Escocia, examen realizado al final de la enseñanza secundaria.

higher education n enseñanza f superior.

high-handed [-'hændəd] adj despótico (ca), arbitrario(ria).

high jump n salto m de altura.

Highland Games [,haɪlənd-] npl fiesta de deportes escoceses.

Highlands ['haɪləndz] npl: **the** ~ (of Scotland) las Tierras Altas del Norte (de Escocia).

highlight ['haɪlaɪt] ◇ n (of event, occasion) punto m culminante. ◇ vt 1. (visually) subrayar, marcar. 2. (emphasize) destacar, resaltar. ◆ **highlights** npl (in hair) reflejos mpl.

highlighter (pen) ['haɪlaɪtər-] n rotulador m, marcador m.

highly ['haɪlɪ] adv 1. (very, extremely) muy, enormemente. 2. (in important position): ~ **placed** en un puesto importante. 3. (favourably): **to think** ~ **of sb** tener a alguien en mucha estima.

highly-strung adj muy nervioso(sa).

Highness ['haɪnəs] n: **His/Her/Your (Royal)** ~ Su Alteza f (Real); **their (Royal)** ~**es** Sus Altezas (Reales).

high-pitched [-'pɪtʃt] adj agudo(da).

high point n (of occasion) momento m OR punto m culminante.

high-powered [-'pauərd] adj 1. (powerful) de gran potencia. 2. (prestigious - activity, place) prestigioso(sa); (- person) de altos vuelos.

high-rise adj: ~ **building** edificio de muchos pisos.

high school n = instituto m de bachillerato.

high season n temporada f alta.

high street n Br calle f mayor OR principal.

high tech [-'tek] adj de alta tecnología.

high tide n (of sea) marea f alta.

highway ['haɪweɪ] n 1. Am (main road between cities) autopista f. 2. Br (any main road) carretera f.

Highway Code n Br: **the** ~ el código de la circulación.

hijack ['haɪdʒæk] vt (aircraft) secuestrar.

hijacker ['haɪdʒækər] n secuestrador m, -ra f (de un avión).

hike [haɪk] ◇ n (long walk) caminata f. ◇ vi (go for walk) ir de excursión.

hiker ['haɪkər] n excursionista m y f.

hiking ['haɪkɪŋ] n excursionismo m; **to go** ~ ir de excursión.

hilarious [hɪ'leərɪəs] adj desternillante.

hill [hɪl] n 1. (mound) colina f. 2. (slope) cuesta f.

hillside ['hɪlsaɪd] n ladera f.

hilly ['hɪlɪ] adj montañoso(sa).

hilt [hɪlt] n puño m, empuñadura f; **to support/defend sb to the** ~ apoyar/ defender a alguien sin reservas.

him [hɪm] pers pron 1. (direct - unstressed) lo, le; (- stressed) él; **I know** ~ lo OR le conozco; **I like** ~ me gusta; **it's** ~ es él; **if I were** OR **was** ~ si (yo) fuera él; **you can't expect** HIM **to do it** no esperarás que ÉL lo haga. 2. (indirect - gen) le; (- with other third person pronouns) se; **she sent** ~ **a letter** le mandó una carta; **we spoke to** ~ hablamos con él; **I gave it to** ~ se lo di. 3. (after prep, in comparisons etc) él; **I'm shorter than** ~ yo soy más bajo que él.

Himalayas [,hɪmə'leɪəz] npl: **the** ~ el Himalaya.

himself [hɪm'self] pron 1. (reflexive) se; (after prep) sí mismo; **with** ~ consigo mismo. 2. (for emphasis) él mismo; **he did it** ~ lo hizo él solo.

hind [haɪnd] (pl inv OR **-s**) ◇ adj trasero (ra), posterior. ◇ n cierva f.

hinder ['hɪndər] vt (gen) estorbar; (progress, talks, attempts) entorpecer.

Hindi ['hɪndɪ] n (language) hindi m.

hindrance ['hɪndrəns] n 1. (obstacle) obstáculo m, impedimento m; (person) estorbo m. 2. (U) (delay) interrupciones fpl, retrasos mpl.

hindsight ['haɪndsaɪt] n: **with the benefit of** ~ ahora que se sabe lo que pasó.

Hindu ['hɪnduː] (pl **-s**) ◇ adj hindú. ◇ n hindú m y f.

hinge [hɪndʒ] n (on door, window) bisagra f. ◆ **hinge (up)on** vt fus (depend on) depender de.

hint [hɪnt] ◇ n 1. (indication) indirecta f; **to drop a** ~ lanzar una indirecta. 2. (piece of advice) consejo m. 3. (small amount, suggestion) asomo m; (of colour) pizca f. ◇ vi: **to** ~ **at sthg** insinuar algo. ◇ vt: **to** ~ **that** insinuar que.

hip [hɪp] n (ANAT) cadera f.

hippie ['hɪpɪ] n hippy m y f.

hippopotamus [,hɪpə'pɒtəməs] (pl **-muses** OR **-mi** [-maɪ]) n hipopótamo m.

hippy ['hɪpɪ] = hippie.

hire ['haɪər] ◇ n (U) (of car, equipment) alquiler m; **for** ~ (taxi) libre; **boats for** ~ se alquilan barcos. ◇ vt 1. (rent) alquilar. 2. (employ) contratar. ◆ **hire out** vt *sep (car, equipment)* alquilar; *(one's services)* ofrecer.

hire car n Br coche m de alquiler.

hire purchase n (U) Br compra f a plazos.

his [hɪz] ◇ *poss adj* su, sus (*pl*); ~ **house** su casa; ~ **children** sus niños; ~ **name is Joe** se llama Joe; **it wasn't** HIS **fault** no fue culpa suya OR su culpa; **he washed** ~ **hair** se lavó el pelo. ◇ *poss pron* suyo (suya); **that money is** ~ ese dinero es suyo; **those keys are** ~ esas llaves son suyas; **it wasn't her fault, it was** HIS no fue culpa de ella sino de él; **a friend of** ~ un amigo suyo, un amigo de él; **mine is good, but** ~ **is bad** el mío es bueno pero el suyo es malo.

• Para referirse a las partes de un cuerpo masculino se usa el adjetivo posesivo *his* en lugar del artículo *the* (*his hair*; *his legs*).

Hispanic [hɪ'spænɪk] ◇ *adj* hispánico (ca). ◇ *n* hispano m, -na f.

hiss [hɪs] ◇ *n* **1.** *(of person)* bisbiseo m, siseo m. **2.** *(of steam, gas, snake)* silbido m. ◇ *vi* **1.** *(person)* bisbisear, sisear; *(to express disapproval)* = silbar, = pitar. **2.** *(steam, gas, snake)* silbar.

historic [hɪ'stɒrɪk] *adj (significant)* histórico(ca).

historical [hɪ'stɒrɪkl] *adj* histórico(ca).

history ['hɪstrɪ] n **1.** *(gen)* historia f. **2.** *(past record)* historial m.

hit [hɪt] (*pt & pp* hit) ◇ *n* **1.** *(blow)* golpe m. **2.** *(successful strike)* impacto m. **3.** *(success)* éxito m. ◇ *comp* de éxito. ◇ *vt* **1.** *(subj: person)* pegar, golpear. **2.** *(crash into)* chocar contra OR con. **3.** *(reach)* alcanzar, llegar a; *(bull's-eye)* dar en. **4.** *(affect badly)* afectar. **5.** *phr*: **to** ~ **it off (with sb)** hacer buenas migas (con alguien).

hit-and-miss = hit-or-miss.

hit-and-run *adj (driver)* que se da a la fuga después de causar un accidente.

hitch [hɪtʃ] ◇ *n (problem, snag)* obstáculo m, pega f. ◇ *vt* **1.** *(catch)*: **to** ~ **a lift** conseguir que le lleven en coche a uno. **2.** *(fasten)*: **to** ~ **sthg on** OR **onto sthg** enganchar algo a algo. ◇ *vi (hitchhike)* hacer autostop. ◆ **hitch up** *vt sep (clothes)* subirse.

hitchhike ['hɪtʃhaɪk] *vi* hacer autostop.

hitchhiker ['hɪtʃhaɪkər] *n* autoestopista m y f.

hi-tech [,haɪ'tek] = high tech.

hit-or-miss *adj* azaroso(sa).

HIV *(abbr of human immunodeficiency virus)* n VIH m, HIV m; **to be** ~-**positive** ser seropositivo.

hive [haɪv] n *(for bees)* colmena f; **a** ~ **of activity** un enjambre, un centro de actividad. ◆ **hive off** *vt sep (separate)* transferir.

HNC *(abbr of Higher National Certificate)* n diploma técnico en Gran Bretaña.

HND *(abbr of Higher National Diploma)* n diploma técnico superior en Gran Bretaña.

hoard [hɔːd] ◇ *n (store)* acopio m. ◇ *vt (collect, save)* acumular; *(food)* acaparar.

hoarding ['hɔːdɪŋ] n Br *(for advertisements, posters)* valla f publicitaria.

hoarfrost ['hɔːfrɒst] n escarcha f.

hoarse [hɔːs] *adj* **1.** *(voice)* ronco(ca). **2.** *(person)* afónico(ca).

hoax [həʊks] n engaño m; ~ **call** falsa alarma telefónica.

hob [hɒb] n Br *(on cooker)* encimera f.

hobble ['hɒbl] *vi (limp)* cojear.

hobby ['hɒbɪ] n *(leisure activity)* hobby m, distracción f favorita.

hobbyhorse ['hɒbɪhɔːs] n **1.** *(toy)* caballo m de juguete. **2.** *(favourite topic)* caballo m de batalla.

hobo ['həʊbəʊ] (*pl* -es OR -s) n Am *(tramp)* vagabundo m, -da f.

hockey ['hɒkɪ] n **1.** *(on grass)* hockey m sobre hierba. **2.** Am *(ice hockey)* hockey m sobre hielo.

hoe [həʊ] ◇ *n* azada f. ◇ *vt* azadonar.

hog [hɒg] ◇ *n* cerdo m; **to go the whole** ~ *fig* ir a por todas. ◇ *vt inf (monopolize)* acaparar.

Hogmanay ['hɒgməneɪ] n denominación escocesa de la Nochevieja.

hoist [hɔɪst] ◇ *n (pulley, crane)* grúa f; *(lift)* montacargas m inv. ◇ *vt izar.

hold [həʊld] (*pt & pp* held) ◇ *vt* **1.** *(have hold of)* tener cogido(da). **2.** *(embrace)* abrazar. **3.** *(keep in position, sustain, support)* sostener, aguantar. **4.** *(as prisoner)* detener; **to** ~ **sb prisoner/hostage** tener a alguien como prisionero/rehén. **5.** *(have, possess)* poseer. **6.** *(contain - gen)* contener; *(- fears, promise etc)* guardar; *(- number of people)* tener cabida para. **7.** *(conduct, stage - event)* celebrar; *(- conversation)* mantener. **8.** *fml (consider)* considerar; **to** ~ **sb responsible for sthg** considerar a alguien responsable de algo. **9.** *(on telephone)*: **please** ~ **the line** no cuelgue por favor. **10.** *(maintain - interest etc)* mantener. **11.** *phr*: ~ **it** OR **everything!**

¡para!, ¡espera!; **to ~ one's own** defenderse. ◇ vi **1.** (luck, weather) continuar así; (promise, offer) seguir en pie; **to ~ still** OR **steady** estarse quieto. **2.** (on phone) esperar. ◇ n **1.** (grasp, grip): **to have a firm ~ on sthg** tener algo bien agarrado; **to take** OR **lay ~ of sthg** agarrar algo; **to get ~ of sthg** (obtain) hacerse con algo; **to get ~ of sb** (find) localizar a alguien. **2.** (of ship, aircraft) bodega f. **3.** (control, influence) dominio m. ◆ **hold back** vt sep **1.** (tears, anger) contener, reprimir. **2.** (secret) ocultar. ◆ **hold down** vt sep (job) conservar. ◆ **hold off** vt sep (fend off) mantener a distancia. ◆ **hold on** vi **1.** (wait) esperar; (on phone) no colgar. **2.** (grip): **to ~ on (to sthg)** agarrarse (a algo). ◆ **hold out** ◇ vt sep (hand, arms) extender, tender. ◇ vi **1.** (last) durar. **2.** (resist): **to ~ out (against sthg/sb)** resistir (ante algo/a alguien). ◆ **hold up** vt sep **1.** (raise) levantar, alzar. **2.** (delay) retrasar.

holdall ['hɔʊldɔːl] n Br bolsa f de viaje.

holder ['hɔʊldər] n **1.** (container) soporte m; (for candle) candelero m; (for cigarette) boquilla f. **2.** (owner) titular m y f; (of ticket, record, title) poseedor m, -ra f.

holding ['hɔʊldɪŋ] n **1.** (investment) participación f, acciones fpl. **2.** (farm) propiedad f, terreno m de cultivo.

holdup ['hɔʊldʌp] n **1.** (robbery) atraco m a mano armada. **2.** (delay) retraso m.

hole [hɔʊl] n **1.** (gen) agujero m; (in ground, road etc) hoyo m. **2.** (in golf) hoyo m. **3.** (horrible place) cuchitril m.

holiday ['hɔlədeɪ] n **1.** (vacation) vacaciones fpl; **to be/go on ~** estar/ir de vacaciones. **2.** (public holiday) fiesta f, día m festivo.

holiday camp n Br colonia f veraniega.

holidaymaker ['hɔlədeɪˌmeɪkər] n Br turista m y f.

holiday pay n Br sueldo m de vacaciones.

holiday resort n Br lugar m de veraneo.

Holland ['hɔlənd] n Holanda.

holler ['hɔlər] vt & vi inf gritar.

hollow ['hɔlɔʊ] ◇ adj **1.** (not solid) hueco(ca). **2.** (cheeks, eyes) hundido(da). **3.** (resonant) sonoro(ra), resonante. **4.** (false, meaningless) vano(na); (laugh) falso(sa). ◇ n (valley, in ground) depresión f, hondonada f. ◆ **hollow out** vt sep **1.** (make hollow) dejar hueco. **2.** (make by hollowing) hacer ahuecando.

holly ['hɔlɪ] n acebo m.

Hollywood ['hɔlɪwʊd] n Hollywood m.

HOLLYWOOD

Hollywood es un barrio de Los Ángeles que a partir de 1911 se convirtió en el centro de la industria cinematográfica estadounidense. Alcanzó su máximo esplendor durante los años cuarenta y cincuenta, época en que los grandes estudios como 20th Century Fox, Paramount y Warner Brothers producían cientos de películas por año. Hoy en día, Hollywood es una de las principales atracciones turísticas de Estados Unidos.

holocaust ['hɔləkɔːst] n holocausto m.

holster ['hɔʊlstər] n pistolera f.

holy ['hɔʊlɪ] adj **1.** (sacred) sagrado(da); (water) bendito(ta). **2.** (pure and good) santo(ta).

Holy Ghost n: **the ~** el Espíritu Santo.

Holy Spirit n: **the ~** el Espíritu Santo.

homage ['hɔmɪdʒ] n (U) fml homenaje m; **to pay ~ to** rendir homenaje a.

home [hɔʊm] ◇ n **1.** (house, flat) casa f; **to make one's ~ somewhere** establecerse en algún sitio. **2.** (own country) tierra f; (own city) ciudad f natal. **3.** (family) hogar m; **to leave ~** independizarse, irse de casa. **4.** (place of origin) cuna f. **5.** (institution) asilo m. ◇ adj **1.** (not foreign) nacional. **2.** (in one's own home - cooking) casero(ra); (- life) familiar; (- improvements) en la casa. **3.** (SPORT) de casa. ◇ adv (to one's house) a casa; (at one's house) en casa. ◆ **at home** adv **1.** (in one's house, flat) en casa. **2.** (comfortable): **at ~ (with)** a gusto (con); **to make o.s. at ~** acomodarse. **3.** (in one's own country) en mi país.

home address n domicilio m particular.

home computer n ordenador m personal.

Home Counties npl: **the ~** los condados de los alrededores de Londres.

home economics n (U) economía f doméstica.

home help n Br asistente empleado por el ayuntamiento para ayudar en las tareas domésticas a enfermos y ancianos.

homeland ['hɔʊmlænd] n **1.** (country of birth) tierra f natal, patria f. **2.** (in South Africa) territorio donde se confina a la población negra.

homeless ['hoʊmləs] *adj* sin hogar.

homely ['hoʊmlɪ] *adj* 1. *(simple)* sencillo(lla).
2. *(unattractive)* feúcho(cha).

homemade [ˌhoʊm'meɪd] *adj (clothes)* de fabricación casera; *(food)* casero(ra).

Home Office *n Br*: the ~ el Ministerio del Interior británico.

homeopathy [ˌhoʊmɪ'ɒpəθɪ] *n* homeopatía *f*.

home page *n (on Internet)* página *f* inicial OR de inicio.

Home Secretary *n Br*: the ~ el Ministro del Interior británico.

homesick ['hoʊmsɪk] *adj* nostálgico (ca); **to be ~** tener morriña.

hometown ['hoʊm'taʊn] *n* pueblo *m*/ ciudad *f* natal.

homework ['hoʊmwɜːrk] *n (U) lit & fig* deberes *mpl*.

homey, homy ['hoʊmɪ] *adj Am* confortable, agradable.

homicide ['hɒmɪsaɪd] *n fml* homicidio *m*.

homoeopathy [ˌhoʊmɪ'ɒpəθɪ] *etc* = **homeopathy** *etc*.

homogeneous [ˌhoʊmə'dʒiːnɪəs] *adj* homogéneo(a).

homosexual [ˌhoʊmə'sekʃʊəl] ◇ *adj* homosexual. ◇ *n* homosexual *m y f*.

homy ['hoʊmɪ] = **homey**.

Honduran [hɒn'djʊərən] ◇ *adj* hondureño(ña). ◇ *n* hondureño *m*, -ña *f*.

Honduras [hɒn'djʊərəs] *n* Honduras.

hone [hoʊn] *vt* 1. *(sharpen)* afilar.
2. *(develop, refine)* afinar.

honest ['ɒnɪst] ◇ *adj* 1. *(trustworthy, legal)* honrado(da). 2. *(frank)* franco (ca), sincero(ra); **to be ~** ... si he de serte franco ... ◇ *adv inf* = **honestly 2.**

honestly ['ɒnɪstlɪ] ◇ *adv* 1. *(truthfully)* honradamente. 2. *(expressing sincerity)* de verdad, en serio. ◇ *excl (expressing impatience, disapproval)* ¡será posible!

honesty ['ɒnɪstɪ] *n* honradez *f*.

honey ['hʌnɪ] *n* 1. *(food)* miel *f*. 2. *(form of address)* cielo *m*, mi vida *f*.

honeycomb ['hʌnɪkoʊm] *n* panal *m*.

honeymoon ['hʌnɪmuːn] *n* luna *f* de miel; *fig* periodo *m* idílico.

honeysuckle ['hʌnɪsʌkl] *n* madreselva *f*.

Hong Kong [ˌhɒŋ'kɒŋ] *n* Hong Kong.

honk [hɒŋk] ◇ *vi* 1. *(motorist)* tocar el claxon. 2. *(goose)* graznar. ◇ *vt* tocar.

honor *Am*, **honour** *Br* ['ɒnər] ◇ *n* 1. *(gen)* honor *m*, honra *f*; **in ~ of** en honor de. 2. *(source of pride - person)* honra *f*. ◇ *vt* 1. *(promise, agreement)* cumplir; *(debt)* satisfacer; *(cheque)*

pagar, aceptar. 2. *fml (bring honour to)* honrar. ◆ **honors** *npl* 1. *(tokens of respect)* honores *mpl*. 2. *Br* (UNIV): ~s **degree** licenciatura de cuatro años necesaria para acceder a un máster.

honorable *Am*, **honourable** *Br* ['ɒnərəbl] *adj* 1. *(proper)* honroso(sa). 2. *(morally upright)* honrado(da).

honorary [*Am* 'ɒnəreri, *Br* 'ɒnrərɪ] *adj* 1. *(given as an honour)* honorario(ria). 2. *(unpaid)* honorífico(ca).

honour *Br etc* = **honor** *etc*.

hood [hʊd] *n* 1. *(on cloak, jacket)* capucha *f*. 2. *(of pram, convertible car)* capota *f*; *(of cooker)* campana *f*. 3. *Am (car bonnet)* capó *m*.

hoodlum ['huːdləm] *n Am inf* matón *m*.

hoof [huːf] *(pl* **-s** OR **hooves)** *n (of horse)* casco *m*; *(of cow etc)* pezuña *f*.

hook [hʊk] ◇ *n* 1. *(gen)* gancho *m*; **off the ~** *(phone)* descolgado(da). 2. *(for catching fish)* anzuelo *m*. 3. *(fastener)* corchete *m*. ◇ *vt* 1. *(attach with hook)* enganchar. 2. *(fish)* pescar, coger. ◆ **hook up** *vt sep*: **to ~ sthg up to sthg** conectar algo a algo.

hooked [hʊkt] *adj* 1. *(nose)* aguileño (ña). 2. *inf (addicted)*: **to be ~ (on)** estar enganchado(da) (a).

hook(e)y ['hʊkɪ] *n Am inf*: **to play ~** hacer pellas OR novillos.

hooligan ['huːlɪgən] *n* gamberro *m*.

hoop [huːp] *n* aro *m*.

hooray [hʊ'reɪ] = **hurray**.

hoot [huːt] ◇ *n* 1. *(of owl)* grito *m*, ululato *m*. 2. *(of horn)* bocinazo *m*. ◇ *vi* 1. *(owl)* ulular. 2. *(horn)* sonar. ◇ *vt* tocar.

hooter ['huːtər] *n (horn)* claxon *m*, bocina *f*.

Hoover® ['huːvər] *n Br* aspiradora *f*. ◆ **hoover** *vt* pasar la aspiradora por.

hooves [huːvz] *pl* → **hoof**.

hop [hɒp] *vi* 1. *(person)* saltar a la pata coja. 2. *(bird etc)* dar saltitos. 3. *inf (move nimbly)* ponerse de un brinco. ◆ **hops** *npl* lúpulo *m*.

hope [hoʊp] ◇ *vi*: **to ~ (for sthg)** esperar (algo); **I ~ so/not** espero que sí/no. ◇ *vt*: **to ~ (that)** esperar que; **to ~ to do sthg** esperar hacer algo. ◇ *n* esperanza *f*; **in the ~ of** con la esperanza de.

hopeful ['hoʊpfʊl] *adj* 1. *(optimistic)* optimista; **to be ~ of sthg/of doing sthg** tener esperanzas de algo/hacer algo. 2. *(promising)* prometedor(ra).

hopefully ['hoʊpflɪ] *adv* 1. *(in a hopeful way)* esperanzadamente. 2. *(with luck)* con suerte.

hopeless ['houpləs] adj 1. (despairing) desesperado(da). 2. (impossible) imposible. 3. inf (useless) inútil.

hopelessly ['houpləslı] adv 1. (despairingly) desesperadamente. 2. (completely) totalmente.

horizon [hə'raızn] n (of sky) horizonte m; **on the ~** en el horizonte; fig a la vuelta de la esquina.

horizontal [,hɒrɪ'zɒntl] adj horizontal.

hormone ['hɔːmoun] n hormona f.

horn [hɔːn] n 1. (of animal) cuerno m. 2. (MUS) (instrument) trompa f. 3. (on car) claxon m, bocina f; (on ship) sirena f.

hornet ['hɔːnət] n avispón m.

horny ['hɔːnı] adj 1. (scale, body, armour) córneo(a); (hand) calloso(sa). 2. v inf (sexually excited) cachondo(da), caliente.

horoscope ['hɒrəskoup] n horóscopo m.

horrendous [hɒ'rendəs] adj horrendo(da).

horrible ['hɒrəbl] adj horrible.

horrid ['hɒrɪd] adj (person) antipático(ca); (idea, place) horroroso(sa).

horrific [hɒ'rɪfɪk] adj horrendo(da).

horrify ['hɒrɪfaɪ] vt horrorizar.

horror ['hɒrər] n horror m.

horror movie n película f de terror OR de miedo.

hors d'oeuvre [,ɔː'dɜːrv] (pl hors d'oeuvres) n entremeses mpl.

horse [hɔːs] n (animal) caballo m.

horseback ['hɔːsbæk] ◇ adj: ~ riding equitación f. ◇ n: **on ~** a caballo.

horse chestnut n (nut) castaña f de Indias; ~ **(tree)** castaño m de Indias.

horseman ['hɔːsmən] (pl -men [-mən]) n jinete m.

horsepower ['hɔːspauər] n (U) caballos mpl de vapor.

horse racing n (U) carreras fpl de caballos.

horseradish ['hɔːsrædɪʃ] n rábano m silvestre.

horse riding n equitación f; **to go ~** montar a caballo.

horseshoe ['hɔːsʃuː] n herradura f.

horsewoman ['hɔːswumən] (pl -women [-wɪmɪn]) n amazona f.

horticulture ['hɔːtɪkʌltʃər] n horticultura f.

hose [houz] n (hosepipe) manguera f.

hosepipe ['houzpaɪp] n = hose.

hosiery [Am 'houʒərɪ, Br 'houʒɪərɪ] n (U) medias fpl y calcetines.

hospice ['hɒspəs] n hospicio m.

hospitable [hɒ'spɪtəbl] adj hospitalario(ria).

hospital ['hɒspɪtl] n hospital m.

hospitality [,hɒspɪ'tælətɪ] n hospitalidad f.

host [houst] ◇ n 1. (person, place, organization) anfitrión m, -ona f. 2. (compere) presentador m, -ra f. 3. literary (large number): **a ~ of** una multitud de. 4. (RELIG) hostia f. ◇ vt (show) presentar; (event) ser el anfitrión de.

hostage ['hɒstɪdʒ] n rehén m.

hostel ['hɒstl] n albergue m.

hostess ['houstes] n 1. (at party) anfitriona f. 2. (in club etc) chica f de alterne.

hostile [Am 'hɒstl, Br -taıl] adj 1. (antagonistic, enemy): ~ **(to)** hostil (hacia). 2. (unfavourable) adverso(sa).

hostility [hɒ'stɪlətɪ] n (antagonism) hostilidad f. ◆ **hostilities** npl hostilidades fpl.

hot [hɒt] adj 1. (gen) caliente; **I'm ~** tengo calor. 2. (weather, climate) caluroso(sa); **it's (very) ~** hace (mucho) calor. 3. (spicy) picante, picoso(sa) Méx. 4. inf (expert): ~ **on** OR **at** experto(ta) en. 5. (recent) caliente, último(ma).

hot-air balloon n aeróstato m, globo m.

hotbed ['hɒtbed] n semillero m.

hot-cross bun n bollo a base de especias y pasas con una cruz dibujada en una cara que se come en Semana Santa.

hot dog n perrito m caliente.

hotel [hou'tel] n hotel m.

hot flash Am, **hot flush** Br n sofoco m.

hotheaded [,hɒt'hedɪd] adj irreflexivo(va).

hothouse ['hɒthaus, pl -hauzɪz] n invernadero m.

hot line n teléfono m rojo.

hotly ['hɒtlı] adv 1. (passionately) acaloradamente. 2. (closely): **we were ~ pursued** nos pisaban los talones.

hotplate ['hɒtpleɪt] n calentador m, fuego m.

hot-tempered adj iracundo(da).

hot-water bottle n bolsa f de agua caliente.

hound [haund] ◇ n (dog) perro m de caza, sabueso m. ◇ vt 1. (persecute) acosar. 2. (drive): **to ~ sb out (of somewhere)** conseguir echar a alguien (de algún sitio) acosándolo.

hour ['auər] n 1. (gen) hora f; **half an ~** media hora; **70 miles per** OR **an ~** 70 millas por hora; **on the ~** a la hora en punto cada hora. **2.** *literary (important time)* momento *m*. ◆ **hours** *npl* **1.** *(of business)* horas *fpl*. **2.** *(of person - routine)* horario *m*.

hourly ['aʊəʳlı] ◇ *adj* **1.** *(happening every hour)* de hora en hora, cada hora. **2.** *(per hour)* por hora. ◇ *adv* **1.** *(every hour)* cada hora. **2.** *(per hour)* por hora.

house [*n & adj* haʊs, *pl* 'haʊzɪz, *vb* haʊz] ◇ *n* **1.** *(gen)* casa *f*; **it's on the ~** la casa invita, es cortesía de la casa. **2.** (POL) cámara *f*. **3.** *(in theatre)* audiencia *f*; **to bring the ~ down** *inf* ser un exitazo, ser muy aplaudido. ◇ *vt* *(person, family)* alojar; *(department, library, office)* albergar. ◇ *adj* **1.** *(within business)* de la empresa. **2.** *(wine)* de la casa.

house arrest *n*: **under ~** bajo arresto domiciliario.

houseboat ['haʊsbəʊt] *n* casa *f* flotante.

housebreaking ['haʊsbreɪkɪŋ] *n* allanamiento *m* de morada.

housecoat ['haʊskəʊt] *n* bata *f*.

household ['haʊshəʊld] ◇ *adj* **1.** *(domestic)* doméstico(ca), de la casa. **2.** *(word, name)* conocido(da) por todos. ◇ *n* hogar *m*, casa *f*.

housekeeper ['haʊskiːpəʳ] *n* ama *f* de llaves.

housekeeping ['haʊskiːpɪŋ] *n* *(U)* **1.** *(work)* quehaceres *mpl* domésticos. **2. ~ (money)** dinero *m* para los gastos de la casa.

house music *n* música *f* ácida OR house.

House of Commons *n* Br: **the ~** la Cámara de los Comunes.

House of Lords *n* Br: **the ~** la Cámara de los Lores.

House of Representatives *n* Am: **the ~** la Cámara de los Representantes.

houseplant [*Am* 'haʊsplænt, *Br* -plɑːnt] *n* planta *f* interior.

Houses of Parliament *n*: **the ~** el Parlamento británico.

housewarming (party) ['haʊswɔːʳmɪŋ-] *n* fiesta *f* de inauguración de una casa.

housewife ['haʊswaɪf] *(pl* **-wives** [-waɪvz]) *n* ama *f* de casa.

housework ['haʊswɜːʳk] *n* *(U)* quehaceres *mpl* domésticos.

housing ['haʊzɪŋ] *n* *(houses)* vivienda *f*; *(act of accommodating)* alojamiento *m*.

housing project *Am*, **housing estate** *Br n* urbanización *generalmente de protección oficial*, = fraccionamiento *m Amer*.

hovel [*Am* 'hʌvl, *Br* 'hɒvl] *n* casucha *f*, tugurio *m*.

hover [*Am* 'hʌvər, *Br* 'hɒvəʳ] *vi* *(fly)* cernerse.

hovercraft [*Am* 'hʌvərkræft, *Br* 'hɒvəkrɑːft] *(pl inv OR* **-s**) *n* aerodeslizador *m*.

how [haʊ] *adv* **1.** *(gen)* cómo; **~ do you do it?** ¿cómo se hace?; **I found out ~ he did it** averigué cómo lo hizo; **~ are you?** ¿cómo estás?; **~ do you do?** mucho gusto. **2.** *(referring to degree, amount)*: **~ high is it?** ¿cuánto mide de alto OR de altura?; **he asked ~ high it was** preguntó cuánto medía de alto; **~ expensive is it?** ¿cuánto de caro es?, ¿es muy caro?; **~ long have you been waiting?** ¿cuánto llevas esperando?; **~ old are you?** ¿qué edad OR cuántos años tienes? **3.** *(in exclamations)* qué; **~ nice/awful!** ¡qué bonito/horrible!; **~ I hate doing it!** ¡cómo OR cuánto odio tener que hacerlo! ◆ **how about** *adv*: **~ about a drink?** ¿qué tal una copa?; **~ about you?** ¿qué te parece?, ¿y tú? ◆ **how many** *pron & adj* cuántos(tas) ◆ **how much** ◇ *pron* cuánto(ta); **~ much does it cost?** ¿cuánto cuesta? ◇ *adj* cuánto(ta); **~ much bread?** ¿cuánto pan?

> • *What about* y *how about* se usan para sugerir o proponer algo. Pueden ir seguidos de un sustantivo (*what/how about a game of cards?*), de un pronombre (*what/how about this one?*), o de un verbo en participio presente (*what/how about going to the movies?*).

however [haʊ'evəʳ] ◇ *adv* **1.** *(nevertheless)* sin embargo, no obstante. **2.** *(no matter how)*: **~ difficult it may be** por (muy) difícil que sea; **~ many times** OR **much I told her** por mucho que se lo dijera. **3.** *(how)* cómo. ◇ *conj* comoquiera que; **~ you want** como quieras.

howl [haʊl] ◇ *n* **1.** *(of animal)* aullido *m*. **2.** *(of person - in pain, anger)* alarido *m*, grito *m*; *(- in laughter)* carcajada *f*. ◇ *vi* **1.** *(animal)* aullar. **2.** *(person - in pain, anger)* gritar; *(- in laughter)* reírse a carcajadas. **3.** *(wind)* bramar.

hp *(abbr of* **horsepower)** CV *m*, cv *m*.

HP *n* **1.** *Br abbr of* **hire purchase**. **2.** = **hp**.

HQ *n abbr of* **headquarters**.

HTML *(abbr of* **hypertext markup language)** *n* HTML *m*.

hub [hʌb] *n* **1.** *(of wheel)* cubo *m*. **2.** *(of activity)* centro *m*, eje *m*.

hubbub ['hʌbʌb] *n* alboroto *m*.

hubcap ['hʌbkæp] *n* tapacubos *m inv*.

huddle ['hʌdl] *vi* 1. *(crouch, curl up)* acurrucarse. 2. *(cluster)* apretarse unos contra otros, apiñarse.

hue [hju:] *n (colour)* tono *m*, matiz *m*.

huff [hʌf] *n*: **in a ~** enojado(da).

hug [hʌg] ◇ *n* abrazo *m*; **to give sb a ~** abrazar a alguien. ◇ *vt* 1. *(embrace, hold)* abrazar. 2. *(stay close to)* ceñirse OR ir pegado a.

huge [hju:dʒ] *adj* enorme.

hulk [hʌlk] *n* 1. *(of ship)* casco *m* abandonado. 2. *(person)* tiarrón *m*, -ona *f*.

hull [hʌl] *n* casco *m*.

hullo [hə'ləʊ] = **hello**.

hum [hʌm] ◇ *vi* 1. *(buzz)* zumbar. 2. *(sing)* canturrear, tararear. 3. *(be busy)* bullir, hervir. ◇ *vt* tararear, canturrear.

human ['hju:mən] ◇ *adj* humano(na). ◇ *n*: **~ (being)** (ser *m*) humano *m*.

humane [hju:'meɪn] *adj* humano(na), humanitario(ria).

humanitarian [hju:,mænɪ'teərɪən] *adj* humanitario(ria).

humanity [hju:'mænətɪ] *n* humanidad *f*. ♦ **humanities** *npl*: **the humanities** las humanidades.

human race *n*: **the ~** la raza humana.

human rights *npl* derechos *mpl* humanos.

humble ['hʌmbl] ◇ *adj* humilde. ◇ *vt fml* humillar.

humbug ['hʌmbʌg] *n* 1. (U) *dated (hypocrisy)* farsa *f*, hipocresía *f*. 2. *Br (sweet)* caramelo *m* de menta.

humdrum ['hʌmdrʌm] *adj* rutinario (ria), aburrido(da).

humid ['hju:mɪd] *adj* húmedo(da).

humidity [hju:'mɪdətɪ] *n* humedad *f*.

humiliate [hju:'mɪlɪeɪt] *vt* humillar.

humiliation [hju:,mɪlɪ'eɪʃn] *n* humillación *f*.

humility [hju:'mɪlətɪ] *n* humildad *f*.

humor *Am*, **humour** *Br* ['hju:mər] ◇ *n* 1. *(sense of fun, mood)* humor *m*; **in good/bad ~** de buen/mal humor. 2. *(funny side)* gracia *f*. ◇ *vt* complacer.

humorous ['hju:mərəs] *adj* humorístico(ca).

humour *Br* = **humor**.

hump [hʌmp] *n* 1. *(hill)* montículo *m*. 2. *(on back)* joroba *f*, giba *f*.

hunch [hʌntʃ] ◇ *n inf* presentimiento *m*. ◇ *vt* encorvar.

hunched [hʌntʃt] *adj* encorvado(da).

hundred ['hʌndrəd] *num* cien; **a** OR **one ~** cien; **a** OR **one ~ and eighty** ciento ochenta; *see also* **six**. ♦ **hundreds** *npl* centenares *mpl*.

hundredth ['hʌndrədθ] ◇ *num adj* centésimo(ma). ◇ *num n (fraction)* centésimo *m*; **a ~ of a second** una centésima; *see also* **sixth**.

hundredweight ['hʌndrədweɪt] *n (in UK)* = 50,8 kg; *(in US)* = 45,3 kg.

hung [hʌŋ] *pt & pp* → **hang**.

Hungary ['hʌŋgərɪ] *n* Hungría.

hunger ['hʌŋgər] *n* 1. *(for food)* hambre *f*. 2. *literary (for change, knowledge etc)* sed *f*. ♦ **hunger after, hunger for** *vt fus literary* anhelar, ansiar.

hunger strike *n* huelga *f* de hambre.

hung over *adj inf*: **to be ~** tener resaca.

hungry ['hʌŋgrɪ] *adj (for food)* hambriento(ta); **to be/go ~** tener/pasar hambre.

hung up *adj inf*: **to be ~ (on** OR **about)** estar neura (por culpa de).

hunk [hʌŋk] *n* 1. *(large piece)* pedazo *m*, trozo *m*. 2. *inf (attractive man)* tío *m* bueno, macizo *m*.

hunt [hʌnt] ◇ *n* 1. *(of animals, birds)* caza *f*, cacería *f*. 2. *(for person, clue etc)* busca *f*, búsqueda *f*. ◇ *vi* 1. *(for animals, birds)* cazar. 2. *(for person, clue etc)*: **to ~ (for sthg)** buscar (algo). ◇ *vt* 1. *(animals, birds)* cazar. 2. *(person)* perseguir.

hunter ['hʌntər] *n (of animals, birds)* cazador *m*, -ra *f*.

hunting ['hʌntɪŋ] *n* 1. *(of animals)* caza *f*; **to go ~** ir de caza OR cacería. 2. *Br (of foxes)* caza *f* del zorro.

hurdle ['hɜ:rdl] ◇ *n* 1. *(in race)* valla *f*. 2. *(obstacle)* obstáculo *m*. ◇ *vt* saltar.

hurl [hɜ:rl] *vt* 1. *(throw)* lanzar, arrojar. 2. *(shout)* proferir, soltar.

hurray [ʊ'reɪ] *excl* ¡hurra!

hurricane [*Am* 'hɜ:rəkeɪn, *Br* 'hʌrɪkən] *n* huracán *m*.

hurried [*Am* 'hɜ:rɪd, *Br* hʌ-] *adj (hasty)* apresurado(da).

hurriedly [*Am* 'hɜ:rɪdlɪ, *Br* hʌr-] *adv* apresuradamente, precipitadamente.

hurry [*Am* 'hɜ:rɪ, *Br* hʌrɪ] ◇ *vt (person)* meter prisa a; *(work, speech)* apresurar. ◇ *vi*: **to ~ (to do sthg)** apresurarse (a hacer algo). ◇ *n* prisa *f*; **to be in a ~** tener prisa; **to do sthg in a ~** hacer algo de prisa OR apresuradamente. ◆ **hurry up** vi darse prisa.

hurt [hɜːt] (pt & pp hurt) ◇ vt 1. (physically - person) hacer daño a; (- one's leg, arm) hacerse daño en. 2. (emotionally) herir. 3. (harm) perjudicar. ◇ vi 1. (gen) doler; **my head ~s** me duele la cabeza. 2. (cause physical pain, do harm) hacer daño. ◇ adj 1. (injured) herido(da). 2. (offended) dolido(da).

hurtful ['hɜːtfl] adj hiriente.

hurtle ['hɜːtl] vi: **to ~ past** pasar como un rayo.

husband ['hʌzbənd] n marido m.

hush [hʌʃ] ◇ n silencio m. ◇ excl ¡silencio!, ¡a callar!

husk [hʌsk] n (of seed, grain) cáscara f.

husky ['hʌski] ◇ adj (hoarse) ronco(ca). ◇ n (perro m) samoyedo m, perro m esquimal.

hustle ['hʌsl] ◇ vt (hurry) meter prisa a. ◇ n: **~ (and bustle)** bullicio m, ajetreo m.

hut [hʌt] n 1. (rough house) cabaña f, choza f. 2. (shed) cobertizo m.

hutch [hʌtʃ] n conejera f.

hyacinth ['haɪəsɪnθ] n jacinto m.

hydrant ['haɪdrənt] n boca f de riego; (for fire) boca f de incendio.

hydraulic [haɪ'drɔːlɪk] adj hidráulico(ca).

hydroelectric [ˌhaɪdrəʊɪ'lektrɪk] adj hidroeléctrico(ca).

hydrofoil ['haɪdrəfɔɪl] n embarcación f con hidroala.

hydrogen ['haɪdrədʒən] n hidrógeno m.

hyena [haɪ'iːnə] n hiena f.

hygiene ['haɪdʒiːn] n higiene f.

hygienic [Am ˌhaɪdʒɪ'enɪk, Br haɪ'dʒiːn-] adj higiénico(ca).

hymn [hɪm] n himno m.

hype [haɪp] n inf bombo m, publicidad f exagerada.

hyperactive [ˌhaɪpər'æktɪv] adj hiperactivo(va).

hypermarket ['haɪpərmɑːrkət] n hipermercado m.

hyphen ['haɪfn] n guión m.

hypnosis [hɪp'nəʊsəs] n hipnosis f inv.

hypnotic [hɪp'nɒtɪk] adj hipnótico(ca).

hypnotize ['hɪpnətaɪz] vt hipnotizar.

hypochondriac [ˌhaɪpə'kɒndriæk] n hipocondríaco m, -ca f.

hypocrisy [hɪ'pɒkrəsi] n hipocresía f.

hypocrite ['hɪpəkrɪt] n hipócrita m y f.

hypocritical [ˌhɪpə'krɪtɪkl] adj hipócrita.

hypothesis [haɪ'pɒθəsəs] (pl -theses [-θɪsiːz]) n hipótesis f inv.

hypothetical [ˌhaɪpə'θetɪkl] adj hipotético(ca).

hysteria [hɪ'stɪərɪə] n histeria f.

hysterical [hɪ'sterɪkl] adj 1. (frantic) histérico(ca). 2. inf (very funny) tronchante.

hysterics [hɪ'sterɪks] npl 1. (panic, excitement) histeria f, histerismo m. 2. inf (fits of laughter): **to be in ~** troncharse OR partirse de risa.

I

i (pl **i's** OR **is**), **I** (pl **I's** OR **Is**) [aɪ] n (letter) i f, I f.

I [aɪ] pers pron yo; **I'm happy** soy feliz; **I'm leaving** me voy; **she and ~ were at college together** ella y yo fuimos juntos a la universidad; **it is ~** fml soy yo; **I can't do it** yo no puedo hacer esto.

ice [aɪs] ◇ n 1. (frozen water) hielo m. 2. Br (ice cream) helado m. 3. (on road) hielo transparente en el suelo. ◇ vt glasear, alcorzar. ◆ **ice over, ice up** vi helarse.

iceberg ['aɪsbɜːrg] n iceberg m.

iceberg lettuce n lechuga f iceberg.

icebox ['aɪsbɒks] n 1. Am (refrigerator) refrigerador m, heladera f CSur, frigorífico m Esp. 2. Br (in refrigerator) congelador m.

ice cream n helado m.

ice cube n cubito m de hielo.

ice hockey n hockey m sobre hielo.

Iceland ['aɪslənd] n Islandia.

Icelandic [aɪs'lændɪk] ◇ adj islandés (esa). ◇ n (language) islandés m.

ice lolly n Br polo m.

ice rink n pista f de (patinaje sobre) hielo.

ice skate n patín m de cuchilla. ◆ **ice-skate** vi patinar sobre hielo.

ice-skating n patinaje m sobre hielo.

icicle ['aɪsɪkl] n carámbano m.

icing ['aɪsɪŋ] n glaseado m.

icing sugar n Br azúcar m glas.

icon ['aɪkɒn] n (COMPUT & RELIG) icono m.

icy ['aɪsɪ] *adj* 1. *(gen)* helado(da). 2. *fig (unfriendly)* glacial.

I'd [aɪd] = I would, I had.

ID *n* (U) *(abbr of* identification) = DNI *m*.

idea [aɪ'dɪə] *n* 1. *(gen)* idea *f*; to have no ~ no tener ni idea; to get the ~ *inf* captar la idea, hacerse una idea. 2. *(intuition, feeling)* sensación *f*, impresión *f*; to have an ~ (that) ... tener la sensación de que ...

ideal [aɪ'dɪəl] ◇ *adj*: ~ (for) ideal (para). ◇ *n* ideal *m*.

ideally [aɪ'dɪəlɪ] *adv* 1. *(perfectly)* idealmente; *(suited)* perfectamente. 2. *(preferably)* a ser posible.

identical [aɪ'dentɪkl] *adj* idéntico (ca).

identification [aɪ,dentəfɪ'keɪʃn] *n* 1. *(gen)*: ~ (with) identificación *f* (con). 2. *(documentation)* documentación *f*.

identify [aɪ'dentəfaɪ] ◇ *vt* identificar; to ~ sb with sthg relacionar a alguien con algo. ◇ *vi*: to ~ with sb/sthg identificarse con alguien/algo.

Identikit picture® [aɪ'dentɪkɪt-] *n* fotorrobot *f*.

identity [aɪ'dentətɪ] *n* identidad *f*.

identity card *n* carné *m* OR documento *m* de identidad, cédula *f* (de identidad) *CSur*.

identity parade *n* rueda *f* de identificación.

ideology [,aɪdɪ'ɒlədʒɪ] *n* ideología *f*.

idiom ['ɪdɪəm] *n* 1. *(phrase)* locución *f*, modismo *m*. 2. *fml (style)* lenguaje *m*.

idiomatic [,ɪdɪə'mætɪk] *adj* idiomático (ca).

idiosyncrasy [,ɪdɪə'sɪŋkrəsɪ] *n* rareza *f*, manía *f*.

idiot ['ɪdɪət] *n (fool)* idiota *m y f*.

idiotic [,ɪdɪ'ɒtɪk] *adj* idiota.

idle ['aɪdl] ◇ *adj* 1. *(lazy)* perezoso(sa), vago(ga). 2. *(not working - machine, factory)* parado(da); *(- person)* desocupado(da), sin trabajo. 3. *(rumour)* infundado (da); *(threat, boast)* vano(na); *(curiosity)* que no viene a cuento. ◇ *vi* estar en punto muerto. ◆ **idle away** *vt sep* desperdiciar.

idol ['aɪdl] *n* ídolo *m*.

idolize ['aɪdəlaɪz] *vt* idolatrar.

idyllic [*Am* aɪ'dɪlɪk, *Br* ɪ'dɪlɪk] *adj* idílico (ca).

i.e. *(abbr of* id est) i.e.

if [ɪf] *conj* 1. *(gen)* si; ~ I were you yo que tú, yo en tu lugar. 2. *(though)* aunque. ◆ **if not** *conj* por no decir. ◆ **if only** ◇ *conj* 1. *(naming a reason)* aunque sólo sea. 2. *(expressing regret)* si; ~ only I'd been quicker! ¡ojalá hubiera sido más rápido! ◇ *excl* ¡ojalá!

igloo ['ɪgluː] *(pl* -s) *n* iglú *m*.

ignite [ɪg'naɪt] ◇ *vt* encender. ◇ *vi* encenderse.

ignition [ɪg'nɪʃn] *n* 1. *(act of igniting)* ignición *f*. 2. *(in car)* encendido *m*; to switch on the ~ arrancar (el motor).

ignition key *n* llave *f* de contacto.

ignorance ['ɪgnərəns] *n* ignorancia *f*.

ignorant ['ɪgnərənt] *adj* 1. *(uneducated, rude)* ignorante. 2. *fml (unaware)*: to be ~ of sthg ignorar algo.

ignore [ɪg'nɔːr] *vt (take no notice of)* no hacer caso de, ignorar.

ill [ɪl] ◇ *adj* 1. *(unwell)* enfermo(ma); to feel ~ encontrarse mal; to be taken OR to fall ~ caer OR ponerse enfermo. 2. *(bad)* malo(la). ◇ *adv* 1. *(badly)* mal. 2. *fml (unfavourably)*: to speak/think ~ of sb hablar/pensar mal de alguien.

I'll [aɪl] = I will, I shall.

ill-advised [-əd'vaɪzd] *adj (action)* poco aconsejable; *(person)* imprudente.

ill at ease *adj* incómodo(da), violento (ta).

illegal [ɪ'liːgl] *adj* ilegal.

illegible [ɪ'ledʒəbl] *adj* ilegible.

illegitimate [,ɪlə'dʒɪtəmət] *adj* ilegítimo(ma).

ill-equipped [-ɪ'kwɪpt] *adj*: to be ~ to do sthg estar mal preparado(da) para hacer algo.

ill-fated [-'feɪtəd] *adj* desafortunado (da).

ill feeling *n* resentimiento *m*.

ill health *n* mala salud *f*.

illicit [ɪ'lɪsət] *adj* ilícito(ta).

illiteracy [ɪ'lɪtərəsɪ] *n* analfabetismo *m*.

illiterate [ɪ'lɪtərət] ◇ *adj* analfabeto (ta). ◇ *n* analfabeto *m*, -ta *f*.

illness ['ɪlnəs] *n* enfermedad *f*.

illogical [ɪ'lɒdʒɪkl] *adj* ilógico(ca).

ill-timed [-'taɪmd] *adj* inoportuno(na).

ill-treat *vt* maltratar.

illuminate [ɪ'luːmɪneɪt] *vt* 1. *(light up)* iluminar. 2. *(explain)* ilustrar, aclarar.

illumination [ɪ,luːmɪ'neɪʃn] *n (lighting)* alumbrado *m*, iluminación *f*. ◆ **illuminations** *npl Br* iluminaciones *fpl*, alumbrado *m* decorativo.

illusion [ɪ'luːʒn] *n* 1. *(gen)* ilusión *f*; to

be under the ~ that creer equivocadamente que. **2.** *(magic trick)* truco *m* de
ilusionismo.
illustrate ['ɪləstreɪt] *vt* ilustrar.
illustration [,ɪlə'streɪʃn] *n* ilustración
f.
illustrious [ɪ'lʌstrɪəs] *adj fml* ilustre.
ill will *n* rencor *m*, animadversión *f.*
I'm [aɪm] **= I am.**
image ['ɪmɪdʒ] *n* imagen *f.*
imagery ['ɪmɪdʒerɪ] *n (U)* imágenes
fpl.
imaginary [*Am* ɪ'mædʒənerɪ, *Br* -ɪnrɪ]
adj imaginario(ria).
imagination [ɪ,mædʒɪ'neɪʃn] *n* imaginación *f.*
imaginative [ɪ'mædʒənətɪv] *adj* imagi-
nativo(va).
imagine [ɪ'mædʒɪn] *vt* **1.** *(gen)* imaginar; **~ never having to work!** ¡imagina
que nunca tuvieras que trabajar!; **~
(that)!** ¡imagínate! **2.** *(suppose)*: **to ~
(that)** imaginarse que.
imbalance [,ɪm'bæləns] *n* desequilibrio
m.
imbecile [*Am* 'ɪmbəsl, *Br* -siːl] *n* imbécil
m y f.
IMF *(abbr of* **International Monetary
Fund)** *n* FMI *m.*
imitate ['ɪmɪteɪt] *vt* imitar.
imitation [,ɪmɪ'teɪʃn] ◇ *n* imitación *f.*
◇ *adj* de imitación.
immaculate [ɪ'mækjələt] *adj* **1.** *(clean
and tidy)* inmaculado(da); *(taste)* exqui-
sito(ta). **2.** *(impeccable)* impecable.
immaterial [,ɪmə'tɪərɪəl] *adj (irrelevant,
unimportant)* irrelevante.
immature [,ɪmə'tjʊər] *adj* inmaduro
(ra); *(animal)* joven.
immediate [ɪ'miːdjət] *adj* **1.** *(gen)* in-
mediato(ta); **in the ~ future** en el futuro más cercano. **2.** *(family)* directo
(ta).
immediately [ɪ'miːdjətlɪ] ◇ *adv* **1.** *(at
once)* inmediatamente. **2.** *(directly)* directamente. ◇ *conj* en cuanto.
immense [ɪ'mens] *adj* inmenso(sa).
immerse [ɪ'mɜːrs] *vt* **1.** *(plunge)*: **to ~
sth in sth** sumergir algo en algo.
2. *(involve)*: **to ~ o.s. in** enfrascarse
en.
immersion heater [ɪ'mɜːrʒn-] *n*
calentador *m* de inmersión.
immigrant ['ɪmɪgrənt] *n* inmigrante *m
y f.*
immigration [,ɪmɪ'greɪʃn] *n* inmigración *f.*
imminent ['ɪmɪnənt] *adj* inminente.

immobilize [ɪ'məʊbɪlaɪz] *vt* inmovilizar.
immoral [ɪ'mɒrəl] *adj* inmoral.
immortal [ɪ'mɔːrtl] *adj* inmortal.
immortalize [ɪ'mɔːrtlaɪz] *vt* inmortalizar.
immovable [ɪ'muːvəbl] *adj* **1.** *(fixed)*
fijo(ja), inamovible. **2.** *(determined, decided)* inconmovible, inflexible.
immune [ɪ'mjuːn] *adj* **1.** *(gen & MED)*: **~
(to)** inmune (a). **2.** *(exempt)*: **~ (from)**
exento(ta) (de).
immunity [ɪ'mjuːnətɪ] *n* **1.** *(gen &
MED)*: **~ (to)** inmunidad *f* (a). **2.** *(exemption)*: **~ (from)** exención *f* (de).
immunize [*Am* 'ɪmjənaɪz, *Br* -jʊnaɪz]
vt: **to ~ sb (against sth)** inmunizar a
alguien (contra algo).
imp [ɪmp] *n* **1.** *(creature)* duendecillo *m.*
2. *(naughty child)* diablillo *m.*
impact [*n* 'ɪmpækt, *vb* ɪm'pækt] ◇ *n*
impacto *m*; **to make an ~ on** OR **upon**
causar impacto en. ◇ *vt (influence)* influenciar.
impair [ɪm'peər] *vt (sight, hearing)*
dañar, debilitar; *(ability, efficiency)* mermar; *(movement)* entorpecer.
impart [ɪm'pɑːrt] *vt fml* **1.** *(information)*:
to ~ sth (to sb) comunicar algo (a
alguien). **2.** *(feeling, quality)*: **to ~ sth
(to sth)** conferir algo (a algo).
impartial [ɪm'pɑːrʃl] *adj* imparcial.
impassable [*Am* ɪm'pæsəbl, *Br* -'pɑːs-]
adj intransitable, impracticable.
impasse [*Am* 'ɪmpæs, *Br* æm'pɑːs] *n*
impasse *m*, callejón *m* sin salida.
impassive [ɪm'pæsɪv] *adj* impasible.
impatience [ɪm'peɪʃns] *n* impaciencia
f.
impatient [ɪm'peɪʃnt] *adj* impaciente;
to be ~ to do sth estar impaciente por
hacer algo; **to be ~ for sth** esperar algo
con impaciencia.
impeccable [ɪm'pekəbl] *adj* impecable.
impede [ɪm'piːd] *vt* dificultar.
impediment [ɪm'pedɪmənt] *n* **1.** *(obstacle)* impedimento *m*, obstáculo *m.*
2. *(disability)* defecto *m.*
impel [ɪm'pel] *vt*: **to ~ sb to do sth**
impulsar OR impeler a alguien a hacer
algo.
impending [ɪm'pendɪŋ] *adj* inminente.
imperative [ɪm'perətɪv] ◇ *adj (essential)* apremiante. ◇ *n* imperativo *m.*
imperfect [ɪm'pɜːrfɪkt] ◇ *adj (not perfect)* imperfecto(ta). ◇ *n (GRAMM)*: **~
(tense)** (pretérito *m*) imperfecto *m.*

imperial [ɪmˈpɪərɪəl] *adj* **1.** *(of an empire or emperor)* imperial. **2.** *(system of measurement)*: **~ system** sistema anglosajón de medidas.

IMPERIAL

El sistema anglosajón de pesas y medidas, llamado *imperial*, se basa en la libra, el galón y la yarda. En estados Unidos se utiliza para todo, salvo en el ámbito científico. Los norteamericanos emplean la libra para referirse a su peso corporal y las millas para calcular las distancias.

En Gran Bretaña este sistema ha sido reemplazado oficialmente por el sistema métrico basado en el gramo, el litro y el metro. No obstante, mucha gente todavía usa los términos antiguos y mide su peso en *stones* (una *stone* equivale a 6.35 kilos) y libras. Las distancias en los mapas aparecen aún expresadas en millas y kilómetros.

El sistema anglosajón registra variaciones entre las pintas y los galones de los Estados Unidos y la Gran Bretaña (las cantidades británicas son aproximadamente un 20% mayores).

---

imperialism [ɪmˈpɪərɪəlɪzm] *n* imperialismo *m*.

impersonal [ɪmˈpɜːrsənəl] *adj* impersonal.

impersonate [ɪmˈpɜːrsəneɪt] *vt* *(gen)* hacerse pasar por; (THEATRE) imitar.

impertinent [ɪmˈpɜːrtɪnənt] *adj* impertinente, insolente.

impervious [ɪmˈpɜːrvjəs] *adj* *(not influenced)*: **~ to** insensible a.

impetuous [ɪmˈpetʃʊəs] *adj* impetuoso(sa), irreflexivo(va).

impetus [ˈɪmpɪtəs] *n* (U) **1.** *(momentum)* ímpetu *m*. **2.** *(stimulus)* incentivo *m*, impulso *m*.

impinge [ɪmˈpɪndʒ] *vi*: **to ~ on sthg/sb** afectar algo/a alguien.

implant [*n* Am ˈɪmplænt, Br -plɑːnt, *vb* Am ɪmˈplænt, Br -plɑːnt] ◇ *n* injerto *m*. ◇ *vt* **1.** *(fix - idea etc)*: **to ~ sthg in** OR **into** inculcar algo en. **2.** (MED): **to ~ sthg in** OR **into** implantar algo en.

implausible [ɪmˈplɔːzəbl] *adj* inverosímil.

implement [*n* ˈɪmpləmənt, *vb* ˈɪmpləmənt] ◇ *n* herramienta *f*. ◇ *vt* llevar a cabo, poner en práctica.

implication [ˌɪmplɪˈkeɪʃn] *n* **1.** *(involvement)* implicación *f*. **2.** *(inference)* consecuencia *f*; **by ~** de forma indirecta.

implicit [ɪmˈplɪsət] *adj* **1.** *(gen)*: **~ (in)** implícito(ta) (en). **2.** *(complete - belief)* absoluto(ta); *(- faith)* incondicional.

implore [ɪmˈplɔːr] *vt*: **to ~ sb (to do sthg)** suplicar a alguien (que haga algo).

imply [ɪmˈplaɪ] *vt* **1.** *(suggest)* insinuar, dar a entender. **2.** *(involve)* implicar, suponer.

impolite [ˌɪmpəˈlaɪt] *adj* maleducado (da), descortés.

import [*n* ˈɪmpɔːt, *vb* ɪmˈpɔːt] ◇ *n* *(act of importing, product)* importación *f*. ◇ *vt lit & fig* importar.

importance [ɪmˈpɔːtns] *n* importancia *f*.

important [ɪmˈpɔːtnt] *adj*: **~ (to)** importante (para); **it's not ~** no importa.

importer [ɪmˈpɔːtər] *n* importador *m*, -ra *f*.

impose [ɪmˈpəʊz] ◇ *vt*: **to ~ sthg (on)** imponer algo (a). ◇ *vi*: **to ~ (on)** abusar (de), molestar (a).

imposing [ɪmˈpəʊzɪŋ] *adj* imponente, impresionante.

imposition [ˌɪmpəˈzɪʃn] *n* **1.** *(enforcement)* imposición *f*. **2.** *(cause of trouble)* molestia *f*.

impossible [ɪmˈpɒsəbl] *adj* **1.** *(gen)* imposible. **2.** *(person, behaviour)* inaguantable, insufrible.

impostor, imposter Am [ɪmˈpɒstər] *n* impostor *m*, -ra *f*.

impotent [ˈɪmpətənt] *adj* impotente.

impound [ɪmˈpaʊnd] *vt* incautarse.

impoverished [ɪmˈpɒvərɪʃt] *adj* empobrecido(da).

impracticable [ɪmˈpræktɪkəbl] *adj* impracticable, irrealizable.

impractical [ɪmˈpræktɪkl] *adj* poco práctico(ca).

impregnable [ɪmˈpregnəbl] *adj lit & fig* inexpugnable, impenetrable.

impregnate [ˈɪmpregneɪt] *vt* **1.** *(introduce substance into)*: **to ~ sthg (with)** impregnar OR empapar algo (de). **2.** *fml (fertilize)* fecundar.

impress [ɪmˈpres] *vt* **1.** *(produce admiration in)* impresionar. **2.** *(stress)*: **to ~ sthg on sb** hacer comprender a alguien la importancia de algo.

impression [ɪmˈpreʃn] *n* **1.** *(gen)* impresión *f*; **to make an ~** impresionar; **to make a good/bad ~** causar una buena/mala impresión; **to be under the ~ that** tener la impresión de que. **2.** *(imitation)* imitación *f*.

impressive [ɪmˈpresɪv] *adj* impresionante.

imprison [ɪmˈprɪzn] vt encarcelar.

improbable [ɪmˈprɒbəbl] adj (event) improbable; (story, excuse) inverosímil; (clothes, hat) estrafalario(ria); (contraption) extraño(ña).

impromptu [ɪmˈprɒmptjuː] adj improvisado(da).

improper [ɪmˈprɒpəʳ] adj 1. (unsuitable) impropio(pia). 2. (incorrect, illegal) indebido(da). 3. (rude) indecoroso(sa).

improve [ɪmˈpruːv] ◇ vi mejorar, mejorarse; **to ~ on** OR **upon sthg** mejorar algo. ◇ vt mejorar.

improvement [ɪmˈpruːvmənt] n 1. (gen): **~ (in/on)** mejora f (en/con respecto a). 2. (to home) reforma f.

improvise [ˈɪmprəvaɪz] vt & vi improvisar.

impudent [ˈɪmpjədənt] adj insolente.

impulse [ˈɪmpʌls] n impulso m; **on ~** sin pensar.

impulsive [ɪmˈpʌlsɪv] adj impulsivo(va), irreflexivo(va).

impunity [ɪmˈpjuːnətɪ] n: **with ~** impunemente.

impurity [ɪmˈpjʊərətɪ] n impureza f.

in [ɪn] ◇ prep 1. (indicating place, position) en; **~ a box/the garden/the lake** en una caja/el jardín/el lago; **~ Paris/Belgium/the country** en París/Bélgica/el campo; **~ here/there** aquí/allí dentro. 2. (wearing) con; **she was still ~ her nightclothes** todavía llevaba su vestido de noche. 3. (at a particular time): **at four o'clock ~ the morning/afternoon** a las cuatro de la mañana/tarde; **~ the morning** por la mañana; **~ 1992/May/the spring** en 1992/mayo/primavera. 4. (within) en; **he learned to type ~ two weeks** aprendió a escribir a máquina en dos semanas; **I'll be ready ~ five minutes** estoy listo en cinco minutos. 5. (during) desde hace; **it's my first decent meal ~ weeks** es lo primero decente que como desde hace OR en semanas. 6. (indicating situation, circumstances): **~ danger/difficulty** en peligro/dificultades; **~ the sun** al sol; **~ the rain** bajo la lluvia; **a rise ~ prices** un aumento de los precios. 7. (indicating manner, condition) en; **~ a loud/soft voice** en voz alta/baja; **~ pencil/ink** a lápiz/bolígrafo. 8. (indicating emotional state) con; **~ anger/joy** con enfado/alegría. 9. (specifying area of activity): **advances ~ medicine** avances en la medicina; **he's ~ computers** está metido en informática. 10. (with numbers - showing quantity, age): **~ large/small quantities** en gran-des/pequeñas cantidades; **~ (their) thousands** a OR por millares; **she's ~ her sixties** andará por los sesenta. 11. (describing arrangement): **~ a line/circle** en línea/círculo; **to stand ~ twos** estar en pares OR parejas. 12. (as regards) en; **these matters** en estos temas; **two metres ~ length/width** dos metros de largo/ancho; **a change ~ direction** un cambio de dirección. 13. (in ratios): **one ~ ten** uno de cada diez; **five pence ~ the pound** cinco peniques por libra. 14. (after superl) de; **the best ~ the world** el mejor del mundo. 15. (+ present participle): **~ doing sthg** al hacer algo. ◇ adv 1. (inside) dentro; **to jump ~** saltar adentro; **do come ~** pasa por favor. 2. (at home, work): **is Judith ~?** ¿está Judith?; **I'm staying ~ tonight** esta noche no salgo. 3. (of train, boat, plane): **is the train ~ yet?** ¿ha llegado el tren? 4. (of tide): **the tide's ~** la marea está alta. 5. phr: **you're ~ for a surprise** te vas a llevar una sorpresa; **to have it ~ for sb** tenerla tomada con alguien. ◇ adj inf de moda. ◆ **ins** npl: **the ~s and outs** los detalles, los pormenores.

•Ver **AT**.

---

in. abbr of **inch**.

inability [ˌɪnəˈbɪlətɪ] n: **~ (to do sthg)** incapacidad f (de hacer algo).

inaccessible [ˌɪnəkˈsesəbl] adj inaccesible.

inaccurate [ɪnˈækjərət] adj incorrecto(ta), inexacto(ta).

inadequate [ɪnˈædɪkwət] adj 1. (insufficient) insuficiente. 2. (person) incapaz.

inadvertently [ˌɪnədˈvɜːʳtntlɪ] adv sin querer, accidentalmente.

inanimate [ɪnˈænɪmət] adj inanimado(da).

inappropriate [ˌɪnəˈprəʊprɪət] adj (remark, clothing) impropio(pia); (time) inoportuno(na).

inarticulate [ˌɪnɑːʳˈtɪkjələt] adj (person) incapaz de expresarse; (speech, explanation) mal pronunciado(da) OR expresado(da).

inasmuch [ˌɪnəzˈmʌtʃ] ◆ **inasmuch as** conj en la medida en que.

inaudible [ɪnˈɔːdəbl] adj inaudible.

inauguration [ɪˌnɔːgjəˈreɪʃn] n 1. (of leader, president) investidura f. 2. (of building, system) inauguración f.

in-between adj intermedio(dia).

inborn [ˌɪnˈbɔːʳn] adj innato(ta).

inbound [ˈɪnbaʊnd] adj Am que se aproxima.

inbred [,ɪn'bred] *adj* 1. *(closely related)* endogámico(ca). 2. *(inborn)* innato(ta).

inbuilt [,ɪn'bɪlt] *adj (in person)* innato (ta); *(in thing)* inherente.

inc. *(abbr of* inclusive) inclus.

Inc. [ɪŋk] *(abbr of* incorporated) ≃ S.A.

incapable [ɪn'keɪpəbl] *adj* 1. *(unable):* to be ~ of sthg/of doing sthg ser incapaz de algo/de hacer algo. 2. *(useless)* incompetente.

incapacitated [,ɪnkə'pæsɪteɪtəd] *adj* incapacitado(da).

incarnation [,ɪnkɑːʳneɪʃn] *n* 1. *(personification)* personificación *f*. 2. *(existence)* encarnación *f*.

incendiary device [*Am* ɪn'sendɪərɪ-, *Br* -ɪərɪ-] *n* artefacto *m* incendiario.

incense [*n* 'ɪnsens, *vb* ɪn'sens] ◇ *n* incienso *m*. ◇ *vt* sulfurar, indignar.

incentive [ɪn'sentɪv] *n* incentivo *m*.

incentive scheme *n* plan *m* de incentivos.

incessant [ɪn'sesnt] *adj* incesante, constante.

incessantly [ɪn'sesntlɪ] *adv* incesantemente, constantemente.

incest ['ɪnsest] *n* incesto *m*.

inch [ɪntʃ] ◇ *n* = 2,5 *cm*, pulgada *f*. ◇ *vi* avanzar poco a poco.

incidence ['ɪnsədəns] *n (of disease, theft)* índice *m*.

incident ['ɪnsədənt] *n* incidente *m*, suceso *m*.

incidental [,ɪnsɪ'dentl] *adj* accesorio (ria).

incidentally [,ɪnsɪ'dentlɪ] *adv* por cierto, a propósito.

incinerate [ɪn'sɪnəreɪt] *vt* incinerar.

incisive [ɪn'saɪsɪv] *adj (comment, person)* incisivo(va); *(mind)* penetrante.

incite [ɪn'saɪt] *vt* incitar, provocar; to ~ sb to do sthg incitar a alguien a que haga algo.

inclination [,ɪnklɪ'neɪʃn] *n* 1. *(U) (liking, preference)* inclinación *f*, propensión *f*. 2. *(tendency):* ~ to do sthg tendencia *f* a hacer algo.

incline [*n* 'ɪnklaɪn, *vb* ɪn'klaɪn] ◇ *n* pendiente *f*. ◇ *vt (head)* inclinar, ladear.

inclined [ɪn'klaɪnd] *adj* 1. *(tending):* to be ~ to sthg ser propenso OR tener tendencia a algo; to be ~ to do sthg tener tendencia a hacer algo. 2. *fml (wanting):* to be ~ to do sthg estar dispuesto a hacer algo. 3. *(sloping)* inclinado(da).

include [ɪn'kluːd] *vt* 1. *(gen)* incluir. 2. *(with letter)* adjuntar.

included [ɪn'kluːdəd] *adj* incluido(da).

including [ɪn'kluːdɪŋ] *prep* inclusive; six died, ~ a child seis murieron, incluido un niño.

inclusive [ɪn'kluːsɪv] *adj* 1. *(including everything)* inclusivo(va); one to nine ~ uno a nueve inclusive. 2. *(including all costs):* ~ of VAT con el IVA incluido; £150 ~ 150 libras todo incluido.

incoherent [,ɪnkəʊ'hɪərənt] *adj* incoherente, ininteligible.

income ['ɪnkʌm] *n (gen)* ingresos *mpl*; *(from property)* renta *f*; *(from investment)* réditos *mpl*.

income support *n (U) Br* subsidio para personas con muy bajos ingresos o desempleados sin derecho a subsidio de paro, ≃ salario *m* social.

income tax *n* impuesto *m* sobre la renta.

incompatible [,ɪnkəm'pætəbl] *adj:* ~ (with) incompatible (con).

incompetent [ɪn'kɒmpətənt] *adj* incompetente, incapaz.

incomplete [,ɪnkəm'pliːt] *adj* incompleto(ta).

incomprehensible [ɪn,kɒmprɪ'hensəbl] *adj* incomprensible.

inconceivable [,ɪnkən'siːvəbl] *adj* inconcebible.

inconclusive [,ɪnkən'kluːsɪv] *adj (evidence, argument)* poco convincente; *(meeting, outcome)* sin conclusión clara.

incongruous [ɪn'kɒŋgruəs] *adj* incongruente.

inconsiderate [,ɪnkən'sɪdərət] *adj* desconsiderado(da).

inconsistency [,ɪnkən'sɪstənsɪ] *n* 1. *(between theory and practice)* inconsecuencia *f*; *(between statements etc)* falta *f* de correspondencia. 2. *(contradictory point)* contradicción *f*.

inconsistent [,ɪnkən'sɪstənt] *adj* 1. *(translation, statement):* ~ (with) falto (ta) de correspondencia (con). 2. *(group, government, person)* inconsecuente. 3. *(erratic)* irregular, desigual.

inconspicuous [,ɪnkən'spɪkjuəs] *adj* discreto(ta).

inconvenience [,ɪnkən'viːnjəns] ◇ *n* 1. *(difficulty, discomfort)* molestia *f*, incomodidad *f*. 2. *(inconvenient thing)* inconveniente *m*. ◇ *vt* incomodar.

inconvenient [,ɪnkən'viːnjənt] *adj (time)* inoportuno(na); *(position)* incómodo(da); that date is ~ esa fecha no me viene bien.

incorporate [ɪn'kɔːʳpəreɪt] *vt* 1. *(integrate):* to ~ sthg/sb (in), to ~ sthg/sb (into) incorporar algo/a alguien (en).

2. *(include)* incluir, comprender.

incorporated [ɪnˈkɔːrpəreɪtəd] *adj* (COMM): ~ **company** sociedad *f* anónima.

incorrect [ˌɪnkəˈrekt] *adj* incorrecto (ta).

incorrigible [ɪnˈkɒrɪdʒəbl] *adj* incorregible.

increase [*n* ˈɪŋkriːs, *vb* ɪŋˈkriːs] ◇ *n*: ~ **(in)** *(gen)* aumento *m* (de); *(in price)* subida *f* (de); **to be on the** ~ ir en aumento. ◇ *vt* aumentar, incrementar. ◇ *vi (gen)* aumentar, aumentarse; *(price)* subir.

increasing [ɪŋˈkriːsɪŋ] *adj* creciente.

increasingly [ɪŋˈkriːsɪŋlɪ] *adv* cada vez más.

incredible [ɪnˈkredəbl] *adj* increíble.

incredulous [ɪnˈkredʒələs] *adj* incrédulo(la).

increment [ˈɪŋkrəmənt] *n* incremento *m*.

incriminating [ɪnˈkrɪmɪneɪtɪŋ] *adj* incriminatorio(ria).

incubator [ˈɪŋkjəbeɪtər] *n (for baby)* incubadora *f*.

incur [ɪnˈkɜːr] *vt (wrath, criticism)* incurrir en, atraerse; *(loss)* contraer; *(expenses)* incurrir en.

indebted [ɪnˈdetəd] *adj* **1.** *(grateful)*: ~ **(to)** agradecido(da) (a). **2.** *(owing money)*: ~ **(to)** en deuda (con).

indecent [ɪnˈdiːsnt] *adj* **1.** *(improper)* indecente. **2.** *(unreasonable, excessive)* desmedido(da).

indecent assault *n* atentado *m* contra el pudor.

indecent exposure *n* exhibicionismo *m*.

indecisive [ˌɪndɪˈsaɪsɪv] *adj* **1.** *(person)* indeciso(sa). **2.** *(result)* no decisivo(va).

indeed [ɪnˈdiːd] *adv* **1.** *(certainly)* ciertamente, realmente; **are you coming?** – **I am** ¿vienes tú? – por supuesto que sí. **2.** *(in fact)* de hecho. **3.** *(for emphasis)* realmente; **very big** ~ grandísimo; **very few** ~ poquísimos. **4.** *(to express surprise, disbelief)*: ~? ¿ah sí?

indefinite [ɪnˈdefənət] *adj* **1.** *(time, number)* indefinido(da). **2.** *(answer, opinion)* impreciso(sa).

indefinitely [ɪnˈdefənətlɪ] *adv* **1.** *(for unfixed period)* indefinidamente. **2.** *(imprecisely)* de forma imprecisa.

indemnity [ɪnˈdemnətɪ] *n* **1.** *(insurance)* indemnidad *f*. **2.** *(compensation)* indemnización *f*, compensación *f*.

indent [ɪnˈdent] *vt* **1.** *(dent)* mellar. **2.** *(text)* sangrar.

independence [ˌɪndɪˈpendəns] *n* independencia *f*.

Independence Day *n* fiesta del 4 de julio en Estados Unidos en conmemoración de la Declaración de Independencia de este país en 1776.

independent [ˌɪndɪˈpendənt] *adj*: ~ **(of)** independiente (de).

independent school *n* Br colegio *m* privado.

in-depth *adj* a fondo, exhaustivo(va).

indescribable [ˌɪndɪˈskraɪbəbl] *adj* indescriptible.

indestructible [ˌɪndɪˈstrʌktəbl] *adj* indestructible.

index [ˈɪndeks] *(pl* **-es** OR **indices)** *n* índice *m*.

index card *n* ficha *f*.

index finger *n* (dedo *m*) índice *m*.

index-linked [-lɪŋkt] *adj* ligado(da) al coste de la vida.

India [ˈɪndjə] *n* (la) India.

Indian [ˈɪndjən] ◇ *adj* **1.** *(from India)* hindú, indio(dia). **2.** *(from the Americas)* indio(dia). ◇ *n* **1.** *(from India)* hindú *m y f*, indio *m*, -dia *f*. **2.** *(from the Americas)* indio *m*, -dia *f*.

Indian Ocean *n*: **the** ~ el océano Índico.

indicate [ˈɪndɪkeɪt] ◇ *vt* indicar. ◇ *vi (when driving)*: **to** ~ **left/right** indicar a la izquierda/derecha.

indication [ˌɪndɪˈkeɪʃn] *n* **1.** *(suggestion, idea)* indicación *f*. **2.** *(sign)* indicio *m*.

indicative [ɪnˈdɪkətɪv] ◇ *adj*: ~ **of sthg** indicativo(va) de algo. ◇ *n* (GRAMM) indicativo *m*.

indicator [ˈɪndɪkeɪtər] *n* **1.** *(sign)* indicador *m*. **2.** *(on car)* intermitente *m*.

indices [ˈɪndɪsiːz] *pl* → **index**.

indict [ɪnˈdaɪt] *vt*: **to** ~ **sb (for)** acusar a alguien (de).

indictment [ɪnˈdaɪtmənt] *n* **1.** (JUR) acusación *f*. **2.** *(criticism)* crítica *f* severa.

indifference [ɪnˈdɪfrəns] *n* indiferencia *f*.

indifferent [ɪnˈdɪfrənt] *adj* **1.** *(uninterested)*: ~ **(to)** indiferente (a). **2.** *(mediocre)* ordinario(ria), mediocre.

indigenous [ɪnˈdɪdʒənəs] *adj* indígena.

indigestion [ˌɪndɪˈdʒestʃən] *n (U)* indigestión *f*.

indignant [ɪnˈdɪgnənt] *adj*: ~ **(at)** indignado(da) (por).

indignity [ɪnˈdɪgnətɪ] *n* indignidad *f*.

indigo [ˈɪndɪgəu] ◇ *adj* (color) añil. ◇ *n* añil *m*.

indirect [ˌɪndəˈrekt] *adj* indirecto(ta).

indiscreet [,ɪndɪ'skri:t] *adj* indiscreto (ta), imprudente.

indiscriminate [,ɪndɪ'skrɪmɪnət] *adj* indiscriminado(da).

indispensable [,ɪndɪ'spensəbl] *adj* indispensable, imprescindible.

indisputable [,ɪndɪ'spju:təbl] *adj* incuestionable.

indistinct [,ɪndɪ'stɪŋkt] *adj (memory)* confuso(sa); *(picture, marking)* borroso (sa).

individual [,ɪndɪ'vɪdʒʊəl] ◇ *adj* **1.** *(gen)* individual. **2.** *(tuition)* particular. **3.** *(approach, style)* personal. ◇ *n* individuo *m*.

individually [,ɪndɪ'vɪdʒʊəlɪ] *adv (separately)* individualmente, por separado.

indoctrination [ɪn,dɒktrɪ'neɪʃn] *n* adoctrinamiento *m*.

Indonesia [,ɪndə'ni:ʒə] *n* Indonesia.

indoor ['ɪndɔ:r] *adj (gen)* interior; *(shoes)* de andar por casa; *(plant)* de interior; *(sports)* en pista cubierta; **~ swimming pool** piscina *f* cubierta.

indoors [ɪn'dɔ:rz] *adv (gen)* dentro; *(at home)* en casa.

induce [ɪn'dju:s] *vt* **1.** *(persuade)*: **to ~ sb to do sthg** inducir OR persuadir a alguien a que haga algo. **2.** *(labor, sleep, anger)* provocar.

inducement [ɪn'dju:smənt] *n (incentive)* incentivo *m*, aliciente *m*.

induction [ɪn'dʌkʃn] *n* **1.** *(into official position)*: **~ into** introducción *f* OR inducción *f* a. **2.** (ELEC & MED) inducción *f*. **3.** *(introduction to job)* introducción *f*.

induction course *n* cursillo *m* introductorio.

indulge [ɪn'dʌldʒ] ◇ *vt* **1.** *(whim, passion)* satisfacer. **2.** *(child, person)* consentir. ◇ *vi*: **to ~ in sthg** permitirse algo.

indulgence [ɪn'dʌldʒəns] *n* **1.** *(act of indulging)* indulgencia *f*. **2.** *(special treat)* gratificación *f*, vicio *m*.

indulgent [ɪn'dʌldʒənt] *adj* indulgente.

industrial [ɪn'dʌstrɪəl] *adj* industrial.

industrial action *n* huelga *f*; **to take ~** declararse en huelga.

industrial estate *Br* = **industrial park**.

industrialist [ɪn'dʌstrɪələst] *n* industrial *m y f*.

industrial park *Am*, **industrial estate** *Br n* polígono *m* industrial.

industrial relations *npl* relaciones *fpl* laborales.

industrial revolution *n* revolución *f* industrial.

industrious [ɪn'dʌstrɪəs] *adj* diligente, trabajador(ra).

industry ['ɪndəstrɪ] *n* **1.** *(gen)* industria *f*. **2.** *(hard work)* laboriosidad *f*.

inedible [ɪn'edəbl] *adj* no comestible.

ineffective [,ɪnɪ'fektɪv] *adj* ineficaz, inútil.

ineffectual [,ɪnɪ'fektʃʊəl] *adj* ineficaz, inútil.

inefficiency [,ɪnɪ'fɪʃnsɪ] *n* ineficacia *f*.

inefficient [,ɪnɪ'fɪʃnt] *adj* ineficaz, ineficiente.

ineligible [ɪn'elɪdʒəbl] *adj*: **~ (for)** inelegible (para).

inept [ɪ'nept] *adj* inepto(ta); **~ at** incapaz para.

inequality [,ɪnɪ'kwɒlətɪ] *n* desigualdad *f*.

inert [ɪ'nɜ:t] *adj* inerte.

inertia [ɪ'nɜ:ʃə] *n* inercia *f*.

inescapable [,ɪnɪ'skeɪpəbl] *adj* ineludible.

inevitable [ɪn'evətəbl] *adj* inevitable.

inevitably [ɪn'evətəblɪ] *adv* inevitablemente.

inexcusable [,ɪnɪk'skju:zəbl] *adj* inexcusable, imperdonable.

inexhaustible [,ɪnɪg'zɔ:stəbl] *adj* inagotable.

inexpensive [,ɪnɪk'spensɪv] *adj* barato (ta), económico(ca).

inexperienced [,ɪnɪk'spɪərɪənst] *adj* inexperto(ta).

inexplicable [,ɪnɪk'splɪkəbl] *adj* inexplicable.

infallible [ɪn'fæləbl] *adj* infalible.

infamous ['ɪnfəməs] *adj* infame.

infancy ['ɪnfənsɪ] *n* primera infancia *f*.

infant ['ɪnfənt] *n* **1.** *(baby)* bebé *m*. **2.** *(young child)* niño pequeño *m*, niña pequeña *f*.

infantry ['ɪnfəntrɪ] *n* infantería *f*.

infant school *n Br* colegio *m* preescolar.

infatuated [ɪn'fætʃʊeɪtəd] *adj*: **~ (with)** encaprichado(da) (con).

infatuation [ɪn,fætʃʊ'eɪʃn] *n*: **~ (with)** encaprichamiento *m* (con).

infect [ɪn'fekt] *vt (wound)* infectar; *(person)*: **to ~ sb (with sthg)** contagiar a alguien (algo).

infection [ɪn'fekʃn] *n* **1.** *(disease)* infección *f*. **2.** *(spreading of germs)* contagio *m*.

infectious [ɪn'fekʃəs] *adj lit & fig* contagioso(sa).

infer [ɪn'fɜ:r] *vt* **1.** *(deduce)*: **to ~ (that)** deducir OR inferir que; **to ~ sthg (from sthg)** deducir OR inferir algo (de algo). **2.** *inf (imply)* insinuar, sugerir.

inferior [ɪnˈfɪərɪəʳ] ◇ *adj*: ~ **(to)** inferior (a). ◇ *n (in status)* inferior *m y f*.

inferiority [ɪnˌfɪərɪˈɒrətɪ] *n* inferioridad *f*.

inferiority complex *n* complejo *m* de inferioridad.

infertile [*Am* ɪnˈfɜrtl, *Br* -ˈfɜːtaɪl] *adj* estéril.

infested [ɪnˈfestəd] *adj*: ~ **with** infestado(da) de.

infighting [ˈɪnfaɪtɪŋ] *n (U)* disputas *fpl* internas.

infiltrate [*Am* ɪnˈfɪltreɪt, *Br* ˈɪnfɪltreɪt] *vt* infiltrar.

infinite [ˈɪnfɪnət] *adj* infinito(ta).

infinitive [ɪnˈfɪnɪtɪv] *n* infinitivo *m*.

infinity [ɪnˈfɪnətɪ] *n* **1.** (MATH) infinito *m*. **2.** *(incalculable number)*: **an ~ (of)** infinidad *f* (de).

infirm [ɪnˈfɜːm] ◇ *adj* achacoso(sa). ◇ *npl*: **the ~** los enfermos.

infirmary [ɪnˈfɜːmərɪ] *n* **1.** *(hospital)* hospital *m*. **2.** *(room)* enfermería *f*.

infirmity [ɪnˈfɜːmətɪ] *n* **1.** *(illness)* dolencia *f*. **2.** *(state)* enfermedad *f*.

inflamed [ɪnˈfleɪmd] *adj* (MED) inflamado(da).

inflammable [ɪnˈflæməbl] *adj (burning easily)* inflamable.

inflammation [ˌɪnfləˈmeɪʃn] *n* (MED) inflamación *f*.

inflatable [ɪnˈfleɪtəbl] *adj* inflable, hinchable.

inflate [ɪnˈfleɪt] *vt* **1.** *(gen)* inflar, hinchar. **2.** (ECON) inflar.

inflation [ɪnˈfleɪʃn] *n* (ECON) inflación *f*.

inflict [ɪnˈflɪkt] *vt*: **to ~ sthg on sb** infligir algo a alguien.

influence [ˈɪnfluəns] ◇ *n*: ~ **(on** OR **over sb)** influencia *f* (sobre alguien); ~ **(on sthg)** influencia (en algo); **under the ~ of** *(person, group)* bajo la influencia de; *(alcohol, drugs)* bajo los efectos de. ◇ *vt* influenciar.

influential [ˌɪnfluˈenʃl] *adj* influyente.

influenza [ˌɪnfluˈenzə] *n fml* gripe *f*.

influx [ˈɪnflʌks] *n* afluencia *f*.

inform [ɪnˈfɔːrm] *vt*: **to ~ sb (of/about sthg)** informar a alguien (de/sobre algo). ♦ **inform on** *vt fus* delatar.

informal [ɪnˈfɔːrml] *adj* informal; *(language)* familiar.

informant [ɪnˈfɔːrmənt] *n* **1.** *(informer)* delator *m*, -ra *f*. **2.** *(of researcher)* fuente *f* de información *(persona)*.

information [ˌɪnfərˈmeɪʃn] *n (U)*: ~ **(on** OR **about)** información *f* OR datos *mpl* (sobre); **a piece of ~** un dato; **for your ~**

para tu información.

information desk *n* (mostrador *m* de) información *f*.

information technology *n* informática *f*.

informative [ɪnˈfɔːrmətɪv] *adj* informativo(va).

informer [ɪnˈfɔːrməʳ] *n* delator *m*, -ra *f*.

infrared [ˌɪnfrəˈred] *adj* infrarrojo(ja).

infrastructure [ˈɪnfrəstrʌktʃəʳ] *n* infraestructura *f*.

infringe [ɪnˈfrɪndʒ] *vt* infringir, vulnerar.

infringement [ɪnˈfrɪndʒmənt] *n* violación *f*, transgresión *f*.

infuriating [ɪnˈfjʊərɪeɪtɪŋ] *adj* exasperante.

ingenious [ɪnˈdʒiːnjəs] *adj* ingenioso (sa), inventivo(va).

ingenuity [ˌɪndʒəˈnjuːətɪ] *n* ingenio *m*, inventiva *f*.

ingenuous [ɪnˈdʒenjuəs] *adj fml* ingenuo(nua).

ingrained [ˌɪnˈgreɪnd] *adj* **1.** *(ground in)* incrustado(da). **2.** *(deeply rooted)* arraigado(da).

ingratiating [ɪnˈgreɪʃɪeɪtɪŋ] *adj* obsequioso(sa), lisonjero(ra).

ingredient [ɪnˈgriːdjənt] *n* ingrediente *m*.

inhabit [ɪnˈhæbət] *vt* habitar.

inhabitant [ɪnˈhæbətənt] *n* habitante *m y f*.

inhale [ɪnˈheɪl] ◇ *vt* inhalar. ◇ *vi (gen)* inspirar; *(smoker)* tragarse el humo.

inhaler [ɪnˈheɪləʳ] *n* (MED) inhalador *m*.

inherent [ɪnˈhɪərənt] *adj*: ~ **(in)** inherente (a).

inherently [ɪnˈhɪərəntlɪ] *adv* intrínsecamente.

inherit [ɪnˈherət] ◇ *vt*: **to ~ sthg (from sb)** heredar algo (de alguien). ◇ *vi* heredar.

inheritance [ɪnˈherətəns] *n* herencia *f*.

inhibit [ɪnˈhɪbət] *vt (restrict)* impedir.

inhibition [ˌɪnhɪˈbɪʃn] *n* inhibición *f*.

inhospitable [ˌɪnhɒˈspɪtəbl] *adj* **1.** *(unwelcoming)* inhospitalario(ria). **2.** *(harsh)* inhóspito(ta).

in-house ◇ *adj (journal, report)* de circulación interna; *(staff)* de plantilla. ◇ *adv* en la oficina.

inhuman [ɪnˈhjuːmən] *adj* **1.** *(cruel)* inhumano(na). **2.** *(not human)* infrahumano(na).

initial [ɪˈnɪʃl] ◇ *adj* inicial. ◇ *vt* poner las iniciales a. ♦ **initials** *npl (of person)* iniciales *fpl*.

initially [ɪ'nɪʃəlɪ] *adv* inicialmente.

initiate [ɪ'nɪʃɪeɪt] *vt* iniciar; **to ~ sb into sthg** iniciar a alguien en algo.

initiative [ɪ'nɪʃətɪv] *n* iniciativa *f*.

inject [ɪn'dʒekt] *vt* (MED): **to ~ sb with sthg, to ~ sthg into sb** inyectarle algo a alguien.

injection [ɪn'dʒekʃn] *n* inyección *f*.

injunction [ɪn'dʒʌŋkʃn] *n* interdicto *m*.

injure ['ɪndʒər] *vt (gen)* herir; *(reputation)* dañar; *(chances)* perjudicar.

injured [ɪn'dʒərd] *adj (gen)* herido(da); *(reputation)* dañado(da).

injury ['ɪndʒərɪ] *n* 1. *(U) (physical harm)* lesiones *fpl*. 2. *(wound)* lesión *f*. 3. *(to pride, reputation)* agravio *m*.

injury time *n (U)* (tiempo *m* de) descuento *m*.

injustice [ɪn'dʒʌstɪs] *n* injusticia *f*; **to do sb an ~** no hacerle justicia a alguien.

ink [ɪŋk] *n* tinta *f*.

ink-jet printer *n* (COMPUT) impresora *f* de chorro de tinta.

inkling ['ɪŋklɪŋ] *n*: **to have an ~ of sthg** tener una vaga idea de algo.

inland [*adj* 'ɪnlənd, *adv* ɪn'lænd] ◇ *adj* interior. ◇ *adv* hacia el interior.

Inland Revenue *n Br*: **the ~** ≃ Hacienda *f*.

in-laws *npl inf* suegros *mpl*.

inlet ['ɪnlet] *n* 1. *(stretch of water)* entrante *m*. 2. *(way in)* entrada *f*, admisión *f*.

inmate ['ɪnmeɪt] *n (of prison)* preso *m*, -sa *f*; *(of mental hospital)* interno *m*, -na *f*.

inn [ɪn] *n* fonda *f*; *(pub)* pub decorado a la vieja usanza.

innate [ˌɪ'neɪt] *adj* innato(ta).

inner ['ɪnər] *adj* 1. *(gen)* interior. 2. *(feelings)* íntimo(ma); *(fears, doubts, meaning)* interno(na).

inner city *n* núcleo *m* urbano deprimido.

inner tube *n* cámara *f* (de aire).

innings ['ɪnɪŋz] *(pl inv) n Br (in cricket)* entrada *f*, turno *m*.

innocence ['ɪnəsəns] *n* inocencia *f*.

innocent ['ɪnəsənt] ◇ *adj*: **~ (of)** inocente (de). ◇ *n (naive person)* inocente *m y f*.

innocuous [ɪ'nɒkjʊəs] *adj* inocuo(cua).

innovation [ˌɪnə'veɪʃn] *n* innovación *f*.

innovative ['ɪnəveɪtɪv] *adj* innovador (ra).

innuendo [ˌɪnju'endəʊ] *(pl -es OR -s) n* 1. *(individual remark)* insinuación *f*, indirecta *f*. 2. *(U) (style of speaking)* insinuaciones *fpl*, indirectas *fpl*.

inoculate [ɪ'nɒkjəleɪt] *vt*: **to ~ sb with sthg** inocular algo a alguien.

inordinately [ɪ'nɔːˈdɪnətlɪ] *adv fml* desmesuradamente.

in-patient *n* paciente interno *m*, paciente interna *f*.

input ['ɪnpʊt] *(pt & pp input OR -ted)* ◇ *n* 1. *(contribution)* aportación *f*, contribución *f*. 2. (COMPUT) entrada *f*. ◇ *vt* (COMPUT) entrar.

inquest ['ɪŋkwest] *n* investigación *f* judicial.

inquire [ɪŋ'kwaɪər] ◇ *vi (ask for information)* informarse, pedir información; **to ~ about sthg** informarse de algo. ◇ *vt*: **to ~ when/if/how ...** preguntar cuándo/si/cómo ... ♦ **inquire into** *vt fus* investigar.

inquiry [*Am* 'ɪŋkwərɪ, *Br* ɪŋ'kwaɪrɪ] *n* 1. *(question)* pregunta *f*; **'Inquiries'** 'Información'. 2. *(investigation)* investigación *f*.

inquiry desk *n* (mostrador *m* de) información *f*.

inquisitive [ɪŋ'kwɪzətɪv] *adj* curioso (sa).

inroads ['ɪnrəʊdz] *npl*: **to make ~ into** *(savings, supplies)* mermar; *(market, enemy territory)* abrirse paso en.

insane [ɪn'seɪn] *adj (mad)* demente; *fig (jealousy, person)* loco(ca).

insanity [ɪn'sænətɪ] *n (madness)* demencia *f*; *fig* locura *f*.

insatiable [ɪn'seɪʃəbl] *adj* insaciable.

inscription [ɪn'skrɪpʃn] *n* 1. *(engraved)* inscripción *f*. 2. *(written)* dedicatoria *f*.

inscrutable [ɪn'skruːtəbl] *adj* inescrutable.

insect ['ɪnsekt] *n* insecto *m*.

insecticide [ɪn'sektɪsaɪd] *n* insecticida *m*.

insect repellent *n* loción *f* antiinsectos.

insecure [ˌɪnsɪ'kjʊər] *adj* 1. *(not confident)* inseguro(ra). 2. *(not safe)* poco seguro(ra).

insensitive [ɪn'sensətɪv] *adj*: **~ (to)** insensible (a).

inseparable [ɪn'sepərəbl] *adj*: **~ (from)** inseparable (de).

insert [*vb* ɪn'sɜːt, *n* 'ɪnsɜːt] ◇ *vt*: **to ~ sthg (in OR into)** *(hole)* introducir algo (en); *(text)* insertar algo (en). ◇ *n* (PRESS) encarte *m*.

insertion [ɪn'sɜːʃn] *n* inserción *f*.

in-service training *n Br* formación *f* en horas de trabajo.

inshore [*adj* 'ɪnʃɔː, *adv* ɪn'ʃɔː] ◇ *adj* costero(ra). ◇ *adv* hacia la orilla OR la costa.

inside [ɪn'saɪd] ◇ *prep* dentro de; ~ **three months** en menos de tres meses. ◇ *adv (be, remain)* dentro; *(go, move etc)* hacia dentro; *fig (feel, hurt etc)* interiormente; **come ~!** ¡metéos dentro! ◇ *adj* interior. ◇ *n* interior *m*; **from the ~** desde dentro; ~ **out** *(wrong way)* al revés; **to know sthg ~ out** conocer algo de arriba abajo OR al dedillo. ◆ **insides** *npl inf* tripas *fpl*. ◆ **inside of** *prep Am (building, object)* dentro de.

inside lane *n* (AUT) carril *m* de dentro.

insight ['ɪnsaɪt] *n* 1. (U) *(power of understanding)* perspicacia *f*. 2. *(understanding)* idea *f*.

insignificant [ˌɪnsɪg'nɪfɪkənt] *adj* insignificante.

insincere [ˌɪnsɪn'sɪəʳ] *adj* insincero(ra).

insinuate [ɪn'sɪnjʊeɪt] *vt pej*: **to ~ (that)** insinuar (que).

insipid [ɪn'sɪpəd] *adj pej* soso(sa), insípido(da).

insist [ɪn'sɪst] ◇ *vt*: **to ~ that** insistir en que. ◇ *vi*: **to ~ on sthg** exigir algo; **to ~ (on doing sthg)** insistir (en hacer algo).

insistent [ɪn'sɪstənt] *adj* 1. *(determined)* insistente; **to be ~ on sthg** insistir en algo. 2. *(continual)* persistente.

insofar [ˌɪnsoʊ'fɑːʳ] ◆ **insofar as** *conj* en la medida en que.

insole ['ɪnsoʊl] *n* plantilla *f*.

insolent ['ɪnsələnt] *adj* insolente.

insomnia [ɪn'sɒmnɪə] *n* insomnio *m*.

inspect [ɪn'spekt] *vt* inspeccionar; *(troops)* pasar revista a.

inspection [ɪn'spekʃn] *n* inspección *f*.

inspector [ɪn'spektəʳ] *n* inspector *m*, -ra *f*; *(on bus, train)* revisor *m*, -ra *f*.

inspiration [ˌɪnspə'reɪʃn] *n* 1. *(gen)* inspiración *f*. 2. *(source of inspiration)*: ~ **(for)** fuente *f* de inspiración (para).

inspire [ɪn'spaɪəʳ] *vt* 1. *(stimulate, encourage)*: **to ~ sb (to do sthg)** alentar OR animar a alguien (a hacer algo). 2. *(fill)*: **to ~ sb with sthg, to ~ sthg in sb** inspirar algo a alguien.

instal *Am*, **install** *Br* [ɪn'stɔːl] *vt (gen &* COMPUT) instalar.

installation [ˌɪnstə'leɪʃn] *n (gen &* COMPUT) instalación *f*.

installment *Am*, **instalment** *Br* [ɪn-'stɔːlmənt] *n* 1. *(payment)* plazo *m*; **in ~s** a plazos. 2. (TV & RADIO) episodio *m*; *(of novel)* entrega *f*.

installment plan *n Am* compra *f* a plazos.

instalment *Br* = **installment**.

instance ['ɪnstəns] *n (example, case)* ejemplo *m*; **for ~** por ejemplo; **in**

this ~ en este caso.

instant ['ɪnstənt] ◇ *adj* instantáneo(a). ◇ *n (moment)* instante *m*; **at that** OR **the same ~** en aquel mismo instante; **the ~ (that) ...** en cuanto ...; **this ~** ahora mismo.

instantly ['ɪnstəntlɪ] *adv* en el acto.

instead [ɪn'sted] *adv* en cambio. ◆ **instead of** *prep* en lugar de, en vez de.

instep ['ɪnstep] *n (of foot)* empeine *m*.

instigate ['ɪnstɪgeɪt] *vt* iniciar.

instill *Am*, **instil** *Br* [ɪn'stɪl] *vt*: **to ~ sthg in** OR **into sb** inculcar OR infundir algo a alguien.

instinct ['ɪnstɪŋkt] *n* instinto *m*; **my first ~ was ...** mi primer impulso fue ...

instinctive [ɪn'stɪŋktɪv] *adj* instintivo(va).

institute ['ɪnstɪtjuːt] ◇ *n* instituto *m*. ◇ *vt (proceedings)* iniciar, entablar; *(system)* instituir.

institution [ˌɪnstɪ'tjuːʃn] *n* 1. *(gen)* institución *f*. 2. *(home - for children, old people)* asilo *m*; *(- for mentally-handicapped)* hospital *m* psiquiátrico.

instruct [ɪn'strʌkt] *vt* 1. *(tell, order)*: **to ~ sb to do sthg** mandar OR ordenar a alguien que haga algo. 2. *(teach)*: **to ~ sb (in sthg)** instruir a alguien (en algo).

instruction [ɪn'strʌkʃn] *n* instrucción *f*. ◆ **instructions** *npl (for use)* instrucciones *fpl*.

instructor [ɪn'strʌktəʳ] *n* 1. *(gen)* instructor *m*. 2. *(in skiing)* monitor *m*. 3. *(in driving)* profesor *m*. 4. *Am* (SCH) profesor *m*, -ra *f*.

instrument ['ɪnstrəmənt] *n* instrumento *m*.

instrumental [ˌɪnstrə'mentl] *adj (important, helpful)*: **to be ~ in sthg** jugar un papel fundamental en algo.

instrument panel *n* tablero *m* de instrumentos.

insubordinate [ˌɪnsə'bɔːʳdɪnət] *adj fml* insubordinado(da).

insufficient [ˌɪnsə'fɪʃnt] *adj*: ~ **(for)** insuficiente (para).

insular ['ɪnsjələr] *adj* estrecho(cha) de miras.

insulate ['ɪnsjəleɪt] *vt* aislar.

insulating tape ['ɪnsjəleɪtɪŋ] *n Br* cinta *f* aislante.

insulation [ˌɪnsjə'leɪʃn] *n (material, substance)* aislamiento *m*.

insulin ['ɪnsjələn] *n* insulina *f*.

insult [*vt* ɪn'sʌlt, *n* 'ɪnsʌlt] ◇ *vt (with words)* insultar; *(with actions)* ofender. ◇ *n (remark)* insulto *m*; *(action)* ofensa *f*.

insurance [ɪnˈʃʊərəns] n 1. (against fire, accident, theft): ~ **(against)** seguro m (contra). 2. fig (safeguard, protection): ~ **(against)** prevención f (contra).

insurance policy n póliza f de seguros.

insure [ɪnˈʃʊəʳ] ◇ vt 1. (against fire, accident, theft): to ~ **sthg/sb (against)** asegurar algo/a alguien (contra). 2. Am (make certain) asegurar. ◇ vi (prevent): to ~ **(against)** prevenir OR prevenirse (contra).

insurer [ɪnˈʃʊərəʳ] n asegurador m, -ra f.

intact [ɪnˈtækt] adj intacto(ta).

intake [ˈɪnteɪk] n 1. (of food, drink) ingestión f; (of air) inspiración f. 2. (in army) reclutamiento m; (in organization) número m de ingresos.

integral [ˈɪntɪɡrəl] adj integrante; to be ~ **to** ser parte integrante de.

integrate [ˈɪntəɡreɪt] ◇ vi: to ~ **(with** OR **into)** integrarse (en). ◇ vt: to ~ **sthg/sb with sthg, to ~ sthg/sb into sthg** integrar algo/a alguien en algo.

integrity [ɪnˈteɡrətɪ] n integridad f.

intellect [ˈɪntəlekt] n (mind, cleverness) intelecto m, inteligencia f.

intellectual [ˌɪntəˈlektʃʊəl] ◇ adj intelectual. ◇ n intelectual m y f.

intelligence [ɪnˈtelɪdʒəns] n (U) 1. (ability to think) inteligencia f. 2. (information service) servicio m secreto OR de espionaje. 3. (information) información f secreta.

intelligent [ɪnˈtelɪdʒənt] adj (clever) inteligente.

intelligent card n tarjeta f inteligente.

intend [ɪnˈtend] vt pretender, proponerse; to be ~ed for/as sthg (project, book) estar pensado para/como algo; to ~ **doing** OR **to do sthg** tener la intención de OR pretender hacer algo; later than I had ~ed más tarde de lo que había pensado.

intended [ɪnˈtendəd] adj pretendido (da).

intense [ɪnˈtens] adj 1. (extreme, profound) intenso(sa). 2. (serious - person) muy serio(ria).

intensely [ɪnˈtenslɪ] adv 1. (very - boring, irritating) enormemente. 2. (very much - suffer) intensamente; (- dislike) profundamente.

intensify [ɪnˈtensɪfaɪ] ◇ vt intensificar. ◇ vi intensificarse.

intensity [ɪnˈtensətɪ] n intensidad f.

intensive [ɪnˈtensɪv] adj (concentrated) intensivo(va).

intensive care n (U): (in) ~ (bajo) cuidados mpl intensivos.

intent [ɪnˈtent] ◇ adj 1. (absorbed) atento(ta). 2. (determined): to be ~ **on** OR **upon doing sthg** estar empeñado (da) en hacer algo. ◇ n fml intención f; **to all ~s and purposes** para todos los efectos.

intention [ɪnˈtenʃn] n intención f.

intentional [ɪnˈtenʃənl] adj deliberado (da), intencionado(da).

intently [ɪnˈtentlɪ] adv atentamente.

interact [ˌɪntərˈækt] vi 1. (communicate, work together): to ~ **(with sb)** comunicarse (con alguien). 2. (react): to ~ **(with sthg)** interaccionar (con algo).

intercept [ˌɪntərˈsept] vt interceptar.

interchange [n ˈɪntərtʃeɪndʒ, vb ˌɪntərˈtʃeɪndʒ] ◇ n 1. (exchange) intercambio m. 2. (on motorway) cruce m. ◇ vt intercambiar.

interchangeable [ˌɪntərˈtʃeɪndʒəbl] adj: ~ **(with)** intercambiable (con).

intercity [ˌɪntəˈsɪtɪ] n red de trenes rápidos que conecta las principales ciudades británicas.

intercom [ˈɪntərkɒm] n (for block of flats) portero m automático; (within a building) interfono m.

intercourse [ˈɪntərkɔːʳs] n (U): **sexual** ~ relaciones fpl sexuales, coito m.

interest [ˈɪntrəst] ◇ n 1. (gen & FIN): ~ (in) interés m (en por); that's of no ~ eso no tiene interés. 2. (hobby) afición f. ◇ vt interesar.

interested [ˈɪntrəstɪd] adj interesado (da); to be ~ **in sthg/in doing sthg** estar interesado en algo/en hacer algo.

interesting [ˈɪntrəstɪŋ] adj interesante.

interest rate n tipo m de interés.

interface [ˈɪntərfeɪs] n (COMPUT) interfaz f.

interfere [ˌɪntərˈfɪəʳ] vi 1. (meddle): to ~ **(with** OR **in sthg)** entrometerse OR interferir (en algo). 2. (damage) interferir; to ~ **with sthg** (career, routine) interferir en algo; (work, performance) interrumpir algo.

interference [ˌɪntərˈfɪərəns] n (U) 1. (meddling): ~ **(with** OR **in)** intromisión f OR interferencia f (en). 2. (on radio, TV, telephone) interferencia f.

interim [ˈɪntərɪm] ◇ adj (report) parcial; (measure) provisional; (government) interino(na). ◇ n: in the ~ entre tanto.

interior [ɪnˈtɪərɪəʳ] ◇ adj 1. (inner)

interior. **2.** (POL) *(minister, department)* del Interior. ◊ *n* interior *m*.

interior decorator, interior designer *n* diseñador *m*, -ra *f* de interiores.

interlude ['ɪntəˈluːd] *n* **1.** *(pause)* intervalo *m*. **2.** *(interval)* intermedio *m*.

intermediary [ˌɪntəˈmiːdjərɪ] *n* intermediario *m*, -ria *f*.

intermediate [ˌɪntəˈmiːdjət] *adj* intermedio(dia).

interminable [ɪnˈtɜːˈmɪnəbl] *adj* interminable.

intermission [ˌɪntəˈmɪʃn] *n* *(of film)* descanso *m*; *(of play, opera, ballet)* entreacto *m*.

intermittent [ˌɪntəˈmɪtənt] *adj* intermitente.

intern [*vb* ɪnˈtɜːˈn, *n* ˈɪntɜːˈn] ◊ *vt* recluir, internar. ◊ *n* médico *m* interno residente.

internal [ɪnˈtɜːˈnl] *adj* **1.** *(gen)* interno (na). **2.** *(within a country)* interior, nacional; **~ flight** vuelo *m* nacional.

internally [ɪnˈtɜːˈnəlɪ] *adv* **1.** *(gen)* internamente. **2.** *(within a country)* a nivel nacional.

Internal Revenue *n* *Am*: **the ~ ≃** Hacienda *f*.

international [ˌɪntəˈnæʃnəl] ◊ *adj* internacional. ◊ *n Br* (SPORT) **1.** *(match)* encuentro *m* internacional. **2.** *(player)* internacional *m y f*.

Internet ['ɪntəˈnet] *n*: **the ~** Internet *f*.

interpret [ɪnˈtɜːˈprət] ◊ *vt* interpretar. ◊ *vi* hacer de intérprete.

interpreter [ɪnˈtɜːˈprətəˈr] *n* *(person)* intérprete *m y f*.

interrelate [ˌɪntəˈrɪˈleɪt] *vi*: **to ~ (with)** interrelacionarse (con).

interrogate [ɪnˈterəgeɪt] *vt* *(gen & COMPUT)* interrogar.

interrogation [ɪnˌterəˈgeɪʃn] *n* interrogatorio *m*.

interrogation mark *n Am* signo *m* de interrogación.

interrogative [ˌɪntəˈrɒgətɪv] *adj* (GRAMM) interrogativo(va).

interrupt [ˌɪntəˈrʌpt] *vt & vi* interrumpir.

interruption [ˌɪntəˈrʌpʃn] *n* interrupción *f*.

intersect [ˌɪntəˈsekt] ◊ *vi* cruzarse, cortarse. ◊ *vt* cruzar, cortar.

intersection [ˌɪntəˈsekʃn] *n* *(junction)* intersección *f*, cruce *m*.

intersperse [ˌɪntəˈspɜːˈrs] *vt*: **to be ~d with** OR **by** estar entremezclado con.

interstate (highway) [ˌɪntəˈsteɪt(-)] *n* autopista *f* interestatal.

interval ['ɪntəˈvl] *n* **1.** *(gen & MUS)*: **~ (between)** intervalo *m* (entre); **at ~s** *(now and again)* a ratos; *(regularly)* a intervalos; **at monthly/yearly ~s** a intervalos de un mes/un año. **2.** *Br (at play, concert)* intermedio *m*, descanso *m*.

intervene [ˌɪntəˈviːn] *vi* **1.** *(gen)*: **to ~ (in)** intervenir (en). **2.** *(prevent thing from happening)* interponerse. **3.** *(pass)* transcurrir.

intervention [ˌɪntəˈvenʃn] *n* intervención *f*.

interview ['ɪntəˈvjuː] ◊ *n* entrevista *f*. ◊ *vt* entrevistar.

interviewer ['ɪntəˈvjuːəˈr] *n* entrevistador *m*, -ra *f*.

intestine [ɪnˈtestɪn] *n* intestino *m*.

intimacy ['ɪntəməsɪ] *n*: **~ (between/ with)** intimidad *f* (entre/con).

intimate [*adj* ˈɪntəmət, *vb* ˈɪntəmeɪt] ◊ *adj* **1.** *(gen)* íntimo(ma). **2.** *(knowledge)* profundo(da). ◊ *vt fml*: **to ~ (that)** dar a entender (que).

intimidate [ɪnˈtɪmɪdeɪt] *vt* intimidar.

into [*stressed* ˈɪntuː, *unstressed* ˈɪntə, *before vowel* ˈɪntʊ] *prep* **1.** *(inside)* en; **to put sthg ~ sthg** meter algo en algo; **to get ~ a car** subir a un coche. **2.** *(against)* con; **to bump/crash ~** tropezar/chocar con. **3.** *(referring to change in condition etc)*: **to turn** OR **develop ~** convertirse en; **to translate sthg ~ Spanish** traducir algo al español. **4.** *(concerning)* en relación con; **research ~ electronics** investigación en torno a la electrónica. **5.** (MATH): **to divide 4 ~ 8** dividir 8 entre 4.

intolerable [ɪnˈtɒlərəbl] *adj fml (position, conditions)* intolerable; *(boredom, pain)* inaguantable.

intolerance [ɪnˈtɒlərəns] *n* intolerancia *f*.

intolerant [ɪnˈtɒlərənt] *adj* intolerante.

intoxicated [ɪnˈtɒksɪkeɪtəd] *adj* **1.** *(drunk)* embriagado(da). **2.** *fig (excited)*: **~ (by** OR **with)** ebrio (ebria) (de).

intractable [ɪnˈtræktəbl] *adj fml* **1.** *(stubborn)* intratable. **2.** *(insoluble)* inextricable, insoluble.

intransitive [ɪnˈtrænsətɪv] *adj* intransitivo(va).

intravenous [ˌɪntrəˈviːnəs] *adj* intravenoso(sa).

in-tray *n* bandeja para cartas y documentos recién llegados a la oficina.
intricate ['ɪntrɪkət] *adj* intrincado(da).
intrigue [*n* 'ɪntri:g, *vb* ɪn'tri:g] ◇ *n* intriga *f.* ◇ *vt* intrigar.
intriguing [ɪn'tri:gɪŋ] *adj* intrigante.
intrinsic [ɪn'trɪnsɪk] *adj* intrínseco(ca).
introduce [,ɪntrə'dju:s] *vt* 1. (*present - person, programme*) presentar; **to ~ sb (to sb)** presentar a alguien (a alguien); **to ~ o.s.** presentarse. 2. (*bring in*): **to ~ sthg (to OR into)** introducir algo (en). 3. (*show for first time*): **to ~ sb to sthg** iniciar a alguien en algo.
introduction [,ɪntrə'dʌkʃn] *n* 1. (*gen*): **~ (to sthg)** introducción *f* (a algo). 2. (*of people*): **~ (to sb)** presentación *f* (a alguien).
introductory [,ɪntrə'dʌktəri] *adj* (*chapter*) introductorio(ria); (*remarks*) preliminar.
introvert ['ɪntrəvɜ:ʳt] *n* introvertido *m*, -da *f.*
introverted [,ɪntrə'vɜ:ʳtəd] *adj* introvertido(da).
intrude [ɪn'tru:d] *vi*: **to ~ (on OR upon sb)** inmiscuirse (en los asuntos de alguien); **to ~ (on OR upon sthg)** inmiscuirse (en algo).
intruder [ɪn'tru:dəʳ] *n* intruso *m*, -sa *f.*
intrusive [ɪn'tru:sɪv] *adj* (*person*) entrometido(da); (*presence*) indeseado (da).
intuition [,ɪntju:'ɪʃn] *n* intuición *f.*
inundate ['ɪnʌndeɪt] *vt* 1. *fml* (*flood*) inundar. 2. (*overwhelm*) desbordar; **to be ~d with** verse desbordado por.
invade [ɪn'veɪd] *vt* invadir.
invalid [*adj* ɪn'vælɪd, *n* 'ɪnvəlɪd] ◇ *adj* 1. (*marriage, vote, ticket*) nulo(la). 2. (*argument, result*) que no es válido (da). ◇ *n* inválido *m*, -da *f.*
invaluable [ɪn'væljuəbl] *adj*: **~ (to)** (*information, advice*) inestimable (para); (*person*) valiosísimo(ma) (para).
invariably [ɪn'veərɪəblɪ] *adv* siempre, invariablemente.
invasion [ɪn'veɪʒn] *n* invasión *f.*
invent [ɪn'vent] *vt* inventar.
invention [ɪn'venʃn] *n* 1. (*gen*) invención *f.* 2. (*ability to invent*) inventiva *f.*
inventive [ɪn'ventɪv] *adj* (*person, mind*) inventivo(va); (*solution*) ingenioso(sa).
inventor [ɪn'ventəʳ] *n* inventor *m*, -ra *f.*
inventory [*Am* 'ɪnvəntɔ:rɪ, *Br* -trɪ] *n* 1. (*list*) inventario *m*. 2. *Am*

(*goods*) existencias *fpl.*
invert [ɪn'vɜ:ʳt] *vt* *fml* invertir.
inverted commas [ɪn,vɜ:ʳtəd-] *npl Br* comillas *fpl*; **in ~** entre comillas.
invest [ɪn'vest] ◇ *vt* (*money, time, energy*): **to ~ sthg (in)** invertir algo (en). ◇ *vi lit & fig*: **to ~ (in)** invertir (en).
investigate [ɪn'vestɪgeɪt] *vt & vi* investigar.
investigation [ɪn,vestɪ'geɪʃn] *n* (*enquiry, examination*): **~ (into)** investigación *f* (en).
investment [ɪn'vestmənt] *n* inversión *f.*
investor [ɪn'vestəʳ] *n* inversor *m*, -ra *f.*
inveterate [ɪn'vetərət] *adj* (*liar*) incorregible; (*reader, smoker*) empedernido (da).
invidious [ɪn'vɪdɪəs] *adj* (*task, role*) desagradable; (*comparison*) odioso(sa).
invigilate [ɪn'vɪdʒɪleɪt] *vt & vi Br* vigilar (*en un examen*).
invigorating [ɪn'vɪgəreɪtɪŋ] *adj* (*bath, walk*) vigorizante; (*experience*) estimulante.
invincible [ɪn'vɪnsəbl] *adj* 1. (*unbeatable*) invencible. 2. (*unchangeable*) inalterable.
invisible [ɪn'vɪzəbl] *adj* invisible.
invitation [,ɪnvɪ'teɪʃn] *n* invitación *f.*
invite [ɪn'vaɪt] *vt*: **to ~ sb (to sthg/to do sthg)** invitar a alguien (a algo/a hacer algo).
inviting [ɪn'vaɪtɪŋ] *adj* tentador(ra).
invoice ['ɪnvɔɪs] ◇ *n* factura *f.* ◇ *vt* 1. (*send invoice to*) mandar la factura a. 2. (*prepare invoice for*) facturar.
involuntary [ɪn'vɒləntərɪ] *adj* involuntario(ria).
involve [ɪn'vɒlv] *vt* 1. (*entail, require*): **to ~ sthg/doing sthg** conllevar algo/hacer algo; **it ~s working weekends** supone OR implica trabajar los fines de semana. 2. (*concern, affect*) afectar a. 3. (*make part of sthg*): **to ~ sb (in)** involucrar a alguien (en).
involved [ɪn'vɒlvd] *adj* 1. (*complex*) enrevesado(da). 2. (*participating*): **to be ~ in** estar metido(da) en. 3. (*in a relationship*): **to be/get ~ with sb** estar liado (da)/liarse con alguien.
involvement [ɪn'vɒlvmənt] *n* 1. **~ (in)** (*crime*) implicación *f* (en); (*running sthg*) participación *f* (en). 2. (*concern, enthusiasm*): **~ (in)** compromiso *m* (con).
inward ['ɪnwəʳd] ◇ *adj* 1. (*inner*) interno(na). 2. (*towards the inside*) hacia el interior. ◇ *adv Am* = **inwards**.

inwards ['ɪnwərdz] *adv* hacia dentro.
iodine [*Am* 'aɪədaɪn, *Br* -diːn] *n* yodo
m.
IOU (*abbr of* **I owe you**) *n* pag. *m.*
IQ (*abbr of* **intelligence quotient**) *n* C.I.
m.
IRA *n* (*abbr of* **Irish Republican Army**)
IRA *m.*
Iran [ɪ'rɑːn] *n* (el) Irán.
Iranian [ɪ'reɪnjən] ◊ *adj* iraní. ◊ *n*
(*person*) iraní *m y f.*
Iraq [ɪ'rɑːk] *n* (el) Irak.
Iraqi [ɪ'rɑːkɪ] ◊ *adj* iraquí. ◊ *n* (*person*)
iraquí *m y f.*
Ireland ['aɪələnd] *n* Irlanda.
iris ['aɪrɪs] (*pl* -es) *n* 1. (*flower*) lirio *m.*
2. (*of eye*) iris *m inv.*
Irish ['aɪrɪʃ] ◊ *adj* irlandés(esa). ◊ *n*
(*language*) irlandés *m.* ◊ *npl* (*people*):
the ~ los irlandeses.
Irishman ['aɪrɪʃmən] (*pl* -men [-mən]) *n*
irlandés *m.*
Irishwoman ['aɪrɪʃwʊmən] (*pl* -women
[-wɪmɪn]) *n* irlandesa *f.*
iron ['aɪərn] ◊ *adj lit & fig* de hierro.
◊ *n* 1. (*metal*) hierro *m*, fierro *m Amer.*
2. (*for clothes*) plancha *f.* 3. (*golf club*)
hierro *m.* ◊ *vt* planchar. ◆ **iron out** *vt
sep fig* (*overcome*) resolver.
Iron Curtain *n*: the ~ el telón de
acero.
ironic(al) [aɪ'rɒnɪk(l)] *adj* irónico(ca);
how ~! ¡qué ironía!
ironing ['aɪərnɪŋ] *n* 1. (*work*) planchado
m. 2. (*clothes to be ironed*) ropa *f* para
planchar.
ironing board *n* tabla *f* de planchar.
ironmonger ['aɪərnmʌŋgər] *n Br* fe-
rretero *m*, -ra *f*; ~'s (*shop*) ferretería
f.
irony ['aɪrənɪ] *n* ironía *f.*
irrational [ɪ'ræʃənl] *adj* irracional.
irreconcilable [ɪrekən'saɪləbl] *adj*
(*completely different*) irreconciliable.
irregular [ɪ'regjələr] *adj* (*gen &*
GRAMM) irregular.
irrelevant [ɪ'reləvənt] *adj* irrelevante,
que no viene al caso.
irreparable [ɪ'repərəbl] *adj* irreparable.
irreplaceable [ɪrɪ'pleɪsəbl] *adj* irreem-
plazable, insustituible.
irrepressible [ɪrɪ'presəbl] *adj* (*enthusiasm*) irreprimible; (*person*) imparable.
irresistible [ɪrɪ'zɪstəbl] *adj* irresistible.
irrespective [ɪrɪ'spektɪv] ◆ **irre-**

spective of *prep* con independencia
de.
irresponsible [ɪrɪ'spɒnsəbl] *adj* irresponsable.
irrigate ['ɪrɪgeɪt] *vt* regar, irrigar.
irrigation [ɪrɪ'geɪʃn] *n* riego *m.*
irritable ['ɪrɪtəbl] *adj* irritable.
irritate ['ɪrɪteɪt] *vt* irritar.
irritating ['ɪrɪteɪtɪŋ] *adj* irritante.
irritation [ɪrɪ'teɪʃn] *n* 1. (*anger, sore-
ness*) irritación *f.* 2. (*cause of anger*)
motivo *m* de irritación.
IRS (*abbr of* **Internal Revenue Service**) *n
Am*: the ~ = Hacienda *f.*
is [ɪz] → **be**.
Islam ['ɪzlɑːm] *n* (*religion*) islam *m.*
island ['aɪlənd] *n* 1. (*in water*) isla *f.*
2. (*in traffic*) isleta *f*, refugio *m.*
islander ['aɪləndər] *n* isleño *m*, -ña
f.
isle [aɪl] *n* (*as part of name*) isla *f*; *literary
(island)* ínsula *f.*
Isle of Man *n*: the ~ la isla de Man.
Isle of Wight [-'waɪt] *n*: the ~ la isla de
Wight.
isn't ['ɪznt] = **is not**.
isobar ['aɪsəbɑːr] *n* isobara *f.*
isolate ['aɪsəleɪt] *vt*: to ~ sb (from)
(*physically*) aislar a alguien (de);
(*socially*) marginar a alguien (de).
isolated ['aɪsəleɪtəd] *adj* aislado(da).
Israel [*Am* 'ɪzrɪəl, *Br* 'ɪzreɪl] *n* Israel.
Israeli [ɪz'reɪlɪ] ◊ *adj* israelí. ◊ *n* israelí *m y f.*
issue ['ɪʃuː] ◊ *n* 1. (*important subject*)
cuestión *f*, tema *m*; at ~ en cuestión; to
make an ~ of sthg darle demasiada
importancia a algo. 2. (*of newspaper,
magazine*) número *m*, edición *f.* 3. (*of
stamps, shares, banknotes*) emisión *f.*
◊ *vt* 1. (*decree*) promulgar; (*statement,
warning*) hacer público(ca). 2. (*stamps,
shares, banknotes*) emitir. 3. (*passport,
document*): to ~ sthg to sb, to ~ sb with
sthg expedir algo a alguien.

it [ɪt] *pron* 1. (*referring to specific thing
or person - subj*) él *m*, ella *f*; (*- direct
object*) lo *m*, la *f*; (*- indirect object*) le; ~ **is
in my hand** está en mi mano; **did you
find** ~? ¿lo encontraste?; **give** ~ **to me**
dámelo; **he gave** ~ **a kick** le dio una
patada. 2. (*with prepositions*) él *m*, ella *f*;
(*- meaning 'this matter' etc*) ello; **as if his
life depended on** ~ como si le fuera la
vida en ello; **in** ~ dentro; **have you been
to** ~ **before?** ¿has estado antes?; **on** ~
encima; **to talk about** ~ hablar de
él/ella/ello; **under/beneath** ~ debajo; **be-**

side ~ al lado; **from/of** ~ de él/ella/ello; **over** ~ por encima. **3.** (*impersonal use*): ~ **was raining** llovía; ~ **is cold today** hace frío hoy; ~**'s two o'clock** son las dos; **who is** ~? - **it's Mary/me** ¿quién es? – soy Mary/yo; **what day is** ~? ¿a qué (día) estamos hoy?

> • *It* es el pronombre personal que sustituye nombres de cosas, ideas y animales en general (*there's my car, it's a Ford*). *He* se utiliza para referirse a nombres de hombres y mascotas de sexo masculino (*there's my brother, he's a teacher; there's my cat, isn't he funny?*). Su equivalente femenino es *she* (*there's my sister, she's a nurse*).
>
> • Con nombres de animales o con algunas palabras referidas a personas, como *baby*, se puede usar *it* si se desconoce el sexo (*listen to that baby, I wish it would be quiet!*).
>
> • Recordemos que *it* carece de forma posesiva. *Its* sólo se emplea como adjetivo (*its fur is wet; its lock is broken*).
>
> • Los verbos que se refieren al clima van siempre en tercera persona del singular con *it*.

IT *n abbr of* **information technology**.
Italian [ɪ'tæljən] ◇ *adj* italiano(na). ◇ *n* **1.** (*person*) italiano *m*, -na *f*. **2.** (*language*) italiano *m*.
italic [ɪ'tælɪk] *adj* cursiva. ♦ **italics** *npl* cursiva *f*.
Italy ['ɪtəlɪ] *n* Italia.
itch [ɪtʃ] ◇ *n* picor *m*, picazón *f*. ◇ *vi* **1.** (*be itchy - person*) tener picazón; (*- arm, leg etc*) picar. **2.** *fig* (*be impatient*): **to be** ~**ing to do sthg** estar deseando hacer algo.
itchy ['ɪtʃɪ] *adj* que pica.
it'd ['ɪtəd] = **it would**, **it had**.
item ['aɪtəm] *n* **1.** (*in collection*) artículo *m*; (*on list, agenda*) asunto *m*, punto *m*. **2.** (*article in newspaper*) artículo *m*; **news** ~ noticia *f*.
itemize ['aɪtəmaɪz] *vt* detallar.
itinerary [*Am* aɪ'tɪnəreri, *Br* -rəri] *n* itinerario *m*.
it'll [ɪtl] = **it will**.

its [ɪts] *poss adj* su, sus (*pl*); **the dog broke** ~ **leg** el perro se rompió la pata.

• Nombres colectivos como *government* o *team* pueden tomar los adjetivos posesivos *its* o *their* indistintamente. El verbo va en singular o plural según el caso (*the government has made up its mind* = *the government have made up their minds*, "el gobierno ha tomado una decisión").

• Para referirse a las partes del cuerpo de animales, se usa el adjetivo posesivo *its* en lugar del artículo *the* (*its fur, its legs*).

it's [ɪts] = **it is**, **it has**.
itself [ɪt'self] *pron* **1.** (*reflexive*) se; (*after prep*) sí mismo(ma); **with** ~ consigo mismo(ma). **2.** (*for emphasis*): **the town** ~ **is lovely** el pueblo en sí es bonito.
ITV (*abbr of* **Independent Television**) *n* ITV *f*, canal privado de televisión en Gran Bretaña.
I've [aɪv] = **I have**.
ivory ['aɪvərɪ] *n* marfil *m*.
ivy ['aɪvɪ] *n* hiedra *f*.
Ivy League *n Am* grupo de ocho prestigiosas universidades del este de los EEUU.

IVY LEAGUE

El término *Ivy League* se utiliza en Estados Unidos para referirse al colegio universitario de Dartmouth y a las universidades de Brown, Columbia, Cornell, Harvard, Pensilvania, Princeton y Yale, que son algunos de los centros académicos más antiguos del país. El nombre de la liga alude a la hiedra, *ivy*, que suele trepar por las paredes de los añosos edificios que albergan estas universidades. Un título de la *Ivy League* es un aval para el éxito profesional.

J

j (*pl* **j's** OR **js**), **J** (*pl* **J's** OR **Js**) [dʒeɪ] *n* (*letter*) j *f*, J *f*.
jab [dʒæb] ◇ *n Br inf* (*injection*) pinchazo *m*. ◇ *vt*: **to** ~ **sthg into** clavar algo en; **to** ~ **sthg at** apuntarle algo a.

jabber ['dʒæbər] vi charlotear.

jack [dʒæk] n 1. (device) gato m. 2. (playing card) ≈ sota f. ◆ **jack up** vt sep 1. (lift with a jack) levantar con gato. 2. (force up) subir.

jackal ['dʒækl] n chacal m.

jackdaw ['dʒækdɔː] n grajilla f.

jacket ['dʒækət] n 1. (garment) chaqueta f, americana f, saco m Amer. 2. (potato skin) piel f. 3. (book cover) sobrecubierta f. 4. Am (of record) cubierta f.

jacket potato n patata f asada con piel.

jackhammer ['dʒækhæmər] n Am martillo m neumático.

jack knife n navaja f. ◆ **jack-knife** vi derrapar la parte delantera.

jack plug n (enchufe m de) clavija f.

jackpot ['dʒækpɒt] n (premio m) gordo m.

jaded ['dʒeɪdəd] adj (tired) agotado(da); (bored) hastiado(da).

jagged ['dʒægəd] adj dentado(da).

jail [dʒeɪl] ◇ n cárcel f. ◇ vt encarcelar.

jam [dʒæm] ◇ n 1. (preserve) mermelada f. 2. (of traffic) embotellamiento m, atasco m. 3. inf (difficult situation): **to get into/be in a ~** meterse/estar en un apuro. ◇ vt 1. (place roughly) meter a la fuerza. 2. (fix) sujetar; **~ the door shut** atranca la puerta. 3. (pack tightly) apiñar. 4. (fill) abarrotar, atestar. 5. (TELEC) bloquear. 6. (cause to stick) atascar. 7. (RADIO) interferir. ◇ vi (stick) atascarse.

Jamaica [dʒəˈmeɪkə] n Jamaica.

jam-packed [-ˈpækt] adj inf a tope.

jangle ['dʒæŋgl] vi tintinear.

janitor ['dʒænɪtər] n Am & Scot conserje m, portero m.

January ['dʒænjʊərɪ] n enero m; see also **September**.

Japan [dʒəˈpæn] n (el) Japón.

Japanese [ˌdʒæpəˈniːz] (pl inv) ◇ adj japonés(esa). ◇ n (language) japonés m. ◇ npl: **the ~** los japoneses.

jar [dʒɑːr] ◇ n tarro m. ◇ vt (shake) sacudir. ◇ vi 1. (upset): **to ~ (on sb)** poner los nervios de punta (a alguien). 2. (clash - opinions) discordar; (- colours) desentonar.

jargon ['dʒɑːgən] n jerga f.

jaundice ['dʒɔːndəs] n ictericia f.

jaundiced ['dʒɔːndəst] adj fig (attitude, view) desencantado(da).

jaunt [dʒɔːnt] n excursión f.

javelin ['dʒævlən] n jabalina f.

jaw [dʒɔː] n (of person) mandíbula f; (of animal) quijada f.

jawbone ['dʒɔːbəʊn] n (of person) mandíbula f, maxilar m; (of animal) quijada f.

jay [dʒeɪ] n arrendajo m.

jaywalker ['dʒeɪwɔːkər] n peatón m imprudente.

jazz [dʒæz] n (MUS) jazz m. ◆ **jazz up** vt sep inf alegrar, avivar.

jazzy ['dʒæzɪ] adj (bright) llamativo(va).

jealous ['dʒeləs] adj 1. (envious): **to be ~ (of)** tener celos OR estar celoso(sa) (de). 2. (possessive): **to be ~ (of)** ser celoso(sa) (de).

jealousy ['dʒeləsɪ] n (U) celos mpl.

jeans [dʒiːnz] npl vaqueros mpl, tejanos mpl.

jeep [dʒiːp] n jeep m, campero m Col.

jeer [dʒɪər] ◇ vt (boo) abuchear; (mock) mofarse de. ◇ vi: **to ~ (at sb)** (boo) abuchear (a alguien); (mock) mofarse (de alguien).

Jehovah's Witness [dʒɪˈhəʊvə-] n testigo m y f de Jehová.

Jello® ['dʒeləʊ] n Am jalea f, gelatina f.

jelly ['dʒelɪ] n 1. (dessert) jalea f, gelatina f. 2. (jam) mermelada f.

jellyfish ['dʒelɪfɪʃ] (pl inv OR -es) n medusa f.

jeopardize ['dʒepərdaɪz] vt poner en peligro, arriesgar.

jerk [dʒɜːrk] ◇ n 1. (of head) movimiento m brusco; (of arm) tirón m; (of vehicle) sacudida f. 2. v inf (fool) idiota m y f, majadero m, -ra f. ◇ vi (person) saltar; (vehicle) dar sacudidas.

jersey ['dʒɜːrzɪ] (pl jerseys) n (sweater) jersey m.

jest [dʒest] n: **in ~** en broma.

Jesus (Christ) ['dʒiːzəs(-)] n Jesús m, Jesucristo m.

jet [dʒet] n 1. (aircraft) reactor m. 2. (stream) chorro m. 3. (nozzle, outlet) boquilla f.

jet-black adj negro(gra) azabache.

jet engine n reactor m.

jet lag n aturdimiento tras un largo viaje en avión.

jetsam ['dʒetsəm] → **flotsam**.

jettison ['dʒetɪsən] vt (cargo) deshacerse de; fig (ideas) desechar.

jetty ['dʒetɪ] n embarcadero m.

Jew [dʒuː] n judío m, -a f.

jewel ['dʒuːəl] n 1. (gemstone) piedra f preciosa. 2. (jewellery) joya f.

jeweler Am, **jeweller** Br ['dʒuːələr] n joyero m, -a f; **~'s (shop)** joyería f.

jewelry Am, **jewellery** Br ['dʒuːəlrɪ] n (U) joyas fpl, alhajas fpl.

Jewess ['dʒuːəs] n judía f.

Jewish ['dʒuːɪʃ] adj judío(a).

jib [dʒɪb] n 1. (beam) aguilón m. 2. (sail) foque m.

jibe [dʒaɪb] n pulla f, burla f.

Jiffy bag® n sobre m acolchado.

jig [dʒɪg] n giga f.

jigsaw (puzzle) ['dʒɪgsɔː(-)] n rompecabezas m inv, puzzle m.

jilt [dʒɪlt] vt dejar plantado(da).

jingle ['dʒɪŋgl] ◇ n (song) sintonía de anuncio publicitario. ◇ vi tintinear.

jinx [dʒɪŋks] n gafe m.

jitters ['dʒɪtərz] npl inf: **to have the ~** estar como un flan.

job [dʒɒb] n 1. (paid employment) trabajo m, empleo m. 2. (task) trabajo m. 3. (difficult task): **we had a ~ doing it** nos costó trabajo hacerlo. 4. (function) cometido m.

job centre n Br oficina f de empleo.

jobless ['dʒɒbləs] adj desempleado(da).

jobsharing ['dʒɒbʃeərɪŋ] n (U) empleo m compartido.

jockey ['dʒɒkɪ] (pl -s) ◇ n jockey m, jinete m. ◇ vi: **to ~ for position** competir por colocarse en mejor posición.

jodhpurs ['dʒɒdpərz] npl pantalón m de montar.

jog [dʒɒg] ◇ n trote m; **to go for a ~** hacer footing. ◇ vt golpear ligeramente; **to ~ sb's memory** refrescar la memoria a alguien. ◇ vi hacer footing.

jogging ['dʒɒgɪŋ] n footing m.

john [dʒɒn] n Am inf (toilet) baño m, wáter m Esp.

join [dʒɔɪn] ◇ n juntura f. ◇ vt 1. (unite) unir, juntar. 2. (get together with) reunirse con. 3. (become a member of - political party) afiliarse a; (- club) hacerse socio de; (- army) alistarse en. 4. (take part in) unirse a; **to ~ a line** Am, **to ~ a queue** Br meterse en la cola. ◇ vi 1. (rivers) confluir; (edges, pieces) unirse, juntarse. 2. (become a member - of political party) afiliarse; (- of club) hacerse socio; (- of army) alistarse. ◆ **join in** ◇ vt fus participar en. ◇ vi participar. ◆ **join up** vi (MIL) alistarse.

joiner ['dʒɔɪnər] n carpintero m.

joinery ['dʒɔɪnərɪ] n carpintería f.

joint [dʒɔɪnt] ◇ adj (responsibility) compartido(da); (effort) conjunto(ta); **~ owner** copropietario m, -ria f. ◇ n 1. (ANAT) articulación f. 2. (place where things are joined) juntura f. 3. Br (of meat - uncooked) corte m para asar; (- cooked) asado m. 4. inf pej (place) antro m. 5. drugs sl porro m.

joint account n cuenta f conjunta.

joist [dʒɔɪst] n vigueta f.

joke [dʒəʊk] ◇ n (funny story) chiste m; (funny action) broma f; **to play a ~ on sb** gastarle una broma a alguien; **it's no ~** (not easy) no es (nada) fácil. ◇ vi bromear; **you're joking** estás de broma; **to ~ about sthg/with sb** bromear acerca de algo/con alguien.

joker ['dʒəʊkər] n 1. (person) bromista m y f. 2. (playing card) comodín m.

jolly ['dʒɒlɪ] ◇ adj (person, laugh) alegre; (time) divertido(da). ◇ adv Br inf muy.

jolt [dʒəʊlt] ◇ n lit & fig sacudida f. ◇ vt (jerk) sacudir, zarandear.

Jordan ['dʒɔːdn] n Jordania.

jostle ['dʒɒsl] ◇ vt empujar, dar empujones a. ◇ vi empujar, dar empujones.

jot [dʒɒt] n pizca f. ◆ **jot down** vt sep apuntar, anotar.

jotter ['dʒɒtər] n bloc m.

journal ['dʒɜːnl] n 1. (magazine) revista f, boletín m. 2. (diary) diario m.

journalism ['dʒɜːnəlɪzm] n periodismo m.

journalist ['dʒɜːnəlɪst] n periodista m y f.

journey ['dʒɜːnɪ] (pl -s) n viaje m.

joy [dʒɔɪ] n 1. (happiness) alegría f, regocijo m. 2. (cause of joy) placer m.

joyful ['dʒɔɪfl] adj alegre.

joyous ['dʒɔɪəs] adj jubiloso(sa).

joyride ['dʒɔɪraɪd] (pt -rode, pp -ridden) vi darse una vuelta en un coche robado.

joystick ['dʒɔɪstɪk] n (of aircraft) palanca f de mando; (for video games, computers) joystick m.

JP n abbr of Justice of the Peace.

Jr. Am (abbr of Junior) jr.

jubilant ['dʒuːbɪlənt] adj (person) jubiloso(sa); (shout) alborozado(da).

jubilee ['dʒuːbɪliː] n aniversario m.

judge [dʒʌdʒ] ◇ n (gen & JUR) juez m y f. ◇ vt 1. (gen & JUR) juzgar. 2. (age, distance) calcular. ◇ vi juzgar; **to ~ from** OR **by, judging from** OR **by** a juzgar por.

judg(e)ment ['dʒʌdʒmənt] n 1. (JUR) fallo m, sentencia f. 2. (opinion) juicio m; **to pass ~ (on sb/sthg)** pronunciarse (sobre alguien/algo). 3. (ability to form opinion) juicio m.

judiciary [Am dʒuːˈdɪʃɪərɪ, Br -ˈdɪʃərɪ] n: **the ~** el poder judicial.

judicious [dʒuːˈdɪʃəs] adj juicioso(sa).

judo ['dʒuːdəʊ] n judo m.

jug [dʒʌg] n jarra f.

juggernaut ['dʒʌgənɔːt] n camión m grande.

kaleidoscope

juggle ['dʒʌgl] ◇ *vt* **1.** *(throw)* hacer juegos malabares con. **2.** *(rearrange)* jugar con. ◇ *vi* hacer juegos malabares.

juggler ['dʒʌglər] *n* malabarista *m* y *f*.

juice [dʒuːs] *n* **1.** *(from fruit, vegetables)* zumo *m*, jugo *m*. **2.** *(from meat)* jugo *m*.

juicy ['dʒuːsɪ] *adj* **1.** *(gen)* jugoso(sa). **2.** *inf (scandalous)* picante.

jukebox ['dʒuːkbɒks] *n* máquina *f* de discos.

July [dʒuːˈlaɪ] *n* julio *m*; *see also* September.

jumble ['dʒʌmbl] ◇ *n. (mixture)* revoltijo *m*. ◇ *vt*: **to ~ (up)** revolver.

jumble sale *n* Br rastrillo *m* benéfico.

jumbo jet ['dʒʌmbəu-] *n* jumbo *m*.

jumbo-sized ['dʒʌmbəusaɪzd] *adj* gigante.

jump [dʒʌmp] ◇ *n* **1.** *(act of jumping)* salto *m*. **2.** *(rapid increase)* incremento *m*, salto *m*. ◇ *vt* **1.** *(cross by jumping)* saltar. **2.** *inf (attack)* asaltar. ◇ *vi* **1.** *(spring)* saltar. **2.** *(make a sudden movement)* sobresaltarse. **3.** *(increase rapidly)* aumentar de golpe. ◆ **jump at** *vt fus* no dejar escapar.

jumper ['dʒʌmpər] *n* **1.** *Am (dress)* jumper *m Amer*, pichi *m Esp*. **2.** *Br (pullover)* jersey *m*.

jump leads *npl* cables *mpl* de empalme *(de batería)*.

jump-start *vt* arrancar empujando.

jumpsuit ['dʒʌmpsuːt] *n* mono *m*.

jumpy ['dʒʌmpɪ] *adj* inquieto(ta).

junction ['dʒʌŋkʃn] *n (of roads)* cruce *m*; *(of railway lines)* empalme *m*.

June [dʒuːn] *n* junio *m*; *see also* September.

jungle ['dʒʌŋgl] *n lit & fig* selva *f*.

junior ['dʒuːnjər] ◇ *adj* **1.** *(officer)* subalterno(na); *(partner, member)* de menor antigüedad, júnior *(inv)*. **2.** *Am (after name)* júnior *(inv)*, hijo(ja). ◇ *n* **1.** *(person of lower rank)* subalterno *m*, -na *f*. **2.** *(younger person)*: **he's my ~** soy mayor que él. **3.** *Am* (SCH & UNIV) alumno de penúltimo año.

junior high school *n Am* = instituto *m* de bachillerato *(13-15 años)*.

junior school *n Br* = escuela *f* primaria.

junk [dʒʌŋk] *n inf (U) (unwanted things)* trastos *mpl*.

junk food *n (U) pej* comida preparada poco nutritiva o saludable.

junkie ['dʒʌŋkɪ] *n drugs sl* yonqui *m* y *f*.

junk mail *n (U) pej* propaganda *f (por correo)*.

junk shop *n* tienda *f* de objetos usados.

Jupiter ['dʒuːpɪtər] *n* Júpiter *m*.

jurisdiction [,dʒuərɪsˈdɪkʃn] *n* jurisdicción *f*.

juror ['dʒuərər] *n* jurado *m*.

jury ['dʒuərɪ] *n* jurado *m*.

just [dʒʌst] ◇ *adv* **1.** *(recently)*: **he has ~ left/moved** acaba de salir/mudarse. **2.** *(at that moment)*: **we were ~ leaving when …** justo íbamos a salir cuando …; **I'm ~ about to do it** voy a hacerlo ahora; **I couldn't do it ~ then** no lo podía hacer en aquel momento; **~ as I was leaving** justo en el momento en que salía. **3.** *(only, simply)* sólo, solamente; **'~ add water'** 'añada un poco de agua'; **~ a minute** OR **moment** OR **second** un momento. **4.** *(almost not)* apenas; **I (only) ~ did it** conseguí hacerlo por muy poco. **5.** *(for emphasis)*: **I ~ know it!** ¡estoy seguro! **6.** *(exactly, precisely)* exactamente; **~ what I need** justo lo que necesito; **~ here/there** aquí/allí mismo. **7.** *(in requests)*: **could you ~ open your mouth?** ¿podrías abrir la boca un momento, por favor? (ta). ◆ **just about** *adv* casi. ◆ **just as** *adv*: **~ as … as** tan … como, igual de … que. ◆ **just now** *adv* **1.** *(a short time ago)* hace un momento. **2.** *(at this moment)* justo ahora, ahora mismo.

justice ['dʒʌstɪs] *n* justicia *f*; **to bring sb to ~** llevar a alguien ante los tribunales.

Justice of the Peace *n (pl Justices of the Peace)* juez *m* y *f* de paz.

justify ['dʒʌstɪfaɪ] *vt*: **to ~ (sthg/doing sthg)** justificar (algo/el haber hecho algo).

jut [dʒʌt] *vi*: **to ~ (out)** sobresalir.

juvenile ['dʒuːvənaɪl] ◇ *adj* **1.** (JUR) juvenil. **2.** *(childish)* infantil. ◇ *n* (JUR) menor *m* y *f* (de edad).

juxtapose [,dʒʌkstəˈpəuz] *vt*: **to ~ sthg (with)** yuxtaponer algo (a).

K

k *(pl k's* OR **ks), K** *(pl K's* OR **Ks)** [keɪ] *n (letter)* k *f*, K *f*. ◆ **K 1.** *(abbr of kilobyte(s))* K. **2.** *abbr of* **thousand**.

kaleidoscope [kəˈlaɪdəskəup] *n lit & fig* caleidoscopio *m*.

kangaroo [ˌkæŋgəˈruː] *n* canguro *m*.

karat [*Am* ˈkerət, *Br* ˈkær] *n Am* quilate *m*.

karate [kəˈrɑːtɪ] *n* kárate *m*.

kayak [ˈkaɪæk] *n* kayac *m*.

KB *n abbr of* **kilobyte**.

kebab [*Am* kɪˈbɑːb, *Br* -bæb] *n* pincho *m* moruno.

keel [kiːl] *n* quilla *f*; **on an even ~** en equilibrio estable.

keen [kiːn] *adj* **1.** *(enthusiastic)* entusiasta; **to be ~ on sthg** ser aficionado(da) a algo; **she is ~ on you** tú le gustas; **to be ~ to do** OR **on doing sthg** tener ganas de hacer algo. **2.** *(intense - interest, desire)* profundo(da); *(- competition)* reñido(da). **3.** *(sharp - sense of smell, hearing, vision)* agudo(da); *(- eye, ear)* fino(na); *(- mind)* agudo.

keep [kiːp] *(pt & pp* **kept)** ◇ *vt* **1.** *(maintain in a particular place or state or position)* mantener; **to ~ sb waiting/ awake** tener a alguien esperando/despierto. **2.** *(retain)* quedarse con; **~ the change** quédese con la vuelta. **3.** *(put aside, store)* guardar. **4.** *(prevent)*: **to ~ sb/sthg from doing sthg** impedir a alguien/algo hacer algo. **5.** *(detain)* detener; **to ~ sb waiting** hacer esperar a alguien. **6.** *(fulfil, observe - appointment)* acudir a; *(- promise, vow)* cumplir. **7.** *(not disclose)*: **to ~ sthg from sb** ocultar algo a alguien; **to ~ sthg to o.s.** no contarle algo a nadie. **8.** *(in writing - record, account)* llevar; *(- diary)* escribir; *(- note)* tomar. **9.** *(own - animals)* criar; *(- shop)* tener. ◇ *vi* **1.** *(remain)* mantenerse; **to ~ quiet** callarse. **2.** *(continue)*: **to ~ doing sthg** *(repeatedly)* no dejar de hacer algo; *(without stopping)* continuar OR seguir haciendo algo; **to ~ going** seguir adelante. **3.** *(continue in a particular direction)* continuar, seguir; **to ~ left/right** circular por la izquierda/derecha. **4.** *(food)* conservarse. **5.** *Br (be in a particular state of health)* estar, andar. ◇ *n (food, board etc)*: **to earn one's ~** ganarse el pan. ◆ **keeps** *n*: **for ~s** para siempre. ◆ **keep back** *vt sep (information)* ocultar; *(money, salary)* retener. ◆ **keep off** *vt fus*: **'~ off the grass'** 'no pisar la hierba'. ◆ **keep on** *vi* **1.** *(continue)*: **to ~ on doing sthg** *(continue to do)* continuar OR seguir haciendo algo; *(do repeatedly)* no dejar de hacer algo. **2.** *(talk incessantly)*: **to ~ on (about)** seguir dale que te pego (con). ◆ **keep out** *vt sep* no dejar pasar. ◇ *vi*: **'~ out'** 'prohibida la entrada'. ◆ **keep to** *vt fus (follow)* ceñirse a.

◆ **keep up** ◇ *vt sep* mantener. ◇ *vi (maintain pace, level etc)* mantener el ritmo; **to ~ up with sb/sthg** seguir el ritmo de alguien/algo.

keeper [ˈkiːpər] *n* guarda *m* y *f*.

keep-fit *n (U) Br* ejercicios *mpl* de mantenimiento.

keeping [ˈkiːpɪŋ] *n* **1.** *(care)*: **in sb's ~** al cuidado de alguien; **in safe ~** en lugar seguro. **2.** *(conformity, harmony)*: **in/out of ~ (with)** en armonía/desacuerdo (con).

keg [keg] *n* barrilete *m*.

kennel [ˈkenl] *n* **1.** *(hut for dog)* caseta *f* del perro. **2.** *Am (home for dogs)* residencia *f* para perros. ◆ **kennels** *npl Br* residencia *f* para perros.

Kenya [ˈkenjə] *n* Kenia.

kept [kept] *pt & pp* → **keep**.

kerb [kɜːrb] *n Br* bordillo *m*.

kernel [ˈkɜːrnl] *n (of nut, fruit)* pepita *f*.

kerosene [ˈkerəsiːn] *n* queroseno *m*.

kestrel [ˈkestrəl] *n* cernícalo *m*.

ketchup [ˈketʃəp] *n* catsup *m*.

kettle [ˈketl] *n* tetera *f* para hervir.

key [kiː] ◇ *n* **1.** *(for lock)* llave *f*. **2.** *(of typewriter, computer, piano)* tecla *f*. **3.** *(explanatory list)* clave *f*. **4.** *(solution, answer)*: **the ~ (to)** la clave (de). **5.** (MUS) *(scale of notes)* tono *m*. ◇ *adj* clave *(inv)*.

keyboard [ˈkiːbɔːrd] *n* teclado *m*.

keyhole [ˈkiːhoʊl] *n* ojo *m* de la cerradura.

keynote [ˈkiːnoʊt] *comp*: **~ speech** discurso *m* que marca la tónica.

keypad [ˈkiːpæd] *n* teclado *m (de teléfono, fax etc)*.

key ring *n* llavero *m*.

kg *(abbr of* **kilogram)** kg *m*.

khaki [*Am* ˈkæki, *Br* ˈkɑːki] ◇ *adj* caqui. ◇ *n* caqui *m*.

kick [kɪk] ◇ *n* **1.** *(from person)* patada *f*, puntapié *m*; *(from animal)* coz *f*. **2.** *inf (excitement)*: **to get a ~ from sthg** disfrutar con algo. ◇ *vt* **1.** *(hit with foot)* dar una patada OR un puntapié a. **2.** *inf (give up)* dejar. ◇ *vi (person)* dar patadas; *(animal)* dar coces, cocear. ◆ **kick off** *vi (football)* hacer el saque inicial. ◆ **kick out** *vt sep inf* echar, poner de patitas en la calle.

kid [kɪd] ◇ *n* **1.** *inf (child)* crío *m*, -a *f*. **2.** *inf (young person)* chico *m*, -ca *f*, chaval *m*, -la *f*. **3.** *(young goat)* cabrito *m*. **4.** *(leather)* cabritilla *f*. ◇ *comp inf (brother, sister)* menor. ◇ *vt inf* **1.** *(tease)* tomar el pelo a. **2.** *(delude)*: **to ~ o.s.**

hacerse ilusiones. ◊ *vi inf*: **to be kidding** estar de broma.

kidnap ['kɪdnæp] *vt* secuestrar, raptar, plagiar *CAm & Méx*.

kidnaper *Am*, **kidnapper** *Br* ['kɪd-næpər] *n* secuestrador *m*, -ra *f*, raptor *m*, -ra *f*, plagiario *m*, -ria *f CAm & Méx*.

kidnaping *Am*, **kidnapping** *Br* ['kɪd-næpɪŋ] *n* secuestro *m*, rapto *m*, plagio *m CAm & Méx*.

kidney ['kɪdnɪ] (*pl* **kidneys**) *n* (ANAT & CULIN) riñón *m*.

kidney bean *n* judía *f* pinta.

kill [kɪl] ◊ *vt* **1.** (*gen*) matar. **2.** *fig* (*cause to end, fail*) poner fin a. **3.** (*occupy*): **to ~ time** matar el tiempo. ◊ *vi* matar. ◊ *n* **1.** (*killing*) matanza *f*. **2.** (*dead animal*) pieza *f*.

killer ['kɪlər] *n* (*person, animal*) asesino *m*, -na *f*.

killing ['kɪlɪŋ] *n* asesinato *m*.

killjoy ['kɪldʒɔɪ] *n* aguafiestas *m y f inv*.

kiln [kɪln] *n* horno *m*.

kilo ['kiːləʊ] (*pl* **-s**) (*abbr of* **kilogram**) *n* kilo *m*.

kilobyte ['kɪləbaɪt] *n* kilobyte *m*.

kilogram(me) ['kɪləgræm] *n* kilogramo *m*.

kilohertz ['kɪləhɜːʳtz] (*pl inv*) *n* kilohercio *m*.

kilometer *Am* [kɪ'lɒmɪtər], **kilometre** *Br* ['kɪləˌmiːtə] *n* kilómetro *m*.

kilowatt ['kɪləwɒt] *n* kilovatio *m*.

kilt [kɪlt] *n* falda *f* escocesa.

kin [kɪn] → **kith**.

kind [kaɪnd] ◊ *adj* (*person, gesture*) amable; (*thought*) considerado(da). ◊ *n* tipo *m*, clase *f*; **a ~ of** una especie de; **~ of** *Am inf* un poco; **they're two of a ~** son tal para cual; **in ~** (*payment*) en especie.

kindergarten ['kɪndəʳgɑːʳtn] *n* jardín *m* de infancia.

kind-hearted [-'hɑːʳtəd] *adj* bondadoso(sa).

kindly ['kaɪndlɪ] ◊ *adj* amable, bondadoso(sa). ◊ *adv* **1.** (*gently, favourably*) amablemente. **2.** (*please*): **will you ~ ...?** ¿sería tan amable de ...?

kindness ['kaɪndnəs] *n* **1.** (*gentleness*) amabilidad *f*. **2.** (*helpful act*) favor *m*.

kindred ['kɪndrəd] *adj* (*similar*) afín; **~ spirit** alma *f* gemela.

king [kɪŋ] *n* rey *m*.

kingdom ['kɪŋdəm] *n* reino *m*.

kingfisher ['kɪŋfɪʃəʳ] *n* martín *m* pescador.

king-size(d) [-saɪz(d)] *adj* (*cigarette*)

extra largo; (*bed, pack*) gigante.

kinky ['kɪŋkɪ] *adj inf* morboso(sa), pervertido(da).

kiosk ['kiːɒsk] *n* **1.** (*small shop*) quiosco *m*. **2.** *Br* (*telephone box*) cabina *f* telefónica.

kipper ['kɪpəʳ] *n* arenque *m* ahumado.

kiss [kɪs] ◊ *n* beso *m*. ◊ *vt* besar. ◊ *vi* besarse.

kiss of life *n* (*to resuscitate sb*): **the ~** la respiración boca a boca.

kit [kɪt] *n* **1.** (*set*) utensilios *mpl*, equipo *m*. **2.** *Br* (*clothes*) equipo *m*. **3.** (*to be assembled*) modelo *m* para armar, kit *m*.

kit bag *n* macuto *m*, petate *m*.

kitchen ['kɪtʃən] *n* cocina *f*.

kitchen sink *n* fregadero *m*.

kitchen unit *n* módulo *m* OR armario *m* de cocina.

kite [kaɪt] *n* (*toy*) cometa *f*.

kith [kɪθ] *n*: **~ and kin** parientes *mpl* y amigos.

kitten ['kɪtn] *n* gatito *m*.

kitty ['kɪtɪ] *n* (*for bills, drinks*) fondo *m* común; (*in card games*) bote *m*, puesta *f*.

kiwi fruit *n* kiwi *m*.

km (*abbr of* **kilometre**) km.

km/h (*abbr of* **kilometres per hour**) km/h.

knack [næk] *n*: **it's easy once you've got the ~** es fácil cuando le coges el tranquillo; **he has the ~ of appearing at the right moment** tiene el don de aparecer en el momento adecuado.

knead [niːd] *vt* amasar.

knee [niː] *n* rodilla *f*.

kneecap ['niːkæp] *n* rótula *f*.

kneel [niːl] (*Am pt & pp* **-ed** OR **knelt**, *Br pt & pp* **knelt**) *vi* arrodillarse. ♦ **kneel down** *vi* arrodillarse.

knelt [nelt] *pt & pp* → **kneel**.

knew [njuː] *pt* → **know**.

knickers ['nɪkəʳz] *npl* **1.** *Br* (*underwear*) calzones *mpl Amer*, bombachas *fpl CSur*, pantaletas *fpl Col & Méx*, bragas *fpl Esp*. **2.** *Am* (*knickerbockers*) bombachos *mpl*.

knife [naɪf] (*pl* **knives**) ◊ *n* cuchillo *m*. ◊ *vt* acuchillar.

knight [naɪt] ◊ *n* **1.** (HIST) caballero *m*. **2.** (*knighted man*) hombre con el título de 'Sir'. **3.** (*in chess*) caballo *m*. ◊ *vt* conceder el título de 'Sir' a.

knighthood ['naɪthʊd] *n* **1.** (*present-day title*) título *m* de 'Sir'. **2.** (HIST) título *m* de caballero.

knit [nɪt] (*pt & pp* **knit** OR **-ted**) ◊ *vt*

K

(make with wool) tejer, tricotar. ◇ *vi*
1. *(with wool)* hacer punto, tricotar.
2. *(join)* soldarse.

knitting ['nɪtɪŋ] *n (U)* **1.** *(activity)* labor
f de punto. **2.** *(work produced)* punto *m*,
calceta *f*.

knitting needle *n* aguja *f* de hacer
punto.

knitwear ['nɪtweəʳ] *n (U)* género *m* OR
ropa *f* de punto.

knives [naɪvz] *pl* → **knife**.

knob [nɒb] *n* **1.** *(on door, drawer, bed-
stead)* pomo *m*. **2.** *(on TV, radio etc)*
botón *m*.

knock [nɒk] ◇ *n* **1.** *(hit)* golpe *m*. **2.** *inf*
(piece of bad luck) revés *m*. ◇ *vt* **1.** *(hit
hard)* golpear; **to ~ sb over** *(gen)* hacer
caer a alguien; (AUT) atropellar a
alguien; **to ~ sth over** tirar OR volcar
algo. **2.** *(make by hitting)* hacer, abrir. **3.**
inf (criticize) poner por los suelos. ◇ *vi*
1. *(on door)*: **to ~ (at OR on)** llamar (a).
2. *(car engine)* traquetear. ◆ **knock
down** *vt sep* **1.** *(subj: car, driver)* atropellar. **2.** *(building)* derribar. ◆ **knock off**
vi inf (stop working) parar de currar.
◆ **knock out** *vt sep* **1.** *(subj: person,
punch)* dejar sin conocimiento; *(subj:
drug)* dejar dormido a. **2.** *(eliminate from
competition)* eliminar.

knocker ['nɒkəʳ] *n (on door)* aldaba *f*.

knockout ['nɒkaʊt] *n* K.O. *m*.

knot [nɒt] *n* **1.** *(gen)* nudo *m*; **to tie/
untie a ~** hacer/deshacer un nudo.
2. *(of people)* corrillo *m*. ◇ *vt* anudar.

know [noʊ] *(pt* knew, *pp* known*)* ◇ *vt*
1. *(gen)*: **to ~ (that)** saber (que); *(language)* saber hablar; **to ~ how to do sth**
saber hacer algo; **to get to ~ sth** enterarse de algo; **to let sb ~ (about)** avisar
a alguien (de). **2.** *(be familiar with - person, place)* conocer; **to get to ~ sb** llegar
a conocer a alguien. ◇ *vi* **1.** *(have knowledge)* saber; **to ~ of OR about sth** saber
algo, estar enterado(da) de algo; **you ~**
(to emphasize) ¿sabes?; *(to remind)* ¡ya
sabes!, ¡sí hombre! **2.** *(be knowledgeable)*: **to ~ about sth** saber de algo.
◇ *n*: **to be in the ~** estar enterado(da).

know-all *n Br* sabelotodo *m y f*.

know-how *n* conocimientos *mpl*.

knowing ['noʊɪŋ] *adj* cómplice.

knowingly ['noʊɪŋlɪ] *adv* **1.** *(in knowing
manner)* con complicidad. **2.** *(intentionally)* adrede.

know-it-all = **know-all**.

knowledge ['nɒlɪdʒ] *n (U)* conocimiento *m*; **to the best of my ~** por lo
que yo sé.

knowledgeable ['nɒlɪdʒəbl] *adj*
entendido(da).

known [noʊn] *pp* → **know**.

knuckle ['nʌkl] *n* (ANAT) nudillo *m*.

knuckle-duster *n* puño *m* americano.

koala (bear) [koʊ'ɑːlə(-)] *n* koala *m*.

Koran [kɒ'rɑːn] *n*: **the ~** el Corán.

Korea [kə'rɪə] *n* Corea.

kosher ['koʊʃəʳ] *adj* **1.** *(meat)* permitido
por la religión judía. **2.** *inf (reputable)* lim-
pio(pia), legal.

Koweit [kəʊ'weɪt] = **Kuwait**.

kung fu [ˌkʌŋ'fuː] *n* kung-fu *m*.

Kurd [kɜːrd] *n* kurdo *m*, -da *f*.

Kuwait [kʊ'weɪt] *n* Kuwait.

L

l¹ *(pl* **l's** OR **ls**), **L** *(pl* **L's** OR **Ls**) [el] *n (letter)* l *f*, L *f*.

l² *(abbr of* litre) l.

lab [læb] *inf* = **laboratory**.

label ['leɪbl] ◇ *n* **1.** *(identification)* etiqueta *f*. **2.** *(of record)* sello *m* discográfi-
co. ◇ *vt* **1.** *(fix label to)* etiquetar. **2.** *usu
pej (describe)*: **to ~ sb (as)** calificar OR
etiquetar a alguien (de).

labor *Am*, **labour** *Br* ['leɪbəʳ] ◇ *n*
1. *(hard work)* trabajo *m*. **2.** *(piece of
work)* esfuerzo *m*. **3.** *(workers, work
carried out)* mano *f* de obra. **4.** *(giving
birth)* parto *m*. ◇ *vi* **1.** *(work hard)* trabajar (duro). **2.** *(work with difficulty)*: **to ~
at OR over** trabajar duro en.

laboratory [*Am* 'læbrətɔːrɪ, *Br* lə-
'bɒrətrɪ] *n* laboratorio *m*.

labored *Am*, **laboured** *Br* ['leɪbərd]
adj (style) trabajoso(sa); *(gait, breathing)*
penoso(sa), fatigoso(sa).

laborer *Am*, **labourer** *Br* ['leɪbərəʳ] *n*
obrero *m*, -ra *f*.

laborious [lə'bɔːrɪəs] *adj* laborioso(sa).

labor union *n Am* sindicato *m*.

labour *Br etc* = **labor**. ◆ **Labour** *Br*
(POL) ◇ *adj* laborista. ◇ *n (U)* los labo-
ristas.

Labour Party *n Br*: **the ~** el partido
Laborista.

Labrador ['læbrədɔːʳ] *n (dog)* (perro
m de) terranova *m*, labrador *m*.

labyrinth ['læbərinθ] *n* laberinto *m*.

lace [leɪs] ◇ *n* **1.** *(fabric)* encaje *m*. **2.** *(shoelace)* cordón *m*. ◇ *vt* **1.** *(shoe, boot)* atar. **2.** *(drink, food)*: **coffee ~d with brandy** café con unas gotas de coñac. ◆ **lace up** *vt sep* atar.

lack [læk] ◇ *n* falta *f*; **for** OR **through ~ of** por falta de; **no ~ of** abundancia de. ◇ *vt* carecer de. ◇ *vi*: **to be ~ing in** carecer de; **to be ~ing** faltar.

lackluster *Am*, **lacklustre** *Br* ['læklʌstər] *adj pej* soso(sa), apagado (da).

laconic [lə'kɒnɪk] *adj* lacónico(ca).

lacquer ['lækər] *n* laca *f*.

lad [læd] *n inf (boy)* chaval *m*.

ladder ['lædər] ◇ *n* **1.** *(for climbing)* escalera *f*. **2.** *Br (in tights)* carrera *f*. ◇ *vt Br (tights)* hacerse una carrera en.

laden ['leɪdn] *adj*: ~ **(with)** cargado(da) (de).

ladies' room *Am*, **ladies** *Br* ['leɪdɪz] *n* lavabo *m* de señoras.

ladle ['leɪdl] *n* cucharón *m*.

lady ['leɪdɪ] ◇ *n* **1.** *(woman)* señora *f*. **2.** *(woman of high status)* dama *f*. ◇ *comp* mujer; ~ **doctor** doctora *f*. ◆ **Lady** *n (woman of noble rank)* lady *f*.

ladybug *Am* ['leɪdɪbʌg], **ladybird** *Br* ['leɪdɪbɜːrd] *n* mariquita *f*.

ladylike ['leɪdɪlaɪk] *adj* distinguido(da), elegante.

Ladyship ['leɪdɪʃɪp] *n*: **her/your ~** su señoría *f*.

lag [læg] ◇ *vi* **1.** *(move more slowly)*: **to ~ (behind)** rezagarse. **2.** *(develop more slowly)*: **to ~ (behind)** andar a la zaga. ◇ *vt* revestir. ◇ *n (timelag)* retraso *m*.

lager ['lɑːgər] *n* cerveza *f* rubia.

lagoon [lə'guːn] *n* laguna *f*.

laid [leɪd] *pt & pp* → **lay**.

laid-back *adj inf* relajado(da).

lain [leɪn] *pp* → **lie**.

lair [leər] *n* guarida *f*.

laity ['leɪətɪ] *n (*RELIG*)*: **the ~** los seglares.

lake [leɪk] *n* lago *m*.

Lake District *n*: **the ~** el Distrito de los Lagos al noroeste de Inglaterra.

lamb [læm] *n* cordero *m*.

lambswool ['læmzwʊl] ◇ *n* lana *f* de cordero. ◇ *comp* de lana de cordero.

lame [leɪm] *adj* **1.** *(person, horse)* cojo (ja). **2.** *(excuse, argument)* pobre.

lament [lə'ment] ◇ *n* lamento *m*. ◇ *vt* lamentar.

laminated ['læmɪneɪtəd] *adj* laminado (da).

lamp [læmp] *n* lámpara *f*.

lamppost ['læmppoʊst] *n* farol *m*.

lampshade ['læmpʃeɪd] *n* pantalla *f*.

lance [*Am* læns, *Br* lɑːns] ◇ *n* lanza *f*. ◇ *vt* abrir con lanceta.

land [lænd] ◇ *n* **1.** *(gen)* tierra *f*. **2.** *(property)* tierras *fpl*, finca *f*. ◇ *vt* **1.** *(unload)* desembarcar. **2.** *(catch - fish)* pescar. **3.** *inf (obtain)* conseguir, pillar. **4.** *(plane)* hacer aterrizar. **5.** *inf (place)*: **to ~ sb in sthg** meter a alguien en algo; **to ~ sb with sb/sthg** cargar a alguien con alguien/algo. ◇ *vi* **1.** *(by plane)* aterrizar, tomar tierra. **2.** *(fall)* caer. **3.** *(from ship)* desembarcar.

landing ['lændɪŋ] *n* **1.** *(of stairs)* rellano *m*. **2.** *(of aeroplane)* aterrizaje *m*. **3.** *(of person)* desembarco *m*.

landing card *n* tarjeta *f* de desembarque.

landing gear *n (U)* tren *m* de aterrizaje.

landing strip *n* pista *f* de aterrizaje.

landlady ['lændleɪdɪ] *n* casera *f*, patrona *f*.

landlord ['lændlɔːrd] *n* **1.** *(of rented room or building)* dueño *m*, casero *m*. **2.** *(of pub)* patrón *m*.

landmark ['lændmɑːrk] *n* **1.** *(prominent feature)* punto *m* de referencia. **2.** *fig (in history)* hito *m*.

landowner ['lændoʊnər] *n* terrateniente *m y f*.

landscape ['lændskeɪp] *n* paisaje *m*.

landslide ['lændslaɪd] *n* **1.** *(of earth, rocks)* desprendimiento *m* de tierras. **2.** (POL) victoria *f* arrolladora OR aplastante.

lane [leɪn] *n* **1.** *(road in country)* camino *m*. **2.** *(road in town)* callejuela *f*, callejón *m*. **3.** *(for traffic)* carril *m*. **4.** *(in swimming pool, race track)* calle *f*. **5.** *(for shipping, aircraft)* ruta *f*.

language ['læŋgwɪdʒ] *n* **1.** *(gen)* lengua *f*, idioma *m*. **2.** *(faculty or style of communication)* lenguaje *m*.

language laboratory *n* laboratorio *m* de idiomas.

languid ['læŋgwəd] *adj* lánguido(da).

languish ['læŋgwɪʃ] *vi (in misery)* languidecer; *(in prison)* pudrirse.

lank [læŋk] *adj* lacio(cia).

lanky ['læŋkɪ] *adj* larguirucho(cha).

lantern ['læntərn] *n* farol *m*.

lap [læp] ◇ *n* **1.** *(of person)* regazo *m*. **2.** *(of race)* vuelta *f*. ◇ *vt* **1.** *(subj: animal)* beber a lengüetadas. **2.** *(overtake in race)* doblar. ◇ *vi (water, waves)* romper con suavidad.

L

lapel [ləˈpel] *n* solapa *f*.

Lapland [ˈlæplænd] *n* Laponia.

lapse [læps] ◇ *n* **1.** *(failing)* fallo *m*, lapsus *m* inv. **2.** *(in behaviour)* desliz *m*. **3.** *(of time)* lapso *m*, periodo *m*. ◇ *vi* **1.** *(membership)* caducar; *(treatment, agreement)* cumplir, expirar. **2.** *(standards, quality)* bajar momentáneamente; *(tradition)* extinguirse. **3.** *(subj: person)*: **to ~ into** terminar cayendo en.

lap-top (computer) [ˈlæptɒp(-)] *n* (pequeño) ordenador *m* portátil.

larceny [ˈlɑːrsənɪ] *n* (U) latrocinio *m*.

lard [lɑːrd] *n* manteca *f* de cerdo.

larder [ˈlɑːrdər] *n* despensa *f*.

large [lɑːrdʒ] *adj* *(gen)* grande; *(family)* numeroso(sa); *(sum)* importante. ◆ **at large** *adv* **1.** *(as a whole)* en general. **2.** *(escaped prisoner, animal)* suelto(ta). ◆ **by and large** *adv* en general.

largely [ˈlɑːrdʒlɪ] *adv* *(mostly)* en gran parte; *(chiefly)* principalmente.

lark [lɑːrk] *n* **1.** *(bird)* alondra *f*. **2.** inf *(joke)* broma *f*.

laryngitis [ˌlærɪnˈdʒaɪtəs] *n* (U) laringitis *f* inv.

larynx [ˈlærɪŋks] *n* laringe *f*.

lasagna, lasagne [Am ləˈzɑːnjə, Br -ˈzænjə] *n* (U) lasaña *f*.

laser [ˈleɪzər] *n* láser *m*.

laser printer *n* (COMPUT) impresora *f* láser.

lash [læʃ] ◇ *n* **1.** *(eyelash)* pestaña *f*. **2.** *(blow with whip)* latigazo *m*. ◇ *vt* **1.** *lit & fig (whip)* azotar. **2.** *(tie)*: **to ~ sthg (to)** amarrar algo (a). ◆ **lash out** *vi* **1.** *(physically)*: **to ~ out (at OR against sb)** soltar un golpe (a alguien). **2.** Br inf *(spend money)*: **to ~ out (on sthg)** derrochar el dinero (en algo).

lass [læs] *n* chavala *f*, muchacha *f*.

lasso [Am ˈlæsoʊ, Br læˈsuː] (*pl* **-s**) *n* lazo *m*.

last [Am læst, Br lɑːst] ◇ *adj* último (ma); **~ month/Tuesday** el mes/martes pasado; **~ but one** penúltimo(ma); **~ but two** antepenúltimo(ma); **~ night** anoche. ◇ *adv* **1.** *(most recently)* por última vez. **2.** *(finally, in final position)* en último lugar; **he arrived ~** llegó el último. ◇ *pron*: **the year/Saturday before ~** no el año/sábado pasado, sino el anterior; **the ~ but one** el penúltimo (la penúltima); **the night before ~** anteanoche; **the time before ~** la vez anterior a la pasada; **to leave sthg till ~** dejar algo para lo último. ◇ *n*: **the ~ I saw/heard of him** la última vez que lo vi/que oí de él. ◇ *vi* durar; *(food)* conservarse. ◆ **at**

(long) last *adv* por fin.

last-ditch *adj* último(ma), desesperado(da).

lasting [Am ˈlæstɪŋ, Br ˈlɑːst-] *adj* *(peace, effect)* duradero(ra); *(mistrust)* profundo(da).

lastly [Am ˈlæstlɪ, Br ˈlɑːst-] *adv* **1.** *(to conclude)* por último. **2.** *(at the end)* al final.

last-minute *adj* de última hora.

latch [lætʃ] *n* pestillo *m*. ◆ **latch onto** *vt fus inf (person)* pegarse OR engancharse a; *(idea)* pillar.

late [leɪt] ◇ *adj* **1.** *(not on time)* con retraso; **to be ~ (for)** llegar tarde (a). **2.** *(near end of)*: **in the ~ afternoon** al final de la tarde; **in ~ December** a finales de diciembre. **3.** *(later than normal)* tardío(a); **we had a ~ breakfast** desayunamos tarde. **4.** *(former)*: **the ~ president** el ex-presidente. **5.** *(dead)* difunto (ta). ◇ *adv* **1.** *(gen)* tarde. **2.** *(near end of period)*: **~ in the day** al final del día; **~ in August** a finales de agosto. ◆ **of late** *adv* últimamente.

> • *Lately* no significa lo mismo que *late*, no obstante que ambos funcionan como adverbios y aunque *lately* parezca formado a partir del adjetivo *late*. *Lately* quiere decir lo mismo que *recently* ("últimamente", "recientemente"). Comparemos *he arrived late*, "llegó tarde" con *we haven't spoken lately* "no hemos hablado últimamente".

latecomer [ˈleɪtkʌmər] *n* persona *f* que llega tarde.

lately [ˈleɪtlɪ] *adv* últimamente.

latent [ˈleɪtənt] *adj* latente.

later [ˈleɪtər] ◇ *adj* **1.** *(date, edition)* posterior. **2.** *(near end of)*: **in the ~ 15th century** a finales del siglo XV. ◇ *adv (at a later time)*: **~ (on)** más tarde.

lateral [ˈlætərəl] *adj* lateral.

latest [ˈleɪtəst] ◇ *adj* *(most recent)* último(ma). ◇ *n*: **at the ~** a más tardar, como muy tarde.

lathe [leɪð] *n* torno *m*.

lather [Am ˈlæðr, Br ˈlɑːðə] ◇ *n* espuma *f* (de jabón). ◇ *vt* enjabonar.

Latin [ˈlætn] ◇ *adj* **1.** *(temperament, blood)* latino(na). **2.** *(studies)* de latín. ◇ *n (language)* latín *m*.

Latin America *n* América *f* Latina, Latinoamérica *f*.

Latin American ◇ *adj* latinoamericano(na). ◇ *n (person)* latinoamericano *m*, -na *f*.

latitude ['lætɪtʲuːd] *n* (GEOGR) latitud *f*.
latter ['lætər] ◇ *adj* **1.** (near to end)
último(ma). **2.** (second) segundo(da).
◇ *n*: **the ~** éste *m*, -ta *f*.
latterly ['lætərlɪ] *adv* últimamente.
Latvia ['lætvɪə] *n* Letonia.
laudable ['lɔːdəbl] *adj* loable.
laugh [*Am* læf, *Br* lɑːf] ◇ *n* **1.** (sound)
risa *f*. **2.** *inf* (fun, joke): **to have a ~** reírse un rato; **to do sthg for ~s** OR **a ~**
hacer algo para divertirse OR en
cachondeo. ◇ *vi* reírse. ◆ **laugh at** *vt
fus* (mock) reírse de.
laughable [*Am* 'læfəbl, *Br* 'lɑːf-] *adj pej*
(absurd) ridículo(la), risible.
laughingstock [*Am* 'læfɪŋstɔːk, *Br*
'lɑːf-] *n* hazmerreír *m*.
laughter [*Am* 'læftr, *Br* 'lɑːftə] *n* (U)
risa *f*.
launch [lɔːntʃ] ◇ *n* **1.** (of boat, ship)
botadura *f*. **2.** (of rocket, missile, product)
lanzamiento *m*; (of book) publicación *f*.
3. (boat) lancha *f*. ◇ *vt* **1.** (boat, ship)
botar. **2.** (missile, attack, product) lanzar;
(book) publicar, sacar. **3.** (strike) convocar; (company) fundar.
launch(ing) pad ['lɔːntʃ(ɪŋ)-] *n* plataforma *f* de lanzamiento.
launder ['lɔːndər] *vt* **1.** (wash) lavar. **2.**
inf (money) blanquear.
laund(e)rette [lɔːn'dret], **Laun-
dromat®** *Am* ['lɔːndrəmæt] *n* lavandería *f* (automática).
laundry ['lɔːndrɪ] *n* **1.** (clothes - about to
be washed) colada *f*, ropa *f* sucia;
(- newly washed) ropa *f* limpia. **2.** (business, room) lavandería *f*.
laureate ['lɔːrɪət] → **poet laureate**.
lava ['lɑːvə] *n* lava *f*.
lavatory [*Am* 'lævətɔːrɪ, *Br* -ətrɪ] *n*
1. (receptacle) wáter *m*. **2.** (room) servicio *m*.
lavender ['lævəndər] *n* **1.** (plant) lavanda *f*. **2.** (colour) color *m* lavanda.
lavish ['lævɪʃ] ◇ *adj* **1.** (person) pródi-
go(ga); (gifts, portions) muy generoso
(sa); **to be ~ with** (praise, attention) ser
pródigo en; (money) ser desprendido
(da) con. **2.** (sumptuous) espléndido(da),
suntuoso(sa). ◇ *vt*: **to ~ sthg on** (praise,
care) prodigar algo a; (time, money) gastar algo en.
law [lɔː] *n* **1.** (gen) ley *f*; **against the ~**
contra la ley; **to break the ~** infringir OR
violar la ley; **~ and order** el orden público. **2.** (set of rules, study, profession) derecho *m*.
law-abiding [-ə,baɪdɪŋ] *adj* observante
de la ley.

law court *n* tribunal *m* de justicia.
lawful ['lɔːfl] *adj fml* legal, lícito(ta).
lawn [lɔːn] *n* (grass) césped *m*.
lawnmower ['lɔːnmoʊər] *n* cortacésped *m* o *f*.
lawn tennis *n* tenis *m* sobre hierba.
law school *n* facultad *f* de derecho.
lawsuit ['lɔːsuːt] *n* pleito *m*.
lawyer ['lɔːjər] *n* abogado *m*, -da *f*.
lax [læks] *adj* (discipline, morals) relajado
(da); (person) negligente.
laxative ['læksətɪv] *n* laxante *m*.
lay [leɪ] (*pt & pp* **laid**) ◇ *pt* → **lie**. ◇ *vt*
1. (put, place) colocar, poner. **2.** (prepare - plans) hacer; **to ~ the table** poner
la mesa. **3.** (put in position - bricks)
poner; (- cable, trap) tender; (- foundations) echar. **4.** (egg) poner. **5.** (blame,
curse) echar. ◇ *adj* **1.** (not clerical) laico
(ca). **2.** (untrained, unqualified) lego(ga).
◆ **lay aside** *vt sep* **1.** (store for
future - food) guardar; (- money) ahorrar.
2. (put away) dejar a un lado. ◆ **lay
down** *vt sep* **1.** (set out) imponer, dictar.
2. (put down - arms) deponer, entregar;
(- tools) dejar. ◆ **lay off** *vt sep* (make
redundant) despedir. ◆ **lay on** *vt sep
Br* (provide, supply) proveer. ◆ **lay
out** *vt sep* **1.** (arrange, spread out)
disponer. **2.** (plan, design) diseñar el
trazado de.
layabout ['leɪəbaʊt] *n Br inf* holgazán
m, -ana *f*, gandul *m*, -la *f*.
lay-by (*pl* **lay-bys**) *n Br* área *f* de descanso.
layer ['leɪər] *n* **1.** (of substance, material)
capa *f*. **2.** *fig* (level) nivel *m*.
layman ['leɪmən] (*pl* **-men** [-mən]) *n*
1. (untrained, unqualified person) lego *m*,
-ga *f*. **2.** (RELIG) laico *m*, -ca *f*.
layout ['leɪaʊt] *n* (of building, garden)
trazado *m*, diseño *m*; (of text) presentación *f*, composición *f*.
laze [leɪz] *vi*: **to ~ (about** OR **around)**
gandulear, holgazanear.
lazy ['leɪzɪ] *adj* **1.** (person) perezoso(sa),
vago(ga). **2.** (stroll, gesture) lento(ta);
(afternoon) ocioso(sa).
lb (abbr of **pound**) lb.
LCD *n* abbr of **liquid crystal display**.
lead[1] [liːd] (*pt & pp* **led**) ◇ *n* **1.** (winning position) delantera *f*; **to be in** OR
have the ~ llevar la delantera.
2. (amount ahead): **to have a ~ of ...** llevar una ventaja de ... **3.** (initiative,
example) iniciativa *f*, ejemplo *m*; **to take
the ~** (do sthg first) tomar la delantera.
4. (THEATRE): **(to play) the ~** (hacer) el
papel principal. **5.** (clue) pista *f*. **6.** (for

dog) correa *f.* **7.** (*wire, cable*) cable *m.*
◇ *adj* (*singer, actor*) principal; (*story in newspaper*) más destacado(da). ◇ *vt* **1.** (*be in front of*) encabezar. **2.** (*take, guide, direct*) conducir. **3.** (*be in charge of, take the lead in*) estar al frente de, dirigir. **4.** (*life*) llevar. **5.** (*cause*): **to ~ sb to do sthg** llevar a alguien a hacer algo. ◇ *vi* **1.** (*go*): **to ~ (to)** conducir OR llevar (a). **2.** (*give access to*): **to ~ (to OR into)** dar (a). **3.** (*be winning*) ir en cabeza. **4.** (*result in*): **to ~ to** conducir a. ◆ **lead up to** *vt fus* **1.** (*build up to*) conducir a, preceder. **2.** (*plan to introduce*) apuntar a.

lead² [led] *n* **1.** (*metal*) plomo *m.* **2.** (*in pencil*) mina *f.*

leaded ['ledəd] *adj* **1.** (*petrol*) con plomo. **2.** (*window*) emplomado(da).

leader ['liːdər] *n* **1.** (*of party etc, in competition*) líder *m* y *f.* **2.** *Br* (*in newspaper*) editorial *m,* artículo *m* de fondo.

leadership ['liːdəˌʃɪp] *n* (*U*) **1.** (*people in charge*): **the ~** los líderes. **2.** (*position of leader*) liderazgo *m.* **3.** (*qualities of leader*) dotes *fpl* de mando.

lead-free [led-] *adj* sin plomo.

leading ['liːdɪŋ] *adj* **1.** (*major - athlete, writer*) destacado(da). **2.** (*at front*) que va en cabeza.

leading lady *n* primera actriz *f.*

leading light *n* cerebro *m,* cabeza *f* pensante.

leading man *n* primer actor *m.*

leaf [liːf] (*pl* **leaves**) *n* **1.** (*of tree, book*) hoja *f.* **2.** (*of table*) hoja *f* abatible.
◆ **leaf through** *vt fus* hojear.

leaflet ['liːflət] *n* (*small brochure*) folleto *m;* (*piece of paper*) octavilla *f.*

league [liːg] *n* (*gen & SPORT*) liga *f;* **to be in ~ with** (*work with*) estar confabulado con.

leak [liːk] ◇ *n* **1.** (*hole - in tank, bucket*) agujero *m;* (*- in roof*) gotera *f.* **2.** (*escape*) escape *m,* fuga *f.* **3.** (*disclosure*) filtración *f.* ◇ *vt* (*make known*) filtrar. ◇ *vi* **1.** (*bucket*) tener un agujero; (*roof*) tener goteras. **2.** (*water, gas*) salirse, escaparse; **to ~ (out) from** salirse de. ◆ **leak out** *vi* **1.** (*liquid*) escaparse. **2.** *fig* (*secret, information*) trascender.

lean [liːn] (*pt & pp* **leant** OR **-ed**) ◇ *adj* **1.** (*person*) delgado(da). **2.** (*meat*) magro (gra), sin grasa. **3.** (*winter, year*) de escasez. ◇ *vt* (*support, prop*): **to ~ sthg against** apoyar algo contra. ◇ *vi* **1.** (*bend, slope*) inclinarse. **2.** (*rest*): **to ~ on/against** apoyarse en/contra.

leaning ['liːnɪŋ] *n*: **~ (towards)** inclina-

ción *f* (hacia OR por).

leant [lent] *pt & pp* → **lean.**

lean-to (*pl* **lean-tos**) *n* cobertizo *m.*

leap [liːp] (*pt & pp* **leapt** OR **-ed**) ◇ *n* salto *m.* ◇ *vi* (*gen*) saltar; (*prices*) dispararse.

leapfrog ['liːpfrɒg] ◇ *n* pídola *f.* ◇ *vt* saltar.

leapt [lept] *pt & pp* → **leap.**

leap year *n* año *m* bisiesto.

learn [lɜːrn] (*pt & pp* **-ed** OR **learnt**) ◇ *vt* **1.** (*acquire knowledge of, memorize*) aprender; **to ~ (how) to do sthg** aprender a hacer algo. **2.** (*hear*): **to ~ (that)** enterarse de (que). ◇ *vi* **1.** (*acquire knowledge*) aprender. **2.** (*hear*): **to ~ (of OR about)** enterarse (de).

learned ['lɜːrnəd] *adj* erudito(ta).

learner ['lɜːrnər] *n* principiante *m* y *f.*

learner (driver) *n* conductor *m* principiante OR en prácticas.

learning ['lɜːrnɪŋ] *n* saber *m,* erudición *f.*

learnt [lɜːrnt] *pt & pp* → **learn.**

lease [liːs] ◇ *n* (*JUR*) contrato *m* de arrendamiento, arriendo *m.* ◇ *vt* arrendar; **to ~ sthg from/to sb** arrendar algo de/a alguien.

leasehold ['liːshould] ◇ *adj* arrendado (da). ◇ *adv* en arriendo.

leash [liːʃ] *n* (*for dog*) correa *f.*

least [liːst] (*superl of* **little**) ◇ *adj* (*smallest in amount, degree*) menor; **he earns the ~ money** es el que menos dinero gana. ◇ *pron* (*smallest amount*): **the ~** lo menos; **it's the ~ (that) he can do** es lo menos que puede hacer; **not in the ~** en absoluto; **to say the ~** por no decir otra cosa. ◇ *adv* (*to the smallest amount, degree*) menos. ◆ **at least** *adv* por lo menos. ◆ **least of all** *adv* y menos (todavía). ◆ **not least** *adv fml* en especial.

leather ['leðər] ◇ *n* cuero *m,* piel *f.* ◇ *comp* (*jacket, trousers*) de cuero; (*shoes, bag*) de piel.

leave [liːv] (*pt & pp* **left**) ◇ *vt* **1.** (*gen*) dejar; **he left it to her to decide** dejó que ella decidiera; **to ~ sb alone** dejar a alguien en paz. **2.** (*go away from - house, room*) salir de; (*- wife, home*) abandonar. **3.** (*do not take, forget*) dejarse. **4.** (*bequeath*): **to ~ sb sthg, to ~ sthg to sb** dejarle algo a alguien. ◇ *vi* (*bus, train, plane*) salir; (*person*) irse, marcharse. ◇ *n* (*time off*) permiso *m;* **to be on ~** estar de permiso. ◆ **leave behind** *vt sep* **1.** (*abandon*) dejar. **2.** (*forget*) dejarse. ◆ **leave out** *vt sep* excluir.

leaves [liːvz] *pl* → **leaf**.

Lebanon ['lebənən] *n*: **(the)** ~ (el) Líbano.

lecture ['lektʃəᵊ] ◇ *n* **1.** *(talk - at university)* clase *f*; *(- at conference)* conferencia *f*. **2.** *(criticism, reprimand)* sermón *m*. ◇ *vt (scold)* echar un sermón a. ◇ *vi (give talk)*: **to ~ (on/in)** *(at university)* dar una clase (de/en); *(at conference)* dar una conferencia (sobre/en).

lecturer ['lektʃərəᵊ] *n* profesor *m*, -ra *f* de universidad.

led [led] *pt & pp* → **lead¹**.

ledge [ledʒ] *n* **1.** *(of window)* alféizar *m*. **2.** *(of mountain)* saliente *m*.

ledger ['ledʒəᵊ] *n* libro *m* mayor.

leek [liːk] *n* puerro *m*.

leer [lɪəᵊ] *vi*: **to ~ at sb** mirar lascivamente a alguien.

leeway ['liːweɪ] *n (room to manoeuvre)* libertad *f* (de acción OR movimientos).

left [left] ◇ *adj* **1.** *(remaining)*: **there's no wine ~** no queda vino. **2.** *(not right)* izquierdo(da). ◇ *adv* a la izquierda. ◇ *n*: **on OR to the ~** a la izquierda. ◆ **Left** *n* (POL): **the Left** la izquierda.

left-hand *adj* izquierdo(da); **the ~ side** el lado izquierdo, la izquierda.

left-hand drive *adj* con el volante a la izquierda.

left-handed [-'hændəd] *adj* **1.** *(person)* zurdo(da). **2.** *(implement)* para zurdos.

left luggage (office) *n Br* consigna *f*.

leftover ['leftəʊvəᵊ] *adj* sobrante. ◆ **leftovers** *npl* sobras *fpl*.

left wing *n* (POL) izquierda *f*. ◆ **left-wing** *adj* izquierdista.

leg [leg] *n* **1.** *(of person)* pierna *f*; **to pull sb's ~** tomarle el pelo a alguien. **2.** *(of animal)* pata *f*. **3.** *(of trousers)* pernera *f*, pierna *f*. **4.** (CULIN) *(of lamb, pork)* pierna *f*; *(of chicken)* muslo *m*. **5.** *(of furniture)* pata *f*. **6.** *(of journey)* etapa *f*; *(of tournament)* fase *f*, manga *f*.

legacy ['legəsɪ] *n lit & fig* legado *m*.

legal ['liːgl] *adj* **1.** *(concerning the law)* jurídico(ca), legal. **2.** *(lawful)* legal, lícito(ta).

legalize ['liːgəlaɪz] *vt* legalizar.

legal tender *n* moneda *f* de curso legal.

legend ['ledʒənd] *n lit & fig* leyenda *f*.

leggings ['legɪŋz] *npl* mallas *fpl*.

legible ['ledʒəbl] *adj* legible.

legislation [ˌledʒɪs'leɪʃn] *n* legislación *f*.

legislature ['ledʒəsleɪtʃəᵊ] *n* legislatura *f*.

legitimate [lɪ'dʒɪtəmət] *adj* legítimo (ma).

leg-warmers [-ˌwɔːᵊməᵊz] *npl* calentadores *mpl*.

leisure [*Am* 'liːʒr, *Br* 'leʒə] *n* ocio *m*, tiempo *m* libre; **do it at your ~** hazlo cuando tengas tiempo.

leisure centre *n* centro *m* deportivo y cultural.

leisurely [*Am* 'liːʒrlɪ, *Br* 'leʒəlɪ] ◇ *adj* lento(ta). ◇ *adv* con calma, sin prisa.

leisure time *n* tiempo *m* libre, ocio *m*.

lemon ['lemən] *n (fruit)* limón *m*.

lemonade [ˌlemə'neɪd] *n* **1.** *Br (fizzy drink)* gaseosa *f*. **2.** *(made with fresh lemons)* limonada *f*.

lemon juice *n* zumo *m* de limón.

lemon sole *n* platija *f*.

lemon squeezer [-'skwiːzəᵊ] *n* exprimidor *m*, exprimelimones *m inv*.

lemon tea *n* té *m* con limón.

lend [lend] *(pt & pp* lent) *vt* **1.** *(loan)* prestar, dejar; **to ~ sb sthg, to ~ sthg to sb** prestarle algo a alguien. **2.** *(offer)*: **to ~ sthg (to sb)** prestar algo (a alguien); **to ~ itself to sthg** prestarse a algo. **3.** *(add)*: **to ~ sthg to** prestar algo a.

lending rate ['lendɪŋ-] *n* tipo *m* de interés (en un crédito).

length [leŋθ] *n* **1.** *(measurement)* longitud *f*, largo *m*; **what ~ is it?** ¿cuánto mide de largo?; **in ~** de largo. **2.** *(whole distance, size)* extensión *f*. **3.** *(of swimming pool)* largo *m*. **4.** *(piece - of string, wood)* trozo *m* alargado; *(- of cloth)* largo *m*. **5.** *(duration)* duración *f*. **6.** *phr*: **to go to great ~s to do sthg** hacer lo imposible para hacer algo. ◆ **at length** *adv* **1.** *(eventually)* por fin. **2.** *(in detail - speak)* largo y tendido; *(- discuss)* con detenimiento.

lengthen ['leŋθən] ◇ *vt* alargar. ◇ *vi* alargarse.

lengthways ['leŋθweɪz] *adv* a lo largo.

lengthy ['leŋθɪ] *adj (stay, visit)* extenso (sa); *(discussions, speech)* prolongado(da).

lenient ['liːnjənt] *adj* indulgente.

lens [lenz] *n* **1.** *(in glasses)* lente *f*; *(in camera)* objetivo *m*. **2.** *(contact lens)* lentilla *f*, lente *f* de contacto.

lent [lent] *pt & pp* → **lend**.

Lent [lent] *n* Cuaresma *f*.

lentil ['lentl] *n* lenteja *f*.

Leo ['liːəʊ] *n* Leo *m*.

leopard ['lepəᵊd] *n* leopardo *m*.

leotard ['liːətɑːᵊd] *n* malla *f*.

leper ['lepəᵊ] *n* leproso *m*, -sa *f*.

leprosy ['leprəsɪ] *n* lepra *f*.

L

lesbian ['lezbɪən] *n* lesbiana *f*.

less [les] (*compar of* little) ◇ *adj* menos; **~ ... than** menos ... que; **~ and ~** cada vez menos. ◇ *pron* menos; **the ~ you work, the ~ you earn** cuanto menos trabajas, menos ganas; **it costs ~ than you think** cuesta menos de lo que piensas; **no ~ than** nada menos que. ◇ *adv* menos; **~ than five** menos de cinco; **~ and ~** cada vez menos. ◇ *prep* (*minus*) menos.

lessen ['lesn] ◇ *vt* aminorar, reducir. ◇ *vi* aminorarse, reducirse.

lesser ['lesəʳ] *adj* menor; **to a ~ extent** OR **degree** en menor grado.

lesson ['lesn] *n* 1. (*class*) clase *f*. 2. (*warning experience*) lección *f*.

let [let] (*pt & pp* let) *vt* 1. (*allow*): **to ~ sb do sthg** dejar a alguien hacer algo; **to ~ sthg happen** dejar que algo ocurra; **to ~ sb know sthg** avisar a alguien de algo; **to ~ go of sthg/sb** soltar algo/a alguien; **to ~ sthg/sb go** (*release*) liberar a algo/alguien, soltar a algo/alguien. 2. (*in verb forms*): **~'s go!** ¡vamos!; **~'s see** veamos; **~ him wait!** ¡déjale que espere! 3. (*rent out - house, room*) alquilar; (*- land*) arrendar; **'to ~'** 'se alquila'. ◆ **let alone** *adv* ni mucho menos. ◆ **let down** *vt sep* 1. (*deflate*) desinflar. 2. (*disappoint*) fallar, defraudar. ◆ **let in** *vt sep* 1. (*admit*) dejar entrar. 2. (*leak*) dejar pasar. ◆ **let off** *vt sep* 1. (*excuse*): **to ~ sb off sthg** eximir a alguien de algo. 2. (*not punish*) perdonar. 3. (*cause to explode - bomb*) hacer estallar; (*- gun*) disparar. ◆ **let on** *vi*: **don't ~ on!** ¡no cuentes nada! ◆ **let out** *vt sep* 1. (*allow to go out*) dejar salir. 2. (*emit - sound*) soltar. ◆ **let up** *vi* 1. (*heat, rain*) cesar. 2. (*person*) parar.

letdown ['letdaʊn] *n inf* chasco *m*.

lethal ['liːθl] *adj* letal, mortífero(ra).

lethargic [ləˈθɑːʳdʒɪk] *adj* (*mood*) letárgico(ca); (*person*) aletargado(da).

let's [lets] = **let us**.

letter ['letəʳ] *n* 1. (*written message*) carta *f*. 2. (*of alphabet*) letra *f*.

letter bomb *n* carta *f* bomba.

letterbox ['letəbɒks] *n Br* buzón *m*.

lettuce ['letəs] *n* lechuga *f*.

letup ['letʌp] *n* tregua *f*, respiro *m*.

leuk(a)emia [luːˈkiːmjə] *n* leucemia *f*.

level ['levl] ◇ *adj* 1. (*equal in speed, score*) igualado(da); (*equal in height*) nivelado(da); **to be ~ (with sthg)** estar al mismo nivel (que algo). 2. (*flat - floor, field*) liso(sa), llano(na). ◇ *n* 1. (*gen*) nivel *m*. 2. *phr*: **to be on**

the ~ *inf* ir en serio. 3. *Am* (*spirit level*) nivel *m* de burbuja de aire. ◇ *vt* 1. (*make flat*) allanar. 2. (*demolish - building*) derribar; (*- forest*) arrasar. ◆ **level off, level out** *vi* 1. (*stabilize, slow down*) estabilizarse. 2. (*ground*) nivelarse; (*plane*) enderezarse. ◆ **level with** *vt fus inf* ser sincero(ra) con.

level crossing *n Br* paso *m* a nivel.

level-headed [-ˈhedəd] *adj* sensato (ta).

lever [*Am* 'levr, *Br* 'liːvə] *n* 1. (*handle, bar*) palanca *f*. 2. *fig* (*tactic*) resorte *m*.

leverage [*Am* 'levərɪdʒ, *Br* 'liːv-] *n* (*U*) 1. (*force*) fuerza *f* de apalanque. 2. *fig* (*influence*) influencia *f*.

levy ['levi] ◇ *n*: **~ (on)** (*financial contribution*) contribución *f* (a OR para); (*tax*) recaudación *f* OR impuesto *m* (sobre). ◇ *vt* recaudar.

liability [ˌlaɪəˈbɪlətɪ] *n* 1. (*hindrance*) estorbo *m*. 2. (*legal responsibility*): **~ (for)** responsabilidad *f* (de OR por). ◆ **liabilities** *npl* (FIN) pasivo *m*.

liable ['laɪəbl] *adj* 1. (*likely*): **that's ~ to happen** eso pueda que ocurra. 2. (*prone*): **to be ~ to** ser propenso(sa) a. 3. (*legally responsible*): **to be ~ (for)** ser responsable (de).

liaise [lɪˈeɪz] *vi*: **to ~ (with)** estar en contacto (con).

liaison [lɪˈeɪzɒn] *n* (*contact, co-operation*): **~ (with/between)** relación *f* (con/entre), enlace *m* (con/entre).

liar ['laɪəʳ] *n* mentiroso *m*, -sa *f*.

libel ['laɪbl] *n* libelo *m*.

liberal ['lɪbərəl] ◇ *adj* 1. (*tolerant*) liberal. 2. (*generous*) generoso(sa). ◇ *n* liberal *m y f*.

Liberal Democrat ◇ *adj* demócrata liberal. ◇ *n* (*miembro m del partido*) demócrata liberal *m y f*.

liberate ['lɪbəreɪt] *vt* liberar.

liberation [ˌlɪbəˈreɪʃn] *n* liberación *f*.

liberty ['lɪbətɪ] *n* libertad *f*; **at ~** en libertad; **to be at ~ to do sthg** ser libre de hacer algo; **to take liberties (with sb)** tomarse demasiadas libertades (con alguien).

Libra ['liːbrə] *n* Libra *f*.

librarian [laɪˈbreərɪən] *n* bibliotecario *m*, -ria *f*.

library [*Am* 'laɪbrerɪ, *Br* -rərɪ] (*pl* -ies) *n* (*public institution*) biblioteca *f*.

Libya ['lɪbɪə] *n* Libia *f*.

lice [laɪs] *pl* → **louse**.

licence ['laɪsəns] *n Br* = **license**.

license ['laɪsəns] ◇ *vt* (*person, organization*) dar licencia a; (*activity*) autorizar.

◇ *n Am* permiso *m*, licencia *f*.

licensed ['laɪsənst] *adj* **1.** *(person)*: **to be ~ to do sthg** estar autorizado(da) para hacer algo. **2.** *(object)* registrado (da), con licencia. **3.** *Br (premises)* autorizado(da) a vender alcohol.

license plate *n Am* (placa *f* de) matrícula *f*.

lick [lɪk] ◇ *n inf (small amount)*: **a ~ of paint** una mano de pintura. ◇ *vt lit & fig* lamer.

licorice ['lɪkərɪʃ] = **liquorice**.

lid [lɪd] *n* **1.** *(cover)* tapa *f*, tapadera *f*. **2.** *(eyelid)* párpado *m*.

lie [laɪ] (*pt sense 1* lied, *pt senses 2-5* lay, *pp sense 1* lied, *pp senses 2-5* lain, *cont all senses* lying) ◇ *n* mentira *f*; **to tell ~s** contar mentiras, mentir. ◇ *vi* **1.** *(tell lie)* mentir; **to ~ to sb** mentirle a alguien. **2.** *(be horizontal, lie down)* tumbarse, echarse; *(be buried)* yacer; **to be lying** estar tumbado(da). **3.** *(be situated)* hallarse. **4.** *(be - solution, attraction)* hallarse, encontrarse. **5.** *phr*: **to ~ low** permanecer escondido(da). ◆ **lie about, lie around** *vi* estar OR andar tirado(da). ◆ **lie down** *vi* tumbarse, echarse. ◆ **lie in** *vi Br* quedarse en la cama hasta tarde.

lie-down *n Br* siesta *f*.

lie-in *n Br*: **to have a ~** quedarse en la cama hasta tarde.

lieu [lu:] ◆ **in lieu** *adv*: **in ~ of** en lugar de.

lieutenant [*Am* lu:'tenənt, *Br* lef'tenənt] *n* teniente *m*.

life [laɪf] (*pl* lives) *n (gen)* vida *f*; **that's ~!** ¡así es la vida!; **for ~** de por vida, para toda la vida; **to come to ~** *(thing)* cobrar vida; *(person)* reanimarse de pronto.

life assurance = **life insurance**.

life belt *n* flotador *m*, salvavidas *m inv*.

lifeboat ['laɪfbəʊt] *n (on a ship)* bote *m* salvavidas; *(on shore)* lancha *f* de salvamento.

life buoy *n* flotador *m*, salvavidas *m inv*.

life expectancy [-ɪk'spektənsɪ] *n* expectativa *f* de vida.

lifeguard ['laɪfgɑː'd] *n* socorrista *m y f*.

life imprisonment [-ɪm'prɪznmənt] *n* cadena *f* perpetua.

life insurance *n (U)* seguro *m* de vida.

life jacket *n* chaleco *m* salvavidas.

lifelike ['laɪflaɪk] *adj* realista, natural.

lifeline ['laɪflaɪn] *n* **1.** *(rope)* cuerda *f* OR cable *m* (de salvamento). **2.** *(something vital for survival)* cordón *m* umbilical.

lifelong ['laɪflɒŋ] *adj* de toda la vida.

life preserver [-prɪ,zɜː'və'] *n Am* salvavidas *m inv*.

life raft *n* balsa *f* salvavidas.

lifesaver ['laɪfseɪvə'] *n (person)* socorrista *m y f*.

life sentence *n* (condena *f* a) cadena *f* perpetua.

life-size(d) [-saɪz(d)] *adj* (de) tamaño natural.

lifespan ['laɪfspæn] *n (of person, animal, plant)* vida *f*.

lifestyle ['laɪfstaɪl] *n* estilo *m* OR modo *m* de vida.

life-support system *n* aparato *m* de respiración artificial.

lifetime ['laɪftaɪm] *n* vida *f*.

lift [lɪft] ◇ *n* **1.** *(ride - in car etc)*: **to give sb a ~ (somewhere)** acercar OR llevar a alguien (a algún sitio). **2.** *Br (elevator)* ascensor *m*, elevador *m Amer*. ◇ *vt* **1.** *(gen)* levantar; **to ~ sthg down** bajar algo. **2.** *(plagiarize)* copiar. ◇ *vi (disappear - mist)* despejarse.

lift-off *n* despegue *m*.

light [laɪt] (*pt & pp* lit OR -ed) ◇ *adj* **1.** *(gen)* ligero(ra); *(rain)* fino(na); *(traffic)* escaso(sa). **2.** *(not strenuous - duties, responsibilities)* simple; *(- work)* suave; *(- punishment)* leve. **3.** *(bright)* luminoso (sa), lleno(na) de luz; **it's growing ~** se hace de día. **4.** *(pale - colour)* claro(ra). ◇ *n* **1.** *(brightness, source of light)* luz *f*. **2.** *(for cigarette, pipe)* fuego *m*, lumbre *f*; **have you got a ~?** ¿tienes fuego? **3.** *(perspective)*: **in ~ of** *Am*, **in the ~ of** *Br* a la luz de. **4.** *phr*: **to come to ~** salir a la luz (pública); **to set ~ to** prender fuego a. ◇ *vt* **1.** *(ignite)* encender. **2.** *(illuminate)* iluminar. ◇ *adv* con poco equipaje. ◆ **light up** ◇ *vt sep (illuminate)* iluminar. ◇ *vi (look happy)* iluminarse, encenderse.

light bulb *n* bombilla *f*, foco *m Amer*.

lighten ['laɪtn] ◇ *vt* **1.** *(make brighter - room)* iluminar. **2.** *(make less heavy)* aligerar. ◇ *vi (brighten)* aclararse.

lighter ['laɪtə'] *n (cigarette lighter)* encendedor *m*, mechero *m*.

light-headed [-'hedəd] *adj* mareado (da).

light-hearted [-'hɑː'təd] *adj* **1.** *(cheerful)* alegre. **2.** *(amusing)* frívolo(la).

lighthouse ['laɪthaʊs, *pl* -haʊzɪz] *n* faro *m*.

lighting ['laɪtɪŋ] *n* iluminación *f*; **street ~** alumbrado *m* público.

lightly ['laɪtlɪ] *adv* **1.** *(gently)* suavemente. **2.** *(slightly)* ligeramente. **3.**

L

(frivolously) a la ligera.
light meter *n* fotómetro *m.*
lightning ['laıtnıŋ] *n (U)* relámpago *m.*
lightweight ['laıtweıt] ◇ *adj (object)* ligero(ra). ◇ *n (boxer)* peso *m* ligero.
likable ['laıkəbl] *adj* simpático(ca).
like [laık] ◇ *prep* **1.** *(gen)* como; *(in questions or indirect questions)* cómo; **what did it taste ~?** ¿a qué sabía?; **what did it look ~?** ¿cómo era?; **tell me what it's ~** dime cómo es; **something ~ £100** algo así como cien libras; **something ~ that** algo así, algo por el estilo. **2.** *(in the same way as)* como, igual que; **~ this/that** así. **3.** *(typical of)* propio(pia) OR típico(ca) de. ◇ *vt* **1.** *(find pleasant, approve of):* **I ~ cheese** me gusta el queso; **I ~ it/them** me gusta/gustan; **he ~s doing** OR **to do sthg** (a él) le gusta hacer algo. **2.** *(want)* querer; **I don't ~ to bother her** no quiero molestarla; **would you ~ some more?** ¿quieres un poco más?; **I'd ~ to come tomorrow** querría OR me gustaría venir mañana; **I'd ~ you to come to dinner** me gustaría que vinieras a cenar; *(in shops, restaurants):* **I'd ~ a kilo of apples/the soup** póngame un kilo de manzanas/la sopa. ◇ *n:* **the ~ of sb/sthg** alguien/algo del estilo. ◆ **likes** *npl (things one likes)* gustos *mpl,* preferencias *fpl.*
likeable ['laıkəbl] = **likable.**
likelihood ['laıklıhʊd] *n (U)* probabilidad *f.*
likely ['laıklı] *adj* **1.** *(probable)* probable; **rain is ~** es probable que llueva; **he's ~ to come** es probable que venga. **2.** *(suitable)* indicado(da).
liken ['laıkn] *vt:* **to ~ sthg/sb to** comparar algo/a alguien con.
likeness ['laıknəs] *n* **1.** *(resemblance):* **~ (to)** parecido *m* (con). **2.** *(portrait)* retrato *m.*
likewise ['laıkwaız] *adv (similarly)* de la misma forma; **to do ~** hacer lo mismo.
liking ['laıkıŋ] *n:* **to have a ~ for sthg** tener afición *f* por OR a algo; **to take a ~ to sb** tomar OR coger cariño *m* a alguien; **to be to sb's ~** ser del gusto de alguien.
lilac ['laılək] ◇ *adj (colour)* lila. ◇ *n* **1.** *(tree)* lila *f.* **2.** *(colour)* lila *m.*
Lilo® ['laıləʊ] *(pl* **-s)** *n Br* colchoneta *f,* colchón *m* hinchable.
lily ['lılı] *n* lirio *m,* azucena *f.*
limb [lım] *n* **1.** *(of body)* miembro *m,* extremidad *f.* **2.** *(of tree)* rama *f.*
limber ['lımbər] ◆ **limber up** *vi* desentumecerse.

limbo ['lımbəʊ] *(pl* **-s)** *n (U) (uncertain state):* **to be in ~** estar en un estado de incertidumbre.
lime [laım] *n* **1.** *(fruit)* lima *f.* **2.** *(drink):* **~ (juice)** lima *f.* **3.** (CHEM) cal *f.*
limelight ['laımlaıt] *n:* **in the ~** en (el) candelero.
limestone ['laımstəʊn] *n (U)* (piedra *f)* caliza *f.*
limit ['lımət] ◇ *n* **1.** *(gen)* límite *m.* **2.** *phr:* **off ~s** en zona prohibida; **within ~s** dentro de un límite. ◇ *vt* limitar, restringir.
limitation [ˌlımı'teıʃn] *n* limitación *f.*
limited ['lımətəd] *adj (restricted)* limitado(da); **to be ~ to** estar limitado a.
limited (liability) company *n* sociedad *f* limitada.
limousine [*Am* 'lıməzi:n, *Br* lımə'zi:n] *n* limusina *f.*
limp [lımp] ◇ *adj* flojo(ja). ◇ *vi* cojear.
limpet ['lımpət] *n* lapa *f.*
line [laın] ◇ *n* **1.** *(gen)* línea *f.* **2.** *(row)* fila *f.* **3.** *(queue)* cola *f;* **to stand for wait in ~** hacer cola. **4.** *(course - direction)* línea *f;* *(- of action)* camino *m;* **what's his ~ of business?** ¿a qué negocios se dedica? **5.** *(length - of rope)* cuerda *f;* *(- for fishing)* sedal *m;* *(- of wire)* hilo *m.* **6.** (TELEC): **(telephone) ~** línea *f* (telefónica); **hold the ~, please** no cuelgue, por favor; **the ~ is busy** está comunicando; **it's a bad ~** hay interferencias. **7.** *(on page)* línea *f,* renglón *m;* *(of poem, song)* verso *m;* *(letter):* **to drop sb a ~** *inf* mandar unas letras a alguien. **8.** *(system of transport):* **(railway) ~** *(track)* vía *f* (férrea); *(route)* línea *f* (férrea). **9.** *(wrinkle)* arruga *f.* **10.** *(borderline)* límite *m.* **11.** (COMM) línea *f.* **12.** *phr:* **to draw the ~ at sthg** no pasar por algo, negarse a algo. ◇ *vt (coat, curtains)* forrar; *(drawer)* cubrir el interior de. ◆ **out of line** *adv:* **to be out of ~** estar fuera de lugar.
◆ **line up** ◇ *vt sep* **1.** *(make into a row or queue)* alinear. **2.** *(arrange)* programar, organizar. ◇ *vi (form a queue)* alinearse.
lined [laınd] *adj* **1.** *(of paper)* de rayas. **2.** *(wrinkled)* arrugado(da).
linen ['lınən] *n* **1.** *(cloth)* lino *m.* **2.** *(tablecloths, sheets)* ropa *f* blanca OR de hilo; **bed ~** ropa *f* de cama.
liner ['laınər] *n (ship)* transatlántico *m.*
linesman ['laınzmən] *(pl* **-men** [-mən]) *n* juez *m* y *f* de línea.
lineup ['laınʌp] *n* **1.** *(of players, competitors)* alineación *f.* **2.** *Am (identification parade)* rueda *f* de identificación.
linger ['lıŋgər] *vi* **1.** *(remain - over activ-*

ity) entretenerse; *(- in a place)* rezagarse. **2.** *(persist)* persistir.

lingerie ['læ̃ʒərı] *n* ropa *f* interior femenina.

linguist ['lıŋgwıst] *n* **1.** *(someone good at languages)* persona *f* con facilidad para las lenguas. **2.** *(student or teacher of linguistics)* lingüista *m* y *f.*

linguistics [lıŋ'gwıstıks] *n* (U) lingüística *f.*

lining ['laınıŋ] *n* **1.** *(gen & AUT)* forro *m.* **2.** *(of stomach, nose)* paredes *fpl* interiores.

link [lıŋk] ◇ *n* **1.** *(of chain)* eslabón *m.* **2.** *(connection)* conexión *f*, enlace *m*; **~s (between/with)** lazos *mpl* (entre/con), vínculos *mpl* (entre/con). ◇ *vt* **1.** *(connect - cities)* comunicar; *(- computers)* conectar; *(- facts)* relacionar; **to ~ sthg with** OR **to** relacionar OR asociar algo con. **2.** *(join - arms)* enlazar. ◆ **link up** *vt sep*: **to ~ sthg up (with)** conectar algo (con).

links [lıŋks] *(pl inv)* n campo *m* de golf.

lino ['laınou], **linoleum** [lı'noulıəm] *n* linóleo *m.*

lion ['laıən] *n* león *m.*

lioness ['laıənes] *n* leona *f.*

lip [lıp] *n* **1.** *(of mouth)* labio *m.* **2.** *(of cup)* borde *m*; *(of jug)* pico *m.*

lip-read *vi* leer en los labios.

lip salve [*Am* -sæv, *Br* -sælv] *n Br* vaselina® *f*, cacao *m.*

lipstick ['lıpstık] *n* **1.** *(container)* lápiz *m* OR barra *f* de labios. **2.** *(substance)* carmín *m*, lápiz *m* de labios.

liqueur [*Am* lı'kɜːr, *Br* lı'kjuə] *n* licor *m.*

liquid ['lıkwəd] ◇ *adj* líquido(da). ◇ *n* líquido *m.*

liquidation [lıkwə'deıʃn] *n* liquidación *f.*

liquid crystal display *n* pantalla *f* de cristal líquido.

liquidize ['lıkwıdaız] *vt Br* licuar.

liquidizer ['lıkwədaızər] *n Br* licuadora *f.*

liquor ['lıkər] *n* (U) alcohol *m*, bebida *f* alcohólica.

liquorice ['lıkərıʃ] *n* (U) regaliz *m.*

liquor store *n Am* tienda *donde se venden bebidas alcohólicas para llevar.*

Lisbon ['lızbən] *n* Lisboa *f.*

lisp [lısp] ◇ *n* ceceo *m.* ◇ *vi* cecear.

list [lıst] ◇ *n* lista *f.* ◇ *vt* **1.** *(in writing)* hacer una lista de. **2.** *(in speech)* enumerar. ◇ *vi* (NAUT) escorar.

listed building [lıstəd-] *n Br* edificio *declarado de interés histórico y artístico.*

listen ['lısn] *vi* **1.** *(give attention)*: **to ~**

(to sthg/sb) escuchar (algo/a alguien); **to ~ for** estar atento a. **2.** *(heed advice)*: **to ~ (to sb/sthg)** hacer caso (a alguien/ de algo); **to ~ to reason** atender a razones.

listener ['lısnər] *n* **1.** *(person listening)* oyente *m* y *f.* **2.** *(to radio)* radioyente *m* y *f.*

listless ['lıstləs] *adj* apático(ca).

lit [lıt] *pt & pp → light.*

liter *Am*, **litre** *Br* ['liːtər] *n* litro *m.*

literacy ['lıtərəsı] *n* alfabetización *f.*

literal ['lıtərəl] *adj* literal.

literally ['lıtərəlı] *adv* literalmente; **to take sthg ~** tomarse algo al pie de la letra.

literary [*Am* 'lıtəreri, *Br* -ərərı] *adj* **1.** *(gen)* literario(ria). **2.** *(person)* literato (ta).

literate ['lıtərət] *adj* **1.** *(able to read and write)* alfabetizado(da). **2.** *(well-read)* culto(ta), instruido(da).

literature ['lıtərətʃər] *n* **1.** *(novels, plays, poetry)* literatura *f.* **2.** *(books on a particular subject)* publicaciones *fpl.* **3.** *(printed information)* documentación *f.*

lithe [laıð] *adj* ágil.

Lithuania [lıθju'eınjə] *n* Lituania.

litigation [lıtı'geıʃn] *n fml* litigio *m.*

litre *Br* = **liter.**

litter ['lıtər] ◇ *n* **1.** *(waste material)* basura *f.* **2.** *(newborn animals)* camada *f.* ◇ *vt*: **papers ~ed the floor** los papeles estaban esparcidos por el suelo.

litterbin ['lıtərbın] *n Br* papelera *f.*

little ['lıtl] *(compar sense 3 less, superl sense 3 least)* ◇ *adj* **1.** *(small in size, younger)* pequeño(ña). **2.** *(short in length)* corto(ta); **a ~ while** un ratito. **3.** *(not much)* poco(ca); **he speaks ~ English** habla poco inglés; **he speaks a ~ English** habla un poco de inglés. ◇ *pron*: **I understood very ~** entendí muy poco; **a ~ un** poco; **a ~ (bit)** un poco; **give me a ~ (bit)** dame un poco. ◇ *adv* poco; **~ by ~** poco a poco.

- *A little* es lo mismo que *a bit* y *a bit of* pero en lenguaje más formal. Recordemos que *a little*, al contrario de *a bit*, no necesita *of* cuando va delante de un sustantivo (*would you like a little bread with your soup?*, "¿quiere un poco de pan con su sopa?).

- Al igual que *a bit*, *a little* funciona como adverbio (*he seems a little better*; *I slept a little this afternoon*).

- Ver también **FEW.**

little finger *n* dedo *m* meñique.

live¹ [lɪv] ◇ *vi* (*gen*) vivir. ◇ *vt* llevar; **to ~ a quiet life** llevar una vida tranquila. ◆ **live down** *vt sep* lograr hacer olvidar. ◆ **live off** *vt fus* (*savings, land*) vivir de; (*people*) vivir a costa de. ◆ **live on** ◇ *vt fus* 1. (*survive on*) vivir con OR de. 2. (*eat*) vivir de. ◇ *vi* (*memory, feeling*) permanecer, perdurar. ◆ **live together** *vi* vivir juntos. ◆ **live up to** *vt fus* estar a la altura de. ◆ **live with** *vt fus* 1. (*live in same house as*) vivir con. 2. (*accept - situation, problem*) aceptar.

live² [laɪv] *adj* 1. (*living*) vivo(va). 2. (*burning*) encendido(da). 3. (*unexploded*) sin explotar. 4. (ELEC) cargado (da). 5. (*performance*) en directo.

livelihood ['laɪvlɪhʊd] *n* sustento *m*, medio *m* de vida.

lively ['laɪvlɪ] *adj* 1. (*person, debate, time*) animado(da). 2. (*mind*) agudo(da), perspicaz. 3. (*colours*) vivo(va), llamativo(va).

liven ['laɪvn] ◆ **liven up** ◇ *vt sep* animar. ◇ *vi* animarse.

liver ['lɪvəʳ] *n* hígado *m*.

lives [laɪvz] *pl* → life.

livestock ['laɪvstɒk] *n* ganado *m*.

livid ['lɪvɪd] *adj* 1. (*angry*) furioso(sa). 2. (*blue-grey*) lívido(da).

living ['lɪvɪŋ] ◇ *adj* (*relatives, language*) vivo(va); (*artist etc*) contemporáneo(a). ◇ *n* 1. (*means of earning money*): **what do you do for a ~?** ¿cómo te ganas la vida? 2. (*lifestyle*) vida *f*.

living conditions *npl* condiciones *fpl* de vida.

living room *n* cuarto *m* de estar, salón *m*.

living standards *npl* nivel *m* de vida.

living wage *n* salario *m* OR sueldo *m* mínimo.

lizard ['lɪzəʳd] *n* (*small*) lagartija *f*; (*big*) lagarto *m*.

llama ['lɑːmə] (*pl inv* OR **-s**) *n* llama *f*.

load [ləʊd] ◇ *n* 1. (*something carried*) carga *f*. 2. (*amount of work*): **a heavy/light ~** mucho/poco trabajo. 3. (*large amount*): **~s of** *inf* montones OR un montón de; **it was a ~ of rubbish** *inf* fue una porquería. ◇ *vt* 1. (*gen & COMPUT*): **to ~ sthg/sb (with)** cargar algo/a alguien (de). 2. (*camera, video recorder*): **he ~ed the camera with a film** cargó la cámara con una película. ◆ **load up** *vt sep & vi* cargar.

loaded ['ləʊdəd] *adj* 1. (*question, state-

ment) con doble sentido OR intención. 2. *inf* (*rich*) forrado(da).

loading bay ['ləʊdɪŋ-] *n* zona *f* de carga y descarga.

loaf [ləʊf] (*pl* **loaves**) *n* (*of bread*) (barra *f* de) pan *m*.

loafer ['ləʊfəʳ] *n* (*shoe*) mocasín *m*.

loan [ləʊn] ◇ *n* (*something lent*) préstamo *m*; **on ~** prestado(da). ◇ *vt* prestar; **to ~ sthg to sb, to ~ sb sthg** prestar algo a alguien.

loathe [ləʊð] *vt*: **to ~ (doing sthg)** aborrecer OR detestar (hacer algo).

loathsome ['ləʊðsəm] *adj* (*smell*) repugnante; (*person, behaviour*) odioso (sa).

loaves [ləʊvz] *pl* → loaf.

lob [lɒb] *n* (TENNIS) lob *m*.

lobby ['lɒbɪ] ◇ *n* 1. (*hall*) vestíbulo *m*. 2. (*pressure group*) grupo *m* de presión, lobby *m*. ◇ *vt* ejercer presión (política) sobre.

lobe [ləʊb] *n* lóbulo *m*.

lobster ['lɒbstəʳ] *n* langosta *f*.

local ['ləʊkl] ◇ *adj* local. ◇ *n* *inf* 1. (*person*): **the ~s** (*in village*) los lugareños; (*in town*) los vecinos del lugar. 2. *Br* (*pub*) bar *m* del barrio. 3. *Am* (*bus, train*) omnibús *m*.

local authority *n* *Br* autoridad *f* local.

local call *n* llamada *f* local.

local government *n* gobierno *m* municipal.

locality [ləʊ'kælətɪ] *n* localidad *f*.

locally ['ləʊkəlɪ] *adv* 1. (*on local basis*) en el lugar. 2. (*nearby*) por la zona.

locate [*Am* 'ləʊkeɪt, *Br* ləʊ'keɪt] *vt* 1. (*find*) localizar. 2. (*situate*) ubicar.

location [ləʊ'keɪʃn] *n* 1. (*place*) localización *f*, situación *f*. 2. (CINEMA): **on ~** en exteriores.

loch [lɒx] *n* *Scot* lago *m*.

lock [lɒk] ◇ *n* 1. (*of door*) cerradura *f*; (*of bicycle*) candado *m*. 2. (*on canal*) esclusa *f*. 3. (AUT) (*steering lock*) ángulo *m* de giro. 4. *literary* (*of hair*) mechón *m*. ◇ *vt* 1. (*with key*) cerrar con llave; (*with padlock*) cerrar con candado. 2. (*keep safely*) poner bajo llave. 3. (*immobilize*) bloquear. ◇ *vi* 1. (*with key*) cerrarse con llave; (*with padlock*) cerrarse con candado. 2. (*become immobilized*) bloquearse. ◆ **lock in** *vt sep* encerrar. ◆ **lock out** *vt sep* 1. (*accidentally*) dejar fuera al cerrar accidentalmente la puerta; **to ~ o.s. out** quedarse fuera (*por olvidarse la llave dentro*). 2. (*deliberately*) dejar fuera a. ◆ **lock up** *vt sep* 1. (*person - in pris-

on) encerrar; *(- in asylum)* internar.
2. *(house)* cerrar (con llave).

locker ['lɒkəʳ] *n* taquilla *f*, armario *m*.

locker room *n* Am vestuario *m* con taquillas.

locket ['lɒkɪt] *n* guardapelo *m*.

locksmith ['lɒksmɪθ] *n* cerrajero *m*, -ra *f*.

locomotive [ˌloukə'moutɪv] *n* locomotora *f*.

locum ['loukəm] *(pl* **-s)** *n* interino *m*, -na *f*.

locust ['loukəst] *n* langosta *f*.

lodge [lɒdʒ] ◇ *n* **1.** *(caretaker's etc room)* portería *f*. **2.** *(of manor house)* casa *f* del guarda. **3.** *(of freemasons)* logia *f*. **4.** *(for hunting)* refugio *m* de caza. ◇ *vi* **1.** *(stay):* **to ~ (with sb)** alojarse (con alguien). **2.** *(become stuck)* alojarse. ◇ *vt fml (register)* presentar.

lodger ['lɒdʒəʳ] *n* huésped *m y f*.

lodging ['lɒdʒɪŋ] → **board.** ◆ **lodgings** *npl* habitación *f* (alquilada).

loft [lɒft] *n (in house)* desván *m*, entretecho *m* Amer; *(for hay)* pajar *m*.

lofty ['lɒftɪ] *adj* **1.** *(noble)* noble, elevado(da). **2.** *pej (haughty)* arrogante, altanero(ra). **3.** *literary (high)* elevado(da).

log [lɒg] ◇ *n* **1.** *(of wood)* tronco *m*. **2.** *(written record - of ship)* diario *m* de a bordo; *(- of plane)* diario *m* de vuelo. ◇ *vt* anotar. ◆ **log on** *vi* (COMPUT) entrar (en el sistema). ◆ **log off** *vi* (COMPUT) salir (del sistema).

logbook ['lɒgbʊk] *n* **1.** *(of ship)* diario *m* de a bordo; *(of plane)* diario *m* de vuelo. **2.** *(of car)* documentación *f*.

loggerheads ['lɒgəʳhedz] *n*: **to be at ~** estar a matar.

logic ['lɒdʒɪk] *n* lógica *f*.

logical ['lɒdʒɪkl] *adj* lógico(ca).

logistics [lə'dʒɪstɪks] ◇ *n* (U) logística *f*. ◇ *npl* logística *f*.

logo ['lougou] *(pl* **-s)** *n* logotipo *m*.

loin [lɔɪn] *n* lomo *m*.

loiter ['lɔɪtəʳ] *vi (for bad purpose)* merodear; *(hang around)* vagar.

lollipop ['lɒlɪpɒp] *n* pirulí *m*.

lollipop lady *n* Br mujer encargada de parar el tráfico en un paso de cebra para que crucen los niños.

lollipop man *n* Br hombre encargado de parar el tráfico en un paso de cebra para que crucen los niños.

lolly ['lɒlɪ] *n inf* **1.** *(lollipop)* pirulí *m*. **2.** Br *(ice lolly)* polo *m*.

London ['lʌndən] *n* Londres.

Londoner ['lʌndənəʳ] *n* londinense *m y f*.

lone [loun] *adj* solitario(ria).

loneliness ['lounlɪnəs] *n* soledad *f*.

lonely ['lounlɪ] *adj* **1.** *(person)* solo(la). **2.** *(time, childhood)* solitario(ria). **3.** *(place)* solitario(ria), aislado(da).

lonesome ['lounsəm] *adj* Am *inf* **1.** *(person)* solo(la). **2.** *(place)* solitario(ria).

long [lɒŋ] ◇ *adj* largo(ga); **two days ~** de dos días de duración; **the table is 5m ~** la mesa mide OR tiene 5m de largo; **the journey is 50km ~** el viaje es de 50 km; **the book is 500 pages ~** el libro tiene 500 páginas. ◇ *adv* mucho tiempo; **how ~ will it take?** ¿cuánto se tarda?; **how ~ will you be?** ¿cuánto tardarás?; **how ~ have you been waiting?** ¿cuánto tiempo llevas esperando?; **how ~ is the journey?** ¿cuánto hay de viaje?; **I'm no ~er young** ya no soy joven; **I can't wait any ~er** no puedo esperar más; **so ~** *inf* hasta luego OR pronto; **before ~** pronto; **for ~** mucho tiempo. ◇ *vt*: **to ~ to do sthg** desear ardientemente hacer algo. ◆ **as long as, so long as** *conj* mientras; **as ~ as you do it, so will I** siempre y cuando tú lo hagas, yo también lo haré. ◆ **long for** *vt fus* desear ardientemente.

long-distance *adj (runner)* de fondo; *(lorry driver)* para distancias grandes.

long-distance call *n* conferencia *f* (telefónica).

longhand ['lɒŋhænd] *n* escritura *f* a mano.

long-haul *adj* de larga distancia.

longing ['lɒŋɪŋ] ◇ *adj* anhelante. ◇ *n* **1.** *(desire)* anhelo *m*, deseo *m*; *(nostalgia)* nostalgia *f*, añoranza *f*. **2.** *(strong wish)*: **(a) ~ (for)** (un) ansia *f* (de).

longitude ['lɒndʒətˌjuːd] *n* longitud *f*.

long jump *n* salto *m* de longitud.

long-life *adj* de larga duración.

long-playing record [-'pleɪɪŋ-] *n* disco *m* de larga duración.

long-range *adj* **1.** *(missile, bomber)* de largo alcance. **2.** *(plan, forecast)* a largo plazo.

long shot *n* posibilidad *f* remota.

longsighted [ˌlɒŋ'saɪtɪd] *adj* présbita.

long-standing *adj* antiguo(gua).

longsuffering [ˌlɒŋ'sʌfərɪŋ] *adj* sufrido(da).

long term *n*: **in the ~** a largo plazo.

long wave *n* (U) onda *f* larga.

long weekend *n* puente *m*.

L

longwinded [ˌlɒŋ'wɪndəd] adj prolijo (ja).

loo [luː] (pl -s) n Br inf wáter m.

look [lʊk] ◇ n 1. (with eyes) mirada f; **to give sb a ~** dirigir la mirada hacia OR a alguien; **to take** OR **have a ~ (at sthg)** echar una mirada OR ojeada (a algo). 2. (search): **to have a ~ (for sthg)** buscar (algo). 3. (appearance) aspecto m; **by the ~** OR **~s of it, it has been here for ages** parece que hace años que está aquí. ◇ vi 1. (with eyes): **to ~ (at sthg/sb)** mirar (algo/a alguien). 2. (search): **to ~ (for sthg/sb)** buscar (algo/a alguien). 3. (building, window): **to ~ (out)** onto dar a. 4. (have stated appearance) verse; (seem) parecer; **it ~s like rain** OR **as if it will rain** parece que va a llover; **she ~s like her mother** se parece a su madre. ◇ vt 1. (look at) mirar. 2. (appear): **to ~ one's age** representar la edad que se tiene. ◆ **looks** npl belleza f. ◆ **look after** vt fus 1. (take care of) cuidar. 2. (be responsible for) encargarse de. ◆ **look at** vt fus 1. (see, glance at) mirar; (examine) examinar. 2. (judge) estudiar. ◆ **look down on** vt fus (condescend to) despreciar. ◆ **look for** vt fus buscar. ◆ **look forward to** vt fus esperar (con ilusión). ◆ **look into** vt fus (problem, possibility) estudiar; (issue) investigar. ◆ **look on** vi mirar, observar. ◆ **look out** vi tener cuidado; **~ out!** ¡cuidado! ◆ **look out for** vt fus estar atento(ta) a. ◆ **look round** ◇ vt fus (shop) echar un vistazo; (castle, town) visitar. ◇ vi volver la cabeza. ◆ **look to** vt fus 1. (depend on) recurrir a. 2. (think about) pensar en. ◆ **look up** vt sep 1. (in book) buscar. 2. (visit - person) ir a ver OR visitar. ◇ vi (improve) mejorar. ◆ **look up to** vt fus respetar, admirar.

lookout [ˈlʊkaʊt] n 1. (place) puesto m de observación. 2. (person) centinela m y f. 3. (search): **to be on the ~ for** estar al acecho de.

loom [luːm] ◇ n telar m. ◇ vi 1. (rise up) surgir OR aparecer amenazante. 2. fig (be imminent) ser inminente. ◆ **loom up** vi divisarse sombríamente.

loony [ˈluːnɪ] inf ◇ adj majara. ◇ n majara m y f.

loop [luːp] n 1. (shape) lazo m. 2. (COMPUT) bucle m.

loophole [ˈluːphəʊl] n laguna f.

loose [luːs] adj 1. (not firmly fixed) flojo (ja). 2. (unattached - paper, sweets, hair) suelto(ta). 3. (clothes, fit) holgado(da). 4. dated (promiscuous) promiscuo(cua). 5. (inexact - translation) impreciso(sa).

loose change n (dinero m) suelto m.

loose end n: **to be at ~s** Am, **to be at a ~** Br estar desocupado(da).

loosely [ˈluːslɪ] adv 1. (not firmly) holgadamente, sin apretar. 2. (inexactly) vagamente.

loosen [ˈluːsn] vt aflojar. ◆ **loosen up** vi 1. (before game, race) desentumecerse. 2. inf (relax) relajarse.

loot [luːt] ◇ n botín m. ◇ vt saquear.

looting [ˈluːtɪŋ] n saqueo m.

lop [lɒp] vt podar. ◆ **lop off** vt sep cortar.

lop-sided [-ˈsaɪdəd] adj 1. (uneven) ladeado(da), torcido(da). 2. fig (biased) desequilibrado(da).

lord [lɔːd] n Br (man of noble rank) noble m. ◆ **Lord** n 1. (RELIG): **the Lord** (God) el Señor; **good Lord!** Br ¡Dios mío! 2. (in titles) lord m; (as form of address): **my Lord** (bishop) su Ilustrísima; (judge) su Señoría. ◆ **Lords** npl Br (POL): **the Lords** la Cámara de los Lores.

Lordship [ˈlɔːdʃɪp] n: **your/his ~** su Señoría f.

lorry [ˈlɒrɪ] n Br camión m.

lorry driver n Br camionero m, -ra f.

lose [luːz] (pt & pp **lost**) ◇ vt (gen) perder; (subj: clock, watch) atrasarse; **to ~ sight of sthg/sb** lit & fig perder de vista algo/a alguien; **to ~ one's way** perderse. ◇ vi (fail to win) perder.

loser [ˈluːzəʳ] n 1. (of competition) perdedor m, -ra f. 2. inf pej (unsuccessful person) desgraciado m, -da f.

loss [lɒs] n 1. (gen) pérdida f; **to make a ~** sufrir pérdidas. 2. (failure to win) derrota f. 3. phr: **to be at a ~ to explain sthg** no saber cómo explicar algo.

lost [lɒst] ◇ pt & pp ⊳ **lose**. ◇ adj 1. (unable to find way) perdido(da); **to get ~** perderse; **get ~!** inf ¡vete a la porra! 2. (that cannot be found) extraviado(da), perdido(da).

lost-and-found office n Am oficina f de objetos perdidos.

lost property office n Br oficina f de objetos perdidos.

lot [lɒt] n 1. (large amount): **a ~ of, ~s of** mucho(cha); **a ~ of people** mucha gente, muchas personas; **a ~ of problems** muchos problemas; **the ~** todo. 2. (group, set) grupo m. 3. (destiny) destino m, suerte f. 4. Am (of land) terreno m; (car park) aparcamiento m. 5. (at auction) partida f, lote m. 6. phr: **to draw ~s** echar a suerte. ◆ **a lot, lots** adv mucho.

• *Lots* y *lots of* son variantes más coloquiales de *a lot* y *a lot of*.

• En oraciones negativas e interrogativas, *a lot* (*of*) y *lots* (*of*) suelen sustituirse por *much* para sustantivos incontables y *many* para plurales (*I haven't got much time; were there many people at the party?*). No obstante, podemos usar *a lot* (*of*) o *lots* (*of*) cuando queramos hacer hincapié en ellos (*there's not a lot to do here*, "aquí no hay gran cosa que hacer"; *lots of people don't agree*, "muchos no están de acuerdo").

lotion ['ləʊʃn] *n* loción *f*.

lottery ['lɒtərɪ] *n* lotería *f*.

loud [laʊd] ◇ *adj* 1. (*voice, music*) alto (ta); (*bang*) fuerte; (*person*) ruidoso(sa). 2. (*emphatic*): **to be ~ in one's criticism of** ser enérgico(ca) en la crítica de. 3. (*too bright*) chillón(ona). ◇ *adv* fuerte; **out ~** en voz alta.

loudly ['laʊdlɪ] *adv* 1. (*shout*) a voz en grito; (*talk*) en voz alta. 2. (*gaudily*) con colores chillones OR llamativos.

loudspeaker [,laʊd'spiːkər] *n* altavoz *m*.

lounge [laʊndʒ] ◇ *n* 1. (*in house*) salón *m*. 2. (*in airport*) sala *f* de espera. ◇ *vi* repantigarse.

lounge bar *n Br* salón-bar *m*.

louse [laʊs] (*pl* lice) *n* (*insect*) piojo *m*.

lousy ['laʊzɪ] *adj inf* (*poor quality*) fatal, pésimo(ma).

lout [laʊt] *n* gamberro *m*.

lovable ['lʌvəbl] *adj* adorable.

love [lʌv] ◇ *n* 1. (*gen*) amor *m*; **give her my ~** dale un abrazo de mi parte; **~ from** (*at end of letter*) un abrazo de; **to be in ~** (**with**) estar enamorado(da) (de); **to fall in ~** enamorarse; **to make ~** hacer el amor. 2. (*liking, interest*) pasión *f*; **a ~ of** OR **for** una pasión por. 3. *inf* (*form of address*) cariño *m* y *f*. 4. (TENNIS): **30 ~** 30 a nada. ◇ *vt* 1. (*feel affection for*) amar, querer. 2. (*like*): **I ~ football** me encanta el fútbol; **I ~ going to** OR **to go to the theatre** me encanta ir al teatro.

love affair *n* aventura *f* amorosa.

love life *n* vida *f* amorosa.

lovely ['lʌvlɪ] *adj* 1. (*beautiful - person*) encantador(ra); (*- dress, place*) precioso (sa). 2. (*pleasant*) estupendo(da).

lover ['lʌvər] *n* 1. (*sexual partner*) amante *m* y *f*. 2. (*enthusiast*) amante *m* y *f*, apasionado *m*, -da *f*.

loving ['lʌvɪŋ] *adj* cariñoso(sa).

low [ləʊ] ◇ *adj* 1. (*gen*) bajo(ja); **in the ~ twenties** 20 y algo; **a ~ trick** una mala jugada. 2. (*little remaining*) escaso(sa). 3. (*unfavourable - opinion*) malo(la); (*- esteem*) poco(ca). 4. (*dim*) tenue. 5. (*dress, neckline*) escotado(da). 6. (*depressed*) deprimido(da). ◇ *adv* 1. (*gen*) bajo; **morale is very ~** la moral está por los suelos; **~ paid** mal pagado. 2. (*speak*) en voz baja. ◇ *n* 1. (*low point*) punto *m* más bajo. 2. (METEOR) área *f* de bajas presiones.

low-calorie *adj* light (*inv*), bajo(ja) en calorías.

low-cut *adj* escotado(da).

lower ['ləʊər] ◇ *adj* inferior. ◇ *vt* 1. (*gen*) bajar; (*flag*) arriar. 2. (*reduce*) reducir.

low-fat *adj* bajo(ja) en grasas.

low-key *adj* discreto(ta).

low-lying *adj* bajo(ja).

loyal ['lɔɪəl] *adj* leal, fiel.

loyalty ['lɔɪəltɪ] *n* lealtad *f*.

lozenge ['lɒzɪndʒ] *n* 1. (*tablet*) tableta *f*, pastilla *f*. 2. (*shape*) rombo *m*.

LP (*abbr of* long-playing record) *n* LP *m*.

L-plate *n Br* placa *f* L (de prácticas).

Ltd, ltd (*abbr of* limited) S.L.

lubricant ['luːbrɪkənt] *n* lubricante *m*.

lubricate ['luːbrɪkeɪt] *vt* lubricar, engrasar.

lucid ['luːsɪd] *adj* 1. (*clear*) claro(ra). 2. (*not confused*) lúcido(da).

luck [lʌk] *n* suerte *f*; **good/bad ~** (*good, bad fortune*) buena/mala suerte; **good ~!** (*said to express best wishes*) ¡buena suerte!; **bad** OR **hard ~!** ¡mala suerte!; **to be in ~** estar de suerte; **with (any) ~** con un poco de suerte.

luckily ['lʌkɪlɪ] *adv* afortunadamente.

lucky ['lʌkɪ] *adj* 1. (*fortunate - person*) afortunado(da); (*- event*) oportuno(na). 2. (*bringing good luck*) que trae buena suerte.

lucrative ['luːkrətɪv] *adj* lucrativo(va).

ludicrous ['luːdɪkrəs] *adj* absurdo(da).

luggage ['lʌgɪdʒ] *n Br* equipaje *m*.

luggage rack *n Br* (*of car*) baca *f*, portaequipajes *m inv*; (*in train*) redecilla *f*.

lukewarm ['luːkwɔːrm] *adj* 1. (*tepid*) tibio(bia), templado(da). 2. (*unenthusiastic*) indiferente, desapasionado(da).

lull [lʌl] ◇ *n*: **~ (in)** (*activity*) respiro *m* OR pausa *f* (en); (*fighting*) tregua *f* (en). ◇ *vt*: **to ~ sb into a false sense of security** infundir una sensación de falsa seguridad a alguien; **to ~ sb to sleep** adormecer OR hacer dormir a alguien.

L

lullaby ['lʌləbaɪ] *n* nana *f*, canción *f* de cuna.

lumber ['lʌmbəʳ] *n (U)* **1.** *Am (timber)* maderos *mpl*. **2.** *Br (bric-a-brac)* trastos *mpl*. ◆ **lumber with** *vt sep Br inf*: **to ~ sb with sthg** cargar a alguien con algo.

lumberjack ['lʌmbəʳdʒæk] *n* leñador *m*, -ra *f*.

luminous ['luːmɪnəs] *adj* luminoso(sa).

lump [lʌmp] ◇ *n* **1.** *(of coal, earth)* trozo *m*; *(of sugar)* terrón *m*; *(in sauce)* grumo *m*. **2.** *(on body)* bulto *m*. **3.** *fig (in throat)* nudo *m*. ◇ *vt*: **to ~ sthg together** *(things)* amontonar algo; *(people, beliefs)* agrupar OR juntar algo.

lump sum *n* suma *f* OR cantidad *f* global.

lumpy ['lʌmpɪ] *(compar* **-ier**, *superl* **-iest)** *adj (sauce)* grumoso(sa); *(mattress)* lleno (na) de bultos.

lunacy ['luːnəsɪ] *n* locura *f*.

lunar ['luːnəʳ] *adj* lunar.

lunatic ['luːnətɪk] *n* **1.** *pej (fool)* idiota *m y f*. **2.** *(insane person)* loco *m*, -ca *f*.

lunch [lʌntʃ] ◇ *n* comida *f*, almuerzo *m*. ◇ *vi* almorzar, comer.

luncheon ['lʌntʃən] *n fml* comida *f*, almuerzo *m*.

luncheon meat *n* carne de cerdo en lata troceada.

luncheon voucher *n Br* vale *m* del almuerzo.

lunch hour *n* hora *f* del almuerzo.

lunchtime ['lʌntʃtaɪm] *n* hora *f* del almuerzo.

lung [lʌŋ] *n* pulmón *m*.

lunge [lʌndʒ] *vi* lanzarse, abalanzarse; **to ~ at sb** arremeter contra alguien.

lurch [lɜːʳtʃ] ◇ *n (of boat)* bandazo *m*; *(of person)* tumbo *m*; **to leave sb in the ~** dejar a alguien en la estacada. ◇ *vi (boat)* dar bandazos; *(person)* tambalearse.

lure [ljʊəʳ] ◇ *n* atracción *f*. ◇ *vt* atraer OR convencer con engaños.

lurid ['ljʊərɪd] *adj* **1.** *(brightly coloured)* chillón(ona). **2.** *(shockingly unpleasant)* espeluznante.

lurk [lɜːʳk] *vi* **1.** *(person)* estar al acecho. **2.** *(memory, danger, fear)* ocultarse.

luscious ['lʌʃəs] *adj lit & fig* apetitoso (sa).

lush [lʌʃ] *adj (luxuriant)* exuberante.

lust [lʌst] *n* **1.** *(sexual desire)* lujuria *f*. **2.** *(strong desire)*: **~ for sthg** ansia *f* de algo. ◆ **lust after, lust for** *vt fus* **1.** *(desire - wealth, success)* codiciar. **2.** *(desire sexually)* desear.

lusty ['lʌstɪ] *adj* vigoroso(sa), fuerte.

Luxembourg ['lʌksəmbɜːʳg] *n* Luxemburgo.

luxurious [lʌgˈʒʊərɪəs] *adj* **1.** *(expensive)* lujoso(sa). **2.** *(pleasurable)* voluptuoso (sa).

luxury ['lʌkʃərɪ] ◇ *n* lujo *m*. ◇ *comp* de lujo.

LW *(abbr of* **long wave)** *n* OL *f*.

Lycra® ['laɪkrə] *n* lycra® *f*.

lying ['laɪɪŋ] ◇ *adj* mentiroso(sa), falso (sa). ◇ *n (U)* mentira *f*.

lynch [lɪntʃ] *vt* linchar.

lyric ['lɪrɪk] *adj* lírico(ca).

lyrical ['lɪrɪkl] *adj (poetic)* lírico(ca).

lyrics ['lɪrɪks] *npl* letra *f*.

m¹ *(pl* **m's** OR **ms)**, **M** *(pl* **M's** OR **Ms)** [em] *n (letter)* m *f*, M *f*. ◆ **M** *abbr of* **motorway.**

m² **1.** *(abbr of* **metre)** m. **2.** *(abbr of* **million)** m. **3.** *abbr of* **mile.**

MA *n abbr of* **Master of Arts.**

mac [mæk] *(abbr of* **mackintosh)** *n Br inf (coat)* impermeable *m*.

macaroni [ˌmækəˈrəʊnɪ] *n (U)* macarrones *mpl*.

machine [məˈʃiːn] ◇ *n* **1.** *(power-driven device)* máquina *f*. **2.** *(organization)* aparato *m*. ◇ *vt* **1.** *(SEWING)* coser a máquina. **2.** *(TECH)* hacer con una máquina.

machinegun [məˈʃiːngʌn] *n* ametralladora *f*.

machine language *n (COMPUT)* lenguaje *m* máquina.

machinery [məˈʃiːnərɪ] *n lit & fig* maquinaria *f*.

macho [*Am* ˈmɑːtʃəʊ, *Br* ˈmætʃ-] *adj inf* macho.

mackerel ['mækrəl] *(pl inv* OR **-s)** *n* caballa *f*.

mackintosh ['mækɪntɒʃ] *n Br* impermeable *m*.

mad [mæd] *adj* **1.** *(gen)* loco(ca); *(attempt, idea)* disparatado(da); **to be ~ about sb/sthg** estar loco(ca) por alguien/ algo; **to go ~** volverse loco. **2.** *(furious)* furioso(sa). **3.** *(hectic)* desenfrenado (da).

make

madam ['mædəm] *n* señora *f*.

madden ['mædn] *vt* volver loco(ca).

made [meɪd] *pt & pp* → **make**.

Madeira [mə'dɪərə] *n* **1.** *(wine)* madeira *m*, madera *m*. **2.** (GEOGR) Madeira.

made-to-measure *adj* hecho(cha) a la medida.

made-up *adj* **1.** *(with make-up - face, person)* maquillado(da); *(- lips, eyes)* pintado(da). **2.** *(invented)* inventado(da).

madly ['mædlɪ] *adv (frantically)* enloquecidamente; **~ in love** locamente enamorado.

madness ['mædnəs] *n* locura *f*.

Madrid [mə'drɪd] *n* Madrid.

Mafia [*Am* 'mɑːfɪə, *Br* 'mæf-] *n*: **the ~** la mafia.

magazine [*Am* 'mægəziːn, *Br* ˌmægə-'ziːn] *n* **1.** *(periodical)* revista *f*. **2.** *(news programme)* magazín *m*. **3.** *(on a gun)* recámara *f*.

maggot ['mægət] *n* gusano *m*, cresa *f*.

magic ['mædʒɪk] ◇ *adj (gen)* mágico(ca). ◇ *n* magia *f*.

magical ['mædʒɪkl] *adj lit & fig* mágico(ca).

magician [mə'dʒɪʃn] *n* **1.** *(conjuror)* prestidigitador *m*, -ra *f*. **2.** *(wizard)* mago *m*.

magistrate ['mædʒɪstreɪt] *n* magistrado *m*, -da *f*.

magistrates' court *n Br* juzgado *m* de primera instancia.

magnet ['mægnət] *n* imán *m*.

magnetic [mæg'netɪk] *adj* **1.** *(attracting iron)* magnético(ca). **2.** *fig (appealingly forceful)* atrayente, carismático(ca).

magnetic tape *n* cinta *f* magnetofónica.

magnificent [mæg'nɪfɪsənt] *adj (building, splendour)* grandioso(sa); *(idea, book, game)* magnífico(ca).

magnify ['mægnɪfaɪ] *vt* **1.** *(in vision)* aumentar. **2.** *(in the mind)* exagerar.

magnifying glass ['mægnɪfaɪɪŋ-] *n* lupa *f*.

magnitude ['mægnɪtjuːd] *n* magnitud *f*.

magpie ['mægpaɪ] *n* urraca *f*.

mahogany [mə'hɒgənɪ] *n* **1.** *(wood)* caoba *f*. **2.** *(colour)* caoba *m*.

maid [meɪd] *n* *(in hotel)* camarera *f*; *(domestic)* criada *f*.

maiden ['meɪdn] ◇ *adj* inaugural. ◇ *n literary* doncella *f*.

maiden name *n* nombre *m* de soltera.

mail [meɪl] ◇ *n* **1.** *(letters, parcels received)* correspondencia *f*. **2.** *(system)* correo *m*; **by ~** por correo. ◇ *vt (send)* mandar por correo; *(put in mail box)* echar al buzón.

mailbox ['meɪlbɒks] *n Am* buzón *m*.

mailing list ['meɪlɪŋ-] *n* lista *f* de distribución de publicidad OR información.

mailman ['meɪlmæn] *(pl -men [-mən])* *n Am* cartero *m*.

mail order *n* pedido *m* por correo.

mailshot ['meɪlʃɒt] *n* folleto *m* de publicidad (por correo).

maim [meɪm] *vt* mutilar.

main [meɪn] ◇ *adj* principal. ◇ *n (pipe)* tubería *f* principal; *(wire)* cable *m* principal. ◆ **mains** *npl*: **the ~s** *(gas, water)* la tubería principal; *(electricity)* la red eléctrica. ◆ **in the main** *adv* por lo general.

main course *n* plato *m* fuerte.

mainframe (computer) ['meɪnfreɪm-] *n* unidad *f* central.

mainland ['meɪnlənd] ◇ *adj* continental; **~ Spain** la Península. ◇ *n*: **the ~** el continente.

mainly ['meɪnlɪ] *adv* principalmente.

main road *n* carretera *f* principal.

mainstream ['meɪnstriːm] ◇ *adj (gen)* predominante; *(taste)* corriente; *(political party)* convencional. ◇ *n*: **the ~** la tendencia general.

maintain [meɪn'teɪn] *vt* **1.** *(gen)* mantener. **2.** *(support, provide for)* sostener. **3.** *(assert)*: **to ~ (that)** sostener que.

maintenance ['meɪntənəns] *n* **1.** *(gen)* mantenimiento *m*. **2.** *(money)* pensión *f* alimenticia.

maize [meɪz] *n* maíz *m*.

majestic [mə'dʒestɪk] *adj* majestuoso (sa).

majesty ['mædʒəstɪ] *n (grandeur)* majestad *f*. ◆ **Majesty** *n*: **His/Her/Your Majesty** Su Majestad.

major ['meɪdʒər] ◇ *adj* **1.** *(important)* principal. **2.** (MUS) mayor. ◇ *n* (MIL) comandante *m*.

Majorca [mə'jɔːrkə] *n* Mallorca.

majority [mə'dʒɒrətɪ] *n* mayoría *f*.

make [meɪk] *(pt & pp* made*)* ◇ *vt* **1.** *(produce)* hacer; **she ~s her own clothes** se hace su propia ropa. **2.** *(perform - action)* hacer; **to ~ a speech** pronunciar OR dar un discurso; **to ~ a decision** tomar una decisión; **to ~ a mistake** cometer un error. **3.** *(cause to be, cause to do)* hacer; **it ~s me sick** me pone enfer-

M

mo; **it made him angry** hizo que se enfadara; **you made me jump!** ¡vaya susto que me has dado!; **to ~ sb happy** hacer a alguien feliz; **to ~ sb sad** entristecer a alguien. **4.** (force): **to ~ sb do sthg** hacer que alguien haga algo, obligar a alguien a hacer algo. **5.** (construct): **to be made of sthg** estar hecho(cha) de algo; **made in Spain** fabricado en España. **6.** (add up to) hacer, ser; **2 and 2 ~ 4** 2 y 2 hacen OR son 4. **7.** (calculate) calcular; **I ~ it 50/six o'clock** calculo que serán 50/las seis; **what time do you ~ it?** ¿qué hora es? **8.** (earn) ganar; **to ~ a profit** obtener beneficios; **to ~ a loss** sufrir pérdidas. **9.** (have the right qualities for) ser; **she'd ~ a good doctor** seguro que sería una buena doctora. **10.** (reach) llegar a. **11.** (gain - friend, enemy) hacer; **to ~ friends with sb** hacerse amigo de alguien. **12.** phr: **to ~ it** (arrive in time) conseguir llegar a tiempo; (be a success) alcanzar el éxito; (be able to attend) venir/ir; **to ~ do with sthg** apañarse OR arreglarse con algo. ◇ n (brand) marca f. ◆ **make for** vt fus **1.** (move towards) dirigirse a OR hacia. **2.** (contribute to) contribuir a. ◆ **make of** vt sep **1.** (understand) entender; **what do you ~ of this word?** ¿qué entiendes tú por esta palabra? **2.** (have opinion of) opinar de. ◆ **make off** vi darse a la fuga. ◆ **make out** vt sep **1.** inf (see) distinguir; (hear) entender, oír. **2.** inf (understand - word, number) descifrar; (- person, attitude) comprender. **3.** (fill out - form) rellenar; (- cheque, receipt) extender; (- list) hacer. ◆ **make up** ◇ vt sep **1.** (compose, constitute) componer, constituir. **2.** (invent) inventar. **3.** (apply cosmetics to) maquillar. **4.** (prepare - parcel, prescription, bed) preparar. **5.** (make complete - amount) completar; (- difference) cubrir. ◇ vi (become friends again): **to ~ up (with sb)** hacer las paces (con alguien). ◆ **make up for** vt fus compensar. ◆ **make up to** vt sep: **to ~ it up to sb (for sthg)** recompensar a alguien (por algo).

> • Ver **HACER** en el lado Español-Inglés del diccionario.

make-believe n invención f.

maker ['meɪkər] n (of film, programme) creador m, -ra f; (of product) fabricante m y f.

makeshift ['meɪkʃɪft] adj (temporary) provisional; (improvized) improvisado (da).

make-up n **1.** (cosmetics) maquillaje m;

~ remover loción f OR leche f desmaquilladora. **2.** (person's character) carácter m. **3.** (structure) estructura f; (of team) composición f.

making ['meɪkɪŋ] n (of product) fabricación f; (of film) rodaje m; (of decision) toma f; **this is history in the ~** esto pasará a la historia; **your problems are of your own ~** tus problemas te los has buscado tú mismo; **to have the ~s of** tener madera de.

malaria [mə'leərɪə] n malaria f.

Malaya [mə'leɪə] n Malaya.

Malaysia [mə'leɪʒə] n Malaisia.

male [meɪl] ◇ adj **1.** (animal) macho. **2.** (human) masculino(na), varón. **3.** (concerning men) masculino(na). ◇ n **1.** (animal) macho m. **2.** (human) varón m.

male nurse n enfermero m.

malevolent [mə'levələnt] adj malévolo (la).

malfunction [,mæl'fʌŋkʃn] ◇ n funcionamiento m defectuoso. ◇ vi funcionar mal.

malice ['mælɪs] n malicia f.

malicious [mə'lɪʃəs] adj malicioso (sa).

malignant [mə'lɪɡnənt] adj **1.** fml (full of hate) malvado(da). **2.** (MED) maligno (na).

mall [mɔːl] n: **(shopping) ~** centro m comercial peatonal.

MALL

Una gran zona ajardinada en el centro de Washington DC, *the Mall*, se extiende desde el Capitolio hasta el Monumento a Lincoln. A lo largo de ésta se encuentran los distintos museos del Smithsonian Institute, varios museos de arte, la Casa Blanca y los monumentos a Washington y a Jefferson. En el extremo oeste se halla *the Wall*, donde se han inscrito los nombres de los soldados muertos en la guerra de Vietnam. En Gran Bretaña, *the Mall* es el nombre de la larga avenida londinense que va desde el palacio de Buckingham hasta Trafalgar Square.

malnutrition [,mælnju:'trɪʃn] n malnutrición f.

malpractice [,mæl'præktəs] n (U) (JUR) negligencia f.

malt [mɔːlt] n **1.** (grain) malta f. **2.** (whisky) whisky m de malta.

mantelpiece

Malta ['mɔːltə] n Malta.

mammal ['mæml] n mamífero m.

mammoth ['mæməθ] ◇ adj descomunal. ◇ n mamut m.

man [mæn] (pl **men**) ◇ n hombre m; **the ~ in the street** el hombre de la calle, el ciudadano de a pie. ◇ vt (gen) manejar; (ship, plane) tripular; **manned 24 hours a day** (telephone) en servicio las 24 horas del día.

manage ['mænɪdʒ] ◇ vi **1.** (cope) poder. **2.** (survive) apañárselas. ◇ vt **1.** (succeed): **to ~ to do sthg** conseguir hacer algo. **2.** (company) dirigir, llevar; (money) administrar, manejar; (pop star) representar; (time) organizar. **3.** (cope with) poder con; **can you ~ that box?** ¿puedes con la caja?

manageable ['mænɪdʒəbl] adj (task) factible, posible; (children) dominable; (inflation, rate) controlable.

management ['mænɪdʒmənt] n **1.** (control, running) gestión f. **2.** (people in control) dirección f.

manager ['mænɪdʒər] n **1.** (of company) director m, -ra f; (of shop) jefe m, -fa f; (of pop star) manager m y f. **2.** (SPORT) = entrenador m, -ra f.

manageress [Am 'mænɪdʒərəs, Br ,mænɪdʒə'res] n Br (of company) directora f; (of shop) jefa f.

managerial [,mænə'dʒɪərɪəl] adj directivo(va).

managing director [,mænɪdʒɪŋ-] n director m, -ra f gerente.

mandarin ['mændərɪn] n (fruit) mandarina f.

mandate ['mændeɪt] n **1.** (elected right or authority) mandato m. **2.** (task) misión f.

mandatory [Am 'mændətɔːrɪ, Br -ətrɪ] adj obligatorio(ria).

mane [meɪn] n (of horse) crin f; (of lion) melena f.

maneuver Am, **manoeuvre** Br [mə'nuːvər] ◇ n lit & fig maniobra f. ◇ vt maniobrar. ◇ vi maniobrar.

manfully ['mænflɪ] adv valientemente.

mangle ['mæŋgl] vt (crush) aplastar; (tear to pieces) despedazar.

mango ['mæŋgəʊ] (pl **-es** OR **-s**) n mango m.

mangy ['meɪndʒɪ] adj sarnoso(sa).

manhandle ['mænhændl] vt (person) maltratar.

Manhattan [,mæn'hætn] n Manhattan m.

manhole ['mænhəʊl] n boca f (del alcantarillado).

manhood ['mænhʊd] n **1.** (state) virilidad f. **2.** (time) edad f viril OR adulta.

manhour ['mæn,aʊər] n hora f de trabajo (realizada por una persona).

mania ['meɪnjə] n **1.** (excessive liking): **~ (for)** manía f (por). **2.** (in psychology) manía f.

maniac ['meɪnɪæk] n **1.** (madman) maníaco m, -ca f. **2.** (fanatic) fanático m, -ca f.

manic ['mænɪk] adj maníaco(ca).

manicure ['mænɪkjʊər] n manicura f.

manifest ['mænɪfest] fml ◇ adj manifiesto(ta). ◇ vt manifestar.

manifesto [,mænɪ'festəʊ] (pl **-s** OR **-es**) n manifiesto m.

manipulate [mə'nɪpjəleɪt] vt **1.** (control for personal benefit) manipular. **2.** (machine) manejar; (controls, lever) accionar.

mankind [mæn'kaɪnd] n la humanidad, el género humano.

manly ['mænlɪ] adj varonil, viril.

man-made adj (environment, problem, disaster) producido(da) por el hombre; (fibre) artificial.

manner ['mænər] n **1.** (method) manera f, forma f. **2.** (bearing, attitude) comportamiento m. **3.** esp literary (type, sort) tipo m, clase f. ◆ **manners** npl modales mpl; **it's good/bad ~s to do sthg** es de buena/mala educación hacer algo.

mannerism ['mænərɪzm] n costumbre f (típica de uno).

manoeuvre Br = maneuver.

manor ['mænər] n (house) casa f solariega.

manpower ['mænpaʊər] n (manual workers) mano f de obra; (white-collar workers) personal m.

mansion ['mænʃn] n (manor) casa f solariega; (big house) casa grande.

manslaughter ['mænslɔːtər] n homicidio m involuntario.

mantelpiece ['mæntlpiːs] n repisa f (de la chimenea).

M

manual ['mænjʊəl] ◇ *adj* manual. ◇ *n* manual *m*.

manual worker *n* obrero *m*, -ra *f*.

manufacture [,mænjə'fæktʃəʳ] ◇ *n* fabricación *f*. ◇ *vt (make)* fabricar.

manufacturer [,mænjə'fæktʃərəʳ] *n* fabricante *m* y *f*.

manure [mə'njʊəʳ] *n* estiércol *m*.

manuscript ['mænjəskrɪpt] *n* **1.** *(gen)* manuscrito *m*. **2.** *(in exam)* hoja *f* de examen.

many ['menɪ] *(compar* **more**, *superl* **most)** ◇ *adj* muchos(chas); **~ people** muchas personas, mucha gente; **how ~?** ¿cuántos(tas)?; **I wonder how ~ people went** me pregunto cuánta gente fue; **too ~** demasiados(das); **there weren't too ~ students** no había muchos estudiantes; **as ~ ... as** tantos(tas) ... como; **so ~** tantos(tas); **I've never seen so ~ people** nunca había visto tanta gente; **a good** OR **great ~** muchísimos(mas). ◇ *pron* muchos(chas).

> •*Many* se emplea fundamentalmente en oraciones interrogativas *(were there many people at the party?)* y negativas *(I didn't get many presents for my birthday)*; para las afirmativas suele usarse *a lot (of)* o *lots (of)*, aunque *many* sirve para construir expresiones como *too many, how many* y *so many*.
>
> • Ver también **LOT, PLENTY**.

map [mæp] *n* mapa *m*. ◆ **map out** *vt sep* planear, planificar.

maple ['meɪpl] *n* arce *m*.

mar [mɑːʳ] *vt* deslucir.

marathon [*Am* 'mærəθɒn, *Br* -θən] *n* maratón *m*.

marble ['mɑːʳbl] *n* **1.** *(stone)* mármol *m*. **2.** *(for game)* canica *f*, bolita *f* *CSur*.

march [mɑːʳtʃ] ◇ *n* **1.** (MIL) marcha *f*. **2.** *(of demonstrators)* manifestación *f*. **3.** *(steady progress)* avance *m*, progreso *m*. ◇ *vi* **1.** *(in formation)* marchar. **2.** *(in protest)* manifestarse. **3.** *(speedily)*: **to ~ up to sb** abordar a alguien decididamente. ◇ *vt* llevar por la fuerza.

March [mɑːtʃ] *n* marzo *m*; *see also* **September**.

marcher ['mɑːʳtʃəʳ] *n* *(protester)* manifestante *m* y *f*.

Mardi Gras [,mɑːdɪ'grɑː] *n* Martes *m* de Carnaval.

mare [meəʳ] *n* yegua *f*.

margarine [*Am* 'mɑːrdʒərən, *Br* ,mɑːdʒə'riːn] *n* margarina *f*.

marge [mɑːdʒ] *n* *inf* margarina *f*.

margin ['mɑːʳdʒɪn] *n* *(gen)* margen *m*.

marginal ['mɑːdʒɪnl] *adj* **1.** *(unimportant)* marginal. **2.** *Br* (POL): **~ seat** OR **constituency** escaño vulnerable a ser perdido en las elecciones por tener una mayoría escasa.

marginally ['mɑːʳdʒɪnlɪ] *adv* ligeramente.

marigold ['mærɪɡoʊld] *n* caléndula *f*.

marihuana, marijuana [*Am* ,mærɪ-'wɑːnə, *Br* ,mær-] *n* marihuana *f*.

marine [mə'riːn] ◇ *adj* marino(na). ◇ *n* soldado *m* de infantería de marina.

marital ['mærɪtl] *adj* matrimonial.

marital status *n* estado *m* civil.

maritime ['mærɪtaɪm] *adj* marítimo (ma).

mark [mɑːʳk] ◇ *n* **1.** *(stain)* mancha *f*. **2.** *(written symbol - on paper)* marca *f*; *(- in the sand)* señal *f*. **3.** *(in exam)* nota *f*; **to get good ~s** sacar buenas notas. **4.** *(stage, level)*: **once past the halfway ~** una vez llegado a medio camino. **5.** *(sign - of respect)* señal *f*; *(- of illness, old age)* huella *f*. **6.** *(currency)* marco *m*. ◇ *vt* **1.** *(stain)* manchar. **2.** *(label - with initials etc)* señalar. **3.** *(exam, essay)* puntuar, calificar. **4.** *(identify - place)* señalar; *(- beginning, end)* marcar. **5.** *(commemorate)* conmemorar. **6.** *(characterize)* caracterizar. ◆ **mark off** *vt sep* *(cross off)* tachar.

marked [mɑːʳkt] *adj* *(improvement)* notable; *(difference)* acusado(da).

marker ['mɑːʳkəʳ] *n* *(sign)* señal *f*.

marker pen *n* rotulador *m*.

market [*Am* 'mɑːrkɪt, *Br* 'mɑːkɪt] ◇ *n* mercado *m*. ◇ *vt* comercializar.

market garden *n* *(small)* huerto *m*; *(large)* huerta *f*.

marketing [*Am* 'mɑːrkətɪŋ, *Br* 'mɑːkɪt-] *n* marketing *m*.

marketplace [*Am* 'mɑːrkətpleɪs, *Br* 'mɑːkɪt-] *n lit & fig* mercado *m*.

market research *n* estudio *m* de mercados.

market value *n* valor *m* actual OR en venta.

marking ['mɑːʳkɪŋ] *n (of exams etc)* corrección *f*. ◆ **markings** *npl (of flower, animal)* pintas *fpl*; *(on road)* señales *fpl*.

marksman ['mɑːksmən] (*pl* -men [-mən]) *n* tirador *m*.

marmalade ['mɑːʳməleɪd] *n* mermelada *f (de cítricos)*.

maroon [mə'ruːn] *adj* granate.

marooned [mə'ruːnd] *adj* incomunicado(da), aislado(da).

marquee [mɑːʳˈkiː] *n* carpa *f*, toldo *m* grande.

marriage ['mærɪdʒ] *n* 1. *(act)* boda *f*. 2. *(state, institution)* matrimonio *m*.

marriage bureau *n Br* agencia *f* matrimonial.

marriage certificate *n* certificado *m* de matrimonio.

marriage guidance *n* asesoría *f* matrimonial.

married ['mærɪd] *adj* 1. *(wedded)* casado(da). 2. *(of marriage)* matrimonial.

marrow ['mærəʊ] *n* 1. *Br (vegetable)* calabacín *m* grande. 2. *(in bones)* médula *f*.

marry ['mærɪ] ◇ *vt* casar; **to get married** casarse. ◇ *vi* casarse.

Mars [mɑːʳz] *n* Marte *m*.

marsh [mɑːʳʃ] *n* 1. *(area of land)* zona *f* pantanosa. 2. *(type of land)* pantano *m*.

marshal ['mɑːʳʃl] ◇ *n* 1. (MIL) mariscal *m*. 2. *(steward)* oficial *m y f*, miembro *m y f* del servicio de orden. 3. *Am (officer)* jefe *m*, -fa *f* de policía. ◇ *vt (people)* dirigir, conducir; *(thoughts)* ordenar.

martial arts [ˌmɑːʳʃl-] *npl* artes *fpl* marciales.

martial law [ˌmɑːʳʃl-] *n* ley *f* marcial.

martyr ['mɑːʳtəʳ] *n* mártir *m y f*.

martyrdom ['mɑːʳtəʳdəm] *n* martirio *m*.

marvel ['mɑːʳvl] ◇ *n* maravilla *f*. ◇ *vi*: **to ~ (at)** maravillarse OR asombrarse (ante).

marvelous *Am*, **marvellous** *Br* ['mɑːʳvləs] *adj* maravilloso(sa).

Marxism ['mɑːʳksɪzm] *n* marxismo *m*.

Marxist ['mɑːʳksəst] ◇ *adj* marxista. ◇ *n* marxista *m y f*.

marzipan ['mɑːʳzɪpæn] *n* mazapán *m*.

mascara [*Am* mæ'skærə, *Br* -'skɑːrə] *n* rímel *m*.

masculine [*Am* mæskjələn, *Br* -ɪn] *adj*

(gen) masculino(na); *(woman, appearance)* hombruno(na).

mash [mæʃ] *vt* triturar.

mashed potatoes ['mæʃt-] *npl* puré *m* de patatas.

mask [*Am* mæsk, *Br* mɑːsk] ◇ *n lit & fig* máscara *f*. ◇ *vt* 1. *(to hide)* enmascarar. 2. *(cover up)* ocultar, disfrazar.

masochist ['mæsəkəst] *n* masoquista *m y f*.

mason ['meɪsn] *n* 1. *(stonemason)* cantero *m*. 2. *(freemason)* masón *m*.

Mason-Dixon Line *n*: **the ~** la línea divisoria Mason–Dixon en Estados Unidos.

MASON-DIXON LINE

La línea divisoria Mason-Dixon marcaba la frontera entre la Unión y los Estados Confederados durante la Guerra de Secesión. Hoy se sigue utilizando este término como símbolo de la división Norte-Sur en los Estados Unidos. La gente que vive al sur de esta línea habla con un marcado acento sureño y, en muchos casos, está orgullosa de mantener hábitos y costumbres diferentes de los del resto de la nación.

M

masonry ['meɪsnrɪ] *n (stones)* albañilería *f*.

masquerade [ˌmæskəˈreɪd] *vi*: **to ~ as** hacerse pasar por.

mass [mæs] ◇ *n* 1. *(gen)* masa *f*. 2. *(large amount)* cantidad *f*, montón *m*. ◇ *adj (unemployment)* masivo(va); *(communication)* de masas. ◇ *vi* agruparse, concentrarse. ◆ **Mass** *n (religious ceremony)* misa *f*. ◆ **masses** *npl* 1. *inf (lots)* montones *mpl*. 2. *(workers)*: **the ~es** las masas.

massacre ['mæsəkəʳ] ◇ *n* matanza *f*, masacre *f*. ◇ *vt* masacrar.

massage [*Am* mə'sɑːʒ, *Br* 'mæs-] ◇ *n* masaje *m*. ◇ *vt* dar masajes a.

massive ['mæsɪv] *adj (gen)* enorme; *(majority)* aplastante.

mass media *n or npl*: **the ~** los medios de comunicación de masas.

mass production *n* producción *f* OR fabricación *f* en serie.

mast [*Am* mæst, *Br* mɑːst] *n* 1. *(on boat)* mástil *m*. 2. (RADIO & TV) poste *m*, torre *f*.

master [*Am* 'mæstəʳ, *Br* 'mɑːstə] ◇ *n* 1. *(of people, animals)* amo *m*, dueño *m*; *(of house)* señor *m*. 2. *fig (of situation)* dueño *m*, -ña *f*. 3. *Br (teacher - primary*

school) maestro *m; (- secondary school)* profesor *m.* ◊ *adj* maestro(tra). ◊ *vt*
1. *(situation)* dominar, controlar; *(difficulty)* superar. **2.** *(technique etc)* dominar.

master key *n* llave *f* maestra.

masterly [*Am* 'mæstərlı, *Br* 'mɑːstəlı] *adj* magistral.

mastermind [*Am* 'mæstərmaınd, *Br* 'mɑːstə-] ◊ *n* cerebro *m.* ◊ *vt* ser el cerebro de, dirigir.

Master of Arts (*pl* **Masters of Arts**) *n* **1.** *(degree)* maestría *f* OR máster *m* en Letras. **2.** *(person)* licenciado *m,* -da *f* con maestría en Letras.

Master of Science (*pl* **Masters of Science**) *n* **1.** *(degree)* maestría *f* OR máster *m* en Ciencias. **2.** *(person)* licenciado *m,* -da *f* con maestría en Ciencias.

masterpiece [*Am* 'mæstərpiːs, *Br* 'mɑːstə-] *n lit & fig* obra *f* maestra.

master's degree *n* máster *m.*

mastery [*Am* 'mæstərı, *Br* 'mɑːst-] *n* dominio *m.*

mat [mæt] *n* **1.** *(beer mat)* posavasos *m inv; (tablemat)* salvamanteles *m inv.* **2.** *(doormat)* felpudo *m; (rug)* alfombrilla *f.*

match [mætʃ] ◊ *n* **1.** *(game)* partido *m.* **2.** *(for lighting)* cerilla *f.* **3.** *(equal):* **to be no ~ for** no poder competir con. ◊ *vt* **1.** *(be the same as)* coincidir con. **2.** *(pair off):* **to ~ sthg (to)** emparejar algo (con). **3.** *(be equal with)* competir con. **4.** *(go well with)* hacer juego con. ◊ *vi* **1.** *(be the same)* coincidir. **2.** *(go together well)* hacer juego.

matchbox ['mætʃbɒks] *n* caja *f* de cerillas.

matching ['mætʃıŋ] *adj* a juego, que combina bien.

mate [meıt] ◊ *n* **1.** *inf (friend)* amigo *m,* -ga *f,* compañero *m,* -ra *f.* **2.** *Br inf (term of address)* colega *m* y *f.* **3.** *(of animal)* macho *m,* hembra *f.* **4.** (NAUT): *(first)* ~ (primer) oficial *m.* ◊ *vi (animals):* **to ~ (with)** aparearse (con).

material [mə'tıərıəl] ◊ *adj* **1.** *(physical)* material. **2.** *(important)* sustancial. ◊ *n* **1.** *(substance)* material *m.* **2.** *(type of substance)* materia *f.* **3.** *(fabric)* tela *f,* tejido *m.* **4.** *(type of fabric)* tejido *m.* **5.** *(U) (ideas, information)* información *f,* documentación *f.* ◆ **materials** *npl:* **building ~s** materiales *mpl* de construcción; **writing ~s** objetos *mpl* de escritorio.

materialistic [mə,tıərıə'lıstık] *adj* materialista.

maternal [mə'tɜːrnl] *adj (gen)* mater-

nal; *(grandparent)* materno(na).

maternity [mə'tɜːrnətı] *n* maternidad *f.*

maternity hospital *n* hospital *m* de maternidad.

math *Am* [mæθ], **maths** *Br* [mæθs] *(abbr of* **mathematics)** *inf n (U)* mates *fpl.*

mathematical [,mæθə'mætıkl] *adj* matemático(ca).

mathematics [,mæθə'mætıks] *n (U)* matemáticas *fpl.*

maths *Br* = **math.**

matinée [*Am* ,mætn'eı, *Br* 'mætıneı] *n (at cinema)* primera sesión *f; (at theatre)* función *f* de tarde.

mating season ['meıtıŋ-] *n* época *f* de celo.

matriculation [mə,trıkjə'leıʃn] *n* matrícula *f.*

matrimonial [,mætrı'moʊnjəl] *adj* matrimonial.

matrimony [*Am* 'mætrəmoʊnı, *Br* -ımənı] *n (U)* matrimonio *m.*

matron ['meıtrən] *n* **1.** *Br (in hospital)* enfermera *f* jefa. **2.** *(in school)* ama *f* de llaves.

matte *Am,* **matt** *Br* [mæt] *adj* mate.

matted ['mætıd] *adj* enmarañado(da).

matter ['mætər] ◊ *n* **1.** *(question, situation)* asunto *m;* **that's another ~** es otra cuestión OR cosa; **as a ~ of course** automáticamente; **to make ~s worse** para colmo de desgracias; **a ~ of opinion** una cuestión de opiniones. **2.** *(trouble, cause of pain):* **what's the ~ (with it/her)?** ¿qué (le) pasa?; **something's the ~ with my car** algo le pasa a mi coche. **3.** (PHYSICS) materia *f.* **4.** *(U) (material)* material *m.* ◊ *vi (be important)* importar; **it doesn't ~** no importa. ◆ **as a matter of fact** *adv* en realidad. ◆ **for that matter** *adv* de hecho. ◆ **no matter** *adv:* **no ~ how hard I try** por mucho que lo intente; **no ~ what he does** haga lo que haga; **we must win, no ~ what** tenemos que ganar como sea.

Matterhorn ['mætə'hɔːrn] *n:* **the ~** el monte Cervino.

matter-of-fact *adj* pragmático(ca).

mattress ['mætrəs] *n* colchón *m.*

mature [mə'tjʊər] ◊ *adj (person, wine)* maduro(ra); *(cheese)* curado(da). ◊ *vi* madurar.

mature student *n Br* (UNIV) estudiante *m* y *f* en edad adulta.

maul [mɔːl] *vt (savage)* herir gravemente.

mauve [moʊv] *adj* malva.

max. [mæks] *(abbr of* **maximum)** máx.

maxim ['mæksəm] (*pl* **-s**) *n* máxima *f*.

maximum ['mæksəməm] (*pl* **maxima** OR **-s**) ◇ *adj* máximo(ma). ◇ *n* máximo *m*.

may [meɪ] *modal vb* poder; **the coast ~ be seen** se puede ver la costa; **you ~ like it** puede OR es posible que te guste; **I ~ come, I ~ not** puede que venga, puede que no; **it ~ be done in two different ways** puede hacerse de dos maneras (distintas); **~ I come in?** ¿se puede (pasar)?; **~ I?** ¿me permite?; **it ~ be cheap, but it's good** puede que sea barato, pero es bueno; **~ all your dreams come true!** ¡que todos tus sueños se hagan realidad!; **be that as it ~** aunque así sea; **come what ~** pase lo que pase; *see also* **might**.

> •**May** en el sentido de "tener permiso para" no debe ser empleado cuando hablamos del pasado o del futuro. En estos casos se usa *be allowed to* en su lugar (*she <u>wasn't allowed</u> to see him again*, "<u>no podía</u> [<u>o no la dejaban</u>] volver a verlo"; *I hope that I'<u>ll be allowed</u> to go*, "espero <u>poder</u> [<u>o que me dejen</u>] ir").
> • Ver también **MIGHT**.

May [meɪ] *n* mayo *m*; *see also* **September**.

maybe ['meɪbi] *adv* **1.** (*perhaps*) quizás, tal vez; **~ she'll come** tal vez venga. **2.** (*approximately*) más o menos.

May Day *n* Primero *m* de Mayo.

mayhem ['meɪhem] *n* alboroto *m*.

mayonnaise [Am 'meɪəneɪz, Br ˌmeɪə-'neɪz] *n* mayonesa *f*.

mayor [Am 'meɪr, Br meə] *n* alcalde *m*, -esa *f*.

mayoress [Am 'meɪərəs, Br ˌmeər'es] *n* alcaldesa *f*.

maze [meɪz] *n lit & fig* laberinto *m*.

MB (*abbr of megabyte*) MB *m*.

MD *n abbr of* **managing director**.

me [miː] *pers pron* **1.** (*direct, indirect*) me; **can you see/hear ~?** ¿me ves/oyes?; **it's ~** soy yo; **they spoke to ~** hablaron conmigo; **she gave it to ~** me lo dio; **give it to ~!** ¡dámelo! **2.** (*stressed*): **you can't expect** ME **to do it** no esperarás que YO lo haga. **3.** (*after prep*) mí; **they went with/without ~** fueron conmigo/sin mí. **4.** (*in comparisons*) yo; **she's shorter than ~** (ella) es más baja que yo.

meadow ['medəʊ] *n* prado *m*, pradera *f*.

meager Am, **meagre** Br ['miːgə] *adj*

miserable, escaso(sa).

meal [miːl] *n* comida *f*.

mealtime ['miːltaɪm] *n* hora *f* de la comida.

mean [miːn] (*pt & pp* **meant**) ◇ *vt* **1.** (*signify*) significar, querer decir; **it ~s nothing to me** no significa nada para mí. **2.** (*have in mind*) querer decir, referirse a; **what do you ~?** ¿qué quieres decir?; **to ~ to do sthg** tener la intención de OR querer hacer algo; **to be meant for** estar destinado(da) a; **to be meant to do sthg** deber hacer algo; **that's not meant to be there** esto no debería estar allí; **it was meant to be a joke** era solamente una broma; **to ~ well** tener buenas intenciones. **3.** (*be serious about*): **I ~ it** hablo OR lo digo en serio. **4.** (*be important, matter*) significar. **5.** (*entail*) suponer, implicar. **6.** *phr*: **I ~** quiero decir, o sea. ◇ *adj* **1.** (*miserly*) tacaño(ña). **2.** (*unkind*) mezquino(na), malo(la); **to be ~ to sb** ser malo con alguien. **3.** (*average*) medio(dia). ◇ *n* (*average*) promedio *m*, media *f*; *see also* **means**.

meander [mɪ'ændə] *vi* **1.** (*river, road*) serpentear. **2.** (*walk aimlessly*) vagar; (*write, speak aimlessly*) divagar.

meaning ['miːnɪŋ] *n* **1.** (*sense - of a word etc*) significado *m*. **2.** (*significance*) intención *f*, sentido *m*. **3.** (*purpose, point*) propósito *m*, razón *f* de ser.

meaningful ['miːnɪŋfʊl] *adj* **1.** (*expressive*) significativo(va). **2.** (*profound*) profundo(da).

meaningless ['miːnɪŋləs] *adj* **1.** (*without meaning, purpose*) sin sentido. **2.** (*irrelevant, unimportant*) irrelevante.

means [miːnz] ◇ *n* (*method, way*) medio *m*; **we have no ~ of doing it** no tenemos manera de hacerlo; **by ~ of** por medio de. ◇ *npl* (*money*) recursos *mpl*. ◆ **by all means** *adv* por supuesto. ◆ **by no means** *adv fml* en absoluto.

meant [ment] *pt & pp* → **mean**.

meantime ['miːntaɪm] *n*: **in the ~** mientras tanto.

meanwhile ['miːnwaɪl] *adv* mientras tanto, entre tanto.

measles ['miːzlz] *n*: **(the) ~** sarampión *m*.

measure ['meʒə] ◇ *n* **1.** (*step, action*) medida *f*. **2.** (*of alcohol*) medida *f*. **3.** (*indication, sign*): **a ~ of** una muestra de. ◇ *vt* (*object*) medir; (*damage, impact etc*) determinar, juzgar. ◇ *vi* medir.

measurement ['meʒəmənt] *n* medida *f*.

M

meat [miːt] *n* carne *f*; **cold ~** fiambre *m*.
meatball ['miːtbɔːl] *n* albóndiga *f*.
meat pie *n* Br pastel *m* de carne.
meaty ['miːtɪ] *adj* fig sustancioso(sa).
Mecca ['mekə] *n* (GEOGR) La Meca; fig meca *f*.
mechanic [mɪ'kænɪk] *n* mecánico *m*, -ca *f*. ◆ **mechanics** ◇ *n* (U) (study) mecánica *f*. ◇ *npl* fig mecanismos *mpl*.
mechanical [mɪ'kænɪkl] *adj* (worked by machinery, routine) mecánico(ca).
mechanism ['mekənɪzəm] *n* lit & fig mecanismo *m*.
medal ['medl] *n* medalla *f*.
medallion [mɪ'dæljən] *n* medallón *m*.
meddle ['medl] *vi*: **to ~ (in)** entrometerse OR interferir (en); **to ~ with sthg** manosear algo.
media ['miːdɪə] ◇ *pl* → **medium**. ◇ *n or npl*: **the ~** los medios de comunicación.
mediaeval [Am ˌmɪdɪ'iːvl, Br ˌmed-] = **medieval**.
median ['miːdɪən] ◇ *adj* mediano(na). ◇ *n* Am (of road) mediana *f*.
mediate ['miːdɪeɪt] *vi*: **to ~ (for/between)** mediar (por/entre).
mediator ['miːdɪeɪtər] *n* mediador *m*, -ra *f*.
Medicaid ['medɪkeɪd] *n* Am sistema estatal de ayuda médica.
medical ['medɪkl] ◇ *adj* médico(ca). ◇ *n* reconocimiento *m* médico.
Medicare ['medɪkeər] *n* Am ayuda médica estatal para ancianos.
medicated ['medɪkeɪtəd] *adj* medicinal.
medicine ['medsn] *n* **1.** (treatment of illness) medicina *f*; **Doctor of Medicine** (UNIV) doctor *m*, -ra *f* en medicina. **2.** (substance) medicina *f*, medicamento *m*.
medieval [Am ˌmɪdɪ'iːvl, Br ˌmed-] *adj* medieval.
mediocre [ˌmiːdɪ'oukər] *adj* mediocre.
meditate ['medɪteɪt] *vi*: **to ~ (on OR upon)** meditar OR reflexionar (sobre).
Mediterranean [ˌmedɪtə'reɪnjən] ◇ *n* (sea): **the ~ (Sea)** el (mar) Mediterráneo. ◇ *adj* mediterráneo(a).
medium ['miːdɪəm] (pl sense 1 media, pl sense 2 mediums) ◇ *adj* mediano(na). ◇ *n* **1.** (way of communicating) medio *m*. **2.** (spiritualist) médium *m y f*.
medium wave *n* onda *f* media.
medley ['medlɪ] (pl medleys) *n* **1.** (mixture) mezcla *f*. **2.** (selection of music) popurrí *m*.

meek [miːk] *adj* sumiso(sa), dócil.
meet [miːt] (pt & pp met) ◇ *vt* **1.** (by chance) encontrarse con; (for first time, come across) conocer; (by arrangement, for a purpose) reunirse con. **2.** (go to meet - person) ir/venir a buscar. **3.** (need, demand) satisfacer. **4.** (deal with - problem, challenge) hacer frente a. **5.** (costs, debts) pagar. **6.** (experience - problem, situation) encontrarse con. **7.** (hit, touch) darse OR chocar contra. **8.** (join) juntarse OR unirse con. ◇ *vi* **1.** (by chance) encontrarse; (by arrangement) verse; (for a purpose) reunirse. **2.** (get to know sb) conocerse. **3.** (hit in collision) chocar; (touch) tocar. **4.** (eyes) cruzarse. **5.** (join - roads etc) juntarse. ◇ *n* Am (meeting) encuentro *m*. ◆ **meet up** *vi*: **to ~ up (with sb)** quedarse en verse (con alguien). ◆ **meet with** *vt fus* **1.** (refusal, disappointment) recibir; **to ~ with success** tener éxito; **to ~ with failure** fracasar. **2.** Am (by arrangement) reunirse con.
meeting ['miːtɪŋ] *n* **1.** (for discussions, business) reunión *f*. **2.** (by chance, in sport) encuentro *m*; (by arrangement) cita *f*; (formal) entrevista *f*.
megabyte ['megəbaɪt] *n* (COMPUT) megaocteto *m*.
megaphone ['megəfoun] *n* megáfono *m*.
melancholy ['melənkɒlɪ] ◇ *adj* melancólico(ca). ◇ *n* melancolía *f*.
mellow ['melou] ◇ *adj* (sound, colour, light) suave; (wine) añejo(ja). ◇ *vi* suavizarse; (person) ablandarse.
melody ['melədɪ] *n* melodía *f*.
melon ['melən] *n* melón *m*.
melt [melt] ◇ *vt* **1.** (make liquid) derretir. **2.** fig (soften) ablandar. ◇ *vi* **1.** (become liquid) derretirse. **2.** fig (soften) ablandarse. **3.** (disappear): **to ~ away** (savings) esfumarse; (anger) desvanecerse. ◆ **melt down** *vt sep* fundir.
meltdown ['meltdaun] *n* **1.** (act of melting) fusión *f*. **2.** (incident) fuga *f* radiactiva.
melting pot ['meltɪŋ-] *n* fig crisol *m*.
member ['membər] *n* **1.** (of social group) miembro *m y f*. **2.** (of party, union) afiliado *m*, -da *f*, miembro *m y f*; (of organization, club) socio *m*, -cia *f*.
Member of Congress (pl **Members of Congress**) *n* miembro *m y f* del Congreso (de los Estados Unidos).
Member of Parliament (pl **Members of Parliament**) *n* Br diputado *m*, -da *f* (del parlamento británico).

membership ['membərʃɪp] *n* **1.** *(of party, union)* afiliación *f*; *(of club)* calidad *f* de miembro OR socio. **2.** *(number of members)* número *m* de socios. **3.** *(people themselves):* **the ~** *(of organization)* los miembros; *(of club)* los socios.

membership card *n* carnet *m* de socio, -cia *f*.

memento [mə'mentoʊ] *(pl* **-s)** *n* recuerdo *m*.

memo ['memoʊ] *(pl* **-s)** *n* memorándum *m*.

memoirs ['memwɑːrz] *npl* memorias *fpl*.

memorandum [,memə'rændəm] *(pl* **-da** [-də] OR **-dums)** *n fml* memorándum *m*.

memorial [mə'mɔːrɪəl] ◇ *adj* conmemorativo(va). ◇ *n* monumento *m* conmemorativo.

memorize ['meməraɪz] *vt* memorizar, aprender de memoria.

memory ['meməri] *n* **1.** *(faculty, of computer)* memoria *f*. **2.** *(thing or things remembered)* recuerdo *m*; **from ~** de memoria.

men [men] *pl* → **man**.

menace ['menəs] ◇ *n* **1.** *(threat)* amenaza *f*; *(danger)* peligro *m*. **2.** *inf (nuisance, pest)* pesadez *f*. ◇ *vt* amenazar.

menacing ['menəsɪŋ] *adj* amenazador(ra).

mend [mend] ◇ *n inf*: **to be on the ~** ir recuperándose. ◇ *vt (shoes, toy)* arreglar; *(socks)* zurcir; *(clothes)* remendar.

menial ['miːnɪəl] *adj* servil, bajo(ja).

meningitis [,menɪn'dʒaɪtəs] *n (U)* meningitis *f*.

menopause ['menəpɔːz] *n*: **the ~** la menopausia.

men's room *n Am*: **the ~** los servicios de caballeros.

menstruation [,menstru'eɪʃn] *n* menstruación *f*.

menswear ['menzweər] *n* ropa *f* de caballeros.

mental ['mentl] *adj* mental.

mental hospital *n* hospital *m* psiquiátrico.

mentality [men'tælətɪ] *n* mentalidad *f*.

mentally handicapped ['mentlɪ-] *npl*: **the ~** los disminuidos psíquicos.

mention ['menʃn] ◇ *vt*: **to ~ sthg (to)** mencionar algo (a); **not to ~** sin mencionar; **don't ~ it!** ¡de nada!, ¡no hay de qué! ◇ *n* mención *f*.

menu ['menjuː] *n* **1.** *(in restaurant)* carta *f*. **2.** (COMPUT) menú *m*.

meow *Am* [mɪ'aʊ], **miaow** *Br* [miː'aʊ]

◇ *n* maullido *m*. ◇ *vi* maullar.

MEP *(abbr of* **Member of the European Parliament)** *n* eurodiputado *m*, -da *f*.

mercenary [*Am* 'mɜːrsnəri, *Br* 'mɜːsnəri] ◇ *adj* mercenario(ria). ◇ *n* mercenario *m*, -ria *f*.

merchandise ['mɜːrtʃəndaɪz] *n (U)* mercancías *fpl*, géneros *mpl*.

merchant ['mɜːrtʃənt] ◇ *adj (seaman, ship)* mercante. ◇ *n* comerciante *m y f*.

merchant bank *n Br* banco *m* comercial.

merchant marine *Am*, **merchant navy** *Br n* marina *f* mercante.

merciful ['mɜːrsɪfl] *adj* **1.** *(showing mercy)* compasivo(va). **2.** *(fortunate)* afortunado(da).

merciless ['mɜːrsɪləs] *adj* despiadado(da).

mercury ['mɜːrkjəri] *n* mercurio *m*.

Mercury ['mɜːrkjəri] *n* Mercurio *m*.

mercy ['mɜːrsɪ] *n* **1.** *(kindness, pity)* compasión *f*, misericordia *f*; **at the ~ of** *fig* a merced de. **2.** *(blessing)* suerte *f*.

mere [mɪər] *adj* simple, mero(ra); **she's a ~ child** no es más que una niña.

merely ['mɪərlɪ] *adv* simplemente, sólo.

merge [mɜːrdʒ] ◇ *vt* **1.** *(gen)* mezclar. **2.** (COMM & COMPUT) fusionar. ◇ *vi* **1.** *(join, combine):* **to ~ (with)** *(company)* fusionarse (con); *(roads, branches)* unirse OR convergir (con). **2.** *(blend - colours)* fundirse; **to ~ into** confundirse con.

merger ['mɜːrdʒər] *n* fusión *f*.

meringue [mə'ræŋ] *n* merengue *m*.

merit ['merət] ◇ *n* mérito *m*. ◇ *vt* merecer, ser digno(na) de. ♦ **merits** *npl* ventajas *fpl*.

mermaid ['mɜːrmeɪd] *n* sirena *f*.

merry ['meri] *adj* **1.** *literary (gen)* alegre. **2.** *(party)* animado(da); **Merry Christmas!** ¡feliz Navidad! **3.** *inf (tipsy)* achispado(da).

merry-go-round *n* tiovivo *m*.

mesh [meʃ] ◇ *n* malla *f*. ◇ *vi* encajar.

mesmerize ['mezməraɪz] *vt*: **to be ~d (by)** estar fascinado(da) (por).

mess [mes] *n* **1.** *(untidy state)* desorden *m*. **2.** *(muddle, problematic situation)* lío *m*. **3.** (MIL) *(room)* comedor *m*; *(food)* rancho *m*. ♦ **mess about, mess around** *inf* ◇ *vt sep* fastidiar. ◇ *vi* **1.** *(waste time)* pasar el rato; *(fool around)* hacer el tonto. **2.** *(interfere):* **to ~ about with sthg** manosear algo. ♦ **mess up** *vt sep inf* **1.** *(clothes)* ensuciar; *(room)* desordenar. **2.** *(plan, evening)* echar a perder.

message ['mesɪdʒ] *n* **1.** *(piece of infor-*

M

mation) recado *m*, mensaje *m*. **2.** *(of book etc)* mensaje *m*.

messenger ['mesndʒər] *n* mensajero *m*, -ra *f*.

Messrs, Messrs. ['mesər z] *(abbr of messieurs)* Sres.

messy ['mesɪ] *adj (dirty)* sucio(cia), desordenado(da).

met [met] *pt & pp* → **meet**.

metal ['metl] ◇ *n* metal *m*. ◇ *comp* de metal, metálico(ca).

metallic [me'tælɪk] *adj* **1.** *(gen)* metálico(ca). **2.** *(paint, finish)* metalizado(da).

metalwork ['metlwɜːk] *n (craft)* metalistería *f*.

metaphor ['metəfər] *n* metáfora *f*.

mete [miːt] ♦ **mete out** *vt sep*: **to ~ sthg out to sb** imponer algo a alguien.

meteor ['miːtɪər] *n* bólido *m*.

meteorology [miːtjə'rɒlədʒɪ] *n* meteorología *f*.

meter ['miːtər] *n* **1.** *(device)* contador *m*. **2.** *Am* metro *m*.

method ['meθəd] *n* método *m*.

methodical [mə'θɒdɪkl] *adj* metódico (ca).

Methodist ['meθədəst] ◇ *adj* metodista. ◇ *n* metodista *m y f*.

meths [meθs] *n Br inf* alcohol *m* metilado OR desnaturalizado.

methylated spirits [,meθəleɪtəd-'spɪrɪts] *n* alcohol *m* metilado OR desnaturalizado.

meticulous [mə'tɪkjələs] *adj* meticuloso(sa), minucioso(sa).

metre ['miːtər] *n Br* metro *m*.

metric ['metrɪk] *adj* métrico(ca).

metropolitan [,metrə'pɒlɪtn] *adj (of a metropolis)* metropolitano(na).

Metropolitan Police *npl policía de Londres*.

mettle ['metl] *n*: **to be on one's ~** estar dispuesto(ta) a hacer lo mejor posible; **to show** OR **prove one's ~** mostrar el valor de uno.

mew [mjuː] = **miaow**.

mews [mjuːz] *(pl inv) n Br callejuela de antiguas caballerizas convertidas en viviendas de lujo*.

Mexican ['meksɪkən] ◇ *adj* mexicano (na). ◇ *n* mexicano *m*, -na *f*.

Mexico ['meksɪkou] *n* México.

Mexico City *n* México.

MI5 *(abbr of Military Intelligence 5) n organismo británico de contraespionaje*.

MI6 *(abbr of Military Intelligence 6) n organismo británico de espionaje*.

miaow *Br* = **meow**.

mice [maɪs] *pl* → **mouse**.

mickey ['mɪkɪ] *n*: **to take the ~ out of sb** *Br inf* tomar el pelo a alguien.

microchip ['maɪkrətʃɪp] *n* (COMPUT) microchip *m*.

microcomputer ['maɪkroukəmpjuːtər] *n* microordenador *m*.

microphone ['maɪkrəfoun] *n* micrófono *m*.

microscope ['maɪkrəskoup] *n* microscopio *m*.

microscopic [,maɪkrə'skɒpɪk] *adj lit & fig* microscópico(ca).

microwave (oven) ['maɪkrəweɪv (-)] *n* (horno *m*) microondas *m inv*.

mid- [mɪd] *prefix* medio(dia); **(in) ~morning** a media mañana; **(in) ~August** a mediados de agosto; **(in) ~winter** en pleno invierno; **she's in her ~twenties** tiene unos 25 años.

midair [,mɪd'eər] *n*: **in ~** en el aire.

midday ['mɪddeɪ] *n* mediodía *m*.

middle ['mɪdl] ◇ *adj (gen)* del medio. ◇ *n* **1.** *(of room, town etc)* medio *m*, centro *m*; **in the ~ of the month/the 19th century** a mediados del mes/del siglo XIX; **to be in the ~ of doing sthg** estar haciendo algo; **in the ~ of the night** en plena noche. **2.** *(waist)* cintura *f*.

middle-aged [-'eɪdʒd] *adj* de mediana edad.

Middle Ages *npl*: **the ~** la Edad Media.

middle-class *adj* de clase media.

middle classes *npl*: **the ~** la clase media.

Middle East *n*: **the ~** el Oriente Medio.

middleman ['mɪdlmæn] *(pl -men [-men])* *n* intermediario *m*.

middle name *n* segundo nombre *m (en un nombre compuesto)*.

middleweight ['mɪdlweɪt] *n* peso *m* medio.

Mideast [,mɪd'iːst] *n Am*: **the ~** el Oriente Medio.

midfield [,mɪd'fiːld] *n* (FTBL) medio campo *m*.

midge [mɪdʒ] *n (tipo m de)* mosquito *m*.

midget ['mɪdʒət] *n* enano *m*, -na *f*.

midi system ['mɪdɪ-] *n* minicadena *f*.

Midlands ['mɪdləndz] *npl*: **the ~** *la región central de Inglaterra*.

midnight ['mɪdnaɪt] *n* medianoche *f*.

midriff ['mɪdrɪf] *n* diafragma *m*.

midst [mɪdst] *n* **1.** *(in space)*: **in the ~ of** *literary* en medio de. **2.** *(in time)*: **in the**

~ of en medio de.

midsummer [ˌmɪdˈsʌməʳ] n pleno verano m.

Midsummer Day n Día m de San Juan (24 de junio).

midway [ˌmɪdˈweɪ] adv 1. (in space): **~ (between)** a medio camino (entre). 2. (in time): **~ (through)** a la mitad (de).

midweek [adj ˌmɪdˈwiːk, adv ˌmɪdˈwiːk] ◇ adj de entre semana. ◇ adv entre semana.

midwife [ˈmɪdwaɪf] (pl **-wives** [-waɪvz]) n comadrona f.

midwifery [Am ˈmɪdwaɪfərɪ, Br ˌmɪdˈwɪf-] n obstetricia f.

might [maɪt] ◇ modal vb 1. (expressing possibility): **he ~ be armed** estar armado; **I ~ do it** puede que OR quizás lo haga; **we ~ have been killed, had we not been careful** si no hubiéramos tenido cuidado, podríamos haber muerto. 2. (expressing suggestion): **you ~ have told me!** ¡podrías habérmelo dicho!; **it ~ be better to wait** quizás sea mejor esperar. 3. fml (asking permission): **he asked if he ~ leave the room** pidió permiso para salir. 4. (expressing concession): **you ~ well be right, but ...** puede que tengas razón, pero ... 5. phr: **I ~ have known** OR **guessed** podría haberlo sospechado. ◇ n (U) fuerza f, poder m.

> • **May** y **might** pueden emplearse para dar la idea de que existe una posibilidad real, pero **might** expresa mayor incertidumbre. Comparemos *you may be right* but I'll have *to check* ("puede ser que tengas razón, pero tengo que comprobarlo") con *if you phone now, you might catch him in his office* ("si llamas ahora, a lo mejor lo alcanzas en la oficina").

mighty [ˈmaɪtɪ] ◇ adj (strong) fuerte; (powerful) poderoso(sa). ◇ adv muy.

migraine [Am ˈmaɪgreɪn, Br ˈmiːg-] n jaqueca f.

migrant [ˈmaɪgrənt] ◇ adj 1. (bird, animal) migratorio(ria). 2. (workers) emigrante. ◇ n (person) emigrante m y f.

migrate [Am ˈmaɪgreɪt, Br maɪˈgreɪt] vi emigrar.

mike [maɪk] (abbr of **microphone**) n inf micro m.

mild [maɪld] adj 1. (taste, disinfectant, wind) suave; (effect, surprise, illness) leve. 2. (person, nature) apacible; (tone of voice) sereno(na). 3. (climate) templado (da).

mildew [ˈmɪldjuː] n (gen) moho m; (on plants) añublo m.

mildly [ˈmaɪldlɪ] adv 1. (gen) ligeramente, levemente; **to put it ~** por no decir más. 2. (talk) suavemente.

mile [maɪl] n milla f; **to be ~s away** fig estar en la luna.

mileage [ˈmaɪlɪdʒ] n distancia f en millas.

mileometer [maɪˈlɒmətəʳ] n cuentamillas m inv, ≈ cuentakilómetros m inv.

milestone [ˈmaɪlstəʊn] n 1. (marker stone) mojón m. 2. fig (event) hito m.

militant [ˈmɪlɪtənt] ◇ adj militante. ◇ n militante m y f.

military [Am ˈmɪlɪterɪ, Br -tərɪ] ◇ adj militar. ◇ n: **the ~** los militares.

militia [məˈlɪʃə] n milicia f.

milk [mɪlk] ◇ n leche f. ◇ vt 1. (cow etc) ordeñar. 2. (use to own ends) sacar todo el jugo a; **they ~ed him for every penny he had** le chuparon hasta el último centavo.

milk chocolate n chocolate m con leche.

milkman [ˈmɪlkmən] (pl **-men** [-mən]) n lechero m.

milk shake n batido m.

milky [ˈmɪlkɪ] adj 1. Br (with milk) con mucha leche. 2. (pale white) lechoso (sa).

Milky Way n: **the ~** la Vía Láctea.

mill [mɪl] ◇ n 1. (flour-mill) molino m. 2. (factory) fábrica f. 3. (grinder) molinillo m. ◇ vt moler. ◇ **mill about, mill around** vi arremolinarse.

millennium [mɪˈlenɪəm] (pl **-nnia** [-nɪə]) n milenio m.

miller [ˈmɪləʳ] n molinero m, -ra f.

millet [ˈmɪlət] n mijo m.

milligram(me) [ˈmɪlɪgræm] n miligramo m.

millimeter Am, **millimetre** Br [ˈmɪlɪmiːtəʳ] n milímetro m.

millinery [ˈmɪlɪnərɪ] n sombrerería f (de señoras).

million [ˈmɪljən] n millón m; **a ~, ~s of** fig millones de.

millionaire [ˌmɪljəˈneəʳ] n millonario m.

millstone [ˈmɪlstəʊn] n piedra f de molino, muela f.

milometer [maɪˈlɒmətəʳ] = **mileometer**.

mime [maɪm] ◇ n (acting) mímica f. ◇ vt describir con gestos. ◇ vi hacer mímica.

mimic [ˈmɪmɪk] (pt & pp **-ked**, cont

M

-king) ◊ *n* imitador *m*, -ra *f*. ◊ *vt* imitar.

mimicry ['mɪmɪkrɪ] *n* imitación *f*.

min. [mɪn] **1.** (*abbr of* **minute**) min. **2.** (*abbr of* **minimum**) mín.

mince [mɪns] ◊ *n Br* carne *f* picada. ◊ *vt* picar. ◊ *vi* andar dando pasitos.

mincemeat ['mɪnsmi:t] *n* **1.** (*fruit*) mezcla de fruta confitada y especias. **2.** *Am* (*minced meat*) carne *f* picada.

mince pie *n* pastelillo *m* de fruta confitada.

mincer ['mɪnsər] *n* máquina *f* de picar carne.

mind [maɪnd] ◊ *n* **1.** (*gen*) mente *f*; **state of ~** estado *m* de ánimo; **to come into** OR **to cross sb's ~** pasársele a alguien por la cabeza; **to have sthg on one's ~** estar preocupado por algo; **to keep an open ~** tener una actitud abierta; **to take sb's ~ off sthg** hacer olvidar algo a alguien; **to make one's ~ up** decidirse. **2.** (*attention*) atención *f*; **to put one's ~ to sthg** poner empeño en algo. **3.** (*opinion*): **to change one's ~** cambiar de opinión; **to my ~** en mi opinión; **to be in two ~s about sthg** no estar seguro (ra) de algo; **to speak one's ~** hablar sin rodeos. **4.** (*memory*) memoria *f*; **to bear sthg in ~** tener presente algo. **5.** (*intention*): **to have sthg in ~** tener algo en mente; **to have a ~ to do sthg** estar pensando en hacer algo. ◊ *vi* (*be bothered*): **do you ~?** ¿te importa?; **I don't ~ ...** no me importa ...; **never ~** (*don't worry*) no te preocupes; (*it's not important*) no importa. ◊ *vt* **1.** (*be bothered about, dislike*): **do you ~ if I leave?** ¿te molesta si me voy?; **I don't ~ waiting** no me importa esperar; **I wouldn't ~ a ...** no me vendría mal un ... **2.** (*pay attention to*) tener cuidado con. **3.** (*take care of*) cuidar. ◆ **mind you** *adv*: **he's a bit deaf; ~ you, he is old** está un poco sordo; te advierto que es ya mayor.

minder ['maɪndər] *n Br inf* (*bodyguard*) guardaespaldas *m y f*.

mindful ['maɪndfl] *adj*: **~ of** consciente de.

mindless ['maɪndləs] *adj* **1.** (*stupid*) absurdo(da), sin sentido. **2.** (*not requiring thought*) aburrido(da).

mine¹ [maɪn] *poss pron* mío (mía); **that money is ~** ese dinero es mío; **his car hit ~** su coche chocó contra el mío; **it wasn't your fault, it was** MINE la culpa no fue tuya sino MÍA; **a friend of ~** un amigo mío.

mine² [maɪn] ◊ *n* mina *f*. ◊ *vt* **1.** (*exca-vate - coal*) extraer. **2.** (*lay mines in*) minar.

minefield ['maɪnfi:ld] *n lit & fig* campo *m* de minas.

miner ['maɪnər] *n* minero *m*, -ra *f*.

mineral ['mɪnrəl] ◊ *adj* mineral. ◊ *n* mineral *m*.

mineral water *n* agua *f* mineral.

mingle ['mɪŋgl] *vi* **1.** (*combine*): **to ~ (with)** mezclarse (con). **2.** (*socially*): **to ~ (with)** alternar (con).

miniature [*Am* 'mɪnɪətʃər, *Br* 'mɪnətʃə] ◊ *adj* en miniatura. ◊ *n* **1.** (*painting*) miniatura *f*. **2.** (*of alcohol*) botellín de licor en miniatura.

minibus ['mɪnɪbʌs] (*pl* **-es**) *n* microbús *m*.

minicab ['mɪnɪkæb] *n Br* taxi que se puede pedir por teléfono, pero no se puede parar en la calle.

minima ['mɪnɪmə] *pl* → **minimum**.

minimal ['mɪnɪml] *adj* mínimo(ma).

minimum ['mɪnɪməm] (*pl* **-mums** OR **-ma**) ◊ *adj* mínimo(ma). ◊ *n* mínimo *m*.

mining ['maɪnɪŋ] ◊ *n* minería *f*. ◊ *adj* minero(ra).

miniskirt ['mɪnɪskɜːrt] *n* minifalda *f*.

minister ['mɪnɪstər] *n* **1.** (POL): **~ (for)** ministro *m*, -tra *f* (de). **2.** (RELIG) pastor *m*, -ra *f*. ◆ **minister to** *vt fus* atender a.

ministerial [ˌmɪnəˈstɪərɪəl] *adj* ministerial.

minister of state *n*: **~ (for)** ministro *m*, -tra *f* de estado (para).

ministry ['mɪnɪstrɪ] *n* **1.** (POL) ministerio *m*. **2.** (RELIG): **the ~** el clero.

mink [mɪŋk] (*pl inv*) *n* visón *m*.

minor ['maɪnər] ◊ *adj* menor. ◊ *n* menor *m y f* (de edad).

Minorca [mɪˈnɔːkə] *n* Menorca.

minority [*Am* məˈnɒrətɪ, *Br* maɪ-] *n* minoría *f*.

mint [mɪnt] ◊ *n* **1.** (*herb*) menta *f*, hierbabuena *f*. **2.** (*peppermint*) pastilla *f* de menta. **3.** (*for coins*): **the ~** la Casa de la Moneda; **in ~ condition** en perfecto estado, como nuevo(va). ◊ *vt* acuñar.

minus ['maɪnəs] (*pl* **-es**) ◊ *prep* **1.** (MATH) (*less*): **4 ~ 2 is 2** 4 menos 2 es 2. **2.** (*in temperatures*): **it's ~ 5°C** estamos a 5° bajo cero. ◊ *n* **1.** (MATH) signo *m* (de) menos. **2.** (*disadvantage*) pega *f*, desventaja *f*.

minus sign *n* signo *m* (de) menos.

minute¹ ['mɪnət] *n* minuto *m*; **at any ~** en cualquier momento; **this ~** ahora mismo. ◆ **minutes** *npl* acta *f*; **to take ~s** levantar OR tomar acta.

minute² [maɪˈnjuːt] *adj* diminuto(ta).

miracle [ˈmɪrəkl] *n lit & fig* milagro *m*.

miraculous [mɪˈrækjələs] *adj* milagroso(sa).

mirage [məˈrɑːʒ] *n lit & fig* espejismo *m*.

mirror [ˈmɪrəʳ] ◇ *n* espejo *m*. ◇ *vt* reflejar.

mirth [mɜːθ] *n* risa *f*.

misadventure [ˌmɪsədˈventʃəʳ] *n* desgracia *f*; **death by ~** (JUR) muerte *f* accidental.

misbehave [ˌmɪsbɪˈheɪv] *vi* portarse mal.

miscalculate [ˌmɪsˈkælkjəleɪt] *vt & vi* calcular mal.

miscarriage [ˈmɪskærɪdʒ] *n* (at birth) aborto *m* (natural).

miscarriage of justice *n* error *m* judicial.

miscellaneous [ˌmɪsəˈleɪnɪəs] *adj* diverso(sa).

mischief [ˈmɪstʃɪf] *n* (U) 1. (playfulness) picardía *f*. 2. (naughty behaviour) travesuras *fpl*. 3. (harm) daño *m*.

mischievous [ˈmɪstʃɪvəs] *adj* 1. (playful) lleno(na) de picardía. 2. (naughty) travieso(sa).

misconception [ˌmɪskənˈsepʃn] *n* concepto *m* erróneo.

misconduct [ˌmɪsˈkɒndʌkt] *n* mala conducta *f*.

misdemeanor *Am*, **misdemeanour** *Br* [ˌmɪsdɪˈmiːnəʳ] *n fml* delito *m* menor.

miser [ˈmaɪzəʳ] *n* avaro *m*, -ra *f*.

miserable [ˈmɪzrəbl] *adj* 1. (unhappy) infeliz, triste. 2. (wretched, poor) miserable. 3. (weather) horrible. 4. (pathetic) lamentable.

miserly [ˈmaɪzəʳlɪ] *adj* miserable, mezquino(na).

misery [ˈmɪzərɪ] *n* 1. (unhappiness) desdicha *f*. 2. (wretchedness) miseria *f*.

misfire [ˌmɪsˈfaɪəʳ] *vi* 1. (car engine) no arrancar. 2. (plan) fracasar.

misfit [ˈmɪsfɪt] *n* inadaptado *m*, -da *f*.

misfortune [mɪsˈfɔːʳtʃən] *n* 1. (bad luck) mala suerte *f*. 2. (piece of bad luck) desgracia *f*, infortunio *m*.

misgivings [mɪsˈɡɪvɪŋz] *npl* recelos *mpl*.

misguided [ˌmɪsˈɡaɪdəd] *adj* (person) descaminado(da); (attempt) equivocado(da).

mishap [ˈmɪshæp] *n* contratiempo *m*.

misinterpret [ˌmɪsɪnˈtɜːʳprət] *vt* malinterpretar.

misjudge [ˌmɪsˈdʒʌdʒ] *vt* 1. (guess wrongly) calcular mal. 2. (appraise wrongly) juzgar mal.

mislay [ˌmɪsˈleɪ] (*pt & pp* **-laid**) *vt* extraviar, perder.

mislead [ˌmɪsˈliːd] (*pt & pp* **-led**) *vt* engañar.

misleading [ˌmɪsˈliːdɪŋ] *adj* engañoso(sa).

misled [ˌmɪsˈled] *pt & pp* → **mislead**.

misnomer [ˌmɪsˈnəʊməʳ] *n* término *m* equivocado.

misplace [ˌmɪsˈpleɪs] *vt* extraviar.

misprint [ˈmɪsprɪnt] *n* errata *f*, error *m* de imprenta.

miss [mɪs] ◇ *vt* 1. (fail to see - TV programme, film) perderse; (- error, person in crowd) no ver. 2. (shot) fallar; (ball) no dar a. 3. (feel absence of) echar de menos OR en falta. 4. (opportunity) perder, dejar pasar; (turning) pasarse. 5. (train, bus) perder. 6. (appointment) faltar a. 7. (avoid) evitar. ◇ *vi* fallar. ◇ *n*: **to give sthg a ~** *inf* pasar de algo. ◆ **miss out** ◇ *vt sep* pasar por alto. ◇ *vi*: **to ~ out (on sthg)** perderse (algo).

Miss [mɪs] *n* señorita *f*.

missile [*Am* ˈmɪsl, *Br* ˈmɪsaɪl] *n* 1. (weapon) misil *m*. 2. (thrown object) proyectil *m*.

missing [ˈmɪsɪŋ] *adj* 1. (lost) perdido(da), extraviado(da). 2. (not present) que falta; **to be ~** faltar.

mission [ˈmɪʃn] *n* misión *f*.

missionary [*Am* ˈmɪʃəneri, *Br* ˈmɪʃnərɪ] *n* misionero *m*, -ra *f*.

mist [mɪst] *n* (gen) neblina *f*; (at sea) bruma *f*. ◆ **mist over, mist up** *vi* (windows, spectacles) empañarse; (eyes) llenarse de lágrimas.

mistake [mɪˈsteɪk] (*pt* **-took**, *pp* **-taken**) ◇ *n* error *m*; **to make a ~** equivocarse, cometer un error; **by ~** por error. ◇ *vt* 1. (misunderstand) entender mal. 2. (fail to recognize): **to ~ sthg/sb for** confundir algo/a alguien con.

mistaken [mɪˈsteɪkən] ◇ *pp* → **mistake**. ◇ *adj* equivocado(da); **to be ~ about sb/sthg** estar equivocado respecto a alguien/algo.

mister [ˈmɪstəʳ] *n inf* amigo *m*. ◆ **Mister** *n* señor *m*.

mistletoe [ˈmɪsltəʊ] *n* muérdago *m*.

mistook [mɪˈstʊk] *pt* → **mistake**.

mistreat [ˌmɪsˈtriːt] *vt* maltratar.

mistress [ˈmɪstrəs] *n* 1. (woman in control) señora *f*. 2. (female lover) amante *f*. 3. *Br* (school teacher - primary) maestra *f*; (- secondary) profesora *f*.

mistrust [ˌmɪsˈtrʌst] ◇ *n* desconfianza *f*, recelo *m*. ◇ *vt* desconfiar de.

misty ['mɪstɪ] *adj* (gen) neblinoso(sa); *(at sea)* brumoso(sa).

misunderstand [ˌmɪsʌndərˈstænd] (*pt & pp* **-stood**) *vt & vi* entender OR comprender mal.

misunderstanding [ˌmɪsʌndərˈstændɪŋ] *n* malentendido *m*.

misunderstood [ˌmɪsʌndərˈstʊd] *pt & pp* → **misunderstand**.

misuse [*vb* ˌmɪsˈjuːz, *n* ˌmɪsˈjuːs] ◇ *n* uso *m* indebido. ◇ *vt* hacer uso indebido de.

mitigate ['mɪtəgeɪt] *vt fml* mitigar.

mitre *Br* = **miter**.

mitt [mɪt] *n* manopla *f*.

mitten ['mɪtn] *n* manopla *f*.

mix [mɪks] ◇ *vt*: **to ~ sthg (with)** mezclar algo (con). ◇ *vi* 1. *(substances)* mezclarse; *(activities)* ir bien juntos(tas). 2. *(socially)*: **to ~ with** alternar OR salir con. ◇ *n* mezcla *f*. ◆ **mix up** *vt sep* 1. *(confuse)* confundir. 2. *(disorder)* mezclar.

mixed [mɪkst] *adj* 1. *(of different kinds)* surtido(da), variado(da). 2. *(of different sexes)* mixto(ta).

mixed-ability *adj Br* de varios niveles.

mixed grill *n* parrillada *f* mixta.

mixed up *adj* 1. *(confused)* confuso (sa). 2. *(involved)*: **~ in** *(fight, crime)* involucrado(da) en.

mixer ['mɪksər] *n* 1. *(for food)* batidora *f*; *(for cement)* hormigonera *f*. 2. *(non-alcoholic drink)* bebida no alcohólica para mezclar con bebidas alcohólicas.

mixture ['mɪkstʃər] *n* (gen) mezcla *f*; *(of sweets)* surtido *m*.

mix-up *n inf* lío *m*, confusión *f*.

mm *(abbr of millimetre)* mm.

moan [moʊn] ◇ *n* *(of pain, sadness)* gemido *m*. ◇ *vi* 1. *(in pain, sadness)* gemir. 2. *inf (complain)*: **to ~ (about)** quejarse (de).

moat [moʊt] *n* foso *m*.

mob [mɒb] ◇ *n* muchedumbre *f*. ◇ *vt* asediar.

mobile [*Am* 'moʊbl, *Br* -baɪl] ◇ *adj* *(able to move)* móvil. ◇ *n* móvil *m*.

mobile home *n* caravana *f*.

mobile phone *n* teléfono *m* portátil.

mobilize ['moʊbəlaɪz] *vt* movilizar.

mock [mɒk] ◇ *adj* fingido(da); **~ (exam)** simulacro *m* de examen. ◇ *vt* burlarse de. ◇ *vi* burlarse.

mockery ['mɒkərɪ] *n* burla *f*.

mod cons [ˌmɒd-] *(abbr of* **modern conveniences)** *npl Br inf*: **all ~** con to-

das las comodidades.

mode [moʊd] *n* modo *m*.

model ['mɒdl] ◇ *n* 1. (gen) modelo *m*. 2. *(small copy)* maqueta *f*. 3. *(for painter, in fashion)* modelo *m y f*. ◇ *adj* 1. *(exemplary)* modelo (inv). 2. *(reduced-scale)* en miniatura. ◇ *vt* 1. *(shape)* modelar. 2. *(wear)* lucir *(en pase de modelos)*. 3. *(copy)*: **to ~ o.s. on sb** tener a alguien como modelo. ◇ *vi* trabajar de modelo.

modem ['moʊdem] *n* (COMPUT) módem *m*.

moderate [*adj & n* 'mɒdərət, *vb* 'mɒdəreɪt] ◇ *adj* moderado(da). ◇ *n* (POL) moderado *m*, -da *f*. ◇ *vt* moderar. ◇ *vi* moderarse.

moderation [ˌmɒdəˈreɪʃn] *n* moderación *f*; **in ~** con moderación.

modern ['mɒdərn] *adj* moderno(na).

modernize ['mɒdərnaɪz] ◇ *vt* modernizar. ◇ *vi* modernizarse.

modern languages *npl* lenguas *fpl* modernas.

modest ['mɒdəst] *adj* 1. (gen) modesto (ta). 2. *(improvement)* ligero(ra); *(price)* módico(ca).

modesty ['mɒdəstɪ] *n* modestia *f*.

modify ['mɒdɪfaɪ] *vt* modificar.

module [*Am* 'mɒdʒuːl, *Br* 'mɒdjuːl] *n* módulo *m*.

mogul ['moʊgl] *n* magnate *m y f*.

mohair ['moʊheər] *n* mohair *m*.

moist [mɔɪst] *adj* húmedo(da).

moisten ['mɔɪsn] *vt* humedecer.

moisture ['mɔɪstʃər] *n* humedad *f*.

moisturizer ['mɔɪstʃəraɪzər] *n* (crema *f*) hidratante *f*.

molar ['moʊlər] *n* muela *f*.

molasses [məˈlæsəz] *n* (U) melaza *f*.

mold ['moʊld] *etc Am* = **mould**.

mole [moʊl] *n* 1. *(animal, spy)* topo *m*. 2. *(spot)* lunar *m*.

molecule ['mɒlɪkjuːl] *n* molécula *f*.

molest [məˈlest] *vt* 1. *(attack sexually)* acosar sexualmente. 2. *(attack)* atacar.

mollycoddle ['mɒlɪkɒdl] *vt inf* mimar.

molt [moʊlt] *Am* = **moult**.

molten ['moʊltn] *adj* fundido(da).

mom [mɒm] *n Am inf* mamá *f*.

moment ['moʊmənt] *n* momento *m*; **at any ~** de un momento a otro; **at the ~** en este momento; **for the ~** de momento.

momentarily [*Am* ˌmoʊmənˈterəlɪ, *Br* 'moʊməntərɪlɪ] *adv* 1. *(for a short time)* momentáneamente. 2. *Am (soon)* pronto.

momentary [*Am* 'moʊmənterɪ, *Br*

-tərɪ] *adj* momentáneo(a).

momentous [mə'mentəs] *adj* trascendental.

momentum [mə'mentəm] *n (U)* **1.** (PHYSICS) momento *m*. **2.** *fig (speed, force)* ímpetu *m*, impulso *m*; **to gather ~** cobrar intensidad.

momma ['mɒmə], **mommy** ['mɒmɪ] *n Am* mamá *f*.

Monaco ['mɒnəkəʊ] *n* Mónaco.

monarch ['mɒnək] *n* monarca *m y f*.

monarchy ['mɒnəkɪ] *n* **1.** (gen) monarquía *f*. **2.** (royal family): **the ~** la familia real.

monastery [Am 'mɒnəsterɪ, Br -tərɪ] *n* monasterio *m*.

Monday ['mʌndɪ] *n* lunes *m inv; see also* **Saturday**.

monetary [Am 'mɒnəterɪ, Br 'mʌnɪtərɪ] *adj* monetario(ria).

money ['mʌnɪ] *n* dinero *m*; **to make ~** hacer dinero; **to get one's ~'s worth** sacarle provecho al dinero de uno.

money order *n* giro *m* postal.

money-spinner [-spɪnəʳ] *n inf* mina *f* (de dinero).

Mongolia [mɒŋ'gəʊlɪə] *n* Mongolia.

mongrel [Am 'mɒŋrəl, Br 'mʌŋ-] *n* perro *m* cruzado OR sin pedigrí.

monitor ['mɒnɪtəʳ] ◇ *n* (gen & COMPUT) monitor *m*. ◇ *vt* **1.** (check) controlar. **2.** (listen in to) escuchar.

monk [mʌŋk] *n* monje *m*.

monkey ['mʌŋkɪ] (pl **monkeys**) *n* mono *m*.

monkey nut *n* cacahuete *m*.

monkey wrench *n* llave *f* inglesa.

mono ['mɒnəʊ] *adj* mono (inv).

monochrome ['mɒnəkrəʊm] *adj* monocromo(ma).

monologue, monolog Am ['mɒnəlɒg] *n* monólogo *m*.

monopolize [mə'nɒpəlaɪz] *vt* monopolizar.

monopoly [mə'nɒpəlɪ] *n*: **~ (on** OR **of)** monopolio *m* (de).

monotone ['mɒnətəʊn] *n*: **in a ~** con voz monótona.

monotonous [mə'nɒtənəs] *adj* monótono(na).

monotony [mə'nɒtənɪ] *n* monotonía *f*.

monsoon [mɒn'suːn] *n* monzón *m*.

monster ['mɒnstəʳ] *n* (imaginary creature, cruel person) monstruo *m*.

monstrosity [Am mɑːn'strɑːsətɪ, Br mɒn'strɒs-] *n* monstruosidad *f*.

monstrous ['mɒnstrəs] *adj* **1.** (very unfair, frightening, ugly) monstruoso(sa).

2. (very large) gigantesco(ca).

Mont Blanc [ˌmɒnt'blɒŋ] *n* Mont Blanc.

month [mʌnθ] *n* mes *m*.

monthly ['mʌnθlɪ] ◇ *adj* mensual. ◇ *adv* mensualmente.

monument ['mɒnjəmənt] *n* monumento *m*.

monumental [ˌmɒnjə'mentl] *adj* **1.** (gen) monumental. **2.** (error) descomunal.

moo [muː] (pl **-s**) *vi* mugir.

mood [muːd] *n* (of individual) humor *m*; (of public, voters) disposición *f*; **in a (bad) ~** de mal humor; **in a good ~** de buen humor.

moody ['muːdɪ] *adj pej* **1.** (changeable) de humor variable. **2.** (bad-tempered) malhumorado(da).

moon [muːn] *n* luna *f*.

moonlight ['muːnlaɪt] *n* luz *f* de la luna.

moonlighting ['muːnlaɪtɪŋ] *n* pluriempleo *m*.

moonlit ['muːnlɪt] *adj* (night) de luna; (landscape) iluminado(da) por la luna.

moor [mʊəʳ] ◇ *n* páramo *m*. ◇ *vt* amarrar. ◇ *vi* echar las amarras.

Moor [mɔːʳ] *n* moro *m*, -ra *f*.

Moorish ['mʊərɪʃ] *adj* moro(ra), morisco(ca).

moorland ['mʊərlənd] *n* páramo *m*, brezal *m*.

moose [muːs] (pl inv) *n* (North American) alce *m*.

mop [mɒp] ◇ *n* **1.** (for cleaning) fregona *f*. **2.** inf (of hair) pelambrera *f*. ◇ *vt* **1.** (clean with mop) pasar la fregona por. **2.** (dry with cloth - sweat) enjugar.
◆ **mop up** *vt sep* (clean up) limpiar.

mope [məʊp] *vi pej* estar deprimido (da).

moped ['məʊped] *n* ciclomotor *m*, motoneta *f Amer*.

moral ['mɒrəl] ◇ *adj* moral. ◇ *n* (lesson) moraleja *f*. ◆ **morals** *npl* (principles) moral *f*.

morale [Am mə'rærl, Br -'rɑːl] *n (U)* moral *f*.

morality [mə'rælətɪ] *n* **1.** (gen) moralidad *f*. **2.** (system of principles) moral *f*.

morbid ['mɔːʳbɪd] *adj* morboso(sa).

more [mɔːʳ] ◇ *adv* **1.** (with adjectives and adverbs) más; **~ important (than)** más importante (que); **~ quickly/often (than)** más rápido/a menudo (que). **2.** (to a greater degree) más; **we were hurt than angry** más que enfadados estábamos heridos. **3.** *(another time)*: **once/twice** ~ una vez/dos veces más. ◇ *adj* más; ~ **food than drink** más comida que bebida; ~ **than 70 people died** más de 70 personas murieron; **have some** ~ **tea** toma un poco más de té; **I finished two** ~ **chapters today** acabé otros dos capítulos hoy. ◇ *pron* más; ~ **than five** más de cinco; **he's got** ~ **than I have** él tiene más que yo; **there's no** ~ **(left)** no queda nada (más); **(and) what's** ~ (y lo que) es más. ◆ **any more** *adv*: **not ... any** ~ ya no ... ◆ **more and more** *adv, adj & pron* cada vez más. ◆ **more or less** *adv* más o menos.

moreover [mɔːˈrouvər] *adv fml* además.

morgue [mɔːrg] *n* depósito *m* de cadáveres.

Mormon [ˈmɔːrmən] *n* mormón *m*, -ona *f*.

morning [ˈmɔːrnɪŋ] *n* **1.** *(first part of day)* mañana *f*; **in the** ~ por la mañana; **six o'clock in the** ~ las seis de la mañana. **2.** *(between midnight and dawn)* madrugada *f*. **3.** *(tomorrow morning)*: **in the** ~ mañana por la mañana. ◆ **mornings** *adv Am* por la mañana.

Morocco [məˈrɒkou] *n* Marruecos.

moron [ˈmɔːrɒn] *n inf* imbécil *m y f*.

morose [məˈrous] *adj* malhumorado (da).

morphine [ˈmɔːrfiːn] *n* morfina *f*.

Morse (code) [mɔːrs(-)] *n* (alfabeto *m*) Morse *m*.

morsel [ˈmɔːrsl] *n* bocado *m*.

mortal [ˈmɔːrtl] ◇ *adj (gen)* mortal. ◇ *n* mortal *m y f*.

mortality [mɔːrˈtælətɪ] *n* mortalidad *f*.

mortar [ˈmɔːrtər] *n* **1.** *(cement mixture)* argamasa *f*. **2.** *(gun, bowl)* mortero *m*.

mortgage [ˈmɔːrgɪdʒ] ◇ *n* hipoteca *f*. ◇ *vt* hipotecar.

mortified [ˈmɔːrtəfaɪd] *adj* muerto(ta) de vergüenza.

mortuary [ˈmɔːrtʃuərɪ] *n* depósito *m* de cadáveres.

mosaic [mouˈzeɪɪk] *n* mosaico *m*.

Moscow [*Am* ˈmɑːskau, *Br* ˈmɒskou] *n* Moscú.

Moslem [ˈmɒzləm] = **Muslim.**

mosque [mɒsk] *n* mezquita *f*.

mosquito [məˈskiːtou] *(pl* **-es** OR **-s)** *n* mosquito *m*, zancudo *m Amer*.

moss [mɒs] *n* musgo *m*.

most [moust] *(superl of* **many)** ◇ *adj* **1.** *(the majority of)* la mayoría de; ~ **people** la mayoría de la gente. **2.** *(largest amount of)*: **(the)** ~ más; **who has got**

(the) ~ **money?** ¿quién es el que tiene más dinero? ◇ *pron* **1.** *(the majority)*: ~ **(of)** la mayoría (de); ~ **of the time** la mayor parte del tiempo. **2.** *(largest amount)*: **(the)** ~ lo más, lo máximo; **at** ~ como mucho, todo lo más. **3.** *phr*: **to make the** ~ **of sthg** sacarle el mayor partido a algo. ◇ *adv* **1.** *(to the greatest extent)*: **(the)** ~ el/la/lo más; **what I like** ~ lo que más me gusta. **2.** *fml (very)* muy; ~ **certainly** con toda seguridad. **3.** *Am (almost)* casi.

• Cuando *most* significa "la mayoría" o "la mayoría de personas" nunca lleva delante el artículo *the* (*most* people don't go to work on Sundays; *most* of my friends go to the same school as me).

---

mostly [ˈmoustlɪ] *adv (in the main part)* principalmente; *(usually)* normalmente.

MOT *(abbr of* **Ministry of Transport test)** *n* = ITV *f*.

motel [mouˈtel] *n* motel *m*.

moth [mɒθ] *n* polilla *f*.

mothball [ˈmɒθbɔːl] *n* bola *f* de naftalina.

mother [ˈmʌðər] ◇ *n* madre *f*. ◇ *vt usu pej (spoil)* mimar.

motherhood [ˈmʌðərhud] *n* maternidad *f*.

mother-in-law *(pl* **mothers-in-law** OR **mother-in-laws)** *n* suegra *f*.

motherly [ˈmʌðərlɪ] *adj* maternal.

mother-to-be *(pl* **mothers-to-be)** *n* futura madre *f*.

mother tongue *n* lengua *f* materna.

motif [mouˈtiːf] *n* (ART & MUS) motivo *m*.

motion [ˈmouʃn] ◇ *n* **1.** *(gen)* movimiento *m*; **to set sthg in** ~ poner algo en marcha. **2.** *(proposal)* moción *f*. ◇ *vt*: **to** ~ **sb to do sthg** indicar a alguien con un gesto que haga algo. ◇ *vi*: **to** ~ **to sb** hacer una señal (con la mano) a alguien.

motionless [ˈmouʃnləs] *adj* inmóvil.

motion picture *n Am* película *f*.

motivated [ˈmoutəveɪtəd] *adj* motivado(da).

motivation [ˌmoutəˈveɪʃn] *n* motivación *f*.

motive [ˈmoutɪv] *n (gen)* motivo *m*; *(for crime)* móvil *m*.

motley [ˈmɒtlɪ] *adj pej* variopinto(ta).

motor [ˈmoutər] ◇ *adj Br (industry, accident)* automovilístico(ca); *(mechanic)* de automóviles. ◇ *n* motor *m*.

motorbike [ˈmoutərbaɪk] *n inf* moto *f*.

motorboat ['moutər'bout] *n* lancha *f* motora.

motorcar ['moutər'ka:r] *n* automóvil *m*.

motorcycle ['moutər'saikl] *n* motocicleta *f*.

motorcyclist ['moutər,saikləst] *n* motociclista *m y f*.

motoring ['moutəriŋ] *n dated* automovilismo *m*.

motorist ['moutərəst] *n* automovilista *m y f*, conductor *m*, -ra *f*.

motor racing *n* automovilismo *m* deportivo.

motorway ['moutər'wei] *n Br* autopista *f*.

mottled ['mɒtld] *adj* moteado(da).

motto ['mɒtou] (*pl* **-s** OR **-es**) *n* lema *m*.

mould, mold Am [mould] ◇ *n* 1. *(growth)* moho *m*. 2. *(shape)* molde *m*. ◇ *vt lit & fig* moldear.

mouldy, moldy Am ['mouldi] *adj* mohoso(sa).

moult, molt Am [moult] *vi (bird)* mudar la pluma; *(dog)* mudar el pelo.

mound [maund] *n* 1. *(small hill)* montículo *m*. 2. *(untidy pile)* montón *m*.

mount [maunt] ◇ *n* 1. *(gen)* montura *f*; *(for photograph)* marco *m*; *(for jewel)* engaste *m*. 2. *(mountain)* monte *m*. ◇ *vt* 1. *(horse, bike)* subirse a, montar en. 2. *(attack)* lanzar. 3. *(exhibition)* montar. 4. *(jewel)* engastar; *(photograph)* enmarcar. ◇ *vi (increase)* aumentar.

mountain ['mauntən] *n lit & fig* montaña *f*.

mountain bike *n* bicicleta *f* de montaña.

mountaineer [,mauntə'niər] *n* montañero *m*, -ra *f*, andinista *m y f Amer*.

mountaineering [,mauntə'niəriŋ] *n* montañismo *m*, andinismo *m Amer*.

mountainous ['mauntənəs] *adj* montañoso(sa).

Mount Rushmore [-'rʌʃmɔ:r] *n* Monte *m* Rushmore.

mourn [mɔ:rn] ◇ *vt (person)* llorar por; *(thing)* lamentarse de. ◇ *vi* afligirse; **to ~ for sb** llorar la muerte de alguien.

mourner ['mɔ:rnər] *n* doliente *m y f*.

mournful ['mɔ:rnfl] *adj (face, voice)* afligido(da), lúgubre; *(sound)* lastimero (ra).

mourning ['mɔ:rniŋ] *n* luto *m*; **in ~** de luto.

mouse [maus] (*pl* **mice**) *n* (ZOOL & COMPUT) ratón *m*.

mousetrap ['maustræp] *n* ratonera *f*.

mousse [mu:s] *n* 1. *(food)* mousse *m*. 2. *(for hair)* espuma *f*.

moustache *Br* = mustache.

mouth [mauθ] *n (gen)* boca *f*; *(of river)* desembocadura *f*.

mouthful ['mauθfl] *n (of food)* bocado *m*; *(of drink)* trago *m*.

mouthorgan ['mauθɔ:rgən] *n* armónica *f*.

mouthpiece ['mauθpi:s] *n* 1. *(of telephone)* micrófono *m*. 2. *(of musical instrument)* boquilla *f*. 3. *(spokesperson)* portavoz *m y f*.

mouthwash ['mauθwɒʃ] *n* elixir *m* bucal.

mouth-watering [-,wɔ:təriŋ] *adj* muy apetitoso(sa).

movable ['mu:vəbl] *adj* movible.

move [mu:v] *n* 1. *(movement)* movimiento *m*; **to get a ~ on** *inf* espabilarse, darse prisa. 2. *(change - of house)* mudanza *f*; *(- of job)* cambio *m*. 3. *(in board game)* jugada *f*. 4. *(course of action)* medida *f*. ◇ *vt* 1. *(shift)* mover. 2. *(change - house)* mudarse de; *(- job)* cambiar de. 3. *(affect)* conmover. 4. *(in debate - motion)* proponer. 5. *(cause)*: **to ~ sb to do sthg** mover OR llevar a alguien a hacer algo. ◇ *vi* 1. *(gen)* moverse; *(events)* cambiar. 2. *(change house)* mudarse; *(change job)* cambiar de trabajo. ◆ **move about** *vi* 1. *(fidget)* ir de aquí para allá. 2. *(travel)* viajar. ◆ **move along** ◇ *vt sep* hacer circular. ◇ *vi* 1. *(move towards front or back)* hacerse a un lado. 2. *(move away - crowd, car)* circular. ◆ **move around** = move about. ◆ **move away** *vi (leave)* marcharse. ◆ **move in** *vi* 1. *(to new house)* instalarse. 2. *(take control, attack)* prepararse para el ataque. ◆ **move on** *vi* 1. *(go away)* reanudar la marcha. 2. *(progress)* avanzar. ◆ **move out** *vi* mudarse. ◆ **move over** *vi* hacer sitio. ◆ **move up** *vi (on bench etc)* hacer sitio.

moveable = movable.

movement ['mu:vmənt] *n* 1. *(gen)* movimiento *m*. 2. *(transportation)* transporte *m*.

M

movie ['mu:vɪ] *n* película *f*.

movie camera *n* cámara *f* cinematográfica.

moving ['mu:vɪŋ] *adj* **1.** *(touching)* conmovedor(ra). **2.** *(not fixed)* móvil.

mow [məʊ] (*pt* **-ed**, *pp* **-ed** OR **mown**) *vt* (*grass, lawn*) cortar; (*corn*) segar. ◆ **mow down** *vt sep* acribillar.

mower ['məʊəʳ] *n* cortacésped *m o f*.

mown [məʊn] *pp* → **mow**.

MP *n* **1.** *(abbr of* **Military Police**) PM *f*. **2.** *Br abbr of* **Member of Parliament**.

mpg (*abbr of* **miles per gallon**) millas/galón.

mph (*abbr of* **miles per hour**) mph.

Mr ['mɪstəʳ] *n* Sr.; ~ **Jones** el Sr. Jones.

Mrs ['mɪsəz] *n* Sra.; ~ **Jones** la Sra. Jones.

Ms [mɪz] *n* abreviatura utilizada delante de un apellido de mujer cuando no se quiere especificar si está casada o no.

MSc (*abbr of* **Master of Science**) *n* (titular de un) título postuniversitario de unos dos años de duración en el campo de las ciencias.

much [mʌtʃ] (*compar* **more**, *superl* **most**) ◇ *adj* mucho(cha); **there isn't ~ rice left** no queda mucho arroz; **as ~ time as ...** tanto tiempo como ...; **how ~ money?** ¿cuánto dinero?; **so ~** tanto (ta); **too ~** demasiado(da); **how ~ ...?** ¿cuánto(ta) ...? ◇ *pron:* **have you got ~?** ¿tienes mucho?; **I don't see ~ of him** no lo veo mucho; **I don't think ~ of it** no me parece gran cosa; **as ~ as** tanto como; **too ~** demasiado; **how ~?** ¿cuánto?; **this isn't ~ of a party** esta fiesta no es nada del otro mundo; **so ~ for** tanto con; **I thought as ~** ya me lo imaginaba. ◇ *adv* mucho; **I don't go out ~** no salgo mucho; **~ too cold** demasiado frío; **so ~** tanto; **thank you very ~** muchas gracias; **as ~ as** tanto como; **he is not so ~ stupid as lazy** más que tonto es vago; **too ~** demasiado; **without so ~ as ...** sin siquiera ... ◆ **much as** *conj:* **~ as (I like him)** por mucho OR más que (me guste).

> • *Much* se emplea fundamentalmente en oraciones interrogativas (*is there* <u>much</u> *traffic in town today?*) y negativas (*I don't have* <u>much</u> *money*); para las afirmativas suelen utilizarse *a lot (of)* y *lots (of)*, sin embargo *much* sirve para construir expresiones como *too much, how much* y *so much*.
> • Ver también **LOT, PLENTY**.

muck [mʌk] *n* (U) *inf* **1.** *(dirt)* mugre *f*, porquería *f*. **2.** *(manure)* estiércol *m*. ◆ **muck about, muck around** *vi Br inf* hacer el indio OR tonto. ◆ **muck up** *vt sep Br inf* fastidiar.

mucky ['mʌkɪ] *adj* guarro(rra).

mucus ['mju:kəs] *n* mucosidad *f*.

mud [mʌd] *n* barro *m*, lodo *m*.

muddle ['mʌdl] ◇ *n* **1.** *(disorder)* desorden *m*. **2.** *(confusion)* lío *m*, confusión *f*; **to be in a ~** estar hecho un lío. ◇ *vt* **1.** *(put into disorder)* desordenar. **2.** *(confuse)* liar, confundir. ◆ **muddle along** *vi* apañárselas más o menos. ◆ **muddle through** *vi* arreglárselas. ◆ **muddle up** *vt sep (put into disorder)* desordenar; *(confuse)* liar, confundir.

muddy ['mʌdɪ] *adj (gen)* lleno(na) de barro; *(river)* cenagoso(sa).

mudguard ['mʌdgɑ:d] *n* guardabarros *m inv*, salpicadera *f Méx*.

muesli ['mju:zlɪ] *n Br* muesli *m*.

muff [mʌf] ◇ *n* manguito *m*. ◇ *vt inf (catch)* fallar; *(chance)* dejar escapar.

muffin ['mʌfɪn] *n* **1.** *Am (cake)* especie de magdalena que se come caliente. **2.** *Br (bread roll)* panecillo *m*.

muffle ['mʌfl] *vt (sound)* amortiguar.

muffler ['mʌfləʳ] *n Am (for car)* silenciador *m*.

mug [mʌg] ◇ *n* **1.** *(cup)* taza *f* (alta). **2.** *inf (fool)* primo *m*, -ma *f*. ◇ *vt* asaltar, atracar.

mugging ['mʌgɪŋ] *n (single attack)* atraco *m*; *(series of attacks)* atracos *mpl*.

muggy ['mʌgɪ] *adj* bochornoso(sa).

mule [mju:l] *n* mula *f*.

mull [mʌl] ◆ **mull over** *vt sep* reflexionar sobre.

mulled [mʌld] *adj:* ~ **wine** vino caliente con azúcar y especias.

multicolored *Am*, **multicoloured** *Br* [,mʌltɪ'kʌləʳd] *adj* multicolor.

multigym ['mʌltɪdʒɪm] *n* multiestación *f* (de musculación).

multilateral [,mʌltɪ'lætərəl] *adj* multilateral.

multinational [*Am* ,mʌltaɪ'næʃnəl, *Br* ,mʌltɪ-] *n* multinacional *f*.

multiple ['mʌltɪpl] ◇ *adj* múltiple. ◇ *n* múltiplo *m*.

multiple sclerosis [*Am* -sklə'rəʊsəs, *Br* -ɪs] *n* esclerosis *f inv* múltiple.

multiplex cinema ['mʌltɪpleks-] *n* (cine *m*) multisalas *m inv*.

multiplication [,mʌltəplə'keɪʃn] *n* multiplicación *f*.

multiply ['mʌltəplaɪ] ◇ *vt* multiplicar.

◊ *vi (increase, breed)* multiplicarse.

multistory *Am*, **multistorey** *Br* [ˌmʌltɪˈstɔːrɪ] *adj* de varias plantas.

multitude [ˈmʌltɪtɪuːd] *n* multitud *f*.

mum [mʌm] *Br inf n* mamá *f*.

mumble [ˈmʌmbl] ◊ *vt* mascullar. ◊ *vi* musitar, hablar entre dientes.

mummy [ˈmʌmɪ] *n* **1.** *Br inf (mother)* mamá *f*. **2.** *(preserved body)* momia *f*.

mumps [mʌmps] *n (U)* paperas *fpl*.

munch [mʌntʃ] *vt & vi* masticar.

mundane [mʌnˈdeɪn] *adj* trivial.

municipal [mjuˈnɪsəpl] *adj* municipal.

municipality [mjuˌnɪsəˈpælətɪ] *n* municipio *m*.

mural [ˈmjʊərəl] *n* mural *m*.

murder [ˈmɜːrdər] ◊ *n* asesinato *m*. ◊ *vt* asesinar.

murderer [ˈmɜːrdərər] *n* asesino *m*.

murderous [ˈmɜːrdərəs] *adj* asesino (na).

murky [ˈmɜːrkɪ] *adj* **1.** *(water, past)* turbio(bia). **2.** *(night, street)* sombrío(a), lúgubre.

murmur [ˈmɜːrmər] ◊ *n (low sound)* murmullo *m*. ◊ *vt & vi* murmurar.

muscle [ˈmʌsl] *n* **1.** (MED) músculo *m*. **2.** *fig (power)* poder *m*. ◆ **muscle in** *vi* entrometerse.

muscular [ˈmʌskjələr] *adj* **1.** *(of muscles)* muscular. **2.** *(strong)* musculoso (sa).

muse [mjuːz] ◊ *n* musa *f*. ◊ *vi* meditar.

museum [mjuˈzɪːəm] *n* museo *m*.

mushroom [ˈmʌʃruːm] ◊ *n (button)* champiñón *m*; *(field)* seta *f*; (BOT) hongo *m*, callampa *f Chile*. ◊ *vi* extenderse rápidamente.

music [ˈmjuːzɪk] *n* música *f*.

musical [ˈmjuːzɪkl] ◊ *adj* **1.** *(gen)* musical. **2.** *(talented in music)* con talento para la música. ◊ *n* musical *m*.

musical instrument *n* instrumento *m* musical.

music centre *n* cadena *f* (musical).

music hall *n Br* teatro *m* de variedades OR de revista.

musician [mjuˈzɪʃn] *n* músico *m*, -ca *f*.

Muslim [ˈmʊzlɪm] ◊ *adj* musulmán (ana). ◊ *n* musulmán *m*, -ana *f*.

muslin [ˈmʌzlən] *n* muselina *f*.

mussel [ˈmʌsl] *n* mejillón *m*.

must [mʌst] ◊ *aux vb* **1.** *(have to, intend to)* deber, tener que; **I ~ go** tengo que OR debo irme. **2.** *(as suggestion)* tener que; **you ~ come and see us** tienes que venir a vernos. **3.** *(to express likelihood)*

deber (de); **it ~ be true** debe (de) ser verdad; **they ~ have known** deben de haberlo sabido. ◊ *n inf*: **a ~** algo imprescindible.

• Cuando expresamos una obligación, *must* significa lo mismo que *have got to* y *I have to* (I *must* get up early tomorrow = I *have [got] to* get up early tomorrow). Sin embargo *must* no suele usarse con este significado en frases interrogativas (*Do I have to/Have I got to* get up early tomorrow?) ni para expresar acciones cotidianas o reiteradas (I *have to* get up early every morning). *Must* tampoco tiene forma en tiempo pasado (I *had to* get up early yesterday).

• Frases como *she mustn't leave* ("no debe marcharse") y *she doesn't have to leave* ("no tiene que [o porqué] marcharse") no deben confundirse, ya que significan cosas distintas.

• Ver también **NEED**.

---

mustache *Am* [ˈmʌstæʃ], **moustache** *Br* [məˈstɑːʃ] *n* bigote *m*.

mustard [ˈmʌstərd] *n* mostaza *f*.

muster [ˈmʌstər] *vt* reunir.

mustn't [ˈmʌsnt] = **must not**.

must've [ˈmʌstəv] = **must have**.

musty [ˈmʌstɪ] *adj (room)* que huele a cerrado; *(book)* que huele a viejo.

mute [mjuːt] ◊ *adj* mudo(da). ◊ *n* mudo *m*, -da *f*.

muted [ˈmjuːtəd] *adj* **1.** *(not bright)* apagado(da). **2.** *(subdued)* contenido(da).

mutilate [ˈmjuːtɪleɪt] *vt* mutilar.

mutiny [ˈmjuːtənɪ] ◊ *n* motín *m*. ◊ *vi* amotinarse.

mutter [ˈmʌtər] ◊ *vt* musitar, mascullar. ◊ *vi* murmurar.

mutton [ˈmʌtn] *n* (carne *f* de) carnero *m*.

mutual [ˈmjuːtʃʊəl] *adj* **1.** *(reciprocal)* mutuo(tua). **2.** *(common)* común.

mutually [ˈmjuːtʃʊəlɪ] *adv* mutuamente.

muzzle [ˈmʌzl] ◊ *n* **1.** *(animal's nose and jaws)* hocico *m*, morro *m*. **2.** *(wire guard)* bozal *m*. **3.** *(of gun)* boca *f*. ◊ *vt (put muzzle on)* poner bozal a.

MW *(abbr of medium wave)* OM *f*.

my [maɪ] *poss adj* **1.** *(gen)* mi, mis (*pl*); **~ house/sister** mi casa/hermana; **~ children** mis hijos; **~ name is Sarah** me llamo Sarah; **it wasn't** MY **fault** no fue culpa mía OR mi culpa; **I washed ~ hair**

M

me lavé el pelo. **2.** *(in titles):* **~ Lord** milord; **~ Lady** milady.

> •No olvidemos que al hablar de las partes del cuerpo emplearemos el adjetivo posesivo *my* en lugar del artículo *the* (*my hair*; *my legs*).

myriad ['mɪrɪəd] *adj literary* innumerables.

myself [maɪ'self] *pron* **1.** *(reflexive)* me; *(after prep)* mí mismo(ma); **with ~** conmigo mismo. **2.** *(for emphasis)* yo mismo(ma); **I did it ~** lo hice yo solo (la).

mysterious [mɪ'stɪərɪəs] *adj* misterioso(sa).

mystery ['mɪstərɪ] *n* misterio *m*.

mystical ['mɪstɪkl] *adj* místico(ca).

mystified ['mɪstəfaɪd] *adj* desconcertado(da), perplejo(ja).

mystifying ['mɪstəfaɪɪŋ] *adj* desconcertante.

mystique [mɪ'stiːk] *n* misterio *m*.

myth [mɪθ] *n* mito *m*.

mythical ['mɪθɪkl] *adj* **1.** *(imaginary)* mítico(ca). **2.** *(untrue)* falso(sa).

mythology [mɪ'θɒlədʒɪ] *n (collection of myths)* mitología *f*.

n (*pl* **n's** OR **ns**), **N** (*pl* **N's** OR **Ns**) [en] *n (letter)* n *f*, N *f*. ◆ **N** *(abbr of* **north**) N.

n/a, N/A *(abbr of* **not applicable**) *no interesa*.

nag [næg] *vt* dar la lata a.

nagging ['nægɪŋ] *adj* **1.** *(thought, doubt)* persistente. **2.** *(person)* gruñón(ona).

nail [neɪl] ◇ *n* **1.** *(for fastening)* clavo *m*. **2.** *(of finger, toe)* uña *f*. ◇ *vt:* **to ~ sthg to sthg** clavar algo en OR a algo. ◆ **nail down** *vt sep* **1.** *(fasten)* clavar. **2.** *(person):* **I couldn't ~ him down** no pude hacerle concretar.

nailbrush ['neɪlbrʌʃ] *n* cepillo *m* de uñas.

nail file *n* lima *f* de uñas.

nail polish *n* esmalte *m* para las uñas.

nail scissors *npl* tijeras *fpl* para las uñas.

nail varnish *n* esmalte *m* para las uñas.

nail varnish remover [-rɪ'muːvəʳ] *n* quitaesmaltes *m inv*.

naive, naïve [naɪ'iːv] *adj* ingenuo (nua).

naked ['neɪkəd] *adj* **1.** *(gen)* desnudo (da); **~ flame** llama *f* sin protección. **2.** *(unaided):* **with the ~ eye** a simple vista.

name [neɪm] ◇ *n (gen)* nombre *m*; *(surname)* apellido *m*; **what's your ~?** ¿cómo te llamas?; **my ~ is John** me llamo John; **by ~** por el nombre; **in sb's ~** a nombre de alguien; **in the ~ of** en nombre de; **to call sb ~s** llamar de todo a alguien. ◇ *vt* **1.** *(christen)* poner nombre a; **to ~ sb after sb** *Br*, **to ~ sb for sb** *Am* poner a alguien el nombre de alguien. **2.** *(identify)* nombrar. **3.** *(date, price)* poner, decir. **4.** *(appoint)* nombrar.

nameless ['neɪmləs] *adj (unknown - person, author)* anónimo(ma); *(- disease)* desconocido(da).

namely ['neɪmlɪ] *adv* a saber.

namesake ['neɪmseɪk] *n* tocayo *m*, -ya *f*.

nanny ['nænɪ] *n* niñera *f*.

nap [næp] *n* siesta *f*.

nape [neɪp] *n:* **~ of the neck** nuca *f*.

napkin ['næpkən] *n* servilleta *f*.

nappy ['næpɪ] *n Br* pañal *m*.

nappy liner *n* parte desechable de un pañal de gasa.

narcissi [nɑːʳ'sɪsaɪ] *pl* → **narcissus**.

narcissus [nɑːʳ'sɪsəs] (*pl* **-cissuses** OR **-cissi**) *n* narciso *m*.

narcotic [nɑːʳ'kɒtɪk] *n* narcótico *m*.

narrative ['nærətɪv] ◇ *adj* narrativo (va). ◇ *n* **1.** *(account)* narración *f*. **2.** *(art of narrating)* narrativa *f*.

narrator [*Am* 'næreɪtr, *Br* nə'reɪtə] *n* narrador *m*, -ra *f*.

narrow ['nærəʊ] ◇ *adj* **1.** *(not wide)* estrecho(cha). **2.** *(limited)* estrecho(cha) de miras. **3.** *(victory, defeat)* por un estrecho margen; *(escape, miss)* por muy poco. ◇ *vi* **1.** *(become less wide)* estrecharse. **2.** *(eyes)* entornarse. **3.** *(gap)* reducirse. ◆ **narrow down** *vt sep* reducir.

narrowly ['nærəʊlɪ] *adv (barely)* por muy poco.

narrow-minded [-'maɪndəd] *adj* estrecho(cha) de miras.

nasal ['neɪzl] *adj* nasal.

nasty [*Am* 'næstɪ, *Br* 'nɑːstɪ] *adj* **1.** *(unkind)* malintencionado(da).

2. *(smell, taste, feeling)* desagradable; *(weather)* horrible. **3.** *(problem, decision)* peliagudo(da). **4.** *(injury, disease)* doloroso(sa); *(fall)* malo(la).

nation ['neɪʃn] n nación f.

national ['næʃnəl] ◇ adj nacional. ◇ n súbdito m, -ta f.

national anthem n himno m nacional.

national dress n traje m típico (de un país).

National Front n: the ~ partido político minoritario de extrema derecha en Gran Bretaña.

National Health Service n Br: the ~ organismo gestor de la salud pública, ≃ el Insalud.

National Insurance n Br ≃ Seguridad f Social.

nationalism ['næʃnəlɪzm] n nacionalismo m.

nationalist ['næʃnəlɪst] ◇ adj nacionalista. ◇ n nacionalista m y f.

nationality [,næʃə'nælətɪ] n nacionalidad f.

nationalize ['næʃnəlaɪz] vt nacionalizar.

national park n parque m nacional.

NATIONAL PARK

Los parques nacionales en Estados Unidos y Gran Bretaña son grandes extensiones naturales abiertas al público. Están protegidas para preservar tanto su equilibrio ecológico como su interés paisajístico. Yellowstone y Yosemite son famosos parques nacionales estadounidenses; los más conocidos de Gran Bretaña son el Snowdonia, el Lake District y el Peak District. En todos ellos hay lugares donde se puede acampar.

national service n Br (MIL) servicio m militar.

National Trust n Br: the ~ organización británica encargada de la preservación de edificios históricos y lugares de interés, ≃ el Patrimonio Nacional.

nationwide [,neɪʃən'waɪd] ◇ adj a escala nacional. ◇ adv *(travel)* por todo el país; *(be broadcast)* a todo el país.

native ['neɪtɪv] ◇ adj **1.** *(country, area)* natal. **2.** *(speaker)* nativo(va); ~ **language** lengua f materna. **3.** *(plant, animal)*: ~ **(to)** originario(ria) (de). ◇ n natural m y f, nativo m, -va f.

Native American n indio americano m, india americana f.

NATIVE AMERICAN

Las tribus de aborígenes americanos que poblaban Estados Unidos antes de la llegada de los europeos, poseían cada una su propia lengua y modo de vida. Entre los siglos XVII y XIX se vieron obligadas a defender sus tierras de los colonos europeos, a menudo luchando. Muchos indios murieron en combate o bien por haber contraído alguna de las enfermedades que los europeos trajeron a América. Otros muchos fueron obligados a vivir en reservas, territorios apartados especialmente para ellos. A lo largo del siglo XX, el gobierno estadounidense ha procurado conceder más derechos a los grupos étnicos nativos de Estados Unidos; también ha ido mostrando cada vez mayor interés por su historia y su cultura tradicional.

Nativity [nə'tɪvətɪ] n: the ~ la Natividad.

NATO ['neɪtəʊ] *(abbr of North Atlantic Treaty Organization)* n OTAN f.

natural ['nætʃrəl] adj **1.** *(gen)* natural. **2.** *(comedian, musician)* nato(ta).

natural gas n gas m natural.

naturalize ['nætʃrəlaɪz] vt naturalizar; **to be ~d** naturalizarse.

naturally ['nætʃrəlɪ] adv **1.** *(as expected, understandably)* naturalmente. **2.** *(unaffectedly)* con naturalidad. **3.** *(instinctively)* por naturaleza.

nature ['neɪtʃər] n **1.** *(gen)* naturaleza f. **2.** *(disposition)* modo m de ser, carácter m; **by** ~ por naturaleza.

nature reserve n reserva f natural.

naughty ['nɔːtɪ] adj **1.** *(badly behaved)* travieso(sa), malo(la). **2.** *(rude)* verde.

nausea ['nɔːzjə] n náusea f.

nauseating ['nɔːzɪeɪtɪŋ] adj lit & fig nauseabundo(da).

nautical ['nɔːtɪkl] adj náutico(ca), marítimo(ma).

naval ['neɪvl] adj naval.

nave [neɪv] n nave f.

navel ['neɪvl] n ombligo m.

navigate ['nævɪgeɪt] ◇ vt **1.** *(steer)* pilotar, gobernar. **2.** *(travel safely across)* surcar, navegar por. ◇ vi *(in plane, ship)* dirigir, gobernar; *(in car)* guiar, dirigir.

navigation [,nævɪ'geɪʃn] n gobierno m.

navigator ['nævɪgeɪtər] n oficial m y f de navegación, navegante m y f.

navy ['neɪvɪ] ◇ *n* armada *f.* ◇ *adj (in colour)* azul marino *(inv).*

navy blue *adj* azul marino *(inv).*

Nazi ['nɑːtsɪ] *(pl* **-s)** ◇ *adj* nazi. ◇ *n* nazi *m* y *f.*

NB *(abbr of* **nota bene)** N.B.

near [nɪə'] ◇ *adj* **1.** *(close in distance, time)* cerca; **in the ~ future** en un futuro próximo. **2.** *(related)* cercano(na), próximo(ma). **3.** *(almost happened):* **it was a ~ thing** poco le faltó. ◇ *adv* **1.** *(close in distance, time)* cerca; **nowhere ~** ni de lejos, ni mucho menos; **to draw** OR **come ~** acercarse. **2.** *(almost)* casi. ◇ *prep* **1.** *(close in position):* **~ (to)** cerca de. **2.** *(close in time):* **~ (to)** casi; **~ the end** casi al final; **~er the time** cuando se acerque la fecha. **3.** *(on the point of):* **~ (to)** al borde de. **4.** *(similar to):* **~ (to)** cerca de. ◇ *vt* acercarse OR aproximarse a. ◇ *vi* acercarse, aproximarse.

nearby [nɪə'baɪ] ◇ *adj* cercano(na). ◇ *adv* cerca.

nearly ['nɪəlɪ] *adv* casi; **I ~ fell** por poco me caigo.

near miss *n* **1.** *(nearly a hit):* **to be a ~** fallar por poco. **2.** *(nearly a collision)* incidente *m* aéreo *(sin colisión).*

nearside ['nɪə'saɪd] ◇ *adj (right-hand drive)* del lado izquierdo; *(left-hand drive)* del lado derecho. ◇ *n (right-hand drive)* lado *m* izquierdo; *(left-hand drive)* lado derecho.

nearsighted [ˌnɪə'saɪtɪd] *adj* Am miope, corto(ta) de vista.

neat [niːt] *adj* **1.** *(tidy, precise - gen)* pulcro(cra); *(- room, house)* arreglado(da); *(- handwriting)* esmerado(da). **2.** *(smart)* arreglado(da), pulcro(cra). **3.** *(skilful)* hábil. **4.** *(undiluted)* solo(la). **5.** Am inf *(very good)* buenísimo, guay Esp.

neatly ['niːtlɪ] *adv* **1.** *(tidily, smartly)* con pulcritud. **2.** *(skilfully)* hábilmente.

necessarily [ˌnesə'serəlɪ] *adv* necesariamente.

necessary ['nesəserɪ] *adj* **1.** *(required)* necesario(ria). **2.** *(inevitable)* inevitable.

necessity [nə'sesətɪ] *n* necesidad *f;* **of ~** por fuerza, por necesidad. ♦ **necessities** *npl* artículos *mpl* de primera necesidad.

neck [nek] *n (of person)* cuello *m; (of animal)* pescuezo *m,* cuello.

necklace ['nekləs] *n* collar *m.*

neckline ['neklaɪn] *n* escote *m.*

necktie ['nektaɪ] *n* Am corbata *f.*

nectarine ['nektərɪːn] *n* nectarina *f.*

née [neɪ] *adj* de soltera.

need [niːd] ◇ *n:* **~ (for sthg/to do sthg)** necesidad *f* (de algo/de hacer algo); **to be in** OR **to have ~ of sthg** necesitar algo; **there's no ~ for you to cry** no hace falta que llores; **if ~ be** si hace falta; **in ~** necesitado(da). ◇ *vt* **1.** *(require)* necesitar; **I ~ a haircut** me hace falta un corte de pelo. **2.** *(be obliged):* **to ~ to do sthg** tener que hacer algo. ◇ *modal vb:* **to ~ to do sthg** necesitar hacer algo; **~ we go?** ¿tenemos que irnos?; **it ~ not happen** no tiene por qué ser así.

• *Need* puede usarse con un participio presente *(my car needs washing,* "mi coche necesita un lavado"). Esta construcción es muy común.

• Preguntas como *need we finish this today?* son muy formales. En el habla común, *need* suele sustituirse por *have to* o *have got to (do we have to/ have we got to finish this today?).*

• La forma negativa *needn't* se traduce como "no es necesario que" *(you needn't get up early tomorrow,* "no hace falta que te levantes temprano mañana"). Por tanto es diferente de *mustn't,* que quiere decir "es necesario que no" *(you mustn't make so much noise, you'll wake the baby,* "es necesario que no hagas tanto ruido o despertarás al bebé").

• Ver también **MUST**.

needle ['niːdl] *n* aguja *f.*

needless ['niːdləs] *adj* innecesario(ria); **~ to say ...** está de más decir que ...

needlework ['niːdlwɜː'k] *n* **1.** *(embroidery)* bordado *m.* **2.** *(U) (activity)* costura *f.*

needn't ['niːdnt] = **need not.**

needy ['niːdɪ] *adj* necesitado(da).

negative ['negətɪv] ◇ *adj* negativo (va). ◇ *n* **1.** (PHOT) negativo *m.* **2.** (LING) negación *f.*

neglect [nɪ'glekt] ◇ *n (of garden, work)* descuido *m; (of duty)* incumplimiento *m;* **a state of ~** un estado de abandono. ◇ *vt* **1.** *(ignore)* desatender. **2.** *(duty, work)* no cumplir con; **to ~ to do sthg** dejar de hacer algo.

neglectful [nɪ'glektfl] *adj* descuidado (da), negligente.

negligee [Am ˌneglə'ʒeɪ, Br 'neglɪʒeɪ] *n* salto *m* de cama.

negligence ['neglɪdʒəns] *n* negligencia *f.*

negligible ['neglɪdʒəbl] *adj* insignificante.

negotiate [nɪ'goʊʃɪeɪt] ◊ vt **1.** *(obtain through negotiation)* negociar. **2.** *(obstacle)* salvar, franquear; *(hill)* superar; *(bend)* tomar. ◊ vi: **to ~ with sb for sthg)** negociar (con alguien algo).

negotiation [nɪ,goʊʃɪ'eɪʃn] n negociación f. ◆ **negotiations** npl negociaciones fpl.

neigh [neɪ] vi relinchar.

neighbor Am, **neighbour** Br ['neɪbər] n vecino m, -na f.

neighborhood Am, **neighbourhood** Br ['neɪbərhʊd] n **1.** *(of town)* barrio m, vecindad f. **2.** *(approximate figure)*: **in the ~ of** alrededor de.

neighboring Am, **neighbouring** Br ['neɪbərɪŋ] adj vecino(na).

neighborly Am, **neighbourly** Br ['neɪbərlɪ] adj de buen vecino.

neither ['naɪðər, 'niːðər] ◊ adv: **I don't drink – me ~** no bebo – yo tampoco; **the food was ~ good nor bad** la comida no era ni buena ni mala; **to be ~ here nor there** no tener nada que ver. ◊ pron ninguno(na); **~ of us/them** ninguno de nosotros/ellos. ◊ adj: **~ cup is blue** ninguna de las dos tazas es azul. ◊ conj: **~ ... nor ...** ni ... ni ...; **she could ~ eat nor sleep** no podía ni comer ni dormir.

> • Cuando *neither* es adjetivo sólo se emplea delante de un sustantivo contable (*neither dictionary; neither alternative*).
>
> • Si *neither* es el sujeto de la oración o acompaña a un sustantivo que lo es, el verbo irá siempre en singular (*neither film appeals to me; neither appeals to me*). Observemos que el verbo va en modo afirmativo.
>
> • Con *neither* el verbo puede ir en plural o singular (*neither of us like/ likes blue*).
>
> • Cuando la estructura *neither .. nor ...* es el sujeto de la oración, el verbo va en singular; no así en español (*neither John nor Deborah is coming tonight*, "ni John ni Deborah vienen esta noche").

neon ['niːɒn] n neón m.

neon light n lámpara f OR luz f de neón.

nephew ['nefjuː] n sobrino m.

Neptune ['neptjuːn] n Neptuno m.

nerve [nɜːrv] n **1.** (ANAT) nervio m. **2.** *(courage)* valor m; **to keep one's ~** mantener la calma, no perder los nervios; **to lose one's ~** echarse atrás, per-

der el valor. **3.** *(cheek)* cara f. ◆ **nerves** npl nervios mpl; **to get on sb's ~s** sacar de quicio OR poner los nervios de punta a alguien.

nerve-racking [-,rækɪŋ] adj crispante.

nervous ['nɜːrvəs] adj **1.** (ANAT) nervioso(sa). **2.** *(apprehensive)* inquieto(ta), aprensivo(va).

nervous breakdown n crisis f inv nerviosa.

nest [nest] ◊ n nido m; **wasps' ~** avispero m; **~ of tables** mesas fpl nido. ◊ vi anidar.

nest egg n ahorros mpl.

nestle ['nesl] vi *(settle snugly - in chair)* arrellanarse; *(- in bed)* acurrucarse.

net [net] ◊ adj *(weight, price, loss)* neto (ta). ◊ n red f. ◊ vt **1.** *(catch)* coger con red. **2.** *(acquire)* embolsarse.

Net [net] n (COMPUT): **the ~ la Red; to surf the ~** navegar por la Red.

netball ['netbɔːl] n deporte parecido al baloncesto femenino.

net curtains npl visillos mpl.

Netherlands ['neðərləndz] npl: **the ~** los Países Bajos.

net revenue n Am facturación f.

nett [net] adj = net.

netting ['netɪŋ] n red f, malla f.

nettle ['netl] n ortiga f.

network ['netwɜːrk] ◊ n **1.** *(gen & COMPUT)* red f. **2.** (RADIO & TV) *(station)* cadena f. ◊ vt (COMPUT) conectar a la red.

neurosis [,njʊ'roʊsɪs] *(pl* **-ses** [-siːz]*)* n neurosis f inv.

neurotic [,njʊ'rɒtɪk] ◊ adj neurótico (ca). ◊ n neurótico m, -ca f.

neuter ['njuːtər] ◊ adj neutro(tra). ◊ vt castrar.

neutral ['njuːtrəl] ◊ adj **1.** *(gen)* neutro (tra); *(shoe cream)* incoloro(ra). **2.** *(non-allied)* neutral. ◊ n (AUT) punto m muerto.

neutrality [njuː'trælətɪ] n neutralidad f.

neutralize ['njuːtrəlaɪz] vt neutralizar.

never ['nevər] adv **1.** *(at no time)* nunca, jamás; **~ ever** nunca jamás; **well I ~!** ¡vaya!, ¡caramba! **2.** inf *(as negative)* no; **you ~ did!** ¡no (me digas)!

never-ending adj inacabable.

nevertheless [,nevərðə'les] adv sin embargo, no obstante.

new [njuː] adj nuevo(va); *(baby)* recién nacido (recién nacida); **as good as ~** como nuevo. ◆ **news** n (U) noticias fpl; **a piece of ~s** una noticia; **the ~s** las noticias; **that's ~s to me** me coge de nuevas.

newborn ['njuːbɔːrn] *adj* recién nacido (recién nacida).

newcomer ['njuːˌkʌmər] *n*: ~ (to) recién llegado *m*, recién llegada *f* (a).

newly ['njuːlɪ] *adv* recién.

newlyweds ['njuːlɪwedz] *npl* recién casados *mpl*.

new moon *n* luna *f* nueva.

news agency *n* agencia *f* de noticias.

newsagent *Br* = **newsdealer**.

newscaster [*Am* 'nuːzkæstr, *Br* 'njuːzkɑːstə] *n* presentador *m*, -ra *f*, locutor *m*, -ra *f*.

newsdealer ['njuːzdiːlər] *Am*, **newsagent** *Br* ['njuːzeɪdʒənt] *n* (*person*) vendedor *m*, -ra *f* de periódicos; ~'s (shop) = quiosco *m* de periódicos.

newsflash ['njuːzflæʃ] *n* flash *m* informativo, noticia *f* de última hora.

newsletter ['njuːzletər] *n* boletín *m*, hoja *f* informativa.

newspaper ['njuːzpeɪpər] *n* **1.** (*publication, company*) periódico *m*, diario *m*. **2.** (*paper*) papel *m* de periódico.

newsreader ['njuːzriːdər] *n* presentador *m*, -ra *f*, locutor *m*, -ra *f*.

newsstand ['njuːzstænd] *n* puesto *m* de periódicos.

newt [njuːt] *n* tritón *m*.

new town *n Br* ciudad nueva construida por el gobierno.

New Year *n* Año *m* Nuevo; **Happy ~!** ¡Feliz Año Nuevo!

NEW YEAR

En Estados Unidos y Gran Bretaña la gente celebra fiestas en Nochevieja (31 de diciembre) para recibir o ver entrar (*see in*) el nuevo año. Cuando los relojes dan las doce campanadas, los festejantes se desean un feliz año nuevo (*happy new year*), se abrazan y se besan. Suele ser entonado el Auld Lang Syne, una canción tradicional. El siguiente día, Año Nuevo (1 de enero), es fiesta nacional.

New Year's Day *n* día *m* de Año Nuevo.

New Year's Eve *n* Nochevieja *f*.

New York [-'jɔːrk] *n* **1.** (*city*): ~ (City) Nueva York. **2.** (*state*): ~ (State) (el estado de) Nueva York.

New Zealand [-'ziːlənd] *n* Nueva Zelanda.

New Zealander [-'ziːləndər] *n* neozelandés *m*, -esa *f*.

next [nekst] ◇ *adj* **1.** (*in time*) próximo (ma); **the ~ day** el día siguiente; ~

Tuesday/year el martes/el año que viene; ~ **week** la semana próxima OR que viene; **the ~ week** los próximos siete días. **2.** (*in space - page etc*) siguiente; (*- room*) de al lado. ◇ *pron* el siguiente (la siguiente); **the day after ~** pasado mañana; **the week after ~** la semana que viene no, la otra. ◇ *adv* **1.** (*afterwards*) después. **2.** (*again*) de nuevo. **3.** (*with superlatives*): ~ **best/biggest** *etc* el segundo mejor/más grande *etc*. ◇ *prep Am* al lado de, junto a.
♦ **next to** *prep* al lado de, junto a; ~ **to nothing** casi nada.

next door *adv* (en la casa de) al lado.
♦ **next-door** *adj*: **next-door neighbour** vecino *m*, -na *f* de al lado.

next of kin *n* pariente más cercano *m*, pariente más cercana *f*.

NHS *n abbr of* **National Health Service**.

NI ◇ *n abbr of* **National Insurance**. ◇ *abbr of* **Northern Ireland**.

nib [nɪb] *n* plumilla *f*.

nibble ['nɪbl] *vt* mordisquear.

Nicaragua [*Am* ˌnɪkəˈrɑːowə, *Br* -ˈræɡjʊə] *n* Nicaragua.

Nicaraguan [ˌnɪkəˈræɡjʊən] ◇ *adj* nicaragüense. ◇ *n* nicaragüense *m* y *f*.

nice [naɪs] *adj* **1.** (*attractive*) bonito(ta); (*good*) bueno(na). **2.** (*kind*) amable; (*pleasant, friendly*) agradable, simpático (ca); **to be ~ to sb** ser agradable con alguien.

nice-looking [-'lʊkɪŋ] *adj* (*person*) guapo(pa); (*car, room*) bonito(ta).

nicely ['naɪslɪ] *adv* **1.** (*well, attractively*) bien. **2.** (*politely*) educadamente, con educación. **3.** (*satisfactorily*) bien; **that will do ~** esto irá de perlas.

niche [*Am* nɪtʃ, *Br* niːʃ] *n* **1.** (*in wall*) nicho *m*, hornacina *f*. **2.** (*in life*) buena posición *f*.

nick [nɪk] ◇ *n* **1.** (*cut*) cortecito *m*; (*notch*) muesca *f*. **2.** *phr*: **in the ~ of time** justo a tiempo. ◇ *vt* **1.** (*cut*) cortar; (*make notch in*) mellar. **2.** *Br inf* (*steal*) birlar.

nickel ['nɪkl] *n* **1.** (*metal*) níquel *m*. **2.** *Am* (*coin*) moneda *f* de cinco centavos.

nickname ['nɪkneɪm] ◇ *n* apodo *m*. ◇ *vt* apodar.

nicotine ['nɪkətiːn] *n* nicotina *f*.

niece [niːs] *n* sobrina *f*.

Nigeria [naɪˈdʒɪərɪə] *n* Nigeria.

niggle ['nɪɡl] *vt Br* **1.** (*worry*) inquietar. **2.** (*criticize*) meterse con, criticar.

night [naɪt] *n* noche *f*; (*evening*) tarde *f*;

last ~ anoche, ayer por la noche; **at ~** por la noche, de noche; **to have an early/a late ~** irse a dormir pronto/ tarde. ◆ **nights** adv 1. Am (at night) por las noches. 2. Br (nightshift): **to work ~s** hacer el turno de noche.

nightclub ['naɪtklʌb] n club m nocturno.

nightdress ['naɪtdres] n camisón m.

nightfall ['naɪtfɔ:l] n anochecer m.

nightgown ['naɪtgaʊn] n camisón m.

nightie ['naɪtɪ] n inf camisón m.

nightingale ['naɪtɪŋgeɪl] n ruiseñor m.

nightlife ['naɪtlaɪf] n vida f nocturna.

nightly ['naɪtlɪ] ◇ adj nocturno(na), de cada noche. ◇ adv cada noche.

nightmare ['naɪtmeə'] n lit & fig pesadilla f.

night school n (U) escuela f nocturna.

night shift n turno m de noche.

nightshirt ['naɪtʃɜ:'t] n camisa f de dormir (masculina).

nighttime ['naɪttaɪm] n noche f.

nil [nɪl] n 1. (nothing) nada f. 2. Br (SPORT) cero m.

Nile [naɪl] n: **the ~** el Nilo.

nimble ['nɪmbl] adj 1. (person, fingers) ágil. 2. (mind) rápido(da).

nine [naɪn] num nueve; see also **six**.

nineteen [,naɪn'ti:n] num diecinueve; see also **six**.

ninety ['naɪntɪ] num noventa; see also **sixty**.

ninth [naɪnθ] num noveno(na); see also **sixth**.

nip [nɪp] ◇ n (of drink) trago m. ◇ vt (pinch) pellizcar; (bite) mordisquear.

nipple ['nɪpl] n 1. (of woman) pezón m. 2. (of baby's bottle, man) tetilla f.

nit [nɪt] n (in hair) liendre f.

nitpicking ['nɪtpɪkɪŋ] n (U) inf nimiedades fpl.

nitrogen ['naɪtrədʒən] n nitrógeno m.

nitty-gritty [,nɪtɪ'grɪtɪ] n inf: **to get down to the ~** ir al grano.

no [noʊ] (pl **-es**) ◇ adv (gen) no; **you're ~ better than me** tú no eres mejor que yo. ◇ adj: **I have ~ time** no tengo tiempo; **that's ~ excuse** esa no es excusa que valga; **there are ~ taxis** no hay taxis; **he's ~ fool** no es ningún tonto; **she's ~ friend of mine** no es amiga mía; **'~ smoking/parking/cameras'** 'prohibido fumar/aparcar/hacer fotos'. ◇ n no m; **he/she won't take ~ for an answer** no acepta una respuesta negativa.

• El adjetivo *no* puede acompañar tanto a sustantivos contables como a incontables (*no* books; *no* bread).

• Recordemos que al usar *no* como adjetivo, el resto de la frase debe ser afirmativa (*no* changes have ocurred, "*no* han habido cambios"; that's *no* problem, "*no* hay [ningún] problema").

• Por último, tengamos presente que nunca se emplea *no* como pronombre; *none* es la forma correcta en estos casos (there are *no* cookies left, "*no* quedan galletas"; there are *none* left, "*no* queda *ninguna*").

• Ver también **SOME**.

No., no. (abbr of **number**) n.º.

nobility [noʊ'bɪlətɪ] n nobleza f.

noble ['noʊbl] ◇ adj noble. ◇ n noble m y f.

nobody ['noʊbədɪ] ◇ pron nadie. ◇ n pej don nadie m.

nocturnal [nɒk'tɜ:'nl] adj nocturno (na).

nod [nɒd] ◇ vt: **to ~ one's head** (in agreement) asentir con la cabeza; (as greeting) saludar con la cabeza. ◇ vi 1. (in agreement) asentir con la cabeza. 2. (to indicate sthg) indicar con la cabeza. 3. (as greeting) saludar con la cabeza. ◆ **nod off** vi dar cabezadas.

noise [nɔɪz] n ruido m; **to make a ~** armar OR hacer ruido.

noisy ['nɔɪzɪ] adj ruidoso(sa).

no-man's-land n tierra f de nadie.

nominal ['nɒmɪnl] adj nominal.

nominate ['nɒmɪneɪt] vt 1. (propose): **to ~ sb (for** OR **as)** proponer a alguien (por OR como). 2. (appoint): **to ~ sb (to sthg)** nombrar a alguien (algo).

nomination [,nɒmɪ'neɪʃn] n 1. (proposal) nominación f. 2. (appointment): **~ (to sthg)** nombramiento m (a algo).

nominee [,nɒmə'ni:] n nominado m, -da f.

non- [nɒn] prefix no.

nonalcoholic [,nɒnælkə'hɒlɪk] adj sin alcohol.

nonchalant [Am ,nɒnʃə'lɑ:nt, Br 'nɒnʃələnt] adj despreocupado(da).

noncommittal [,nɒnkə'mɪtl] adj que no compromete a nada, evasivo(va).

nonconformist [,nɒnkən'fɔ:'məst] ◇ adj inconformista. ◇ n inconformista m y f.

nondescript [Am ,nɒndɪ'skrɪpt, Br

N

nɒndɪsˈkrɪpt] *adj* anodino(na), soso(sa).

none [nʌn] ◇ *pron* **1.** *(not any)* nada; **there is ~ left** no queda nada; **it's ~ of your business** no es asunto tuyo. **2.** *(not one - object, person)* ninguno(na); **~ of us/the books** ninguno de nosotros/de los libros; **I had ~** no tenía ninguno. ◇ *adv* **I'm ~ the worse/better** no me ha perjudicado/ayudado en nada; **I'm ~ the wiser** no he entendido nada. ◆ **none too** *adv* no demasiado.

> • *None* nunca se usa como adjetivo; *no* es la forma correcta en estos casos (*there are none left*, "no queda ninguna"; *there are no cookies*, "no quedan galletas").
>
> • Si usamos el pronombre *none*, el resto de la oración debe ser afirmativa (*none of this is your fault*).
>
> • Ver también **SOME**.

nonentity [nɒˈnentətɪ] *n* cero *m* a la izquierda.

nonetheless [ˌnʌnðəˈles] *adv* sin embargo, no obstante.

nonexistent [ˌnɒnɪgˈzɪstənt] *adj* inexistente.

nonfiction [ˌnɒnˈfɪkʃn] *n* no ficción *f*.

no-nonsense *adj* práctico(ca).

nonplussed, nonplused *Am* [ˌnɒnˈplʌst] *adj* perplejo(ja).

nonsense [ˈnɒnsəns] ◇ *n (U)* **1.** *(gen)* tonterías *fpl*, bobadas *fpl*; **it is ~ to suggest that ...** es absurdo sugerir que ...; **to make (a) ~ of sthg** dar al traste con algo. **2.** *(incomprehensible words)* galimatías *m inv*. ◇ *excl* ¡tonterías!

nonsensical [nɒnˈsensɪkl] *adj* disparatado(da), absurdo(da).

nonsmoker [ˌnɒnˈsmoʊkəʳ] *n* no fumador *m*, no fumadora *f*.

nonstick [ˌnɒnˈstɪk] *adj* antiadherente.

nonstop [ˌnɒnˈstɒp] ◇ *adj (activity, rain)* continuo(nua), incesante; *(flight)* sin escalas. ◇ *adv* sin parar.

noodles [ˈnuːdlz] *npl* fideos *mpl*.

noon [nuːn] *n* mediodía *m*.

no one *pron* = **nobody**.

noose [nuːs] *n (loop)* nudo *m* corredizo; *(for hanging)* soga *f*.

no-place *Am* = **nowhere**.

nor [nɔːʳ] *conj* **1.** → **neither**. **2.** *(and not)* ni; **I don't smoke – ~ do I** no fumo – yo tampoco; **I don't know, ~ do I care** ni lo sé, ni me importa.

> • Ver **NEITHER**.

norm [nɔːʳm] *n* norma *f*; **the ~** lo normal.

normal [ˈnɔːʳml] *adj* normal.

normality [nɔːʳˈmælətɪ], **normalcy** *Am* [ˈnɔːʳmlsɪ] *n* normalidad *f*.

normally [ˈnɔːʳməlɪ] *adv* normalmente.

north [nɔːʳθ] ◇ *n* **1.** *(direction)* norte *m*. **2.** *(region):* **the North** el norte. ◇ *adj* del norte; **North London** el norte de Londres. ◇ *adv:* **~ (of)** al norte (de).

North Africa *n* África del Norte.

North America *n* Norteamérica.

North American ◇ *adj* norteamericano(na). ◇ *n* norteamericano *m*, -na *f*.

northeast [ˌnɔːʳθˈiːst] ◇ *n* **1.** *(direction)* nordeste *m*. **2.** *(region):* **the Northeast** el nordeste. ◇ *adj* del nordeste. ◇ *adv:* **~ (of)** al nordeste (de).

northern [ˈnɔːʳðəʳn] *adj* del norte, norteño(ña).

Northern Ireland *n* Irlanda del Norte.

North Korea *n* Corea del Norte.

North Pole *n:* **the ~** el Polo Norte.

North Sea *n:* **the ~** el Mar del Norte.

northward [ˈnɔːʳθwəʳd] ◇ *adj* hacia el norte. ◇ *adv* = **northwards**.

northwards [ˈnɔːʳθwəʳdz] *adv* hacia el norte.

northwest [ˌnɔːʳθˈwest] ◇ *n* **1.** *(direction)* noroeste *m*. **2.** *(region):* **the Northwest** el noroeste. ◇ *adj* del noroeste. ◇ *adv:* **~ (of)** al noroeste (de).

Norway [ˈnɔːʳweɪ] *n* Noruega.

Norwegian [nɔːʳˈwiːdʒn] ◇ *adj* noruego(ga). ◇ *n* **1.** *(person)* noruego *m*, -ga *f*. **2.** *(language)* noruego *m*.

nose [noʊz] *n (of person)* nariz *f*; *(of animal)* hocico *m*; *(of plane, car)* morro *m*; **to keep one's ~ out of sthg** no meter las narices en algo; **to look down one's ~ at sb/sthg** mirar por encima del hombro a alguien/algo; **to poke** OR **stick one's ~ in** *inf* meter las narices; **to turn up one's ~ at sthg** hacerle ascos a algo. ◆ **nose about, nose around** *vi* curiosear.

nosebleed [ˈnoʊzbliːd] *n* hemorragia *f* nasal.

nosedive [ˈnoʊzdaɪv] ◇ *n (of plane)* picado *m*. ◇ *vi lit & fig* bajar en picado.

nosey [ˈnoʊzɪ] = **nosy**.

nostalgia [nɒˈstældʒə] *n:* **~ (for)** nostalgia *f* (de).

nostril [ˈnɒstrəl] *n* ventana *f* de la nariz.

nosy [ˈnoʊzɪ] *adj* fisgón(ona), curioso(sa).

not [nɒt] *adv* no; **this is ~ the first time**
no es la primera vez; **it's green, isn't it?**
es verde, ¿no?; **I hope/think ~** espero/
creo que no; **~ a chance** de ninguna
manera; **~ even a ...** ni siquiera un
(una) ...; **~ all** OR **every** no todos(das);
~ always no siempre; **~ that ...** no es
que ...; **~ at all** *(no)* en absoluto; *(to ac-*
knowledge thanks) de nada.

notably ['noʊtəblɪ] *adv* **1.** *(in particular)*
especialmente. **2.** *(noticeably)* marcada-
mente.

notary ['noʊtərɪ] *n*: **~ (public)** notario
m, -ria *f*.

notch [nɒtʃ] *n (cut)* muesca *f*.

note [noʊt] ◇ *n* **1.** *(gen)* nota *f*; **to take**
~ of sthg tener algo presente. **2.** *(paper*
money) billete *m*. **3.** *(tone)* tono *m*. ◇ *vt*
1. *(observe)* notar. **2.** *(mention)* mencionar. ◆ **notes** *npl (written record)* apuntes *mpl*; *(in book)* notas *fpl*; **to take ~s**
tomar apuntes. ◆ **note down** *vt sep*
anotar, apuntar.

notebook ['noʊtbʊk] *n* **1.** *(for taking*
notes) libreta *f*, cuaderno *m*. **2.** (COM-
PUT): **~ (computer)** ordenador *m* portátil.

noted ['noʊtəd] *adj* destacado(da); **to**
be ~ for distinguirse por.

notepad ['noʊtpæd] *n* bloc *m* de notas.

notepaper ['noʊtpeɪpəʳ] *n* papel *m* de
escribir OR de cartas.

noteworthy ['noʊtwɜːʳðɪ] *adj* digno
(na) de mención.

nothing ['nʌθɪŋ] ◇ *pron* nada; **I've got**
~ to do no tengo nada que hacer; **for ~**
(free) gratis; *(for no purpose)* en vano, en
balde; **he's ~ if not generous** otra cosa
no será pero desde luego generoso sí
que es; **~ but** tan sólo; **there's ~ for it**
(but to do sthg) *Br* no hay más remedio
(que hacer algo). ◇ *adv*: **to be ~ like sb/**
sthg no parecerse en nada a alguien/
algo; **I'm ~ like finished** no he terminado ni mucho menos.

notice ['noʊtɪs] ◇ *n* **1.** *(on wall, door)*
letrero *m*, cartel *m*; *(in newspaper)* anuncio *m*. **2.** *(attention)* atención *f*; **to take ~**
(of) hacer caso (de), prestar atención
(a). **3.** *(warning)* aviso *m*; **at short ~**
casi sin previo aviso; **until further ~** hasta
nuevo aviso. **4.** *(at work)*: **to be given**
one's ~ ser despedido(da); **to hand in**
one's ~ presentar la dimisión. ◇ *vt*
(sense, smell) notar; *(see)* fijarse en, ver;
to ~ sb doing sthg fijarse en alguien que
está haciendo algo.

noticeable ['noʊtɪsəbl] *adj* notable.

notice board *n* tablón *m* de anuncios.

notify ['noʊtɪfaɪ] *vt*: **to ~ sb (of sthg)**
notificar OR comunicar (algo) a alguien.

notion ['noʊʃn] *n* noción *f*. ◆ **notions**
npl Am artículos *mpl* de mercería.

notorious [noʊ'tɔːrɪəs] *adj* notorio
(ria), célebre.

notwithstanding [ˌnɒtwɪθ'stændɪŋ]
fml ◇ *prep* a pesar de. ◇ *adv* sin embargo.

nougat [*Am* 'nuːɡət, *Br* 'nuːɡɑː] *n* dulce
hecho a base de nueces y frutas.

nought [nɔːt] *num* cero.

noun [naʊn] *n* nombre *m*, sustantivo *m*.

nourish [*Am* 'nɜːrɪʃ, *Br* 'nʌrɪʃ] *vt*
1. *(feed)* nutrir. **2.** *(entertain)* alimentar,
albergar.

nourishing [*Am* 'nɜːrɪʃɪŋ, *Br* nʌr-] *adj*
nutritivo(va).

nourishment [*Am* 'nɜːrɪʃmənt, *Br*
nʌr-] *n* alimento *m*, sustento *m*.

novel ['nɒvl] ◇ *adj* original. ◇ *n* novela *f*.

novelist ['nɒvəlɪst] *n* novelista *m* y *f*.

novelty ['nɒvltɪ] *n* **1.** *(gen)* novedad *f*.
2. *(cheap object)* baratija *f* (poco útil).

November [nə'vembəʳ] *n* noviembre
m; *see also* **September**.

novice ['nɒvɪs] *n* **1.** *(inexperienced per-*
son) principiante *m* y *f*. **2.** (RELIG) novicio
m, -cia *f*.

now [naʊ] ◇ *adv* **1.** *(at this time, at once)*
ahora; **do it ~** hazlo ahora; **he's been**
away for two weeks ~ lleva dos semanas
fuera; **any day ~** cualquier día de éstos;
any time ~ en cualquier momento; **for**
~ por ahora, por el momento; **~ and**
then OR **again** de vez en cuando. **2.** *(at a*
particular time in the past) entonces.
3. *(to introduce statement)* vamos a ver.
◇ *conj*: **~ (that)** ahora que, ya que. ◇ *n*
ahora; **from ~ on** a partir de ahora; **they**
should be here by ~ ya deberían estar
aquí; **up until ~** hasta ahora.

nowadays ['naʊədeɪz] *adv* hoy en día,
actualmente.

nowhere ['noʊweəʳ] *Br*, **no-place** *Am*
adv en ninguna parte; **~ else** en ninguna otra parte; **to be getting ~** no estar
avanzando nada, no ir a ninguna parte;
(to be) ~ near (as ... as ...) (no ser) ni
mucho menos (tan ... como ...).

nozzle ['nɒzl] *n* boquilla *f*.

nuance ['njuːɑːns] *n* matiz *m*.

nuclear ['njuːklɪəʳ] *adj* nuclear.

nuclear bomb *n* bomba *f* atómica.

nuclear disarmament *n* desarme *m*
nuclear.

nuclear power *n* energía *f* nuclear.

nuclear reactor *n* reactor *m* nuclear.

N

nucleus ['njuːklɪəs] (*pl* **-lei** [-lɪaɪ]) *n lit & fig* núcleo *m*.

nude [njuːd] ◇ *adj* desnudo(da). ◇ *n* (ART) desnudo *m*; **in the ~** desnudo(da), en cueros.

nudge [nʌdʒ] *vt* (*with elbow*) dar un codazo a.

nudist ['njuːdəst] *n* nudista *m y f*.

nudity ['njuːdətɪ] *n* desnudez *f*.

nugget ['nʌɡət] *n* (*of gold*) pepita *f*.

nuisance ['njuːsns] *n* (*thing*) fastidio *m*, molestia *f*; (*person*) pesado *m*; **to make a ~ of o.s.** dar la lata.

nuke [njuːk] *inf* ◇ *n* bomba *f* atómica. ◇ *vt* atacar con arma nuclear.

null [nʌl] *adj*: **~ and void** nulo(la) y sin efecto.

numb [nʌm] ◇ *adj* (*gen*) entumecido (da); (*leg, hand*) dormido(da); **to be ~ with cold** estar helado(da) de frío; **to be ~ with fear** estar paralizado(da) de miedo. ◇ *vt* entumecer.

number ['nʌmbər] ◇ *n* 1. (*gen*) número *m*; **a ~ of** varios(rias). **any ~ of** la mar de. 2. (*of car*) matrícula *f*. ◇ *vt* 1. (*amount to*) ascender a. 2. (*give a number to*) numerar. 3. (*include*): **to be ~ed among** figurar entre.

numberplate ['nʌmbərpleɪt] *n* matrícula *f* (de vehículo).

Number Ten *n* el número 10 de *Downing Street, residencia oficial del primer ministro británico*.

numeral ['njuːmrəl] *n* número *m*, cifra *f*.

numerate ['njuːmərət] *adj Br* competente en aritmética.

numerical [njuː'merɪkl] *adj* numérico (ca).

numerous ['njuːmərəs] *adj* numeroso (sa).

nun [nʌn] *n* monja *f*.

nurse [nɜːrs] ◇ *n* (MED) enfermero *m*, -ra *f*; (*nanny*) niñera *f*. ◇ *vt* 1. (*care for*) cuidar, atender. 2. (*try to cure - a cold*) curarse. 3. (*nourish*) abrigar. 4. (*subj: mother*) amamantar.

nursery ['nɜːrsərɪ] *n* 1. (*at home*) cuarto *m* de los niños; (*away from home*) guardería *f*. 2. (*for plants*) semillero *m*, vivero *m*.

nursery rhyme *n* poema *m* OR canción *f* infantil.

nursery school *n* parvulario *m*.

nursery slopes *npl* pista *f* para principiantes.

nursing ['nɜːrsɪŋ] *n* (*profession*) profesión *f* de enfermero; (*of patient*) asistencia *f*, cuidado *m*.

nursing home *n* (*for old people*) clínica *f* de reposo (privada); (*for childbirth*) clínica *f* (privada) de maternidad.

nurture ['nɜːrtʃər] *vt* 1. (*child, plant*) criar. 2. (*plan, feelings*) alimentar.

nut [nʌt] *n* 1. (*to eat*) nuez *f*. 2. (*of metal*) tuerca *f*. 3. *inf* (*mad person*) chiflado *m*, -da *f*. ◆ **nuts** *inf* ◇ *adj*: **to be ~s** estar chalado(da). ◇ *excl Am* ¡maldita sea!

nutcrackers ['nʌtkrækərz] *npl* cascanueces *m inv*.

nutmeg ['nʌtmeɡ] *n* nuez *f* moscada.

nutritious [njuː'trɪʃəs] *adj* nutritivo (va).

nutshell ['nʌtʃel] *n*: **in a ~** en una palabra.

nuzzle ['nʌzl] ◇ *vt* rozar con el hocico. ◇ *vi*: **to ~ (up) against** arrimarse a.

nylon ['naɪlɒn] ◇ *n* nylon *m*. ◇ *comp* de nylon.

o (*pl* **o's** OR **os**), **O** (*pl* **O's** OR **Os**) [oʊ] *n* 1. (*letter*) o *f*, O *f*. 2. (*zero*) cero *m*.

oak [oʊk] ◇ *n* roble *m*. ◇ *comp* de roble.

OAP *n abbr of* **old age pensioner**.

oar [ɔːr] *n* remo *m*.

oasis [oʊ'eɪsɪs] (*pl* **oases** [oʊ'eɪsiːz]) *n lit & fig* oasis *m inv*.

oath [oʊθ] *n* 1. (*promise*) juramento *m*; **on** OR **under ~** bajo juramento. 2. (*swearword*) palabrota *f*.

oatmeal ['oʊtmiːl] *n* harina *f* de avena.

oats [oʊts] *npl* (*grain*) avena *f*.

obedience [ə'biːdjəns] *n*: **~ (to sb)** obediencia *f* (a alguien).

obedient [ə'biːdjənt] *adj* obediente.

obese [oʊ'biːs] *adj fml* obeso(sa).

obey [ə'beɪ] *vt & vi* obedecer.

obituary [*Am* ə'bɪtʃʊerɪ, *Br* -ərɪ] *n* nota *f* necrológica, necrología *f*.

object [*n* 'ɒbdʒɪkt, *vb* ɒb'dʒekt] ◇ *n* 1. (*gen*) objeto *m*. 2. (*aim*) objeto *m*, propósito *m*. 3. (GRAMM) complemento *m*. ◇ *vt* objetar. ◇ *vi*: **to ~ (to sthg/to doing sthg)** oponerse (a algo/a hacer algo).

objection [əb'dʒekʃn] *n* objeción *f*,

reparo *m*; **to have no ~ (to sthg/to doing sthg)** no tener inconveniente (en algo/en hacer algo).

objectionable [əb'dʒekʃnəbl] *adj (person)* desagradable; *(behaviour)* censurable.

objective [əb'dʒektɪv] ◇ *adj* objetivo (va). ◇ *n* objetivo *m*.

obligation [ˌɒblɪ'geɪʃn] *n* 1. *(compulsion)* obligación *f*; **to be under an ~ to do sthg** tener la obligación de hacer algo. 2. *(duty)* deber *m*.

obligatory [*Am* ə'blɪgətɔ:rɪ, *Br* -tərɪ] *adj* obligatorio(ria).

oblige [ə'blaɪdʒ] *vt* 1. *(force)*: **to ~ sb to do sthg** obligar a alguien a hacer algo. 2. *fml (do a favour to)* hacer un favor a.

obliging [ə'blaɪdʒɪŋ] *adj* servicial, atento(ta).

oblique [ə'bli:k] ◇ *adj* 1. *(indirect - reference)* indirecto(ta). 2. *(slanting)* oblicuo(cua). ◇ *n* (TYPO) barra *f*.

obliterate [ə'blɪtəreɪt] *vt* arrasar.

oblivion [ə'blɪvɪən] *n* olvido *m*.

oblivious [ə'blɪvɪəs] *adj* inconsciente; **to be ~ to** OR **of** no ser consciente de.

oblong ['ɒblɒŋ] ◇ *adj* rectangular, oblongo(ga). ◇ *n* rectángulo *m*.

obnoxious [əb'nɒkʃəs] *adj* detestable.

oboe ['oʊbəʊ] *n* oboe *m*.

obscene [əb'si:n] *adj* obsceno(na).

obscure [əb'skjʊə^r] ◇ *adj lit & fig* oscuro(ra). ◇ *vt* 1. *(make difficult to understand)* oscurecer. 2. *(hide)* esconder.

observance [əb'zɜ:^rvns] *n* observancia *f*, cumplimiento *m*.

observant [əb'zɜ:^rvnt] *adj* observador (ra).

observation [ˌɒbzə^r'veɪʃn] *n* 1. *(by police)* vigilancia *f*; *(by doctor)* observación *f*. 2. *(comment)* comentario *m*.

observatory [*Am* əb'zɜ:rvətɔ:rɪ, *Br* əb-'zɜ:vətrɪ] *n* observatorio *m*.

observe [əb'zɜ:^rv] *vt* 1. *(gen)* observar. 2. *(obey)* cumplir con, observar.

observer [əb'zɜ:^rvə^r] *n* observador *m*, -ra *f*.

obsess [əb'ses] *vt* obsesionar; **to be ~ed by** OR **with** estar obsesionado con.

obsessive [əb'sesɪv] *adj* obsesivo(va).

obsolescent [ˌɒbsə'lesnt] *adj* obsolescente.

obsolete ['ɒbsəli:t] *adj* obsoleto(ta).

obstacle ['ɒbstəkl] *n* 1. *(object)* obstáculo *m*. 2. *(difficulty)* estorbo *m*.

obstetrics [ɒb'stetrɪks] *n* obstetricia *f*.

obstinate ['ɒbstənət] *adj* 1. *(stubborn)* obstinado(da), terco(ca). 2. *(persistent)* tenaz.

obstruct [əb'strʌkt] *vt* 1. *(block)* obstruir, bloquear. 2. *(hinder)* estorbar.

obstruction [əb'strʌkʃn] *n (gen)* obstrucción *f*; *(in road)* obstáculo *m*.

obtain [əb'teɪn] *vt* obtener, conseguir.

obtainable [əb'teɪnəbl] *adj* que se puede conseguir, asequible.

obvious ['ɒbvɪəs] *adj* obvio(via), evidente.

obviously ['ɒbvɪəslɪ] *adv* 1. *(of course)* evidentemente, obviamente; **~ not** claro que no. 2. *(clearly)* claramente.

occasion [ə'keɪʒn] *n* 1. *(time)* vez *f*, ocasión *f*; **on one ~** una vez, en una ocasión; **on several ~s** varias veces, en varias ocasiones. 2. *(important event)* acontecimiento *m*; **to rise to the ~** ponerse a la altura de las circunstancias. 3. *fml (opportunity)* ocasión *f*.

occasional [ə'keɪʒnəl] *adj (trip, drink)* poco frecuente, esporádico(ca); *(showers)* ocasional.

occasionally [ə'keɪʒnəlɪ] *adv* de vez en cuando.

occult [ɒ'kʌlt] *adj* oculto(ta).

occupant ['ɒkjəpənt] *n* 1. *(of building, room)* inquilino *m*, -na *f*. 2. *(of chair, vehicle)* ocupante *m* y *f*.

occupation [ˌɒkjə'peɪʃn] *n* 1. *(job)* empleo *m*, ocupación *f*. 2. *(pastime)* pasatiempo *m*. 3. (MIL) *(of country, building)* ocupación *f*.

occupational hazard [ˌɒkjə'peɪʃənl-] *n*: **~s** gajes *mpl* del oficio.

occupational therapy [ˌɒkjə-'peɪʃənl-] *n* terapia *f* ocupacional.

occupier ['ɒkjəpaɪə^r] *n* inquilino *m*, -na *f*.

occupy ['ɒkjəpaɪ] *vt* 1. *(gen)* ocupar. 2. *(live in)* habitar. 3. *(entertain)*: **to ~ o.s.** entretenerse.

occur [ə'kɜ:^r] *vi* 1. *(happen)* ocurrir, suceder. 2. *(be present)* encontrarse. 3. *(thought, idea)*: **to ~ to sb** ocurrírsele a alguien.

occurrence [ə'kʌrəns] *n (event)* acontecimiento *m*.

ocean ['oʊʃn] *n* océano *m*; *Am (sea)* mar *m* o *f*.

o'clock [ə'klɒk] *adv*: **it's one ~** es la una; **it's two/three ~** son las dos/las tres; **at one/two ~** a la una/las dos.

octave ['ɒktɪv] *n* octava *f*.

October [ɒk'toʊbə^r] *n* octubre *m*; *see also* September.

octopus ['ɒktəpəs] *(pl* **-puses** OR **-pi** [-paɪ]*) n* pulpo *m*.

O

OD 1. *abbr of* **overdose**. 2. *abbr of* **over-drawn**.

odd [ɒd] *adj* 1. *(strange)* raro(ra), extraño(ña). 2. *(not part of pair)* sin pareja. 3. *(number)* impar. 4. *inf (leftover)* sobrante. 5. *inf (occasional)*: **I play the ~ game** juego alguna que otra vez. 6. *inf (approximately)*: **30 ~ years** 30 y tantos OR y pico años. ◆ **odds** *npl* 1. the **~s** *(probability)* las probabilidades; *(in betting)* las apuestas; **the ~s are that ...** lo más probable es que ...; **against all ~s** contra viento y marea. 2. *(bits)*: **~s and ends** chismes *mpl*, cosillas *fpl*. 3. *phr*: **to be at ~ with sb** estar reñido con alguien.

oddity ['ɒdəti] *(pl* **-ies)** *n* rareza *f*.

odd jobs *npl* chapuzas *fpl*.

oddly ['ɒdli] *adv* extrañamente; **~ enough** aunque parezca mentira.

oddments ['ɒdmənts] *npl* retales *mpl*.

odometer [oʊ'dɒmɪtər] *n* cuentakilómetros *m inv*.

odor *Am*, **odour** *Br* ['oʊdər] *n (gen)* olor *m*; *(of perfume)* fragancia *f*.

of [*stressed* ɒv, *unstressed* əv] *prep* 1. *(gen)*: **the cover ~ a book** la portada de un libro; **both ~ us** nosotros dos; **to die ~ sthg** morir de algo. 2. *(expressing quantity, referring to container)* de; **thousands ~ people** miles de personas; **a cup ~ coffee** un café, una taza de café. 3. *(indicating amount, age, time)* de; **a child ~ five** un niño de cinco (años); **an increase ~ 6%** un incremento del 6%; **the 12th ~ February** el 12 de febrero. 4. *(made from)* de; **a dress ~ silk** un vestido de seda. 5. *(with emotions, opinions)*: **fear ~ ghosts** miedo a los fantasmas; **love ~ good food** amor por la buena mesa; **it was very kind ~ you** fue muy amable de OR por tu parte.

off [ɒf] ◇ *adv* 1. *(away)*: **to drive ~** alejarse conduciendo; **to turn ~ (the road)** salir de la carretera; **I'm ~!** ¡me voy! 2. *(at a distance - in time)*: **it's two days ~** quedan dos días; **that's a long time ~** aún queda mucho para eso; *(- in space)*: **it's ten miles ~** está a diez millas; **far ~** lejos. 3. *(so as to remove)*: **to take ~** *(gen)* quitar; *(one's clothes)* quitarse; **to cut ~** cortar; **could you help me ~ with my coat?** ¿me ayudas a quitarme el abrigo? 4. *(so as to complete)*: **to finish ~** terminar, acabar; **to kill ~** rematar. 5. *(not at work)* libre, de vacaciones; **a day ~** un día libre; **time ~** tiempo *m* libre. 6. *(so as to separate)*: **to fence ~** vallar; **to wall ~** tapiar. 7. *(discounted)*: **£10 ~** 10 libras de descuento. 8. *(having money)*: **to be**

well/badly ~ andar bien/mal de dinero. ◇ *prep* 1. *(away from)*: **to get ~ sthg** bajarse de algo; **to keep ~ sthg** mantenerse alejado de algo; **'keep ~ the grass'** 'prohibido pisar el césped'. 2. *(close to)*: **just ~ the coast** muy cerca de la costa; **it's ~ Oxford Street** está al lado de Oxford Street. 3. *(removed from)*: **to cut a slice ~ sthg** cortar un pedazo de algo; **take your hands ~ me!** ¡quítame las manos de encima! 4. *(not attending)*: **to be ~ work/duty** no estar trabajando/de servicio. 5. *inf (no longer liking)*: **she's ~ coffee/her food** no le apetece café/comer. 6. *(deducted from)*: **there's 10% ~ the price** hay un 10% de rebaja sobre el precio. 7. *inf (from)*: **I bought it ~ him** se lo compré a él. ◇ *adj* 1. *(gone bad - meat, cheese)* pasado(da), estropeado(da); *(- milk)* cortado(da). 2. *(not operating)* apagado(da). 3. *(cancelled)* suspendido(da).

offal ['ɒfl] *n (U)* asaduras *fpl*.

off-chance *n*: **on the ~** por si acaso.

off colour *adj* indispuesto(ta).

off duty *adj* fuera de servicio.

offence *Br* = **offense**.

offend [ə'fend] *vt* ofender.

offender [ə'fendər] *n* 1. *(criminal)* delincuente *m* y *f*. 2. *(culprit)* culpable *m* y *f*.

offense *Am*, **offence** *Br* [ə'fens, *sense 3* 'ɒfens] *n* 1. *(crime)* delito *m*. 2. *(cause of upset)* ofensa *f*; **to take ~** ofenderse. 3. *Am* (SPORT) ataque *m*.

offensive [ə'fensɪv] ◇ *adj* 1. *(remark, behaviour)* ofensivo(va); *(smell)* repugnante. 2. *(aggressive)* atacante. ◇ *n* (MIL) ofensiva *f*.

offer ['ɒfər] ◇ *n* oferta *f*; **on ~** *(available)* disponible; *(at a special price)* en oferta. ◇ *vt* ofrecer; **to ~ sthg to sb, to ~ sb sthg** ofrecer algo a alguien; *(be willing)*: **to ~ to do sthg** ofrecerse a hacer algo. ◇ *vi* ofrecerse.

offering ['ɒfərɪŋ] *n* 1. *(thing offered)* ofrecimiento *m*; *(gift)* regalo *m*. 2. *(sacrifice)* ofrenda *f*.

off-guard *adj* desprevenido(da).

offhand [ˌɒf'hænd] ◇ *adj* brusco(ca), descortés. ◇ *adv* de improviso.

office ['ɒfɪs] *n* 1. *(gen)* oficina *f*. 2. *(room)* despacho *m*, oficina *f*. 3. *(position of authority)* cargo *m*; **in ~** *(political party)* en el poder; *(person)* en el cargo; **to take ~** *(political party)* subir al poder; *(person)* asumir el cargo.

office automation *n* ofimática *f*.

office block *n* bloque *m* de oficinas.

office hours *npl* horas *fpl* de oficina.
officer ['ɒfəsər] *n* **1.** (MIL) oficial *m y f*. **2.** *(in organization)* director *m*, -ra *f*. **3.** *(in police force)* agente *m y f* de policía.
office worker *n* oficinista *m y f*.
official [ə'fɪʃl] ◇ *adj* oficial. ◇ *n* *(of union)* delegado *m*, -da *f*; *(of government)* funcionario *m*, -ria *f*.
officialdom [ə'fɪʃəldəm] *n* burocracia *f*.
offing ['ɒfɪŋ] *n*: **to be in the ~** estar al caer OR a la vista.
off-licence *n* Br tienda donde se venden bebidas alcohólicas para llevar.
off-line *adj* (COMPUT) desconectado (da).
off-peak *adj (electricity, phone call, travel)* de tarifa reducida; *(period)* económico(ca).
off-putting [-pʊtɪŋ] *adj* repelente.
off season *n*: **the ~** la temporada baja.
offset ['ɒfset] *(pt & pp* offset) *vt* compensar, contrarrestar.
offshoot ['ɒfʃuːt] *n* retoño *m*.
offshore ['ɒfʃɔːr] ◇ *adj (wind)* costero (ra); *(fishing)* de bajura; *(oil rig)* marítimo(ma); *(banking)* en bancos extranjeros. ◇ *adv* mar adentro; **two miles ~** a dos millas de la costa.
offside [,ɒf'saɪd] ◇ *adj* **1.** *(part of vehicle - right-hand drive)* izquierdo(da); *(- left-hand drive)* derecho(cha). **2.** (SPORT) fuera de juego. ◇ *adv* (SPORT) fuera de juego.
offspring ['ɒfsprɪŋ] *(pl inv) n* **1.** *(of people - child)* fml or hum descendiente *m y f*; *(- children)* descendencia *f*. **2.** *(of animals)* crías *fpl*.
offstage [,ɒf'steɪdʒ] *adj & adv* entre bastidores.
off-the-cuff ◇ *adj* improvisado(da). ◇ *adv* improvisadamente.
off-the-record ◇ *adj* extraoficial. ◇ *adv* extraoficialmente.
off-white *adj* blancuzco(ca).
often ['ɒfn] *adv (many times)* a menudo, con frecuencia; **how ~ do you go?** ¿cada cuánto OR con qué frecuencia vas?; **I don't ~ see him** no lo veo mucho. ◆ **as often as not** *adv* muchas veces. ◆ **every so often** *adv* cada cierto tiempo. ◆ **more often than not** *adv* la mayoría de las veces.
ogle ['əʊgl] *vt pej* comerse con los ojos.
oh [əʊ] *excl* **1.** *(to introduce comment)* ¡ah!; **~ really?** ¿de verdad? **2.** *(expressing joy, surprise, fear)* ¡oh!; **~ no!** ¡no!
oil [ɔɪl] ◇ *n* **1.** *(gen)* aceite *m*. **2.** *(petroleum)* petróleo *m*. ◇ *vt* engrasar.
oilcan ['ɔɪlkæn] *n* aceitera *f*.
oilfield ['ɔɪlfiːld] *n* yacimiento *m* petrolífero.
oil filter *n* filtro *m* del aceite.
oil painting *n* (pintura *f* al) óleo *m*.
oilrig ['ɔɪlrɪg] *n* plataforma *f* petrolífera.
oilskins ['ɔɪlskɪnz] *npl (gen)* prenda *f* de hule; *(coat)* impermeable *m*, chubasquero *m*.
oil slick *n* marea *f* negra.
oil tanker *n* **1.** *(ship)* petrolero *m*. **2.** *(lorry)* camión *m* cisterna.
oil well *n* pozo *m* petrolífero OR de petróleo.
oily ['ɔɪlɪ] *adj (food)* aceitoso(sa); *(rag, cloth)* grasiento(ta).
ointment ['ɔɪntmənt] *n* pomada *f*, ungüento *m*.
OK *(pt & pp* OKed, *cont* OKing), **okay** [əʊ'keɪ] *inf* ◇ *adj*: **is it ~ with you?** ¿te parece bien? ◇ *excl* **1.** *(gen)* vale, de acuerdo. **2.** *(to introduce new topic)* bien, vale. ◇ *vt* dar el visto bueno a.
old [əʊld] ◇ *adj* **1.** *(gen)* viejo(ja); **how ~ are you?** ¿cuántos años tienes?, ¿qué edad tienes?; **I'm 20 years ~** tengo 20 años. **2.** *(former)* antiguo(gua). ◇ *npl*: **the ~** los ancianos.
old age *n* vejez *f*.
old age pensioner *n* Br pensionista *m y f*, jubilado *m*, -da *f*.
Old Bailey [-'beɪlɪ] *n*: **the ~** el juzgado criminal central de Inglaterra.
old-fashioned [-'fæʃnd] *adj* **1.** *(outmoded)* pasado(da) de moda, anticuado (da). **2.** *(traditional)* tradicional.
old people's home *n* residencia *f* OR hogar *m* de ancianos.
O level *n* Br ≃ Bachillerato *m*, ≃ BUP *m*.
olive ['ɒlɪv] ◇ *adj* verde oliva. ◇ *n (fruit)* aceituna *f*, oliva *f*.
olive green *adj* verde oliva.
olive oil *n* aceite *m* de oliva.
Olympic [ə'lɪmpɪk] *adj* olímpico(ca). ◆ **Olympics** *npl*: **the ~s** los Juegos Olímpicos.
Olympic Games *npl*: **the ~** los Juegos Olímpicos.
ombudsman ['ɒmbʊdzmən] *(pl* -men [-mən]) *n* ≃ Defensor *m* del Pueblo.
omelet(te) ['ɒmlət] *n* tortilla *f*.
omen ['əʊmen] *n* presagio *m*, agüero *m*.
ominous ['ɒmɪnəs] *adj* siniestro(tra), de mal agüero.
omission [əʊ'mɪʃn] *n* **1.** *(thing left out)*

olvido *m*, descuido *m*. 2. *(act of omitting)* omisión *f*.

omit [oʊ'mɪt] *vt* omitir; *(name - from list)* pasar por alto; **to ~ to do sthg** olvidar hacer algo.

omnibus ['ɒmnɪbəs] *n* 1. *(book)* antología *f*. 2. *Br (RADIO & TV)* programa que emite varios capítulos seguidos.

on [ɒn] ◇ *prep* 1. *(indicating position - gen)* en; *(- on top of)* sobre, en; **~ a chair** en OR sobre una silla; **~ the wall/ground** en la pared/el suelo; **he was lying ~ his side/back** estaba tumbado de costado/de espaldas; **~ the left/right** a la izquierda/derecha; **I haven't got any money ~ me** no llevo nada de dinero encima. 2. *(indicating means)*: **it runs ~ diesel** funciona con diesel; **~ TV/the radio** en la tele/la radio; **she's ~ the telephone** está al teléfono; **he lives ~ fruit** vive (a base) de fruta; **to hurt o.s. ~ sthg** hacerse daño con algo. 3. *(indicating mode of transport)*: **to travel ~ a bus/train/ship** viajar en autobús/tren/barco; **I was ~ the bus** iba en el autobús; **to get ~ a bus/train/ship** subirse a un autobús/tren/ barco; **~ foot** a pie. 4. *(indicating time, activity)*: **~ Thursday** el jueves; **~ my birthday** el día de mi cumpleaños; **~ the 10th of February** el 10 de febrero; **~ my return, ~ returning** al volver; **~ business/holiday** de negocios/vacaciones. 5. *(concerning)* sobre, acerca de; **a book ~ astronomy** un libro acerca de OR sobre astronomía. 6. *(indicating influence)* en, sobre; **the impact ~ the environment** el impacto en OR sobre el medio ambiente. 7. *(using, supported by)*: **to be ~ social security** cobrar dinero de la seguridad social; **he's ~ tranquillizers** está tomando tranquilizantes; **to be ~ drugs** *(addicted)* drogarse. 8. *(earning)*: **she's ~ £25,000 a year** gana 25.000 libras al año. 9. *(referring to musical instrument)* con; **~ the violin** con el violín; **~ the piano** al piano. 10. *inf (paid by)*: **the drinks are ~ me** yo pago las copas, a las copas invito yo. ◇ *adv* 1. *(indicating covering, clothing)*: **put the lid ~** pon la tapa; **what did she have ~?** ¿qué llevaba encima OR puesto?; **put your coat ~** ponte el abrigo. 2. *(being shown)*: **what's ~ at the cinema?** ¿qué echan OR ponen en el cine? 3. *(working - machine)* funcionando; *(- radio, TV, light)* encendido(da); *(- tap)* abierto(ta); *(- brakes)* puesto(ta); **turn ~ the power** pulse el botón de encendido. 4. *(indicating continuing action)*: **he kept ~ walking** siguió caminando. 5. *(forward)*: **send my mail ~ (to me)** reenvíame el correo; **later**

~ más tarde, después; **earlier ~ con anterioridad, antes. 6. *inf (referring to behaviour)*: **it's just not ~!** ¡es una pasada! ◆ **from ... on** *adv*: **from now ~** de ahora en adelante; **from that moment/time ~** desde aquel momento/aquella vez. ◆ **on and off** *adv* de vez en cuando. ◆ **on to, onto** *prep (only written as onto for senses 4 and 5)* 1. *(to a position on top of)* encima de, sobre; **she jumped ~ to the chair** saltó encima de OR sobre la silla. 2. *(to a position on a vehicle)*: **to get ~ to a bus/train/plane** subirse a un autobús/tren/avión. 3. *(to a position attached to)* a; **stick the photo ~ to the page** pega la foto a la hoja. 4. *(aware of wrongdoing)*: **to be onto sb** andar detrás de alguien. 5. *(into contact with)*: **get onto the factory** ponte en contacto con la fábrica.

• Ver **AT**.

once [wʌns] ◇ *adv* 1. *(on one occasion)* una vez; **~ a week** una vez a la semana; **~ again** OR **more** otra vez; **for ~** por una vez; **~ and for all** de una vez por todas; **~ or twice** alguna que otra vez; **~ in a while** de vez en cuando. 2. *(previously)* en otro tiempo, antiguamente; **~ upon a time** érase una vez. ◇ *conj* una vez que; **~ you have done it** una vez que lo hayas hecho. ◆ **at once** *adv* 1. *(immediately)* en seguida, inmediatamente. 2. *(at the same time)* a la vez, al mismo tiempo; **all at ~** de repente, de golpe.

oncoming ['ɒnkʌmɪŋ] *adj (traffic)* que viene en dirección contraria; *(danger, event)* venidero(ra).

one [wʌn] ◇ *num (the number 1)* un (una); **I only want ~** sólo quiero uno; **~ fifth** un quinto, una quinta parte; **~ of my friends** uno de mis amigos; **on page a hundred and ~** en la página ciento uno; *(number)* **~ el uno.** ◇ *adj* 1. *(only)* único(ca); **it's her ~ ambition** es su única ambición. 2. *(indefinite)*: **~ of these days** un día de éstos. ◇ *pron* 1. *(referring to a particular thing or person)* uno (una); **I want the red ~** yo quiero el rojo; **the ~ with the blond hair** la del pelo rubio; **which ~ do you want?** ¿cuál quieres?; **this ~** éste (ésta); **that ~** ése (ésa); **she's the ~ I told you about** es (ésa) de la que te hablé. 2. *fml (you, anyone)* uno (una); **to do ~'s duty** cumplir uno con su deber. ◆ **for one** *adv*: **I for ~ remain unconvinced** yo, por lo menos OR por mi parte, sigo poco convencido.

• No confundamos el artículo indeterminado *a/an* con el numeral *one*. En la oración <u>an</u> *ice box is no good, you need a deep freeze* ("<u>un</u> refrigerador no sirve, te hace falta un congelador") *ice box* se opone a *deep freeze*. Pero en <u>one</u> *ice box is no good, we've got enough food to fill three* ("<u>un</u> refrigerador no sirve, tenemos comida para llenar tres") *one* se opone a *three*.

• El uso del pronombre *one* para hablar de uno mismo o de la gente (*how does <u>one</u> spell 'focused'?*) es muy formal. En estos casos se emplea generalmente *you* (*how do <u>you</u> spell 'focused'?*, "cómo <u>se</u> escribe 'focused'?*).

one-armed bandit *n* (máquina *f*) tragaperras *f inv*.

one-off *inf* ◇ *adj* único(ca). ◇ *n* caso *m* excepcional.

one-on-one *Am*, **one-to-one** *Br adj* (*relationship, discussion*) entre dos; (*tuition*) individual.

one-parent family *n* familia *f* monoparental.

oneself [wʌn'self] *pron* 1. (*reflexive, after prep*) uno mismo (una misma); **to buy presents for ~** hacerse regalos a sí mismo. 2. (*for emphasis*): **by ~** (*without help*) solo(la).

one-sided [-'saɪdəd] *adj* 1. (*unequal*) desigual. 2. (*biased*) parcial.

one-to-one *Br* = **one-on-one**.

one-upmanship [wʌn'ʌpmənʃɪp] *n* habilidad para ganar ventaja sin hacer trampas.

one-way *adj* 1. (*street*) de dirección única. 2. (*ticket*) de ida.

ongoing ['ɒngoʊɪŋ] *adj* actual, en curso.

onion ['ʌnjən] *n* cebolla *f*.

online ['ɒnlaɪn] *adj & adv* (COMPUT) en línea.

onlooker ['ɒnlʊkər] *n* espectador *m*, -ra *f*.

only ['oʊnlɪ] ◇ *adj* único(ca); **an ~ child** hijo único. ◇ *adv* (*exclusively*) sólo, solamente; **I was ~ too willing to help** estaba encantado de poder ayudar; **I ~ wish I could!** ¡ojalá pudiera!; **it's ~ natural** es completamente normal; **not ~ ... but** no sólo ... sino; **~ just** apenas. ◇ *conj* sólo OR solamente que; **I would go, ~ I'm too tired** iría, lo que pasa es que estoy muy cansado.

onset ['ɒnset] *n* comienzo *m*.

onshore ['ɒnʃɔːr] *adj* (*wind*) procedete del mar; (*oil production*) en tierra firme.

onslaught ['ɒnslɔːt] *n lit & fig* acometida *f*.

onto ['ɒntuː] = **on to**.

onus ['oʊnəs] *n* responsabilidad *f*.

onward ['ɒnwəd] ◇ *adj* (*in time*) progresivo(va); (*in space*) hacia delante. ◇ *adv* **onwards**.

onwards ['ɒnwədz] *adv* (*in space*) adelante, hacia delante; (*in time*): **from now/ then ~** de ahora/allí en adelante.

ooze [uːz] ◇ *vt fig* rebosar. ◇ *vi*: **to ~ (from** OR **out of)** rezumar (de); **to ~ with sthg** *fig* rebosar OR irradiar algo.

opaque [oʊ'peɪk] *adj* 1. (*not transparent*) opaco(ca). 2. *fig* (*obscure*) oscuro (ra).

OPEC ['oʊpek] (*abbr of* **Organization of Petroleum Exporting Countries**) *n* OPEP *f*.

open ['oʊpən] ◇ *adj* 1. (*gen*) abierto (ta); (*curtains*) descorrido(da); (*view, road*) despejado(da). 2. (*receptive*): **to be ~ to** (*ideas, suggestions*) estar abierto a; (*blame, criticism, question*) prestarse a. 3. (*frank*) sincero(ra), franco(ca). 4. (*uncovered - car*) descubierto(ta). 5. (*available - subj: choice, chance*): **to be ~ to sb** estar disponible para alguien. ◇ *n*: **in the ~** (*fresh air*) al aire libre; **to bring sthg out into the ~** sacar a luz algo. ◇ *vt* 1. (*gen*) abrir; **to ~ fire** abrir fuego. 2. (*inaugurate - public area, event*) inaugurar. ◇ *vi* 1. (*door, flower*) abrirse. 2. (*shop, office*) abrir. 3. (*event, play*) dar comienzo. ◆ **open on to** *vt fus* dar a. ◆ **open up** ◇ *vt sep* abrir. ◇ *vi* 1. (*become available*) surgir. 2. (*unlock door*) abrir.

opener ['oʊpnər] *n* (*gen*) abridor *m*; (*for tins*) abrelatas *m inv*; (*for bottles*) abrebotellas *m inv*.

opening ['oʊpənɪŋ] ◇ *adj* inicial. ◇ *n* 1. (*beginning*) comienzo *m*, principio *m*. 2. (*gap - in fence*) abertura *f*. 3. (*opportunity*) oportunidad *f*. 4. (*job vacancy*) puesto *m* vacante.

opening hours *npl* horario *m* (de apertura).

openly ['oʊpənlɪ] *adv* abiertamente.

open-minded [-'maɪndəd] *adj* sin prejuicios.

open-plan *adj* de plan abierto, sin tabiques.

Open University *n Br*: **the ~** = la Universidad Nacional de Educación a Distancia.

O

opera ['ɒprə] *n* ópera *f*.

opera house *n* teatro *m* de la ópera.

operate ['ɒpəreɪt] ◇ *vt* **1.** *(machine)* hacer funcionar. **2.** *(business, system)* dirigir. ◇ *vi* **1.** *(carry out trade, business)* operar, actuar. **2.** *(function)* funcionar. **3.** (MED): **to ~ (on sb/sthg)** operar (a alguien/de algo).

operating room *Am*, **operating theatre** *Br* ['ɒpəreɪtɪŋ-] *n* quirófano *m*.

operation [,ɒpə'reɪʃn] *n* **1.** *(planned activity - police, rescue, business)* operación *f*; *(- military)* maniobra *f*. **2.** *(running - of business)* administración *f*. **3.** *(functioning - of machine)* funcionamiento *m*; **to be in ~** *(machine)* funcionar; *(law, system)* estar en vigor. **4.** (MED) operación *f*, intervención *f* quirúrgica; **to have an ~ (for/on)** operarse (de).

operational [,ɒpə'reɪʃnəl] *adj (ready for use)* operacional, en estado de funcionamiento.

operative ['ɒpərətɪv] ◇ *adj* en vigor, vigente. ◇ *n* operario *m*, -ria *f*.

operator ['ɒpəreɪtər] *n* **1.** (TELEC) operador *m*, -ra *f*, telefonista *m* y *f*. **2.** *(employee)* operario *m*, -ria *f*. **3.** *(person in charge - of business)* encargado *m*, -da *f*.

opinion [ə'pɪnjən] *n* opinión *f*; **to be of the ~ that** opinar OR creer que; **in my ~** a mi juicio, en mi opinión.

opinionated [ə'pɪnjəneɪtəd] *adj pej* terco(ca).

opinion poll *n* sondeo *m*, encuesta *f*.

opponent [ə'pəunənt] *n* **1.** (POL) adversario *m*, -ria *f*. **2.** (SPORT) contrincante *m* y *f*.

opportune [,ɒpə'tjuːn] *adj* oportuno (na).

opportunist [,ɒpə'tjuːnəst] *n* oportunista *m* y *f*.

opportunity [,ɒpə'tjuːnətɪ] *n* oportunidad *f*, ocasión *f*; **to take the ~ to do** OR **of doing sthg** aprovechar la ocasión de OR para hacer algo.

oppose [ə'pəuz] *vt* oponerse a.

opposed [ə'pəuzd] *adj* opuesto(ta); **to be ~ to** oponerse a; **as ~ to** en vez de, en lugar de; **I like beer as ~ to wine** me gusta la cerveza y no el vino.

opposing [ə'pəuzɪŋ] *adj* opuesto(ta), contrario(ria).

opposite ['ɒpəzɪt] ◇ *adj* **1.** *(facing - side, house)* de enfrente. **2.** *(very different)* **~ (to)** opuesto(ta) OR contrario(ria) (a). ◇ *adv* enfrente. ◇ *prep* enfrente de. ◇ *n* contrario *m*.

opposite number *n* homólogo *m*, -ga *f*.

opposition [,ɒpə'zɪʃn] *n* **1.** *(gen)* oposición *f*. **2.** *(opposing team)* oponentes *mpl* y *fpl*. ◆ **Opposition** *n Br* (POL): **the Opposition** la oposición.

oppress [ə'pres] *vt* **1.** *(persecute)* oprimir. **2.** *(depress)* agobiar, deprimir.

oppressive [ə'presɪv] *adj* **1.** *(unjust)* tiránico(ca), opresivo(va). **2.** *(stifling)* agobiante, sofocante. **3.** *(causing unease)* opresivo(va), agobiante.

opt [ɒpt] ◇ *vt*: **to ~ to do sthg** optar por OR elegir hacer algo. ◇ *vi*: **to ~ for sthg** optar por OR elegir algo. ◆ **opt in** *vi*: **to ~ in (to sthg)** optar por participar (en algo). ◆ **opt out** *vi*: **to ~ out (of sthg)** decidir no tomar parte (en algo).

optical ['ɒptɪkl] *adj* óptico(ca).

optician [ɒp'tɪʃn] *n* óptico *m*, -ca *f*; **~'s (shop)** la óptica.

optimist ['ɒptəmɪst] *n* optimista *m* y *f*.

optimistic [,ɒptə'mɪstɪk] *adj* optimista.

optimum ['ɒptəməm] *adj* óptimo(ma).

option ['ɒpʃn] *n* opción *f*; **to have the ~ to do** OR **of doing sthg** tener la opción OR la posibilidad de hacer algo.

optional ['ɒpʃnəl] *adj* facultativo(va), optativo(va); **~ extra** extra *m* opcional.

or [ɔːr] *conj* **1.** *(gen)* o; *(before 'o' or 'ho')* u; **~ (else)** o de lo contrario, si no. **2.** *(after negative)*: **he cannot read ~ write** no sabe ni leer ni escribir.

•Ver **EITHER**.

oral ['ɔːrəl] ◇ *adj* **1.** *(spoken)* oral. **2.** *(relating to the mouth)* bucal. ◇ *n* examen *m* oral.

orally ['ɔːrəlɪ] *adv* **1.** *(in spoken form)* oralmente. **2.** *(via the mouth)* por vía oral.

orange ['ɒrɪndʒ] ◇ *adj* naranja *(inv)*. ◇ *n (fruit)* naranja *f*.

orbit [*Am* 'ɔːrbət, *Br* 'ɔːbɪt] ◇ *n* órbita *f*. ◇ *vt* girar alrededor de.

orchard ['ɔːrtʃərd] *n* huerto *m*.

orchestra ['ɔːrkəstrə] *n* orquesta *f*.

orchestral [ɔːr'kestrəl] *adj* orquestal.

orchid [*Am* 'ɔːrkəd, *Br* 'ɔːkɪd] *n* orquídea *f*.

ordain [ɔːr'deɪn] *vt* **1.** *fml (decree)* decretar, ordenar. **2.** (RELIG): **to be ~ed** ordenarse (sacerdote).

ordeal [ɔːr'diːl] *n* calvario *m*, experiencia *f* terrible.

order [ˈɔːʳdəʳ] ◇ n 1. (instruction) orden f; **to be under ~s to do sthg** tener órdenes de hacer algo. 2. (COMM) (request) pedido m; **to ~ por** encargo. 3. (sequence, discipline, system) orden m; **in ~** en orden; **in ~ of importance** por orden de importancia. 4. (fitness for use): **in working ~** en funcionamiento; **'out of ~'** 'no funciona'; **to be out of ~** (not working) estar estropeado(da); (incorrect behaviour) ser improcedente; **in ~** (correct) en regla. 5. (RELIG) orden f. 6. Am (portion) ración f. ◇ vt 1. (command): **to ~ sb (to do sthg)** ordenar a alguien (que haga algo); **to ~ that** ordenar que. 2. (request - drink, taxi) pedir. 3. (COM) encargar. ◆ **on the order of** Am, **in the order of** Br prep del orden de. ◆ **in order that** conj para que. ◆ **in order to** conj para. ◆ **order about, order around** vt sep mangonear.

order form n hoja f de pedido.

orderly [ˈɔːʳdəʳli] ◇ adj (person, crowd) obediente; (room) ordenado(da), en orden. ◇ n (in hospital) auxiliar m y f sanitario.

ordinarily [ˌɔːʳdnˈerəli] adv de ordinario.

ordinary [ˈɔːʳdnəri] ◇ adj 1. (normal) corriente, normal. 2. pej (unexceptional) mediocre, ordinario(ria). ◇ n: **out of the ~** fuera de lo común.

ordnance [ˈɔːʳdnəns] n (U) 1. (military supplies) pertrechos mpl de guerra. 2. (artillery) artillería f.

ore [ɔːʳ] n mineral m.

oregano [Am əˈreɡənəʊ, Br ˌɒrɪˈɡɑːnəʊ] n orégano m.

organ [ˈɔːʳɡən] n órgano m.

organic [ɔːʳˈɡænɪk] adj orgánico(ca).

organization [Am ˌɔːrɡənəˈzeɪʃn, Br ˌɔːɡənaɪˈzeɪʃn] n organización f.

organize [ˈɔːʳɡənaɪz] vt organizar.

organizer [ˈɔːʳɡənaɪzəʳ] n organizador m, -ra f.

orgasm [ˈɔːʳɡæzm] n orgasmo m.

orgy [ˈɔːʳdʒɪ] n lit & fig orgía f.

Orient [ˈɔːrɪənt] n: **the ~** el Oriente.

oriental [ˌɔːrɪˈentl] adj oriental.

origin [ˈɒrɪdʒɪn] n origen m; **country of ~** país m de origen. ◆ **origins** npl origen m.

original [əˈrɪdʒənəl] ◇ adj original; **the ~ owner** el primer propietario. ◇ n original m.

originally [əˈrɪdʒnəli] adv (at first) originariamente; (with originality) originalmente.

originate [əˈrɪdʒəneɪt] ◇ vt originar,

producir. ◇ vi: **to ~ (in)** nacer OR surgir (de); **to ~ from** nacer OR surgir de.

Orkney Islands [ˈɔːʳknɪ-], **Orkneys** [ˈɔːʳknɪz] npl: **the ~** las Orcadas.

ornament [ˈɔːʳnəmənt] n adorno m.

ornamental [ˌɔːʳnəˈmentl] adj ornamental, decorativo(va).

ornate [ɔːʳˈneɪt] adj (style) recargado (da); (decoration, vase) muy vistoso(sa).

orphan [ˈɔːʳfn] ◇ n huérfano m, -na f. ◇ vt: **to be ~ed** quedarse huérfano.

orphanage [ˈɔːʳfənɪdʒ] n orfelinato m.

orthodox [ˈɔːʳθədɒks] adj ortodoxo (xa).

orthopaedic [ˌɔːʳθəˈpiːdɪk] adj ortopédico(ca).

orthopedic [ˌɔːʳθəˈpiːdɪk] etc = **orthopaedic** etc.

Oslo [ˈɒzləʊ] n Oslo.

ostensible [ɒˈstensəbl] adj aparente.

ostentatious [ˌɒstenˈteɪʃəs] adj 1. (lifestyle, wealth) ostentoso(sa). 2. (person) ostentativo(va). 3. (behaviour) ostensible.

osteopath [ˈɒstɪəpæθ] n osteópata m y f.

ostrich [ˈɒstrɪtʃ] n avestruz m.

other [ˈʌðəʳ] ◇ adj otro (otra); **the ~ one** el otro (la otra); **the ~ day** el otro día. ◇ pron 1. (different one): **~s** otros (otras). 2. (remaining, alternative one): **the ~** el otro (la otra); **the ~s** los otros (las otras), los demás (las demás); **one after the ~** uno tras otro; **one or ~** uno u otro; **to be none ~ than** no ser otro(tra) sino. ◆ **something or other** pron una cosa u otra. ◆ **somehow or other** adv de una u otra forma. ◆ **other than** conj excepto, salvo.

otherwise [ˈʌðəʳwaɪz] ◇ adv 1. (or else) si no. 2. (apart from that) por lo demás. 3. (differently) de otra manera; **deliberately or ~** adrede o no. ◇ conj sino, de lo contrario.

otter [ˈɒtəʳ] n nutria f.

ouch [aʊtʃ] excl ¡ay!

ought [ɔːt] aux vb deber; **you ~ to go/ to be nicer** deberías irte/ser más amable; **she ~ to pass the exam** tiene probabilidades de aprobar el examen.

• *Ought to have*, seguido de un participio pasado puede expresar arrepentimiento (*I ought to have called on her birthday*, "<u>debería haberle</u> llamado en su cumpleaños") o reproche (*you ought to have been more careful*, "<u>debería haber</u> sido más cuidadoso").

ounce [auns] *n* (*unit of measurement*) = 28,35g, ≈ onza *f*.

our ['auər] *poss adj* nuestro(tra), nuestros(tras) (*pl*); ~ **money** nuestro dinero; ~ **house** nuestra casa; ~ **children** nuestros hijos; **it wasn't** OUR **fault** no fue culpa nuestra OR nuestra culpa; **we washed** ~ **hair** nos lavamos el pelo.

• Para referirse a las partes del cuerpo humano se usa el adjetivo posesivo *our* en lugar del artículo *the* (*our hair; our legs*).

ours ['auərz] *poss pron* nuestro(tra); **that money is** ~ ese dinero es nuestro; **those keys are** ~ esas llaves son nuestras; **it wasn't their fault, it was** OURS no fue culpa de ellos sino de nosotros; **a friend of** ~ un amigo nuestro; **their car hit** ~ suyo coche chocó contra el nuestro.

ourselves [auər'selvz] *pron pl* **1.** (*reflexive*) nos *mpl y fpl*; (*after prep*) nosotros *mpl*, nosotras *fpl*. **2.** (*for emphasis*) nosotros mismos *mpl*, nosotras mismas *fpl*; **we did it by** ~ lo hicimos nosotros solos.

oust [aust] *vt fml*: **to** ~ **sb (from)** (*job*) desbancar a alguien (de); (*land*) desalojar a alguien (de).

out [aut] *adv* **1.** (*not inside, out of doors*) fuera; **we all went** ~ todos salimos fuera; **I'm going** ~ **for a walk** voy a salir a dar un paseo; **they ran** ~ salieron corriendo; **he poured the water** ~ sirvió el agua; ~ **here/there** aquí/allí fuera. **2.** (*away from home, office*) fuera; **John's** ~ **at the moment** John está fuera ahora mismo. **3.** (*extinguished*) apagado(da); **the fire went** ~ el fuego se apagó. **4.** (*of tides*): **the tide had gone** ~ la marea estaba baja. **5.** (*out of fashion*) pasado(da) de moda. **6.** (*published, released - book*) publicado(da); **they've a new record** ~ han sacado un nuevo disco. **7.** (*in flower*) en flor. **8.** *inf* (*on strike*) en huelga. **9.** (*determined*): **to be** ~ **to do sthg** estar decidido(da) a hacer algo. ♦ **out of** *prep* **1.** (*away from, outside*) fuera de; **to go** ~ **of the room** salir de la habitación. **2.** (*indicating cause*) por; ~ **of spite/love** por rencor/amor. **3.** (*indicating origin, source*) de; **a page** ~ **of a book** una página de un libro. **4.** (*without*) sin; **we're** ~ **of sugar** estamos sin azúcar, se nos ha acabado el azúcar. **5.** (*made from*) de; **it's made** ~ **of plastic** está hecho de plástico. **6.** (*sheltered from*) a resguardo de. **7.** (*to indicate proportion*): **one** ~ **of ten people** una de cada diez personas; **ten** ~ **of ten** (*mark*) diez de OR sobre diez.

out-and-out *adj* (*disgrace, lie*) infame; (*liar, crook*) redomado(da).

outback ['autbæk] *n*: **the** ~ los llanos del interior de Australia.

outboard (motor) [,'autbɔ:rd(-)] *n* (motor *m*) fueraborda *m*.

outbreak ['autbreik] *n* (*of war*) comienzo *m*; (*of crime*) ola *f*; (*of illness*) epidemia *f*; (*of spots*) erupción *f*.

outburst ['autbɜ:rst] *n* **1.** (*sudden expression of emotion*) explosión *f*, arranque *m*. **2.** (*sudden occurrence*) estallido *m*.

outcast [*Am* 'autkæst, *Br* -ka:st] *n* marginado *m*, -da *f*, paria *m* y *f*.

outcome ['autkʌm] *n* resultado *m*.

outcry ['autkrai] *n* protestas *fpl*.

outdated [,aut'deitəd] *adj* anticuado (da), pasado(da) de moda.

outdo [,aut'du:] (*pt* -**did**, *pp* -**done** [-dʌn]) *vt* aventajar, superar.

outdoor ['autdɔ:r] *adj* (*life, swimming pool*) al aire libre; (*clothes*) de calle.

outdoors [,aut'dɔ:rz] *adv* al aire libre.

outer ['autər] *adj* exterior, externo(na).

outer space *n* espacio *m* exterior.

outfit ['autfit] *n* **1.** (*clothes*) conjunto *m*, traje *m*. **2.** *inf* (*organization*) equipo *m*.

outgoing [,aut'gouiŋ] *adj* **1.** (*chairman*) saliente. **2.** (*sociable*) extrovertido(da). ♦ **outgoings** *npl Br* gastos *mpl*.

outgrow [,aut'grou] (*pt* -**grew**, *pp* -**grown**) *vt* **1.** (*grow too big for*): **he has** ~**n his shirts** las camisas se le han quedado pequeñas. **2.** (*grow too old for*) ser demasiado mayor para.

outing ['autiŋ] *n* (*trip*) excursión *f*.

outlandish [aut'lændiʃ] *adj* estrafalario(ria).

outlaw ['autlɔ:] ◇ *n* proscrito *m*, -ta *f*. ◇ *vt* (*make illegal*) ilegalizar.

outlay ['autlei] *n* desembolso *m*.

outlet ['autlet] *n* **1.** (*for emotions*) salida *f*. **2.** (*for water*) desagüe *m*; (*for gas*) salida *f*. **3.** (*shop*) punto *m* de venta. **4.** *Am* (ELEC) toma *f* de corriente.

outline ['autlain] ◇ *n* **1.** (*brief description*) esbozo *m*, resumen *m*; **in** ~ en líneas generales. **2.** (*silhouette*) contorno *m*. ◇ *vt* (*describe briefly*) esbozar, resumir.

outlive [,aut'liv] *vt* (*subj: person*) sobrevivir a.

outlook ['autlok] *n* **1.** (*attitude, disposition*) enfoque *m*, actitud *f*. **2.** (*prospect*) perspectiva *f* (de futuro).

outlying ['autlaiiŋ] *adj* (*remote*) lejano

(na), remoto(ta); *(on edge of town)* periférico(ca).

outnumber [ˌaʊtˈnʌmbəʳ] *vt* exceder en número.

out-of-date *adj* **1.** *(clothes, belief)* anticuado(da), pasado(da) de moda. **2.** *(passport, season ticket)* caducado(da).

out of doors *adv* al aire libre.

out-of-the-way *adj (far away)* remoto(ta); *(unusual)* poco común.

outpatient [ˈaʊtpeɪʃnt] *n* paciente externo *m*, paciente externa *f*.

outpost [ˈaʊtpəʊst] *n* puesto *m* avanzado.

output [ˈaʊtpʊt] *n* **1.** *(production)* producción *f*, rendimiento *m*. **2.** (COMPUT - *printing out*) salida *f*; *(- printout)* impresión *f*.

outrage [ˈaʊtreɪdʒ] ◇ *n* **1.** *(anger)* indignación *f*. **2.** *(atrocity)* atrocidad *f*, escándalo *m*. ◇ *vt* ultrajar, atropellar.

outrageous [aʊtˈreɪdʒəs] *adj* **1.** *(offensive, shocking)* indignante, escandaloso (sa). **2.** *(very unusual)* extravagante.

outright [*adj* ˈaʊtraɪt, *adv* ˌaʊtˈraɪt] ◇ *adj* **1.** *(categoric)* categórico(ca). **2.** *(total - disaster)* completo(ta); *(- victory, winner)* indiscutible. ◇ *adv* **1.** *(ask)* abiertamente; *(deny)* categóricamente. **2.** *(win, ban)* totalmente; *(be killed)* en el acto.

outset [ˈaʊtset] *n*: **at the ~** al principio; **from the ~** desde el principio.

outside [*adv* aʊtˈsaɪd, *prep, adj & n* ˈaʊtsaɪd] ◇ *adj* **1.** *(gen)* exterior. **2.** *(opinion, criticism)* independiente. **3.** *(chance)* remoto(ta). ◇ *adv* fuera; **to go/run/look ~** ir/correr/mirar fuera. ◇ *prep* fuera de; **we live half an hour ~ London** vivimos a media hora de Londres. ◇ *n (exterior)* exterior *m*.
♦ **outside of** *prep Am (apart from)* aparte de.

outside lane *n* carril *m* de adelantamiento.

outside line *n* línea *f* exterior.

outsider [ˌaʊtˈsaɪdəʳ] *n* **1.** *(stranger)* forastero *m*, -ra *f*. **2.** *(in horse race)* caballo que no es uno de los favoritos.

outsize [ˈaʊtsaɪz] *adj* **1.** *(bigger than usual)* enorme. **2.** *(clothes)* de talla muy grande.

outskirts [ˈaʊtskɜːʳts] *npl*: **the ~** las afueras.

outspoken [ˌaʊtˈspəʊkən] *adj* franco (ca).

outstanding [aʊtˈstændɪŋ] *adj* **1.** *(excellent)* destacado(da). **2.** *(not paid, unfinished)* pendiente.

outstretched [ˌaʊtˈstretʃt] *adj* extendido(da).

outstrip [ˌaʊtˈstrɪp] *vt lit & fig* aventajar, dejar atrás.

out-tray *n* cubeta o bandeja de asuntos ya resueltos.

outward [ˈaʊtwəʳd] ◇ *adj* **1.** *(journey)* de ida. **2.** *(composure, sympathy)* aparente. **3.** *(sign, proof)* visible, exterior. ◇ *adv Am* hacia fuera.

outwardly [ˈaʊtwəʳdlɪ] *adv (apparently)* aparentemente, de cara al exterior.

outwards [ˈaʊtwəʳdz] *adv Br* = **outward**.

outweigh [ˌaʊtˈweɪ] *vt* pesar más que.

outwit [ˌaʊtˈwɪt] *vt* ser más listo(ta) que.

oval [ˈəʊvl] ◇ *adj* oval, ovalado(da). ◇ *n* óvalo *m*.

Oval Office *n*: **the ~** el Despacho Oval, *oficina que tiene el presidente de Estados Unidos en la Casa Blanca.*

ovary [ˈəʊvərɪ] *n* ovario *m*.

ovation [əʊˈveɪʃn] *n* ovación *f*; **a standing ~** una ovación de gala (con el público en pie).

oven [ˈʌvn] *n* horno *m*.

ovenproof [ˈʌvnpruːf] *adj* refractario (ria).

over [ˈəʊvəʳ] ◇ *prep* **1.** *(directly above, on top of)* encima de; **a fog hung ~ the river** una espesa niebla flotaba sobre el río; **put your coat ~ the chair** pon el abrigo encima de la silla. **2.** *(to cover)* sobre; **she wore a veil ~ her face** un velo le cubría el rostro. **3.** *(on other side of)* al otro lado de; **he lives ~ the road** vive enfrente. **4.** *(across surface of)* por encima de; **they sailed ~ the ocean** cruzaron el océano en barco. **5.** *(more than)* más de; **~ and above** además de. **6.** *(senior to)* por encima de. **7.** *(with regard to)* por; **a fight ~ a woman** una pelea por una mujer. **8.** *(during)* durante; **~ the weekend** (en) el fin de semana. ◇ *adv* **1.** *(short distance away)*: **~ here** aquí; **~ there** allí. **2.** *(across)*: **to cross ~** cruzar; **to go ~** ir. **3.** *(down)*: **to fall ~** caerse; **to push ~** empujar, tirar. **4.** *(round)*: **to turn sthg ~** dar la vuelta a algo; **to roll ~** darse la vuelta. **5.** *(more)* más. **6.** *(remaining)*: **to be (left) ~** quedar, sobrar. **7.** *(at sb's house)*: **invite them ~** invítalos a casa. **8.** (RADIO): **~ (and out)!** ¡cambio (y cierro)! **9.** *(involving repetitions)*: **(all) ~ again** otra vez desde el principio; **~ and ~ (again)** una y otra vez. ◇ *adj (finished)* terminado(da).

overall   242

◆ all over ◇ *prep* por todo(da). ◇ *adv*
(everywhere) por todas partes. ◇ *adj*
(finished) terminado(da).
overall [*adj & adv* ˌəʊvərˈɔːl, *n*
ˈəʊvərɔːl] ◇ *adj (general)* global, total.
◇ *adv* en conjunto. ◇ *n* **1.** *(gen)* guardapolvo *m.* **2.** *Am (for work)* mono *m.*
◆ overalls *npl* **1.** *(for work)* mono *m.* **2.**
Am (dungarees) pantalones *mpl* de peto.
overawe [ˌəʊvərˈɔː] *vt* intimidar.
overbalance [ˌəʊvərˈbæləns] *vi* perder
el equilibrio.
overbearing [ˌəʊvərˈbeərɪŋ] *adj pej*
despótico(ca).
overboard [ˈəʊvərbɔːrd] *adv:* **to fall ~**
caer al agua OR por la borda.
overbook [ˌəʊvərˈbʊk] *vi* hacer over-
booking.
overcame [ˌəʊvərˈkeɪm] *pt* → overcome.
overcast [*Am* ˌəʊvrˈkæst, *Br* ˌəʊvər-
ˈkɑːst] *adj* cubierto(ta), nublado(da).
overcharge [ˌəʊvərˈtʃɑːrdʒ] *vt:* **to ~ sb**
(for sthg) cobrar a alguien en exceso
(por algo).
overcoat [ˈəʊvərkoʊt] *n* abrigo *m.*
overcome [ˌəʊvərˈkʌm] (*pt* -came, *pp*
-come) *vt* **1.** *(deal with)* vencer, superar.
2. *(overwhelm):* **to be ~ (by** OR **with)**
(fear, grief, emotion) estar abrumado(da)
(por); *(smoke, fumes)* estar asfixiado(da)
(por).
overcrowded [ˌəʊvərˈkraʊdəd] *adj*
(room) atestado(ta) de gente; *(country)*
superpoblado(da).
overcrowding [ˌəʊvərˈkraʊdɪŋ] *n* (*of*
country) superpoblación *f; (of prison)*
hacinamiento *m.*
overdo [ˌəʊvərˈduː] (*pt* -did [-dɪd], *pp*
-done) *vt* **1.** *pej (exaggerate)* exagerar.
2. *(do too much):* **to ~ one's work/the**
walking trabajar/andar demasiado.
3. *(overcook)* hacer demasiado.
overdone [ˌəʊvərˈdʌn] ◇ *pp* → overdo.
◇ *adj* muy hecho(cha).
overdose [ˈəʊvərdoʊs] *n* sobredosis *f inv.*
overdraft [*Am* ˈəʊvrdræft, *Br*
ˈəʊvrdrɑːft] *n (sum owed)* saldo *m* deudor; *(loan arranged)* (giro *m* OR crédito *m*
en) descubierto *m.*
overdrawn [ˌəʊvərˈdrɔːn] *adj:* **to be ~**
tener un saldo deudor.
overdue [ˌəʊvərˈdjuː] *adj* **1.** *(late):* **to be**
~ *(train)* ir con retraso; *(library book)*
estar con el plazo de préstamo caducado; **I'm ~ (for)** a bit of luck va siendo
hora de tener un poco de suerte.
2. *(awaited):* **(long) ~** (largamente) espe-
rado(da), ansiado(da). **3.** *(unpaid)* venci-

do(da) y sin pagar.
overestimate [ˌəʊvərˈestɪmeɪt] *vt*
sobreestimar.
overflow [*vb* ˌəʊvərˈfloʊ, *n* ˈəʊvərfloʊ]
◇ *vi* **1.** *(spill over)* rebosar; *(river)* desbordarse. **2.** *(go beyond limits):* **to ~**
(into) rebosar (hacia). **3.** *(be very full):* **to**
be ~ing (with) rebosar (de). ◇ *n (pipe)*
cañería *f* de desagüe.
overgrown [ˌəʊvərˈgroʊn] *adj* cubierto
(ta) de matojos.
overhaul [*vb* ˌəʊvərˈhɔːl, *n* ˈəʊvərhɔːl]
◇ *n* **1.** *(of car, machine)* revisión *f.* **2.** *(of*
method, system) repaso *m* general. ◇ *vt*
revisar.
overhead [*adj & n* ˈəʊvərhed, *adv*
ˌəʊvərˈhed] ◇ *adj* aéreo(a). ◇ *adv* por lo
alto, por encima. ◇ *n Am (U)* gastos
mpl generales. **◆ overheads** *npl* gastos
mpl generales.
overhead projector *n* retroproyector *m.*
overhear [ˌəʊvərˈhɪər] (*pt & pp* -heard
[-hɜːd]) *vt* oír por casualidad.
overheat [ˌəʊvərˈhiːt] *vi* recalentarse.
overjoyed [ˌəʊvərˈdʒɔɪd] *adj:* **to be ~**
(at sthg) estar encantado(da) (con algo).
overladen [ˌəʊvərˈleɪdn] *pp* → overload.
overland [ˈəʊvərlænd] ◇ *adj* terrestre.
◇ *adv* por tierra.
overlap [ˌəʊvərˈlæp] *vi* **1.** *(cover each*
other) superponerse. **2.** *(be similar):* **to ~**
(with sthg) coincidir en parte (en algo).
overleaf [ˌəʊvərˈliːf] *adv* al dorso.
overload [ˌəʊvərˈloʊd] (*pp* -loaded OR
-laden) *vt* sobrecargar.
overlook [ˌəʊvərˈlʊk] *vt* **1.** *(look over)*
mirar OR dar a. **2.** *(disregard, miss)* pasar
por alto. **3.** *(forgive)* perdonar.
overnight [ˈəʊvərnaɪt] ◇ *adj* **1.** *(for all*
of night) de noche, nocturno(na). **2.** *(for*
a night's stay - clothes) para una noche.
3. *(very sudden)* súbito(ta). ◇ *adv* **1.** *(for*
all of night) durante la noche. **2.** *(very*
suddenly) de la noche a la mañana.
overpass [*Am* ˈəʊvrpæs, *Br* ˈəʊvərpɑːs] *n*
Am paso *m* elevado.
overpower [ˌəʊvərˈpaʊər] *vt* **1.** *(in fight)*
vencer, subyugar. **2.** *fig (overwhelm)*
sobreponerse a, vencer.
overpowering [ˌəʊvərˈpaʊərɪŋ] *adj*
arrollador(ra), abrumador(ra).
overran [ˌəʊvərˈræn] *pt* → overrun.
overrated [ˌəʊvərˈreɪtəd] *adj* sobreesti-
mado(da).
override [ˌəʊvərˈraɪd] (*pt* -rode, *pp* -rid-
den) *vt* **1.** *(be more important than)* predominar sobre. **2.** *(overrule)* desautorizar.

overriding [,ouvəˈraɪdɪŋ] *adj* predominante.

overrode [,ouvəˈroud] *pt* → **override**.

overrule [,ouvəˈruːl] *vt (person)* desautorizar; *(decision)* anular; *(request)* denegar.

overrun [,ouvəˈrʌn] *(pt* **-ran**, *pp* **-run)** ◇ *vt* 1. (MIL) *(enemy, army)* apabullar, arrasar; *(country)* ocupar, invadir. 2. *fig (cover):* **to be ~ with** estar invadido (da) de. ◇ *vi* rebasar el tiempo previsto.

oversaw [,ouvəˈsɔː] *pt* → **oversee**.

overseas [,ouvəˈsiːz] ◇ *adj* 1. *(in or to foreign countries - market)* exterior; *(- sales, aid)* al extranjero; *(- network, branches)* en el extranjero. 2. *(from abroad)* extranjero(ra). ◇ *adv (go, travel)* al extranjero; *(study, live)* en el extranjero.

oversee [,ouvəˈsiː] *(pt* **-saw**, *pp* **-seen** [-ˈsiːn]) *vt* supervisar.

overshadow [,ouvəˈʃædou] *vt* 1. *(be more important than):* **to be ~ed by** ser eclipsado(da) por. 2. *(mar):* **to be ~ed by sthg** ser ensombrecido(da) por algo.

overshoot [,ouvəˈʃuːt] *(pt & pp* **-shot)** *vt (go past)* pasarse.

oversight [ˈouvəsaɪt] *n* descuido *m*.

oversleep [,ouvəˈsliːp] *(pt & pp* **-slept** [-ˈslept]) *vi* no despertarse a tiempo, quedarse dormido(da).

overstep [,ouvəˈstep] *vt* pasar de; **to ~ the mark** pasarse de la raya.

overt [ouˈvɜːt] *adj* abierto(ta), evidente.

overtake [,ouvəˈteɪk] *(pt* **-took**, *pp* **-taken** [-ˈteɪkn]) *vt* 1. (AUT) adelantar. 2. *(subj: event)* coger de improviso.

overthrow [,ouvəˈθrou] *(pt* **-threw**, *pp* **-thrown)** *vt (oust)* derrocar.

overtime [ˈouvətaɪm] ◇ *n (U)* 1. *(extra work)* horas *fpl* extra. 2. *Am* (SPORT) *(tiempo m de)* descuento *m*. ◇ *adv:* **to work ~** trabajar horas extra.

overtones [ˈouvətounz] *npl* matiz *m*.

overtook [,ouvəˈtuk] *pt* → **overtake**.

overture [ˈouvəˌtʃuəʳ] *n* (MUS) obertura *f*.

overturn [,ouvəˈtɜːn] ◇ *vt* 1. *(turn over)* volcar. 2. *(overrule)* rechazar. 3. *(overthrow)* derrocar, derrumbar. ◇ *vi (vehicle)* volcar; *(boat)* zozobrar.

overweight [,ouvəˈweɪt] *adj* grueso (sa), gordo(da).

overwhelm [,ouvəˈwelm] *vt* 1. *(make helpless)* abrumar. 2. *(defeat)* aplastar.

overwhelming [,ouvəˈwelmɪŋ] *adj* 1. *(despair, kindness)* abrumador(ra).

2. *(defeat, majority)* aplastante.

overwork [,ouvəˈwɜːk] ◇ *n* trabajo *m* excesivo. ◇ *vt (give too much work to)* hacer trabajar demasiado.

owe [ou] *vt:* **to ~ sthg to sb, to ~ sb sthg** deber algo a alguien.

owing [ˈouɪŋ] *adj* que se debe. ◆ **owing to** *prep* debido a.

owl [aul] *n* búho *m*, lechuza *f*.

own [oun] ◇ *adj:* **my/your/his** *etc* **~ car** mi/tu/su *etc* propio coche. ◇ *pron:* **my ~** el mío (la mía); **his/her ~** el suyo (la suya); **a house of my/his ~** mi/su propia casa; **on one's ~** solo(la); **to get one's ~ back** *inf* tomarse la revancha, desquitarse. ◇ *vt* poseer, tener. ◆ **own up** *vi:* **to ~ up (to sthg)** confesar (algo).

owner [ˈounəʳ] *n* propietario *m*, -ria *f*.

ownership [ˈounəʃɪp] *n* propiedad *f*.

ox [ɒks] *(pl* **oxen)** *n* buey *m*.

Oxbridge [ˈɒksbrɪdʒ] *n (U)* las universidades de Oxford y Cambridge.

oxen [ˈɒksn] *pl* → **ox**.

oxygen [ˈɒksɪdʒən] *n* oxígeno *m*.

oxygen mask *n* máscara *f* de oxígeno.

oxygen tent *n* tienda *f* de oxígeno.

oyster [ˈɔɪstəʳ] *n* ostra *f*.

oz. *abbr of* **ounce**.

ozone [ˈouzoun] *n* ozono *m*.

ozone layer *n* capa *f* de ozono.

P

p¹ *(pl* **p's** OR **ps)**, **P** *(pl* **P's** OR **Ps)** [piː] *n (letter)* p *f*, P *f*.

p² 1. *(abbr of* **page)** p. 2. *abbr of* **penny, pence.**

pa [pɑː] *n inf* papá *m*.

p.a. *(abbr of* **per annum)** p.a.

PA *n* 1. *Br abbr of* **personal assistant.** 2. *abbr of* **public-address system.**

pace [peɪs] ◇ *n* paso *m*, ritmo *m*; **to keep ~ (with sthg)** *(change, events)* mantenerse al corriente (de algo); **to keep ~ (with sb)** llevar el mismo paso (que alguien). ◇ *vi:* **to ~ (up and down)** pasearse de un lado a otro.

pacemaker [ˈpeɪsmeɪkəʳ] *n* 1. (MED) marcapasos *m inv*. 2. *(in race)* liebre *f*.

Pacific [pəˈsɪfɪk] ◇ *adj* del Pacífico.

◇ *n*: **the ~ (Ocean)** el (océano) Pacífico.

pacifier ['pæsəfaɪə^r] *n Am (for child)* chupete *m*.

pacifist ['pæsəfəst] *n* pacifista *m y f*.

pacify ['pæsɪfaɪ] *vt (person, mob)* calmar, apaciguar.

pack [pæk] ◇ *n* **1.** *(bundle)* lío *m*, fardo *m*; *(rucksack)* mochila *f*. **2.** *(packet)* paquete *m*. **3.** *(of cards)* baraja *f*. **4.** *(of dogs)* jauría *f*; *(of wolves)* manada *f*; *pej (of people)* banda *f*. ◇ *vt* **1.** *(for journey - bags, suitcase)* hacer; *(- clothes, etc)* meter (en la maleta). **2.** *(put in parcel)* empaquetar; *(put in container)* envasar. **3.** *(fill)* llenar, abarrotar; **to be ~ed into** estar apretujados dentro de. ◇ *vi* hacer las maletas. ◆ **pack in** *inf* ◇ *vt sep Br (stop)* dejar; **~ it in!** ¡déjalo!, ¡ya basta! ◇ *vi* parar. ◆ **pack off** *vt sep inf* enviar, mandar.

package ['pækɪdʒ] ◇ *n (gen & COM-PUT)* paquete *m*. ◇ *vt (wrap up)* envasar.

package deal *n* convenio *m* OR acuerdo *m* global.

package tour *n* vacaciones *fpl* con todo incluido.

packaging ['pækɪdʒɪŋ] *n (wrapping)* envasado *m*.

packed [pækt] *adj*: **~ (with)** repleto(ta) (de).

packed lunch *n Br* almuerzo preparado de antemano que se lleva uno al colegio, la oficina etc.

packed-out *adj Br inf* a tope.

packet [*Am* 'pækət, *Br* -ɪt] *n (gen)* paquete *m*; *(of crisps, sweets)* bolsa *f*.

packing ['pækɪŋ] *n* **1.** *(protective material)* embalaje *m*. **2.** *(for journey)*: **to do the ~** hacer el equipaje.

packing case *n* cajón *m* de embalaje.

pact [pækt] *n* pacto *m*.

pad [pæd] ◇ *n* **1.** *(of material)* almohadillado *m*. **2.** *(of paper)* bloc *m*. **3.** (SPACE): **(launch) ~** plataforma *f* (de lanzamiento). **4.** *inf dated (home)* casa *f*. ◇ *vt* acolchar, rellenar. ◇ *vi (walk softly)* andar con suavidad.

padding ['pædɪŋ] *n* (U) **1.** *(in jacket, chair)* relleno *m*. **2.** *(in speech)* paja *f*.

paddle ['pædl] ◇ *n* **1.** *(for canoe, dinghy)* pala *f*, canalete *m*. **2.** *(walk in sea)* paseo *m* por la orilla. ◇ *vt* remar. ◇ *vi* **1.** *(in canoe)* remar. **2.** *(person - in sea)* pasear por la orilla.

paddle boat, paddle steamer *n* vapor *m* de paletas OR ruedas.

paddling pool ['pædlɪŋ-] *n Br* **1.** *(in park)* estanque *m* para chapotear. **2.** *(inflatable)* piscina *f* inflable.

paddock ['pædək] *n* **1.** *(small field)* potrero *m*, corral *m*. **2.** *(at racecourse)* paddock *m*.

padlock ['pædlɒk] *n* candado *m*.

paediatrics [ˌpiːdɪˈætrɪks] = **pediatrics**.

pagan ['peɪgən] ◇ *adj* pagano(na). ◇ *n* pagano *m*, -na *f*.

page [peɪdʒ] ◇ *n* página *f*. ◇ *vt (in hotel, airport)* llamar por megafonía.

pageant ['pædʒənt] *n* desfile *m*.

pageantry ['pædʒəntrɪ] *n* boato *m*.

paid [peɪd] ◇ *pt & pp* → **pay**. ◇ *adj (holiday, leave)* pagado(da); *(work, staff)* remunerado(da).

pail [peɪl] *n* cubo *m*.

pain [peɪn] *n* **1.** *(ache)* dolor *m*; **to be in ~** dolerse, sufrir dolor. **2.** *(mental suffering)* pena *f*, sufrimiento *m*. **3.** *inf (annoyance - person)* pesado *m*, -da *f*; *(- thing)* pesadez *f*. ◆ **pains** *npl (effort, care)* esfuerzos *mpl*; **to be at ~s to do sthg** afanarse por hacer algo; **to take ~s to do sthg** esforzarse en hacer algo.

pained [peɪnd] *adj* apenado(da).

painful ['peɪnfl] *adj (back, eyes)* dolorido(da); *(injury, exercise, memory)* doloroso(sa).

painfully ['peɪnflɪ] *adv* **1.** *(causing pain)* dolorosamente. **2.** *(extremely)* terriblemente.

painkiller ['peɪnkɪlə^r] *n* calmante *m*.

painless ['peɪnləs] *adj* **1.** *(physically)* indoloro(ra). **2.** *(emotionally)* sin complicaciones.

painstaking ['peɪnzteɪkɪŋ] *adj* meticuloso(sa), minucioso(sa).

paint [peɪnt] ◇ *n* pintura *f*. ◇ *vt* pintar.

paintbrush ['peɪntbrʌʃ] *n* **1.** (ART) pincel *m*. **2.** *(of decorator)* brocha *f*.

painter ['peɪntə^r] *n* pintor *m*, -ra *f*.

painting ['peɪntɪŋ] *n* **1.** *(picture)* cuadro *m*, pintura *f*. **2.** (U) *(art form, trade)* pintura *f*.

paint stripper *n* quitapinturas *f inv*.

paintwork ['peɪntwɜːrk] *n* (U) pintura *f*.

pair [peə^r] *n* **1.** *(of shoes, socks, wings)* par *m*; *(of aces)* pareja *f*. **2.** *(two-part object)*: **a ~ of scissors** unas tijeras; **a ~ of trousers** unos pantalones. **3.** *(couple - of people)* pareja *f*.

pajamas [*Am* pəˈdʒæməz, *Br* -ˈdʒɑːm-] = **pyjamas**.

Pakistan [*Am* ˈpækɪstæn, *Br* ˌpɑːkɪˈstɑːn] *n* (el) Paquistán.

Pakistani [*Am* ˌpækɪˈstæn, *Br* ˌpɑːkɪˈstɑːnɪ] ◇ *adj* paquistaní. ◇ *n* paquistaní *m y f*.

pal [pæl] *n inf (friend)* amiguete *m*, -ta *f*, colega *m* y *f*.

palace ['pæləs] *n* palacio *m*.

palate ['pælət] *n* paladar *m*.

palaver [pə'lɑ:vəʳ] *n inf (fuss)* follón *m*.

pale [peɪl] ◇ *adj* **1.** *(colour, clothes, paint)* claro(ra); *(light)* tenue. **2.** *(person)* pálido(da). ◇ *vi* palidecer.

Palestine ['pæləstaɪn] *n* Palestina.

Palestinian [,pælə'stɪnɪən] ◇ *adj* palestino(na). ◇ *n (person)* palestino *m*, -na *f*.

palette ['pælət] *n* paleta *f*.

palings ['peɪlɪŋz] *npl* empalizada *f*.

pall [pɔ:l] ◇ *n* **1.** *(of smoke)* nube *f*, cortina *f*. **2.** *Am (coffin)* féretro *m*. ◇ *vi* hacerse pesado(da).

pallet ['pælət] *n* plataforma *f* de carga.

pallor ['pæləʳ] *n literary* palidez *f*.

palm [pɑ:m] *n* **1.** *(tree)* palmera *f*. **2.** *(of hand)* palma *f*. ◆ **palm off** *vt sep inf*: **to ~ sthg off on sb** endosar OR encasquetar algo a alguien; **to ~ sb off with** despachar a alguien con.

Palm Sunday *n* Domingo *m* de Ramos.

palm tree *n* palmera *f*.

paltry ['pɔ:ltrɪ] *adj* mísero(ra).

pamper ['pæmpəʳ] *vt* mimar.

pamphlet ['pæmflət] *n (political)* panfleto *m*; *(publicity, information)* folleto *m*.

pan [pæn] ◇ *n* **1.** *(saucepan)* cazuela *f*, cacerola *f*; *(frying pan)* sartén *f*. **2.** *Am (for bread, cakes etc)* molde *m*. ◇ *vt inf (criticize)* poner por los suelos. ◇ *vi* (CINEMA) tomar vistas panorámicas.

panacea [,pænə'sɪːə] *n*: **a ~ (for)** la panacea (de).

Panama ['pænəmɑ:] *n* Panamá.

Panama Canal *n*: **the ~** el canal de Panamá.

panama (hat) *n* panamá *m*.

pancake ['pænkeɪk] *n* torta *f*, crepe *f*.

Pancake Day *n Br* ≃ Martes *m inv* de Carnaval.

panda ['pændə] *(pl inv OR -s)* *n* panda *m*.

Panda car *n Br* coche *m* patrulla.

pandemonium [,pændə'məʊnɪəm] *n* pandemónium *m*, jaleo *m*.

pander ['pændəʳ] *vi*: **to ~** complacer a.

pane [peɪn] *n* (hoja *f* de) cristal *m*.

panel ['pænl] *n* **1.** *(group of people)* equipo *m*; *(in debates)* mesa *f*. **2.** *(of a material)* panel *m*. **3.** *(of a machine)* tablero *m*, panel *m*.

paneling *Am*, **panelling** *Br* ['pænlɪŋ] *n* (U) *(on a ceiling)* artesonado *m*; *(on a wall)* paneles *mpl*.

pang [pæŋ] *n* punzada *f*.

panic ['pænɪk] *(pt & pp* **-ked**, *cont* **-king)** ◇ *n* pánico *m*. ◇ *vi* aterrarse.

panicky ['pænɪkɪ] *adj (person)* aterrado(da), nervioso(sa); *(feeling)* de pánico.

panic-stricken *adj* preso(sa) OR víctima del pánico.

panorama [*Am* ,pænə'ræmə, *Br* -'rɑ:mə] *n* panorama *m*, vista *f*.

pansy ['pænzɪ] *n* **1.** *(flower)* pensamiento *m*. **2.** *pej inf (man)* marica *m*.

pant [pænt] *vi* jadear.

panther ['pænθəʳ] *(pl inv OR* **-s)** *n* pantera *f*.

panties ['pæntɪz] *npl inf* calzones *mpl* *Amer*, pantalones *fpl* *Méx*, bombachas *fpl* *CSur*, bragas *fpl* *Esp*.

pantihose ['pæntɪhəʊz] = **panty hose**.

pantomime ['pæntəmaɪm] *n Br obra musical humorística para niños celebrada en Navidad*.

pantry ['pæntrɪ] *n* despensa *f*.

pants [pænts] *npl* **1.** *Am (trousers)* pantalones *mpl*. **2.** *Br (underpants)* calzoncillos *mpl*.

panty hose ['pæntɪ-] *npl Am* medias *fpl*.

papa [*Am* 'pɑ:pə, *Br* pə'pɑ:] *n* papá *m*.

paper ['peɪpəʳ] ◇ *n* **1.** *(U) (material)* papel *m*; **piece of ~** *(sheet)* hoja *f* de papel; *(scrap)* trozo *m* de papel; **on ~** *(written down)* por escrito; *(in theory)* sobre el papel. **2.** *(newspaper)* periódico *m*. **3.** *(in exam)* examen *m*. **4.** *(essay - gen)* estudio *m*, ensayo *m*; *(- for conference)* ponencia *f*. ◇ *adj (made of paper)* de papel. ◇ *vt* empapelar. ◆ **papers** *npl (official documents)* documentación *f*.

paperback ['peɪpəʳbæk] *n* libro *m* en rústica.

paper clip *n* clip *m*.

paper handkerchief *n* pañuelo *m* de papel, klínex® *m*.

paper shop *n Br* quiosco *m* de periódicos.

paperwork ['peɪpəʳwɜːʳk] *n* papeleo *m*.

papier-mâché [*Am* ,peɪpəʳmə'ʃeɪ, *Br* ,pæpjeɪ'mæʃeɪ] *n* cartón *m* piedra.

paprika [*Am* pə'prɪːkə, *Br* 'pæprɪkə] *n* pimentón *m*.

par [pɑːʳ] *n* **1.** *(parity)*: **on a ~ with** al mismo nivel que. **2.** (GOLF) par *m*. **3.** *(good health)*: **below** OR **under ~** pachucho(cha).

P

parable ['pærəbl] *n* parábola *f*.

parachute [*Am* 'perəʃuːt, *Br* 'pær-] *n* paracaídas *m inv*.

parade [pə'reɪd] ◇ *n* (*procession*) desfile *m*. ◇ *vt* **1.** (*soldiers*) hacer desfilar; (*criminals, captives*) pasear. **2.** *fig* (*flaunt*) hacer alarde de. ◇ *vi* desfilar.

paradise [*Am* 'perədaɪs, *Br* 'pær-] *n fig* paraíso *m*.

paradox [*Am* 'perədoks, *Br* 'pær-] *n* paradoja *f*.

paradoxically [*Am* ,perə'doksɪklɪ, *Br* ,pær-] *adv* paradójicamente.

paraffin [*Am* 'perəfɪn, *Br* 'pær-] *n* parafina *f*.

paragon [*Am* 'perəgaːn, *Br* 'pærəgən] *n* dechado *m*.

paragraph [*Am* 'perəgræf, *Br* 'pærəgrɑːf] *n* párrafo *m*.

Paraguay [*Am* 'perəgweɪ, *Br* 'pærəgwaɪ] *n* (el) Paraguay.

Paraguayan [*Am* 'perəgweɪən, *Br* ,pærə'gwaɪən] ◇ *adj* paraguayo(ya). ◇ *n* paraguayo *m*, -ya *f*.

parallel [*Am* 'perəlel, *Br* 'pær-] ◇ *adj*: ~ **(to** OR **with)** paralelo(la) (a). ◇ *n* **1.** (*parallel line, surface*) paralela *f*. **2.** (*something, someone similar*): **to have no ~** no tener precedente. **3.** (*similarity*) semejanza *f*. **4.** (GEOGR) paralelo *m*.

paralysis [pə'ræləsəs] (*pl* **-lyses** [-lɪsiːz]) *n* parálisis *f inv*.

paralyze *Am*, **-yse** *Br* [*Am* 'perəlaɪz, *Br* 'pær-] *vt lit & fig* paralizar.

paramedic [*Am* ,perə'medɪk, *Br* ,pær-] *n* auxiliar sanitario *m*, auxiliar sanitaria *f*.

parameter [pə'ræmətəʳ] *n* parámetro *m*.

paramount [*Am* 'perəmaʊnt, *Br* 'pær-] *adj* vital, fundamental; **of ~ importance** de suma importancia.

paranoid [*Am* 'perənɔɪd, *Br* 'pær-] *adj* paranoico(ca).

parasite [*Am* 'perəsaɪt, *Br* 'pær-] *n* parásito *m*, -ta *f*.

parasol [*Am* 'perəsol, *Br* 'pær-] *n* sombrilla *f*.

paratrooper [*Am* 'perətruːpər, *Br* 'pærətruːpə] *n* paracaidista *m y f* (*del ejército*).

parcel ['paːrsl] *n* paquete *m*. ◆ **parcel up** *vt sep* empaquetar.

parcel post *n* (servicio *m* de) paquete *m* postal.

parched [paːrtʃt] *adj* **1.** (*throat, mouth*) seco(ca); (*lips*) quemado(da). **2.** *inf* (*very thirsty*) seco(ca).

parchment ['paːrtʃmənt] *n* (*paper*) pergamino *m*.

pardon ['paːrdn] ◇ *n* **1.** (JUR) perdón *m*, indulto *m*. **2.** (*forgiveness*) perdón *m*; **I beg your ~?** (*showing surprise, asking for repetition*) ¿perdón?, ¿cómo (dice)?; **I beg your ~** (*to apologize*) le ruego me disculpe, perdón. ◇ *vt* **1.** (*forgive*): **to ~ sb (for sthg)** perdonar a alguien (por algo); **~?** ¿perdón?, ¿cómo (dice)?; **~ me** (*touching sb accidentally, belching*) discúlpeme, perdón; (*excuse me*) con permiso. **2.** (JUR) indultar.

parent ['peərənt] *n* (*father*) padre *m*; (*mother*) madre *f*. ◆ **parents** *npl* padres *mpl*.

parental [pə'rentl] *adj* (*paternal*) paterno(na); (*maternal*) materno(na).

parenthesis [pə'renθəsəs] (*pl* **-theses** [-θəsiːz]) *n* paréntesis *m inv*.

Paris [*Am* 'perəs, *Br* 'pær-] *n* París.

parish [*Am* 'perɪʃ, *Br* 'pær-] *n* **1.** (*of church*) parroquia *f*. **2.** *Br* (*area of local government*) municipio *m*.

parity [*Am* 'perətɪ, *Br* 'pær-] *n*: ~ **(with/ between)** igualdad *f* (con/entre).

park [paːrk] ◇ *n* parque *m*. ◇ *vt & vi* estacionar, parquear *Amer*, aparcar *Esp*.

parking ['paːrkɪŋ] *n* estacionamiento *m*, aparcamiento *m Esp*; **'no ~'** 'prohibido estacionar'.

parking lot *n Am* estacionamiento *m* (al aire libre).

parking meter *n* parquímetro *m*.

parking ticket *n* multa *f* por estacionamiento indebido.

parlance ['paːrləns] *n*: **in common/legal** *etc* ~ en el habla común/legal *etc*, en el lenguaje común/legal *etc*.

parliament ['paːrləmənt] *n* **1.** (*assembly, institution*) parlamento *m*. **2.** (*session*) legislatura *f*.

parliamentary [,paːrlə'mentərɪ] *adj* parlamentario(ria).

parlor *Am*, **parlour** *Br* ['paːrlər] *n dated* salón *m*.

parochial [pə'roʊkɪəl] *adj pej* de miras estrechas.

parody [*Am* 'perədɪ, *Br* 'pær-] ◇ *n* parodia *f*. ◇ *vt* parodiar.

parole [pə'roʊl] *n* libertad *f* condicional (bajo palabra); **on ~** en libertad condicional.

parquet [*Am* paːr'keɪ, *Br* 'paːkeɪ] *n* parqué *m*.

parrot [*Am* 'perət, *Br* 'pær-] *n* loro *m*, papagayo *m*.

parsley ['paːrslɪ] *n* perejil *m*.

parsnip ['paːrsnəp] *n* chirivía *f*.

parson ['paːrsn] *n* párroco *m*.

part [pɑːˈt] ◊ n 1. (gen) parte f; **for the most ~** en su mayoría. 2. (component) pieza f. 3. (THEATRE) papel m. 4. (involvement): **~ (in)** participación f (en); **to play an important ~ (in)** desempeñar OR jugar un papel importante (en); **to take ~ (in)** tomar parte (en); **for my/his ~** por mi/su parte. 5. Am (hair parting) raya f. ◊ adv en parte. ◊ vt 1. (lips, curtains) abrir. 2. (hair) peinar con raya. ◊ vi 1. (leave one another) separarse. 2. (separate - lips, curtains) abrirse. ◆ **parts** npl (place) pagos mpl. ◆ **part with** vt fus separarse de.

part exchange n sistema de pagar parte de algo con un artículo usado; **in ~** como parte del pago.

partial [ˈpɑːˈʃl] adj 1. (incomplete, biased) parcial. 2. (fond): **~ to** amigo(ga) de, aficionado(da) a.

participant [pɑːˈtɪsəpənt] n participante m y f.

participate [pɑːˈtɪsəpeɪt] vi: **to ~ (in)** participar (en).

participation [pɑːˌtɪsəˈpeɪʃn] n participación f.

participle [ˈpɑːˈtəsɪpl] n participio m.

particle [ˈpɑːˈtɪkl] n partícula f.

particular [pəˈtɪkjələˈ] adj 1. (specific, unique) especial, en concreto OR particular. 2. (extra, greater) especial. 3. (difficult) exigente. ◆ **particulars** npl (of person) datos mpl; (of thing) detalles mpl. ◆ **in particular** adv en particular.

particularly [pəˈtɪkjələˈlɪ] adv especialmente.

parting [ˈpɑːˈtɪŋ] n 1. (separation) despedida f. 2. Br (in hair) raya f.

partisan [Am ˈpɑːrtəzən, Br ˌpɑːtɪˈzæn] ◊ adj partidista. ◊ n (freedom fighter) partisano m, -na f.

partition [pɑːˈtɪʃn] n 1. (wall) tabique m; (screen) separación f. 2. (of a country) división f.

partly [ˈpɑːˈtlɪ] adv en parte.

partner [ˈpɑːˈtnəˈ] n 1. (spouse, lover) pareja f. 2. (in an activity) compañero m, -ra f. 3. (in a business) socio m, -cia f. 4. (ally) colega m y f.

partnership [ˈpɑːˈtnəˈʃɪp] n 1. (relationship) asociación f. 2. (business) sociedad f.

partridge [ˈpɑːˈtrɪdʒ] n perdiz f.

part-time ◊ adj a tiempo parcial. ◊ adv a tiempo parcial.

party [ˈpɑːˈtɪ] n 1. (POL) partido m. 2. (social gathering) fiesta f. 3. (group) grupo m. 4. (JUR) parte f.

party line n 1. (POL) línea f (política)

del partido. 2. (TELEC) línea f (telefónica) compartida.

pass [Am pæs, Br pɑːs] ◊ n 1. (SPORT) pase m. 2. (document, permit) pase m; **travel ~** tarjeta f OR abono m de transportes. 3. Br (successful result) aprobado m. 4. (route between mountains) vía f, desfiladero m. 5. phr: **to make a ~ at sb** intentar ligar con alguien. ◊ vt 1. (gen) pasar; **to ~ sthg (to sb), to ~ (sb) sthg** pasar OR pasarle algo (a alguien). 2. (move past - thing) pasar por (delante de); (- person) pasar delante de; **to ~ sb in the street** cruzarse con alguien. 3. (AUT) adelantar. 4. (exceed) sobrepasar. 5. (exam, candidate, law) aprobar; **to ~ sthg fit (for)** dar algo por bueno (para). 6. (opinion, judgement) formular; (sentence) dictar. ◊ vi 1. (gen) pasar. 2. (AUT) adelantar. 3. (in exam) pasar, aprobar. 4. (occur) transcurrir. ◆ **pass as** vt fus pasar por. ◆ **pass away** vi fallecer. ◆ **pass by** ◊ vt sep (subj: people) hacer caso omiso a; (subj: events, life) pasar desapercibido(da) a. ◊ vi pasar cerca. ◆ **pass for** vt fus = **pass as**. ◆ **pass on** ◊ vt sep: **to ~ sthg on (to)** pasar algo (a). ◊ vi 1. (move on) continuar. 2. = **pass away**. ◆ **pass out** vi 1. (faint) desmayarse. 2. Br (MIL) graduarse. ◆ **pass over** vt fus pasar por alto. ◆ **pass up** vt sep dejar pasar OR escapar.

passable [Am ˈpæsəbl, Br ˈpɑːs-] adj 1. (satisfactory) pasable. 2. (not blocked) transitable.

passage [ˈpæsɪdʒ] n 1. (corridor - between houses) pasadizo m, pasaje m; (- between rooms) pasillo m. 2. (clear path) paso m, hueco m. 3. (MED) conducto m, tubo m. 4. (of music, speech) pasaje m. 5. fml (of vehicle, person, time) paso m. 6. (sea journey) travesía f.

passageway [ˈpæsɪdʒweɪ] n (between houses) pasadizo m, pasaje m; (between rooms) pasillo m.

passbook [Am ˈpæsbʊk, Br ˈpɑːs-] n = cartilla f OR libreta f de banco.

passenger [ˈpæsɪndʒəˈ] n pasajero m, -ra f.

passerby [Am ˈpæsərˈbaɪ, Br ˌpɑːsəˈbaɪ] (pl **passersby** [Am ˈpæsərzˈbaɪ, Br ˌpɑːsəzˈbaɪ]) n transeúnte m y f.

passing [Am ˈpæsɪŋ, Br ˈpɑːs-] ◊ adj (fad) pasajero(ra); (remark) de pasada. ◊ n transcurso m. ◆ **in passing** adv de pasada.

passion [ˈpæʃn] n: **~ (for)** pasión f (por).

passionate [ˈpæʃnət] adj apasionado(da).

passive

248

passive ['pæsɪv] *adj* pasivo(va).

Passover [*Am* 'pæsouvr, *Br* 'pɑːsəuvə] *n*: (the) ~ (la) Pascua judía.

passport [*Am* 'pæspɔːrt, *Br* 'pɑːspɔːt] *n* pasaporte *m*.

passport control *n* control *m* de pasaportes.

password [*Am* 'pæswɜːrd, *Br* 'pɑːswɜːd] *n* (*gen & COMPUT*) contraseña *f*.

past [*Am* pæst, *Br* pɑːst] ◇ *adj* **1.** (*former*) anterior. **2.** (*most recent*) pasado (da); **over the ~ week** durante la última semana. **3.** (*finished*) terminado(da). ◇ *adv* **1.** (*telling the time*): **it's ten ~** son y diez. **2.** (*beyond, in front*) por delante; **to walk/run ~** pasar andando/corriendo. ◇ *n* **1.** (*time*): **the ~** el pasado. **2.** (*personal history*) pasado *m*. ◇ *prep* **1.** (*telling the time*): **it's five/half/a quarter ~ ten** son las diez y cinco/media/cuarto. **2.** (*alongside, in front of*) por delante de. **3.** (*beyond*) más allá de; **it's ~ the bank** está pasado el banco.

pasta [*Am* 'pɑːstə, *Br* 'pæstə] *n* (*U*) pasta *f*.

paste [peɪst] ◇ *n* **1.** (*smooth mixture*) pasta *f*. **2.** (*food*) paté *m*, pasta *f*. **3.** (*glue*) engrudo *m*. ◇ *vt* (*labels, stamps*) pegar; (*surface*) engomar, engrudar.

pastel [*Am* pæ'stel, *Br* 'pæstl] ◇ *adj* pastel (*inv*). ◇ *n* (ART) (*crayon*) pastel *m*.

pasteurize [*Am* 'pæstʃəraɪz, *Br* 'pɑːs-] *vt* pasteurizar.

pastille ['pæstl] *n* pastilla *f*.

pastime [*Am* 'pæstaɪm, *Br* 'pɑːs-] *n* pasatiempo *m*.

pastor [*Am* 'pæstər, *Br* 'pɑːstə] *n* pastor *m* (RELIG).

past participle *n* participio *m* pasado.

pastry ['peɪstrɪ] *n* **1.** (*mixture*) pasta *f*. **2.** (*cake*) pastel *m*.

past tense *n*: **the ~** el pasado.

pasture [*Am* 'pæstʃr, *Br* 'pɑːstʃə] *n* pasto *m*.

pasty[1] ['peɪstɪ] *adj* pálido(da).

pasty[2] ['pæstɪ] *n Br* empanada *f*.

pat [pæt] ◇ *n* (*of butter etc*) porción *f*. ◇ *vt* (*gen*) golpear ligeramente; (*dog*) acariciar; (*back, hand*) dar palmaditas a.

patch [pætʃ] ◇ *n* **1.** (*for mending*) remiendo *m*; (*to cover eye*) parche *m*. **2.** (*part of surface*) área *f*. **3.** (*area of land*) bancal *m*, parcela *f*. **4.** (*period of time*) periodo *m*. ◇ *vt* remendar. ♦ **patch up** *vt sep* **1.** (*mend*) reparar. **2.** (*resolve - quarrel*) resolver.

patchwork ['pætʃwɜːrk] *adj* de trozos de distintos colores y formas.

patchy ['pætʃɪ] *adj* **1.** (*uneven - fog, sunshine*) irregular; (*- colour*) desigual. **2.** (*incomplete*) deficiente, incompleto (ta). **3.** (*good in parts*) irregular.

pâté [*Am* pæ'teɪ, *Br* 'pæteɪ] *n* paté *m*.

patent [*Am* 'pætnt, *Br* 'peɪt-] ◇ *adj* (*obvious*) patente, evidente. ◇ *n* patente *f*. ◇ *vt* patentar.

patent leather *n* charol *m*.

paternal [pə'tɜːrnl] *adj* (*love, attitude*) paternal; (*grandmother, grandfather*) paterno(na).

paternity [pə'tɜːrnətɪ] *n* paternidad *f*.

path [*Am* pæθ, *pl* pæθz, *Br* pɑːθ, *pl* pɑːðz] camino *m*. **2.** (*trajectory - of bullet*) trayectoria *f*; (*- of flight*) rumbo *m*. **3.** (*course of action*) curso *m*.

pathetic [pə'θetɪk] *adj* **1.** (*causing pity*) patético(ca), lastimoso(sa). **2.** (*attempt, person*) inútil; (*actor, film*) malísimo (ma).

pathological [ˌpæθə'lɒdʒɪkl] *adj* patológico(ca).

pathology [pə'θɒlədʒɪ] *n* patología *f*.

pathos ['peɪθɒs] *n* patetismo *m*.

pathway [*Am* 'pæθweɪ, *Br* 'pɑːθ-] *n* camino *m*, sendero *m*.

patience ['peɪʃns] *n* **1.** (*quality*) paciencia *f*. **2.** (*card game*) solitario *m*.

patient ['peɪʃnt] ◇ *adj* paciente. ◇ *n* paciente *m* y *f*.

patio ['pætɪəʊ] (*pl* -s) *n* patio *m*.

patriotic [*Am* ˌpeɪtrɪ'ɒtɪk, *Br* ˌpætr-] *adj* patriótico(ca).

patrol [pə'trəʊl] ◇ *n* patrulla *f*. ◇ *vt* patrullar.

patrol car *n* coche *m* patrulla.

patrolman [pə'trəʊlmən] (*pl* -men [-mən]) *n Am* policía *m*, guardia *m*.

patron ['peɪtrən] *n* **1.** (*of arts*) mecenas *m* y *f inv*. **2.** *Br* (*of charity, campaign*) patrocinador *m*, -ra *f*. **3.** *fml* (*customer*) cliente *m* y *f*.

patronize [*Am* 'peɪtrənaɪz, *Br* 'pætr-] *vt* **1.** *pej* (*talk down to*) tratar con aire paternalista OR condescendiente. **2.** *fml* (*back financially*) patrocinar.

patronizing [*Am* 'peɪtrənaɪzɪŋ, *Br* 'pætr-] *adj pej* paternalista, condescendiente.

patter ['pætər] ◇ *n* **1.** (*of raindrops*) repiqueteo *m*; (*of feet*) pasitos *mpl*. **2.** (*sales talk*) charlatanería *f*. ◇ *vi* (*dog, feet*) corretear; (*rain*) repiquetear.

pattern ['pætərn] *n* **1.** (*design*) dibujo *m*, diseño *m*. **2.** (*of life, work*) estructura *f*; (*of illness, events*) desarrollo *m*, evolución *f*. **3.** (*for sewing, knitting*) patrón *m*. **4.** (*model*) modelo *m*.

paunch [pɔ:ntʃ] *n* barriga *f*, panza *f*.

pauper ['pɔ:pər] *n* indigente *m y f*.

pause [pɔ:z] ◇ *n* pausa *f*. ◇ *vi* 1. *(stop speaking)* hacer una pausa. 2. *(stop moving, doing sthg)* detenerse.

pave [peɪv] *vt* pavimentar; **to ~ the way for** preparar el terreno para.

pavement ['peɪvmənt] *n* 1. *Am (roadway)* calzada *f*. 2. *Br (at side of road)* acera *f*, andén *m CAm*, vereda *f CSur*, banqueta *f Méx*.

pavilion [pə'vɪlɪən] *n* 1. *Br (at sports field)* vestuarios *mpl*. 2. *(at exhibition)* pabellón *m*.

paving ['peɪvɪŋ] *n (U)* pavimento *m*.

paving stone *n* losa *f*.

paw [pɔ:] *n (foot)* pata *f; (claw)* zarpa *f*.

pawn [pɔ:n] ◇ *n* 1. *(chesspiece)* peón *m*. 2. *(unimportant person)* marioneta *f*. ◇ *vt* empeñar.

pawnbroker ['pɔ:nbroʊkər] *n* prestamista *m y f*.

pawnshop ['pɔ:nʃɒp] *n* monte *m* de piedad.

pay [peɪ] *(pt & pp* **paid)** ◇ *vt* 1. *(gen)* pagar; **to ~ sb for sthg** pagar a alguien por algo; **he paid £20 for it** pagó 20 libras por ello. 2. *Br (put into bank account):* **to ~ sthg into** ingresar algo en. 3. *(be profitable to)* ser rentable a. 4. *(compliment, visit)* hacer; *(respects)* ofrecer; *(attention)* prestar; *(homage)* rendir. ◇ *vi* 1. *(gen)* pagar; **to ~ dearly for sthg** pagar caro (por) algo. 2. *(be profitable)* ser rentable. ◇ *n* paga *f*. ◆ **pay back** *vt sep* 1. *(money)* devolver, reembolsar. 2. *(revenge oneself):* **to ~ sb back (for sthg)** hacer pagar a alguien (por algo). ◆ **pay for** *vt fus* pagar. ◆ **pay off** ◇ *vt sep* 1. *(repay - debt)* liquidar, saldar. 2. *(dismiss)* despedir con indemnización. 3. *(bribe)* comprar, pagar. ◇ *vi* salir bien, tener éxito. ◆ **pay up** *vi* pagar.

payable ['peɪəbl] *adj* 1. *(to be paid)* pagadero(ra). 2. *(on cheque):* **~ to** a favor de.

paycheck ['peɪtʃek] *n Am* paga *f*.

payday ['peɪdeɪ] *n* día *m* de paga.

payee [peɪ'i:] *n* beneficiario *m*, -ria *f*.

pay envelope *n Am* sobre *m* de paga.

payment ['peɪmənt] *n* pago *m*.

pay packet *n Br* 1. *(envelope)* sobre *m* de paga. 2. *(wages)* paga *f*.

pay phone, pay station *Am n* teléfono *m* público.

payroll ['peɪroʊl] *n* nómina *f*.

payslip ['peɪslɪp] *n Br* hoja *f* de paga.

pay station *Am* = **pay phone**.

pc *(abbr of* **per cent)** p.c.

PC ◇ *n* 1. *(abbr of* **personal computer)** PC *m*. 2. *abbr of* **police constable.** ◇ *adj abbr of* **politically correct.**

PE *(abbr of* **physical education)** *n* EF *f*.

pea [pi:] *n* arveja *f Amer*, chícharo *m Méx*, guisante *m Esp*.

peace [pi:s] *n* 1. *(gen)* paz *f*. 2. *(quiet)* calma *f*, tranquilidad *f*. 3. *(freedom from disagreement)* orden *m*; **to make (one's) ~ (with)** hacer las paces (con).

peaceful ['pi:sfl] *adj* 1. *(quiet, calm)* tranquilo(la). 2. *(not aggressive)* pacífico(ca).

peacetime ['pi:staɪm] *n (U)* tiempos *mpl* de paz.

peach [pi:tʃ] ◇ *adj (in colour)* de color durazno *Amer* OR melocotón *Esp*. ◇ *n* 1. *(fruit)* durazno *m Amer*, melocotón *m Esp*. 2. *(colour)* color *m* durazno *Amer* OR melocotón *Esp*.

peacock ['pi:kɒk] *n* pavo *m* real.

peak [pi:k] ◇ *n* 1. *(mountain top)* pico *m*, cima *f*. 2. *(highest point)* apogeo *m*. 3. *(of cap)* visera *f*. ◇ *adj (season)* alto (ta); *(condition)* perfecto(ta). ◇ *vi* alcanzar el máximo.

peaked [pi:kəd] *adj* con visera.

peak hour *n* hora *f* punta.

peak period *n (of electricity etc)* periodo *m* de tarifa máxima; *(of traffic)* horas *fpl* punta.

peak rate *n* tarifa *f* máxima.

peal [pi:l] ◇ *n (of bells)* repique *m*; **~ (of laughter)** carcajada *f*. ◇ *vi* repicar.

peanut ['pi:nʌt] *n* maní *m Amer*, cacahuate *m Méx*, cacahuete *m Esp*.

peanut butter *n* manteca *f* de maní.

pear [peər] *n* pera *f*.

pearl [pɜ:l] *n* perla *f*.

peasant ['peznt] *n (in countryside)* campesino *m*, -na *f*.

peat [pi:t] *n* turba *f*.

pebble ['pebl] *n* guijarro *m*.

peck [pek] ◇ *n* 1. *(with beak)* picotazo *m*. 2. *(kiss)* besito *m*. ◇ *vt (with beak)* picotear. ◇ *vi* picotear.

pecking order ['pekɪŋ-] *n* jerarquía *f*.

peckish ['pekɪʃ] *adj Br inf:* **to feel ~** estar algo hambriento(ta).

peculiar [pə'kju:lɪər] *adj* 1. *(odd)* singular, extraño(ña). 2. *(slightly ill)* raro(ra), indispuesto(ta). 3. *(characteristic):* **to be ~ to** ser propio(pia) de.

peculiarity [pə,kju:lɪ'ærətɪ] *n* 1. *(eccentricity)* extravagancia *f*. 2. *(characteristic)* peculiaridad *f*.

pedal ['pedl] ◇ *n* pedal *m*. ◇ *vi* pedalear.

pedantic

pedantic [pə'dæntɪk] *adj pej* puntilloso (sa).

peddle ['pedl] *vt (drugs)* traficar con; *(wares)* vender de puerta en puerta.

pedestal ['pedəstl] *n* pedestal *m*.

pedestrian [pə'destrɪən] ◇ *adj pej* mediocre. ◇ *n* peatón *m*.

pedestrian crossing *n Br* paso *m* de peatones.

pedestrian zone *Am*, **pedestrian precinct** *Br n* zona *f* peatonal.

pediatrics [ˌpiːdɪ'ætrɪks] *n* pediatría *f*.

pedigree ['pedɪgriː] ◇ *adj* de raza. ◇ *n* 1. *(of animal)* pedigrí *m*. 2. *(of person)* linaje *m*.

peddler *Am*, **pedlar** *Br* ['pedlər] *n* vendedor *m*, -ra *f* ambulante.

pee [piː] *inf* ◇ *n* pis *m*. ◇ *vi* mear.

peek [piːk] *inf* ◇ *n* mirada *f*, ojeada *f*. ◇ *vi* mirar a hurtadillas.

peel [piːl] ◇ *n (gen)* piel *f*; *(of orange, lemon)* corteza *f*; *(once removed)* mondaduras *fpl*. ◇ *vt* pelar, mondar. ◇ *vi (walls, paint)* desconcharse; *(wallpaper)* despegarse; *(skin, nose)* pelarse.

peelings ['piːlɪŋz] *npl* peladuras *fpl*.

peep [piːp] ◇ *n* 1. *(look)* mirada *f* furtiva, ojeada *f*. 2. *inf (sound)* pío *m*. ◇ *vi (look)* mirar furtivamente. ◆ **peep out** *vi* asomar.

peephole ['piːphəʊl] *n* mirilla *f*.

peer [pɪər] ◇ *n* 1. *(noble)* par *m*. 2. *(equal)* igual *m*. ◇ *vi* mirar con atención.

peerage ['pɪərɪdʒ] *n* 1. *(rank)* rango *m* de par. 2. *(group)*: **the ~** la nobleza.

peer group *n* grupo generacional o social.

peeved [piːvd] *adj inf* disgustado(da).

peg [peg] *n* 1. *(hook)* gancho *m*. 2. *(for washing line)* pinza *f*. 3. *(on tent)* estaca *f*.

pejorative [pə'dʒɒrətɪv] *adj* peyorativo(va), despectivo(va).

pekinese [ˌpiːkə'niːz], **pekingese** [ˌpiːkɪŋ'iːz] *(pl inv* OR **-s)** *n (dog)* pequinés *m*.

Peking [piː'kɪŋ] *n* Pekín *f*.

pelican ['pelɪkən] *(pl inv* OR **-s)** *n* pelícano *m*.

pelican crossing *n Br* paso *de peatones con semáforo accionado por el usuario*.

pellet [Am 'pelət, Br -ɪt] *n* 1. *(small ball)* bolita *f*. 2. *(for gun)* perdigón *m*.

pelmet ['pelmət] *n Br* galería *f*.

pelt [pelt] ◇ *n (animal skin)* piel *f*. ◇ *vt*: **to ~ sb with sthg** acribillar a alguien con algo, arrojar algo a alguien. ◇ *vi*

1. *(rain)* llover a cántaros. 2. *(run very fast)* correr a toda pastilla.

pelvis ['pelvɪs] *(pl* **-vises** OR **-ves** [-viːz]) *n* pelvis *f*.

pen [pen] *n* 1. *(ballpoint)* bolígrafo *m*; *(fountain pen)* pluma *f*; *(felt-tip)* rotulador *m*. 2. *(enclosure)* redil *m*, corral *m*.

penal ['piːnl] *adj* penal.

penalize ['piːnlaɪz] *vt (gen)* penalizar; *(SPORT)* penalizar, castigar.

penalty ['penltɪ] *n* 1. *(punishment)* pena *f*; **to pay the ~ (for sthg)** *fig* pagar las consecuencias (de algo). 2. *(fine)* multa *f*. 3. *(SPORT)* penalty *m*; **~ (kick)** (FTBL) penalty *m*; (RUGBY) golpe *m* de castigo.

penance ['penəns] *n* penitencia *f*.

pence [pens] *Br pl* → **penny**.

penchant [Am 'pentʃɒnt, Br 'pɒnʃɒn] *n*: **to have a ~ for** tener debilidad por.

pencil ['pensl] *n* lápiz *m*, lapicero *m*; **in ~** a lápiz.

pencil case *n* estuche *m*, plumero *m*.

pencil sharpener *n* sacapuntas *m inv*.

pendant ['pendənt] *n (jewel on chain)* colgante *m*.

pending ['pendɪŋ] *fml* ◇ *adj* 1. *(about to happen)* inminente. 2. *(waiting to be dealt with)* pendiente. ◇ *prep* a la espera de.

pendulum [Am 'pendʒələm, Br -jʊl-] *(pl* **-s)** *n (of clock)* péndulo *m*.

penetrate ['penətreɪt] *vt* 1. *(barrier)* atravesar; *(jungle, crowd)* penetrar en. 2. *(infiltrate - organization)* infiltrarse en.

pen friend *n* amigo *m*, -ga *f* por correspondencia.

penguin ['pengwɪn] *n* pingüino *m*.

penicillin [ˌpenɪ'sɪlən] *n* penicilina *f*.

peninsula [Am pə'nɪnsjələ, Br -jʊlə] *(pl* **-s)** *n* península *f*.

penis ['piːnəs] *(pl* penises ['piːnəsəz]) *n* pene *m*.

penitentiary [ˌpenɪ'tenʃərɪ] *n Am* penitenciaría *f*.

penknife ['pennaɪf] *(pl* **-knives** [-naɪvz]) *n* navaja *f*.

pen name *n* seudónimo *m*.

pennant ['penənt] *n* banderín *m*.

penniless ['penələs] *adj* sin dinero.

penny ['penɪ] *(pl sense 1* **-ies**, *pl sense 2* **pence)** *n* 1. *(coin)* Am centavo *m*; Br penique *m*. 2. Br *(value)* penique *m*.

pen pal *n inf* amigo *m*, -ga *f* por correspondencia.

pension ['penʃn] *n* 1. *Br (gen)* pensión *f*. 2. *(disability pension)* subsidio *m*.

pensioner ['penʃnər] n Br: **(old-age) ~** pensionista m y f.

pensive ['pensɪv] adj pensativo(va).

pentagon ['pentəgɒn] n pentágono m. ◆ **Pentagon** n Am: **the Pentagon** el Pentágono, *sede del ministerio de Defensa estadounidense.*

Pentecost ['pentɪkɒst] n Pentecostés m.

penthouse ['penthaʊs, pl -haʊzɪz] n ático m.

pent up ['pent ʌd] adj reprimido(da).

penultimate [pə'nʌltəmət] adj penúltimo(ma).

people ['pi:pl] ◇ n (nation, race) pueblo m. ◇ npl 1. (gen) gente f; (individuals) personas fpl; **a table for eight ~** una mesa para ocho personas; **~ say that ...** dice la gente que ... 2. (inhabitants) habitantes mpl. 3. (POL): **the ~** el pueblo. ◇ vt: **to be ~d by** OR **with** estar poblado(da) de.

pep [pep] n inf vitalidad f. ◆ **pep up** vt sep animar.

pepper ['pepər] n 1. (spice) pimienta f. 2. (vegetable) pimiento m.

pepperbox Am ['pepərbɒks], **pepper pot** Br n pimentero m.

peppermint ['pepərmɪnt] n 1. (sweet) pastilla f de menta. 2. (herb) menta f.

pepper pot Br = pepperbox.

pep talk n inf palabras fpl de ánimo.

per [pɜːr] prep (expressing rate, ratio) por; **~ hour/kilo/person** por hora/kilo/persona; **~ day** al día; **as ~ instructions** de acuerdo con OR según las instrucciones.

per annum [pər'ænəm] adv al OR por año.

per capita [pə'rkæpɪtə] ◇ adj per cápita. ◇ adv por cabeza.

perceive [pər'siːv] vt 1. (notice) percibir, apreciar. 2. (understand, realize) advertir, apreciar. 3. (see): **to ~ sthg/sb as** ver algo/a alguien como.

per cent [pər'sent] adv por ciento.

percentage [pər'sentɪdʒ] n porcentaje m.

perception [pər'sepʃn] n 1. (act of seeing) percepción f. 2. (insight) perspicacia f. 3. (opinion) idea f.

perceptive [pər'septɪv] adj perspicaz.

perch [pɜːtʃ] ◇ n 1. (for bird) percha f, vara f. 2. (fish) perca f. ◇ vi: **to ~ (on)** (bird) posarse (en); (person) sentarse (en).

percolator ['pɜːkəleɪtər] n percolador m.

percussion [pər'kʌʃn] n (MUS) percusión f.

perennial [pə'renjəl] ◇ adj (gen & BOT) perenne. ◇ n (BOT) planta f perenne.

perfect [adj & n 'pɜːfɪkt, vb pər'fekt] ◇ adj perfecto(ta); **he's a ~ stranger to me** me es completamente desconocido. ◇ n (GRAMM): **the ~ (tense)** el perfecto. ◇ vt perfeccionar.

perfection [pər'fekʃn] n perfección f; **to ~** a la perfección.

perfectionist [pər'fekʃnəst] n perfeccionista m y f.

perfectly ['pɜːfɪktlɪ] adv 1. (for emphasis) absolutamente; **~ well** perfectamente bien. 2. (to perfection) perfectamente.

perforate ['pɜːfəreɪt] vt perforar.

perforation [,pɜːfə'reɪʃn] n (in paper) perforación f.

perform [pər'fɔːm] ◇ vt 1. (carry out) llevar a cabo, realizar. 2. (music, dance) interpretar; (play) representar. ◇ vi 1. (function - car, machine) funcionar; (- person, team) desenvolverse. 2. (in front of audience) actuar.

performance [pər'fɔːməns] n 1. (carrying out) realización f. 2. (show) representación f. 3. (of actor, singer etc) interpretación f, actuación f. 4. (of car, engine) rendimiento m.

performer [pər'fɔːmər] n (actor, singer etc) intérprete m y f.

perfume [Am pər'fjuːm, Br 'pɜːfjuːm] n perfume m.

perfunctory [pər'fʌŋktrɪ] adj superficial.

perhaps [pər'hæps] adv 1. (maybe) quizás, quizá; **~ she'll do it** quizás ella lo haga; **~ so/not** tal vez sí/no. 2. (in polite requests, suggestions, remarks): **~ you could help?** ¿te importaría ayudar?; **~ you should start again** ¿por qué no empiezas de nuevo?

peril ['perəl] n literary peligro m.

perimeter [pə'rɪmɪtər] n perímetro m.

period ['pɪərɪəd] ◇ n 1. (of time) período m, periodo m. 2. (HISTORY) época f. 3. (SCH) clase f, hora f. 4. (menstruation) período m. 5. Am (full stop) punto m. ◇ comp de época.

periodic [,pɪərɪ'ɒdɪk] adj periódico(ca).

periodical [,pɪərɪ'ɒdɪkl] ◇ adj = **periodic**. ◇ n (magazine) revista f.

peripheral [pə'rɪfrəl] adj 1. (of little importance) marginal. 2. (at edge) periférico(ca). ◇ n (COMPUT) periférico m.

perish ['perɪʃ] vi 1. (die) perecer. 2. (decay) deteriorarse.

perishable ['perɪʃəbl] adj perecedero

(ra). ✦ **perishables** *npl* productos *mpl* perecederos.

perjury ['pɜːrdʒərɪ] *n* (JUR) perjurio *m*.

perk [pɜːrk] *n inf* extra *m*, beneficio *m* adicional. ✦ **perk up** *vi* animarse.

perky ['pɜːrkɪ] *adj inf* alegre, animado (da).

perm [pɜːrm] *n* permanente *f*.

permanent ['pɜːrmənənt] ◇ *adj* 1. *(gen)* permanente; *(job, address)* fijo (ja). 2. *(continuous, constant)* constante. ◇ *n Am (perm)* permanente *f*.

permeate ['pɜːrmɪeɪt] *vt* impregnar.

permissible [pərˈmɪsəbl] *adj* permisible.

permission [pərˈmɪʃn] *n*: ~ **(to do sthg)** permiso *m* (para hacer algo).

permissive [pərˈmɪsɪv] *adj* permisivo (va).

permit [*vb* pərˈmɪt, *n* 'pɜːrmɪt] ◇ *vt* permitir; **to** ~ **sb sthg/to do sthg** permitir a alguien algo/hacer algo. ◇ *n* permiso *m*.

perpendicular [ˌpɜːrpənˈdɪkjələr] ◇ *adj* 1. (MATH): ~ **(to)** perpendicular (a). 2. *(upright)* vertical. ◇ *n* (MATH) perpendicular *f*.

perpetrate ['pɜːrpətreɪt] *vt fml* perpetrar.

perpetual [pərˈpetʃʊəl] *adj* 1. *pej (constant)* constante. 2. *(everlasting)* perpetuo(tua).

perplex [pərˈpleks] *vt* dejar perplejo(ja).

perplexing [pərˈpleksɪŋ] *adj* desconcertante.

persecute ['pɜːrsɪkjuːt] *vt* perseguir.

perseverance [ˌpɜːrsɪˈvɪərəns] *n* perseverancia *f*.

persevere [ˌpɜːrsɪˈvɪər] *vi*: **to** ~ **(with sthg/in doing sthg)** perseverar (en algo/en hacer algo).

Persian ['pɜːrʒn] *adj* persa.

persist [pərˈsɪst] *vi* 1. *(problem, rain)* persistir. 2. *(person)*: **to** ~ **in doing sthg** empeñarse en hacer algo.

persistence [pərˈsɪstəns] *n* 1. *(continuation)* persistencia *f*. 2. *(determination)* perseverancia *f*.

persistent [pərˈsɪstənt] *adj* 1. *(constant)* continuo(nua). 2. *(determined)* persistente.

person ['pɜːrsn] *(pl* **people** OR **persons** *fml) n* 1. *(man, woman)* persona *f*; **in** ~ en persona. 2. *(body)*: **about one's** ~ en su cuerpo.

personable ['pɜːrsnəbl] *adj* agradable.

personal ['pɜːrsnəl] *adj* 1. *(gen)* personal. 2. *(private - life, problem)* privado (da). 3. *pej (rude)* ofensivo(va); **to be** ~ hacer alusiones personales.

personal assistant *n* asistente *m*, -ta *f* personal.

personal column *n* sección *f* de asuntos personales.

personal computer *n* ordenador *m* personal.

personality [ˌpɜːrsəˈnælətɪ] *n* personalidad *f*.

personally ['pɜːrsnəlɪ] *adv* personalmente; **to take sthg** ~ tomarse algo como algo personal.

personal organizer *n* agenda *f* (personal).

personal property *n (U)* bienes *mpl* muebles.

personal stereo *n* walkman® *m inv*.

personify [pərˈsɒnɪfaɪ] *vt* personificar.

personnel [ˌpɜːrsəˈnel] ◇ *n (U) (department)* personal *m*. ◇ *npl (staff)* personal *m*.

perspective [pərˈspektɪv] *n* perspectiva *f*.

Perspex® ['pɜːrspeks] *n Br* ≃ plexiglás® *m*.

perspiration [ˌpɜːrspəˈreɪʃn] *n* transpiración *f*.

persuade [pərˈsweɪd] *vt*: **to** ~ **sb (of sthg/to do sthg)** persuadir a alguien (de algo/a hacer algo); **to** ~ **sb that** convencer a alguien (de) que.

persuasion [pərˈsweɪʒn] *n* 1. *(act of persuading)* persuasión *f*. 2. *(belief)* creencia *f*.

persuasive [pərˈsweɪsɪv] *adj* persuasivo(va).

pert [pɜːrt] *adj* vivaracho(cha).

pertinent ['pɜːrtənənt] *adj* pertinente.

perturb [pərˈtɜːrb] *vt fml* perturbar.

Peru [pəˈruː] *n* (el) Perú.

Peruvian [pəˈruːvɪən] ◇ *adj* peruano (na). ◇ *n (person)* peruano *m*, -na *f*.

pervade [pərˈveɪd] *vt* impregnar.

perverse [pərˈvɜːrs] *adj (delight, enjoyment)* perverso(sa); *(contrary)* puñetero (ra).

perversion [*Am* pərˈvɜːrʒn, *Br* pəˈvɜːʃn] *n* 1. *(sexual deviation)* perversión *f*. 2. *(of justice, truth)* tergiversación *f*.

pervert [*n* 'pɜːrvɜːrt, *vb* pərˈvɜːrt] ◇ *n* pervertido *m*, -da *f*. ◇ *vt* 1. *(course of justice)* tergiversar. 2. *(corrupt sexually)* pervertir.

pessimist ['pesəmɪst] *n* pesimista *m* y *f*.

pessimistic [ˌpesəˈmɪstɪk] *adj* pesimista.

pest [pest] *n* 1. *(insect)* insecto *m* nocivo; *(animal)* animal *m* nocivo. **2.** *inf (annoying person)* pesado *m*, -da *f*; *(annoying thing)* lata *f*.

pester ['pestə^r] *vt* dar la lata a.

pet [pet] ◇ *adj (subject, theory)* preferido(da); **~ hate** gran fobia *f*. ◇ *n* **1.** *(domestic animal)* animal *m* doméstico. **2.** *(favourite person)* preferido *m*, -da *f*. ◇ *vt* acariciar. ◇ *vi* besuquearse.

petal ['petl] *n* pétalo *m*.

peter ['piːtə^r] ◆ **peter out** *vi (supplies, interest)* agotarse; *(path)* desaparecer.

petite [pə'tiːt] *adj (woman)* chiquita.

petition [pə'tɪʃn] ◇ *n* petición *f*. ◇ *vi* (JUR): **to ~ for divorce** pedir el divorcio.

petrified ['petrɪfaɪd] *adj (terrified)* petrificado(da).

petrol ['petrəl] *n Br* gasolina *f*, nafta *f* CSur, bencina *f* Chile.

petrol bomb *n Br* bomba *f* de gasolina.

petrol can *n Br* lata *f* de gasolina.

petroleum [pə'trəʊliəm] *n* petróleo *m*.

petrol pump *n Br* surtidor *m* de gasolina.

petrol station *n Br* gasolinera *f*, estación *f* de servicio.

petrol tank *n Br* depósito *m* de gasolina.

petticoat ['petɪkəʊt] *n (underskirt)* enaguas *fpl*; *(full-length)* combinación *f*.

petty ['petɪ] *adj* **1.** *(small-minded)* mezquino(na). **2.** *(trivial)* insignificante.

petty cash *n* dinero *m* para gastos menores.

petulant ['petʃələnt] *adj* cascarrabias *(inv)*.

pew [pjuː] *n* banco *m*.

pewter ['pjuːtə^r] *n* peltre *m*.

phantom ['fæntəm] ◇ *adj* ilusorio(ria). ◇ *n (ghost)* fantasma *m*.

pharmaceutical [,fɑː^rmə's^juːtɪkl] *adj* farmacéutico(ca).

pharmacist ['fɑː^rməsəst] *n* farmacéutico *m*, -ca *f*.

pharmacy ['fɑː^rməsɪ] *n (shop)* farmacia *f*.

phase [feɪz] ◇ *n* fase *f*. ◇ *vt* escalonar. ◆ **phase in** *vt sep* introducir progresivamente. ◆ **phase out** *vt sep* retirar progresivamente.

PhD *(abbr of Doctor of Philosophy)* *n (titular de un) doctorado en el campo de las humanidades*.

pheasant ['feznt] *(pl inv OR -s)* *n* faisán *m*.

phenomena [fə'nɒmənə] *pl* → **phenomenon**.

phenomenal [fə'nɒmənl] *adj* fenomenal.

phenomenon [fə'nɒmənən] *(pl -mena)* *n lit & fig* fenómeno *m*.

phial ['faɪəl] *n* frasco *m* (pequeño).

philanthropist [fɪ'lænθrəpəst] *n* filantrópico *m*, -ca *f*.

philately [fɪ'lætəlɪ] *n* filatelia *f*.

Philippine ['fɪləpiːn] *adj* filipino(na). ◆ **Philippines** *npl*: **the ~s** las Filipinas.

philosopher [fə'lɒsəfə^r] *n* filósofo *m*, -fa *f*.

philosophical [,fɪlə'sɒfɪkl] *adj* filosófico(ca).

philosophy [fə'lɒsəfɪ] *n* filosofía *f*.

phlegm [flem] *n (mucus)* flema *f*.

phlegmatic [fleg'mætɪk] *adj* flemático (ca).

phobia ['fəʊbɪə] *n* fobia *f*.

phone [fəʊn] ◇ *n* teléfono *m*; **to be on the ~** *(speaking)* estar al teléfono; *Br (connected to network)* tener teléfono. ◇ *vt & vi* telefonear, llamar. ◆ **phone up** *vt sep & vi* llamar.

phone book *n* guía *f* telefónica.

phone booth *n* teléfono *m* público.

phone box *n Br* cabina *f* telefónica.

phone call *n* llamada *f* telefónica; **to make a ~** hacer una llamada.

phonecard ['fəʊnkɑː^rd] *n* tarjeta *f* telefónica.

phone-in *n* (RADIO & TV) programa *m* a micrófono abierto.

phone number *n* número *m* de teléfono.

phonetics [fə'netɪks] *n (U)* fonética *f*.

phony *Am*, **phoney** *Br* ['fəʊnɪ] *(compar -ier, superl -iest)* ◇ *adj inf* falso(sa). ◇ *n* farsante *m y f*.

phosphorus ['fɒsfərəs] *n* fósforo *m*.

photo ['fəʊtəʊ] *n* foto *f*; **to take a ~ (of)** sacar una foto (de).

photocopier ['fəʊtəʊkɒpɪə^r] *n* fotocopiadora *f*.

photocopy ['fəʊtəʊkɒpɪ] ◇ *n* fotocopia *f*. ◇ *vt* fotocopiar.

photograph [*Am* 'fəʊtəgræf, *Br* -grɑːf] ◇ *n* fotografía *f*; **to take a ~ (of)** sacar una fotografía (de). ◇ *vt* fotografiar.

photographer [fə'tɒgrəfə^r] *n* fotógrafo *m*, -fa *f*.

photography [fə'tɒgrəfɪ] *n (U)* fotografía *f*.

phrasal verb ['freɪzl-] *n* verbo *m* con preposición.

phrase [freɪz] ◇ *n* **1.** *(group of words)* locución *f*, frase *f*. **2.** *(expression)* expresión *f*. ◇ *vt (apology, refusal)* expresar;

(letter) redactar.

phrasebook ['freɪzbʊk] *n* libro *m* de frases.

physical ['fɪzɪkl] ◇ *adj* físico(ca). ◇ *n (examination)* examen *m* médico.

physical education *n* educación *f* física.

physically ['fɪzɪklɪ] *adv* físicamente.

physically handicapped *npl:* the ~ los minusválidos.

physician [fə'zɪʃn] *n* médico *m y f*.

physicist ['fɪzəsəst] *n* físico *m*, -ca *f*.

physics ['fɪzɪks] *n (U)* física *f*.

physiotherapy [,fɪzɪoʊ'θerəpɪ] *n* fisioterapia *f*.

physique [fə'ziːk] *n* físico *m*.

pianist ['piːənəst] *n* pianista *m y f*.

piano [pɪ'ænoʊ] *(pl -s) n (instrument)* piano *m*.

piccolo ['pɪkəloʊ] *(pl -s) n* flautín *m*.

pick [pɪk] ◇ *n* **1.** *(tool)* piqueta *f*. **2.** *(selection):* **take your ~** escoge el que quieras. **3.** *(best):* **the ~ of** lo mejor de. ◇ *vt* **1.** *(team, winner)* seleccionar; *(time, book, dress)* elegir. **2.** *(fruit, flowers)* coger. **3.** *(remove - hairs etc):* **to ~ sthg off sthg** quitar algo de algo. **4.** *(nose)* hurgarse; *(teeth)* mondarse. **5.** *(provoke):* **to ~ a fight/quarrel (with)** buscar pelea/bronca (con). **6.** *(open - lock)* forzar (con ganzúa). ◆ **pick on** *vt fus* meterse con. ◆ **pick out** *vt sep* **1.** *(recognize)* reconocer, identificar. **2.** *(select)* escoger. ◆ **pick up** ◇ *vt sep* **1.** *(gen)* recoger. **2.** *(buy, acquire)* adquirir; **to ~ up speed** *(car)* acelerar. **3.** *(learn - tips, language)* aprender. **4.** *inf (approach)* ligar con. **5.** *(RADIO & TELEC)* captar. **6.** *(start again)* reanudar. ◇ *vi* **1.** *(improve)* mejorar. **2.** *(start again)* proseguir.

pickax *Am*, **pickaxe** *Br* ['pɪkæks] *n* piqueta *f*.

picket [*Am* 'pɪkət, *Br* -ɪt] ◇ *n* piquete *m*. ◇ *vt* formar piquetes en.

picket line *n* piquete *m* (de huelga).

pickle ['pɪkl] ◇ *n* **1.** *(vinegar preserve)* encurtido *m*; *(sweet vegetable sauce)* salsa espesa agridulce con trozos de cebolla etc. **2.** *inf (difficult situation):* **to be in a ~** estar en un lío. ◇ *vt* encurtir.

pickpocket [*Am* 'pɪkpɑkət, *Br* -ɪt] *n* carterista *m y f*.

pick-up *n* **1.** *(of record player)* fonocaptor *m*. **2.** *(truck)* furgoneta *f*.

picnic ['pɪknɪk] *(pt & pp -ked, cont -king)* ◇ *n* comida *f* campestre, picnic *m*. ◇ *vi* ir de merienda al campo.

pictorial [pɪk'tɔːrɪəl] *adj* ilustrado(da).

picture ['pɪktʃər] ◇ *n* **1.** *(painting)* cuadro *m*; *(drawing)* dibujo *m*. **2.** *(photograph)* foto *f*. **3.** *(on TV)* imagen *f*. **4.** *(cinema film)* película *f*. **5.** *(in mind)* idea *f*, imagen *f*. **6.** *(situation)* situación *f*. **7.** *phr:* **to get the ~** *inf* entenderlo; **to put sb in the ~** poner a alguien al corriente. ◇ *vt* **1.** *(in mind)* imaginarse. **2.** *(in media):* **to be ~d** aparecer en la foto. ◆ **pictures** *npl Br:* **the ~s** el cine.

picture book *n* libro *m* ilustrado.

picturesque [,pɪktʃə'resk] *adj* pintoresco(ca).

pie [paɪ] *n (sweet)* tarta *f (cubierta de hojaldre)*; *(savoury)* empanada *f*, pastel *m*.

piece [piːs] *n* **1.** *(individual part or portion)* trozo *m*, pedazo *m*; **to come to ~s** deshacerse; **to take sthg to ~s** desmontar algo; **in ~s** en pedazos; **in one ~** *(intact)* intacto(ta); *(unharmed)* sano y salvo (sana y salva). **2.** *(with uncountable noun) (individual object):* **~ of furniture** mueble *m*; **~ of clothing** prenda *f* de vestir; **~ of advice** consejo *m*; **~ of news** noticia *f*; **~ of luck** golpe *m* de suerte. **3.** *(in board game)* pieza *f*. **4.** *(of journalism)* artículo *m*. **5.** *(coin)* moneda *f*. ◆ **piece together** *vt sep (discover)* componer.

piecemeal ['piːsmiːl] ◇ *adj* poco sistemático(ca). ◇ *adv* por etapas.

pie chart *n* gráfico *m* circular OR de sectores.

pier [pɪər] *n (at seaside)* paseo marítimo en un malecón.

pierce [pɪərs] *vt* **1.** *(subj: bullet, needle)* perforar; **to have one's ears ~d** hacerse agujeros en las orejas. **2.** *(subj: voice, scream)* romper.

piercing ['pɪərsɪŋ] *adj* **1.** *(scream)* desgarrador(ra); *(sound, voice)* agudo(da). **2.** *(wind)* cortante. **3.** *(look, eyes)* penetrante.

piety ['paɪətɪ] *n* piedad *f*.

pig [pɪg] *n* **1.** *(animal)* cerdo *m*, puerco *m*, chancho *m* Amer. **2.** *inf pej (greedy eater)* tragón *m*, -ona *f*. **3.** *inf pej (unkind person)* cerdo *m*, -da *f*.

pigeon ['pɪdʒən] *(pl inv OR -s) n* paloma *f*.

pigeonhole ['pɪdʒənhoʊl] ◇ *n (compartment)* casilla *f*. ◇ *vt (classify)* encasillar.

piggybank ['pɪgɪbæŋk] *n* hucha *f* con forma de cerdito.

pigheaded [,pɪg'hedəd] *adj* cabezota.

pigment ['pɪgmənt] *n* pigmento *m*.

pigpen ['pɪgpen] *Am* = pigsty.

pigskin ['pɪgskɪn] *n* piel *f* de cerdo.

pigsty ['pɪgstaɪ], **pigpen** *Am* ['pɪgpen] *n lit & fig* pocilga *f*.

pigtail ['pɪgteɪl] *n* (*girl's*) trenza *f*; (*Chinese, bullfighter's*) coleta *f*.

pike [paɪk] (*pl sense 1 only inv* OR **-s**) *n* **1.** (*fish*) lucio *m*. **2.** (*weapon*) pica *f*.

pilchard ['pɪltʃərd] *n* sardina *f*.

pile [paɪl] ◇ *n* **1.** (*heap*) montón *m*; **a ~** OR **~s of** un montón de. **2.** (*neat stack*) pila *f*. **3.** (*of carpet, fabric*) pelo *m*. ◇ *vt* amontonar. ◆ **piles** *npl* (MED) almorranas *fpl*. ◆ **pile into** *vt fus inf* amontonarse OR meterse en. ◆ **pile up** ◇ *vt sep* amontonar. ◇ *vi* **1.** (*form a heap*) amontonarse. **2.** (*mount up*) acumularse.

pileup ['paɪlʌp] *n* accidente *m* en cadena.

pilfer ['pɪlfər] ◇ *vt* sisar. ◇ *vi*: **to ~ (from)** sisar (de).

pilgrim ['pɪlgrɪm] *n* peregrino *m*, -na *f*.

pilgrimage ['pɪlgrəmɪdʒ] *n* peregrinación *f*.

pill [pɪl] *n* **1.** (MED) píldora *f*, pastilla *f*. **2.** (*contraceptive*): **the ~** la píldora (anticonceptiva); **to be on the ~** tomar la píldora.

pillar ['pɪlər] *n lit & fig* pilar *m*.

pillar box *n Br* buzón *m*.

pillion ['pɪljən] *n*: **to ride ~** ir en el asiento trasero (*de una moto*).

pillow ['pɪloʊ] *n* **1.** (*for bed*) almohada *f*. **2.** *Am* (*on sofa, chair*) cojín *m*.

pillowcase ['pɪloʊkeɪs], **pillowslip** ['pɪloʊslɪp] *n* funda *f* de almohada.

pilot ['paɪlət] ◇ *n* **1.** (AERON & NAUT) piloto *m*. **2.** (TV) programa *m* piloto. ◇ *comp* piloto (*inv*), de prueba. ◇ *vt* (AERON & NAUT) pilotar.

pilot burner, pilot light *n* piloto *m*, luz *f* indicadora.

pilot study *n* estudio *m* piloto.

pimp [pɪmp] *n inf* proxeneta *m*, padrote *m Méx*, chulo *m Esp*.

pimple ['pɪmpl] *n* grano *m*.

pin [pɪn] ◇ *n* **1.** (*for sewing*) alfiler *m*; **~s and needles** hormigueo *m*. **2.** (*of plug*) polo *m*. **3.** (TECH) clavija *f*. ◇ *vt* **1.** (*fasten*): **to ~ sthg to** OR **on** (*notice*) clavar con alfileres algo en; (*medal, piece of cloth*) prender algo en. **2.** (*trap*): **to ~ sb against** OR **to** inmovilizar a alguien contra. **3.** (*apportion*): **to ~ sthg on** OR **upon sb** endosar algo a alguien. ◆ **pin down** *vt sep* **1.** (*identify*) determinar, identificar. **2.** (*force to make a decision*): **to ~ sb down (to)** obligar a alguien a comprometerse (a).

pinafore ['pɪnəfɔːr] *n* **1.** (*apron*) delantal *m*. **2.** *Br* (*dress*) jumper *m Amer*, pichi *m Esp*.

pinball ['pɪnbɔːl] *n* millón *m*, flípper *m*.

pincers ['pɪnsərz] *npl* **1.** (*tool*) tenazas *fpl*. **2.** (*front claws*) pinzas *fpl*.

pinch [pɪntʃ] ◇ *n* **1.** (*nip*) pellizco *m*. **2.** (*small quantity*) pizca *f*. ◇ *vt* **1.** (*nip*) pellizcar; (*subj: shoes*) apretar. **2.** *inf* (*steal*) mangar. ◆ **at a pinch** *Br*, **in a pinch** *Am adv* si no hay más remedio.

pincushion ['pɪnkʊʃn] *n* acerico *m*.

pine [paɪn] ◇ *n* pino *m*. ◇ *vi*: **to ~ for** suspirar por. ◆ **pine away** *vi* morirse de pena.

pineapple ['paɪnæpl] *n* piña *f*, ananá *m Amer*.

pinetree ['paɪntriː] *n* pino *m*.

ping [pɪŋ] *n* (*of bell*) tilín *m*; (*of metal*) sonido *m* metálico.

Ping-Pong® [-pɒŋ] *n* ping-pong® *m*.

pink [pɪŋk] ◇ *adj* rosa. ◇ *n* **1.** (*colour*) rosa *m*. **2.** (*flower*) clavel *m*.

pinnacle ['pɪnəkl] *n* **1.** (*high point*) cumbre *f*. **2.** (*mountain peak, spire*) pináculo *m*, cima *f*.

pinpoint ['pɪnpɔɪnt] *vt* determinar, identificar.

pin-striped [-ˌstraɪpt] *adj* a rayas.

pint [paɪnt] *n* **1.** (*unit of measurement*) *Am = 0,473 litros; Br = 0,568 litros*, ≈ pinta *f*. **2.** *Br* (*beer*): **they went out for a ~** salieron a tomar una caña.

pioneer [ˌpaɪə'nɪər] *n* pionero *m*, -ra *f*.

pious ['paɪəs] *adj* **1.** (*religious*) piadoso (sa). **2.** *pej* (*sanctimonious*) mojigato(ta).

pip [pɪp] *n* **1.** (*seed*) pepita *f*. **2.** *Br* (*bleep*) señal *f*.

pipe [paɪp] *n* **1.** (*for gas, water*) tubería *f*. **2.** (*for smoking*) pipa *f*. ◇ *vt* (*transport via pipes*) conducir por tuberías. ◆ **pipes** *npl* (MUS) gaita *f*. ◆ **pipe down** *vi inf* cerrar la boca.

pipe cleaner *n* limpiapipas *m inv*.

pipe dream *n* sueño *m* imposible.

pipeline ['paɪplaɪn] *n* (*for gas*) gasoducto *m*; (*for oil*) oleoducto *m*; (*for water*) tuberías *fpl*.

piper ['paɪpər] *n* gaitero *m*, -ra *f*.

piping hot ['paɪpɪŋ-] *adj* humeante, calentito(ta).

piquant ['piːkɑːnt] *adj* **1.** (*food*) picante. **2.** (*story*) intrigante; (*situation*) que suscita un placer mordaz.

pique [piːk] *n* resentimiento *m*.

pirate ['paɪrət] ◇ *adj* (*gen & * COMPUT) pirata. ◇ *n* (*sailor*) pirata *m* y *f*. ◇ *vt* piratear.

pirouette [ˌpɪru'et] *n* pirueta *f*.

Pisces ['paɪsiːz] *n* Piscis *m inv*.

P

pistol [ˈpɪstl] *n* pistola *f*.

piston [ˈpɪstən] *n* pistón *m*, émbolo *m*.

pit [pɪt] ◇ *n* **1.** *(large hole)* hoyo *m*. **2.** *(small hole - in metal, glass)* señal *f*, marca *f*; *(- on face)* picadura *f*. **3.** *(for orchestra)* foso *m* de la orquesta. **4.** *(mine)* mina *f*. **5.** *Am (of fruit)* hueso *m*. ◇ *vt*: **to be pitted against** ser enfrentado(da) con. ◆ **pits** *npl (in motor racing)*: **the** ~**s** el box.

pitch [pɪtʃ] ◇ *n* **1.** (SPORT) campo *m*. **2.** (MUS) tono *m*. **3.** *(level, degree)* grado *m*, punto *m*. **4.** *(selling place)* puesto *m*. **5.** *inf (sales talk)* labia *f* de comerciante. ◇ *vt* **1.** *(throw)* lanzar, arrojar. **2.** *(speech)* dar un tono a; *(price)* establecer un precio para. **3.** *(tent)* montar, poner. ◇ *vi* **1.** *(ball)* tocar el suelo; **to** ~ **forwards** *(person)* precipitarse hacia delante. **2.** *(ship, plane)* dar un bandazo.

pitch-black *adj* negro(gra) como boca de lobo.

pitched battle [ˌpɪtʃt-] *n* (HISTORY) batalla *f* campal; *fig (bitter struggle)* lucha *f* encarnizada.

pitcher [ˈpɪtʃər] *n Am (jug)* cántaro *m*.

pitchfork [ˈpɪtʃfɔːk] *n* horca *f*.

piteous [ˈpɪtɪəs] *adj* lastimero(ra).

pitfall [ˈpɪtfɔːl] *n* peligro *m*, escollo *m*.

pith [pɪθ] *n* parte blanca de la piel de una fruta.

pithy [ˈpɪθɪ] *adj* conciso(sa) y contundente.

pitiful [ˈpɪtɪfl] *adj (condition, excuse, effort)* lamentable; *(person, appearance)* lastimoso(sa).

pitiless [ˈpɪtɪləs] *adj (person)* despiadado(da), cruel; *(weather)* deplorable.

pit stop *n (in motor racing)* parada *f* en boxes.

pittance [ˈpɪtns] *n* miseria *f*.

pity [ˈpɪtɪ] ◇ *n (compassion)* compasión *f*; *(shame)* pena *f*, lástima *f*; **what a** ~**!** ¡qué pena!; **to take** OR **have** ~ **on** apadecerse de. ◇ *vt* compadecerse de, sentir pena por.

pivot [ˈpɪvət] *n* pivote *m*, eje *m*; *fig* eje.

pizza [ˈpiːtsə] *n* pizza *f*.

placard [ˈplækɑːd] *n* pancarta *f*.

placate [*Am* ˈpleɪkeɪt, *Br* pləˈkeɪt] *vt* aplacar, apaciguar.

place [pleɪs] ◇ *n* **1.** *(gen)* lugar *m*, sitio *m*; ~ **of birth** lugar de nacimiento. **2.** *(proper position)* sitio *m*. **3.** *(suitable occasion, time)* momento *m*. **4.** *(home)* casa *f*. **5.** *(specific seat)* asiento *m*; (THEATRE) localidad *f*. **6.** *(setting at table)* cubierto *m*. **7.** *(on course, at university)* plaza *f*. **8.** *(on committee, in team)* puesto *m*. **9.** *(role, function)* papel *m*; **to have an important** ~ desempeñar un papel importante en. **10.** *(rank)* lugar *m*, posición *f*. **11.** *(in book)* página *f*; *(in speech)* momento *m*; **to lose one's** ~ no saber (uno) dónde estaba. **12.** (MATH): **decimal** ~ punto *m* decimal. **13.** *(instance)*: **in the first** ~ *(from the start)* desde el principio; **in the first** ~ ... **and in the second** ~ ... *(firstly, secondly)* en primer lugar ... y en segundo lugar ... **14.** *phr*: **to take** ~ tener lugar; **to take the** ~ **of** sustituir a. ◇ *vt* **1.** *(position, put)* colocar, poner; **to be well** ~**d to do sthg** estar en buena posición para hacer algo. **2.** *(lay, apportion)*: **to** ~ **pressure on** ejercer presión sobre. **3.** *(identify)*: **I recognize the face, but I can't** ~ **her** me suena su cara, pero no sé de qué. **4.** *(bet, order etc)* hacer. **5.** *(in horse racing)*: **to be** ~**d** llegar entre los tres primeros. ◆ **all over the place** *adv* por todas partes. ◆ **in place** *adv* **1.** *(in proper position)* en su sitio. **2.** *(established, set up)* en marcha OR funcionamiento. ◆ **in place of** *prep* en lugar de. ◆ **out of place** *adv* **1.** *(in wrong position)*: **to be out of** ~ no estar en su sitio. **2.** *(inappropriate, unsuitable)* fuera de lugar.

place mat *n* mantel *m* individual.

placement [ˈpleɪsmənt] *n* colocación *f*.

placid [ˈplæsəd] *adj* **1.** *(even-tempered)* apacible. **2.** *(peaceful)* tranquilo(la).

plagiarize [ˈpleɪdʒəraɪz] *vt* plagiar.

plague [pleɪg] ◇ *n* **1.** *(attack of disease)* peste *f*. **2.** *(disease)*: **(the)** ~ la peste. **3.** *(of rats, insects)* plaga *f*. ◇ *vt*: **to** ~ **sb with** *(complaints, requests)* acosar a alguien con; *(questions)* coser a alguien a; **to be** ~**d by** *(ill health)* estar acosado de; *(doubts)* estar atormentado de.

plaice [pleɪs] *(pl inv)* *n* platija *f*.

plaid [plæd] *n* tejido *m* escocés.

Plaid Cymru [ˌplaɪdˈkʌmrɪ] *n Br* (POL) *partido nacionalista galés*.

plain [pleɪn] ◇ *adj* **1.** *(not patterned)* liso (sa). **2.** *(simple - gen)* sencillo(lla); *(- yoghurt)* natural. **3.** *(clear)* evidente, claro (ra). **4.** *(speaking, statement)* franco(ca). **5.** *(absolute - madness etc)* total, auténtico(ca). **6.** *(not pretty)* sin atractivo. ◇ *adv inf* completamente. ◇ *n* (GEOGR) llanura *f*, planicie *f*.

plain chocolate *n Br* chocolate *m* amargo.

plain-clothes *adj* vestido(da) de paisano.

plain flour *n Br* harina *f* (sin levadura).

plainly ['pleɪnlɪ] adv 1. (upset, angry) evidentemente. 2. (visible, audible) claramente. 3. (frankly) francamente. 4. (simply) sencillamente.

plaintiff ['pleɪntɪf] n demandante m y f.

plait [plæt] ◇ n trenza f. ◇ vt trenzar.

plan [plæn] ◇ n 1. (strategy) plan m, proyecto m; **to go according to** ~ salir según lo previsto. 2. (of story, essay) esquema m. 3. (of building etc) plano m. ◇ vt 1. (organize) planear, organizar. 2. (career, future) planificar; **to** ~ **to do sthg** tener la intención de hacer algo. 3. (design, devise) trazar un esquema OR boceto de. ◇ vi hacer planes OR proyectos. ◆ **plans** npl planes mpl; **to have** ~**s for** tener planes para. ◆ **plan on** vt fus: **to** ~ **on doing sthg** pensar hacer algo.

plane [pleɪn] ◇ adj plano(na). ◇ n 1. (aircraft) avión m. 2. (GEOM) (flat surface) plano m. 3. fig (level - intellectual) plano m. 4. (tool) cepillo m. 5. (tree) plátano m.

planet ['plænɪt] n planeta m.

plank [plæŋk] n (piece of wood) tablón m, tabla f.

planning ['plænɪŋ] n (gen) planificación f.

planning permission n permiso m de construcción OR de obras.

plant [Am plænt, Br plɑ:nt] ◇ n 1. (BOT) planta f. 2. (factory) planta f, fábrica f. 3. (heavy machinery) maquinaria f. ◇ vt 1. (seed, tree, vegetable): **to** ~ **sthg (in)** plantar algo (en). 2. (field, garden): **to** ~ **sthg with** sembrar algo de. 3. (bomb, bug) colocar secretamente.

plantation [plæn'teɪʃn] n plantación f.

plaque [Am plæk, Br plɑ:k] n placa f.

plaster [Am 'plæstr, Br 'plɑ:stə] ◇ n 1. (for wall, ceiling) yeso m. 2. (for broken bones) escayola f. 3. Br (bandage) esparadrapo m, curita f Amer, tirita® f Esp. ◇ vt 1. (put plaster on) enyesar. 2. (cover): **to** ~ **sthg (with)** cubrir algo (de).

plaster cast n 1. (for broken bones) escayola f. 2. (model, statue) vaciado m en yeso.

plastered [Am 'plæstrd, Br 'plɑ:stəd] adj inf (drunk) cocido(da).

plasterer [Am 'plæstrər, Br 'plɑ:stərə] n yesero m, -ra f.

plastic ['plæstɪk] ◇ adj (made from plastic) de plástico. ◇ n plástico m.

Plasticine® ['plæstəsi:n] n Br plastilina® f.

plastic surgery n cirugía f plástica.

plate [pleɪt] n 1. (dish, plateful) plato m. 2. (on machinery, wall, door) placa f. 3. (U) (metal covering): **gold/silver** ~ chapa f de oro/plata. 4. (photograph) lámina f. 5. (in dentistry) dentadura f postiza.

plateau [Am plæ'tou, Br 'plætou] (pl -s OR -x [-z]) n (high, flat land) meseta f.

plate glass n vidrio m cilindrado.

platform ['plætfɔːʳm] n 1. (gen) plataforma f; (stage) estrado m; (at meeting) tribuna f. 2. (RAIL) andén m; ~ **12** la vía 12. 3. (POL) programa m electoral.

platform ticket n Br billete m de andén.

platinum ['plætənəm] n platino m.

platitude ['plætɪtjuːd] n tópico m.

platoon [plə'tuːn] n pelotón m.

platter ['plætəʳ] n (dish) fuente f.

plausible ['plɔːzəbl] adj plausible, admisible.

play [pleɪ] ◇ n 1. (U) (amusement) juego m. 2. (piece of drama) obra f. 3. (game): ~ **on words** juego m de palabras. 4. (TECH) juego m. ◇ vt 1. (game, sport) jugar a. 2. (play game against): **to** ~ **sb (at sthg)** jugar contra alguien (a algo). 3. (perform for amusement): **to** ~ **a joke on** gastar una broma a; **to** ~ **a dirty trick on** jugar una mala pasada a. 4. (act - part, character) representar; **to** ~ **a part** OR **role in** fig desempeñar un papel en; **to** ~ **the fool** hacer OR hacerse el tonto. 5. (instrument, tune) tocar; (record, cassette) poner. 6. phr: **to** ~ **it safe** actuar sobre seguro. ◇ vi 1. (gen): **to** ~ **(with/against)** jugar (con/contra); **to** ~ **for sb/a team** jugar para alguien/con un equipo. 2. (MUS - person) tocar; (- music) sonar. ◆ **play along** vi: **to** ~ **along (with)** seguir la corriente (a). ◆ **play down** vt sep quitar importancia a. ◆ **play up** ◇ vt sep (emphasize) hacer resaltar. ◇ vi (machine, part of body, child) dar guerra.

play-act vi fingir, hacer comedia.

playboy ['pleɪbɔɪ] n playboy m.

player ['pleɪəʳ] n 1. (of sport, game) jugador m, -ra f. 2. (MUS) intérprete m y f. 3. (THEATRE) actor m, actriz f.

playful ['pleɪfl] adj juguetón(ona).

playground ['pleɪgraund] n patio m de recreo.

playgroup® ['pleɪgruːp] n jardín m de infancia, guardería f.

playing card [ˈpleɪɪŋ-] n naipe m, carta f.

playing field [ˈpleɪɪŋ-] n campo m de juego.

playmate [ˈpleɪmeɪt] n compañero m, -ra f de juego.

play-off n partido m de desempate.

playschool [ˈpleɪskuːl] n jardín m de infancia, guardería f.

playtime [ˈpleɪtaɪm] n recreo m.

playwright [ˈpleɪraɪt] n dramaturgo m, -ga f.

plc abbr of public limited company.

plea [pliː] n 1. (appeal) súplica f, petición f. 2. (JUR) declaración por parte del acusado de culpabilidad o inocencia.

plead [pliːd] (pt & pp -ed OR pled) ◇ vt 1. (JUR) (one's cause) defender; **to ~ guilty/not guilty** declararse culpable/inocente. 2. (give as excuse) pretender. ◇ vi 1. (beg): **to ~ (with sb to do sthg)** rogar OR implorar (a alguien que haga algo); **to ~ for sthg** pedir algo. 2. (JUR) declarar.

pleasant [ˈpleznt] adj 1. (smell, taste, view) agradable; (surprise, news) grato (ta). 2. (person, smile, face) simpático (ca).

pleasantry [ˈplezntrɪ] n: **to exchange pleasantries** intercambiar cumplidos.

please [pliːz] ◇ vt complacer, agradar; **he always ~s himself** él siempre hace lo que le da la gana; **~ yourself!** ¡como quieras! ◇ vi 1. (give satisfaction) satisfacer, agradar. 2. (think appropriate): **to do as one ~s** hacer como a uno le parezca. ◇ adv por favor.

pleased [pliːzd] adj: **to be ~ (about/with)** estar contento(ta) (por/con); **~ to meet you!** ¡encantado(da) de conocerle!, ¡mucho gusto!

pleasing [ˈpliːzɪŋ] adj agradable, grato (ta).

pleasure [ˈpleʒər] n 1. (feeling of happiness) gusto m; **to take ~ in sthg** disfrutar haciendo algo. 2. (enjoyment) diversión f. 3. (delight) placer m; **it's a ~, my ~** no hay de qué.

pleat [pliːt] ◇ n pliegue m. ◇ vt plisar.

pled [pled] pt & pp → **plead**.

pledge [pledʒ] ◇ n 1. (promise) promesa f. 2. (token) señal f, prenda f. ◇ vt 1. (promise) prometer. 2. (make promise): **to ~ sb to sthg** hacer jurar a alguien algo; **to ~ o.s. to** comprometerse a. 3. (pawn) empeñar.

Pledge of Allegiance n: **the ~** el juramento de fidelidad a la bandera de Estados Unidos.

plentiful [ˈplentɪfl] adj abundante.

plenty [ˈplentɪ] ◇ n (U) abundancia f. ◇ pron: **we've got ~** tenemos de sobra; **~ of** mucho(cha).

• En preguntas y oraciones negativas, plenty (of) se sustituye por much para sustantivos incontables o many para plurales (I've plenty of time – I haven't much time; there were plenty of people I knew at the party – were there many people you knew at the party?).

pliable [ˈplaɪəbl], **pliant** [ˈplaɪənt] adj flexible.

pliers [ˈplaɪəz] npl alicates mpl.

plight [plaɪt] n grave situación f.

plimsoll [ˈplɪmsəl] n Br playera f, zapato m de tenis.

plinth [plɪnθ] n (for statue) peana f; (for pillar) plinto m.

PLO (abbr of Palestine Liberation Organization) n OLP f.

plod [plɒd] vi 1. (walk slowly) caminar con paso cansino. 2. (work slowly) llevar a cabo un trabajo pesado.

plodder [ˈplɒdər] n pej persona f mediocre pero voluntariosa (en el trabajo).

plonk [plɒŋk] n (U) Br inf (wine) vino m peleón. ◆ **plonk down** vt sep inf dejar caer.

plot [plɒt] ◇ n 1. (plan) complot m, conspiración f. 2. (story) argumento m, trama f. 3. (of land) parcela f. ◇ vt 1. (plan) tramar, urdir. 2. (on map, graph) trazar. ◇ vi: **to ~ (to do sthg)** tramar (hacer algo); **to ~ against** conspirar contra.

plotter [ˈplɒtər] n (schemer) conspirador m, -ra f.

plough etc Br = **plow** etc.

ploughman's [ˈplaʊmənz] (pl inv) n Br:

~ **(lunch)** *queso, cebolletas y ensalada con pan.*

plow *Am*, **plough** *Br* [plaʊ] ◇ *n* arado *m*. ◆ *vt* arar. ◆ **plow into** ◇ *vt sep (invest)* invertir. ◇ *vt fus (hit)* chocar contra.

ploy [plɔɪ] *n* táctica *f*, estratagema *f*.

pluck [plʌk] ◇ *vt* 1. *(fruit, flower)* coger. 2.*(pull sharply)* arrancar. 3. *(bird)* desplumar. 4. *(eyebrows)* depilar. 5. *(instrument)* puntear. ◇ *n dated* valor *m*. ◆ **pluck up** *vt fus*: **to ~ up the courage to do sthg** armarse de valor para hacer algo.

plug [plʌg] ◇ *n* 1. (ELEC) enchufe *m*, clavija *f*. 2. *(for bath or sink)* tapón *m*. ◇ *vt* 1. *(hole, leak)* tapar. 2. *inf (mention favourably)* dar publicidad a. ◆ **plug in** *vt sep* enchufar.

plughole [ˈplʌghoʊl] *n* desagüe *m*.

plum [plʌm] ◇ *adj* 1. *(colour)* de color ciruela. 2. *(choice)*: ~ **job** chollo *m*. ◇ *n (fruit)* ciruela *f*.

plumb [plʌm] ◇ *adv* 1. *Am (completely)* completamente. 2. *Br (exactly)*: ~ **in the middle** justo en medio. ◇ *vt*: **to ~ the depths of** alcanzar las cotas más bajas de.

plumber [ˈplʌmər] *n* fontanero *m*, -ra *f*, plomero *m*, -ra *f Amer*.

plumbing [ˈplʌmɪŋ] *n* (U) 1. *(fittings)* tubería *f*. 2. *(work)* fontanería *f*.

plume [pluːm] *n* 1. *(feather)* pluma *f*. 2. *(decoration, of smoke)* penacho *m*.

plummet [*Am* ˈplʌmət, *Br* -ɪt] *vi* caer en picado.

plump [plʌmp] *adj* regordete(ta). ◆ **plump for** *vt fus* optar OR decidirse por. ◆ **plump up** *vt sep* ahuecar.

plum pudding *n* budín *m* navideño con pasas.

plunder [ˈplʌndər] ◇ *n* 1. *(stealing, raiding)* saqueo *m*, pillaje *m*. 2. *(stolen goods)* botín *m*. ◇ *vt* saquear.

plunge [plʌndʒ] ◇ *n* 1. *(fall, dive)* chapuzón *m*, zambullida *f*; **to take the ~** dar el paso decisivo. ◇ *vt* 1. *(knife etc)*: **to ~ sthg into** hundir algo en. 2. *(into darkness, water)*: **to ~ sthg into** sumergir algo en. ◇ *vi* 1. *(fall, dive)* hundirse, zambullirse. 2. *(decrease)* bajar vertiginosamente.

pluperfect [ˌpluːˈpɜːˈfəkt] *n*: ~ **(tense)** (pretérito *m*) pluscuamperfecto *m*.

plural [ˈplʊərəl] ◇ *adj (gen)* plural. ◇ *n* plural *m*.

plus [plʌs] *(pl* **-es** OR **-ses)** ◇ *adj (or more)*: **35-~** 35 o más. ◇ *n* 1. (MATH) *(sign)* signo *m* más. 2. *inf (bonus)* venta-

ja *f*. ◇ *prep* más. ◇ *conj* además.

plush [plʌʃ] *adj* lujoso(sa).

plus sign *n* signo *m* más.

Pluto [ˈpluːtoʊ] *n (planet)* Plutón *m*.

plutonium [pluːˈtoʊnɪəm] *n* plutonio *m*.

ply [plaɪ] ◇ *vt* 1. *(trade)* ejercer. 2. *(supply, provide)*: **to ~ sb with sthg** *(questions)* acosar a alguien con algo; *(food, drink)* no parar de ofrecer a alguien algo. ◇ *vi* navegar.

plywood [ˈplaɪwʊd] *n* contrachapado *m*.

p.m., **pm** *(abbr of post meridiem)*: **at 3 ~** a las tres de la tarde.

PM *n abbr of* **prime minister**.

PMT, **PMS** *(abbr of* **premenstrual tension**, **premenstrual syndrome**) *n* SPM *m*.

pneumatic [njuːˈmætɪk] *adj (tyre, chair)* neumático(ca).

pneumatic drill *n* martillo *m* neumático.

pneumonia [njuːˈmoʊnjə] *n (U)* pulmonía *f*.

poach [poʊtʃ] ◇ *vt* 1. *(game)* cazar en vedado; *(fish)* pescar en vedado. 2. *(copy)* plagiar. 3. (CULIN) *(salmon)* hervir; *(egg)* escalfar. ◇ *vi (for game)* cazar en vedado; *(for fish)* pescar en vedado.

poacher [ˈpoʊtʃər] *n (hunter)* cazador furtivo *m*, cazadora furtiva *f*; *(fisherman)* pescador furtivo *m*, pescadora furtiva *f*.

poaching [ˈpoʊtʃɪŋ] *n (for game)* caza *f* furtiva; *(for fish)* pesca *f* furtiva.

PO Box *(abbr of* **Post Office Box**) *n* apdo. *m*.

pocket [*Am* ˈpɒkət, *Br* -ɪt] ◇ *n* 1. *(in clothes)* bolsillo *m*; **to be £10 out of ~** salir perdiendo 10 libras; **to pick sb's ~** vaciar a alguien el bolsillo. 2. *(in car door etc)* bolsa *f*, bolsillo *m*. 3. *(of resistance)* foco *m*; *(of air)* bolsa *f*. ◇ *vt* 1. *(place in pocket)* meterse en el bolsillo. 2. *(steal)* birlar. ◇ *adj* de bolsillo.

pocketbook [ˈpɒkətbʊk] *n* 1. *(notebook)* libreta *f*. 2. *Am (handbag)* cartera *f Amer*, bolso *m Esp*.

pocketknife [ˈpɒkətnaɪf] *(pl* **-knives** [-naɪvz]) *n* navaja *f* (de bolsillo).

pocket money *n* propina *f*, dinero *m* para gastar.

pod [pɒd] *n (of plants)* vaina *f*.

podgy [ˈpɒdʒɪ] *adj inf* gordinflón(ona).

podiatrist [pəˈdaɪətrəst] *n Am* podólogo *m*, -ga *f*.

podium [ˈpoʊdɪəm] *(pl* **-diums** OR **-dia** [-dɪə]) *n* podio *m*.

poem [ˈpoʊəm] *n* poema *m*, poesía *f*.

poet [ˈpoʊət] *n* poeta *m* y *f*.

poetic [poʊˈetɪk] *adj* poético(ca).

poet laureate n poeta m laureado.

poetry ['pəuɪtrɪ] n poesía f.

poignant ['pɔɪnjənt] adj patético(ca), conmovedor(ra).

point [pɔɪnt] ◇ n 1. (gen) punto m; **at that ~** en aquel momento. 2. (tip) punta f. 3. (detail, argument): **to make a ~** hacer una observación; **to have a ~** tener razón. 4. (main idea): **the ~ is ...** lo fundamental OR más importante es ...; **to miss the ~ of** no coger la idea de; **to get** OR **come to the ~** ir al grano; **it's beside the ~** no viene al caso. 5. (feature) cualidad f; **weak/strong ~** punto m débil/fuerte. 6. (purpose) sentido m; **what's the ~?** ¿para qué?; **there's no ~ in it** no tiene sentido. 7. (decimal point) coma f; **two ~ six** dos coma seis. 8. Br (ELEC) toma f de corriente. 9. phr: **to make a ~ of doing sthg** poner empeño en hacer algo. ◇ vt: **to ~ a gun at sthg/sb** apuntar a algo/alguien con una pistola; **to ~ one's finger at sthg/sb** señalar algo/a alguien con el dedo. ◇ vi 1. (indicate with finger): **to ~ at sthg/sb, to ~ to sthg/sb** señalar algo/a alguien con el dedo. 2. fig (suggest): **everything ~s to her guilt** todo indica que ella es la culpable. ◆ **points** npl Br (RAIL) agujas fpl. ◆ **up to a point** adv hasta cierto punto. ◆ **on the point of** prep: **to be on the ~ of doing sthg** estar a punto de hacer algo. ◆ **point out** vt sep (person, object, fact) señalar, indicar; (mistake) hacer notar.

point-blank adv 1. (refuse, deny) categóricamente. 2. (at close range) a quemarropa.

pointed ['pɔɪntəd] adj 1. (sharp, angular) en punta, puntiagudo(da). 2. (cutting, incisive) intencionado(da).

pointer ['pɔɪntər] n 1. (piece of advice) consejo m. 2. (needle) aguja f. 3. (COMPUT) puntero m.

pointless ['pɔɪntləs] adj sin sentido.

point of view (pl points of view) n 1. (opinion) punto m de vista. 2. (aspect, perspective) perspectiva f.

poise [pɔɪz] n (self-assurance) aplomo m, serenidad f; (elegance) elegancia f.

poised [pɔɪzd] adj 1. (ready): **to be ~ to do sthg** estar listo(ta) para hacer algo. 2. (calm and dignified) sereno(na).

poison ['pɔɪzn] ◇ n veneno m. ◇ vt (gen - intentionally) envenenar; (- unintentionally) intoxicar.

poisoning ['pɔɪznɪŋ] n (intentional) envenenamiento m; (unintentional) intoxicación f.

poisonous ['pɔɪznəs] adj 1. (substance, gas) tóxico(ca). 2. (snake) venenoso (sa).

poke [pəuk] ◇ vt 1. (with finger, stick) empujar; (with elbow) dar un codazo a; (fire) atizar; **to ~ sb in the eye** meter el dedo en el ojo de alguien. 2. (push, stuff): **to ~ sthg into** meter algo en. ◇ vi (protrude): **to ~ out of sthg** sobresalir por algo. ◆ **poke about**, **poke around** vi inf fisgonear, hurgar.

poker ['pəukər] n 1. (game) póker m. 2. (for fire) atizador m.

poker-faced [-feɪst] adj con cara inexpresiva.

poky ['pəukɪ] adj pej: **a ~ little room** un cuartucho.

Poland ['pəulənd] n Polonia.

polar ['pəulər] adj polar.

pole [pəul] n 1. (rod, post) palo m; **telegraph ~** poste m telegráfico. 2. (ELEC & GEOGR) polo m.

Pole [pəul] n polaco m, -ca f.

pole vault n: **the ~** el salto con pértiga.

police [pə'liːs] ◇ npl (police force): **the ~** la policía. ◇ vt mantener el orden en, vigilar.

police car n coche m patrulla.

police constable n Br policía m y f.

police force n cuerpo m de policía.

policeman [pə'liːsmən] (pl **-men** [-mən]) n policía m.

police officer n agente m y f de la policía.

police record n: **(to have a) ~** (tener) antecedentes mpl policiales.

police station n comisaría f (de policía).

policewoman [pə'liːswumən] (pl **-women** [-wɪmɪn]) n (mujer f) policía f.

policy ['pɒləsɪ] n 1. (plan, practice) política f. 2. (document, agreement) póliza f.

polio ['pəulɪəu] n polio f.

polish ['pɒlɪʃ] ◇ n 1. (for floor) cera f; (for shoes) betún m; (for window) limpiacristales m inv; (for nails) esmalte m. 2. (shine) brillo m, lustre m. 3. fig (refinement) refinamiento m. ◇ vt (floor) encerar; (shoes, window, car) limpiar; (cutlery, silver, glasses) sacar brillo a. ◆ **polish off** vt sep inf (food) zamparse; (job) despachar.

Polish ['pəulɪʃ] ◇ aaj polaco(ca). ◇ n (language) polaco m. ◇ npl: **the ~** los polacos mpl.

polished ['pɒlɪʃt] adj 1. (person, manner) refinado(da). 2. (performance, speech) esmerado(da).

polite [pə'laɪt] *adj* educado(da), cortés.

political [pə'lɪtɪkl] *adj (concerning politics)* político(ca).

politically correct [pə'lɪtɪklɪ-] *adj* políticamente correcto(ta), conforme a la ética según la cual se sustituyen términos considerados sexistas, racistas etc por otros considerados aceptables.

POLITICALLY CORRECT

Se aplica el término *politically correct* a las personas, actitudes y términos nacidos de un movimiento, principalmente estadounidense, llamado *PC*. Este movimiento intenta sustituir términos que pueden resultar insultantes (racistas, sexistas, etc.) por otros considerados aceptables, por ejemplo: *American Indian* por *Native American, Differently abled* por *Disabled.*

---

politician [,pɒlə'tɪʃn] *n* político *m*, -ca *f.*

politics ['pɒlətɪks] ◇ *n (U)* **1.** *(gen)* política *f.* **2.** *(field of study)* ciencias *fpl* políticas. ◇ *npl* **1.** *(personal beliefs)* ideas *fpl* políticas. **2.** *(of a group, area)* política *f.*

poll [pəʊl] ◇ *n (vote)* votación *f; (of opinion)* encuesta *f.* ◇ *vt* **1.** *(people)* sondear. **2.** *(votes)* obtener. ◆ **polls** *npl:* **the ~s** los comicios.

pollen ['pɒlən] *n* polen *m.*

polling booth ['pəʊlɪŋ-] *n* cabina *f* electoral.

polling station ['pəʊlɪŋ-] *n* mesa *f* OR centro *m* electoral.

pollute [pə'luːt] *vt* contaminar.

pollution [pə'luːʃn] *n (U)* **1.** *(process of polluting)* contaminación *f.* **2.** *(impurities)* substancias *fpl* contaminantes.

polo ['pəʊləʊ] *n* polo *m.*

polo neck *Br n* **1.** *(neck)* cuello *m* alto. **2.** *(jumper)* jersey *m* de cuello alto.

polyethylene *Am* ['pɒlɪ'eθɪliːn], **polythene** *Br* ['pɒlɪθiːn] *n* polietileno *m.*

Polynesia [,pɒlə'niːzjə] *n* Polinesia.

polystyrene [,pɒlɪ'staɪriːn] *n* poliestireno *m.*

polytechnic [,pɒlɪ'teknɪk] *n Br* politécnico *m*, escuela *f* politécnica.

polythene *Br* = **polyethylene**.

pomegranate ['pɒmɪgrænət] *n* granada *f.*

pomp [pɒmp] *n* pompa *f.*

pompom ['pɒmpɒm] *n* borla *f*, pompón *m.*

pompous ['pɒmpəs] *adj* **1.** *(self-*important)* presumido(da). **2.** *(style)* pomposo(sa).

pond [pɒnd] *n* estanque *m.*

ponder ['pɒndər] *vt* considerar.

pong [pɒŋ] *n Br inf* (olor *m* a) peste *f.*

pony ['pəʊnɪ] *n* poni *m.*

ponytail ['pəʊnɪteɪl] *n* coleta *f* (de caballo).

pony-trekking [-trekɪŋ] *n (U)* excursión *f* en poni.

poodle ['puːdl] *n* caniche *m.*

pool [puːl] ◇ *n* **1.** *(of water, blood, ink)* charco *m; (pond)* estanque *m.* **2.** *(swimming pool)* piscina *f.* **3.** *(of light)* foco *m.* **4.** (COMM) *(fund)* fondos *mpl* comunes. **5.** *(of people, things):* **typing ~** servicio *m* de mecanografía; **car ~** parque *m* de automóviles. **6.** *(game)* billar *m* americano. ◇ *vt (resources, funds)* juntar; *(knowledge)* poner en común. ◆ **pools** *npl Br:* **the ~s** las quinielas.

poor [pʊər, pɔːr] ◇ *adj* **1.** *(gen)* pobre; **~ old John!** ¡el pobre de John! **2.** *(quality, result)* malo(la). ◇ *npl:* **the ~** los pobres.

poorly ['pʊəlɪ] ◇ *adj Br* pachucho (cha). ◇ *adv* mal.

pop [pɒp] ◇ *n* **1.** *(music)* (música *f*) pop *m.* **2.** *(U) inf (fizzy drink)* gaseosa *f.* **3.** *inf (father)* papá *m.* **4.** *(sound)* pequeña explosión *f.* ◇ *vt* **1.** *(balloon, bubble)* pinchar. **2.** *(put quickly):* **to ~ sthg into** meter algo en. ◇ *vi* **1.** *(balloon)* reventar; *(cork, bottle)* saltar. **2.** *(eyes)* salirse de las órbitas. **3.** *(go quickly):* **I'm just popping round to the shop** voy un momento a la tienda. ◆ **pop in** *vi* entrar un momento. ◆ **pop up** *vi* aparecer de repente.

pop concert *n* concierto *m* de música pop.

popcorn ['pɒpkɔːrn] *n* palomitas *fpl* (de maíz).

pope [pəʊp] *n* papa *m.*

pop group *n* grupo *m* (de música) pop.

poplar ['pɒplər] *n* álamo *m.*

poppy ['pɒpɪ] *n* amapola *f.*

Popsicle® ['pɒpsɪkl] *n Am* polo *m.*

popular ['pɒpjələr] *adj* **1.** *(gen)* popular; *(person)* estimado(da). **2.** *(belief, attitude, discontent)* generalizado(da). **3.** *(newspaper, politics)* para las masas.

popularize ['pɒpjələraɪz] *vt* **1.** *(make popular)* popularizar. **2.** *(simplify)* vulgarizar.

population [,pɒpjə'leɪʃn] *n* población *f.*

porcelain ['pɔːrsələn] *n* porcelana *f.*

porch [pɔːrtʃ] *n* **1.** *(entrance)* porche *m,*

P

pórtico *m*. **2.** *Am (verandah)* terraza *f*.

porcupine ['pɔːˈkjəpaɪn] *n* puerco *m* espín.

pore [pɔːˈ] *n* poro *m*. ◆ **pore over** *vt fus* estudiar esmeradamente.

pork [pɔːˈk] *n* carne *f* de cerdo.

pork pie *n* empanada *f* de carne de cerdo.

pornography [pɔːˈʳnɒɡrəfɪ] *n* pornografía *f*.

porous ['pɔːrəs] *adj* poroso(sa).

porridge ['pɒrɪdʒ] *n* papilla *f* OR gachas *fpl* de avena.

port [pɔːˈt] *n* **1.** *(coastal town, harbour)* puerto *m*. **2.** (NAUT) *(left-hand side)* babor *m*. **3.** *(drink)* oporto *m*. **4.** (COMPUT) conexión *f*.

portable ['pɔːˈtəbl] *adj* portátil.

porter ['pɔːˈtəʳ] *n* **1.** *Br (in block of flats)* portero *m*, -ra *f*; *(in public building, hotel)* conserje *m* y *f*. **2.** *(for luggage)* mozo *m*.

portfolio [ˌpɔːˈtˈfəʊlɪəʊ] *(pl* **-s)** *n* **1.** (ART, FIN & POL) cartera *f*. **2.** *(sample of work)* carpeta *f*.

porthole ['pɔːˈthəʊl] *n* portilla *f*.

portion ['pɔːˈʃn] *n* **1.** *(part, section)* porción *f*. **2.** *(of chips, vegetables etc)* ración *f*.

portly ['pɔːˈtlɪ] *adj* corpulento(ta).

port of call *n* **1.** (NAUT) puerto *m* de escala. **2.** *fig (on journey)* escala *f*.

portrait ['pɔːˈtrət] *n* retrato *m*.

portray [pɔːˈtreɪ] *vt* **1.** *(represent - in a play, film)* representar. **2.** *(describe)* describir. **3.** *(paint)* retratar.

Portugal ['pɔːˈtʃəgl] *n* Portugal.

Portuguese [ˌpɔːˈtʃəˈgiːz] ◇ *adj* portugués(esa). ◇ *n (language)* portugués *m*. ◇ *npl*: **the ~** los portugueses.

pose [pəʊz] ◇ *n* **1.** *(position, stance)* postura *f*. **2.** *pej (pretence, affectation)* pose *f*. ◇ *vt* **1.** *(problem, threat)* presentar. **2.** *(question)* formular. ◇ *vi* **1.** *(model)* posar. **2.** *pej (behave affectedly)* adoptar una pose. **3.** *(pretend to be)*: **to ~ as sb/sthg** fingir ser alguien/algo.

posh [pɒʃ] *adj inf* **1.** *(hotel, area etc)* de lujo, elegante. **2.** *Br (person, accent)* afectado(da).

position [pəˈzɪʃn] ◇ *n* **1.** *(gen)* posición *f*. **2.** *(right place)* sitio *m*, lugar *m*. **3.** *(status)* rango *m*. **4.** *(job)* puesto *m*. **5.** *(in a race, competition)* lugar *m*. **6.** *(state, situation)* situación *f*. **7.** *(stance, opinion)*: **~ on** opinión *f* respecto a. ◇ *vt* colocar.

positive ['pɒzətɪv] *adj* **1.** *(gen)* positivo(va). **2.** *(sure)*: **to be ~ (about)** estar

seguro(ra) (de). **3.** *(optimistic, confident)*: **to be ~ (about)** ser optimista (respecto a). **4.** *(definite - action)* decisivo(va); *(- decision)* categórico(ca). **5.** *(irrefutable - evidence, fact)* irrefutable; *(- proof)* concluyente.

posse ['pɒsɪ] *n Am* **1.** *(to pursue criminal)* grupo *m* de hombres a caballo. **2.** *(group)* grupo *m*.

possess [pəˈzes] *vt* **1.** *(gen)* poseer. **2.** *(subj: emotion)* adueñarse de.

possession [pəˈzeʃn] *n* posesión *f*. ◆ **possessions** *npl* bienes *mpl*.

possessive [pəˈzesɪv] *adj* **1.** *(gen)* posesivo(va). **2.** *pej (selfish)* egoísta.

possibility [ˌpɒsəˈbɪlətɪ] *n* posibilidad *f*.

possible ['pɒsəbl] *adj* **1.** *(gen)* posible; **as soon as ~** cuanto antes; **as much as ~** todo lo posible; **it's ~ that she'll come** es posible que venga. **2.** *(viable - plan etc)* viable, factible.

possibly ['pɒsəblɪ] *adv* **1.** *(perhaps)* posiblemente, quizás. **2.** *(within one's power)*: **could you ~ help me?** ¿te importaría ayudarme? **3.** *(to show surprise)*: **how could he ~ do that?** ¿cómo demonios pudo hacer eso? **4.** *(for emphasis)*: **I can't ~ do it** no puedo hacerlo de ninguna manera.

post [pəʊst] ◇ *n* **1.** *(service)*: **the ~** el correo; **by ~** por correo. **2.** *(U) (letters etc)* cartas *fpl*. **3.** *(delivery)* reparto *m*. **4.** *Br (collection)* colecta *f*. **5.** *(pole)* poste *m*. **6.** *(position, job)* puesto *m*. **7.** (MIL) puesto *m*. ◇ *vt* **1.** *(by mail)* echar al correo. **2.** *(transfer)* enviar, destinar.

postage ['pəʊstɪdʒ] *n* franqueo *m*, porte *m*; **~ and packing** gastos *mpl* de envío.

postal ['pəʊstl] *adj* postal.

postal order *n* giro *m* postal.

postbox ['pəʊstbɒks] *n Br* buzón *m*.

postcard ['pəʊstkɑːˈd] *n* postal *f*.

postcode ['pəʊstkəʊd] *n Br* código *m* postal.

postdate [ˌpəʊstˈdeɪt] *vt* poner posfecha a.

poster ['pəʊstəʳ] *n* cartel *m*, póster *m*.

poste restante [*Am* ˌpəʊstrɪˈstɑːnt, *Br* ˌpəʊstˈrestɒnt] *n* lista *f* de correos.

postgraduate [ˌpəʊstˈgrædʒʊət] *n* posgraduado *m*, -da *f*.

posthumous ['pɒstʃʊməs] *adj* póstumo(ma).

postman ['pəʊstmən] *(pl* **-men** [-mən]) *n* cartero *m*.

postmark ['pəʊstmɑːˈk] *n* matasellos *m inv*.

postmaster [*Am* 'poustmæstər, *Br* -maːstə] *n* administrador *m* de correos.

postmortem [,poust'mɔːtəm] ◇ *adj* post-mórtem (*inv*). ◇ *n* (*autopsy*) autopsia *f*.

post office *n* 1. (*organization*): **the Post Office** = Correos *m inv*. 2. (*building*) oficina *f* de correos.

post office box *n* apartado *m* de correos, casilla *f* de correos *Amer*.

postpone [pous'poun] *vt* posponer.

postscript ['poustskript] *n* (*additional message*) posdata *f*; *fig* (*additional information*) nota *f* final.

posture ['postʃər] *n lit & fig* postura *f*; ~ **on sthg** postura hacia algo.

postwar [,poust'wɔːr] *adj* de (la) posguerra.

posy ['pouzi] *n* ramillete *m*.

pot [pɒt] ◇ *n* 1. (*for cooking*) olla *f*. 2. (*for tea*) tetera *f*; (*for coffee*) cafetera *f*. 3. (*for paint*) bote *m*; (*for jam*) tarro *m*. 4. (*flowerpot*) tiesto *m*, maceta *f*. 5. (*U*) *inf* (*cannabis*) maría *f*, hierba *f*. 6. *phr*: **to go to** ~ ir al traste. ◇ *vt* plantar (en un tiesto).

potassium [pə'tæsiəm] *n* potasio *m*.

potato [pə'teitou] (*pl* **-es**) *n* papa *f*, patata *f Esp*.

potato peeler [-,piːlər] *n* pelapatatas *m inv*.

potent ['poutənt] *adj* 1. (*powerful, influential*) poderoso(sa). 2. (*drink, drug*) fuerte. 3. (*sexually capable*) potente.

potential [pə'tenʃl] ◇ *adj* potencial, posible. ◇ *n* (*U*) potencial *m*; **to have** ~ tener posibilidades, prometer.

potentially [pə'tenʃli] *adv* en potencia.

pothole ['pɒthoul] *n* 1. (*in road*) bache *m*. 2. (*underground*) cueva *f*.

potion ['pouʃn] *n* poción *f*.

potluck [,pɒt'lʌk] *n*: **to take** ~ (*gen*) elegir a ojo; (*at meal*) conformarse con lo que haya.

potted ['pɒtəd] *adj* 1. (*plant*) en tiesto. 2. (*meat, fish*) en conserva.

potter ['pɒtər] *n* alfarero *m*, -ra *f*. ♦ **potter about, potter around** *vi Br* entretenerse.

pottery ['pɒtəri] *n* 1. (*gen*) cerámica *f*, alfarería *f*. 2. (*factory*) fábrica *f* de cerámica.

potty ['pɒti] *Br inf* ◇ *adj* (*person*) chalado(da). ◇ *n* orinal *m*.

pouch [pautʃ] *n* 1. (*small bag*) bolsa *f* pequeña; (*for tobacco*) petaca *f*. 2. (*on animal's body*) bolsa *f* (abdominal).

poultry ['poultri] ◇ *n* (*meat*) carne *f* de

pollería. ◇ *npl* (*birds*) aves *fpl* de corral.

pounce [pauns] *vi* (*leap*): **to** ~ (**on** OR **upon**) abalanzarse (sobre).

pound [paund] ◇ *n* 1. (*unit of money, weight*) libra *f*. 2. (*for cars*) depósito *m* (de coches); (*for dogs*) perrera *f*. ◇ *vt* 1. (*hammer on*) golpear, aporrear. 2. (*pulverize*) machacar. ◇ *vi* 1. (*hammer*): **to** ~ **on sthg** golpear OR aporrear algo. 2. (*beat, throb*) palpitar.

pound sterling *n* libra *f* esterlina.

pour [pɔːr] ◇ *vt* (*cause to flow*): **to** ~ **sthg** (**into**) echar OR verter algo (en); **to** ~ **sb a drink, to** ~ **a drink for sb** servirle una copa a alguien. ◇ *vi* 1. (*liquid*) chorrear; (*smoke*) salir a borbotones. 2. *fig* (*rush*): **to** ~ **in/out** entrar/salir en manada. ◇ *v impers* (*rain hard*) llover a cántaros. ♦ **pour in** *vi* llegar a raudales. ♦ **pour out** *vt sep* 1. (*empty*) echar, vaciar. 2. (*serve*) servir.

pouring ['pɔːriŋ] *adj* (*rain*) torrencial.

pout [paut] *vi* (*showing displeasure*) hacer pucheros; (*being provocative*) hacer un gesto provocador con los labios.

poverty ['pɒvərti] *n lit & fig* pobreza *f*.

poverty-stricken *adj* necesitado (da).

powder ['paudər] ◇ *n* polvo *m*; (*make-up*) polvos *mpl*. ◇ *vt* poner polvos en; **to** ~ **one's face** empolvarse la cara.

powder compact *n* polvera *f*.

powdered ['paudərd] *adj* (*in powder form*) en polvo.

powder puff *n* borla *f*.

powder room *n* servicios *mpl* de señoras.

power ['pauər] ◇ *n* 1. (*U*) (*authority, control*) poder *m*; **to come to/take** ~ llegar al/hacerse con el poder; **to be in** ~ estar en el poder. 2. (*ability*) facultad *f*; **it isn't within my** ~ **to do it** no está dentro de mis posibilidades hacerlo. 3. (*legal authority*) autoridad *f*, competencia *f*. 4. (*physical strength*) fuerza *f*. 5. (*energy - solar, steam etc*) energía *f*. 6. (*electricity*) corriente *f*; **to turn the** ~ **on/off** dar/cortar la corriente. 7. (*powerful nation, person, group*) potencia *f*. ◇ *vt* impulsar.

powerboat ['pauərbout] *n* motora *f*.

power cut *n* apagón *m*.

power failure *n* corte *m* de corriente.

powerful ['pauərfl] *adj* 1. (*gen*) poderoso(sa). 2. (*blow, voice, drug*) potente. 3. (*speech, film*) conmovedor(ra).

powerless ['pauərləs] *adj* 1. (*helpless*)

P

impotente. **2.** *(unable)*: **to be ~ to do sthg** no poder hacer algo.

power point *n Br* toma *f* (de corriente).

power station *n* central *f* eléctrica.

power steering *n* dirección *f* asistida.

pp *(abbr of per procurationem)* p.p.

p & p *abbr of* **postage and packing**.

PR *n* **1.** *abbr of* **proportional representation**. **2.** *abbr of* **public relations**.

practicable ['præktɪkəbl] *adj* factible.

practical ['præktɪkl] ◇ *adj* **1.** *(gen)* práctico(ca). **2.** *(skilled with hands)* hábil, mañoso(sa). ◇ *n* práctica *f*.

practicality [,præktɪ'kælətɪ] *n* viabilidad *f*.

practical joke *n* broma *f* pesada.

practically ['præktɪklɪ] *adv* **1.** *(in a practical way)* de manera práctica. **2.** *(almost)* prácticamente, casi.

practice ['præktɪs] ◇ *n* **1.** *(training, training session)* práctica *f*; (SPORT) entrenamiento *m*; (MUS) ensayo *m*; **I'm out of ~** me falta práctica. **2.** *(reality)*: **to put sthg into ~** llevar algo a la práctica; **in ~** *(in fact)* en la práctica. **3.** *(habit, regular activity)* costumbre *f*. **4.** *(of profession)* ejercicio *m*. **5.** *(business - of doctor)* consulta *f*; *(- of lawyer)* bufete *m*, despacho *m*. ◇ *vt Am* **1.** (SPORT) entrenar; (MUS & THEATRE) ensayar. **2.** *(religion, economy, safe sex)* practicar. **3.** *(medicine, law)* ejercer. ◇ *vi Am* **1.** *(train - gen)* practicar; (SPORT) entrenarse. **2.** *(as doctor)* practicar; *(as lawyer)* ejercer.

practicing ['præktɪsɪŋ] *Am* = **practising**.

practise ['præktɪs] *vt & vi Br* = **practice**.

practising, practicing *Am* ['præktɪsɪŋ] *adj* **1.** *(Catholic, Jew etc)* practicante. **2.** *(doctor, lawyer)* en ejercicio. **3.** *(homosexual)* activo(va).

practitioner [præk'tɪʃnə^r] *n*: **medical ~** médico *m*, -ca *f*.

Prague [prɑːg] *n* Praga.

prairie ['preərɪ] *n* pradera *f*, prado *m*.

praise [preɪz] ◇ *n* (U) elogio *m*, alabanza *f*. ◇ *vt* elogiar, alabar.

praiseworthy ['preɪzwɜː'ðɪ] *adj* encomiable.

pram [præm] *n* cochecito *m* de niño.

prance [*Am* præns, *Br* prɑːns] *vi* **1.** *(person)* ir dando brincos. **2.** *(horse)* hacer cabriolas.

prank [præŋk] *n* travesura *f*.

prawn [prɔːn] *n* gamba *f*.

pray [preɪ] *vi* rezar, orar.

prayer [preə^r] *n* **1.** (RELIG) oración *f*. **2.** *fig (strong hope)* ruego *m*, súplica *f*.

prayer book *n* misal *m*.

preach [priːtʃ] ◇ *vt (gen)* predicar; *(sermon)* dar. ◇ *vi* **1.** (RELIG): **to ~ (to)** predicar (a). **2.** *pej (pontificate)*: **to ~ (at)** sermonear (a).

preacher ['priːtʃə^r] *n* predicador *m*, -ra *f*.

precarious [prɪ'keərɪəs] *adj* precario (ria).

precaution [prɪ'kɔːʃn] *n* precaución *f*.

precede [prɪ'siːd] *vt* preceder.

precedence ['presɪdəns] *n*: **to take ~ over** tener prioridad sobre.

precedent ['presɪdənt] *n* precedente *m*.

precinct ['priːsɪŋkt] *n* **1.** *Am (district)* distrito *m*. **2.** *Br (shopping area)* zona *f* comercial. ♦ **precincts** *npl* recinto *m*.

precious ['preʃəs] *adj* **1.** *(gen)* precioso (sa). **2.** *(memories, possessions)* preciado (da). **3.** *(affected)* afectado(da).

precipice ['presəpɪs] *n* precipicio *m*.

precipitate [prɪ'sɪpɪteɪt] *vt fml* precipitar.

precise [prɪ'saɪs] *adj* preciso(sa), exacto(ta).

precisely [prɪ'saɪslɪ] *adv* **1.** *(with accuracy)* exactamente. **2.** *(exactly, literally)* precisamente. **3.** *(as confirmation)*: **~!** ¡eso es!

precision [prə'sɪʒn] *n* precisión *f*.

preclude [prɪ'kluːd] *vt fml* evitar, impedir; *(possibility)* excluir; **to ~ sthg/sb from doing sthg** impedir que algo/ alguien haga algo.

precocious [prə'kəuʃəs] *adj* precoz.

preconceived [,priːkən'siːvd] *adj* preconcebido(da).

precondition [,priːkən'dɪʃn] *n fml*: **~ (for)** requisito *m* previo (para).

predator ['predətə^r] *n* depredador *m*, -ra *f*; *fig* buitre *m* y *f*.

predecessor ['priːdəsesə^r] *n* antecesor *m*, -ra *f*.

predicament [prɪ'dɪkəmənt] *n* apuro *m*.

predict [prə'dɪkt] *vt* predecir, pronosticar.

predictable [prə'dɪktəbl] *adj* **1.** *(result etc)* previsible. **2.** *(film, book, person)* poco original.

prediction [prə'dɪkʃn] *n* pronóstico *m*.

predominant [prɪ'dɒmɪnənt] *adj* predominante.

predominantly [prɪ'dɒmɪnəntlɪ] *adv*

fundamentalmente.

preempt [prɪ'empt] *vt (make ineffective)* adelantarse a.

preemptive [prɪ'emptɪv] *adj* preventivo(va).

preen [priːn] *vt* 1. *(subj: bird)* arreglar (con el pico). 2. *fig (subj: person)*: **to ~ o.s.** acicalarse.

prefab ['priːfæb] *n inf* casa *f* prefabricada.

preface ['prefəs] *n*: **~ (to)** prólogo *m* OR prefacio *m* (a).

prefect ['priːfekt] *n Br (pupil)* delegado *m*, -da *f* de curso.

prefer [prɪ'fɜːʳ] *vt*: **to ~ sthg (to)** preferir algo (a); **to ~ to do sthg** preferir hacer algo.

preferable ['prefrəbl] *adj*: **to be ~ (to)** ser preferible (a).

preferably ['prefrəblɪ] *adv* preferentemente.

preference ['prefrəns] *n*: **~ (for)** preferencia *f* (por).

preferential [,prefə'renʃl] *adj* preferente.

prefix ['priːfɪks] *n* prefijo *m*.

pregnancy ['pregnənsɪ] *n* embarazo *m*.

pregnant ['pregnənt] *adj (carrying unborn baby)* embarazada.

prehistoric [,priːhɪ'stɒrɪk] *adj* prehistórico(ca).

prejudice [*Am* 'predʒədəs, *Br* -dɪs] ◇ *n*: **~ (against)** prejuicio *m* (contra); **~ in favour of** predisposición *f* a favor de. ◇ *vt* 1. *(bias)*: **to ~ sb (in favour of/ against)** predisponer a alguien (a favor de/en contra de). 2. *(harm)* perjudicar.

prejudiced [*Am* 'predʒədəst, *Br* -ɪst] *adj* parcial; **to be ~ in favour of/against** estar predispuesto a favor de/en contra de.

prejudicial [,predʒə'dɪʃl] *adj*: **~ (to)** perjudicial (para).

preliminary [*Am* prə'lɪmenərɪ, *Br* -ɪnrɪ] *adj* preliminar.

prelude ['preljuːd] *n (event)*: **~ (to)** preludio *m* (a).

premarital [*Am* ,priː'merɪtl, *Br* -'mær-] *adj* prematrimonial.

premature [*Am* ,priːmə'tʊr, *Br* 'premətʃəʳ] *adj* prematuro(ra).

premeditated [priː'medɪteɪtəd] *adj* premeditado(da).

premenstrual syndrome, premenstrual tension [priː'menstruəl-] *n* síndrome *m* premenstrual.

premier [*Am* prɪ'mɪər, *Br* 'premjə] ◇ *adj* primero(ra). ◇ *n* primer ministro *m*, primera ministra *f*.

premiere [*Am* prɪ'mɪər, *Br* 'premɪeə] *n* estreno *m*.

premise ['preməs] *n* premisa *f*. ◆ **premises** *npl* local *m*; **on the ~s** en el local.

premium ['priːmjəm] *n* prima *f*; **at a ~** *(above usual value)* por encima de su valor; *(in great demand)* muy solicitado (da).

premium bond *n Br boleto numerado emitido por el Estado que autoriza a participar en sorteos mensuales de dinero hasta su amortización.*

premonition [,premə'nɪʃn] *n* premonición *f*.

preoccupied [prɪ'ɒkjəpaɪd] *adj*: **~ (with)** preocupado(da) (por).

prep [prep] *(abbr of* **preparation***) n (U) Br inf* tarea *f*, deberes *mpl*.

prepaid ['priːpeɪd] *adj (post paid)* porte pagado.

preparation [,prepə'reɪʃn] *n (act of preparing)* preparación *f*. ◆ **preparations** *npl* preparativos *mpl*; **to make ~s for** hacer los preparativos para.

preparatory [*Am* prɪ'pærətɔːrɪ, *Br* -ətrɪ] *adj* preparatorio(ria), preliminar.

preparatory school *n (in UK) colegio de pago para niños de 7 a 12 años; (in US) colegio privado que prepara a sus alumnos para estudios superiores.*

prepare [prɪ'peəʳ] ◇ *vt* preparar. ◇ *vi*: **to ~ for sthg/to do sthg** prepararse para algo/para hacer algo.

prepared [prɪ'peəʳd] *adj* 1. *(gen)* preparado(da). 2. *(willing)*: **to be ~ to do sthg** estar dispuesto(ta) a hacer algo.

preposition [,prepə'zɪʃn] *n* preposición *f*.

preposterous [prə'pɒstərəs] *adj* absurdo(da).

prep school *n inf abbr of* **preparatory school**.

prerequisite [priː'rekwəzət] *n*: **~ (for)** requisito *m* (para).

prerogative [prə'rɒgətɪv] *n* prerrogativa *f*.

Presbyterian [,prezbɪ'tɪərɪən] ◇ *adj* presbiteriano(na). ◇ *n* presbiteriano *m*, -na *f*.

preschool [*adj* ,priː'skuːl, *n* 'priːskuːl] ◇ *adj* preescolar. ◇ *n Am* parvulario *m*.

prescribe [prə'skraɪb] *vt* 1. (MED) recetar. 2. *(order)* ordenar, mandar.

prescription [prə'skrɪpʃn] *n* receta *f*; **on ~** con receta médica.

presence ['prezns] *n* presencia *f*; **to be in sb's ~** OR **in the ~ of sb** estar en presencia de alguien.

presence of mind *n* aplomo *m.*

present [*adj & n* 'preznt, *vb* prɪ'zent] ◇ *adj* 1. *(current)* actual. 2. *(in attendance)* presente; **to be ~ at sthg** asistir a algo, estar presente en algo. ◇ *n* 1. *(current time)*: **the ~** el presente; **at ~** actualmente. 2. (LING): **~ (tense)** (tiempo *m*) presente *m.* 3. *(gift)* regalo *m.* ◇ *vt* 1. *(gen)* presentar; **to ~ sb with sthg, to ~ sthg to sb** *(challenge, opportunity)* representar algo para alguien; **to ~ sb to sb** presentar a alguien a alguien; **to ~ o.s.** *(arrive)* presentarse. 2. *(give)*: **to ~ sb with sthg, to ~ sthg to sb** *(as present)* obsequiar algo a alguien; *(at ceremony)* entregar algo a alguien. 3. *(play etc)* representar.

presentable [prɪ'zentəbl] *adj* presentable; **to make o.s. ~** arreglarse.

presentation [,prezn'teɪʃn] *n* 1. *(gen)* presentación *f.* 2. *(ceremony)* entrega *f.* 3. *(performance)* representación *f.*

present day *n*: **the ~** el presente. ♦ **present-day** *adj* de hoy en día.

presenter [prɪ'zentə'] *n* Br presentador *m*, -ra *f.*

presently ['prezntlɪ] *adv* 1. *(soon)* dentro de poco. 2. *(now)* actualmente.

preservation [,prezə'veɪʃn] *n* preservación *f*, conservación *f.*

preservative [prɪ'zɜː'vətɪv] *n* conservante *m.*

preserve [prɪ'zɜː'v] ◇ *vt* conservar. ◇ *n (jam)* mermelada *f.* ♦ **preserves** *npl (jam)* mermelada *f*; *(vegetables)* conserva *f.*

president ['prezədənt] *n* presidente *m*, -ta *f.*

presidential [,prezə'denʃl] *adj* presidencial.

press [pres] ◇ *n* 1. *(push)*: **to give sthg a ~** apretar algo. 2. *(newspapers, reporters)*: **the ~** la prensa. 3. *(machine)* prensa *f.* ◇ *vt* 1. *(gen)* apretar; **to ~ sthg against sthg** apretar algo contra algo. 2. *(grapes, flowers)* prensar. 3. *(iron)* planchar. 4. *(urge)*: **to ~ sb (to do sthg OR into doing sthg)** presionar a alguien (para que haga algo). 5. *(pursue - claim)* insistir en. ◇ *vi* 1. *(gen)*: **to ~ (on sthg)** apretar (algo); **to ~ forward** empujar hacia adelante. ♦ **press for** *vt fus* exigir, reclamar. ♦ **press on** *vi (continue)*: **to ~ on (with)** proseguir (con).

press agency *n* agencia *f* de prensa.

press conference *n* rueda *f* de prensa.

pressed [prest] *adj*: **to be ~ (for time/money)** andar escaso(sa) (de

tiempo/de dinero).

pressing ['presɪŋ] *adj* apremiante.

press officer *n* jefe *m*, -fa *f* de prensa.

press release *n* comunicado *m* de prensa.

press-stud *n* Br automático *m.*

press-up *n* Br flexión *f.*

pressure ['preʃə'] *n* presión *f*; **to put ~ on sb (to do sthg)** presionar a alguien (para que haga algo).

pressure cooker *n* olla *f* a presión.

pressure gauge *n* manómetro *m.*

pressure group *n* grupo *m* de presión.

pressurize ['preʃəraɪz] *vt* 1. (TECH) presurizar. 2. *Br (force)*: **to ~ sb to do OR into doing sthg** presionar a alguien para que haga algo.

prestige [pre'stiːʒ] *n* prestigio *m.*

presumably [prɪ'zjuːməblɪ] *adv*: **~ you've read it** supongo que los has leído.

presume [prɪ'zjuːm] *vt* suponer; **he is ~d dead** se supone que está muerto.

presumption [prɪ'zʌmpʃn] *n* 1. *(assumption)* suposición *f*; *(of innocence)* presunción *f.* 2. (U) *(audacity)* presunción *f*, osadía *f.*

presumptuous [prɪ'zʌmptʃʊəs] *adj* presuntuoso(sa).

pretence *Br* = **pretense**.

pretend [prɪ'tend] ◇ *vt*: **to ~ to do sthg** fingir hacer algo. ◇ *vi* fingir, simular.

pretense *Am* ['priːtens], **pretence** *Br* [prɪ'tens] *n* fingimiento *m*, simulación *f*; **to make a ~ of doing sthg** fingir hacer algo; **under false ~s** con engaños, con falsos pretextos.

pretension [prɪ'tenʃn] *n* pretensión *f.*

pretentious [prɪ'tenʃəs] *adj* pretencioso(sa).

pretext ['priːtekst] *n* pretexto *m*; **on OR under the ~ that .../of doing sthg** con el pretexto de que .../de estar haciendo algo.

pretty ['prɪtɪ] ◇ *adj* bonito(ta). ◇ *adv* bastante; **~ much** más o menos; **~ well** *(almost)* casi.

prevail [prɪ'veɪl] *vi* 1. *(be widespread)* predominar, imperar. 2. *(triumph)*: **to ~ (over)** prevalecer (sobre). 3. *(persuade)*: **to ~ on OR upon sb to do sthg** persuadir a alguien para que haga algo.

prevailing [prɪ'veɪlɪŋ] *adj* predominante.

prevalent ['prevələnt] *adj* predominante.

prevent [prɪˈvent] *vt* impedir; *(event, illness, accident)* evitar; **to ~ sthg (from) happening** impedir OR evitar que algo pase; **to ~ sb (from) doing sthg** impedir a alguien que haga algo.

preventive [prɪˈventɪv] *adj* preventivo (va).

preview [ˈpriːvjuː] *n (of film, exhibition)* preestreno *m*.

previous [ˈpriːvɪəs] *adj* previo(via), anterior; **the ~ week/president** la semana/el presidente anterior.

previously [ˈpriːvɪəslɪ] *adv* 1. *(formerly)* anteriormente. 2. *(before)*: **two years ~** dos años antes.

prewar [ˌpriːˈwɔːr] *adj* de preguerra.

prey [preɪ] *n* presa *f*, víctima *f*. ◆ **prey on** *vt fus* 1. *(live off)* cazar, alimentarse de. 2. *(trouble)*: **to ~ on sb's mind** atormentar a alguien.

price [praɪs] ◇ *n lit & fig* precio *m*; **to go up/down in ~** subir/bajar de precio; **at any ~** a toda costa, a cualquier precio; **at a ~** a un alto precio. ◇ *vt* poner precio a.

priceless [ˈpraɪsləs] *adj lit & fig* que no tiene precio, inestimable.

price list *n* lista *f* OR tarifa *f* de precios.

pricey [ˈpraɪsɪ] *(compar* **-ier**, *superl* **-iest)** *adj* caro(ra).

prick [prɪk] ◇ *n* 1. *(wound)* pinchazo *m*. 2. *vulg (penis)* polla *f*. 3. *vulg (stupid person)* gilipollas *m y f inv*. ◇ *vt* 1. *(gen)* pinchar. 2. *(sting)* picar. ◆ **prick up** *vt fus*: **to ~ up one's ears** *(subj: animal)* levantar las orejas; *(subj: person)* aguzar el oído.

prickle [ˈprɪkl] ◇ *n* 1. *(thorn)* espina *f*. 2. *(sensation)* comezón *f*. ◇ *vi* picar.

prickly [ˈprɪklɪ] *adj* 1. *(thorny)* espinoso (sa). 2. *fig (touchy)* susceptible, enojadizo(za).

prickly heat *n (U)* sarpullido *por causa del calor*.

pride [praɪd] ◇ *n* orgullo *m*; **to take ~ in sthg/in doing sthg** enorgullecerse de algo/de hacer algo. ◇ *vt*: **to ~ o.s. on sthg** enorgullecerse de algo.

priest [priːst] *n* sacerdote *m*.

priestess [*Am* ˈpriːstəs, *Br* priːsˈtes] *n* sacerdotisa *f*.

priesthood [ˈpriːsthʊd] *n* 1. *(position, office)*: **the ~** el sacerdocio. 2. *(priests collectively)*: **the ~** el clero.

prig [prɪg] *n* mojigato *m*, -ta *f*.

prim [prɪm] *adj* remilgado(da).

primarily [*Am* praɪˈmerəlɪ, *Br* ˈpraɪmrəlɪ] *adv* principalmente.

primary [*Am* ˈpraɪmerɪ, *Br* -ərɪ] ◇ *adj* 1. *(main)* principal. 2. *(SCH)* primario (ria). ◇ *n Am (POL)* primaria *f*.

primary school *n* escuela *f* primaria.

primate [ˈpraɪmeɪt] *n* 1. *(ZOOL)* primate *m*. 2. *(RELIG)* primado *m*.

prime [praɪm] ◇ *adj* 1. *(main)* primero (ra), principal. 2. *(excellent)* excelente; *(quality)* primero(ra). ◇ *n*: **in one's ~** en la flor de la vida. ◇ *vt* 1. *(inform)*: **to ~ sb about sthg** preparar a alguien a fondo para algo. 2. *(surface)* preparar. 3. *(gun, pump)* cebar.

prime minister *n* primer ministro *m*, primera ministra *f*.

primer [ˈpraɪmər] *n* 1. *(paint)* imprimación *f*. 2. *(textbook)* cartilla *f*.

primeval [praɪˈmiːvl] *adj (ancient)* primitivo(va).

primitive [ˈprɪmətɪv] *adj (tribe, species etc)* primitivo(va); *(accommodation, sense of humour)* rudimentario(ria).

primrose [ˈprɪmrəʊz] *n* primavera *f*, prímula *f*.

Primus stove® [ˈpraɪməs-] *n* hornillo *m* de camping.

prince [prɪns] *n* príncipe *m*.

princess [prɪnˈses] *n* princesa *f*.

principal [ˈprɪnsəpl] ◇ *adj* principal. ◇ *n (SCH)* director *m*, -ra *f*.

principle [ˈprɪnsəpl] *n* 1. *(gen)* principio *m*. 2. *(U) (integrity)* principios *mpl*; **on ~, as a matter of ~** por principio. ◆ **in principle** *adv* en principio.

print [prɪnt] ◇ *n* 1. *(U) (type)* caracteres *mpl* (de imprenta); **in ~** *(available)* disponible; *(in printed characters)* en letra impresa; **to be out of ~** estar agotado. 2. *(piece of artwork)* grabado *m*. 3. *(reproduction)* reproducción *f*. 4. *(photograph)* fotografía *f*. 5. *(fabric)* estampado *m*. 6. *(mark - of foot etc)* huella *f*. ◇ *vt* 1. *(TYPO)* imprimir. 2. *(produce by printing - book, newspaper)* tirar. 3. *(publish)* publicar. 4. *(decorate - cloth etc)* estampar. 5. *(write in block letters)* escribir con letra de imprenta. ◇ *vi* imprimir. ◆ **print out** *vt sep (COMPUT)* imprimir.

printer [ˈprɪntər] *n* 1. *(person)* impresor *m*, -ra *f*; *(firm)* imprenta *f*. 2. *(machine)* impresora *f*.

printing [ˈprɪntɪŋ] *n* 1. *(U) (act of printing)* impresión *f*. 2. *(trade)* imprenta *f*.

printout [ˈprɪntaʊt] *n (COMPUT)* salida *f* de impresora.

prior [ˈpraɪər] ◇ *adj* 1. *(previous)* anterior, previo(via). 2. *(more important)* preferente. ◇ *n (monk)* prior *m*. ◆ **prior to** *prep* antes de.

P

priority [praɪˈɒrətɪ] n prioridad f; **to have** OR **take ~ (over)** tener prioridad (sobre).

prise [praɪz] vt: **to ~ sthg open/away** abrir/separar algo haciendo palanca.

prison [ˈprɪzn] n cárcel f, prisión f.

prisoner [ˈprɪznər] n 1. (convict) preso m, -sa f. 2. (captive) prisionero m, -ra f.

prisoner of war (pl **prisoners of war**) n prisionero m, -ra f de guerra.

privacy [Am ˈpraɪvəsɪ, Br ˈprɪv-] n intimidad f.

private [ˈpraɪvət] ◇ adj 1. (gen) privado(da); (class) particular; (telephone call, belongings) personal. 2. (thoughts, plans) secreto(ta). 3. (secluded) retirado(da). 4. (unsociable - person) reservado(da). ◇ n 1. (soldier) soldado m raso. 2. (to do sthg) in ~ (in secret) (hacer algo) en privado.

private enterprise n (U) empresa f privada.

private eye n detective privado m, -da f.

privately [ˈpraɪvətlɪ] adv 1. (not by the state) de forma privada; **~ owned** de propiedad privada. 2. (confidentially) en privado.

private property n propiedad f privada.

private school n colegio m privado.

privatize [ˈpraɪvətaɪz] vt privatizar.

privet [ˈprɪvət] n alheña f.

privilege [ˈprɪvəlɪdʒ] n privilegio m.

privy [ˈprɪvɪ] adj: **to be ~ to** sthg estar enterado(da) de algo.

Privy Council n Br: **the ~** en Gran Bretaña, consejo privado que asesora al monarca.

prize [praɪz] ◇ adj de primera. ◇ n premio m. ◇ vt: **to be ~d** ser apreciado (da).

prize-giving [-ˌgɪvɪŋ] n Br entrega f de premios.

prizewinner [ˈpraɪzwɪnər] n premiado m, -da f.

pro [prəʊ] (pl **-s**) n 1. inf (professional) profesional m y f. 2. (advantage): **the ~s and cons** los pros y los contras.

probability [ˌprɒbəˈbɪlətɪ] n probabilidad f.

probable [ˈprɒbəbl] adj probable.

probably [ˈprɒbəblɪ] adv probablemente.

probation [prəʊˈbeɪʃn] n 1. (of prisoner) libertad f condicional; **to put sb on ~** poner a alguien en libertad condicional. 2. (trial period) periodo m de prue-

ba; **to be on ~** estar en periodo de prueba.

probe [prəʊb] ◇ n 1. (investigation): **~ (into)** investigación f (sobre). 2. (MED & SPACE) sonda f. ◇ vt 1. (investigate) investigar. 2. (with tool) sondar; (with finger, stick) hurgar en.

problem [ˈprɒbləm] n problema m; **no ~!** inf ¡por supuesto!, ¡desde luego!

procedure [prəˈsiːdʒər] n procedimiento m.

proceed [vb prəˈsiːd, npl ˈprəʊsiːdz] vi 1. (do subsequently): **to ~ to do sthg** proceder a hacer algo. 2. (continue): **to ~ (with sthg)** proseguir (con algo). 3. fml (advance) avanzar. ♦ **proceeds** npl ganancias fpl, beneficios mpl.

proceedings [prəˈsiːdɪŋz] npl 1. (series of events) acto m. 2. (legal action) proceso m.

process [Am ˈprɒses, Br ˈprəʊs-] ◇ n proceso m; **in the ~** en el intento; **to be in the ~ of doing sthg** estar en vías de hacer algo. ◇ vt 1. (gen & COMPUT) procesar. 2. (application) tramitar.

processing [Am ˈprɒsesɪŋ, Br ˈprəʊs-] n 1. (gen & COMPUT) procesamiento m. 2. (of applications etc) tramitación f.

procession [prəˈseʃn] n desfile m; (religious) procesión f.

proclaim [prəˈkleɪm] vt (gen) proclamar; (law) promulgar.

procrastinate [prəʊˈkræstɪneɪt] vi andarse con dilaciones.

procure [prəˈkjʊər] vt (obtain) obtener.

prod [prɒd] vt (push, poke) dar golpecitos a.

prodigal [ˈprɒdɪgl] adj (son, daughter) pródigo(ga).

prodigy [ˈprɒdədʒɪ] n (person) prodigio m.

produce [vb prəˈdjuːs, n Am ˈprɒduːs, Br ˈprɒdjuːs] ◇ n (U) productos mpl agrícolas. ◇ vt 1. (gen) producir; (offspring, flowers) engendrar. 2. (bring out) mostrar, enseñar. 3. (THEATRE) poner en escena.

producer [prəˈdjuːsər] n 1. (gen) productor m, -ra f. 2. (THEATRE) director m, -ra f de escena.

product [ˈprɒdʌkt] n producto m.

production [prəˈdʌkʃn] n 1. (gen) producción f. 2. (U) (THEATRE) puesta f en escena.

production line n cadena f de producción.

productive [prəˈdʌktɪv] adj 1. (efficient) productivo(va). 2. (rewarding) provechoso(sa).

productivity [ˌprɒdʌkˈtɪvətɪ] n productividad f.

profane [prəˈfeɪn] adj (disrespectful) obsceno(na).

profession [prəˈfeʃn] n profesión f; **by ~** de profesión.

professional [prəˈfeʃnəl] ◇ adj profesional. ◇ n profesional m y f.

professor [prəˈfesə] n **1.** Am & Can (lecturer) profesor m, -ra f (de universidad). **2.** Br (head of department) catedrático m, -ca f.

proficiency [prəˈfɪʃnsɪ] n: **~ (in)** competencia f (en).

profile [ˈprəʊfaɪl] n perfil m; **high ~** notoriedad f.

profit [Am 'prɒfət, Br -ɪt] ◇ n **1.** (financial gain) beneficio m, ganancia f; **to make a ~** sacar un beneficio. **2.** (advantage) provecho m. ◇ vi: **to ~ (from OR by)** sacar provecho (de).

profitability [ˌprɒfətəˈbɪlətɪ] n rentabilidad f.

profitable [ˈprɒfətəbl] adj **1.** (making a profit) rentable. **2.** (beneficial) provechoso(sa).

profound [prəˈfaʊnd] adj profundo(da).

profusely [prəˈfjuːslɪ] adv profusamente.

profusion [prəˈfjuːʒn] n profusión f.

prognosis [prɒgˈnəʊsəs] (pl **-noses** [-ˈnəʊsiːz]) n pronóstico m.

program [ˈprəʊgræm] (pt & pp **-med** OR **-ed**, cont **-ming** OR **-ing**) ◇ n programa m. ◇ vt & vi programar.

programer Am, **programmer** Br [ˈprəʊgræmə] n (COMPUT) programador m, -ra f.

programme [ˈprəʊgræm] Br ◇ n programa m. ◇ vt: **to ~ sthg (to do sthg)** programar algo (para que haga algo).

programmer Br = **programer**.

programming [ˈprəʊgræmɪŋ] n programación f.

progress [n Am 'prɒgrəs, Br prəʊgres, vb prəˈgres] ◇ n **1.** (gen) progreso m; **in ~** en curso; **to make ~** hacer progresos. **2.** (forward movement) avance m. ◇ vi **1.** (gen) progresar; (pupil etc) hacer progresos. **2.** (move forward) avanzar.

progressive [prəˈgresɪv] adj **1.** (enlightened) progresista. **2.** (gradual) progresivo(va).

prohibit [Am prəʊˈhɪbət, Br -ɪt] vt prohibir; **to ~ sb from doing sthg** prohibirle a alguien hacer algo.

project [n 'prɒdʒekt, vb prəˈdʒekt] ◇ n **1.** (plan, idea) proyecto m. **2.** (SCH): **~**

(on) estudio m OR trabajo m (sobre). ◇ vt **1.** (gen) proyectar. **2.** (estimate - statistic, costs) estimar. **3.** (company, person) dar una imagen de; (image) proyectar. ◇ vi proyectarse.

projectile [Am prəˈdʒektl, Br -aɪl] n proyectil m.

projection [prəˈdʒekʃn] n **1.** (gen) proyección f. **2.** (protrusion) saliente m.

projector [prəˈdʒektə] n proyector m.

proletariat [ˌprəʊləˈteərɪət] n proletariado m.

prolific [prəˈlɪfɪk] adj prolífico(ca).

prologue, prolog Am [ˈprəʊlɒg] n prólogo m.

prolong [prəˈlɒŋ] vt prolongar.

prom [prɒm] n **1.** abbr of **promenade concert**. **2.** (abbr of **promenade**) Br inf (road by sea) paseo m marítimo. **3.** Am (ball) baile m de gala (en la escuela).

promenade [Am ˌprɒməˈneɪd, Br -ˈnɑːd] n Br (by sea) paseo m marítimo.

promenade concert n Br concierto sinfónico en donde parte del público está de pie.

prominent [ˈprɒmɪnənt] adj **1.** (important) destacado(da), importante. **2.** (noticeable) prominente.

promiscuous [prəˈmɪskjʊəs] adj promiscuo(cua).

promise [Am 'prɒməs, Br -ɪs] ◇ n promesa f. ◇ vt: **to ~ (to do sthg)** prometer (hacer algo); **to ~ sb sthg** prometer a alguien algo. ◇ vi: **I ~** te lo prometo.

promising [Am 'prɒməsɪŋ, Br -ɪsɪŋ] ad prometedor(ra).

promontory [Am 'prɒməntɔːrɪ, Br -əntrɪ] n promontorio m.

promote [prəˈməʊt] vt **1.** (foster) fomentar, promover. **2.** (push, advertise) promocionar. **3.** (in job): **to ~ sb (to sthg)** ascender a alguien (a algo). **4.** (SPORT): **to be ~d** subir.

promoter [prəˈməʊtə] n **1.** (organizer) organizador m, -ra f. **2.** (supporter) promotor m, -ra f.

promotion [prəˈməʊʃn] n **1.** (in job) ascenso m. **2.** (advertising) promoción f. **3.** (campaign) campaña f de promoción.

prompt [prɒmpt] ◇ adj rápido(da). ◇ adv en punto. ◇ vt **1.** (motivate): **to ~ sb (to do sthg)** inducir OR impulsar a alguien (a hacer algo). **2.** (THEATRE) apuntar. ◇ n (THEATRE) (line) apunte m.

promptly [ˈprɒmptlɪ] adv **1.** (reply, react, pay) inmediatamente, rápidamente. **2.** (arrive, leave) puntualmente.

prone [prəʊn] adj **1.** (susceptible): **to be ~ to sthg/to do sthg** ser propenso(sa) a

prong 270

algo/a hacer algo. **2.** *(lying flat)* boca abajo.

prong [prɒŋ] *n* diente *m*, punta *f*.

pronoun ['prəʊnaʊn] *n* pronombre *m*.

pronounce [prə'naʊns] ◇ *vt* **1.** *(gen)* pronunciar. **2.** *(declare)* declarar. ◇ *vi*: **to ~ on sthg** pronunciarse sobre algo.

pronounced [prə'naʊnst] *adj* pronunciado(da), marcado(da).

pronouncement [prə'naʊnsmənt] *n* declaración *f*.

pronunciation [prə,nʌnsɪ'eɪʃn] *n* pronunciación *f*.

proof [pru:f] *n* **1.** *(gen & TYPO)* prueba *f*. **2.** *(of alcohol)*: **to be 10% ~** tener 10 grados.

prop [prɒp] ◇ *n* **1.** *(physical support)* puntal *m*, apoyo *m*. **2.** *fig (supporting thing, person)* sostén *m*. ◇ *vt*: **to ~ sthg on** OR **against sthg** apoyar algo contra algo. ◆ **props** *npl* accesorios *mpl*. ◆ **prop up** *vt sep* **1.** *(physically support)* apuntalar. **2.** *fig (sustain)* apoyar.

propaganda [,prɒpə'gændə] *n* propaganda *f*.

propel [prə'pel] *vt* propulsar, impulsar.

propeller [prə'pelər] *n* hélice *f*.

propelling pencil [prə'pelɪŋ-] *n* Br portaminas *m inv*.

propensity [prə'pensətɪ] *n fml*: **~ (for** OR **to sthg)** propensión *f* (a algo).

proper ['prɒpər] *adj* **1.** *(real)* de verdad. **2.** *(correct - gen)* correcto(ta); *(- time, place, equipment)* adecuado(da).

properly ['prɒpəlɪ] *adv* **1.** *(satisfactorily, correctly)* bien. **2.** *(decently)* correctamente.

proper noun *n* nombre *m* propio.

property ['prɒpətɪ] *n* **1.** *(gen)* propiedad *f*. **2.** *(estate)* finca *f*. **3.** *fml (house)* inmueble *m*.

property owner *n* propietario *m*, -ria *f* de un inmueble.

prophecy ['prɒfəsɪ] *n* profecía *f*.

prophesy ['prɒfəsaɪ] *vt* profetizar.

prophet ['prɒfət] *n* profeta *m y f*.

proportion [prə'pɔ:rʃn] *n* **1.** *(part)* parte *f*. **2.** *(ratio, comparison)* proporción *f*. **3.** *(correct relationship)*: **out of ~** desproporcionado(da); **sense of ~** *fig* sentido *m* de la medida.

proportional [prə'pɔ:rʃnəl] *adj*: **~ (to)** proporcional (a).

proportional representation *n* representación *f* proporcional.

proportionate [prə'pɔ:rʃnət] *adj*: **~ (to)** proporcional (a).

proposal [prə'pəʊzl] *n* **1.** *(plan, sugges-* *tion)* propuesta *f*. **2.** *(offer of marriage)* proposición *f*.

propose [prə'pəʊz] ◇ *vt* **1.** *(suggest)* proponer; *(motion)* presentar. **2.** *(intend)*: **to ~ doing** OR **to do sthg** tener la intención de hacer algo. ◇ *vi (make offer of marriage)* declararse; **to ~ to sb** pedir la mano de alguien.

proposition [,prɒpə'zɪʃn] *n (suggestion)* propuesta *f*.

proprietor [prə'praɪətər] *n* propietario *m*, -ria *f*.

propriety [prə'praɪətɪ] *n (U) fml* **1.** *(moral correctness)* propiedad *f*. **2.** *(rightness)* conveniencia *f*, oportunidad *f*.

pro rata [Am -'reɪtə, Br -'rɑ:tə] *adj & adv* a prorrata.

prose [prəʊz] *n* **1.** *(U) (LITERATURE)* prosa *f*. **2.** *(SCH)* traducción *f* inversa.

prosecute ['prɒsɪkju:t] ◇ *vt* procesar, enjuiciar. ◇ *vi* **1.** *(bring a charge)* entablar una acción judicial. **2.** *(represent in court)* representar al demandante.

prosecution [,prɒsɪ'kju:ʃn] *n* **1.** *(gen)* procesamiento *m*. **2.** *(lawyers)*: **the ~** la acusación.

prosecutor ['prɒsɪkju:tər] *n* fiscal *m y f*.

prospect [*n* 'prɒspekt, *vb* Am 'prɒspekt, Br prə'spekt] ◇ *n* **1.** *(gen)* perspectiva *f*. **2.** *(possibility)* posibilidad *f*. ◇ *vi*: **to ~ (for)** hacer prospecciones (de). ◆ **prospects** *npl*: **~s (for)** perspectivas *fpl* (de).

prospective [prə'spektɪv] *adj* posible.

prospectus [prə'spektəs] *(pl -es)* *n* prospecto *m*, folleto *m* informativo.

prosper ['prɒspər] *vi* prosperar.

prosperity [prɒ'sperətɪ] *n* prosperidad *f*.

prosperous ['prɒspərəs] *adj* próspero (ra).

prostitute ['prɒstɪtju:t] *n* prostituta *f*.

prostrate ['prɒstreɪt] *adj* postrado (da).

protagonist [prəʊ'tægənəst] *n* **1.** *fml (supporter)* partidario *m*, -ria *f*. **2.** *(main character)* protagonista *m y f*.

protect [prə'tekt] *vt*: **to ~ sthg/sb (against/from)** proteger algo/a alguien (contra/de).

protection [prə'tekʃn] *n*: **~ (against/ from)** protección *f* (contra/de).

protective [prə'tektɪv] *adj* protector (ra).

protégé ['prəʊtəʒeɪ] *n* protegido *m*.

protein ['prəʊti:n] *n* proteína *f*.

protest [*n* 'prəʊtest, *vb* prə'test] ◇ *n* protesta *f*. ◇ *vt* **1.** *(state)* manifestar, aseverar. **2.** Am *(oppose)* protestar en contra de. ◇ *vi*: **to ~ (about/against/at)** protestar (por/en contra de/por).

Protestant ['prɒtəstənt] ◇ *adj* protestante. ◇ *n* protestante *m y f*.

protester [prə'testə^r] *n* manifestante *m y f*.

protest march *n* manifestación *f*.

protocol ['prəutəkɒl] *n* protocolo *m*.

prototype ['prəutətaɪp] *n* prototipo *m*.

protracted [prə'træktəd] *adj* prolongado(da).

protrude [prə'truːd] *vi*: **to ~ (from)** sobresalir (de).

proud [praud] *adj* **1.** *(gen)*: **~ (of)** orgulloso(sa) (de). **2.** *pej (arrogant)* soberbio (bia), arrogante.

prove [pruːv] *(pp* **-d** OR **proven)** *vt* **1.** *(show to be true)* probar, demostrar. **2.** *(show oneself to be)*: **to ~ (to be) sthg** demostrar ser algo; **to ~ o.s.** demostrar (uno) sus cualidades.

proven ['pruːvn] ◇ *pp* → **prove.** ◇ *adj* probado(da).

proverb ['prɒvɜːˈb] *n* refrán *m*.

provide [prə'vaɪd] *vt* proporcionar, proveer; **to ~ sb with sthg** proporcionar a alguien algo; **to ~ sthg for sb** ofrecer algo a alguien. ♦ **provide for** *vt fus* **1.** *(support)* mantener. **2.** *fml (make arrangements for)* prevenir, tomar medidas para.

provided [prə'vaɪdəd] ♦ **provided (that)** *conj* con tal (de) que.

providing [prə'vaɪdɪŋ] ♦ **providing (that)** *conj* = **provided.**

province ['prɒvəns] *n* **1.** *(part of country)* provincia *f*. **2.** *(speciality)* campo *m*, competencia *f*.

provincial [prə'vɪnʃl] *adj* **1.** *(of a province)* provincial. **2.** *pej (narrow-minded)* provinciano(na).

provision [prə'vɪʒn] *n* **1.** *(gen)* suministro *m*. **2.** *(U) (arrangement)*: **to make ~ for** *(eventuality, future)* tomar medidas para. **3.** *(in agreement, law)* disposición *f*. ♦ **provisions** *npl (supplies)* víveres *mpl*.

provisional [prə'vɪʒnəl] *adj* provisional.

proviso [prə'vaɪzəu] *(pl* **-s)** *n* condición *f*; **with the ~ that ...** con la condición de que ...

provocative [prə'vɒkətɪv] *adj* **1.** *(controversial)* provocador(ra). **2.** *(sexy)* provocativo(va).

provoke [prə'vəuk] *vt* provocar; **to ~ sb to do sthg** provocar a alguien a que haga algo.

prow [prau] *n* proa *f*.

prowess ['prauəs] *n fml* proezas *fpl*.

prowl [praul] ◇ *n*: **on the ~** merodeando. ◇ *vt* merodear por. ◇ *vi* merodear.

prowler ['praulə^r] *n* merodeador *m*, -ra *f*.

proxy ['prɒksɪ] *n*: **by ~** por poderes.

prudent ['pruːdnt] *adj* prudente.

prudish ['pruːdɪʃ] *adj* mojigato(ta).

prune [pruːn] ◇ *n (fruit)* ciruela *f* pasa. ◇ *vt* podar.

pry [praɪ] *vi* fisgonear; **to ~ into sthg** entrometerse en algo.

PS *(abbr of* **postscript)** *n* P.D.

psalm [sɑːm] *n* salmo *m*.

pseudonym ['sʲuːdənɪm] *n* seudónimo *m*.

psyche ['saɪkɪ] *n* psique *f*.

psychiatric [ˌsaɪkɪ'ætrɪk] *adj* psiquiátrico(ca).

psychiatrist [saɪ'kaɪətrəst] *n* psiquiatra *m y f*.

psychiatry [saɪ'kaɪətrɪ] *n* psiquiatría *f*.

psychic ['saɪkɪk] *adj* **1.** *(clairvoyant)* clarividente. **2.** *(mental)* psíquico(ca).

psychoanalysis [ˌsaɪkəuə'næləsəs] *n* psicoanálisis *m inv*.

psychoanalyst [ˌsaɪkəu'ænələst] *n* psicoanalista *m y f*.

psychological [ˌsaɪkə'lɒdʒɪkl] *adj* psicológico(ca).

psychologist [saɪ'kɒlədʒəst] *n* psicólogo *m*, -ga *f*.

psychology [saɪ'kɒlədʒɪ] *n* psicología *f*.

psychopath ['saɪkəpæθ] *n* psicópata *m y f*.

psychotic [saɪ'kɒtɪk] ◇ *adj* psicótico (ca). ◇ *n* psicótico *m*, -ca *f*.

pt 1. *abbr of* **pint. 2.** *abbr of* **point.**

PTO *(abbr of* **please turn over)** sigue.

pub [pʌb] *(abbr of* **public house)** *n* pub *m* (británico).

puberty ['pjuːbətɪ] *n* pubertad *f*.

pubic ['pjuːbɪk] *adj* púbico(ca).

public ['pʌblɪk] ◇ *adj* público(ca). ◇ *n* público *m*; **in ~ en** público; **the ~ el** gran público.

publican ['pʌblɪkən] *n Br* patrón *m*, -ona *f* de un 'pub'.

publication [ˌpʌblɪ'keɪʃn] *n* publicación *f*.

public bar *n Br* en ciertos pubs y hoteles, bar de sencilla decoración con precios más bajos que los del 'saloon bar'.

public company *n* sociedad *f* anónima (con cotización en Bolsa).

public convenience *n Br* aseos *mpl* públicos.

P

public holiday n fiesta f nacional.

public house n Br fml pub m (británico).

publicity [pʌb'lɪsəti] n publicidad f.

publicize ['pʌblɪsaɪz] vt divulgar.

public limited company n sociedad f anónima (con cotización en Bolsa).

public opinion n (U) opinión f pública.

public prosecutor n fiscal m y f del Estado.

public relations ◇ n (U) relaciones fpl públicas. ◇ npl relaciones fpl públicas.

public school n 1. Am (state school) escuela f pública. 2. Br (private school) colegio m privado.

public transport n transporte m público.

publish ['pʌblɪʃ] vt 1. (gen) publicar. 2. (make known) hacer público(ca).

publisher ['pʌblɪʃər] n (person) editor m, -ra f; (firm) editorial f.

publishing ['pʌblɪʃɪŋ] n (U) industria f editorial.

pub lunch n almuerzo servido en un 'pub'.

pucker ['pʌkər] vt fruncir.

pudding ['pʊdɪŋ] n 1. (sweet) pudín m; (savoury) pastel m. 2. (U) Br (course) postre m.

puddle ['pʌdl] n charco m.

Puerto Rico [Am ˌpwertə'riːkoʊ, Br ˌpwɜːt-] n Puerto Rico.

puff [pʌf] ◇ n 1. (of cigarette, pipe) calada f. 2. (gasp) jadeo m. 3. (of air) soplo m; (of smoke) bocanada f. ◇ vt dar caladas a. ◇ vi 1. (smoke): to ~ at OR on dar caladas a. 2. (pant) jadear. ◆ **puff out** vt sep (cheeks, chest) hinchar; (feathers) ahuecar.

puffed [pʌft] adj (swollen): ~ (up) hinchado(da).

puffin ['pʌfɪn] n frailecillo m.

puff pastry, puff paste Am n hojaldre m.

puffy ['pʌfɪ] adj hinchado(da).

pull [pʊl] ◇ vt 1. (gen) tirar de; (trigger) apretar. 2. (tooth, cork) sacar, extraer. 3. (muscle) sufrir un tirón en. 4. (attract) atraer. 5. (gun) sacar y apuntar. ◇ vi tirar. ◇ n 1. (tug with hand) tirón m. 2. (U) (influence) influencia f. ◆ **pull apart** vt sep (machine etc) desmontar. ◆ **pull at** vt fus dar tirones de. ◆ **pull away** vi (from roadside) alejarse (de la acera). ◆ **pull down** vt sep (building) derribar. ◆ **pull in** vi (train) pararse (en el andén). ◆ **pull off** vt sep (succeed in)

conseguir llevar a cabo. ◆ **pull out** ◇ vt sep retirar. ◇ vi 1. (vehicle) alejarse (de la acera). 2. (withdraw) retirarse. ◆ **pull over** vi (AUT) hacerse a un lado. ◆ **pull through** vi recobrarse. ◆ **pull together** vt sep: to ~ o.s. together calmarse, serenarse. ◆ **pull up** ◇ vt sep (move closer) acercar. ◇ vi parar, detenerse.

pulley ['pʊlɪ] (pl pulleys) n polea f.

pullover ['pʊloʊvər] n jersey m.

pulp [pʌlp] n 1. (soft mass) papilla f. 2. (of fruit) pulpa f. 3. (of wood) pasta f de papel.

pulpit ['pʊlpət] n púlpito m.

pulsate [Am 'pʌlseɪt, Br pʌl'seɪt] vi palpitar.

pulse [pʌls] ◇ n 1. (in body) pulso m. 2. (TECH) impulso m. ◇ vi latir. ◆ **pulses** npl (food) legumbres fpl.

puma ['pjuːmə] (pl inv OR -s) n puma m.

pumice (stone) ['pʌmɪs(-)] n piedra f pómez.

pummel ['pʌml] vt aporrear.

pump [pʌmp] ◇ n 1. (machine) bomba f. 2. (for petrol) surtidor m. ◇ vt (convey by pumping) bombear. ◆ **pumps** npl (shoes) zapatillas fpl de tenis.

pumpkin ['pʌmpkən] n calabaza f, zapallo m Amer.

pun [pʌn] n juego m de palabras.

punch [pʌntʃ] ◇ n 1. (blow) puñetazo m. 2. (tool - for leather etc) punzón m; (- for tickets) máquina f para picar billetes. 3. (drink) ponche m. ◇ vt 1. (hit) dar un puñetazo a. 2. (ticket) picar. 3. (hole) perforar.

Punch-and-Judy show [-'dʒuːdɪ-] n teatro de guiñol para niños con personajes arquetípicos y representado normalmente en la playa.

punch(ed) card [pʌntʃ(t)-] n tarjeta f perforada.

punch line n remate m (de un chiste).

punch-up n Br inf pelea f.

punctual ['pʌŋktʃuəl] adj puntual.

punctuation [ˌpʌŋktʃu'eɪʃn] n puntuación f.

punctuation mark n signo m de puntuación.

puncture ['pʌŋktʃər] ◇ n pinchazo m; (in skin) punción f. ◇ vt pinchar.

pundit ['pʌndət] n experto m, -ta f.

pungent ['pʌndʒənt] adj (strong-smelling) penetrante, fuerte.

punish ['pʌnɪʃ] vt: to ~ sb (for sthg/for doing sthg) castigar a alguien (por algo/por haber hecho algo).

punishing ['pʌnɪʃɪŋ] *adj* penoso(sa).
punishment ['pʌnɪʃmənt] *n (for crime)* castigo *m*.
punk [pʌŋk] ◇ *adj* punk. ◇ *n* 1. *(music):* ~ **(rock)** punk *m*. 2. *(person):* ~ **(rocker)** punki *m y f*. 3. *Am inf (lout)* gamberro *m*.
punt [pʌnt] *n* batea *f*.
punter ['pʌntə^r] *n Br* 1. *(gambler)* apostante *m y f*. 2. *inf (customer)* cliente *m*, -ta *f*, parroquiano *m*, -na *f*.
puny ['pju:nɪ] *adj (person, limbs)* enclenque, raquítico(ca); *(effort)* penoso (sa), lamentable.
pup [pʌp] *n* 1. *(young dog)* cachorro *m*. 2. *(young seal, otter)* cría *f*.
pupil ['pju:pl] *n* 1. *(student)* alumno *m*, -na *f*. 2. *(follower)* pupilo *m*, -la *f*. 3. *(of eye)* pupila *f*.
puppet ['pʌpɪt] *n lit & fig* títere *m*.
puppy ['pʌpɪ] *n* cachorro *m*, perrito *m*.
purchase ['pɜ:^rtʃəs] *fml* ◇ *n* compra *f*, adquisición *f*. ◇ *vt* comprar, adquirir.
purchaser ['pɜ:^rtʃəsə^r] *n* comprador *m*, -ra *f*.
purchasing power ['pɜ:^rtʃəsɪŋ-] *n* poder *m* adquisitivo.
pure [pjʊə^r] *adj* puro(ra).
puree [*Am* pju:'reɪ, *Br* 'pjʊəreɪ] *n* puré *m*.
purely ['pjʊə^rlɪ] *adv* puramente.
purge [pɜ:^rdʒ] ◇ *n* (POL) purga *f*. ◇ *vt*: to ~ sthg **(of)** purgar algo (de).
purify ['pjʊərəfaɪ] *vt* purificar.
purist ['pjʊərəst] *n* purista *m y f*.
puritan ['pjʊərətən] ◇ *adj* puritano (na). ◇ *n* puritano *m*, -na *f*.
purity ['pjʊərətɪ] *n* pureza *f*.
purl [pɜ:^rl] *n* (U) punto *m* del revés.
purple ['pɜ:^rpl] *adj* morado(da).
purport [pə^r'pɔ:^rt] *vi fml*: to ~ to do/be sthg pretender hacer/ser algo.
purpose ['pɜ:^rpəs] *n (gen)* propósito *m*; **it serves no** ~ carece de sentido; **to no** ~ en vano. ◆ **on purpose** *adv* a propósito, adrede.
purposeful ['pɜ:^rpəsfl] *adj* resuelto (ta).
purr [pɜ:^r] *vi* 1. *(cat, person)* ronronear. 2. *(engine, machine)* zumbar.
purse [pɜ:^rs] ◇ *n* 1. *(for money)* monedero *m*. 2. *Am (handbag)* cartera *f Amer*, bolso *m Esp*. ◇ *vt* fruncir (con desagrado).
pursue [pə^rsju:] *vt* 1. *(follow)* perseguir. 2. *fml (policy)* llevar a cabo; *(aim, pleasure etc)* ir en pos de, buscar; *(topic, question)* profundizar en; *(hobby,*

studies) dedicarse a.
pursuer [pə^rsju:ə^r] *n* perseguidor *m*, -ra *f*.
pursuit [pə^rsju:t] *n* 1. (U) *fml (attempt to achieve)* búsqueda *f*. 2. *(chase, in cycling)* persecución *f*. 3. *(occupation, activity)* ocupación *f*; **leisure** ~ pasatiempo *m*.
pus [pʌs] *n* pus *m*.
push [pʊʃ] ◇ *vt* 1. *(shove)* empujar; to ~ sthg into sthg meter algo en algo; to ~ sthg open/shut abrir/cerrar algo empujándolo. 2. *(press - button)* apretar, pulsar. 3. *(encourage):* to ~ sb (to do sthg) empujar a alguien (a hacer algo). 4. *(force):* to ~ sb (into doing sthg) obligar a alguien (a hacer algo). 5. *inf (promote)* promocionar. ◇ *vi (press forward)* empujar; *(on button)* apretar, pulsar. ◇ *n lit & fig* empujón *m*. ◆ **push around** *vt sep inf* mandonear. ◆ **push for** *vt fus (demand)* reclamar. ◆ **push in** *vi (in queue)* colarse. ◆ **push off** *vi inf* largarse. ◆ **push on** *vi* seguir adelante sin parar. ◆ **push through** *vt sep (law etc)* conseguir que se apruebe.
pushchair ['pʊʃtʃeə^r] *n Br* silla *f* (de paseo).
pushed [pʊʃt] *adj inf*: to be ~ for sthg andar corto(ta) de algo; to be hard ~ to do sthg tenerlo difícil para hacer algo.
pusher ['pʊʃə^r] *n inf* camello *m*.
pushover ['pʊʃ,əʊvə^r] *n inf*: it's a ~ está chupado.
push-up *n* flexión *f*.
pushy ['pʊʃɪ] *adj pej* agresivo(va), insistente.
puss [pʊs], **pussy (cat)** ['pʊsɪ-] *n inf* gatito *m*, minino *m*.
put [pʊt] (*pt & pp* put) *vt* 1. *(gen)* poner; to ~ sthg into sthg meter algo en algo. 2. *(place exactly)* colocar. 3. *(send - to prison etc)* meter; to ~ the children to bed acostar a los niños. 4. *(express)* expresar, formular. 5. *(ask - question)* hacer. 6. *(estimate):* to ~ sthg at calcular algo en. 7. *(invest):* to ~ sthg into sthg poner algo en algo, dedicar algo a algo. 8. *(apply):* to ~ pressure on presionar a. ◆ **put across** *vt sep* transmitir. ◆ **put away** *vt sep (tidy away)* poner en su sitio, guardar. ◆ **put back** *vt sep* 1. *(replace)* volver a poner en su sitio. 2. *(postpone)* aplazar. 3. *(clock, watch)* atrasar. ◆ **put by** *vt sep* ahorrar. ◆ **put down** *vt sep* 1. *(lay down)* dejar *(encima de algún sitio)*. 2. *(quell)* sofocar, reprimir. 3. *Br (animal)* matar *(a un animal que es viejo o está enfermo)*. 4. *(write down)* apuntar.

◆ **put down to** *vt sep* achacar a.
◆ **put forward** *vt sep* 1. *(plan, theory, name)* proponer; *(proposal)* someter. 2. *(clock, meeting, event)* adelantar. ◆ **put in** *vt sep* 1. *(spend - time)* dedicar. 2. *(submit)* presentar. ◆ **put off** *vt sep* 1. *(postpone)* posponer, aplazar. 2. *(cause to wait)* hacer esperar. 3. *(discourage)* disuadir. 4. *(cause to dislike):* to ~ sb off sthg hacerle pasar a alguien las ganas de algo. ◆ **put on** *vt sep* 1. *(wear)* ponerse. 2. *(show, play)* representar; *(exhibition)* hacer. 3. *(gain):* to ~ on weight engordar. 4. *(radio, light)* encender; to ~ on the brakes poner el freno, frenar. 5. *(record, tape)* poner. 6. *(start cooking)* empezar a hacer OR cocinar. 7. *(bet)* apostar por. 8. *(add)* añadir. 9. *(feign - air, accent)* fingir. ◆ **put out** *vt sep* 1. *(place outside)* sacar. 2. *(issue - statement)* hacer público. 3. *(extinguish)* apagar. 4. *(switch off)* quitar, apagar. 5. *(prepare for use - clothes)* sacar. 6. *(extend - hand, leg)* extender; *(- tongue)* sacar. 7. *(upset):* to be ~ out estar enfadado(da). 8. *(inconvenience)* causar molestias a. ◆ **put through** *vt sep* (TELEC) *(call)* poner; to ~ sb through to sb poner a alguien con alguien. ◆ **put up** ◇ *vt sep* 1. *(build)* construir. 2. *(umbrella)* abrir; *(flag)* izar. 3. *(poster)* fijar; *(painting)* colgar. 4. *(provide - money)* poner. 5. *(propose - candidate)* proponer. 6. *(increase)* subir, aumentar. 7. *(provide accommodation for)* alojar, hospedar. ◇ *vt fus (resistance)* ofrecer; to ~ up a fight resistir. ◆ **put up with** *vt fus* aguantar.

putrid ['pju:trəd] *adj fml* putrefacto (ta).

putt [pʌt] *n* putt *m*, tiro *m* al hoyo.

putting green ['pʌtɪŋ-] *n* minigolf *m* *(sin obstáculos)*.

putty ['pʌtɪ] *n* masilla *f*.

puzzle ['pʌzl] ◇ *n* 1. *(toy, game)* rompecabezas *m inv.* 2. *(mystery)* misterio *m*, enigma *m*. ◇ *vt* dejar perplejo, desconcertar. ◇ *vi:* to ~ over sthg romperse la cabeza con algo. ◆ **puzzle out** *vt sep* descifrar.

puzzling ['pʌzlɪŋ] *adj* desconcertante.

pyjamas [pə'dʒɑ:məz] *npl* pijama *m*.

pylon ['paɪlɒn] *n* torre *f* *(de conducción eléctrica)*.

pyramid ['pɪrəmɪd] *n* 1. *(structure)* pirámide *f*. 2. *(pile)* montón *m*, pila *f*.

Pyrenees [,pɪrə'ni:z] *npl:* the ~ los Pirineos.

Pyrex® ['paɪreks] *n* pírex® *m*.

python ['paɪθn] *(pl inv* OR **-s)** *n* pitón *m*.

Q

q *(pl* **q's** OR **qs)**, **Q** *(pl* **Q's** OR **Qs)** [kju:] *n (letter)* q *f*, Q *f*.

quack [kwæk] *n* 1. *(noise)* graznido *m* *(de pato)*. 2. *inf (doctor)* matasanos *m inv.*

quad [kwɒd] *n abbr of* quadrangle.

quadrangle ['kwɒdræŋgl] *n* 1. *(figure)* cuadrángulo *m*. 2. *(courtyard)* patio *m*.

quadruple [kwɒ'dru:pl] ◇ *vt* cuadruplicar. ◇ *vi* cuadruplicarse.

quadruplets [kwɒ'dru:pləts] *npl* cuatrillizos *mpl*, -zas *fpl*.

quads [kwɒdz] *npl inf* cuatrillizos *mpl*, -zas *fpl*.

quagmire ['kwægmaɪə'] *n* lodazal *m*.

quail [kweɪl] *(pl inv* OR **-s)** ◇ *n* codorniz *f*. ◇ *vi literary* amedrentarse.

quaint [kweɪnt] *adj* pintoresco(ca).

quake [kweɪk] ◇ *n inf* terremoto *m*. ◇ *vi* temblar, estremecerse.

Quaker ['kweɪkə'] *n* cuáquero *m*, -ra *f*.

qualification [,kwɒlɪfə'keɪʃn] *n* 1. *(examination, certificate)* título *m*. 2. *(ability, skill)* aptitud *f*. 3. *(qualifying statement)* modificación *f*.

qualified ['kwɒlɪfaɪd] *adj* 1. *(trained)* cualificado(da). 2. *(limited)* limitado(da).

qualify ['kwɒlɪfaɪ] ◇ *vt* 1. *(modify)* modificar. 2. *(entitle):* to ~ sb to do sthg capacitar a alguien para hacer algo. ◇ *vi* 1. *(pass exams)* sacar el título. 2. *(be entitled):* to ~ (for) tener derecho (a). 3. *(SPORT)* clasificarse.

quality ['kwɒlətɪ] *n* 1. *(standard)* calidad *f*. 2. *(characteristic)* cualidad *f*.

qualms [kwɑ:mz] *npl* escrúpulos *mpl*.

quandary ['kwɒndərɪ] *n:* to be in a ~ about OR over estar en un dilema sobre.

quantify ['kwɒntɪfaɪ] *vt* cuantificar.

quantity ['kwɒntɪtɪ] *n* cantidad *f*.

quantity surveyor *n* aparejador *m*, -ra *f*.

quarantine ['kwɒrənti:n] *n* cuarentena *f*.

quarrel ['kwɒrəl] ◇ *n* pelea *f*, disputa *f*. ◇ *vi* pelearse, reñir; to ~ with sb pelearse con alguien; to ~ with sthg no estar de acuerdo con algo.

quarrelsome ['kwɒrəlsəm] *adj* pendenciero(ra).

quarry ['kwɒrɪ] *n* 1. *(place)* cantera *f*. 2. *(prey)* presa *f*.

quart [kwɔːʳt] *n* cuarto *m* de galón.
quarter ['kwɔːʳtəʳ] *n* 1. *(fraction)* cuarto *m*. 2. *(in telling time)*: ~ **after two** *Am*, ~ **past two** *Br* las dos y cuarto; ~ **of two** *Am*, ~ **to two** *Br* las dos menos cuarto. 3. *(of year)* trimestre *m*. 4. *Am (coin)* moneda *f* de 25 centavos. 5. *(four ounces)* cuatro onzas *fpl*. 6. *(area in town)* barrio *m*. 7. *(group of people)* lugar *m*, parte *f*. ◆ **quarters** *npl (rooms)* residencia *f*, alojamiento *m*. ◆ **at close quarters** *adv* muy de cerca.
quarterfinal [,kwɔːʳtəʳfaɪnl] *n* cuarto *m* de final.
quarterly ['kwɔːʳtəʳlɪ] ◇ *adj* trimestral. ◇ *adv* trimestralmente. ◇ *n* trimestral *f*.
quartet [kwɔːʳtet] *n* cuarteto *m*.
quartz [kwɔːʳts] *n* cuarzo *m*.
quartz watch *n* reloj *m* de cuarzo.
quash [kwɒʃ] *vt* 1. *(reject)* anular, invalidar. 2. *(quell)* reprimir, sofocar.
quasi- ['kweɪzaɪ] *prefix* cuasi-.
quaver ['kweɪvəʳ] ◇ *n* (MUS) corchea *f*. ◇ *vi* temblar.
quay [kiː] *n* muelle *m*.
quayside ['kiːsaɪd] *n* muelle *m*.
queasy ['kwiːzɪ] *adj* mareado(da).
queen [kwiːn] *n* 1. *(gen)* reina *f*. 2. *(playing card)* dama *f*.
Queen Mother *n*: **the** ~ la reina madre.
queer [kwɪəʳ] ◇ *adj (odd)* raro(ra), extraño(ña). ◇ *n inf pej* marica *m*.
quell [kwel] *vt* 1. *(rebellion)* sofocar, reprimir. 2. *(feelings)* dominar, contener.
quench [kwentʃ] *vt* apagar.
querulous ['kwerʊləs] *adj fml* quejumbroso(sa).
query ['kwɪərɪ] ◇ *n* pregunta *f*, duda *f*. ◇ *vt* poner en duda.
quest [kwest] *n literary*: ~ **(for)** búsqueda *f* (de).
question ['kwestʃn] ◇ *n* 1. *(query, problem in exam)* pregunta *f*; **to ask (sb) a** ~ hacer una pregunta (a alguien). 2. *(doubt)* duda *f*; **to call sthg into** ~ poner algo en duda; **without** ~ sin duda; **beyond** ~ fuera de toda duda. 3. *(issue, matter)* cuestión *f*, asunto *m*. 4. *phr*: **there's no** ~ **of** ... es imposible que ... ◇ *vt* 1. *(interrogate)* interrogar. 2. *(express doubt about)* cuestionar. ◆ **in question** *adv*: **the matter in** ~ el asunto en cuestión. ◆ **out of the question** *adv* imposible.
questionable ['kwestʃənəbl] *adj (gen)* cuestionable; *(taste)* dudoso(sa).
question mark *n* (signo *m* de) interrogación *f*.

questionnaire [,kwestʃə'neəʳ] *n* cuestionario *m*.
queue [kjuː] *Br* ◇ *n* cola *f*. ◇ *vi*: **to** ~ **(up for sthg)** hacer cola (para algo).
quibble ['kwɪbl] *vi pej* quejarse por tonterías.
quiche [kiːʃ] *n* quiche *f*.
quick [kwɪk] ◇ *adj* 1. *(gen)* rápido(da); **be** ~! ¡date prisa! 2. *(clever - person)* espabilado(da); *(- wit)* agudo(da). 3. *(irritable)*: **a** ~ **temper** un genio vivo. ◇ *adv* rápidamente.
quicken ['kwɪkn] ◇ *vt* apretar, acelerar. ◇ *vi* acelerarse, apresurarse.
quickly ['kwɪklɪ] *adv* 1. *(rapidly)* rápidamente, de prisa. 2. *(without delay)* rápidamente, en seguida.
quicksand ['kwɪksænd] *n* arenas *fpl* movedizas.
quick-witted [-'wɪtəd] *adj* agudo(da).
quid [kwɪd] *(pl inv)* *n Br inf* libra *f* (esterlina).
quiet ['kwaɪət] ◇ *adj* 1. *(silent - gen)* silencioso(sa); *(- room, place)* tranquilo (la); **be** ~! ¡cállate!; **in a** ~ **voice** en voz baja; **to keep** ~ **about sthg** guardar silencio sobre algo. 2. *(not talkative)* callado(da). 3. *(tranquil, uneventful)* tranquilo(la). 4. *(unpublicized - wedding etc)* privado(da), íntimo(ma). ◇ *n (peace)* tranquilidad *f*, silencio *m*; **on the** ~ a escondidas. ◇ *vt Am* tranquilizar. ◆ **quiet down** ◇ *vt sep* tranquilizar. ◇ *vi* tranquilizarse.
quieten ['kwaɪətn] *vt* tranquilizar. ◆ **quieten down** ◇ *vt sep* tranquilizar. ◇ *vi* tranquilizarse.
quietly ['kwaɪətlɪ] *adv* 1. *(without noise)* silenciosamente, sin hacer ruido; **to speak** ~ hablar en voz baja. 2. *(without moving)* sin moverse. 3. *(without excitement)* tranquilamente. 4. *(without fuss)* discretamente.
quilt [kwɪlt] *n* edredón *m*.
quinine [*Am* 'kwaɪnaɪn, *Br* kwɪ'niːn] *n* quinina *f*.
quins *Br* = **quints**.
quintet [kwɪn'tet] *n* quinteto *m*.
quints *Am* [kwɪnts], **quins** *Br* [kwɪnz] *npl inf* quintillizos *mpl*, -zas *fpl*.
quintuplets [*Am* kwɪn'tʌpləts, *Br* 'kwɪntjʊp-] *npl* quintillizos *mpl*, -zas *fpl*.
quip [kwɪp] *n* ocurrencia *f*, salida *f*.
quirk [kwɜːʳk] *n* 1. *(habit)* manía *f*, rareza *f*. 2. *(strange event)* extraña coincidencia *f*.
quit [kwɪt] *(Am pt & pp* **quit**, *Br pt & pp* **quit** OR **-ted)** ◇ *vt* 1. *(resign from)* dejar, abandonar. 2. *(stop)*: **to** ~ **doing sthg**

dejar de hacer algo. ◊ *vi (resign)* dimitir.

quite [kwaɪt] *adv* 1. *(completely)* totalmente, completamente. 2. *(fairly)* bastante; ~ **a lot of people** bastante gente. 3. *(after negative)*: **it's not ~ big enough** no es todo lo grande que tendría que ser; **I don't ~ understand/know** no entiendo/sé muy bien. 4. *(to emphasize)*: ~ **a ...** todo un (toda una) ... 5. *(to express agreement)*: ~ **(so)!** ¡efectivamente!, ¡desde luego!

> • Puede parecer extraño que *quite* signifique "totalmente" y "bastante" a la vez, pero es fácil distinguir estos dos usos cuando vemos el tipo de adjetivo que le sigue. Comparemos *it's quite cold today* ("hoy hace <u>bastante</u> frío") con *he's quite right* ("tiene <u>toda</u> la razón). Comparemos también *the movie was quite good* ("la película era <u>bastante</u> buena") con *the tree seems quite dead* ("el árbol parece <u>totalmente</u> muerto").

quits [kwɪts] *adj inf*: **to be ~ (with sb)** estar en paz (con alguien); **to call it ~** quedar en paz.

quiver [ˈkwɪvəʳ] ◊ *n (for arrows)* carcaj *m*. ◊ *vi* temblar, estremecerse.

quiz [kwɪz] *(pl -zes)* ◊ *n* 1. *(gen)* concurso *m*. 2. *Am (SCH)* control *m*. ◊ *vt*: **to ~ sb (about)** interrogar a alguien (sobre).

quizzical [ˈkwɪzɪkl] *adj (smile)* burlón (ona); *(look, glance)* interrogativo(va).

quota [ˈkwəʊtə] *n* cuota *f*.

quotation [kwəʊˈteɪʃn] *n* 1. *(citation)* cita *f*. 2. *(COMM)* presupuesto *m*.

quotation marks *npl* comillas *fpl*.

quote [kwəʊt] ◊ *n* 1. *(citation)* cita *f*. 2. *(COMM)* presupuesto *m*. ◊ *vt* 1. *(cite)* citar. 2. *(figures, example, price)* dar; **he ~d £100** fijó un precio de 100 libras. ◊ *vi* 1. *(cite)*: **to ~ (from)** citar (de). 2. *(COMM)*: **to ~ for** dar un presupuesto por.

R

r *(pl* **r's** OR **rs)**, **R** *(pl* **R's** OR **Rs)** [ɑːʳ] *n (letter)* r *f*, R *f*.

rabbi [ˈræbaɪ] *n* rabino *m*.

rabbit [ˈræbət] *n* conejo *m*.

rabbit hutch *n* conejera *f*.

rabble [ˈræbl] *n* chusma *f*, populacho *m*.

rabies [ˈreɪbiːz] *n* rabia *f*.

RAC *(abbr of* **Royal Automobile Club)** *n asociación británica del automóvil,* = RACE *m Esp*.

race [reɪs] ◊ *n* 1. *lit & fig (competition)* carrera *f*. 2. *(people, descent)* raza *f*. ◊ *vt* 1. *(compete against)* competir con *(corriendo)*; **they ~d each other to the door** echaron una carrera hasta la puerta. 2. *(cars, pigeons)* hacer carreras de; *(horses)* hacer correr. ◊ *vi* 1. *(rush)* ir corriendo. 2. *(beat fast)* acelerarse.

race car *Am*, **racing car** *Br n* coche *m* de carreras.

racecourse [ˈreɪskɔːʳs] *n* hipódromo *m*.

race driver *Am*, **racing driver** *Br n* piloto *m* y *f* de carreras.

racehorse [ˈreɪshɔːʳs] *n* caballo *m* de carreras.

racetrack [ˈreɪstræk] *n (for horses)* hipódromo *m*; *(for cars)* autódromo *m*; *(for runners)* pista *f* (de carreras).

racial discrimination [ˈreɪʃl-] *n* discriminación *f* racial.

racing [ˈreɪsɪŋ] *n* carreras *fpl*; **motor ~** carreras de coches.

racing car *Br* = race car.

racing driver *Br* = race driver.

racism [ˈreɪsɪzm] *n* racismo *m*.

racist [ˈreɪsəst] ◊ *adj* racista. ◊ *n* racista *m* y *f*.

rack [ræk] ◊ *n* 1. *(for plates)* escurreplatos *m inv*; *(for clothes)* percha *f*; *(for magazines)* revistero *m*; *(for bottles)* botellero *m*. 2. *(for luggage)* portaequipajes *m inv*. ◊ *vt*: **to ~ one's brains** *Br* devanarse los sesos.

racket [ˈrækət] *n* 1. *(noise)* jaleo *m*, alboroto *m*. 2. *(swindle)* timo *m*. 3. *(illegal activity)* negocio *m* sucio. 4. *(SPORT)* raqueta *f*.

racquet [ˈrækət] *n (SPORT)* = racket.

racy [ˈreɪsɪ] *adj* entretenido(da) y picante.

radar [ˈreɪdɑːʳ] *n* radar *m*.

radial (tyre) [ˈreɪdɪəl(-)] *n* neumático *m* radial.

radiant [ˈreɪdɪənt] *adj* 1. *(happy)* radiante. 2. *literary (brilliant)* resplandeciente.

radiate [ˈreɪdɪeɪt] ◊ *vt lit & fig* irradiar. ◊ *vi* 1. *(be emitted)* ser irradiado(da). 2. *(spread from centre)* salir, extenderse.

radiation [ˌreɪdɪˈeɪʃn] *n* radiación *f*.

radiator [ˈreɪdɪeɪtəʳ] *n* radiador *m*.

radical ['rædɪkl] ◊ *adj* radical. ◊ *n* (POL) radical *m y f*.

radically ['rædɪklɪ] *adv* radicalmente.

radii ['reɪdɪaɪ] *pl* → **radius**.

radio ['reɪdɪou] (*pl* **-s**) ◊ *n* radio *f*. ◊ *comp* de radio, radiofónico(ca).

radioactive [,reɪdɪou'æktɪv] *adj* radiactivo(va).

radiography [,reɪdɪ'ɒɡrəfɪ] *n* radiografía *f*.

radiology [,reɪdɪ'ɒlədʒɪ] *n* radiología *f*.

radiotherapy [,reɪdɪou'θerəpɪ] *n* radioterapia *f*.

radish ['rædɪʃ] *n* rábano *m*.

radius ['reɪdɪəs] (*pl* **radii**) *n* (*gen & * ANAT) radio *m*.

RAF [u:reɪ'ef, ræf] *n abbr of* **Royal Air Force**.

raffle ['ræfl] ◊ *n* rifa *f*, sorteo *m*. ◊ *comp*: ~ **ticket** boleto *m*. ◊ *vt* rifar.

raft [*Am* ræft, *Br* ra:ft] *n* (*craft*) balsa *f*.

rafter [*Am* 'ræftr, *Br* 'ra:ftə] *n* par *m* (*de armadura de tejado*).

rag [ræg] *n* **1.** (*piece of cloth*) trapo *m*, harapo *m*. **2.** *pej* (*newspaper*) periodicucho *m*. ◆ **rags** *npl* (*clothes*) trapos *mpl*.

rag-and-bone man *n* trapero *m*.

rag doll *n* muñeca *f* de trapo.

rage [reɪdʒ] ◊ *n* **1.** (*fury*) rabia *f*, ira *f*. **2.** *inf* (*fashion*): **it's all the ~ es** la última moda. ◊ *vi* **1.** (*behave angrily*) estar furioso(sa). **2.** (*subj: storm, sea*) enfurecerse; (*subj: disease*) hacer estragos; (*subj: argument, controversy*) continuar con violencia.

ragged ['ræɡəd] *adj* **1.** (*wearing torn clothes*) andrajoso(sa), harapiento(ta). **2.** (*torn*) hecho(cha) jirones.

rag week *n Br* semana en que los universitarios organizan actividades divertidas con fines benéficos.

raid [reɪd] ◊ *n* **1.** (*attack*) incursión *f*. **2.** (*forced entry - by robbers*) asalto *m*; (*- by police*) redada *f*. ◊ *vt* **1.** (*attack*) atacar por sorpresa. **2.** (*subj: robbers*) asaltar; (*subj: police*) hacer una redada en.

raider ['reɪdər] *n* **1.** (*attacker*) invasor *m*, -ra *f*. **2.** (*thief*) ladrón *m*, -ona *f*.

rail [reɪl] *n* **1.** (*on staircase*) barandilla *f*. **2.** (*bar*) barra *f*; **towel ~** toallero *m*. **3.** (*of railway line*) carril *m*, riel *m*. **4.** (U) (*form of transport*) ferrocarril *m*; **by ~** por ferrocarril.

railcard ['reɪlku:d] *n Br* tarjeta que permite algunos descuentos al viajar en tren.

railing ['reɪlɪŋ] *n* reja *f*.

railroad *Am* ['reɪlroud], **railway** *Br*

['reɪlweɪ] *n* **1.** (*company*) ferrocarril *m*. **2.** (*route*) línea *f* de ferrocarril.

railway line *n* línea *f* de ferrocarril.

railwayman ['reɪlweɪmən] (*pl* **-men** [-mən]) *n Br* ferroviario *m*.

railway station *n* estación *f* de ferrocarril.

railway track *n* vía *f* férrea.

rain [reɪn] ◊ *n* lluvia *f*. ◊ *v impers* (METEOR) llover. ◊ *vi* caer.

rainbow ['reɪnbou] *n* arco *m* iris.

rain check *n Am*: **I'll take a ~ (on that)** no lo quiero ahora, pero igual me apunto la próxima vez.

raincoat ['reɪnkout] *n* impermeable *m*.

raindrop ['reɪndrop] *n* gota *f* de lluvia.

rainfall ['reɪnfɔ:l] *n* pluviosidad *f*.

rain forest *n* bosque *m* tropical.

rainy ['reɪnɪ] *adj* lluvioso(sa).

raise [reɪz] ◊ *vt* **1.** (*lift up*) levantar; **to ~ o.s.** levantarse. **2.** (*increase - level*) aumentar; **to ~ one's voice** levantar la voz. **3.** (*improve*) elevar. **4.** (*obtain - from donations*) recaudar; (*- by selling, borrowing*) conseguir. **5.** (*memory, thoughts*) traer; (*doubts*) levantar. **6.** (*bring up, breed*) criar. **7.** (*crops*) cultivar. **8.** (*mention*) plantear. **9.** (*build*) construir. ◊ *n Am* aumento *m*.

raisin ['reɪzn] *n* pasa *f*.

rake [reɪk] ◊ *n* **1.** (*implement*) rastrillo *m*. **2.** *dated & literary* (*immoral man*) libertino *m*. ◊ *vt* (*smooth*) rastrillar.

rally ['rælɪ] ◊ *n* **1.** (*meeting*) mitin *m*, reunión *f*. **2.** (*car race*) rally *m*. **3.** (*in tennis etc*) peloteo *m*. ◊ *vt* reunir. ◊ *vi* **1.** (*come together*) reunirse. **2.** (*recover*) recuperarse. ◆ **rally round** *vt fus* formar una piña con. ◊ *vi inf* formar una piña.

ram [ræm] ◊ *n* carnero *m*. ◊ *vt* **1.** (*crash into*) chocar con OR contra. **2.** (*force*) embutir.

RAM [ræm] (*abbr of* **random access memory**) *n* (COMPUT) RAM *f*.

ramble ['ræmbl] ◊ *n* paseo *m* por el campo. ◊ *vi* **1.** (*walk*) pasear. **2.** (*talk*) divagar. ◆ **ramble on** *vi* divagar sin parar.

rambler ['ræmblər] *n* (*walker*) excursionista *m y f*.

rambling ['ræmblɪŋ] *adj* **1.** (*building, house*) laberíntico(ca); (*town*) desparramado(da). **2.** (*speech, writing*) confuso (sa), incoherente.

ramp [ræmp] *n* **1.** (*slope*) rampa *f*. **2.** (AUT) (*in road*) rompecoches *m inv*.

rampage ['ræmpeɪdʒ] *n*: **to go on the ~** desbandarse.

R

rampant ['ræmpənt] *adj* desenfrenado (da).

ramshackle ['ræmʃækl] *adj* destartalado(da).

ran [ræn] *pt* → **run**.

ranch [*Am* rætʃ, *Br* rɑːntʃ] *n* rancho *m*.

rancher [*Am* 'rætʃr, *Br* 'rɑːntʃə] *n* ranchero *m*, -ra *f*.

rancid ['rænsəd] *adj* rancio(cia).

rancor *Am*, **rancour** *Br* ['ræŋkər] *n* rencor *m*.

random ['rændəm] ◇ *adj* fortuito(ta), hecho(cha) al azar. ◇ *n*: **at ~** al azar.

random access memory *n* (COMPUT) memoria *f* de acceso aleatorio.

R and R (*abbr of* **rest and recreation**) *n* *Am* permiso militar.

randy ['rændɪ] *adj inf* cachondo(da), caliente.

rang [ræŋ] *pt* → **ring**.

range [reɪndʒ] ◇ *n* 1. (*of missile, telescope*) alcance *m*; (*of ship, plane*) autonomía *f*; **at close ~** de cerca. 2. (*variety*) variedad *f*, gama *f*. 3. (*of prices, salaries*) escala *f*. 4. (*of mountains*) sierra *f*, cordillera *f*. 5. (*shooting area*) campo *m* de tiro. 6. (*of voice*) registro *m*. ◇ *vt* alinear. ◇ *vi* 1. (*vary*): **to ~ from ... to ...**, **to ~ between ... and ...** oscilar OR fluctuar entre ... y ... 2. (*deal with, include*): **to ~ over sthg** comprender algo.

ranger ['reɪndʒr] *n* guardabosques *m y f inv*.

rank [ræŋk] ◇ *adj* 1. (*utter, absolute - bad luck, outsider*) absoluto (ta); (*- disgrace, injustice*) flagrante. 2. (*foul*) pestilente. ◇ *n* 1. (*position, grade*) grado *m*, graduación *f*. 2. (*social class*) clase *f*, categoría *f*; **the ~ and file** las bases (del partido). 3. (*row*) fila *f*. ◇ *vt* (*class*): **to be ~ed** estar clasificado (da). ◇ *vi*: **to ~ as** estar considerado(da) (como); **to ~ among** encontrarse entre. ◆ **ranks** *npl* 1. (MIL): **the ~s** los soldados rasos. 2. *fig* (*members*) filas *fpl*.

ransack ['rænsæk] *vt* (*search*) registrar a fondo; (*plunder*) saquear.

ransom ['rænsəm] *n* rescate *m*; **to hold sb to ~** *fig* hacer chantaje a alguien.

rant [rænt] *vi* despotricar.

rap [ræp] ◇ *n* 1. (*knock*) golpecito *m*. 2. (*type of music*) rap *m*. ◇ *vt* dar golpecitos en.

rape [reɪp] ◇ *n* 1. (*crime*) violación *f*. 2. (BOT) colza *f*. ◇ *vt* violar.

rapeseed ['reɪpsiːd] *n* semilla *f* de colza.

rapid ['ræpəd] *adj* rápido(da). ◆ **rapids** *npl* rápidos *mpl*.

rapidly ['ræpɪdlɪ] *adv* rápidamente.

rapist ['reɪpəst] *n* violador *m*, -ra *f*.

rapport [ræˈpɔːr] *n* compenetración *f*.

rapture ['ræptʃər] *n* arrobamiento *m*.

rapturous ['ræptʃərəs] *adj* muy entusiasta.

rare [reər] *adj* 1. (*scarce*) poco común, raro(ra). 2. (*infrequent*) poco frecuente, raro(ra). 3. (*exceptional*) raro(ra), excepcional. 4. (CULIN) poco hecho(cha).

rarely ['reəlɪ] *adv* raras veces.

rarity ['reərətɪ] *n* rareza *f*.

rash [ræʃ] ◇ *adj* precipitado(da). ◇ *n* 1. (MED) erupción *f* (cutánea), sarpullido *m*. 2. (*spate*) aluvión *m*.

rasher ['ræʃər] *n* loncha *f*.

rasp [*Am* ræsp, *Br* rɑːsp] *n* (*harsh sound*) chirrido *m*.

raspberry [*Am* 'ræzberɪ, *Br* 'rɑːzbərɪ] *n* (*fruit*) frambuesa *f*.

rat [ræt] *n* (*animal*) rata *f*.

rate [reɪt] ◇ *n* 1. (*speed*) velocidad *f*; **at this ~** a este paso. 2. (*of birth, death*) índice *m*; (*of unemployment, inflation*) tasa *f*. 3. (*price*) precio *m*, tarifa *f*; (*of interest*) tipo *m*. ◇ *vt* 1. (*consider*): **to ~ sthg/sb (as/among)** considerar algo/a alguien (como/entre). 2. (*deserve*) merecer. ◆ **rates** *npl Br* ≃ contribución *f* urbana. ◆ **at any rate** *adv* 1. (*at least*) al menos. 2. (*anyway*) de todos modos.

ratepayer ['reɪtpeɪər] *n Br* contribuyente *m y f*.

rather [*Am* 'ræðr, *Br* 'rɑːðə] *adv* 1. (*to quite a large extent*) bastante. 2. (*to a limited extent*) algo; **he's ~ like you** se parece (en) algo a ti. 3. (*as preference*): **I would ~ wait** preferiría esperar; **I'd ~ not** mejor que no. 4. (*more exactly*): **or ~ ...** o más bien ..., o mejor dicho ... 5. (*on the contrary*): **(but) ~ ...** (sino) más bien OR por el contrario ... ◆ **rather than** *conj* antes que.

> • *Rather than* puede ir seguido de un sustantivo (*it's a comedy rather than an action movie*, "es una comedia más que una película de acción") o un verbo (*I prefer to go on my own rather than going with my brother*, "prefiero ir solo a con mi hermano"). El verbo va en participio presente.
>
> • *Would rather* suele contraerse a *-'d rather*. Fijémonos que va seguido del verbo en infinitivo sin *to* (*I'd rather stay a bit longer*).

ratify ['rætəfaɪ] *vt* ratificar.

rating ['reɪtɪŋ] n *(standing)* clasificación f, posición f.

ratio ['reɪʃɪoʊ] *(pl* -s) n proporción f, relación f.

ration ['ræʃn] ◇ n ración f. ◇ vt racionar. ◆ **rations** npl víveres mpl.

rational ['ræʃnəl] adj racional.

rationale [,ræʃə'næl] n lógica f, razones fpl.

rationalize ['ræʃnəlaɪz] vt racionalizar.

rat race n *mundo despiadadamente competitivo de los negocios.*

rattle ['rætl] ◇ n 1. *(of engine, metal)* ruido m, traqueteo m; *(of glass)* tintineo m; *(of typewriter)* repiqueteo m. 2. *(toy)* sonajero m. ◇ vt 1. *(make rattle)* hacer sonar. 2. *(unsettle)* desconcertar. ◇ vi golpetear; *(gunfire)* tabletear.

rattlesnake ['rætlsneɪk], **rattler** Am ['rætlər] n serpiente f de cascabel.

raucous ['rɔːkəs] adj ronco(ca) y estridente.

ravage ['rævɪdʒ] vt estragar, asolar. ◆ **ravages** npl estragos mpl.

rave [reɪv] ◇ n Br inf *(party)* juerga f. ◇ vi 1. *(talk angrily)*: **to ~ against sb/sthg** despotricar contra alguien/algo. 2. *(talk enthusiastically)*: **to ~ about sthg** deshacerse en alabanzas sobre algo.

raven ['reɪvn] n cuervo m.

ravenous ['rævnəs] adj *(person, animal)* famélico(ca); *(appetite)* voraz.

ravine [rə'viːn] n barranco m.

raving ['reɪvɪŋ] adj *(lunatic)* de atar; *(fantasy)* delirante.

ravioli [,rævɪ'oʊlɪ] n (U) raviolis mpl.

raw [rɔː] adj 1. *(uncooked)* crudo(da). 2. *(untreated)* en bruto. 3. *(painful - wound)* en carne viva. 4. *(inexperienced)* novato(ta). 5. *(cold)* crudo(da).

raw deal n: **to get a ~** recibir un trato injusto.

raw material n materia f prima.

ray [reɪ] n rayo m; **~ of hope** resquicio m de esperanza.

rayon ['reɪɒn] n rayón m.

razor ['reɪzər] n *(wet shaver)* navaja f; *(electric machine)* maquinilla f de afeitar.

razor blade n hoja f de afeitar.

RC abbr of **Roman Catholic**.

Rd abbr of **road**.

R & D *(abbr of research and development)* n I + D f.

re [riː] prep Ref.

RE n *(abbr of religious education)* religión f.

reach [riːtʃ] ◇ n alcance m; **he has a**

long ~ tiene los brazos largos; **within (sb's) ~** *(easily touched)* al alcance (de alguien); *(easily travelled to)* a poco distancia (de alguien); **out of OR beyond sb's ~** fuera del alcance de alguien. ◇ vt 1. *(gen)* alcanzar, llegar a; **to ~ an agreement/a decision** llegar a un acuerdo/una decisión. 2. *(arrive at - place etc)* llegar a. 3. *(get by stretching - object, shelf)* alcanzar. 4. *(contact)* localizar. ◇ vi: **to ~ out/ across** alargar la mano; **to ~ down** agacharse.

react [rɪ'ækt] vi 1. *(respond)*: **to ~ (to)** reaccionar (a OR ante). 2. *(rebel)*: **to ~ against** reaccionar en contra de. 3. (CHEM): **to ~ with** reaccionar con.

reaction [rɪ'ækʃn] n: **~ (to/against)** reacción f (a/contra).

reactionary [Am rɪ'ækʃənerɪ, Br -ʃnərɪ] ◇ adj reaccionario(ria). ◇ n reaccionario m, -ria f.

reactor [rɪ'æktər] n reactor m.

read [riːd] *(pt & pp* read [red]) ◇ vt 1. *(gen)* leer. 2. *(subj: sign, words)* poner, decir. 3. *(interpret)* interpretar. 4. *(subj: thermometer, meter etc)* marcar. 5. Br (UNIV) estudiar. ◇ vi 1. *(person)* leer. 2. *(read aloud)*: **to ~ (to sb)** leerle (a alguien). 3. *(piece of writing)* leerse. ◆ **read out** vt sep leer en voz alta. ◆ **read up on** vt fus leer OR documentarse sobre.

readable ['riːdəbl] adj ameno(na), que se lee con agrado.

reader ['riːdər] n *(person who reads)* lector m, -ra f.

readership ['riːdərʃɪp] n *(total number of readers)* lectores mpl.

readily ['redɪlɪ] adv 1. *(willingly)* de buena gana. 2. *(easily)* en seguida.

reading ['riːdɪŋ] n 1. *(gen)* lectura f. 2. *(recital)* recital m.

readjust [,riːə'dʒʌst] ◇ vt reajustar. ◇ vi: **to ~ (to)** volverse a adaptar (a).

ready ['redɪ] ◇ adj 1. *(prepared)* listo (ta), preparado(da); **to be ~ for sthg/to do sthg** estar listo para algo/para hacer algo. 2. *(willing)*: **to be ~ to do sthg** estar dispuesto(ta) a hacer algo. 3. *(in need of)*: **to be ~ for sthg** necesitar algo. 4. *(likely)*: **to be ~ to do sthg** estar a punto de hacer algo. 5. *(cash)* contante; *(smile)* pronto(ta). ◇ vt preparar.

ready cash n dinero m contante.

ready-made adj *(products)* hecho (cha); *(clothes)* confeccionado(da).

ready money n dinero m contante.

ready-to-wear adj confeccionado (da).

real ['rɪəl] ◇ *adj* **1.** *(not imagined, actual)* real; **the ~ thing** lo auténtico; **for ~** de verdad; **in ~ terms** en términos reales. **2.** *(genuine, proper)* auténtico(ca). ◇ *adv Am* muy.

real estate *n* propiedad *f* inmobiliaria.

realism [i:ɪəlɪzm] *n* realismo *m*.

realistic [,rɪə'lɪstɪk] *adj* realista.

reality [ri:'ælətɪ] *n* realidad *f*.

realization [*Am* ,ri:ələ'zeɪʃn, *Br* -aɪ-] *n* **1.** *(recognition)* comprensión *f*. **2.** *(achievement)* consecución *f*.

realize ['ri:əlaɪz] *vt* **1.** *(become aware of)* darse cuenta de. **2.** *(produce, achieve, make profit of)* realizar.

really ['ri:əlɪ] ◇ *adv* **1.** *(for emphasis)* de verdad; **~ good** buenísimo. **2.** *(actually, honestly)* realmente. **3.** *(to sound less negative)* en realidad. ◇ *excl* **1.** *(expressing doubt)*: **~?** *(in affirmatives)* ¿ah sí?; *(in negatives)* ¿ah no? **2.** *(expressing surprise, disbelief)*: **~?** ¿de verdad?

realm [relm] *n* **1.** *(field)* campo *m*, esfera *f*. **2.** *(kingdom)* reino *m*.

realtor ['ri:əltər] *n Am* agente inmobiliario *m*, agente inmobiliaria *f*.

reap [ri:p] *vt lit & fig* cosechar.

reappear [,ri:ə'pɪər] *vi* reaparecer.

rear [rɪər] ◇ *adj* trasero(ra), de atrás. ◇ *n (back)* parte *f* de atrás; **to bring up the ~** cerrar la marcha. ◇ *vt* criar. ◇ *vi*: **to ~ (up)** encabritarse.

rearm [ri:'ɑ:rm] *vi* rearmarse.

rearmost ['rɪərmoʊst] *adj* último(ma).

rearrange [,ri:ə'reɪndʒ] *vt* **1.** *(room, furniture)* colocar de otro modo; *(system, plans)* reorganizar. **2.** *(meeting)* volver a concertar.

rearview mirror ['rɪər'vju:-] *n* (espejo *m*) retrovisor *m*.

reason ['ri:zn] ◇ *n* **1.** *(cause)*: **~ (for)** razón *f* (para); **for some ~** por alguna razón. **2.** *(justification)*: **to have ~ to do sthg** tener motivo para hacer algo. **3.** *(rationality)* razón *f*, sensatez *f*; **it stands to ~** es razonable; **to listen to ~** avenirse a razones. ◇ *vt & vi* razonar. ♦ **reason with** *vt fus* razonar con.

reasonable ['ri:znəbl] *adj* razonable.

reasonably ['ri:znəblɪ] *adv* razonablemente.

reasoning ['ri:znɪŋ] *n* razonamiento *m*.

reassess [,ri:ə'ses] *vt* reconsiderar.

reassurance [,ri:ə'ʃʊərəns] *n* **1.** *(U)* *(comfort)* palabras *fpl* tranquilizadoras. **2.** *(promise)* promesa *f*, compromiso *m*.

reassure [,ri:ə'ʃʊər] *vt* tranquilizar.

reassuring [,ri:ə'ʃʊərɪŋ] *adj* tranquilizador(ra).

rebate ['ri:beɪt] *n* devolución *f*, bonificación *f*.

rebel [*n* 'rebl, *vb* rɪ'bel] ◇ *n* rebelde *m y f*. ◇ *vi*: **to ~ (against)** rebelarse (contra).

rebellion [rɪ'beljən] *n* rebelión *f*.

rebellious [rɪ'beljəs] *adj* rebelde.

rebound [*n* 'ri:baʊnd, *vb* rɪ'baʊnd] ◇ *n*: **on the ~** *(ball)* de rebote *m*. ◇ *vi* *(bounce back)* rebotar.

rebuff [rɪ'bʌf] *n* desaire *m*, negativa *f*.

rebuild [ri:'bɪld] *(pt & pp -built)* *vt* reconstruir.

rebuke [rɪ'bju:k] ◇ *n* reprimenda *f*, reprobación *f*. ◇ *vt*: **to ~ sb (for)** reprender a alguien (por).

rebuttal [rɪ'bʌtl] *n* refutación *f*.

recall [rɪ'kɔ:l] ◇ *n (memory)* memoria *f*. ◇ *vt* **1.** *(remember)* recordar, acordarse de. **2.** *(ambassador)* retirar.

recant [rɪ'kænt] *vi* *(deny statement)* retractarse; *(deny religion)* renegar de la fe.

recap ['ri:kæp] *inf* ◇ *n* resumen *m*, recapitulación *f*. ◇ *vt (summarize)* recapitular, resumir. ◇ *vi* recapitular, resumir.

recapitulate [,ri:kə'pɪtʃəleɪt] *vt & vi* recapitular, resumir.

recd, rec'd *(abbr of received)* rbdo.

recede [rɪ'si:d] *vi* **1.** *(person, car)* alejarse; *(coastline)* retroceder. **2.** *fig (disappear)* esfumarse.

receding [rɪ'si:dɪŋ] *adj* *(chin)* medida hacia dentro; *(forehead)* hundida; **~ hairline** entradas *fpl*.

receipt [rɪ'si:t] *n* recibo *m*; **to acknowledge ~** acusar recibo. ♦ **receipts** *npl* recaudación *f*.

receive [rɪ'si:v] *vt* **1.** *(gen)* recibir. **2.** *(reaction)* tener; *(injury, setback)* sufrir. **3.** *(greet)*: **to be well/badly ~d** tener una buena/mala acogida.

receiver [rɪ'si:vər] *n* **1.** *(of telephone)* auricular *m*. **2.** *(radio, TV set)* receptor *m*. **3.** *(criminal)* perista *m y f*. **4.** (FIN) síndico *m*, -ca *f*.

recent ['ri:snt] *adj* reciente.

recently ['ri:sntlɪ] *adv* recientemente.

receptacle [rɪ'septəkl] *n* receptáculo *m*.

reception [rɪ'sepʃn] *n* recepción *f*.

reception desk *n* recepción *f*.

receptionist [rɪ'sepʃnəst] *n* recepcionista *m y f*.

recess [*Am* 'ri:ses, *Br* rɪ'ses] *n* **1.** *(vacation)* periodo *m* vacacional; **to be in ~** estar clausurado(da). **2.** *(alcove)* nicho

m, hueco *m*. **3.** *Am* (SCH) recreo *m*.
♦ **recesses** *npl* (of mind, heart) recovecos *mpl*; (of building) escondrijos *mpl*.
recession [rɪ'seʃn] *n* recesión *f*.
recipe ['resəpɪ] *n* (CULIN & fig) receta *f*.
recipient [rɪ'sɪpɪənt] *n* (of letter, cheque) destinatario *m*, -ria *f*.
reciprocal [rɪ'sɪprəkl] *adj* recíproco (ca).
recital [rɪ'saɪtl] *n* recital *m*.
recite [rɪ'saɪt] *vt* **1.** (poem) recitar. **2.** (list) enumerar.
reckless ['rekləs] *adj* imprudente, temerario(ria).
reckon ['rekən] *vt* **1.** inf (think): **to ~ (that)** pensar que, suponer que. **2.** (consider, judge): **to be ~ed to be sthg** ser considerado(da) algo. **3.** (calculate) calcular. ♦ **reckon on** *vt fus* contar con.
♦ **reckon with** *vt fus* (expect) contar con.
reckoning ['rekənɪŋ] *n* (calculation) cálculo *m*.
reclaim [rɪ'kleɪm] *vt* **1.** (claim back) reclamar. **2.** (recover): **to ~ land from the sea** ganarle tierra al mar.
recline [rɪ'klaɪn] *vi* reclinarse.
reclining [rɪ'klaɪnɪŋ] *adj* reclinable.
recluse [*Am* 'rekluːs, *Br* rɪ'kluːs] *n* solitario *m*, -ria *f*.
recognition [,rekəg'nɪʃn] *n* reconocimiento *m*; **beyond** OR **out of all ~** de modo irreconocible; **in ~ of** en reconocimiento a.
recognizable ['rekəgnaɪzəbl] *adj* reconocible.
recognize ['rekəgnaɪz] *vt* reconocer.
recoil [*vb* rɪ'kɔɪl, *n* 'riːkɔɪl] *vi* **1.** (draw back) retroceder, echarse atrás. **2.** fig (shrink from): **to ~ from** OR **at sthg** (truth, bad news) esquivar OR rehuir algo; (idea, suggestion) estremecerse ante algo. ◇ *n* (of gun) retroceso *m*.
recollect [,rekə'lekt] *vt* recordar.
recollection [,rekə'lekʃn] *n* recuerdo *m*.
recommend [,rekə'mend] *vt* recomendar.
recompense ['rekəmpens] ◇ *n*: **~ (for)** compensación *f* OR indemnización *f* (por). ◇ *vt*: **to ~ sb (for)** recompensar a alguien (por).
reconcile ['rekənsaɪl] *vt* **1.** (find agreement between) conciliar; **to ~ sthg with** hacer compatible algo con. **2.** (make friendly again) reconciliar. **3.** (accept): **to ~ o.s.** to resignarse a.
reconditioned [,riːkən'dɪʃnd] *adj* revisado(da), reparado(da).
reconnaissance [*Am* rɪ'kɒnəzns, *Br*

-ɪsəns] *n* reconocimiento *m*.
reconnoiter *Am* [,riːkə'nɔɪtr], **reconnoitre** *Br* [,rekə'nɔɪtə] ◇ *vt* reconocer. ◇ *vi* hacer un reconocimiento.
reconsider [,riːkən'sɪdər] *vt & vi* reconsiderar.
reconstruct [,riːkən'strʌkt] *vt* (building, crime) reconstruir.
record [*n & adj Am* 'rekərd, *Br* -ɔːd, *vb* rɪ'kɔːd] ◇ *n* **1.** (of event, piece of information) registro *m*, anotación *f*; (of meeting) actas *fpl*; **on ~** (on file) archivado; **(ever recorded)** de que se tiene constancia; **off the ~** confidencial. **2.** (vinyl disc) disco *m*. **3.** (best achievement) récord *m*. **4.** (history) historial *m*; **criminal ~** antecedentes *mpl* penales. ◇ *vt* **1.** (write down) anotar, tomar nota de. **2.** (put on tape) grabar. ◇ *adj* récord (inv).
recorded delivery [rɪ'kɔːrdəd-] *n* correo *m* certificado.
recorder [rɪ'kɔːrdər] *n* (musical instrument) flauta *f*.
record holder *n* plusmarquista *m y f*.
recording [rɪ'kɔːrdɪŋ] *n* grabación *f*.
record player *n* tocadiscos *m inv*.
recount [*n* 'riːkaʊnt, *vt sense 1* rɪ'kaʊnt, *sense 2* ,riː'kaʊnt] ◇ *n* recuento *m*. ◇ *vt* **1.** (narrate) narrar. **2.** (count again) volver a contar.
recoup [rɪ'kuːp] *vt* recuperar.
recourse [*Am* 'riːkɔːrs, *Br* rɪ'kɔːs] *n fml*: **to have ~ to** recurrir a.
recover [rɪ'kʌvər] ◇ *vt* **1.** (retrieve, recoup) recuperar. **2.** (regain - calm etc) recobrar. ◇ *vi*: **to ~ (from)** recuperarse (de).
recovery [rɪ'kʌvərɪ] *n* recuperación *f*.
recreation [,rekrɪ'eɪʃn] *n* (leisure) esparcimiento *m*, recreo *m*.
recrimination [rɪ,krɪmɪ'neɪʃn] *n* recriminación *f*.
recruit [rɪ'kruːt] ◇ *n* recluta *m y f*. ◇ *vt* **1.** (gen) reclutar; **to ~ sb (for sthg/to do sthg)** reclutar a alguien (para algo/para hacer algo). **2.** (find, employ) contratar. ◇ *vi* buscar empleados nuevos.
recruitment [rɪ'kruːtmənt] *n* (gen) reclutamiento *m*; (of staff) contratación *f*.
rectangle ['rektæŋgl] *n* rectángulo *m*.
rectangular [rek'tæŋgjələr] *adj* rectangular.
rectify ['rektɪfaɪ] *vt fml* rectificar.
rector ['rektər] *n* **1.** (priest) párroco *m*. **2.** *Scot* (head - of school) director *m*, -ra *f*; (- of college, university) rector *m*, -ra *f*.
rectory ['rektərɪ] *n* rectoría *f*.
recuperate [rɪ'kuːpəreɪt] *vi fml*: **to ~ (from)** recuperarse (de).

R

recur [rɪˈkɜːʳ] *vi* repetirse.

recurrence [rɪˈkʌrəns] *n fml* repetición *f.*

recurrent [rɪˈkʌrənt] *adj* que se repite.

recycle [ˌriːˈsaɪkl] *vt* reciclar.

red [red] ◇ *adj* rojo(ja); *(hair)* pelirrojo (ja). ◇ *n (colour)* rojo *m*; **to be in the ~** *inf* estar en números rojos.

red card *n* (FTBL): **to show sb the ~** mostrarle a alguien (la) tarjeta roja.

red carpet *n*: **to roll out the ~ for sb** recibir a alguien con todos los honores. ◆ **red-carpet** *adj*: **to give sb the red-carpet treatment** dispensar a alguien un gran recibimiento.

Red Cross *n*: **the ~** la Cruz Roja.

redcurrant [*Am* ˌredˈkɔːrənt, *Br* -ˈkʌr-] *n* 1. *(fruit)* grosella *f.* 2. *(bush)* grosellero *m.*

redden [ˈredn] ◇ *vt (make red)* teñir de rojo. ◇ *vi (flush)* enrojecer.

redeem [rɪˈdiːm] *vt* 1. *(save, rescue)* salvar, rescatar. 2. *fml (at pawnbroker's)* desempeñar.

redeeming [rɪˈdiːmɪŋ] *adj*: **his only ~ feature** lo único que le salva.

redeploy [ˌriːdɪˈplɔɪ] *vt* reorganizar.

red-faced [-ˈfeɪst] *adj* 1. *(flushed)* rojo (ja), colorado(da). 2. *(with embarrassment)* rojo(ja) de vergüenza.

red-haired [-ˈheəʳd] *adj* pelirrojo(ja).

red-handed [-ˈhændəd] *adj*: **to catch sb ~** coger a alguien con las manos en la masa.

redhead [ˈredhed] *n* pelirrojo *m*, -ja *f.*

red herring *n fig (unhelpful clue)* pista *f* falsa; *(means of distracting attention)* ardid *m* para distraer la atención.

red-hot *adj (metal, person, passion)* al rojo (vivo); *(zeal)* fervoroso(sa).

redid [ˌriːˈdɪd] *pt* → redo.

rediscover [ˌriːdɪˈskʌvəʳ] *vt* 1. *(re-experience)* volver a descubrir. 2. *(make popular, famous again)*: **to be ~ed** ser descubierto(ta) de nuevo.

red light *n (traffic signal)* semáforo *m* rojo.

red-light district *n* barrio *m* chino.

redo [ˌriːˈduː] *(pt -did, pp -done) vt (do again)* volver a hacer.

redolent [ˈredələnt] *adj literary* 1. *(reminiscent)*: **~ of** evocador(ra) de. 2. *(smelling)*: **~ of** con olor a.

redouble [ˌriːˈdʌbl] *vt*: **to ~ one's efforts (to do sthg)** redoblar esfuerzos (para hacer algo).

redress [rɪˈdres] *fml* ◇ *n (U)* reparación *f*, desagravio *m.* ◇ *vt*: **to ~ the balance**

(between) equilibrar la balanza (entre).

red tape *n fig* papeleo *m.*

reduce [rɪˈdjuːs] ◇ *vt* reducir; **to be ~d to doing sthg** verse rebajado OR forzado a hacer algo; **to be ~d to** verse sumido OR hundido en. ◇ *vi Am (diet)* (intentar) adelgazar.

reduction [rɪˈdʌkʃn] *n* 1. *(gen)*: **~ (in)** reducción *f* (de). 2. (COMM): **~ (of)** descuento *m* (de).

redundancy [rɪˈdʌndənsɪ] *n* 1. *Br (job loss)* despido *m.* 2. *(unemployment)* desempleo *m.*

redundant [rɪˈdʌndənt] *adj* 1. *Br (jobless)*: **to be made ~** perder el empleo. 2. *(not required - equipment, factory)* innecesario(ria); *(- comment)* redundante.

reed [riːd] *n* 1. *(plant)* carrizo *m*, cañavera *f.* 2. *(of musical instrument)* lengüeta *f.*

reef [riːf] *n* arrecife *m.*

reek [riːk] *vi*: **to ~ (of)** apestar (a).

reel [riːl] ◇ *n (of cotton, film, on fishing rod)* carrete *m.* ◇ *vi* 1. *(stagger)* tambalearse. 2. *(be stunned)*: **to ~ from sthg** quedarse atónito(ta) por algo. ◆ **reel in** *vt sep* sacar enrollando el carrete *(en pesca).* ◆ **reel off** *vt sep* recitar al corrido.

ref [ref] *n* 1. *(abbr of referee) inf* (SPORT) árbitro *m.* 2. *(abbr of reference)* ref.

refectory [rɪˈfektərɪ] *n* refectorio *m.*

refer [rɪˈfɜːʳ] *vt* 1. *(send, direct)*: **to ~ sb to** *(to place)* enviar a alguien a; *(to source of information)* remitir a alguien a. 2. *(report, submit)*: **to ~ sthg to** remitir algo a. ◆ **refer to** *vt fus* 1. *(mention, speak about)* referirse a. 2. *(consult)* consultar.

referee [ˌrefəˈriː] ◇ *n* 1. (SPORT) árbitro *m.* 2. *Br (for job application) persona que recomienda a alguien para un trabajo.* ◇ *vt & vi* (SPORT) arbitrar.

reference [ˈrefrəns] *n* 1. *(mention, reference number)*: **to make a ~ to** hacer referencia a; **with ~ to** *fml* con referencia a. 2. *(U) (for advice, information)*: **~ (to)** consulta *f* (a). 3. *(for job - letter)* referencias *fpl*; *(- person) persona que recomienda a alguien para un trabajo.*

reference book *n* libro *m* de consulta.

reference number *n* número *m* de referencia.

referendum [ˌrefəˈrendəm] *(pl -s* OR *-da* [-də]*) n* referéndum *m.*

refill [*n* ˈriːfɪl *vb* ˌriːˈfɪl] ◇ *n inf*: **would**

you like a ~? ¿te apetece otra copa? ◇ *vt* volver a llenar.

refine [rɪ'faɪn] *vt* **1.** *(oil, food)* refinar. **2.** *(plan, speech)* pulir.

refined [rɪ'faɪnd] *adj* **1.** *(oil, food, person)* refinado(da). **2.** *(equipment, theory)* perfeccionado(da).

refinement [rɪ'faɪnmənt] *n* **1.** *(improvement):* **~ (on)** mejora *f* (de). **2.** *(U) (gentility)* refinamiento *m*.

reflect [rɪ'flekt] ◇ *vt* **1.** *(gen)* reflejar. **2.** *(think, consider):* **to ~ that ...** considerar que ... ◇ *vi:* **to ~ (on OR upon)** reflexionar (sobre).

reflection [rɪ'flekʃn] *n* **1.** *(gen)* reflejo *m*. **2.** *(criticism):* **~ on** crítica *f* de. **3.** *(thinking)* reflexión *f*; **on ~** pensándolo bien.

reflector [rɪ'flektər] *n* reflector *m*.

reflex ['ri:fleks] *n:* **~ (action)** acto *m* reflejo *m*.

reflexive [rɪ'fleksɪv] *adj* (GRAMM) reflexivo(va).

reform [rɪ'fɔ:ʳm] ◇ *n* reforma *f*. ◇ *vt* reformar. ◇ *vi* reformarse.

Reformation [,refəʳ'meɪʃn] *n:* **the ~** la Reforma.

reformatory [*Am* rɪ'fɔ:ʳmətɔ:rɪ, *Br* -fɔ:mətrɪ] *n Am* reformatorio *m*, centro *m* de menores.

reformer [rɪ'fɔ:ʳməʳ] *n* reformador *m*, -ra *f*.

refrain [rɪ'freɪn] ◇ *n (chorus)* estribillo *m*. ◇ *vi fml:* **to ~ from doing sthg** abstenerse de hacer algo.

refresh [rɪ'freʃ] *vt* refrescar.

refreshed [rɪ'freʃt] *adj* descansado(da).

refresher course [rɪ'freʃəʳ-] *n* cursillo *m* de reciclaje.

refreshing [rɪ'freʃɪŋ] *adj (change, honesty, drink)* refrescante; *(sleep)* vigorizante.

refreshments [rɪ'freʃmənts] *npl* refrigerio *m*.

refrigerator [rɪ'frɪdʒəreɪtəʳ] *n* refrigerador *m*.

refuel [,ri:'fju:əl] ◇ *vt* llenar de carburante. ◇ *vi* repostar.

refuge ['refju:dʒ] *n* refugio *m*; **to seek OR take ~ (in)** *fig* buscar refugio (en).

refugee [,refju'dʒi:] *n* refugiado *m*, -da *f*.

refund [*n* 'ri:fʌnd, *vb* rɪ'fʌnd] ◇ *n* reembolso *m*. ◇ *vt:* **to ~ sthg to sb, to ~ sb sthg** reembolsar algo a alguien.

refurbish [,ri:'fɜ:ʳbɪʃ] *vt (building)* restaurar; *(office, shop)* renovar.

refusal [rɪ'fju:zl] *n* **1.** *(disagreement, saying no):* **~ (to do sthg)** negativa *f* (a hacer algo). **2.** *(withholding, denial)* denegación *f*. **3.** *(non-acceptance):* **to meet with ~** ser rechazado(da).

refuse[1] [rɪ'fju:z] ◇ *vt* **1.** *(withhold, deny):* **to ~ sb sthg, to ~ sthg to sb** denegar a alguien algo. **2.** *(decline, reject)* rechazar. **3.** *(not agree, be completely unwilling):* **to ~ to do sthg** negarse a hacer algo. ◇ *vi* negarse.

refuse[2] ['refju:s] *n (rubbish)* basura *f*.

refuse collection ['refju:s-] *n* recogida *f* de basuras.

regain [rɪ'geɪn] *vt (leadership, first place)* recuperar; *(health, composure)* recobrar.

regal ['ri:gl] *adj* regio(gia).

regalia [rɪ'geɪlɪə] *n (U) fml* ropaje *m*.

regard [rɪ'gɑ:ʳd] ◇ *n* **1.** *fml (respect, esteem):* **~ (for)** estima *f* OR respeꞏ *m* (por). **2.** *(aspect):* **in this/that ~** a este/ ese respecto. ◇ *vt* **1.** *(consider):* **to ~ o.s. as sthg** considerarse algo; **to ~ sthg/sb as** considerar algo/a alguien como. **2.** *(look at, view):* **to be highly ~ed** estar muy bien considerado. ♦ **regards** *npl (in greetings)* recuerdos *mpl*. ♦ **as regards** *prep* en cuanto a, por lo que se refiere a. ♦ **in regard to, with regard to** *prep* respecto a, en cuanto a.

regarding [rɪ'gɑ:ʳdɪŋ] *prep* respecto a, en cuanto a.

regardless [rɪ'gɑ:ʳdləs] *adv* a pesar de todo. ♦ **regardless of** *prep* sin tener en cuenta.

regime [reɪ'ʒi:m] *n* régimen *m*.

regiment ['redʒɪmənt] *n* (MIL) regimiento *m*.

region ['ri:dʒən] *n* región *f*; **in the ~ of** alrededor de.

regional ['ri:dʒnəl] *adj* regional.

register ['redʒəstəʳ] ◇ *n (of electors etc)* registro *m*; *(at school)* lista *f*. ◇ *vt* **1.** *(record - gen)* registrar; *(- car)* matricular. **2.** *(express)* mostrar, reflejar. ◇ *vi* **1.** *(be put on official list):* **to ~ (as/for)** inscribirse (como/para). **2.** *(book in - at hotel)* registrarse; *(- at conference)* inscribirse. **3.** *inf (be noticed):* **I told him but it didn't seem to ~** se lo dije, pero no pareció que lo captara.

registered ['redʒəstəʳd] *adj* **1.** *(officially listed)* inscrito(ta) oficialmente. **2.** *(letter, parcel)* certificado(da).

registered trademark *n* marca *f* registrada.

registrar [*Am* 'redʒəstrɑ:r, *Br* redʒɪ-'strɑ:] *n* **1.** *(keeper of records)* registrador *m*, -ra *f* oficial. **2.** (UNIV) secretario *m*,

-ria *f* general. **3.** *(doctor)* médico *m*, -ca *f* de hospital.

registration [ˌredʒə'streɪʃn] *n* **1.** *(gen)* registro *m*. **2.** (AUT) = **registration number.**

registration number *n* número *m* de matrícula.

registry ['redʒəstrɪ] *n* registro *m*.

registry office *n* registro *m* civil.

regret [rɪ'gret] ◇ *n* **1.** *fml (sorrow)* pesar *m*. **2.** *(sad feeling)*: **I've no ~s about it** no lo lamento en absoluto. ◇ *vt (be sorry about)*: **to ~ sthg/doing sthg** lamentar algo/haber hecho algo.

regretfully [rɪ'gretflɪ] *adv* con pesar; **~, we have to announce ...** lamentamos tener que anunciar ...

regrettable [rɪ'gretəbl] *adj fml* lamentable.

regroup [ˌriː'gruːp] *vi* reagruparse.

regular ['regjələr] ◇ *adj* **1.** *(gen)* regular. **2.** *(customer)* habitual, asiduo(dua). **3.** *(time, place)* acostumbrado(da); *(problem)* usual, normal. **4.** *Am (pleasant)* legal. ◇ *n* cliente *m* habitual.

regularly ['regjələrlɪ] *adv* **1.** *(gen)* con regularidad. **2.** *(equally spaced)* de manera uniforme.

regulate ['regjəleɪt] *vt* regular.

regulation [ˌregjə'leɪʃn] *n* **1.** *(rule)* regla *f*, norma *f*. **2.** *(U) (control)* regulación *f*.

rehabilitate [ˌriːə'bɪlɪteɪt] *vt* rehabilitar.

rehearsal [rɪ'hɜːsl] *n* ensayo *m*.

rehearse [rɪ'hɜːs] *vt* ensayar.

reign [reɪn] *lit & fig* ◇ *n* reinado *m*. ◇ *vi*: **to ~ (over)** reinar (sobre).

reimburse [ˌriːəm'bɜːs] *vt*: **to ~ sb (for sthg)** reembolsar a alguien (algo).

rein [reɪn] *n fig*: **to give (a) free ~ to sb, to give sb free ~** dar rienda suelta a alguien. ♦ **reins** *npl (for horse)* riendas *fpl*.

reindeer ['reɪndɪər] *(pl inv)* *n* reno *m*.

reinforce [ˌriːɪn'fɔːs] *vt* reforzar.

reinforced concrete [ˌriːɪn'fɔːst-] *n* cemento *m* OR hormigón *m* armado.

reinforcement [ˌriːɪn'fɔːsmənt] *n* refuerzo *m*. ♦ **reinforcements** *npl* refuerzos *mpl*.

reinstate [ˌriːɪn'steɪt] *vt* **1.** *(give job back to)* restituir OR reintegrar en su puesto a. **2.** *(bring back)* restablecer.

reiterate [riː'ɪtəreɪt] *vt fml* reiterar.

reject [*vb* rɪ'dʒekt, *n* 'riːdʒekt] ◇ *n* desecho *m*; **~s** artículos *mpl* defectuosos. ◇ *vt* rechazar.

rejection [rɪ'dʒekʃn] *n* rechazo *m*.

rejoice [rɪ'dʒɔɪs] *vi*: **to ~ (at OR in)** alegrarse OR regocijarse (con).

rejuvenate [rɪ'dʒuːvəneɪt] *vt* rejuvenecer.

relapse [rɪ'læps] ◇ *n* recaída *f*. ◇ *vi*: **to ~ into** volver a caer en.

relate [rɪ'leɪt] ◇ *vt* **1.** *(connect)*: **to ~ sthg (to)** relacionar algo (con). **2.** *(tell)* contar, relatar. ◇ *vi* **1.** *(be connected)*: **to ~ to** estar relacionado(da) con. **2.** *(concern)*: **to ~ to** referirse a. **3.** *(empathize)*: **to ~ (to sb)** tener mucho en común (con alguien). ♦ **relating to** *prep* concerniente OR referente a.

related [rɪ'leɪtəd] *adj* **1.** *(in same family)* emparentado(da); **to be ~ to sb** ser pariente de alguien. **2.** *(connected)* relacionado(da).

relation [rɪ'leɪʃn] *n* **1.** *(connection)*: **~ (to/between)** relación *f* (con/entre); **to bear no ~ to** no tener nada que ver con. **2.** *(family member)* pariente *m y f*, familiar *m y f*. ♦ **relations** *npl (family, race, industrial)* relaciones *fpl*.

relationship [rɪ'leɪʃnʃɪp] *n* relación *f*; **a good ~** buenas relaciones.

relative ['relətɪv] ◇ *adj* relativo(va). ◇ *n* pariente *m y f*, familiar *m y f*. ♦ **relative to** *prep fml* con relación a.

relatively ['relətɪvlɪ] *adv* relativamente.

relax [rɪ'læks] ◇ *vt* **1.** *(gen)* relajar. **2.** *(loosen - grip)* aflojar. ◇ *vi* **1.** *(gen)* relajarse. **2.** *(loosen)* aflojarse.

relaxation [ˌriːlæk'seɪʃn] *n* **1.** *(recreation)* relajación *f*, esparcimiento *m*. **2.** *(slackening - of discipline)* relajación *f*.

relaxed [rɪ'lækst] *adj (gen)* relajado(da); *(person)* tranquilo(la); *(atmosphere)* desenfadado(da).

relaxing [rɪ'læksɪŋ] *adj* relajante.

relay ['riːleɪ] ◇ *n* **1.** (SPORT): **~ (race)** carrera *f* de relevos. **2.** (RADIO & TV) retransmisión *f*. ◇ *vt* **1.** *(broadcast)* retransmitir. **2.** *(repeat)*: **to ~ sthg (to)** transmitir algo (a).

release [rɪ'liːs] ◇ *n* **1.** *(setting free)* puesta *f* en libertad, liberación *f*. **2.** *(relief)* liberación *f*. **3.** *(statement)* comunicado *m*. **4.** *(emitting - of gas)* escape *m*; *(- of heat, pressure)* emisión *f*. **5.** *(thing issued - of film)* estreno *m*; *(- of record)* grabación *f*. ◇ *vt* **1.** *(set free)*: **to ~ sb (from)** liberar a alguien (de). **2.** *(lift restriction on)*: **to ~ sb from** descargar OR liberar a alguien de. **3.** *(make available - funds, resources)* entregar. **4.** *(let go - rope, reins, person)* soltar; *(- grip)* aflojar; *(- brake, lever)* soltar; *(- mechanism, trigger)* disparar. **5.** *(emit - gas, heat)* despedir. **6.** *(issue - film)* estrenar; *(- record)* sacar.

relegate ['relǝgeɪt] *vt* **1.** *(demote)*: **to ~ sthg/sb (to)** relegar algo/a alguien (a). **2.** *Br* (FTBL): **to be ~d** descender *(a una división inferior)*.

relent [rɪ'lent] *vi* *(person)* ablandarse; *(wind, storm)* remitir, aminorar.

relentless [rɪ'lentlǝs] *adj* implacable.

relevant ['relǝvǝnt] *adj* **1.** *(connected)*: **~ (to)** relacionado(da) (con), pertinente (a). **2.** *(important)*: **~ (to)** importante OR relevante (para). **3.** *(appropriate)* pertinente, oportuno(na).

reliable [rɪ'laɪǝbl] *adj* **1.** *(dependable)* fiable. **2.** *(information)* fidedigno(na).

reliably [rɪ'laɪǝblɪ] *adv* **1.** *(dependably)* sin fallar. **2.** *(correctly)*: **to be ~ informed about sthg** saber algo de fuentes fidedignas.

reliant [rɪ'laɪǝnt] *adj*: **to be ~ on sb/ sthg** depender de alguien/de algo.

relic ['relɪk] *n* **1.** *(gen)* reliquia *f*. **2.** *(custom still in use)* vestigio *m*.

relief [rɪ'li:f] *n* **1.** *(comfort)* alivio *m*. **2.** *(for poor, refugees)* ayuda *f* (benéfica). **3.** *(U) Am (social security)* subsidio *m*.

relieve [rɪ'li:v] *vt* **1.** *(ease, lessen)* aliviar. **2.** *(take away from)*: **to ~ sb of sthg** liberar a alguien de algo.

religion [rɪ'lɪdʒn] *n* religión *f*.

religious [rɪ'lɪdʒǝs] *adj* religioso(sa).

relinquish [rɪ'lɪŋkwɪʃ] *vt* *(power, claim)* renunciar a; *(hold)* soltar.

relish ['relɪʃ] *n* **1.** *(enjoyment)*: **with (great) ~** con (gran) deleite. **2.** *(pickle)* salsa rojiza agridulce con pepinillo etc. ◇ *vt* disfrutar con; **to ~ the thought** OR **idea** OR **prospect of doing sthg** disfrutar de antemano con la idea de hacer algo.

relocate [,ri:lǝu'keɪt] ◇ *vt* trasladar. ◇ *vi* trasladarse.

reluctance [rɪ'lʌktǝns] *n* desgana *f*.

reluctant [rɪ'lʌktǝnt] *adj* reacio(cia); **to be ~ to do sthg** estar poco dispuesto a hacer algo.

reluctantly [rɪ'lʌktǝntlɪ] *adv* con desgana.

rely [rɪ'laɪ] ◆ **rely on** *vt fus* **1.** *(count on)* contar con; **to ~ on sb/sthg to do sthg** estar seguro de que alguien/algo hará algo. **2.** *(be dependent on)*: **to ~ on sb/ sthg for sthg** depender de alguien/algo para algo.

remain [rɪ'meɪn] ◇ *vt* continuar como; **to ~ the same** continuar siendo igual. ◇ *vi* **1.** *(stay)* quedarse, permanecer.

2. *(survive - custom, problem)* quedar, continuar. **3.** *(be left)*: **to ~ to be done/ proved** quedar por hacer/probar. ◆ **remains** *npl* restos *mpl*.

remainder [rɪ'meɪndǝ^r] *n* **1.** *(rest)*: **the ~** el resto. **2.** (MATH) resto *m*.

remaining [rɪ'meɪnɪŋ] *adj* restante.

remand [*Am* rɪ'mænd, *Br* -'mɑːnd] (JUR) ◇ *n*: **on ~** detenido(da) en espera de juicio. ◇ *vt*: **to be ~ed in custody** estar bajo custodia.

remark [rɪ'mɑː^rk] ◇ *n* *(comment)* comentario *m*. ◇ *vt*: **to ~ (that)** comentar que.

remarkable [rɪ'mɑː^rkǝbl] *adj* excepcional, extraordinario(ria).

remarry [*Am* ,rɪ:'merɪ, *Br* -'mærɪ] *vi* volverse a casar.

remedial [rɪ'mi:djǝl] *adj* **1.** (SCH) *(class, teacher)* de refuerzo; *(pupil)* atrasado (da). **2.** *(corrective)* correctivo(va).

remedy ['remǝdɪ] ◇ *n lit & fig*: **~ (for)** remedio *m* (para). ◇ *vt* remediar.

remember [rɪ'membǝ^r] ◇ *vt* *(gen)* recordar, acordarse de; **to ~ to do sthg** acordarse de hacer algo; **to ~ doing sthg** recordar OR acordarse de haber hecho algo. ◇ *vi* *(gen)* recordar, acordarse.

remembrance [rɪ'membrǝns] *n fml*: **in ~ of** en conmemoración de.

Remembrance Day *n en Gran Bretaña, día en conmemoración por los caídos en las dos guerras mundiales.*

remind [rɪ'maɪnd] *vt*: **to ~ sb (about sthg/to do sthg)** recordar a alguien (algo/que haga algo); **she ~s me of my sister** me recuerda a mi hermana.

reminder [rɪ'maɪndǝ^r] *n* **1.** *(to jog memory)* recordatorio *m*, recuerdo *m*. **2.** *(letter, note)* notificación *f*, aviso *m*.

reminisce [,remɪ'nɪs] *vi*: **to ~ (about sthg)** rememorar (algo).

reminiscent [,remɪ'nɪsnt] *adj* *(similar to)*: **~ of** evocador(ra) de.

remiss [rɪ'mɪs] *adj* negligente, remiso (sa); **it was ~ of me** fue una negligencia por mi parte.

remit[1] [rɪ'mɪt] *vt* remitir.

remit[2] ['ri:mɪt] *n* *(responsibility)* misión *f*.

remittance [rɪ'mɪtns] *n* giro *m*.

remnant ['remnǝnt] *n* **1.** *(remaining part)* resto *m*. **2.** *(of cloth)* retal *m*.

remold *Am*, **remould** *Br* ['ri:mǝuld] *n* neumático *m* recauchutado.

remorse [rɪ'mɔː^rs] *n (U)* remordimiento *m*.

remorseful [rɪ'mɔː^rsfl] *adj* lleno(na) de remordimiento.

R

remorseless [rɪ'mɔːʳsləs] adj 1. (pitiless) despiadado(da). 2. (unstoppable) implacable.

remote [rɪ'məʊt] adj 1. (place, time possibility) remoto(ta). 2. (from reality etc): ~ (from) apartado(da) OR alejado (da) (de).

remote control n mando m a distancia.

remotely [rɪ'məʊtlɪ] adv 1. (in the slightest): not ~ ni remotamente, en lo más mínimo. 2. (far off) muy lejos.

remould Br = remold.

removable [rɪ'muːvəbl] adj (detachable) separable.

removal [rɪ'muːvl] n 1. (U) (act of removing) separación f, extracción f; (of threat, clause) supresión f. 2. Br (change of house) mudanza f.

removal van n Br camión m de mudanzas.

remove [rɪ'muːv] vt 1. (take away, clean away): to ~ sthg (from) quitar algo (de). 2. (take off) quitarse, sacarse. 3. (from a job, post): to ~ sb (from) destituir a alguien (de). 4. (problem) eliminar, resolver; (suspicion) disipar.

Renaissance [Am ˌrenə'sɑːns, Br rə-'neɪsəns] n: the ~ el Renacimiento.

render ['rendəʳ] vt 1. (make): to ~ sthg useless hacer OR volver algo inútil. 2. (give - help) prestar, dar.

rendering ['rendərɪŋ] n interpretación f.

rendezvous ['rɒndeɪvuː] (pl inv) n (meeting) cita f.

renegade ['renɪgeɪd] ◇ adj renegado (da). ◇ n renegado m, -da f.

renew [rɪ'njuː] vt 1. (attempt, attack) reemprender. 2. (relationship) reanudar, renovar. 3. (licence, contract) renovar. 4. (strength, interest) reavivar.

renewable [rɪ'njuːəbl] adj renovable.

renewal [rɪ'njuːəl] n 1. (of an activity) reanudación f. 2. (of a contract, licence etc) renovación f.

renounce [rɪ'naʊns] vt renunciar a.

renovate ['renəveɪt] vt reformar, renovar.

renowned [rɪ'naʊnd] adj: ~ (for) célebre (por).

rent [rent] ◇ n alquiler m. ◇ vt alquilar, rentar Méx.

rental ['rentl] ◇ adj de alquiler. ◇ n alquiler m.

renunciation [rɪˌnʌnsɪ'eɪʃn] n renuncia f.

reorganize [ˌriː'ɔːʳgənaɪz] vt reorganizar.

rep [rep] n 1. abbr of representative. 2. abbr of repertory.

repaid [riː'peɪd] pt & pp → repay.

repair [rɪ'peəʳ] ◇ n reparación f, refacción f; in good/bad ~ en buen/mal estado. ◇ vt reparar, refaccionar.

repartee [ˌrepɑːʳ'tiː] n intercambio m de réplicas ingeniosas.

repatriate [Am ˌriː'peɪtrɪeɪt, Br -'pæt-] vt repatriar.

repay [rɪ'peɪ] (pt & pp repaid) vt devolver; to ~ sb sthg, to ~ sthg to sb devolver a alguien algo.

repayment [rɪ'peɪmənt] n 1. (act of paying back) devolución f, reembolso m. 2. (sum) pago m.

repeal [rɪ'piːl] ◇ n revocación f, abrogación f. ◇ vt revocar, abrogar.

repeat [rɪ'piːt] ◇ vt 1. (gen) repetir. 2. (TV, radio programme) volver a emitir. ◇ n reposición f.

repeatedly [rɪ'piːtɪdlɪ] adv repetidamente.

repel [rɪ'pel] vt (disgust) repeler.

repellent [rɪ'pelənt] ◇ adj repelente. ◇ n espray m anti-insectos.

repent [rɪ'pent] ◇ vt arrepentirse de. ◇ vi: to ~ of arrepentirse de.

repentance [rɪ'pentəns] n arrepentimiento m.

repercussions [ˌriːpəʳ'kʌʃnz] npl repercusiones fpl.

repertoire ['repətwɑːʳ] n repertorio m.

repertory [Am 'repətɔːrɪ, Br repəʳtərɪ] n repertorio m.

repetition [ˌrepə'tɪʃn] n repetición f.

repetitious [ˌrepə'tɪʃəs], **repetitive** [rɪ'petɪtɪv] adj repetitivo(va).

replace [rɪ'pleɪs] vt 1. (take the place of) sustituir. 2. (change for something else): to ~ sthg (with) cambiar algo (por). 3. (change for somebody else): to ~ sb (with) sustituir a alguien (por). 4. (supply another): to ~ sthg dar otro (tra). 5. (put back) poner en su sitio.

replacement [rɪ'pleɪsmənt] n 1. (act of replacing) sustitución f. 2. (something new): ~ (for) sustituto m, -ta f (para). 3. (somebody new): ~ (for) sustituto m, -ta f OR suplente m y f (de).

replay [vb ˌriː'pleɪ, n 'riːpleɪ] ◇ n repetición f (de un partido). ◇ vt (film, tape) volver a poner.

replenish [rɪ'plenɪʃ] vt fml: to ~ sthg (with) reaprovisionar OR reponer algo (de).

replica ['replɪkə] n réplica f.

reply [rɪ'plaɪ] ◇ n: ~ (to) respuesta f

(a). ◇ *vt* responder, contestar. ◇ *vi*: **to ~ (to sb/sthg)** responder (a alguien/algo).

reply coupon *n* cupón *m* de respuesta.

report [rɪˈpɔːt] ◇ *n* **1.** *(gen)* informe *m*; (PRESS & TV) reportaje *m*. **2.** *Br* (SCH) boletín *m* de evaluación. ◇ *vt* **1.** *(say, make known)*: **to ~ that** informar que, reportar que *Amer*; **to ~ sthg (to)** informar de algo (a). **2.** *(complain about)*: **to ~ sb (to sb for sthg)** denunciar a alguien (a alguien por algo), reportar a alguien (a alguien por algo) *Amer*. ◇ *vi* **1.** *(give account)*: **to ~ on** informar sobre. **2.** *(present oneself)*: **to ~ to sb/for sthg** presentarse a alguien/para algo.

report card *n* boletín *m* de evaluación.

reportedly [rɪˈpɔːtɪdlɪ] *adv* según se afirma.

reporter [rɪˈpɔːtər] *n* reportero *m*, -ra *f*.

repose [rɪˈpəʊz] *n literary* reposo *m*.

repossess [ˌriːpəˈzes] *vt* requisar la posesión de.

represent [ˌreprɪˈzent] *vt (gen)* representar; *(person, country)* representar a.

representation [ˌreprɪzenˈteɪʃn] *n* representación *f*. ◆ **representations** *npl fml*: **to make ~s to** presentar una queja a.

representative [ˌreprɪˈzentətɪv] ◇ *adj*: **~ (of)** representativo(va) (de). ◇ *n* representante *m y f*.

repress [rɪˈpres] *vt* reprimir.

repression [rɪˈpreʃn] *n* represión *f*.

reprieve [rɪˈpriːv] *n* **1.** *(delay)* tregua *f*. **2.** *(of death sentence)* indulto *m*.

reprimand [*Am* ˈreprɪmænd, *Br* -mɑːnd] ◇ *n* reprensión *f*. ◇ *vt* reprender.

reprisal [rɪˈpraɪzl] *n* represalia *f*.

reproach [rɪˈprəʊtʃ] ◇ *n* reproche *m*. ◇ *vt*: **to ~ sb (for OR with sthg)** reprochar a alguien (algo).

reproachful [rɪˈprəʊtʃfl] *adj* de reproche.

reproduce [ˌriːprəˈdjuːs] ◇ *vt* reproducir. ◇ *vi* (BIOL) reproducirse.

reproduction [ˌriːprəˈdʌkʃn] *n* reproducción *f*.

reptile [ˈreptaɪl] *n* reptil *m*.

republic [rɪˈpʌblɪk] *n* república *f*.

republican [rɪˈpʌblɪkən] ◇ *adj* republicano(na). ◇ *n* republicano *m*, -na *f*. ◆ **Republican** ◇ *adj* **1.** *(in US)* republicano(na); **the Republican Party** el partido republicano. **2.** *(in Northern Ireland)* independentista. ◇ *n* **1.** *(in US)* republicano *m*, -na *f*. **2.** *(in Northern Ireland)* independentista *m y f*.

repudiate [rɪˈpjuːdɪeɪt] *vt fml* repudiar.

repulse [rɪˈpʌls] *vt* rechazar.

repulsive [rɪˈpʌlsɪv] *adj* repulsivo(va).

reputable [*Am* ˈrepjətəbl, *Br* -jʊ-] *adj* de buena fama OR reputación.

reputation [ˌrepjəˈteɪʃn] *n* reputación *f*.

repute [rɪˈpjuːt] *n fml*: **of good/ill ~** de buena/mala fama.

reputed [rɪˈpjuːtəd] *adj* reputado(da); **to be ~ to be/do sthg** tener fama de ser/hacer algo.

reputedly [rɪˈpjuːtədlɪ] *adv* según se dice.

request [rɪˈkwest] ◇ *n*: **~ (for)** petición *f* (de); **on ~** a petición del interesado. ◇ *vt* solicitar, pedir; **to ~ sb to do sthg** rogar a alguien que haga algo.

request stop *n Br* parada *f* discrecional.

require [rɪˈkwaɪər] *vt* necesitar, requerir; **to ~ sb to do sthg** exigir a alguien que haga algo.

requirement [rɪˈkwaɪərmənt] *n* requisito *m*.

requisition [ˌrekwɪˈzɪʃn] *vt* requisar.

rerun [ˈriːrʌn] *n* **1.** *(film, programme)* reposición *f*. **2.** *(repeated situation)* repetición *f*.

resat [ˌriːˈsæt] *pt & pp* → **resit**.

rescue [ˈreskjuː] ◇ *n* rescate *m*. ◇ *vt*: **to ~ sb/sthg (from)** rescatar a alguien/algo (de).

rescuer [ˈreskjuːər] *n* rescatador *m*, -ra *f*.

research [rɪˈsɜːtʃ] ◇ *n (U)*: **~ (on OR into)** investigación *f* (de OR sobre); **~ and development** investigación y desarrollo. ◇ *vt* investigar.

researcher [rɪˈsɜːtʃər] *n* investigador *m*, -ra *f*.

resemblance [rɪˈzembləns] *n* parecido *m*, semejanza *f*.

resemble [rɪˈzembl] *vt* parecerse a.

resent [rɪˈzent] *vt* tomarse a mal.

resentful [rɪˈzentfl] *adj* resentido(da).

resentment [rɪˈzentmənt] *n* resentimiento *m*.

reservation [ˌrezəˈveɪʃn] *n* **1.** *(booking)* reserva *f*. **2.** *(uncertainty)*: **without ~** sin reserva. **3.** *Am (for Native Americans)* reserva *f*. ◆ **reservations** *npl (doubts)* reservas *fpl*.

reserve [rɪˈzɜːv] ◇ *n* **1.** *(gen)* reserva *f*; **in ~** en reserva. **2.** (SPORT) suplente *m y* *f.* ◇ *vt* **1.** *(save, book)* reservar. **2.** *(retain):* **to ~ the right to do sthg** reservarse el derecho a hacer algo.

reserved [rɪ'zɜːʳvd] *adj* reservado(da).

reservoir ['rezəʳvwɑːʳ] *n (lake)* pantano *m*, embalse *m*.

reset [ˌriː'set] *(pt & pp* reset) *vt (clock)* poner en hora; *(meter, controls, computer)* reinicializar.

reshuffle [ˌriː'ʃʌfl] *n* remodelación *f*; **cabinet ~** remodelación del gabinete.

reside [rɪ'zaɪd] *vi fml (live)* residir.

residence ['rezɪdəns] *n* **1.** *(house)* residencia *f*. **2.** *(state of residing):* **to be in ~ (at)** residir (a).

residence permit *n* permiso *m* de residencia.

resident ['rezɪdənt] ◇ *adj* **1.** *(settled, living)* residente. **2.** *(on-site, live-in)* que vive en su lugar de trabajo. ◇ *n* residente *m y f*.

residential [ˌrezɪ'denʃl] *adj (live-in)* en régimen de internado.

residential area *n* zona *f* residencial.

residue ['rezɪdjuː] *n* residuo *m*.

resign [rɪ'zaɪn] ◇ *vt* **1.** *(give up)* dimitir de, renunciar a. **2.** *(accept calmly):* **to o.s. to sthg** resignarse a algo. ◇ *vi (quit):* **to ~ (from)** dimitir (de).

resignation [ˌrezɪg'neɪʃn] *n* **1.** *(from job)* dimisión *f*. **2.** *(calm acceptance)* resignación *f*.

resigned [rɪ'zaɪnd] *adj:* **~ (to)** resignado(da) (a).

resilient [rɪ'zɪlɪənt] *adj (person)* resistente, fuerte; *(rubber)* elástico(ca).

resin ['rezn] *n* resina *f*.

resist [rɪ'zɪst] *vt* **1.** *(refuse to accept)* resistir, oponerse a. **2.** *(fight against)* resistir a. **3.** *(refuse to give in to - temptation)* resistir.

resistance [rɪ'zɪstəns] *n:* **~ (to)** resistencia *f* (a).

resit [*n* 'riːsɪt, *vb* ˌriː'sɪt] *(pt & pp* -sat) *Br* ◇ *n* (examen *m* de) repesca *f*. ◇ *vt* volver a presentarse a.

resolute ['rezəluːt] *adj* resuelto(ta), determinado(da).

resolution [ˌrezə'luːʃn] *n* **1.** *(gen)* resolución *f*. **2.** *(vow, promise)* propósito *m*.

resolve [rɪ'zɒlv] ◇ *n (U)* resolución *f*. ◇ *vt* **1.** *(vow, promise):* **to ~ that** resolver que; **to ~ to do sthg** resolver hacer algo. **2.** *(solve)* resolver.

resort [rɪ'zɔːt] *n* **1.** *(for holidays)* lugar *m* de vacaciones. **2.** *(solution):* **as a** OR **in the last ~** como último recurso. ✦ **resort to** *vt fus* recurrir a.

resounding [rɪ'zaʊndɪŋ] *adj* **1.**

(loud - noise, knock) retumbante; *(- crash)* estruendoso(sa). **2.** *(very great)* clamoroso(sa).

resource [*Am* 'riːsɔːrs, *Br* rɪ'zɔːs] *n* recurso *m*.

resourceful [rɪ'sɔːʳsfl] *adj* de recursos.

respect [rɪ'spekt] ◇ *n* **1.** *(gen):* **~ (for)** respeto *m* (por); **with ~** con respeto. **2.** *(aspect)* aspecto *m*; **in this ~** a este respecto; **in that ~** en cuanto a esto. ◇ *vt (admire)* respetar; **to ~ sb for sthg** respetar a alguien por algo. ✦ **respects** *npl:* **to pay one's ~s (to)** presentar uno sus respetos (a). ✦ **with respect to** *prep* con respecto a.

respectable [rɪ'spektəbl] *adj* respetable.

respectful [rɪ'spektfl] *adj* respetuoso (sa).

respective [rɪ'spektɪv] *adj* respectivo (va).

respectively [rɪ'spektɪvlɪ] *adv* respectivamente.

respite [*Am* 'respət, *Br* -aɪt] *n* **1.** *(lull)* respiro *m*. **2.** *(delay)* aplazamiento *m*.

respond [rɪ'spɒnd] *vi:* **to ~ (to)** responder (a); **to ~ by doing sthg** responder haciendo algo.

response [rɪ'spɒns] *n* respuesta *f*.

responsibility [rɪˌspɒnsə'bɪlətɪ] *n:* **~ (for)** responsabilidad *f* (de).

responsible [rɪ'spɒnsəbl] *adj* **1.** *(gen)* responsable; **~ (for)** responsable (de). **2.** *(answerable):* **~ to sb** responsable ante alguien. **3.** *(job, position)* de responsabilidad.

responsibly [rɪ'spɒnsəblɪ] *adv* de manera responsable.

responsive [rɪ'spɒnsɪv] *adj* **1.** *(quick to react)* que responde muy bien. **2.** *(aware):* **~ (to)** sensible OR perceptivo(va) (a).

rest [rest] ◇ *n* **1.** *(remainder):* **the ~ (of)** el resto (de). **2.** *(relaxation, break)* descanso *m*; **to have a ~** descansar. **3.** *(support - for feet)* descanso *m*; *(- for head)* respaldo *m*. ◇ *vt* **1.** *(relax - eyes, feet)* descansar. **2.** *(support)* apoyar, descansar. ◇ *vi* **1.** *(relax, be still)* descansar. **2.** *(depend):* **to ~ on** OR **upon** depender de. **3.** *(be supported)* apoyarse, descansar. **4.** *phr:* **~ assured that ...** tenga la seguridad de que ...

restaurant ['restərɒnt] *n* restaurante *m*.

restaurant car *n Br* coche *m* OR vagón *m* restaurante.

restful ['restfl] *adj* tranquilo(la), apacible.

rest home n (for the elderly) asilo m de ancianos; (for the sick) casa f de reposo.
restive ['restɪv] adj inquieto(ta).
restless ['restləs] adj 1. (bored, dissatisfied) impaciente, desasosegado(da). 2. (fidgety) inquieto(ta), agitado(da). 3. (sleepless) en blanco, agitado(da).
restoration [ˌrestə'reɪʃn] n restauración f.
restore [rɪ'stɔːr] vt 1. (reestablish) restablecer. 2. (to a previous position or condition): to ~ sb to sthg restaurar a alguien en algo; to ~ sthg to sthg volver a poner algo en algo. 3. (renovate) restaurar. 4. (give back) devolver.
restrain [rɪ'streɪn] vt controlar; to ~ o.s. from doing sthg contenerse para no hacer algo.
restrained [rɪ'streɪnd] adj comedido(da).
restraint [rɪ'streɪnt] n 1. (rule, check) restricción f. 2. (control) (U) control m.
restrict [rɪ'strɪkt] vt (limit) restringir, limitar; to ~ sthg/sb to restringir algo/a alguien a.
restriction [rɪ'strɪkʃn] n restricción f.
restrictive [rɪ'strɪktɪv] adj restrictivo(va).
rest room n Am baño m, aseos mpl.
result [rɪ'zʌlt] ◇ n resultado m; as a ~ como resultado. ◇ vi 1. (cause): to ~ (in sthg) tener como resultado (algo). 2. (be caused): to ~ (from) resultar (de).
resume [rɪ'zjuːm] ◇ vt (start again) reanudar. ◇ vi volver a empezar.
résumé [Am 'rezəmeɪ, Br 'rezjuːmeɪ] n 1. Am (of career, qualifications) currículum m (vitae). 2. (summary) resumen m.
resumption [rɪ'zʌmpʃn] n reanudación f.
resurgence [rɪ'sɜːrdʒəns] n resurgimiento m.
resurrection [ˌrezə'rekʃn] n resurrección f.
resuscitate [rɪ'sʌsɪteɪt] vt resucitar.
retail ['riːteɪl] ◇ n venta f al por menor OR al detalle. ◇ adv al por menor.
retailer ['riːteɪlər] n minorista m y f, detallista m y f.
retail price n precio m de venta al público.
retain [rɪ'teɪn] vt retener.
retainer [rɪ'teɪnər] n (fee) anticipo m.
retaliate [rɪ'tælɪeɪt] vi desquitarse, tomar represalias.
retaliation [rɪˌtælɪ'eɪʃn] n (U) represalias fpl.
retarded [rɪ'tɑːrdəd] adj retrasado(da).

retch [retʃ] vi tener náuseas.
retentive [rɪ'tentɪv] adj retentivo(va).
reticent ['retɪsənt] adj reticente, reservado(da).
retina ['retɪnə] (pl -nas OR -nae [-niː]) n retina f.
retinue ['retɪnjuː] n séquito m.
retire [rɪ'taɪər] vi 1. (from work) jubilarse. 2. fml (to another place, to bed) retirarse.
retired [rɪ'taɪərd] adj jubilado(da).
retirement [rɪ'taɪərmənt] n jubilación f, retiro m.
retiring [rɪ'taɪərɪŋ] adj (shy) retraído(da).
retort [rɪ'tɔːrt] ◇ n (sharp reply) réplica f. ◇ vt: to ~ (that) replicar (que).
retrace [rɪ'treɪs] vt: to ~ one's steps desandar lo andado.
retract [rɪ'trækt] ◇ vt 1. (withdraw, take back) retractarse de. 2. (pull in - claws) retraer. ◇ vi (subj: claws) meterse, retraerse; (subj: wheels) replegarse.
retraining [ˌriː'treɪnɪŋ] n reciclaje m.
retread ['riːtred] n neumático m recauchutado.
retreat [rɪ'triːt] ◇ n 1. (MIL): ~ (from) retirada f (de). 2. (peaceful place) refugio m. ◇ vi (move away): to ~ (from) (gen) retirarse de; (from a person) apartarse (de).
retribution [ˌretrɪ'bjuːʃn] n castigo m merecido.
retrieval [rɪ'triːvl] n (COMPUT) recuperación f.
retrieve [rɪ'triːv] vt 1. (get back) recobrar. 2. (COMPUT) recuperar. 3. (rescue - situation) salvar.
retriever [rɪ'triːvər] n perro m cobrador.
retrograde ['retrəgreɪd] adj fml (gen) retrógrado(da); (step) hacia atrás.
retrospect ['retrəspekt] n: in ~ retrospectivamente, mirando hacia atrás.
retrospective [ˌretrə'spektɪv] adj 1. fml (gen) retrospectivo(va). 2. (law, pay rise) con efecto retroactivo.
return [rɪ'tɜːrn] ◇ n 1. (U) (arrival back) vuelta f, regreso m. 2. Br (ticket) billete m de ida y vuelta. 3. (profit) ganancia f, rédito m. ◇ vt 1. (book, visit, compliment) devolver. 2. (reciprocate) corresponder a. 3. (replace) volver a poner en su sitio. 4. (JUR) (verdict) pronunciar. 5. (POL) (candidate) elegir. ◇ vi: to ~ (from/to) volver (de/a), regresar (de/a). ◆ **returns** npl 1. (COMM) réditos mpl. 2. phr: many happy ~s (of the

R

day)! ¡y que cumplas muchos más! ◆ **in return** *adv* en recompensa. ◆ **in return for** *prep* en recompensa por.

return (key) *n* (COMPUT) tecla *f* de retorno de carro.

return ticket *n* Br billete *m* de ida y vuelta.

reunion [ˌriːˈjuːnjən] *n* reunión *f*.

reunite [ˌriːjuːˈnaɪt] *vt* (*people*): **to be ~d with** volver a encontrarse OR verse con; (*factions, parts*) reunir.

rev [rev] *inf* ◇ *n* (*abbr of revolution*) revolución *f* (motriz). ◇ *vt*: **to ~ sthg (up)** acelerar algo. ◇ *vi*: **to ~ (up)** acelerar el motor.

revamp [ˌriːˈvæmp] *vt inf* renovar.

reveal [rɪˈviːl] *vt* revelar.

revealing [rɪˈviːlɪŋ] *adj* revelador(ra).

reveille [Am ˈrevəlɪ, Br rɪˈvælɪ] *n* toque *m* de diana.

revel [ˈrevl] *vi*: **to ~ in** deleitarse en.

revelation [ˌrevəˈleɪʃn] *n* revelación *f*.

revenge [rɪˈvendʒ] *n* venganza *f*; **to take ~ (on sb)** vengarse (en alguien).

revenue [ˈrevənjuː] *n* ingresos *mpl*.

reverberate [rɪˈvɜːrbəreɪt] *vi* **1.** (*re-echo*) resonar, retumbar. **2.** (*have repercussions*) repercutir.

reverberations [rɪˌvɜːrbəˈreɪʃnz] *npl* **1.** (*echoes*) reverberación *f*. **2.** (*repercussions*) repercusiones *fpl*.

revere [rɪˈvɪər] *vt fml* venerar.

reverence [ˈrevrəns] *n fml* reverencia *f*.

Reverend [ˈrevrənd] *n* reverendo *m*.

reversal [rɪˈvɜːrsl] *n* **1.** (*turning around*) cambio *m* total. **2.** (*ill fortune*) contratiempo *m*.

reverse [rɪˈvɜːrs] ◇ *adj* inverso(sa). ◇ *n* **1.** (AUT): **~ (gear)** marcha *f* atrás. **2.** (*opposite*): **the ~** lo contrario. **3.** (*opposite side, back*): **the ~** (*gen*) el revés; (*of coin*) el reverso; (*of piece of paper*) el dorso. ◇ *vt* **1.** (AUT) dar marcha atrás a. **2.** (*change usual order*) invertir. **3.** (*change to opposite*) cambiar completamente. **4.** Br (TELEC): **to ~ the charges** llamar a cobro revertido. ◇ *vi* (AUT) dar marcha atrás.

reverse-charge call *n* Br llamada *f* a cobro revertido.

reversing light [rɪˈvɜːrsɪŋ-] *n* Br luz *f* de marcha atrás.

revert [rɪˈvɜːrt] *vi*: **to ~ to** volver a.

review [rɪˈvjuː] ◇ *n* **1.** (*examination*) revisión *f*, repaso *m*. **2.** (*critique*) reseña *f*. ◇ *vt* **1.** (*reexamine*) revisar. **2.** (*consider*) reconsiderar. **3.** (*write an article on*) reseñar. **4.** Am (*study again*) repasar.

reviewer [rɪˈvjuːər] *n* crítico *m*, -ca *f*.

revise [rɪˈvaɪz] ◇ *vt* **1.** (*reconsider*) revisar. **2.** (*rewrite*) modificar, corregir. **3.** Br (*study*) repasar. ◇ *vi* Br: **to ~ (for sthg)** repasar (para algo).

revision [rɪˈvɪʒn] *n* **1.** (*alteration*) corrección *f*, modificación *f*. **2.** Br (*study*) repaso *m*.

revitalize [ˌriːˈvaɪtəlaɪz] *vt* revivificar.

revival [rɪˈvaɪvl] *n* reactivación *f*.

revive [rɪˈvaɪv] ◇ *vt* **1.** (*person, plant*) resucitar; (*economy*) reactivar. **2.** (*tradition, play, memories*) restablecer. ◇ *vi* reponerse.

revolt [rɪˈvoʊlt] ◇ *n* rebelión *f*. ◇ *vt* repugnar. ◇ *vi*: **to ~ (against)** rebelarse OR sublevarse (contra).

revolting [rɪˈvoʊltɪŋ] *adj* repugnante, asqueroso(sa).

revolution [ˌrevəˈluːʃn] *n* revolución *f*; **the American Revolution** la Revolución norteamericana.

> ## AMERICAN REVOLUTION
>
> La guerra de independencia estadounidense (*The American Revolution*) estalló en 1775. Ese año las trece colonias británicas establecidas en Norteamérica se alzaron en armas contra el dominio de Inglaterra porque ya no querían seguir pagando impuestos sin participar en el gobierno. En 1776 varios líderes del movimiento de independencia, conocidos como padres fundadores de la patria (*Founding Fathers*) enviaron una carta al rey británico Jorge III declarando la independencia de los Estados Unidos de Norteamérica. Como respuesta, el monarca envió sus tropas para frenarlos. Pese a que los norteamericanos (comandados por George Washington) carecían de un ejército profesional, fueron quienes finalmente ganaron la guerra en 1781. En consecuencia, Gran Bretaña terminó reconociendo a los Estados Unidos de Norteamérica como una nación independiente y democrática.

revolutionary [Am revəˈluːʃənerɪ, Br -ənrɪ] ◇ *adj* revolucionario(ria). ◇ *n* revolucionario *m*, -ria *f*.

revolve [rɪˈvɒlv] *vi* (*go round*) dar vueltas, girar.

revolver [rɪˈvɒlvər] *n* revólver *m*.

revolving [rɪˈvɒlvɪŋ] *adj* giratorio(ria).

revolving door *n* puerta *f* giratoria.

revue [rɪˈvjuː] *n* revista *f* (teatral).

revulsion [rɪ'vʌlʃn] *n* asco *m*, repugnancia *f*.

reward [rɪ'wɔːrd] ◊ *n* recompensa *f*, premio *m*. ◊ *vt*: **to ~ sb (for/with)** recompensar a alguien (por/con).

rewarding [rɪ'wɔːrdɪŋ] *adj* gratificador (ra).

rewind [ˌriː'waɪnd] (*pt & pp* **rewound**) *vt* rebobinar.

rewire [ˌriː'waɪər] *vt* cambiar la instalación eléctrica de.

reword [ˌriː'wɜːrd] *vt* expresar de otra forma.

rewound [ˌriː'waʊnd] *pt & pp* → rewind.

rewrite [ˌriː'raɪt] (*pt* **rewrote** [ˌriː'roʊt], *pp* **rewritten** [ˌriː'rɪtn]) *vt* volver a escribir.

Reykjavik [ˈreɪkjəvɪk] *n* Reykjavik.

rhapsody [ˈræpsədɪ] *n* (MUS) rapsodia *f*.

rhetoric [ˈretərɪk] *n* retórica *f*.

rheumatism [ˈruːmətɪzm] *n* reumatismo *m*.

Rhine [raɪn] *n*: **the ~** el Rin.

rhino [ˈraɪnoʊ] (*pl inv* OR **-s**), **rhinoceros** [raɪˈnɒsərəs] (*pl inv* OR **-es**) *n* rinoceronte *m*.

rhododendron [ˌroʊdəˈdendrən] *n* rododendro *m*.

Rhône [roʊn] *n*: **the (River) ~** el (río) Ródano.

rhubarb [ˈruːbɑːrb] *n* ruibarbo *m*.

rhyme [raɪm] ◊ *n* **1.** (*gen*) rima *f*. **2.** (*poem*) poesía *f*, versos *mpl*. ◊ *vi*: **to ~ (with)** rimar (con).

rhythm [ˈrɪðm] *n* ritmo *m*.

rib [rɪb] *n* **1.** (ANAT) costilla *f*. **2.** (*of umbrella*) varilla *f*.

ribbed [rɪbd] *adj* de canalé.

ribbon [ˈrɪbən] *n* cinta *f*.

rice [raɪs] *n* arroz *m*.

rice pudding *n* arroz *m* con leche.

rich [rɪtʃ] ◊ *adj* **1.** (*gen*) rico(ca). **2.** (*full*): **to be ~ in** abundar en. **3.** (*fertile*) fértil. **4.** (*indigestible*) pesado(da). ◊ *npl*: **the ~** los ricos. ♦ **riches** *npl* **1.** (*natural resources*) riquezas *fpl*. **2.** (*wealth*) riqueza *f*.

richly [ˈrɪtʃlɪ] *adv* **1.** (*well - rewarded*) ricamente. **2.** (*plentifully*) copiosamente.

richness [ˈrɪtʃnəs] *n* **1.** (*gen*) riqueza *f*. **2.** (*fertility*) fertilidad *f*. **3.** (*indigestibility*) pesadez *f*.

rickety [ˈrɪkətɪ] *adj* desvencijado (da).

ricochet [ˈrɪkəʃeɪ] (*pt & pp* **-ed** OR

-ted, *cont* **-ing** OR **-ting**) ◊ *n* rebote *m*. ◊ *vi*: **to ~ (off)** rebotar (de).

rid [rɪd] (*pt* **rid** OR **-ded**, *pp* **rid**) *vt*: **to ~ sth/sb of** librar algo/a alguien de; **to get ~ of** deshacerse de.

ridden [ˈrɪdn] *pp* → ride.

riddle [ˈrɪdl] *n* **1.** (*verbal puzzle*) acertijo *m*. **2.** (*mystery*) enigma *m*.

riddled [ˈrɪdld] *adj*: **to be ~ with** estar plagado(da) de.

ride [raɪd] (*pt* **rode**, *pp* **ridden**) ◊ *n* paseo *m*; **to go for a ~** (*on horseback*) darse un paseo a caballo; (*on bike*) darse un paseo en bicicleta; (*in car*) darse una vuelta en coche; **to take sb for a ~** *inf fig* embaucar a alguien. ◊ *vt* **1.** (*horse*) montar a. **2.** (*bicycle, motorbike*) montar en; **he rode his bike to the station** fue a la estación en bici. **3.** *Am* (*bus, train*) ir en; (*elevator*) subir/bajar en. **4.** (*distance*) recorrer. ◊ *vi* **1.** (*on horseback*) montar a caballo; **she rode over to see me** vino a verme a caballo. **2.** (*on bicycle*) ir en bici; (*on motorbike*) ir en moto. **3.** (*in car*): **we rode to London in a jeep** fuimos a Londres en jeep.

rider [ˈraɪdər] *n* **1.** (*on horseback*) jinete *m*, amazona *f*. **2.** (*on bicycle*) ciclista *m y f*; (*on motorbike*) motorista *m y f*.

ridge [rɪdʒ] *n* **1.** (*on mountain*) cresta *f*. **2.** (*on flat surface*) rugosidad *f*.

ridicule [ˈrɪdɪkjuːl] ◊ *n* (U) burlas *fpl*. ◊ *vt* ridiculizar.

ridiculous [rɪˈdɪkjələs] *adj* ridículo (la).

riding [ˈraɪdɪŋ] *n* equitación *f*.

riding school *n* escuela *f* de equitación.

rife [raɪf] *adj* extendido(da); **to be ~ with** estar lleno de.

rifle [ˈraɪfl] ◊ *n* rifle *m*, fusil *m*. ◊ *vt* desvalijar.

rifle range *n* campo *m* de tiro.

rift [rɪft] *n* **1.** (GEOL) hendedura *f*, grieta *f*. **2.** (*quarrel*) desavenencia *f*. **3.** (POL): **~ between/in** escisión *f* entre/en.

rig [rɪg] ◊ *n*: (**oil**) **~** (*onshore*) torre *f* de perforación; (*offshore*) plataforma *f* petrolífera. ◊ *vt* (*falsify*) amañar, falsificar. ♦ **rig up** *vt sep* construir, armar.

rigging [ˈrɪgɪŋ] *n* cordaje *m*.

right [raɪt] ◊ *adj* **1.** (*correct*) correcto (ta), bueno(na); **to be ~ (about)** tener razón (respecto a); **get it ~!** ¡hazlo bien! **2.** (*satisfactory*) bien. **3.** (*morally correct, socially acceptable*) apropiado(da); **to be ~ to do sth** hacer bien en hacer algo. **4.** (*uppermost*): **~ side** cara *f* anterior OR

de arriba. **5.** *(on right-hand side)* derecho (cha). ◇ *n* **1.** (U) *(moral correctness)* bien *m*; **to be in the ~** tener razón. **2.** *(entitlement, claim)* derecho *m*; **by ~s** en justicia. **3.** *(right-hand side)* derecha *f.* ◇ *adv* **1.** *(correctly)* bien, correctamente. **2.** *(to right-hand side)* a la derecha. **3.** *(emphatic use):* **~ here** aquí mismo; **~ at the top** arriba del todo; **~ in the middle** justo en el medio. **4.** *(immediately):* **I'll be ~ back** ahora mismo vuelvo; **~ before/after (sthg)** justo antes/después (de algo); **~ now** ahora mismo, ahorita *Amer*; **~ away** en seguida. ◇ *vt* **1.** *(correct)* corregir, rectificar. **2.** *(make upright)* enderezar. ◇ *excl* ¡bien!
♦ **Right** *n* (POL): **the Right** la derecha.

right angle *n* ángulo *m* recto; **at ~s (to)** en ángulo recto (con).

righteous ['raɪtʃəs] *adj (anger)* justo (ta); *(person)* honrado(da).

rightful ['raɪtfl] *adj* legítimo(ma).

right-hand *adj* derecho(cha); **the ~ side** el lado derecho, la derecha.

right-hand drive *adj* que se conduce por la derecha.

right-handed [-'hændəd] *adj* diestro (tra).

right-hand man *n* brazo *m* derecho.

rightly ['raɪtlɪ] *adv* **1.** *(correctly)* correctamente. **2.** *(appropriately)* debidamente, bien. **3.** *(morally)* con razón.

right of way *n* **1.** (AUT) prioridad *f.* **2.** *(access)* derecho *m* de paso.

right wing *n*: **the ~** la derecha.
♦ **right-wing** *adj* derechista.

rigid ['rɪdʒəd] *adj* **1.** *(stiff)* rígido(da). **2.** *(harsh, unbending)* inflexible.

rigmarole ['rɪgmərəʊl] *n inf pej* **1.** *(process)* ritual *m.* **2.** *(story)* galimatías *m inv.*

rigor *Am*, **rigour** *Br* ['rɪgər] *n (firmness)* rigor *m*, severidad *f.*

rigorous ['rɪgərəs] *adj* riguroso(sa).

rigour *Br* = rigor.

rim [rɪm] *n* **1.** *(of container)* borde *m.* **2.** *(of spectacles)* montura *f.*

rind [raɪnd] *n* corteza *f.*

ring [rɪŋ] *(pt* rang, *pp* rung *vt senses 1 & 2 & vi, pt & pp* ringed *vt senses 3 & 4 only)* ◇ *n* **1.** *(telephone call):* **to give sb a ~** llamar a alguien (por teléfono). **2.** *(sound of doorbell)* timbrazo *m.* **3.** *(metal hoop)* aro *m; (for curtains)* anilla *f.* **4.** *(on finger)* anillo *m.* **5.** *(circle - of trees)* círculo *m; (- of people)* corro *m.* **6.** *(for boxing)* cuadrilátero *m.* **7.** *(illegal group)* cartel *m.* ◇ *vt* **1.** *Br (phone)* lla-

mar por teléfono, telefonear. **2.** *(bell)* tocar. **3.** *(draw a circle round)* señalar con un círculo. **4.** *(surround)* rodear. ◇ *vi* **1.** *Br (phone)* llamar por teléfono, telefonear. **2.** *(bell)* sonar. **3.** *(to attract attention):* **to ~ (for)** llamar (para). **4.** *(resound):* **to ~ with** resonar con.
♦ **ring back** *vt sep & vi Br* volver a llamar. ♦ **ring off** *vi Br* colgar. ♦ **ring up** *vt sep Br* llamar (por teléfono).

ring binder *n* carpeta *f* de anillas.

ringing ['rɪŋɪŋ] *n (of bell)* repique *m*, tañido *m; (in ears)* zumbido *m.*

ringing tone *n* tono *m* de llamada.

ringleader ['rɪŋliːdər] *n* cabecilla *m y f.*

ringlet ['rɪŋlət] *n* rizo *m*, tirabuzón *m.*

ring road *n Br* carretera *f* de circunvalación.

rink [rɪŋk] *n* pista *f.*

rinse [rɪns] *vt* **1.** *(dishes, vegetables)* enjuagar; *(clothes)* aclarar. **2.** *(wash out):* **to ~ one's mouth out** enjuagarse la boca.

riot ['raɪət] ◇ *n* disturbio *m*; **to run ~** desbocarse. ◇ *vi* amotinarse.

rioter ['raɪətər] *n* amotinado *m*, -da *f.*

riotous ['raɪətəs] *adj* ruidoso(sa).

riot police *npl* brigada *f* antidisturbios.

rip [rɪp] ◇ *n* rasgón *m.* ◇ *vt* **1.** *(tear)* rasgar, desgarrar. **2.** *(remove violently)* quitar de un tirón. ◇ *vi* rasgarse, romperse.

RIP *(abbr of rest in peace)* RIP.

ripe [raɪp] *adj* maduro(ra); **to be ~ (for sthg)** estar listo (para algo).

ripen ['raɪpn] *vt & vi* madurar.

rip-off *n inf* estafa *f.*

ripple ['rɪpl] ◇ *n* **1.** *(in water)* onda *f*, rizo *m.* **2.** *(of laughter, applause)* murmullo *m.* ◇ *vt* rizar.

rise [raɪz] *(pt* rose, *pp* risen ['rɪzn]) ◇ *n* **1.** *(increase)* ascenso *m.* **2.** *Br (increase in salary)* aumento *m.* **3.** *(to fame etc)* subida *f.* **4.** *phr:* **to give ~ to sthg** dar origen a algo. ◇ *vi* **1.** *(gen)* elevarse. **2.** *(sun, moon)* salir. **3.** *(price, wage, temperature)* subir. **4.** *(stand up, get out of bed)* levantarse. **5.** *(street, ground)* subir. **6.** *(respond):* **to ~ to** reaccionar ante. **7.** *(rebel)* sublevarse. **8.** *(move up in status)* ascender; **to ~ to power/fame** ascender al poder/a la gloria.

rising ['raɪzɪŋ] ◇ *adj* **1.** *(sloping upwards)* ascendente. **2.** *(increasing)* creciente. **3.** *(increasingly successful)* prometedor(ra). ◊ *n* rebelión *f*.

risk [rɪsk] ◊ *n* (*gen*) riesgo *m*; (*danger*) peligro *m*; **to run the ~ of sthg/of doing sthg** correr el riesgo de algo/de hacer algo; **to take a ~** arriesgarse; **at your own ~** bajo tu cuenta y riesgo; **at ~** en peligro. ◊ *vt* **1.** (*put in danger*) arriesgar. **2.** (*take the chance of*): **to ~ doing sthg** exponerse a hacer algo.

risky ['rɪskɪ] *adj* peligroso(sa), arriesgado(da).

risqué [*Am* rɪ'skeɪ, *Br* 'rɪskeɪ] *adj* subido(da) de tono.

rissole ['rɪsəʊl] *n Br especie de albóndiga de carne o verduras.*

rite [raɪt] *n* rito *m*.

ritual ['rɪtʃʊəl] ◊ *adj* ritual. ◊ *n* ritual *m*.

rival ['raɪvl] ◊ *adj* rival, opuesto(ta). ◊ *n* rival *m* y *f*, competidor *m*, -ra *f*. ◊ *vt* rivalizar OR competir con.

rivalry ['raɪvlrɪ] *n* rivalidad *f*, competencia *f*.

river ['rɪvəʳ] *n* río *m*.

river bank *n* orilla *f* OR margen *f* del río.

riverbed ['rɪvəʳbed] *n* cauce *m* OR lecho *m* del río.

riverside ['rɪvəʳsaɪd] *n*: **the ~** la ribera OR orilla del río.

rivet [*Am* 'rɪvət, *Br* -ɪt] ◊ *n* remache *m*. ◊ *vt* **1.** (*fasten*) remachar. **2.** *fig* (*fascinate*): **to be ~ed by sthg** estar fascinado(da) con algo.

Riviera [ˌrɪvi'eərə] *n*: **the French ~** la Riviera francesa.

road [rəʊd] *n* (*minor*) camino *m*; (*major*) carretera *f*; (*street*) calle *f*; **to be on the ~ to** *fig* estar en camino de.

roadblock ['rəʊdblɒk] *n* control *m*.

road map *n* mapa *m* de carreteras.

road rage *n arrebato de ira de un automovilista que puede conducirle en ocasiones a cometer una agresión.*

road safety *n* seguridad *f* en carretera.

roadside ['rəʊdsaɪd] *n*: **the ~** el borde de la carretera.

road sign *n* señal *f* de carretera.

road tax *n* impuesto *m* de circulación.

roadway ['rəʊdweɪ] *n* calzada *f*.

road works *npl* obras *fpl* de carretera.

roadworthy ['rəʊdwɜːʳðɪ] *adj* apto(ta) para circular.

roam [rəʊm] ◊ *vt* vagar por. ◊ *vi* vagar.

roar [rɔːʳ] ◊ *vi* (*make a loud noise*) rugir, bramar; **to ~ with laughter** reírse a carcajadas. ◊ *vt* rugir, decir a voces. ◊ *n* **1.** (*of traffic*) fragor *m*. **2.** (*of lion, person*) rugido *m*.

roaring ['rɔːrɪŋ] *adj* **1.** (*loud*) clamoroso (sa). **2.** (*fire*) espectacular. **3.** (*as emphasis*): **to do a ~ trade** hacer un gran negocio.

roast [rəʊst] ◊ *adj* asado(da). ◊ *n* asado *m*. ◊ *vt* **1.** (*potatoes, meat*) asar. **2.** (*nuts, coffee beans*) tostar.

roast beef *n* rosbif *m*.

rob [rɒb] *vt* robar; **to ~ sb of sthg** *lit & fig* robar a alguien algo.

robber ['rɒbəʳ] *n* ladrón *m*, -ona *f*.

robbery ['rɒbərɪ] *n* robo *m*.

robe [rəʊb] *n* **1.** (*towelling*) albornoz *m*. **2.** (*of student*) toga *f*. **3.** (*of priest*) sotana *f*. **4.** *Am* (*dressing gown*) bata *f*.

robin [*Am* 'rɒbən, *Br* -ɪn] *n* petirrojo *m*.

robot ['rəʊbɒt] *n* robot *m*.

robust [rəʊ'bʌst] *adj* robusto(ta), fuerte.

rock [rɒk] ◊ *n* **1.** (U) (*substance*) roca *f*. **2.** (*boulder*) peñasco *m*. **3.** *Am* (*pebble*) guijarro *m*. **4.** (*music*) rock *m*. **5.** *Br* (*sweet*) palo *m* de caramelo. ◊ *comp* de rock. ◊ *vt* (*cause to move*) mecer, balancear. ◊ *vi* mecerse. ◆ **Rock** *n inf* (*Gibraltar*): **the Rock** el Peñón. ◆ **on the rocks** *adv* **1.** (*drink*) con hielo. **2.** (*marriage, relationship*) que va mal.

rock and roll *n* rock and roll *m*.

rock bottom *n* el fondo; **to hit ~** tocar fondo. ◆ **rock-bottom** *adj*: **rock-bottom prices** precios muy bajos.

rockery ['rɒkərɪ] *n* jardín *m* de rocas.

rocket [*Am* 'rɒkət, *Br* -ɪt] *n* cohete *m*.

rocket launcher [-lɔːntʃəʳ] *n* lanzacohetes *m inv*.

rocking chair ['rɒkɪŋ-] *n* mecedora *f*.

rocking horse ['rɒkɪŋ-] *n* caballo *m* de balancín.

rock'n'roll [ˌrɒkən'rəʊl] = **rock and roll**.

rocky ['rɒkɪ] *adj* (*full of rocks*) rocoso (sa).

Rocky Mountains *npl*: **the ~** las montañas Rocosas.

rod [rɒd] *n* (*wooden*) vara *f*; (*metal*) barra *f*; (*for fishing*) caña *f*.

rode [rəʊd] *pt* → **ride**.

rodent ['rəʊdənt] *n* roedor *m*.

R

rodeo 294

rodeo [rou'deiou] (*pl* **-s**) *n* rodeo *m*.

RODEO

En los rodeos estadounidenses, los vaqueros hacen gala de sus habilidades para
entretener a la gente y obtener premios.
El rodeo tradicional consistía en que los
vaqueros se juntaban para reunir los diferentes rebaños de ganado rodeándolos
(de ahí la palabra, que proviene obviamente del español). Los vaqueros que
actúan en los rodeos deben saber montar reses y caballos salvajes, atrapar al
ganado arrojando el lazo y abatir a la res
agarrándola por los cuernos para some-
terla. Los turistas han acudido a presenciar este espectáculo desde finales del
siglo XIX. Los rodeos modernos que se presentan en estados del oeste como Wyoming y Kansas aún atraen a muchos vi-
sitantes.

---

roe [rou] *n* hueva *f*.

roe deer *n* corzo *m*.

rogue [roug] *n* (*likeable rascal*) picarue-
lo *m*, -la *f*.

role [roul] *n* (THEATRE & *fig*) papel *m*.

roll [roul] ◇ *n* **1.** (*gen*) rollo *m*; (*of
paper, banknotes*) fajo *m*; (*of cloth*) pieza
f. **2.** (*of bread*) panecillo *m*. **3.** (*list*) lista
f; (*payroll*) nómina *f*. **4.** (*of drums*) redo-
ble *m*; (*of thunder*) retumbo *m*. ◇ *vt*
1. (*turn over*) hacer rodar. **2.** (*roll up*)
enrollar. **3.** (*cigarette*) liar. ◇ *vi* **1.** (*ball,
barrel*) rodar. **2.** (*vehicle*) ir, avanzar.
3. (*ship*) balancearse. **4.** (*thunder*)
retumbar; (*drum*) redoblar. ◆ **roll
about, roll around** *vi*: **to ~ about** OR
around (on) rodar (por). ◆ **roll in** *vi inf*
llegar a raudales. ◆ **roll over** *vi* darse
la vuelta. ◆ **roll up** ◇ *vt sep* **1.** (*make
into roll*) enrollar. **2.** (*sleeves*) remangar-
se. ◇ *vi* **1.** (*vehicle*) llegar. **2.** *inf* (*person*)
presentarse, aparecer.

roll call *n*: **to take a ~** pasar lista.

roller [roulər] *n* **1.** (*cylinder*) rodillo *m*.
2. (*curler*) rulo *m*.

roller coaster *n* montaña *f* rusa.

roller skate *n* patín *m* de ruedas.

rolling [roulɪŋ] *adj* **1.** (*undulating*)
ondulante. **2.** *phr*: **to be ~ in it** *inf* nadar
en la abundancia.

rolling pin *n* rodillo *m* (de cocina).

roll-on *adj* (*deodorant etc*) de bola.

ROM [rɒm] (*abbr of* read only memory)
n ROM *f*.

Roman ['rouman] ◇ *adj* romano(na).
◇ *n* romano *m*, -na *f*.

Roman Catholic ◇ *adj* católico
(romano) (católica (romana)). ◇ *n* católico (romano) *m*, católica (romana) *f*.

romance [rou'mæns] *n* **1.** (*romantic
quality*) lo romántico. **2.** (*love affair*)
amorío *m*. **3.** (*in fiction - modern*) novela
f romántica.

Romania [ru'meinjə] *n* Rumanía.

Roman numerals *npl* números *mpl*
romanos.

romantic [rou'mæntɪk] *adj* romántico
(ca).

Rome [roum] *n* Roma.

romp [rɒmp] ◇ *n* retozo *m*, jugueteo
m. ◇ *vi* retozar, juguetear.

rompers ['rɒmpəz] *npl*, **romper
suit** ['rɒmpə-] *n* pelele *m*.

roof [ru:f] *n* **1.** (*of building*) tejado *m*; (*of
vehicle*) techo *m*; **to go through** OR **hit
the ~** (*person*) subirse por las paredes.
2. (*of mouth*) paladar *m*.

roofing ['ru:fɪŋ] *n* techumbre *f*.

roof rack *n* baca *f*, portaequipajes *m*
inv.

rooftop ['ru:ftɒp] *n* tejado *m*.

rook [rʊk] *n* **1.** (*bird*) grajo *m*. **2.** (*chess
piece*) torre *f*.

rookie ['rʊkɪ] *n* Am *inf* novato *m*, -ta
f.

room [ru:m] *n* **1.** (*in house, building*)
habitación *f*. **2.** (*for conferences etc*) sala
f. **3.** (*bedroom*) habitación *f*, cuarto *m*. **4.**
(U) (*space*) sitio *m*, espacio *m*.

rooming house ['ru:mɪŋ-] *n* Am casa *f*
de huéspedes, pensión *f*.

roommate ['ru:mmeit] *n* compañero
m, -ra *f* de habitación.

room service *n* servicio *m* de habitación.

roomy ['ru:mɪ] *adj* espacioso(sa),
amplio(plia).

roost [ru:st] *n* percha *f*, palo *m*.

rooster ['ru:stər] *n* gallo *m*.

root [ru:t] ◇ *n* lit & *fig* raíz *f*; **to take ~**
lit & *fig* arraigar. ◇ *vi* (*pig etc*) hozar;
(*person*) hurgar, escarbar. ◆ **roots** *npl*
(*origins*) raíces *fpl*. ◆ **root for** *vt fus* Am
inf apoyar a. ◆ **root out** *vt sep* (*eradicate*) desarraigar.

rope [roup] ◇ *n* (*thin*) cuerda *f*; (*thick*)
soga *f*; (NAUT) maroma *f*, cable *m*; **to
know the ~s** saber de qué va el asunto.
◇ *vt* atar con cuerda. ◆ **rope in** *vt sep*
inf arrastrar OR enganchar a.

rosary ['rouzəri] *n* rosario *m*.

rose [rouz] ◇ *pt* → rise. ◇ *adj* (*pink*)
rosa, color de rosa. ◇ *n* (*flower*) rosa *f*.

rosé [rou'zei] *n* rosado *m*.

rosebud ['rouzbʌd] *n* capullo *m* de rosa.

rose bush *n* rosal *m*.

rosemary [*Am* 'rouzmerɪ, *Br* -mərɪ] *n* romero *m*.

rosette [rou'zet] *n* (badge) escarapela *f*.

roster ['rɒstər] *n* lista *f*.

rostrum ['rɒstrəm] (*pl* **-trums** OR **-tra** [-trə]) *n* tribuna *f*.

rosy ['rouzɪ] *adj* **1.** (pink) sonrosado (da). **2.** (hopeful) prometedor(ra).

rot [rɒt] ◇ *n* (U) **1.** (of wood, food) podredumbre *f*; (in society, organization) decadencia *f*. **2.** *Br dated* (nonsense) tonterías *fpl*. ◇ *vt* pudrir. ◇ *vi* pudrirse.

rota ['routə] *n* lista *f* (de turnos).

rotary ['routərɪ] ◇ *adj* giratorio(ria), rotativo(va). ◇ *n Am* (roundabout) glorieta *f*, cruce *m* de circulación giratoria.

rotate [*Am* 'routeɪt, *Br* rou'teɪt] ◇ *vt* (turn) hacer girar, dar vueltas a. ◇ *vi* (turn) girar, dar vueltas.

rotation [rou'teɪʃn] *n* (gen) rotación *f*.

rote [rout] *n*: **by ~** de memoria.

rotten ['rɒtn] *adj* **1.** (decayed) podrido (da). **2.** *inf* (poor-quality) malísimo(ma), fatal. **3.** *inf* (unpleasant) despreciable. **4.** *inf* (unwell): **to feel ~** sentirse fatal OR muy mal.

rouge [ruːʒ] *n* colorete *m*.

rough [rʌf] ◇ *adj* **1.** (not smooth - surface, skin) áspero(ra); (- ground, road) desigual. **2.** (not gentle, brutal) bruto(ta). **3.** (crude, not refined - person, manner) grosero(ra), tosco(ca); (- shelter) precario(ria); (- food, living conditions) simple. **4.** (approximate - plan, sketch) a grandes rasgos; (- estimate, translation) aproximado(da). **5.** (unpleasant) duro(ra), difícil. **6.** (wind) violento(ta); (sea) picado (da); (weather, day) tormentoso(sa). **7.** (harsh - wine, voice) áspero(ra). **8.** (violent - area) peligroso(sa); (- person) violento(ta). ◇ *adv*: **to sleep ~** dormir al raso. ◇ *n* **1.** (GOLF): **the ~** el rough. **2.** (undetailed form): **in ~** en borrador. ◇ *vt phr*: **to ~ it** vivir sin comodidades.

rough and ready *adj* tosco(ca).

roughly ['rʌflɪ] *adv* **1.** (approximately) más o menos. **2.** (not gently) brutalmente. **3.** (crudely) toscamente.

roulette [ruː'let] *n* ruleta *f*.

round [raund] ◇ *adj* redondo(da). ◇ *prep* **1.** (surrounding) alrededor de. **2.** (near) cerca de; **~ here** por aquí. **3.** (all over - the world etc) por todo(da). **4.** (in circular movement): **~ (and ~)** alrededor de. **5.** (in measurements): **she's 30 inches ~ the waist** mide 30 pulgadas de

cintura. **6.** (at or to the other side of): **they were waiting ~ the corner** esperaban a la vuelta de la esquina; **to drive ~ the corner** doblar la esquina; **to go ~ sthg** rodear algo. **7.** (so as to avoid): **he drove ~ the pothole** condujo esquivando el bache. ◇ *adv* **1.** (on all sides): **all ~** por todos lados. **2.** (near): **~ about** alrededor, en las proximidades. **3.** (all over): **to travel ~** viajar por ahí. **4.** (in circular movement): **~ (and ~)** en redondo; **to go** OR **spin ~** girar. **5.** (in measurements) en redondo. **6.** (to the other side) al otro lado; **to go ~** dar un rodeo. **7.** (at or to nearby place): **he came ~ to see us** vino a vernos. ◇ *n* **1.** (of talks, drinks) ronda *f*; **a ~ of applause** una salva de aplausos. **2.** (in championship) vuelta *f*. **3.** (of doctor) visita *f*; (of milkman, postman) recorrido *m*. **4.** (of ammunition) cartucho *m*. **5.** (in boxing) asalto *m*. **6.** (in golf) vuelta *f*. ◇ *vt* doblar. ◆ **rounds** *npl* (of doctor) visitas *fpl*; (of postman) recorrido *m*; **to do** OR **go the ~s** (joke, rumour) divulgarse; (illness) estar rodando. ◆ **round off** *vt sep* terminar. ◆ **round up** *vt sep* **1.** (gather together) reunir. **2.** (MATH) redondear.

roundabout ['raundəbaut] *n Br* **1.** (on road) glorieta *f*, cruce *m* de circulación giratoria. **2.** (at fairground) tiovivo *m*.

rounders ['raundərz] *n Br juego parecido al béisbol.*

roundly ['raundlɪ] *adv* rotundamente.

round-shouldered [-'ʃouldərd] *adj* cargado(da) de espaldas.

round trip *n* viaje *m* de ida y vuelta.

roundup ['raundʌp] *n* (summary) resumen *m*.

rouse [rauz] *vt* **1.** *fml* (wake up) despertar. **2.** (impel): **to ~ sb/o.s. to do sthg** animar a alguien/animarse a hacer algo. **3.** (excite) excitar.

rousing ['rauzɪŋ] *adj* (speech) conmovedor(ra); (cheer) entusiasta.

rout [raut] ◇ *n* derrota *f* aplastante. ◇ *vt* derrotar, aplastar.

route [ruːt] *n* (gen) ruta *f*; (of bus) línea *f*, recorrido *m*; (of ship) rumbo *m*.

route map *n* plano *m* (del camino).

routine [ruː'tiːn] ◇ *adj* rutinario(ria). ◇ *n* rutina *f*.

roving ['rouvɪŋ] *adj* volante, itinerante.

row[1] [rou] ◇ *n* **1.** (line) fila *f*, hilera *f*. **2.** (succession) serie *f*; **three in a ~** tres seguidos. ◇ *vt* (boat) remar. ◇ *vi* remar.

row[2] [rau] ◇ *n* **1.** (quarrel) pelea *f*, bronca *f*. **2.** *inf* (noise) estruendo *m*, ruido *m*. ◇ *vi* (quarrel) reñir, pelearse.

R

rowboat ['rəʊbəʊt] *n Am* bote *m* de remos.

rowdy ['raʊdɪ] *adj (noisy)* ruidoso(sa); *(quarrelsome)* pendenciero(ra).

row house ['rəʊ-] *n Am* casa *f* adosada.

rowing ['rəʊɪŋ] *n* remo *m*.

rowing boat *n* bote *m* de remo.

royal ['rɔɪəl] *adj* real.

Royal Air Force *n*: the ~ las Fuerzas Aéreas de Gran Bretaña.

royal family *n* familia *f* real.

Royal Mail *n Br*: the ~ = Correos *m*.

Royal Navy *n*: the ~ la Armada de Gran Bretaña.

royalty ['rɔɪəltɪ] *n* realeza *f*. ♦ **royalties** *npl* derechos *mpl* de autor.

rpm *(abbr of* **revolutions per minute)** r.p.m. *fpl*.

RSPCA *(abbr of* **Royal Society for the Prevention of Cruelty to Animals)** *n sociedad británica protectora de animales,* ≈ SPA *f*.

RSVP *(abbr of* **répondez s'il vous plaît)** s.r.c.

Rt Hon *(abbr of* **Right Honourable)** su Sría.

rub [rʌb] ◇ *vt*: **to ~ sthg (against** OR **on)** frotar algo (en OR contra); **to ~ sthg on** OR **onto** frotar algo en; **to ~ sthg in** OR **into** frotar algo en; **to ~ sb the wrong way** *Am*, **to ~ sb up the wrong way** *Br* sacar a alguien de quicio. ◇ *vi*: **to ~ (against sthg)** rozar (algo); **to ~ (together)** rozarse. ♦ **rub off on** *vt fus (subj: quality)* influir en. ♦ **rub out** *vt sep (erase)* borrar.

rubber ['rʌbə'] *n* 1. *(substance)* goma *f*, caucho *m*. 2. *Br (eraser)* goma *f* de borrar. 3. *Am inf (condom)* goma *f*. 4. *(in bridge)* partida *f*.

rubber band *n* gomita *f*, goma *f*.

rubber plant *n* ficus *m inv*.

rubber stamp *n* estampilla *f*. ♦ **rubber-stamp** *vt* aprobar oficialmente.

rubbish ['rʌbɪʃ] *n (U)* 1. *(refuse)* basura *f*. 2. *inf fig (worthless matter)* porquería *f*. 3. *inf (nonsense)* tonterías *fpl*.

rubbish bin *n Br* cubo *m* de la basura.

rubbish dump *n Br* vertedero *m*, basurero *m*.

rubble ['rʌbl] *n (U)* escombros *mpl*.

ruby ['ruːbɪ] *n* rubí *m*.

rucksack ['rʌksæk] *n* mochila *f*.

rudder ['rʌdə'] *n* timón *m*.

ruddy ['rʌdɪ] *adj* 1. *(reddish)* rojizo(za). 2. *Br dated (for emphasis)* maldito(ta).

rude [ruːd] *adj* 1. *(impolite - person, manners, word)* grosero(ra); *(- joke)* verde. 2. *(shocking)* violento(ta), brusco(ca).

rudimentary [,ruːdə'mentərɪ] *adj* rudimentario(ria).

ruffle ['rʌfl] *vt* 1. *(hair)* despeinar; *(water)* agitar; *(feathers)* encrespar. 2. *(composure, nerves)* encrespar.

rug [rʌg] *n* 1. *(carpet)* alfombra *f*. 2. *(blanket)* manta *f* de viaje.

rugby ['rʌgbɪ] *n* rugby *m*.

rugged ['rʌgɪd] *adj* 1. *(wild, inhospitable)* escabroso(sa). 2. *(sturdy)* fuerte. 3. *(roughly handsome)* duro y atractivo (dura y atractiva).

rugger ['rʌgə'] *n Br inf* rugby *m*.

ruin ['ruːɪn] ◇ *n* ruina *f*. ◇ *vt* 1. *(destroy)* arruinar, estropear. 2. *(bankrupt)* arruinar. ♦ **in ruin(s)** *adv* en ruinas.

rule [ruːl] ◇ *n* 1. *(regulation, guideline)* regla *f*, norma *f*. 2. *(norm)*: **the ~** la norma; **as a ~** por regla general. 3. *(government)* dominio *m*. 4. *(ruler)* regla *f*. ◇ *vt* 1. *fml (control)* regir. 2. *(govern)* gobernar. 3. *(decide)*: **to ~ that** decidir OR ordenar que. ◇ *vi* 1. *(give decision)* decidir, fallar. 2. *fml (be paramount)* ser primordial. 3. *(govern)* gobernar. ♦ **rule out** *vt sep* descartar.

ruled [ruːld] *adj* rayado(da).

ruler ['ruːlə'] *n* 1. *(for measurement)* regla *f*. 2. *(monarch)* soberano *m*, -na *f*.

ruling ['ruːlɪŋ] ◇ *adj* en el poder. ◇ *n* fallo *m*, decisión *f*.

rum [rʌm] *n* ron *m*.

Rumania [ruː'meɪnjə] = **Romania**.

rumble ['rʌmbl] ◇ *n (gen)* estruendo *m*; *(of stomach)* ruido *m*. ◇ *vi (gen)* retumbar; *(stomach)* hacer ruido.

rummage ['rʌmɪdʒ] *vi* hurgar, rebuscar.

rumor *Am*, **rumour** *Br* *n* ['ruːmə'] rumor *m*.

rumored *Am*, **rumoured** *Br* ['ruːmə'd] *adj*: **to be ~** rumorearse; **she is ~ to be very rich** se rumorea que es muy rica.

rump [rʌmp] *n* 1. *(of animal)* grupa *f*, ancas *fpl*. 2. *inf (of person)* trasero *m*.

rump steak *n* filete *m* de lomo.

run [rʌn] *(pt* ran, *pp* run) ◇ *n* 1. *(on foot)* carrera *f*; **to go for a ~** ir a correr; **on the ~** en fuga. 2. *(journey - in car)* paseo *m* OR vuelta *f* (en coche); *(- in plane, ship)* viaje *m*. 3. *(series - of wins, disasters)* serie *f*; *(- of luck)* racha *f*. 4. (THEATRE): **the play had a 6-week ~** la obra estuvo en cartelera 6 semanas. 5. *(great demand)*: **~ on sthg** gran demanda de algo. 6. *(in tights)* carrera *f*.

7. (*in cricket, baseball*) carrera *f.* **8.** (*for skiing etc*) pista *f.* **9.** (*term*): **in the short/long** ~ a corto/largo plazo. ◇ *vt* **1.** (*on foot*) correr. **2.** (*manage - business*) dirigir, administrar; (*- life, event*) organizar. **3.** (*operate - computer program, machine, film*) poner. **4.** (*have and use - car etc*) hacer funcionar. **5.** (*open - tap*) abrir; **to ~ a bath** llenar la bañera. **6.** (*publish*) publicar. **7.** (*move*): **to ~ sthg along** OR **over** pasar algo por. ◇ *vi* **1.** (*on foot*) correr. **2.** (*follow a direction*) seguir. **3.** (*in election*): **to ~ (for)** presentarse como candidato(ta) (a). **4.** (*factory, machine*) funcionar; (*engine*) estar encendido(da); **to ~ on** OR **off sthg** funcionar con algo; **to ~ smoothly** ir bien. **5.** (*bus, train*) ir. **6.** (*flow*) correr. **7.** (*tap*) gotear; (*nose*) moquear; (*eyes*) llorar. **8.** (*colour*) desteñir. **9.** (*pass - gen*) pasar. **10.** (*continue to be*) seguir. **11.** (*remain valid*) ser válido (da). ◆ **run across** *vt fus* (*meet*) encontrarse con. ◆ **run away** *vi* (*flee*): **to ~ away (from)** huir OR fugarse (de). ◆ **run down** ◇ *vt sep* **1.** (*run over*) atropellar. **2.** (*criticize*) hablar mal de. **3.** (*allow to decline*) debilitar. ◇ *vi* (*battery*) acabarse; (*clock*) pararse; (*project, business*) debilitarse. ◆ **run into** *vt fus* **1.** (*problem*) encontrar; (*person*) tropezarse con. **2.** (*in vehicle*) chocar con. ◆ **run off** ◇ *vt sep* imprimir. ◇ *vi*: **to ~ off (with)** fugarse (con). ◆ **run out** *vi* **1.** (*become used up*) acabarse. **2.** (*expire*) caducar. ◆ **run out of** *vt fus* quedarse sin. ◆ **run over** *vt sep* atropellar. ◆ **run through** *vt fus* **1.** (*be present in*) recorrer, atravesar. **2.** (*practise*) ensayar. **3.** (*read through*) echar un vistazo a. ◆ **run to** *vt fus* (*amount to*) ascender a. ◆ **run up** *vt fus* (*amass*) incurrir en. ◆ **run up against** *vt fus* tropezar con.

runaway ['rʌnəweɪ] ◇ *adj* **1.** (*gen*) fugitivo(va); (*horse*) desbocado(da); (*train*) fuera de control; (*inflation*) desenfrenado(da). **2.** (*victory*) fácil. ◇ *n* fugitivo *m*, -va *f.*

rundown ['rʌndaʊn] *n* (*report*) informe *m*, resumen *m*. ◆ **run-down** *adj* **1.** (*dilapidated*) en ruinas. **2.** (*tired*) agotado(da).

rung [rʌŋ] ◇ *pp* → **ring**. ◇ *n lit & fig* peldaño *m.*

runner ['rʌnər] *n* **1.** (*athlete*) corredor *m*, -ra *f.* **2.** (*smuggler*) contrabandista *m* y *f.* **3.** (*on skate*) cuchilla *f*; (*on sledge*) carril *m*; (*of drawer, sliding seat*) carro *m.*

runner bean *n Br* judía *f* escarlata.

runner-up (*pl* **runners-up**) *n* subcampeón *m*, -ona *f.*

running ['rʌnɪŋ] ◇ *adj* **1.** (*continuous*) continuo(nua). **2.** (*consecutive*) seguidos (das). **3.** (*water*) corriente. ◇ *n* **1.** (*act of running*) el correr; **to go** ~ hacer footing. **2.** (SPORT) carreras *fpl.* **3.** (*management*) dirección *f*, organización *f.* **4.** (*operation*) funcionamiento *m.* **5.** *phr*: **to be in/out of the** ~ (**for sthg**) tener/no tener posibilidades (de algo).

runny ['rʌnɪ] *adj* **1.** (*food*) derretido (da). **2.** (*nose*) que moquea; (*eyes*) llorosos(as).

run-of-the-mill *adj* normal y corriente.

runt [rʌnt] *n* **1.** (*animal*) cría *f* más pequeña y débil. **2.** *pej* (*person*) renacuajo *m.*

run-up *n* **1.** (*preceding time*) periodo *m* previo. **2.** (SPORT) carrerilla *f.*

runway ['rʌnweɪ] *n* pista *f.*

rupture ['rʌptʃər] *n* (MED) hernia *f.*

rural ['rʊərəl] *adj* rural.

ruse [ruːz] *n* ardid *m.*

rush [rʌʃ] ◇ *n* **1.** (*hurry*) prisa *f*; **to be in a** ~ tener prisa. **2.** (*burst of activity*): ~ (**for** OR **on sthg**) avalancha *f* (en busca de algo). **3.** (*busy period*) hora *f* punta. **4.** (*surge - of air*) ráfaga *f*; (*- of water*) torrente *m*; (*- mental*) arrebato *m*; **to make a** ~ **for sthg** ir en desbandada hacia algo. ◇ *vt* **1.** (*hurry*) apresurar. **2.** (*send quickly*) llevar rápidamente. ◇ *vi* **1.** (*hurry*) ir de prisa, correr; **to** ~ **into sthg** meterse de cabeza en algo. **2.** (*surge*) precipitarse. ◆ **rushes** *npl* (BOT) juncos *mpl.*

rush hour *n* hora *f* punta.

rusk [rʌsk] *n* galleta que se da a los niños pequeños para que se acostumbran a masticar.

Russia ['rʌʃə] *n* Rusia.

Russian ['rʌʃn] ◇ *adj* ruso(sa). ◇ *n* **1.** (*person*) ruso *m*, -sa *f.* **2.** (*language*) ruso *m.*

rust [rʌst] ◇ *n* moho *m*, óxido *m.* ◇ *vi* oxidarse.

rustic ['rʌstɪk] *adj* rústico(ca).

rustle ['rʌsl] ◇ *vt* **1.** (*paper*) hacer crujir. **2.** *Am* (*cattle*) robar. ◇ *vi* (*wind, leaves*) susurrar; (*paper*) crujir.

rusty ['rʌstɪ] *adj lit & fig* oxidado(da).

rut [rʌt] *n* (*track*) rodada *f*; **to get into/be in a** ~ *fig* caer/estar metido en una rutina.

ruthless ['ruːθləs] *adj* despiadado(da).

RV *n Am* (*abbr of* **recreational vehicle**) casa-remolque *f.*

rye [raɪ] *n* (*grain*) centeno *m.*

rye bread *n* pan *m* de centeno.

R

S

s [es] (*pl* **ss** OR **s's**), **S** (*pl* **Ss** OR **S's**) *n* (*letter*) s *f*, S *f*. ◆ **S** (*abbr of* **south**) S.

Sabbath ['sæbəθ] *n*: **the ~** (*for Christians*) el domingo; (*for Jews*) el sábado.

sabbatical [sə'bætɪkl] *n* sabático *m*; **on ~** de sabático.

sabotage ['sæbətɑːʒ] ◇ *n* sabotaje *m*. ◇ *vt* sabotear.

saccharin(e) ['sækərɪn] *n* sacarina *f*.

sachet [*Am* sæ'ʃeɪ, *Br* 'sæʃeɪ] *n* bolsita *f*.

sack [sæk] ◇ *n* **1.** (*bag*) saco *m*. **2.** *Br inf* (*dismissal*): **to get** OR **be given the ~** ser despedido(da). ◇ *vt Br inf* despedir.

sacking ['sækɪŋ] *n* (*fabric*) harpillera *f*.

sacred ['seɪkrəd] *adj lit & fig* sagrado (da).

sacrifice ['sækrəfaɪs] (RELIG & *fig*) ◇ *n* sacrificio *m*. ◇ *vt* sacrificar.

sacrilege ['sækrəlɪdʒ] *n* (RELIG & *fig*) sacrilegio *m*.

sacrosanct ['sækrousæŋkt] *adj* sacrosanto(ta).

sad [sæd] *adj* triste.

sadden ['sædn] *vt* entristecer.

saddle ['sædl] ◇ *n* **1.** (*for horse*) silla *f* (de montar). **2.** (*of bicycle, motorcycle*) sillín *m*, asiento *m*. ◇ *vt* **1.** (*horse*) ensillar. **2.** *fig* (*burden*): **to ~ sb with sthg** cargar a alguien con algo.

saddlebag ['sædlbæg] *n* alforja *f*.

sadistic [sə'dɪstɪk] *adj* sádico(ca).

sadly ['sædlɪ] *adv* tristemente.

sadness ['sædnəs] *n* tristeza *f*.

s.a.e., **sae** *n abbr of* **stamped addressed envelope**.

safari [sə'fɑːrɪ] *n* safari *m*.

safe [seɪf] ◇ *adj* **1.** (*gen*) seguro(ra); **~ and sound** sano y salvo (sana y salva). **2.** (*without harm*) sin contratiempos. **3.** (*not causing disagreement*): **it's ~ to say that ...** se puede afirmar con seguridad que ...; **to be on the ~ side** por mayor seguridad. **4.** (*reliable*) digno(na) de confianza. ◇ *n* caja *f* (de caudales).

safe-conduct *n* salvoconducto *m*.

safe-deposit box *n* caja *f* de seguridad.

safeguard ['seɪfgɑːrd] ◇ *n* salvaguardia *f*, protección *f*; **~ against sthg** pro-

tección contra algo. ◇ *vt*: **to ~ sthg/sb (against sthg)** salvaguardar OR proteger algo/a alguien (contra algo).

safekeeping [seɪf'kiːpɪŋ] *n* protección *f*.

safely ['seɪflɪ] *adv* **1.** (*with no danger*) con seguridad. **2.** (*not in danger*) seguramente. **3.** (*unharmed*) sin novedad. **4.** (*for certain*): **I can ~ say that** puedo decir con toda confianza que.

safe sex *n* sexo *m* sin riesgo.

safety ['seɪftɪ] *n* seguridad *f*.

safety belt *n* cinturón *m* de seguridad.

safety pin *n* imperdible *m*, seguro *m* *Méx*, alfiler *m* de gancho *CSur*.

saffron ['sæfrən] *n* (*spice*) azafrán *m*.

sag [sæg] *vi* (*sink downwards*) hundirse, combarse.

sage [seɪdʒ] ◇ *adj* sabio(bia). ◇ *n* **1.** (*herb*) salvia *f*. **2.** (*wise man*) sabio *m*.

Sagittarius [sædʒə'teərɪəs] *n* Sagitario *m*.

Sahara [*Am* sə'hærə, *Br* -'hɑːrə] *n*: **the ~ (Desert)** el (desierto del) Sáhara.

said [sed] *pt & pp* → **say**.

sail [seɪl] ◇ *n* **1.** (*of boat*) vela *f*; **to set ~** zarpar. **2.** (*journey by boat*) paseo *m* en barco de vela. ◇ *vt* **1.** (*boat, ship*) gobernar. **2.** (*sea*) cruzar. ◇ *vi* **1.** (*travel by boat*) navegar. **2.** (*move - boat*): **the ship ~ed across the ocean** el barco cruzó el océano. **3.** (*leave by boat*) zarpar. ◆ **sail through** *vt fus* hacer con facilidad.

sailboat *Am* ['seɪlbout], **sailing boat** *Br n* barco *m* de vela.

sailing ['seɪlɪŋ] *n* **1.** (U) (SPORT) vela *f*. **2.** (*trip by ship*) travesía *f*.

sailing boat *Br* = **sailboat**.

sailing ship *n* (*large boat*) velero *m*.

sailor ['seɪlər] *n* marinero *m*, -ra *f*.

saint [seɪnt] *n* (RELIG & *fig*) santo *m*, -ta *f*.

Saint Patrick's Day *n* el día de San Patricio.

SAINT PATRICK'S DAY

El 17 de marzo, día de San Patricio, es la fiesta nacional de los irlandeses, y tanto ellos como quienes son descendientes de irlandeses la celebran en todo el mundo. Grandes desfiles recorren las calles de Dublín y Nueva York. Es tradición llevar una hoja de trébol, la planta que es símbolo de Irlanda, o usar alguna prenda verde, el color nacional de este país. Algunos bares en Estados Unidos llegan al extremo de servir cerveza verde el día de San Patricio.

sake [seik] *n*: **for the ~ of** por (el bien de); **for God's** OR **heaven's ~** ¡por el amor de Dios!

salad ['sæləd] *n* ensalada *f*.

salad bowl *n* ensaladera *f*.

salad cream *n* Br *salsa parecida a la mahonesa para aderezar la ensalada.*

salad dressing *n* aliño *m* (para la ensalada).

salami [sə'lɑːmɪ] *n* salami *m*.

salary ['sælərɪ] *n* sueldo *m*.

sale [seil] *n* **1.** *(gen)* venta *f*; **on ~** en venta; **(up) for ~** en venta; **'for ~'** 'se vende'. **2.** *(at reduced prices)* liquidación *f*, saldo *m*. ◆ **sales** *npl* **1.** (ECON) ventas *fpl*. **2.** *(at reduced prices)*: **the ~s** las rebajas.

saleroom Br = **salesroom**.

sales assistant ['seilz-], **salesclerk** Am ['seilzklɑːrk] *n* dependiente *m*, -ta *f*.

salesman ['seilzmən] *(pl* **-men** [-mən]*) n (in shop)* dependiente *m*, vendedor *m*; *(travelling)* viajante *m*.

sales rep *n inf* representante *m y f*.

salesroom Am ['seilzrʊm], **saleroom** Br ['seilruːm] *n* sala *f* de subastas.

saleswoman ['seilzwʊmən] *(pl* **-women** [-wimin]*) n (in shop)* dependienta *f*, vendedora *f*; *(travelling)* viajante *f*.

saliva [sə'laivə] *n* saliva *f*.

sallow ['sæləʊ] *adj* cetrino(na).

salmon ['sæmən] *(pl inv* OR **-s)** *n* salmón *m*.

salmonella [ˌsælmə'nelə] *n* salmonelosis *f inv*.

salon [Am sə'lɒn, Br 'sælɒn] *n* salón *m*.

saloon [sə'luːn] *n* **1.** Br *(car)* (coche *m*) utilitario *m*. **2.** Am *(bar)* bar *m*. **3.** Br *(in pub)*: **~ (bar)** en ciertos pubs y hoteles, bar *elegante con precios más altos que los del 'public bar'*. **4.** *(in ship)* salón *m*.

salt [sɔːlt] ◊ *n* sal *f*. ◊ *vt (food)* salar; *(roads)* echar sal en *(las carreteras etc para evitar que se hielen)*. ◆ **salt away** *vt sep inf* ahorrar.

salt shaker [-ˌʃeikər] Am, **salt celler** Br *n* salero *m*.

saltwater ['sɔːltwɔːtər] *adj* de agua salada.

salty ['sɔːltɪ] *adj* salado(da), salobre.

salutary [Am 'sæljəterɪ, Br -jʊtərɪ] *adj* saludable.

salute [sə'luːt] ◊ *n* **1.** *(with hand)* saludo *m*. **2.** (MIL) *(firing of guns)* salva *f*, saludo *m*. ◊ *vt* (MIL) *(with hand)* saludar.

Salvadorean, Salvadorian [ˌsælvə-'dɔːrɪən] ◊ *adj* salvadoreño(ña). ◊ *n* salvadoreño *m*, -ña *f*.

salvage ['sælvidʒ] ◊ *n (U)* **1.** *(rescue of ship)* salvamento *m*. **2.** *(property rescued)* objetos *mpl* recuperados OR rescatados. ◊ *vt lit & fig*: **to ~ sthg (from)** salvar algo (de).

salvation [sæl'veiʃn] *n* salvación *f*.

Salvation Army *n*: **the ~** el Ejército de Salvación.

same [seim] ◊ *adj* mismo(ma); **the ~ colour as his** el mismo color que el suyo; **at the ~ time** *(simultaneously)* al mismo tiempo; *(yet)* aún así; **one and the ~** el mismo (la misma). ◊ *pron*: **the ~** el mismo (la misma); **she did the ~** hizo lo mismo; **the ingredients are the ~** los ingredientes son los mismos OR iguales; **I'll have the ~ (again)** tomaré lo mismo (que antes); **all just the ~** *(nevertheless, anyway)* de todos modos; **it's all the ~ to me** me da igual; **it's not the ~** no es lo mismo. ◊ *adv*: **the ~** lo mismo.

sample [Am 'sæmpl, Br 'sɑːmpl] ◊ *n* muestra *f*. ◊ *vt (food, wine, attractions)* probar.

sanatorium, sanitorium Am [ˌsænə-'tɔːrɪəm] *(pl* **-riums** OR **-ria** [-rɪə]*) n* sanatorio *m*.

sanction ['sæŋkʃn] ◊ *n* sanción *f*. ◊ *vt* sancionar.

sanctity ['sæŋktətɪ] *n* santidad *f*.

sanctuary [Am 'sæŋktʃʊerɪ, Br -ərɪ] *n* **1.** *(for birds, wildlife)* reserva *f*. **2.** *(refuge)* refugio *m*. **3.** *(holy place)* santuario *m*.

sand [sænd] ◊ *n* arena *f*. ◊ *vt* lijar.

sandal ['sændl] *n* sandalia *f*.

sandalwood ['sændlwʊd] *n* sándalo *m*.

sandbox Am ['sændbɒks], **sandpit** Br ['sændpit] *n* cuadro *m* de arena.

sandcastle [Am 'sændkæsl, Br -kɑːsl] *n* castillo *m* de arena.

sand dune *n* duna *f*.

sandpaper ['sændpeipər] ◊ *n (U)* papel *m* de lija. ◊ *vt* lijar.

sandpit Br = **sandbox**.

sandstone ['sændstəʊn] *n* piedra *f* arenisca.

sandwich ['sænwidʒ] ◊ *n (made with roll etc)* bocadillo *m*; *(made with sliced bread)* sandwich *m* frío. ◊ *vt fig* apretujar.

sandwich course *n* Br *curso universitario que incluye un cierto tiempo de experiencia profesional.*

sandy ['sændɪ] *adj* **1.** *(covered in sand)* arenoso(sa). **2.** *(sand-coloured)* rojizo (za).

sane [sein] *adj* **1.** *(not mad)* cuerdo(da).

S

2. *(sensible)* prudente, sensato(ta).

sang [sæŋ] *pt* → **sing**.

sanitary [*Am* 'sænətərɪ, *Br* -ɪtərɪ] *adj* **1.** *(connected with health)* sanitario(ria). **2.** *(clean, hygienic)* higiénico(ca).

sanitary napkin *Am*, **sanitary towel** *Br* n *(disposable)* compresa f (higiénica); *(made of cloth)* paño m (higiénico).

sanitation [,sænə'teɪʃn] n sanidad f.

sanitorium *Am* = **sanatorium**.

sanity ['sænətɪ] n **1.** *(saneness)* cordura f. **2.** *(good sense)* sensatez f.

sank [sæŋk] *pt* → **sink**.

Santa (Claus) ['sæntə(klɔːz)] n Papá m Noel.

sap [sæp] ◇ n *(of plant)* savia f. ◇ vt *(weaken)* minar.

sapling ['sæplɪŋ] n árbol m nuevo, arbolito m.

sapphire ['sæfaɪər] n zafiro m.

sarcastic [sɑːˈkæstɪk] *adj* sarcástico (ca).

sardine [sɑːˈdiːn] n sardina f.

sardonic [sɑːˈdɒnɪk] *adj* sardónico (ca).

SAS *(abbr of Special Air Service)* n unidad especial del ejército británico encargada de operaciones de sabotaje.

SASE n *abbr of* **self-addressed stamped envelope**.

sash [sæʃ] n faja f.

sat [sæt] *pt & pp* → **sit**.

SAT [sæt] n **1.** *(abbr of Standard Assessment Test)* examen de aptitud que se realiza a los siete, once y catorce años en Inglaterra y Gales. **2.** *(abbr of Scholastic Achievement Test)* examen de ingreso a la universidad en Estados Unidos.

Satan ['seɪtn] n Satanás m.

satchel ['sætʃəl] n cartera f.

satellite ['sætəlaɪt] n *lit & fig* satélite m.

satellite TV n televisión f por satélite.

satin ['sætɪn] ◇ n satén m, raso m. ◇ comp de satén, de raso.

satire ['sætaɪər] n sátira f.

satisfaction [,sætɪs'fækʃn] n satisfacción f.

satisfactory [,sætɪs'fæktərɪ] *adj* satisfactorio(ria).

satisfied ['sætɪsfaɪd] *adj* satisfecho (cha).

satisfy ['sætɪsfaɪ] vt **1.** *(gen)* satisfacer. **2.** *(convince)* convencer; **to ~ sb that** convencer a alguien (de) que.

satisfying ['sætɪsfaɪɪŋ] *adj* agradable, satisfactorio(ria).

satsuma [,sæt'suːmə] n satsuma f,

tipo de mandarina.

saturate ['sætʃəreɪt] vt **1.** *(drench)*: **to ~ sthg (with)** empapar algo (de). **2.** *(fill completely)*: **to ~ sthg (with)** saturar algo (de).

Saturday ['sætədeɪ] ◇ n sábado m; **what day is it? – it's ~** ¿a qué estamos hoy? – estamos a sábado; **on ~** el sábado; **on ~s** los sábados; **last ~** el sábado pasado; **this ~** este sábado, el sábado que viene; **next ~** el sábado de la semana que viene; **every ~** todos los sábados; **every other ~** cada dos sábados; **the ~ before** el sábado anterior; **the ~ after next** no este sábado sino el siguiente; **the ~ before last** hace dos sábados; **~ week, a week on ~** el sábado en ocho días. ◇ comp del sábado.

Saturn ['sætɜːn] n Saturno m.

sauce [sɔːs] n (CULIN) salsa f.

saucepan [*Am* 'sɔːspæn, *Br* -pən] n *(with two handles)* cacerola f; *(with one long handle)* cazo m.

saucer ['sɔːsər] n platillo m.

saucy ['sɔːsɪ] *adj Br inf* descarado(da), fresco(ca).

Saudi Arabia [,saʊdɪə'reɪbjə] n Arabia Saudí.

sauna ['sɔːnə] n sauna f.

saunter ['sɔːntər] vi pasearse (tranquilamente).

sausage ['sɒsɪdʒ] n salchicha f.

sausage roll n *Br* salchicha envuelta en masa como de empanadilla.

sauté [*Am* sou'teɪ, *Br* 'souteɪ] *(pt & pp* **sautéed** OR **sautéd)** vt saltear.

savage ['sævɪdʒ] ◇ *adj (cruel, fierce)* feroz, salvaje. ◇ n *pej* salvaje m y f. ◇ vt **1.** *(subj: animal)* embestir, atacar. **2.** *(subj: person)* atacar con ferocidad.

save [seɪv] vt **1.** *(rescue)* salvar, rescatar; **to ~ sb from sthg** salvar a alguien de algo. **2.** *(prevent waste of - time, money, energy)* ahorrar; *(- food, strength)* guardar, reservar. **3.** *(set aside - money)* ahorrar; *(- food, strength)* guardar, reservar. **4.** *(avoid)* evitar; **to ~ sb from doing sthg** evitar a alguien (el) hacer algo. **5.** (SPORT) parar. **6.** (COMPUT) guardar. ◇ vi ahorrar. ◇ n (SPORT) parada f. ◇ prep fml: **~ (for)** excepto. ◆ **save up** vi ahorrar.

saving grace [,seɪvɪŋ-] n lo único positivo.

savings ['seɪvɪŋz] npl ahorros mpl.

savings account n *Am* cuenta f de ahorros.

savings and loan association n *Am* sociedad f de préstamos inmobiliarios.

scene

savings bank *n* ≃ caja *f* de ahorros.
savior *Am*, **saviour** *Br* ['seɪvjəᵣ] *n* salvador *m*, -ra *f*.
savor *Am*, **savour** *Br* ['seɪvəᵣ] *vt lit & fig* saborear.
savory *Am*, **savoury** *Br* ['seɪvərɪ] ◇ *adj* 1. *(not sweet)* salado(da). 2. *(respectable, pleasant)* agradable. ◇ *n* comida *f* de aperitivo.
saw [sɔː] *(Am pt & pp* -ed, *Br pt* -ed, *pp* sawn) ◇ *pt →* see. ◇ *n* sierra *f*. ◇ *vt* serrar.
sawdust ['sɔːdʌst] *n* serrín *m*.
sawed-off shotgun *Am* [,sɔːd-], **sawn-off shotgun** *Br n* arma *f* de cañones recortados.
sawmill ['sɔːmɪl] *n* aserradero *m*.
sawn [sɔːn] *pp Br →* saw.
sawn-off shotgun *Br* = sawed-off shotgun.
saxophone ['sæksəfoʊn] *n* saxofón *m*.
say [seɪ] *(pt & pp* said) ◇ *vt* 1. *(gen)* decir; **to ~ yes** decir que sí; **he's said to be good** se dice que es bueno; **let's ~ you were to win** pongamos que ganaras; **that goes without ~ing** ni que decir tiene; **it has a lot to be said for it** tiene muy buenos puntos en su favor. 2. *(indicate - clock, meter)* marcar. ◇ *n:* **to have a/no ~ in sthg** tener/no tener voz y voto en algo; **let me have my ~** déjame decir lo que pienso. ♦ **that is to say** *adv* es decir.
saying ['seɪɪŋ] *n* dicho *m*.
scab [skæb] *n* 1. (MED) costra *f*. 2. *pej (non-striker)* esquirol *m*.
scaffold ['skæfəʊld] *n* 1. *(around building)* andamio *m*. 2. *(for execution)* cadalso *m*.
scaffolding ['skæfəldɪŋ] *n (U)* andamios *mpl*, andamiaje *m*.
scald [skɔːld] *vt* escaldar.
scale [skeɪl] ◇ *n* 1. *(gen)* escala *f*. 2. *(size, extent)* tamaño *m*, escala *f*; **to ~ a escala.** 3. *(of fish, snake)* escama *f*. 4. *Am* = scales. ◇ *vt* 1. *(climb)* escalar. 2. *(remove scales from)* escamar. ♦ **scales** *npl* 1. *(for weighing food)* balanza *f*. 2. *(for weighing person)* báscula *f*. ♦ **scale down** *vt fus* reducir.
scale model *n* maqueta *f*.
scallop [*Am* 'skæləp, *Br* -'skɒl] ◇ *n* (ZOOL) vieira *f*. ◇ *vt (decorate edge of)* festonear.
scalp [skælp] ◇ *n* cuero *m* cabelludo. ◇ *vt* escalpar.
scalpel ['skælpl] *n* bisturí *m*.
scamper ['skæmpəᵣ] *vi* corretear.
scampi ['skæmpɪ] *n* (U): **(breaded) ~**

gambas *fpl* a la gabardina.
scan [skæn] ◇ *n* exploración *f* ultrasónica. ◇ *vt* 1. *(examine carefully)* examinar. 2. *(glance at)* dar un vistazo a. 3. (ELECTRON & TV) registrar.
scandal ['skændl] *n* 1. *(scandalous event, outrage)* escándalo *m*. 2. *(scandalous talk)* habladurías *fpl*.
scandalize ['skændlaɪz] *vt* escandalizar.
Scandinavia [,skændə'neɪvjə] *n* Escandinavia.
Scandinavian [,skændə'neɪvjən] ◇ *adj* escandinavo(va). ◇ *n (person)* escandinavo *m*, -va *f*.
scant [skænt] *adj* escaso(sa).
scanty ['skæntɪ] *adj (amount, resources)* escaso(sa); *(dress)* ligero(ra); *(meal)* insuficiente.
scapegoat ['skeɪpgəʊt] *n* cabeza *f* de turco.
scar [skɑːᵣ] *n* 1. *(physical)* cicatriz *f*. 2. *fig (mental)* señal *f*.
scarce ['skeəᵣs] *adj* escaso(sa).
scarcely ['skeəᵣslɪ] *adv* apenas; **~ anyone/ever** casi nadie/nunca.
scare [skeəᵣ] ◇ *n* 1. *(sudden fear)* susto *m*, sobresalto *m*. 2. *(public fear)* temor *m*. ◇ *vt* asustar, sobresaltar. ♦ **scare away, scare off** *vt sep* ahuyentar.
scarecrow ['skeəᵣkrəʊ] *n* espantapájaros *m inv*.
scared ['skeəᵣd] *adj* 1. *(frightened)* asustado(da); **to be ~ stiff** OR **to death** estar muerto de miedo. 2. *(worried)*: **to be ~ that** tener miedo que.
scarf ['skɑːᵣf] *(pl* -s OR scarves) *n (for neck)* bufanda *f*; *(for head)* pañuelo *m* de cabeza.
scarlet ['skɑːᵣlət] *adj* color escarlata.
scarlet fever *n* escarlatina *f*.
scarves [skɑːᵣvz] *pl →* scarf.
scathing ['skeɪðɪŋ] *adj* mordaz.
scatter ['skætəᵣ] ◇ *vt* esparcir, desparramar. ◇ *vi* dispersarse.
scatterbrained ['skætəᵣbreɪnd] *adj inf* atolondrado(da).
scavenger ['skævɪndʒəᵣ] *n* 1. *(animal)* carroñero *m*, -ra *f*. 2. *(person)* persona *f* que rebusca en las basuras.
scenario [*Am* sə'nærɪoʊ, *Br* -nɑːrɪəʊ] *(pl* -s) *n* 1. *(possible situation)* situación *f* hipotética. 2. *(of film, play)* resumen *m* del argumento.
scene [siːn] *n* 1. *(gen)* escena *f*; **behind the ~s** entre bastidores. 2. *(painting of place)* panorama *m*, paisaje *m*. 3. *(location)* sitio *m*. 4. *(show of emotion)* jaleo *m*, escándalo *m*. 5. *phr*: **to set the ~ (for**

S

person) describir la escena; *(for event)* crear el ambiente propicio.

scenery ['si:nəri] *n (U)* **1.** *(of countryside)* paisaje *m.* **2.** (THEATRE) decorado *m.*

scenic ['si:nɪk] *adj (view)* pintoresco (ca); *(tour)* turístico(ca).

scent [sent] *n* **1.** *(smell - of flowers)* fragancia *f; (- of animal)* rastro *m.* **2.** *fig (track)* pista *f.* **3.** *(perfume)* perfume *m.*

scepter *Am,* **sceptre** *Br* ['septər] *n* cetro *m.*

sceptic *etc Br* = **skeptic** *etc.*

sceptre *Br* = **scepter.**

schedule [*Am* 'skedʒu:l, *Br* 'ʃedj-] ◇ *n* **1.** *(plan)* programa *m,* plan *m;* **on** ~ sin retraso; **ahead of** ~ con adelanto; **behind** ~ con retraso. **2.** *(of prices, contents)* lista *f; (of times)* horario *m.* ◇ *vt:* **to** ~ **sthg (for)** fijar algo (para).

scheduled flight [*Am* ˌskedʒu:ld-, *Br* ˌʃedj-] *n* vuelo *m* regular.

scheme [ski:m] ◇ *n* **1.** *(plan)* plano *m,* proyecto *m.* **2.** *pej (dishonest plan)* intriga *f.* **3.** *(arrangement, decoration - of room)* disposición *f; (- of colours)* combinación *f.* ◇ *vi pej:* **to** ~ **(to do sthg)** intrigar (para hacer algo).

scheming ['ski:mɪŋ] *adj* intrigante.

schism ['skɪzm] *n* cisma *f.*

schizophrenic [ˌskɪtsə'frenɪk] *adj* esquizofrénico(ca).

scholar ['skɒlər] *n* **1.** *(expert)* erudito *m,* -ta *f.* **2.** *dated (student)* alumno *m,* -na *f.*

scholarship ['skɒlərʃɪp] *n* **1.** *(grant)* beca *f.* **2.** *(learning)* erudición *f.*

school [sku:l] *n* **1.** *(gen)* colegio *m,* escuela *f; (for driving, art)* escuela *f; (for medicine, law)* facultad *f.* **2.** *Am (university)* universidad *f.*

school age *n* edad *f* escolar.

schoolbook ['sku:lbʊk] *n* libro *m* de texto.

schoolboy ['sku:lbɔɪ] *n* colegial *m.*

schoolchild ['sku:ltʃaɪld] *(pl* **-children** [-tʃɪldrən]) *n* colegial *m,* -la *f.*

schooldays ['sku:ldeɪz] *npl* años *mpl* de colegio.

schoolgirl ['sku:lgɜ:rl] *n* colegiala *f.*

schooling ['sku:lɪŋ] *n* educación *f* escolar.

school-leaver [-li:vər] *n Br* joven que ha terminado la enseñanza obligatoria.

schoolmaster [*Am* 'sku:lˌmæstər, *Br* -ˌmɑ:stə] *n dated (at primary school)* maestro *m; (at secondary school)* profesor *m.*

schoolmistress ['sku:lˌmɪstrəs] *n dated*

(at primary school) maestra *f; (at secondary school)* profesora *f.*

school of thought *n* corriente *f* de opinión.

schoolteacher ['sku:lˌti:tʃər] *n (primary)* maestro *m,* -tra *f; (secondary)* profesor *m,* -ra *f.*

school year *n* año *m* escolar.

sciatica [saɪ'ætɪkə] *n* ciática *f.*

science ['saɪəns] *n* ciencia *f.*

science fiction *n* ciencia *f* ficción.

scientific [ˌsaɪən'tɪfɪk] *adj* científico (ca).

scientist ['saɪəntəst] *n* científico *m,* -ca *f.*

scintillating ['sɪntəleɪtɪŋ] *adj* brillante, chispeante.

scissors ['sɪzərz] *npl* tijeras *fpl;* **a pair of** ~ unas tijeras.

sclerosis [sklə'roʊsəs] → **multiple sclerosis.**

scoff [skɒf] ◇ *vt Br inf* zamparse, tragarse. ◇ *vi:* **to** ~ **(at sb/sthg)** mofarse OR burlarse (de alguien/de algo).

scold [skoʊld] *vt* regañar, reñir.

scone [skoʊn] *n* bollo tomado con té a la hora de la merienda.

scoop [sku:p] ◇ *n* **1.** *(utensil - for sugar)* cucharita *f* plana; *(- for ice cream)* pinzas *fpl (de helado); (- for flour)* paleta *f.* **2.** (PRESS) exclusiva *f.* ◇ *vt* **1.** *(with hands)* recoger. **2.** *(with utensil)* recoger con cucharilla. ◆ **scoop out** *vt sep* sacar con cuchara.

scooter ['sku:tər] *n* **1.** *(toy)* patinete *m.* **2.** *(motorcycle)* Vespa® *f,* motoneta *f Amer.*

scope [skoʊp] *n (U)* **1.** *(opportunity)* posibilidades *fpl.* **2.** *(range)* alcance *m.*

scorch [skɔ:rtʃ] *vt* **1.** *(dress, meat)* chamuscar; *(face, skin)* quemar. **2.** *(dry out)* secar.

scorching ['skɔ:rtʃɪŋ] *adj inf* abrasador (ra).

score [skɔ:r] ◇ *n* **1.** *(in test)* calificación *f,* nota *f; (in competition)* puntuación *f.* **2.** (SPORT) resultado *m;* **what's the ~?** ¿cómo van? **3.** *dated (twenty)* veintena *f.* **4.** (MUS) partitura *f.* **5.** *(subject):* **on that** ~ a ese respecto. ◇ *vt* **1.** (SPORT) marcar. **2.** *(achieve - success, victory)* obtener. **3.** *(cut)* grabar. ◇ *vi* **1.** (SPORT) marcar. **2.** *(in test etc)* obtener una puntuación. ◆ **score out** *vt sep Br* tachar.

scoreboard ['skɔ:rbɔ:rd] *n* marcador *m.*

scorer ['skɔ:rər] *n* **1.** *(official)* tanteador *m,* -ra *f.* **2.** *(player - in football)* goleador *m,* -ra *f; (- in other sports)* marcador *m,* -ra *f.*

scorn [skɔːrn] ◇ n menosprecio m, desdén m. ◇ vt menospreciar, desdeñar.

scornful ['skɔːrnfl] adj despectivo(va); **to be ~ of** sthg desdeñar algo.

Scorpio ['skɔːrpɪəu] (pl **-s**) n Escorpión m.

scorpion ['skɔːrpɪən] n alacrán m.

Scot [skɒt] n escocés m, -esa f.

scotch [skɒtʃ] vt (rumour) desmentir; (idea) desechar.

Scotch [skɒtʃ] ◇ adj escocés(esa). ◇ n whisky m escocés.

Scotch (tape)® n Am cinta f adhesiva, ≃ durex® m Amer, ≃ celo® m Esp.

scot-free adj inf: **to get off ~** salir impune.

Scotland ['skɒtlənd] n Escocia.

Scots [skɒts] ◇ adj escocés(esa). ◇ n (dialect) escocés m.

Scotsman ['skɒtsmən] (pl **-men** [-mən]) n escocés m.

Scotswoman ['skɒtswumən] (pl **-women** [-ˌwɪmɪn]) n escocesa f.

Scottish ['skɒtɪʃ] adj escocés(esa).

Scottish National Party n: **the ~** el Partido Nacionalista Escocés.

scour ['skauər] vt 1. (clean) fregar, restregar. 2. (search) registrar, batir.

scourge [skɜːrdʒ] n 1. (cause of suffering) azote m. 2. (critic) castigador m, -ra f.

scout [skaut] n (MIL) explorador m. ♦ **Scout** n (boy scout) explorador m. ♦ **scout around** vi: **to ~ around (for)** explorar el terreno en busca de algo.

scowl [skaul] vi fruncir el ceño; **to ~ at** sb mirar con ceño a alguien.

scrabble ['skræbl] vi 1. (scramble, scrape) escarbar. 2. (feel around): **to ~ around for** sthg hurgar en busca de algo.

Scrabble® ['skræbl] n Scrabble® m.

scraggy ['skrægɪ] adj inf flaco(ca).

scramble ['skræmbl] ◇ n (rush) pelea f. ◇ vi 1. (climb) trepar. 2. (move clumsily): **to ~ to one's feet** levantarse rápidamente y tambaleándose.

scrambled eggs [ˌskræmbld-] npl huevos mpl revueltos.

scrap [skræp] ◇ n 1. (small piece) trozo m, pedazo m. 2. (metal) chatarra f. 3. inf (fight, quarrel) pelotera f. ◇ vt desechar, descartar. ♦ **scraps** npl (food) sobras fpl.

scrapbook ['skræpbuk] n álbum m de recortes.

scrape [skreɪp] ◇ n 1. (noise) chirrido m. 2. dated (difficult situation) apuro m.

◇ vt 1. (remove): **to ~** sthg off sthg raspar algo de algo. 2. (vegetables) raspar. 3. (car, bumper, glass) rayar; (knee, elbow, skin) rasguñar. ◇ vi 1. (rub): **to ~ against/on** sthg rozar contra/en algo. 2. (save money) economizar. ♦ **scrape through** vt fus aprobar por los pelos.

scrap paper Br = scratch paper.

scrapyard ['skræpjɑːrd] n (gen) depósito m de chatarra; (for cars) cementerio m de coches.

scratch [skrætʃ] ◇ n 1. (wound) arañazo m, rasguño m. 2. (mark) raya f, surco m. 3. phr: **to do** sthg **from ~** hacer algo partiendo desde el principio; **to be up to ~** estar a la altura requerida. ◇ vt 1. (wound) arañar, rasguñar. 2. (mark) rayar. 3. (rub – head, leg) rascar. ◇ vi (rub) rascarse.

scratch card n tarjeta con una zona que hay que rascar para ver si contiene premio.

scratch paper Am, **scrap paper** Br n (U) papel m usado.

scrawl [skrɔːl] ◇ n garabatos mpl. ◇ vt garabatear.

scrawny ['skrɔːnɪ] adj flaco(ca).

scream [skriːm] ◇ n 1. (cry, shout) grito m, chillido m. 2. (noise) chirrido m. ◇ vt vociferar. ◇ vi (person) chillar.

scree [skriː] n montón de piedras desprendidas de la ladera de una montaña.

screech [skriːtʃ] ◇ n 1. (of person) chillido m; (of bird) chirrido m. 2. (of car, tyres) chirrido m, rechinar m. ◇ vt gritar. ◇ vi 1. (person, bird) chillar. 2. (car, tyres) chirriar, rechinar.

screen [skriːn] ◇ n 1. (TV, CINEMA & COMPUT) pantalla f. 2. (panel) biombo m. ◇ vt 1. (show in cinema) proyectar. 2. (broadcast on TV) emitir. 3. (shield): **to ~** sthg/sb (from) proteger algo/a alguien (de). 4. (candidate, patient) examinar.

screening ['skriːnɪŋ] n 1. (of film) proyección f. 2. (of TV programme) emisión f. 3. (for security) examen m. 4. (MED) (examination) chequeo m.

screenplay ['skriːnpleɪ] n guión m.

screw [skruː] ◇ n (for fastening) tornillo m. ◇ vt 1. (fix): **to ~** sthg to atornillar algo a. 2. (twist) enroscar. 3. vulg (woman) coger Amer, follar Esp. ♦ **screw up** vt sep 1. (sheet of paper etc) arrugar. 2. (eyes) entornar; (face) arrugar. 3. v inf (ruin) jorobar.

screwdriver ['skruːˌdraɪvər] n destornillador m.

scribble ['skrɪbl] ◇ n garabato m. ◇ vt & vi garabatear.

S

script [skrɪpt] *n* **1.** *(of play, film etc)* guión *m*. **2.** *(system of writing)* escritura *f*. **3.** *(handwriting)* letra *f*.

Scriptures ['skrɪptʃəᵊz] *npl*: **the ~** las Sagradas Escrituras.

scriptwriter ['skrɪptraɪtəʳ] *n* guionista *m y f*.

scroll [skrəʊl] ◇ *n* rollo *m* de pergamino/papel. ◇ *vt* (COMPUT) desplazar.

scrounge [skraʊndʒ] *vt inf* gorronear.

scrounger ['skraʊndʒəʳ] *n inf* gorrón *m*, -ona *f*.

scrub [skrʌb] ◇ *n* **1.** *(rub)* restregón *m*. **2.** *(undergrowth)* maleza *f*. ◇ *vt* restregar.

scruff [skrʌf] *n*: **by the ~ of the neck** por el pescuezo.

scruffy ['skrʌfɪ] *adj (person)* dejado (da); *(clothes)* andrajoso(sa); *(room)* desordenado(da).

scrum(mage) ['skrʌm(ɪdʒ)] *n* (RUGBY) melé *f*.

scruples ['skru:plz] *npl* escrúpulos *mpl*.

scrutinize ['skru:tənaɪz] *vt* escudriñar.

scrutiny ['skru:tənɪ] *n* (U) escrutinio *m*, examen *m*.

scuff [skʌf] *vt (damage - shoes)* pelar; *(- furniture, floor)* rayar.

scuffle ['skʌfl] *n* refriega *f*, reyerta *f*.

scullery ['skʌlərɪ] *n* trascocina *f*.

sculptor ['skʌlptəʳ] *n* escultor *m*, -ra *f*.

sculpture ['skʌlptʃəʳ] *n* escultura *f*.

scum [skʌm] *n* **1.** *(froth)* espuma *f*. **2.** *v inf pej (worthless person)* escoria *f*.

scupper ['skʌpəʳ] *vt* (NAUT & *fig*) hundir.

scurrilous [*Am* 'skɜ:rələs, *Br* 'skʌr-] *adj fml* injurioso(sa), difamatorio(ria).

scurry [*Am* 'skɜ:rɪ, *Br* 'skʌrɪ] *vi*: **to ~ off** OR **away** escabullirse.

scuttle ['skʌtl] ◇ *n* cubo *m* del carbón. ◇ *vi (rush)*: **to ~ off** OR **away** escabullirse.

scythe [saɪð] *n* guadaña *f*.

SDLP *(abbr of* **Social Democratic and Labour Party***) n partido político norirlandés que defiende la integración pacífica en la república de Irlanda.*

sea [si:] ◇ *n* **1.** *(not land)* mar *m o f*; **at ~** en el mar; **by ~** en barco; **by the ~** a orillas del mar; **out to ~** *(away from shore)* mar adentro; *(across the water)* hacia el mar. **2.** *(not ocean)* mar *m*. **3.** *phr*: **to be all at ~** estar totalmente perdido(da). ◇ *comp* de mar.

seabed ['si:bed] *n*: **the ~** el lecho marino.

sea breeze *n* brisa *f* marina.

seafood ['si:fu:d] *n* (U) mariscos *mpl*.

seafront ['si:frʌnt] *n* paseo *m* marítimo.

seagull ['si:gʌl] *n* gaviota *f*.

seal [si:l] *(pl inv* OR **-s)** ◇ *n* **1.** *(animal)* foca *f*. **2.** *(official mark)* sello *m*. **3.** *(on bottle, meter)* precinto *m*; *(on letter)* sello *m*. ◇ *vt* **1.** *(envelope)* sellar, cerrar. **2.** *(opening, tube, crack)* tapar, cerrar.
◆ **seal off** *vt sep (entrance, exit)* cerrar; *(area)* acordonar.

sea level *n* nivel *m* del mar.

sea lion *(pl inv* OR **-s)** *n* león *m* marítimo.

seam [si:m] *n* **1.** (SEWING) costura *f*. **2.** *(of coal)* veta *f*.

seaman ['si:mən] *(pl* **-men** [-mən]) *n* marinero *m*.

seamy ['si:mɪ] *adj* sórdido(da).

seance ['seɪɑ:ns] *n* sesión *f* de espiritismo.

seaplane ['si:pleɪn] *n* hidroavión *m*.

search [sɜ:ʳtʃ] ◇ *n (gen)* búsqueda *f*; *(of room, drawer)* registro *m*; *(of person)* cacheo *m*; **~ for sthg** búsqueda de algo; **in ~ of** en busca de. ◇ *vt (gen)* registrar; *(one's mind)* escudriñar; **to ~ sthg for sthg** buscar algo en algo. ◇ *vi*: **to ~ (for sthg/sb)** buscar (algo/a alguien).

searching ['sɜ:ʳtʃɪŋ] *adj (question)* agudo(da); *(look)* penetrante.

searchlight ['sɜ:ʳtʃlaɪt] *n* reflector *m*.

search party *n* equipo *m* de búsqueda.

search warrant *n* mandamiento *m* de registro.

seashell ['si:ʃel] *n* concha *f* (marina).

seashore ['si:ʃɔ:ʳ] *n*: **the ~** la orilla del mar.

seasick ['si:sɪk] *adj* mareado(da).

seaside ['si:saɪd] *n*: **the ~** la playa.

seaside resort *n* lugar *m* de veraneo (en la playa).

season ['si:zn] ◇ *n* **1.** *(of year)* estación *f*. **2.** *(particular period)* época *f*. **3.** *(of holiday)* temporada *f*. **4.** *(of food)*: **out of/ in ~** fuera de/en sazón. **5.** *(of talks, films)* temporada *f*. ◇ *vt* sazonar.

seasonal ['si:zənl] *adj (work)* temporal; *(change)* estacional.

seasoned ['si:znd] *adj (experienced)* veterano(na).

seasoning ['si:znɪŋ] *n* condimento *m*.

season ticket *n* abono *m*.

seat [si:t] ◇ *n* **1.** *(gen)* asiento *m*. **2.** *(of trousers, skirt)* trasero *m*. **3.** (POL) *(in parliament)* escaño *m*. ◇ *vt* **1.** *(sit down)* sentar; **be ~ed!** ¡siéntese! **2.** *(subj: build-*

ing, vehicle) tener cabida para.
seat belt *n* cinturón *m* de seguridad.
seating ['siːtɪŋ] *n (U) (capacity)* asientos *mpl*.
seawater ['siːwɔːtəʳ] *n* agua *f* de mar.
seaweed ['siːwiːd] *n (U)* alga *f* marina.
seaworthy ['siːwɜːʳðɪ] *adj* en condiciones de navegar.
sec. *(abbr of second)* seg.
secede [sɪˈsiːd] *vi fml:* **to ~ (from sthg)** separarse (de algo).
secluded [sɪˈkluːdəd] *adj* apartado(da).
seclusion [sɪˈkluːʒn] *n* aislamiento *m*.
second ['sekənd] ◇ *n* 1. *(gen)* segundo *m*. 2. *Br (UNIV)* = licenciatura *f* con notable. ◇ *num* segundo(da); *see also* **sixth**. ◇ *vt* secundar. ♦ **seconds** *npl* 1. *(COMM)* artículos *mpl* defectuosos. 2. *(of food):* **to have ~s** repetir *(en una comida)*.
secondary [*Am* 'sekəndərɪ, *Br* -dərɪ] *adj* 1. *(SCH- school)* secundario(ria); *(- education)* medio(dia). 2. *(less important):* **to be ~ to** ser secundario(ria) a.
secondary school *n* escuela *f* de enseñanza media.
second-class *adj* 1. *(gen)* de segunda clase. 2. *Br (UNIV)* nota global de licenciatura equivalente a un notable o un aprobado alto.
second hand *n (of clock)* segundero *m*.
second-hand ◇ *adj (goods, information)* de segunda mano. ◇ *adv (not new)* de segunda mano.
secondly ['sekəndlɪ] *adv* en segundo lugar.
secondment [sɪˈkɒndmənt] *n Br* traslado *m* temporal.
second-rate *adj pej* de segunda categoría, mediocre.
second thought *n:* **to have ~s about sthg** tener dudas acerca de algo; **on ~** *Am,* **on ~s** *Br* pensándolo bien.
secrecy ['siːkrəsɪ] *n (U)* secreto *m*.
secret ['siːkrət] ◇ *adj* secreto(ta). ◇ *n* secreto *m*; **in ~** en secreto.
secretarial [ˌsekrəˈteərɪəl] *adj (course, training)* de secretariado; *(staff)* administrativo(va).
secretary [*Am* 'sekrətərɪ, *Br* -tərɪ] *n* 1. *(gen)* secretario *m*, -ria *f*. 2. *(POL) (minister)* ministro *m*.
Secretary of State *n* 1. *Am* ministro *m* estadounidense de Asuntos Exteriores. 2. *Br:* **~ (for)** ministro *m* (de).
secretive ['siːkrətɪv] *adj (person)* reservado(da); *(organization)* secreto(ta).
secretly ['siːkrətlɪ] *adv (hope, think)* se-

cretamente; *(tell)* en secreto.
sect [sekt] *n* secta *f*.
sectarian [sekˈteərɪən] *adj* sectario (ria).
section ['sekʃn] *n* sección *f*.
sector ['sektəʳ] *n* sector *m*.
secular ['sekjələʳ] *adj (education, life)* laico(ca), secular; *(music)* profano(na).
secure [sɪˈkjʊəʳ] ◇ *adj (gen)* seguro(ra). ◇ *vt* 1. *(obtain)* conseguir, obtener. 2. *(make safe)* proteger. 3. *(fasten)* cerrar bien.
security [sɪˈkjʊərɪtɪ] *n* 1. seguridad *f*. 2. *(for loan)* garantía *f*. ♦ **securities** *npl (FIN)* valores *mpl*.
security guard *n* guardia *m* jurado OR de seguridad.
sedan [sɪˈdæn] *n Am (coche m)* utilitario *m*.
sedate [sɪˈdeɪt] ◇ *adj* sosegado(da). ◇ *vt* sedar.
sedation [sɪˈdeɪʃn] *n (U)* sedación *f*.
sedative ['sedətɪv] *n* sedante *m*.
sediment ['sedəmənt] *n* sedimento *m*.
seduce [sɪˈdjuːs] *vt:* **to ~ sb (into doing sthg)** seducir a alguien (a hacer algo).
seductive [sɪˈdʌktɪv] *adj* seductor(ra).
see [siː] ◇ *(pt saw, pp seen)* ◇ *vt* 1. *(gen)* ver. 2. *(visit - friend, doctor)* ir a ver, visitar; **~ you soon/later/tomorrow!** *etc* ¡hasta pronto/luego/mañana! *etc;* **~ you!** ¡hasta luego!; **~ below/p 10** véase más abajo/pág. 10. 3. *(accompany - to door etc)* acompañar. 4. *(make sure):* **to ~ (to it) that** ... encargarse de que ... ◇ *vi (gen)* ver; *(understand)* entender; **let's ~, let me ~** vamos a ver, veamos; **you ~** ... verás, es que ...; **I ~** ya veo. ♦ **seeing as, seeing that** *conj inf* como. ♦ **see about** *vt fus (arrange)* encargarse de. ♦ **see off** *vt sep* 1. *(say goodbye to)* despedir. 2. *Br (chase away)* ahuyentar. ♦ **see through** *vt fus (person)* ver claramente las intenciones de. ♦ **see to** *vt fus* ocuparse de.
seed [siːd] *n (of plant)* semilla *f*. ♦ **seeds** *npl fig (of doubt)* semilla *f*; *(of idea)* germen *m*.
seedy ['siːdɪ] *adj (room, area)* sórdido (da); *(person)* desaliñado(da).
seek [siːk] *(pt & pp sought)* *vt fml* 1. *(gen)* buscar. 2. *(ask for)* solicitar. 3. *(try):* **to ~ to do sthg** procurar hacer algo.
seem [siːm] ◇ *vi* parecer; **it ~s (to be) good** parece (que es) bueno; **I can't ~ to do it** no puedo hacerlo (por mucho que lo intente). ◇ *v impers:* **it ~s (that)** parece que.

seemingly ['si:mɪŋlɪ] *adv* aparentemente.

seen [si:n] *pp* → **see**.

seep [si:p] *vi* rezumar, filtrarse.

seesaw ['si:sɔ:] *n* balancín *m*.

seethe [si:ð] *vi* **1.** *(person)* rabiar. **2.** *(place)*: **to be seething with** estar a rebosar de.

see-through *adj* transparente.

segment ['segmənt] *n* **1.** *(proportion, section)* segmento *m*. **2.** *(of fruit)* gajo *m*.

segregate ['segrɪgeɪt] *vt* segregar.

Seine [seɪn] *n*: **the (River) ~** el (río) Sena.

seize [si:z] *vt* **1.** *(grab)* agarrar, coger. **2.** *(capture - control, power, town)* tomar, hacerse con. **3.** *(arrest)* detener. **4.** *(take advantage of)* aprovechar. ◆ **seize (up)on** *vt fus* valerse de. ◆ **seize up** *vi* agarrotarse.

seizure ['si:ʒər] *n* **1.** (MED) ataque *m*. **2.** *(taking, capturing)* toma *f*.

seldom ['seldəm] *adv* raramente.

select [sə'lekt] ◇ *adj* selecto(ta). ◇ *vt* *(gen)* elegir, escoger; *(team)* seleccionar.

selection [sə'lekʃn] *n* **1.** *(gen)* selección *f*. **2.** *(fact of being selected)* elección *f*. **3.** *(in shop)* surtido *m*.

selective [sə'lektɪv] *adj* selectivo(va).

self [self] *(pl* **selves)** *n* uno mismo *m*, una misma *f*; **the ~** el yo.

self-addressed stamped envelope [-ə,drest'stæmpt-] *n* *Am* sobre con sus señas y franqueo.

self-assured *adj* seguro de sí mismo (segura de sí misma).

self-catering *adj* sin pensión.

self-centred [-'sentəʳd] *adj* egocéntrico(ca).

self-confident *adj* *(person)* seguro de sí mismo (segura de sí misma); *(attitude, remark)* lleno(na) de seguridad.

self-conscious *adj* cohibido(da).

self-contained [-kən'teɪnd] *adj* autosuficiente.

self-control *n* control *m* de sí mismo/misma.

self-defence *n* defensa *f* propia; **in ~** en defensa propia.

self-discipline *n* autodisciplina *f*.

self-employed [-ɪm'plɔɪd] *adj* autónomo(ma), que trabaja por cuenta propia.

self-esteem *n* amor *m* propio.

self-evident *adj* evidente, patente.

self-explanatory *adj* evidente.

self-government *n* autogobierno *m*.

self-interest *n* (U) *pej* interés *m* propio.

selfish ['selfɪʃ] *adj* egoísta.

selfishness ['selfɪʃnəs] *n* egoísmo *m*.

selfless ['selfləs] *adj* desinteresado(da).

self-made *adj* que ha triunfado por su propio esfuerzo.

self-pity *n* *pej* lástima *f* de uno mismo/una misma.

self-portrait *n* autorretrato *m*.

self-possessed [-pə'zest] *adj* dueño de sí mismo (dueña de sí misma).

self-raising flour *Br* = **self-rising flour**.

self-respect *n* amor *m* propio.

self-respecting [-rɪs'pektɪŋ] *adj* que se precie, digno(na).

self-righteous *adj* *pej* santurrón (ona).

self-rising flour *Am*, **self-raising flour** *Br* [-'reɪzɪŋ-] *n* harina *f* con levadura.

self-sacrifice *n* abnegación *f*.

self-satisfied *adj* *pej* *(person)* satisfecho de sí mismo (satisfecha de sí misma); *(smile)* lleno(na) de suficiencia.

self-service *comp* de autoservicio.

self-sufficient *adj*: **~ (in)** autosuficiente (en).

self-taught *adj* autodidacta.

sell [sel] *(pt & pp* **sold)** ◇ *vt* **1.** *(gen)* vender; **to ~ sthg to sb, to ~ sb sthg** vender algo a alguien; **to ~ sthg for** vender algo por. **2.** *(encourage sale of)* hacer vender. ◇ *vi* **1.** *(exchange for money)* vender. **2.** *(be bought)*: **to ~ (for** OR **at)** venderse (a). ◆ **sell off** *vt sep* liquidar. ◆ **sell out** *vt sep (performance)*: **to have sold out** estar agotado (da). ◇ *vi* **1.** *(shop)*: **to ~ out (of sthg)** agotar las existencias (de algo). **2.** *(be disloyal, unprincipled)* venderse.

sell-by date *n* *Br* fecha *f* de caducidad.

seller ['selər] *n* vendedor *m*, -ra *f*.

selling price ['selɪŋ-] *n* precio *m* de venta.

Sellotape® ['seləteɪp] *n* *Br* cinta *f* adhesiva, ≃ durex® *m* *Amer*, ≃ celo® *m* *Esp*.

sell-out *n* *(performance, match)* lleno *m*.

selves [selvz] *pl* → **self**.

semaphore ['seməfɔ:r] *n* (U) semáforo *m*.

semblance ['sembləns] *n* *fml* apariencia *f*.

semen ['si:mən] *n* semen *m*.

semester [sə'mestər] *n* semestre *m*.

semicircle ['semɪ,sɜ:kl] *n* semicírculo *m*.

semicolon ['semɪkəʊlən] *n* punto *m* y coma.

semidetached [ˌsemɪdɪ'tætʃt] ◇ *adj* adosado(da). ◇ *n Br* casa *f* adosada (a otra).

semifinal [ˌsemɪ'faɪnl] *n* semifinal *f*.

seminar ['semɪnɑːr] *n* seminario *m*.

seminary [*Am* 'semɪnerɪ, *Br* -ərɪ] *n* (RELIG) seminario *m*.

semiskilled [ˌsemɪ'skɪld] *adj* semicualificado(da).

semolina [ˌsemə'liːnə] *n* sémola *f*.

Senate ['senət] *n* (POL): **the (United States) ~** el Senado (de los Estados Unidos).

senator ['senətər] *n* senador *m*, -ra *f*.

send [send] (*pt & pp* **sent**) *vt* **1.** (*gen*) mandar; **to ~ sb sthg, to ~ sthg to sb** mandar a alguien algo. **2.** (*tell to go, arrange for attendance*): **to ~ sb** enviar OR mandar a alguien (a). ◆ **send for** *vt fus* (*person*) mandar llamar a. ◆ **send in** *vt sep* mandar, enviar. ◆ **send off** *vt sep* **1.** (*by post*) mandar (por correo). **2.** (SPORT) expulsar. ◆ **send off for** *vt fus* (*goods, information*) pedir, encargar. ◆ **send up** *vt sep Br inf* (*imitate*) parodiar.

sender ['sendər] *n* remitente *m* y *f*.

send-off *n* despedida *f*.

senile ['siːnaɪl] *adj* senil.

senior ['siːnjər] ◇ *adj* **1.** (*highest-ranking*) superior, de rango superior. **2.** (*higher-ranking*): **~ to sb** superior a alguien. **3.** (SCH) (*pupil*) mayor; (*class, common room*) de los mayores. ◇ *n* **1.** (*older person*): **I'm five years his ~** le llevo cinco años. **2.** (SCH) mayor *m* y *f*.

senior citizen *n* ciudadano *m*, -na *f* de la tercera edad.

sensation [sen'seɪʃn] *n* sensación *f*.

sensational [sen'seɪʃnəl] *adj* (*gen*) sensacional.

sensationalist [sen'seɪʃnəlɪst] *adj pej* sensacionalista.

sense [sens] ◇ *n* **1.** (*faculty, meaning*) sentido *m*; **to make ~** (*have meaning*) tener sentido. **2.** (*feeling - of guilt, terror*) sentimiento *m*; (*- of urgency*) sensación *f*; (*- of honour, duty*) sentido *m*. **3.** (*natural ability*): **business ~** talento *m* para los negocios; **~ of humour/style** sentido *m* del humor/estilo. **4.** (*wisdom, reason*) juicio *m*, sentido *m* común; **to make ~** (*be sensible*) ser sensato. ◇ *vt* sentir,

percibir; **to ~ (that)** percibir OR sentir que. ◆ **in a sense** *adv* en cierto sentido.

senseless ['sensləs] *adj* **1.** (*stupid*) sin sentido. **2.** (*unconscious*) inconsciente.

sensibilities [ˌsensə'bɪlətɪz] *npl* (*delicate feelings*) sensibilidad *f*.

sensible ['sensəbl] *adj* (*person, decision*) sensato(ta); (*clothes*) práctico(ca).

sensitive ['sensətɪv] *adj* **1.** (*understanding*): **~ (to)** comprensivo(va) (hacia). **2.** (*easily hurt, touchy*): **~ (to/about)** susceptible (a/acerca de). **3.** (*controversial*) delicado(da). **4.** (*easily damaged, tender*): **~ (to)** sensible (a). **5.** (*responsive - instrument*) sensible.

sensual ['sensʊəl] *adj* sensual.

sensuous ['sensʊəs] *adj* sensual.

sent [sent] *pt & pp* → **send**.

sentence ['sentəns] ◇ *n* **1.** (*group of words*) frase *f*, oración *f*. **2.** (JUR) sentencia *f*. ◇ *vt*: **to ~ sb (to)** condenar a alguien (a).

sentiment ['sentəmənt] *n* **1.** (*feeling*) sentimiento *m*. **2.** (*opinion*) opinión *f*.

sentimental [ˌsentə'mentl] *adj* sentimental.

sentry ['sentrɪ] *n* centinela *m*.

separate [*adj & n* 'seprət, *vb* 'sepəreɪt] ◇ *adj* **1.** (*not joined, apart*): **~ (from)** separado(da) (de). **2.** (*individual, distinct*) distinto(ta). ◇ *vt* **1.** (*keep or move apart*): **to ~ sthg/sb (from)** separar algo/a alguien (de). **2.** (*distinguish*): **to ~ sthg/sb from** diferenciar algo/a alguien de. **3.** (*divide*): **to ~ sthg/sb into** dividir algo/a alguien en. ◇ *vi* **1.** (*gen*): **to ~ (from)** separarse (de). **2.** (*divide*): **to ~ (into)** dividirse (en). ◆ **separates** *npl Br* piezas *fpl* (de vestir que combinan).

separately ['seprətlɪ] *adv* **1.** (*on one's own*) independientemente. **2.** (*one by one*) por separado.

separation [ˌsepə'reɪʃn] *n* separación *f*.

September [sep'tembər] *n* septiembre *m*, setiembre *m*; **I ~ 1992** (*in letters etc*) 1 de septiembre de 1992; **by/in ~** para/en septiembre; **last/this/next ~** en septiembre del año pasado/de este año/del año que viene; **every ~** todos los años en septiembre; **during ~** en septiembre; **at the beginning/end of ~** a principios/finales de septiembre; **in the middle of ~** a mediados de septiembre.

septic ['septɪk] *adj* séptico(ca).

septic tank *n* fosa *f* séptica.

sequel ['siːkwəl] *n* **1.** (*book, film*): **~ (to)** continuación *f* (de). **2.** (*consequence*): **~**

(to) secuela f (de).

sequence ['si:kwəns] n 1. (series) sucesión f. 2. (order, of film) secuencia f.

Serbia ['sɜːʳbjə] n Serbia.

serene [sə'riːn] adj sereno(na).

sergeant ['sɑːʳdʒənt] n 1. (MIL) sargento m. 2. (in police) = subinspector m de policía.

serial ['sɪərɪəl] n serial m.

serial number n número m de serie.

series ['sɪəriːz] (pl inv) n serie f.

serious ['sɪərɪəs] adj 1. (gen) serio(ria); **are you ~?** ¿hablas en serio? 2. (very bad) grave.

seriously ['sɪərɪəslɪ] adv 1. (honestly) en serio. 2. (very badly) gravemente. 3. (in a considered, earnest, solemn manner) seriamente. 4. phr: **to take sthg/sb ~** tomar algo/a alguien en serio.

seriousness ['sɪərɪəsnəs] n 1. (gravity) gravedad f. 2. (solemnity) seriedad f.

sermon ['sɜːʳmən] n (RELIG & pej) sermón m.

serrated [sə'reɪtəd] adj dentado(da).

servant ['sɜːʳvənt] n sirviente m, -ta f.

serve [sɜːʳv] ◇ vt 1. (work for) servir. 2. (have effect): **to ~ to do sthg** servir para hacer algo. 3. (fulfil): **to ~ a purpose** cumplir un propósito. 4. (provide for) abastecer. 5. (food, drink): **to ~ sthg to sb, to ~ sb sthg** servir algo a alguien. 6. (in shop, bar etc) despachar, servir. 7. (JUR): **to ~ sb with sthg, to ~ sthg on sb** entregar a alguien algo. 8. (prison sentence) cumplir; (apprenticeship) hacer; (term of office) ejercer. 9. (SPORT) servir, sacar. 10. phr: **that ~s you right!** ¡bien merecido lo tienes! ◇ vi 1. (work, give food or drink) servir. 2. (function): **to ~ as** servir de. 3. (in shop, bar etc) despachar. 4. (SPORT) sacar. ◇ n saque m. ◆ **serve out, serve up** vt sep servir.

service ['sɜːʳvəs] ◇ n 1. (gen) servicio m; **in ~** en funcionamiento; **out of ~** fuera de servicio. 2. (mechanical check) revisión f. 3. (RELIG) oficio m, servicio m. 4. (set - of plates etc) servicio m, juego m. 5. (SPORT) saque m. 6. (use): **to be of ~ (to sb)** servir (a alguien). ◇ vt (car, machine) revisar. ◆ **services** npl 1. (on motorway) área f de servicios. 2. (armed forces): **the ~s** las fuerzas armadas. 3. (efforts, work) servicios mpl.

serviceable ['sɜːʳvəsəbl] adj útil, práctico(ca).

service area n área f de servicios.

service charge n servicio m.

serviceman ['sɜːʳvəsmən] (pl -men [-mən]) n militar m.

service station n estación f de servicio.

serviette [,sɜːʳvɪ'et] n servilleta f.

sesame ['sesəmɪ] n sésamo m.

session ['seʃn] n 1. (gen) sesión f; **in ~** en sesión. 2. Am (school term) trimestre m.

set [set] (pt & pp set) ◇ adj 1. (fixed - expression, amount) fijo(ja); (- pattern, method) establecido(da). 2. Br (SCH - text etc) asignado(da). 3. (ready, prepared): **~ (for sthg/to do sthg)** listo (ta) (para algo/para hacer algo). 4. (determined): **to be ~ on sthg/doing sthg** estar empeñado(da) en algo/hacer algo. ◇ n 1. (collection - gen) juego m; (- of stamps) serie f. 2. (TV, radio) aparato m. 3. (THEATRE) decorado m; (CINEMA) plató m. 4. (TENNIS) set m. ◇ vt 1. (position, place) poner, colocar. 2. (fix, insert): **to ~ sthg in** OR **into** montar algo en. 3. (cause to be or start): **to ~ free** poner en libertad; **to ~ fire to** prender fuego a; **to ~ sthg in motion** poner algo en marcha. 4. (trap, table, essay) poner. 5. (alarm, meter) poner. 6. (time, wage) fijar. 7. (example) dar; (precedent) sentar; (trend) imponer, dictar. 8. (target) fijar. 9. (MED - bones, leg) componer. 10. (book, play, film) situar, ambientar. ◇ vi 1. (sun) ponerse. 2. (jelly) cuajarse. (glue, cement) secarse. ◆ **set about** vt fus (start - task) comenzar; (- problem) atacar; **to ~ about doing sthg** ponerse a hacer algo. ◆ **set aside** vt sep 1. (keep, save) reservar. 2. (dismiss - enmity, differences) dejar de lado. ◆ **set back** vt sep (delay) retrasar. ◆ **set off** ◇ vt sep 1. (initiate, cause) provocar. 2. (ignite - bomb) hacer estallar. ◇ vi ponerse en camino. ◆ **set out** ◇ vt sep 1. (arrange) disponer. 2. (explain) exponer. ◇ vi 1. (on journey) ponerse en camino. 2. (intend): **to ~ out to do sthg** proponerse a hacer algo. ◆ **set up** vt sep 1. (business) poner, montar; (committee, organization) crear; (procedure) establecer; (interview, meeting) organizar. 2. (statue, roadblock) levantar. 3. (prepare for use) preparar. 4. inf (frame) tender una trampa a.

setback ['setbæk] n revés m, contratiempo m.

set menu n menú m del día.

settee [se'ti:] n sofá m.

setting ['setɪŋ] n 1. (surroundings) escenario m. 2. (of dial, control) posición f.

settle ['setl] ◇ vt 1. (conclude, decide) resolver. 2. (pay) ajustar, saldar. 3. (calm - nerves) tranquilizar. ◇ vi 1. (stop travelling) instalarse. 2. (make o.s. comfortable) acomodarse. 3. (dust, sediment) depositarse. 4. (calm down - person) calmarse. ♦ **settle down** vi 1. (concentrate on): **to ~ down to doing sthg** ponerse a hacer algo. 2. (become respectable) sentar la cabeza. 3. (calm oneself) calmarse. ♦ **settle for** vt fus conformarse con. ♦ **settle in** vi (in new home) instalarse; (in new job) adaptarse. ♦ **settle on** vt fus (choose) decidirse por. ♦ **settle up** vi: **to ~ up (with sb)** ajustar las cuentas (con alguien).

settlement ['setlmənt] n 1. (agreement) acuerdo m. 2. (village) poblado m.

settler ['setlər] n colono m.

set-up n inf 1. (system, organization) sistema m. 2. (frame, trap) trampa f.

seven ['sevn] num siete; see also **six**.

seventeen [,sevn'ti:n] num diecisiete; see also **six**.

seventeenth [,sevn'ti:nθ] num decimoséptimo(ma); see also **sixth**.

seventh ['sevnθ] num séptimo(ma); see also **sixth**.

seventy ['sevntɪ] num setenta; see also **sixty**.

sever ['sevər] vt 1. (cut through) cortar. 2. (finish completely) romper.

several ['sevrəl] ◇ adj varios(rias). ◇ pron varios mpl, -rias fpl.

severance ['sevrəns] n fml ruptura f.

severance pay n despido m.

severe [sə'vɪər] adj (gen) severo(ra); (pain) fuerte, agudo(da).

severity [sə'verətɪ] n (gen) gravedad f; (of shortage, problem) severidad f.

Seville [sə'vɪl] n Sevilla.

sew [səʊ] (Am pp sewed OR sewn, Br pp sewn) vt & vi coser. ♦ **sew up** vt sep (cloth) coser.

sewage ['su:ɪdʒ] n (U) aguas fpl residuales.

sewer ['su:ər] n alcantarilla f, cloaca f.

sewing ['səʊɪŋ] n (U) 1. (activity) labor f de costura. 2. (items) costura f.

sewing machine n máquina f de coser.

sewn [səʊn] pp → **sew**.

sex [seks] n sexo m; **to have ~** tener relaciones sexuales.

sexist ['seksəst] ◇ adj sexista. ◇ n sexista m y f.

sexual ['sekʃʊəl] adj sexual.

sexual harassment n acoso m sexual.

sexual intercourse n (U) relaciones fpl sexuales.

sexy ['seksɪ] adj inf sexi (inv).

shabby ['ʃæbɪ] adj 1. (clothes, briefcase) desastrado(da); (street) de aspecto abandonado. 2. (person) andrajoso(sa).

shack [ʃæk] n chabola f.

shade [ʃeɪd] ◇ n 1. (U) (shadow) sombra f. 2. (lampshade) pantalla f. 3. (of colour, meaning) matiz m. ◇ vt (from light) dar sombra a. ♦ **shades** npl inf (sunglasses) gafas fpl de sol.

shadow ['ʃædəʊ] n 1. (dark shape, form) sombra f. 2. (darkness) oscuridad f. 3. phr: **there's not a OR the ~ of a doubt** no hay la menor duda.

shadow cabinet n gobierno m en la sombra, directiva del principal partido de la oposición en Gran Bretaña.

shadowy ['ʃædəʊɪ] adj 1. (dark) sombrío(a). 2. (hard to see) vago(ga).

shady ['ʃeɪdɪ] adj 1. (sheltered from sun) sombreado(da). 2. inf (dishonest - businessman) sospechoso(sa); (- deal) turbio (bia).

shaft [Am ʃæft, Br ʃɑ:ft] n 1. (vertical passage) pozo m. 2. (rod - of propeller etc) eje m. 3. (of light) rayo m.

shaggy ['ʃægɪ] adj (dog) peludo(da).

shake [ʃeɪk] (pt shook, pp shaken ['ʃeɪkən]) ◇ vt 1. (move vigorously) sacudir; **to ~ sb's hand** dar OR estrechar la mano a alguien; **to ~ hands** darse OR estrecharse la mano; **to ~ one's head** (in refusal) negar con la cabeza; (in disbelief) mover la cabeza mostrando incredulidad. 2. (shock) trastornar, conmocionar. ◇ vi temblar. ♦ **shake off** vt sep (pursuer) deshacerse de; (cold) quitarse de encima; (illness) superar.

shaken ['ʃeɪkn] pp → **shake**.

shaky ['ʃeɪkɪ] adj 1. (weak, nervous) tembloroso(sa). 2. (unconfident, insecure - start) incierto(ta); (- argument) poco sólido(da).

shall [stressed ʃæl, unstressed ʃəl] aux vb 1. (1st person sg & 1st person pl) (to express future tense): **we ~ be there tomorrow** mañana estaremos ahí; **I shan't be home till ten** no estaré en casa hasta las diez. 2. (esp 1st person sg & 1st person pl) (in questions): **~ we go for a walk?** ¿vamos a dar una vuelta?; **~ I give her a ring?** ¿la llamo?; **I'll do that, ~ I?** hago esto, ¿vale? 3. (in orders): **you ~ do as I tell you!** ¡harás lo que yo te diga!; **no**

one ~ **leave until I say so** que nadie salga hasta que yo lo diga.

> • Se puede emplear *shall* con *I* y con *we* en oraciones interrogativas para sugerir algo (*shall* I make you a cup of tea?), hacer una invitación (*shall* we go for a picnic on Sunday?) o pedir consejo (what *shall* I wear?).
>
> • *Shall* no se usa mucho, especialmente en Estados Unidos. *Shan't*, la forma negativa, se usa aún menos. *Should* cumple la función de pasado de *shall*.

shallow [ˈʃæləʊ] *adj* 1. *(in size)* poco profundo(da). 2. *pej (superficial)* superficial.

sham [ʃæm] ◇ *n* farsa *f*. ◇ *vi* fingir.

shambles [ˈʃæmblz] *n* desbarajuste *m*, follón *m*.

shame [ʃeɪm] ◇ *n* 1. *(U) (remorse)* vergüenza *f*, pena *f Amer*. 2. *(dishonour):* **to bring ~ on** o **upon sb** deshonrar a alguien. 3. *(pity):* **what a ~!** ¡qué pena or lástima!; **it's a ~** es una pena or lástima. ◇ *vt* 1. *(fill with shame)* avergonzar. 2. *(force by making ashamed):* **to ~ sb into doing sthg** conseguir que alguien haga algo avergonzándole.

shameful [ˈʃeɪmfl] *adj* vergonzoso(sa).

shameless [ˈʃeɪmləs] *adj* desvergonzado(da).

shampoo [ʃæmˈpuː] *(pl -s)* ◇ *n (liquid)* champú *m*. ◇ *vt* lavar (con champú).

shamrock [ˈʃæmrɒk] *n* trébol *m*.

shandy [ˈʃændɪ] *n* cerveza *f* con gaseosa, clara *f*.

shan't [*Am* ʃænt, *Br* ʃɑːnt] = **shall not**.

shantytown [ˈʃæntɪtaʊn] *n* barriada *f Amer*, barrio *m* de chabolas *Esp*.

shape [ʃeɪp] ◇ *n* 1. *(outer form)* forma *f*. 2. *(definite form, silhouette)* figura *f*. 3. *(structure)* configuración *f*; **to take ~** tomar forma. 4. *(form, health):* **to be in good/bad ~** *(person)* estar/no estar en forma; *(business etc)* estar en buen/mal estado. ◇ *vt* 1. *(mould):* **to ~ sthg (into)** dar a algo forma (de). 2. *(cause to develop)* desarrollar. ◆ **shape up** *vi (develop)* desarrollarse.

-shaped [ˈʃeɪpt] *suffix:* **egg/star~** en forma de huevo/estrella.

shapeless [ˈʃeɪpləs] *adj* sin forma.

shapely [ˈʃeɪplɪ] *adj* bien hecho(cha).

share [ʃeəʳ] ◇ *n* 1. *(portion):* **~ (of** or **in)** parte *f* (de). 2. *(contribution, quota):* **to have/do one's ~ of sthg** tener/hacer la parte que a uno le toca de algo. ◇ *vt (gen):* **to ~ sthg (with)** compartir algo

(con). ◇ *vi* compartir. ◆ **shares** *npl* acciones *fpl*. ◆ **share out** *vt sep* repartir, distribuir.

shareholder [ˈʃeəʳhəʊldəʳ] *n* accionista *m y f*.

shark [ʃɑːʳk] *(pl inv* or **-s)** *n* tiburón *m*; *fig* estafador *m*, -ra *f*.

sharp [ʃɑːʳp] ◇ *adj* 1. *(not blunt)* afilado(da). 2. *(well-defined - outline)* definido(da); *(- photograph)* nítido(da); *(- contrast)* marcado(da). 3. *(intelligent, keen - person)* listo(ta); *(- eyesight)* penetrante; *(- hearing)* fino(na); *(- intelligence)* vivo(va). 4. *(abrupt, sudden)* brusco(ca). 5. *(quick, firm - blow)* seco(ca). 6. *(angry, severe)* cortante. 7. *(piercing, acute - sound, cry, pain)* agudo(da); *(- cold, wind)* penetrante. 8. *(bitter)* ácido(da). 9. (MUS) desafinado(da). ◇ *adv* 1. *(punctually)* en punto. 2. *(quickly, suddenly)* bruscamente. ◇ *n* (MUS) sostenido *m*.

sharpen [ˈʃɑːʳpn] *vt* 1. *(make sharp)* afilar; *(pencil)* sacar punta a. 2. *(make keener, quicker, greater)* agudizar.

sharpener [ˈʃɑːʳpnəʳ] *n (for pencils)* sacapuntas *m inv*; *(for knives)* afilador *m*.

sharp-eyed [-ˈaɪd] *adj* perspicaz.

sharply [ˈʃɑːʳplɪ] *adv* 1. *(distinctly)* claramente. 2. *(suddenly)* repentinamente. 3. *(harshly)* duramente.

shatter [ˈʃætəʳ] ◇ *vt* 1. *(smash)* hacer añicos. 2. *(hopes etc)* echar por tierra. ◇ *vi* hacerse añicos.

shattered [ˈʃætəʳd] *adj* 1. *(shocked, upset)* destrozado(da). 2. *Br inf (very tired)* hecho(cha) polvo.

shave [ʃeɪv] ◇ *n* afeitado *m*; **to have a ~** afeitarse. ◇ *vt* 1. *(face, body)* afeitar. 2. *(cut pieces off)* raspar. ◇ *vi* afeitar.

shaver [ˈʃeɪvəʳ] *n* maquinilla *f* (de afeitar) eléctrica.

shaving brush [ˈʃeɪvɪŋ-] *n* brocha *f* de afeitar.

shaving cream [ˈʃeɪvɪŋ-] *n* crema *f* de afeitar.

shaving foam [ˈʃeɪvɪŋ-] *n* espuma *f* de afeitar.

shavings [ˈʃeɪvɪŋz] *npl* virutas *fpl*.

shawl [ʃɔːl] *n* chal *m*.

she [ʃiː] ◇ *pers pron* 1. *(referring to woman, girl, animal)* ella; **~'s tall** es alta; SHE **can't do it** ella no puede hacerlo; **there ~ is** allí está; **if I were** or **was ~** *fml* si (yo) fuera ella. 2. *(referring to boat, car, country):* **~'s a fine ship** es un buen barco. ◇ *comp:* **~-elephant** elefanta *f*; **~ bear** osa *f*.

• *She* es el pronombre personal que sustituye nombres de personas y animales de compañía de sexo femenino (*there's my sister, _she's_ a nurse; there's my cat, isn't _she_ funny?*). Su equivalente masculino es *he* (*there's my brother, _he's_ a teacher*). It designa cosas, ideas y animales en general (*there's my car, _it's_ a Volkswagen*).

• *She* a veces se usa para referirse a un barco (*the Titanic was new but _she_ sank the first time _she_ left port*).

• Con nombres de animales o con algunas palabras que se refieren a personas, como *baby*, se puede usar *it* si se desconoce el sexo (*listen to that baby, I wish _it_ would be quiet!*).

• Antiguamente, en el habla formal se empleaba el pronombre masculino para referirse a una persona cuyo sexo se desconocía (*if a student is sick, _he_ must have a note from _his_ parents*). En el habla formal moderna se usan masculino y femenino juntos (*if a student is sick, _he or she_ must have a note from _his or her_ parents*). Coloquialmente se prefiere *they* (*if a student is sick, _they_ must have a note from _their_ parents*).

sheaf [ʃi:f] (*pl* **sheaves**) *n* 1. (*of papers, letters*) fajo *m*. 2. (*of corn, grain*) gavilla *f*.

shear [ʃɪərʳ] (*pp* **-ed** OR **shorn**) *vt* (*sheep*) esquilar. ◆ **shears** *npl* (*for garden*) tijeras *fpl* de podar. ◆ **shear off** *vi* romperse.

sheath [ʃi:θ] (*pl* **-s**) *n* 1. (*covering for knife*) vaina *f*. 2. *Br* (*condom*) preservativo *m*.

sheaves [ʃi:vz] *pl* → **sheaf**.

shed [ʃed] (*pt & pp* **shed**) ◇ *n* cobertizo *m*. ◇ *vt* 1. (*skin*) mudar de; (*leaves*) despojarse de. 2. (*discard*) deshacerse de. 3. (*tears, blood*) derramar.

she'd [ʃi:d] = **she had, she would**.

sheen [ʃi:n] *n* brillo *m*, lustre *m*.

sheep [ʃi:p] (*pl inv*) *n* (*animal*) oveja *f*; *fig* (*person*) borrego *m*, cordero *m*.

sheepdog [ʃi:pdɒg] *n* perro *m* pastor.

sheepish [ʃi:pɪʃ] *adj* avergonzado(da).

sheepskin [ʃi:pskɪn] *n* piel *f* de carnero.

sheer [ʃɪərʳ] *adj* 1. (*absolute*) puro(ra). 2. (*very steep - cliff*) escarpado(da); (*- drop*) vertical. 3. (*delicate*) diáfano(na).

sheet [ʃi:t] *n* 1. (*for bed*) sábana *f*. 2. (*of paper*) hoja *f*. 3. (*of glass, metal, wood*) lámina *f*.

sheikh(h) [ʃeɪk] *n* jeque *m*.

shelf [ʃelf] (*pl* **shelves**) *n* estante *m*.

shell [ʃel] ◇ *n* 1. (*of egg, nut*) cáscara *f*. 2. (*of tortoise, crab*) caparazón *m*; (*of snail, mussels*) concha *f*. 3. (*on beach*) concha *f*. 4. (*of building*) esqueleto *m*; (*of boat*) casco *m*; (*of car*) armazón *m*, chasis *m inv*. 5. (MIL) (*missile*) proyectil *m*. ◇ *vt* 1. (*peas*) desvainar; (*nuts, eggs*) quitar la cáscara a. 2. (MIL) (*fire shells at*) bombardear.

she'll [ʃi:l] = **she will, she shall**.

shellfish [ʃelfɪʃ] (*pl inv*) *n* 1. (*creature*) crustáceo *m*. 2. (U) (*food*) mariscos *mpl*.

shell suit *n* *Br* chandal *m* (de nailon).

shelter [ʃeltərʳ] ◇ *n* (*building, protection*) refugio *m*. ◇ *vt* 1. (*protect*): **to be ~ed by/from** estar protegido(da) por/de. 2. (*provide place to live for*) dar asilo OR cobijo a. 3. (*hide*) proteger, esconder. ◇ *vi*: **to ~ from/in** resguardarse de/en, protegerse de/en.

sheltered [ʃeltərd] *adj* (*place, existence*) protegido(da).

shelve [ʃelv] *vt* dar carpetazo a.

shelves [ʃelvz] *pl* → **shelf**.

shepherd [ʃepərd] ◇ *n* pastor *m*. ◇ *vt fig* acompañar.

shepherd's pie [ʃepədz-] *n* carne picada cubierta de puré de patatas.

sheriff [ʃerɪf] *n* *Am* sheriff *m*.

sherry [ʃerɪ] *n* jerez *m*.

she's [ʃi:z] = **she is, she has**.

Shetland [ʃetlənd] *n*: (**the**) **~ (Islands)** las islas Shetland.

shield [ʃi:ld] ◇ *n* (*armour, sports trophy*) escudo *m*. ◇ *vt*: **to ~ sb (from)** proteger a alguien (de).

shift [ʃɪft] ◇ *n* 1. (*slight change*) cambio *m*. 2. (*period of work, workers*) turno *m*. ◇ *vt* 1. (*furniture etc*) cambiar de sitio, mover. 2. (*attitude, belief*) cambiar de. ◇ *vi* 1. (*person*) moverse; (*wind, opinion*) cambiar. 2. *Am* (AUT) cambiar de marcha.

shifty [ʃɪftɪ] *adj inf* (*person*) con pinta deshonesta; (*behaviour*) sospechoso(sa); (*look*) huidizo(za).

shilling [ʃɪlɪŋ] *n* chelín *m*.

shimmer [ʃɪmərʳ] *vi* rielar, brillar con luz trémula.

shin [ʃɪn] *n* espinilla *f*.

shinbone [ʃɪnbəʊn] *n* tibia *f*.

shine [ʃaɪn] (*pt & pp* **shone**) ◇ *n* brillo

S

m. ◇ *vt* (*torch, lamp*) dirigir. ◇ *vi* (*gen*) brillar.

shingle ['ʃɪŋgl] *n* (*U*) (*on beach*) guijarros *mpl.* ◆ **shingles** *n* (*U*) herpes *m inv.*

ship [ʃɪp] ◇ *n* barco *m*, buque *m.* ◇ *vt* enviar por barco.

shipbuilding ['ʃɪpbɪldɪŋ] *n* construcción *f* naval.

shipment ['ʃɪpmənt] *n* envío *m.*

shipper ['ʃɪpər] *n* compañía *f* naviera.

shipping ['ʃɪpɪŋ] *n* (*U*) 1. (*transport*) envío *m*, transporte *m.* 2. (*ships*) barcos *mpl*, buques *mpl.*

shipshape ['ʃɪpʃeɪp] *adj* en orden.

shipwreck ['ʃɪprek] ◇ *n* 1. (*destruction of ship*) naufragio *m.* 2. (*wrecked ship*) barco *m* náufrago. ◇ *vt:* **to be ~ed** naufragar.

shipyard ['ʃɪpjɑːrd] *n* astillero *m.*

shire ['ʃaɪər] *n* (*county*) condado *m.*

shirk [ʃɜːrk] *vt* eludir.

shirt [ʃɜːrt] *n* camisa *f.*

shirtsleeves ['ʃɜːrtsliːvz] *npl:* **to be in (one's) ~** ir en mangas de camisa.

shiver ['ʃɪvər] ◇ *n* escalofrío *m.* ◇ *vi:* **to ~ (with)** (*fear*) temblar OR estremecerse (de); (*cold*) tiritar (de).

shoal [ʃəʊl] *n* banco *m.*

shock [ʃɒk] ◇ *n* 1. (*unpleasant surprise, reaction, emotional state*) susto *m*; **it came as a ~** fue un duro golpe. 2. (*U*) (MED): **to be suffering from ~** estar en un estado de choque. 3. (*impact*) choque *m.* 4. (*electric shock*) descarga *f* OR sacudida *f* (eléctrica). ◇ *vt* 1. (*upset*) conmocionar. 2. (*offend*) escandalizar.

shock absorber [-əb,sɔːrbər] *n* amortiguador *m.*

shocking ['ʃɒkɪŋ] *adj* 1. (*very bad*) pésimo(ma). 2. (*behaviour, film*) escandaloso(sa); (*price*) de escándalo.

shod [ʃɒd] ◇ *pt & pp* → **shoe.** ◇ *adj* calzado(da).

shoddy ['ʃɒdɪ] *adj* (*work*) chapucero (ra); (*goods*) de pacotilla; *fig* (*treatment*) vil, despreciable.

shoe [ʃuː] (*pt & pp* **shod** OR **shoed**) ◇ *n* zapato *m.* ◇ *vt* herrar.

shoebrush ['ʃuːbrʌʃ] *n* cepillo *m* para los zapatos.

shoehorn ['ʃuːhɔːrn] *n* calzador *m.*

shoelace ['ʃuːleɪs] *n* cordón *m* del zapato.

shoe polish *n* betún *m.*

shoe shop *n* zapatería *f.*

shoestring ['ʃuːstrɪŋ] *n fig:* **on a ~** con cuatro cuartos, con muy poco dinero.

shone [*Am* ʃoʊn, *Br* ʃɒn] *pt & pp* → **shine.**

shoo [ʃuː] ◇ *vt* (*animal*) espantar, ahuyentar; (*person*) mandar a otra parte. ◇ *excl* ¡fuera!

shook [ʃʊk] *pt* → **shake.**

shoot [ʃuːt] (*pt & pp* **shot**) ◇ *n* 1. (*new growth*) brote *m*, retoño *m.* 2. *Br* (*hunting expedition*) cacería *f.* ◇ *vt* 1. (*fire gun at*) disparar contra, abalear *Amer;* (*injure*) herir a tiros; (*kill*) matar a tiros; **to ~ o.s.** pegarse un tiro. 2. *Br* (*hunt*) cazar. 3. (*arrow*) disparar. 4. (CINEMA) rodar, filmar. ◇ *vi* 1. (*fire gun*): **to ~ (at)** disparar (contra). 2. *Br* (*hunt*) cazar. 3. (*move quickly*): **to ~ in/out/past** entrar/salir/pasar disparado(da). 4. (CINEMA) rodar, filmar. 5. (SPORT) chutar. ◆ **shoot down** *vt sep* 1. (*plane*) derribar. 2. (*person*) matar a tiros. ◆ **shoot up** *vi* 1. (*child, plant*) crecer rápidamente. 2. (*prices*) dispararse.

shooting ['ʃuːtɪŋ] *n* 1. (*killing*) asesinato *m* (a tiros). 2. (*U*) (*hunting*) caza *f*, cacería *f.*

shooting star *n* estrella *f* fugaz.

shop [ʃɒp] ◇ *n* 1. (*store*) tienda *f.* 2. (*workshop*) taller *m.* ◇ *vi* comprar; **to go shopping** ir de compras.

shop assistant *n Br* dependiente *m*, -ta *f.*

shopkeeper ['ʃɒpkiːpər] *n* tendero *m*, -ra *f.*

shoplifting ['ʃɒplɪftɪŋ] *n* (*U*) robo *m* en una tienda.

shopper ['ʃɒpər] *n* comprador *m*, -ra *f.*

shopping ['ʃɒpɪŋ] *n* (*U*) 1. (*purchases*) compras *fpl.* 2. (*act of shopping*) compra *f.*

shopping bag *n* bolsa *f* de la compra.

shopping mall *Am*, **shopping plaza** *Am* [-,plɑːzə], **shopping centre** *Br n* centro *m* comercial.

shopsoiled *Br* = **shopworn.**

shop steward *n* enlace *m* y *f* sindical.

shopwindow [,ʃɒp'wɪndoʊ] *n* escaparate *m.*

shopworn *Am* ['ʃɒpwɔːn], **shopsoiled** *Br* ['ʃɒpsɔɪld] *adj* deteriorado(da).

shore [ʃɔːr] *n* 1. (*of sea, lake, river*) orilla *f.* 2. (*land*): **on ~** en tierra. ◆ **shore up** *vt sep* apuntalar.

shorn [ʃɔːrn] ◇ *pp* → **shear.** ◇ *adj* (*grass, hair*) corto(ta); (*head*) rapado(da).

short [ʃɔːrt] ◇ *adj* 1. (*gen*) corto(ta). 2. (*not tall*) bajo(ja). 3. (*curt*): **to be ~ (with sb)** ser seco(ca) (con alguien). 4. (*lacking*) escaso(sa); **to be ~ on sthg** no andar sobrado de algo; **to be ~ of** estar OR andar mal de. 5. (*be shorter*

form): **to be ~ for** ser el diminutivo de.
◇ *adv* 1. *(out of)*: **we are running ~ of
water** se nos está acabando el agua.
2. *(suddenly, abruptly)*: **to cut sthg ~**
interrumpir algo antes de acabar; **to
stop ~** parar en seco OR de repente; **to
bring** OR **pull sb up ~** hacer a alguien
parar en seco. ◇ *n* 1. *(film)* cortometraje *m*. 2. *Br (alcoholic drink)* licor *m*.
◆ **shorts** *npl* 1. *(gen)* pantalones *mpl*
cortos. 2. *Am (underwear)* calzoncillos
mpl. ◆ **for short** *adv* para abreviar.
◆ **in short** *adv* en resumen. ◆ **nothing short of** *prep*: **it was nothing ~ of
madness/a disgrace** fue una auténtica
locura/vergüenza. ◆ **short of** *prep*
1. *(just before)* cerca de. 2. *(without)*: **~
of asking, I can't see how you'll find out**
salvo que preguntes, no sé cómo lo vas
a averiguar.

shortage [ˈʃɔːrtɪdʒ] *n* falta *f*, escasez *f*.

shortbread [ˈʃɔːrtbred] *n* especie de torta hecha de azúcar, harina y mantequilla.

short-change *vt (in shop)* dar mal el
cambio a; *fig (reward unfairly)* estafar.

short circuit *n* cortocircuito *m*.

shortcomings [ˌʃɔːrtkʌmɪŋz] *npl*
defectos *mpl*.

shortcrust pastry [ˈʃɔːrtkrʌst-] *n*
pasta *f* quebrada.

short cut *n* 1. *(quick way)* atajo *m*.
2. *(quick method)* método *m* rápido.

shorten [ˈʃɔːrtn] ◇ *vt* acortar. ◇ *vi*
acortarse.

shortfall [ˈʃɔːrtfɔːl] *n*: **~ (in** OR **of)**
déficit *m* (de).

shorthand [ˈʃɔːrthænd] *n (writing system)* taquigrafía *f*.

shorthand typist *n Br* taquimecanó-
grafo *m*, -fa *f*.

short list *n Br (for job)* lista *f* de can-
didatos seleccionados; *(for prize)* relación *f* de finalistas.

shortly [ˈʃɔːrtlɪ] *adv (soon)* dentro de
poco; **~ before/after** poco antes/des-
pués de.

shortsighted [ˌʃɔːrtˈsaɪtɪd] *adj (myopic)*
miope, corto(ta) de vista; *fig (lacking foresight)* corto de miras.

short-staffed [*Am* -ˈstæft, *Br* -ˈstɑːft]
adj: **to be ~** estar falto(ta) de personal.

short story *n* cuento *m*.

short-term *adj* a corto plazo.

short wave *n (U)* onda *f* corta.

shot [ʃɒt] ◇ *pt & pp* → **shoot**. ◇ *n*
1. *(gunshot)* tiro *m*, disparo *m*; **like a ~**
(quickly) en el acto. 2. *(marksman)* tirador *m*, -ra *f*. 3. *(in football)* chut *m*, tiro
m; *(in golf, tennis)* golpe *m*. 4. *(photo-*

graph) foto *f*. 5. (CINEMA) plano *m*, toma
f. 6. *inf (try, go)* intento *m*. 7. *(injection)*
inyección *f*.

shotgun [ˈʃɒtgʌn] *n* escopeta *f*.

┌─────────────────────────────────────┐
│ **should** │ [stressed ʃʊd, unstressed ʃəd]
aux vb 1. *(be desirable)*: **we ~ leave now**
deberíamos irnos ya OR ahora. 2. *(seek-
ing advice, permission)*: **~ I go too?** ¿voy
yo también? 3. *(as suggestion)*: **I ~ deny
everything** yo lo negaría todo. 4. *(indicating probability)*: **she ~ be home soon** tiene
que llegar a casa pronto. 5. *(have been
expected)*: **they ~ have won the match**
tendrían que OR deberían haber ganado
el partido. 6. *(indicating intention, wish)*: **I
~ like to come with you** me gustaría ir
contigo. 7. *(as conditional)*: **you ~ go if
you were invited** tendrías que OR deberías ir si te han invitado. 8. *(in 'that'
clauses)*: **we decided that you ~ do it**
decidimos que lo hicieras tú. 9. *(expressing uncertain opinion)*: **I ~ think he's about
50 (years old)** yo diría que tiene unos 50
(años).

┌─────────────────────────────────────┐
│ • *Should have* seguido de un participio │
│ pasado expresa arrepentimiento (*I* │
│ *should have called* on her birthday, "**debe-**│
│ **ría haberle llamado** en su cumplea-│
│ ños") o reproche (*you should have been*│
│ *more careful*, "**deberías haber sido** más │
│ cuidadoso"). │
│ • Ver también **SHALL**. │
└─────────────────────────────────────┘

shoulder [ˈʃəʊldər] ◇ *n* 1. *(part of
body, clothing)* hombro *m*. 2. (CULIN)
espaldilla *f*. ◇ *vt (accept - responsibility)*
cargar con.

shoulder blade *n* omóplato *m*.

shoulder strap *n* 1. *(on dress)* tirante
m. 2. *(on bag)* correa *f*, bandolera *f*.

shouldn't [ˈʃʊdnt] = **should not**.

should've [ˈʃʊdəv] = **should have**.

shout [ʃaʊt] ◇ *n* grito *m*. ◇ *vt* gritar.
◇ *vi*: **to ~ (at)** gritar (a). ◆ **shout
down** *vt sep* acallar a gritos.

shouting [ˈʃaʊtɪŋ] *n (U)* gritos *mpl*.

shove [ʃʌv] ◇ *n*: **(to give sthg/sb) a ~**
(dar a algo/a alguien) un empujón. ◇ *vt*
empujar; **to ~ sthg/sb in** meter algo/a
alguien a empujones; **to ~ sthg/sb out**
sacar algo/a alguien a empujones.
◆ **shove off** *vi (go away) inf* largarse.

shovel [ˈʃʌvl] ◇ *n* pala *f*. ◇ *vt* remover
con la pala OR a paletadas.

show [ʃəʊ] *(pp* **shown** OR **-ed)** ◇ *n*
1. *(display, demonstration)* demostración
f. 2. *(piece of entertainment - at theatre)*
espectáculo *m*; *(- on radio, TV)* progra-

S

ma *m*. 3. *(performance)* función *f*. 4. *(of dogs, flowers, art)* exposición *f*. ◇ *vt* 1. *(gen)* mostrar; **to ~ sb sthg, to ~ sthg to sb** enseñar OR mostrar a alguien algo. 2. *(escort)*: **to ~ sb to sthg** llevar OR acompañar a alguien hasta algo. 3. *(make visible, reveal)* dejar ver. 4. *(indicate - increase, profit, loss)* arrojar, registrar. 5. *(broadcast - film)* proyectar; *(- TV programme)* emitir. ◇ *vi* 1. *(indicate, make clear)* indicar, mostrar. 2. *(be visible)* verse. 3. *(film)* proyectarse. ◆ **show off** ◇ *vt sep* lucir, presumir de. ◇ *vi* presumir. ◆ **show up** ◇ *vt sep* poner en evidencia. ◇ *vi* 1. *(stand out)* resaltar. 2. *(turn up)* aparecer.

show business *n* (U) mundo *m* del espectáculo.

showdown ['ʃəʊdaʊn] *n*: **to have a ~ with** enfrentarse abiertamente a OR con.

shower ['ʃaʊər] ◇ *n* 1. *(device)* ducha *f*. 2. *(wash)*: **to have** OR **take a ~** ducharse. 3. *(of rain)* chubasco *m*, chaparrón *m*. 4. *(stream)* lluvia *f*. ◇ *vt* 1. *(sprinkle)* rociar. 2. *(bestow)*: **to ~ sb with sthg, to ~ sthg on** OR **upon sb** *(present, compliments)* colmar a alguien de algo; *(insults)* acribillar a alguien a algo. ◇ *vi* ducharse.

shower cap *n* gorro *m* de baño.

showing ['ʃəʊɪŋ] *n* *(of film)* pase *m*, proyección *f*; *(of paintings)* exposición *f*.

show jumping [-dʒʌmpɪŋ] *n* concurso *m* hípico de salto.

shown [ʃəʊn] *pp* → **show**.

show-off *n inf* presumido *m*, -da *f*.

showpiece ['ʃəʊpiːs] *n* pieza *f* de mayor interés.

showroom ['ʃəʊruːm] *n* salón *m* OR sala *f* de exposición.

shrank [ʃræŋk] *pt* → **shrink**.

shrapnel ['ʃræpnl] *n* metralla *f*.

shred [ʃred] ◇ *n* *(small piece - of material)* jirón *m*; *(- of paper)* pedacito *m*; *fig (scrap)* pizca *f*. ◇ *vt* *(paper)* hacer trizas; *(food)* rallar.

shredder ['ʃredər] *n* *(for paper)* destructora *f*; *(for food)* rallador *m*.

shrewd [ʃruːd] *adj* astuto(ta).

shriek [ʃriːk] ◇ *n* chillido *m*, grito *m*. ◇ *vi*: **to ~ (with** OR **in)** chillar (de).

shrill [ʃrɪl] *adj (high-pitched)* estridente, agudo(da).

shrimp [ʃrɪmp] *n* camarón *m*.

shrine [ʃraɪn] *n* santuario *m*.

shrink [ʃrɪŋk] (*pt* **shrank**, *pp* **shrunk**) ◇ *vt* encoger. ◇ *vi* 1. *(become smaller)*

encoger. 2. *fig (contract, diminish)* disminuir. 3. *(recoil)*: **to ~ away from** retroceder OR arredrarse ante. 4. *(be reluctant)*: **to ~ from sthg** eludir algo.

shrinkage ['ʃrɪŋkɪdʒ] *n* *(loss in size)* encogimiento *m*; *fig (contraction)* reducción *f*.

shrink-wrap *vt* precintar o envasar con plástico termoretráctil.

shrivel ['ʃrɪvl] ◇ *vt*: **to ~ (up)** secar, marchitar. ◇ *vi*: **to ~ (up)** secarse, marchitarse.

shroud [ʃraʊd] ◇ *n* *(cloth)* mortaja *f*, sudario *m*. ◇ *vt*: **to be ~ed in sthg** estar envuelto(ta) en algo.

Shrove Tuesday [,ʃrəʊv-] *n* martes *m inv* de carnaval.

shrub [ʃrʌb] *n* arbusto *m*.

shrug [ʃrʌg] ◇ *vt*: **to ~ one's shoulders** encogerse de hombros. ◇ *vi* encogerse de hombros. ◆ **shrug off** *vt sep* quitar importancia a.

shrunk [ʃrʌŋk] *pp* → **shrink**.

shudder ['ʃʌdər] *vi* *(tremble)*: **to ~ (with)** estremecerse (de).

shuffle ['ʃʌfl] ◇ *vt* 1. *(feet)* arrastrar. 2. *(cards)* barajar. ◇ *vi* *(walk by dragging feet)*: **to ~ in/out/along** entrar/salir/ andar arrastrando los pies.

shun [ʃʌn] *vt* rehuir, esquivar.

shunt [ʃʌnt] *vt* (RAIL) cambiar de vía; *fig (move)* llevar (de un sitio a otro).

shut [ʃʌt] (*pt & pp* **shut**) ◇ *adj* cerrado (da). ◇ *vt* cerrar. ◇ *vi* 1. *(close)* cerrarse. 2. *(close for business)* cerrar. ◆ **shut away** *vt sep* guardar bajo llave. ◆ **shut down** *vt sep & vi* cerrar. ◆ **shut out** *vt sep (person, cat)* dejar fuera a; *(light, noise)* no dejar entrar. ◆ **shut up** *inf* ◇ *vt sep (silence)* hacer callar. ◇ *vi* callarse.

shutter ['ʃʌtər] *n* 1. *(on window)* postigo *m*. 2. *(in camera)* obturador *m*.

shuttle ['ʃʌtl] ◇ *adj*: **~ service** *(of planes)* puente *m* aéreo; *(of buses, trains)* servicio *m* regular. ◇ *n* *(plane)* avión *m* (de puente aéreo).

shuttlecock ['ʃʌtlkɒk] *n* volante *m*.

shy [ʃaɪ] ◇ *adj (timid)* tímido(da). ◇ *vi* espantarse.

Siberia [saɪ'bɪərɪə] *n* Siberia.

sibling ['sɪblɪŋ] *n* hermano *m*, -na *f*.

Sicily ['sɪsəlɪ] *n* Sicilia.

sick [sɪk] *adj* 1. *(ill)* enfermo(ma). 2. *(nauseous)*: **to feel ~** marearse. 3. *(vomiting)*: **to be ~** *Br* devolver, vomitar. 4. *(fed up)*: **to be ~ of sthg/of doing sthg** estar harto(ta) de algo/de hacer algo. 5. *(offensive)* de mal gusto.

sickbay ['sɪkbeɪ] *n* enfermería *f*.
sicken ['sɪkn] ◇ *vt* poner enfermo(ma), asquear. ◇ *vi Br*: **to be ~ing for sthg** estar cogiendo algo.
sickening ['sɪknɪŋ] *adj* **1.** *(disgusting)* asqueroso(sa). **2.** *(infuriating)* exasperante.
sickle ['sɪkl] *n* hoz *f*.
sick leave *n* (U) baja *f* por enfermedad.
sickly ['sɪklɪ] *adj* **1.** *(unhealthy)* enfermizo(za). **2.** *(unpleasant)* nauseabundo (da).
sickness ['sɪknəs] *n* **1.** *(illness)* enfermedad *f*. **2.** *Br* (U) *(nausea, vomiting)* mareo *m*.
sick pay *n* (U) paga *f* por enfermedad.
side [saɪd] ◇ *n* **1.** *(gen)* lado *m*; **at** OR **by one's ~** al lado de uno; **on every ~, on all ~s** por todos los lados; **from ~ to ~** de un lado a otro; **~ by ~** juntos, uno al lado de otro. **2.** *(of person)* costado *m*; *(of animal)* ijada *f*. **3.** *(edge)* lado *m*, borde *m*. **4.** *(of hill, valley)* falda *f*, ladera *f*. **5.** *(bank)* orilla *f*. **6.** *(page)* cara *f*. **7.** *(participant - in war, game)* lado *m*, bando *m*; *(- in sports match)* equipo *m*. **8.** *(viewpoint)* punto *m* de vista; **to take sb's ~** ponerse del lado OR de parte de alguien. **9.** *(aspect)* aspecto *m*; **to be on the safe ~** para estar seguro. ◇ *adj* lateral. ◆ **side with** *vt fus* ponerse de parte de.
sideboard ['saɪdbɔːʳd] *n* aparador *m*.
sideburns *Am* ['saɪdbɜːʳnz], **sideboards** *Br* ['saɪdbɔːʳdz] *npl* patillas *fpl*.
side effect *n* (MED & *fig*) efecto *m* secundario.
sidelight ['saɪdlaɪt] *n* luz *f* lateral.
sideline ['saɪdlaɪn] *n* **1.** *(extra business)* negocio *m* suplementario. **2.** *(on tennis court)* línea *f* lateral; *(on football pitch)* línea de banda.
sidesaddle ['saɪdsædl] *adv*: **to ride ~** montar a sentadillas OR mujeriegas.
sidestep ['saɪdstep] *vt* **1.** *(in football, rugby)* regatear. **2.** *fig (problem, question)* esquivar.
side street *n* calle *f* lateral.
sidetrack ['saɪdtræk] *vt*: **to be ~ed** desviarse OR salirse del tema.
sidewalk ['saɪdwɔːk] *n Am* acera *f*, andén *m CAm*, vereda *f CSur*, banqueta *f Méx*.
sideways ['saɪdweɪz] ◇ *adj (movement)* hacia un lado; *(glance)* de soslayo. ◇ *adv (move)* de lado; *(look)* de reojo.
siding ['saɪdɪŋ] *n* vía *f* muerta.
sidle ['saɪdl] ◆ **sidle up** *vi*: **to ~ up to**

acercarse furtivamente a.
siege [siːdʒ] *n* **1.** *(by army)* sitio *m*, cerco *m*. **2.** *(by police)* cerco *m* policial.
sieve [sɪv] ◇ *n (utensil)* colador *m*. ◇ *vt (soup)* colar; *(flour, sugar)* tamizar.
sift [sɪft] ◇ *vt* **1.** *(sieve)* tamizar. **2.** *fig (examine carefully)* examinar cuidadosamente. ◇ *vi*: **to ~ through sthg** examinar cuidadosamente algo.
sigh [saɪ] ◇ *n* suspiro *m*. ◇ *vi* suspirar.
sight [saɪt] ◇ *n* **1.** *(vision)* vista *f*. **2.** *(act of seeing)*: **her first ~ of the sea** la primera vez que vio el mar; **in ~** a la vista; **to disappear out of ~** perderse de vista; **at first ~** a primera vista. **3.** *(something seen)* imagen *f*. **4.** *(on gun)* mira *f*. ◇ *vt* divisar, avistar. ◆ **sights** *npl* atracciones *fpl* turísticas.
sightseeing ['saɪtsiːɪŋ] *n* (U) recorrido *m* turístico.
sightseer ['saɪtsiːəʳ] *n* turista *m y f*.
sign [saɪn] ◇ *n* **1.** *(written symbol)* signo *m*. **2.** *(gesture)* señal *f*. **3.** *(of pub, shop)* letrero *m*; *(on road)* señal *f*; *(notice)* cartel *m*. **4.** *(indication)* señal *f*, indicio *m*. ◇ *vt* firmar. ◆ **sign on** *vi* **1.** *(enrol, register)*: **to ~ on (for)** *(army)* alistarse (en); *(job)* firmar el contrato (de); *(course)* matricularse (en). **2.** *(register as unemployed)* firmar para cobrar el paro. ◆ **sign up** ◇ *vt sep (employee)* contratar; *(recruit)* alistar. ◇ *vi*: **to ~ up (for)** *(army)* alistarse (en); *(job)* firmar el contrato (de); *(course)* matricularse (en).
signal ['sɪgnl] ◇ *n* señal *f*. ◇ *vt* **1.** *(indicate)* indicar. **2.** *(tell)*: **to ~ sb (to do sthg)** hacer señas a alguien (para que haga algo). ◇ *vi* **1.** (AUT) señalizar. **2.** *(indicate)*: **to ~ to sb (to do sthg)** hacer señas a alguien (para que haga algo).
signalman ['sɪgnlmən] *(pl* **-men** [-mən]*)* *n* (RAIL) guardavía *m*.
signature ['sɪgnətʃəʳ] *n* firma *f*.
signet ring ['sɪgnət-] *n* (anillo *m* de) sello *m*.
significance [sɪg'nɪfɪkəns] *n* trascendencia *f*, importancia *f*.
significant [sɪg'nɪfɪkənt] *adj* **1.** *(considerable, meaningful)* significativo(va). **2.** *(important)* trascendente.
signify ['sɪgnɪfaɪ] *vt* significar.
signpost ['saɪnpəʊst] *n* letrero *m* indicador.
Sikh [siːk] ◇ *adj* sij. ◇ *n (person)* sij *m y f*.
silence ['saɪləns] ◇ *n* silencio *m*. ◇ *vt (person, critic)* acallar; *(gun)* silenciar.
silencer ['saɪlənsəʳ] *n* silenciador *m*.

S

silent ['saɪlənt] *adj* **1.** *(gen)* silencioso (sa). **2.** *(not revealing anything):* **to be ~ about** quedar en silencio respecto a. **3.** (CINEMA & LING) mudo(da).

silhouette [,sɪluː'et] *n* silueta *f*.

silicon chip [,sɪlɪkən-] *n* chip *m* de silicio.

silk [sɪlk] ◇ *n* seda *f*. ◇ *comp* de seda.

silky ['sɪlkɪ] *adj (hair, dress, skin)* sedoso (sa); *(voice)* aterciopelado(da).

sill [sɪl] *n (of window)* alféizar *m*.

silly ['sɪlɪ] *adj* estúpido(da).

silo ['saɪləʊ] *(pl -s) n* silo *m*.

silt [sɪlt] *n* cieno *m*, légamo *m*.

silver ['sɪlvər] ◇ *adj (of colour)* plateado (da). ◇ *n (U)* **1.** *(metal, silverware)* plata *f*. **2.** *(coins)* monedas *fpl* plateadas. ◇ *comp* de plata.

silver foil, silver paper *n (U)* papel *m* de plata.

silver-plated [-'pleɪtəd] *adj* plateado (da).

silversmith ['sɪlvərsmɪθ] *n* platero *m*, -ra *f*.

silverware ['sɪlvərweər] *n (U)* **1.** *(dishes etc)* plata *f*. **2.** *Am (cutlery)* cubertería *f* de plata.

similar ['sɪmələr] *adj:* **~ (to)** parecido (da) OR similar (a).

similarly ['sɪmələrlɪ] *adv (likewise)* asimismo; *(equally)* igualmente.

simmer ['sɪmər] *vt & vi* hervir a fuego lento.

simple ['sɪmpl] *adj* **1.** *(gen)* sencillo(lla). **2.** *dated (mentally retarded)* simple. **3.** *(plain - fact)* mero(ra); *(- truth)* puro (ra).

simple-minded [-'maɪndəd] *adj* simple.

simplicity [sɪm'plɪsətɪ] *n* sencillez *f*.

simplify ['sɪmplɪfaɪ] *vt* simplificar.

simply ['sɪmplɪ] *adv* **1.** *(merely)* sencillamente, simplemente. **2.** *(for emphasis):* **~ dreadful/wonderful** francamente terrible/maravilloso. **3.** *(in a simple way)* de manera sencilla.

simulate ['sɪmjəleɪt] *vt* simular.

simultaneous [*Am* ,saɪməl'teɪnjəs, *Br* ,sɪm-] *adj* simultáneo(a).

sin [sɪn] ◇ *n* pecado *m*. ◇ *vi:* **to ~ (against)** pecar (contra).

since [sɪns] ◇ *adv* desde entonces. ◇ *prep* desde; **he has worked here ~ 1975** trabaja aquí desde 1975. ◇ *conj* **1.** *(in time)* desde que; **it's ages ~ I saw you** hace siglos que no te veo. **2.** *(because)* ya que, puesto que.

• Cuando *since* se usa como conjunción, los tiempos verbales que se emplean son: pretérito perfecto (*we have been friends since school*); pretérito pluscuamperfecto (*we had been in contact since 1985*); pretérito pluscuamperfecto continuo (*we had been working together since the summer*).

• Los tiempos que se emplean con *since* como conjunción son: pasado simple (*I haven't read much since I left school*); pasado perfecto (*his books sell very well since he's become famous*).

sincere [sɪn'sɪər] *adj* sincero(ra).

sincerely [sɪn'sɪərlɪ] *adv* sinceramente; **Yours ~** *(at end of letter)* atentamente.

sincerity [sɪn'serətɪ] *n* sinceridad *f*.

sinew ['sɪnjuː] *n* tendón *m*.

sinful ['sɪnfl] *adj* **1.** *(person)* pecador (ra). **2.** *(thought, act)* pecaminoso(sa).

sing [sɪŋ] *(pt* sang, *pp* sung) *vt & vi* cantar.

Singapore [,sɪŋgə'pɔːr] *n* Singapur.

singe [sɪndʒ] *vt* chamuscar.

singer ['sɪŋər] *n* cantante *m y f*.

singing ['sɪŋɪŋ] *n (U)* canto *m*.

single ['sɪŋgl] ◇ *adj* **1.** *(only one)* único (ca). **2.** *(individual):* **every ~ penny** todos y cada uno de los peniques. **3.** *(unmarried)* soltero(ra). **4.** *Br (one-way)* de ida. ◇ *n* **1.** *Br (one-way ticket)* billete *m* de ida. **2.** (MUS) *(record)* sencillo *m*, single *m*. ◆ **singles** *npl* (TENNIS) *(partido m)* individual *m*. ◆ **single out** *vt sep:* **to ~ sb out (for)** escoger a alguien (para).

single bed *n* cama *f* individual.

single-breasted [-'brestəd] *adj* recto (ta).

single cream *n Br* nata *f* líquida.

single file *n:* **in ~** en fila india.

single-handed [-'hændəd] *adv* sin ayuda.

single-minded [-'maɪndəd] *adj* resuelto(ta).

single-parent family *n* familia *f* en la que falta uno de los padres.

single room *n* habitación *f* individual.

singular ['sɪŋgjələr] ◇ *adj* singular. ◇ *n* singular *m*.

sinister ['sɪnɪstər] *adj* siniestro(tra).

sink [sɪŋk] *(pt* sank, *pp* sunk) ◇ *n* **1.** *(in kitchen)* fregadero *m*. **2.** *(in bathroom)* lavabo *m*. ◇ *vt* **1.** *(cause to go under water)* hundir. **2.** *(cause to penetrate):* **to ~ sthg into** *(knife, claws)* clavar algo en; *(teeth)* hincar algo en. ◇ *vi*

1. *(go down - ship, sun)* hundirse. **2.** *(slump - person)* hundirse. **3.** *(decrease)* bajar. ♦ **sink in** *vi* hacer mella.

sinner ['sɪnər] *n* pecador *m*, -ra *f*.

sinus ['saɪnəs] *(pl* **-es)** *n* seno *m*.

sip [sɪp] ◇ *n* sorbo *m*. ◇ *vt* beber a sorbos.

siphon ['saɪfn] *n* sifón *m*. ♦ **siphon off** *vt sep* **1.** *(liquid)* sacar con sifón. **2.** *fig (funds)* desviar.

sir [sɜːr] *n* **1.** *(form of address)* señor *m*. **2.** *(in titles):* **Sir Philip Holden** Sir Philip Holden.

siren ['saɪrən] *n* *(alarm)* sirena *f*.

sirloin (steak) ['sɜːrlɔɪn(-)] *n* solomillo *m*.

sissy ['sɪsɪ] *n inf* mariquita *m*.

sister ['sɪstər] *n* **1.** *(gen)* hermana *f*. **2.** *Br (senior nurse)* enfermera *f* jefe.

sister-in-law *(pl* **sisters-in-law** OR **sister-in-laws)** *n* cuñada *f*.

sit [sɪt] *(pt & pp* **sat)** ◇ *vi* **1.** *(be seated, sit down)* sentarse. **2.** *(be member):* **to ~ on** ser miembro de. **3.** *(be in session)* reunirse. ◇ *vt Br (exam)* presentarse a. ♦ **sit about, sit around** *vi* estar sentado(da) sin hacer nada. ♦ **sit down** *vi* sentarse. ♦ **sit in on** *vt fus* estar presente en *(sin tomar parte).* ♦ **sit through** *vt fus* aguantar (hasta el final). ♦ **sit up** *vi* **1.** *(sit upright)* incorporarse. **2.** *(stay up)* quedarse levantado(da).

sitcom ['sɪtkɒm] *n inf* comedia *f* de situación.

site [saɪt] ◇ *n* *(place)* sitio *m*, lugar *m*; *(of construction work)* obra *f*. ◇ *vt* situar.

sit-in *n* sentada *f*.

sitting ['sɪtɪŋ] *n* **1.** *(serving of meal)* turno *m* (para comer). **2.** *(session)* sesión *f*.

sitting room *n* sala *f* de estar.

situated ['sɪtjʊeɪtəd] *adj (located):* **to be ~** estar situado(da).

situation [,sɪtjʊ'eɪʃn] *n* **1.** *(gen)* situación *f*. **2.** *(job)* colocación *f*; **'Situations Vacant'** *Br* 'Ofertas de trabajo'.

six [sɪks] ◇ *num adj* seis *(inv);* **she's ~ (years old)** tiene seis años. ◇ *num n* **1.** *(the number six)* seis *m inv;* **two hundred and ~** doscientos seis; **~ comes before seven** el seis va antes que el siete. **2.** *(in times):* **it's ~ (thirty)** son las seis (y media); **we arrived at ~** llegamos a las seis. **3.** *(in addresses):* **~ Peyton Place** Peyton Place número seis. **4.** *(in scores):* **~-nil** seis a cero. ◇ *num pron* seis *m* y *f;* **there are ~ of us** somos seis.

sixteen [,sɪks'tiːn] *num* dieciséis; *see also* **six.**

sixteenth [,sɪks'tiːnθ] *num* decimosexto(ta); *see also* **sixth.**

sixth [sɪksθ] ◇ *num adj* sexto(ta). ◇ *num adv* sexto(ta). ◇ *num pron* sexto *m*, -ta *f*. ◇ *n* **1.** *(fraction):* **a ~** OR **one ~ of** un sexto de, la sexta parte de. **2.** *(in dates):* **the ~** el *(día)* seis; **the ~ of September** el seis de septiembre.

sixth form *n Br* (SCH) curso optativo de dos años de enseñanza secundaria con vistas al examen de ingreso a la universidad, ≈ COU *m*.

sixth form college *n Br* centro público para alumnos de 16 a 18 años donde se preparan para los 'A levels' o para exámenes de formación profesional.

sixty ['sɪkstɪ] *num* sesenta; *see also* **six.** ♦ **sixties** *npl* **1.** *(decade):* **the sixties** los años sesenta. **2.** *(in ages):* **to be in one's sixties** tener más de sesenta años.

size [saɪz] *n* **1.** *(gen)* tamaño *m*. **2.** *(of clothes)* talla *f*; *(of shoes)* número *m*. ♦ **size up** *vt sep (situation)* evaluar; *(person)* juzgar.

siz(e)able ['saɪzəbl] *adj* considerable.

sizzle ['sɪzl] *vi* chisporrotear.

skate [skeɪt] *(pl sense 2 only inv* OR **-s)** ◇ *n* **1.** *(ice skate, roller skate)* patín *m*. **2.** *(fish)* raya *f*. ◇ *vi (on skates)* patinar.

skateboard ['skeɪtbɔːrd] *n* monopatín *m*.

skater ['skeɪtər] *n* patinador *m*, -ra *f*.

skating ['skeɪtɪŋ] *n* patinaje *m*.

skating rink *n* pista *f* de patinaje.

skeleton ['skelətən] *n* (ANAT) esqueleto *m*.

skeleton staff *n* personal *m* mínimo.

skeptic *Am*, **sceptic** *Br* ['skeptɪk] *n* escéptico *m*, -ca *f*.

skeptical *Am*, **sceptical** *Br* ['skeptɪkl] *adj* escéptico(ca); **to be ~ about** tener muchas dudas acerca de.

sketch [sketʃ] ◇ *n* **1.** *(drawing, brief outline)* esbozo *m*, bosquejo *m*. **2.** *(humorous scene)* sketch *m*. ◇ *vt* esbozar.

sketchbook ['sketʃbʊk] *n* cuaderno *m* de dibujo.

sketchy ['sketʃɪ] *adj* incompleto(ta).

skewer ['skjuːər] *n* brocheta *f*.

ski [skiː] *(pt & pp* **skied**, *cont* **skiing)** ◇ *n* esquí *m*. ◇ *vi* esquiar.

ski boots *npl* botas *fpl* de esquí.

skid [skɪd] ◇ *n* patinazo *m*. ◇ *vi* patinar.

skier ['skiːər] *n* esquiador *m*, -ra *f*.

skies [skaɪz] *pl* → **sky.**

skiing ['skiːɪŋ] *n* (U) esquí *m*.

ski jump *n* **1.** *(slope)* pista *f* para saltos

S

de esquí. **2.** *(event)* saltos *mpl* de esquí.
skilful, skillful *Am* ['skɪlfl] *adj* hábil.
ski lift *n* telesilla *m.*
skill [skɪl] *n* **1.** *(U) (expertise)* habilidad *f,* destreza *f.* **2.** *(craft, technique)* técnica *f.*
skilled [skɪld] *adj* **1.** *(skilful)* habilidoso (sa). **2.** *(trained)* cualificado(da).
skillful ['skɪlfl] *etc Am* = **skilful** *etc.*
skim [skɪm] ◇ *vt* **1.** *(remove - cream)* desnatar. **2.** *(fly above)* volar rozando. ◇ *vi:* **to ~ through sthg** hojear algo, leer algo por encima.
skim(med) milk [ˌskɪm(d)-] *n* leche *f* desnatada.
skimp [skɪmp] ◇ *vt (gen)* escatimar; *(work)* hacer de prisa y corriendo. ◇ *vi:* **to ~ on sthg** *(gen)* escatimar algo; *(work)* hacer algo de prisa y corriendo.
skimpy ['skɪmpɪ] *adj (clothes)* muy corto y estrecho (muy corta y estrecha); *(meal, facts)* escaso(sa).
skin [skɪn] ◇ *n* **1.** *(gen)* piel *f;* *(on face)* cutis *m.* **2.** *(on milk, pudding)* nata *f;* *(on paint)* capa *f,* película *f.* ◇ *vt* **1.** *(animal)* despellejar. **2.** *(knee, elbow etc)* rasguñarse.
skin-deep *adj* superficial.
skin diving *n* buceo *m,* submarinismo *m* (sin traje ni escafandra).
skinny ['skɪnɪ] *adj inf* flaco(ca).
skin-tight *adj* muy ajustado(da).
skip [skɪp] ◇ *n* **1.** *(little jump)* brinco *m,* saltito *m.* **2.** *Br (large container)* contenedor *m,* container *m.* ◇ *vt* saltarse. ◇ *vi* **1.** *(move in little jumps)* ir dando brincos. **2.** *Br (jump over rope)* saltar a la comba.
ski pants *npl* pantalones *mpl* de esquí.
ski pole *n* bastón *m* para esquiar.
skipper ['skɪpəʳ] *n* (NAUT & SPORT) capitán *m,* -ana *f.*
skipping rope ['skɪpɪŋ-] *n Br* comba *f,* cuerda *f* de saltar.
skirmish ['skɜːʳmɪʃ] *n lit & fig* escaramuza *f.*
skirt [skɜːʳt] ◇ *n* falda *f,* pollera *f Andes & CSur.* ◇ *vt* **1.** *(border)* rodear, bordear. **2.** *(go round - obstacle)* sortear; *(- person, group)* esquivar. **3.** *(avoid dealing with)* eludir. ◆ **skirt round** *vt fus* **1.** *(obstacle)* sortear. **2.** *(issue, problem)* evitar, eludir.
skittle ['skɪtl] *n Br* bolo *m.* ◆ **skittles** *n (U)* bolos *mpl.*
skive [skaɪv] *vi Br inf:* **to ~ (off)** escaquearse.
skulk [skʌlk] *vi* esconderse.
skull [skʌl] *n (gen)* calavera *f;* (ANAT) cráneo *m.*

skunk [skʌŋk] *n* mofeta *f.*
sky [skaɪ] *n* cielo *m.*
skylight ['skaɪlaɪt] *n* claraboya *f,* tragaluz *m.*
skyscraper ['skaɪskreɪpəʳ] *n* rascacielos *m inv.*
slab [slæb] *n (of stone)* losa *f;* *(of cheese)* pedazo *m;* *(of chocolate)* tableta *f.*
slack [slæk] ◇ *adj* **1.** *(rope, cable)* flojo (ja). **2.** *(business)* inactivo(va). **3.** *(person - careless)* descuidado(da). ◇ *n (in rope)* parte *f* floja.
slacken ['slækən] ◇ *vt (speed, pace)* reducir; *(rope)* aflojar. ◇ *vi (speed, pace)* reducirse.
slag [slæg] *n (waste material)* escoria *f.*
slagheap ['slæghiːp] *n* escorial *m.*
slain [sleɪn] *pp* → **slay.**
slam [slæm] ◇ *vt* **1.** *(shut)* cerrar de golpe. **2.** *(place with force):* **to ~ sthg on** OR **onto sthg** dar un golpe con algo contra algo violentamente. ◇ *vi (shut)* cerrarse de golpe.
slander [*Am* 'slændər, *Br* 'slɑːndə] ◇ *n* calumnia *f,* difamación *f.* ◇ *vt* calumniar, difamar.
slang [slæŋ] *n* argot *m,* jerga *f.*
slant [*Am* slænt, *Br* slɑːnt] ◇ *n* **1.** *(diagonal angle)* inclinación *f.* **2.** *(perspective)* enfoque *m.* ◇ *vi* inclinarse.
slanting [*Am* 'slæntɪŋ, *Br* 'slɑːnt-] *adj* inclinado(da).
slap [slæp] ◇ *n (in face)* bofetada *f;* *(on back)* palmada *f.* ◇ *vt* **1.** *(person, face)* abofetear; *(back)* dar una palmada a. **2.** *(place with force):* **to ~ sthg on** OR **onto** dar un golpe con algo contra. ◇ *adv inf (directly)* de narices.
slapstick ['slæpstɪk] *n (U)* payasadas *fpl.*
slap-up *adj Br inf:* **~ meal** comilona *f.*
slash [slæʃ] ◇ *n* **1.** *(long cut)* raja *f,* tajo *m.* **2.** *(oblique stroke)* barra *f* oblicua. ◇ *vt* **1.** *(material)* rasgar; *(wrists)* cortar. **2.** *inf (prices etc)* recortar drásticamente.
slat [slæt] *n* tablilla *f.*
slate [sleɪt] ◇ *n* pizarra *f.* ◇ *vt (criticize)* poner por los suelos.
slaughter ['slɔːtəʳ] ◇ *n lit & fig* matanza *f.* ◇ *vt* matar.
slaughterhouse ['slɔːtəʳhaus, *pl* -hauzɪz] *n* matadero *m.*
slave [sleɪv] ◇ *n* esclavo *m,* -va *f.* ◇ *vi (work hard):* **to ~ (over)** trabajar como un negro (en).
slavery ['sleɪvərɪ] *n lit & fig* esclavitud *f.*

slay [sleɪ] (*pt* **slew**, *pp* **slain**) *vt literary* asesinar, matar.

sleazy ['sliːzɪ] *adj (disreputable)* de mala muerte.

sled *Am* [sled], **sledge** *Br* [sledʒ] *n* trineo *m*.

sledgehammer ['sledʒhæməʳ] *n* almádena *f*.

sleek [sliːk] *adj* **1.** *(hair)* suave y brillante; *(fur)* lustroso(sa). **2.** *(shape)* de línea depurada.

sleep [sliːp] (*pt & pp* **slept**) ◇ *n* sueño *m*; **to go to ~** *(doze off)* dormirse. ◇ *vi* dormir. ◆ **sleep in** *vi* levantarse tarde. ◆ **sleep with** *vt fus euphemism* acostarse con.

sleeper ['sliːpəʳ] *n* **1.** *(person)*: **to be a heavy/light ~** tener el sueño profundo/ligero. **2.** *(sleeping compartment)* cochecama *m*. **3.** *(train)* tren *m* nocturno (con literas). **4.** *Br (on railway track)* traviesa *f*.

sleeping bag ['sliːpɪŋ-] *n* saco *m* de dormir.

sleeping car ['sliːpɪŋ-] *n* coche-cama *m*.

sleeping pill ['sliːpɪŋ-] *n* pastilla *f* para dormir.

sleepless ['sliːpləs] *adj* en blanco.

sleepwalk ['sliːpwɔːk] *vi (be a sleepwalker)* ser somnámbulo(la); *(walk in one's sleep)* andar mientras uno duerme.

sleepy ['sliːpɪ] *adj (person)* soñoliento (ta).

sleet [sliːt] ◇ *n* aguanieve *f*. ◇ *v impers*: **it's ~ing** cae aguanieve.

sleeve [sliːv] *n* **1.** *(of garment)* manga *f*. **2.** *(for record)* cubierta *f*.

sleigh [sleɪ] *n* trineo *m*.

slender ['slendəʳ] *adj* **1.** *(thin)* esbelto (ta). **2.** *(scarce)* escaso(sa).

slept [slept] *pt & pp* → **sleep**.

slew [sluː] ◇ *pt* → **slay**. ◇ *vi* girar bruscamente.

slice [slaɪs] ◇ *n (of bread)* rebanada *f*; *(of cheese)* loncha *f*; *(of sausage)* raja *f*; *(of lemon)* rodaja *f*; *(of meat)* tajada *f*. ◇ *vt (gen)* cortar; *(bread)* rebanar.

slick [slɪk] *adj* **1.** *(smooth, skilful)* logrado(da). **2.** *pej (superficial - talk)* aparentemente brillante; *(- person)* de labia fácil.

slide [slaɪd] (*pt & pp* **slid** [slɪd]) ◇ *n* **1.** *(decline)* descenso *m*. **2.** (PHOT) diapositiva *f*. **3.** *(in playground)* tobogán *m*. **4.** *Br (for hair)* pasador *m*. ◇ *vt* deslizar. ◇ *vi* **1.** *(slip)* resbalar. **2.** *(glide)* deslizarse. **3.** *(decline gradually)* caer.

sliding door [ˌslaɪdɪŋ-] *n* puerta *f* corredera.

sliding scale [ˌslaɪdɪŋ-] *n* escala *f* móvil.

slight [slaɪt] ◇ *adj* **1.** *(improvement, hesitation etc)* ligero(ra); *(wound)* superficial; **not in the ~est** *fml* en absoluto. **2.** *(slender)* menudo(da). ◇ *n* desaire *m*. ◇ *vt* menospreciar, desairar.

slightly ['slaɪtlɪ] *adv (to small extent)* ligeramente.

slim [slɪm] ◇ *adj* **1.** *(person, object)* delgado(da). **2.** *(chance, possibility)* remoto (ta). ◇ *vi* (intentar) adelgazar.

slime [slaɪm] *n (in pond etc)* lodo *m*, cieno *m*; *(of snail, slug)* baba *f*.

slimming ['slɪmɪŋ] *n* adelgazamiento *m*.

sling [slɪŋ] (*pt & pp* **slung**) ◇ *n* **1.** *(for injured arm)* cabestrillo *m*. **2.** *(for carrying things)* braga *f*, honda *f*. ◇ *vt* **1.** *(hang roughly)* colgar descuidadamente. **2.** *inf (throw)* tirar.

slip [slɪp] ◇ *n* **1.** *(mistake)* descuido *m*, desliz *m*; **a ~ of the pen/tongue** un lapsus. **2.** *(of paper - gen)* papelito *m*; *(- form)* hoja *f*. **3.** *(underskirt)* enaguas *fpl*. **4.** *phr*: **to give sb the ~** *inf* dar esquinazo a alguien. ◇ *vt*: **to ~ sthg into** meter algo rápidamente en; **to ~ into** sthg, **to ~ sthg on** *(clothes)* ponerse rápidamente algo. ◇ *vi* **1.** *(lose one's balance)* resbalar, patinar. **2.** *(slide)* escurrirse, resbalar. **3.** *(decline)* empeorar. ◆ **slip up** *vi* cometer un error (poco importante).

slipped disc [ˌslɪpt-] *n* hernia *f* discal.

slipper ['slɪpəʳ] *n* zapatilla *f*.

slippery ['slɪpərɪ] *adj* resbaladizo(za).

slip road *n Br (for joining motorway)* acceso *m*; *(for leaving motorway)* salida *f*.

slip-up *n inf* fallo *m* poco importante.

slipway ['slɪpweɪ] *n* grada *f*.

slit [slɪt] (*pt & pp* **slit**) ◇ *n* ranura *f*, hendidura *f*. ◇ *vt* abrir, cortar (a lo largo).

slither ['slɪðəʳ] *vi* deslizarse.

sliver ['slɪvəʳ] *n (of glass)* esquirla *f*; *(of wood)* astilla *f*; *(of cheese, ham)* tajada *f* muy fina.

slob [slɒb] *n inf* guarro *m*, -rra *f*.

slog [slɒg] *inf* ◇ *n (work)* curro *m*, trabajo *m* pesado. ◇ *vi (work)*: **to ~ (away)** at trabajar sin descanso en.

slogan ['sləʊgən] *n* eslogan *m*.

slop [slɒp] ◇ *vt* derramar. ◇ *vi* derramarse.

slope [sləʊp] ◇ *n* cuesta *f*, pendiente *f*. ◇ *vi* inclinarse.

sloping ['sləʊpɪŋ] *adj (gen)* inclinado

S

(da); *(ground)* en pendiente.

sloppy ['slɒpɪ] *adj (person)* descuidado (da); *(work)* chapucero(ra); *(appearance)* dejado(da).

slot [slɒt] *n* **1.** *(opening - gen & COM-PUT)* ranura *f.* **2.** *(groove)* muesca *f.* **3.** *(place in schedule)* espacio *m.*

slot machine *n* **1.** *(vending machine)* máquina *f* automática *(de bebidas, cigarrillos etc)*. **2.** *(arcade machine)* máquina *f* tragaperras.

slouch [slaʊtʃ] *vi* ir con los hombros caídos.

Slovakia [sloʊˈvækɪə] *n* Eslovaquia.

slovenly ['slʌvnlɪ] *adj (unkempt)* desaliñado(da); *(careless)* descuidado(da).

slow [sloʊ] ◇ *adj* **1.** *(not fast)* lento(ta). **2.** *(not prompt)*: **to be ~ to do sthg** tardar en hacer algo. **3.** *(clock etc)* atrasado (da). **4.** *(not intelligent)* corto(ta) (de alcances). ◇ *vt* aminorar, ralentizar. ◇ *vi* ir más despacio. ◆ **slow down, slow up** ◇ *vt sep (growth)* retrasar; *(car)* reducir la velocidad de. ◇ *vi (walker)* ir más despacio; *(car)* reducir la velocidad.

slowdown ['sloʊdaʊn] *n* ralentización *f.*

slowly ['sloʊlɪ] *adv* despacio, lentamente.

slow motion *n*: **in ~** a cámara lenta.

sludge [slʌdʒ] *n (U) (mud)* fango *m*, lodo *m; (sewage)* aguas *fpl* residuales.

slug [slʌg] *n* **1.** *(animal)* babosa *f.* **2.** *Am inf (bullet)* bala *f.*

sluggish ['slʌgɪʃ] *adj (movement, activity)* lento(ta); *(feeling)* aturdido(da).

sluice [sluːs] *n (passage)* canal *m* de desagüe; *(gate)* compuerta *f.*

slum [slʌm] *n (area)* barrio *m* bajo.

slump [slʌmp] ◇ *n* **1.** *(decline)*: **~ (in)** bajón *m* (en). **2.** *(ECON)* crisis *f* económica. ◇ *vi* **1.** *(fall in value)* dar un bajón. **2.** *(fall heavily - person)* desplomarse, dejarse caer.

slung [slʌŋ] *pt & pp →* sling.

slur [slɜːr] ◇ *n (insult)* agravio *m.* ◇ *vt* mascullar.

slush [slʌʃ] *n* nieve *f* medio derretida.

slush fund, slush money *Am n* fondos utilizados para actividades corruptas.

slut [slʌt] *n* **1.** *inf (dirty or untidy woman)* marrana *f.* **2.** *v inf (sexually immoral woman)* ramera *f.*

sly [slaɪ] *(compar* **slyer** OR **slier**, *superl* **slyest** OR **sliest**) *adj* **1.** *(look, smile)* furtivo(va). **2.** *(person)* astuto(ta).

smack [smæk] ◇ *n* **1.** *(slap)* cachete *m.* **2.** *(impact)* golpe *m.* ◇ *vt* **1.** *(slap)* pegar, dar un cachete a. **2.** *(place violently)* tirar de golpe.

small [smɔːl] *adj (gen)* pequeño(ña); *(person)* bajo(ja); *(matter, attention)* de poca importancia; *(importance)* poco (ca).

small ads [-ædz] *npl Br* anuncios *mpl* clasificados.

small change *n* cambio *m*, suelto *m.*

small hours *npl* primeras horas *fpl* de la madrugada.

smallpox ['smɔːlpɒks] *n* viruela *f.*

small print *n*: **the ~** la letra pequeña.

small talk *n (U)* conversación *f* trivial.

smarmy ['smɑːrmɪ] *adj* cobista.

smart [smɑːrt] ◇ *adj* **1.** *(neat, stylish)* elegante. **2.** *(clever)* inteligente. **3.** *(fashionable, exclusive)* elegante. **4.** *(quick, sharp)* rápido(da). ◇ *vi* **1.** *(eyes, wound)* escocer. **2.** *(person)* sentir resquemor.

smarten ['smɑːrtn] ◆ **smarten up** *vt sep* arreglar.

smash [smæʃ] ◇ *n* **1.** *(sound)* estrépito *m.* **2.** *inf (car crash)* accidente *m.* **3.** *(TEN-NIS)* mate *m*, smash *m.* ◇ *vt* **1.** *(break into pieces)* romper, hacer pedazos. **2.** *(hit, crash)*: **to ~ one's fist into sthg** dar un puñetazo en algo. **3.** *fig (defeat)* aplastar. ◇ *vi* **1.** *(break into pieces)* romperse, hacerse pedazos. **2.** *(crash, collide)*: **to ~ into sthg** chocar violentamente con algo.

smashing ['smæʃɪŋ] *adj inf* fenomenal.

smattering ['smætərɪŋ] *n* nociones *fpl*; **he has a ~ of Spanish** habla cuatro palabras de español.

smear [smɪər] ◇ *n* **1.** *(dirty mark)* mancha *f.* **2.** *(MED)* frotis *m.* **3.** *(slander)* calumnia *f*, difamación *f.* ◇ *vt* **1.** *(smudge)* manchar. **2.** *(spread)*: **to ~ sthg onto sthg** untar algo con algo. **3.** *(slander)* calumniar, difamar.

smell [smel] *(pt & pp* **-ed** OR **smelt)** ◇ *n* **1.** *(odour)* olor *m.* **2.** *(sense of smell)* olfato *m.* ◇ *vt lit & fig* oler. ◇ *vi* **1.** *(gen)* oler; **to ~ of/like** oler a/como; **to ~ good/bad** oler bien/mal. **2.** *(smell unpleasantly)* apestar.

smelly ['smelɪ] *adj* maloliente.

smelt [smelt] ◇ *pt & pp →* smell. ◇ *vt* fundir.

smile [smaɪl] ◇ *n* sonrisa *f.* ◇ *vi* sonreír.

smirk [smɜːrk] *n* sonrisa *f* desdeñosa.

smock [smɒk] *n* blusón *m.*

smog [smɒg] *n* niebla *f* baja, smog *m.*

smoke [smoʊk] ◇ *n (gen)* humo *m.* ◇ *vt* **1.** *(cigarette, cigar)* fumar. **2.** *(fish, meat, cheese)* ahumar. ◇ *vi* **1.** *(smoke tobacco)* fumar. **2.** *(give off smoke)* echar humo.

smoked [smoʊkt] *adj* ahumado(da).

smoker ['smoʊkəʳ] *n* **1.** *(person)* fumador *m*, -ra *f*. **2.** (RAIL) *(compartment)* compartimiento *m* de fumadores.

smokescreen ['smoʊkskriːn] *n fig* cortina *f* de humo.

smoke shop *n Am* estanco *m*.

smoking ['smoʊkɪŋ] *n*: ~ **is bad for you** fumar es malo; **'no ~'** 'prohibido fumar'.

smoky ['smoʊkɪ] *adj* **1.** *(full of smoke)* lleno(na) de humo. **2.** *(taste, colour)* ahumado(da).

smolder *Am*, **smoulder** *Br* ['smoʊldəʳ] *vi* **1.** *(fire)* arder sin llama. **2.** *fig (person, feelings)* arder.

smooth [smuːð] ◇ *adj* **1.** *(surface)* liso (sa); *(skin)* terso(sa). **2.** *(mixture)* sin grumos. **3.** *(movement, taste)* suave. **4.** *(flight, ride)* tranquilo(la). **5.** *pej (person, manner)* meloso(sa). **6.** *(trouble-free)* sin problemas. ◇ *vt* alisar. ◆ **smooth out** *vt sep* alisar.

smother ['smʌðəʳ] *vt* **1.** *(cover thickly)*: **to ~ sthg in** OR **with** cubrir algo de. **2.** *(kill)* asfixiar. **3.** *(extinguish)* sofocar, apagar. **4.** *fig (control)* contener.

smoulder *Br* = **smolder**.

smudge [smʌdʒ] ◇ *n (dirty mark)* mancha *f*; *(ink blot)* borrón *m*. ◇ *vt (by blurring)* emborronar; *(by dirtying)* manchar.

smug [smʌg] *adj pej* pagado(da) OR satisfecho(cha) de sí mismo(ma).

smuggle ['smʌgl] *vt (across frontiers)* pasar de contrabando.

smuggler ['smʌgləʳ] *n* contrabandista *m y f*.

smuggling ['smʌglɪŋ] *n (U)* contrabando *m*.

snack [snæk] *n* bocado *m*, piscolabis *m inv*.

snack bar *n* bar *m*, cafetería *f*.

snag [snæg] ◇ *n (problem)* pega *f*. ◇ *vi*: **to ~ (on)** engancharse (en).

snail [sneɪl] *n* caracol *m*.

snake [sneɪk] *n (large)* serpiente *f*; *(small)* culebra *f*.

snap [snæp] ◇ *adj* repentino(na). ◇ *n* **1.** *(act or sound)* crujido *m*, chasquido *m*. **2.** *inf (photograph)* foto *f*. ◇ *vt* **1.** *(break)* partir (en dos). **2.** *(move with a snap)*: **to ~ sthg open** abrir algo de golpe. ◇ *vi* **1.** *(break)* partirse (en dos). **2.** *(attempt to bite)*: **to ~ at sthg/sb** intentar morder algo/a alguien. **3.** *(speak sharply)*: **to ~ (at sb)** contestar bruscamente OR de mala manera a alguien. ◆ **snap up** *vt sep* no dejar escapar.

snap fastener *n* cierre *m (en la ropa etc)*.

snappy ['snæpɪ] *adj inf* **1.** *(stylish)* con estilo. **2.** *(quick)* rápido(da).

snapshot ['snæpʃɒt] *n* foto *f*.

snare [sneəʳ] *n* trampa *f*.

snarl [snɑːʳl] *vi* gruñir.

snatch [snætʃ] ◇ *n (of conversation, song)* fragmento *m*. ◇ *vt (grab)* agarrar; **to ~ sthg from sb** arrancarle OR arrebatarle algo a alguien.

sneak [sniːk] *(Am pt* snuck*)* ◇ *n Br inf* acusica *m y f*, chivato *m*, -ta *f*. ◇ *vt* colar, pasar a escondidas. ◇ *vi*: **to ~ in/out** entrar/salir a escondidas.

sneakers ['sniːkəʳz] *npl Am* zapatos *mpl* de lona.

sneaky ['sniːkɪ] *adj inf* solapado(da).

sneer [snɪəʳ] *vi (smile unpleasantly)* sonreír con desprecio.

sneeze [sniːz] *vi* estornudar.

snide [snaɪd] *adj* sarcástico(ca).

sniff [snɪf] ◇ *vt* **1.** *(smell)* oler. **2.** *(drug)* esnifar. ◇ *vi (to clear nose)* sorber por la nariz.

snigger ['snɪgəʳ] ◇ *n* risa *f* disimulada. ◇ *vi* reírse por lo bajo.

snip [snɪp] ◇ *n inf (bargain)* ganga *f*. ◇ *vt* cortar con tijeras.

sniper ['snaɪpəʳ] *n* francotirador *m*, -ra *f*.

snivel ['snɪvl] *vi* lloriquear.

snob [snɒb] *n* esnob *m y f*.

snobbish ['snɒbɪʃ], **snobby** ['snɒbɪ] *adj* esnob.

snooker ['snuːkəʳ] *n* snooker *m*, juego parecido al billar.

snoop [snuːp] *vi inf* fisgonear.

snooty ['snuːtɪ] *adj* engreído(da).

snooze [snuːz] ◇ *n* cabezada *f*. ◇ *vi* dormitar.

snore [snɔːʳ] ◇ *n* ronquido *m*. ◇ *vi* roncar.

snoring ['snɔːrɪŋ] *n (U)* ronquidos *mpl*.

snorkel ['snɔːʳkl] *n* tubo *m* respiratorio.

snort [snɔːʳt] ◇ *n* resoplido *m*. ◇ *vi* resoplar.

snout [snaʊt] *n* hocico *m*.

snow [snoʊ] ◇ *n* nieve *f*. ◇ *v impers* nevar.

snowball ['snoʊbɔːl] ◇ *n* bola *f* de nieve. ◇ *vi fig* aumentar rápidamente.

snowbound ['snoʊbaʊnd] *adj* bloqueado(da) por la nieve.

snowdrift ['snoʊdrɪft] *n* montón *m* de nieve.

snowdrop ['snoʊdrɒp] *n* campanilla *f* blanca.

snowfall ['snoʊfɔːl] *n* nevada *f*.

snowflake ['snoʊfleɪk] *n* copo *m* de nieve.

S

snowman ['snəʊmæn] (*pl* **-men** [-men]) *n* muñeco *m* de nieve.

snowplow *Am*, **snowplough** *Br* ['snəʊplaʊ] *n* quitanieves *m inv*.

snowshoe ['snəʊʃuː] *n* raqueta *f* de nieve.

snowstorm ['snəʊstɔːrm] *n* tormenta *f* de nieve.

SNP *n abbr of* **Scottish National Party**.

Snr, snr (*abbr of* **senior**) sén.

snub [snʌb] ◇ *n* desaire *m*. ◇ *vt* desairar.

snuck [snʌk] *Am pt* → **sneak**.

snuff [snʌf] *n* (*tobacco*) rapé *m*.

snug [snʌg] *adj* **1.** (*person*) cómodo y calentito (cómoda y calentita); (*feeling*) de bienestar. **2.** (*place*) acogedor(ra). **3.** (*close-fitting*) ajustado(da).

snuggle ['snʌgl] *vi*: **to ~ up to sb** arrimarse a alguien acurrucándose.

so [səʊ] ◇ *adv* **1.** (*to such a degree*) tan; **~ difficult (that)** tan difícil (que); **don't be ~ stupid!** ¡no seas bobo!; **I've never seen ~ much money/many cars** en mi vida he visto tanto dinero/tantos coches. **2.** (*in referring back to previous statement, event etc*): **~ what's the point then?** entonces ¿qué sentido tiene?; **~ you knew already?** ¿así que ya lo sabías?; **I don't think ~** no creo, me parece que no; **I'm afraid ~** me temo que sí; **if ~** de ser así; **is that ~?** ¿es así? **3.** (*also*) también; **~ can I** y yo (también puedo); **~ do I** y yo (también); **she speaks French and ~ does her husband** ella habla francés y su marido también. **4.** (*in such a way*): **(like) ~** así, de esta forma. **5.** (*in expressing agreement*): **~ there is!** ¡pues (sí que) es verdad!, ¡sí que lo hay, sí!; **~ I see** ya lo veo. **6.** (*unspecified amount, limit*): **they pay us ~ much a week** nos pagan tanto a la semana; **it's not ~ much the money as the time involved** no es tanto el dinero como el tiempo que conlleva; **or ~ o** así. ◇ *conj* **1.** (*with the result that, therefore*) así que, por lo tanto. **2.** (*to introduce a statement*) (bueno) pues; **~ what have you been up to?** bueno, ¿y qué has estado haciendo?; **~ that's who she is!** ¡anda! ¡o sea que ella!; **~ what?** *inf* ¿y qué?; **~ there** *inf* ¡(y si no te gusta), te chinchas! ◆ **and so on, and so forth** *adv* y cosas por el estilo. ◆ **so as** *conj* para; **we didn't knock ~ as not to disturb them** no llamamos para no molestarlos. ◆ **so that** *conj* para que; **he lied ~ that she would go free** mintió para que ella saliera en libertad.

soak [səʊk] ◇ *vt* **1.** (*leave immersed*) poner en remojo. **2.** (*wet thoroughly*) empapar. ◇ *vi* **1.** (*become thoroughly wet*): **to leave sthg to ~, to let sthg ~** dejar algo en remojo. **2.** (*spread*): **to ~ into** OR **through sthg** calar algo. ◆ **soak up** *vt sep* (*liquid*) absorber.

soaking ['səʊkɪŋ] *adj* empapado(da).

so-and-so *n inf* **1.** (*to replace a name*) fulano *m*, -na *f* de tal. **2.** (*annoying person*) hijo *m*, -ja *f* de tal.

soap [səʊp] *n* **1.** (*U*) (*for washing*) jabón *m*. **2.** (*TV*) culebrón *m*.

soap flakes *npl* escamas *fpl* de jabón.

soap opera *n* culebrón *m*.

soap powder *n* jabón *m* en polvo.

soapy ['səʊpɪ] *adj* (*full of soap*) jabonoso(sa).

soar [sɔːr] *vi* **1.** (*bird*) remontar el vuelo. **2.** (*rise into the sky*) elevarse. **3.** (*increase rapidly*) alcanzar cotas muy altas.

sob [sɒb] ◇ *n* sollozo *m*. ◇ *vi* sollozar.

sober ['səʊbər] *adj* **1.** (*gen*) sobrio(bria). **2.** (*serious*) serio(ria). ◆ **sober up** *vi* pasársele a uno la borrachera.

so-called [-kɔːld] *adj* **1.** (*misleadingly named*) mal llamado(da), supuesto(ta). **2.** (*widely known as*) así llamado(da).

soccer ['sɒkər] *n* (*U*) fútbol *m*.

sociable ['səʊʃəbl] *adj* sociable.

social ['səʊʃl] *adj* social.

social club *n* local *m* social de una empresa.

socialism ['səʊʃəlɪzm] *n* socialismo *m*.

socialist ['səʊʃəlɪst] ◇ *adj* socialista. ◇ *n* socialista *m* y *f*.

socialize ['səʊʃəlaɪz] *vi*: **to ~ (with)** alternar (con).

social security *n* seguridad *f* social.

social services *npl* servicios *mpl* sociales.

social worker *n* asistente *m*, -ta *f* social.

society [sə'saɪətɪ] *n* **1.** (*gen*) sociedad *f*. **2.** (*club, organization*) sociedad *f*, asociación *f*.

sociology [,səʊsɪ'ɒlədʒɪ] *n* sociología *f*.

sock [sɒk] *n* calcetín *m*.

socket [*Am* 'sɒkət, *Br* -ɪt] *n* **1.** (ELEC) enchufe *m*. **2.** (*of eye*) cuenca *f*; (*of joint*) glena *f*.

soda ['səʊdə] *n* **1.** (*gen*) soda *f*. **2.** *Am* (*fizzy drink*) gaseosa *f*.

soda water *n* soda *f*.

sodden ['sɒdn] *adj* empapado(da).

sodium ['səʊdɪəm] *n* sodio *m*.

sofa ['səʊfə] *n* sofá *m*.

Sofia ['səʊfjə] *n* Sofía.

soft [sɒft] *adj* **1.** *(pliable, not stiff, not strict)* blando(da). **2.** *(smooth, gentle, not bright)* suave.

soft drink *n* refresco *m*.

soften ['sɒfn] ◇ *vt* suavizar. ◇ *vi* **1.** *(substance)* ablandarse. **2.** *(expression)* suavizarse.

softly ['sɒftlɪ] *adv* **1.** *(gently)* con delicadeza. **2.** *(quietly, not brightly)* suavemente. **3.** *(leniently)* con indulgencia.

soft-spoken *adj* de voz suave.

software ['sɒftweəʳ] *n* (COMPUT) software *m*.

soggy ['sɒgɪ] *adj inf* empapado(da).

soil [sɔɪl] ◇ *n* *(earth)* tierra *f*, suelo *m*. ◇ *vt* ensuciar.

soiled [sɔɪld] *adj* sucio(cia).

solar ['səʊləʳ] *adj* solar.

sold [səʊld] *pt & pp* → **sell**.

solder [*Am* 'sɒdər, *Br* 'sɒldə] ◇ *n (U)* soldadura *f*. ◇ *vt* soldar.

soldier ['səʊldʒəʳ] *n* soldado *m*.

sold-out *adj* agotado(da); **the theatre was ~** se agotaron las localidades.

sole [səʊl] *(pl sense 2 only inv OR* **-s**) ◇ *adj* **1.** *(only)* único(ca). **2.** *(exclusive)* exclusivo(va). ◇ *n* **1.** *(of foot)* planta *f*; *(of shoe)* suela *f*. **2.** *(fish)* lenguado *m*.

solemn ['sɒləm] *adj* solemne.

solicit [*Am* sə'lɪsət, *Br* -ɪt] ◇ *vt fml* *(request)* solicitar. ◇ *vi* *(prostitute)* ofrecer sus servicios.

solicitor [*Am* sə'lɪsətər, *Br* -ɪtə] *n Br* (JUR) abogado que lleva casos administrativos y legales, pero que no acude a los tribunales superiores.

solid [*Am* 'sɒləd, *Br* -ɪd] ◇ *adj* **1.** *(gen)* sólido(da). **2.** *(rock, wood, gold)* macizo (za). **3.** *(reliable, respectable)* serio(ria), formal. **4.** *(without interruption)* sin interrupción. ◇ *n* sólido *m*.

solidarity [ˌsɒlɪ'dærətɪ] *n* solidaridad *f*.

solitaire [*Am* 'sɒlɪteər, *Br* ˌsɒlɪ'teə] *n* **1.** *(jewel, board game)* solitario *m*. **2.** *Am* *(card game)* solitario *m*.

solitary [*Am* 'sɒlətərɪ, *Br* -tərɪ] *adj* solitario(ria).

solitary confinement *n*: **to be in ~** estar incomunicado(da) (en la cárcel).

solitude ['sɒlɪtjuːd] *n* soledad *f*.

solo ['səʊləʊ] *(pl* **-s**) ◇ *adj & adv* a solas. ◇ *n* solo *m*.

soloist ['səʊləʊɪst] *n* solista *m y f*.

soluble ['sɒljəbl] *adj* soluble.

solution [sə'luːʃn] *n*: **~ (to)** solución *f* (a).

solve [sɒlv] *vt* resolver.

solvent ['sɒlvənt] ◇ *adj* (FIN) solvente.

◇ *n* disolvente *m*.

Somalia [*Am* səʊ'mɑːlɪə, *Br* sə-] *n* Somalia.

sombre *Br*, **somber** *Am* ['sɒmbəʳ] *adj* sombrío(a).

some [*stressed* sʌm, *unstressed* səm] ◇ *adj* **1.** *(a certain amount, number of)*: **would you like ~ coffee?** ¿quieres café?; **give me ~ money** dame algo de dinero; **there are ~ good articles in it** tiene algunos artículos buenos; **I bought ~ socks** *(one pair)* me compré unos calcetines; *(more than one pair)* me compré calcetines. **2.** *(fairly large number or quantity of)*: **I've known him for ~ years** lo conozco desde hace bastantes años; **I had ~ difficulty getting here** me costó lo mío llegar aquí. **3.** *(contrastive use)* *(certain)* algunos(as), ciertos(as); **~ jobs are better paid than others** algunos trabajos están mejor pagados que otros; **~ people say that …** los hay que dicen que … **4.** *(in imprecise statements)* algún(una); **there must be ~ mistake** debe haber un OR algún error; **she married ~ writer or other** se casó con no sé qué escritor. **5.** *inf (very good)* menudo(da); **that's ~ car he's got** ¡menudo coche tiene! ◇ *pron* **1.** *(a certain amount)*: **can I have ~?** *(money, milk, coffee etc)* ¿puedo coger un poco?; **~ of** parte de. **2.** *(a certain number)* algunos(as); **can I have ~?** *(books, potatoes etc)* ¿puedo coger algunos?; **~ (of them) left early** algunos se fueron temprano; **~ say he lied** hay quien dice que mintió. ◇ *adv* unos(as); **there were ~ 7,000 people there** habría unas 7.000 personas.

• El adjetivo o pronombre *some* sólo se usa en frases afirmativas (*there are some cookies left; some of my old school friends are married*). Para las negativas se usa el adjetivo *no* o el pronombre *none* (*there are no cookies left; none of my old school friends are married*). Se usa *any* si el verbo principal de la oración es negativo (*I don't know if there are any cookies left; I don't think any of my old school friends are married*).

• Para hacer preguntas podemos usar *some* si la respuesta esperada es afirmativa (*would you like some soup?*). De lo contrario se usa *any* (*did you put any salt in the soup?*).

• Ver también **NO, NONE**.

S

somebody ['sʌmbədɪ] *pron* alguien.

someday ['sʌmdeɪ] *adv* algún día.

somehow ['sʌmhaʊ], **someway** *Am* ['sʌmweɪ] *adv* **1.** *(by some action)* de alguna manera. **2.** *(for some reason)* por alguna razón.

someone ['sʌmwʌn] *pron* alguien; **~ or other** alguien, no sé quien.

someplace ['sʌmpleɪs] *Am*, **somewhere** *Br* ['sʌmweəʳ] *adv* **1.** *(unknown place - with verbs of position)* en alguna parte; *(- with verbs of movement)* a alguna parte; **it's ~ else** está en otra parte; **shall we go ~ else?** ¿nos vamos a otra parte? **2.** *(in approximations):* **~ between five and ten** entre cinco y diez; **~ around 20** alrededor de 20.

somersault ['sʌmərsɔːlt] *n (in air)* salto *m* mortal; *(on ground)* voltereta *f*.

something ['sʌmθɪŋ] *pron* algo; **or ~** *inf* o algo así. *adv:* **~ like, ~ in the region of** algo así como.

sometime ['sʌmtaɪm] *adv* en algún momento; **~ next week** durante la semana que viene.

sometimes ['sʌmtaɪmz] *adv* a veces.

someway ['sʌmweɪ] *Am* = **somehow**.

somewhat ['sʌmwɒt] *adv fml* algo.

somewhere *Br* = **someplace**.

son [sʌn] *n* hijo *m*.

song [sɒŋ] *n* **1.** *(gen)* canción *f*. **2.** *(of bird)* canto *m*.

sonic ['sɒnɪk] *adj* sónico(ca).

son-in-law *(pl* **sons-in-law** OR **son-in-laws)** *n* yerno *m*.

sonnet ['sɒnɪt] *n* soneto *m*.

sonny ['sʌnɪ] *n inf* hijo *m*, chico *m*.

soon [suːn] *adv* pronto; **how ~ will it be ready?** ¿para cuándo estará listo?; **~ after** poco después; **as ~ as** tan pronto como; **as ~ as possible** cuanto antes.

sooner ['suːnəʳ] *adv* **1.** *(in time)* antes; **no ~ did he arrive than ...** apenas había llegado cuando ...; **~ or later** (más) tarde o (más) temprano; **the ~ the better** cuanto antes mejor. **2.** *(expressing preference):* **I'd ~ ...** preferiría ...

soot [sʊt] *n* hollín *m*.

soothe [suːð] *vt* **1.** *(pain)* aliviar. **2.** *(nerves etc)* calmar.

sophisticated [sə'fɪstɪkeɪtɪd] *adj (gen)* sofisticado(da).

sophomore ['sɒfəmɔːʳ] *n Am* estudiante *m y f* del segundo curso.

sopping ['sɒpɪŋ] *adj:* **~ (wet)** chorreando.

soppy ['sɒpɪ] *adj inf pej* sentimentaloide.

soprano [*Am* sə'prænoʊ, *Br* -prɑːn-] *(pl* **-s)** *n* soprano *f*.

sorbet [*Am* 'sɔːrbət, *Br* 'sɔːbeɪ] *n* sorbete *m*.

sorcerer ['sɔːsərəʳ] *n* brujo *m*, -ja *f*.

sordid [*Am* 'sɔːrdəd, *Br* 'sɔːdɪd] *adj* **1.** *(immoral)* obsceno(na). **2.** *(dirty, unpleasant)* sórdido(da).

sore [sɔːʳ] *adj* **1.** *(painful)* dolorido (da); **to have a ~ throat** tener dolor de garganta. **2.** *Am (upset)* enfadado(da). *n* llaga *f*, úlcera *f*.

sorely ['sɔːlɪ] *adv literary* enormemente.

sorrow ['sɒroʊ] *n* pesar *m*, pena *f*.

sorry ['sɒrɪ] *adj* **1.** *(expressing apology):* **to be ~ about sthg** sentir OR lamentar algo; **I'm ~ for what I did** siento lo que hice; **I'm ~** lo siento. **2.** *(expressing shame, disappointment):* **to be ~ that** sentir que; **we were ~ about his resignation** sentimos que dimitiera; **to be ~ for** arrepentirse de. **3.** *(expressing regret):* **I'm ~ to have to say that ...** siento tener que decir que ... **4.** *(expressing pity):* **to be** OR **feel ~ for sb** sentir lástima por alguien. **5.** *(expressing polite disagreement):* **I'm ~, but ...** perdón, pero ... **6.** *(poor, pitiable)* lamentable, penoso(sa). *excl* **1.** *(pardon):* **~?** ¿perdón? **2.** *(to correct oneself):* **a girl, ~, a woman** una chica, perdón, una mujer.

sort [sɔːt] *n* tipo *m*, clase *f*; **all ~s of** todo tipo de; **~ of** más o menos, así así; **a ~ of** una especie de. *vt* clasificar. ◆ **sort out** *vt sep* **1.** *(classify)* clasificar. **2.** *(solve)* solucionar, resolver.

sorting office ['sɔːtɪŋ-] *n* oficina de clasificación del correo.

SOS *(abbr of* save our souls) *n* SOS *m*.

so-so *adj & adv inf* así así.

soufflé [*Am* suːˈfleɪ, *Br* 'suːfleɪ] *n* suflé *m*.

sought [sɔːt] *pt & pp* → **seek**.

soul [soʊl] *n* **1.** *(gen)* alma *f*. **2.** *(music)* música *f* soul.

sound [saʊnd] *adj* **1.** *(healthy)* sano (na). **2.** *(sturdy)* sólido(da). **3.** *(reliable)* fiable, seguro(ra). *adv:* **to be ~ asleep** estar profundamente dormido(da). *n* **1.** *(gen)* sonido *m*. **2.** *(particular noise)* ruido *m*. **3.** *(impression):* **by the ~ of it** por lo que parece. *vt (bell etc)* hacer sonar, tocar. *vi* **1.** *(give impression):* **it ~s like fun** suena divertido. ◆ **sound out** *vt sep:* **to ~ sb out (on** OR **about)** sondear a alguien (sobre).

sound barrier *n* barrera *f* del sonido.

sound effects *npl* efectos *mpl* sonoros.

sounding ['saʊndɪŋ] *n* (NAUT) sondeo *m* marino.

soundly ['saʊndlɪ] *adv* **1.** *(severely - beat)* totalmente. **2.** *(deeply)* profundamente.

soundproof ['saʊndpruːf] *adj* insonorizado(da).

soundtrack ['saʊndtræk] *n* banda *f* sonora.

soup [suːp] *n (thick)* sopa *f*; *(clear)* caldo *m*.

soup plate *n* plato *m* hondo OR sopero.

soup spoon *n* cuchara *f* sopera.

sour ['saʊəʳ] ◇ *adj* **1.** *(acidic)* ácido(da). **2.** *(milk, person, reply)* agrio(gria). ◇ *vt* agriar.

source [sɔːʳs] *n* **1.** *(gen)* fuente *f*. **2.** *(cause)* origen *m*.

sour grapes *n (U)* *inf:* **it's ~!** ¡están verdes!

south [saʊθ] ◇ *n* **1.** *(direction)* sur *m*. **2.** *(region):* **the South** el sur. ◇ *adj* del sur. ◇ *adv:* **~ (of)** al sur (de).

South Africa *n:* **(the Republic of) ~** (la república de) Suráfrica.

South America *n* Sudamérica.

South American ◇ *adj* sudamericano(na). ◇ *n (person)* sudamericano *m*, -na *f*.

southeast [ˌsaʊθˈiːst] ◇ *n* **1.** *(direction)* sudeste *m*. **2.** *(region):* **the Southeast** el sudeste. ◇ *adj* del sudeste. ◇ *adv:* **~ (of)** hacia el sudeste (de).

southern ['sʌðəʳn] *adj* del sur, sureño (ña).

South Korea *n* Corea del Sur.

South Pole *n:* **the ~** el polo Sur.

southward ['saʊθwəʳd] ◇ *adj* sur. ◇ *adv* = **southwards**.

southwards ['saʊθwəʳdz] *adv* hacia el sur.

southwest [ˌsaʊθˈwest] ◇ *n* **1.** *(direction)* suroeste *m*. **2.** *(region):* **the Southwest** el suroeste. ◇ *adj* del suroeste. ◇ *adv:* **~ (of)** hacia el suroeste (de).

souvenir [ˌsuːvəˈnɪəʳ] *n* recuerdo *m*.

sovereign ['sɒvrən] ◇ *adj* soberano (na). ◇ *n* **1.** *(ruler)* soberano *m*, -na *f*. **2.** *(coin)* soberano *m*.

soviet ['soʊvɪət] *n* soviet *m*. ♦ **Soviet** ◇ *adj* soviético(ca). ◇ *n (person)* soviético *m*, -ca *f*.

Soviet Union *n:* **the (former) ~** la (antigua) Unión Soviética.

sow¹ [soʊ] *(pt* **-ed**, *pp* **sown** OR **-ed)** *vt lit & fig* sembrar.

sow² [saʊ] *n* cerda *f*, puerca *f*.

sown [soʊn] *pp* → **sow¹**.

soya ['sɔɪə] *n* soja *f*.

soy(a) bean ['sɔɪ(ə)-] *n* semilla *f* de soja.

spa [spɑː] *n* balneario *m*.

space [speɪs] ◇ *n* espacio *m*. ◇ *comp* espacial. ◇ *vt* espaciar. ♦ **space out** *vt sep (arrange with spaces between)* espaciar.

spacecraft [*Am* 'speɪskræft, *Br* -krɑːft] *(pl inv)* *n* nave *f* espacial.

spaceman ['speɪsmæn] *(pl* **-men** [-men]) *n inf* astronauta *m*.

spaceship ['speɪsʃɪp] *n* nave *f* espacial.

space shuttle *n* transbordador *m* espacial.

spacesuit ['speɪssuːt] *n* traje *m* espacial.

spacing ['speɪsɪŋ] *n* (TYPO) espacio *m*.

spacious ['speɪʃəs] *adj* espacioso(sa).

spade [speɪd] *n (tool)* pala *f*. ♦ **spades** *npl* picas *fpl*.

spaghetti [spəˈgetɪ] *n (U)* espaguetis *mpl*.

Spain [speɪn] *n* España *f*.

span [spæn] ◇ *pt* → **spin**. ◇ *n* **1.** *(in time)* lapso *m*, periodo *m*. **2.** *(range)* gama *f*. **3.** *(of wings)* envergadura *f*. **4.** *(of bridge, arch)* ojo *m*. ◇ *vt* **1.** *(in time)* abarcar. **2.** *(subj: bridge etc)* cruzar, atravesar.

Spaniard ['spænjəʳd] *n* español *m*, -la *f*.

spaniel ['spænjəl] *n* perro *m* de aguas.

Spanish ['spænɪʃ] ◇ *adj* español(la). ◇ *n (language)* español *m*, castellano *m*. ◇ *npl (people):* **the ~** los españoles.

spank [spæŋk] *vt* zurrar.

spanner ['spænəʳ] *n* llave *f* inglesa.

spar [spɑːʳ] ◇ *n* palo *m*, verga *f*. ◇ *vi* (BOXING): **to ~ (with)** entrenarse (con).

spare [speəʳ] ◇ *adj* **1.** *(surplus)* de sobra. **2.** *(free - chair, time)* libre. ◇ *n* **1.** *(spare object)* (pieza *f* de) recambio *m*, repuesto *m*. **2.** *inf (part)* pieza *f* de recambio OR repuesto. ◇ *vt* **1.** *(time)* conceder; *(money)* dejar; **we can't ~ any time/money** no tenemos tiempo/dinero; **to ~** de sobra. **2.** *(not harm - person, life)* perdonar; *(- company, city)* salvar. **3.** *(not use, not take):* **to ~ no expense/effort** no escatimar gastos/esfuerzos. **4.** *(save from):* **to ~ sb sthg** ahorrarle a alguien algo.

spare part *n* (AUT) pieza *f* de recambio OR repuesto.

spare time *n* tiempo *m* libre.

spare wheel *n* rueda *f* de recambio.

S

sparing ['speəriŋ] *adj*: ~ **with** OR **of** parco(ca) en.

sparingly ['speəriŋli] *adv* con moderación.

spark [spɑː^rk] *n lit & fig* chispa *f*.

sparking plug ['spɑː^rkiŋ-] *Br* = spark plug.

sparkle ['spɑː^rkl] ◇ *n (U) (of diamond)* destello *m*; *(of eyes)* brillo *m*. ◇ *vi (star, jewels)* centellear; *(eyes)* brillar.

sparkling wine ['spɑː^rkliŋ-] *n* vino *m* espumoso.

spark plug *n* bujía *f*.

sparrow [*Am* 'sperou, *Br* 'spær-] *n* gorrión *m*.

sparse ['spɑː^rs] *adj* escaso(sa).

spasm ['spæzm] *n* **1.** (MED) *(state)* espasmo *m*. **2.** (MED) *(attack)* acceso *m*.

spastic ['spæstɪk] *n* (MED) espástico *m*, -ca *f*.

spat [spæt] *pt & pp* → spit.

spate [speɪt] *n* cadena *f*, serie *f*.

spatter ['spætə^r] *vt* salpicar.

spawn [spɔːn] ◇ *n (U)* huevas *fpl*. ◇ *vt fig* engendrar. ◇ *vi* desovar, frezar.

speak [spiːk] *(pt* spoke, *pp* spoken) ◇ *vt* **1.** *(say)* decir. **2.** *(language)* hablar. ◇ *vi* hablar; **to ~ to** OR **with** hablar con; **to ~ to sb (about)** hablar con alguien (de); **to ~ about** hablar de; **to ~ to sb (on sthg)** *(give speech)* hablar ante alguien (sobre algo). ◆ **so to speak** *adv* por así decirlo. ◆ **speak for** *vt fus (represent)* hablar en nombre de. ◆ **speak up** *vi* **1.** *(speak out)*: **to ~ up for** salir en defensa de. **2.** *(speak louder)* hablar más alto.

speaker ['spiːkə^r] *n* **1.** *(person talking)* persona *f* que habla. **2.** *(person making a speech - at meal etc)* orador *m*, -ra *f*; *(- at conference)* conferenciante *m* y *f*. **3.** *(of a language)* hablante *m* y *f*. **4.** *(of radio)* altavoz *m*.

speaking ['spiːkiŋ] *adv*: **generally ~** en general; **legally ~** desde una perspectiva legal.

spear [spɪə^r] ◇ *n (gen)* lanza *f*; *(for hunting)* jabalina *f*. ◇ *vt (animal)* atravesar; *(piece of food)* pinchar.

spearhead ['spɪə^rhed] *vt* encabezar.

spec [spek] *n Br inf*: **to buy on ~** comprar sin garantías.

special ['speʃl] *adj* **1.** *(gen)* especial. **2.** *(particular, individual)* particular.

special delivery *n* correo *m* urgente.

specialist ['speʃləst] ◇ *adj (doctor)* especialista; *(literature)* especializado (da). ◇ *n* especialista *m* y *f*.

speciality *Br* = specialty.

specialize ['speʃəlaɪz] *vi*: **to ~ (in)** especializarse (en).

specially ['speʃli] *adv* especialmente.

specialty *Am* ['speʃlti], **speciality** [ˌspeʃɪ'ælətɪ] *Br n* especialidad *f*.

species ['spiːʃiːz] *(pl inv) n* especie *f*.

specific [spə'sɪfɪk] *adj* **1.** *(particular)* determinado(da). **2.** *(precise)* específico (ca). **3.** *(unique)*: ~ **to** específico(ca) de.

specifically [spə'sɪfɪklɪ] *adv* **1.** *(particularly)* expresamente. **2.** *(precisely)* específicamente.

specify ['spesəfaɪ] *vt*: **to ~ (that)** especificar (que).

specimen ['spesəmən] *n* **1.** *(example)* espécimen *m*, ejemplar *m*. **2.** *(sample)* muestra *f*.

speck [spek] *n* **1.** *(small stain)* manchita *f*. **2.** *(small particle)* mota *f*.

specs [speks] *npl Br inf (glasses)* gafas *fpl*.

spectacle ['spektəkl] *n (gen)* espectáculo *m*. ◆ **spectacles** *npl Br* gafas *fpl*.

spectacular [spek'tækjələ^r] *adj* espectacular.

spectator [spek'teɪtə^r] *n* espectador *m*, -ra *f*.

specter *Am*, **spectre** *Br* ['spektə^r] *n lit & fig* fantasma *m*.

spectrum ['spektrəm] *(pl* -tra [-trə]) *n* **1.** *(gen)* espectro *m*. **2.** *fig (variety)* gama *f*.

speculation [ˌspekjə'leɪʃn] *n* especulación *f*.

sped [sped] *pt & pp* → speed.

speech [spiːtʃ] *n* **1.** *(gen)* habla *f*. **2.** *(formal talk)* discurso *m*. **3.** (THEATRE) parlamento *m*. **4.** *(manner of speaking)* manera *f* de hablar. **5.** *(dialect)* dialecto *m*, habla *f*.

speechless ['spiːtʃləs] *adj*: **to be ~ (with)** enmudecer (de).

speed [spiːd] *(pt & pp* -ed OR sped) ◇ *n* **1.** *(rate of movement)* velocidad *f*; **at top ~** a toda velocidad. **2.** *(rapidity)* rapidez *f*. ◇ *vi* **1.** *(move fast)*: **to ~ (along/away/by)** ir/alejarse/pasar a toda velocidad. **2.** (AUT) *(go too fast)* conducir con exceso de velocidad. ◆ **speed up** ◇ *vt sep (gen)* acelerar; *(person)* meter prisa a. ◇ *vi (gen)* acelerarse; *(person)* darse prisa.

speedboat ['spiːdbout] *n* lancha *f* motora.

speeding ['spiːdiŋ] *n (U)* exceso *m* de velocidad.

speed limit *n* límite *m* de velocidad.

speedometer [spɪ'dɒmətə^r] *n* velocímetro *m*.

speedway ['spiːdweɪ] *n* **1.** *(U)* (SPORT)

carreras *fpl* de moto. **2.** *Am (road)* auto-pista *f.*

speedy ['spi:dɪ] *adj* rápido(da).

spell [spel] (*Am pt & pp* **-ed**, *Br pt & pp* **spelt** OR **-ed**) ◇ *n* **1.** *(of time)* temporada *f*; *(of weather)* racha *f.* **2.** *(enchantment)* hechizo *m*; **to cast** OR **put a ~ on sb** hechizar a alguien. **3.** *(magic words)* conjuro *m.* ◇ *vt* **1.** *(form by writing)* deletrear. **2.** *fig (signify)* significar. ◇ *vi* escribir correctamente. ◆ **spell out** *vt sep* **1.** *(read aloud)* deletrear. **2.** *(explain):* **to ~ sthg out (for** OR **to sb)** decir algo por las claras (a alguien).

spellbound ['spelbaʊnd] *adj* hechizado(da), embelesado(da).

spelling ['spelɪŋ] *n* ortografía *f*; **~ mistake** falta *f* de ortografía.

spelt [spelt] *Br pt & pp* → **spell.**

spend [spend] (*pt & pp* **spent**) *vt* **1.** *(gen)* gastar; **to ~ sthg on** gastar algo en. **2.** *(time, life)* pasar.

spendthrift ['spendθrɪft] *n* derrochador *m*, -ra *f.*

spent [spent] ◇ *pt & pp* → **spend.** ◇ *adj (matches, ammunition)* usado(da); *(patience)* agotado(da).

sperm [spɜ:m] (*pl inv* OR **-s**) *n* esperma *m.*

sphere [sfɪəʳ] *n* **1.** *(gen)* esfera *f.* **2.** *(of people)* círculo *m.*

spice [spaɪs] *n* (CULIN) especia *f.*

spick-and-span [,'spɪk-] *adj* inmaculado(da).

spicy ['spaɪsɪ] *adj* (CULIN *& fig)* picante.

spider ['spaɪdəʳ] *n* araña *f.*

spike [spaɪk] *n* **1.** *(on railing etc)* punta *f*; *(on wall)* clavo *m.* **2.** *(on plant)* pincho *m*; *(of hair)* pelo *m* de punta.

spill [spɪl] (*Am pt & pp* **-ed**, *Br pt & pp* **spilt** OR **-ed**) ◇ *vt* derramar, verter. ◇ *vi (flow)* derramarse, verterse.

spilt [spɪlt] *Br pt & pp* → **spill.**

spin [spɪn] (*pt* **span** OR **spun**, *pp* **spun**) ◇ *n* **1.** *(turn)* vuelta *f.* **2.** (AERON) barrena *f.* **3.** *inf (in car)* vuelta *f.* ◇ *vt* **1.** *(cause to rotate)* girar, dar vueltas a. **2.** *(clothes, washing)* centrifugar. **3.** *(wool, yarn)* hilar. ◇ *vi (rotate)* girar, dar vueltas. ◆ **spin out** *vt sep (story)* alargar, prolongar; *(money)* estirar.

spinach ['spɪnɪtʃ] *n* (U) espinacas *fpl.*

spinal column [,spaɪnl-] *n* columna *f* vertebral.

spinal cord ['spaɪnl-] *n* médula *f* espinal.

spin-dryer *n Br* centrifugadora *f.*

spine [spaɪn] *n* **1.** (ANAT) espina *f* dorsal. **2.** *(of book)* lomo *m.* **3.** *(spike, prick-*

le) espina *f*, púa *f.*

spinning ['spɪnɪŋ] *n* hilado *m.*

spinning top *n* peonza *f.*

spin-off *n (by-product)* resultado *m* OR efecto *m* indirecto.

spinster ['spɪnstəʳ] *n* soltera *f.*

spiral ['spaɪrəl] ◇ *adj* en espiral. ◇ *n (curve)* espiral *f.* ◇ *vi (move in spiral curve)* moverse en espiral.

spiral staircase *n* escalera *f* de caracol.

spire [spaɪəʳ] *n* aguja *f.*

spirit ['spɪrɪt] *n* **1.** *(gen)* espíritu *m.* **2.** *(vigour)* vigor *m*, valor *m.* ◆ **spirits** *npl* **1.** *(mood)* humor *m*; **to be in high/low ~s** estar exultante/alicaído. **2.** *(alcohol)* licores *mpl.*

spirited ['spɪrɪtəd] *adj* enérgico(ca).

spirit level *n* nivel *m* de burbuja de aire.

spiritual ['spɪrɪtʃʊəl] *adj* espiritual.

spit [spɪt] (*Am pt & pp* **spit**, *Br pt & pp* **spat**) ◇ *n* **1.** *(saliva)* saliva *f.* **2.** *(skewer)* asador *m.* ◇ *vi* escupir. ◇ *v impers Br (rain lightly):* **it's spitting** está chispeando.

spite [spaɪt] ◇ *n* rencor *m.* ◇ *vt* fastidiar, molestar. ◆ **in spite of** *prep* a pesar de.

spiteful ['spaɪtfl] *adj (person, behaviour)* rencoroso(sa); *(action, remark)* malintencionado(da).

spittle ['spɪtl] *n* saliva *f.*

splash [splæʃ] ◇ *n* **1.** *(sound)* chapoteo *m.* **2.** *(of colour, light)* mancha *f.* ◇ *vt* salpicar. ◇ *vi* **1.** *(person):* **to ~ about** OR **around** chapotear. **2.** *(water, liquid):* **to ~ on** OR **against sthg** salpicar algo. ◆ **splash out** *vi inf:* **to ~ out (on sthg)** gastar un dineral (en algo).

spleen [spli:n] *n* (ANAT) bazo *m*; *fig (anger)* cólera *f.*

splendid ['splendəd] *adj* **1.** *(marvellous)* espléndido(da). **2.** *(magnificent, beautiful)* magnífico(ca).

splint [splɪnt] *n* tablilla *f.*

splinter ['splɪntəʳ] ◇ *n (of wood)* astilla *f*; *(of glass, metal)* fragmento *m.* ◇ *vi* astillarse.

split [splɪt] (*pt & pp* **split**) ◇ *n* **1.** *(crack - in wood)* grieta *f*; *(- in garment)* desgarrón *m.* **2.** *(division):* **~ (in)** escisión *f* (en). **3.** *(difference):* **~ (between)** diferencia *f* (entre). ◇ *vt* **1.** *(tear)* desgarrar, rasgar; *(crack)* agrietar. **2.** *(break in two)* partir. **3.** *(party, organization)* escindir. **4.** *(share)* repartir. ◇ *vi* **1.** *(break up - road)* bifurcarse; *(- object)* partirse. **2.** *(party, organization)* escindirse.

3. *(wood)* agrietarse; *(fabric)* desgarrarse. ◆ **split up** *vi* separarse.

split second *n* fracción *f* de segundo.

splutter ['splʌtə^r] *vi* 1. *(person)* balbucear. 2. *(fire, oil)* chisporrotear.

spoil [spɔɪl] *(pt & pp* **-ed** OR **spoilt)** *vt* 1. *(ruin)* estropear, echar a perder. 2. *(child etc)* mimar. ◆ **spoils** *npl* botín *m*.

spoiled [spɔɪld] = **spoilt.**

spoilsport ['spɔɪlspɔ:^rt] *n* aguafiestas *m y f inv*.

spoilt [spɔɪlt] ⋄ *pt & pp* → **spoil**. ⋄ *adj* mimado(da), consentido(da).

spoke [spəʊk] ⋄ *pt* → **speak**. ⋄ *n* radio *m*.

spoken ['spəʊkn] *pp* → **speak.**

spokesman ['spəʊksmən] *(pl* **-men** [-mən]) *n* portavoz *m*.

spokeswoman ['spəʊkswʊmən] *(pl* **-women** [-,wɪmɪn]) *n* portavoz *f*.

sponge [spʌndʒ] ⋄ *n* 1. *(for cleaning, washing)* esponja *f*. 2. *(cake)* bizcocho *m*. ⋄ *vt* limpiar con una esponja. ⋄ *vi inf*: **to ~ off** vivir a costa de.

sponge cake *n* bizcocho *m*.

sponsor ['spɒnsə^r] ⋄ *n* patrocinador *m*, -ra *f*. ⋄ *vt* 1. *(gen)* patrocinar. 2. *(support)* respaldar.

sponsored walk [,spɒnsə^rd-] *n* marcha *f* benéfica.

SPONSORED WALK

Se conocen como *sponsored walks* las marchas a pie que sirven para recaudar fondos. En ellas cada marchador dispone de una lista de personas que han aceptado donar una determinada suma de dinero por kilómetro recorrido. El término *sponsored* se aplica también a otras actividades, deportivas o de esparcimiento: *sponsored swim, sponsored parachute jump,* etc.

---

sponsorship ['spɒnsə^rʃɪp] *n* patrocinio *m*.

spontaneous [spɒn'teɪnjəs] *adj* espontáneo(a).

spooky ['spu:kɪ] *adj inf* escalofriante.

spool [spu:l] *n (gen &* COMPUT) bobina *f*.

spoon [spu:n] *n* 1. *(piece of cutlery)* cuchara *f*. 2. *(spoonful)* cucharada *f*.

spoonful ['spu:nfl] *(pl* **-s** OR **spoonsful** ['spu:nzfʊl]) *n* cucharada *f*.

sporadic [spə'rædɪk] *adj* esporádico(ca).

sport [spɔ:^rt] *n* 1. *(game)* deporte *m*. 2. *dated (cheerful person)* persona *f* amable.

sporting ['spɔ:^rtɪŋ] *adj lit & fig* deportivo(va); **to give sb a ~ chance** dar a

alguien la oportunidad de ganar.

sports car *n* coche *m* deportivo.

sports jacket *n* chaqueta *f* de esport.

sportsman ['spɔ:^rtsmən] *(pl* **-men** [-mən]) *n* deportista *m*.

sportsmanship ['spɔ:^rtsmənʃɪp] *n* deportividad *f*.

sportswear ['spɔ:^rtsweə^r] *n* ropa *f* deportiva.

sportswoman ['spɔ:^rtswʊmən] *(pl* **-women** [-,wɪmɪn]) *n* deportista *f*.

sporty ['spɔ:^rtɪ] *adj inf (fond of sports)* aficionado(da) a los deportes.

spot [spɒt] ⋄ *n* 1. *(stain)* mancha *f*, mota *f*; *(dot)* punto *m*. 2. *(pimple)* grano *m*. 3. *(drop)* gota *f*. 4. *inf (bit, small amount)* pizca *f*. 5. *(place)* lugar *m*; **on the ~** en el lugar; **to do sthg on the ~** hacer algo en el acto. 6. (RADIO & TV) espacio *m*. ⋄ *vt (notice)* notar, ver.

spot check *n* control *m* aleatorio.

spotless ['spɒtləs] *adj (thing)* inmaculado(da); *(reputation)* intachable.

spotlight ['spɒtlaɪt] *n (of car)* faro *m* auxiliar; *(in theatre, home)* foco *m*, reflector *m* de luz; **to be in the ~** *fig* ser el centro de atención.

spotted ['spɒtɪd] *adj* de lunares.

spotty ['spɒtɪ] *adj Br (skin)* con granos.

spouse [spaʊs] *n* cónyuge *m y f*.

spout [spaʊt] ⋄ *n (of kettle, teapot)* pitorro *m*; *(of jug)* pico *m*; *(of pipe)* caño *m*. ⋄ *vi*: **to ~ from** OR **out of** *(liquid)* salir a chorros de; *(smoke, flames)* salir incesantemente de.

sprain [spreɪn] ⋄ *n* torcedura *f*. ⋄ *vt* torcerse.

sprang [spræŋ] *pt* → **spring.**

sprawl [sprɔ:l] *vi (sit)* repantigarse, arrellanarse; *(lie)* echarse, tumbarse.

spray [spreɪ] ⋄ *n* 1. *(small drops - of liquid)* rociada *f*; *(- of sea)* espuma *f*; *(- of aerosol)* pulverización *f*. 2. *(pressurized liquid)* líquido *m* pulverizado, espray *m*. 3. *(can, container - gen)* atomizador *m*; *(- for garden)* pulverizador *m*. 4. *(of flowers)* ramo *m*. ⋄ *vt* rociar, vaporizar.

spread [spred] *(pt & pp* **spread)** ⋄ *n* 1. *(soft food)*: **cheese ~** queso *m* para untar. 2. *(of fire, disease)* propagación *f*. ⋄ *vt* 1. *(rug, tablecloth)* extender; *(map)* desplegar. 2. *(legs, fingers etc)* estirar. 3. *(butter, jam)* untar; *(glue)* repartir; **to ~ sthg over sthg** extender algo por algo. 4. *(disease)* propagar; *(news)* difundir, diseminar. 5. *(wealth, work)* repartir equitativamente. ⋄ *vi* 1. *(disease, fire, news)* extenderse, propagarse. 2. *(gas, cloud)* esparcirse. ◆ **spread out** *vi* diseminarse, dispersarse.

spread-eagled [*Am* 'spredi:gld, *Br* spred'i:gld] *adj* despatarrado(da).

spreadsheet ['spredʃi:t] *n* (COMPUT) hoja *f* de cálculo electrónica.

spree [spri:] *n* jarana *f*.

sprightly ['spraɪtlɪ] *adj* animado(da).

spring [sprɪŋ] (*pt* **sprang**, *pp* **sprung**) ◇ *n* 1. (*season*) primavera *f*. 2. (*coil*) muelle *m*. 3. (*jump*) salto *m*. 4. (*water source*) manantial *m*, vertiente *f* CSur. ◇ *vi* 1. (*jump*) saltar. 2. (*move suddenly*) moverse de repente. ♦ **spring up** *vi* surgir de repente.

springboard ['sprɪŋbɔ:rd] *n* lit & fig trampolín *m*.

spring-clean *vt* limpiar a fondo.

spring onion *n* Br cebolleta *f*.

springtime ['sprɪŋtaɪm] *n*: **in (the) ~** en primavera.

sprinkle ['sprɪŋkl] *vt* rociar, salpicar; **to ~ sthg over** OR **on sthg, to ~ sthg with sthg** rociar algo sobre algo.

sprinkler ['sprɪŋklər] *n* aspersor *m*.

sprint [sprɪnt] ◇ *n* 1. (SPORT) esprint *m*. 2. (*fast run*) carrera *f*. ◇ *vi* (SPORT) esprintar; (*run fast*) correr a toda velocidad.

sprout [spraʊt] ◇ *n* 1. **(Brussels) ~s** coles *fpl* de Bruselas. 2. (*shoot*) brote *m*, retoño *m*. ◇ *vt* (*subj: plant*) echar. ◇ *vi* 1. (*plants, vegetables*) crecer. 2. (*leaves, shoots*) brotar.

spruce [spru:s] ◇ *adj* pulcro(cra). ◇ *n* picea *f*. ♦ **spruce up** *vt sep* arreglar.

sprung [sprʌŋ] *pp* → **spring**.

spry [spraɪ] *adj* ágil, activo(va).

spun [spʌn] *pt & pp* → **spin**.

spur [spз:r] ◇ *n* 1. (*incentive*): **~ (to sthg)** estímulo *m* (para conseguir algo). 2. (*on rider's boot*) espuela *f*. ◇ *vt* (*encourage*): **to ~ sb to do sthg** animar a alguien a hacer algo. ♦ **on the spur of the moment** *adv* sin pensarlo dos veces. ♦ **spur on** *vt sep*: **to ~ sb on** animar a alguien.

spurn [spз:rn] *vt* rechazar.

spurt [spз:rt] ◇ *n* 1. (*of water*) chorro *m*; (*of flame*) llamarada *f*. 2. (*of activity, effort*) arranque *m*. 3. (*of speed*) acelerón *m*. ◇ *vi* (*gush*): **to ~ (out of** OR **from)** (*liquid*) salir a chorros de; (*flame*) salir incesantemente de.

spy [spaɪ] ◇ *n* espía *m* y *f*. ◇ *vt inf* divisar. ◇ *vi*: **to ~ (on)** espiar (a).

spying ['spaɪɪŋ] *n* espionaje *m*.

Sq., sq. *abbr of* **square**,

squabble ['skwɒbl] ◇ *n* riña *f*. ◇ *vi*: **to ~ (about** OR **over)** reñir (por).

squad [skwɒd] *n* 1. (*of police*) brigada *f*. 2. (MIL) pelotón *m*. 3. (SPORT - *of club*) plantilla *f*, equipo *m* completo; (- *of national team*) seleccionado *m*.

squadron ['skwɒdrən] *n* (*of planes*) escuadrilla *f*; (*of warships*) escuadra *f*; (*of soldiers*) escuadrón *m*.

squalid ['skwɒlɪd] *adj* (*filthy*) miserable, sórdido(da).

squall [skwɔ:l] *n* (*storm*) turbión *m*.

squalor ['skwɒlər] *n* (U) miseria *f*.

squander ['skwɒndər] *vt* (*opportunity*) desaprovechar; (*money*) despilfarrar; (*resources*) malgastar.

square [skweər] ◇ *adj* 1. (*gen*) cuadrado(da). 2. (*not owing money*): **we're now** ya estamos en paz. ◇ *n* 1. (*shape*) cuadrado *m*. 2. (*in town, city*) plaza *f*. 3. *inf* (*unfashionable person*) carroza *m* y *f*. ◇ *vt* 1. (MATH) elevar al cuadrado. 2. (*balance, reconcile*): **how can you ~ that with your principles?** ¿cómo encajas esto con tus principios? ♦ **square up** *vi* (*settle up*): **to ~ up with** saldar cuentas con.

squarely ['skweərlɪ] *adv* (*directly*) justo, exactamente.

square meal *n* comida *f* satisfactoria.

squash [skwɒʃ] ◇ *n* 1. (*game*) squash *m*. 2. Br (*drink*) zumo *m*. 3. Am (*vegetable*) cucurbitácea *f*. ◇ *vt* (*squeeze, flatten*) aplastar.

squat [skwɒt] ◇ *adj* achaparrado(da). ◇ *vi* (*crouch*): **to ~ (down)** agacharse, ponerse en cuclillas.

squatter ['skwɒtər] *n* Br ocupante *m* y *f* ilegal, squatter *m* y *f*.

squawk [skwɔ:k] *n* (*of bird*) graznido *m*.

squeak [skwi:k] *n* 1. (*of animal*) chillido *m*. 2. (*of hinge*) chirrido *m*.

squeal [skwi:l] *vi* 1. (*person, animal*) chillar, gritar. 2. (*brakes*) chirriar.

squeamish ['skwi:mɪʃ] *adj* aprensivo(va).

squeeze [skwi:z] ◇ *n* (*pressure*) apretón *m*. ◇ *vt* 1. (*press firmly*) apretar. 2. (*force out - toothpaste*) sacar (estrujando); (- *juice*) exprimir. 3. (*cram*): **to ~ sthg into sthg** (*into place*) meter algo en algo; (*into time*) arreglárselas para hacer algo en algo.

squelch [skweltʃ] *vi*: **to ~ through mud** cruzar el barro chapoteando.

squid [skwɪd] (*pl inv* OR **-s**) *n* 1. (ZOOL) calamar *m*. 2. (U) (*food*) calamares *mpl*.

squiggle ['skwɪgl] *n* garabato *m*.

squint [skwɪnt] *n* estrabismo *m*, bizquera *f*. ◇ *vi*: **to ~ at** mirar con los ojos entrecerrados.

S

squire ['skwaɪəʳ] *n (landowner)* terrateniente *m y f*.

squirm [skwɜːʳm] *vi (wriggle)* retorcerse.

squirrel [*Am* 'skwɜːrəl, *Br* 'skwɪr-] *n* ardilla *f*.

squirt [skwɜːʳt] ◇ *vt (force out)* sacar a chorro de. ◇ *vi*: **to ~ out of** salir a chorro.

Sr *abbr of* **senior**.

Sri Lanka [srɪ'læŋkə] *n* Sri Lanka.

St 1. (*abbr of* **saint**) Sto. (Sta.). **2.** (*abbr of* **Street**) c/.

stab [stæb] ◇ *n* **1.** *(with knife)* puñalada *f*. **2.** *inf (attempt)*: **to have a ~ (at sthg)** probar (a hacer algo). **3.** *(twinge)* punzada *f*. ◇ *vt* **1.** *(with knife)* apuñalar. **2.** *(jab)* pinchar.

stable ['steɪbl] ◇ *adj* **1.** *(unchanging)* estable. **2.** *(not moving)* fijo(ja). **3.** (MED) *(condition)* estacionario(ria); *(mental health)* equilibrado(da). ◇ *n (building)* cuadra *f*.

stack [stæk] ◇ *n (pile)* pila *m*. ◇ *vt (pile up)* apilar.

stadium ['steɪdjəm] (*pl* **-diums** OR **-dia** [-djə]) *n* estadio *m*.

staff [*Am* stæf, *Br* stɑːf] ◇ *n (employees)* empleados *mpl*, personal *m*. ◇ *vt*: **the shop is ~ed by women** la tienda está llevada por una plantilla de mujeres.

stag [stæg] (*pl inv* OR **-s**) *n* ciervo *m*, venado *m*.

stage [steɪdʒ] ◇ *n* **1.** *(part of process, phase)* etapa *f*. **2.** *(in theatre, hall)* escenario *m*, escena *f*. **3.** *(acting profession)*: **the ~** el teatro. ◇ *vt* **1.** (THEATRE) representar. **2.** *(event, strike)* organizar.

stagecoach ['steɪdʒkəʊtʃ] *n* diligencia *f*.

stage fright *n* miedo *m* al público.

stage-manage *vt* **1.** (THEATRE) dirigir. **2.** *fig (orchestrate)* urdir, maquinar.

stagger ['stægəʳ] ◇ *vt* **1.** *(astound)* dejar atónito(ta). **2.** *(arrange at different times)* escalonar. ◇ *vi* tambalearse.

stagnant ['stægnənt] *adj lit & fig* estancado(da).

stagnate [*Am* 'stægneɪt, *Br* stæg'neɪt] *vi* estancarse.

stag party *n* despedida *f* de soltero.

staid [steɪd] *adj* recatado y conservador (recatada y conservadora).

stain [steɪn] ◇ *n* mancha *f*. ◇ *vt* manchar.

stained glass [‚steɪnd-] *n (U)* vidrio *m* de color.

stainless steel ['steɪnləs-] *n* acero *m* inoxidable.

stain remover [-rɪ‚muːvəʳ] *n* quitamanchas *m inv*.

stair [steəʳ] *n* peldaño *m*, escalón *m*.
◆ **stairs** *npl* escaleras *fpl*, escalera *f*.

staircase ['steəʳkeɪs] *n* escalera *f*.

stairway ['steəʳweɪ] *n* escalera *f*.

stake [steɪk] ◇ *n* **1.** *(share)*: **to have a ~ in** tener intereses en. **2.** *(wooden post)* estaca *f*. **3.** *(in gambling)* apuesta *f*. ◇ *vt* **1.** *(risk)*: **to ~ sthg (on** OR **upon)** arriesgar OR jugarse algo (en). **2.** *(in gambling)* apostar. ◆ **at stake** *adv*: **to be at ~** estar en juego.

stale [steɪl] *adj (bread)* duro(ra); *(food)* pasado(da); *(air)* viciado(da).

stalemate ['steɪlmeɪt] *n* **1.** *(deadlock)* punto *m* muerto. **2.** (CHESS) tablas *fpl*.

stalk [stɔːk] ◇ *n* **1.** *(of flower, plant)* tallo *m*. **2.** *(of leaf, fruit)* pecíolo *m*, rabillo *m*. ◇ *vt (hunt)* acechar, seguir sigilosamente. ◇ *vi*: **to ~ in/out** entrar/salir con paso airado.

stall [stɔːl] ◇ *n (in market, at exhibition)* puesto *m*, caseta *f*. ◇ *vt* (AUT) calar. ◇ *vi* **1.** (AUT) calarse. **2.** *(delay)* andar con evasivas. ◆ **stalls** *npl Br* platea *f*.

stallion ['stæljən] *n* semental *m*.

stalwart ['stɔːlwəʳt] *n* partidario *m*, -ria *f* incondicional.

stamina ['stæmɪnə] *n* resistencia *f*.

stammer ['stæməʳ] ◇ *n* tartamudeo *m*. ◇ *vi* tartamudear.

stamp [stæmp] ◇ *n* **1.** *(gen)* sello *m*, estampilla *f Amer*. **2.** *(tool)* tampón *m*. ◇ *vt* **1.** *(mark by stamping)* timbrar. **2.** *(stomp)*: **to ~ one's feet** patear. ◇ *vi* **1.** *(stomp)* patalear. **2.** *(tread heavily)*: **to ~ on sthg** pisotear OR pisar algo.

stamp album *n* álbum *m* de sellos.

stamp-collecting [-kə‚lektɪŋ] *n* filatelia *f*.

stamped addressed envelope [‚stæmptədrest-] *n Br* sobre con sus señas y franqueo.

stampede [stæm'piːd] ◇ *n lit & fig* estampida *f*. ◇ *vi* salir de estampida.

stance [*Am* stæns, *Br* stɑːns] *n* **1.** *(way of standing)* postura *f*. **2.** *(attitude)*: **~ (on)** postura *f* (ante).

stand [stænd] (*pt & pp* **stood**) ◇ *n* **1.** *(stall)* puesto *m*; *(selling newspapers)* quiosco *m*. **2.** *(supporting object)* soporte *m*; **coat ~** perchero *m*. **3.** (SPORT) tribuna *f*. **4.** *(act of defence)*: **to make a ~** resistir al enemigo. **5.** *(publicly stated view)* postura *f*. **6.** *Am* (JUR) estrado *m*.
◇ *vt* **1.** *(place upright)* colocar (vertical-

mente). **2.** *(withstand, tolerate)* soportar. ◇ *vi* **1.** *(be upright - person)* estar de pie; *(- object)* estar *(en posición vertical)*. **2.** *(get to one's feet)* ponerse de pie, levantarse. **3.** *(liquid)* reposar. **4.** *(still be valid)* seguir vigente OR en pie. **5.** *(be in particular state)*: **as things ~** tal como están las cosas. **6.** *Br* (POL) *(be a candidate)* presentarse; **to ~ for Parliament** presentarse para las elecciones al Parlamento. **7.** *Am* (AUT): **'no ~ing'** 'prohibido aparcar'. ◆ **stand back** *vi* echarse para atrás. ◆ **stand by** ◇ *vt fus* **1.** *(person)* seguir al lado de. **2.** *(promise, decision)* mantener. ◇ *vi* **1.** *(in readiness)*: **to ~ by (for sthg/to do sthg)** estar preparado(da) (para algo/para hacer algo). **2.** *(remain inactive)* quedarse sin hacer nada. ◆ **stand down** *vi (resign)* retirarse. ◆ **stand for** *vt fus* **1.** *(signify)* significar. **2.** *(tolerate)* aguantar, tolerar. ◆ **stand in** *vi*: **to ~ in for sb** sustituir a alguien. ◆ **stand out** *vi* sobresalir, destacarse. ◆ **stand up** ◇ *vt sep inf (boyfriend etc)* dejar plantado(da). ◇ *vi (rise from seat)* levantarse. ◆ **stand up for** *vt fus* salir en defensa de. ◆ **stand up to** *vt fus* **1.** *(weather, heat etc)* resistir. **2.** *(person)* hacer frente a.

standard ['stændərd] ◇ *adj* **1.** *(normal)* corriente, estándar. **2.** *(accepted)* establecido(da). ◇ *n* **1.** *(acceptable level)* nivel *m*. **2.** *(point of reference - moral)* criterio *m*; *(- technical)* norma *f*. **3.** *(flag)* estandarte *m*. ◆ **standards** *npl (principles)* valores *mpl* morales.

standard of living (*pl* **standards of living**) *n* nivel *m* de vida.

standby ['stændbaɪ] (*pl* **standbys**) ◇ *n* recurso *m*; **on ~** preparado(da). ◇ *comp*: **~ ticket** billete *m* en lista de espera.

stand-in *n (stuntman)* doble *m y f*; *(temporary replacement)* sustituto *m*, -ta *f*.

standing ['stændɪŋ] ◇ *adj (permanent)* permanente. ◇ *n* **1.** *(reputation)* reputación *f*. **2.** *(duration)* duración *f*; **friends of 20 years' ~** amigos desde hace 20 años.

standing order *n* domiciliación *f* de pago.

standing room *n* (U) *(on bus)* sitio *m* para estar de pie; *(at theatre, sports ground)* localidades *fpl* de pie.

standoffish [,stænd'ɒfɪʃ] *adj* distante.

standpoint ['stændpɔɪnt] *n* punto *m* de vista.

standstill ['stændstɪl] *n*: **at a ~** *(not moving)* parado(da); *fig (not active)* en un punto muerto; **to come to a ~** *(stop moving)* pararse; *fig (cease)* llegar a un punto muerto.

stank [stæŋk] *pt* → **stink**.

staple ['steɪpl] ◇ *adj (principal)* básico (ca), de primera necesidad. ◇ *n* **1.** *(item of stationery)* grapa *f*. **2.** *(principal commodity)* producto *m* básico OR de primera necesidad. ◇ *vt* grapar.

stapler ['steɪplər] *n* grapadora *f*.

star [stɑːr] ◇ *n (gen)* estrella *f*. ◇ *comp* estelar. ◇ *vi*: **to ~ (in)** hacer de protagonista en. ◆ **stars** *npl* horóscopo *m*.

starboard ['stɑːbəd] ◇ *adj* de estribor. ◇ *n*: **to ~** a estribor.

starch [stɑːtʃ] *n* **1.** *(gen)* almidón *m*. **2.** *(in potatoes etc)* fécula *f*.

stardom ['stɑːdəm] *n* estrellato *m*.

stare [steər] ◇ *n* mirada *f* fija. ◇ *vi*: **to ~ (at sthg/sb)** mirar fijamente (algo/a alguien).

stark [stɑːk] ◇ *adj* **1.** *(landscape, decoration, room)* austero(ra). **2.** *(harsh - reality)* crudo(da). ◇ *adv*: **~ naked** en cueros.

starling ['stɑːlɪŋ] *n* estornino *m*.

starry ['stɑːrɪ] *adj* estrellado(da).

Stars and Stripes *n*: **the ~** la bandera de las barras y estrellas.

STARS AND STRIPES

Esta frase se usa como uno de los muchos nombres que recibe la bandera de los Estados Unidos. Otros son *Old Glory, Star-Spangled Banner* y *Stars and Bars*. Las 50 estrellas representan a los estados que integran esta nación actualmente, y las 13 barras (de colores rojo y blanco) a los estados fundadores de la Unión. Los estadounidenses están muy orgullosos de su bandera y muchos particulares la hacen ondear frente a su casa.

S

start [stɑːt] ◇ *n* **1.** *(beginning)* principio *m*, comienzo *m*; **at the ~ of the year** a principios de año. **2.** *(jerk, jump)* sobresalto *m*. **3.** *(starting place)* salida *f*. **4.** *(time advantage)* ventaja *f*. ◇ *vt* **1.** *(begin)* empezar, comenzar; **to ~ doing** OR **to do sthg** empezar a hacer algo. **2.** *(turn on - machine, engine)* poner en marcha; *(- vehicle)* arrancar. **3.** *(set up)* formar, crear; *(business)* montar. ◇ *vi* **1.** *(begin)* empezar, comenzar; **to ~ with sb/sthg** empezar por alguien/algo. **2.** *(machine, tape)* ponerse en marcha; *(vehicle)* arrancar. **3.** *(begin journey)* ponerse en camino. **4.** *(jerk, jump)* sobresaltarse. ◆ **start off** ◇ *vt sep (discussion, rumour)* desencadenar; *(meeting)* empezar; *(person)*: **this should be enough to ~ you off** con esto tienes sufi-

ciente trabajo para empezar. ◇ *vi*
1. *(begin)* empezar, comenzar. **2.** *(leave
on journey)* salir, ponerse en camino.
◆ **start out** *vi* **1.** *(originally be)* empezar, comenzar. **2.** *(leave on journey)*
salir, ponerse en camino. ◆ **start up**
◇ *vt sep* **1.** *(business)* montar; *(shop)*
poner; *(association)* crear. **2.** *(car, engine)*
arrancar. ◇ *vi* **1.** *(begin)* empezar.
2. *(car, engine)* arrancar.

starter ['stɑːᵗtəʳ] *n* **1.** *Br (of meal)* primer plato *m*, entrada *f*. **2.** (AUT) (motor
m de) arranque *m*. **3.** *(person participating in race)* participante *m* y *f*.

starting point ['stɑːᵗtɪŋ-] *n lit & fig*
punto *m* de partida.

startle ['stɑːᵗtl] *vt* asustar.

startling ['stɑːᵗtlɪŋ] *adj* asombroso
(sa).

starvation [stɑːᵗ'veɪʃn] *n* hambre *f*,
inanición *f*.

starve [stɑːᵗv] ◇ *vt (deprive of food)* privar de comida. ◇ *vi* **1.** *(have no food)*
pasar hambre. **2.** *inf (be hungry)*: **I'm
starving!** ¡me muero de hambre!

state [steɪt] ◇ *n* estado *m*; **not to be in
a fit ~ to do sthg** no estar en condiciones de hacer algo; **to be in a ~** tener los
nervios de punta. ◇ *comp (ceremony)*
oficial, de Estado; *(control, ownership)*
estatal. ◇ *vt* **1.** *(gen)* indicar; *(reason,
policy)* plantear; *(case)* exponer. **2.** *(time,
date, amount)* fijar. ◆ **State** *n*: **the State**
el Estado. ◆ **States** *npl*: **the States** los
Estados Unidos.

State Department *n Am* =
Ministerio *m* de Asuntos Exteriores.

stately ['steɪtlɪ] *adj* majestuoso(sa).

statement ['steɪtmənt] *n* **1.** *(gen)*
declaración *f*. **2.** *(from bank)* extracto *m*
OR estado *m* de cuenta.

state of mind *(pl* **states of mind)** *n*
estado *m* de ánimo.

statesman ['steɪtsmən] *(pl* **-men**
[-mən]) *n* estadista *m*.

static ['stætɪk] ◇ *adj* estático(ca). ◇ *n*
(U) interferencias *fpl*, parásitos *mpl*.

station ['steɪʃn] ◇ *n* **1.** *(gen)* estación
f. **2.** (RADIO) emisora *f*. **3.** *(centre of activity)* centro *m*, puesto *m*. **4.** *fml (rank)*
rango *m*. ◇ *vt* **1.** *(position)* situar, colocar. **2.** (MIL) estacionar, apostar.

stationary [*Am* 'steɪʃənerɪ, *Br* -ərɪ] *adj*
inmóvil.

stationer ['steɪʃnəʳ] *n* papelero *m*, -ra
f; **~'s (shop)** papelería *f*.

stationery [*Am* 'steɪʃənerɪ, *Br* -ərɪ] *n*
(U) objetos *mpl* de escritorio.

stationmaster [*Am* 'steɪʃnmæstr, *Br*

-mɑːstə] *n* jefe *m* de estación.

station wagon *n Am* ranchera *f*.

statistic [stə'tɪstɪk] *n* estadística *f*.
◆ **statistics** *n* *(U)* estadística *f*.

statistical [stə'tɪstɪkl] *adj* estadístico
(ca).

statue ['stætʃuː] *n* estatua *f*.

Statue of Liberty *n*: **the ~** la Estatua
de la Libertad.

STATUE OF LIBERTY

Esta gigantesca estatua que representa una mujer con una antorcha en la
mano derecha se alza sobre una pequeña isla situada a la entrada del puerto
de Nueva York y puede ser visitada por
el público. La estatua es un obsequio
de Francia a los Estados Unidos en
1884.

---

stature ['stætʃəʳ] *n* **1.** *(height)* estatura
f, talla *f*. **2.** *(importance)* categoría *f*.

status ['steɪtəs] *n* *(U)* **1.** *(position, condition)* condición *f*, estado *m*. **2.** *(prestige)* prestigio *m*, estatus *m inv*.

status symbol *n* símbolo *m* de posición social.

statute ['stætʃuːt] *n* estatuto *m*.

statutory [*Am* 'stætʃətɔːrɪ, *Br* -utərɪ]
adj reglamentario(ria).

staunch [stɔːntʃ] ◇ *adj* fiel, leal. ◇ *vt*
restañar.

stave [steɪv] *(pt & pp* **-d** OR **stove)** *n*
(MUS) pentagrama *m*. ◆ **stave off** *vt sep*
(disaster, defeat) retrasar; *(hunger, illness)*
aplacar temporalmente.

stay [steɪ] ◇ *vi* **1.** *(not move away)* quedarse, permanecer; **to ~ put** permanecer en el mismo sitio. **2.** *(as visitor)* alojarse. **3.** *(continue, remain)* permanecer.
◇ *n* estancia *f*. ◆ **stay in** *vi* quedarse
en casa. ◆ **stay on** *vi* permanecer, quedarse. ◆ **stay out** *vi (from home)* quedarse fuera. ◆ **stay up** *vi* quedarse
levantado(da).

staying power ['steɪɪŋ-] *n* resistencia
f.

stead [sted] *n*: **to stand sb in good ~**
servir de mucho a alguien.

steadfast [*Am* 'stedfæst, *Br* -fɑːst] *adj*
(supporter) fiel; *(gaze)* fijo(ja); *(resolve)*
inquebrantable.

steadily ['stedɪlɪ] *adv* **1.** *(gradually)*
constantemente. **2.** *(regularly - breathe,
move)* normalmente. **3.** *(calmly - look)*
fijamente; *(- speak)* con tranquilidad.

steady ['stedɪ] ◇ *adj* **1.** *(gradual)* gradual. **2.** *(regular, constant)* constante,
continuo(nua). **3.** *(not shaking)* firme. **4.**

(voice) sereno(na); *(stare)* fijo(ja). **5.** *(relationship)* estable, serio(ria); *(boyfriend, girlfriend)* formal; **a ~ job** un trabajo fijo. **6.** *(reliable, sensible)* sensato (ta). ◇ *vt* **1.** *(stop from shaking)* mantener firme; **to ~ o.s.** dejar de temblar. **2.** *(nerves, voice)* dominar, controlar.

steak [steɪk] *n* **1.** *(U) (meat)* bistec *m*, filete *m*, bife *m* Amer. **2.** *(piece of meat, fish)* filete *m*.

steal [stiːl] *(pt* stole, *pp* stolen*)* ◇ *vt (gen)* robar; *(idea)* apropiarse de; **to ~ sthg from sb** robar algo a alguien. ◇ *vi (move secretly)* moverse sigilosamente.

stealthy [ˈstelθɪ] *adj* cauteloso(sa), sigiloso(sa).

steam [stiːm] ◇ *n (U)* vapor *m*, vaho *m*. ◇ *vi (CULIN)* cocer al vapor. ◇ *vi (water, food)* echar vapor. ◆ **steam up** ◇ *vt sep (mist up)* empañar. ◇ *vi* empañarse.

steamboat [ˈstiːmbəʊt] *n* buque *m* de vapor.

steam engine *n* máquina *f* de vapor.

steamer [ˈstiːmər] *n (ship)* buque *m* de vapor.

steamroller [ˈstiːmrəʊlər] *n* apisonadora *f*.

steamy [ˈstiːmɪ] *adj* **1.** *(full of steam)* lleno(na) de vaho. **2.** *inf (erotic)* caliente, erótico(ca).

steel [stiːl] ◇ *n* acero *m*. ◇ *comp* de acero.

steelworks [ˈstiːlwɜːrks] *(pl inv)* *n* fundición *f* de acero.

steep [stiːp] ◇ *adj* **1.** *(hill, road)* empinado(da). **2.** *(considerable - increase, fall)* considerable. **3.** *inf (expensive)* muy caro(ra), abusivo(va). ◇ *vt* remojar.

steeple [ˈstiːpl] *n* aguja *f (de un campanario)*.

steeplechase [ˈstiːpltʃeɪs] *n* carrera *f* de obstáculos.

steer [stɪər] ◇ *n* buey *m*. ◇ *vt* **1.** *(vehicle)* conducir. **2.** *(person, discussion etc)* dirigir. ◇ *vi:* **the car ~s well** el coche se conduce bien; **to ~ clear of sthg/sb** evitar algo/a alguien.

steering [ˈstɪərɪŋ] *n (U)* dirección *f*.

steering wheel *n* volante *m*, timón *m* Amer.

stem [stem] ◇ *n* **1.** *(of plant)* tallo *m*. **2.** *(of glass)* pie *m*. **3.** *(of pipe)* tubo *m*. **4.** (GRAMM) raíz *f*. ◇ *vt (flow)* contener; *(blood)* restañar. ◆ **stem from** *vt fus* derivarse de.

stench [stentʃ] *n* hedor *m*.

stencil [ˈstensl] ◇ *n* plantilla *f*. ◇ *vt* estarcir.

stenographer [stəˈnɒɡrəfər] *n* Am taquígrafo *m*, -fa *f*.

step [step] ◇ *n* **1.** *(gen)* paso *m*; **~ by ~** paso a paso; **to be in/out of ~** llevar/no llevar el paso; *fig* estar/no estar al tanto. **2.** *(action)* medida *f*. **3.** *(stair, rung)* peldaño *m*. ◇ *vi* **1.** *(move foot)* dar un paso; **he stepped off the bus** se bajó del autobús. **2.** *(tread):* **to ~ on sthg** pisar algo; **to ~ in sthg** meter el pie en algo. ◆ **steps** *npl* **1.** *(stairs - indoors)* escaleras *fpl*; *(- outside)* escalinata *f*. **2.** Br *(stepladder)* escalera *f* de tijera. ◆ **step down** *vi (leave job)* renunciar. ◆ **step in** *vi* intervenir. ◆ **step up** *vt sep* aumentar.

stepbrother [ˈstepbrʌðər] *n* hermanastro *m*.

stepdaughter [ˈstepdɔːtər] *n* hijastra *f*.

stepfather [ˈstepfɑːðər] *n* padrastro *m*.

stepladder [ˈsteplædər] *n* escalera *f* de tijera.

stepmother [ˈstepmʌðər] *n* madrastra *f*.

stepsister [ˈstepsɪstər] *n* hermanastra *f*.

stepson [ˈstepsʌn] *n* hijastro *m*.

stereo [ˈsterɪəʊ] *(pl* -s*)* ◇ *adj* estéreo *(inv)*. ◇ *n* **1.** *(record player)* equipo *m* estereofónico. **2.** *(stereo sound)* estéreo *m*.

stereotype [ˈsterɪətaɪp] *n* estereotipo *m*.

sterile [Am ˈsterəl, Br ˈsteraɪl] *adj* **1.** *(germ-free)* esterilizado(da). **2.** *(unable to produce offspring)* estéril.

sterilize [ˈsterɪlaɪz] *vt* esterilizar.

sterling [ˈstɜːrlɪŋ] ◇ *adj* **1.** *(of British money)* esterlina. **2.** *(excellent)* excelente. ◇ *n (U)* libra *f* esterlina.

sterling silver *n* plata *f* de ley.

stern [stɜːrn] ◇ *adj* severo(ra). ◇ *n* popa *f*.

steroid [ˈstɪərɔɪd] *n* esteroide *m*.

stethoscope [ˈsteθəskəʊp] *n* estetoscopio *m*.

stew [stjuː] ◇ *n* estofado *m*, guisado *m*. ◇ *vt (meat, vegetables)* estofar, guisar; *(fruit)* hacer una compota de.

steward [ˈstjʊərd] *n* **1.** *(on plane)* auxiliar *m* de vuelo; *(on ship, train)* camarero *m*. **2.** Br *(organizer)* ayudante *m* y *f* de organización.

stewardess [Am ˈstjʊərdəs, Br ˌstjʊəˈdes] *n* auxiliar *f* de vuelo, azafata *f*.

stick [stɪk] *(pt & pp* stuck*)* ◇ *n* **1.** *(of wood, for playing sport)* palo *m*. **2.** *(of dynamite)* cartucho *m*; *(of liquorice, rock)* barra *f*. **3.** *(walking stick)* bastón *m*. ◇ *vt*

1. *(push)*: **to ~ sthg in** OR **into sthg** *(knife, pin)* clavar algo en algo; *(finger)* meter algo en algo. **2.** *(make adhere)*: **to ~ sthg (on** OR **to sthg)** pegar algo (en algo). **3.** *inf (put)* meter. **4.** *Br inf (tolerate)* soportar, aguantar. ◇ *vi* **1.** *(adhere)*: **to ~ (to)** pegarse (a). **2.** *(jam)* atrancarse. ◆ **stick out** *vt sep* **1.** *(make protrude)* sacar. **2.** *(endure)* aguantar. ◇ *vi* *(protrude)* sobresalir. ◆ **stick to** *vt fus* **1.** *(follow closely)* seguir. **2.** *(principles)* ser fiel a; *(promise, agreement)* cumplir con; *(decision)* atenerse a. ◆ **stick up** *vi* salir, sobresalir. ◆ **stick up for** *vt fus* defender.

sticker ['stɪkəʳ] *n* *(piece of paper)* pegatina *f*.

sticking plaster ['stɪkɪŋ-] *n* esparadrapo *m*.

stick shift *n Am* palanca *f* de cambios.

stick-up *n inf* atraco *m* a mano armada.

sticky ['stɪkɪ] *adj* **1.** *(tacky)* pegajoso(sa). **2.** *(adhesive)* adhesivo(va). **3.** *inf (awkward)* engorroso(sa).

stiff [stɪf] ◇ *adj* **1.** *(inflexible)* rígido (da). **2.** *(door, drawer)* atascado(da). **3.** *(aching)* agarrotado(da); **to be ~** tener agujetas. **4.** *(formal - person, manner)* estirado(da); *(- smile)* rígido(da). **5.** *(severe, intense)* severo(ra). **6.** *(difficult - task)* duro(ra). ◇ *adv inf*: **bored/ frozen ~** muerto(ta) de aburrimiento/ frío.

stiffen ['stɪfn] *vi* **1.** *(become inflexible)* endurecerse. **2.** *(bones)* entumecerse; *(muscles)* agarrotarse. **3.** *(become more severe, intense)* intensificarse.

stifle ['staɪfl] *vt* **1.** *(prevent from breathing)* ahogar, sofocar. **2.** *(prevent from happening)* reprimir.

stifling ['staɪflɪŋ] *adj* sofocante.

stigma ['stɪgmə] *n* estigma *m*.

stile [staɪl] *n* escalones *mpl* para pasar una valla.

stiletto heel [stə'letəʊ-] *n Br* tacón *m* fino OR de aguja.

still [stɪl] ◇ *adv* **1.** *(up to now, up to then, even now)* todavía. **2.** *(to emphasize remaining amount)* aún; **I've ~ got two left** aún me quedan dos. **3.** *(nevertheless, however)* sin embargo, no obstante. **4.** *(with comparatives)* aún. **5.** *(motionless)* sin moverse. ◇ *adj* **1.** *(not moving)* inmóvil. **2.** *(calm, quiet)* tranquilo(la), sosegado(da). **3.** *(not windy)* apacible. **4.** *(not fizzy)* sin gas. ◇ *n* **1.** *(PHOT)* vista *f* fija. **2.** *(for making alcohol)* alambique *m*.

stillborn ['stɪlbɔːʳn] *adj* nacido muerto (nacida muerta).

still life *(pl -s)* *n* bodegón *m*, naturaleza *f* muerta.

stilted ['stɪltəd] *adj* forzado(da).

stilts [stɪlts] *npl* **1.** *(for person)* zancos *mpl*. **2.** *(for building)* pilotes *mpl*.

stimulate ['stɪmjəleɪt] *vt (gen)* estimular; *(interest)* excitar.

stimulating ['stɪmjəleɪtɪŋ] *adj (physically)* estimulante; *(mentally)* interesante.

stimulus ['stɪmjələs] *(pl -li [-laɪ])* *n* estímulo *m*.

sting [stɪŋ] *(pt & pp* stung*)* ◇ *n* **1.** *(by bee)* picadura *f*. **2.** *(of bee)* aguijón *m*. **3.** *(sharp pain)* escozor *m*. ◇ *vt* **1.** *(subj: bee, nettle)* picar. **2.** *(cause sharp pain to)* escocer. ◇ *vi* picar.

stink [stɪŋk] *(pt* stank OR stunk*, pp* stunk*)* ◇ *n* peste *f*, hedor *m*. ◇ *vi (have unpleasant smell)* apestar, heder.

stinking ['stɪŋkɪŋ] *inf fig* ◇ *adj* asqueroso(sa). ◇ *adv* increíblemente.

stint [stɪnt] ◇ *n* periodo *m*. ◇ *vi*: **to ~ on sthg** escatimar algo.

stipulate ['stɪpjəleɪt] *vt* estipular.

stir [stɜːʳ] ◇ *n* *(public excitement)* revuelo *m*. ◇ *vt* **1.** *(mix)* remover. **2.** *(move gently)* agitar, mover. **3.** *(move emotionally)* conmover. ◇ *vi* *(move gently)* moverse, agitarse. ◆ **stir up** *vt sep* **1.** *(cause to rise)* levantar. **2.** *(cause)* provocar.

stirrup [*Am* 'stɜːrəp, *Br* 'stɪr-] *n* estribo *m*.

stitch [stɪtʃ] ◇ *n* **1.** *(SEWING)* puntada *f*. **2.** *(in knitting)* punto *m*. **3.** *(MED)* punto *m* (de sutura). **4.** *(stomach pain)*: **to have a ~** sentir pinchazos (en el estómago). ◇ *vt* **1.** *(SEWING)* coser. **2.** *(MED)* suturar.

stoat [stəʊt] *n* armiño *m*.

stock [stɒk] ◇ *n* **1.** *(supply)* reserva *f*. **2.** *(U)* *(COMM)* *(reserves)* existencias *fpl*; *(selection)* surtido *m*; **in ~** en existencia; **out of ~** agotado(da). **3.** *(FIN)* *(of company)* capital *m*; **~s and shares** acciones *fpl*, valores *mpl*. **4.** *(ancestry)* linaje *m*, estirpe *f*. **5.** *(CULIN)* caldo *m*. **6.** *(livestock)* ganado *m*, ganadería *f*. **7.** *phr*: **to take ~ (of sthg)** evaluar (algo). ◇ *adj* estereotipado(da). ◇ *vt* **1.** *(COMM)* abastecer de, tener en el almacén. **2.** *(shelves)* llenar; *(lake)* repoblar. ◆ **stock up** *vi*: **to ~ up (with)** abastecerse (de).

stockbroker ['stɒkbrəʊkəʳ] *n* corredor *m*, -ra *f* de bolsa.

stock cube *n Br* pastilla *f* de caldo.

stock exchange *n* bolsa *f*.

stockholder ['stɒkhoʊldər] *n Am* accionista *m y f*.

Stockholm ['stɒkhoʊm] *n* Estocolmo.

stocking ['stɒkɪŋ] *n (for woman)* media *f*.

stockist ['stɒkəst] *n Br* distribuidor *m*, -ra *f*.

stock market *n* bolsa *f*, mercado *m* de valores.

stock phrase *n* frase *f* estereotipada.

stockpile ['stɒkpaɪl] ◇ *n* reservas *fpl*. ◇ *vt* almacenar, acumular.

stocktaking ['stɒkteɪkɪŋ] *n (U)* inventario *m*, balance *m*.

stocky ['stɒkɪ] *adj* corpulento(ta), robusto(ta).

stodgy ['stɒdʒɪ] *adj (indigestible)* indigesto(ta).

stoical ['stoʊɪkl] *adj* estoico(ca).

stoke [stoʊk] *vt (fire)* avivar, alimentar.

stole [stoʊl] ◇ *pt* → **steal**. ◇ *n* estola *f*.

stolen ['stoʊlən] *pp* → **steal**.

stolid ['stɒləd] *adj* impasible.

stomach ['stʌmək] ◇ *n* 1. *(organ)* estómago *m*. 2. *(abdomen)* vientre *m*. ◇ *vt* tragar, aguantar.

stomachache ['stʌməkeɪk] *n* dolor *m* de estómago.

stomach upset [-,ʌpset] *n* trastorno *m* gástrico.

stone [stoʊn] *(pl sense 4 only inv OR* **-s)** ◇ *n* 1. *(mineral)* piedra *f*. 2. *(jewel)* piedra *f* preciosa. 3. *(seed)* hueso *m*. 4. *Br (unit of measurement)* = 6,35 kilos. ◇ *comp* de piedra. ◇ *vt* apedrear.

stone-cold *adj* helado(da).

stonewashed ['stoʊnwɒʃt] *adj* lavado (da) a la piedra.

stood [stʊd] *pt & pp* → **stand**.

stool [stuːl] *n (seat)* taburete *m*.

stoop [stuːp] ◇ *n (bent back)*: **to walk with a ~** caminar encorvado(da). ◇ *vi* 1. *(bend)* inclinarse, agacharse. 2. *(hunch shoulders)* encorvarse.

stop [stɒp] ◇ *n* 1. *(gen)* parada *f*; **to put a ~ to sthg** poner fin a algo. 2. *(full stop)* punto *m*. ◇ *vt* 1. *(gen)* parar; **to ~ doing sthg** dejar de hacer algo. 2. *(prevent)* impedir; **to ~ sb/sthg from doing sthg** impedir que alguien/algo haga algo. 3. *(cause to stop moving)* detener. ◇ *vi (gen)* pararse; *(rain, music)* cesar. ◆ **stop off** *vi* hacer una parada. ◆ **stop up** *vt sep (block)* taponar, tapar.

stopgap ['stɒpgæp] *n (thing)* recurso *m* provisional; *(person)* sustituto *m*, -ta *f*.

stopover ['stɒpoʊvər] *n (gen)* parada *f*; *(of plane)* escala *f*.

stoppage ['stɒpɪdʒ] *n* 1. *(strike)* paro *m*, huelga *f*. 2. *Br (deduction)* retención *f*.

stopper ['stɒpər] *n* tapón *m*.

stop press *n* noticias *fpl* de última hora.

stopwatch ['stɒpwɒtʃ] *n* cronómetro *m*.

storage ['stɔːrɪdʒ] *n* almacenamiento *m*.

storage heater *n Br* calentador por almacenamiento térmico.

store [stɔːr] ◇ *n* 1. *(shop)* tienda *f*. 2. *(supply)* provisión *f*, reserva *f*. 3. *(place of storage)* almacén *m*. ◇ *vt* 1. *(gen & COMPUT)* almacenar. 2. *(keep)* guardar. ◆ **store up** *vt sep (provisions, goods)* almacenar; *(information)* acumular.

storekeeper ['stɔːrkiːpər] *n Am* tendero *m*, -ra *f*.

storeroom ['stɔːruːm] *n (gen)* almacén *m*; *(for food)* despensa *f*.

storey ['stɔːrɪ] *(pl* **storeys)** *n Br* planta *f*.

stork [stɔːrk] *n* cigüeña *f*.

storm [stɔːrm] ◇ *n* 1. *(bad weather)* tormenta *f*. 2. *(violent reaction)* torrente *m*. ◇ *vt (MIL)* asaltar. ◇ *vi* 1. *(go angrily)*: **to ~ out** salir echando pestes. 2. *(say angrily)* vociferar.

stormy ['stɔːrmɪ] *adj* 1. *(weather)* tormentoso(sa). 2. *(meeting)* acalorado(da); *(relationship)* tempestuoso(sa).

story ['stɔːrɪ] *n* 1. *(tale)* cuento *m*. 2. *(history)* historia *f*. 3. *(news article)* artículo *m*. 4. *Am (floor)* planta *f*.

storybook ['stɔːrɪbʊk] *adj* de cuento.

storyteller ['stɔːrɪtelər] *n (teller of story)* narrador *m*, -ra *f*, cuentista *m y f*.

stout [staʊt] ◇ *adj* 1. *(rather fat)* corpulento(ta). 2. *(strong, solid)* fuerte, sólido(da). 3. *(resolute)* firme. ◇ *n (U)* cerveza *f* negra.

stove [stoʊv] ◇ *pt & pp* → **stave**. ◇ *n (for heating)* estufa *f*; *(for cooking)* cocina *f*.

stow [stoʊ] *vt*: **to ~ sthg (away)** guardar algo.

stowaway ['stoʊəweɪ] *n* polizón *m*.

straddle ['strædl] *vt (subj: person)* sentarse a horcajadas sobre.

straggle ['strægl] *vi* 1. *(sprawl)* desparramarse. 2. *(dawdle)* rezagarse.

straggler ['stræglər] *n* rezagado *m*, -da *f*.

straight [streɪt] ◇ *adj* 1. *(not bent)* recto(ta). 2. *(hair)* liso(sa). 3. *(honest,*

S

straightaway

336

frank) sincero(ra). **4.** *(tidy)* arreglado (da). **5.** *(choice, swap)* simple, fácil. **6.** *(alcoholic drink)* solo(la). ◊ *adv* **1.** *(in a straight line - horizontally)* directamente; *(- vertically)* recto(ta); ~ **ahead** todo recto. **2.** *(directly)* directamente; *(immediately)* inmediatamente. **3.** *(frankly)* francamente. **4.** *(tidy)* en orden. **5.** *(undiluted)* solo(la). **6.** *phr:* **let's get things** ~ vamos a aclarar las cosas. ♦ **straight off** *adv* en el acto. ♦ **straight out** *adv* sin tapujos.

straightaway [ˌstreɪtə'weɪ] *adv* en seguida.

straighten ['streɪtn] *vt* **1.** *(tidy - room)* ordenar; *(- hair, dress)* poner bien. **2.** *(make straight - horizontally)* poner recto(ta); *(- vertically)* enderezar. ♦ **straighten out** *vt sep (mess)* arreglar; *(problem)* resolver.

straight face *n:* **to keep a** ~ aguantar la risa.

straightforward [ˌstreɪt'fɔːʳwəʳd] *adj* **1.** *(easy)* sencillo(lla). **2.** *(frank - answer)* directo(ta); *(- person)* sincero(ra).

strain [streɪn] ◊ *n* **1.** *(weight)* peso *m*; *(pressure)* presión *f*. **2.** *(mental stress)* tensión *f* nerviosa. **3.** *(physical injury)* torcedura *f*. **4.** *(worry, difficulty)* esfuerzo *m*. ◊ *vt* **1.** *(overtax - budget)* estirar; *(- enthusiasm)* agotar. **2.** *(use hard):* **to ~ one's eyes/ears** aguzar la vista/el oído. **3.** *(injure - eyes)* cansar; *(- muscle, back)* torcerse. **4.** *(drain)* colar. ◊ *vi:* **to ~ to do sthg** esforzarse por hacer algo. ♦ **strains** *npl literary (of music)* acordes *mpl.*

strained [streɪnd] *adj* **1.** *(worried)* preocupado(da). **2.** *(unfriendly)* tirante, tenso(sa). **3.** *(insincere)* forzado(da).

strainer ['streɪnəʳ] *n* colador *m.*

strait [streɪt] *n* estrecho *m.* ♦ **straits** *npl:* **in dire** OR **desperate** ~**s** en un serio aprieto.

straitjacket ['streɪtdʒækət] *n (garment)* camisa *f* de fuerza.

strand [strænd] *n (thin piece)* hebra *f*; **a ~ of hair** un pelo del cabello.

stranded ['strændəd] *adj (ship)* varado (da); *(person)* colgado(da).

strange [streɪndʒ] *adj* **1.** *(unusual)* raro (ra), extraño(ña). **2.** *(unfamiliar)* extraño (ña), desconocido(da).

stranger ['streɪndʒəʳ] *n* **1.** *(unfamiliar person)* extraño *m*, -ña *f*, desconocido *m*, -da *f*. **2.** *(outsider)* forastero *m*, -ra *f.*

strangle ['stræŋgl] *vt (kill)* estrangular.

strap [stræp] ◊ *n* **1.** *(of handbag, rifle)* bandolera *f*. **2.** *(of watch, case)* correa *f*;

(of dress, bra) tirante *m.* ◊ *vt (fasten)* atar con correa.

strapping ['stræpɪŋ] *adj* robusto(ta).

strategic [strə'tiːdʒɪk] *adj* estratégico (ca).

strategy ['strætədʒɪ] *n* estrategia *f.*

straw [strɔː] *n* **1.** (AGR) paja *f*. **2.** *(for drinking)* pajita *f*, paja *f*. **3.** *phr:* **the last** ~ el colmo.

strawberry [*Am* 'strɔːberɪ, *Br* -bərɪ] *n* fresa *f*, frutilla *f Amer.*

stray [streɪ] ◊ *adj* **1.** *(animal - without owner)* callejero(ra); *(- lost)* extraviado (da). **2.** *(bullet)* perdido(da); *(example)* aislado(da). ◊ *vi* **1.** *(from path)* desviarse; *(from group)* extraviarse. **2.** *(thoughts, mind)* perderse.

streak [striːk] ◊ *n* **1.** *(of hair)* mechón *m*; *(of lightning)* rayo *m*; *(of grease)* raya *f*. **2.** *(in character)* vena *f*. ◊ *vi (move quickly)* ir como un rayo.

stream [striːm] ◊ *n* **1.** *(small river)* riachuelo *m*. **2.** *(of liquid, smoke)* chorro *m*; *(of light)* raudal *m*. **3.** *(current)* corriente *f*. **4.** *(of people, cars)* torrente *m*. **5.** *(continuous series)* sarta *f*, serie *f*. **6.** *Br* (SCH) grupo *m*. ◊ *vi* **1.** *(liquid, smoke, light):* **to ~ into** entrar a raudales en; **to ~ out of** brotar de. **2.** *(people, cars):* **to ~ into** entrar atropelladamente en; **to ~ out of** salir atropelladamente de. ◊ *vt Br* (SCH) agrupar de acuerdo con el rendimiento escolar.

streamer ['striːməʳ] *n (for party)* serpentina *f.*

streamlined ['striːmlaɪnd] *adj* **1.** *(aerodynamic)* aerodinámico(ca). **2.** *(efficient)* racional.

street [striːt] *n* calle *f.*

streetcar ['striːtkɑːʳ] *n Am* tranvía *m.*

street lamp, street light *n* farola *f.*

street plan *n* plano *m* (de la ciudad).

streetwise ['striːtwaɪz] *adj inf* espabilado(da).

strength [streŋθ] *n* **1.** *(physical or mental power)* fuerza *f*. **2.** *(power, influence)* poder *m*. **3.** *(quality)* punto *m* fuerte. **4.** *(solidity - of material structure)* solidez *f*. **5.** *(intensity - of feeling, smell, wind)* intensidad *f*; *(- of accent, wine)* fuerza *f*; *(- of drug)* potencia *f*. **6.** *(credibility, weight)* peso *m*, fuerza *f.*

strengthen ['streŋθn] *vt* **1.** *(gen)* fortalecer. **2.** *(reinforce - argument, bridge)* reforzar. **3.** *(intensify)* acentuar, intensificar. **4.** *(make closer)* estrechar.

strenuous ['strenjʊəs] *adj* agotador (ra).

stress [stres] ◊ *n* **1.** *(emphasis):* ~ **(on)**

hincapié *m* OR énfasis *m inv* (en). **2.** *(tension, anxiety)* estrés *m*. **3.** *(physical pressure)*: ~ **(on)** presión *f* (en). **4.** (LING) *(on word, syllable)* acento *m*. ◇ *vt* **1.** *(emphasize)* recalcar, subrayar. **2.** (LING) *(word, syllable)* acentuar.

stressful ['stresfl] *adj* estresante.

stretch [stretʃ] ◇ *n* **1.** *(of land, water)* extensión *f*; *(of road, river)* tramo *m*, trecho *m*. **2.** *(of time)* periodo *m*. ◇ *vt* **1.** *(gen)* estirar. **2.** *(overtax - person)* extender. **3.** *(challenge)* hacer rendir al máximo. ◇ *vi (area)*: **to ~ over/from ...** **to** extenderse por/desde ... hasta. **♦ stretch out** ◇ *vt sep (foot, leg)* estirar; *(hand, arm)* alargar. ◇ *vi* **1.** *(lie down)* tumbarse. **2.** *(reach out)* estirarse.

stretcher ['stretʃər] *n* camilla *f*.

strew [struː] (*pp* **strewn** [struːn] OR **-ed**) *vt*: **to be strewn with** estar cubierto(ta) de.

stricken ['strikən] *adj*: **to be ~ by** OR **with** *(illness)* estar aquejado(da) de; *(grief)* estar afligido(da) por; *(doubts, horror)* estar atenazado(da) por.

strict [strikt] *adj* **1.** *(gen)* estricto(ta). **2.** *(precise)* exacto(ta), estricto(ta).

strictly ['striktli] *adv* **1.** *(severely)* severamente. **2.** *(absolutely - prohibited)* terminantemente; *(- confidential)* absolutamente. **3.** *(exactly)* exactamente; ~ **speaking** en el sentido estricto de la palabra. **4.** *(exclusively)* exclusivamente.

stride [straid] (*pt* **strode**, *pp* **stridden** ['stridn]) ◇ *n* zancada *f*. ◇ *vi* andar a zancadas.

strident ['straidnt] *adj* **1.** *(harsh)* estridente. **2.** *(vociferous)* exaltado(da).

strife [straif] *n* (U) *fml* conflictos *mpl*.

strike [straik] (*pt & pp* **struck**) ◇ *n* **1.** *(refusal to work etc)* huelga *f*; **to be (out) on ~** estar en huelga; **to go on ~** declararse en huelga. **2.** (MIL) ataque *m*. **3.** *(find)* descubrimiento *m*. ◇ *vt* **1.** *fml (hit - deliberately)* golpear, pegar; *(- accidentally)* chocar contra. **2.** *(subj: disaster, earthquake)* asolar; *(subj: lightning)* fulminar. **3.** *(subj: thought, idea)* ocurrírsele a. **4.** *(deal, bargain)* cerrar. **5.** *(match)* encender. ◇ *vi* **1.** *(stop working)* estar en huelga. **2.** *fml (hit accidentally)*: **to ~ against** chocar contra. **3.** *(hurricane, disaster)* sobrevenir; *(lightning)* caer. **4.** *fml (attack)* atacar. **5.** *(chime)* dar la hora; **the clock struck six** el reloj dio las seis. **♦ strike down** *vt sep* fulminar. **♦ strike out** *vt sep* tachar. **♦ strike up** *vt fus* **1.** *(friendship)* trabar; *(conversation)* entablar. **2.** *(tune)* empezar a tocar.

striker ['straikər] *n* **1.** *(person on strike)*

huelguista *m* y *f*. **2.** (FTBL) delantero *m*, -ra *f*.

striking ['straikiŋ] *adj* **1.** *(noticeable, unusual)* chocante, sorprendente. **2.** *(attractive)* llamativo(va), atractivo(va).

string [striŋ] (*pt & pp* **strung**) *n* **1.** *(thin rope)* cuerda *f*; **a (piece of) ~** un cordón; **to pull ~s** utilizar uno sus influencias. **2.** *(of beads, pearls)* sarta *f*. **3.** *(series)* serie *f*, sucesión *f*. **4.** *(of musical instrument)* cuerda *f*. **♦ strings** *npl* (MUS): **the ~s** los instrumentos de cuerda. **♦ string out** *vt fus*: **to be strung out** alinearse. **♦ string together** *vt sep* enlazar.

string bean *n* judía *f* verde.

stringed instrument [ˌstriŋd-] *n* instrumento *m* de cuerda.

stringent ['strindʒənt] *adj* estricto(ta), severo(ra).

strip [strip] ◇ *n* **1.** *(narrow piece)* tira *f*. **2.** *(narrow area)* franja *f*. **3.** *Br* (SPORT) camiseta *f*, colores *mpl*. ◇ *vt* **1.** *(undress)* desnudar. **2.** *(paint, wallpaper)* quitar. ◇ *vi (undress)* desnudarse. **♦ strip off** *vi* desnudarse.

strip cartoon *n Br* historieta *f*, tira *f* cómica.

stripe [straip] *n* **1.** *(band of colour)* raya *f*, franja *f*. **2.** *(sign of rank)* galón *m*.

striped [straipt] *adj* a rayas.

stripper ['stripər] *n* **1.** *(performer of striptease)* artista *m* y *f* de striptease. **2.** *(for paint)* disolvente *m*.

striptease ['striptiːz] *n* striptease *m*.

strive [straiv] (*pt* **strove**, *pp* **striven** ['strivn]) *vi fml*: **to ~ for sthg** luchar por algo; **to ~ to do sthg** esforzarse por hacer algo.

strode [stroud] *pt* → **stride**.

stroke [strouk] ◇ *n* **1.** (MED) apoplejía *f*, derrame *m* cerebral. **2.** *(of pen)* trazo *m*; *(of brush)* pincelada *f*. **3.** *(style of swimming)* estilo *m*. **4.** *(in tennis, golf)* golpe *m*. **5.** *(of clock)* campanada *f*. **6.** *Br* (TYPO) *(oblique)* barra *f*. **7.** *(piece)*: **a ~ of genius** una genialidad; **a ~ of luck** un golpe de suerte; **at a ~** de una vez, de golpe. ◇ *vt* acariciar.

stroll [stroul] ◇ *n* paseo *m*. ◇ *vi* pasear.

stroller ['stroulər] *n Am (for baby)* sillita *f* (de niño).

strong [stroŋ] *adj* **1.** *(gen)* fuerte. **2.** *(material, structure)* sólido(da), resistente. **3.** *(feeling, belief)* profundo(da); *(opposition, denial)* firme; *(support)* acérrimo(ma); *(accent)* marcado(da). **4.** *(discipline, policy)* estricto(ta). **5.** *(argument)*

S

convincente. **6.** *(in numbers)*: **the crowd
was 2,000 ~** la multitud constaba de
2.000 personas. **7.** *(good, gifted)*: **one's ~
point** el punto fuerte de uno. **8.** *(concentrated)* concentrado(da).

strongbox ['strɒŋbɒks] *n* caja *f*
fuerte.

stronghold ['strɒŋhould] *n fig (bastion)*
bastión *m*, baluarte *m*.

strongly ['strɒŋlɪ] *adv* **1.** *(sturdily)* fuer-
temente. **2.** *(in degree)* intensamente.
3. *(fervently)*: **to support/oppose sthg ~**
apoyar/oponerse a algo totalmente.

strong room *n* cámara *f* acorazada.

strove [strouv] *pt* → **strive.**

struck [strʌk] *pt & pp* → **strike.**

structure ['strʌktʃə^r] *n* **1.** *(arrangement)* estructura *f.* **2.** *(building)* construcción *f.*

struggle ['strʌgl] ◇ *n* **1.** *(great effort)*: **~
(for sthg/to do sthg)** lucha *f* (por algo/
por hacer algo). **2.** *(fight, tussle)* forcejeo
m. ◇ *vi* **1.** *(make great effort)*: **to ~ (for
sthg/to do sthg)** luchar (por algo/por
hacer algo). **2.** *(to free o.s.)*: **to ~ free** forcejear para soltarse. **3.** *(move with difficulty)*: **to ~ with sthg** llevar algo con
dificultad.

strum [strʌm] *vt & vi* rasguear.

strung [strʌŋ] *pt & pp* → **string.**

strut [strʌt] ◇ *n* (CONSTR) puntal *m.*
◇ *vi* andar pavoneándose.

stub [stʌb] ◇ *n* **1.** *(of cigarette)* colilla *f*;
(of pencil) cabo *m.* **2.** *(of ticket)* resguardo *m*; *(of cheque)* matriz *f.* ◇ *vt*: **to ~
one's toe on** darse con el pie en. ◆ **stub
out** *vt sep* apagar.

stubble ['stʌbl] *n* **1.** *(U)* *(in field)* rastrojo *m.* **2.** *(on chin)* barba *f* incipiente
OR de tres días.

stubborn ['stʌbə^rn] *adj (person)* terco
(ca), testarudo(da).

stuck [stʌk] ◇ *pt & pp* → **stick.** ◇ *adj*
1. *(jammed - lid, window)* atascado(da).
2. *(unable to progress)* atascado(da).
3. *(stranded)* colgado(da). **4.** *(in a meeting, at home)* encerrado(da).

stuck-up *adj inf pej* engreído(da).

stud [stʌd] *n* **1.** *(metal decoration)*
tachón *m.* **2.** *(earring)* pendiente *m.* **3.**
Br (on boot, shoe) taco *m.* **4.** *(horse)*
semental *m.*

student ['stju:dnt] ◇ *n* **1.** *(at college,
university)* estudiante *m y f.* **2.** *(scholar)*
estudioso *m*, -sa *f.* ◇ *comp* estudiantil.

studio ['stju:dɪəʊ] *(pl* **-s)** *n* estudio *m.*

studio apartment *Am,* **studio flat**
Br n estudio *m.*

studious ['stju:djəs] *adj* estudioso(sa).

studiously ['stju:djəslɪ] *adv* cuidadosamente.

study ['stʌdɪ] ◇ *n* estudio *m.* ◇ *vt*
1. *(learn)* estudiar. **2.** *(examine - report,
sb's face)* examinar, estudiar. ◇ *vi* estudiar. ◆ **studies** *npl* estudios *mpl.*

stuff [stʌf] ◇ *n (U) inf* **1.** *(things, belongings)* cosas *fpl.* **2.** *(substance)*: **what's that
~ in your pocket?** ¿qué es eso que llevas
en el bolsillo? ◇ *vt* **1.** *(push, put)* meter.
2. *(fill, cram)*: **to ~ sthg (with)** *(box, room)*
llenar algo (de); *(pillow, doll)* rellenar
algo (de). **3.** (CULIN) rellenar.

stuffed [stʌft] *adj* **1.** *(filled, crammed)*:
~ with atestado(da) de. **2.** *inf (subj: person - with food)* lleno(na), inflado(da).
3. (CULIN) relleno(na). **4.** *(preserved -
animal)* disecado(da).

stuffing ['stʌfɪŋ] *n (U)* relleno *m.*

stuffy ['stʌfɪ] *adj* **1.** *(atmosphere)* carga-
do(da); *(room)* mal ventilado(da).
2. *(old-fashioned)* retrógrado(da), carca.

stumble ['stʌmbl] *vi (trip)* tropezar.
◆ **stumble across, stumble on** *vt fus
(thing)* dar con; *(person)* encontrarse con.

stumbling block ['stʌmblɪŋ-] *n* obstáculo *m*, escollo *m.*

stump [stʌmp] ◇ *n (of tree)* tocón *m*; *(of
limb)* muñón *m.* ◇ *vt (subj: question, problem)* dejar perplejo(ja).

stun [stʌn] *vt lit & fig* aturdir.

stung [stʌŋ] *pt & pp* → **sting.**

stunk [stʌŋk] *pt & pp* → **stink.**

stunning ['stʌnɪŋ] *adj* **1.** *(very
beautiful)* imponente. **2.** *(shocking)* pas-
moso(sa).

stunt [stʌnt] ◇ *n* **1.** *(for publicity)* truco
m publicitario. **2.** (CINEMA) escena *f*
arriesgada OR peligrosa. ◇ *vt* atrofiar.

stunted ['stʌntɪd] *adj* esmirriado(da).

stunt man *n* especialista *m*, doble *m.*

stupefy ['stju:pɪfaɪ] *vt* **1.** *(tire, bore)*
aturdir, atontar. **2.** *(surprise)* dejar estu-
pefacto(ta).

stupendous [stju:'pendəs] *adj inf
(wonderful)* estupendo(da); *(very large)*
enorme.

stupid ['stju:pəd] *adj* **1.** *(foolish)* estúpi-
do(da). **2.** *inf (annoying)* puñetero(ra).

stupidity [stju:'pɪdətɪ] *n (U)* estupidez
f.

sturdy ['stɜ:^rdɪ] *adj (person, shoulders)*
fuerte; *(furniture, bridge)* firme, sólido
(da).

stutter ['stʌtə^r] *vi* tartamudear.

sty [staɪ] *n (pigsty)* pocilga *f.*

stye [staɪ] *n* orzuelo *m.*

style [staɪl] ◇ *n* **1.** *(characteristic manner)* estilo *m.* **2.** *(U)* *(smartness, elegance)*

clase *f*. **3**. *(design)* modelo *m*. ◇ *vt (hair)* peinar.

stylish ['staɪlɪʃ] *adj* elegante, con estilo.

stylist ['staɪləst] *n (hairdresser)* peluquero *m*, -ra *f*.

stylus ['staɪləs] (*pl* **-es**) *n (on record player)* aguja *f*.

suave [swɑːv] *adj (well-mannered)* afable, amable; *(obsequious)* zalamero(ra).

sub [sʌb] *n inf* (SPORT) *(abbr of* **substitute)** reserva *m y f*.

subconscious [ˌsʌb'kɒnʃəs] *adj* subconsciente.

subcontract [ˌsʌb'kɒntrækt] *vt* subcontratar.

subdivide [ˌsʌbdɪ'vaɪd] *vt* subdividir.

subdue [səb'djuː] *vt* **1**. *(enemy, nation)* sojuzgar. **2**. *(feelings)* contener.

subdued [səb'djuːd] *adj* **1**. *(person)* apagado(da). **2**. *(colour, light)* tenue.

subject [*adj, n & prep* 'sʌbdʒekt, *vt* səb-'dʒekt] ◇ *adj (affected)*: ~ **to** *(taxes, changes, law)* sujeto(ta) a; *(illness)* proclive a. ◇ *n* **1**. *(topic)* tema *m*. **2**. (GRAMM) sujeto *m*. **3**. (SCH & UNIV) asignatura *f*. **4**. *(citizen)* súbdito *m*, -ta *f*. ◇ *vt* **1**. *(bring under control)* someter, dominar. **2**. *(force to experience)*: **to** ~ **sb to sthg** someter a alguien a algo. ◆ **subject to** *prep* dependiendo de.

subjective [səb'dʒektɪv] *adj* subjetivo(va).

subject matter ['sʌbdʒekt-] *n* (U) tema *m*, contenido *m*.

subjunctive [səb'dʒʌŋktɪv] *n* (GRAMM): ~ **(mood)** *(modo m)* subjuntivo *m*.

sublet [ˌsʌb'let] (*pt & pp* **sublet**) *vt & vi* subarrendar.

sublime [sə'blaɪm] *adj (wonderful)* sublime.

submachine gun [ˌsʌbmə'ʃiːn-] *n* metralleta *f*.

submarine [ˌsʌbmə'riːn] *n* submarino *m*.

submerge [səb'mɜːdʒ] ◇ *vt* **1**. *(in water)* sumergir. **2**. *fig (in activity)*: **to** ~ **o.s. in sthg** dedicarse de lleno a algo. ◇ *vi* sumergirse.

submission [səb'mɪʃn] *n* **1**. *(capitulation)* sumisión *f*. **2**. *(presentation)* presentación *f*.

submissive [səb'mɪsɪv] *adj* sumiso(sa).

submit [səb'mɪt] ◇ *vt* presentar. ◇ *vi*: **to** ~ **(to sb)** rendirse (a alguien); **to** ~ **(to sthg)** someterse (a algo).

subordinate [sə'bɔːdɪnət] ◇ *adj fml (less important)*: ~ **(to)** subordinado(da) (a). ◇ *n* subordinado *m*, -da *f*.

subpoena [sə'piːnə] (JUR) ◇ *n* citación *f*. ◇ *vt* citar.

subscribe [səb'skraɪb] *vi* **1**. *(to magazine, newspaper)*: **to** ~ **(to)** suscribirse (a). **2**. *(to belief)*: **to** ~ **to** estar de acuerdo con.

subscriber [səb'skraɪbər] *n* **1**. *(to magazine, newspaper)* suscriptor *m*, -ra *f*. **2**. *(to service)* abonado *m*, -da *f*.

subscription [səb'skrɪpʃn] *n (to magazine)* suscripción *f*; *(to service)* abono *m*; *(to society, club)* cuota *f*.

subsequent ['sʌbsɪkwənt] *adj* subsiguiente, posterior.

subsequently ['sʌbsɪkwəntlɪ] *adv* posteriormente.

subservient [səb'sɜːvjənt] *adj (servile)*: ~ **(to sb)** servil (ante alguien).

subside [səb'saɪd] *vi* **1**. *(anger)* apaciguarse; *(pain)* calmarse; *(grief)* pasarse; *(storm, wind)* amainar. **2**. *(noise)* apagarse. **3**. *(river)* bajar, descender; *(building, ground)* hundirse.

subsidence [səb'saɪdns, 'sʌbsɪdns] *n* hundimiento *m*.

subsidiary [səb'sɪdɪərɪ, *Br* -ɪərɪ] ◇ *adj* secundario(ria). ◇ *n*: ~ **(company)** filial *f*.

subsidize ['sʌbsədaɪz] *vt* subvencionar.

subsidy ['sʌbsədɪ] *n* subvención *f*.

substance ['sʌbstəns] *n* **1**. *(gen)* sustancia *f*. **2**. *(essence)* esencia *f*.

substantial [səb'stænʃl] *adj* **1**. *(large, considerable)* sustancial, considerable; *(meal)* abundante. **2**. *(solid)* sólido(da).

substantially [səb'stænʃəlɪ] *adv* **1**. *(quite a lot)* sustancialmente, considerablemente. **2**. *(fundamentally)* esencialmente; *(for the most part)* en gran parte.

substantiate [səb'stænʃɪeɪt] *vt fml* justificar.

substitute ['sʌbstɪtjuːt] ◇ *n* **1**. *(replacement)*: ~ **(for)** sustituto *m*, -ta *f* (de). **2**. (SPORT) suplente *m y f*, reserva *m y f*. ◇ *vt*: **to** ~ **sthg/sb for** sustituir algo/a alguien con.

subtitle ['sʌbtaɪtl] *n* subtítulo *m*.

subtle ['sʌtl] *adj* **1**. *(gen)* sutil; *(taste, smell)* delicado(da). **2**. *(plan, behaviour)* ingenioso(sa).

subtlety ['sʌtltɪ] *n* **1**. *(gen)* sutileza *f*; *(of taste, smell)* delicadeza *f*. **2**. *(of plan, behaviour)* ingenio *m*.

subtract [səb'trækt] *vt*: **to** ~ **sthg (from)** restar algo (de).

subtraction [səb'trækʃn] *n* resta *f*.

suburb ['sʌbɜːb] *n* barrio *m* residencial. ◆ **suburbs** *npl*: **the** ~**s** las afueras.

S

suburban [sə'bɜːᵣbən] *adj* **1.** *(of suburbs)* de los barrios residenciales. **2.** *pej (boring)* convencional, burgués(esa).

subversive [səb'vɜːᵣsɪv] ◇ *adj* subversivo(va). ◇ *n* subversivo *m*, -va *f*.

subway ['sʌbweɪ] *n* **1.** *Am (underground railway)* metro *m*. **2.** *Br (underground walkway)* paso *m* subterráneo.

succeed [sək'siːd] ◇ *vt* suceder a. ◇ *vi* **1.** *(gen)* tener éxito. **2.** *(achieve desired result):* **to ~ in sthg/in doing sthg** conseguir algo/hacer algo. **3.** *(plan, tactic)* salir bien. **4.** *(go far in life)* triunfar.

succeeding [sək'siːdɪŋ] *adj fml* sucesivo(va).

success [sək'ses] *n* **1.** *(gen)* éxito *m*; **to be a ~** tener éxito. **2.** *(in career, life)* triunfo *m*.

successful [sək'sesfl] *adj* *(gen)* de éxito; *(attempt)* logrado(da); *(politician)* popular.

succession [sək'seʃn] *n* sucesión *f*.

successive [sək'sesɪv] *adj* sucesivo(va).

succinct [sək'sɪŋkt] *adj* sucinto(ta).

succumb [sə'kʌm] *vi:* **to ~ (to)** sucumbir (a).

such [sʌtʃ] ◇ *adj* **1.** *(like that)* semejante, tal; **~ stupidity** tal OR semejante estupidez. **2.** *(like this):* **have you got ~ a thing as a tin opener?** ¿tendrías acaso un abrelatas?; **~ words as 'duty' and 'honour'** palabras (tales) como 'deber' y 'honor'. **3.** *(whatever):* **I've spent ~ money as I had** he gastado el poco dinero que tenía. **4.** *(so great, so serious):* **there are ~ differences that ...** las diferencias son tales que ...; **~ ... that ... que.** ◇ *adv* tan; **~ a lot of books** tantos libros; **~ nice people** una gente tan amable; **~ a good car** un coche tan bueno; **~ a long time** tanto tiempo. ◇ *pron:* **and ~ (like)** y otros similares OR por el estilo. ◆ **as such** *pron* propiamente dicho(cha). ◆ **such and such** *adj:* **at ~ and ~ a time** a tal hora.

> • Cuando *such* se usa como adjetivo siempre va seguido del sustantivo. *Such* se usa con sustantivos incontables (*such energy; such amazing stupidity*) y de contables en plural (*such idiots; such expensive tastes*). *Such a/an* se emplea con sustantivos contables en singular (*such a fool; such an awful person*).

suck [sʌk] *vt* **1.** *(by mouth)* chupar. **2.** *(subj: machine)* aspirar.

sucker ['sʌkəᵣ] *n* **1.** *(of animal)* ventosa *f*. **2.** *inf (gullible person)* primo *m*, -ma *f*,

ingenuo *m*, -nua *f*.

suction ['sʌkʃn] *n* *(gen)* succión *f*; *(by machine)* aspiración *f*.

Sudan [*Am* suː'dæn, *Br* -'dɑːn] *n* (el) Sudán.

sudden ['sʌdn] *adj* *(quick)* repentino (na); *(unforeseen)* inesperado(da); **all of a ~** de repente.

suddenly ['sʌdnlɪ] *adv* de repente.

suds [sʌdz] *npl* espuma *f* del jabón.

sue [suː] *vt:* **to ~ sb (for)** demandar a alguien (por).

suede [sweɪd] *n* *(for jacket, shoes)* ante *m*; *(for gloves)* cabritilla *f*.

suet ['suːɪt] *n* sebo *m*.

suffer ['sʌfəᵣ] ◇ *vt* sufrir. ◇ *vi* **1.** *(gen)* sufrir. **2.** *(experience negative effects)* salir perjudicado(da). **3.** (MED): **to ~ from** *(illness)* sufrir OR padecer de.

sufferer ['sʌfərəᵣ] *n* enfermo *m*, -ma *f*.

suffering ['sʌfərɪŋ] *n* *(gen)* sufrimiento *m*; *(pain)* dolor *m*.

suffice [sə'faɪs] *vi fml* ser suficiente, bastar.

sufficient [sə'fɪʃnt] *adj fml* suficiente, bastante.

sufficiently [sə'fɪʃntlɪ] *adv fml* suficientemente, bastante.

suffocate ['sʌfəkeɪt] ◇ *vt* asfixiar, ahogar. ◇ *vi* asfixiarse, ahogarse.

suffrage ['sʌfrɪdʒ] *n* sufragio *m*.

sugar ['ʃʊgəᵣ] ◇ *n* azúcar *m* o *f*. ◇ *vt* echar azúcar a.

sugar beet *n* remolacha *f* (azucarera).

sugarcane ['ʃʊgəᵣkeɪn] *n* (U) caña *f* de azúcar.

sugary ['ʃʊgərɪ] *adj* *(high in sugar)* azucarado(da), dulce.

suggest [*Am* səg'dʒest, *Br* sə'dʒest] *vt* **1.** *(propose)* sugerir; **to ~ that sb do sthg** sugerir que alguien haga algo. **2.** *(imply)* insinuar.

suggestion [*Am* səg'dʒestʃən, *Br* sə'dʒes-] *n* **1.** *(proposal)* sugerencia *f*. **2.** *(implication)* insinuación *f*.

suggestive [*Am* səg'dʒestɪv, *Br* sə'dʒest-] *adj* *(implying sexual connotation)* provocativo(va), insinuante.

suicide ['suːɪsaɪd] *n lit & fig* suicidio *m*; **to commit ~** suicidarse.

suit [suːt] ◇ *n* **1.** *(clothes - for men)* traje *m*; *(- for women)* traje de chaqueta. **2.** *(in cards)* palo *m*. **3.** (JUR) pleito *m*. ◇ *vt* **1.** *(look attractive on)* favorecer, sentar bien a. **2.** *(be convenient or agreeable to)* convenir. **3.** *(be appropriate to)* ser adecuado(da) para; **that job ~s you perfectly** ese trabajo te va de perlas.

suitable ['su:təbl] *adj* adecuado(da); **the most ~ person** la persona más indicada.

suitably ['su:təblɪ] *adv* adecuadamente.

suitcase ['su:tkeɪs] *n* maleta *f*, valija *f* *CSur*, petaca *f* *Méx*.

suite [swi:t] *n* 1. *(of rooms)* suite *f*. 2. *(of furniture)* juego *m*; **dining-room ~** comedor *m*.

suited ['su:təd] *adj*: **~ to/for** adecuado (da) para; **the couple are ideally ~** forman una pareja perfecta.

sulfur *Am*, **sulphur** *Br* ['sʌlfəʳ] *n* azufre *m*.

sulk [sʌlk] *vi* estar de mal humor.

sulky ['sʌlkɪ] *adj* malhumorado(da).

sullen ['sʌlən] *adj* hosco(ca), antipático (ca).

sulphur *Br* = sulfur.

sultana [*Am* sʌl'tænə, *Br* -'tɑ:nə] *n Br (dried grape)* pasa *f* de Esmirna.

sultry ['sʌltrɪ] *adj (hot)* bochornoso(sa), sofocante.

sum [sʌm] *n* suma *f*. ◆ **sum up** *vt sep & vi (summarize)* resumir.

summarize ['sʌməraɪz] *vt & vi* resumir.

summary ['sʌmərɪ] *n* resumen *m*.

summer ['sʌməʳ] ◇ *n* verano *m*. ◇ *comp* de verano.

summerhouse ['sʌməʳhaʊs, *pl* -haʊzɪz] *n* cenador *m*.

summer school *n* escuela *f* de verano.

summertime ['sʌməʳtaɪm] *n*: **(the) ~** (el) verano.

summit ['sʌmɪt] *n* 1. *(mountain-top)* cima *f*, cumbre *f*. 2. *(meeting)* cumbre *f*.

summon ['sʌmən] *vt (person)* llamar; *(meeting)* convocar. ◆ **summon up** *vt sep (courage)* armarse de.

summons ['sʌmənz] (*pl* **summonses**) (JUR) ◇ *n* citación *f*. ◇ *vt* citar.

sump [sʌmp] *n* cárter *m*.

sumptuous ['sʌmptʃʊəs] *adj* suntuoso (sa).

sun [sʌn] *n* sol *m*; **in the ~** al sol.

sunbathe ['sʌnbeɪð] *vi* tomar el sol.

sunbed ['sʌnbed] *n* camilla *f* de rayos ultravioletas.

sunburn ['sʌnbɜ:ʳn] *n (U)* quemadura *f* de sol.

sunburned ['sʌnbɜ:ʳnd], **sunburnt** ['sʌnbɜ:ʳnt] *adj* quemado(da) por el sol.

Sunday ['sʌndeɪ] *n* domingo *m*; **~ lunch** *comida del domingo que generalmente consiste en rosbif, patatas asadas etc*;

see also **Saturday**.

Sunday school *n* catequesis *f inv*.

sundial ['sʌndaɪəl] *n* reloj *m* de sol.

sundown ['sʌndaʊn] *n* anochecer *m*.

sundry ['sʌndrɪ] *adj fml* diversos(sas); **all and ~** todos sin excepción.

sunflower ['sʌnflaʊəʳ] *n* girasol *m*.

sung [sʌŋ] *pp* → **sing**.

sunglasses [*Am* 'sʌnglæsəz, *Br* -glɑ:s-] *npl* gafas *fpl* de sol.

sunk [sʌŋk] *pp* → **sink**.

sunlight ['sʌnlaɪt] *n* luz *f* del sol.

sunlit ['sʌnlɪt] *adj* iluminado(da) por el sol.

sunny ['sʌnɪ] *adj* 1. *(day)* de sol; *(room)* soleado(da). 2. *(cheerful)* alegre.

sunrise ['sʌnraɪz] *n* 1. *(time of day)* amanecer *m*. 2. *(event)* salida *f* del sol.

sunroof ['sʌnru:f] *n (on car)* techo *m* corredizo; *(on building)* azotea *f*.

sunset ['sʌnset] *n* 1. *(U) (time of day)* anochecer *m*. 2. *(event)* puesta *f* del sol.

sunshade ['sʌnʃeɪd] *n* sombrilla *f*.

sunshine ['sʌnʃaɪn] *n* (luz *f* del) sol *m*.

sunstroke ['sʌnstrəʊk] *n (U)* insolación *f*.

suntan ['sʌntæn] ◇ *n* bronceado *m*. ◇ *comp* bronceador(ra).

suntrap ['sʌntræp] *n* lugar *m* muy soleado.

super ['su:pəʳ] *adj* 1. *inf (wonderful)* estupendo(da), fenomenal. 2. *(better than normal - size etc)* superior.

superannuation [,su:pərænjʊ'eɪʃn] *n (U)* jubilación *f*, pensión *f*.

superb [su:'pɜ:ʳb] *adj* excelente, magnífico(ca).

Super Bowl *n Am*: **the ~** la final del campeonato estadounidense de fútbol americano.

S

SUPER BOWL

El *Super Bowl* es un partido de fútbol americano en el que se enfrentan los campeones de las dos ligas o *conferences* más importantes del fútbol profesional en Estados Unidos. Tiene lugar al final de la temporada de juegos —finales de enero de cada año— y una gran cantidad de gente en Estados Unidos y otros países presencian este encuentro por televisión.

supercilious [,su:pəʳ'sɪlɪəs] *adj* altanero(ra).

superficial [,su:pəʳ'fɪʃl] *adj* superficial.

superfluous [su:'pɜ:ʳflʊəs] *adj* superfluo(flua).

superhuman [,su:pəʳ'hju:mən] *adj*

sobrehumano(na).

superimpose [ˌsuːpərɪmˈpəʊz] vt: to ~ sthg on superponer OR sobreponer algo a.

superintendent [ˌsuːpərɪnˈtendənt] n 1. Br (of police) = subjefe m, -fa f (de policía). 2. fml (of department) supervisor m, -ra f.

superior [suːˈpɪərɪəʳ] ◇ adj 1. (gen): ~ (to) superior (a). 2. pej (arrogant) altanero(ra), arrogante. ◇ n superior m y f.

superlative [suːˈpɜːlətɪv] ◇ adj (of the highest quality) supremo(ma). ◇ n (GRAMM) superlativo m.

supermarket [ˈsuːpəˌmɑːkət] n supermercado m.

supernatural [ˌsuːpəˈnætʃrəl] adj sobrenatural.

superpower [ˈsuːpəˌpaʊəʳ] n superpotencia f.

supersede [ˌsuːpəˈsiːd] vt suplantar.

supersonic [ˌsuːpəˈsɒnɪk] adj supersónico(ca).

superstitious [ˌsuːpəˈstɪʃəs] adj supersticioso(sa).

superstore [ˈsuːpəˌstɔːʳ] n hipermercado m.

supervise [ˈsuːpəvaɪz] vt (person) vigilar; (activity) supervisar.

supervisor [ˈsuːpəvaɪzəʳ] n (gen) supervisor m, -ra f; (of thesis) director m, -ra f.

supper [ˈsʌpəʳ] n (evening meal) cena f.

supple [ˈsʌpl] adj flexible.

supplement [n ˈsʌpləmənt, vb ˈsʌpləmənt] ◇ n suplemento m. ◇ vt complementar.

supplementary [ˌsʌplɪˈmentərɪ] adj suplementario(ria).

supplementary benefit n Br subsidio m social.

supplier [səˈplaɪəʳ] n proveedor m, -ra f.

supply [səˈplaɪ] ◇ n 1. (gen) suministro m; (of jokes etc) surtido m. 2. (U) (ECON) oferta f. ◇ vt: to ~ sthg (to sb) suministrar OR proveer algo (a); to ~ sb (with) proveer a alguien (de). ◆ **supplies** npl (MIL) pertrechos mpl; (food) provisiones fpl; (for office etc) material m.

support [səˈpɔːt] ◇ n 1. (U) (physical, moral, emotional) apoyo m. 2. (U) (financial) ayuda f. 3. (U) (intellectual) respaldo m. 4. (TECH) soporte m. ◇ vt 1. (physically) sostener. 2. (emotionally, morally, intellectually) apoyar. 3. (financially - oneself, one's family) mantener; (- company, organization) financiar. 4. (SPORT) seguir.

supporter [səˈpɔːtəʳ] n 1. (gen) partidario m, -ria f. 2. (SPORT) hincha m y f.

suppose [səˈpəʊz] ◇ vt suponer. ◇ vi suponer; I ~ (so) supongo (que sí); I ~ not supongo que no.

supposed [səˈpəʊzd] adj 1. (doubtful) supuesto(ta). 2. (intended): he was ~ to be here at eight debería haber estado aquí a las ocho. 3. (reputed): it's ~ to be very good se supone OR se dice que es muy bueno.

supposedly [səˈpəʊzədlɪ] adv según cabe suponer.

supposing [səˈpəʊzɪŋ] conj: ~ your father found out? ¿y si se entera tu padre?

suppress [səˈpres] vt 1. (uprising) reprimir. 2. (emotions) contener.

supreme [sʊˈpriːm] adj supremo(ma).

Supreme Court n: the ~ (in US) el Tribunal Supremo (de los Estados Unidos).

surcharge [ˈsɜːtʃɑːdʒ] n: ~ (on) recargo m (en).

sure [ʃʊəʳ] ◇ adj 1. (gen) seguro(ra). 2. (certain - of outcome): to be ~ of poder estar seguro(ra) de; make ~ (that) you do it asegúrate de que lo haces. 3. (confident): to be ~ of o.s. estar seguro(ra) de uno mismo. ◇ adv 1. inf (yes) por supuesto, pues claro. 2. Am (really) realmente. ◆ **for sure** adv a ciencia cierta. ◆ **sure enough** adv efectivamente.

surely [ˈʃʊəlɪ] adv sin duda; ~ you remember him? ¡no me digas que no te acuerdas de él!

surf [sɜːf] n espuma f (de las olas).

surface [ˈsɜːfəs] ◇ n 1. (gen) superficie f. 2. fig (immediately visible part): on the ~ a primera vista. ◇ vi (gen) salir a la superficie.

surface mail n correo m por vía terrestre/marítima.

surfboard [ˈsɜːfbɔːd] n plancha f OR tabla f de surf.

surfeit [ˈsɜːfɪt] n fml exceso m.

surfing [ˈsɜːfɪŋ] n surf m.

surge [sɜːdʒ] ◇ n 1. (of waves, people) oleada f; (of electricity) sobrecarga f momentánea. 2. (of emotion) arrebato m. 3. (of interest, support, sales) aumento m súbito. ◇ vi (people, vehicles) avanzar en masa; (sea) encresparse.

surgeon [ˈsɜːdʒən] n cirujano m, -na f.

surgery [ˈsɜːdʒərɪ] n 1. (U) (MED) (performing operations) cirugía f. 2. Br (MED) (place) consultorio m; (consulting period) consulta f.

surgical [ˈsɜːdʒɪkl] adj (gen) quirúrgico(ca).

surgical spirit *n Br* alcohol *m* de 90°.

surly ['sɜːʳlɪ] *adj* hosco(ca), malhumorado(da).

surmount [səʳ'maʊnt] *vt (overcome)* superar, vencer.

surname ['sɜːʳneɪm] *n* apellido *m*.

surpass [*Am* sərˈpæs, *Br* səˈpɑːs] *vt fml (exceed)* superar, sobrepasar.

surplus ['sɜːʳpləs] ◇ *adj* excedente, sobrante. ◇ *n (gen)* excedente *m*, sobrante *m*; *(in budget)* superávit *m*.

surprise [səʳ'praɪz] ◇ *n* sorpresa *f*. ◇ *vt* sorprender.

surprised [səʳ'praɪzd] *adj (person, expression)* asombrado(da).

surprising [səʳ'praɪzɪŋ] *adj* sorprendente.

surrender [sə'rendəʳ] ◇ *n* rendición *f*. ◇ *vi lit & fig:* **to ~ (to)** rendirse OR entregarse (a).

surreptitious [*Am* ˌsɜːrəp'tɪʃəs, *Br* ˌsʌr-] *adj* subrepticio(cia).

surrogate [*Am* 'sɜːrəgət, *Br* 'sʌr-] ◇ *adj* sustitutorio(ria). ◇ *n* sustituto *m*, -ta *f*.

surrogate mother *n* madre *f* de alquiler.

surround [sə'raʊnd] *vt lit & fig* rodear.

surrounding [sə'raʊndɪŋ] *adj* **1.** *(area, countryside)* circundante. **2.** *(controversy, debate)* relacionado(da).

surroundings [sə'raʊndɪŋz] *npl (physical)* alrededores *mpl*; *(social)* entorno *m*.

surveillance [səʳ'veɪləns] *n* vigilancia *f*.

survey [*n* 'sɜːʳveɪ, *vb* səʳ'veɪ] ◇ *n* **1.** *(of public opinion, population)* encuesta *f*. **2.** *(of land)* medición *f*; *(of building)* inspección *f*. ◇ *vt* **1.** *(contemplate)* contemplar. **2.** *(investigate statistically)* hacer un estudio de. **3.** *(examine - land)* medir; *(- building)* inspeccionar.

surveyor [səʳ'veɪəʳ] *n (of property)* perito *m* tasador de la propiedad; *(of land)* agrimensor *m*, -ra *f*.

survival [səʳ'vaɪvl] *n (gen)* supervivencia *f*.

survive [səʳ'vaɪv] ◇ *vt* sobrevivir a. ◇ *vi (person)* sobrevivir; *(custom, project)* perdurar.

survivor [səʳ'vaɪvəʳ] *n (person who escapes death)* superviviente *m y f*.

susceptible [sə'septəbl] *adj* **1.** *(to pressure, flattery):* **~ (to)** sensible (a). **2.** (MED): **~ (to)** propenso(sa) (a).

suspect [*adj & n* 'sʌspekt, *vb* sə'spekt] ◇ *adj* sospechoso(sa). ◇ *n* sospechoso *m*, -sa *f*. ◇ *vt* **1.** *(distrust)* sospechar. **2.** *(think likely)* imaginar. **3.** *(consider*

guilty): **to ~ sb (of)** considerar a alguien sospechoso(sa) (de).

suspend [sə'spend] *vt (gen)* suspender; *(payments, work)* interrumpir; *(schoolchild)* expulsar temporalmente.

suspended sentence [sə.spendəd-] *n* condena *f* condicional.

suspender belt [sə'spendəʳ-] *n Br* liguero *m*.

suspenders [sə'spendəʳz] *npl* **1.** *Am (for trousers)* tirantes *mpl*, tiradores *mpl* CSur. **2.** *Br (for stockings)* ligas *fpl*.

suspense [sə'spens] *n (gen)* incertidumbre *f*; (CINEMA) suspense *m*.

suspension [sə'spenʃn] *n* **1.** *(gen &* AUT) suspensión *f*. **2.** *(from job, school)* expulsión *f* temporal.

suspension bridge *n* puente *m* colgante.

suspicion [sə'spɪʃn] *n* **1.** *(gen)* sospecha *f*; *(distrust)* recelo *m*. **2.** *(small amount)* pizca *f*.

suspicious [sə'spɪʃəs] *adj* **1.** *(having suspicions)* receloso(sa). **2.** *(causing suspicion)* sospechoso(sa).

sustain [sə'steɪn] *vt* **1.** *(gen)* sostener. **2.** *fml (injury, damage)* sufrir.

SW *(abbr of short wave)* OC.

swab [swɒb] *n (trozo m de)* algodón *m*.

swagger ['swægəʳ] *vi* pavonearse.

swallow ['swɒləʊ] ◇ *n (bird)* golondrina *f*. ◇ *vt (food, drink)* tragar.

swam [swæm] *pt →* **swim**.

swamp [swɒmp] ◇ *n* pantano *m*, ciénaga *f*. ◇ *vt* **1.** *(flood - boat)* hundir; *(- land)* inundar. **2.** *(overwhelm):* **to ~ sthg (with)** *(office)* inundar algo (de); **to ~ sb (with)** agobiar a alguien (con).

swan [swɒn] *n* cisne *m*.

swap [swɒp] *vt* **1.** *(of one thing):* **to ~ sthg (for/with)** cambiar algo (por/con). **2.** *(of two things):* **to ~ sthg (over** OR **round)** *(hats, chairs)* cambiarse algo. **3.** *fig (stories, experiences)* intercambiar.

swarm [swɔːʳm] ◇ *n (of bees)* enjambre *m*; *fig (of people)* multitud *f*. ◇ *vi* **1.** *fig (people)* ir en tropel. **2.** *fig (place):* **to be ~ing (with)** estar abarrotado(da) (de).

swarthy ['swɔːʳðɪ] *adj* moreno(na).

swat [swɒt] *vt* aplastar.

sway [sweɪ] ◇ *vt (influence)* convencer. ◇ *vi* balancearse.

swear [sweəʳ] *(pt* swore, *pp* sworn) ◇ *vt:* **to ~ (to do sthg)** jurar (hacer algo). ◇ *vi* **1.** *(state emphatically)* jurar. **2.** *(use swearwords)* decir tacos, jurar.

swearword ['sweəʳwɜːʳd] *n* palabrota *f*.

S

sweat [swet] ◇ *n (perspiration)* sudor *m*. ◇ *vi (perspire)* sudar.

sweater ['swetər] *n* suéter *m*, jersey *m*.

sweatshirt ['swetʃɜːrt] *n* sudadera *f*.

sweaty ['sweti] *adj (skin)* sudoroso(sa); *(clothes)* sudado(da).

swede [swiːd] *n Br* nabo *m* sueco.

Swede [swiːd] *n* sueco *m*, -ca *f*.

Sweden ['swiːdn] *n* Suecia.

Swedish ['swiːdɪʃ] ◇ *adj* sueco(ca). ◇ *n (language)* sueco *m*. ◇ *npl:* **the ~** los suecos.

sweep [swiːp] *(pt & pp* **swept)** ◇ *n* **1.** *(movement - of broom)* barrido *m*; *(- of arm, hand)* movimiento *m* OR gesto *m* amplio. **2.** *(chimney sweep)* deshollinador *m*, -ra *f*. ◇ *vt* **1.** *(with brush)* barrer. **2.** *(with light-beam)* rastrear; *(with eyes)* recorrer. ◇ *vi* **1.** *(wind, rain):* **to ~ over** OR **across sthg** azotar algo. **2.** *(person):* **to ~ past** pasar como un rayo. ◆ **sweep away** *vt sep (destroy)* destruir completamente. ◆ **sweep up** *vt sep & vi* barrer.

sweeping ['swiːpɪŋ] *adj* **1.** *(effect, change)* radical. **2.** *(statement)* demasiado general. **3.** *(curve)* amplio(plia).

sweet [swiːt] ◇ *adj* **1.** *(gen)* dulce; *(sugary)* azucarado(da). **2.** *(feelings)* placentero(ra). **3.** *(smell - of flowers, air)* fragante, perfumado(da). **4.** *(sound)* melodioso(sa). **5.** *(character, person)* amable. ◇ *n Br* **1.** *(candy)* caramelo *m*, golosina *f*. **2.** *(dessert)* postre *m*.

sweet corn *n* maíz *m*.

sweeten ['swiːtn] *vt* endulzar.

sweetheart ['swiːthɑːrt] *n* **1.** *(term of endearment)* cariño *m*. **2.** *(boyfriend or girlfriend)* amor *m*, novio *m*, -via *f*.

sweetness ['swiːtnəs] *n* **1.** *(gen)* dulzura *f*. **2.** *(of taste)* dulzor *m*.

sweet pea *n* guisante *m* de olor.

swell [swel] *(pp* **swollen** OR **-ed)** ◇ *vi* **1.** *(become larger)* hincharse. **2.** *(population, sound)* aumentar. ◇ *vt (numbers etc)* aumentar. ◇ *n (of sea)* oleaje *m*. ◇ *adj Am inf* estupendo(da).

swelling ['swelɪŋ] *n* hinchazón *f*.

sweltering ['sweltərɪŋ] *adj* **1.** *(weather)* abrasador(ra), sofocante. **2.** *(person)* achicharrado(da).

swept [swept] *pt & pp* → **sweep**.

swerve [swɜːrv] *vi* virar bruscamente.

swift [swɪft] ◇ *adj* **1.** *(fast)* rápido(da). **2.** *(prompt)* pronto(ta). ◇ *n (bird)* vencejo *m*.

swig [swɪg] *n inf* trago *m*.

swill [swɪl] ◇ *n (pig food)* bazofia *f*. ◇ *vt Br (wash)* enjuagar.

swim [swɪm] *(pt* **swam**, *pp* **swum)** ◇ *n*

baño *m*; **to go for a ~** ir a nadar OR a darse un baño. ◇ *vi* **1.** *(in water)* nadar. **2.** *(head, room)* dar vueltas.

swimmer ['swɪmər] *n* nadador *m*, -ra *f*.

swimming ['swɪmɪŋ] *n* natación *f*.

swimming cap *n* gorro *m* de baño.

swimming costume *n Br* traje *m* de baño, malla *f CSur & Perú*, bañador *m Esp*.

swimming pool *n* piscina *f*, pileta *f CSur*, alberca *f Méx*.

swimming trunks *npl* traje *m* de baño, bañador *m Esp*.

swimsuit ['swɪmsuːt] *n* traje *m* de baño, malla *f CSur & Perú*, bañador *m Esp*.

swindle ['swɪndl] ◇ *n* estafa *f*, timo *m*. ◇ *vt* estafar, timar; **to ~ sb out of sthg** estafar a alguien algo.

swing [swɪŋ] *(pt & pp* **swung)** ◇ *n* **1.** *(child's toy)* columpio *m*. **2.** *(change)* viraje *m*. **3.** *(sway)* meneo *m*, balanceo *m*. **4.** *phr:* **to be in full ~** estar en plena marcha. ◇ *vt* **1.** *(move back and forth)* balancear. **2.** *(move in a curve - car etc)* hacer virar bruscamente. ◇ *vi* **1.** *(move back and forth)* balancearse, oscilar. **2.** *(move in a curve)* girar. **3.** *(turn):* **to ~ (round)** volverse, girarse. **4.** *(change)* virar, cambiar.

swing door *n* puerta *f* oscilante.

swingeing ['swɪndʒɪŋ] *adj* severo(ra).

swipe [swaɪp] ◇ *vt* **1.** *(credit card etc)* pasar por el datáfono. **2.** *inf (steal)* birlar. ◇ *vi:* **to ~ at sthg** intentar golpear algo.

swirl [swɜːrl] *vi* arremolinarse.

Swiss [swɪs] ◇ *adj* suizo(za). ◇ *n (person)* suizo *m*, -za *f*. ◇ *npl:* **the ~** los suizos.

switch [swɪtʃ] ◇ *n* **1.** *(control device)* interruptor *m*. **2.** *(change)* cambio *m* completo, viraje *m*. ◇ *vt* **1.** *(change)* cambiar de. **2.** *(swap)* intercambiar. ◆ **switch off** *vt sep (light, radio etc)* apagar; *(engine)* parar. ◆ **switch on** *vt sep (light, radio etc)* encender; *(engine)* poner en marcha.

switchboard ['swɪtʃbɔːrd] *n* centralita *f*, conmutador *m Amer*.

Switzerland ['swɪtsərlənd] *n* Suiza.

swivel ['swɪvl] ◇ *vt* hacer girar. ◇ *vi* girar.

swivel chair *n* silla *f* giratoria.

swollen ['swəʊlən] ◇ *pp* → **swell**. ◇ *adj (ankle, leg etc)* hinchado(da); *(river)* crecido(da).

swoop [swuːp] ◇ *n (raid)* redada *f*. ◇ *vi* **1.** *(move downwards)* caer en picado. **2.** *(move quickly)* atacar por sorpresa.

swop [swɒp] = **swap**.

sword [sɔːrd] n espada f.

swordfish ['sɔːrdfɪʃ] (pl inv OR **-es**) n pez m espada.

swore [swɔːr] pt → **swear**.

sworn [swɔːrn] ◇ pp → **swear**. ◇ adj (JUR) jurado(da).

swot [swɒt] Br inf ◇ n pej empollón m, -ona f. ◇ vi: to ~ (for) empollar (para).

swum [swʌm] pp → **swim**.

swung [swʌŋ] pt & pp → **swing**.

sycamore ['sɪkəmɔːr] n sicomoro m.

syllable ['sɪləbl] n sílaba f.

syllabus ['sɪləbəs] (pl **-buses** OR **-bi** [-baɪ]) n programa m (de estudios).

symbol ['sɪmbl] n símbolo m.

symbolize ['sɪmbəlaɪz] vt simbolizar.

symmetry ['sɪmətrɪ] n simetría f.

sympathetic [ˌsɪmpə'θetɪk] adj 1. (understanding) comprensivo(va). 2. (willing to support) favorable; ~ to bien dispuesto(ta) hacia.

sympathize ['sɪmpəθaɪz] vi 1. (feel sorry): to ~ (with) compadecerse (de). 2. (understand): to ~ (with sthg) comprender (algo). 3. (support): to ~ with sthg apoyar algo.

sympathy ['sɪmpəθɪ] n 1. (understanding): ~ (for) comprensión f (hacia); (compassion) compasión f (por). 2. (agreement) solidaridad f. ◆ **sympathies** npl (to bereaved person) pésame m.

symphony ['sɪmfənɪ] n sinfonía f.

symptom ['sɪmptəm] n lit & fig síntoma m.

synagogue ['sɪnəgɒg] n sinagoga f.

syndicate ['sɪndəkət] n sindicato m.

syndrome ['sɪndrəʊm] n síndrome m.

synonym ['sɪnənɪm] n: ~ (for OR of) sinónimo m (de).

synopsis [sə'nɒpsəs] (pl **-ses** [-siːz]) n sinopsis f inv.

syntax ['sɪntæks] n sintaxis f inv.

synthesis ['sɪnθəsəs] (pl **-ses** [-siːz]) n síntesis f inv.

synthetic [sɪn'θetɪk] adj 1. (man-made) sintético(ca). 2. pej (insincere) artificial.

syphilis ['sɪfələs] n sífilis f inv.

syphon ['saɪfn] = siphon.

Syria ['sɪrɪə] n Siria.

syringe [sə'rɪndʒ] n jeringa f, jeringuilla f.

syrup ['sɪrəp] n (U) 1. (CULIN) almíbar m. 2. (MED) jarabe m.

system ['sɪstəm] n (gen) sistema m; (of central heating etc) instalación f.

systematic [ˌsɪstə'mætɪk] adj sistemático(ca).

system disk n (COMPUT) disco m del sistema.

systems analyst [ˌsɪstəmz-] n (COMPUT) analista m y f de sistemas.

t (pl **t's** OR **ts**), **T** (pl **T's** OR **Ts**) [tiː] n (letter) t f, T f.

tab [tæb] n 1. (of cloth) etiqueta f. 2. (of metal, card etc) lengüeta f. 3. Am (bill) cuenta f. 4. phr: to keep ~s on sb vigilar de cerca a alguien.

table ['teɪbl] ◇ n 1. (piece of furniture) mesa f; (small) mesilla f. 2. (diagram) tabla f. ◇ vt Br (propose) presentar.

tablecloth ['teɪblklɒθ] n mantel m.

table lamp n lámpara f de mesa.

tablemat ['teɪblmæt] n salvamanteles m inv.

tablespoon ['teɪblspuːn] n 1. (spoon) cuchara f grande (para servir). 2. (spoonful) cucharada f (grande).

tablet ['tæblət] n 1. (pill, piece of soap) pastilla f. 2. (piece of stone) lápida f.

table tennis n tenis m de mesa.

table wine n vino m de mesa.

tabloid ['tæblɔɪd] n: the ~s los periódicos sensacionalistas; ~ (newspaper) tabloide m.

tacit ['tæsət] adj fml tácito(ta).

taciturn ['tæsətɜːrn] adj fml taciturno(na).

tack [tæk] ◇ n 1. (nail) tachuela f. 2. fig (course of action) táctica f. ◇ vt 1. (fasten with nail) fijar con tachuelas. 2. (in sewing) hilvanar. ◇ vi (NAUT) virar.

tackle ['tækl] ◇ n 1. (FTBL) entrada f. 2. (RUGBY) placaje m. 3. (U) (equipment) equipo m, aparejos mpl. 4. (for lifting) aparejo m. ◇ vt 1. (deal with - job) emprender; (- problem) abordar. 2. (FTBL) entrar. 3. (RUGBY) placar. 4. (attack) atacar, arremeter.

tacky ['tækɪ] adj 1. inf (cheap and nasty) cutre; (ostentatious and vulgar) hortera. 2. (sticky) pegajoso(sa).

tact [tækt] n (U) tacto m, discreción f.

tactful ['tæktfl] adj discreto(ta).

tactic ['tæktɪk] n táctica f. ◆ **tactics** n (U) (MIL) táctica f.

tactical ['tæktɪkl] *adj* estratégico(ca); *(weapons)* táctico(ca).

tactless ['tæktləs] *adj* indiscreto(ta).

tadpole ['tædpəʊl] *n* renacuajo *m*.

tag [tæg] *n (of cloth, paper)* etiqueta *f*. ◆ **tag along** *vi inf* pegarse, engancharse.

tail [teɪl] ◇ *n (gen)* cola *f*; *(of coat, shirt)* faldón *m*. ◇ *vt inf (follow)* seguir de cerca. ◆ **tails** *npl* **1.** *(formal dress)* frac *m*. **2.** *(side of coin)* cruz *f*. ◆ **tail off** *vi (voice)* ir debilitándose; *(sound)* ir disminuyendo.

tailback ['teɪlbæk] *n Br* cola *f*.

tail end *n* parte *f* final.

tailgate ['teɪlgeɪt] *n (of hatchback car)* portón *m*.

tailor ['teɪlər] ◇ *n* sastre *m*. ◇ *vt* adaptar.

tailor-made *adj* (hecho(cha)) a la medida.

tailwind ['teɪlwɪnd] *n* viento *m* de cola.

tainted ['teɪntəd] *adj* **1.** *(reputation)* manchado(da). **2.** *Am (food)* estropeado (da).

Taiwan [,taɪˈwɑːn] *n* Taiwán.

take [teɪk] *(pt* took, *pp* taken*)* ◇ *vt* **1.** *(gen)* tomar; **to ~ a photo** hacer OR tomar una foto; **to ~ a walk** dar un paseo; **to ~ a bath** bañarse; **to ~ a test** hacer un examen; **to ~ offence** ofenderse. **2.** *(bring, carry, accompany)* llevar. **3.** *(steal)* quitar, robar. **4.** *(buy)* coger, quedarse con; *(rent)* alquilar. **5.** *(receive)* recibir. **6.** *(take hold of)* coger; **to ~ sb prisoner** capturar a alguien. **7.** *(accept - offer, cheque, criticism)* aceptar; *(- advice)* seguir; *(- responsibility, blame)* asumir; **the machine only ~s 50p pieces** la máquina sólo admite monedas de 50 peniques. **8.** *(have room for - passengers, goods)* tener cabida para. **9.** *(bear - pain etc)* soportar, aguantar. **10.** *(require - time, courage)* requerir, *(- money)* costar; **it will ~ a week/three hours** llevará una semana/tres horas. **11.** *(travel by - means of transport, route)* tomar, coger. **12.** *(wear - shoes)* calzar; *(- clothes)* usar. **13.** *(consider)* considerar. **14.** *(assume):* **I ~ it (that)** ... supongo que ... ◇ *n* (CINEMA) toma *f*. ◆ **take after** *vt fus* parecerse a. ◆ **take apart** *vt sep (dismantle)* desmontar. ◆ **take away** *vt sep* **1.** *(remove)* quitar. **2.** *(deduct)* restar, sustraer. ◆ **take back** *vt sep* **1.** *(return)* devolver. **2.** *(accept - faulty goods)* aceptar la devolución de. **3.** *(admit as wrong)* retirar. ◆ **take down** *vt sep* **1.** *(dismantle)* desmontar. **2.** *(write down)* tomar nota de.

◆ **take in** *vt sep* **1.** *(deceive)* engañar. **2.** *(understand)* comprender, asimilar. **3.** *(include)* incluir, abarcar. **4.** *(provide accommodation for)* acoger. ◆ **take off** ◇ *vt sep* **1.** *(clothes, glasses)* quitarse. **2.** *(have as holiday)* tomarse. **3.** *Br inf (imitate)* imitar. ◇ *vi* **1.** *(plane)* despegar. **2.** *(go away suddenly)* irse, marcharse. ◆ **take on** *vt sep* **1.** *(accept - work, job)* aceptar; *(- responsibility)* asumir. **2.** *(employ)* emplear, coger. **3.** *(confront)* desafiar. ◆ **take out** *vt sep* **1.** *(from container, pocket)* sacar. **2.** *(go out with):* **to ~ sb out** invitar a salir a alguien. ◆ **take over** ◇ *vt sep* **1.** *(company, business)* absorber, adquirir; *(country, government)* apoderarse de. **2.** *(job)* asumir. ◇ *vi* **1.** *(take control)* tomar el poder. **2.** *(in job)* entrar en funciones. ◆ **take to** *vt fus* **1.** *(feel a liking for - person)* coger cariño a; *(- activity)* aficionarse a. **2.** *(begin):* **to ~ to doing sthg** empezar a hacer algo. ◆ **take up** *vt sep* **1.** *(begin):* **to ~ up singing** dedicarse a cantar; *(job)* aceptar, tomar. **2.** *(use up - time, space)* ocupar; *(- effort)* requerir. ◆ **take up on** *vt sep (accept):* **to ~ sb up on an offer** aceptar una oferta de alguien.

takeaway *Br* = takeout.

taken ['teɪkn] *pp* → take.

takeoff ['teɪkɒf] *n (of plane)* despegue *m*.

takeout *Am* ['teɪkaʊt], **takeaway** *Br* ['teɪkəweɪ] *n (food)* comida *f* para llevar.

takeover ['teɪkəʊvər] *n (of company)* adquisición *f*.

takings ['teɪkɪŋz] *npl (of shop)* venta *f*; *(of show)* recaudación *f*.

talc [tælk], **talcum (powder)** ['tælkəm-] *n* talco *m*.

tale [teɪl] *n* **1.** *(fictional story)* cuento *m*. **2.** *(anecdote)* anécdota *f*.

talent ['tælənt] *n:* ~ **(for sthg)** talento *m* (para algo).

talented ['tæləntəd] *adj* con talento.

talk [tɔːk] ◇ *n* **1.** *(conversation)* conversación *f*. **2.** *(U) (gossip)* habladurías *fpl*. **3.** *(lecture)* charla *f*, conferencia *f*. ◇ *vi* **1.** *(gen)* hablar; **to ~ to/of** hablar con/de; **to ~ on** OR **about** hablar acerca de OR sobre. **2.** *(gossip)* chismorrear. ◇ *vt* hablar de. ◆ **talks** *npl* conversaciones *fpl*. ◆ **talk into** *vt sep:* **to ~ sb into doing sthg** convencer a alguien para que haga algo. ◆ **talk out of** *vt sep:* **to ~ sb out of doing sthg** disuadir a alguien de que haga algo. ◆ **talk over** *vt sep* discutir, hablar de.

talkative ['tɔːkətɪv] *adj* hablador(ra).

talk show n Am programa m de entrevistas.

tall [tɔ:l] adj alto(ta); she's 5 feet ~ ≃ mide 1,5.

tall story n cuento m (increíble).

tally ['tælɪ] ◇ n cuenta f; to keep a ~ llevar la cuenta. ◇ vi concordar.

talon ['tælən] n garra f.

tambourine [,tæmbə'ri:n] n pandereta f.

tame [teɪm] ◇ adj 1. (domesticated) doméstico(ca). 2. pej (unexciting) soso (sa). ◇ vt 1. (domesticate) domesticar. 2. (bring under control) dominar.

tamper ['tæmpər] ◆ tamper with vt fus (lock) intentar forzar; (records, file) falsear; (machine) manipular.

tampon ['tæmpɒn] n tampón m.

tan [tæn] ◇ adj de color marrón claro. ◇ n bronceado m. ◇ vi broncearse.

tang [tæŋ] n (smell) olor m fuerte; (taste) sabor m fuerte.

tangent ['tændʒənt] n (GEOM) tangente f; to go off at a ~ salirse por la tangente.

tangerine [,tændʒə'ri:n] n mandarina f.

tangible ['tændʒəbl] adj tangible.

tangle ['tæŋgl] n (mass) maraña f; fig (mess) enredo m, embrollo m.

tank [tæŋk] n 1. (container) depósito m, tanque m. 2. (MIL) tanque m, carro m de combate.

tanker ['tæŋkər] n 1. (ship - gen) barco m cisterna, tanque m; (- for oil) petrolero m. 2. (truck) camión m cisterna.

tanned [tænd] adj bronceado(da).

Tannoy® ['tænɔɪ] n (sistema m de) altavoces mpl.

tantalizing ['tæntəlaɪzɪŋ] adj tentador (ra).

tantrum ['tæntrəm] (pl -s) n rabieta f.

Tanzania [,tænzə'niːə] n Tanzania.

tap [tæp] ◇ n 1. (device) llave f, grifo m Esp. 2. (light blow) golpecito m. ◇ vt 1. (hit) golpear ligeramente. 2. (strength, resources) utilizar. 3. (phone) intervenir.

tap dance n claqué m.

tape [teɪp] ◇ n 1. (cassette, magnetic tape, strip of cloth) cinta f. 2. (adhesive plastic) cinta f adhesiva. ◇ vt 1. (on tape recorder, video recorder) grabar. 2. (with adhesive tape) pegar con cinta adhesiva.

tape measure n cinta f métrica.

taper ['teɪpər] ◇ n (candle) vela f. ◇ vi afilarse.

tape recorder n magnetófono m.

tapestry ['tæpɪstrɪ] n 1. (piece of work) tapiz m. 2. (craft) tapicería f.

tar [tɑːr] n alquitrán m.

target ['tɑːrgət] n 1. (of missile, goal, aim) objetivo m. 2. (in archery, shooting, of criticism) blanco m.

tariff [Am 'terɪf, Br 'tær-] n tarifa f.

Tarmac® ['tɑːrmæk] n (material) alquitrán m. ◆ tarmac n (AERON): the tarmac la pista.

tarnish ['tɑːrnɪʃ] vt (make dull) deslustrar; fig (damage) empañar, manchar.

tarpaulin [tɑːr'pɔːlən] n lona f alquitranada.

tart [tɑːrt] ◇ adj (bitter) agrio (agria). ◇ n 1. (sweet pastry) tarta f. 2. v inf (prostitute) furcia f, fulana f.

tartan ['tɑːrtn] ◇ n tartán m. ◇ comp de tartán.

tartar(e) sauce [,tɑːrtər-] n salsa f tártara.

task [Am tæsk, Br tɑːsk] n tarea f.

task force n (MIL) destacamento m de fuerzas.

tassel ['tæsl] n borla f.

taste [teɪst] ◇ n 1. (physical sense, discernment) gusto m; in bad/good ~ de mal/buen gusto. 2. (flavour) sabor m. 3. (try): have a ~ pruébalo. 4. fig (for success, fast cars etc): ~ (for) afición f (a), gusto m (por). 5. fig (experience) experiencia f. ◇ vt 1. (food) notar un sabor a. 2. (test, try) probar. 3. fig (experience) conocer. ◇ vi saber; to ~ of OR like saber a.

tasteful ['teɪstfl] adj de buen gusto.

tasteless ['teɪstləs] adj 1. (offensive, cheap and unattractive) de mal gusto. 2. (without flavour) insípido(da), soso (sa).

tasty ['teɪstɪ] adj sabroso(sa).

tatters ['tætərz] npl: in ~ (clothes) andrajoso(sa); fig (confidence, reputation) por los suelos.

tattoo [tæ'tuː] (pl -s) ◇ n 1. (design) tatuaje m. 2. Br (military display) desfile m militar. ◇ vt tatuar.

taught [tɔːt] pt & pp → teach.

taunt [tɔːnt] ◇ vt zaherir a. ◇ n pulla f.

Taurus ['tɔːrəs] n Tauro m.

taut [tɔːt] adj tenso(sa).

tax [tæks] ◇ n impuesto m. ◇ vt 1. (goods, profits) gravar. 2. (business, person) imponer contribuciones a. 3. (strain, test) poner a prueba.

taxable ['tæksəbl] adj imponible.

tax allowance n desgravación f fiscal.

taxation [tæk'seɪʃn] n (U) 1. (system) sistema m tributario. 2. (amount) impuestos *mpl*.

tax avoidance [-ə,vɔɪdəns] *n* evasión *f* fiscal.

tax collector *n* recaudador *m*, -ra *f* de impuestos.

tax disc *n Br pegatina del impuesto de circulación.*

tax evasion *n* fraude *m* fiscal, evasión *f* de impuestos.

tax-exempt *Am*, **tax-free** *Br adj* exento(ta) de impuestos.

taxi ['tæksɪ] ◇ *n* taxi *m*. ◇ *vi (plane)* rodar por la pista.

taxi driver *n* taxista *m y f*.

tax inspector *n* ≃ inspector *m*, -ra *f* de Hacienda.

taxi rank *Br*, **taxi stand** *n* parada *f* de taxis.

taxpayer ['tækspeɪər] *n* contribuyente *m y f*.

tax relief *n (U)* desgravación *f* fiscal.

tax return *n* declaración *f* de renta.

TB *n abbr of* **tuberculosis**.

tea [tiː] *n* **1.** *(drink, leaves)* té *m.* **2.** *Br (afternoon snack)* té *m*, merienda *f.* **3.** *Br (evening meal)* merienda cena *f.*

teabag ['tiːbæg] *n* bolsita *f* de té.

tea break *n Br* descanso *m (durante la jornada laboral).*

teach [tiːtʃ] *(pt & pp* **taught)** ◇ *vt* **1.** *(give lessons to)* dar clases a; **to ~ sb sthg** enseñar algo a alguien; **to ~ sb to do sthg** enseñar a alguien a hacer algo. **2.** *(give lessons in)* dar clases de. ◇ *vi* ser profesor(ra).

teacher ['tiːtʃər] *n (at primary school)* maestro *m*, -tra *f*; *(at secondary school)* profesor *m*, -ra *f*.

teachers college *Am*, **teacher training college** *Br n* escuela *f* normal.

teaching ['tiːtʃɪŋ] *n* enseñanza *f*.

tea cloth *n Br* **1.** *(tablecloth)* mantel *m.* **2.** *(tea towel)* paño *m* de cocina.

tea cozy *Am*, **tea cosy** *Br n* cubretetera *f.*

teacup ['tiːkʌp] *n* taza *f* de té.

teak [tiːk] *n* teca *f.*

team [tiːm] *n* equipo *m.*

teammate ['tiːmmeɪt] *n* compañero *m*, -ra *f* de equipo.

teamwork ['tiːmwɜːrk] *n (U)* trabajo *m* en equipo.

teapot ['tiːpɒt] *n* tetera *f.*

tear[1] [tɪər] *n* lágrima *f*; **in ~s** llorando.

tear[2] [teər] *(pt* **tore***, pp* **torn)** ◇ *vt* **1.** *(rip)* rasgar, romper. **2.** *(remove*

roughly) arrancar. ◇ *vi* **1.** *(rip)* romperse, rasgarse. **2.** *inf (move quickly)* ir a toda pastilla. ◇ *n* rasgón *m*, desgarrón *m.* ◆ **tear apart** *vt sep* **1.** *(rip up)* despedazar. **2.** *(upset greatly)* desgarrar.
◆ **tear down** *vt sep* echar abajo.
◆ **tear up** *vt sep* hacer pedazos.

tearful ['tɪərfl] *adj (person)* lloroso(sa).

tear gas ['tɪər-] *n (U)* gas *m* lacrimógeno.

tearoom ['tiːruːm] *n* salón *m* de té.

tease [tiːz] *vt (mock)*: **to ~ sb (about)** tomar el pelo a alguien (acerca de).

tea service, tea set *n* servicio *m* OR juego *m* de té.

teaspoon ['tiːspuːn] *n* **1.** *(utensil)* cucharilla *f.* **2.** *(amount)* cucharadita *f.*

teat [tiːt] *n* **1.** *(of animal)* tetilla *f.* **2.** *(of bottle)* tetina *f.*

teatime ['tiːtaɪm] *n Br* hora *f* del té.

tea towel *n* paño *m* de cocina.

technical ['teknɪkl] *adj* técnico(ca).

technical college *n Br* ≃ centro *m* de formación profesional.

technicality [,teknɪ'kælətɪ] *n* detalle *m* técnico.

technically ['teknɪklɪ] *adv* **1.** *(gen)* técnicamente. **2.** *(theoretically)* teóricamente, en teoría.

technician [tek'nɪʃn] *n* técnico *m*, -ca *f.*

technique [tek'niːk] *n* técnica *f.*

technological [,teknə'lɒdʒɪkl] *adj* tecnológico(ca).

technology [tek'nɒlədʒɪ] *n* tecnología *f.*

teddy ['tedɪ] *n*: **~ (bear)** oso *m* de peluche.

tedious ['tiːdjəs] *adj* tedioso(sa).

tee [tiː] *n* tee *m.*

teem [tiːm] *vi* **1.** *(rain)* llover a cántaros. **2.** *(be busy)*: **to be ~ing with** estar inundado(da) de.

teenage ['tiːneɪdʒ] *adj* adolescente.

teenager ['tiːneɪdʒər] *n* adolescente *m y f*, quinceañero *m*, -ra *f.*

teens [tiːnz] *npl* adolescencia *f.*

tee shirt *n* camiseta *f.*

teeter ['tiːtər] *vi lit & fig* tambalearse.

teeth [tiːθ] *pl* → **tooth**.

teethe [tiːð] *vi* echar los dientes.

teething troubles ['tiːðɪŋ-] *npl fig* problemas *mpl* iniciales.

TEFL ['tefl] *(abbr of* **teaching of English as a foreign language)** *n* enseñanza *de inglés para extranjeros.*

tel. *(abbr of* **telephone)** tfno.

telecommunications [ˌtelɪkəmjuːnɪ-ˈkeɪʃnz] *npl* telecomunicaciones *fpl*.

telegram [ˈtelɪɡræm] *n* telegrama *m*.

telegraph [*Am* ˈtelɪɡræf, *Br* -ɡrɑːf] *n* telégrafo *m*.

telegraph pole, telegraph post *Br n* poste *m* de telégrafos.

telepathy [təˈlepəθɪ] *n* telepatía *f*.

telephone [ˈtelɪfoun] ◇ *n* teléfono *m*; **to be on the ~** *Br (connected to network)* tener teléfono; *(speaking)* estar al teléfono. ◇ *vt & vi* telefonear.

telephone book *n* guía *f* telefónica.

telephone booth *n* teléfono *m* público.

telephone box *n Br* cabina *f* (telefónica).

telephone call *n* llamada *f* telefónica.

telephone directory *n* guía *f* telefónica.

telephone number *n* número *m* de teléfono.

telephonist [təˈlefənɪst] *n Br* telefonista *m y f*.

telephoto lens [ˌtelɪfoutou-] *n* teleobjetivo *m*.

telescope [ˈtelɪskoup] *n* telescopio *m*.

teletext [ˈtelɪtekst] *n* teletexto *m*.

televise [ˈtelɪvaɪz] *vt* televisar.

television [ˈtelɪvɪʒn] *n* televisión *f*.

television set *n* televisor *m*, (aparato *m* de) televisión *f*.

telex [ˈteleks] *n* télex *m*.

tell [tel] (*pt & pp* told) ◇ *vt* 1. *(gen)* decir; **to ~ sb (that)** decir a alguien que; **to ~ sb sthg, to ~ sthg to sb** decir a alguien algo; **to ~ sb to do sthg** decir a alguien que haga algo. 2. *(joke, story)* contar. 3. *(judge, recognize)*: **to ~ what sb is thinking** saber en qué está pensando alguien; **to ~ the time** decir la hora. ◇ *vi (have effect)* surtir efecto. ◆ **tell apart** *vt sep* distinguir. ◆ **tell off** *vt sep* reñir, reprender.

telling [ˈtelɪŋ] *adj* 1. *(speech, argument)* efectivo(va). 2. *(remark, incident)* revelador(ra).

telltale [ˈtelteɪl] ◇ *adj* revelador(ra). ◇ *n* chivato *m*, -ta *f*, acusica *m y f*.

telly [ˈtelɪ] *(abbr of* **television)** *n Br inf* tele *f*.

temp [temp] ◇ *n inf Br (abbr of* **temporary (employee))** secretario *m* eventual, secretaria *f* eventual (por horas). ◇ *vi*: **she's ~ing** está de secretaria eventual.

temper [ˈtempəʳ] ◇ *n* 1. *(state of mind, mood)* humor *m*; **to lose one's ~** enfadarse, perder la paciencia. 2. *(angry state)*: **to be in a ~** estar de mal humor. 3. *(temperament)* temperamento *m*. ◇ *vt fml* templar, suavizar.

temperament [ˈtemprəmənt] *n* temperamento *m*.

temperamental [ˌtemprəˈmentl] *adj (volatile)* temperamental.

temperate [ˈtempərət] *adj* templado (da).

temperature [ˈtemprətʃəʳ] *n* temperatura *f*; **to have a ~** tener fiebre.

template [ˈtemplɪt] *n* plantilla *f*.

temple [ˈtempl] *n* 1. (RELIG) templo *m*. 2. (ANAT) sien *f*.

temporarily [*Am* ˌtempəˈrerəlɪ, *Br* ˈtempərəlɪ] *adv* temporalmente, provisionalmente.

temporary [*Am* ˈtempəreri, *Br* ˈtemprəri] *adj (gen)* temporal, provisional; *(improvement, problem)* pasajero(ra).

tempt [tempt] *vt (entice)*: **to ~ sb (to do sthg)** tentar a alguien (a hacer algo).

temptation [tempˈteɪʃn] *n* tentación *f*.

tempting [ˈtemptɪŋ] *adj* tentador(ra).

ten [ten] *num* diez; *see also* **six**.

tenacious [təˈneɪʃəs] *adj* tenaz.

tenant [ˈtenənt] *n (of house)* inquilino *m*, -na *f*; *(of pub)* arrendatario *m*, -ria *f*.

tend [tend] *vt* 1. *(have tendency)*: **to ~ to do sthg** soler hacer algo, tender a hacer algo. 2. *(look after)* cuidar.

tendency [ˈtendənsɪ] *n* 1. *(trend)*: **~ (for sb/sthg to do sthg)** tendencia *f* (de alguien/algo a hacer algo). 2. *(leaning, inclination)* inclinación *f*.

tender [ˈtendəʳ] ◇ *adj (gen)* tierno(na); *(sore)* dolorido(da). ◇ *n* (COMM) propuesta *f*, oferta *f*. ◇ *vt fml (resignation)* presentar; *(apology, suggestion)* ofrecer.

tendon [ˈtendən] *n* tendón *m*.

tenement [ˈtenəmənt] *n bloque de viviendas modestas*.

Tenerife [ˌtenəˈriːf] *n* Tenerife.

tennis [ˈtenəs] ◇ *n* tenis *m*. ◇ *comp* de tenis; **~ player** tenista *m y f*.

tennis ball *n* pelota *f* de tenis.

tennis court *n* pista *f* de tenis.

tennis racket *n* raqueta *f* de tenis.

tenor [ˈtenəʳ] *n (singer)* tenor *m*.

tense [tens] ◇ *adj* tenso(sa). ◇ *n* tiempo *m*. ◇ *vt* tensar.

tension [ˈtenʃn] *n* tensión *f*.

tent [tent] *n* tienda *f* (de campaña).

tentacle [ˈtentəkl] *n* tentáculo *m*.

tentative ['tentətɪv] *adj* **1.** *(person)* indeciso(sa); *(step, handshake)* vacilante. **2.** *(suggestion, conclusion etc)* provisional.

tenterhooks ['tentəʰhʊks] *npl:* **to be on ~** estar sobre ascuas.

tenth [tenθ] *num* décimo(ma); *see also* sixth.

tent peg *n* estaca *f*.

tent pole *n* mástil *m* de tienda.

tenuous ['tenjʊəs] *adj (argument)* flojo (ja); *(evidence, connection)* débil, insignificante; *(hold)* ligero(ra).

tenure ['tenjəʳ] *n (U) fml* **1.** *(of property)* arrendamiento *m.* **2.** *(of job)* ocupación *f,* ejercicio *m.*

tepid ['tepəd] *adj (liquid)* tibio(bia).

term [tɜːʳm] ◇ *n* **1.** *(word, expression)* término *m.* **2.** (SCH & UNIV) trimestre *m.* **3.** (POL) mandato *m.* **4.** *(period of time)* periodo *m;* **in the long/short ~** a largo/corto plazo. ◇ *vt:* **to ~ sthg sthg** calificar algo de algo. ◆ **terms** *npl* **1.** *(of contract, agreement)* condiciones *fpl.* **2.** *(basis):* **in international/real ~s** en términos internacionales/reales; **to be on good ~s (with sb)** mantener buenas relaciones (con alguien); **to come to ~s with sthg** aceptar algo. ◆ **in terms of** *prep* por lo que se refiere a.

terminal ['tɜːʳmənl] ◇ *adj* (MED) incurable, terminal. ◇ *n* **1.** *(transport)* terminal *f.* **2.** (COMPUT) terminal *m.*

terminate ['tɜːʳmənext] ◇ *vt fml (gen)* poner fin a; *(pregnancy)* interrumpir. ◇ *vi* **1.** *(bus, train)* finalizar el trayecto. **2.** *(contract)* terminarse.

termini ['tɜːʳmənaɪ] *pl* → **terminus.**

terminus ['tɜːʳmənəs] *(pl* **-ni** OR **-nuses)** *n* (estación *f*) terminal *f.*

terrace ['terəs] *n* **1.** *(gen)* terraza *f.* **2.** *Br (of houses)* hilera *f* de casas adosadas. ◆ **terraces** *npl* (FTBL): **the ~s** las gradas.

terraced ['terəst] *adj* **1.** *(hillside)* a terrazas. **2.** *(house, housing)* adosado(da).

terraced house *n Br* casa *f* adosada.

terrain [tə'reɪn] *n* terreno *m.*

terrible ['terəbl] *adj* **1.** *(crash, mess, shame)* terrible, espantoso(sa). **2.** *(unwell, unhappy, very bad)* fatal.

terribly ['terəblɪ] *adv (sing, play, write)* malísimamente; *(injured, sorry, expensive)* terriblemente.

terrier ['terɪəʳ] *n* terrier *m.*

terrific [tə'rɪfɪk] *adj* **1.** *(wonderful)* estupendo(da). **2.** *(enormous)* enorme.

terrified ['terəfaɪd] *adj* aterrorizado(da); **to be ~ (of)** tener terror a.

terrifying ['terəfaɪɪŋ] *adj* aterrador(ra).

territory [*Am* 'terətɔːrɪ, *Br* -trɪ] *n* **1.** *(political area)* territorio *m.* **2.** *(terrain)* terreno *m.* **3.** *(area of knowledge)* esfera *f.*

terror ['terəʳ] *n (fear)* terror *m.*

terrorism ['terərɪzm] *n* terrorismo *m.*

terrorist ['terərəst] *n* terrorista *m y f.*

terrorize ['terəraɪz] *vt* aterrorizar.

terse [tɜːʳs] *adj* seco(ca).

test [test] ◇ *n* **1.** *(trial)* prueba *f.* **2.** *(examination)* examen *m,* prueba *f.* **3.** (MED) *(of blood, urine)* análisis *m inv;* *(of eyes)* revisión *f.* ◇ *vt* **1.** *(try out)* probar, poner a prueba. **2.** *(examine)* examinar; **to ~ sb on** examinar a alguien de.

testament ['testəmənt] *n (will)* testamento *m.*

testicles ['testɪklz] *npl* testículos *mpl.*

testify ['testəfaɪ] ◇ *vi* **1.** (JUR) prestar declaración. **2.** *(be proof):* **to ~ to sthg** dar fe de OR atestiguar algo. ◇ *vt:* **to ~ that** declarar que.

testimony [*Am* 'testəmoʊnɪ, *Br* -ɪmənɪ] *n* (JUR) testimonio *m,* declaración *f.*

testing ['testɪŋ] *adj* duro(ra).

test match *n Br* partido *m* internacional.

test tube *n* probeta *f.*

test-tube baby *n* bebé *m y f* probeta.

tetanus ['tetənəs] *n* tétanos *m inv.*

tether ['teðəʳ] ◇ *vt* atar. ◇ *n:* **to be at the end of one's ~** estar uno que ya no puede más.

text [tekst] *n* **1.** *(gen)* texto *m.* **2.** *(textbook)* libro *m* de texto.

textbook ['tekstbʊk] *n* libro *m* de texto.

textile ['tekstaɪl] *n* textil *m,* tejido *m.*

texture ['tekstʃəʳ] *n* textura *f.*

Thailand ['taɪlænd] *n* Tailandia.

Thames [temz] *n:* **the ~** el Támesis.

than [stressed ðæn, unstressed ðn] ◇ *prep* que; **you're older ~ me** eres mayor que yo; **you're older ~ I thought** eres mayor de lo que pensaba. ◇ *conj* que; **I'd sooner read ~ sleep** prefiero leer que dormir; **no sooner did he arrive ~ she left** tan pronto llegó él, ella se fue; **more ~ three/once** más de tres/de una vez; **rather ~ stay, he chose to go** en vez de quedarse, prefirió irse.

• Para realizar comparaciones, en lengua común se usa *than* seguido del pronombre de complemento *me, him, them*, etc. (*he's bigger than me; Keith has a faster car than him*). En el habla formal se usa el pronombre de sujeto *I, he, they*, etc. incluso si se omite el verbo que le sigue (*he's bigger than I* o *than I am; Keith has a faster car than he* o *than he has*).

• Cuando *than* va con un pronombre de sujeto *I, he, they*, etc., éste puede ir seguido de la contracción de *be* o *have*; pero sólo si al verbo le sigue al menos otra palabra (*she's quicker than she's ever been; she's quicker than you are* [no *you're*]).

thank [θæŋk] *vt*: **to ~ sb (for sthg)** dar las gracias a alguien (por algo), agradecer a alguien (algo); **~ God** OR **goodness** OR **heavens!** ¡gracias a Dios!, ¡menos mal! ◆ **thanks** ◇ *npl* agradecimiento *m*. ◇ *excl* ¡gracias! ◆ **thanks to** *prep* gracias a.
thankful [ˈθæŋkfl] *adj* **1.** *(relieved)* aliviado(da). **2.** *(grateful)*: **~ (for)** agradecido(da) (por).
thankless [ˈθæŋkləs] *adj* ingrato(ta).
thanksgiving [ˌθæŋksˈgɪvɪŋ] *n* acción *f* de gracias. ◆ **Thanksgiving (Day)** *n* Día *m* de Acción de Gracias.

THANKSGIVING

El cuarto jueves de cada noviembre se celebra en Estados Unidos la fiesta nacional conocida como Día de Acción de Gracias, en agradecimiento por la cosecha y otros beneficios recibidos a lo largo del año. Sus orígenes se remontan al año de 1621, cuando los *pilgrims* (colonizadores británicos) recogieron su primera cosecha. El menú tradicional de acción de gracias consiste en pavo asado y tarta de calabaza.

thank you *excl* ¡gracias!; **~ for** gracias por.
that [stressed ðæt, unstressed ðət] *(pl* **those)** ◇ *pron* **1.** *(demonstrative use: pl* 'those') ése *m*, ésa *f*, ésos *mpl*, ésas *fpl*; *(indefinite)* eso; **~ sounds familiar** eso me resulta familiar; **who's ~?** *(who is it?)* ¿quién es?; **what's ~?** ¿qué es eso?; **~'s a shame** es una pena; **is ~ Maureen?**

(asking someone else) ¿es ésa Maureen?; *(asking person in question)* ¿eres Maureen?; **do you like these or those?** ¿te gustan éstos o ésos? **2.** *(further away in distance, time)* aquél *m*, aquélla *f*, aquéllos *mpl*, aquéllas *fpl*; *(indefinite)* aquello; **~ was the life!** ¡aquello sí que era vida!; **all those who helped me** todos aquellos que me ayudaron. **3.** *(to introduce relative clauses)* que; **a path ~ led into the woods** un sendero que conducía al bosque; **everything ~ I have done** todo lo que he hecho; **the room ~ I sleep in** el cuarto donde OR en (el) que duermo; **the day ~ he arrived** el día en que llegó; **the firm ~ he's applying to** la empresa a la que solicita trabajo. ◇ *adj (demonstrative: pl* 'those') ese (esa), esos (esas) *(pl)*; *(further away in distance, time)* aquel (aquella), aquellos (aquellas) *(pl)*; **those chocolates are delicious** esos bombones están exquisitos; **I'll have ~ book at the back** yo cogeré aquel libro del fondo; **later ~ day** más tarde ese/aquel mismo día. ◇ *adv* tan; **it wasn't ~ bad** no estuvo tan mal; **it doesn't cost ~ much** no cuesta tanto; **it was ~ big** fue así de grande. ◇ *conj* que; **he recommended ~ I phone you** aconsejó que te telefoneara; **it's time ~ we were leaving** deberíamos irnos ya, ya va siendo hora de irse. ◆ **that is** *adv* es decir.

• Como pronombre relativo, *that* se omite frecuentemente (*are you the person [that] the theacher's looking for?*), salvo si es el sujeto de la segunda parte de la oración (*she's the girl that got the job*).

• También se omite muy a menudo *that* como conjunción con verbos como *believe, say, think, tell* (*he said [that] he liked her; she told him [that] she was getting married*).

• Ver también **THIS**.

thatched [θætʃt] *adj* con techo de paja.
that's [stressed ðæts, unstressed ðəts] = **that is.**
thaw [θɔː] ◇ *vt (snow, ice)* derretir; *(frozen food)* descongelar. ◇ *vi (snow, ice)* derretirse; *(frozen food)* descongelarse; *fig (people, relations)* distenderse. ◇ *n* deshielo *m*.
the [stressed ðiː, unstressed ðə, before vowel ðɪ] *def art* **1.** *(gen)* el (la), *(pl)* los (las); *(before feminine nouns beginning with stressed 'a' or 'ha'* = **el;** *'a' + 'el'* = **al;** *'de' + 'el'* = **del)**: **~ boat** el barco; **~**

Queen la reina; ~ **men** los hombres; ~ **women** las mujeres; ~ **(cold) water** el agua (fría); **to** ~ **end of** ~ **world** al fin del mundo;+ **to play** ~ **piano** tocar el piano; ~ **Joneses are coming to supper** los Jones vienen a cenar. **2.** (*with an adjective to form a noun*): ~ **old/young** los viejos/jóvenes; ~ **impossible** lo imposible. **3.** (*in dates*): ~ **twelfth of May** el doce de mayo; ~ **forties** los cuarenta. **4.** (*in comparisons*): ~ **more I see her,** ~ **less I like her** cuanto más la veo, menos me gusta; ~ **sooner** ~ **better** cuanto antes mejor. **5.** (*in titles*): **Catherine** ~ **Great** Catalina la Grande; **George** ~ **First** Jorge Primero.

• *The* no se usa con sustantivos incontables (*work, beer, money*) o de contables en plural (*children, cats, houses*) cuando designan cosas o ideas en general (*money isn't important to me* "no me importa el dinero"; *I don't like modern houses,* "no me gustan las casas modernas").

• *The* a veces se omite delante de sustantivos que se refieren a un sitio en general (*to go to school/church; to be in bed/prison; to come home*). Pero *the* debe usarse cuando nos referimos a un lugar concreto (*we go to the school at the end of the road*).

• *The* también suele omitirse en las expresiones acerca de las comidas del día (*to have breakfast; to meet for lunch*) y con aquéllas referentes a las estaciones y periodos de tiempo (*in spring; next year; last term*).

• *The* no se usa delante de nombres propios de persona (*President Kennedy,* "el Presidente Kenneddy"; *Doctor Allen,* "el doctor Allen").

---

theatre, theater *Am* [ˈθɪətəʳ] *n* **1.** (*for plays etc*) teatro *m*. **2.** *Br* (*in hospital*) quirófano *m*. **3.** *Am* (*cinema*) cine *m*.

theatregoer, theatergoer *Am* [ˈθɪətəʳgəʊəʳ] *n* aficionado *m*, -da *f* al teatro.

theatrical [θɪˈætrɪkl] *adj lit & fig* teatral.

theft [θeft] *n* (*more serious*) robo *m*; (*less serious*) hurto *m*.

their [*stressed* ðeəʳ, *unstressed* ðəʳ] *poss adj* su, sus (*pl*); ~ **house** su casa; ~ **children** sus hijos; **it wasn't** THEIR **fault** no fue culpa suya OR su culpa; **they**

washed ~ **hair** se lavaron el pelo.

• Para referirse a las partes del cuerpo de otras personas se usa el adjetivo posesivo *their* en lugar del artículo *the* (*their hair, their legs*).

• Ver también **ITS**.

---

theirs [ðeəʳz] *poss pron* suyo (suya); **that money is** ~ ese dinero es suyo; **our car hit** ~ nuestro coche chocó contra el suyo; **it wasn't our fault, it was** THEIRS no fue culpa nuestra sino suya OR de ellos; **a friend of** ~ un amigo suyo OR de ellos.

them [*stressed* ðem, *unstressed* ðəm] *pers pron pl* **1.** (*direct*) los *mpl*, las *fpl*; **I know** ~ los conozco; **I like** ~ me gustan; **if I were** OR **was** ~ si (yo) fuera ellos. **2.** (*indirect - gen*) les *mpl y fpl*; (- *with other third person prons*) se *mpl y fpl*; **she sent** ~ **a letter** les mandó una carta; **we spoke to** ~ hablamos con ellos; **I gave it to** ~ se lo di (a ellos). **3.** (*stressed, after prep, in comparisons etc*) ellos *mpl*, ellas *fpl*; **you can't expect** THEM **to do it** no esperarás que ELLOS lo hagan; **with/without** ~ con/sin ellos; **we're not as wealthy as** ~ no somos tan ricos como ellos.

theme [θiːm] *n* **1.** (*gen*) tema *m*. **2.** (*signature tune*) sintonía *f*.

theme tune *n* tema *m* musical.

themselves [ðəmˈselvz] *pron* **1.** (*reflexive*) se; (*after preposition*) sí; **they enjoyed** ~ se divirtieron. **2.** (*for emphasis*) ellos mismos *mpl*, ellas mismas *fpl*; **they did it** ~ lo hicieron ellos mismos. **3.** (*alone*) solos(las); **they organized it (by)** ~ lo organizaron ellas solas.

then [ðen] *adv* **1.** (*not now*) entonces. **2.** (*next, afterwards*) luego, después. **3.** (*in that case*) entonces; **all right** ~ de acuerdo, pues. **4.** (*therefore*) entonces, por lo tanto. **5.** (*furthermore, also*) además.

theology [θɪˈɒlədʒɪ] *n* teología *f*.

theoretical [θɪːəˈretɪkl] *adj* teórico (ca).

theory [ˈθɪːərɪ] *n* teoría *f*; **in** ~ en teoría.

therapist [ˈθerəpəst] *n* terapeuta *m y f*.

therapy [ˈθerəpɪ] *n* terapia *f*.

there [*stressed* ðeəʳ, *unstressed* ðəʳ] ◇ *pron* (*indicating existence*): ~ **is/are** hay; ~**'s someone at the door** hay alguien en la puerta; ~ **must be some mistake** debe (de) haber un error; ~ **are five of us** somos cinco. ◇ *adv* **1.** (*in* *existence, available)* ahí; **is anybody ~?** ¿hay alguien ahí?; **is John ~, please?** *(when telephoning)* ¿está John? **2.** *(referring to place - near speaker)* ahí; *(- further away)* allí, allá; **I'm going ~ next week** voy para allá OR allí la semana que viene; **~ it is** ahí está; **over ~** por allí; **it's six miles ~ and back** hay seis millas entre ir y volver. ◇ *excl:* **~, I knew he'd turn up** ¡mira!, sabía que aparecería; **~, ~ (don't cry)** ¡venga, venga (no llores)! ◆ **there and then, then and there** *adv* en el acto.

thereabouts [ˌðeərəˈbaʊts], **thereabout** *Am* [ˌðeərəˈbaʊt] *adv:* **or ~** o por ahí.

thereby [ˌðeərˈbaɪ] *adv fml* de ese modo.

therefore [ˈðeərfɔːr] *adv* por lo tanto.

there's [*stressed* ðeərz, *unstressed* ðərz] = **there is.**

thermal [ˈθɜːrml] *adj* térmico(ca).

thermometer [θərˈmɒmɪtər] *n* termómetro *m.*

Thermos (flask)® [ˈθɜːrməs-] *n* termo *m.*

thermostat [ˈθɜːrməstæt] *n* termostato *m.*

these [ðiːz] *pl* → **this.**

thesis [ˈθiːsəs] *(pl* **theses** [-iːz]) *n* tesis *f inv.*

| **they** | [ðeɪ] *pers pron pl* **1.** *(gen)* ellos *mpl*, ellas *fpl*; **~'re pleased** (ellos) están satisfechos; **~'re pretty earrings** son unos pendientes bonitos; THEY **can't do it** ELLOS no pueden hacerlo; **there ~ are** allí están. **2.** *(unspecified people):* **~ say it's going to snow** dicen que va a nevar. |

• Ver HE.

they'd [ðeɪd] = **they had, they would.**

they'll [ðeɪl] = **they shall, they will.**

they're [*stressed* ðeər, *unstressed* ðər] = **they are.**

they've [ðeɪv] = **they have.**

thick [θɪk] ◇ *adj* **1.** *(not thin)* grueso (sa); **it's 3 cm ~** tiene 3 cm de grueso; **how ~ is it?** ¿qué espesor tiene? **2.** *(dense- hair, liquid, fog)* espeso(sa). **3.** *inf (stupid)* necio(cia). ◇ *n:* **to be in the ~ of** estar en el centro OR meollo de.

thicken [ˈθɪkn] ◇ *vt* espesar. ◇ *vi (gen)* espesarse.

thicket [ˈθɪkət] *n* matorral *m.*

thickness [ˈθɪknəs] *n* espesor *m.*

thickset [ˌθɪkˈset] *adj* fornido(da).

thief [θiːf] *(pl* **thieves**) *n* ladrón *m,* -ona *f.*

thigh [θaɪ] *n* muslo *m.*

thimble [ˈθɪmbl] *n* dedal *m.*

thin [θɪn] *adj* **1.** *(not thick)* delgado(da), fino(na). **2.** *(skinny)* delgado(da), flaco (ca). **3.** *(watery)* claro(ra), aguado(da). **4.** *(sparse - crowd, vegetation, mist)* poco denso (poco densa); *(- hair)* ralo(la). ◆ **thin down** *vt sep* aclarar.

thing [θɪŋ] *n* **1.** *(gen)* cosa *f;* **the next ~ on the list** lo siguiente de la lista; **the (best) ~ to do would be ...** lo mejor sería ...; **the ~ is ...** el caso es que ... **2.** *(anything):* **not a ~** nada. **3.** *(person):* **poor ~!** ¡pobrecito *m,* -ta *f* ! ◆ **things** *npl* **1.** *(clothes, possessions)* cosas *fpl.* **2.** *inf (life):* **how are ~s?** ¿qué tal (van las cosas)?

think [θɪŋk] *(pt & pp* **thought)** ◇ *vt* **1.** *(believe):* **to ~ (that)** creer OR pensar que; **I ~ so/not** creo que sí/no. **2.** *(have in mind)* pensar; **what are you ~ing?** ¿en qué piensas? **3.** *(imagine)* entender, hacerse una idea de; **I thought so** ya me lo imaginaba. **4.** *(in polite requests)* creer; **do you ~ you could help me?** ¿cree que podría ayudarme? ◇ *vi* **1.** *(use mind)* pensar. **2.** *(have stated opinion):* **what do you ~ of OR about his new film?** ¿qué piensas de su nueva película?; **to ~ a lot of sthg/sb** tener en mucha estima algo/a alguien. **3.** *phr:* **to ~ twice** pensárselo dos veces. ◆ **think about** *vt fus* pensar en; **I'll have to ~ about it** tendré que pensarlo; **to ~ about doing sthg** pensar en hacer algo. ◆ **think of** *vt fus* **1.** *(consider):* **to ~ of doing sthg** pensar en hacer algo. **2.** *(remember)* acordarse de. **3.** *(conceive)* pensar en; **how did you ~ of (doing) that?** ¿cómo se te ocurrió (hacer) esto? ◆ **think out, think through** *vt sep (plan)* elaborar; *(problem)* examinar. ◆ **think over** *vt sep* pensarse. ◆ **think up** *vt sep* idear.

think tank *n* grupo de expertos convocados por una organización para aconsejar sobre un tema determinado.

third [θɜːrd] ◇ *num adj* tercer(ra). ◇ *num n* **1.** *(fraction)* tercio *m.* **2.** *(in order)* tercero *m,* -ra *f.* **3.** (UNIV) ≃ aprobado *m (en un título universitario); see also* **sixth.**

thirdly [ˈθɜːrdlɪ] *adv* en tercer lugar.

third party insurance *n* seguro *m* a terceros.

third-rate *adj pej* de poca categoría.

Third World *n:* **the ~** el Tercer Mundo.

thirst [θɜːrst] *n lit & fig:* **~ (for)** sed *f* (de).

thirsty [ˈθɜːrstɪ] *adj (parched):* **to**

T

be OR **feel ~** tener sed.

thirteen [ˌθɜːˈtiːn] *num* trece; *see also* **six**.

thirty [ˈθɜːˈtɪ] *num* treinta; *see also* **sixty**.

this [ðɪs] (*pl* **these**) ◊ *pron* (*gen*) éste *m*, ésta *f*, éstos *mpl*, éstas *fpl*; (*indefinite*) esto; **~ is/these are for you** esto es/éstas son para tí; **~ can't be true** esto no puede ser cierto; **do you prefer these or those?** ¿prefieres éstos o aquéllos?; **~ is Daphne Logan** (*introducing another person*) ésta es OR te presento a Daphne Logan; (*introducing oneself on phone*) soy Daphne Logan; **what's ~?** ¿qué es eso? ◊ *adj* **1.** (*gen*) este (esta), estos (estas) (*pl*); **~ country** este país; **these thoughts** estos pensamientos; **I prefer ~ one** prefiero éste; **~ morning/week** esta mañana/semana; **~ Sunday/summer** este domingo/verano. **2.** *inf* (*a certain*) un (una); **there's ~ woman I know** hay una tía que conozco. ◊ *adv*: **it was ~ big** era así de grande; **you'll need about ~ much** te hará falta un tanto así.

• *This* y *these* designan cosas cercanas en el espacio o el tiempo (*is* this *your coat on the floor here?*; this *music is excellent*); tienen relación con *here* y *now*. *That* y *those* se emplean al referirse a cosas alejadas de uno (*isn't* that *your father over there?*; *he was born in 1915,* that's *a long time ago*); están relacionados con *there* y *then*.

• En ocasiones *this/these* y *that/those* se usan en combinación para hacer comparaciones (*which skirt should I wear?,* this one *or* that one*?*). Para realizar el contraste entre dos posibilidades es más común emplear *this/these* y *the other/the others* (*Krajicek is serving from* this *end and Sampras receiving at* the other).

• Sólo *this/these* pueden referirse a algo aún no mencionado (*listen to* this, *you'll never believe it!*, "¡escucha esto, no lo vas a creer!").

• Únicamente *those* usado como pronombre (no *this/these* o *that*) sirve para referirse a personas. En este caso, *those* suele ir seguido de una frase especificativa (those *of you who agree, please put up your hands*, "quienes estén de acuerdo, por favor levanten la mano").

---

thistle [ˈθɪsl] *n* cardo *m*.

thong [θɒŋ] *n* (*of leather*) correa *f*.

thorn [θɔːrn] *n* (*prickle*) espina *f*.

thorough [*Am* ˈθɜːroʊ, *Br* ˈθʌrə] *adj* **1.** (*investigation etc*) exhaustivo(va). **2.** (*person, work*) minucioso(sa).

thoroughbred [*Am* ˈθɜːroʊbred, *Br* ˈθʌrə-] *n* pura sangre *m* y *f*.

thoroughfare [*Am* ˈθɜːroʊfeər, *Br* ˈθʌrəfeə] *n fml* calle *f* mayor.

thoroughly [*Am* ˈθɜːroʊlɪ, *Br* ˈθʌrə-] *adv* **1.** (*fully, in detail*) a fondo. **2.** (*completely, utterly*) completamente.

those [ðoʊz] *pl* → **that**.

though [ðoʊ] ◊ *conj* aunque; **even ~** aunque; **as ~** como si. ◊ *adv* sin embargo.

thought [θɔːt] ◊ *pt & pp* → **think**. ◊ *n* **1.** (*notion, idea*) idea *f*. **2.** (*act of thinking*): **after much ~** después de pensarlo mucho. **3.** (*philosophy, thinking*) pensamiento *m*. ◆ **thoughts** *npl* **1.** (*reflections*) reflexiones *fpl*. **2.** (*views*) opiniones *fpl*.

thoughtful [ˈθɔːtfl] *adj* **1.** (*pensive*) pensativo(va). **2.** (*considerate*) considerado(da).

thoughtless [ˈθɔːtləs] *adj* desconsiderado(da).

thousand [ˈθaʊznd] *num* mil; **a** OR **one ~** mil; **two ~** dos mil; **~s of** miles de; *see also* **six**.

thousandth [ˈθaʊzntθ] ◊ *num adj* milésimo(ma). ◊ *num n* (*fraction*) milésima *f*; *see also* **sixth**.

thrash [θræʃ] *vt lit & fig* dar una paliza a. ◆ **thrash about**, **thrash around** *vi* agitarse violentamente. ◆ **thrash out** *vt sep* darle vueltas a, discutir.

thread [θred] ◊ *n* **1.** (*of cotton, argument*) hilo *m*. **2.** (*of screw*) rosca *f*, filete *m*. ◊ *vt* (*needle*) enhebrar.

threadbare [ˈθredbeər] *adj* raído(da).

threat [θret] *n*: **~ (to/of)** amenaza *f* (para/de).

threaten [ˈθretn] ◊ *vt* amenazar; **to ~ sb (with)** amenazar a alguien (con); **to ~ to do sthg** amenazar con hacer algo. ◊ *vi* amenazar.

three [θriː] *num* tres; *see also* **six**.

three-dimensional [-dɪˈmenʃnəl] *adj* tridimensional.

threefold [ˈθriːfoʊld] ◊ *adj* triple. ◊ *adv* tres veces.

three-piece *adj* de tres piezas; **~ suite** tresillo *m*.

three-ply *adj* (*wood*) de tres capas; (*rope, wool*) de tres hebras.

thresh [θreʃ] *vt* trillar.

threshold ['θreʃhʊʊld] *n* 1. *(doorway)* umbral *m*. 2. *(level)* límite *m*.

threw [θru:] *pt* → throw.

thrifty ['θrɪftɪ] *adj (person)* ahorrativo (va); *(meal)* frugal.

thrill [θrɪl] ◊ *n* 1. *(sudden feeling)* estremecimiento *m*. 2. *(exciting experience)*: it was a ~ to see it fue emocionante verlo. ◊ *vt* entusiasmar.

thrilled [θrɪld] *adj*: ~ (with sthg/to do sthg) encantado(da) (de algo/de hacer algo).

thriller ['θrɪlər] *n* novela *f*/película *f*/obra *f* de suspense.

thrilling ['θrɪlɪŋ] *adj* emocionante.

thrive [θraɪv] *(pt* **-d** OR **throve)** *vi* *(plant)* crecer mucho; *(person)* rebosar de salud; *(business)* prosperar.

thriving ['θraɪvɪŋ] *adj (plant)* que crece bien.

throat [θrəʊt] *n* garganta *f*.

throb [θrɒb] *vi* 1. *(heart, pulse)* latir; *(head)* palpitar. 2. *(engine, music)* vibrar, resonar.

throes [θrəʊz] *npl*: to be in the ~ of estar en medio de.

throne [θrəʊn] *n* trono *m*.

throng [θrɒŋ] ◊ *n* multitud *f*. ◊ *vt* llegar en tropel a.

throttle ['θrɒtl] ◊ *n* válvula *f* reguladora. ◊ *vt (strangle)* estrangular.

through [θru:] ◊ *adj (finished)*: to be ~ with sthg haber terminado algo. ◊ *adv* 1. *(in place)* de parte a parte, de un lado a otro; they let us ~ nos dejaron pasar; I read it ~ lo leí hasta el final. 2. *(in time)* hasta el final. ◊ *prep* 1. *(relating to place, position)* a través de; to cut/travel ~ sthg cortar/viajar por algo. 2. *(during)* durante; to go ~ an experience pasar por una experiencia. 3. *(because of)* a causa de, por. 4. *(by means of)* gracias a, por medio de; I got it ~ a friend lo conseguí a través de un amigo. 5. *Am (up to and including)*: **Monday ~ Friday** de lunes a viernes. ◆ **through and through** *adv* de pies a cabeza.

┌─────────────────┐
│ • Ver **ACROSS**. │
└─────────────────┘

throughout [θru:'aʊt] ◊ *prep* 1. *(during)* a lo largo de, durante todo (durante toda). 2. *(everywhere in)* por todo(da). ◊ *adv* 1. *(all the time)* todo el tiempo. 2. *(everywhere)* por todas partes.

throve [θrəʊv] *pt* → thrive.

throw [θrəʊ] *(pt* **threw,** *pp* **thrown)** ◊ *vt* 1. *(gen)* tirar; *(ball, hammer, javelin)* lanzar. 2. *(subj: horse)* derribar, des-

montar. 3. *fig (confuse)* desconcertar. ◊ *n lanzamiento m*, tiro *m*. ◆ **throw away** *vt sep (discard)* tirar; *fig (waste)* desperdiciar. ◆ **throw out** *vt sep* 1. *(discard)* tirar. 2. *(force to leave)* echar. ◆ **throw up** *vi inf (vomit)* vomitar.

throw-in *n Br* (FTBL) saque *m* de banda.

thrown [θrəʊn] *pp* → throw.

thru [θru:] *Am inf* = through.

thrush [θrʌʃ] *n* 1. *(bird)* tordo *m*. 2. (MED) *(vaginal)* hongos *mpl* (vaginales).

thrust [θrʌst] *(pt & pp* **thrust)** ◊ *n* 1. *(of sword)* estocada *f*; *(of knife)* cuchillada *f*; *(of troops)* arremetida *f*. 2. (TECH) *(fuerza f de)* propulsión *f*. 3. *(main meaning)* esencia *f*. ◊ *vt (shove)*: he ~ the knife into his enemy hundió el cuchillo en el cuerpo de su enemigo.

thud [θʌd] *vi* dar un golpe seco.

thug [θʌg] *n* matón *m*.

thumb [θʌm] ◊ *n (of hand)* pulgar *m*. ◊ *vt inf (hitch)*: to ~ a lift hacer dedo. ◆ **thumb through** *vt fus* hojear.

thumbtack ['θʌmtæk] *n Am* tachuela *f*, chinche *f Amer*, chincheta *f Esp*.

thump [θʌmp] ◊ *n* 1. *(blow)* puñetazo *m*. 2. *(thud)* golpe *m* seco. ◊ *vt (punch)* dar un puñetazo a. ◊ *vi (heart, head)* latir con fuerza.

thunder ['θʌndər] ◊ *n (U)* 1. (METEOR) truenos *mpl*. 2. *fig (loud sound)* estruendo *m*. ◊ *v impers* (METEOR) tronar. ◊ *vi (make loud sound)* retumbar.

thunderbolt ['θʌndəbəʊlt] *n* rayo *m*.

thunderclap ['θʌndərklæp] *n* trueno *m*.

thunderstorm ['θʌndərstɔːrm] *n* tormenta *f*.

thundery ['θʌndərɪ] *adj* tormentoso (sa).

Thursday ['θɜːrzdeɪ] *n* jueves *m inv; see also* **Saturday**.

thus [ðʌs] *adv fml* 1. *(therefore)* por consiguiente, así que. 2. *(in this way)* así, de esta manera.

thwart [θwɔːrt] *vt* frustrar.

thyme [taɪm] *n* tomillo *m*.

thyroid ['θaɪrɔɪd] *n* tiroides *m inv*.

tiara [Am tɪ'ɑːrə, *Br* -'ɑːrə] *n* tiara *f*.

Tibet [tɪ'bet] *n* (el) Tibet.

tic [tɪk] *n* tic *m*.

tick [tɪk] ◊ *n* 1. *(written mark)* marca *f* OR señal *f* de visto bueno. 2. *(sound)* tictac *m*. ◊ *vt* marcar (con una señal). ◊ *vi (make ticking sound)* hacer tictac. ◆ **tick off** *vt sep* 1. *(mark off)* marcar (con una señal de visto bueno). 2. *(tell off)*: to ~

T

ticket

356

sb off (for sthg) echar una bronca a alguien (por algo). ◆ **tick over** *vi* funcionar al ralenti.

ticket ['tɪkət] *n* **1.** *(for bus, train etc)* billete *m*, boleto *m Amer*; *(for cinema, football match)* entrada *f.* **2.** *(for traffic offence)* multa *f.*

ticket collector *n Br* revisor *m*, -ra *f.*

ticket inspector *n Br* revisor *m*, -ra *f.*

ticket machine *n* máquina *f* automática para la venta de billetes.

ticket office *n* taquilla *f*, boletería *f Amer.*

tickle ['tɪkl] *vt* **1.** *(touch lightly)* hacer cosquillas a. **2.** *fig (amuse)* divertir.

ticklish ['tɪklɪʃ] *adj (sensitive to touch)*: **to be ~** tener cosquillas.

tidal ['taɪdl] *adj* de la marea.

tidal wave *n* maremoto *m.*

tidbit *Am* ['tɪdbɪt], **titbit** *Br* ['tɪtbɪt] *n* **1.** *(of food)* golosina *f.* **2.** *fig (of news)* noticia *f* breve e interesante.

tiddlywinks ['tɪdlɪwɪŋks], **tiddledywinks** *Am* ['tɪdldɪwɪŋks] *n* juego *m* de la pulga.

tide [taɪd] *n* **1.** *(of sea)* marea *f.* **2.** *fig (of protest, feeling)* oleada *f.*

tidy ['taɪdɪ] ◇ *adj* **1.** *(room, desk etc)* ordenado(da). **2.** *(person, dress, hair)* arreglado(da). ◇ *vt* ordenar, arreglar. ◆ **tidy up** *vt sep* ordenar, arreglar.

tie [taɪ] *(pt & pp* **tied**, *cont* **tying)** ◇ *n* **1.** *(necktie)* corbata *f.* **2.** *(string, cord)* atadura *f.* **3.** *(bond, link)* vínculo *m*, lazo *m.* **4.** (SPORT) *(draw)* empate *m.* ◇ *vt* **1.** *(attach, fasten)*: **to ~ sthg (to** OR **onto sthg)** atar algo (a algo). **to ~ sthg round/with sthg** atar algo a/con algo. **2.** *(do up - shoelaces)* atar; *(- knot)* hacer. **3.** *fig (link)*: **to be ~d to** estar ligado(da) a. ◇ *vi (draw)*: **to ~ (with)** empatar (con). ◆ **tie down** *vt sep fig* atar. ◆ **tie in with** *vt fus* concordar con. ◆ **tie up** *vt sep* **1.** *(gen)* atar. **2.** *(money, resources)* inmovilizar. **3.** *fig (link)*: **to be ~d up with** estar ligado(da) a.

tiebreak(er) ['taɪbreɪk(ər)] *n* **1.** (TENNIS) muerte *f* súbita, tiebreak *m.* **2.** *(in game, competition)* pregunta adicional para romper un empate.

tiepin ['taɪpɪn] *n* alfiler *m* de corbata.

tier [tɪər] *n (of seats)* hilera *f*; *(of cake)* piso *m.*

tiff [tɪf] *n* pelea *f (de poca importancia).*

tiger ['taɪgər] *n* tigre *m.*

tight [taɪt] ◇ *adj* **1.** *(gen)* apretado(da); *(shoes)* estrecho(cha). **2.** *(string, skin)* tirante. **3.** *(budget)* ajustado(da). **4.** *rules, restrictions)* riguroso(sa). **5.** *(corner, bend)*

cerrado(da). **6.** *(match, finish)* reñido (da). **7.** *inf (drunk)* cocido(da). **8.** *inf (miserly)* agarrado(da). ◇ *adv* **1.** *(hold, squeeze)* con fuerza; **to hold ~** agarrarse (fuerte); **to shut** OR **close sthg ~** cerrar algo bien. **2.** *(pull, stretch)* de modo tirante. ◆ **tights** *npl* medias *fpl.*

tighten ['taɪtn] ◇ *vt* **1.** *(hold, grip)*: **to ~ one's hold** OR **grip on sthg** coger con más fuerza algo. **2.** *(rope, chain)* tensar. **3.** *(knot)* apretar; *(belt)* apretarse. **4.** *(rules, system)* intensificar. ◇ *vi (rope, chain)* tensarse.

tightly ['taɪtlɪ] *adv* **1.** *(hold, squeeze)* con fuerza; *(fasten)* bien. **2.** *(pack)* apretadamente.

tightrope ['taɪtrəup] *n* cuerda *f* floja.

tile [taɪl] *n* **1.** *(on roof)* teja *f.* **2.** *(on floor)* baldosa *f*; *(on wall)* azulejo *m.*

tiled [taɪld] *adj (roof)* tejado(da); *(floor)* embaldosado(da); *(wall)* alicatado(da).

till [tɪl] ◇ *prep* hasta; **~ now/then** hasta ahora/entonces. ◇ *conj* hasta que; **wait ~ he arrives** espera hasta que llegue. ◇ *n* caja *f (registradora).*

tiller ['tɪlər] *n* (NAUT) caña *f* del timón.

tilt [tɪlt] ◇ *vt* inclinar. ◇ *vi* inclinarse.

timber ['tɪmbər] *n* **1.** (U) *(wood)* madera *f (para la construcción).* **2.** *(beam - of ship)* cuaderna *f*; *(- of house)* viga *f.*

time [taɪm] ◇ *n* **1.** *(gen)* tiempo *m*; **ahead of ~** temprano; **in good ~** con tiempo; **on ~** puntualmente; **to take ~** llevar tiempo; **it's (about) ~ to ...** ya es hora de ...; **to have no ~ for** no poder con, no aguantar; **to pass the ~** pasar el rato; **to play for ~** intentar ganar tiempo; **to take one's ~ (doing sthg)** tomarse uno mucho tiempo (para hacer algo). **2.** *(as measured by clock)* hora *f*; **what ~ is it?, what's the ~?** ¿qué hora es?; **the ~ is three o'clock** son las tres; **in a week's/ year's ~** dentro de una semana/un año. **3.** *(length of time)* rato *m*; **it was a long ~ before he came** pasó mucho tiempo antes de que viniera; **for a ~** durante un tiempo. **4.** *(point in time in past, era)* época *f*; **at that ~** en aquella época; **before my ~** antes de que yo naciera. **5.** *(occasion)* vez *f*; **three ~s a week** tres veces a la semana; **from ~ to ~** de vez en cuando; **~ after ~, ~ and again** una y otra vez. **6.** *(experience)*: **we had a good/bad ~** lo pasamos bien/mal. **7.** (MUS) compás *m.* ◇ *vt* **1.** *(schedule)* programar. **2.** *(race, runner)* cronometrar. **3.** *(arrival, remark)* elegir el momento oportuno para. ◆ **times** ◇ *n*: **four ~s as much as me** cuatro veces más que yo. ◇ *prep* (MATH): **4 ~s**

5 4 por 5. ◆ **about time** *adv*: **it's about ~** ya va siendo hora. ◆ **at a time** *adv*: **for months at a ~** durante meses seguidos; **one at a ~** de uno en uno. ◆ **at times** *adv* a veces. ◆ **at the same time** *adv* al mismo tiempo. ◆ **for the time being** *adv* de momento. ◆ **in time** *adv* **1.** *(not late):* **in ~ (for)** a tiempo (para). **2.** *(eventually)* con el tiempo.

time bomb *n (bomb)* bomba *f* de relojería; *fig (dangerous situation)* bomba *f*.

time lag *n* intervalo *m*.

timeless ['taɪmləs] *adj* eterno(na).

time limit *n* plazo *m*.

timely ['taɪmlɪ] *adj* oportuno(na).

time off *n* tiempo *m* libre.

time out *n Am* (SPORT) tiempo *m* muerto.

timer ['taɪmər] *n* temporizador *m*.

time scale *n* tiempo *m* de ejecución.

time-share *n Br* multipropiedad *f*.

time switch *n* interruptor *m* de reloj.

timetable ['taɪmteɪbl] *n* **1.** *(of buses, trains, school)* horario *m*. **2.** *(schedule of events)* programa *m*.

time zone *n* huso *m* horario.

timid ['tɪmɪd] *adj* tímido(da).

timing ['taɪmɪŋ] *n (U)* **1.** *(judgment):* **she made her comment with perfect ~** su comentario fue hecho en el momento más oportuno. **2.** *(scheduling):* **the ~ of the election is crucial** es crucial que las elecciones se celebren en el momento oportuno. **3.** *(measuring)* cronometraje *m*.

timpani ['tɪmpənɪ] *npl* timbales *mpl*.

tin [tɪn] *n* **1.** *(metal)* estaño *m*; **~ plate** hojalata *f*. **2.** *Br (can, container)* lata *f*.

tin can *n* lata *f*.

tinfoil ['tɪnfɔɪl] *n (U)* papel *m* de aluminio.

tinge [tɪndʒ] *n* **1.** *(of colour)* matiz *m*. **2.** *(of feeling)* ligera sensación *f*.

tinged [tɪndʒd] *adj*: **~ with** con un toque de.

tingle ['tɪŋgl] *vi*: **my feet are tingling** siento hormigueo en los pies.

tinker ['tɪŋkər] ◇ *n Br pej (gypsy)* gitano *m*, -na *f*. ◇ *vi* hacer chapuzas; **to ~ with** enredar con.

tinkle ['tɪŋkl] *vi (ring)* tintinear.

tinned [tɪnd] *adj Br* enlatado(da), en conserva.

tin opener *n Br* abrelatas *m inv*.

tinsel ['tɪnsl] *n (U)* oropel *m*.

tint [tɪnt] *n* tinte *m*, matiz *m*.

tinted ['tɪntəd] *adj (glasses, windows)* tintado(da), ahumado(da).

tiny ['taɪnɪ] *adj* diminuto(ta), pequeñito (ta).

tip [tɪp] ◇ *n* **1.** *(end)* punta *f*. **2.** *Br (dump)* vertedero *m*. **3.** *(gratuity)* propina *f*. **4.** *(piece of advice)* consejo *m*. ◇ *vt* **1.** *(tilt)* inclinar, ladear. **2.** *(spill, pour)* vaciar, verter. **3.** *(give a gratuity to)* dar una propina a. ◇ *vi* **1.** *(tilt)* inclinarse, ladearse. **2.** *(spill)* derramarse. ◆ **tip over** ◇ *vt sep* volcar. ◇ *vi* volcarse.

tip-off *n* información *f* (confidencial).

tipped [tɪpt] *adj (cigarette)* con filtro.

tiptoe ['tɪptoʊ] *n*: **on ~** de puntillas.

tip-top *adj inf dated* de primera.

tire ['taɪər] ◇ *n Am* neumático *m*. ◇ *vt* cansar. ◇ *vi*: **to ~ (of)** cansarse (de).

tired ['taɪərd] *adj*: **~ (of sthg/of doing sthg)** cansado(da) (de algo/de hacer algo).

tireless ['taɪərləs] *adj* incansable.

tire pressure *n* presión *f* de los neumáticos.

tiresome ['taɪərsəm] *adj* pesado(da).

tiring ['taɪərɪŋ] *adj* cansado(da).

tissue ['tɪʃuː] *n* **1.** *(paper handkerchief)* pañuelo *m* de papel. **2.** *(U)* (BIOL) tejido *m*. **3.** *(paper)* papel *m* de seda.

tissue paper *n (U)* papel *m* de seda.

tit [tɪt] *n (bird)* herrerillo *m*.

titbit *Br* = **tidbit**.

tit for tat [-'tæt] *n*: **it's ~** donde las dan las toman.

titillate ['tɪtɪleɪt] *vt & vi* excitar.

title ['taɪtl] *n* título *m*.

title deed *n* título *m* de propiedad.

title role *n* papel *m* principal.

titter ['tɪtər] *vi* reírse por lo bajo.

TM *abbr of* **trademark**.

to [stressed tuː, unstressed before vowel tu, before consonant tə] ◇ *prep* **1.** *(indicating place, direction)* a; **to go ~ Liverpool/Spain/school** ir a Liverpool/España/la escuela; **to go ~ the doctor's/John's** ir al médico/a casa de John; **the road ~ Glasgow** la carretera de Glasgow; **~ the left/right** a la izquierda/derecha; **~ the east/west** hacia el este/oeste. **2.** *(to express indirect object)* a; **to give sthg ~ sb** darle algo a alguien; **to talk ~ sb** hablar con alguien; **a threat ~ sb** una amenaza para alguien; **we were listening ~ the radio** escuchábamos la radio. **3.** *(as far as)* hasta, a; **to count ~ ten** contar hasta diez; **we work from nine ~ five** trabajamos de nueve a cinco. **4.** *(in expressions of time):* **it's ten/a quarter ~ three** son las tres menos diez/cuarto. **5.** *(per)* por; **40 miles ~ the gallon** un galón (por) cada 40 millas. **6.** *(of)* de; *(for)* para; **the key ~ the car** la llave del coche; **a letter ~ my daughter** una carta para OR a mi hija. **7.** *(indicating reaction, effect)*: **~ my surprise** para sorpresa mía. **8.** *(in stating opinion)*: **it seemed quite unnecessary ~ me/him** *etc* para mí/él *etc* aquello parecía del todo innecesario. **9.** *(indicating state, process)*: **to drive sb ~ drink** llevar a alguien a la bebida; **to lead ~ trouble** traer problemas. ◇ *adv (shut)*: **push the door ~** cierra la puerta. ◇ *with infinitive* **1.** *(forming simple infinitive)*: **~ walk** andar. **2.** *(following another verb)*: **to begin ~ do sthg** empezar a hacer algo; **to try/want ~ do sthg** intentar/querer hacer algo; **to hate ~ do sthg** odiar tener que hacer algo. **3.** *(following an adjective)*: **difficult ~ do** difícil de hacer; **ready ~ go** listos para marchar. **4.** *(indicating purpose)* para; **I'm doing it ~ help you** lo hago para ayudarte; **he came ~ see me** vino a verme. **5.** *(substituting for a relative clause)*: **I have a lot ~ do** tengo mucho que hacer; **he told me ~ leave** me dijo que me fuera. **6.** *(to avoid repetition of infinitive)*: **I meant to call him but I forgot** tenía intención de llamarle pero se me olvidó. **7.** *(in comments)*: **~ be honest …** para ser honesto …; **~ sum up …** para resumir …, resumiendo … ◆ **to and fro** *adv* de un lado para otro.

- No olvidemos que en algunas expresiones *to* lleva inmediatamente después el sustantivo sin *the* (*he's gone to work/school/prison/hospital/ bed*).
- Como excepción, *to* no debe usarse con el sustantivo *home* en frases como *I'm going home.*

---

toad [toʊd] *n* sapo *m*.

toadstool [ˈtoʊdstuːl] *n* seta *f* venenosa.

toast [toʊst] ◇ *n* **1.** *(U)* *(bread)* pan *m* tostado; **a slice of ~** una tostada. **2.** *(drink)* brindis *m*. ◇ *vt* **1.** *(bread)* tostar. **2.** *(person)* brindar por.

toasted sandwich [ˌtoʊstɪd-] *n* sándwich *m* tostado.

toaster [ˈtoʊstər] *n* tostador *m*, -ra *f*.

tobacco [təˈbækoʊ] *n* tabaco *m*.

tobacconist [təˈbækənəst] *n* estanquero *m*, -ra *f*; **~'s (shop)** estanco *m*.

toboggan [təˈbɒgən] *n* tobogán *m*, trineo *m*.

today [təˈdeɪ] ◇ *n* **1.** *(this day)* hoy *m*. **2.** *(nowadays)* hoy (en día). ◇ *adv* **1.** *(this*

day) hoy. **2.** *(nowadays)* hoy (en día).

toddler [ˈtɒdlər] *n* niño pequeño *m*, niña pequeña *f* (que empieza a andar).

toddy [ˈtɒdɪ] *n* ponche *m*.

toe [toʊ] ◇ *n* **1.** *(of foot)* dedo *m* (del pie). **2.** *(of sock)* punta *f*; *(of shoe)* puntera *f*. ◇ *vt*: **to ~ the line** acatar las normas.

toenail [ˈtoʊneɪl] *n* uña *f* del dedo del pie.

toffee [ˈtɒfɪ] *n* caramelo *m*.

toga [ˈtoʊgə] *n* toga *f*.

together [təˈgeðər] *adv* **1.** *(gen)* juntos (tas); **all ~** todos juntos; **to stick ~** pegar; **to go (well) ~** combinar bien. **2.** *(at the same time)* juntos(tas), a la vez. ◆ **together with** *prep* junto con.

toil [tɔɪl] *fml* ◇ *n* trabajo *m* duro. ◇ *vi* trabajar sin descanso.

toilet [ˈtɔɪlət] *n* *(at home)* baño *m*, wáter *m* *Esp*; *(in public place)* baños *mpl*, servicios *mpl*; **to go to the ~** ir al baño.

toilet bag *n* neceser *m*.

toilet paper *n* *(U)* papel *m* higiénico.

toiletries [ˈtɔɪlətrɪz] *npl* artículos *mpl* de tocador.

toilet roll *n* *(roll)* rollo *m* de papel higiénico.

toilet water *n* (agua *f* de) colonia *f*.

token [ˈtoʊkən] ◇ *adj* simbólico(ca). ◇ *n* **1.** *(voucher)* vale *m*; *(disk)* ficha *f*. **2.** *(symbol)* muestra *f*, símbolo *m*. ◆ **by the same token** *adv* del mismo modo.

told [toʊld] *pt & pp* → **tell.**

tolerable [ˈtɒlərəbl] *adj* tolerable, pasable.

tolerance [ˈtɒlərəns] *n* tolerancia *f*.

tolerant [ˈtɒlərənt] *adj* tolerante.

tolerate [ˈtɒləreɪt] *vt* **1.** *(put up with)* soportar, tolerar. **2.** *(permit)* tolerar.

toll [toʊl] ◇ *n* **1.** *(number)*: **death ~** número *m* de víctimas. **2.** *(fee)* peaje *m*. **3.** *phr*: **to take its ~** hacer mella. ◇ *vi* tocar, doblar.

toll-free *adv* *Am*: **to call a number ~** llamar a un número gratis.

tomato [*Am* təˈmeɪtoʊ, *Br* -ˈmɑːtoʊ] *(pl -es)* *n* tomate *m*, jitomate *m* *Méx*.

tomb [tuːm] *n* tumba *f*, sepulcro *m*.

tomboy [ˈtɒmbɔɪ] *n* niña *f* poco femenina.

tombstone [ˈtuːmstoʊn] *n* lápida *f*.

tomcat [ˈtɒmkæt] *n* gato *m* (macho).

tomorrow [təˈmɒroʊ] ◇ *n* *lit & fig* mañana *f*; **the day after ~** pasado mañana; **~ night** mañana por la noche. ◇ *adv* mañana.

ton [tʌn] *(pl inv* OR **-s)** *n* **1.** *(imperial)*

Am = 907,2 kg; *Br* = 1016 kg, = tonelada *f*. **2.** *(metric)* = 1000 kg, tonelada *f*. ◆ **tons** *npl inf:* **~s (of)** un montón (de).

tone [toʊn] *n* **1.** *(gen)* tono *m*. **2.** *(on phone)* señal *f*. ◆ **tone down** *vt sep* suavizar, moderar. ◆ **tone up** *vt sep* poner en forma.

tongs [tɒŋz] *npl (for coal)* tenazas *fpl;* *(for sugar)* pinzas *fpl*, tenacillas *fpl.*

tongue [tʌŋ] *n* **1.** *(gen)* lengua *f; to hold one's* **~** *fig* quedarse callado(da). **2.** *(of shoe)* lengüeta *f.*

tongue-in-cheek *adj:* it was only **~** no iba en serio.

tongue twister [-ˌtwɪstər] *n* trabalenguas *m inv.*

tonic [ˈtɒnɪk] *n* **1.** *(gen)* tónico *m*. **2.** *(tonic water)* tónica *f.*

tonic water *n* agua *f* tónica.

tonight [təˈnaɪt] ◇ *n* esta noche *f*. ◇ *adv* esta noche.

tonnage [ˈtʌnɪdʒ] *n* tonelaje *m.*

tonne [tʌn] *(pl inv* OR **-s)** *n* tonelada *f* métrica.

tonsil [ˈtɒnsl] *n* amígdala *f.*

tonsil(l)itis [ˌtɒnsəˈlaɪtəs] *n (U)* amigdalitis *f inv.*

too [tuː] *adv* **1.** *(also)* también. **2.** *(excessively)* demasiado; **~ much** demasiado; **~ many things** demasiadas cosas; **it finished all** OR **only ~ soon** terminó demasiado pronto; **I'd be only ~ happy to help** me encantaría ayudarte; **not ~ ...** no muy ...

took [tʊk] *pt* → **take.**

tool [tuːl] *n (implement)* herramienta *f; garden ~s* útiles *mpl* del jardín.

tool box *n* caja *f* de herramientas.

tool kit *n* juego *m* de herramientas.

toot [tuːt] ◇ *n* bocinazo *m*. ◇ *vi* tocar la bocina.

tooth [tuːθ] *(pl* **teeth)** *n (in mouth, of saw, gear wheel)* diente *m.*

toothache [ˈtuːθeɪk] *n* dolor *m* de muelas.

toothbrush [ˈtuːθbrʌʃ] *n* cepillo *m* de dientes.

toothpaste [ˈtuːθpeɪst] *n* pasta *f* de dientes.

toothpick [ˈtuːθpɪk] *n* palillo *m.*

top [tɒp] ◇ *adj* **1.** *(highest - step, floor)* de arriba; *(- object on pile)* de encima. **2.** *(most important, successful)* importante; **she got the ~ mark** sacó la mejor nota. **3.** *(maximum)* máximo(ma). ◇ *n* **1.** *(highest point)* parte *f* superior OR de arriba; *(of list)* cabeza *f*, principio *m; (of tree)* copa *f; (of hill, mountain)* cumbre *f*, cima *f;* **on ~** encima; **at the ~ of one's**

voice a voz en grito. **2.** *(lid, cap - of jar, box)* tapa *f; (- of bottle, tube)* tapón *m; (- of pen)* capuchón *m*. **3.** *(upper side)* superficie *f*. **4.** *(blouse)* blusa *f; (T-shirt)* camiseta *f; (of pyjamas)* parte *f* de arriba. **5.** *(toy)* peonza *f*. **6.** *(most important level)* cúpula *f*. **7.** *(of league, table, scale)* cabeza *f*. ◇ *vt* **1.** *(be first in)* estar a la cabeza de. **2.** *(better)* superar. **3.** *(exceed)* exceder. ◆ **on top of** *prep* **1.** *(in space)* encima de. **2.** *(in addition to)* además de. ◆ **top up** *Br*, **top off** *Am vt sep* volver a llenar.

top floor *n* último piso *m.*

top hat *n* sombrero *m* de copa.

top-heavy *adj* demasiado pesado(da) en la parte de arriba.

topic [ˈtɒpɪk] *n* tema *m*, asunto *m.*

topical [ˈtɒpɪkl] *adj* actual.

topless [ˈtɒpləs] *adj* en topless.

top-level *adj* de alto nivel.

topping [ˈtɒpɪŋ] *n* capa *f;* **with a ~ of cream** cubierto de nata.

topple [ˈtɒpl] ◇ *vt (government, pile)* derribar; *(president)* derrocar. ◇ *vi* venirse abajo.

top-secret *adj* sumamente secreto (sumamente secreta).

topspin [ˈtɒpspɪn] *n* (TENNIS) liftado *m.*

topsy-turvy [ˌtɒpsɪˈtɜːrvɪ] ◇ *adj (messy)* patas arriba *(inv)*. ◇ *adv (messily)* en desorden, de cualquier manera.

torch [tɔːrtʃ] *n* **1.** *Br (electric)* linterna *f*. **2.** *(burning)* antorcha *f.*

tore [tɔːr] *pt* → **tear²**.

torment [*n* ˈtɔːrment, *vb* tɔːrˈment] ◇ *n* tormento *m*. ◇ *vt* **1.** *(worry greatly)* atormentar. **2.** *(annoy)* fastidiar.

torn [tɔːrn] *pp* → **tear²**.

tornado [tɔːrˈneɪdoʊ] *(pl* **-es** OR **-s)** *n* tornado *m.*

torpedo [tɔːrˈpiːdoʊ] *(pl* **-es)** *n* torpedo *m.*

torrent [ˈtɒrənt] *n* torrente *m.*

torrid [ˈtɒrəd] *adj (hot)* tórrido(da); *fig (passionate)* apasionado(da).

tortoise [ˈtɔːrtəs] *n* tortuga *f* (de tierra).

tortoiseshell [ˈtɔːrtəsʃel] ◇ *adj:* **~ cat** gato *m* pardo atigrado. ◇ *n (U) (material)* carey *m*, concha *f.*

torture [ˈtɔːrtʃər] ◇ *n* tortura *f*. ◇ *vt* torturar.

Tory [ˈtɔːrɪ] ◇ *adj* tory, del partido conservador (británico). ◇ *n* tory *m* y *f*, miembro *m* del partido conservador (británico).

toss [tɒs] ◇ *vt* **1.** *(throw carelessly)* tirar.

2. *(move from side to side - head, boat)* sacudir. 3. *(salad)* remover; *(pancake)* dar la vuelta en el aire. 4. *(coin)*: **to ~ a coin** echar a cara o cruz. ◇ *vi (move rapidly)*: **to ~ and turn** dar vueltas (en la cama). ◆ **toss up** *vi* jugar a cara o cruz.

tot [tɒt] *n* 1. *inf (small child)* nene *m*, nena *f*. 2. *(of drink)* trago *m*.

total ['toʊtl] ◇ *adj* total. ◇ *n* total *m*. ◇ *vt (add up)* sumar. ◇ *vi (amount to)* ascender a.

totalitarian [ˌtoʊtælə'teərɪən] *adj* totalitario(ria).

totally ['toʊtəlɪ] *adv (entirely)* totalmente.

totter ['tɒtər] *vi lit & fig* tambalearse.

touch [tʌtʃ] ◇ *n* 1. *(sense, act of feeling)* tacto *m*. 2. *(detail, skill, knack)* toque *m*. 3. *(contact)*: **to get/keep in ~ (with)** ponerse/mantenerse en contacto (con); **to lose ~ (with)** perder el contacto (con); **to be out of ~ with** no estar al tanto de. 4. (SPORT): **in ~** fuera de banda. 5. *(small amount)*: **a ~** un poquito. ◇ *vt* 1. *(gen)* tocar. 2. *(emotionally)* conmover. ◇ *vi (be in contact)* tocarse. ◆ **touch down** *vi (plane)* aterrizar. ◆ **touch on** *vt fus* tratar por encima.

touch-and-go *adj* dudoso(sa), poco seguro (poco segura).

touchdown ['tʌtʃdaʊn] *n* 1. *(of plane)* aterrizaje *m*. 2. *(in American football)* ensayo *m*.

touched [tʌtʃt] *adj (grateful)* emocionado(da).

touching ['tʌtʃɪŋ] *adj* conmovedor(ra).

touchline ['tʌtʃlaɪn] *n* línea *f* de banda.

touchy ['tʌtʃɪ] *adj* 1. *(person)*: **~ (about)** susceptible (con). 2. *(subject, question)* delicado(da).

tough [tʌf] *adj* 1. *(resilient)* fuerte. 2. *(hard-wearing)* resistente. 3. *(meat, regulations, policies)* duro(ra). 4. *(difficult to deal with)* difícil. 5. *(rough - area)* peligroso(sa).

toughen ['tʌfn] *vt* endurecer.

toupee [*Am* tu:'peɪ, *Br* 'tu:peɪ] *n* peluquín *m*.

tour [tʊər] ◇ *n* 1. *(long journey)* viaje *m* largo. 2. *(of pop group etc)* gira *f*. 3. *(for sightseeing)* recorrido *m*, visita *f*. ◇ *vt (museum)* visitar; *(country)* recorrer, viajar por. ◇ *vi* estar de gira.

touring ['tʊərɪŋ] *n* viajes *mpl* turísticos.

tourism ['tʊərɪzm] *n* turismo *m*.

tourist ['tʊərəst] *n* turista *m y f*.

tourist (information) office *n* oficina *f* de turismo.

tournament ['tʊərnəmənt] *n* torneo *m*.

tour operator *n* touroperador *m*.

tousle ['taʊzl] *vt* despeinar, alborotar.

tout [taʊt] ◇ *n* revendedor *m*, -ra *f*. ◇ *vt* revender. ◇ *vi*: **to ~ for sthg** solicitar algo.

tow [toʊ] ◇ *n*: **on ~** *Br (car)* a remolque. ◇ *vt* remolcar.

toward *Am* [tə'wɔːrd], **towards** *Br* [tə'wɔːrdz] *prep* 1. *(gen)* hacia. 2. *(for the purpose or benefit of)* para.

towel ['taʊəl] *n* toalla *f*.

toweling *Am*, **towelling** *Br* ['taʊəlɪŋ] *n* (U) (tejido *m* de) toalla *f*.

towel rail *n* toallero *m*.

tower ['taʊər] ◇ *n* torre *f*. ◇ *vi*: **to ~ (over sthg)** elevarse (por encima de algo).

tower block *n Br* bloque *m* (de pisos u oficinas).

town [taʊn] *n* 1. *(gen)* ciudad *f*; *(smaller)* pueblo *m*. 2. *(centre of town, city)* centro *m* de la ciudad; **to go out on the ~** irse de juerga; **to go to ~** *fig (to put in a lot of effort)* emplearse a fondo; *(spend a lot of money)* tirar la casa por la ventana.

town centre *n* centro *m* (de la ciudad).

town council *n* ayuntamiento *m*.

town hall *n* ayuntamiento *m*.

town planning *n (study)* urbanismo *m*.

township ['taʊnʃɪp] *n* 1. *(in South Africa)* zona urbana asignada por el gobierno para la población negra. 2. *(in US)* ≃ municipio *m*.

towpath [*Am* 'toʊpæθ, *pl* -pæðz, *Br* -pɑːθ, *pl* -pɑːðz] *n* camino *m* de sirga.

towrope ['toʊroʊp] *n* cable *m* de remolque.

tow truck *n Am (coche m)* grúa *f*.

toxic ['tɒksɪk] *adj* tóxico(ca).

toy [tɔɪ] *n* juguete *m*. ◆ **toy with** *vt fus (idea)* acariciar; *(food, coin etc)* jugetear con.

toy shop *n* juguetería *f*.

trace [treɪs] ◇ *n* 1. *(evidence, remains)* rastro *m*, huella *f*. 2. *(small amount)* pizca *f*. ◇ *vt* 1. *(find)* localizar, encontrar. 2. *(follow progress of)* describir. 3. *(on paper)* calcar.

tracing paper ['treɪsɪŋ-] *n* (U) papel *m* de calcar.

track [træk] ◇ *n* 1. *(path)* sendero *m*. 2. (SPORT) pista *f*. 3. (RAIL) vía *f*. 4. *(mark, trace)* rastro *m*, huella *f*. 5. *(on record, tape)* canción *f*. 6. *phr*: **to keep/**

lose ~ of sb no perder/perder la pista a alguien; **to be on the right/wrong ~** ir por el buen/mal camino. ◊ *vt (follow tracks of)* seguir la pista de. ♦ **track down** *vt sep* localizar.

track record *n* historial *m*.

tracksuit ['træksuːt] *n* chandal *m*.

tract [trækt] *n* **1.** *(pamphlet)* artículo *m* breve. **2.** *(of land, forest)* extensión *f*.

tractor ['træktəʳ] *n* tractor *m*.

trade [treɪd] ◊ *n* **1.** *(U) (commerce)* comercio *m*. **2.** *(job)* oficio *m*; **by ~** de oficio. ◊ *vt (exchange):* **to ~ sthg (for)** cambiar algo (por). ◊ *vi* (COMM): **to ~ (with)** comerciar (con). ♦ **trade in** *vt sep (exchange)* dar como entrada.

trade fair *n* feria *f* de muestras.

trade-in *n* artículo usado que se entrega como entrada al comprar un artículo nuevo.

trademark ['treɪdmɑːʳk] *n* (COMM) marca *f* comercial.

trade name *n* (COMM) nombre *m* comercial.

trader ['treɪdəʳ] *n* comerciante *m y f*.

tradesman ['treɪdzmən] *(pl* **-men** [-mən]*) n (trader)* comerciante *m*; *(shop-keeper)* tendero *m*.

trade(s) union *n Br* sindicato *m*.

Trades Union Congress *n Br:* **the ~** la asociación británica de sindicatos.

trade(s) unionist *n Br* sindicalista *m y f*.

trading ['treɪdɪŋ] *n (U)* comercio *m*.

trading estate *n Br* polígono *m* industrial.

tradition [trə'dɪʃn] *n* tradición *f*.

traditional [trə'dɪʃnəl] *adj* tradicional.

traffic ['træfɪk] *(pt & pp* **-ked**, *cont* **-king**) ◊ *n* **1.** *(vehicles)* tráfico *m*. **2.** *(illegal trade):* **~ (in)** tráfico *m* (de). ◊ *vi:* **to ~ in** traficar con.

traffic circle *n Am* glorieta *f*.

traffic jam *n* embotellamiento *m*.

trafficker ['træfɪkəʳ] *n:* **~ (in)** traficante *m y f* (de).

traffic lights *npl* semáforos *mpl*.

traffic warden *n Br* ≃ guardia *m y f* de tráfico.

tragedy ['trædʒədɪ] *n* tragedia *f*.

tragic ['trædʒɪk] *adj* trágico(ca).

trail [treɪl] ◊ *n* **1.** *(path)* sendero *m*, camino *m*. **2.** *(trace, track)* rastro *m*, huellas *fpl*. ◊ *vt* **1.** *(drag)* arrastrar. **2.** *(lose to)* ir por detrás de. ◊ *vi* **1.** *(drag)* arrastrarse. **2.** *(move slowly)* andar con desgana. **3.** *(lose)* ir perdiendo. ♦ **trail away, trail off** *vi* apagarse.

trailer ['treɪləʳ] *n* **1.** *(vehicle for luggage)* remolque *m*. **2.** *(for living in)* roulotte *m*, caravana *f*. **3.** (CINEMA) avance *m*, trailer *m Esp*.

train [treɪn] ◊ *n* **1.** (RAIL) tren *m*. **2.** *(of dress)* cola *f*. ◊ *vt* **1.** *(teach):* **to ~ sb (to do sthg)** enseñar a alguien (a hacer algo); **to ~ sb in sthg** preparar a alguien para algo. **2.** *(for job):* **to ~ sb (as sthg)** formar OR preparar a alguien (como algo). **3.** (SPORT): **to ~ sb (for)** entrenar a alguien (para). **4.** *(aim - gun)* apuntar. ◊ *vi* **1.** *(for job)* estudiar; **to ~ as** formarse OR prepararse como. **2.** (SPORT): **to ~ (for)** entrenarse (para).

trained [treɪnd] *adj* cualificado(da).

trainee [treɪ'niː] *n* aprendiz *m*, -za *f*.

trainer ['treɪnəʳ] *n* **1.** *(of animals)* amaestrador *m*, -ra *f*. **2.** (SPORT) entrenador *m*, -ra *f*. ♦ **trainers** *npl Br* zapatillas *fpl* de deporte.

training ['treɪnɪŋ] *n (U)* **1.** *(for job):* **~ (in)** formación *f* OR preparación *f* (para). **2.** (SPORT) entrenamiento *m*.

training college *n Br (gen)* centro *m* de formación especializada; *(for teachers)* escuela *f* normal.

training shoes *npl Br* zapatillas *fpl* de deporte.

train of thought *n* hilo *m* del razonamiento.

trait [treɪt] *n* rasgo *m*, característica *f*.

traitor ['treɪtəʳ] *n:* **~ (to)** traidor *m*, -ra *f* (a).

tram [træm], **tramcar** ['træmkɑːʳ] *n Br* tranvía *m*.

tramp [træmp] ◊ *n* **1.** *(homeless person)* vagabundo *m*, -da *f*. **2.** *Am inf (woman)* fulana *f*. ◊ *vi* andar pesadamente.

trample ['træmpl] *vt* pisar, pisotear.

trampoline ['træmpəliːn] *n* cama *f* elástica.

trance [*Am* træns, *Br* trɑːns] *n* trance *m*.

tranquil ['træŋkwəl] *adj literary* tranquilo(la), apacible.

tranquilizer *Am*, **tranquillizer** *Br* ['træŋkwəlaɪzəʳ] *n* tranquilizante *m*.

transaction [træn'zækʃn] *n* transacción *f*.

transcend [træn'send] *vt fml* ir más allá de.

transcript ['trænskrɪpt] *n* transcripción *f*.

transfer [*n* 'trænsfɜːʳ, *vb* træns'fɜːʳ] ◊ *n* **1.** *(gen)* transferencia *f*. **2.** *(for job)* traslado *m*. **3.** (SPORT) traspaso *m*. **4.** *(design)* calcomanía *f*. ◊ *vt* **1.** *(from one place to another)* trasladar. **2.** *(from one person to another)* transferir. ◊ *vi (to* *different job etc)*: **he transferred to a different department** lo trasladaron a otro departamento.

transfix [træns'fɪks] *vt (immobilize)* paralizar.

transform [træns'fɔːrm] *vt*: **to ~ sthg/ sb (into)** transformar algo/a alguien (en).

transfusion [træns'fjuːʒn] *n* transfusión *f*.

transient ['trænzɪənt] *adj fml (fleeting)* transitorio(ria), pasajero(ra).

transistor [træn'zɪstər] *n* transistor *m*.

transit ['trænsət] *n*: **in ~** de tránsito.

transition [træn'zɪʃn] *n*: **~ (from sthg to sthg)** transición *f* (de algo a algo).

transitive ['trænzətɪv] *adj* (GRAMM) transitivo(va).

transitory [*Am* 'trænsətɔːrɪ, *Br* -ətrɪ] *adj* transitorio(ria).

translate [træns'leɪt] *vt (languages)* traducir.

translation [træns'leɪʃn] *n* traducción *f*.

translator [træns'leɪtər] *n* traductor *m*, -ra *f*.

transmission [trænz'mɪʃn] *n* transmisión *f*.

transmit [trænz'mɪt] *vt* transmitir.

transmitter [trænz'mɪtər] *n* (ELECTRON) transmisor *m*.

transparency [*Am* træns'perənsɪ, *Br* -'pær-] *n* transparencia *f*.

transparent [*Am* træns'perənt, *Br* -'pær-] *adj* **1.** *(see-through)* transparente. **2.** *(obvious)* claro(ra).

transpire [træn'spaɪər] *fml* ◇ *vt*: **it ~s that ...** resulta que ... ◇ *vi (happen)* ocurrir.

transplant [*Am* 'trænsplænt, *Br* -plɑːnt] *n* trasplante *m*.

transport [*n* 'trænspɔːrt, *vb* træn'spɔːrt] ◇ *n* transporte *m*. ◇ *vt* transportar.

transportation [*Am* ,trænspər'teɪʃn, *Br* -pɔː-] *n* transporte *m*.

transport cafe ['trænspɔːrt-] *n Br* bar *m* de camioneros.

transpose [træns'pəʊz] *vt (change round)* invertir.

trap [træp] ◇ *n* trampa *f*. ◇ *vt* **1.** *(catch - animals, birds)* coger con trampa. **2.** *(trick)* atrapar, engañar.

trapdoor ['træpdɔːr] *n (gen)* trampilla *f*, trampa *f*; (THEATRE) escotillón *m*.

trapeze [*Am* træ'piːz, *Br* trə-] *n* trapecio *m*.

trappings ['træpɪŋz] *npl* atributos *mpl*.

trash [træʃ] *n Am lit & fig* basura *f*.

trashcan ['træʃkæn] *n Am* cubo *m* de la basura.

traumatic [*Am* trə'mætɪk, *Br* trɔː-] *adj* traumático(ca).

travel ['trævl] ◇ *n (U)* viajes *mpl*. ◇ *vt (place)* viajar por; *(distance)* recorrer. ◇ *vi* viajar.

travel agency *n* agencia *f* de viajes.

travel agent *n* empleado *m*, -da *f* de una agencia de viajes; **~'s** agencia *f* de viajes.

traveler *Am*, **traveller** *Br* ['trævlər] *n (person on journey)* viajero *m*, -ra *f*.

traveler's cheque *n* cheque *m* de viajero.

traveling *Am*, **travelling** *Br* ['trævlɪŋ] *adj (theatre, showman)* ambulante.

travelsick ['trævlsɪk] *adj* que se marea al viajar.

travesty ['trævəstɪ] *n* burda parodia *f*.

trawler ['trɔːlər] *n* trainera *f*.

tray [treɪ] *n* bandeja *f*.

treacherous ['tretʃərəs] *adj* **1.** *(plan, action)* traicionero(ra); *(person)* traidor (ra). **2.** *(dangerous)* peligroso(sa).

treachery ['tretʃərɪ] *n* traición *f*.

treacle ['triːkl] *n Br* melaza *f*.

tread [tred] *(pt* trod, *pp* trodden) ◇ *n* **1.** *(on tire, shoe)* banda *f*. **2.** *(sound of walking)* pasos *mpl*; *(way of walking)* modo *m* de andar. ◇ *vi (step)*: **to ~ on sthg** pisar algo. **2.** *(walk)* andar.

treason ['triːzn] *n* traición *f*.

treasure ['treʒər] ◇ *n lit & fig* tesoro *m*. ◇ *vt* guardar como oro en paño.

treasurer ['treʒərər] *n* tesorero *m*, -ra *f*.

treasury ['treʒərɪ] *n (room)* habitación *donde se guarda el tesoro de un castillo, de una catedral etc.* ♦ **Treasury** *n*: **the Treasury** = el Ministerio de Hacienda.

treat [triːt] ◇ *vt* **1.** *(gen)* tratar; **to ~ sb as/like** tratar a alguien como. **2.** *(give sthg special)*: **to ~ sb (to)** invitar a alguien (a). ◇ *n (something special)* regalo *m*; **he took me out to dinner as a ~** me invitó a cenar.

treatise ['triːtəs] *n fml*: **~ (on)** tratado *m* (sobre).

treatment ['triːtmənt] *n* **1.** (MED) tratamiento *m*. **2.** *(manner of dealing)* trato *m*.

treaty ['triːtɪ] *n* tratado *m*.

treble ['trebl] ◇ *adj* **1.** (MUS) de tiple. **2.** *(with numbers)* triple. ◇ *n* (MUS) *(range, singer)* tiple *m*. ◇ *vt* triplicar. ◇ *vi* triplicarse.

treble clef *n* clave *f* de sol.

tree [tri:] *n* árbol *m*.

treetop ['tri:tɒp] *n* copa *f* (de árbol).

tree-trunk *n* tronco *m* (de árbol).

trek [trek] *n* viaje *m* largo y difícil.

tremble ['trembl] *vi* temblar.

tremendous [trə'mendəs] *adj* 1. *(impressive, large)* enorme, tremendo(da). 2. *inf (really good)* estupendo(da).

tremor ['tremər] *n* 1. *(of person, body, voice)* estremecimiento *m*. 2. *(small earthquake)* temblor *m*.

trench [trentʃ] *n* 1. *(narrow channel)* zanja *f*. 2. (MIL) trinchera *f*.

trench coat *n* trinchera *f*.

trend [trend] *n* *(tendency)* tendencia *f*; *(fashion)* moda *f*.

trendy ['trendɪ] *adj inf (person)* moderno(na); *(clothes)* de moda.

trespass ['trespəs] *vi* entrar ilegalmente; **'no ~ing'** 'prohibido el paso'.

trespasser ['trespəsər] *n* intruso *m*, -sa *f*.

trestle ['tresl] *n* caballete *m*.

trestle table *n* mesa *f* de caballete.

trial ['traɪəl] *n* 1. (JUR) juicio *m*, proceso *m*; **to be on ~ (for)** ser procesado(da) (por). 2. *(test, experiment)* prueba *f*; **on ~** de prueba; **by ~ and error** a base de probar. 3. *(unpleasant experience)* suplicio *m*, fastidio *m*.

triangle ['traɪæŋgl] *n* (GEOM & MUS) triángulo *m*.

tribe [traɪb] *n* tribu *f*.

tribunal [traɪ'bju:nl] *n* tribunal *m*.

tributary [*Am* 'trɪbjəterɪ, *Br* -ərɪ] *n* afluente *m*.

tribute ['trɪbju:t] *n* 1. *(credit)* tributo *m*; **to be a ~ to** hacer honor a. 2. *(U) (respect, admiration)*: **to pay ~ (to)** rendir homenaje (a).

trick [trɪk] ◇ *n* 1. *(to deceive)* truco *m*; *(to trap)* trampa *f*; *(joke)* broma *f*; **to play a ~ on sb** gastarle una broma a alguien. 2. *(in magic)* juego *m* (de manos). 3. *(knack)* truco *m*; **that should do the ~** eso es lo que necesitamos. ◇ *vt* engañar; **to ~ sb into doing sthg** engañar a alguien para que haga algo.

trickery ['trɪkərɪ] *n* *(U)* engaño *m*.

trickle ['trɪkl] ◇ *n* *(of liquid)* hilo *m*. ◇ *vi* 1. *(liquid)* resbalar *(formando un hilo)*. 2. *(people, things)*: **to ~ in/out** llegar/salir poco a poco.

tricky ['trɪkɪ] *adj (difficult)* difícil.

tricycle ['traɪsəkl] *n* triciclo *m*.

tried [traɪd] *adj*: **~ and tested** probado (da).

trifle ['traɪfl] *n* 1. *Br* (CULIN) *postre de bizcocho con gelatina, crema, frutas y nata.* 2. *(unimportant thing)* nadería *f*. ◆ **a trifle** *adv fml* un poco, ligeramente.

trifling ['traɪflɪŋ] *adj pej* trivial.

trigger ['trɪgər] *n* *(on gun)* gatillo *m*. ◆ **trigger off** *vt sep* desencadenar.

trill [trɪl] *n* trino *m*.

trim [trɪm] ◇ *adj* 1. *(neat and tidy)* limpio y arreglado (limpia y arreglada). 2. *(slim)* esbelto(ta). ◇ *n* *(of hair)* recorte *m*. ◇ *vt* 1. *(nails, moustache)* recortar. 2. *(decorate)*: **to ~ sthg (with)** adornar algo (con).

trimmings ['trɪmɪŋz] *npl* 1. *(on clothing)* adornos *mpl*. 2. *(with food)* guarnición *f*.

trinket ['trɪŋkət] *n* baratija *f*.

trio ['tri:əʊ] *n* *(pl* **-s)** trío *m*.

trip [trɪp] ◇ *n* *(gen & drugs sl)* viaje *m*. ◇ *vt* *(make stumble)* hacer la zancadilla a. ◇ *vi* *(stumble)* tropezar; **to ~ over sthg** tropezar con algo. ◆ **trip up** *vt sep (make stumble)* hacer tropezar, hacer la zancadilla a.

tripe [traɪp] *n* *(U)* 1. (CULIN) callos *mpl*. 2. *inf (nonsense)* tonterías *fpl*.

triple ['trɪpl] ◇ *adj* triple. ◇ *vt* triplicar. ◇ *vi* triplicarse.

triple jump *n*: **the ~** el triple salto.

triplets ['trɪpləts] *npl* trillizos *mpl*, -zas *fpl*.

triplicate ['trɪplɪkət] *n*: **in ~** por triplicado.

tripod ['traɪpɒd] *n* trípode *m*.

trite [traɪt] *adj pej* trillado(da).

triumph ['traɪʌmf] ◇ *n* triunfo *m*. ◇ *vi*: **to ~ (over)** triunfar (sobre).

trivia ['trɪvɪə] *n* *(U)* trivialidades *fpl*.

trivial ['trɪvɪəl] *adj pej* trivial.

trod [trɒd] *pt* → **tread**.

trodden ['trɒdn] *pp* → **tread**.

trolley ['trɒlɪ] *(pl* **trolleys)** *n* 1. *Am (tram)* tranvía *m*. 2. *Br (for shopping, food, drinks)* carrito *m*.

trombone [trɒm'bəʊn] *n* trombón *m*.

troop [tru:p] ◇ *n* *(of people)* grupo *m*, bandada *f*; *(of animals)* manada *f*. ◇ *vi* ir en grupo. ◆ **troops** *npl* tropas *fpl*.

trooper ['tru:pər] *n* 1. (MIL) soldado *m* de caballería. 2. *Am (policeman)* miembro de la policía estatal.

trophy ['trəʊfɪ] *n* (SPORT) trofeo *m*.

tropical ['trɒpɪkl] *adj* tropical.

tropics ['trɒpɪks] *npl*: **the ~** el trópico.

trot [trɒt] ◇ *n* 1. *(of horse)* trote *m*. 2. *(of person)* paso *m* rápido. ◇ *vi* 1. *(horse)* trotar. 2. *(person)* andar con pasos rápidos. ♦ **on the trot** *adv inf:* **three times on the ~** tres veces seguidas.

trouble ['trʌbl] ◇ *n* (U) 1. *(bother)* molestia *f;* *(difficulty, main problem)* problema *m;* **would it be too much ~ to ask you to …?** ¿tendría inconveniente en …?; **to be in ~** tener problemas; **to take the ~ to do sthg** tomarse la molestia de hacer algo. 2. *(U) (pain)* dolor *m;* *(illness)* enfermedad *f.* 3. *(U) (violence, unpleasantness)* problemas *mpl.* ◇ *vt* 1. *(worry, upset)* preocupar. 2. *(disturb, give pain to)* molestar. ♦ **troubles** *npl* 1. *(problems, worries)* problemas *mpl.* 2. (POL) conflicto *m.*

troubled ['trʌbld] *adj* 1. *(worried, upset)* preocupado(da). 2. *(disturbed, problematic)* agitado(da), turbulento(ta).

troublemaker ['trʌbl,meɪkər] *n* alborotador *m,* -ra *f.*

troubleshooter ['trʌbl,ʃuːtər] *n (for machines)* especialista en la localización y reparación de averías; *(in organizations)* persona contratada para resolver problemas.

troublesome ['trʌblsəm] *adj* molesto(ta).

trough [trɒf] *n* 1. *(for drinking)* abrevadero *m;* *(for eating)* comedero *m.* 2. *(low point)* punto *m* más bajo.

trousers ['trauzəz] *npl* pantalones *mpl.*

trout [traut] (*pl inv* OR **-s**) *n* trucha *f.*

trowel ['trauəl] *n* 1. *(for the garden)* desplantador *m.* 2. *(for cement, plaster)* paleta *f,* palustre *m.*

truant ['truːənt] *n (child)* alumno *m,* -na *f* que hace novillos; **to play ~** hacer novillos.

truce [truːs] *n:* **~ (between)** tregua *f* (entre).

truck [trʌk] *n* 1. *(lorry)* camión *m.* 2. (RAIL) vagón *m* de mercancías.

truck driver *n* camionero *m,* -ra *f.*

trucker ['trʌkər] *n Am* camionero *m,* -ra *f.*

truck farm *n Am* puesto de verduras y frutas para la venta.

truculent ['trʌkjələnt] *adj* agresivo(va), pendenciero(ra).

trudge [trʌdʒ] *vi* caminar con dificultad.

true [truː] *adj* 1. *(gen)* verdadero(ra); **it's ~** es verdad; **to come ~** hacerse realidad. 2. *(genuine)* auténtico(ca); *(friend)* de verdad. 3. *(exact)* exacto(ta).

truffle ['trʌfl] *n* trufa *f.*

truly ['truːlɪ] *adv* verdaderamente;

yours **~** le saluda atentamente.

trump [trʌmp] *n* triunfo *m (en cartas).*

trumped-up ['trʌmpt-] *adj pej* inventado(da).

trumpet ['trʌmpət] *n* trompeta *f.*

truncheon ['trʌntʃən] *n* porra *f.*

trundle ['trʌndl] *vi* rodar lentamente.

trunk [trʌŋk] *n* 1. *(of tree, person)* tronco *m.* 2. *(of elephant)* trompa *f.* 3. *(box)* baúl *m.* 4. *Am (of car)* maletero *m,* baúl *m CSur,* cajuela *f Méx.* ♦ **trunks** *npl* traje *m* de baño, bañador *m* (de hombre) *Esp.*

trunk call *n Br* conferencia *f,* llamada *f* interurbana.

trunk road *n* = carretera *f* nacional.

trust [trʌst] ◇ *vt* 1. *(believe in)* confiar en. 2. *(have confidence in):* **to ~ sb to do sthg** confiar en alguien para que haga algo. 3. *(entrust):* **to ~ sb with sthg** confiar algo a alguien. 4. *(accept as safe, reliable)* fiarse de. ◇ *n* 1. (U) *(faith, responsibility):* **~ (in)** confianza *f* (en). 2. (FIN) trust *m;* **in ~** en fideicomiso.

trusted ['trʌstəd] *adj* de confianza.

trustee [trʌˈstiː] *n* (FIN & JUR) fideicomisario *m,* -ria *f.*

trust fund *n* fondo *m* de fideicomiso.

trusting ['trʌstɪŋ] *adj* confiado(da).

trustworthy ['trʌst,wɜːðɪ] *adj* digno(na) de confianza.

truth [truːθ] *n* verdad *f;* **in (all) ~** en verdad, verdaderamente.

truthful ['truːθfl] *adj* 1. *(person)* sincero(ra). 2. *(story)* verídico(ca).

try [traɪ] ◇ *vt* 1. *(attempt)* intentar; **to ~ to do sthg** tratar de OR intentar hacer algo. 2. *(sample, test)* probar. 3. (JUR) *(case)* ver; *(criminal)* juzgar, procesar. 4. *(put to the test - person)* acabar con la paciencia de; *(- patience)* acabar con. ◇ *vi* intentar; **to ~ for sthg** tratar de conseguir algo. ◇ *n* 1. *(attempt)* intento *m,* tentativa *f.* 2. *(sample, test):* **to give sthg a ~** probar algo. 3. (RUGBY) ensayo *m.* ♦ **try on** *vt sep* probarse. ♦ **try out** *vt sep (car, machine)* probar; *(plan)* poner a prueba.

> •En el habla común, el verbo *try* en lugar de ir seguido del infinitivo, suele llevar *and* más el verbo en infinitivo sin *to* (*try and come tonight* = *try to come tonight,* "intenta venir esta noche").

trying ['traɪɪŋ] *adj* difícil, pesado(da).

T-shirt *n* camiseta *f.*

T-square *n* escuadra *f* en forma de T.

tub [tʌb] *n* 1. *(container - small)* bote *m;*

(- large) tina *f.* **2.** *inf (bath)* bañera *f.*

tubby ['tʌbɪ] *adj inf* regordete(ta).

tube [tjuːb] *n* **1.** *(cylinder, container)* tubo *m.* **2.** (ANAT) conducto *m.* **3.** *Br* (RAIL) metro *m*; **by ~** en metro.

tuberculosis [tjuˌbɜːkjəˈləʊsəs] *n* tuberculosis *f.*

tubing ['tjuːbɪŋ] *n (U)* tubos *mpl.*

tubular ['tjuːbjələr] *adj* tubular.

TUC *n abbr of* **Trades Union Congress**.

tuck [tʌk] *vt (place neatly)* meter.
♦ **tuck away** *vt sep (money etc)* guardar.
♦ **tuck in** ◇ *vt sep* **1.** *(person - in bed)* arropar. **2.** *(clothes)* meterse. ◇ *vi inf* comer con apetito. ♦ **tuck up** *vt sep* arropar.

tuck shop *n Br* confitería *f (emplazada cerca de un colegio).*

Tuesday ['tjuːzdeɪ] *n* martes *m inv; see also* **Saturday**.

tuft [tʌft] *n (of hair)* mechón *m*; *(of grass)* manojo *m.*

tug [tʌg] ◇ *n* **1.** *(pull)* tirón *m.* **2.** *(boat)* remolcador *m.* ◇ *vt* tirar de. ◇ *vi:* **to ~ (at)** tirar (de).

tug-of-war *n* juego *m* de la cuerda *(en el que dos equipos compiten tirando de ella).*

tuition [tjuːˈɪʃn] *n* enseñanza *f*; **private ~** clases *fpl* particulares.

tulip ['tjuːlɪp] *n* tulipán *m.*

tumble ['tʌmbl] ◇ *vi (person)* caerse *(rodando).* ◇ *n* caída *f.* ♦ **tumble to** *vt fus Br inf* caerse en la cuenta de.

tumble-dryer [-ˌdraɪər] *n* secadora *f.*

tumbler ['tʌmblər] *n (glass)* vaso *m.*

tummy ['tʌmɪ] *n inf* barriga *f.*

tumor *Am,* **tumour** *Br* ['tjuːmər] *n* tumor *m.*

tuna ['tjuːnə] *(pl inv OR* **-s)** *n* atún *m.*

tune [tjuːn] ◇ *n* **1.** *(song, melody)* melodía *f.* **2.** *(harmony):* **in ~** (MUS) afinado (da); **out of ~** (MUS) desafinado(da); **to be out of/in ~ (with sb/sthg)** *fig* no avenirse/avenirse (con alguien/algo). ◇ *vt* **1.** (MUS) afinar. **2.** (RADIO & TV) sintonizar. **3.** *(engine)* poner a punto. ♦ **tune in** *vi* (RADIO & TV): **to ~ in (to sthg)** sintonizar (algo). ♦ **tune up** *vi* (MUS) concertar OR afinar los instrumentos.

tuneful ['tjuːnfl] *adj* melodioso(sa).

tuner ['tjuːnər] *n* **1.** (RADIO & TV) sintonizador *m.* **2.** (MUS) afinador *m*, -ra *f.*

tunic ['tjuːnɪk] *n* túnica *f.*

tuning fork ['tjuːnɪŋ-] *n* diapasón *m.*

Tunisia [*Am* tuːˈniːʒə, *Br* tjuːˈnɪzɪə] *n* Túnez *m.*

tunnel ['tʌnl] ◇ *n* túnel *m.* ◇ *vi* hacer un túnel.

turban ['tɜːbən] *n* turbante *m.*

turbine ['tɜːbaɪn] *n* turbina *f.*

turbocharged ['tɜːbəʊtʃɑːdʒd] *adj* provisto(ta) de turbina; *(car)* turbo *(inv).*

turbulence ['tɜːbjələns] *n (U) lit & fig* turbulencia *f.*

turbulent ['tɜːbjələnt] *adj lit & fig* turbulento(ta).

tureen [tjʊˈriːn] *n* sopera *f.*

turf [tɜːf] *(pl* **-s** OR **turves**) ◇ *n* **1.** *(grass surface)* césped *m.* **2.** *(clod)* tepe *m.* ◇ *vt* encespedar. ♦ **turf out** *vt sep Br inf (person)* dar la patada a, echar; *(old clothes)* tirar.

turgid ['tɜːdʒəd] *adj fml (over-solemn)* ampuloso(sa).

Turk [tɜːk] *n* turco *m*, -ca *f.*

turkey ['tɜːkɪ] *(pl* **turkeys)** *n* pavo *m.*

Turkey ['tɜːkɪ] *n* Turquía *f.*

Turkish delight *n* rahat lokum *m, dulce de una sustancia gelatinosa, cubierto de azúcar glas.*

turmoil ['tɜːmɔɪl] *n* confusión *f*, alboroto *m.*

turn [tɜːn] ◇ *n* **1.** *(in road, river)* curva *f.* **2.** *(of knob, wheel)* vuelta *f.* **3.** *(change)* cambio *m.* **4.** *(in game)* turno *m*; **it's my ~** me toca a mí; **in ~** sucesivamente, uno tras otro. **5.** *(performance)* número *m.* **6.** (MED) ataque *m.* **7.** *phr:* **to do sb a good ~** hacerle un favor a alguien. ◇ *vt* **1.** *(chair, page, omelette)* dar la vuelta a. **2.** *(knob, wheel)* girar. **3.** *(corner)* doblar. **4.** *(thoughts, attention):* **to ~ sthg to** dirigir algo hacia. **5.** *(change):* **to ~ sthg into** convertir OR transformar algo en. **6.** *(cause to become):* **the cold ~ed his fingers blue** se le pusieron los dedos azules por el frío. **7.** *(become):* **it ~ed black** se volvió negro. ◇ *vi* **1.** *(car)* girar; *(road)* torcer; *(person)* volverse, darse la vuelta. **2.** *(wheel)* dar vueltas. **3.** *(turn page over):* **~ to page two** pasan a la página dos. **4.** *(thoughts, attention):* **to ~ to** dirigirse hacia. **5.** *(seek consolation):* **to ~ to sb/sthg** buscar consuelo en alguien/algo. **6.** *(change):* **to ~ into** convertirse OR transformarse en. **7.** *(go sour)* cortarse. ♦ **turn around = turn round.** ♦ **turn away** *vt sep (refuse entry to)* no dejar entrar. ♦ **turn back** ◇ *vt sep (person, vehicle)* hacer volver. ◇ *vi* volver, volverse. ♦ **turn down** *vt sep* **1.** *(offer, person)* rechazar. **2.** *(volume etc)* bajar. ♦ **turn in** *vi inf (go to bed)* irse a dormir. ♦ **turn off** ◇ *vt fus (road, path)* desviarse de. ◇ *vt sep (radio, heater)* apagar; *(engine)* parar; *(gas, tap)* cerrar. ◇ *vi (leave road)* desviarse. ♦ **turn on**

◇ *vt sep* **1.** (*radio, TV, engine*) encender; (*gas, tap*) abrir. **2.** *inf* (*excite sexually*) poner cachondo(da). ◇ *vt fus* (*attack*) atacar. ◆ **turn out** ◇ *vt sep* **1.** (*extinguish*) apagar. **2.** (*empty - pockets, bag*) vaciar. ◇ *vt fus*: **to ~ out to be** resultar ser. ◇ *vi* **1.** (*end up*) salir. **2.** (*arrive*): **to ~ out (for)** venir OR presentarse (a). ◆ **turn over** ◇ *vt sep* **1.** (*turn upside down*) dar la vuelta a; (*page*) volver. **2.** (*consider*) darle vueltas a. **3.** *Br* (RADIO & TV) cambiar. **4.** (*hand over*): **to ~ sthg/ sb over (to)** entregar algo/a alguien (a). ◇ *vi* **1.** (*roll over*) darse la vuelta. **2.** *Br* (RADIO & TV) cambiar de canal. ◆ **turn round** ◇ *vt sep* **1.** (*gen*) dar la vuelta a. **2.** (*knob, key*) hacer girar. ◇ *vi* (*person*) darse la vuelta, volverse. ◆ **turn up** ◇ *vt sep* (*volume, heating*) subir. ◇ *vi inf* aparecer.

turning ['tɜːnɪŋ] *n* (*road*) bocacalle *f*.

turning point *n* momento *m* decisivo.

turnip ['tɜːnəp] *n* nabo *m*.

turnout ['tɜːnaʊt] *n* número *m* de asistentes, asistencia *f*.

turnover ['tɜːˌnəʊvər] *n* (U) **1.** (*of personnel*) movimiento *m* de personal. **2.** *Br* (FIN) volumen *m* de ventas, facturación *f*.

turnpike ['tɜːnpaɪk] *n Am* autopista *f* de peaje.

turnstile ['tɜːnstaɪl] *n* torniquete *m*.

turntable ['tɜːnteɪbl] *n* plato *m* giratorio.

turn-up *n Br* (*on trousers*) vuelta *f*; **a ~ for the books** *inf* una auténtica sorpresa.

turpentine ['tɜːpəntaɪn] *n* trementina *f*.

turquoise ['tɜːkwɔɪz] ◇ *adj* turquesa. ◇ *n* (*mineral, gem*) turquesa *f*.

turret [*Am* 'tɜːrət, *Br* 'tʌr-] *n* torreta *f*, torrecilla *f*.

turtle ['tɜːtl] (*pl inv* OR **-s**) *n* tortuga *f* (marina).

turtleneck ['tɜːtlnek] *n* cuello *m* (de) cisne.

turves [tɜːvz] *Br pl* → **turf.**

tusk [tʌsk] *n* colmillo *m*.

tussle ['tʌsl] ◇ *n* lucha *f*, pelea *f*. ◇ *vi*: **to ~ (over)** pelearse (por).

tutor ['tjuːtər] *n* **1.** (*private*) profesor particular *m*, profesora particular *f*, tutor *m*, -ra *f*. **2.** (UNIV) profesor universitario *m*, profesora universitaria *f* (*de un grupo pequeño*).

tutorial [tjuːˈtɔːrɪəl] *n* tutoría *f*, clase *f* con grupo reducido.

tuxedo [tʌkˈsiːdəʊ] (*pl* **-s**) *n* esmoquin *m*.

TV (*abbr of* **television**) ◇ *n* televisión *f*; **on ~** en la televisión. ◇ *comp* de televisión.

twang [twæŋ] *n* **1.** (*of guitar*) tañido *m*; (*of string, elastic*) sonido *m* vibrante. **2.** (*accent*) gangueo *m*, acento *m* nasal.

tweed [twiːd] *n* tweed *m*.

tweezers ['twiːzərz] *npl* pinzas *fpl*.

twelfth [twelfθ] *num* duodécimo(ma); *see also* **sixth.**

twelve [twelv] *num* doce; *see also* **six.**

twentieth ['twentɪəθ] *num* vigésimo (ma); *see also* **sixth.**

twenty ['twentɪ] *num* veinte; *see also* **sixty.**

twice [twaɪs] ◇ *num adv* dos veces; **~ a week** dos veces por semana; **it costs ~ as much** cuesta el doble. ◇ *num adj* dos veces; **~ as big** el doble de grande.

twiddle ['twɪdl] ◇ *vt* dar vueltas a. ◇ *vi*: **to ~ with** juguetear con.

twig [twɪg] *n* ramita *f*.

twilight ['twaɪlaɪt] *n* crepúsculo *m*.

twin [twɪn] ◇ *adj* gemelo(la). ◇ *n* gemelo *m*, -la *f*.

twin-bedded [-'bedəd] *adj* de dos camas.

twine [twaɪn] ◇ *n* (U) bramante *m*. ◇ *vt*: **to ~ sthg round sthg** enrollar algo en algo.

twinge [twɪndʒ] *n* (*of pain*) punzada *f*; (*of guilt*) remordimiento *m*.

twinkle ['twɪŋkl] *vi* **1.** (*star*) centellear, parpadear. **2.** (*eyes*) brillar.

twin room *n* habitación *f* con dos camas.

twin town *n* ciudad *f* hermanada.

twirl [twɜːl] ◇ *vt* dar vueltas a. ◇ *vi* dar vueltas rápidamente.

twist [twɪst] ◇ *n* **1.** (*in road*) vuelta *f*, recodo *m*; (*in river*) meandro *m*. **2.** (*of head, lid, knob*) giro *m*. **3.** (*shape*) espiral *f*. **4.** *fig* (*in plot*) giro *m* imprevisto. ◇ *vt* **1.** (*cloth, rope*) retorcer; (*hair*) enroscar. **2.** (*face etc*) torcer. **3.** (*dial, lid*) dar vueltas a; (*head*) volver. **4.** (*ankle, knee etc*) torcerse. **5.** (*misquote*) tergiversar. ◇ *vi* **1.** (*person*) retorcerse; (*road, river*) serpentear. **2.** (*face*) contorsionarse; (*frame, rail*) torcerse. **3.** (*turn - head, hand*) volverse.

twit [twɪt] *n Br inf* imbécil *m y f*.

twitch [twɪtʃ] ◇ *n* contorsión *f*; **nervous ~** tic *m* (nervioso). ◇ *vi* contorsionarse.

two [tuː] *num* dos; **in ~** en dos; *see also* **six.**

twofaced [ˌtuːˈfeɪst] *adj pej* hipócrita.

twofold ['tuːfould] ◊ *adj* doble; **a ~ increase** un incremento del doble. ◊ *adv*: **to increase ~** duplicarse.

two-piece *adj (suit)* de dos piezas.

twosome ['tuːsəm] *n inf* pareja *f.*

two-way *adj (traffic)* en ambas direcciones; *(agreement, cooperation)* mutuo (tua).

tycoon [taɪˈkuːn] *n* magnate *m.*

type [taɪp] ◊ *n* 1. *(gen)* tipo *m.* 2. *(U)* (TYPO) tipo *m*, letra *f.* ◊ *vt* 1. *(on typewriter)* escribir a máquina, mecanografiar. 2. *(on computer)* escribir en el ordenador; **to ~ sthg into sthg** entrar algo en algo. ◊ *vi* escribir a máquina.

typecast [*Am* 'taɪpkæst, *Br* -kɑːst] *(pt & pp* typecast) *vt*: **to ~ sb (as)** encasillar a alguien (como).

typeface ['taɪpfeɪs] *n* tipo *m*, letra *f.*

typescript ['taɪpskrɪpt] *n* copia *f* mecanografiada.

typeset ['taɪpset] *(pt & pp* typeset) *vt* componer.

typewriter ['taɪpraɪtər] *n* máquina *f* de escribir.

typhoid (fever) ['taɪfɔɪd-] *n* fiebre *f* tifoidea.

typhoon [taɪˈfuːn] *n* tifón *m.*

typical ['tɪpɪkl] *adj*: **~ (of)** típico(ca) (de).

typing ['taɪpɪŋ] *n* mecanografía *f.*

typist ['taɪpəst] *n* mecanógrafo *m*, -fa *f.*

typography [taɪˈpɒgrəfɪ] *n (process, job)* tipografía *f.*

tyranny ['tɪrənɪ] *n* tiranía *f.*

tyrant ['taɪrənt] *n* tirano *m*, -na *f.*

tyre *n Br* = tire.

U

u *(pl* **u's** OR **us**), **U** *(pl* **U's** OR **Us**) [juː] *n (letter)* u *f*, U *f.*

U-bend *n* sifón *m.*

udder ['ʌdər] *n* ubre *f.*

UFO *(abbr of* unidentified flying object) *n* OVNI *m.*

Uganda [juˈgændə] *n* Uganda.

ugh [ʌg] *excl* ¡puf!

ugly ['ʌglɪ] *adj* 1. *(unattractive)* feo(a). 2. *fig (unpleasant)* desagradable.

UHF *(abbr of* ultra-high frequency) UHF.

UK *(abbr of* United Kingdom) *n* RU *m*; **the ~** el Reino Unido.

Ukraine [juːˈkreɪn] *n*: **the ~** Ucrania.

ulcer ['ʌlsər] *n* úlcera *f.*

Ulster ['ʌlstər] *n* (el) Úlster.

ulterior [ʌlˈtɪərɪər] *adj*: **~ motive** motivo *m* oculto.

ultimata [ˌʌltɪˈmeɪtə] *pl* → ultimatum.

ultimate ['ʌltɪmət] ◊ *adj* 1. *(final, long-term)* final, definitivo(va). 2. *(most powerful)* máximo(ma). ◊ *n*: **the ~ in** el colmo de.

ultimately ['ʌltɪmətlɪ] *adv* finalmente, a la larga.

ultimatum [ˌʌltɪˈmeɪtəm] *(pl* **-s** OR **-ta**) *n* ultimátum *m.*

ultrasound ['ʌltrəsaʊnd] *n* ultrasonido *m.*

ultraviolet [ˌʌltrəˈvaɪələt] *adj* ultravioleta.

umbilical cord [ʌmˌbɪlɪkl-] *n* cordón *m* umbilical.

umbrella [ʌmˈbrelə] ◊ *n* 1. *(for rain)* paraguas *m inv.* 2. *(on beach)* parasol *m.* ◊ *adj* que engloba a otros (otras).

umpire ['ʌmpaɪər] *n* árbitro *m.*

umpteen [ˌʌmpˈtiːn] *num adj inf*: **~ times** la tira de veces.

umpteenth [ˌʌmpˈtiːnθ] *num adj inf* enésimo(ma); **for the ~ time** por enésima vez.

UN *(abbr of* United Nations) *n*: **the ~** la ONU.

unabated [ˌʌnəˈbeɪtəd] *adj* incesante.

unable [ʌnˈeɪbl] *adj*: **to be ~ to do sthg** no poder hacer algo.

unacceptable [ˌʌnəkˈseptəbl] *adj* inaceptable.

unaccompanied [ˌʌnəˈkʌmpənɪd] *adj* 1. *(child)* que no va acompañado(da); *(luggage)* desatendido(da). 2. *(song)* sin acompañamiento.

unaccountably [ˌʌnəˈkaʊntəblɪ] *adv* inexplicablemente.

unaccounted [ˌʌnəˈkaʊntəd] *adj*: **12 people are ~ for** hay 12 personas aún sin localizar.

unaccustomed [ˌʌnəˈkʌstəmd] *adj (unused)*: **to be ~ to** no estar acostumbrado(da) a.

unadulterated [ˌʌnəˈdʌltəreɪtəd] *adj* 1. *(unspoilt)* sin adulterar. 2. *(absolute)* completo(ta), absoluto(ta).

unanimous [juːˈnænɪməs] *adj* unánime.

unanimously [juːˈnænɪməslɪ] *adv*

unánimemente.

unanswered [*Am* ˌʌnˈænsrd, *Br* -ˈɑːnsəd] *adj* sin contestar.

unappetizing [ˌʌnˈæpətaɪzɪŋ] *adj* poco apetitoso(sa).

unarmed [ˌʌnˈɑːrmd] *adj* desarmado(da).

unarmed combat *n* lucha *f* OR combate *m* a brazo partido.

unassuming [ˌʌnəˈsjuːmɪŋ] *adj* sin pretensiones.

unattached [ˌʌnəˈtætʃt] *adj* 1. *(not fastened, linked)* independiente; ~ **to** que no está ligado a. 2. *(without partner)* libre, sin compromiso.

unattractive [ˌʌnəˈtræktɪv] *adj* poco atractivo(va).

unauthorized [ˌʌnˈɔːθəraɪzd] *adj* no autorizado(da).

unavailable [ˌʌnəˈveɪləbl] *adj* que no está disponible.

unavoidable [ˌʌnəˈvɔɪdəbl] *adj* inevitable, ineludible.

unaware [ˌʌnəˈweər] *adj* inconsciente; **to be** ~ **of** no ser consciente de.

unawares [ˌʌnəˈweərz] *adv*: **to catch** OR **take sb** ~ coger a alguien desprevenido (da).

unbalanced [ˌʌnˈbælənst] *adj* desequilibrado(da).

unbearable [ʌnˈbeərəbl] *adj* insoportable, inaguantable.

unbeatable [ʌnˈbiːtəbl] *adj* (gen) insuperable; *(prices, value)* inmejorable.

unbelievable [ˌʌnbəˈliːvəbl] *adj* increíble.

unbending [ʌnˈbendɪŋ] *adj* resoluto (ta).

unbia(s)sed [ʌnˈbaɪəst] *adj* imparcial.

unborn [ˌʌnˈbɔːrn] *adj* (child) no nacido (da) aún.

unbreakable [ˌʌnˈbreɪkəbl] *adj* irrompible.

unbridled [ʌnˈbraɪdld] *adj* desmesurado(da), desenfrenado(da).

unbutton [ˌʌnˈbʌtn] *vt* desabrochar.

uncalled-for [ʌnˈkɔːld-] *adj* injusto (ta), inmerecido(da).

uncanny [ʌnˈkæni] *adj* extraño(ña).

uncertain [ʌnˈsɜːrtn] *adj* (gen) incierto (ta); *(undecided, hesitant)* indeciso(sa); **in no** ~ **terms** de forma vehemente.

unchanged [ˌʌnˈtʃeɪndʒd] *adj* sin alterar.

unchecked [ˌʌnˈtʃekt] ◇ *adj* (unrestrained) desenfrenado(da). ◇ *adv* (unrestrained) libremente, sin restricciones.

uncivilized [ʌnˈsɪvəlaɪzd] *adj* (society) incivilizado(da); *(person)* inculto(ta).

uncle [ˈʌŋkl] *n* tío *m*.

unclear [ˌʌnˈklɪər] *adj* poco claro(ra); **to be** ~ **about sthg** no tener claro algo.

uncomfortable [ˌʌnˈkʌmftərbl] *adj* 1. *(gen)* incómodo(da). 2. *fig (fact, truth)* inquietante, desagradable.

uncommon [ʌnˈkɒmən] *adj* (rare) poco común, raro(ra).

uncompromising [ʌnˈkɒmprəmaɪzɪŋ] *adj* inflexible, intransigente.

unconcerned [ˌʌnkənˈsɜːrnd] *adj* (not anxious) indiferente.

unconditional [ˌʌnkənˈdɪʃnəl] *adj* incondicional.

unconscious [ʌnˈkɒnʃəs] ◇ *adj* inconsciente; **to be** ~ **of sthg** ser inconsciente de OR ignorar algo. ◇ *n* inconsciente *m*.

unconsciously [ʌnˈkɒnʃəsli] *adv* inconscientemente.

uncontrollable [ˌʌnkənˈtroʊləbl] *adj* (gen) incontrolable; *(desire, hatred)* irrefrenable; *(laughter)* incontenible.

unconventional [ˌʌnkənˈvenʃnəl] *adj* poco convencional.

unconvinced [ˌʌnkənˈvɪnst] *adj*: **to remain** ~ seguir sin convencerse.

uncouth [ʌnˈkuːθ] *adj* grosero(ra).

uncover [ʌnˈkʌvər] *vt* (gen) descubrir; *(jar, tin etc)* destapar.

undecided [ˌʌndɪˈsaɪdd] *adj* 1. *(person)* indeciso(sa). 2. *(issue)* pendiente.

undeniable [ˌʌndɪˈnaɪəbl] *adj* innegable.

under [ˈʌndər] ◇ *prep* 1. *(beneath)* debajo de. 2. *(with movement)* bajo; **they walked** ~ **the bridge** pasaron por debajo del puente. 3. *(subject to, undergoing, controlled by)* bajo; ~ **the circumstances** dadas las circunstancias; ~ **discussion** en proceso de discusión; **he has 20 men** ~ **him** tiene 20 hombres a su cargo. 4. *(less than)* menos de. 5. *(according to)* según. 6. *(in headings, classifications)*: **he filed it** ~ **'D'** lo archivó en la 'D'. 7. *(name, title)*: ~ **an alias** bajo nombre supuesto. ◇ *adv* 1. *(gen)* debajo; **to go** ~ *(business)* irse a pique. 2. *(less)*: **children of 12 years and** ~ niños menores de 13 años.

underage [ˌʌndərˈeɪdʒ] *adj* (person) menor de edad; *(sex, drinking)* en menores de edad.

undercarriage [*Am* ˈʌndərkerɪdʒ, *Br* ˈʌndəkærɪdʒ] *n* tren *m* de aterrizaje.

undercharge [ˌʌndərˈtʃɑːrdʒ] *vt* cobrar menos del precio estipulado a.

underclothes [ˈʌndərkloʊz] *npl* ropa *f* interior.

undercoat ['ʌndə^rkout] *n (of paint)* primera mano *f* OR capa *f*.

undercover [ˌʌndə^rkʌvə^r] *adj* secreto (ta).

undercurrent [*Am* 'ʌndərkɜːrənt, *Br* 'ʌndəkʌrənt] *n fig* sentimiento *m* oculto.

undercut [ˌʌndə^rkʌt] (*pt & pp* **undercut**) *vt (in price)* vender más barato que.

underdeveloped [ˌʌndə^rdɪ'veləpt] *adj* subdesarrollado(da).

underdog ['ʌndə^rdɒg] *n*: **the ~** el que lleva las de perder.

underdone [ˌʌndə^rdʌn] *adj* poco hecho(cha).

underestimate [ˌʌndər'estɪmeɪt] *vt* subestimar.

underexposed [ˌʌndərɪk'spouzd] *adj* (PHOT) subexpuesto(ta).

underfoot [ˌʌndə^rfut] *adv* debajo de los pies; **it's wet ~** el suelo está mojado.

undergo [ˌʌndə^rgou] (*pt* **-went**, *pp* **-gone**) *vt (pain, change, difficulties)* sufrir, experimentar; *(operation, examination)* someterse a.

undergraduate [ˌʌndə^rgrædʒuət] *n* estudiante universitario no licenciado *m*, estudiante universitaria no licenciada *f*.

underground [*adj & n* 'ʌndə^rgraund, *adv* ˌʌndə^rgraund] ◇ *adj* **1.** *(below the ground)* subterráneo(a). **2.** *fig (secret, illegal)* clandestino(na). ◇ *adv*: **to go ~** pasar a la clandestinidad. ◇ *n* **1.** *Br (railway system)* metro *m*. **2.** *(activist movement)* movimiento *m* clandestino.

undergrowth ['ʌndə^rgrouθ] *n (U)* maleza *f*.

underhand [ˌʌndə^rhænd] *adj* turbio (bia), poco limpio(pia).

underline [ˌʌndə^rlaɪn] *vt* subrayar.

underlying [ˌʌndə^rlaɪɪŋ] *adj* subyacente.

undermine [ˌʌndə^rmaɪn] *vt fig* minar, socavar.

underneath [ˌʌndə^rniːθ] ◇ *prep* **1.** *(beneath)* debajo de. **2.** *(with movement)* bajo. ◇ *adv (under, below)* debajo. ◇ *adj inf* inferior, de abajo. ◇ *n (underside)*: **the ~** la superficie inferior.

underpaid [ˌʌndə^rpeɪd] *adj* mal pagado(da).

underpants ['ʌndə^rpænts] *npl* calzoncillos *mpl*.

underpass [*Am* 'ʌndərpæs, *Br* 'ʌndəpɑːs] *n* paso *m* subterráneo.

underprivileged [ˌʌndə^rprɪvɪlɪdʒd] *adj* desvalido(da), desamparado(da).

underrated [ˌʌndə^rreɪtəd] *adj* subestimado(da), infravalorado(da).

undershirt ['ʌndə^rʃɜːrt] *n Am* camiseta *f*.

underside ['ʌndə^rsaɪd] *n*: **the ~** la superficie inferior.

underskirt ['ʌndə^rskɜːrt] *n* enaguas *fpl*.

understand [ˌʌndə^rstænd] (*pt & pp* **-stood**) ◇ *vt* **1.** *(gen)* comprender, entender. **2.** *(know all about)* entender de. **3.** *fml (be informed)*: **to ~ that** tener entendido que. ◇ *vi* comprender, entender.

understandable [ˌʌndə^rstændəbl] *adj* comprensible.

understanding [ˌʌndə^rstændɪŋ] ◇ *n* **1.** *(knowledge)* entendimiento *m*, comprensión *f*. **2.** *(sympathy)* comprensión *f* mutua. **3.** *(informal agreement)* acuerdo *m*. ◇ *adj* comprensivo(va).

understatement [ˌʌndə^rsteɪtmənt] *n* **1.** *(inadequate statement)* atenuación *f*; **it's an ~ to say he's fat** decir que es gordo es quedarse corto. **2.** *(U) (quality of understating)*: **he's a master of ~** puede quitarle importancia a cualquier cosa.

understood [ˌʌndə^rstud] *pt & pp* → **understand**.

understudy ['ʌndə^rstʌdɪ] *n* suplente *m* y *f*.

undertake [ˌʌndə^rteɪk] (*pt* **-took**, *pp* **-taken**) *vt* **1.** *(task)* emprender; *(responsibility, control)* asumir, tomar. **2.** *(promise)*: **to ~ to do sthg** comprometerse a hacer algo.

undertaker ['ʌndə^rteɪkə^r] *n* director *m*, -ra *f* de pompas fúnebres.

undertaking [ˌʌndə^rteɪkɪŋ] *n* **1.** *(task)* tarea *f*, empresa *f*. **2.** *(promise)* promesa *f*.

undertone ['ʌndə^rtoun] *n* **1.** *(quiet voice)* voz *f* baja. **2.** *(vague feeling)* matiz *m*.

undertook [ˌʌndə^rtuk] *pt* → **undertake**.

underwater [ˌʌndə^rwɔːtə^r] ◇ *adj* submarino(na). ◇ *adv* bajo el agua.

underwear ['ʌndə^rweə^r] *n* ropa *f* interior.

underwent [ˌʌndə^rwent] *pt* → **undergo**.

underworld ['ʌndə^rwɜːrld] *n (criminal society)*: **the ~** el hampa, los bajos fondos.

underwriter ['ʌndə^rraɪtə^r] *n* asegurador *m*, -ra *f*.

undid [ʌn'dɪd] *pt* → **undo**.

undies ['ʌndɪz] *npl inf* paños *mpl* menores.

undisputed [ˌʌndɪ'spjuːtəd] *adj* indiscutible.

U

undistinguished [ˌʌndɪˈstɪŋgwɪʃt] *adj* mediocre.

undo [ʌnˈduː] (*pt* -**did**, *pp* -**done**) *vt* 1. (*unfasten - knot*) desatar, desanudar; (*- button, clasp*) desabrochar; (*- parcel*) abrir. 2. (*nullify*) anular, deshacer.

undoing [ʌnˈduːɪŋ] *n* (U) *fml* ruina *f*, perdición *f*.

undone [ʌnˈdʌn] ◇ *pp* → undo. ◇ *adj* 1. (*coat*) desabrochado(da); (*shoes*) desatado(da). 2. *fml* (*not done*) por hacer.

undoubted [ʌnˈdaʊtəd] *adj* indubable.

undoubtedly [ʌnˈdaʊtədlɪ] *adv fml* indubablemente, sin duda (alguna).

undress [ʌnˈdres] ◇ *vt* desnudar. ◇ *vi* desnudarse.

undue [ˌʌnˈdjuː] *adj fml* indebido(da).

undulate [ˈʌndʒʊleɪt] *vi fml* ondular.

unduly [ʌnˈdjuːlɪ] *adv fml* indebidamente.

unearth [ʌnˈɜːθ] *vt* (*dig up*) desenterrar; *fig* (*discover*) descubrir.

unearthly [ʌnˈɜːθlɪ] *adj inf* (*hour*) intempestivo(va).

unease [ʌnˈiːz] *n* malestar *m*.

uneasy [ʌnˈiːzɪ] *adj* 1. (*person, feeling*) intranquilo(la). 2. (*peace*) inseguro (ra).

uneconomic [ˌʌniːkəˈnɒmɪk] *adj* poco rentable.

uneducated [ˌʌnˈedʒʊkeɪtəd] *adj* ignorante, inculto(ta).

unemployed [ˌʌnɪmˈplɔɪd] ◇ *adj* parado(da), desempleado(da). ◇ *npl*: **the ~** los parados.

unemployment [ˌʌnɪmˈplɔɪmənt] *n* desempleo *m*, paro *m*.

unemployment compensation *Am*, **unemployment benefit** *Br n* subsidio *m* de desempleo OR paro.

unerring [*Am* ʌnˈerɪŋ, *Br* ʌnˈɜːrɪŋ] *adj* infalible.

uneven [ʌnˈiːvn] *adj* 1. (*not flat - road*) lleno(na) de baches; (*- land*) escabroso (sa). 2. (*inconsistent, unfair*) desigual.

unexpected [ˌʌnɪkˈspektəd] *adj* inesperado(da).

unexpectedly [ˌʌnɪkˈspektədlɪ] *adv* inesperadamente.

unfailing [ʌnˈfeɪlɪŋ] *adj* indefectible.

unfair [ˌʌnˈfeəʳ] *adj* injusto(ta).

unfaithful [ʌnˈfeɪθfl] *adj* (*sexually*) infiel.

unfamiliar [ˌʌnfəˈmɪljəʳ] *adj* 1. (*not well-known*) desconocido(da). 2. (*not acquainted*): **to be ~ with sthg/sb** desconocer algo/a alguien.

unfashionable [ˌʌnˈfæʃnəbl] *adj* (*clothes, ideas*) pasado(da) de moda; (*area of town*) poco popular.

unfasten [*Am* ʌnˈfæsn, *Br* -ˈfɑːsn] *vt* (*garment, buttons*) desabrochar; (*rope, tie*) desatar, soltar; (*door*) abrir.

unfavorable *Am*, **unfavourable** *Br* [ˌʌnˈfeɪvrəbl] *adj* desfavorable.

unfeeling [ʌnˈfiːlɪŋ] *adj* insensible.

unfinished [ˌʌnˈfɪnɪʃt] *adj* sin terminar.

unfit [ʌnˈfɪt] *adj* 1. (*injured*) lesionado (da); (*in poor shape*) que no está en forma. 2. (*not suitable - thing*) impropio (pia); (*- person*): **~ to** incapaz de; **~ for** no apto para.

unfold [ʌnˈfoʊld] ◇ *vt* 1. (*open out*) desplegar, desdoblar. 2. (*explain*) revelar. ◇ *vi* (*become clear*) revelarse.

unforeseen [ˌʌnfɔːˈsiːn] *adj* imprevisto(ta).

unforgettable [ˌʌnfəˈgetəbl] *adj* inolvidable.

unforgivable [ˌʌnfəˈgɪvəbl] *adj* imperdonable.

unfortunate [ʌnˈfɔːrtʃənət] *adj* 1. (*unlucky*) desgraciado(da), desdichado(da). 2. (*regrettable*) inoportuno(na).

unfortunately [ʌnˈfɔːrtʃənətlɪ] *adv* desgraciadamente, desafortunadamente.

unfounded [ʌnˈfaʊndəd] *adj* infundado(da).

unfriendly [ʌnˈfrendlɪ] *adj* poco amistoso(sa).

unfurnished [ˌʌnˈfɜːrnɪʃt] *adj* desamueblado(da).

ungainly [ʌnˈgeɪnlɪ] *adj* desgarbado (da).

ungodly [ʌnˈgɒdlɪ] *adj inf* (*hour*) intempestivo(va).

ungrateful [ʌnˈgreɪtfl] *adj* desagradecido(da), ingrato(ta).

unhappy [ʌnˈhæpɪ] *adj* 1. (*sad*) triste; (*wretched*) desdichado(da), infeliz. 2. (*uneasy*): **to be ~ (with OR about)** estar inquieto(ta) (por). 3. *fml* (*unfortunate*) desafortunado(da).

unharmed [ˌʌnˈhɑːrmd] *adj* (*person*) ileso(sa); (*thing*) indemne.

unhealthy [ʌnˈhelθɪ] *adj* 1. (*in bad health*) enfermizo(za). 2. (*causing bad health*) insalubre. *fig* (*interest etc*) morboso(sa).

unheard-of [ʌnˈhɜːrd-] *adj* 1. (*unknown, completely absent*) inaudito(ta). 2. (*unprecedented*) sin precedente.

unhook [ʌnˈhʊk] *vt* 1. (*unfasten hooks of*) desabrochar. 2. (*remove from hook*) descolgar, desenganchar.

unhurt [ˌʌnˈhɜːʳt] *adj* ileso(sa).

unhygienic [*Am* ˌʌnhaɪdʒɪˈenɪk, *Br* ˌʌnhaɪˈdʒiːnɪk] *adj* antihigiénico(ca).

unidentified flying object *n* objeto *m* volador no identificado.

unification [ˌjuːnɪfɪˈkeɪʃn] *n* unificación *f*.

uniform [ˈjuːnɪfɔːʳm] ◇ *adj* uniforme, constante. ◇ *n* uniforme *m*.

unify [ˈjuːnɪfaɪ] *vt* unificar, unir.

unilateral [ˌjuːnɪˈlætərəl] *adj* unilateral.

unimportant [ˌʌnɪmˈpɔːʳtnt] *adj* sin importancia, insignificante.

uninhabited [ˌʌnɪnˈhæbətəd] *adj* deshabitado(da).

uninjured [ˌʌnˈɪndʒəʳd] *adj* ileso(sa).

unintelligent [ˌʌnɪnˈtelədʒənt] *adj* poco inteligente.

unintentional [ˌʌnɪnˈtenʃnəl] *adj* involuntario(ria).

union [ˈjuːnjən] ◇ *n* **1.** *(trade union)* sindicato *m*. **2.** *(alliance)* unión *f*, alianza *f*. ◇ *comp* sindical.

Union Jack [-ˈdʒæk] *n*: **the ~** *la bandera del Reino Unido.*

unique [juːˈniːk] *adj* **1.** *(gen)* único(ca). **2.** *fml (peculiar, exclusive)*: **~ to** peculiar de.

unison [ˈjuːnɪsən] *n* unísono *m*; **in ~** *(simultaneously)* al unísono.

unit [ˈjuːnɪt] *n* **1.** *(gen)* unidad *f*. **2.** *(piece of furniture)* módulo *m*, elemento *m*.

unite [juːˈnaɪt] ◇ *vt (gen)* unir; *(country)* unificar. ◇ *vi* unirse, juntarse.

united [juːˈnaɪtəd] *adj* unido(da).

United Kingdom *n*: **the ~** el Reino Unido.

United Nations *n*: **the ~** las Naciones Unidas.

United States *n*: **the ~ (of America)** los Estados Unidos (de América).

unit trust *n Br* fondo *m* de inversión mobiliaria.

unity [ˈjuːnətɪ] *n (U)* unidad *f*, unión *f*.

universal [ˌjuːnəˈvɜːʳsl] *adj* universal.

universe [ˈjuːnəvɜːʳs] *n*: **the ~** el universo.

university [ˌjuːnəˈvɜːʳsətɪ] ◇ *n* universidad *f*. ◇ *comp* universitario(ria); **~ student** (estudiante) universitario *m*, (estudiante) universitaria *f*.

unjust [ˌʌnˈdʒʌst] *adj* injusto(ta).

unkempt [ˌʌnˈkempt] *adj (person)* desaseado(da); *(hair)* despeinado(da); *(clothes)* descuidado(da).

unkind [ˌʌnˈkaɪnd] *adj (uncharitable)* poco amable, cruel.

unknown [ˌʌnˈnoʊn] *adj* desconocido (da).

unlawful [ʌnˈlɔːfl] *adj* ilegal, ilícito(ta).

unleaded [ˌʌnˈledəd] *adj* sin plomo.

unleash [ʌnˈliːʃ] *vt literary* desatar.

unless [ənˈles] *conj* a menos que; **~ I say so** a menos que yo lo diga; **~ I'm mistaken** si no me equivoco.

unlike [ˌʌnˈlaɪk] *prep* **1.** *(different from)* distinto(ta) a, diferente a. **2.** *(differently from)* a diferencia de. **3.** *(not typical of)* poco característico(ca) de.

unlikely [ʌnˈlaɪklɪ] *adj* **1.** *(not probable)* poco probable. **2.** *(bizarre)* inverosímil.

unlisted [ʌnˈlɪstəd] *adj Am (phone number)* que no figura en la guía telefónica.

unload [ʌnˈloʊd] *vt (goods, car)* descargar.

unlock [ʌnˈlɒk] *vt* abrir (con llave).

unlucky [ʌnˈlʌkɪ] *adj* **1.** *(unfortunate)* desgraciado(da). **2.** *(number, colour etc)* de la mala suerte.

unmarried [*Am* ˌʌnˈmerɪd, *Br* -ˈmær-] *adj* que no se ha casado.

unmistakable [ˌʌnmɪˈsteɪkəbl] *adj* inconfundible.

unmitigated [ʌnˈmɪtəgeɪtəd] *adj* absoluto(ta).

unnatural [ʌnˈnætʃrəl] *adj* **1.** *(unusual, strange)* anormal. **2.** *(affected)* afectado (da).

unnecessary [ʌnˈnesəserɪ] *adj* innecesario(ria).

unnerving [ˌʌnˈnɜːʳvɪŋ] *adj* desconcertante.

unnoticed [ˌʌnˈnoʊtəst] *adj* inadvertido(da), desapercibido(da).

unobtainable [ˌʌnəbˈteɪnəbl] *adj* inasequible.

unobtrusive [ˌʌnəbˈtruːsɪv] *adj* discreto(ta).

unofficial [ˌʌnəˈfɪʃl] *adj* extraoficial.

unorthodox [ʌnˈɔːʳθədɒks] *adj* poco ortodoxo(xa).

unpack [ˌʌnˈpæk] ◇ *vt* **1.** *(box)* desempaquetar, desembalar; *(suitcases)* deshacer. **2.** *(clothes)* sacar (de la maleta). ◇ *vi* deshacer las maletas.

unpalatable [ʌnˈpælətəbl] *adj (food)* incomible; *(drink)* imbebible; *fig (difficult to accept)* desagradable.

unparalleled [*Am* ʌnˈperəleld, *Br* -ˈpær] *adj* incomparable, sin precedente.

unpleasant [ʌnˈpleznt] *adj* **1.** *(disagreeable)* desagradable. **2.** *(unfriendly, rude - person)* antipático(ca); *(- remark)* mezquino(na).

U

unplug [ʌn'plʌg] *vt* desenchufar, desconectar.

unpopular [ʌn'pɒpjələ^r] *adj* poco popular.

unprecedented [ʌn'presədəntəd] *adj* sin precedentes, inaudito(ta).

unpredictable [ˌʌnprɪ'dɪktəbl] *adj* imprevisible.

unprofessional [ˌʌnprə'feʃnəl] *adj* poco profesional.

unqualified [ʌn'kwɒləfaɪd] *adj* 1. *(not qualified)* sin título, no cualificado(da). 2. *(total, complete)* incondicional.

unquestionable [ʌn'kwestʃənəbl] *adj* incuestionable, indiscutible.

unquestioning [ʌn'kwestʃənɪŋ] *adj* incondicional.

unravel [ʌn'rævl] *vt lit & fig* desenmarañar.

unreal [ʌn'rɪəl] *adj* irreal.

unrealistic [ˌʌnrɪə'lɪstɪk] *adj* *(person)* poco realista; *(idea, plan)* impracticable.

unreasonable [ʌn'riːznəbl] *adj* 1. *(person, behaviour, decision)* poco razonable. 2. *(demand, price)* excesivo(va).

unrelated [ˌʌnrɪ'leɪtəd] *adj*: **to be ~ (to)** no tener conexión (con).

unrelenting [ˌʌnrɪ'lentɪŋ] *adj* implacable, inexorable.

unreliable [ˌʌnrɪ'laɪəbl] *adj* que no es de fiar.

unremitting [ˌʌnrɪ'mɪtɪŋ] *adj* incesante.

unrequited [ˌʌnrɪ'kwaɪtəd] *adj* no correspondido(da).

unreserved [ˌʌnrɪ'zɜː^rvd] *adj* *(wholehearted)* incondicional, absoluto(ta).

unresolved [ˌʌnrɪ'zɒlvd] *adj* sin resolver, pendiente.

unrest [ʌn'rest] *n (U)* malestar *m*, inquietud *f*.

unrivaled *Am*, **unrivalled** *Br* [ʌn'raɪvld] *adj* incomparable, sin par.

unroll [ʌn'rəʊl] *vt* desenrollar.

unruly [ʌn'ruːlɪ] *adj* 1. *(person, behaviour)* revoltoso(sa). 2. *(hair)* rebelde.

unsafe [ʌn'seɪf] *adj* *(gen)* inseguro(ra); *(risky)* arriesgado(da).

unsaid [ʌn'sed] *adj*: **to leave sthg ~** dejar algo sin decir.

unsatisfactory [ˌʌnsætəs'fæktrɪ] *adj* insatisfactorio(ria).

unsavoury *Am*, **unsavoury** *Br* [ʌn'seɪvərɪ] *adj* desagradable.

unscathed [ʌn'skeɪðd] *adj* ileso(sa).

unscrew [ˌʌn'skruː] *vt* 1. *(lid, top)* abrir. 2. *(sign, hinge)* desatornillar.

unscrupulous [ʌn'skruːpjələs] *adj*

desaprensivo(va), poco escrupuloso (sa).

unseemly [ʌn'siːmlɪ] *adj* indecoroso (sa).

unselfish [ʌn'selfɪʃ] *adj* altruista.

unsettle [ʌn'setl] *vt* perturbar.

unsettled [ʌn'setld] *adj* 1. *(person)* nervioso(sa), intranquilo(la). 2. *(weather)* variable. 3. *(argument, matter, debt)* pendiente. 4. *(situation)* inestable.

unshak(e)able [ʌn'ʃeɪkəbl] *adj* inquebrantable.

unshaven [ˌʌn'ʃeɪvn] *adj* sin afeitar.

unsightly [ʌn'saɪtlɪ] *adj* *(building)* feo (fea); *(scar, bruise)* desagradable.

unskilled [ʌn'skɪld] *adj* *(person)* no cualificado(da); *(work)* no especializado (da).

unsociable [ʌn'səʊʃəbl] *adj* poco sociable.

unsocial [ˌʌn'səʊʃl] *adj*: **to work ~ hours** trabajar a horas intempestivas.

unsound [ʌn'saʊnd] *adj* 1. *(conclusion, method)* erróneo(a). 2. *(building, structure)* defectuoso(sa).

unspeakable [ʌn'spiːkəbl] *adj* *(crime)* incalificable; *(pain)* indecible.

unstable [ʌn'steɪbl] *adj* inestable.

unsteady [ʌn'stedɪ] *adj* *(gen)* inestable; *(hands, voice)* tembloroso(sa); *(footsteps)* vacilante.

unstoppable [ʌn'stɒpəbl] *adj* irrefrenable.

unstuck [ˌʌn'stʌk] *adj*: **to come ~** *(notice, stamp, label)* despegarse, desprenderse; *fig (plan, system, person)* fracasar.

unsuccessful [ˌʌnsək'sesfl] *adj* *(person)* fracasado(da); *(attempt, meeting)* infructuoso(sa).

unsuccessfully [ˌʌnsək'sesflɪ] *adv* sin éxito, en vano.

unsuitable [ʌn'suːtəbl] *adj* inadecuado (da), inapropiado(da); **he is ~ for the job** no es la persona indicada para el trabajo; **I'm afraid 3 o'clock would be ~** lo siento, pero no me va bien a las 3.

unsure [ˌʌn'ʃʊə^r] *adj* 1. *(not confident)*: **to be ~ of o.s.** sentirse inseguro(ra). 2. *(not certain)*: **to be ~ (about OR of)** no estar muy seguro (de).

unsuspecting [ˌʌnsə'spektɪŋ] *adj* desprevenido(da), confiado(da).

unsympathetic [ˌʌnsɪmpə'θetɪk] *adj*: **~ to** indiferente a.

untangle [ʌn'tæŋgl] *vt* desenmarañar.

untapped [ˌʌn'tæpt] *adj* sin explotar.

untenable [ʌn'tenəbl] *adj* insostenible.

unthinkable [ʌn'θɪŋkəbl] *adj* impensable, inconcebible.

untidy [ʌnˈtaɪdɪ] *adj (room, desk)* desordenado(da); *(person, appearance)* desaliñado(da).

untie [ˌʌnˈtaɪ] *(cont* **untying)** *vt* desatar.

until [ənˈtɪl] ◇ *prep* hasta; ~ **now/then** hasta ahora/entonces. ◇ *conj* **1.** *(gen)* hasta que. **2.** *(after negative):* **don't leave ~ you've finished** no te vayas hasta que no hayas terminado.

untimely [ʌnˈtaɪmlɪ] *adj* **1.** *(premature)* prematuro(ra). **2.** *(inappropriate)* inoportuno(na).

untold [ˌʌnˈtoʊld] *adj (incalculable, vast)* incalculable; *(suffering, joy)* indecible.

untoward [*Am* ʌnˈtɔːrd, *Br* ˌʌntəˈwɔːd] *adj (event)* adverso(sa); *(behaviour)* fuera de lugar.

untrue [ʌnˈtruː] *adj (not true)* falso(sa).

unused [*sense 1* ˌʌnˈjuːzd, *sense 2* ʌnˈjuːst] *adj* **1.** *(not previously used)* nuevo (va), sin usar. **2.** *(unaccustomed):* **to be ~ to sthg/to doing sthg** no estar acostumbrado(da) a algo/a hacer algo.

unusual [ʌnˈjuːʒʊəl] *adj (rare)* insólito (ta), poco común.

unusually [ʌnˈjuːʒʊəlɪ] *adv* **1.** *(exceptionally)* extraordinariamente. **2.** *(surprisingly)* sorprendentemente.

unveil [ˌʌnˈveɪl] *vt* **1.** *(statue, plaque)* descubrir. **2.** *fig (plans, policy)* revelar.

unwanted [ˌʌnˈwɒntəd] *adj (clothes, furniture)* superfluo(flua); *(child, pregnancy)* no deseado(da).

unwavering [ʌnˈweɪvərɪŋ] *adj (determination, feeling)* firme, inquebrantable; *(concentration)* constante; *(gaze)* fijo(ja).

unwelcome [ʌnˈwelkəm] *adj* inoportuno(na).

unwell [ʌnˈwel] *adj:* **to be/feel ~** estar/sentirse mal.

unwieldy [ʌnˈwiːldɪ] *adj* **1.** *(object)* abultado(da); *(tool)* poco manejable. **2.** *fig (system, organization)* poco eficiente.

unwilling [ʌnˈwɪlɪŋ] *adj:* **to be ~ to do sthg** no estar dispuesto a hacer algo.

unwind [ˌʌnˈwaɪnd] *(pt & pp* **unwound)** ◇ *vt* desenrollar. ◇ *vi fig (person)* relajarse.

unwise [ˌʌnˈwaɪz] *adj* imprudente.

unwitting [ʌnˈwɪtɪŋ] *adj fml* inconsciente.

unworkable [ʌnˈwɜːrkəbl] *adj* impracticable.

unworthy [ʌnˈwɜːrðɪ] *adj (undeserving):* **to be ~ of** no ser digno (na) de.

unwound [ˌʌnˈwaʊnd] *pt & pp →* **unwind.**

unwrap [ˌʌnˈræp] *vt (present)* desenvolver; *(parcel)* desempaquetar.

unwritten law [ˌʌnrɪtn-] *n* ley *f* no escrita.

up [ʌp] ◇ *adv* **1.** *(towards a higher position)* hacia arriba; *(in a higher position)* arriba; **to throw sthg ~** lanzar algo hacia arriba; **she's ~ in her room** está arriba en su cuarto; **pick it ~!** *Amer,* ¡cógelo! *Esp,* ¡agárralo! **we walked ~ to the top** subimos hasta arriba del todo; **prices are going ~** los precios están subiendo. **2.** *(into an upright position):* **to stand ~** levantarse. **3.** *(northwards):* **I'm going ~ to York next week** voy a subir a York la semana próxima; **~ north** en el norte. **4.** *(along a road or river)* adelante; **their house is 100 metres further ~** su casa está 100 metros más adelante. ◇ *prep* **1.** *(towards a higher position):* **we went ~ the mountain** subimos por la montaña; **I went ~ the stairs** subí las escaleras. **2.** *(in a higher position)* en lo alto de; **~ a tree** en un árbol. **3.** *(at far end of)* al final de; **they live ~ the road from us** viven al final de nuestra calle. **4.** *(against current of river):* **~ the Amazon** Amazonas arriba. ◇ *adj* **1.** *(out of bed)* levantado(da); **I was ~ at six today** hoy me levanté a las seis. **2.** *(at an end)* terminado(da). **3.** *inf (wrong):* **is something ~?** ¿pasa algo?, ¿algo va mal?; **what's ~?** ¿qué pasa? ◇ *n:* **~s and downs** altibajos *mpl.* ◆ **up and down** ◇ *adv:* **to jump ~ and down** saltar para arriba y para abajo; **to walk ~ and down** andar para un lado y para otro. ◇ *prep:* **we walked ~ and down the avenue** estuvimos caminando arriba y abajo de la avenida. ◆ **up to** *prep* **1.** *(indicating level)* hasta; **it could take ~ to six weeks** podría tardar hasta seis semanas; **it's not ~ to standard** no tiene el nivel necesario. **2.** *(well or able enough for):* **to be ~ to doing sthg** sentirse con fuerzas (como) para hacer algo; **my French isn't ~ to much** mi francés no es gran cosa. **3.** *inf (secretly doing something):* **what are you ~ to?** ¿qué andas tramando? **4.** *(indicating responsibility):* **it's not ~ to me to decide** no depende de mí el decidir. ◆ **up to,** **up until** *prep* hasta.

up-and-coming *adj* prometedor(ra).

upbringing [ˈʌpbrɪŋɪŋ] *n* educación *f.*

update [ˌʌpˈdeɪt] *vt* actualizar.

upheaval [ʌpˈhiːvl] *n* trastorno *m,* agitación *f.*

upheld [ʌpˈheld] *pt & pp →* **uphold.**

uphill [ˌʌpˈhɪl] ◇ *adj (rising)* empinado (da), cuesta arriba; *fig (difficult)* arduo

U

(dua), difícil. ◇ *adv* cuesta arriba.

uphold [ʌpˈhəʊld] (*pt & pp* **-held**) *vt* sostener, apoyar.

upholstery [ʌpˈhəʊlstərɪ] *n* tapicería *f*.

upkeep [ˈʌpkiːp] *n* mantenimiento *m*.

uplifting [ʌpˈlɪftɪŋ] *adj* inspirador(ra).

up-market *adj* de clase superior.

upon [əˈpɒn] *prep fml* en, sobre; ~ **entering the room** al entrar en el cuarto; **question** ~ **question** pregunta tras pregunta; **summer is** ~ **us** ya tenemos el verano encima.

upper [ˈʌpəʳ] ◇ *adj* superior. ◇ *n (of shoe)* pala *f*.

upper class *n*: **the** ~ la clase alta.
◆ **upper-class** *adj* de clase alta.

upper hand *n*: **to have/gain the** ~ **(in)** llevar/empezar a llevar la ventaja (en).

uppermost [ˈʌpəməʊst] *adj* **1.** *(highest)* más alto(ta). **2.** *(most important)*: **to be** ~ **in one's mind** ser lo más importante para uno.

upright [ˈʌpraɪt] ◇ *adj* **1.** *(erect - person, chair)* derecho(cha). **2.** *(standing vertically - object)* vertical. **3.** *fig (honest)* recto(ta), honrado(da). ◇ *adv* erguidamente. ◇ *n* poste *m*.

uprising [ˈʌpraɪzɪŋ] *n* sublevación *f*.

uproar [ˈʌprɔːʳ] *n* **1.** *(U) (commotion)* alboroto *m*. **2.** *(protest)* escándalo *m*.

uproot [ʌpˈruːt] *vt* **1.** *(person)* desplazar, mudar. **2.** (BOT) *(plant)* desarraigar.

upset [*adj & vb* ʌpˈset, *n* ˈʌpset] (*pt & pp* **upset**) ◇ *adj* **1.** *(distressed)* disgustado(da). **2.** (MED): **to have an** ~ **stomach** sentirse mal del estómago. ◇ *n*: **to have a stomach** ~ sentirse mal del estómago. ◇ *vt* **1.** *(distress)* disgustar, perturbar. **2.** *(mess up)* dar al traste con. **3.** *(overturn, knock over)* volcar.

upshot [ˈʌpʃɒt] *n* resultado *m*.

upside down [ˌʌpsaɪd-] ◇ *adj* al revés. ◇ *adv* al revés; **to turn sthg** ~ revolver algo, desordenar algo.

upstairs [ˌʌpˈsteəʳz] ◇ *adj* de arriba. ◇ *adv* arriba. ◇ *n* el piso de arriba.

upstart [ˈʌpstɑːʳt] *n* advenedizo *m*, -za *f*.

upstream [ˌʌpˈstriːm] *adv* río arriba.

upsurge [ˈʌpsɜːʳdʒ] *n*: ~ **of** OR **in** aumento *m* considerable de.

uptake [ˈʌpteɪk] *n*: **to be quick on the** ~ cogerlas al vuelo; **to be slow on the** ~ ser un poco torpe.

uptight [ʌpˈtaɪt] *adj inf* tenso(sa), nervioso(sa).

up-to-date *adj* **1.** *(modern)* moderno (na). **2.** *(most recent)* actual, al día. **3.**

(informed): **to keep** ~ **with** mantenerse al día de.

upturn [ˈʌptɜːʳn] *n*: ~ **(in)** mejora *f* (de).

upward [ˈʌpwəd] ◇ *adj* hacia arriba.
◇ *adv Am* = **upwards**.

upwards [ˈʌpwədz] *adv* hacia arriba.
◆ **upwards of** *prep* más de.

uranium [jʊˈreɪnjəm] *n* uranio *m*.

Uranus [ˈjʊərənəs] *n* Urano *m*.

urban [ˈɜːbən] *adj* urbano(na).

urbane [ɜːˈbeɪn] *adj* cortés, urbano (na).

urchin [ˈɜːtʃən] *n dated* pilluelo *m*, -la *f*.

Urdu [ˈʊədu] *n* urdu *m*.

urge [ɜːdʒ] ◇ *n* impulso *m*, deseo *m*; **to have an** ~ **to do sthg** desear ardientemente hacer algo. ◇ *vt* **1.** *(try to persuade)*: **to** ~ **sb to do sthg** instar a alguien a hacer algo. **2.** *(advocate)* recomendar encarecidamente.

urgency [ˈɜːdʒənsɪ] *n (U)* urgencia *f*.

urgent [ˈɜːdʒənt] *adj* **1.** *(pressing)* urgente. **2.** *(desperate)* apremiante.

urinal [*Am* ˈjʊrənl, *Br* jʊˈraɪnl] *n (place)* urinario *m*; *(vessel)* orinal *m*.

urinate [ˈjʊərəneɪt] *vi* orinar.

urine [ˈjʊərən] *n* orina *f*.

urn [ɜːn] *n* **1.** *(for ashes)* urna *f*. **2.** *(for tea, coffee)* cilindro o barril con grifo para servir té o café en grandes cantidades.

Uruguay [ˈjʊərəgwaɪ] *n* Uruguay *m*.

Uruguayan [ˌjʊərəˈgwaɪən] ◇ *adj* uruguayo(ya). ◇ *n* uruguayo *m*, -ya *f*.

us [*stressed* ʌs, *unstressed* əs] *pers pron* **1.** *(direct, indirect)* nos; **can you see/hear** ~? ¿puedes vernos/oírnos?; **it's** ~ somos nosotros; **he sent** ~ **a letter** nos mandó una carta; **she gave it to** ~ nos lo dio. **2.** *(stressed, after prep, in comparisons etc)* nosotros(tras); **you can't expect** US **to do it** no esperarás que lo hagamos NOSOTROS; **with/without** ~ con/sin nosotros; **they are more wealthy than** ~ son más ricos que nosotros; **all of** ~ todos (nosotros); **some of** ~ algunos de nosotros.

US *(abbr of* **United States***) n* EEUU *mpl*.

USA *n (abbr of* **United States of America***)* EEUU *mpl*.

usage [ˈjuːsɪdʒ] *n* uso *m*.

use [*n & aux vb* juːs, *vt* juːz] ◇ *n* uso *m*; **to be in** ~ usarse; **to be out of** ~ no usarse; **'out of** ~' 'no funciona'; **to make** ~ **of sthg** utilizar OR aprovechar algo; **to be of/no** ~ ser útil/inútil; **what's the** ~ **(of doing sthg)?** ¿de qué sirve (hacer algo)? ◇ *aux vb* soler, acostumbrar; **he**

~d to be fat antes estaba gordo; **I ~d to go swimming** solía OR acostumbraba ir a nadar. ◇ *vt* **1.** *(utilize, employ)* usar, emplear. **2.** *(exploit)* usar, manejar. ◆ **use up** *vt sep* agotar.

> • *Used to* tiene tres usos distintos que hay que distinguir.
>
> • En primer lugar se usa seguido del infinitivo sin *to* al hablar de una acción que ocurría habitualmente o que ocurrió durante un espacio de tiempo en el pasado (*they used to live next door but they've moved now*, "*vivían* al lado, pero ya se han mudado").
>
> • En segundo lugar se emplea seguido de un participio presente para expresar la costumbre de hacer algo (*I don't mind leaving at 6 o'clock tomorrow morning, I'm used to getting up early*, "no me importa salir mañana a las 6 de la mañana, *estoy acostumbrado* [o *suelo*] madrugar").
>
> • Por último, *used to* puede formar parte de una construcción pasiva que exprese intención o finalidad (*this part is used to increase the speed of the engine*, "esta pieza *sirve* [o *se usa*] *para aumentar* la velocidad de la máquina"). En este caso suele ir en medio de *to be* y del verbo en infinitivo sin *to*.

used [*sense 1* juːzd, *sense 2* juːst] *adj* **1.** *(dirty, second-hand)* usado(da). **2.** *(accustomed)*: **to be ~ to** estar acostumbrado(da) a; **to get ~ to** acostumbrarse a.
useful [ˈjuːsfl] *adj* **1.** *(handy)* útil. **2.** *(helpful - person)* valioso(sa).
useless [ˈjuːsləs] *adj* **1.** *(gen)* inútil. **2.** *inf (hopeless)* incompetente.
user [ˈjuːzər] *n* usuario *m*, -ria *f*.
user-friendly *adj* *(gen &* COMPUT) fácil de usar.
usher [ˈʌʃər] ◇ *n* *(at wedding)* ujier *m*; *(at theatre, concert)* acomodador *m*, -ra *f*. ◇ *vt*: **to ~ sb in** hacer pasar a alguien; **to ~ sb out** acompañar a alguien hasta la puerta.
usherette [ˌʌʃəˈret] *n* acomodadora *f*.
USSR (*abbr of* **Union of Soviet Socialist Republics**) *n*: **the (former) ~** la (antigua) URSS.
usual [ˈjuːʒəl] *adj* habitual; **as ~** *(as normal)* como de costumbre; *(as often happens)* como siempre.
usually [ˈjuːʒəlɪ] *adv* por regla general.

usurp [*Am* juːˈsɜːrp, *Br* juːˈzɜːp] *vt fml* usurpar.
utensil [juːˈtensl] *n* utensilio *m*.
uterus [ˈjuːtərəs] (*pl* **-ri** [-raɪ] OR **-ruses**) *n* útero *m*.
utility [juːˈtɪlətɪ] *n* **1.** *(gen &* COMPUT) utilidad *f*. **2.** *(public service)* servicio *m* público.
utility room *n* trascocina *f*.
utilize [ˈjuːtəlaɪz] *vt* utilizar.
utmost [ˈʌtməʊst] ◇ *adj* mayor, supremo(ma). ◇ *n*: **to do one's ~** hacer lo imposible; **to the ~** al máximo, a más no poder.
utter [ˈʌtər] ◇ *adj* puro(ra), completo (ta). ◇ *vt* *(word)* pronunciar; *(sound, cry)* emitir.
utterly [ˈʌtəlɪ] *adv* completamente.
U-turn *n* *lit & fig* giro *m* de 180°.

v[1] (*pl* **v's** OR **vs**), **V** (*pl* **V's** OR **Vs**) [viː] *n* *(letter)* v *f*, V *f*.
v[2] **1.** *(abbr of* **verse**) v. **2.** *(abbr of* **volt**) v. **3.** *(abbr of* **vide**) *(cross-reference)* v. **4.** *abbr of* **versus**.
vacancy [ˈveɪkənsɪ] *n* **1.** *(job, position)* vacante *f*. **2.** *(room available)* habitación *f* libre; **'no vacancies'** 'completo'.
vacant [ˈveɪkənt] *adj* **1.** *(room, chair, toilet)* libre. **2.** *(job, post)* vacante. **3.** *(look, expression)* distraído(da).
vacant lot *n* terreno *m* disponible.
vacate [*Am* ˈveɪkeɪt, *Br* vəˈkeɪt] *vt* **1.** *(job, post)* dejar vacante. **2.** *(room, seat, premises)* desocupar.
vacation [*Am* verˈkeɪʃn, *Br* və-] *n* vacaciones *fpl*.
vacationer [*Am* verˈkeɪʃnr, *Br* vəˈkeɪʃənə] *n Am*: **summer ~** veraneante *m* y *f*.
vaccinate [ˈvæksneɪt] *vt*: **to ~ sb (against sthg)** vacunar a alguien (de OR contra algo).
vaccine [*Am* vækˈsiːn, *Br* ˈvæksiːn] *n* vacuna *f*.
vacuum [ˈvækjʊəm] ◇ *n* **1.** (TECH *& fig*) vacío *m*. **2.** *(cleaner)* aspiradora *f*. ◇ *vt* pasar la aspiradora por.
vacuum cleaner *n* aspiradora *f*.

vacuum-packed *adj* envasado(da) al vacío.

vagina [vəˈdʒaɪnə] *n* vagina *f*.

vagrant [ˈveɪɡrənt] *n* vagabundo *m*, -da *f*.

vague [veɪɡ] *adj* **1.** *(imprecise)* vago(ga), impreciso(sa). **2.** *(person)* poco claro (ra). **3.** *(feeling)* leve. **4.** *(evasive)* evasivo (va). **5.** *(absent-minded)* distraído(da). **6.** *(outline)* borroso(sa).

vaguely [ˈveɪɡlɪ] *adv* **1.** *(imprecisely)* vagamente. **2.** *(slightly, not very)* levemente.

vain [veɪn] *adj* **1.** *pej (conceited)* vanidoso(sa). **2.** *(futile)* vano(na). ◆ **in vain** *adv* en vano.

valentine card [ˈvæləntaɪn-] *n* tarjeta *f* que se manda el Día de los Enamorados.

Valentine's Day [ˈvæləntaɪnz-] *n*: (St) ~ San Valentín *m*, Día *m* de los Enamorados.

> **VALENTINE'S DAY**
>
> El día de San Valentín, que se celebra el 14 de febrero en Estados Unidos y Gran Bretaña, se ha convertido en el día de los enamorados. Es tradición mandar una tarjeta de felicitación a la persona de la que uno está enamorado, generalmente sin firmar. También se envían regalos como flores y chocolates. Ese día las tiendas y los restaurantes suelen ser decorados con cintas y corazones rojos, y en muchos periódicos se publican páginas especiales con mensajes de amor personales.

valet [*Am* væˈleɪ, *Br* ˈvælɪt, ˈvæleɪ] *n* ayuda *m* de cámara.

valiant [ˈvæljənt] *adj* valeroso(sa).

valid [ˈvælɪd] *adj* **1.** *(argument, explanation)* válido(da). **2.** *(ticket, driving licence)* valedero(ra).

valley [ˈvælɪ] *(pl* valleys*)* *n* valle *m*.

valor *Am*, **valour** *Br* [ˈvælər] *n* (U) *fml & literary* valor *m*.

valuable [ˈvæljəbl] *adj* valioso(sa). ◆ **valuables** *npl* objetos *mpl* de valor.

valuation [ˌvæljuˈeɪʃn] *n* **1.** *(pricing, estimated price)* valuación *f*. **2.** *(opinion, judging of worth)* valoración *f*.

value [ˈvæljuː] ◇ *n* valor *m*; **to be good ~** estar muy bien de precio; **to be ~ for money** estar muy bien de precio. ◇ *vt* **1.** *(estimate price of)* valorar, tasar. **2.** *(cherish)* apreciar. ◆ **values** *npl*

(morals) valores *mpl* morales.

value-added tax [-ædəd-] *n* impuesto *m* sobre el valor añadido.

valued [ˈvæljuːd] *adj* apreciado(da).

valve [vælv] *n* *(in pipe, tube)* válvula *f*.

van [væn] *n* **1.** (AUT) furgoneta *f*, camioneta *f*. **2.** *Br* (RAIL) furgón *m*.

vandal [ˈvændl] *n* vándalo *m*, gamberro *m*, -rra *f*.

vandalism [ˈvændəlɪzm] *n* vandalismo *m*, gamberrismo *m*.

vandalize [ˈvændəlaɪz] *vt* destruir, destrozar.

vanguard [ˈvænɡɑːrd] *n* vanguardia *f*; **in the ~ of** a la vanguardia de.

vanilla [vəˈnɪlə] *n* vainilla *f*.

vanish [ˈvænɪʃ] *vi* desaparecer.

vanity [ˈvænətɪ] *n pej* vanidad *f*.

vantagepoint [*Am* ˈvæntɪdʒpɔɪnt, *Br* ˈvɑːn-] *n* posición *f* ventajosa.

vapor *Am*, **vapour** *Br* [ˈveɪpər] *n* (U) vapor *m*.

variable [ˈveərɪəbl] *adj* variable.

variance [ˈveərɪəns] *n fml*: **at ~ (with)** en desacuerdo (con).

variation [ˌveərɪˈeɪʃn] *n*: ~ **(in/on)** variación *f* (en/sobre).

varicose veins [ˌværəkoʊs-] *npl* varices *fpl*.

varied [ˈveərɪd] *adj* variado(da).

variety [vəˈraɪətɪ] *n* **1.** *(gen)* variedad *f*; **for a ~ of reasons** por razones varias. **2.** (U) (THEATRE) variedades *fpl*.

variety show *n* espectáculo *m* de variedades.

various [ˈveərɪəs] *adj* **1.** *(several)* varios (rias). **2.** *(different)* diversos(sas).

varnish [ˈvɑːrnɪʃ] ◇ *n* barniz *m*. ◇ *vt* *(with varnish)* barnizar; *(with nail varnish)* pintar.

vary [ˈveərɪ] ◇ *vt* variar. ◇ *vi*: **to ~ (in/with)** variar (de/con).

vase [*Am* veɪz, *Br* vɑːz] *n* florero *m*.

Vaseline® [ˈvæsəliːn] *n* vaselina® *f*.

vast [*Am* væst, *Br* vɑːst] *adj* enorme, inmenso(sa).

vat [væt] *n* cuba *f*, tina *f*.

VAT [væt, ˌviːeɪˈtiː] *(abbr of* value added tax*)* *n* IVA *m*.

Vatican [ˈvætɪkən] *n*: **the ~** el Vaticano.

vault [vɔːlt] ◇ *n* **1.** *(in bank)* cámara *f* acorazada. **2.** *(in church)* cripta *f*. **3.** *(roof)* bóveda *f*. ◇ *vt* saltar. ◇ *vi*: **to ~ over sthg** saltar por encima de algo.

VCR *(abbr of* video cassette recorder*)* *n* vídeo *m*.

VD (*abbr of* **venereal disease**) *n* ETS *f*.

VDU (*abbr of* **visual display unit**) *n* monitor *m*.

veal [viːl] *n* (*U*) ternera *f*.

veer [vɪəʳ] *vi* virar.

vegan ['viːgən] *n* vegetariano que no consume ningún producto que provenga de un animal, como huevos, leche etc.

vegetable ['vedʒtəbl] ◊ *n* **1.** (BOT) vegetal *m*. **2.** (*food*) hortaliza *f*, legumbre *f*; **~s** verduras *fpl*. ◊ *adj* vegetal.

vegetarian [ˌvedʒə'teərɪən] ◊ *adj* vegetariano(na). ◊ *n* vegetariano *m*, -na *f*.

vegetation [ˌvedʒə'teɪʃn] *n* vegetación *f*.

vehement ['viːəmənt] *adj* (*person, denial*) vehemente; (*attack, gesture*) violento(ta).

vehicle ['viːəkl] *n* (*for transport*) vehículo *m*.

veil [veɪl] *n lit & fig* velo *m*.

vein [veɪn] *n* **1.** (ANAT & BOT) vena *f*. **2.** (*of mineral*) filón *m*, veta *f*.

velocity [və'lɒsətɪ] *n* velocidad *f*.

velvet ['velvət] *n* terciopelo *m*.

vendetta [ven'detə] *n* enemistad *f* mortal.

vending machine ['vendɪŋ-] *n* máquina *f* de venta.

vendor ['vendɔːʳ] *n* vendedor *m*, -ra *f*.

veneer [və'nɪəʳ] *n* (*of wood*) chapa *f*; *fig* (*appearance*) apariencia *f*.

venereal disease [və'nɪərɪəl-] *n* enfermedad *f* venérea.

venetian blind *n* persiana *f* veneciana.

Venezuela [ˌvenəz'weɪlə] *n* Venezuela.

Venezuelan [ˌvenəz'weɪlən] ◊ *adj* venezolano(na). ◊ *n* venezolano *m*, -na *f*.

vengeance ['vendʒəns] *n* venganza *f*; **with a ~** con creces.

venison ['venəzən] *n* carne *f* de venado.

venom ['venəm] *n* (*poison*) veneno *m*; *fig* (*spite*) malevolencia *f*.

vent [vent] ◊ *n* (*opening*) abertura *f* de escape; (*grille*) rejilla *f* de ventilación; **to give ~ to sthg** dar rienda suelta a algo. ◊ *vt*: **to ~ sthg (on)** desahogar algo (contra).

ventilate ['ventleɪt] *vt* ventilar.

ventilator ['ventɪleɪtəʳ] *n* ventilador *m*.

ventriloquist [ven'trɪləkwɪst] *n* ventrílocuo *m*, -cua *f*.

venture ['ventʃəʳ] ◊ *n* empresa *f*. ◊ *vt*

aventurar; **to ~ to do sthg** aventurarse a hacer algo. ◊ *vi* **1.** (*go somewhere dangerous*): **she ~d outside** se atrevió a salir. **2.** (*take a risk*): **to ~ into** lanzarse a.

venue ['venjuː] *n* lugar *m* (*en que se celebra algo*).

Venus ['viːnəs] *n* (*planet*) Venus *m*.

veranda(h) [və'rændə] *n* veranda *f*.

verb [vɜːb] *n* verbo *m*.

verbal ['vɜːbl] *adj* verbal.

verbatim [vɜːˈbeɪtəm] ◊ *adj* literal. ◊ *adv* literalmente, palabra por palabra.

verbose [vɜːˈbəʊs] *adj fml* (*person*) verboso(sa); (*report*) prolijo(ja).

verdict ['vɜːdɪkt] *n* **1.** (JUR) veredicto *m*, fallo *m*. **2.** (*opinion*): **~ (on)** juicio *m* OR opinión *f* (sobre).

verge [vɜːdʒ] *n* **1.** (*edge, side*) borde *m*. **2.** (*brink*): **on the ~ of sthg** al borde de algo; **on the ~ of doing sthg** a punto de hacer algo. ♦ **verge (up)on** *vt fus* rayar en.

verify ['verɪfaɪ] *vt* **1.** (*check*) verificar, comprobar. **2.** (*confirm*) confirmar.

veritable ['verətəbl] *adj hum or fml* verdadero(ra).

vermin ['vɜːmɪn] *npl* bichos *mpl*.

vermouth (*Am* vərˈmuːθ, *Br* 'vɜːməθ) *n* vermut *m*.

versa ['vɜːsə] → **vice versa**.

versatile [*Am* 'vɜːrsətl, *Br* -taɪl] *adj* **1.** (*person*) polifacético(ca). **2.** (*machine, tool*) que tiene muchos usos.

verse [vɜːs] *n* **1.** (*U*) (*poetry*) versos *mpl*, poesía *f*. **2.** (*stanza*) estrofa *f*. **3.** (*in Bible*) versículo *m*.

versed [vɜːst] *adj*: **well ~ in** versado (da) en.

version ['vɜːʒn] *n* versión *f*.

versus ['vɜːsəs] *prep* (SPORT) contra.

vertebra ['vɜːtəbrə] (*pl* **-brae** [-briː]) *n* vértebra *f*.

vertical ['vɜːtɪkl] *adj* vertical.

vertigo ['vɜːtɪgəʊ] *n* vértigo *m*.

verve [vɜːv] *n* brío *m*, entusiasmo *m*.

very ['verɪ] ◊ *adv* **1.** (*as intensifier*) muy; **~ much** mucho. **2.** (*as euphemism*): **not ~ often** OR **much** no mucho; **he's not ~ intelligent** no es muy inteligente; **is it good? – not ~** ¿es bueno? – no mucho. ◊ *adj* mismísimo(ma); **the ~ thing I was looking for** justo lo que estaba buscando; **the ~ thought makes me ill** sólo con pensarlo me pongo enfermo; **fighting for his ~ life** luchando por su propia vida; **the ~ best** el mejor (de todos); **at the ~ least** como muy poco; **a house of my ~ own** mi propia casa.

♦ **very well** *adv* muy bien; **you can't ~ well stop him now** es un poco tarde para impedírselo.

vessel ['vesl] *n fml* **1.** *(boat)* nave *f*. **2.** *(container)* vasija *f*, recipiente *m*.

vest [vest] *n* **1.** *Am (waistcoat)* chaleco *m*. **2.** *Br (undershirt)* camiseta *f*.

vested interest [,vestəd-] *n*: ~ **(in)** intereses *mpl* creados (en).

vestibule ['vestɪbjuːl] *n fml (entrance hall)* vestíbulo *m*.

vestige ['vestɪdʒ] *n fml* vestigio *m*.

vestry ['vestrɪ] *n* sacristía *f*.

vet [vet] *n Br (abbr of veterinary surgeon)* veterinario *m*, -ria *f*. ◇ *vt* someter a una investigación.

veteran ['vetrən] *n* veterano *m*, -na *f*.

veterinarian [,vetərɪ'neərɪən] *n Am* veterinario *m*, -ria *f*.

veterinary surgeon [*Am* 'vetərənerɪ-, *Br* -ənərɪ-] *n Br fml* veterinario *m*, -ria *f*.

veto ['viːtəu] *(pl -es)* ◇ *n* veto *m*. ◇ *vt* vetar.

vex [veks] *vt fml* molestar.

vexed question [,vekst-] *n* manzana *f* de la discordia.

vg *(abbr of very good)* MB.

VHF *(abbr of very high frequency)* VHF.

VHS *(abbr of video home system)* *n* VHS *m*.

via ['vaɪə] *prep* **1.** *(travelling through)* vía. **2.** *(by means of)* a través de, por.

viable ['vaɪəbl] *adj* viable.

vibrate [*Am* 'vaɪbreɪt, *Br* vaɪ'breɪt] *vi* vibrar.

vicar ['vɪkə'] *n (in Church of England)* párroco *m*; *(in Roman Catholic Church)* vicario *m*.

vicarage ['vɪkərɪdʒ] *n* casa *f* del párroco.

vicarious [vɪ'keərɪəs] *adj* indirecto(ta).

vice [vaɪs] *n* **1.** *(immorality, moral fault)* vicio *m*. **2.** *(tool)* torno *m* de banco.

vice-chairman *n* vicepresidente *m*.

vice-chancellor *n* (UNIV) rector *m*, -ra *f*.

vice-president *n* vicepresidente *m*, -ta *f*.

vice versa [,vaɪs'vɜː'sə] *adv* viceversa.

vicinity [və'sɪnətɪ] *n*: **in the ~ (of)** cerca (de).

vicious ['vɪʃəs] *adj (dog)* furioso(sa); *(person, ruler)* cruel; *(criticism, attack)* despiadado(da).

vicious circle *n* círculo *m* vicioso.

victim ['vɪktɪm] *n* víctima *f*.

victimize ['vɪktəmaɪz] *vt (retaliate against)* tomar represalias contra;

(pick on) mortificar.

victor ['vɪktə'] *n literary* vencedor *m*, -ra *f*.

victorious [vɪk'tɔːrɪəs] *adj* victorioso (sa).

victory ['vɪktərɪ] *n*: ~ **(over)** victoria *f* (sobre).

video ['vɪdɪəu] *(pl -s)* ◇ *n* **1.** *(recording, medium, machine)* vídeo *m*. **2.** *(cassette)* videocasete *m*. ◇ *comp* vídeo. ◇ *vt* **1.** *(using video recorder)* grabar en vídeo. **2.** *(using camera)* hacer un vídeo de.

video camera *n* videocámara *f*.

video cassette *n* videocasete *m*.

video game *n* videojuego *m*.

videorecorder ['vɪdɪəurɪ,kɔː'də'] *n* vídeo *m*.

video shop *n* tienda *f* de vídeos.

videotape ['vɪdɪəuteɪp] *n* videocinta *f*.

vie [vaɪ] *(pt & pp vied, cont vying)* *vi*: **to ~ (with sb for sthg/to do sthg)** competir (con alguien por algo/para hacer algo).

Vienna [vɪ'enə] *n* Viena.

Vietnam [*Am* ,viːet'nɑːm, *Br* -'næm] *n* (el) Vietnam.

Vietnamese [,viːetnə'miːz] ◇ *adj* vietnamita. ◇ *n* **1.** *(person)* vietnamita *m* y *f*. **2.** *(language)* vietnamita *m*.

view [vjuː] ◇ *n* **1.** *(opinion)* parecer *m*, opinión *f*; **in my ~** en mi opinión. **2.** *(attitude)*: ~ **(of)** actitud *f* (frente a). **3.** *(scene)* vista *f*, panorama *m*. **4.** *(field of vision)* vista *f*; **to come into ~** aparecer. ◇ *vt* **1.** *(consider)* ver, considerar. **2.** *fml (examine, look at - stars etc)* observar; *(- house, flat)* visitar, ver. ♦ **in view of** *prep* en vista de. ♦ **with a view to** *conj* con miras OR vistas a.

viewer ['vjuːə'] *n* **1.** *(person)* espectador *m*, -ra *f*. **2.** *(apparatus)* visionador *m*.

viewfinder ['vjuːfaɪndə'] *n* visor *m*.

viewpoint ['vjuːpɔɪnt] *n* **1.** *(opinion)* punto *m* de vista. **2.** *(place)* mirador *m*.

vigil ['vɪdʒəl] *n* **1.** *(watch)* vigilia *f*. **2.** (RELIG) Vigilia *f*.

vigilante [,vɪdʒə'læntɪ] *n* persona que extraoficialmente patrulla un área para protegerla, tomándose la justicia en sus manos.

vigorous ['vɪgərəs] *adj* enérgico(ca).

vile [vaɪl] *adj (person, act)* vil, infame; *(food, smell)* repugnante; *(mood)* de perros.

villa ['vɪlə] *n (in country)* villa *f*; *(in town)* chalet *m*.

village ['vɪlɪdʒ] *n* aldea *f*, pueblecito *m*.

villager ['vɪlɪdʒə'] *n* aldeano *m*, -na *f*.

villain ['vɪlən] *n* **1.** *(of film, book)* malo

m, -la *f*. **2.** *dated (criminal)* criminal *m y f*.

vinaigrette [ˌvɪnəˈgret] *n* vinagreta *f*.

vindicate [ˈvɪndɪkeɪt] *vt* justificar.

vindictive [vɪnˈdɪktɪv] *adj* vengativo (va).

vine [vaɪn] *n (on ground)* vid *f; (climbing plant)* parra *f*.

vinegar [ˈvɪnɪgəʳ] *n* vinagre *m*.

vineyard [ˈvɪnjəʳd] *n* viña *f*, viñedo *m*.

vintage [ˈvɪntɪdʒ] ◇ *adj* **1.** *(wine)* añejo (ja). **2.** *(classic)* clásico(ca). ◇ *n* cosecha *f (de vino)*.

vintage wine *n* vino *m* añejo.

vinyl [ˈvaɪnl] *n* vinilo *m*.

viola [vɪˈəʊlə] *n* viola *f*.

violate [ˈvaɪəleɪt] *vt* **1.** *(law, treaty, rights)* violar, infringir. **2.** *(peace, privacy)* invadir.

violence [ˈvaɪələns] *n* violencia *f*.

violent [ˈvaɪələnt] *adj* **1.** *(gen)* violento (ta). **2.** *(emotion, anger)* intenso(sa).

violet [ˈvaɪələt] ◇ *adj* violeta, violado (da). ◇ *n (flower)* violeta *f*.

violin [ˌvaɪəˈlɪn] *n* violín *m*.

violinist [ˌvaɪəˈlɪnəst] *n* violinista *m y f*.

VIP *(abbr of* **very important person)** *n* celebridad *f*.

viper [ˈvaɪpəʳ] *n* víbora *f*.

virgin [ˈvɜːʳdʒɪn] ◇ *adj literary (spotless)* virgen. ◇ *n* virgen *m y f*.

Virgo [ˈvɜːʳgəʊ] *(pl* **-s)** *n* Virgo *m*.

virile [*Am* ˈvɪrl, *Br* ˈvɪraɪl] *adj* viril.

virtually [ˈvɜːʳtʃʊəlɪ] *adv* prácticamente.

virtual reality *n* realidad *f* virtual.

virtue [ˈvɜːʳtjuː] *n* **1.** *(morality, good quality)* virtud *f*. **2.** *(benefit)* ventaja *f*.
◆ **by virtue of** *prep fml* en virtud de.

virtuous [ˈvɜːʳtʃʊəs] *adj* virtuoso(sa).

virus [ˈvaɪrəs] *n* (COMPUT & MED) virus *m*.

visa [ˈviːzə] *n* visado *m*.

vis-à-vis [ˌviːzəˈviː] *prep fml* con relación a.

viscose [ˈvɪskəʊs] *n* viscosa *f*.

visibility [ˌvɪzəˈbɪlətɪ] *n* visibilidad *f*.

visible [ˈvɪzəbl] *adj* visible.

vision [ˈvɪʒn] *n* **1.** *(U) (ability to see)* visión *f*, vista *f*. **2.** *fig (foresight)* clarividencia *f*. **3.** *(impression, dream)* visión *f*.

visit [ˈvɪzɪt] ◇ *n* visita *f*; **on a ~** de visita. ◇ *vt* visitar.

visiting hours [ˈvɪzɪtɪŋ-] *npl* horas *fpl* de visita.

visitor [ˈvɪzətəʳ] *n* **1.** *(to one's home, hospital)* visita *f*. **2.** *(to museum, town etc)* visitante *m y f*.

visitors' book *n* libro *m* de visitas.

visitor's passport *n Br* pasaporte *m* provisional.

visor [ˈvaɪzəʳ] *n* visera *f*.

vista [ˈvɪstə] *n (view)* vista *f*, perspectiva *f; fig (wide range)* perspectiva *f*.

visual [ˈvɪʒʊəl] *adj (gen)* visual; *(of the eyes)* ocular.

visual aids *npl* medios *mpl* visuales.

visual display unit *n* monitor *m*.

visualize [ˈvɪʒʊəlaɪz] *vt* visualizar; **to ~ (sb) doing sthg** imaginar (a alguien) haciendo algo.

vital [ˈvaɪtl] *adj* **1.** *(essential)* vital, esencial. **2.** *(full of life)* enérgico(ca).

vitally [ˈvaɪtəlɪ] *adv* sumamente.

vital statistics *npl inf* medidas *fpl (del cuerpo de la mujer)*.

vitamin [*Am* ˈvaɪtəmən, *Br* ˈvɪt-] *n* vitamina *f*.

vivacious [vɪˈveɪʃəs] *adj* vivaz.

vivid [ˈvɪvəd] *adj* **1.** *(colour)* vivo(va). **2.** *(description, memory)* vívido(da).

vividly [ˈvɪvədlɪ] *adv* **1.** *(brightly)* con colores muy vivos. **2.** *(clearly)* vívidamente.

vixen [ˈvɪksən] *n* zorra *f*.

VLF *(abbr of* **very low frequency)** VLF.

V-neck *n (sweater, dress)* jersey *m* con cuello de pico.

vocabulary [vəˈkæbjələrɪ] *n* vocabulario *m*.

vocal [ˈvəʊkl] *adj* **1.** *(outspoken)* vociferante. **2.** *(of the voice)* vocal.

vocal cords *npl* cuerdas *fpl* vocales.

vocalist [ˈvəʊkələst] *n (in orchestra)* vocalista *m y f; (in pop group)* cantante *m y f*.

vocation [vəʊˈkeɪʃn] *n* vocación *f*.

vocational [vəʊˈkeɪʃnəl] *adj* profesional.

vociferous [vəʊˈsɪfərəs] *adj fml* ruidoso(sa).

vodka [ˈvɒdkə] *n (drink)* vodka *m*.

vogue [vəʊg] *n* moda *f*; **in ~** en boga.

voice [vɔɪs] ◇ *n* voz *f*. ◇ *vt (opinion, emotion)* expresar.

voice mail *n* correo *m* de voz; **to send/receive ~** mandar/recibir un mensaje de correo de voz.

void [vɔɪd] ◇ *adj* **1.** *(invalid)* inválido (da); → **null**. **2.** *fml (empty)*: **~ of** falto(ta) de. ◇ *n literary* vacío *m*.

volatile [*Am* ˈvɒlətl, *Br* -taɪl] *adj (situation)* volátil; *(person)* voluble.

vol-au-vent [ˈvɒləʊvɒn] *n* volován *m*.

volcano [vɒlˈkeɪnəʊ] *(pl* **-es** OR **-s)** *n* volcán *m*.

volition [vou'lɪʃn] *n fml*: **of one's own ~** por voluntad propia.

volley ['vɒlɪ] (*pl* **volleys**) ◇ *n* **1.** (*of gun-fire*) ráfaga *f*. **2.** *fig* (*rapid succession*) torrente *m*. **3.** (SPORT) volea *f*. ◇ *vt* volear.

volleyball ['vɒlɪbɔːl] *n* voleibol *m*.

volt [vəʊlt] *n* voltio *m*.

voltage ['vəʊltɪdʒ] *n* voltaje *m*.

voluble ['vɒljʊbl] *adj fml* locuaz.

volume ['vɒljʊm] *n* (*gen & COMPUT*) volumen *m*.

voluntarily [,vɒlən'terəlɪ] *adv* voluntariamente.

voluntary [*Am* 'vɒlənterɪ, *Br* -tərɪ] *adj* voluntario(ria); **~ organization** organización *f* benéfica.

volunteer [,vɒlən'tɪəʳ] ◇ *n* (*person who volunteers*) voluntario *m*, -ria *f*. ◇ *vt* **1.** (*offer of one's free will*): **to ~ to do sthg** ofrecerse para hacer algo. **2.** (*information, advice*) dar, ofrecer. ◇ *vi* **1.** (*freely offer one's services*): **to ~ (for)** ofrecerse (para). **2.** (MIL) alistarse.

vomit ['vɒmət] ◇ *n* vómito *m*. ◇ *vi* vomitar.

vote [vəʊt] ◇ *n* **1.** (*gen*) voto *m*; **~ for/against** voto a favor de/en contra de. **2.** (*session, ballot, result*) votación *f*. **3.** (*votes cast*): **the ~** los votos. ◇ *vt* **1.** (*person, leader*) elegir. **2.** (*choose*): **to ~ to do sthg** votar hacer algo. ◇ *vi*: **to ~ (for/against)** votar (a favor de/en contra de).

vote of thanks (*pl* **votes of thanks**) *n* palabras *fpl* de agradecimiento.

voter ['vəʊtəʳ] *n* votante *m y f*.

voting ['vəʊtɪŋ] *n* votación *f*.

vouch [vaʊtʃ] ◆ **vouch for** *vt fus* **1.** (*person*) responder por. **2.** (*character, accuracy*) dar fe de.

voucher ['vaʊtʃəʳ] *n* vale *m*.

vow [vaʊ] ◇ *n* (RELIG) voto *m*; (*solemn promise*) promesa *f* solemne. ◇ *vt*: **to ~ to do sthg** jurar hacer algo; **to ~ that** jurar que.

vowel ['vaʊəl] *n* vocal *f*.

voyage ['vɔɪdʒ] *n* viaje *m*.

vs *abbr of* **versus**.

VSO (*abbr of* **Voluntary Service Overseas**) *n* organización británica de voluntarios que ayuda a países en vías de desarrollo.

vulgar ['vʌlgəʳ] *adj* **1.** (*in bad taste*) ordinario(ria). **2.** (*offensive*) grosero (ra).

vulnerable ['vʌlnərəbl] *adj*: **~ (to)** vulnerable (a).

vulture ['vʌltʃəʳ] *n lit & fig* buitre *m*.

w (*pl* **w's** OR **ws**), **W** (*pl* **W's** OR **Ws**) ['dʌbljuː] *n* (*letter*) w *f*, W *f*. ◆ **W 1.** (*abbr of west*) O. **2.** (*abbr of watt*) w.

wad [wɒd] *n* **1.** (*of paper*) taco *m*. **2.** (*of banknotes, documents*) fajo *m*. **3.** (*of cotton, cotton wool, tobacco*) bola *f*.

waddle ['wɒdl] *vi* anadear.

wade [weɪd] *vi* caminar por el agua. ◆ **wade through** *vt fus fig*: **he was wading through the documents** le costaba mucho leer los documentos.

wading pool ['weɪdɪŋ-] *n Am* piscina *f* para niños.

wafer ['weɪfəʳ] *n* (*thin biscuit*) barquillo *m*.

waffle ['wɒfl] ◇ *n* **1.** (CULIN) gofre *m*. **2.** *Br inf* (*vague talk*) paja *f*. ◇ *vi* enrollarse.

waft [wɑːft] *vi* flotar.

wag [wæg] ◇ *vt* menear. ◇ *vi* menearse.

wage [weɪdʒ] ◇ *n* (*gen*) salario *m*; (*daily*) jornal *m*. ◇ *vt*: **to ~ war** hacer la guerra. ◆ **wages** *npl* (*gen*) salario *m*; (*daily*) jornal *m*.

wage earner [-,ɜːʳnəʳ] *n* asalariado *m*, -da *f*.

wage packet *n Br* **1.** (*envelope*) sobre *m* de pago. **2.** *fig* (*pay*) paga *f*.

wager ['weɪdʒəʳ] *n* apuesta *f*.

waggle ['wægl] *vt inf* menear.

waggon ['wægən] *Br* = **wagon**.

wagon ['wægən] *n* **1.** (*horse - drawn vehicle*) carro *m*. **2.** *Br* (RAIL) vagón *m*.

wail [weɪl] ◇ *n* lamento *m*, gemido *m*. ◇ *vi* lamentarse, gemir.

waist [weɪst] *n* cintura *f*.

waistcoat ['weɪstkəʊt] *n* chaleco *m*.

waistline ['weɪstlaɪn] *n* cintura *f*, talle *m*.

wait [weɪt] ◇ *n* espera *f*. ◇ *vi*: **to ~ (for sthg/sb)** esperar (algo/a alguien); **to be unable to ~ to do sthg** estar impaciente por hacer algo; **to ~ and see** esperar y ver lo que pasa. ◆ **wait for** *vt fus* esperar. ◆ **wait on** *vt fus* (*serve food to*) servir. ◆ **wait up** *vi* quedarse despierto (ta) esperando.

waiter ['weɪtəʳ] *n* camarero *m*.

waiting list ['weɪtɪŋ-] *n* lista *f* de espera.

waiting room ['weɪtɪŋ-] *n* sala *f* de espera.

waitress ['weɪtrəs] *n* camarera *f*.

waive [weɪv] *vt fml (rule)* no aplicar.

wake [weɪk] *(pt woke* OR **-d,** *pp woken* OR **-d)** ◇ *n (of ship, boat)* estela *f*. ◇ *vt* despertar. ◇ *vi* despertarse. ◆ **wake up** ◇ *vt sep* despertar. ◇ *vi (wake)* despertarse.

waken ['weɪkən] *fml* ◇ *vt* despertar. ◇ *vi* despertarse.

Wales [weɪlz] *n* (el país de) Gales.

walk [wɔːk] ◇ *n* **1.** *(way of walking)* andar *m*, paso *m*. **2.** *(journey on foot)* paseo *m*; **to go for a ~** dar un paseo; **it's ten minutes' ~ away** está a diez minutos andando. ◇ *vt* **1.** *(dog)* pasear. **2.** *(streets)* andar por; *(distance)* recorrer, andar. ◇ *vi* **1.** *(move on foot)* andar, caminar. **2.** *(for pleasure)* pasear. ◆ **walk out** *vi* **1.** *(leave suddenly)* salirse. **2.** *(go on strike)* declararse en huelga. ◆ **walk out on** *vt fus* abandonar.

walker ['wɔːkər] *n* caminante *m y f*, paseante *m y f*.

walkie-talkie [ˌwɔːkɪ'tɔːkɪ] *n* walki-talki *m*.

walking ['wɔːkɪŋ] *n (U) (for sport)* marcha *f*; *(for pleasure)* andar *m*.

walking shoes *npl* zapatos *mpl* para caminar.

walking stick *n* bastón *m*.

Walkman® ['wɔːkmən] *n* walkman® *m*.

walk of life *(pl walks of life)* *n*: **people from all walks of life** gente de toda condición.

walkout ['wɔːkaʊt] *n* huelga *f*.

walkover ['wɔːkəʊvər] *n* victoria *f* fácil.

walkway ['wɔːkweɪ] *n (on ship, oilrig, machine)* pasarela *f*; *(between buildings)* paso *m*.

wall [wɔːl] *n* **1.** *(inside building, of cell, stomach)* pared *f*. **2.** *(outside)* muro *m*.

wallchart ['wɔːltʃɑːrt] *n* (gráfico *m*) mural *m*.

walled [wɔːld] *adj* amurallado(da).

wallet ['wɒlət] *n* cartera *f*, billetera *f*.

wallflower ['wɔːlflaʊər] *n* **1.** *(plant)* alhelí *m*. **2.** *inf fig (person)* persona tímida que queda al margen de una fiesta.

wallop ['wɒləp] *vt inf (child)* pegar una torta a; *(ball)* golpear fuerte.

wallow ['wɒləʊ] *vi (in liquid)* revolcarse.

wallpaper ['wɔːlpeɪpər] ◇ *n* papel *m* de pared OR de empapelar. ◇ *vt* empapelar.

Wall Street *n* Wall Street *f*, zona financiera neoyorquina.

wally ['wɒlɪ] *n Br inf* imbécil *m y f*.

walnut ['wɔːlnʌt] *n* **1.** *(nut)* nuez *f*. **2.** *(wood, tree)* nogal *m*.

walrus ['wɔːlrəs] *(pl inv* OR **-es)** *n* morsa *f*.

waltz [wɔːls] ◇ *n* vals *m*. ◇ *vi (dance)* bailar el vals.

wan [wɒn] *adj* pálido(da).

wand [wɒnd] *n* varita *f* mágica.

wander ['wɒndər] *vi* vagar; **my mind kept ~ing** se me iba la mente en otras cosas.

wane [weɪn] *vi (influence, interest)* disminuir, decrecer.

wangle ['wæŋgl] *vt inf* agenciarse.

want [wɒnt] ◇ *n fml* **1.** *(need)* necesidad *f*. **2.** *(lack)* falta *f*; **for ~ of** por OR a falta de. **3.** *(deprivation)* indigencia *f*, miseria *f*. ◇ *vt (desire)* querer; **to ~ to do sthg** querer hacer algo; **to ~ sb to do sthg** querer que alguien haga algo.

wanted ['wɒntəd] *adj*: **to be ~ (by the police)** ser buscado(da) (por la policía).

wanton ['wɒntən] *adj fml* gratuito(ta), sin motivo.

war [wɔːr] ◇ *n lit & fig* guerra *f*. ◇ *vi* estar en guerra.

ward [wɔːrd] *n* **1.** *(in hospital)* sala *f*. **2.** *Br* (POL) distrito *m* electoral. **3.** (JUR) pupilo *m*, -la *f*. ◆ **ward off** *vt fus* protegerse de.

warden ['wɔːrdn] *n* **1.** *(of park)* guarda *m y f*. **2.** *(of monument)* guardián *m*, -ana *f*. **3.** *Am (prison governor)* director *m*, -ra *f*. **4.** *Br (of youth hostel, hall of residence)* encargado *m*, -da *f*.

warder ['wɔːrdər] *n (in prison)* carcelero *m*, -ra *f*.

wardrobe ['wɔːrdrəʊb] *n* **1.** *(piece of furniture)* armario *m*, guardarropa *m*. **2.** *(collection of clothes)* guardarropa *m*, vestuario *m*.

warehouse ['weərhaʊs, *pl* -haʊzɪz] *n* almacén *m*.

wares [weərz] *npl literary* mercancías *fpl*.

warfare ['wɔːrfeər] *n (U)* guerra *f*.

warhead ['wɔːrhed] *n* ojiva *f*, cabeza *f*.

W

warm [wɔːʳm] ◇ *adj* **1.** *(pleasantly hot - gen)* caliente; *(- weather, day)* caluroso(sa); *(lukewarm)* tibio(bia), templado(da); **it's/I'm ~** hace/tengo calor. **2.** *(clothes etc)* que abriga. **3.** *(colour, sound)* cálido(da). **4.** *(friendly - person, atmosphere, smile)* afectuoso(sa); *(- congratulations)* efusivo(va). ◇ *vt* calentar. ◆ **warm up** *vt sep* calentar. ◇ *vi (gen)* entrar en calor; *(weather, room, engine)* calentarse.

warmly ['wɔːʳmlɪ] *adv* **1.** *(in warm clothes)*: **to dress ~** vestirse con ropa de abrigo. **2.** *(in a friendly way)* calurosamente.

warmth [wɔːʳmθ] *n* **1.** *(heat)* calor *m*. **2.** *(of clothes)* abrigo *m*. **3.** *(friendliness)* cordialidad *f*.

warn [wɔːʳn] *vt* prevenir, advertir; **to ~ sb of sthg** prevenir a alguien algo; **to ~ sb not to do sthg** advertir a alguien que no haga algo.

warning ['wɔːʳnɪŋ] *n* aviso *m*, advertencia *f*.

warning light *n* piloto *m*.

warning triangle *n Br* triángulo *m* de avería.

warp [wɔːʳp] ◇ *vt* **1.** *(wood)* alabear. **2.** *(personality)* torcer, deformar. ◇ *vi* alabearse.

warrant ['wɒrənt] ◇ *n* orden *f* OR mandamiento *m* judicial. ◇ *vt fml* merecer.

warranty ['wɒrəntɪ] *n* garantía *f*.

warren ['wɒrən] *n* zona *f* de conejos.

warrior ['wɒrɪəʳ] *n* guerrero *m*, -ra *f*.

Warsaw ['wɔːʳsɔː] *n* Varsovia.

warship ['wɔːʳʃɪp] *n* buque *m* de guerra.

wart [wɔːʳt] *n* verruga *f*.

wartime ['wɔːʳtaɪm] *n* tiempos *mpl* de guerra.

wary ['weərɪ] *adj*: **~ (of)** receloso(sa) (de).

was [stressed wɒz, unstressed wəz] *pt* → be.

wash [wɒʃ] ◇ *n* **1.** *(act of washing)* lavado *m*. **2.** *(things to wash)* ropa sucia. **3.** *(from boat)* estela *f*. ◇ *vt* **1.** *(gen)* lavar; *(hands, face)* lavarse. **2.** *(carry - subj: waves etc)* arrastrar, llevarse. ◇ *vi* **1.** *(clean oneself)* lavarse. **2.** *(waves, oil)*: **to ~ over sthg** bañar algo. ◆ **wash away** *vt sep (subj: water, waves)* llevarse, barrer. ◆ **wash up** ◇ *vt sep Br (dishes)* lavar, fregar. ◇ *vi* **1.** *Am (wash o.s.)* lavarse. **2.** *Br (wash the dishes)* fregar OR lavar los platos.

washable ['wɒʃəbl] *adj* lavable.

washbowl *Am* ['wɒʃbəʊl], **washbasin** *Br* ['wɒʃbeɪsn] *n* lavabo *m*.

washcloth ['wɒʃklɒθ] *n Am* toallita *f* para lavarse la cara.

washer ['wɒʃəʳ] *n* (TECH) arandela *f*.

washing ['wɒʃɪŋ] *n* (U) **1.** *(operation)* colada *f*. **2.** *(clothes - dirty)* ropa *f* sucia OR para lavar; *(- clean)* colada *f*.

washing machine *n* lavadora *f*.

washing powder *n Br* detergente *m*, jabón *m* en polvo.

Washington ['wɒʃɪŋtən] *n (town)*: **~ D.C.** ciudad *f* de Washington.

washing-up *n* **1.** *Br (crockery, pans etc)* platos *mpl* para fregar. **2.** *(operation)* fregado *m*; **to do the ~** fregar los platos.

washing-up liquid *n Br* detergente *m* para vajillas.

washout ['wɒʃaʊt] *n inf* desastre *m*.

washroom ['wɒʃruːm] *n Am* baño *m*, aseos *mpl*.

wasn't ['wɒznt] = was not.

wasp [wɒsp] *n (insect)* avispa *f*.

wastage ['weɪstɪdʒ] *n* desperdicio *m*.

waste [weɪst] ◇ *adj (land)* yermo(ma); *(material, fuel)* de desecho. ◇ *n* **1.** *(misuse, incomplete use)* desperdicio *m*, derroche *m*; **a ~ of time** una pérdida de tiempo. **2.** (U) *(refuse)* desperdicios *mpl*; *(chemical, toxic etc)* residuos *mpl*. ◇ *vt (time)* perder; *(money)* malgastar, derrochar; *(food, energy, opportunity)* desperdiciar. ◆ **wastes** *npl literary* yermos *mpl*.

wastebasket ['weɪstbæskət] *Am* = wastepaper basket.

waste disposal unit *n* triturador *m* de basuras.

wasteful ['weɪstfl] *adj* derrochador(ra).

waste ground *n* (U) descampados *mpl*.

wastepaper basket [weɪst'peɪpəʳ-], **wastepaper bin** [weɪst'peɪpəʳ-], **wastebasket** *Am* ['weɪstbæskət] *n* papelera *f*.

watch [wɒtʃ] ◇ *n* **1.** *(timepiece)* reloj *m*. **2.** *(act of watching)*: **to keep ~** estar de guardia; **to keep ~ on sthg/sb** vigilar algo/a alguien. **3.** (MIL) *(group of people)* guardia *f*. ◇ *vt* **1.** *(look at - gen)* mirar; *(- sunset)* contemplar; *(- football match, TV)* ver. **2.** *(spy on)* vigilar. **3.** *(be careful about)* tener cuidado con, vigilar. ◇ *vi* mirar, observar. ◆ **watch out** *vi* tener cuidado.

watchdog ['wɒtʃdɒg] *n* **1.** *(dog)* perro *m* guardián. **2.** *fig (organization)* comisión *f* de vigilancia.

watchful ['wɒtʃfl] *adj* atento(ta).

watchmaker ['wɒtʃmeɪkər] n relojero m, -ra f.

watchman ['wɒtʃmən] (pl -men [-mən]) n vigilante m.

water ['wɔːtər] ◇ n (gen) agua f. ◇ vt regar. ◇ vi 1. (eyes): my eyes are ~ing me lloran los ojos. 2. (mouth): my mouth is ~ing se me hace la boca agua. ♦ **waters** npl aguas fpl. ♦ **water down** vt sep 1. (dilute) diluir, aguar. 2. usu pej (moderate) moderar.

watercolour ['wɔːtərkʌlər] n acuarela f.

watercress ['wɔːtərkres] n berro m.

waterfall ['wɔːtərfɔːl] n cascada f, salto m de agua.

water heater n calentador m de agua.

watering can ['wɔːtərɪŋ-] n regadera f.

water level n nivel m del agua.

water lily n nenúfar m.

waterlogged ['wɔːtərlɒgd] adj inundado(da).

water main n cañería f principal.

watermark ['wɔːtərmɑːrk] n 1. (in paper) filigrana f. 2. (showing water level) marca f del nivel del agua.

watermelon ['wɔːtərmelən] n sandía f.

water polo n water-polo m.

waterproof ['wɔːtərpruːf] ◇ adj impermeable. ◇ n impermeable m.

watershed ['wɔːtərʃed] n fig momento m decisivo.

water skiing n esquí m acuático.

water tank n reserva f de agua.

watertight ['wɔːtərtaɪt] adj (waterproof) hermético(ca).

waterway ['wɔːtərweɪ] n vía f navegable.

watery ['wɔːtərɪ] adj 1. (food) soso(sa); (drink) aguado(da). 2. (pale) desvaído(da).

watt [wɒt] n vatio m.

wave [weɪv] ◇ n 1. (of hand) ademán m OR señal f (con la mano). 2. (of water) ola f. 3. (of emotion, nausea, panic) arranque m; (of immigrants, crime etc) oleada f. 4. (of light, sound, heat) onda f. 5. (in hair) ondulación f. ◇ vt 1. (move about as signal) agitar. 2. (signal to) hacer señales OR señas a. ◇ vi 1. (with hand - in greeting) saludar con la mano; (- to say goodbye) decir adiós con la mano; to ~ at OR to sb saludar a alguien con la mano. 2. (flag) ondear; (trees) agitarse.

wavelength ['weɪvleŋθ] n longitud f de onda; to be on the same ~ fig estar en la misma onda.

waver ['weɪvər] vi 1. (falter - resolution, confidence) flaquear. 2. (hesitate) dudar, vacilar. 3. (fluctuate) oscilar.

wavy ['weɪvɪ] adj ondulado(da).

wax [wæks] ◇ n cera f. ◇ vt encerar.

wax paper n Am papel m de cera.

waxworks ['wækswɜːrks] (pl inv) n museo m de cera.

way [weɪ] ◇ n 1. (manner, method) manera f, modo m; in the same ~ del mismo modo, igualmente; this/that ~ así; in a ~ en cierto modo; to get have one's ~ salirse uno con la suya. 2. (route, path) camino m; to lose one's ~ perderse; ~ in entrada f; ~ out salida f; it's out of my ~ no me pilla de camino; it's out of the ~ (place) está algo aislado; on the OR on one's ~ de camino; I'm on my ~ voy de camino; to be under ~ (ship) estar navegando; fig (meeting) estar en marcha; to get under ~ (ship) zarpar; (meeting) ponerse en marcha; to be in the ~ estar en medio; to go out of one's ~ to do sthg tomarse muchas molestias para hacer algo; to keep out of the ~ mantenerse alejado; to make ~ for dar paso a. 3. (direction) dirección f; come this ~ ven por aquí; go that ~ ve por ahí; which ~ do we go? ¿hacia dónde vamos?; the wrong ~ up OR round al revés; the right ~ up OR round del derecho. 4. (distance): all the ~ todo el camino OR trayecto; it's a long ~ away está muy lejos; we have a long ~ to go queda mucho camino por recorrer. 5. phr: to give ~ (under weight, pressure) ceder; 'give ~' Br (AUT) 'ceda el paso'; no ~! ¡ni hablar! ◇ adv inf (far) mucho; it's ~ too big es tela de grande. ♦ **ways** npl (customs, habits) costumbres fpl, hábitos mpl. ♦ **by the way** adv por cierto.

WC (abbr of water closet) WC.

we [wiː] pers pron nosotros mpl, -tras fpl; WE **can't do it** NOSOTROS no podemos hacerlo; as ~ say in France como decimos en Francia; ~ British nosotros los británicos.

weak [wiːk] adj 1. (gen) débil. 2. (material, structure) frágil. 3. (argument, tea etc) flojo(ja). 4. (lacking knowledge, skill): to be ~ on sthg estar flojo(ja) en algo.

weaken ['wiːkən] ◇ vt debilitar. ◇ vi 1. (become less determined) ceder, flaquear. 2. (physically) debilitarse.

weakling ['wiːklɪŋ] n pej enclenque m y f.

weakness ['wiːknəs] n 1. (gen) debilidad f. 2. (imperfect point) defecto m.

W

wealth [welθ] *n* **1.** *(riches)* riqueza *f.*
2. *(abundance)* profusión *f.*
wealthy ['welθɪ] *adj* rico(ca).
wean [wiːn] *vt (from mother's milk)* destetar.
weapon ['wepən] *n* arma *f.*
weaponry ['wepənrɪ] *n (U)* armamento *m.*
wear [weəʳ] *(pt* wore, *pp* worn) ◇ *n (U)*
1. *(use)* uso *m.* **2.** *(damage)* desgaste *m;*
~ **and tear** desgaste *m.* **3.** *(type of clothes)*
ropa *f.* ◇ *vt* **1.** *(clothes, hair)* llevar;
(shoes) calzar; **to** ~ **red** vestirse de rojo.
2. *(damage)* desgastar. ◇ *vi* **1.** *(deteriorate)* desgastarse. **2.** *(last):* **to** ~ **well/**
badly durar mucho/poco. ◆ **wear**
away ◇ *vt sep* desgastar. ◇ *vi* desgastarse. ◆ **wear down** *vt sep* **1.** *(reduce*
size of) desgastar. **2.** *(weaken)* agotar.
◆ **wear off** *vi* desaparecer, disiparse.
◆ **wear out** ◇ *vt sep* **1.** *(shoes, clothes)*
gastar. **2.** *(person)* agotar. ◇ *vi* gastarse.
weary ['wɪərɪ] *adj* fatigado(da), cansado(da); **to be** ~ **of sthg/of doing sthg**
estar cansado de algo/de hacer algo.
weasel ['wiːzl] *n* comadreja *f.*
weather ['weðəʳ] ◇ *n* tiempo *m;* **to be**
under the ~ no encontrarse muy bien.
◇ *vt (crisis etc)* superar.
weather-beaten [-biːtn] *adj (face,*
skin) curtido(da).
weathercock ['weðəʳkɒk] *n* veleta *f.*
weather forecast *n* parte *m* meteorológico.
weatherman ['weðəʳmæn] *(pl* -men
[-men]) *n* hombre *m* del tiempo.
weather vane [-veɪn] *n* veleta *f.*
weave [wiːv] *(pt* wove, *pp* woven) ◇ *vt*
(using loom) tejer. ◇ *vi (move):* **to** ~
through colarse por entre.
weaver ['wiːvəʳ] *n* tejedor *m,* -ra *f.*
web [web] *n* **1.** *(cobweb)* telaraña *f.* **2.**
fig (of lies etc) urdimbre *f.*
Web site *n* sitio *m* Web.
wed [wed] *(pt & pp* -ded OR wed) *literary* ◇ *vt* desposar. ◇ *vi* desposarse.
we'd [*stressed* wiːd, *unstressed* wɪd] **= we**
had, we would.
wedding ['wedɪŋ] *n* boda *f,* casamiento
m.
wedding anniversary *n* aniversario
m de boda.
wedding cake *n* tarta *f* nupcial.
wedding dress *n* traje *m* de novia.
wedding ring *n* anillo *m* de boda,
argolla *f Amer.*
wedge [wedʒ] ◇ *n* **1.** *(for steadying or*
splitting) cuña *f.* **2.** *(triangular slice)* por-

ción *f,* trozo *m.* ◇ *vt:* **to** ~ **sthg open/**
shut dejar algo abierto/cerrado con una
cuña.
Wednesday ['wenzdeɪ] *n* miércoles *m*
inv; see also **Saturday.**
wee [wiː] ◇ *adj Scot* pequeño(ña). ◇ *n*
v inf pipí *m.* ◇ *vi v inf* hacer pipí.
weed [wiːd] *n* **1.** *(wild plant)* mala
hierba *f.* **2.** *Br inf (feeble person)* canijo
m, -ja *f.* ◇ *vt* desherbar, escardar.
weedkiller ['wiːdkɪləʳ] *n* herbicida *m.*
weedy ['wiːdɪ] *adj Br inf (feeble)* enclenque.
week [wiːk] *n (gen)* semana *f.*
weekday ['wiːkdeɪ] *n* día *m* laborable.
weekend [ˌwiːk'end] *n* fin *m* de semana.
weekly ['wiːklɪ] ◇ *adj* semanal. ◇ *adv*
semanalmente. ◇ *n* semanario *m.*
weep [wiːp] *(pt & pp* wept) ◇ *vt* derramar. ◇ *vi* llorar.
weeping willow [ˌwiːpɪŋ-] *n* sauce *m*
llorón.
weigh [weɪ] *vt* **1.** *(gen)* pesar. **2.** *(consider carefully)* sopesar. ◆ **weigh down** *vt*
sep **1.** *(physically)* sobrecargar. **2.** *(mentally):* **to be ~ed down by** OR **with** estar
abrumado(da) de OR por. ◆ **weigh up**
vt sep **1.** *(consider carefully)* sopesar.
2. *(size up)* hacerse una idea de.
weight [weɪt] *n* **1.** *(gen)* peso *m;* **to put**
on OR **gain** ~ engordar; **to lose** ~ adelgazar; **to pull one's** ~ poner (uno) de su
parte. **2.** *(metal object)* pesa *f.*
weighted ['weɪtəd] *adj:* **to be** ~ **in**
favour of/against inclinarse a favor/en
contra de.
weighting ['weɪtɪŋ] *n prima por vivir en*
una ciudad con alto coste de vida.
weightlifting ['weɪtlɪftɪŋ] *n* levantamiento *m* de pesos, halterofilia *f.*
weighty ['weɪtɪ] *adj (serious)* de peso.
weir [wɪəʳ] *n* presa *f,* dique *m.*
weird [wɪəʳd] *adj* raro(ra), extraño(ña).
welcome ['welkəm] ◇ *adj* **1.** *(guest)*
bienvenido(da). **2.** *(free):* **you're** ~ **to**
come si quieres, puedes venir.
3. *(appreciated):* **to be** ~ ser de agradecer. **4.** *(in reply to thanks):* **you're** ~ de
nada. ◇ *n* bienvenida *f.* ◇ *vt* **1.** *(receive)*
dar la bienvenida a. **2.** *(approve, support)* recibir bien. ◇ *excl* ¡bienvenido
(da) !
weld [weld] ◇ *n* soldadura *f.* ◇ *vt* soldar.
welfare ['welfeəʳ] ◇ *adj* de asistencia
social. ◇ *n* **1.** *(state of well-being)* bienestar *m.* **2.** *Am (income support)* subsidio *m* de la seguridad social.

welfare state *n*: the ~ el Estado de bienestar.

well [wel] (*compar* **better**, *superl* **best**) ◇ *adj* bien; **to be ~** *(healthy)* estar bien (de salud); **to get ~** mejorarse; **all is ~** todo va bien; **(it's) just as ~** menos mal. ◇ *adv* **1.** *(satisfactorily, thoroughly)* bien; **they were ~ beaten** fueron ampliamente derrotados; **to go ~** ir bien; **~ done!** ¡muy bien!; **~ and truly** completamente. **2.** *(definitely, certainly)* claramente, definitivamente; **it was ~ worth it** sí que valió la pena. **3.** *(as emphasis)*: **you know perfectly ~ (that)** sabes de sobra (que). **4.** *(very possibly)*: **it could ~ rain** es muy posible que llueva. ◇ *n* pozo *m*. ◇ *excl* **1.** *(gen)* bueno; **oh ~!** ¡en fin! **2.** *(in surprise)* ¡vaya! ◆ **as well** *adv* **1.** *(in addition)* también. **2.** *(with same result)*: **you may** OR **might as ~ (do it)** ¿y por qué no (lo haces)? ◆ **as well as** *conj* además de. ◆ **well up** *vi* brotar.

we'll [stressed wiːl, *unstressed* wɪl] = **we shall**, **we will**.

well-advised [-əd'vaɪzd] *adj* sensato (ta); **you would be ~ to do it** sería aconsejable que lo hicieras.

well-behaved [-bɪ'heɪvd] *adj* formal, bien educado(da).

wellbeing ['welbiːɪŋ] *n* bienestar *m*.

well-built *adj* fornido(da).

well-done *adj* *(thoroughly cooked)* muy hecho(cha).

well-dressed [-'drest] *adj* bien vestido (da).

well-earned [-'ɜːnd] *adj* bien merecido(da).

well-heeled [-'hiːld] *adj inf* ricachón (ona).

wellington boots [,welɪŋtən-], **wellingtons** ['welɪŋtənz] *npl* botas *fpl* de agua.

well-kept *adj* **1.** *(neat, tidy)* bien cuidado(da). **2.** *(not revealed)* bien guardado(da).

well-known *adj* conocido(da).

well-mannered [-'mænəd] *adj* de buenos modales.

well-meaning *adj* bienintencionado (da).

well-nigh [-naɪ] *adv* casi.

well-off *adj* **1.** *(rich)* acomodado(da), rico(ca). **2.** *(well-provided)*: **to be ~ for sthg** tener bastante de algo.

well-read [-'red] *adj* instruido(da), culto(ta).

well-rounded [-'raʊndəd] *adj* *(varied)* completo(ta).

well-timed *adj* oportuno(na).

well-to-do *adj* adinerado(da).

wellwisher ['welwɪʃər] *n* simpatizante *m y f* (que da muestras de apoyo).

Welsh [welʃ] ◇ *adj* galés(esa). ◇ *n (language)* galés *m.* ◇ *npl*: **the ~** los galeses.

Welshman ['welʃmən] *(pl* **-men** [-mən]) *n* galés *m.*

Welshwoman ['welʃ,wʊmən] *(pl* **-women** [-,wɪmɪn]) *n* galesa *f.*

went [went] *pt* → **go.**

wept [wept] *pt & pp* → **weep.**

were [stressed wɜːr, unstressed wər] *pt* → **be.**

we're [stressed wiːər, unstressed wɪər] = **we are.**

weren't [wɜːnt] = **were not.**

west [west] ◇ *n* **1.** *(direction)* oeste *m.* **2.** *(region)*: **the West** el Oeste. ◇ *adj* del oeste. ◇ *adv*: **~ (of)** al oeste (de). ◆ **West** *n* (POL): **the West** Occidente.

West Bank *n*: **the ~** Cisjordania.

West Country *n Br*: **the ~** el sudoeste de Inglaterra.

West End *n Br*: **the ~** zona central de Londres, famosa por sus teatros, tiendas etc.

westerly ['westəlɪ] *adj* del oeste.

western ['westən] ◇ *adj* occidental. ◇ *n (book)* novela *f* del oeste; *(film)* película *f* del oeste, western *m.*

West German ◇ *adj* de la Alemania Occidental. ◇ *n (person)* alemán *m,* -ana *f* occidental.

West Germany *n*: **(the former) ~** (la antigua) Alemania Occidental.

West Indian ◇ *adj* antillano(na). ◇ *n (person)* antillano *m,* -na *f.*

West Indies [-'ɪndɪz] *npl*: **the ~** las Antillas.

Westminster ['westmɪnstər] *n* barrio londinense en que se encuentra el parlamento británico; por extensión éste.

westward ['westwəd] ◇ *adj* hacia el oeste. ◇ *adv* = **westwards.**

westwards ['westwədz] *adv* hacia el oeste.

wet [wet] *(pt & pp* **wet** OR **-ted)** ◇ *adj* **1.** *(soaked)* mojado(da); *(damp)* húmedo (da). **2.** *(rainy)* lluvioso(sa). **3.** *(paint, cement)* fresco(ca). **4.** *Br inf pej (weak, feeble)* ñoño(ña). ◇ *n inf* (POL) *político conservador moderado.* ◇ *vt (soak)* mojar; *(dampen)* humedecer.

wet blanket *n inf pej* aguafiestas *m y f.*

wet suit *n* traje *m* de submarinista.

we've [stressed wiːv, unstressed wɪv] = **we have.**

W

whack [wæk] *n inf (hit)* castañazo *m*.
whale [weɪl] *n (animal)* ballena *f*.
wharf [wɔːf] (*pl* **-s** OR **wharves** [wɔːvz]) *n* muelle *m*, embarcadero *m*.

what [*Am* wʌt, *Br* wɒt] ◇ *adj* **1.** *(in direct, indirect questions)* qué; **~ shape is it?** ¿qué forma tiene?; **he asked me ~ shape it was** me preguntó qué forma tenía; **~ colour is it?** ¿de qué color es? **2.** *(in exclamations)* qué; **~ a surprise!** ¡qué sorpresa!; **~ a stupid idea!** ¡qué idea más tonta! ◇ *pron* **1.** *(interrogative)* qué; **~ are they doing?** ¿qué hacen?; **~ are they talking about?** ¿de qué están hablando?; **~ is it called?** ¿cómo se llama?; **~ does it cost?** ¿cuánto cuesta?; **~ is it like?** ¿cómo es?; **~'s the Spanish for 'book'?** ¿cómo se dice 'book' en español?; **~ about another drink/going out for a meal?** ¿qué tal otra copa/si salimos a comer?; **~ about me?** ¿y yo qué?; **~ if nobody comes?** ¿y si no viene nadie, qué? **2.** *(relative)* lo que; **I saw ~ happened/he did** yo vi lo que ocurrió/ hizo; **I don't know ~ to do** no sé qué hacer. ◇ *excl (expressing disbelief)* ¿qué?; **~, no milk!** ¿cómo? ¿que no hay leche? ◆ **what for** *adv (why)* por qué.

> • No confundamos *which* y *what*. *Which* se utiliza cuando hay un número limitado de posibilidades a escoger (*which is your car?*, *which one do you want?*). *What* sugiere un número mayor de posibilidades (*what is that?*; *what songs do you know?*).
>
> • En lenguaje coloquial, *what for* significa lo mismo que *why* (*I don't know what she told me that for*, "no sé por qué me dijo eso").
>
> • Conviene recordar que en oraciones interrogativas *what* se pone al principio. Si la frase lleva alguna preposición (*about, for,* etc.), ésta se conserva después del verbo (*what are you thinking about?*; *what did you do that for?*).
>
> • *What about* y *how about* se usan en la lengua hablada para sugerir o proponer algo. Pueden ir seguidos de un sustantivo (*what/how about a game of cards?*) de un pronombre (*what/how about this one?*), o de un verbo en participio presente (*what/how about going to the movies?*).

whatever [*Am* wʌt'evr, *Br* wɒt'evə] ◇ *adj* cualquier; **eat ~ food you find** come lo que encuentres; **no chance ~** ni la más remota posibilidad; **nothing ~** nada en absoluto. ◇ *pron* **1.** *(no matter what)*: **~ they may offer** ofrezcan lo que ofrezcan; **~ you like** lo que (tú) quieras; **~ happens** pase lo que pase. **2.** *(indicating surprise)*: **~ do you mean?** ¿qué diablos quieres decir? **3.** *(indicating ignorance)*: **~ that is** OR **may be** sea lo que sea eso; **or ~** o lo que sea.

whatsoever [*Am* ‚wʌtsou'evr, *Br* wɒtsou'evə] *adj* **nothing ~** nada en absoluto; **none ~** ni uno.

wheat [wiːt] *n* trigo *m*.

wheedle [wiːdl] *vt* decir con zalamería; **to ~ sb into doing sthg** camelar OR engatusar a alguien para que haga algo; **to ~ sthg out of sb** sonsacarle algo a alguien.

wheel [wiːl] ◇ *n* **1.** *(gen)* rueda *f*. **2.** *(steering wheel)* volante *m*. ◇ *vt* empujar *(algo sobre ruedas)*. ◇ *vi* **1.** *(move in circle)* dar vueltas. **2.** *(turn round)*: **to ~ round** darse la vuelta.

wheelbarrow [*Am* 'wiːlberou, *Br* -bær-] *n* carretilla *f*.

wheelchair ['wiːltʃeər] *n* silla *f* de ruedas.

wheelclamp ['wiːlklæmp] *n* cepo *m*.

wheeze [wiːz] *vi* resollar.

whelk [welk] *n* buccino *m*.

when [wen] ◇ *adv (in direct, indirect question)* cuándo; **~ does the plane arrive?** ¿cuándo llega el avión?; **he asked me ~ I would be in London** me preguntó cuándo estaría en Londres. ◇ *conj* cuando; **tell me ~ you've read it** avísame cuando lo hayas leído; **on the day ~ it happened** el día (en) que pasó; **you said it was black ~ it was actually white** dijiste que era negro cuando en realidad era blanco.

whenever [wen'evər] ◇ *conj (no matter when)* cuando; *(every time)* cada vez que; **~ you like** cuando quieras. ◇ *adv* cuando sea.

where [weər] ◇ *adv (in direct, indirect questions)* dónde; **~ do you live?** ¿dónde vives?; **do you know ~ he lives?** ¿sabes dónde vive?; **~ are we going?** ¿adónde vamos?; **I don't know ~ to start** no sé por dónde empezar. ◇ *conj (referring to place, situation)* donde; **this is ~ ... is** es aquí donde ...; **go ~ you like** vete (a) donde quieras.

whereabouts [*adv* ‚weərə'bauts, *n* 'weərəbauts] ◇ *adv* (por) dónde.

◇ *npl* paradero *m.*

whereas [weərˈæz] *conj* mientras que.

whereby [weəˈbaɪ] *conj fml* por el/la cual.

whereupon [ˌweərəˈpɒn] *conj fml* tras OR con lo cual.

wherever [weərˈevəʳ] ◇ *conj (no matter where)* dondequiera que; **~ you go** dondequiera que vayas; **sit ~ you like** siéntate donde quieras. ◇ *adv* **1.** *(no matter where)* en cualquier parte. **2.** *(indicating surprise)*: **~ did you hear that?** ¿dónde diablos habrás oído eso?

wherewithal [ˈweəʳwɪðɔːl] *n fml*: **to have the ~ to do sthg** disponer de los medios para hacer algo.

whet [wet] *vt*: **to ~ sb's appetite (for sthg)** despertar el interés de alguien (por algo).

whether [ˈweðəʳ] *conj* **1.** *(indicating choice, doubt)* si; **I doubt ~ she'll do it** dudo que lo haga. **2.** *(no matter if)*: **~ I want to or not** tanto si quiero como si no.

which [wɪtʃ] ◇ *adj* **1.** *(in direct, indirect questions)* qué; **~ house is yours?** ¿cuál es tu casa?; **~ one?** ¿cuál?; **~ ones?** ¿cuáles? **2.** *(to refer back to)*: **in ~ case** en cuyo caso. ◇ *pron* **1.** *(in direct, indirect questions)* cuál, cuáles *(pl)*; **~ do you prefer?** ¿cuál prefieres?; **I can't decide ~ to have** no sé cuál coger. **2.** *(in relative clause replacing noun)* que; **the table, ~ was made of wood, ...** la mesa, que OR la cual era de madera, ...; **the world in ~ we live** el mundo en que OR en el cual vivimos. **3.** *(to refer back to a clause)* lo cual; **she denied it, ~ surprised me** lo negó, lo cual me sorprendió.

> • Cuando *which* se usa en interrogaciones es invariable, mientras que el verbo se usa en singular o plural según sea el contexto (*which is the right answer?*, "¿*cuál* es la pregunta correcta?"; *which are our presents?*, "¿*cuáles* son nuestros regalos?").
>
> • Recordemos que en frases interrogativas *which* se usa al principio. Si la frase lleva alguna preposición (*to*, *in*, etc.), ésta se conserva después del verbo (*which movie are you going to tonight?*; *which department do you work in?*).
>
> • Ver también **WHAT**.

whichever [wɪtʃˈevəʳ] ◇ *adj* **1.** *(no matter which)*: **~ route you take** vayas

por donde vayas. **2.** *(the one which)*: **~ colour you prefer** el color que prefieras. ◇ *pron* el que (la que), los que (las que) *(pl)*; **take ~ you like** coge el que quieras.

whiff [wɪf] *n (smell)* olorcillo *m.*

while [waɪl] ◇ *n* rato *m*; **it's a long ~ since I did that** hace mucho que no hago eso; **for a ~** un rato; **after a ~** después de un rato; **in a ~** dentro de poco; **once in a ~** de vez en cuando. ◇ *conj* **1.** *(during the time that)* mientras. **2.** *(whereas)* mientras que. **3.** *(although)* aunque. ◆ **while away** *vt sep* pasar.

whilst [waɪlst] *conj* = **while**.

whim [wɪm] *n* capricho *m.*

whimper [ˈwɪmpəʳ] *vt & vi* gimotear.

whimsical [ˈwɪmzɪkl] *adj (idea, story)* fantasioso(sa); *(remark)* juguetón(ona).

whine [waɪn] *vi (child, dog)* gemir; *(siren)* ulular.

whinge [wɪndʒ] *vi Br*: **to ~ (about)** quejarse (de).

whip [wɪp] ◇ *n* **1.** *(for hitting)* látigo *m*; *(for horse)* fusta *f.* **2.** *Br* (POL) miembro de un partido encargado de asegurar que otros miembros voten en el parlamento. ◇ *vt* **1.** *(gen)* azotar. **2.** *(take quickly)*: **to ~ sthg out/off** sacar/quitar algo rápidamente. **3.** *(whisk)* batir.

whipped cream [ˈwɪpt-] *n* nata *f* montada.

whip-round *n Br inf*: **to have a ~** hacer una colecta.

whirl [wɜːl] ◇ *n fig (of activity, events)* torbellino *m.* ◇ *vt*: **to ~ sb/sthg round** hacer dar vueltas a alguien/algo. ◇ *vi (move around)* arremolinarse; *(dancers)* girar vertiginosamente.

whirlpool [ˈwɜːlpuːl] *n* remolino *m.*

whirlwind [ˈwɜːlwɪnd] *n* torbellino *m.*

whirr [wɜːʳ] *vi* zumbar.

whisk [wɪsk] ◇ *n* (CULIN) varilla *f.* ◇ *vt* **1.** *(move quickly)*: **to ~ sthg away/out** llevarse/sacar algo rápidamente. **2.** (CULIN) batir.

whisker [ˈwɪskəʳ] *n* (pelo *m* del) bigote *m.* ◆ **whiskers** *npl (of person)* patillas *fpl*; *(of cat)* bigotes *mpl.*

whiskey *Am & Irish (pl* **whiskeys**), **whisky** *Br* [ˈwɪskɪ] *n* whisky *m.*

whisper [ˈwɪspəʳ] ◇ *vt* susurrar. ◇ *vi* cuchichear.

whistle [ˈwɪsl] ◇ *n* **1.** *(sound)* silbido *m*, pitido *m.* **2.** *(device)* silbato *m*, pito *m.* ◇ *vt* silbar. ◇ *vi (person)* silbar, chiflar *Amer*; *(referee)* pitar; *(bird)* piar.

white [waɪt] ◇ *adj* **1.** *(gen)* blanco(ca). **2.** *(coffee, tea)* con leche. ◇ *n* **1.** *(colour)* blanco *m.* **2.** *(person)* blanco *m*, -ca *f.*

W

3. *(of egg)* clara *f*. 4. *(of eye)* blanco *m*.

white-collar *adj* de oficina; **~ worker** oficinista *m y f*.

white elephant *n fig* mamotreto *m* *(caro e inútil)*.

Whitehall ['waɪthɔːl] *n calle londinense en que se encuentra la Administración británica; por extensión ésta*.

white-hot *adj* incandescente.

White House *n*: **the ~** la Casa Blanca.

white lie *n* mentira *f* piadosa.

whiteness ['waɪtnəs] *n* blancura *f*.

white paper *n* (POL) libro *m* blanco.

white sauce *n* (salsa *f*) bechamel *f*.

white spirit *n Br* especie de aguarrás.

whitewash ['waɪtwɒʃ] ◇ *n* 1. (U) *(paint)* blanqueo *m*, lechada *f* (de cal). 2. *pej (cover-up)* encubrimiento *m*. ◇ *vt* *(paint)* blanquear.

whiting ['waɪtɪŋ] *(pl inv OR* **-s***) n* pescadilla *f*.

Whitsun ['wɪtsn] *n (day)* Pentecostés *m*.

whittle ['wɪtl] *vt (reduce)*: **to ~ down** OR **away** reducir gradualmente.

whiz, whizz [wɪz] *vi*: **to ~ past** OR **by** pasar muy rápido OR zumbando.

whiz(z) kid *n inf* genio *m*, prodigio *m*.

who [huː] *pron* 1. *(in direct, indirect questions)* quién, quiénes *(pl)*; **~ are you?** ¿quién eres tú?; **~ did you see?** ¿a quién viste?; **I didn't know ~ she was** no sabía quién era. 2. *(in relative clauses)* que; **he's the doctor ~ treated me** es el médico que me atendió; **those ~ are in favour** los que están a favor.

• *Who* es invariable cuando se usa como sujeto en oraciones interrogativas, mientras que el verbo va en singular o plural según sea el contexto (*who is coming to the concert?*, "¿quién viene al concierto?"; *who are they?*, "¿quiénes son ellos?").

• En oraciones interrogativas *who* se coloca al principio. Si la frase lleva alguna preposición (*at, from*, etc.), ésta permanece después del verbo (*who are you staring at?*; *who did you get the money from?*).

• Usado como pronombre relativo, *who* puede omitirse si sólo tiene función complementaria (*I just met some friends* [*who*] *I know from university*). Cuando es el sujeto no puede suprimirse (*I have a brother who is a teacher*).

---

who'd [huːd] = **who had, who would**.

whodu(n)nit [,huːˈdʌnɪt] *n inf* historia *f* policíaca de misterio.

whoever [huːˈevəʳ] *pron* 1. *(unknown person)* quienquiera; *(pl)* quienesquiera; **~ finds it** quienquiera que lo encuentre; **tell ~ you like** díselo a quien quieras. 2. *(indicating surprise, astonishment)*: **~ can that be?** ¿quién podrá ser? 3. *(no matter who)*: **come in, ~ you are** pasa, seas quién seas.

whole [həʊl] ◇ *adj* 1. *(entire, complete)* entero(ra). 2. *(for emphasis)*: **a ~ lot taller** muchísimo más alto; **a ~ new idea** una idea totalmente nueva. ◇ *n* 1. *(all)*: **the ~ of the school/summer** el colegio/verano entero. 2. *(unit, complete thing)* todo *m*. ♦ **as a whole** *adv* en conjunto. ♦ **on the whole** *adv* en general.

wholefood ['həʊlfuːd] *n Br* comida *f* integral.

whole-hearted [-'hɑːʳtəd] *adj* profundo(da).

wholemeal *Br* = **whole wheat**.

wholesale ['həʊlseɪl] ◇ *adj* 1. (COMM) al por mayor. 2. *pej (indiscriminate)* indiscriminado(da). ◇ *adv* 1. (COMM) al por mayor. 2. *pej (indiscriminately)* indiscriminadamente.

wholesaler ['həʊlseɪləʳ] *n* mayorista *m y f*.

wholesome ['həʊlsəm] *adj* sano(na).

whole wheat *Am*, **wholemeal** *Br* ['həʊlmiːl] *adj* integral.

who'll [huːl] = **who will**.

wholly ['həʊlɪ] *adv* completamente.

whom [huːm] *pron* 1. *(in direct, indirect questions)* fml quién, quiénes *(pl)*; **from ~ did you receive it?** ¿de quién lo recibiste?; **for/of/to ~** por/de/a quién. 2. *(in relative clauses)* que; **the man ~ I saw** el hombre que vi; **the man to ~ I gave it** el hombre al que se lo di; **several people came, none of ~ I knew** vinieron varias personas, de las que no conocía a ninguna.

• *Whom* puede omitirse cuando funciona como pronombre relativo (*I just met some friends* [*whom*] *I know from university*), salvo que vaya acompañado de alguna preposición como *to, with*, etc., en cuyo caso no se puede de suprimir (*these are the friends with whom I went to the theater*).

• Ver también **QUIÉN** en el lado Español-Inglés del diccionario.

whooping cough [ˈhuːpɪŋ-] *n* tos *f* ferina.

whopping [ˈwɒpɪŋ] *inf* ◇ *adj* enorme. ◇ *adv*: **a ~ great lorry/lie**, **a ~ big lorry/lie** un camión/una mentira enorme.

whore [hɔːʳ] *n pej* zorra *f*, puta *f*.

who're [ˈhuːəʳ] = **who are**.

whose [huːz] ◇ *pron* (*in direct, indirect questions*) de quién; (*pl*) de quiénes; **~ is this?** ¿de quién es esto?; **I wonder ~ they are** me pregunto de quién serán. ◇ *adj* **1.** (*in direct, indirect questions*) de quién; **~ car is that?** ¿de quién es ese coche? **2.** (*in relative clauses*) cuyo(ya), cuyos(yas) (*pl*); **that's the boy ~ father's an MP** ese es el chico cuyo padre es diputado; **the woman ~ daughters are twins** la mujer cuyas hijas son gemelas.

who's who [ˌhuːz-] *n* (*book*) Quién es Quién *m*.

who've [huːv] = **who have**.

why [waɪ] ◇ *adv* por qué; **~ did you lie to me?** ¿por qué me mentiste?; **~ don't you all come?** ¿por qué no venís todos?; **~ not?** ¿por qué no? ◇ *conj* por qué; **I don't know ~ he said that** no sé por qué dijo eso. ◇ *pron*: **there are several reasons ~ he left** hay varias razones por las que se marchó; **that's ~ she did it** por eso es por lo que lo hizo; **I don't know the reason ~** no sé por qué razón. ◇ *excl* ¡hombre!, ¡vaya! ◆ **why ever** *adv*: **~ ever did you do that?** ¿por qué diablos has hecho eso?

• *Why* seguido de *not* o *don't* sirve para sugerir algo (*why don't we try again?*, "¿por qué no lo intentamos otra vez?") o dar un consejo (*why not take a little more exercise?*, "¿y si hicieras un poco más de ejercicio?").

---

wick [wɪk] *n* mecha *f*.

wicked [ˈwɪkəd] *adj* **1.** (*evil*) malvado (da). **2.** (*mischievous, devilish*) travieso (sa).

wicker [ˈwɪkəʳ] *adj* de mimbre.

wickerwork [ˈwɪkəʳwɜːrk] *n* (*U*) artículos *mpl* de mimbre.

wicket [ˈwɪkət] *n* (CRICKET) (*stumps*) palos *mpl*.

wide [waɪd] ◇ *adj* **1.** (*broad*) ancho (cha); **it's 50 cm ~** tiene 50 cm de ancho. **2.** (*range, choice etc*) amplio(plia).

3. (*gap, difference, implications*) grande, considerable. **4.** (*off-target*) desviado (da). ◇ *adv* **1.** (*broadly*): **to open/spread sthg ~** abrir/desplegar algo completamente. **2.** (*off target*): **to go** OR **be ~** salir desviado.

wide-angle lens *n* gran angular *m*.

wide-awake *adj* completamente despierto(ta).

widely [ˈwaɪdlɪ] *adv* **1.** (*travel, read*) extensamente. **2.** (*believed, known, loved*) generalmente. **3.** (*differ, vary*) mucho.

widen [ˈwaɪdn] *vt* (*gen*) ampliar; (*road, bridge*) ensanchar.

wide open *adj* **1.** (*window, door*) abierto(ta) de par en par. **2.** (*eyes*) completamente abierto(ta).

wide-ranging [-ˈreɪndʒɪŋ] *adj* (*changes, survey, consequences*) de gran alcance; (*discussion, interests*) de gran variedad; (*selection*) amplio(plia).

widespread [ˈwaɪdspred] *adj* extendido(da), general.

widow [ˈwɪdəʊ] *n* (*woman*) viuda *f*.

widowed [ˈwɪdəʊd] *adj* viudo(da).

widower [ˈwɪdəʊəʳ] *n* viudo *m*.

width [wɪdθ] *n* **1.** (*breadth*) anchura *f*; **it's 50 cm in ~** tiene 50 cm de ancho. **2.** (*in swimming pool*) ancho *m*.

wield [wiːld] *vt* **1.** (*weapon*) esgrimir; (*implement*) manejar. **2.** (*power*) ejercer.

wife [waɪf] (*pl* **wives**) *n* mujer *f*, esposa *f*.

wig [wɪg] *n* peluca *f*.

wiggle [ˈwɪgl] *vt inf* menear; (*hips etc*) contonear.

wild [waɪld] *adj* **1.** (*gen*) salvaje; (*plant, flower*) silvestre; (*bull*) bravo(va). **2.** (*landscape, scenery*) agreste. **3.** (*weather, sea*) borrascoso(sa). **4.** (*crowd, laughter, applause*) frenético(ca). **5.** (*hair*) alborotado(da). **6.** (*hope, idea, plan*) descabellado(da). **7.** (*guess, exaggeration*) extravagante. ◆ **wilds** *npl*: **the ~s** las tierras remotas.

wilderness [ˈwɪldəʳnəs] *n* **1.** (*barren land*) yermo *m*, desierto *m*. **2.** (*overgrown land*) jungla *f*.

wild-goose chase *n inf* búsqueda *f* infructuosa.

wildlife [ˈwaɪldlaɪf] *n* (*U*) fauna *f*.

wildly [ˈwaɪldlɪ] *adv* **1.** (*enthusiastically*) frenéticamente. **2.** (*without discipline, inaccurately*) a lo loco. **3.** (*very*) extremadamente.

W

wild west *n inf*: **the ~** el salvaje oeste.

WILD WEST

Salvaje Oeste es el apelativo popular con que se conoció a los agrestes territorios al oeste del río Mississippi durante la segunda mitad del siglo XIX. A lo largo de ese periodo existió cierto tipo de jinetes, los vaqueros (*cowboys*), que se dedicaban a conducir enormes rebaños de ganado por senderos o cañadas (*trails*) desde Texas —en el Sur— hasta Kansas o Missouri —en el Norte—; de ahí las reses eran enviadas a los mercados del Este. En los extremos de estas rutas de ganado crecieron poblaciones que se hicieron famosas por su violencia y peligrosidad. Las películas que hablan de la vida en el antiguo oeste o *westerns* de Hollywood con sus pistoleros, *sheriffs* y forajidos, nos presentan una imagen excitante de la vida de aquella región. Algunas de estas poblaciones son actualmente lugares de interés histórico muy visitados por los turistas.

---

wiles [waɪlz] *npl* artimañas *fpl*.

wilful *Br* = **willful**.

will¹ [wɪl] ◇ *n* **1.** *(gen)* voluntad *f*. **2.** *(document)* testamento *m*. ◇ *vt*: **to ~ sthg to happen** desear mucho que ocurra algo; **to ~ sb to do sthg** desear mucho que alguien haga algo.

will² [wɪl] *modal vb* **1.** *(to express future tense)*: **they say it ~ rain tomorrow** dicen que lloverá OR va a llover mañana; **when ~ we get paid?** ¿cuándo nos pagarán?; **~ they come? - yes, they ~** ¿vendrán? - sí. **2.** *(indicating willingness)*: **~ you have some more tea?** ¿te apetece más té?; **I won't do it** no lo haré. **3.** *(in commands, requests)*: **you ~ leave this house at once** vas a salir de esta casa ahora mismo; **close that window, ~ you?** cierra la ventana, ¿quieres?; **~ you be quiet!** ¿queréis hacer el favor de callaros? **4.** *(indicating possibility, what usually happens)*: **the hall ~ hold up to 1,000 people** la sala tiene cabida para 1.000 personas. **5.** *(expressing an assumption)*: **that'll be your father** ese va a ser OR será tu padre. **6.** *(indicating irritation)*: **she ~ keep phoning me** ¡y venga a llamarme!

• Existe un uso especial de *will* que nos permite describir costumbres cotidianas o hacer afirmaciones genéricas (*cats won't eat vegetables*, "los gatos no comen verdura"). Con frecuencia este uso tiene matiz de enojo (*he will call when we're in the middle of dinner*, "seguro que llamará a mitad de la cena").

• En preguntas con *you*, *will* puede servir para solicitar algo (*will you cook dinner this evening?*, "¿prepararás la cena esta noche?"). *Would you* tiene la misma función, sólo que con tono más cortés (*would you cook dinner this evening?*, "¿querrías preparar [o prepararías] la cena esta noche?").

willful *Am*, **wilful** *Br* ['wɪlfl] *adj* **1.** *(stubborn)* que siempre se tiene que salir con la suya. **2.** *(deliberate)* deliberado(da).

willing ['wɪlɪŋ] *adj* **1.** *(prepared)*: **to be ~ (to do sthg)** estar dispuesto(ta) (a hacer algo). **2.** *(eager)* servicial.

willingly ['wɪlɪŋlɪ] *adv* de buena gana.

willow (tree) ['wɪləʊ-] *n* sauce *m*.

willpower ['wɪlpaʊə] *n* fuerza *f* de voluntad.

willy-nilly [,wɪlɪ'nɪlɪ] *adv* pase lo que pase.

wilt [wɪlt] *vi* *(plant)* marchitarse; *(person)* desfallecer, extenuarse.

wily ['waɪlɪ] *adj* astuto(ta).

wimp [wɪmp] *n pej inf* blandengue *m* y *f*.

win [wɪn] *(pt & pp* **won**) ◇ *n* victoria *f*, triunfo *m*. ◇ *vt* ganar. ◇ *vi* ganar.
♦ **win over, win round** *vt sep* convencer.

wince [wɪns] *vi* hacer una mueca de dolor; **to ~ at/with sthg** estremecerse ante/de algo.

winch [wɪntʃ] *n* torno *m*.

wind¹ [wɪnd] *n* **1.** (METEOR) viento *m*. **2.** *(breath)* aliento *m*, resuello *m*. **3.** *(U)* *(in stomach)* gases *mpl*. ◇ *vt* *(knock breath out of)* dejar sin aliento.

wind² [waɪnd] *(pt & pp* **wound**) ◇ *vt* **1.** *(string, thread)* enrollar; **to ~ sthg around sthg** enrollar algo alrededor de algo. **2.** *(clock, watch)* dar cuerda a. ◇ *vi* serpentear. ♦ **wind down** ◇ *vt sep* **1.** *(car window)* bajar. **2.** *(business)* cerrar poco a poco. ◇ *vi* *(person)* relajarse, descansar. ♦ **wind up** ◇ *vt sep* **1.** *(finish - activity)* finalizar, concluir; *(business)* liquidar. **2.** *(clock, watch)* dar cuerda a. **3.** *(car window)* subir. **4.** *Br inf (annoy)* vacilar, tomar el pelo a. ◇ *vi inf (end up)* terminar, acabar.

windfall ['wɪndfɔːl] *n (unexpected gift)* dinero *m* llovido del cielo.

winding ['waɪndɪŋ] *adj* tortuoso(sa).

wind instrument ['wɪnd-] *n* instrumento *m* de viento.

windmill ['wɪndmɪl] *n (building)* molino *m* de viento.

window ['wɪndəʊ] *n* **1.** *(gen & COMPUT)* ventana *f.* **2.** *(AUT)* ventanilla *f.* **3.** *(of shop)* escaparate *m.*

window box *n* jardinera *f* (de ventana).

window cleaner *n* limpiacristales *m y f inv.*

window ledge *n* alféizar *m.*

window pane *n* cristal *m* (de la ventana).

windowsill ['wɪndəʊsɪl] *n* alféizar *m.*

windpipe ['wɪndpaɪp] *n* tráquea *f.*

windshield *Am* ['wɪndʃiːld], **windscreen** *Br* ['wɪndskriːn] *n* parabrisas *m inv.*

windshield washer *n* lavaparabrisas *m inv.*

windshield wiper *n* limpiaparabrisas *m inv.*

windsurfing ['wɪndsɜːrfɪŋ] *n* windsurf *m.*

windswept ['wɪndswept] *adj (scenery)* azotado(da) por el viento.

windy ['wɪndɪ] *adj (day, weather)* ventoso(sa), de mucho viento; *(place)* expuesto(ta) al viento; **it's ~** hace viento.

wine [waɪn] *n* vino *m;* **red/white ~** vino tinto/blanco.

wine bar *n Br bar de cierta elegancia especializado en vinos que suele servir comidas.*

wine cellar *n* bodega *f.*

wineglass [*Am* 'waɪnglæs, *Br* -glɑːs] *n* copa *f* OR vaso *m* (de vino).

wine list *n* lista *f* de vinos.

wine merchant *n Br* vinatero *m,* -ra *f.*

wine tasting [-teɪstɪŋ] *n* cata *f* de vinos.

wine waiter *n* sommelier *m.*

wing [wɪŋ] *n* **1.** *(gen)* ala *f.* **2.** *(AUT)* guardabarros *m inv.* **3.** *(SPORT) (side of pitch)* banda *f; (winger)* extremo *m.* ◆ **wings** *npl (THEATRE):* **the ~s** los bastidores.

winger ['wɪŋər] *n (SPORT)* extremo *m.*

wing mirror *n* retrovisor *m.*

wink [wɪŋk] ◇ *n* guiño *m.* ◇ *vi (eye):* **to**

~ (at sb) guiñar (a alguien).

winkle ['wɪŋkl] *n* bígaro *m.*

winner ['wɪnər] *n* ganador *m,* -ra *f.*

winning ['wɪnɪŋ] *adj* **1.** *(team, competitor)* vencedor(ra); *(goal, point)* de la victoria; *(ticket, number)* premiado(da). **2.** *(smile, ways)* atractivo(va). ◆ **winnings** *npl* ganancias *fpl.*

winning post *n* meta *f.*

winter ['wɪntər] ◇ *n (U)* invierno *m.* ◇ *comp* de invierno, invernal.

winter sports *npl* deportes *mpl* de invierno.

wintertime ['wɪntərtaɪm] *n (U)* invierno *m.*

wint(e)ry ['wɪnt(ə)rɪ] *adj (gen)* de invierno, invernal; *(showers)* con nieve.

wipe [waɪp] ◇ *n:* **give the table a ~** pásale un trapo a la mesa. ◇ *vt (rub to clean)* limpiar, pasar un trapo a; *(rub to dry)* secar. ◆ **wipe out** *vt sep* **1.** *(erase)* borrar. **2.** *(eradicate)* aniquilar. ◆ **wipe up** *vt sep* empapar, limpiar.

wire [waɪər] ◇ *n* **1.** *(gen)* alambre *m;* *(ELEC)* cable *m.* **2.** *(telegram)* telegrama *m.* ◇ *vt* **1.** *(connect):* **to ~ sthg to sthg** conectar algo a algo. **2.** *(ELEC - house)* poner la instalación eléctrica de; *(- plug)* conectar el cable a. **3.** *(send telegram to)* enviar un telegrama a.

wireless ['waɪərləs] *n dated* radio *f.*

wiring ['waɪərɪŋ] *n (U)* instalación *f* eléctrica.

wiry ['waɪərɪ] *adj* **1.** *(hair)* estropajoso(sa). **2.** *(body, man)* nervudo(da).

wisdom ['wɪzdəm] *n* **1.** *(learning)* sabiduría *f.* **2.** *(good sense)* sensatez *f.*

wisdom tooth *n* muela *f* del juicio.

wise [waɪz] *adj* **1.** *(learned)* sabio(bia). **2.** *(sensible)* prudente.

wisecrack ['waɪzkræk] *n pej* broma *f,* chiste *m.*

wish [wɪʃ] ◇ *n:* **~ (for sthg/to do sthg)** deseo *m* (de algo/de hacer algo). ◇ *vt:* **to ~ to do sthg** *fml* desear hacer algo; **to ~ sb sthg** desear a alguien algo; **I ~ (that) you had told me before!** ¡ojalá me lo hubieras dicho antes!; **I ~ (that) I were** OR **was rich** ojalá fuera rico. ◇ *vi (by magic):* **to ~ for sthg** pedir (como deseo) algo. ◆ **wishes** *npl:* **(with) best ~es** *(in letter)* muchos recuerdos.

> •Cuando *wish* va seguido del verbo *to be,* se puede usar la forma hipotética *were* en lugar del pasado *was (I wish I was/were rich).* *Were* es más formal que *was.*

wishful thinking [ˌwɪʃfl-] *n (U):* **it's**

just ~ no son más que (vanas) ilusiones.

wishy-washy ['wɪʃɪwɒʃɪ] *adj inf pej* soso(sa), insípido(da).

wisp [wɪsp] *n* **1.** *(of hair)* mechón *m*; *(of grass)* brizna *f*. **2.** *(cloud)* nubecilla *f*; *(of smoke)* voluta *f*.

wistful ['wɪstfl] *adj* melancólico(ca).

wit [wɪt] *n* **1.** *(humour)* ingenio *m*, agudeza *f*. **2.** *(intelligence)*: **to have the ~ to do sthg** tener el buen juicio de hacer algo. ◆ **wits** *npl*: **to have** OR **keep one's ~s about one** mantenerse alerta.

witch [wɪtʃ] *n* bruja *f*.

with [wɪð] *prep* **1.** *(in company of)* con; **we stayed ~ them for a week** estuvimos con ellos una semana; **~ me** conmigo; **~ you** contigo; **~ himself/herself** consigo. **2.** *(indicating opposition)* con; **to argue ~ sb** discutir con alguien. **3.** *(indicating means, manner, feelings)* con; **I washed it ~ detergent** lo lavé con detergente; **he filled it ~ wine** lo llenó de vino; **covered ~ mud** cubierto de barro; **she was trembling ~ fear** temblaba de miedo. **4.** *(having - gen)* con; **a man ~ a beard** un hombre con barba; **the woman ~ the black hair/big dog** la señora del pelo negro/perro grande. **5.** *(regarding)* con; **he's very mean ~ money** es muy tacaño con el dinero; **the trouble ~ her is that ...** su problema es que ... **6.** *(because of)* con; **~ my luck, I'll probably lose** con la suerte que tengo seguro que pierdo. **7.** *(indicating understanding)*: **are you ~ me?** ¿me sigues? **8.** *(indicating support)* con; **I'm ~ Dad on this** en eso estoy con papá.

> • Ver **BY**.

withdraw [wɪð'drɔː] *(pt* **-drew**, *pp* **-drawn)** ◊ *vt* **1.** *(gen)*: **to ~ sthg (from)** retirar algo (de). **2.** *(money)* sacar. ◊ *vi*: **to ~ (from/to)** retirarse (de/a).

withdrawal [wɪð'drɔːəl] *n* **1.** *(gen & MIL)* retirada *f*. **2.** *(retraction)* retractación *f*. **3.** *(FIN)* reintegro *m*.

withdrawal symptoms *npl* síndrome *m* de abstinencia.

withdrawn [wɪð'drɔːn] ◊ *pp* → **withdraw**. ◊ *adj (shy, quiet)* reservado(da).

withdrew [wɪð'druː] *pt* → **withdraw**.

wither ['wɪðəʳ] *vi* **1.** *(dry up)* marchitarse. **2.** *(become weak)* debilitarse.

withhold [wɪð'hoʊld] *(pt & pp* **-held** [-'held]) *vt (gen)* retener; *(consent, permission)* negar.

within [wɪð'ɪn] ◊ *prep* **1.** *(gen)* dentro de; **~ reach** al alcance de la mano.

2. *(less than - distance)* a menos de; *(- time)* en menos de; **it's ~ walking distance** se puede ir andando; **~ the next six months** en los próximos seis meses; **it arrived ~ a week** llegó en una semana. ◊ *adv* dentro.

without [wɪð'aʊt] ◊ *prep* sin; **~ sthg/doing sthg** sin algo/hacer algo; **it happened ~ my realizing** pasó sin que me diera cuenta. ◊ *adv*: **to go** OR **do ~ sthg** pasar sin algo.

withstand [wɪð'stænd] *(pt & pp* **-stood** [-'stʊd]) *vt* resistir, aguantar.

witness ['wɪtnəs] ◊ *n* **1.** *(person)* testigo *m y f*. **2.** *(testimony)*: **to bear ~ to sthg** atestiguar algo, dar fe de algo. ◊ *vt* **1.** *(see)* presenciar. **2.** *(countersign)* firmar (como testigo).

witness stand *Am*, **witness box** *Br n* tribuna *f* (de los testigos).

witticism ['wɪtəsɪzm] *n* ocurrencia *f*.

witty ['wɪtɪ] *adj* ingenioso(sa), ocurrente.

wives [waɪvz] *pl* → **wife**.

wizard ['wɪzəʳd] *n* **1.** *(magician)* mago *m* (en cuentos). **2.** *(skilled person)* genio *m*.

wobble ['wɒbl] *vi (gen)* tambalearse; *(furniture)* cojear; *(legs)* temblar.

woe [woʊ] *n literary* aflicción *f*.

woke [woʊk] *pt* → **wake**.

woken ['woʊkn] *pp* → **wake**.

wolf [wʊlf] *(pl* **wolves)** *n* (ZOOL) lobo *m*.

wolves [wʊlvz] *pl* → **wolf**.

woman ['wʊmən] *(pl* **women)** ◊ *n* **1.** *(female)* mujer *f*. **2.** *(womanhood)* la mujer. ◊ *comp*: **~ doctor** médica *f*.

womanly ['wʊmənlɪ] *adj* femenino(na).

womb [wuːm] *n* matriz *f*, útero *m*.

women ['wɪmɪn] *pl* → **woman**.

women's lib [-'lɪb] *n* liberación *f* de la mujer.

women's liberation *n* liberación *f* de la mujer.

won [wʌn] *pt & pp* → **win**.

wonder ['wʌndəʳ] ◊ *n* **1.** *(amazement)* asombro *m*, admiración *f*. **2.** *(cause for surprise)*: **it's a ~ (that) ...** es un milagro que ...; **no** OR **little** OR **small ~ ...** no es de extrañar que ... **3.** *(amazing thing, person)* maravilla *f*. ◊ *vt* **1.** *(speculate)*: **to ~ (if** OR **whether)** preguntarse (si). **2.** *(in polite requests)*: **I ~ if** OR **whether I could ask you a question?** ¿le importaría que le hiciera una pregunta? ◊ *vi (speculate)*: **I was only ~ing** (preguntaba) sólo por curiosidad; **to ~ about sthg** preguntarse por algo.

wonderful ['wʌndəʳfl] *adj* maravilloso

(sa), estupendo(da).

wonderfully ['wʌndə^rflɪ] *adv* **1.** *(very well)* estupendamente. **2.** *(very)* extremadamente.

won't [wəʊnt] = **will not**.

woo [wu:] *vt* **1.** *literary (court)* cortejar. **2.** *(try to win over)* granjearse el apoyo de.

wood [wʊd] *n* **1.** *(timber)* madera *f*; *(for fire)* leña *f*. **2.** *(group of trees)* bosque *m*. ◆ **woods** *npl* bosque *m*.

wooded ['wʊdəd] *adj* arbolado(da).

wooden ['wʊdn] *adj* **1.** *(of wood)* de madera. **2.** *pej (actor)* envarado(da).

woodpecker ['wʊdpekə^r] *n* pájaro *m* carpintero.

woodwind ['wʊdwɪnd] *n*: **the ~** los instrumentos de viento de madera.

woodwork ['wʊdwɜː^rk] *n* carpintería *f*.

woodworm ['wʊdwɜː^rm] *n* carcoma *f*.

wool [wʊl] *n* lana *f*; **to pull the ~ over sb's eyes** *inf fig* dar a alguien gato por liebre.

woolen *Am*, **woollen** *Br* ['wʊlən] *adj* de lana. ◆ **woolens** *npl* géneros *mpl* de lana.

woolly ['wʊlɪ] *adj* **1.** *(woollen)* de lana. **2.** *inf (fuzzy, unclear)* confuso(sa).

word [wɜː^rd] ◇ *n* **1.** (LING) palabra *f*; **~ for** palabra por palabra; **in other ~s** en otras palabras; **in a ~** en una palabra; **too ... for ~s** de lo más ...; **she doesn't mince her ~s** no tiene pelos en la lengua; **to have a ~ with sb** hablar con alguien; **I couldn't get a ~ in edgeways** no pude meter baza. **2.** *(U) (news)* noticia *f*. **3.** *(promise)* palabra *f*; **to give sb one's ~** dar (uno) su palabra a alguien. ◇ *vt* redactar, expresar.

wording ['wɜː^rdɪŋ] *n (U)* términos *mpl*, forma *f* (de expresión).

word processing *n (U)* proceso *m* de textos.

word processor [*Am* -'prɒsesər, *Br* -'prəʊsesə] *n* procesador *m* de textos.

wore [wɔː^r] *pt* → **wear**.

work [wɜː^rk] ◇ *n* **1.** *(U) (employment)* trabajo *m*, empleo *m*; **to be out of ~** estar desempleado; **at ~** en el trabajo. **2.** *(activity, tasks)* trabajo *m*; **at ~** trabajando. **3.** *(of art, literature etc)* obra *f*. ◇ *vt* **1.** *(employees, subordinates)* hacer trabajar. **2.** *(machine)* manejar, operar. **3.** *(wood, metal, land)* trabajar. ◇ *vi* **1.** *(person)*: **to ~ (on sthg)** trabajar (en algo). **2.** *(machine, system, idea)* funcionar. **3.** *(drug)* surtir efecto. **4.** *(become by movement)*: **to ~ loose** soltarse; **to ~ free** desprenderse. ◆ **works** ◇ *n (factory)*

fábrica *f*. ◇ *npl (mechanism)* mecanismo *m*. ◆ **work on** *vt fus* **1.** *(pay attention to)* trabajar en. **2.** *(take as basis)* partir de. ◆ **work out** ◇ *vt sep* **1.** *(plan, schedule)* elaborar. **2.** *(total, amount)* calcular; *(answer)* dar con. ◇ *vi* **1.** *(figure etc)*: **to ~ out at** salir a. **2.** *(turn out)* resolverse. **3.** *(be successful)* salir bien. **4.** *(train, exercise)* hacer ejercicio. ◆ **work up** *vt sep* **1.** *(excite)*: **to ~ o.s. up into a frenzy** ponerse frenético(ca). **2.** *(generate)* despertar.

workable ['wɜː^rkəbl] *adj* factible, viable.

workaholic [ˌwɜː^rkə'hɒlɪk] *n* adicto *m*, -ta *f* al trabajo.

workday ['wɜː^rkdeɪ] *n (not weekend)* día *m* laborable.

worked up [ˌwɜː^rkt-] *adj* nervioso(sa).

worker ['wɜː^rkə^r] *n (person who works)* trabajador *m*, -ra *f*; *(manual worker)* obrero *m*, -ra *f*.

workforce ['wɜː^rkfɔ:^rs] *n* mano *f* de obra.

working ['wɜː^rkɪŋ] *adj* **1.** *(in operation)* funcionando. **2.** *(having employment)* empleado(da). **3.** *(relating to work - gen)* laboral; *(- day)* laborable. ◆ **workings** *npl* mecanismo *m*.

working class *n*: **the ~** la clase obrera. ◆ **working-class** *adj* obrero(ra).

working order *n*: **to be in (good) ~** funcionar (bien).

workload ['wɜː^rkləʊd] *n* cantidad *f* de trabajo.

workman ['wɜː^rkmən] *(pl* **-men** [-mən]*)* *n* obrero *m*.

workmanship ['wɜː^rkmənʃɪp] *n* artesanía *f*.

workmate ['wɜː^rkmeɪt] *n* compañero *m*, -ra *f* de trabajo, colega *m y f*.

work permit [-ˌpɜː^rmɪt] *n* permiso *m* de trabajo.

workplace ['wɜː^rkpleɪs] *n* lugar *m* de trabajo.

workshop ['wɜː^rkʃɒp] *n* taller *m*.

workstation ['wɜː^rksteɪʃn] *n* (COMPUT) estación *f* de trabajo.

worktop ['wɜː^rktɒp] *n Br* mármol *m*, encimera *f*.

work-to-rule *n Br* huelga *f* de celo.

world [wɜː^rld] ◇ *n* mundo *m*; **the best in the ~** el mejor del mundo; **to think the ~ of sb** querer a alguien con locura; **a ~ of difference** una diferencia enorme. ◇ *comp* mundial.

world-class *adj* de primera categoría.

world-famous *adj* famoso(sa) en el mundo entero.

W

worldly ['wɜːrldlɪ] *adj literary* mundano (na).

World Series *n*: **the ~** *la final de la liga estadounidense de béisbol.*

WORLD SERIES

La *World Series* es un conjunto de hasta siete partidos de béisbol en los que se enfrentan, al final de la temporada, los campeones de las dos ligas más importantes de Estados Unidos: la *National League* y la *American League.* Se proclama campeón el primero en obtener cuatro victorias. Éste es uno de los acontecimientos deportivos anuales de mayor importancia en Estados Unidos; la tradición marca que sea el presidente de la nación quien lance la primera bola del encuentro.

World War I *n* la Primera Guerra Mundial.

World War II *n* la Segunda Guerra Mundial.

worldwide ['wɜːrldwaɪd] ◇ *adj* mundial. ◇ *adv* en todo el mundo.

World Wide Web *n*: **the ~** la (World Wide) Web.

worm [wɜːrm] *n (animal)* gusano *m*; *(earthworm)* lombriz *f* (de tierra).

worn [wɔːrn] ◇ *pp* → **wear**. ◇ *adj* **1.** *(threadbare)* gastado(da). **2.** *(tired)* ajado(da).

worn-out *adj* **1.** *(old, threadbare)*: **to be ~** estar ya para tirar. **2.** *(tired)* agotado(da).

worried [*Am* 'wɜːrɪd, *Br* 'wʌr-] *adj* preocupado(da).

worry [*Am* 'wɜːrɪ, *Br* 'wʌrɪ] ◇ *n* preocupación *f*. ◇ *vt (trouble)* preocupar. ◇ *vi*: **to ~ (about)** preocuparse (por); **not to ~!** ¡no importa!

worrying [*Am* 'wɜːrɪɪŋ, *Br* 'wʌr-] *adj* preocupante.

worse [wɜːrs] ◇ *adj* peor; **to get ~** empeorar. ◇ *adv* peor; **~ off** *(gen)* en peor situación; *(financially)* peor económicamente. ◇ *n*: **~ was to come** lo peor estaba aún por venir; **for the ~** para peor.

worsen ['wɜːrsn] *vt & vi* empeorar.

worship ['wɜːrʃɪp] ◇ *vt lit & fig* adorar. ◇ *n lit & fig*: **~ (of)** culto *m* (a), adoración *f* (por). ◆ **Worship** *n*: **Your/Her/His Worship** su señoría; **his Worship the Mayor** el Excelentísimo Señor alcalde.

worst [wɜːrst] ◇ *adj* peor; **the ~ thing**

is ... lo peor es que ... ◇ *adv* peor; **the ~ affected area** la región más afectada. ◇ *n*: **the ~** *(thing)* lo peor *m*; *(person)* el peor *m*, la peor *f*; **if the ~ comes to the ~** en último extremo. ◆ **at (the) worst** *adv* en el peor de los casos.

worth [wɜːrθ] ◇ *prep* **1.** *(having the value of)*: **it's ~ £50** vale 50 libras; **how much is it ~?** ¿cuánto vale? **2.** *(deserving of)* digno(na) de; **the museum is ~ visiting** OR **a visit, it's ~ visiting the museum** el museo merece una visita. ◇ *n* **1.** *(amount)*: **£50,000 ~ of antiques** antigüedades por valor de 50.000 libras; **a month's ~ of groceries** provisiones para un mes. **2.** *fml (value)* valor *m*.

worthless ['wɜːrθləs] *adj* **1.** *(object)* sin valor. **2.** *(person)* despreciable.

worthwhile [,wɜːrθ'waɪl] *adj* que vale la pena; *(cause)* noble, digno(na).

worthy ['wɜːrðɪ] *adj* **1.** *(gen)* digno(na). **2.** *(good but unexciting)* encomiable.

---

would [*stressed* wʊd, *unstressed* wəd] *modal vb* **1.** *(in reported speech)*: **she said she ~ come** dijo que vendría. **2.** *(indicating likelihood)*: **what ~ you do?** ¿qué harías?; **he ~ have resigned** habría dimitido. **3.** *(indicating willingness)*: **she ~n't go** no quiso/quería ir; **he ~ do anything for her** haría cualquier cosa por ella. **4.** *(in polite questions)*: **~ you like a drink?** ¿quieres beber algo?; **~ you mind closing the window?** ¿le importaría cerrar la ventana?; **help me shut this suitcase, ~ you?** ayúdame a cerrar esta maleta, ¿quieres? **5.** *(indicating inevitability)*: **he WOULD say that, ~n't he?** hombre, era de esperar que dijera eso, ¿no? **6.** *(expressing opinions)*: **I ~ have thought (that) it ~ be easy** hubiera pensado que sería fácil; **I ~ prefer ...** preferiría ...; **I ~ like ...** quisiera ..., quiero ... **7.** *(giving advice)*: **I ~ report it if I were you** yo en tu lugar lo denunciaría. **8.** *(indicating habit)*: **he ~ smoke a cigar after dinner** solía fumar un puro después de la cena; **she ~ often complain about the neighbours** se quejaba a menudo de los vecinos.

• Ver **WILL.**

---

would-be *adj*: **a ~ author** un aspirante a literato.

wouldn't ['wʊdnt] = **would not.**

would've ['wʊdəv] = **would have.**

wound¹ [wuːnd] ◇ *n* herida *f*. ◇ *vt lit & fig* herir.

wound² [waʊnd] *pt & pp* → **wind².**

wove [wəʊv] *pt* → **weave.**

woven ['wouvn] *pp* → weave.

WP 1. *abbr of* word processing. **2.** *abbr of* word processor.

wrangle ['ræŋgl] ◇ *n* disputa *f*. ◇ *vi*: **to ~ (with sb over sthg)** discutir OR pelearse (con alguien por algo).

wrap [ræp] ◇ *vt* **1.** *(cover)* envolver; **to ~ sthg in sthg** envolver algo en algo; **to ~ sthg around** OR **round sthg** liar algo alrededor de algo. **2.** *(encircle)*: **he wrapped his hands around it** lo rodeó con sus manos. ◇ *n (garment)* echarpe *m*. ♦ **wrap up** ◇ *vt sep (cover)* envolver. ◇ *vi (put warm clothes on)*: **~ up well** OR **warmly** abrígate bien.

wrapper ['ræpər] *n* envoltorio *m*.

wrapping ['ræpɪŋ] *n* envoltorio *m*.

wrapping paper *n (U)* papel *m* de envolver.

wrath [rɒθ] *n literary* ira *f*, cólera *f*.

wreak [riːk] *vt* causar; **to ~ havoc** hacer estragos; **to ~ revenge** OR **vengeance** tomar la revancha.

wreath [riːð] *n* corona *f* (de flores).

wreck [rek] ◇ *n* **1.** *(of car, plane)* restos *mpl* del siniestro; *(of ship)* restos del naufragio. **2.** *inf (person)* guiñapo *m*. ◇ *vt* **1.** *(destroy)* destrozar. **2.** (NAUT) hacer naufragar; **to be ~ed** naufragar. **3.** *(spoil)* dar al traste con; *(health)* acabar con.

wreckage ['rekɪdʒ] *n (U) (of plane, car)* restos *mpl*; *(of building)* escombros *mpl*.

wren [ren] *n* chochín *m*.

wrench [rentʃ] ◇ *n* **1.** *(tool)* llave *f* inglesa. **2.** *(injury)* torcedura *f*. ◇ *vt* **1.** *(pull violently)*: **to ~ sthg (off)** arrancar algo; **to ~ sthg open** abrir algo de un tirón. **2.** *(twist and injure)* torcer.

wrestle ['resl] *vi lit & fig*: **to ~ (with)** luchar (con).

wrestler ['reslər] *n* luchador *m*, -ra *f*.

wrestling ['reslɪŋ] *n* lucha *f* libre.

wretch [retʃ] *n* desgraciado *m*, -da *f*.

wretched ['retʃəd] *adj* **1.** *(miserable)* miserable. **2.** *inf (damned)* maldito(ta).

wriggle ['rɪgl] *vi* **1.** *(move about)* menearse. **2.** *(twist)* escurrirse, deslizarse.

wring [rɪŋ] *(pt & pp* wrung*) vt* **1.** *(wet clothes etc)* estrujar, escurrir. **2.** *(neck)* retorcer.

wringing ['rɪŋɪŋ] *adj*: **~ (wet)** empapado(da).

wrinkle ['rɪŋkl] ◇ *n* arruga *f*. ◇ *vt* arrugar. ◇ *vi* arrugarse.

wrist [rɪst] *n* muñeca *f*.

wristwatch ['rɪstwɒtʃ] *n* reloj *m* de pulsera.

writ [rɪt] *n* mandato *m* judicial.

write [raɪt] *(pt* wrote*, pp* written*) vt* **1.** *(gen & COMPUT)* escribir. **2.** *Am (person)* escribir a. ◇ *vi (gen & COMPUT)* escribir. ♦ **write back** *vt sep & vi* contestar. ♦ **write down** *vt sep* apuntar. ♦ **write into** *vt sep* incluir en. ♦ **write off** *vt sep* **1.** *(plan, hopes)* abandonar. **2.** *(debt)* cancelar, anular. **3.** *(person - as failure)* considerar un fracaso. **4.** *Br inf (wreck)* cargarse. ♦ **write up** *vt sep* redactar.

write-off *n*: **the car was a ~** el coche quedó totalmente destrozado.

writer ['raɪtər] *n* **1.** *(as profession)* escritor *m*, -ra *f*. **2.** *(of letter, article, story)* autor *m*, -ra *f*.

writhe [raɪð] *vi* retorcerse.

writing ['raɪtɪŋ] *n* **1.** *(U) (handwriting)* letra *f*, caligrafía *f*. **2.** *(something written)* escrito *m*; **in ~** por escrito. **3.** *(activity)* escritura *f*.

writing paper *n (U)* papel *m* de carta.

written ['rɪtn] ◇ *pp* → write. ◇ *adj* **1.** *(not oral)* escrito(ta). **2.** *(official)* por escrito.

wrong [rɒŋ] ◇ *adj* **1.** *(not normal, not satisfactory)* malo(la); **the clock's ~** el reloj anda mal; **what's ~?** ¿qué pasa?; **there's nothing ~ with me** no me pasa nada. **2.** *(not suitable, not correct)* equivocado(da); *(moment, time)* inoportuno(na); **to be ~** equivocarse; **to be ~ to do sthg** cometer un error al hacer algo. **3.** *(morally bad)* malo(la); **it's ~ to steal/lie** robar/mentir está mal; **what's ~ with being a communist?** ¿qué tiene de malo ser comunista? ◇ *adv (incorrectly)* mal; **to get sthg ~** entender mal algo; **to go ~** *(make a mistake)* cometer un error; *(stop functioning)* estropearse. ◇ *n* **1.** *(evil)* mal *m*; **to be in the ~** haber hecho mal. **2.** *(injustice)* injusticia *f*. ◇ *vt* ser injusto(ta) con, agraviar.

wrongful ['rɒŋfl] *adj (dismissal)* improcedente; *(arrest, imprisonment)* ilegal.

wrongly ['rɒŋlɪ] *adv* equivocadamente.

wrong number *n*: **sorry, ~** lo siento, se ha equivocado de número.

wrote [rout] *pt* → write.

wrought iron [,rɔːt-] *n* hierro *m* forjado.

wrung [rʌŋ] *pt & pp* → wring.

wry [raɪ] *adj* **1.** *(amused)* irónico(ca). **2.** *(displeased)* de asco.

W

x (*pl* **x's** OR **xs**), **X** (*pl* **X's** OR **Xs**) [eks] *n* (*letter*) x *f inv*, X *f inv*.

xenophobia [ˌzenəˈfoʊbjə] *n* xenofobia *f*.

Xmas [ˈkrɪsməs] ◇ *n* Navidad *f*. ◇ *comp* de Navidad.

X-ray ◇ *n* 1. (*ray*) rayo *m* X. 2. (*picture*) radiografía *f*. ◇ *vt* examinar con rayos X, radiografiar.

xylophone [ˈzaɪləfoʊn] *n* xilofón *m*.

y (*pl* **y's** OR **ys**), **Y** (*pl* **Y's** OR **Ys**) [waɪ] *n* (*letter*) y *f*, Y *f*.

yacht [jɒt] *n* yate *m*; (*for racing*) balandro *m*.

yachting [ˈjɒtɪŋ] *n* balandrismo *m*.

yachtsman [ˈjɒtsmən] (*pl* **-men** [-mən]) *n* balandrista *m*.

Yank [jæŋk] *n inf* término peyorativo que designa a un estadounidense, yanqui *m* y *f*.

Yankee [ˈjæŋkɪ] *n Br inf* término peyorativo que designa a un estadounidense, yanqui *m* y *f*.

YANKEE

En sus orígenes, el término inglés *Yankee* se refería a los inmigrantes holandeses que se establecieron principalmente en el noreste de Estados Unidos. Más tarde se utilizó para referirse a cualquier persona procedente del Noreste, de tal manera que durante la Guerra de Secesión se llamaba yanquis (*yankees*) a los soldados que luchaban en el bando de los estados del norte. En nuestros días, algunos estadounidenses sureños aún utilizan el término en tono despectivo para referirse a la gente del Norte.

yap [jæp] *vi* (*dog*) ladrar.

yard [jɑːrd] *n* 1. (*unit of measurement*) = 91,44 cm, yarda *f*. 2. *Am* (*attached to house*) jardín *m*. 3. (*walled area*) patio *m*. 4. (*shipyard*) astillero *m*; **builder's/goods ~** depósito *m* de materiales/de mercancías.

yardstick [ˈjɑːrdstɪk] *n* criterio *m*, pauta *f*.

yarn [jɑːrn] *n* (*thread*) hilo *m*, hilaza *f*.

yawn [jɔːn] ◇ *n* (*when tired*) bostezo *m*. ◇ *vi* 1. (*when tired*) bostezar. 2. (*gap, chasm*) abrirse.

yd *abbr of* yard.

yeah [jeə] *adv inf* sí.

year [jɪər] *n* 1. (*gen*) año *m*; **he's 25 ~s old** tiene 25 años; **all (the) ~ round** todo el año. 2. (SCH) curso *m*; **he's in (his) first ~** está en primero. ♦ **years** *npl* (*ages*) años *mpl*; **it's ~s since I last saw you** hace siglos que no te veo.

yearly [ˈjɪərlɪ] ◇ *adj* anual. ◇ *adv* 1. (*once a year*) una vez al año. 2. (*every year*) cada año.

yearn [jɜːrn] *vi*: **to ~ for sthg/to do sthg** ansiar algo/hacer algo.

yearning [ˈjɜːrnɪŋ] *n*: **~ (for sb/sthg)** anhelo *m* (de alguien/algo).

yeast [jiːst] *n* levadura *f*.

yell [jel] ◇ *n* grito *m*, alarido *m*. ◇ *vt & vi* vociferar.

yellow [ˈjeloʊ] ◇ *adj* (*in colour*) amarillo(lla). ◇ *n* amarillo *m*.

yellow card *n* (FTBL) tarjeta *f* amarilla.

yelp [jelp] ◇ *n* aullido *m*. ◇ *vi* aullar.

yeoman of the guard [ˈjoʊmən-] (*pl* **yeomen of the guard** [ˈjoʊmən-]) *n* alabardero de la Casa Real británica.

yes [jes] ◇ *adv* sí; **to say ~** decir que sí; **to say ~ to sthg** consentir algo. ◇ *n* sí *m*.

yesterday [ˈjestərdɪ] ◇ *n* ayer *m*. ◇ *adv* ayer; **~ afternoon** ayer por la tarde; **the day before ~** anteayer.

yet [jet] ◇ *adv* 1. (*gen*) todavía, aún; **have you had lunch ~?** ¿has comido ya?; **their worst defeat ~** la mayor derrota que han sufrido hasta la fecha; **as ~** de momento, hasta ahora; **not ~** todavía OR aún no. 2. (*even*): **~ another car** otro coche más; **~ again** otra vez más; **~ more** aún más. ◇ *conj* pero, sin embargo.

yew [juː] *n* tejo *m*.

Yiddish [ˈjɪdɪʃ] ◇ *adj* yídish (*inv*). ◇ *n* yídish *m*

yield [jiːld] ◇ *n* 1. (AGR) cosecha *f*. 2. (FIN) rédito *m*. ◇ *vt* 1. (*gen*) producir, dar. 2. (*give up*) ceder. ◇ *vi* 1. (*shelf, lock etc*) ceder. 2. *fml* (*person, enemy*) rendirse; **to ~ to sb/sthg** claudicar ante alguien/algo. **3.** *Am* (AUT) *(give way):* '**~**' 'ceda el paso'.

YMCA *(abbr of* **Young Men's Christian Association)** *n* asociación internacional de jóvenes cristianos.

yoga ['jougə] *n* yoga *m*.

yogurt, yoghurt, yoghourt [*Am* 'jougərt, *Br* 'jɒgət] *n* yogur *m*.

yoke [jouk] *n* lit & fig yugo *m*.

yolk [jouk] *n* yema *f*.

you [stressed ju:, unstressed jə, before vowel jʊ] pers pron **1.** (subject - sg) tú, vos CAm & CSur; (- formal use) usted; (- pl) ustedes (pl) Amer, vosotros mpl, -tras fpl Esp; (- formal use) ustedes (pl); **~'re a good cook** eres/usted es un buen cocinero; **are ~ French?** ¿eres/es usted francés?; **~ idiot!** ¡imbécil!; **if I were** OR **was ~** si (yo) fuera tú/usted, yo en tu/su lugar; **excuse me, Madam, have ~ got the time?** perdone, señora, ¿tiene usted hora?; **there ~ are** (you've appeared) ¡ya estás/está usted aquí!; (have this) ahí tienes/tiene; **that jacket isn't really ~** esa chaqueta no te/le pega. **2.** (direct object - unstressed - sg) te; (- pl) los mpl, las fpl Amer, os Esp; (- formal use) lo m, la f; (- pl) los mpl, las fpl; **I can see ~** te/los veo; **yes, Madam, I understand ~** sí, señora, la comprendo. **3.** (direct object - stressed): **I don't expect** YOU **to do it** no te voy a pedir que TÚ lo hagas. **4.** (indirect object - sg) te; (- pl) les Amer, os Esp; (- formal use) le; (- pl) les; **she gave it to ~** te/se lo dio; **can I get ~ a chair, sir?** ¿le traigo una silla, señor? **5.** (after prep, in comparisons etc - sg) ti, vos CAm & CSur; (- pl) ustedes (pl) Amer, vosotros mpl, -tras fpl Esp; (- formal use) usted; (- pl) ustedes; **we shall go with/without ~** iremos contigo/sin ti, iremos con/sin ustedes (pl); **I'm shorter than ~** soy más bajo que tú/ustedes. **6.** (anyone, one) uno; **~ wouldn't have thought so** uno no lo habría pensado; **exercise is good for ~** el ejercicio es bueno.

- *You* se usa para nombres tanto en singular como en plural; además es independiente del grado de familiaridad que haya con la o las personas a quienes nos dirigimos.

- *You* sirve para referirse a personas en general, por ejemplo al dar o pedir instrucciones (*how do you get to the station?,* "¿cómo se llega a la estación?"). Hay una manera mucho más formal de expresar lo mismo con el pronombre *one* (*how does* <u>one</u> *get to the station?,* "¿cómo llega <u>uno</u> a la estación?").

you'd [stressed ju:d, unstressed jəd] = **you had, you would.**

you'll [stressed ju:l, unstressed jəl] = **you will.**

young [jʌŋ] ◇ adj (not old) joven. ◇ npl **1.** (young people): **the ~** los jóvenes. **2.** (baby animals) crías fpl.

younger ['jʌŋgər] adj: **Pitt the ~** Pitt el joven, Pitt hijo.

youngster ['jʌŋstər] n joven m y f.

your [stressed jɔ:r, unstressed jər] poss adj **1.** (everyday use - referring to one person) tu; (- referring to more than one person) su Amer, vuestro(tra) Esp; **~ dog** tu/su perro; **~ children** tus niños; **what's ~ name?** ¿cómo te llamas?; **it wasn't** YOUR **fault** no fue culpa tuya/suya; **you didn't wash ~ hair** no te lavaste/se lavaron el pelo. **2.** (formal use) su; **~ dog** su perro; **what are ~ names?** ¿cuáles son sus nombres? **3.** (impersonal - one's): **~ attitude changes as you get older** la actitud de uno cambia con la vejez; **it's good for ~ teeth/hair** es bueno para los dientes/el pelo; **~ average Englishman** el inglés medio.

- *Your* se usa para nombres tanto en singular como en plural; además es independiente del grado de familiaridad que haya con la o las personas a quienes nos dirigimos.

- Para referirnos a partes del cuerpo de otra u otras personas a quienes nos dirigimos, se emplea your y no el artículo the (<u>your</u> hair; <u>your</u> legs).

you're [jɔ:r] = **you are.**

yours [jɔ:rz] poss pron **1.** (everyday use - referring to one person) tuyo (tuya); (- referring to more than one person) suyo (suya) Amer, vuestro (vuestra) Esp; **that money is ~** ese dinero es tuyo/suyo; **those keys are ~** esas llaves son tuyas/suyas; **my car hit ~** mi coche chocó contra el tuyo/el suyo; **it wasn't her fault, it was** YOURS no fue culpa de ella sino TUYA/SUYA; **a friend of ~** un amigo tuyo/suyo. **2.** (formal use) suyo (suya). ◆ **Yours** adv (in letter) un saludo; see also **faithfully, sincerely** etc.

- *Yours* se usa para nombres tanto en singular como en plural, además es independiente del grado de familiaridad que haya con la o las personas a quienes nos dirigimos.

yourself [jər'self] (pl **-selves** [-'selvz]) pron **1.** (as reflexive - sg) te; (- pl) se

Y

Amer, os *Esp*; (- *formal use*) se; **did you hurt ~?** ¿te hiciste/se hizo daño? **2.** (*after prep - sg*) ti mismo(ma); (- *pl*) ustedes mismos(mas) *Amer*, vosotros mismos (vosotras mismas) *Esp*; (- *formal use*) usted mismo(ma); **with ~** contigo mismo/misma. **3.** (*for emphasis*): **you ~** tú mismo (tú misma); (*formal use*) usted mismo(ma); **you yourselves** ustedes mismos(mas) *Amer*, vosotros mismos (vosotras mismas) *Esp*; (*formal use*) ustedes mismos(mas). **4.** (*without help*) solo(la); **did you do it (by) ~?** ¿lo hiciste solo?

youth [juːθ, *pl* juːðz] *n* **1.** (*gen*) juventud *f*. **2.** (*boy, young man*) joven *m*.

youth club *n* club *m* juvenil.

youthful ['juːθfl] *adj* juvenil.

youth hostel *n* albergue *m* juvenil.

you've [*stressed* juːv, *unstressed* jəv] = you have.

YTS (*abbr of* **Youth Training Scheme**) *n* programa gubernamental de promoción del empleo juvenil en Gran Bretaña.

Yugoslavia [ˌjuːgoʊˈslɑːvɪə] *n* Yugoslavia.

yuppie, yuppy ['jʌpɪ] (*abbr of* **young urban professional**) *n* yuppy *m* y *f*.

YWCA (*abbr of* **Young Women's Christian Association**) *n* asociación internacional de jóvenes cristianas.

Z

z (*pl* **z's** OR **zs**), **Z** (*pl* **Z's** OR **Zs**) [*Br* zed, *Am* ziː] *n* (*letter*) z *f*, Z *f*.

Zambia ['zæmbɪə] *n* Zambia.

zany ['zeɪnɪ] *adj inf* (*humour, trick*) disparatado(da); (*person*) loco(ca).

zeal [ziːl] *n fml* celo *m*.

zealous ['zeləs] *adj fml* entusiasta.

zebra [*Am* 'ziːbrə, *Br* 'zebrə] (*pl inv* OR **-s**) *n* cebra *f*.

zebra crossing *n Br* paso *m* cebra.

zenith [*Am* 'ziːnəθ, *Br* 'zen-] *n* (ASTRON & *fig*) cenit *m*.

zero ['zɪəroʊ] (*pl inv* OR **-es**) ◇ *adj* cero (*inv*), nulo(la). ◇ *n* cero *m*.

zest [zest] *n* (*U*) **1.** (*excitement, eagerness*) entusiasmo *m*. **2.** (*of orange, lemon*) cáscara *f*.

zigzag ['zɪgzæg] ◇ *n* zigzag *m*. ◇ *vi* zigzaguear.

Zimbabwe [zɪm'bɑːbwɪ] *n* Zimbabue.

zinc [zɪŋk] *n* cinc *m*, zinc *m*.

zip [zɪp] *n Br* = **zipper**. ♦ **zip up** *vt sep* cerrar la cremallera de.

zip code *n Am* código *m* postal.

zip fastener *Br* = **zip**.

zipper ['zɪpər] *n Am* cremallera *f*, cierre *m Amer*, zíper *m Méx*.

zodiac ['zoʊdɪæk] *n*: **the ~** el zodiaco.

zone [zoʊn] *n* zona *f*.

zoo [zuː] *n* zoo *m*.

zoology [zoʊˈɒlədʒɪ] *n* zoología *f*.

zoom [zuːm] *vi inf* (*move quickly*): **to ~ past** pasar zumbando.

zoom lens *n* zoom *m*.

zucchini [zuːˈkiːnɪ] (*pl inv*) *n Am* calabacín *m*, zapallito *m CSur*, calabacita *f Méx*.

Esta obra se terminó de imprimir y encuadernar en mayo de 2003
en Gráficas Monte Albán, S.A. de C.V., Fraccionamiento
Agro-Industrial La Cruz, Querétaro, Qro.

La edición consta de 45 000 ejemplares